I
Delyth
gwraig a mam

D. GERAINT LEWIS
NUDD LEWIS

Gomer

Cyhoeddwyd gyntaf yn 2016 gan
Wasg Gomer, Llandysul, Ceredigion, SA44 4JL
www.gomer.co.uk

ISBN 978 1 84323 785 3

 y testun: D. Geraint Lewis, 2016

Ariennir yn rhannol gan Lywodraeth Cymru fel rhan o'i rhaglen gomisiynu
adnoddau addysgu a dysgu Cymraeg a dwyieithog.

Cyhoeddwyd dan nawdd Cynllun Adnoddau Addysgu a Dysgu CBAC.

Argraffwyd a rhwymwyd yng Nghymru gan
Wasg Gomer, Llandysul, Ceredigion.

Rhagair

Geiriadur Cymraeg Gomer – teitl twyllodrus o syml ar gyfrol ryfeddol o gyfoethog. Disgwyliwn lawer gan ein geiriaduron: egluro ystyron amrywiol geiriau; cynnig geiriau cyfystyr Cymraeg a Saesneg; dangos sut y defnyddir geiriau mewn priod-ddulliau ac ymadroddion; esbonio gramadeg enw, ansoddair, rhagenw, arddodiad a berf; datrys problem 'sut mae sillafu . . . ?', a hyn oll gyda'r safonau uchaf fel y gallwn ymddiried ynddynt. Ac mewn cymdeithas ddwyieithog, gorau oll os gall geiriadur ateb y cwestiwn 'Beth yw'r gair Cymraeg am . . . ?' Ond pa eiriau? Mae iaith fyw nid yn unig yn tynnu ar ei gorffennol ond yn barhaus yn creu geiriau a thermau ac ystyron newydd. Disgwyliwn i eiriadur fod yn gyfoes, yn gydymaith i addysg Gymraeg heddiw a'r byd technolegol modern. Mynnwn lawer gan eiriaduron.

Yr wyf wedi cael cyfle i bori yn y geiriadur hwn a rhyfeddu at gyfoeth y cynnwys ac fel y mae ystyr a defnydd, hanes a chyfoesedd, yn ymbriodi â'i gilydd mor effeithiol. Un o'n geiriadurwyr mwyaf profiadol yw D. Geraint Lewis ac y mae tystiolaeth amlwg i hynny yn y geiriadur hwn. Y mae'r gwaith wedi tyfu o'i gynnyrch blaenorol, yn eiriaduron, geirfâu, rhestrau a chanllawiau gramadeg, nes aeddfedu yn uchafbwynt yn y geiriadur hwn. Yn sicr, y mae ôl hir brofiad a dysgu i'w weld yn glir yn y llyfr hwn ond nid digon hynny i esbonio'r ymroddiad; y mae angen mwy na phrofiad a gwybodaeth i ddyfalbarhau i gwblhau tasg fel hon. Pennaf anghenraid geiriadurwr, gallwn dybio, yw diléit mewn geiriau, ymhyfrydu mewn iaith a dotio at amrywiaeth diddiwedd dulliau ymadroddi llenyddiaeth llawer cyfnod a llafar llawer ardal. Dyna sydd yn egluro dygnwch llawen Geraint Lewis tros y blynyddoedd a thrwy'r fenter hon. Mawr yw ein diolch a'n dyled iddo.

BRYNLEY F. ROBERTS

Cynnwys

Diolchiadau

Mae'r diolch pennaf i John Lewis, Gwasg Gomer, am ymgymryd â'r project yma yn y cyfnod yn dilyn cyhoeddi *Geiriadur Gomer i'r Ifanc*. Glynodd wrth y project drwy gyfnodau'r hirlwm pan nad oedd grantiau ar gael ar gyfer geiriaduron, hyd nes i waredigaeth ddod o du CBAC (Cyd-bwyllgor Addysg Cymru) ac AADGOS (Adran Addysg, Dysgu Gydol Oes a Sgiliau, Llywodraeth Cynulliad Cymru). Bu cefnogaeth mab John, Jonathan Lewis, yr un mor frwd.

Tîm bach o bobl sydd wedi bod ynghlwm wrth y project hwn ac ni fyddai wedi dwyn ffrwyth oni bai am eu hymrwymiad digymrodedd.

Yng Ngwasg Gomer, Mairwen Prys Jones a Dr Dyfed Elis-Gruffydd; bu Dyfed yn gymar ac yn gynhaliwr hanfodol i mi ar hyd y daith hyd at ei ymddeoliad yn 2013. Bu Bethan Mair yn gydlynydd y project am gyfnod a bu'n allweddol o ran gwneud rhai o'r penderfyniadau cynnar. Dylan Williams a gymerodd yr awenau yn dilyn Mairwen Prys Jones; Elinor Wyn Reynolds a lywiodd y gyfrol drwy'r wasg. Hoffwn hefyd gydnabod cyfraniad Louise Jones, Meryl Roberts a Sioned Wyn i'r project, yn ogystal â phawb a fu'n dylunio, argraffu, rhwymo a marchnata'r gyfrol fwyaf a gyhoeddwyd gan Wasg Gomer erioed.

Gwasg Gomer hefyd a fentrodd dderbyn y gronfa ddata a grewyd gan fy mab Nudd Lewis yn sylfaen i'r geiriadur hwn. Heb y rhaglen rymus hon, sydd wedi arwain at ffyrdd newydd o weithio a gwirio, ni fyddai wedi bod yn bosibl creu'r geiriadur.

Partneriaid hanfodol eraill sydd wedi gwneud y gwaith hwn yn bosibl yw AdAS (Adran Addysg a Sgiliau, Llywodraeth Cymru) a CBAC. Partneriaeth â CBAC a arweiniodd at *Geiriadur Gomer i'r Ifanc*; partneriaeth â CBAC ac ACCAC (Awdurdod Cymwysterau, Cwricwlwm ac Asesu Cymru) a arweiniodd at *Geiriadur Cynradd Gomer*; a CBAC ac AADGOS a gomisiynodd *Mewn Geiriau Eraill: Thesawrws i Blant*; *Geiriadur Pinc a Glas Gomer*; *Geiriadur Mor, Mwy, Mwyaf Gomer* a *Geiriadur Gwybod y Geiriau Gomer*. Yn *Geiriadur Cymraeg Gomer* y gwelir efallai benllanw'r bartneriaeth hon a rhaid talu teyrnged i ymrwymiad Alun Treharne, CBAC, a Dr John Lloyd, AADGOS i'r project. Bu swyddogion AdAS, Ann Evans, Rhiannon Jenkins, Sarita Marshall a Heledd Morgan, yn gefn i'r project yn ystod ei flynyddoedd olaf. Nodaf yn benodol fy ngwerthfawrogiad a'm hedmygedd mawr o waith manwl, trylwyr ac allweddol Susan Jenkins, CBAC, bob cam o'r daith ac yna o waith dwys Mair Treharne, CBAC, ar ddiwedd y project.

Ymunodd Glenys Mair Roberts, a fu'n allweddol i lwyddiant *Geiriadur Gomer i'r Ifanc*, â'r tîm a bwriodd ati â'i thrylwyredd nodweddiadol. Ar ôl i Dr Dyfed Elis-Gruffydd ymddeol, manteisiwyd ar gyfraniad Gwenda Lloyd Wallace at waith y tîm.

Mae Nudd, fy mab, wedi gweithio ochr yn ochr â mi ddydd, gŵyl a gwaith yn ystod blynyddoedd olaf y project ac ni fyddwn wedi dod i ben hebddo. Ond am bob mefl a bai a erys, fy eiddo i ydynt.

Diolch i'r canlynol a wiriodd gofnodion yn perthyn i feysydd arbenigol:

Elin Angharad	Ian Gillam
Iwan Bala	Gwydion Gruffydd
Gwyn Bere	Anona Harries
Alun Wyn Bevan	Dr Rhisiart Hincks
Dr Carl Clowes	Dr Ifan Hughes
Dr Charlotte Aull Davies	Dr R. Elwyn Hughes
Dr John S. Davies	Penri James
Dr Dyfed Elis-Gruffydd	Dr David Jenkins
Walford Gealy	Dylan Huw Jones

Yr Athro Richard Wyn Jones

Yr Athro Robert Owen Jones, OBE

Yr Athro J. Gwynfor Jones

Siân Wynn Lloyd-Williams

Dr Rhys Morris

Alwyn Owens

Yr Athro Gwynedd Parry

John Petty

Ken Richards

Elen Roberts

Dr Guto Roberts

Yr Athro H. Gareth Ff. Roberts

Yr Athro Brynley F. Roberts

Sel Roberts

Yr Athro John Rowlands

Roy Thomas

Wyn Thomas

Dr Enlli Thomas

Megan Williams

Diolch hefyd i'r canlynol am ddarllen swp o destun:

Catrin Beard

Ellen Angharad Evans

Ruth Dennis-Jones

Meg Elis

Marian Beech Hughes

Dr Elin Meek

Dr Ann Parry Owen

Siwan Non Richards

Yr Athro Brynley F. Roberts

Elen Roberts

Sarah Down Roberts

Siân Eleri Roberts

Alun Treharne

Sioned Treharne

Rwy'n ddiolchgar iawn i Pat Donovan am ei gyngor wrth inni geisio gosod rhai egwyddorion ar gyfer llunio'r geiriadur. Mae'r gyfrol ar ei helw oherwydd ei gyfraniad gwerthfawr.

Hoffwn gydnabod fy nyled i Sabine Asmus a'i chyfrol (o dan yr enw Sabine Heinz), *Welsh Dictionaries in the Twentieth Century: A Critical Analysis* (Lincom Europa, München, 2002). Yn y gyfrol mae'n tynnu sylw at y ffaith nad yw geiriaduron Cymraeg yn rhoi digon o sylw i holl deithi'r Gymraeg. Wrth ddarllen dadansoddiad trefnus a threiddgar Dr Heinz, fe'm gorfodwyd i feddwl sut orau i'w cynnwys yn y geiriadur hwn.

Cydnabyddaf yn llawen fy nyled i bedair ffynhonnell amhrisiadwy arall, sef *Geiriadur Prifysgol Cymru* (Gwasg Prifysgol Cymru, Caerdydd, 1950–), *Geiriadur Prifysgol Cymru Ar Lein* (2015), fersiwn ar-lein *Geiriadur yr Academi* (2015), fersiwn ar-lein *Y Termiadur Addysg*, a Peter Wynn Thomas, *Gramadeg y Gymraeg* (Gwasg Prifysgol Cymru, Caerdydd, 1996).

D. GERAINT LEWIS

Sut i Ddefnyddio'r Geiriadur

Pennawd

cadarnle *eg* (cadarnleoedd)
1 man caerog, man wedi'i amddiffyn;
amddiffynfa, caer fortress, stronghold

**Pennawd term
yn cynnwys
label maes**

cochlea *eg* (cochleâu) ANATOMEG y rhan o glust
fewnol mamolion sy'n ymgordeddu fel cragen
falwen ac sy'n rhan hanfodol o'r synnwyr clyw;
cogwrn y glust cochlea

**Pennawd gair
brodorol**

cogwrn y glust cochlea; y rhan o glust fewnol
mamolion sy'n ymgordeddu fel cragen falwen
ac sy'n rhan hanfodol o'r synnwyr clyw cochlea

**Y term
addysgol**

**Pennawd gair
estron**

gavotte *eg* CERDDORIAETH dawns Ffrengig
gymedrol ei chyflymder a oedd yn boblogaidd
yn y ddeunawfed ganrif; fe'i cysylltir â llys
Louis XIV

**Penawdau
homonymau
â rhan
ymadrodd
wahanol**

gwib[1] *eb* (gwibiau) symudiad cyflym, rhuthr
sydyn flash, rush, sprint
ar wib ar ruthr, *dyma fe heibio ar wib*
full speed, in a rush
gwib[2] *ans* yn symud yn gyflym iawn, e.e. seren
wib shooting (star)
Sylwch: nid yw'n arfer cael ei gymharu.

**Pennawd sy'n
croesgyfeirio**

mesul gw. fesul

**Penawdau
cyfystyr
(y cyntaf yw'r
mwyaf cyfarwydd)**

pam:paham *adf* Am ba reswm?, I ba bwrpas?;
fe'i defnyddir er mwyn gofyn cwestiwn, *Pam
rwyt ti yma?* why, wherefore
Sylwch: pam mae (nid *pam fod*) *yw'r ffurf
safonol.*

tylluan *eb* (tylluanod) un o nifer o fathau o adar
ysglyfaethus y nos sydd â llygaid mawr ac sy'n
hedfan yn ddistaw; gwdihŵ owl
tylluan fach tylluan fach dew sydd â llygaid
melyn a phlu llwydfrown a smotiau gwyn
drostynt little owl

**Isbenawdau
(o dan
bennawd)**

tylluan frech tylluan gyffredin â chefn llwyd
neu lwydfrown a bol golau tawny owl
tylluan wen tylluan liw golau â chefn smotiog
orenfrown ac wyneb gwyn siâp calon barn owl

	iechyd[1] *eg*	
	1 y cyflwr o fod yn iach, o fod heb afiechyd na niwed health	
	2 cyflwr y corff, *Nid yw ei iechyd yn dda iawn y dyddiau 'ma.* health	
	iechyd meddwl cyflwr meddwl person sy'n effeithio'n gadarnhaol ar ei deimladau a'i ymddygiad mental health	
	Ymadrodd	
Ymadrodd (o dan bennawd)	**iechyd da** cyfarchiad neu lwncdestun cyn yfed (diod feddwol, fel arfer) cheers, good health	
Rhan ymadrodd	**draenog** *eg* (draenogod) mamolyn bach sy'n hela pryfed yn ystod y nos; mae ganddo orchudd o bigau ac mae'n ei rolio'i hun yn belen bigog amddiffynnol pan fydd unrhyw awgrym o berygl hedgehog	
Ffurf luosog enw	**llythyren** *eb* (llythrennau) un o'r arwyddion ysgrifenedig sy'n cynrychioli sain ar lafar, un o arwyddion yr wyddor letter, character	
Bôn berf Rhif patrwm y ferf yn 'Y Tabl Berfau'	**ceisio** *be* [ceisi•² 3 *un. pres.* cais/ceisia; 2 *un. gorch.* cais/ceisia] **1** rhoi cynnig ar, gwneud eich gorau; trio, ymdrechu to try, to attempt **2** gwneud cais am, gofyn am, chwilio am; deisyf, holi, ymofyn (~ *rhywbeth* **gan** *rywun*) to request, to seek, to ask for	Ffurfiau berfol sy'n eithriadau
Bôn ansoddair	**hurt** *ans* [hurt•] *anffurfiol* annoeth iawn; chwerthinllyd, disynnwyr, gwirion, twp silly, stupid, stupified **edrych yn hurt** edrych (ar rywbeth) yn syfrdan to look aghast	
Ffurf fenywaidd ansoddair	**crwm** *ans* [crym• *b* crom] (crymion) crwn fel ymyl cylch neu belen, yn crymu; amgrwm, bwaog curved, bowed, domed	Ffurf luosog ansoddair
	pleidleisio *be* [pleidleisi•²] dynodi dewis yn ffurfiol drwy wneud marc ar ddarn o bapur yn gyfrinachol, neu godi llaw neu weiddi o blaid neu yn erbyn mewn cyfarfod; bwrw pleidlais (~ **dros**; ~ **yn erbyn**) to vote, to ballot, to poll	
		Arddodiaid sy'n dilyn y pennawd

Label defnydd

cyweithas *eg hynafol* cwmni, cymdeithas, cwmnïaeth fellowship

Label maes term

plecsws *eg* ANATOMEG rhwydwaith o nerfau neu bibellau y tu mewn i'r corff plexus

Diffiniad

ffenics *eg* aderyn chwedlonol prydferth y credai pobl ei fod yn byw am bum can mlynedd ac yna'n ei losgi ei hun yn goelcerth er mwyn cael ei aileni o'r llwch yn ifanc a phrydferth drachefn phoenix

Rhestr o ddiffiniadau (**1** yw'r ystyr fwyaf cyffredin)

triniaeth *eb* (triniaethau)
1 y ffordd neu'r modd y mae rhywun neu rywbeth yn cael ei drin; ymdriniaeth treatment
2 dull neu foddion a ddefnyddir i drin rhywun yn feddygol treatment
triniaeth lawfeddygol torri i mewn i'r corff er mwyn gwella neu gael gwared ar ddarn afiach neu glwyfedig operation

Enghraifft o ddefnydd

gwirioni *be* [gwirion•1] syrthio mewn cariad â rhywun neu rywbeth nes colli pob synnwyr cyffredin, *Mae hi wedi gwirioni ar y CD newydd yna.*; dotio, dwlu, ffoli, mopio, mwydro (~ **ar**) to be infatuated, to be obsessed, to dote

Y term addysgol

pigwrn *eg* (pigyrnau)
1 ffêr; y cymal yn y corff sy'n cysylltu'r troed wrth y goes; migwrn, swrn ankle
2 ANATOMEG cell ar ffurf côn sy'n ymateb i liwiau a golau yn retina'r llygad cone

Geiriau cyfystyr

syndod *eg* y teimlad a achosir gan rywbeth hollol annisgwyl; teimlad o ryfeddod sydd, fel arfer, yn gysylltiedig ag edmygedd a chwilfrydedd; rhyfeddod (~ **o**) surprise, amazement

Geiriau Saesneg sy'n cyfateb i'r diffiniad (y gair agosaf o ran ystyr sy'n dod gyntaf)

hydoddi *be* [hydodd•1] CEMEG gwneud neu fynd yn hydoddiant wrth gyfuno sylwedd hydawdd â hylif (hydoddydd), *Mae dŵr glaw yn hydoddi calchfaen ac mae siwgr yn hydoddi mewn dŵr.* to dissolve

Nodyn i dynnu sylw at ddefnydd arbenigol neu anarferol gair

Sylwch: (yn dechnegol) toddi = solid yn troi'n hylif o gael ei wresogi; ymdoddi = troi o fod yn solid i fod yn hylif; hydoddi = sylwedd hydawdd yn troi'n hylif o gael ei gymysgu â hylif.

Trefn y cofnodion

Mae penawdau cofnodion y geiriadur wedi'u gosod yn bennaf yn nhrefn yr wyddor Gymraeg, sef:

a b c ch d dd e f ff g ng h i j l ll m n o p ph r rh s t th u w y

Yn Gymraeg, mae angen gwahaniaethu rhwng geiriau sy'n cynnwys yr *ng* arferol – **angerdd**, **angor**, etc. a'r ychydig eiriau sy'n cynnwys y cyfuniad *n+g* e.e. **bangor**, **byngalo** gan fod y cyfuniad hwn yn dilyn *N* yn nhrefn yr wyddor, nid *G*.

Ymhlith y cofnodion, mae geiriau benthyg ac ymadroddion nad ydynt yn Gymraeg, a chofnodir y geiriau hyn yn nhrefn yr wyddor Saesneg, er enghraifft daw **chaconne**, **chiarascuro**, **Chilead**, **Chineaidd** o dan *C* yn y geiriadur (nid o dan *Ch*); **Fahrenheit** o dan *F*; **angina**, **Angolaidd**, **Bangladeshaidd**, **cangarŵ** o dan *n-g* (nid o dan *Ng*).

Cyflwyniad i Nodweddion *Geiriadur Cymraeg Gomer*

Y cymhelliad i lunio *Geiriadur Cymraeg Gomer* oedd nad oedd un geiriadur cyflawn ar gael a oedd yn diffinio geiriau yn Gymraeg. O edrych am 'brithwaith' mewn geiriadur a chael y gair Saesneg 'tessellation', roedd rhaid troi wedyn at eiriadur Saesneg i ddeall beth oedd 'tessellation' – *for Welsh see English*.

Yr ail gymhelliad oedd fy awydd i nodi'r ffurfiau Cymraeg hynny yr oeddwn i fel dysgwr wedi methu dod o hyd iddynt mewn geiriaduron traddodiadol: ffurfiau lluosog, e.e. 'dagrau', 'brodyr'; ffurfiau berfol, e.e. 'erys', 'ceir'; ffurfiau ansoddeiriol, e.e. 'teced', 'braith'. Dyma'r ffurfiau anghyfarwydd y down ar eu traws wrth ddarllen. Wrth lunio cyfrolau ar agweddau gramadegol, daeth yn fwyfwy amlwg i mi fod angen i'r sawl oedd yn chwilio am ateb i gwestiwn ieithyddol wybod yr ateb cyn gwybod lle i droi mewn llyfr gramadeg. A dyna ddechrau cynnwys gwybodaeth ramadegol yn y geiriadur hwn fesul gair.

Fy mwriad cychwynnol wrth lunio'r geiriadur hwn oedd cynhyrchu geiriadur Cymraeg ar gyfer oedolion. Byddai'n cynnwys ffurfiau safonol a chyfoes ynghyd â diffiniadau o'u hystyron. Tua'r un pryd roedd AADGOS a CBAC yn gweld yr angen am eiriadur esboniadol safonol a fyddai'n addas ar gyfer myfyrwyr ysgolion uwchradd a cholegau a oedd yn astudio drwy gyfrwng y Gymraeg. Er mwyn cyrraedd y gynulleidfa hon, bu'n rhaid cynnwys y termau arbengol sy'n angenrheidiol wrth drafod meysydd penodol. I adnabod y rhain, defnyddiwyd manylebau pynciau CBAC hyd at TGAU, a'r gwaith allweddol a gyflawnwyd yn Delyth Prys, J. P. M. Jones, Owain Davies, Gruffudd Prys, *Y Termiadur* (ACCAC, 2006) ac yn *Y Termiadur Addysg* ar lein.

Un cam yn y broses oedd labelu'r maes (neu'r meysydd) penodol yr oedd pob term yn perthyn iddo. Cam arall oedd sicrhau bod y diffiniad yn gweddu i'r maes. I'r perwyl hwn mae'n braf cofnodi cydweithrediad hapus a hael yr arbenigwyr maes a enwir yn y Diolchiadau.

Yn sgil llunio *Y Llyfr Berfau* roeddwn yn ymwybodol bod patrwm i rediad y berfau Cymraeg. Gyda chymorth cychwynnol Dr Rhisiart Hincks, ac yna yr Athro R.O. Jones a Mair Treharne, hoffwn feddwl ein bod wedi gallu adnabod a chrynhoi trefn y system ferfol gyfoes. Mae'r patrymau berfol i'w gweld yn 'Y Tabl Berfau'.

Hyderir y bydd y geiriadur yn gymorth ac yn ganllaw gwerthfawr i fyfyrwyr sy'n dilyn cyrsiau drwy gyfrwng y Gymraeg ac yn arf i feithrin hyder pobl ifanc yn eu defnydd o'r iaith.

PA FATH O EIRIADUR?

Geiriadur syncronig, cyfoes yw'r geiriadur hwn. Mae'n canolbwyntio'n bennaf ar Gymraeg heddiw.

Mae'r cofnodion yn diffinio ystyr geiriau Cymraeg yn Gymraeg, gan nodi geiriau cyfystyr Cymraeg a'r gair neu'r geiriau Saesneg (lle mae gair Saesneg cyfatebol).

Geiriadur rhagnodol yw hwn:

- Mae'n defnyddio ffurfiau *Geiriadur Prifysgol Cymru*.
- Mae'n canolbwyntio ar ffurfiau safonol ffurfiol a ffurfiau safonol anffurfiol yr iaith (gweler y rhain ar waith yn 'Y Tabl Berfau').
- O ran cenedl enw, mae'n ceisio cofnodi'r genedl amlaf ei defnydd.
- Ym maes termau, mae'n defnyddio ffurfiau'r *Termiadur Addysg* a'r ffurfiau a ddefnyddir ym manylebau ac adnoddau CBAC.

Mae'n cynnwys 'English–Welsh Glossary'. Llwybr arall at y geiriadur Cymraeg yw hwn, yn hytrach na geiriadur Saesneg–Cymraeg.

Gan mai geiriadur Cymraeg yw hwn, cyflwynir gwybodaeth am deithi arbennig y Gymraeg. Yn wahanol i'r Saesneg, mae'r Gymraeg yn iaith sy'n gwneud defnydd helaeth o ffurfdroadau, a'r canlyniad yw fod rhai o'r cofnodion yn edrych ychydig yn wahanol i eiriaduron eraill, e.e. **gadawaf** *bf* [**gadael**] rwy'n gadael; byddaf yn gadael; **meirw**[1]:**meirwon** *ans* ffurf luosog **marw**.

Mae geiriadur yn ei hanfod yn ceisio gosod trefn ar iaith drwy ei dosbarthu'n rhannau ymadrodd gwahanol. Ond, fel dŵr bywiol, mae iaith yn llifo lle y mynn ac ni all rheolau gramadeg ei chyfyngu. Mae'r adran 'Sut i Ddefnyddio'r Geiriadur' yn rhoi canllaw hwylus sy'n crynhoi nodweddion y geiriadur a sut i gael y defnydd gorau ohono. Mae'r adrannau dilynol yn manylu ar y nodweddion hyn.

YR ENW

Mae dau fath o enw yn Gymraeg:

Enw priod: enw yw hwn a roddir ar unigolyn, gwlad, cwmni, etc. Gan amlaf mae'n dechrau â phriflythyren, e.e. **Dafydd, Cymru, y Llyfrgell Genedlaethol**. Nid yw enwau priod yn cael eu cynnwys yn y geiriadur ac eithrio weithiau mewn byrfoddau, e.e. **S4C** (Sianel Pedwar Cymru), ac wrth egluro enwau pobloedd neu ansoddeiriau yn deillio o enwau gwledydd.

Enw cyffredin: cyfeiria enw cyffredin at rywbeth gweladwy, diriaethol, e.e. cwpan, neu at rywbeth haniaethol, na ellir ei weld, e.e. **doethineb**. Mae gan yr enw cyffredin yn Gymraeg ffurfiau unigol a lluosog. Gall rhai enwau fodoli yn y naill ffurf neu'r llall yn unig; nodir hyn yn y geiriadur.

Enwau gwledydd
Ni chynhwysir enwau gwledydd yn benawdau annibynnol yn y geiriadur, ond gan fod enwau pobloedd a ffurfiau ansoddeiriol yn cael eu cynnwys, bydd enw'r wlad yn ymddangos yn niffiniad y penawdau hynny.

Bydd ffurfiau Cymraeg cydnabyddedig ar wledydd yn treiglo yn ôl rheolau arferol y Gymraeg, e.e. *o Bortiwgal*. Os nad yw'r ffurf gydnabyddedig Gymraeg yn *Yr Atlas Cymraeg Newydd*, ni fydd enw gwlad yn treiglo, e.e. *o Pakistan*. Yn achos ychydig o enghreifftiau, sydd fel arfer yn dechrau ag C, yr arfer yw treiglo, e.e. *yng Nghanada, i Gambodia, o Frasil*.

Ystyrir ffurfiau enwol sy'n seiliedig ar enw gwlad, e.e. **Pwyliad**, a ffurfiau ansoddeiriol tebyg, e.e. **Pacistanaidd**, yn darddeiriau Cymraeg y gellir eu treiglo.

Rhif

Enwau rhifadwy (enwau â ffurf luosog)
Mae modd cyfrif y rhan fwyaf o enwau, ac mae'r ffurf luosog yn dangos bod mwy nag un o rywbeth.

Mae'r amryfal ffyrdd o lunio lluosog yr enw yn Gymraeg yn arwain at ffurfiau lluosog sy'n eithaf gwahanol i'w gilydd, e.e. **cŵn** (ci), **ceir** (car), **elyrch** (alarch), **dagrau** (deigryn). Yn y geiriadur mae cofnod enw yn cynnwys y ffurf luosog lawn. Yn achos ffurfiau lluosog lle mae cryn wahaniaeth rhyngddynt a'r ffurf unigol (fel uchod), nodir y ffurf luosog yn bennawd annibynnol hefyd.

Enwau anrhifadwy (heb ffurf luosog)
Ni cheir ffurf luosog i rai enwau yn y geiriadur. Enwau anrhifadwy – enwau na ellir eu cyfrif – yw'r rhain.

Enwau haniaethol: mae llawer o enwau haniaethol yn enwau heb ffurf luosog, e.e. **llawenydd, tristwch, tywydd.** Er nad oes gan enwau haniaethol ffurf luosog fel arfer, mewn rhai cyd-destunau – o newid yr ystyr – mae'n bosibl cyfrif enw haniaethol, e.e. **chwant** (chwantau), **pryder** (pryderon).

Enwau cynnull: mae enwau cynnull, sef enwau ar sylweddau neu hylifau sy'n cael eu trin fel un uned, e.e. **mêl, olew, llaeth, menyn,** etc. yn enwau heb ffurf luosog. Er nad oes gan enwau cynnull ffurf luosog fel arfer, mewn rhai cyd-destunau – o newid yr ystyr – mae'n bosibl eu cyfrif, e.e. **caws** (cawsiau), **dŵr** (dyfroedd), **cig** (cigoedd), etc.

Enwau torfol: yn eu ffurf unigol, mae enwau torfol yn cyfeirio at gasgliad o bobl, creaduriaid neu bethau. Pan fydd enwau torfol yn cyfeirio at grŵp unigryw, e.e. **y cyhoedd, y wasg** (papurau newydd, etc.), **y werin, yr Orsedd** (eisteddfodol), nid oes modd eu cyfrif ac ni fydd ffurf luosog.

Enwau sy'n gallu cael eu trin fel ffurfiau unigol neu luosog

Mae rhai enwau torfol, e.e. **tîm, pwyllgor,** etc. weithiau'n gweithredu'n gystrawennol fel un grŵp cyfansawdd ac weithiau fel nifer o unigolion, e.e. *Cyfarfu'r pwyllgor yn y bore i gwblhau ei drafodaethau; aethant i ginio am un o'r gloch.*

Enwau lluosog heb ffurfiau unigol

Yn y categori hwn, ceir enwau lluosog fel **creision, trigolion, bonedd, gwartheg,** etc.

Enwau byd natur

Mae awgrym yn ffurf enwau rhai anifeiliaid a phlanhigion eu bod yn cael eu hystyried yn wreiddiol yn grŵp neu'n uned anodd gwahaniaethu rhyngddynt, e.e. **moch, adar, morgrug, pysgod, had, ceirios.** Felly hefyd enwau coed, e.e. **derw, onn, bedw, gwern, helyg.** Yn achos yr enwau hyn, llunnir ffurfiau unigol drwy ychwanegu'r terfyniad *-yn* (gwrywaidd) neu *-en* (benywaidd), e.e. **mochyn, aderyn, derwen, bedwen,** etc. Mae rhai o'r ffurfiau lluosog hyn, mewn enwau lleoedd, yn troi yn enwau torfol benywaidd, e.e. **y wern, y dderi, y gors, y fedw.**

Cenedl

Rhaid gwahaniaethu rhwng cenedl enw a rhyw gwrthrych. Gan bethau byw yn unig y mae rhyw. Ond mae gan bob enw unigol yn Gymraeg un o ddwy genedl, sef gwrywaidd neu fenywaidd.

Cenedl a rhyw

Yn aml, mae cenedl a rhyw yn cyfateb, e.e. **gŵr** *eg,* **gwraig** *eb;* **brawd** *eg,* **chwaer** *eb;* **march** *eg,* **caseg** *eb.* Ond nid yw rhyw a chenedl yn cyfateb bob tro: mae **ceffyl** yn enw gwrywaidd ond fe'i defnyddir wrth gyfeirio at farch ac at gaseg; mae **cath** yn enw benywaidd ond fe'i defnyddir wrth sôn am wrcath a chath fenyw; ac er bod enwau niwtral sy'n cyfeirio at berson fel arfer yn rhai gwrywaidd, e.e. **disgybl, person, plentyn,** eto i gyd cenedl ramadegol fenywaidd sydd i **cennad,** boed y gennad honno'n fachgen neu'n ferch.

Enwau heb un genedl benodol

Mae cenedl ychydig o enwau Cymraeg yn newid yn ôl rhyw y gwrthrych, a hynny'n groes i'r patrwm arferol, e.e. **dyweddi, nyrs.** Rhyw'r person y cyfeirir ato sy'n pennu'r genedl, e.e. *nyrs caredig* (gwryw), *nyrs garedig* (benyw).

Enwau â chenedl ramadegol rannol

Mae cenedl ychydig o enwau gwrywaidd, e.e. **cariad, priod, enaid,** etc. yn newid mewn ambell gyd-destun gramadegol. Er mai gwrywaidd yw cenedl yr enwau hyn yn dilyn y fannod yn ddieithriad, gellir treiglo'r ansoddair sy'n eu dilyn pan gyfeiriant at wraig neu ferch, e.e. *fy nghariad brydferth, f'enaid dlos.*

Enwau sy'n amrywio eu cenedl yn ôl yr ystyr
Mae ambell enghraifft lle mae newid cenedl enw yn dynodi newid yn ystyr yr enw, e.e. **coes** *eb* (aelod o'r corff) *coes dde*, **coes** *eg* (darn sy'n cynnal cadair, bwrdd, etc.) *coes byr*; **ewyllys** *eb* (dogfen gyfreithiol) *ewyllys ddilys*, **ewyllys** *eg* (dymuniad) *ewyllys rhydd*; **golwg** *eg* (y synnwyr) *nam ar y golwg* a **golwg** *eb* (pryd a gwedd) *golwg bryderus*.

Enwau sy'n amrywio eu cenedl yn ôl tafodiaith
Lle nodir *egb* neu *ebg* yn dilyn enw, arwyddocâd hyn yw fod yr enw'n cael ei drin yn wrywaidd mewn rhai ardaloedd ac yn fenywaidd mewn ardaloedd eraill. Gall defnyddiwr y geiriadur benderfynu pa genedl y mae'n ei mabwysiadu a glynu wrth honno; nid yw'n golygu y gall newid cenedl yn fympwyol. Efallai mai'r enghraifft amlycaf yw'r enw **munud** sy'n enw gwrywaidd yng ngogledd Cymru ac yn enw benywaidd yn ne Cymru.

Enwau sydd naill ai'n wrywaidd neu'n fenywaidd
Mae nifer o enwau yn gallu bod naill ai'n wrywaidd neu'n fenywaidd a nodir y rhain drwy ddefnyddio'r byrfodd *egb/ebg*, gyda'r genedl amlaf ei defnydd yn cael ei nodi gyntaf. Yn gyffredinol, fodd bynnag, mae'r geiriadur yn cofnodi un genedl yn unig, sef yr un amlaf ei defnydd.

Enwau lleoedd
Mewn enwau lleoedd gwelir sut mae cenedl rhai enwau, e.e. **llys**, wedi newid dros amser, e.e. *Llys-wen*.

YR ANSODDAIR

Yr hen enw ar ansoddair oedd 'enw gwan'. Yn y cyd-destun hwn mae'n werth cofio bod bron y cyfan o ansoddeiriau Cymraeg yn gallu gweithredu fel enwau, e.e. *y da a'r drwg*; *yr abl a'r anabl*. Mae defnyddio'r fannod i greu ffurf eithaf yr ansoddair yn pwysleisio hyn, *y gorau*, *y talaf*, etc.

Mae gan rai ansoddeiriau Cymraeg ffurfiau lluosog a ffurfiau benywaidd. Yn ogystal â hynny, mae'n bosibl newid ffurf ansoddair wrth ei gymharu.

Safle

Yn wahanol i'r Saesneg, mae'r ansoddair Cymraeg yn arfer dilyn yr hyn y mae'n ei oleddfu (ddisgrifio), *ci tawel*, *cath fach*, *canu da*, etc. Ond mae rhai eithriadau, e.e. **ambell**, **hen**, **prif**. Nodir yr eithriadau hyn yn y geiriadur.

Yn gyffredinol, gellir gosod ansoddair o flaen enw er mwyn creu ymadrodd arbennig neu ddinc barddonol, *brith gof*, *Annwyl Dafydd*. Ond mae dosbarth o ansoddeiriau sy'n newid eu hystyr wrth newid safle, e.e. **cam**, **hen**, **unig**. Nodir hyn yn y geiriadur dan gofnod yr ansoddair hwnnw.

Rhif

Ansoddeiriau lluosog
Llunnir ffurfiau lluosog rhai ansoddeiriau drwy gyfnewid llafarog, e.e. **cedyrn**, **bychain**, **heirdd**, **llydain**, etc. Mae'r ffurfiau yn *-ion* (*-on* o flaen llafariad ac 'w' gytsain) yn fwy cyffredin na'r dull cyfnewid llafarog, e.e. **duon**, **gwynion**, **trymion**, **gweigion**, **gleision**, etc.

Enwau lluosog a lunnir o ansoddeiriau
Ychwanegir y terfyniad *-iaid* at ansoddair i lunio enw ar grŵp o bobl, e.e. **ffyddloniaid**, **trueiniaid**. Yn yr un ffordd ychwanegir y terfyniad *-ion*, e.e. **tlodion**, **caethion**, **enwogion**, **boneddigion**, etc.

Cenedl

Un arall o deithi'r Gymraeg yw fod gan yr ansoddair ffurfiau benywaidd, e.e. **gwen** (gwyn), **cref** (cryf), **braith** (brith), **cota** (cwta). Gwelir y ffurfiau hyn yn y geiriadur. Gan fod ffurf fenywaidd yr ansoddair yn treiglo wrth ddilyn enw benywaidd, yn anaml y gwelir y ffurfiau hyn (ac eithrio Gwen fel enw personol) yn eu ffurf gysefin, ond gwelir y ffurf gysefin mewn ambell air cyfansawdd, e.e. **cromfach, cromlech, gweniaith**. Mae'r ffurfiau benywaidd hefyd yn gallu gweithredu fel enwau, e.e. **y wen** (y faner wen) **y las** (y faner las). Ystyrir rhai ffurfiau benywaidd yn ffurfiau gorlenyddol erbyn hyn, e.e. **hell** (hyll), **tywell** (tywyll).

Graddau cymariaethol

Mae'r ansoddair Cymraeg (yn wahanol i'r Saesneg) yn bodoli mewn pedair ffurf o ran graddau cymariaethol: cysefin, cyfartal, cymharol, eithaf.

CYSEFIN	CYFARTAL	CYMHAROL	EITHAF
caredig	mor garedig	mwy caredig	mwyaf caredig
	carediced	caredicach	caredicaf

Nid oes modd cymharu pob ansoddair. Mae ystyr ambell ansoddair yn golygu nad yw'n gwneud synnwyr ei gymharu, e.e. **abdomenol, di-os**, etc.; yn yr achosion amlwg hyn ni nodir yn y cofnod nad yw'r ansoddair yn cael ei gymharu. Fodd bynnag, mewn achosion lle nad yw'r ystyr ei hun yn cynnig arweiniad, nodir yn y cofnod nad yw'n cael ei gymharu, e.e. **taladwy**, neu mai rhai ffurfiau yn unig sy'n cael eu harfer, e.e. **amgen**.

Mae defnyddio *mor, mwy* a *mwyaf* yn golygu defnyddio'r ansoddair cysefin gydag un newid, sef treiglad meddal yn dilyn *mor*.

Mae defnyddio'r terfyniadau *-ed, -ach, -af* yn arwain at amrywiaeth o newidiadau, e.e. *cyn dloted, yn wlypach, y caredicaf*. Yn achos yr ansoddeiriau y mae modd eu cymharu drwy ddefnyddio'r dull hwn, nodir bôn yr ansoddair yr ychwanegir y terfyniadau hyn ato mewn bachau petryal yn dilyn y pennawd, e.e. **cul** *ans* [cul•]. Os digwydd newid i lafariad neu gytsain yn y broses, e.e. **tloted** (tlawd), **gwlypach** (gwlyb), **gwytnach** (gwydn), etc., cofnodir y ffurfiau hyn yn benawdau annibynnol. Rhestrir y graddau cymariaethol yn nhrefn yr wyddor: **gwytnach:gwytnaf:gwytned; tlotach: tlotaf: tloted;** etc. yng nghorff y geiriadur.

Y FERF

Berfenwau

Mae'r term 'berfenw' (berf + enw) yn adlewyrchu'r ffaith bod berfenw yn gallu gweithredu fel berf ar adegau ac fel enw ar adegau eraill. Yn *Roedd Meryl yn canu yn y côr*, mae *canu* yn gweithredu fel berf. Ffordd arall o gyfleu hynny fyddai *Canai Meryl yn y côr*. Yn y ddwy enghraifft, mae *canu* yn gweithredu fel berf. Ond yn yr ymadrodd *Dyna beth oedd canu da!* neu *Roedd hynny'n ganu da* (sylwch ar y treiglad), mae *canu* yn gweithredu fel enw.

Mae ambell ferfenw yn gweithredu yn gyfan gwbl fel enw, e.e. **aciwbigo, dadeni, teledu**, a rhoddir *eg* yn rhan ymadrodd ar eu cyfer. Mae rhai berfenwau eraill yn gyffredin fel enwau, e.e. **ad-drefnu** (reorganization), **barcuta** (hang-gliding), **dadbolaru** (depolarization). Mae'r ystyr enwol hon yn cael ei rhoi yn y geiriau Saesneg cyfatebol.

Llunio ffurfiau berfol

Fel yn achos ansoddair mae dwy ffordd o lunio ffurfiau berfol. Un ffordd yw cadw'r berfenw gan ddefnyddio cystrawen gwmpasog neu beriffrastig, e.e. *Mae hi'n canu; bu John yn adrodd*, etc. Y ffordd arall yw defnyddio'r ffurf gryno (ffurfdroadol) a lunnir drwy ychwanegu terfyniadau at fôn y ferf, e.e. **can***af*, **adrodd***ai*, **disgwyl***ir*, etc.

Bôn y ferf a'i batrwm berfol

Nodir bôn pob berf redadwy yng nghorff y geiriadur. Defnyddir rhif i nodi pa batrwm y mae'r ferf yn ei ddilyn wrth iddi gael ei rhedeg, e.e. **crynu** [cryn•¹]. Mae'r rhif hwn yn cyfateb i rif un o'r patrymau berfol yn 'Y Tabl Berfau'. Yno, rhedir yn llawn un enghraifft o bob patrwm berfol yn y Gymraeg.

Tynnir sylw mewn nodyn at y berfenwau hynny nad ydynt yn arfer cael eu rhedeg yn y ffurf gryno.

Amrywiadau berfol

Mae nifer o ffurfiau cryno'r ferf yn cynnwys newidiadau o ran sillafu ac acennu sy'n eu gwneud yn wahanol i'r ffurf gysefin. Nodir y ffurfiau hyn, e.e. **egyr** (agor), **saif** (sefyll) fel cofnodion ar wahân sy'n arwain y darllenydd at y prif gofnod o dan y berfenw.

YR ARDDODIAD

Rhedeg arddodiad

Nodir rhediad arddodiad mewn bachau petryal o dan yr arddodiad penodol, e.e.

> **at** *ardd* [ataf fi, atat ti, ato ef (fe/fo), ati hi, atom
> ni, atoch chi, atynt hwy (atyn nhw)]

Ymadroddion arddodiadol

Rhestrir ymadroddion arddodiadol rhedadwy, e.e.

> **allan o'm (o'th, o'i,** etc.**) dyfnder** am bethau
> nad wyf yn eu deall neu sydd y tu hwnt i'm
> gallu i wneud dim amdanynt out of one's depth

> **(fy) amlygu fy (dy, ei,** etc.**) hun** dangos fy
> mod yn gallu (gwneud rhywbeth), ennill
> enwogrwydd fel

a'r rhai nad ydynt yn cael eu rhedeg, e.e.

> **bwrw ati** mynd ati o ddifrif to get on with it

Dangos pa arddodiad a ddefnyddir ar ôl berf, ansoddair ac enw

Dangosir yr arddodiaid priodol mewn teip trwm ar ôl y ferf, yr ansoddair neu'r enw, e.e.

> **dysgu** *be* [dysg•¹ *3 un. pres.* dysg/dysga; *2 un.*
> *gorch.* dysg/dysga]
> **3** addysgu; trosglwyddo gwybodaeth, cynnig
> gwersi neu hyfforddiant (~ *rhywbeth i rywun;*
> ~ *rhywun/rhywbeth i wneud;* ~ *rhywun am*
> *rywbeth*) to teach, to educate, to provide tuition

> **addas** *ans* cymwys, priodol, pwrpasol, teilwng,
> *Bydd yn rhaid meddwl am rywbeth addas i'w*
> *ddweud.* (~ i *rywun*) suitable, appropriate, fit

> **anobeithiol o** fe'i defnyddir i ddwysáu ystyr
> ansoddair, *anobeithiol o wael*

> **astudiaeth** *eb* (astudiaethau)
> **1** y broses o astudio, canlyniad astudio;
> trafodaeth, triniaeth, ymdriniaeth (~ o) study
> **2** ymchwil, myfyrdod neu sylw arbennig study

TERMAU

Gair sy'n cyflwyno ystyr benodol, arbenigol o fewn maes arbennig yw term. Y tu allan i'r maes gall fod gan y gair nifer o ystyron cyffredinol, e.e. *llygoden*, ond yng nghyd-destun maes penodol, e.e. cyfrifiadureg, mae i'r gair **llygoden** ystyr arbennig.

Pan fydd gair yn derm, nodir maes y term mewn priflythrennau bach. Os oes iddo ystyron cyffredinol, nodir y rhain yn gyntaf, e.e.

> **adlyniad** *eg* (adlyniadau)
> **1** y weithred neu'r broses o adlynu wrth
> rywbeth adhesion
> **2** MEDDYGAETH uniad annormal meinweoedd
> oherwydd llid neu anaf adhesion
> **3** FFISEG yr atyniad rhwng moleciwlau lle mae
> dau wyneb yn cyffwrdd â'i gilydd adhesion

Mae arwyddocâd arbennig i air unigol o flaen diffiniad â hanner colon yn ei ddilyn, e.e. **diabetes** yn yr enghraifft ganlynol:

> **clefyd siwgr** diabetes; clefyd lle nad yw'r corff
> yn rheoli lefel y glwcos yn y gwaed yn iawn
> diabetes

Ystyr hyn yw mai **diabetes** yw'r term a ddefnyddir mewn cyd-destun addysgol neu arbenigol.

GEIRIAU ESTRON

Mae nifer o dermau estron yn cael eu defnyddio yn Gymraeg a phenderfynwyd cynnwys rhai o'r rhai amlycaf yng nghorff y geiriadur. Nid ydynt bob tro yn dilyn trefn yr wyddor Gymraeg, er enghraifft mae *chalet* yn ymddangos o dan C. Gellir eu hadnabod oherwydd defnyddir wyneb teip gwahanol ar eu cyfer ac ni nodir unrhyw ymadrodd Saesneg cyfystyr, e.e.

> **ad nauseam** *adf* hyd syrffed

YMADRODDION, PRIOD-DDULLIAU AC ISBENAWDAU

Mae ymadrodd yn gyfuniad o eiriau sydd wedi ymgaregu o ganlyniad i ddefnydd cyson, e.e. **nos da, ar ganol, er cof**. Mae priod-ddull yn gyfuniad tebyg o eiriau. Fodd bynnag, yn wahanol i ymadrodd, nid oes modd deall ystyr priod-ddull o ystyr y geiriau unigol sydd ynddo, e.e. **gorau glas, nerth ei ben, teimlo gwres ei draed**. Mae isbennawd yn enghraifft fwy penodol o'r hyn a ddiffinnir yn y pennawd, e.e.

> **eirin** *ell*
> eirin duon
> eirin duon bach
> eirin gwlanog
> eirin gwyrdd
> eirin Mair
> eirin perthi
> eirin sych
> eirin tagu
> eirin ysgaw

Pan geir cymysgedd o isbenawdau, ymadroddion a phriod-ddulliau yn dilyn pennawd, rhestrir yr isbenawdau yn gyntaf a chyfunir yr ymadroddion a'r priod-ddulliau o dan y pennawd Ymadrodd/Ymadroddion, e.e.

>asgwrn *eg* (esgyrn)
>**asgwrn cefn**
>**asgwrn cyfelin**
>**asgwrn cynffon**
>**asgwrn parwydol**
>**asgwrn y foch**
>**asgwrn y forddwyd**
>**asgwrn y frest**
>**asgwrn y gedor**
>**asgwrn y grimog**
>**asgwrn y pen**
>**asgwrn yr ên**
>*Ymadroddion*
>**asgwrn i'w grafu**
>**asgwrn y gynnen**
>**magu asgwrn cefn**
>**nerth asgwrn/esgyrn fy (dy, ei, etc.) mhen**

GEIRIAU CYFYSTYR CYMRAEG A GEIRIAU CYFATEBOL SAESNEG

Nodir geiriau cyfystyr Cymraeg yn nhrefn yr wyddor ar ddiwedd diffiniad ac o flaen y gair neu'r geiriau Saesneg. Fodd bynnag, mae'r geiriau Saesneg cyfatebol yn nhrefn amlder defnydd gyda'r geiriau mwyaf cyffredin yn ymddangos yn gyntaf.

>**adeg** *eb* (adegau) amser penodol neu arbennig,
>*adeg y Nadolig*; cyfnod time
>
>**achwynwr:achwynydd** *eg*
>(achwynwyr:achwynyddion)
>**1** un sy'n achwyn; conyn, cwynwr,
>grwgnachwr grumbler
>**2** CYFRAITH un sy'n dwyn achos cyfreithiol yn
>erbyn rhywun arall; pleintydd complainant,
>plaintiff
>
>**astrus** *ans* [astrus•] anodd ei ddeall; caled,
>cymhleth, dyrys puzzling, complex, abstruse
>
>**cymhleth¹** *ans* [cymhleth•] anodd ei ddeall,
>â llawer o ddarnau wedi'u cydblethu; astrus,
>dyrys complicated, elaborate, complex
>
>**dyrys** *ans*
>**1** am rywbeth anodd ei ddatrys neu ei ddirnad
>e.e. problem neu gwlwm; astrus, cymhleth,
>cymysglyd complicated, perplexing, intricate
>**2** (am dir neu dyfiant) heb ei drin, llawn
>drysni, drain a choed mân; gwyllt wild,
>entangled, thorny

LABELI

Defnydd cyffredinol sydd i air os nad oes ganddo label. Mae dau fath o label – label defnydd a label maes.

Labeli defnydd
Defnyddir label i nodi defnydd rhai geiriau:

anffurfiol: yn cael ei ddefnyddio ar lafar neu wrth ysgrifennu'n anffurfiol, e.e. **gesio**.

ffurfiol: ffurf ferfol sy'n cael ei defnyddio wrth ysgrifennu mewn cywair ffurfiol.

hen ffasiwn: yn anghyfarwydd i'r to iau, ond yn cael ei ddefnyddio gan y to hŷn, e.e. **dyddlyfr**.

hynafol: yn perthyn i'r gorffennol neu i lenyddiaeth y gorffennol, ond yn cael ei ddefnyddio weithiau i greu naws arbennig, e.e. **henffych**.

hanesyddol: yn cael ei ddefnyddio heddiw wrth gyfeirio at arfer neu wrthrych sy'n perthyn i'r gorffennol, e.e. **mwnt**.

llenyddol: yn perthyn i farddoniaeth neu i arddull lenyddol, e.e. **rhudd**.

ffigurol: yn cael ei ddefnyddio i olygu rhywbeth gwahanol i'w ystyr arferol er mwyn creu darlun neu gymhariaeth, e.e. gwneud **cawl** o bethau.

technegol: yn cael ei ddefnyddio mewn cyd-destun technegol neu arbenigol mewn mwy nag un maes, e.e. **fformiwla**.

difrïol: yn dangos diffyg parch at berson neu at grŵp, e.e. **penbwl**.

sarhaus, annerbyniol: yn debyg o dramgwyddo rhywun, yn enwedig os yw'r defnydd yn hiliol, e.e. **Negro**.

aflednais: iaith ddi-chwaeth iawn, yn enwedig iaith sy'n ymwneud â gweithgaredd rhywiol neu weithgaredd y corff ac a allai ddigio, e.e. **bastard**.

di-chwaeth: iaith anffurfiol a all fod yn anweddus, e.e. **cachwr**.

safonol: yn cyfeirio at eiriau sy'n cael eu derbyn yn iaith siaradwyr sy'n hanu o ardal arbennig o Gymru, e.e. **mam-gu, nain**.

tafodieithol: yn digwydd yn iaith siaradwyr sy'n hanu o ardal arbennig o Gymru, e.e. **trochi**.

mewn enwau lleoedd: yn digwydd mewn enwau lleoedd yn bennaf.

Labeli maes
Defnyddir label i nodi maes neu feysydd arbenigol gair, e.e. BIOLEG, CERDDORIAETH, MATHEMATEG, SERYDDIAETH.

ARWEINIAD GRAMADEGOL

I dynnu sylw at nodweddion gramadegol ac ieithyddol, defnyddir y pennawd *Sylwch*.

Y TREIGLADAU

Mae'r treiglad llaes a'r treiglad trwynol yn Gymraeg yn cael eu sbarduno gan eiriau unigol. Mae hynny hefyd yn wir am y treiglad meddal, ond mae cystrawen y Gymraeg hefyd yn sbarduno'r treiglad hwn.

Pan fydd treiglad yn cael ei sbarduno gan air unigol, nodir hyn yn y geiriadur, e.e.

> **a³** *rhagenw perthynol*
> **1** fe'i defnyddir mewn brawddeg i ddangos at bwy neu at beth yn arbennig y mae gweithred yn cyfeirio, *Dyna'r dyn a welais.* that, which, who, whom
> **2** fe'i defnyddir i osod pwyslais arbennig ar oddrych y ferf, e.e. *John a giciodd y ci*, er mwyn pwysleisio pwy yn union a giciodd y ci
> *Sylwch:*
> 1 mae'r 'a' yma'n achosi'r treiglad meddal;
>
> **â²:ag** *cysylltair* geiryn a ddefnyddir:
> **1** yn y cyfuniad 'mor' + ansoddair + â, *mor ddu â'r frân, mor wan â chath* as
> **2** yn y cyfuniad 'cyn' + ffurf gyfartal yr ansoddair + â, *cyn goched â thân, cyn wynned â'r eira* as
> **3** heb ragflaenydd gyda ffurfiau cymharol afreolaidd, e.e. *cystal â, cyfuwch â, cyfled â* as
> *Sylwch:*
> 1 mae'r 'â' yma'n achosi'r treiglad llaes;

Nodir hefyd mewn nodyn *Sylwch* os nad yw gair yn dilyn y patrwm treiglo arferol, er enghraifft:

> **braf** *ans* [brafi•]
> **1** teg, tesog, *Mae'r tywydd yn braf.* fine
> **2** hyfryd, pleserus, *Mae'n braf gweld cynifer ohonoch chi wedi dod ynghyd.* fine
> **3** o gryn faint; digonol, mawr ample
> *Sylwch:* mae *braf* yn gwrthsefyll treiglo, e.e. *mae hi'n braf; coeden braf.*

Geiriau unigol sy'n sbarduno treiglad (neu beidio)

Ni chynhwysir ansoddeiriau na threfnolion sy'n dilyn rheolau gramadegol cyffredinol. Ceir mwy o fanylion dan bennawd y gair unigol yn y Geiriadur.

Gair	Rhan ymadrodd	Treiglad	Enghraifft
a	cysylltair	llaes	*mam a thad*
a	rhagenw perthynol	meddal	*Dyma'r dyn a welais.*
a	geiryn gofynnol	meddal	*A welaist ti hi?*
â	arddodiad	llaes	*Torrodd y gacen â chyllell.*
â	cysylltair	llaes	*cyn goched â thân*

Gair	Rhan ymadrodd	Treiglad	Enghraifft
am	cysylltair	**meddal**	*am fod bywyd mor fyr*
am	arddodiad	**meddal**	*Dewch am dri o'r gloch.*
ar	arddodiad	**meddal**	*ar fyr o dro*
at	arddodiad	**meddal**	*dillad at waith*
beth (a)	rhagenw gofynnol	**meddal**	*Beth (a) ddigwyddodd?*
ble (y)	adferf	**dim treiglad**	
bu	berf	**meddal** *byw, marw, rhaid*	*Bu farw.*
can	rhifol	**trwynol** *blwydd, blynedd, diwrnod*	*can mlynedd*
cyn	geiryn adferfol	**meddal** ac eithrio 'll' a 'rh'	*cyn gynted â phosibl* *cyn rhated â baw*
cyn	arddodiad	**dim treiglad**	
chwe	rhifol	**llaes**	*chwe phunt*
dacw:'co	adferf	**meddal**	*Dacw dŷ a dacw dân.*
dan/tan	arddodiad	**meddal**	*dan deimlad*
dau	rhifol	**meddal**	*dau gi bach*
deng	rhifol	1. **trwynol** *blwydd, blynedd, diwrnod* 2. **meddal** *gwaith*	*deng mlwydd* *dengwaith*
deuddeng	rhifol	1. **trwynol** *blwydd, blynedd, diwrnod* 2. **meddal** *gwaith*	*deuddeng mlynedd* *deuddengwaith*
deugain	rhifol	**trwynol** *blwydd, blynedd, diwrnod*	*deugain niwrnod*
deunaw	rhifol	**trwynol** *blwydd, blynedd, diwrnod*	*deunaw mlwydd oed*
digon	adferf	**dim treiglad**	
dros/tros	arddodiad	**meddal**	*dros ben llestri*
drwy/trwy	arddodiad	**meddal**	*drwy ddŵr a thân*
dwy	rhifol	**meddal**	*dwy ferch*
dy	rhagenw dibynnol blaen	**meddal**	*dy dŷ du di*
dyma	adferf	**meddal** gyda rhai eithriadau	*Dyma welliant.*
dyna	adferf	**meddal** gyda rhai eithriadau	*Dyna welliant.*
efallai	adferf	**meddal** *bod*	*Efallai fod y peth yn wir.*
efo	arddodiad	**dim treiglad**	
ei (hi)	rhagenw dibynnol blaen	1. **llaes** 2. **'h'** o flaen llafariad	*ei thad* *ei hathro*

Gair	Rhan ymadrodd	Treiglad	Enghraifft
ei (ef)	rhagenw dibynnol blaen	**meddal**	*ei frawd*
eich	rhagenw dibynnol blaen	dim '**h**' o flaen llafariad	
ein	rhagenw dibynnol blaen	'**h**' o flaen llafariad	*ein hystafelloedd*
eithaf	adferf	**dim treiglad**	
eu	rhagenw dibynnol blaen	'**h**' o flaen llafariad	*eu hesgusodion*
y fath (math)	enw	**meddal**	*y fath gawl o bethau*
fawr (mawr)	ansoddair	1. **meddal** 2. **dim treiglad** o flaen gradd gymharol ansoddair	*Does fawr ddim ar ôl.* *Dydyn ni fawr gwell ar ôl cael yr arian.*
fe	geiryn rhagferfol	**meddal**	*Fe ddaeth y glaw.*
fesul	adferf	**dim treiglad**	
fy	rhagenw dibynnol blaen	**trwynol**	*fy nheyrnas*
gan	arddodiad	**meddal** ac eithrio 'gan mwyaf'	*Cefais fy mhigo gan wenynen.*
go	adferf	**meddal** ac eithrio '**ll**' yn dilyn 'yn o'	*nwyddau go rad* *Mae'r neuadd yn o llawn.*
gweddol	adferf	**meddal**	*Gweddol fyr oedd y perfformiad.*
gyda	arddodiad	**llaes**	*Daeth gyda thri chyfaill.*
hanner	enw	**dim treiglad**	
heb	arddodiad	**meddal**	*heb feddwl*
hyd	arddodiad	**meddal**	*hyd Ddydd y Farn*
hyd oni		gw. oni	
i	arddodiad	**meddal**	*i Gaerdydd*
'i (hi)	rhagenw dibynnol mewnol	1. **llaes** 2. '**h**' o flaen llafariad 3. **dim treiglad** fel gwrthrych	*Elin a'i thad* *hi a'i hathrawes* *y sawl a'i gwelodd*
'i (ef)	rhagenw dibynnol mewnol	1. **meddal** 2. **dim treiglad** fel gwrthrych, ond '**h**' o flaen llafariad	*Ifan a'i dad* *Y sawl a'i gwelodd a'i harestiodd.*
llawer	ansoddair	**dim treiglad**	
llawn	ansoddair	1. **meddal** pan olyga 'eithaf' 2. **dim treiglad** pan olyga 'llawn o'	*yn ei lawn dwf* *chwarae yn llawn tân*
llawn	adferf	**dim treiglad**	

Gair	Rhan ymadrodd	Treiglad	Enghraifft
lled	adferf	**meddal** ac eithrio 'll' yn dilyn 'yn lled'	*Roedd y perfformiad yn lled dda ond hefyd yn lled llac.*
'm	rhagenw dibynnol mewnol	**'h'** o flaen llafariad	*fy modryb a'm hewythr*
math		gw. (y) fath	
mawr		gw. fawr	
mi	geiryn rhagferfol	**meddal**	*Mi welais jac-y-do . . .*
mo	arddodiad (dim o)	**meddal**	*Welais i mo gar Mair yn y garej.*
mor	adferf	**meddal** ac eithrio 'll' a 'rh'	*mor gydwybodol mor llac a mor rhwydd*
mwy	ansoddair	**dim treiglad**	
mwyaf	ansoddair	**dim treiglad**	
'n	rhagenw dibynnol mewnol	**'h'** o flaen llafariad	*ni a'n harian*
'n	geiryn traethiadol ac adferfol	**meddal** ac eithrio 'll' a 'rh'	*Rwyt ti'n ddrwg. Eistedda'n llonydd.*
na	geiryn negyddol	1. **llaes** c, p, t 2. **meddal** cytseiniaid treigladwy eraill	*Os na chaf fynd, cysylltwch. Na ladd.*
na	cysylltair	**llaes**	*Mae llathen yn fwy na throedfedd.*
na	cysylltair	**llaes**	*Ni welais na chi na mochyn.*
na	rhagenw perthynol negyddol	1. **llaes** c, p, t 2. **meddal** cytseiniaid treigladwy eraill	*Dyna'r goeden na thyfodd. Pwy yw'r un na lwyddodd i orffen?*
naw	rhifol	**trwynol** *blwydd, blynedd, diwrnod*	*naw niwrnod*
neu	cysylltair	1. **meddal** enw, berfenw, ansoddair 2. **dim treiglad** berf	*adrodd neu ganu* *Adroddaf neu canaf.*
ni	geiryn negyddol	1. **llaes** c, p, t 2. **meddal** cytseiniaid treigladwy eraill	*Ni chlywais ac ni redais.*
o	arddodiad	**meddal**	*o Gaernarfon*
o	ebychiad	**meddal**	*O, Dduw! Pam fi?*
odid	adferf	**meddal**	*odid ddim*
oni	geiryn gofynnol	1. **llaes** c, p, t	*Oni chlywaist ti?*

Gair	Rhan ymadrodd	Treiglad	Enghraifft
		2. **meddal** cytseiniaid treigladwy eraill, ac eithrio ffurfiau 'bod'	*Oni wrandewaist ti?* *Oni bydd rhywbeth annisgwyl yn digwydd heno?*
oni: hyd oni	cysylltair	1. **llaes** c, p, t	*hyd oni chlywaf dy lais*
		2. **meddal** cytseiniaid treigladwy eraill, ac eithrio ffurfiau 'bod'	*hyd oni wnandewi di* *hyd oni bydd y cyfan yn newid*
pa	rhagenw gofynnol	**meddal**	*pa ddiwrnod?*
pa fath	rhagenw gofynnol	**meddal**	*pa fath ddyn?*
pam (y)	adferf	**dim treiglad** berfau	
pan	cysylltair	**meddal**	*Aeth adre pan ddaeth y glaw.*
pedair	rhifol	1. **dim treiglad** enwau	*pedair merch*
		2. **meddal** ansoddeiriau	*pedair denau*
pennaf	ansoddair	**dim treiglad** ac eithrio rhai enwau benywaidd	
po	geiryn	**meddal** ansoddair gradd eithaf	*gorau po gyntaf*
pob	ansoddair	**dim treiglad**	
pryd (y)	adferf	**dim treiglad** berfau	
pum	rhifol	1. **trwynol** *blwydd, blynedd, diwrnod*	*pum mlynedd*
		2. **meddal** ansoddeiriau benywaidd	*pum dew*
pur	adferf	**meddal** ac eithrio 'll' a 'rh'	*pur dda* *pur llewyrchus*
pwy (a)	rhagenw gofynnol	**meddal**	*Pwy (a) wnaeth y sêr uwchben?*
'r	y fannod	1. **meddal** enwau benywaidd unigol, ac eithrio 'll' ac 'rh'	*yr edau a'r gorden a'r rhaff*
		2. **meddal** ansoddeiriau sy'n cyfeirio at enwau benywaidd unigol, gan gynnwys 'll' a 'rh'	*y deneuaf a'r leiaf o'r merched*
reit	adferf	**meddal**	*reit ddrwg*
rhy	adferf	**meddal**	*rhy gryf* *rhy lydan*
saith	rhifol	1. **trwynol** *blwydd, blynedd, diwrnod*	*saith mlwydd oed*
		2. **meddal** *cant, ceiniog, punt, pwys*	(anarferol erbyn hyn) *saith bunt*, etc.

Gair	Rhan ymadrodd	Treiglad	Enghraifft
sut (y)	adferf	**dim treiglad** berfau	
sydd	berf	**meddal** pan ollyngir 'yn'	*Glynwch wrth yr hyn sydd dda.*
tair	rhifol	1. **dim treiglad** enwau 2. **meddal** ansoddeiriau	*tair cath* *tair flewog*
tan/dan	arddodiad	**meddal**	*gweithgareddau dan do*
tra	cysylltair	**dim treiglad**	
tra	adferf	**llaes**	*ymdrech dra chanmoladwy*
tri	rhifol	**llaes** enwau	*tri thŷ*
trigain	rhifol	**trwynol** blwydd, blynedd, diwrnod	*trigain niwrnod*
tros/dros	arddodiad	**meddal**	*cap tros Gymru*
trwy/drwy	arddodiad	**meddal**	*Mae'n mynd trwy gyfnod anodd.*
tua	arddodiad	**llaes**	*tua thair awr*
'th	rhagenw dibynnol mewnol	**meddal**	*dy dad a'th fam*
'u	rhagenw dibynnol mewnol	**'h'** o flaen llafariad	*nhw a'u hesgusodion*
ugain	rhifol	**trwynol** blwydd, blynedd, diwrnod	*ugain mlwydd oed*
un	rhifol	1. **meddal** enwau benywaidd, ac eithrio 'll' a 'rh' 2. **meddal** ansoddeiriau sy'n cyfeirio at enwau benywaidd, gan gynnwys 'll' a 'rh' 3. **trwynol** blwydd, blynedd mewn rhifau cyfansawdd	*un wraig* *un llong, un rhaff* *Roedd yna ddwy afon, un lydan ac un gul.* *un mlynedd ar ddeg*
un	ansoddair	1. **meddal** pan olyga 'tebyg', enwau gwrywaidd a benywaidd, gan gynnwys 'll' a 'rh' 2. **meddal** pan olyga 'yr union un', enwau benywaidd yn unig, ac eithrio 'll' a 'rh'	*Roedd ganddo'r un drwyn â'i dad a'r un lygaid â'i fam.* *Rydym yn byw yn yr un pentref, ac yn mynd i'r un llyfrgell.*
un	enw benywaidd	**meddal** ansoddeiriau, gan gynnwys 'll' a 'rh'	*Roedd yr heol yn un lydan ond yn un arw hefyd.*

Gair	Rhan ymadrodd	Treiglad	Enghraifft
'w (nhw)	rhagenw dibynnol mewnol	'h' o flaen llafariad	*Rwy'n mynd i'w hateb yr wythnos nesaf.*
'w (ef)	rhagenw dibynnol mewnol	**meddal**	*Byddaf yn mynd i'w weld e yfory.*
'w (hi)	rhagenw dibynnol mewnol	1. llaes 2. 'h' o flaen llafariad	*Aeth i'w hystafell i ddarllen ac i'w chadair i eistedd.*
wele	ebychiad	**meddal**	*Wele olygfa odidog.*
wrth	arddodiad	**meddal**	*eistedd wrth draed Gamaliel*
wyth	rhifol	1. **trwynol** *blwydd, blynedd, diwrnod* 2. **meddal** *cant, ceiniog, punt, pwys*	*wyth mlwydd oed* (anarferol erbyn hyn) *wyth bunt*, etc.
y	y fannod	1. **meddal** enwau benywaidd unigol, ac eithrio 'll' a 'rh' 2. **meddal** ansoddeiriau sy'n cyfeirio at enwau benywaidd unigol, gan gynnwys 'll' a 'rh' (eithriadau: 'cyfryw', 'cyffelyb')	*y gath* *y llong, y rhaff* *y fyrraf o'r tair a'r lonnaf*
yma:yna: yno	adferf	**meddal** oherwydd y sangiad a achosir ganddynt	*Mae yma le!* *Mae yno gasgliad da o lyfrau.* *Mae 'na gawl yn y sosban.*
yn	arddodiad	**trwynol** (Mae cytsain ddiweddol 'yn' yn cymathu at yr un sy'n ei dilyn)	*yn Nhrecynon* *ym Mhontypridd* *yng Ngobowen*
yn	geiryn traethiadol ac adferfol	**meddal** ac eithrio 'll' a 'rh'	*Mae Siân yn dda.* *Mae Siân yn wraig.* *Mae Siân yn siarad yn rhwydd.*
yn	geiryn berfenwol	**dim treiglad**	
yr	y fannod	1. **meddal** enwau benywaidd unigol yn dechrau ag 'g' 2. **meddal** ansoddeiriau yn dechrau ag 'g' sy'n cyfeirio at enwau benywaidd unigol	*yr ardd* *Hi oedd y ddisgleiriaf – yr alluocaf ohonynt i gyd.*

Rhannau Ymadrodd

adferf	*adf*
adferf ac ansoddair	*adf* ac *ans*
ansoddair	*ans*
arddodiad	*ardd*
berf	*bf*
berfenw	*be*
byrfodd	*byrfodd*
cysylltair	*cysylltair*
ebychiad	*ebychiad*
enw benywaidd	*eb*
enw benywaidd (ac enw gwrywaidd)	*ebg*
enw benywaidd ac enw lluosog	*eb* ac *ell*
enw gwrywaidd	*eg*
enw gwrywaidd (ac enw benywaidd)	*egb*
enw gwrywaidd ac enw lluosog	*eg* ac *ell*
enw lluosog	*ell*
geiryn	*geiryn*
geiryn adferfol	*geiryn adferfol*
geiryn berfenwol	*geiryn berfenwol*
geiryn gofynnol	*geiryn gofynnol*
geiryn negyddol	*geiryn negyddol*
geiryn rhagferfol	*geiryn rhagferfol*
geiryn traethiadol	*geiryn traethiadol*
rhagddodiad	*rhag*
rhagenw	*rhagenw*
rhagenw annibynnol cysylltiol	*rhagenw annibynnol cysylltiol*
rhagenw annibynnol dwbl	*rhagenw annibynnol dwbl*
rhagenw annibynnol syml	*rhagenw annibynnol syml*
rhagenw atblygol	*rhagenw atblygol*
rhagenw blaen	*rhagenw blaen*
rhagenw cysylltiol	*rhagenw cysylltiol*
rhagenw dangosol	*rhagenw dangosol*
rhagenw dibynnol	*rhagenw dibynnol*
ategol cysylltiol	*ategol cysylltiol*
rhagenw dibynnol ategol syml	*rhagenw dibynnol ategol syml*
rhagenw dibynnol blaen	*rhagenw dibynnol blaen*
rhagenw dibynnol mewnol	*rhagenw dibynnol mewnol*
rhagenw gofynnol	*rhagenw gofynnol*
rhagenw meddiannol	*rhagenw meddiannol*
rhagenw perthynol	*rhagenw perthynol*
rhifol	*rhifol*
talfyriad	*talfyriad*
y fannod	*y fannod*

Y Tabl Berfau

Cyflwyniad

Mae'r Tabl Berfau yn cynnwys:
- 18 o batrymau sylfaenol
- patrymau'r berfau afreolaidd *mynd, dod, cael* a *gwneud*
- ffurfiau afreolaidd *bod* a berfau cyfansawdd *bod*
- rhediadau berfol llenyddol ffurfiol
- rhediadau berfol llenyddol anffurfiol.

Sut i ddod o hyd i rediad penodol

(e.e. Amser Gorffennol Ffurfiol *gofyn*)
- Edrychwch am y berfenw yng nghorff y geiriadur: gofyn
- Nodwch fôn y ferf: gofynn•
- Nodwch rif patrwm y ferf: gofynn•⁹
- Sylwch ar unrhyw eithriadau i'r patrwm arferol:
  [gofynn•⁹ *3ydd unigol pres.* gofyn; *2il unigol gorch.* gofyn/gofynna]
- Trowch at batrwm 9 yn y tabl:
  9 Berfau â'u bôn yn gorffen yn 'nn' neu 'rr' o dan 'Gorffennol Ffurfiol'.

Person a rhif	Gorffennol Ffurfiol
1af unigol	gofynnais
2il unigol	gofynnaist
3ydd unigol	gofynnodd
1af lluosog	gofynasom
2il luosog	gofynasoch
3ydd lluosog	gofynasant
Amhersonol	gofynnwyd

Sylwch: collir un 'n' pan na fydd o dan yr acen.

Sut i ddod o hyd i ffurfiau penodol

(e.e. ffurfiau 3ydd unigol *aros*)
- Edrychwch am y berfenw yng nghorff y geiriadur: aros
- Nodwch fôn y ferf: arhos•
- Nodwch rif patrwm y ferf: arhos•¹¹
- Sylwch ar unrhyw eithriadau i'r patrwm arferol:
  [arhos•¹¹ *3ydd unigol pres.* erys/arhosa; *2il unigol gorch.* aros/arhosa]
- Trowch at batrwm 11 yn y tabl:
  11 Berfau ag 'h' yn y bôn
- Defnyddiwch fôn y ferf a ddewiswyd (arhos•) yn lle bôn y ferf yn yr enghraifft (cynhwys•) gan gofio am unrhyw eithriadau.

Presennol/ Dyfodol Ffurfiol	Presennol/ Dyfodol Anffurfiol	Gorffennol Ffurfiol	Gorffennol Anffurfiol	Amhenodol Ffurfiol	Amhenodol Anffurfiol	Gorberffaith Ffurfiol	Gorchmynnol Ffurfiol	Gorchmynnol Anffurfiol	Presennol/ Dyfodol Dibynnol Ffurfiol
arhosa	arhosiff e/hi arhosith o/hi	arhosodd	arhosodd e/o arhosodd hi	arhosai	arhosai e/o arhosai hi	arosasai	arhosed		arhoso

Sylwch: collir yr 'h' pan na fydd o dan yr acen.

Sut i ddod o hyd i un ffurf yn unig

(e.e. Pa ffurf sy'n gywir – 'arosasoch' neu 'arhosasoch'?)
- Trowch at y tabl
- Nodwch yr amser: Gorffennol Ffurfiol
- Nodwch y person: 2il luosog (chi)
- Gwiriwch yn erbyn patrwm Gorffennol Ffurfiol 2il luosog: 'cynwysasoch'
- Defnyddiwch 'arhos•' yn lle 'cynhwys•' ond nodwch y sylw o dan y tabl: 'cynwysasoch', felly 'arosasoch' yw'r ffurf gywir.

Person a rhif	Gorffennol Ffurfiol
2il luosog	cynwysasoch

Sylwch: collir yr 'h' pan na fydd o dan yr acen.

Person a rhif	Gorffennol Ffurfiol
2il luosog	arosasoch

Terfyniadau'r berfau

Person a rhif	Presennol/ Dyfodol Ffurfiol	Presennol/ Dyfodol Anffurfiol	Gorffennol Ffurfiol	Gorffennol Anffurfiol	Amhenodol Ffurfiol	Amhenodol Anffurfiol	Gorberffaith Ffurfiol	Gorchmynnol Ffurfiol	Gorchmynnol Anffurfiol	Presennol/ Dyfodol Dibynnol Ffurfiol
1af unigol	~af	~a i	~ais	~ais i	~wn	~wn i	~(a)swn			~wyf
2il unigol	~i	~i di	~aist	~aist ti	~it	~et ti	~(a)sit	~a	~a neu'r bôn	~ych
3ydd unigol	~a neu'r bôn	~iff e/hi ~ith o/hi	~odd	~odd e/o ~odd hi	~ai	~ai e/o ~ai hi	~(a)sai	~ed		~o
1af lluosog	~wn	~wn ni	~asom	~on ni	~em	~en ni	~(a)sem	~wn		~om
2il luosog	~wch	~wch chi	~asoch	~och chi	~ech	~ech chi	~(a)sech	~wch	~wch	~och
3ydd lluosog	~ant	~an nhw	~asant	~on nhw	~ent	~en nhw	~(a)sent	~ent		~ont
Amhersonol	~ir		~wyd		~id		~(a)sid [~(e)sid]	~er		~er

Sylwch: ychwanegir y terfyniadau berfol at fôn y ferf (oni nodir yn wahanol); yn achos y rhediadau anffurfiol, nodir y rhagenw sy'n cyfateb i'r terfyniad berfol hefyd; at y rhediadau ffurfiol y mae'r sylwadau 'Sylwch' isod yn cyfeirio.

1 Berfau'r patrwm arferol (e.e. *gwenu*, bôn *gwen●*)

Person a rhif	Presennol/ Dyfodol Ffurfiol	Presennol/ Dyfodol Anffurfiol	Gorffennol Ffurfiol	Gorffennol Anffurfiol	Amhenodol Ffurfiol	Amhenodol Anffurfiol	Gorberffaith Ffurfiol	Gorchmynnol Ffurfiol	Gorchmynnol Anffurfiol	Presennol/ Dyfodol Dibynnol Ffurfiol
1af unigol	gwenaf	gwena i	gwenais	gwenais i	gwenwn	gwenwn i	gwenaswn			gwenwyf
2il unigol	gweni	gweni di	gwenaist	gwenaist ti	gwenit	gwenet ti	gwenasit	gwena	gwena	gwenych
3ydd unigol	gwena	gweniff e/hi gwenith o/hi	gwenodd	gwenodd e/o gwenodd hi	gwenai	gwenai e/o gwenai hi	gwenasai	gwened		gweno
1af lluosog	gwenwn	gwenwn ni	gwenasom	gwenon ni	gwenem	gwenen ni	gwenasem	gwenwn		gwenom
2il luosog	gwenwch	gwenwch chi	gwenasoch	gwenoch chi	gwenech	gwenech chi	gwenasech	gwenwch	gwenwch	gwenoch
3ydd lluosog	gwenant	gwenan nhw	gwenasant	gwenon nhw	gwenent	gwenen nhw	gwenasent	gwenent		gwenont
Amhersonol	gwenir		gwenwyd		gwenid		gwenasid	gwener		gwener

2 Berfau â'u bôn yn gorffen yn 'i-' (e.e. *cofio*, bôn *cofi•*)

Person a rhif	Presennol/Dyfodol Ffurfiol	Presennol/Dyfodol Anffurfiol	Gorffennol Ffurfiol	Gorffennol Anffurfiol	Amhenodol Ffurfiol	Amhenodol Anffurfiol	Gorberffaith Ffurfiol	Gorchmynnol Ffurfiol	Gorchmynnol Anffurfiol	Presennol/Dyfodol Dibynnol Ffurfiol
1af unigol	cofiaf	cofia i	cofiais	cofiais i	cofiwn	cofiwn i	cofiaswn			cofiwyf
2il unigol	cofi	cofi di	cofiaist	cofiaist ti	cofit	cofiet ti	cofiasit	cofia	cofia	cofiych
3ydd unigol	cofia	cofiff e/hi cofith o/hi	cofiodd	cofiodd e/o cofiodd hi	cofiai	cofiai e/o cofiai hi	cofiasai	cofied		cofio
1af lluosog	cofiwn	cofiwn ni	cofiasom	cofion ni	cofiem	cofien ni	cofiasem	cofiwn		cofiom
2il lluosog	cofiwch	cofiwch chi	cofiasoch	cofioch chi	cofiech	cofiech chi	cofiasech	cofiwch	cofiwch	cofioch
3ydd lluosog	cofiant	cofian nhw	cofiasant	cofion nhw	cofient	cofien nhw	cofiasent	cofient		cofiont
Amhersonol	cofir	cofir	cofiwyd		cofid		cofiasid	cofier		cofier

Sylwch: mae'r 'i' gytsain ar ddiwedd y bôn yn ymdoddi ag 'i' lafariad y terfyniad berfol.

3 Berfau sy'n cynnwys 'a' yn y bôn (e.e. *barnu*, bôn *barn•*)

Person a rhif	Presennol/Dyfodol Ffurfiol	Presennol/Dyfodol Anffurfiol	Gorffennol Ffurfiol	Gorffennol Anffurfiol	Amhenodol Ffurfiol	Amhenodol Anffurfiol	Gorberffaith Ffurfiol	Gorchmynnol Ffurfiol	Gorchmynnol Anffurfiol	Presennol/Dyfodol Dibynnol Ffurfiol
1af unigol	barnaf	barna i	bernais	barnais i	barnwn	barnwn i	barnaswn			barnwyf
2il unigol	berni	barni di	bernaist	barnaist ti	barnit	barnet ti	barnasit	barna	barna	bernych
3ydd unigol	barna	barniff e/hi barnith o/hi	barnodd	barnodd e/o barnodd hi	barnai	barnai e/o barnai hi	barnasai	barned		barno
1af lluosog	barnwn	barnwn ni	barnasom	barnon ni	barnem	barnen ni	barnasem	barnwn		barnom
2il lluosog	bernwch	barnwch chi	barnasoch	barnoch chi	barnech	barnech chi	barnasech	bernwch	barnwch	barnoch
3ydd lluosog	barnant	barnan nhw	barnasant	barnon nhw	barnent	barnen nhw	barnasent	barnent		barnont
Amhersonol	bernir	bernir	barnwyd	barnwyd	bernid		barnasid	barner		barner

Sylwch: mae'r 'a' yn y bôn yn troi'n 'e' o dan rai amgylchiadau (affeithiad).

4 Berfau lle ceir '-som', etc. yn lle'r '-asom', etc. arferol (e.e. *dadlau*, bôn *dadleu•*)

Person a rhif	Presennol/ Dyfodol Ffurfiol	Presennol/ Dyfodol Anffurfiol	Gorffennol Ffurfiol	Gorffennol Anffurfiol	Amhenodol Ffurfiol	Amhenodol Anffurfiol	Gorberffaith Ffurfiol	Gorchmynnol Ffurfiol	Gorchmynnol Anffurfiol	Presennol/ Dyfodol Dibynnol Ffurfiol
1af unigol	dadleuaf	dadleua i	dadleuais	dadleuais i	dadleuwn	dadleuwn i	dadleuswn			dadleuwyf
2il unigol	dadleui	dadleui di	dadleuaist	dadleuaist ti	dadleuit	dadleuet ti	dadleusit	dadleua	dadleua	dadleuych
3ydd unigol	dadleua	dadleuiff e/hi dadleuith o/hi	dadleuodd	dadleuodd e/o dadleuodd hi	dadleuai	dadleuai e/o dadleuai hi	dadleusai	dadleued		dadleuo
1af lluosog	dadleuwn	dadleuwn ni	dadleusom	dadleuson/~on ni	dadleuem	dadleuen ni	dadleusem	dadleuwn		dadleuom
2il lluosog	dadleuwch	dadleuwch chi	dadleusoch	dadleusoch/~och chi	dadleuech	dadleuech chi	dadleusech	dadleuwch	dadleuwch	dadleuoch
3ydd lluosog	dadleuant	dadleuan nhw	dadleusant	dadleuson/~on nhw	dadleuent	dadleuen nhw	dadleusent	dadleuent		dadleuont
Amhersonol	dadleuir		dadleuwyd		dadleuid		dadleusid	dadleuer		dadleuer

5 Berfau â'u bôn yn gorffen yn 'i-' sy'n cynnwys 'a' yn y bôn (e.e. *darnio* bôn *darni•*)

Person a rhif	Presennol/ Dyfodol Ffurfiol	Presennol/ Dyfodol Anffurfiol	Gorffennol Ffurfiol	Gorffennol Anffurfiol	Amhenodol Ffurfiol	Amhenodol Anffurfiol	Gorberffaith Ffurfiol	Gorchmynnol Ffurfiol	Gorchmynnol Anffurfiol	Presennol/ Dyfodol Dibynnol Ffurfiol
1af unigol	darniaf	darnia i	derniais	darniais i	darniwn	darniwn i	darniaswn			darniwyf
2il unigol	derni	darni di	derniaist	darniaist ti	darnit	darniet ti	darniasit	darnia	darnia	derniych
3ydd unigol	darnia	darniff e/hi darnith o/hi	darniodd	darniodd e/o darniodd hi	darniai	darniai e/o darniai hi	darniasai	darnied		darnio
1af lluosog	darniwn	darniwn ni	darniasom	darnion ni	darniem	darnien ni	darniasem	darniwn		darniom
2il lluosog	derniwch	darniwch chi	darniasoch	darnioch chi	darniech	darniech chi	darniasech	derniwch	darniwch	darnioch
3ydd lluosog	darniant	darnian nhw	darniasant	darnion nhw	darnient	darnien nhw	darniasent	darnient		darniont
Amhersonol	dernir		darniwyd		dernid		darniasid	darnier		darnier

Sylwch: mae'r 'a' yn y bôn yn troi'n 'e' o dan rai amgylchiadau (affeithiad); mae'r 'i' gytsain ar ddiwedd y bôn yn ymdoddi ag 'i' lafariad y terfyniad berfol.

6 Berfau â'u bôn yn gorffen yn 'ni-' (e.e. *darlunio*, bôn *darluni•*)

Person a rhif	Presennol/ Dyfodol Ffurfiol	Presennol/ Dyfodol Anffurfiol	Gorffennol Ffurfiol	Gorffennol Anffurfiol	Amhenodol Ffurfiol	Amhenodol Anffurfiol	Gorberffaith Ffurfiol	Gorchmynnol Ffurfiol	Gorchmynnol Anffurfiol	Presennol/ Dyfodol Dibynnol Ffurfiol
1af unigol	darluniaf	darlunia i	darluniais	darluniais i	darluniwn	darluniwn i	darluniaswn			darluniwyf
2il unigol	darlunni	darlunni di	darluniaist	darluniaist ti	darlunnit	darluniet ti	darluniasit	darlunia	darlunia	darluniych
3ydd unigol	darlunia	darluniff e/hi / darlunnith o/hi	darluniodd	darluniodd e/o / darluniodd hi	darluniai	darluniai e/o / darluniai hi	darluniasai	darlunied		darlunio
1af lluosog	darluniwn	darluniwn ni	darluniasom	darlunion ni	darluniem	darlunien ni	darluniasem	darluniwn		darluniom
2il lluosog	darluniwch	darluniwch chi	darluniasoch	darlunioch chi	darluniech	darluniech chi	darluniasech	darluniwch	darluniwch	darlunioch
3ydd lluosog	darluniant	darlunian nhw	darluniasant	darlunion nhw	darlunient	darlunien nhw	darluniasent	darlunient		darluniont
Amhersonol	darlunnir		darluniwyd		darlunnid		darluniasid	darlunier		darlunier

Sylwch: ceir dwy 'n' o flaen 'i' lafariad; mae'r 'i' gytsain ar ddiwedd y bôn yn ymdoddi ag 'i' lafariad y terfyniad berfol.

7 Berf â'i bôn yn gorffen yn 'ni-' ac sy'n cynnwys 'a' yn y bôn (e.e. *glanio*, bôn *glani•*)

Person a rhif	Presennol/ Dyfodol Ffurfiol	Presennol/ Dyfodol Anffurfiol	Gorffennol Ffurfiol	Gorffennol Anffurfiol	Amhenodol Ffurfiol	Amhenodol Anffurfiol	Gorberffaith Ffurfiol	Gorchmynnol Ffurfiol	Gorchmynnol Anffurfiol	Presennol/ Dyfodol Dibynnol Ffurfiol
1af unigol	glaniaf	glania i	gleniais	glaniais i	glaniwn	glaniwn i	glaniaswn			glaniwyf
2il unigol	glenni	glanni di	gleniaist	glaniaist ti	glannit	glaniet ti	glaniasit	glania	glania	gleniych
3ydd unigol	glania	glaniff e/hi / glannith o/hi	glaniodd	glaniodd e/o / glaniodd hi	glaniai	glaniai e/o / glaniai hi	glaniasai	glanied		glanio
1af lluosog	glaniwn	glaniwn ni	glaniasom	glanion ni	glaniem	glanien ni	glaniasem	glaniwn		glaniom
2il lluosog	gleniwch	glaniwch chi	glaniasoch	glanioch chi	glaniech	glaniech chi	glaniasech	gleniwch	glaniwch	glanioch
3ydd lluosog	glaniant	glanian nhw	glaniasant	glanion nhw	glanient	glanien nhw	glaniasent	glanient		glaniont
Amhersonol	glennir		glaniwyd		glennid		glaniasid	glanier		glanier

Sylwch: ceir dwy 'n' o flaen 'i' lafariad; mae'r 'a' yn y bôn yn troi'n 'e' o dan rai amgylchiadau (affeithiad); mae'r 'i' gytsain ar ddiwedd y bôn yn ymdoddi ag 'i' lafariad y terfyniad berfol.

8 Berfau â'u bôn yn gorffen yn 'i' (e.e. gweddïo, bôn gweddï•)

Person a rhif	Presennol/Dyfodol Ffurfiol	Presennol/Dyfodol Anffurfiol	Gorffennol Ffurfiol	Gorffennol Anffurfiol	Amhenodol Ffurfiol	Amhenodol Anffurfiol	Gorberffaith Ffurfiol	Gorchmynnol Ffurfiol	Gorchmynnol Anffurfiol	Presennol/Dyfodol Dibynnol Ffurfiol
1af unigol	gweddïaf	gweddïa i	gweddïais	gweddïais i	gweddïwn	gweddïwn i	gweddïaswn			gweddïwyf
2il unigol	gweddïi	gweddïi di	gweddïaist	gweddïaist ti	gweddïit	gweddïet ti	gweddïasit	gweddïa	gweddïa	gweddïych
3ydd unigol	gweddïa	gweddïiff e/hi gweddïith o/hi	gweddïodd	gweddïodd e/o gweddïodd hi	gweddïai	gweddïai e/o gweddïai hi	gweddïasai	gweddïed		gweddïo
1af lluosog	gweddïwn	gweddïwn ni	gweddïasom	gweddïon ni	gweddïem	gweddïen ni	gweddïasem	gweddïwn		gweddïom
2il lluosog	gweddïwch	gweddïwch chi	gweddïasoch	gweddïoch chi	gweddïech	gweddïech chi	gweddïasech	gweddïwch	gweddïwch	gweddïoch
3ydd lluosog	gweddïant	gweddïan nhw	gweddïasant	gweddïon nhw	gweddïent	gweddïen nhw	gweddïasent	gweddïent		gweddïont
Amhersonol	gweddïir		gweddïwyd		gweddïid		gweddïasid	gweddïer		gweddïer

Sylwch: nid oes angen didolnod pan fydd dwy 'i' yn dilyn ei gilydd nac yn y ffurfiau sy'n cynnwys '-as-'.

9 Berfau â'u bôn yn gorffen yn 'nn' neu 'rr' (e.e. *amddiffyn*, bôn *amddiffynn•*)

Person a rhif	Presennol/Dyfodol Ffurfiol	Presennol/Dyfodol Anffurfiol	Gorffennol Ffurfiol	Gorffennol Anffurfiol	Amhenodol Ffurfiol	Amhenodol Anffurfiol	Gorberffaith Ffurfiol	Gorchmynnol Ffurfiol	Gorchmynnol Anffurfiol	Presennol/Dyfodol Dibynnol Ffurfiol
1af unigol	amddiffynnaf	amddiffynna i	amddiffynnais	amddiffynnais i	amddiffynnwn	amddiffynnwn i	amddiffynnaswn			amddiffynnwyf
2il unigol	amddiffynni	amddiffynni di	amddiffynnaist	amddiffynnaist ti	amddiffynnit	amddiffynnet ti	amddiffynnasit	amddiffynna	amddiffynna	amddiffynnych
3ydd unigol	amddiffynna	amddiffynniff e/hi amddiffynnith o/hi	amddiffynnodd	amddiffynnodd e/o amddiffynnodd hi	amddiffynnai	amddiffynnai e/o amddiffynnai hi	amddiffynnasai	amddiffynned		amddiffynno
1af lluosog	amddiffynnwn	amddiffynnwn ni	amddiffynnasom	amddiffynnon ni	amddiffynnem	amddiffynnen ni	amddiffynnasem	amddiffynnwn		amddiffynnom
2il lluosog	amddiffynnwch	amddiffynnwch chi	amddiffynnasoch	amddiffynnoch chi	amddiffynnech	amddiffynnech chi	amddiffynnasech	amddiffynnwch	amddiffynnwch	amddiffynnoch
3ydd lluosog	amddiffynnant	amddiffynnan nhw	amddiffynnasant	amddiffynnon nhw	amddiffynnent	amddiffynnen nhw	amddiffynnasent	amddiffynnent		amddiffynnont
Amhersonol	amddiffynnir		amddiffynnwyd		amddiffynnid		amddiffynnasid	amddiffynner		amddiffynner

Sylwch: collir un 'n' pan na fydd o dan yr acen.

Berfau â'u bôn yn gorffen yn 'nn' neu 'rr' ac sy'n cynnwys 'a' yn y bôn (e.e. *meddiannu*, bôn *meddiann•*)

Person a rhif	Presennol/ Dyfodol Ffurfiol	Presennol/ Dyfodol Anffurfiol	Gorffennol Ffurfiol	Gorffennol Anffurfiol	Amhenodol Ffurfiol	Amhenodol Anffurfiol	Gorberffaith Ffurfiol	Gorchmynnol Ffurfiol	Gorchmynnol Anffurfiol	Presennol/ Dyfodol Dibynnol Ffurfiol
1af unigol	meddiannaf	meddianna i	meddiennais	meddiannais i	meddiannwn	meddiannwn i	meddiannaswn			meddiannwyf
2il unigol	meddienni	meddianni di	meddiennaist	meddiannaist ti	meddiannit	meddiannet ti	meddianasit	meddianna	meddianna	meddiennych
3ydd unigol	meddianna	meddianniff e/hi meddiannith o/hi	meddiannodd	meddiannodd e/o meddiannodd hi	meddiannai	meddiannai e/o meddiannai hi	meddianasai	meddianned		meddianno
1af lluosog	meddiannwn	meddiannwn ni	meddiannasom	meddiannon ni	meddiannem	meddiannen ni	meddianasem	meddiannwn		meddiannom
2il lluosog	meddiannwch	meddiannwch chi	meddiannasoch	meddiannoch chi	meddiannech	meddiannech chi	meddianasech	meddiennwch	meddiannwch	meddiannoch
3ydd lluosog	meddiannant	meddiannan nhw	meddiannasant	meddiannon nhw	meddiannent	meddiannen nhw	meddianasent	meddiannent		meddiannont
Amhersonol	meddiannir		meddiannwyd		meddiennid		meddianasid	meddianner		meddianner

Sylwch: collir un 'n' pan na fydd o dan yr acen; mae'r 'a' yn y bôn yn troi'n 'e' o dan rai amgylchiadau (affeithiad).

Berfau ag 'h' yn y bôn (e.e. *cynnwys*, bôn *cynhwys•*)

Person a rhif	Presennol/ Dyfodol Ffurfiol	Presennol/ Dyfodol Anffurfiol	Gorffennol Ffurfiol	Gorffennol Anffurfiol	Amhenodol Ffurfiol	Amhenodol Anffurfiol	Gorberffaith Ffurfiol	Gorchmynnol Ffurfiol	Gorchmynnol Anffurfiol	Presennol/ Dyfodol Dibynnol Ffurfiol
1af unigol	cynhwysaf	cynhwysa i	cynhwysais	cynhwysais i	cynhwyswn	cynhwyswn i	cynhwysaswn			cynhwyswyf
2il unigol	cynhwysi	cynhwysi di	cynhwysaist	cynhwysaist ti	cynhwysit	cynhwyset ti	cynwysasit	cynhwysa	cynhwysa	cynhwysych
3ydd unigol	cynhwysa	cynhwysiff e/hi cynhwysith o/hi	cynhwysodd	cynhwysodd e/o cynhwysodd hi	cynhwysai	cynhwysai e/o cynhwysai hi	cynwysasai	cynhwysed		cynhwyso
1af lluosog	cynhwyswn	cynhwyswn ni	cynwysasom	cynhwyson ni	cynhwysem	cynhwysen ni	cynwysasem	cynhwyswn		cynhwysom
2il lluosog	cynhwyswch	cynhwyswch chi	cynwysasoch	cynhwysoch chi	cynhwysech	cynhwysech chi	cynwysasech	cynhwyswch	cynhwyswch	cynhwysoch
3ydd lluosog	cynhwysant	cynhwysan nhw	cynwysasant	cynhwyson nhw	cynhwysent	cynhwysen nhw	cynwysasent	cynhwysent		cynhwysont
Amhersonol	cynhwysir		cynhwyswyd		cynhwysid		cynwysasid	cynhwyser		cynhwyser

Sylwch: collir yr 'h' pan na fydd o dan yr acen.

12 Berfau ag 'h' ac 'nn' neu 'rr' yn y bôn (e.e. *cynhenna*, bôn *cynhenn•*)

Person a rhif	Presennol/Dyfodol Ffurfiol	Presennol/Dyfodol Anffurfiol	Gorffennol Ffurfiol	Gorffennol Anffurfiol	Amhenodol Ffurfiol	Amhenodol Anffurfiol	Gorberffaith Ffurfiol	Gorchmynnol Ffurfiol	Gorchmynnol Anffurfiol	Presennol/Dyfodol Dibynnol Ffurfiol
1af unigol	cynhennaf	cynhenna i	cynhennais	cynhennais i	cynhennwn	cynhennwn i	cynenaswn			cynhennwyf
2il unigol	cynhenni	cynhenni di	cynhennaist	cynhennaist ti	cynhennit	cynhennet ti	cynenasit	cynhenna	cynhenna	cynhennych
3ydd unigol	cynhenna	cynhenniff e/hi cynhennith o/hi	cynhennodd	cynhennodd e/o cynhennodd hi	cynhennai	cynhennai e/o cynhennai hi	cynenasai	cynhenned		cynhenno
1af lluosog	cynhennwn	cynhennwn ni	cynenasom	cynhennon ni	cynhennem	cynhennen ni	cynenasem	cynhennwn		cynhennom
2il lluosog	cynhennwch	cynhennwch chi	cynenasoch	cynhennoch chi	cynhennech	cynhennech chi	cynenasech	cynhennwch	cynhennwch	cynhennoch
3ydd lluosog	cynhennant	cynhennan nhw	cynenasant	cynhennon nhw	cynhennent	cynhennen nhw	cynenasent	cynhennent		cynhennont
Amhersonol	cynhennir		cynhennwyd		cynhennid		cynenasid	cynhenner		cynhenner

Sylwch: collir yr 'h' pan na fydd o dan yr acen; collir un 'n' neu 'r' pan na fydd o dan yr acen.

13 Berfau ag 'h' yn y bôn ac sy'n cynnwys 'a' (e.e. *cymharu*, bôn *cymhar•*)

Person a rhif	Presennol/Dyfodol Ffurfiol	Presennol/Dyfodol Anffurfiol	Gorffennol Ffurfiol	Gorffennol Anffurfiol	Amhenodol Ffurfiol	Amhenodol Anffurfiol	Gorberffaith Ffurfiol	Gorchmynnol Ffurfiol	Gorchmynnol Anffurfiol	Presennol/Dyfodol Dibynnol Ffurfiol
1af unigol	cymharaf	cymhara i	cymherais	cymharais i	cymharwn	cymharwn i	cymaraswn			cymharwyf
2il unigol	cymheri	cymhari di	cymheraist	cymharaist ti	cymharit	cymharet ti	cymarasit	cymhara	cymhara	cymherych
3ydd unigol	cymhara	cymhariff e/hi cymharith o/hi	cymharodd	cymharodd e/o cymharodd hi	cymharai	cymharai e/o cymharai hi	cymarasai	cymhared		cymharo
1af lluosog	cymharwn	cymharwn ni	cymarasom	cymharon ni	cymharem	cymharen ni	cymarasem	cymharwn		cymharom
2il lluosog	cymherwch	cymharwch chi	cymarasoch	cymharoch chi	cymharech	cymharech chi	cymarasech	cymherwch	cymharwch	cymharoch
3ydd lluosog	cymharant	cymharan nhw	cymarasant	cymharon nhw	cymharent	cymharen nhw	cymarasent	cymharent		cymharont
Amhersonol	cymherir		cymharwyd		cymherid		cymarasid	cymharer		cymharer

Sylwch: collir yr 'h' pan na fydd o dan yr acen; mae'r 'a' yn troi'n 'e' (affeithiad).

14 Berfau â'u bôn yn gorffen yn '-ha' (e.e. *byrhau*, bôn *byrha•*)

Person a rhif	Presennol/Dyfodol Ffurfiol	Presennol/Dyfodol Anffurfiol	Gorffennol Ffurfiol	Gorffennol Anffurfiol	Amhenodol Ffurfiol	Amhenodol Anffurfiol	Gorberffaith Ffurfiol	Gorchmynnol Ffurfiol	Gorchmynnol Anffurfiol	Presennol/Dyfodol Dibynnol Ffurfiol
1af unigol	byrhaf		byrheais		byrhawn		byrhaswn			byrhawyf
2il unigol	byrhei		byrheaist		byrhait		byrhasit	byrha		byrheych
3ydd unigol	byrha		byrhaodd		byrhâi		byrhasai	byrhaed		byrhao
1af lluosog	byrhawn		byrhasom		byrhaem		byrhasem	byrhawn		byrhaom
2il luosog	byrhewch		byrhasoch		byrhaech		byrhasech	byrhewch		byrhaoch
3ydd lluosog	byrhânt		byrhasant		byrhaent		byrhasent	byrhaent		byrhaont
Amhersonol	byrheir		byrhawyd		byrheid		byrhasid	byrhaer		byrhaer

Sylwch: mae'r 'a' yn y bôn yn troi'n 'e' o dan rai amgylchiadau (affeithiad); ar lafariad ffurf Presennol/Dyfodol 3ydd unigol yn unig y defnyddir yr acen grom (i ddangos bod y llafariad yn hir o ganlyniad i gywasgiad); mae'r 'a' ar ddiwedd y bôn yn ymdoddi ag 'a' y terfyniad berfol yn achos rhai ffurfiau; cedwir yr 'h' gan ei bod o dan yr acen; nid yw'r berfau hyn yn arfer cael eu rhedeg wrth ysgrifennu'n anffurfiol.

15 Berfau ag 'a' hir yn y bôn (e.e. *agosáu*, bôn *agosa•*)

Person a rhif	Presennol/Dyfodol Ffurfiol	Presennol/Dyfodol Anffurfiol	Gorffennol Ffurfiol	Gorffennol Anffurfiol	Amhenodol Ffurfiol	Amhenodol Anffurfiol	Gorberffaith Ffurfiol	Gorchmynnol Ffurfiol	Gorchmynnol Anffurfiol	Presennol/Dyfodol Dibynnol Ffurfiol
1af unigol	agosâf		agoseais		agosawn		agosaswn			agosawyf
2il unigol	agosei		agoseaist		agosait		agosasit	agosâ		agoseych
3ydd unigol	agosâ		agosaodd		agosâi		agosasai	agosaed		agosao
1af lluosog	agosawn		agosasom		agosaem		agosasem	agosawn		agosaom
2il luosog	agosewch		agosasoch		agosaech		agosasech	agosewch		agosaoch
3ydd lluosog	agosânt		agosasant		agosaent		agosasent	agosaent		agosaont
Amhersonol	agoseir		agosawyd		agoseid		agosasid	agosaer		agosaer

Sylwch: mae'r 'a' yn y bôn yn troi'n 'e' o dan rai amgylchiadau (affeithiad); mae'r 'a' ar ddiwedd y bôn yn ymdoddi ag 'a' y terfyniad berfol yn achos rhai ffurfiau; defnyddir yr acen grom ar ffurfiau Presennol/Dyfodol 1af a 3ydd unigol a 3ydd lluosog; Amhenodol 3ydd unigol; Gorchmynnol 2il unigol (i ddangos bod y llafariad yn hir o ganlyniad i gywasgiad); nid yw'r berfau hyn yn arfer cael eu rhedeg wrth ysgrifennu'n anffurfiol.

16 Berfau unsill â'u bôn yn gorffen yn '-o' (e.e. *cnoi*, bôn *cno•*) a berfau cyfansawdd yn '-o' sy'n cynnwys cyplysnod yn y bôn (e.e. *nydd-droi*, bôn '*nydd-dro•*')

Person a rhif	Presennol/Dyfodol Ffurfiol	Presennol/Dyfodol Anffurfiol	Gorffennol Ffurfiol	Gorffennol Anffurfiol	Amhenodol Ffurfiol	Amhenodol Anffurfiol	Gorberffaith Ffurfiol	Gorchmynnol Ffurfiol	Gorchmynnol Anffurfiol	Presennol/Dyfodol Dibynnol Ffurfiol
1af unigol	cnof, cnoaf		cnois	cnois i	cnown		cnoeswn			cnowyf
2il unigol	cnoi		cnoist	cnoaist ti	cnoit		cnoesit	cno		cnoech
3ydd unigol	cno		cnoes, cnodd	cnodd e/o / cnodd hi	cnôi		cnoesai	cnoed		cno
1af lluosog	cnown		cnoesom	cnoeson ni	cnoem		cnoesem	cnown		cnôm
2il lluosog	cnowch		cnoesoch	cnoesoch chi	cnoech		cnoesech	cnowch		cnoch
3ydd lluosog	cnônt		cnoesant	cnoeson nhw	cnoent		cnoesent	cnoent		cnônt
Amhersonol	cnoir		cnowyd		cnoid		cnoesid	cnoer		cnoer

Sylwch: yn y Presennol/Dyfodol '-of' neu '-af' yw ffurf y 1af unigol, '-o' yw ffurf y 3ydd unigol, '-ônt' yw ffurf y 3ydd lluosog; yn y Gorffennol gellir defnyddio '-es' yn derfyniad 3ydd unigol; yn y Gorffennol a'r Gorberffaith ceir 'e' yn lle 'a' ar ddechrau terfyniadau'r ffurfiau lluosog; yn yr Amhenodol '-ôi' yw'r ffurf 3ydd unigol; defnyddir yr acen grom ar lafariad yn hir neu bod cywasgiad wedi digwydd ac i wahaniaethu rhwng ffurfiau, e.e. y berfenw 'cnoi', Presennol 2il unigol 'cnoi', Amhenodol 3ydd unigol 'cnôi'; nid yw pob Amser yn cael ei redeg wrth ysgrifennu'n anffurfiol.

17 Berfau lluosill â'u bôn yn gorffen yn '-o' lle mae'r acen ar y sillaf olaf (e.e. *paratoi*, bôn '*parato•*')

Person a rhif	Presennol/Dyfodol Ffurfiol	Presennol/Dyfodol Anffurfiol	Gorffennol Ffurfiol	Gorffennol Anffurfiol	Amhenodol Ffurfiol	Amhenodol Anffurfiol	Gorberffaith Ffurfiol	Gorchmynnol Ffurfiol	Gorchmynnol Anffurfiol	Presennol/Dyfodol Dibynnol Ffurfiol
1af unigol	paratôf, paratoaf		paratois	paratoais i	paratown		paratoeswn			paratowyf
2il unigol	paratoi		paratoist	paratoaist ti	paratoit		paratoesit	paratô, paratoa		paratoech
3ydd unigol	paratô, paratoa		paratoes, paratôdd	paratôdd e/o / paratôdd hi	paratôi		paratoesai	paratoed		paratô
1af lluosog	paratown		paratoesom	paratoeson ni	paratoem		paratoesem	paratown		paratôm
2il lluosog	paratowch		paratoesoch	paratoesoch chi	paratoech		paratoesech	paratowch		paratôch
3ydd lluosog	paratoant		paratoesant	paratoeson nhw	paratoent		paratoesent	paratoent		paratônt
Amhersonol	paratoir		paratowyd		paratoid		paratoesid	paratoer		paratoer

Sylwch: yn y Presennol/Dyfodol '-ôf' neu '-af' yw ffurf y 1af unigol, '-ô' neu '-a' yw ffurf y 3ydd unigol, '-oant' yw ffurf y 3ydd lluosog; yn y Gorffennol gellir defnyddio '-es' yn derfyniad 3ydd unigol; yn y Gorffennol a'r Gorberffaith ceir 'e' yn lle 'a' ar ddechrau terfyniadau'r ffurfiau lluosog; yn yr Amhenodol '-ôi' yw'r ffurf 3ydd unigol; defnyddir yr acen grom ar lafariad rhai ffurfiau i ddangos bod cywasgiad wedi digwydd neu i wahaniaethu rhwng ffurfiau, e.e. y berfenw 'paratoi', Presennol/Dyfodol 2il unigol 'paratoi', Amhenodol 3ydd unigol 'paratôi'; nid yw pob Amser yn cael ei redeg wrth ysgrifennu'n anffurfiol.

18 Berfau lluosill a'u bôn yn gorffen yn '-ho' lle mae'r acen ar y sillaf olaf (e.e. *crynhoi*, bôn *crynho•*)

Person a rhif	Presennol/Dyfodol Ffurfiol	Presennol/Dyfodol Anffurfiol	Gorffennol Ffurfiol	Gorffennol Anffurfiol	Amhenodol Ffurfiol	Amhenodol Anffurfiol	Gorberffaith Ffurfiol	Gorchmynnol Ffurfiol	Gorchmynnol Anffurfiol	Presennol/Dyfodol Dibynnol Ffurfiol
1af unigol	crynhoaf		crynhois	crynhoais i	crynhown		crynhoeswn			crynhowyf
2il unigol	crynhoi		crynhoist	crynhoaist ti	crynhoit		crynhoesit	crynhoa		crynhoech
3ydd unigol	crynhoa		crynhoes, crynhodd	crynhodd e/o crynhodd hi	crynhôi		crynhoesai	crynhoed		crynho
1af lluosog	crynhown		crynhoesom	crynhoeson ni	crynhoem		crynhoesem	crynhown		crynhôm
2il luosog	crynhowch		crynhoesoch	crynhoesoch chi	crynhoech		crynhoesech	crynhowch		crynhoch
3ydd lluosog	crynhoant		crynhoesant	crynhoeson nhw	crynhoent		crynhoesent	crynhoent		crynhônt
Amhersonol	crynhoir		crynhowyd		crynhoid		crynhoesid	crynhoer		crynhoer

Sylwch: yn y Presennol/Dyfodol Ffurfiol '-f' neu '-af' yw ffurf y 1af unigol; yn y Gorffennol gellir defnyddio '-es' yn derfyniad 3ydd unigol; yn y Gorffennol a'r Gorberffaith ceir 'e' yn lle 'a' ar ddechrau terfyniadau'r ffurfiau lluosog; yn yr Amhenodol '-ói' yw ffurf y 3ydd unigol; defnyddir yr acen grom ar lafariad rhai ffurfiau i ddangos bod cywasgiad wedi digwydd neu i wahaniaethu rhwng ffurfiau, e.e. y berfenw 'crynhói', Presennol/Dyfodol 2il unigol 'crynhói', Amhenodol 3ydd unigol 'crynhói'; cedwir yr 'h' gan ei bod o dan yr acen; nid yw pob Amser yn cael ei redeg wrth ysgrifennu'n anffurfiol.

19 Ffurfiau *mynd, gwneud, cael a dod*

mynd

Person a rhif	Presennol/Dyfodol Ffurfiol	Presennol/Dyfodol Anffurfiol	Gorffennol Ffurfiol	Gorffennol Anffurfiol	Amhenodol Ffurfiol	Amhenodol Anffurfiol	Gorberffaith Ffurfiol	Gorchmynnol Ffurfiol	Gorchmynnol Anffurfiol	Presennol/Dyfodol Dibynnol Ffurfiol	Amhenodol Dibynnol Ffurfiol
1af unigol	af	af i	euthum	es i	awn	elen i	aethwn			elwyf	elwn
2il unigol	ei	ei di	aethost	est ti	ait, aet	elet ti	aethit	dos	dos, cer	elych	elit
3ydd unigol	â	aiff e/hi, eith o/hi	aeth	aeth e/o, aeth hi	âi	elai e/o, elai h	aethai	aed, eled		elo/êl	elai
1af lluosog	awn	awn ni	aethom	aethon ni	aem	elen ni	aethem	awn		elom	elem
2il lluosog	ewch	ewch chi	aethoch	aethoch chi	aech	elech chi	aethech	ewch	ewch, cerwch	eloch	elech
3ydd lluosog	ânt	ân nhw	aethant	aethon nhw	aent	elen nhw	aethent	aent, elent		elont	elent
Amhersonol	eir		aethpwyd, aed		eid		aethid	eler		eler	elid

gwneud

Person a rhif	Presennol/Dyfodol Ffurfiol	Presennol/Dyfodol Anffurfiol	Gorffennol Ffurfiol	Gorffennol Anffurfiol	Amhenodol Ffurfiol	Amhenodol Anffurfiol	Gorberffaith Ffurfiol	Gorchmynnol Ffurfiol	Gorchmynnol Anffurfiol	Presennol/Dyfodol Dibynnol Ffurfiol	Amhenodol Dibynnol Ffurfiol
1af unigol	gwnaf	gwnaf i	gwneuthum	gwnes i	gwnawn	gwnelen i	gwnaethwn			gwnelwyf	gwnelwn
2il unigol	gwnei	gwnei di	gwnaethost	gwnest ti	gwnait, gwnaet	gwnelet ti	gwnaethit	gwna	gwna	gwnelych	gwnelit
3ydd unigol	gwna	gwnaiff e/o, gwnaiff hi	gwnaeth	gwnaeth e/o, gwnaeth hi	gwnâi	gwnelai e, gwnelai hi	gwnaethai	gwnaed, gwneled		gwnelo, gwnêl	gwnelai
1af lluosog	gwnawn	gwnawn ni	gwnaethom	gwnaethon ni	gwnaem	gwnelen ni	gwnaethem	gwnawn		gwnelom	gwnelem
2il lluosog	gwnewch	gwnewch chi	gwnaethoch	gwnaethoch chi	gwnaech	gwnelech chi	gwnaethech	gwnewch	gwnewch	gwneloch	gwnelech
3ydd lluosog	gwnânt	gwnân nhw	gwnaethant	gwnaethon nhw	gwnaent	gwnelen nhw	gwnaethent	gwnelent	gwnaent	gwnelont	gwnelent
Amhersonol	gwneir		gwnaethpwyd, gwnaed		gwneid		gwnaethid	gwneler		gwneler	gwnelid

cael

Person a rhif	Presennol/Dyfodol Ffurfiol	Presennol/Dyfodol Anffurfiol	Gorffennol Ffurfiol	Gorffennol Anffurfiol	Amhenodol Ffurfiol	Amhenodol Anffurfiol	Gorberffaith Ffurfiol	Gorchmynnol Ffurfiol	Gorchmynnol Anffurfiol	Presennol/Dyfodol Dibynnol Ffurfiol	Amhenodol Dibynnol Ffurfiol
1af unigol	caf	caf i	cefais	ces i	cawn	celen i	cawswn			caffwyf	caffwn
2il unigol	cei	cei di	cefaist	cest ti	cait, caet	celet ti	cawsit			ceffych	caffit
3ydd unigol	caiff	caiff e/o / caiff hi	cafodd	cafodd e/o / cafodd hi	câi	celai e/o / celai hi	cawsai	caffed, caed		caffo	caffai
1af lluosog	cawn	cawn ni	cawsom	cawson ni	caem	celen ni	cawsem			caffom	caffem
2il lluosog	cewch	cewch chi	cawsoch	cawsoch chi	caech	celech chi	cawsech			caffoch	caffech
3ydd lluosog	cânt	cân nhw	cawsant	cawson nhw	caent	celen nhw	cawsent	caffent, caent		caffont	caffent
Amhersonol	ceir		cafwyd, caed		ceid		cawsid	caffer, caer		caffer	ceffid

dod

Person a rhif	Presennol/Dyfodol Ffurfiol	Presennol/Dyfodol Anffurfiol	Gorffennol Ffurfiol	Gorffennol Anffurfiol	Amhenodol Ffurfiol	Amhenodol Anffurfiol	Gorberffaith Ffurfiol	Gorchmynnol Ffurfiol	Gorchmynnol Anffurfiol	Presennol/Dyfodol Dibynnol Ffurfiol	Amhenodol Dibynnol Ffurfiol
1af unigol	deuaf	dof i	deuthum	des i	deuwn, down	delen i	daethwn			delwyf	delwn
2il unigol	deui	doi di	daethost	dest ti	deuet, dôit, doet	delet ti	daethit	tyred, tyrd	tyrd, dere	delych	delit
3ydd unigol	daw	daw e/o / daw hi	daeth	daeth e/o / daeth hi	deuai, dôi	delai e/o / delai hi	daethai	deued, doed, deled		delo, dêl	delai
1af lluosog	deuwn	down ni	daethom	daethon ni	deuem, doem	delen ni	daethem	deuwn, down		delom	delem
2il lluosog	deuwch	dewch chi	daethoch	daethoch chi	deuech, doech	delech chi	daethech	deuwch, dowch	dowch, dewch	deloch	delech
3ydd lluosog	deuant	dôn nhw	daethant	daethon nhw	deuent, doent	delen nhw	daethent	deuent, doent, delent		delont	delent
Amhersonol	deuir		daethpwyd		deuid, doid		daethid	deuer, deler		deler	delid

20 *bod* a berfau cyfansawdd *bod* (canfod, cydnabod, cyfarfod, darganfod, etc.)

Person a rhif	Presennol Ffurfiol	Presennol Anffurfiol	Dyfodol/Presennol Arferiadol Ffurfiol	Dyfodol/Presennol Arferiadol Anffurfiol	Gorffennol Ffurfiol	Gorffennol Anffurfiol	Amherffaith Ffurfiol	Amherffaith Anffurfiol
1af unigol	rwyf, wyf, ydwyf	rydw i, dw i; ydw i, dw i	byddaf	bydda i	bûm	bues i	roeddwn; oeddwn	roeddwn i; oeddwn i
2il unigol	rwyt, wyt, ydwyt	rwyt ti; wyt ti	byddi	byddi di	buost	buest ti	roeddit; oeddit	roeddet ti; oeddet ti
3ydd unigol	mae, yw, ydyw; oes; sydd	mae e/o, mae hi; ydy e/o, ydy hi	bydd	bydd e/o, bydd hi	bu	buodd e/o, buodd hi	roedd; oedd, ydoedd	roedd e/o, roedd hi; oedd e/o, oedd hi
1af lluosog	rydym, ŷm, ydym	rydyn ni; ydyn ni	byddwn	byddwn ni	buom	buon ni	roeddem; oeddem	roedden ni; oedden ni
2il lluosog	rydych, ych, ydych	rydych chi; ydych chi	byddwch	byddwch chi	buoch	buoch chi	roeddech; oeddech	roeddech chi; oeddech chi
3ydd lluosog	maent, ŷnt, ydynt	maen nhw; ydyn nhw	byddant	byddan nhw	buont, buant	buon nhw	roeddynt, roeddent; oeddynt, oeddent	roedden nhw; oedden nhw
Amhersonol	yr ydys, ydys		byddir		buwyd		yr oeddid; oeddid	
1af unigol			canfyddaf	canfydda i	canfûm	canfyddais i		

Sylwch: bonau 'bydd-' a 'bu-' yn unig a ddefnyddir gan y berfau cyfansawdd.

bod a berfau cyfansawdd *bod* (canfod, cydnabod, cyfarfod, darganfod, etc.)

Person a rhif	Amodol Ffurfiol	Amodol Anffurfiol	Gorberffaith Ffurfiol	Gorberffaith Anffurfiol	Gorchmynnol Ffurfiol	Gorchmynnol Anffurfiol	Presennol/Dyfodol Dibynnol Ffurfiol	Amodol Dibynnol Ffurfiol	Amodol Dibynnol Anffurfiol
1af unigol	byddwn	byddwn i	buaswn	baswn i wedi			bwyf	bawn	bawn i
2il unigol	byddit	byddet ti	buasit	baset ti wedi	bydd	bydd	bych	bait	baet ti
3ydd unigol	byddai	byddai e/o, byddai hi	buasai	basai e/o wedi, basai hi wedi	bydded, boed, bid		bo	bai	bai e/o, bai hi
1af lluosog	byddem	bydden ni	buasem	basen ni wedi	byddwn		bôm	baem	baen ni
2il lluosog	byddech	byddech chi	buasech	basech chi wedi	byddwch	byddwch	boch	baech	baech chi
3ydd lluosog	byddent	bydden nhw	buasent	basen nhw wedi	byddent		bônt	baent	baen nhw
Amhersonol	byddid		buesid, buasid		bydder		bydder	byddid	
1af unigol	canfyddwn		canfuaswn				canfyddwyf		

Sylwch: bonau 'bydd-' a 'bu-' yn unig a ddefnyddir gan y berfau cyfansawdd.

adnabod

Person a rhif	Presennol Ffurfiol	Dyfodol Ffurfiol	Dyfodol Anffurfiol	Gorffennol Ffurfiol	Gorffennol Anffurfiol	Amhenodol Ffurfiol	Amhenodol Anffurfiol	Gorberffaith Ffurfiol	Gorchmynnol Ffurfiol	Gorchmynnol Anffurfiol	Presennol/ Dyfodol Dibynnol Ffurfiol	Amhenodol Dibynnol Ffurfiol
1af unigol	adwaen	adnabyddaf	adnabydda i	adnabûm	adnabyddais i	adwaenwn	adnabyddwn i	adnabuaswn			adnabyddwyf	adnabyddwn
2il unigol	adwaenost	adnabyddi	adnabyddi di	adnabuost	adnabyddaist ti	adwaenit	adnabyddet ti	adnabuasit	adnebydd adnabydded	adnabydda	adnabyddych	adnabyddit
3ydd unigol	edwyn	adnebydd	adnabydda e/o adnabydda hi	adnabu	adnabyddodd e/o adnabyddodd hi	adwaenai	adnabyddai e/o adnabyddai hi	adnabuasai			adnabyddo	adnabyddai
1af lluosog	adwaenom	adnabyddwn	adnabyddwn ni	adnabuom	adnabyddon ni	adwaenem	adnabydden ni	adnabuasem	adnabyddwn		adnabyddom	adnabyddem
2il lluosog	adwaenoch	adnabyddwch	adnabyddwch chi	adnabuoch	adnabyddoch chi	adwaenech	adnabyddech chi	adnabuasech	adnabyddwch	adnabyddwch	adnabyddoch	adnabyddech
3ydd lluosog	adwaenant	adnabyddant	adnabyddan nhw	adnabuant, adnabuont	adnabyddon nhw	adwaenent	adnabydden nhw	adnabuasent	adnabyddent		adnabyddont	adnabyddent
Amhersonol	adweinir, adwaenir	adnabyddir		adnabuwyd		adwaenid		adnabuasid	adnabydder		adnabydder	adnabyddid

Sylwch: mae'r canlynol yn amrywiadau llai cyffredin yn y Presennol: 2il unigol 'adweini'; 1af lluosog 'adwaenwn', 2il luosog 'adwaenwch'.

gwybod

Person a rhif	Presennol Ffurfiol	Dyfodol/ Presennol Arferiadol Ffurfiol	Dyfodol Anffurfiol	Gorffennol Ffurfiol	Gorffennol Anffurfiol	Amhenodol Ffurfiol	Amhenodol Anffurfiol	Gorberffaith Ffurfiol	Gorchmynnol Ffurfiol	Gorchmynnol Anffurfiol	Presennol/ Dyfodol Dibynnol Ffurfiol	Amhenodol Dibynnol Ffurfiol
1af unigol	gwn	gwybyddaf		gwybûm		gwyddwn	gwyddwn i	gwybuaswn			gwybyddwyf	gwybyddwn
2il unigol	gwyddost	gwybyddi		gwybuost		gwyddit	gwyddet ti	gwybuasit	gwybydd gwybydded		gwybyddych	gwybyddit
3ydd unigol	gŵyr	gwybydd		gwybu		gwyddai	gwyddai e/o gwyddai hi	gwybuasai			gwybyddo	gwybyddai
1af lluosog	gwyddom	gwybyddwn		gwybuom		gwyddem	gwydden ni	gwybuasem	gwybyddwn		gwybyddom	gwybyddem
2il lluosog	gwyddoch	gwybyddwch		gwybuoch		gwyddech	gwyddech chi	gwybuasech	gwybyddwch		gwybyddoch	gwybyddech
3ydd lluosog	gwyddant	gwybyddant		gwybuant, gwybuont		gwyddent	gwydden nhw	gwybuasent	gwybyddent		gwybyddont	gwybyddent
Amhersonol	gwyddys	gwybyddir		gwybuwyd		gwyddid		gwybuasid	gwybydder		gwybydder	gwybyddid

Cyfleu Amserau'r ferf drwy ddefnyddio ffurfiau cwmpasog yn cynnwys 'yn', 'wedi' a 'wedi bod yn'
Ar sail tabl Peter Wynn Thomas, *Gramadeg y Gymraeg*, Caerdydd, 1996, tt. 96–7 (3.17).

Presennol parhaol	mae'n gweiddi	he/she/it is shouting
Presennol gorffenedig	mae wedi gweiddi	he/she/it has shouted
Presennol parhaol gorffenedig	mae wedi bod yn gweiddi	he/she/it has been shouting
Dyfodol parhaol	bydd yn gweiddi (e.e. drwy'r dydd)	he/she/it will be shouting
Dyfodol gorffenedig	bydd wedi gweiddi (e.e. erbyn hyn)	he/she/it will have shouted
Dyfodol parhaol gorffenedig	bydd wedi bod yn gweiddi (e.e. erbyn hyn)	he/she/it will have been shouting
Amhenodol parhaol	byddwn/buaswn yn gweiddi	I used to shout, I would shout
Amhenodol gorffenedig	byddai/buasai wedi gweiddi	he/she/it would have shouted
Amhenodol parhaol gorffenedig	byddai/buasai wedi bod yn gweiddi	he/she/it would have been shouting
Gorffennol parhaol	roeddwn yn gweiddi	I was shouting
Gorffennol gorffenedig	roeddwn wedi gweiddi	I had shouted
Gorffennol parhaol gorffenedig	roeddwn wedi bod yn gweiddi	I had been shouting
Gorffennol penodol	bûm yn gweiddi	I shouted; I spent time shouting
Gorberffaith parhaol	buaswn yn gweiddi	I had been shouting
Dibynnol parhaol	(pe) bawn yn gweiddi	were I to shout
Dibynnol gorffenedig	(pe) bawn wedi gweiddi	had I shouted
Dibynnol parhaol gorffenedig	(pe) bawn wedi bod yn gweiddi	had I been shouting

A

a¹:A *eb*
1 llafariad a llythyren gyntaf yr wyddor Gymraeg; gall, ar ddechrau gair, fod yn ganlyniad treiglo *g* yn feddal, *yr afr* a, A
2 fe'i defnyddir i ddynodi'r radd uchaf o ragoriaeth A
3 CERDDORIAETH enw nodyn mewn hen nodiant, y chweched nodyn yng ngraddfa C fwyaf A
4 un o'r pedwar math o waed yn y gyfundrefn ABO o ddosbarthu gwaed, yn cynnwys yr antigen A ond nid yr antigen B A
5 fe'i defnyddir i ddynodi maint papur o A0 (841 × 1189 mm) hyd at A10 (26 × 37 mm) A
6 o gael ei ddilyn gan rif, fe'i defnyddir i ddynodi prif heol neu gefnffordd, *A5* A
7 fel yn *Lefel A*, fe'i defnyddir i ddynodi cyfundrefn arholiadol Brydeinig (ac eithrio'r Alban) rhwng TGAU ac arholiadau prifysgol A

a²:ac *cysylltair* gair a ddefnyddir:
1 i gysylltu geiriau unigol, *ci a chath, oren ac afal,* ac ymadroddion, *Mae un yn y fasged ac un yn y bag. Rwy'n mynd i'r dref a byddaf yno drwy'r dydd.* and
2 ynghlwm wrth arddodiad i ddynodi meddiant neu berthynas, *gwraig a chanddi lygaid mawr, bwthyn ac iddo ddrws glas*
3 mewn ymadroddion dyblyg nad ydynt yn enwi person, peth na lle, *y dyn a'r dyn, y lle a'r lle* such and such
4 wrth ysgrifennu symiau o arian, *punt a hanner can ceiniog*
5 mewn ymadroddion megis *a dweud y gwir, a thorri stori hir yn fyr, a dweud y lleiaf, a hithau wedi dechrau nosi*
6 i gyflwyno rhagenw mewn cyfosodiad, *a minnau, brifathro ysgol*
7 fe'i defnyddir i gyflwyno digwyddiadau sy'n gydamserol, *A minnau'n sefyll wrth ochr y ffordd, gwelais y car coch yn taro'r car melyn.*
Sylwch:
1 mae'r 'a' yma'n achosi'r treiglad llaes (*mam a thad*);
2 'a' a ddefnyddir o flaen cytsain (*bachgen a merch*) gan gynnwys 'h' (*a hefyd*), 'ac' a ddefnyddir o flaen llafariad (*athro ac athrawes*) gan gynnwys 'i' ac 'w'; eithriadau: *ac fe, ac fel, ac felly, ac mae, ac maent, ac mai, ac meddaf, ac meddai, ac megis, ac mewn, ac mi, ac mor, ac mwyach, ac na, ac nac, ac nad, ac ni, ac nid, ac roedd,* *ac roeddwn, etc., ac rydw, ac rydych, etc., ac sydd;*
3 mae 'ac' yn cael ei ynganu fel 'ag' ond ni ddylid ysgrifennu 'ag'.

ac ati ac yn y blaen, etc. (ond gyda'r awgrym nad yw'r pethau hyn mor bwysig â'r un/rhai a enwir) and so on

a³ *rhagenw perthynol*
1 fe'i defnyddir mewn brawddeg i ddangos at bwy neu at beth yn arbennig y mae gweithred yn cyfeirio, *Dyna'r dyn a welais.* that, which, who, whom
2 fe'i defnyddir i osod pwyslais arbennig ar oddrych y ferf, e.e. *John a giciodd y ci,* er mwyn pwysleisio pwy yn union a giciodd y ci
Sylwch:
1 mae'r 'a' yma'n achosi'r treiglad meddal;
2 does dim gwahaniaeth at faint o bobl, neu o bethau y mae'n cyfeirio, mae'n cael ei ddilyn gan ffurf trydydd unigol y ferf, *y dynion a giciodd y ci;*
3 mewn iaith anffurfiol gellir hepgor yr 'a' ond rhaid cadw'r treiglad, *John giciodd y ci.*

a⁴ *geiryn gofynnol*
1 gair a ddefnyddir o flaen berf ar ddechrau cwestiwn, *A welaist ti'r gath?*
2 fe'i defnyddir yng nghanol brawddeg i gyflwyno cwestiwn anuniongyrchol, *Gofynnodd a oeddwn wedi gweld y gath.*
Sylwch:
1 mae'r 'a' yma'n achosi'r treiglad meddal;
2 does dim angen marc cwestiwn (?) ar ddiwedd cwestiwn anuniongyrchol;
3 mae'r 'a' hon yn cael ei hepgor yn aml, yn enwedig yn yr iaith lafar, ond rhaid cadw'r treiglad.

â¹:ag *ardd*
1 gan ddefnyddio, *Torrodd ei fys â chyllell.* with
2 a chanddo, yn berchen, *y ferch â gwallt coch* with
3 yn cynnwys, *Rwy'n hoffi coffi â llaeth.* with
4 mewn ymadroddion megis *i ffwrdd â ni, allan â chi!*
5 ynghlwm wrth rai berfau megis *dod â* (to bring), *mynd â* (to take), *cyfarfod â* (to meet), *cysylltu â* (to contact)
Sylwch:
1 mae'r 'â' yma'n achosi'r treiglad llaes;
2 'â' a ddefnyddir o flaen cytsain, *Torrais y cortyn â siswrn.* 'ag' a ddefnyddir o flaen llafariad gan gynnwys 'i' ac 'w', *Llanwodd ei sach ag aur.;*
3 pan fydd 'â' dan reolaeth arddodiad arall, defnyddiwch 'a/ac' cysylltair, *y gŵr a chanddo draed mawr,* ac eithrio pan ddaw ar ôl ffurfiau

bod, e.e. *'sydd â'* sy'n gywir, *Hwn yw'r tŷ sydd â gardd fawr iddo.*

â²:ag *cysylltair* geiryn a ddefnyddir:

1 yn y cyfuniad 'mor' + ansoddair + â, *mor ddu â'r frân, mor wan â chath* as

2 yn y cyfuniad 'cyn' + ffurf gyfartal yr ansoddair + â, *cyn goched â thân, cyn wynned â'r eira* as

3 heb ragflaenydd gyda ffurfiau cymharol afreolaidd, e.e. *cystal â, cyfuwch â, cyfled â* as

Sylwch:

1 mae'r 'â' yma'n achosi'r treiglad llaes;

2 'â' a ddefnyddir o flaen cytsain, *mor goch â thân;* 'ag' a ddefnyddir o flaen llafariad, gan gynnwys 'i' ac 'w', *cyn brinned ag aur.*

â³ *bf* [mynd] *ffurfiol* mae ef yn mynd/mae hi'n mynd; bydd ef yn mynd/bydd hi'n mynd

AALl *byrfodd* Awdurdod Addysg Lleol LEA

ab:ap¹ *eg* yn fab i; defnyddir 'ap' o flaen cytsain ac 'ab' o flaen llafariad, *Dafydd ap Gwilym, Hywel ab Einion* son of

abacws *eg* (abacysau) ffrâm neu fwrdd â gleiniau sy'n gymorth i gyfrifo abacus

abad *eg* (abadau) pennaeth abaty neu fynachlog abbot

abadaeth *eb* (abadaethau) swydd abad neu abades abbacy

abadaidd *ans* yn perthyn i abad neu abades, nodweddiadol o abad neu abades abbatial

abades *eb* (abadesau) merch neu wraig sy'n bennaeth ar leianod mewn abaty neu leiandy abbess

abaty *eg* (abatai)

1 adeilad lle mae mynachod neu leianod yn byw bywyd crefyddol o dan ofal abad neu abades abbey

2 eglwys a fu unwaith yn abaty neu'n rhan o abaty abbey

abdomen *eg* (abdomenau)

1 ANATOMEG y rhan o'r corff rhwng y frest a chesail y forddwyd sy'n cynnwys y stumog, yr arennau, yr afu/iau, y coluddion, etc. abdomen

2 SWOLEG rhan ôl corff arthropod abdomen

abdomenol *ans* yn perthyn i'r abdomen, nodweddiadol o'r abdomen abdominal

aber *eg* (aberoedd)

1 moryd; y fan lle mae afon yn llifo i'r môr, e.e. yn yr enwau lleoedd *Aberaeron, Aberconwy* mouth of river

2 DAEARYDDIAETH cymer; y fan lle mae afon lai (a enwir) yn llifo i afon fwy, *Abercynon* confluence

aberth *eg* (aberthau:ebyrth)

1 y broses neu'r arfer o ladd anifail neu berson, neu o gynnig rhodd werthfawr, yn offrwm i dduw sacrifice

2 anifail, person neu rodd a offrymir i dduw; offrwm sacrifice

3 gweithred sy'n golygu rhoi'r gorau i rywbeth neu ollwng rhywbeth gwerthfawr er mwyn rhywbeth sy'n fwy gwerthfawr neu'n fwy pwysig sacrifice

aberthadwy *ans* y gellir ei aberthu

aberthged *eb* yr ysgub o ŷd a blodau'r maes a gyflwynir yn ystod seremonïau Gorsedd Beirdd Ynys Prydain (yr Orsedd)

aberthiad *eg* (aberthiadau) y weithred o aberthu; aberth (the) sacrificing

aberthol *ans* yn perthyn i aberthu, nodweddiadol o aberthu sacrificial

aberthu *be* [aberth•¹ 3 *un. pres.* aberth/abertha; 2 *un. gorch.* aberth/abertha]

1 offrymu (rhywbeth) fel aberth, cyflawni aberth (~ *rhywbeth i rywun;* ~ *rhywbeth* dros *rywun/rywbeth*) to sacrifice

2 rhoi'r gorau, neu ollwng rhywbeth gwerthfawr er mwyn rhywbeth sy'n fwy gwerthfawr to sacrifice

aberthwr *eg* (aberthwyr)

1 un sy'n offrymu aberth; offrymwr sacrificer

2 un sydd wedi gwneud aberth; merthyr sacrificer

abid *eb* (abidau) gwisg laes mynach neu leian habit

abiéc *eg* yr wyddor alphabet

ab initio *adf* ac *ans* o'r cychwyn

abiotig *ans* nad yw'n berchen ar fywyd; nad yw'n perthyn i organebau byw; anfyw abiotic

abl *ans* [abl• abled/apled; ablach/aplach; ablaf/aplaf]

1 â'r gallu neu'r grym i gyflawni rhywbeth; atebol, galluog, hyfedr, medrus able

2 â digon o arian neu eiddo; cefnog, cyfoethog, goludog rich

3 *tafodieithol, yn y Gogledd* cryf, nerthol strong

abladiad *eg* (abladiadau)

1 MEDDYGAETH y broses o abladu, e.e. torri i ffwrdd o dan lawdriniaeth ablation

2 DAEAREG y broses o abladu, e.e. colli iâ neu eira o ganlyniad i anweddiad neu ddadmeriad ablation

abladu *be* [ablad•¹] tynnu neu waredu drwy dorri, erydu, anweddu neu ddadmer to ablate

ablawt *eg* GRAMADEG newid llafariad a gysylltir â newidiadau gramadegol neu forffolegol, e.e. *dwg, dug* sy'n ffurfiau ar *dwyn* ablaut

abledd *eg* y gallu i gyflawni rhywbeth; medr ability

abnormaledd defnyddiwch annormaledd

abo *eg* corff marw anifail, fel yn *drewi fel abo* carcass

abomaswm *eg* (abomasa) SWOLEG pedwaredd stumog anifail cnoi cil (megis dafad, buwch, jiráff, etc.) abomasum

abseilio *be* [abseili•²] disgyn i lawr mur neu glogwyn gan ddefnyddio rhaff sy'n ymestyn dan y cluniau, ar draws y corff ac i fyny heibio i'r ysgwydd gyferbyn, ac sydd wedi'i sicrhau wrth bwynt uwchben to abseil

absen *eb* (absennau) athrod; mynegiant sy'n dwyn anfri ar rywun, sy'n pardduo neu'n taflu sen; difenwad slander

absennol *ans* heb fod mewn man arbennig; i ffwrdd (~ o) absent
Sylwch: nid yw'n cael ei gymharu.

absennu *be* [absenn•⁹] athrodi; taflu sen ar (rywun); difenwi, pardduo to slander
Sylwch: dyblwch yr 'n' ym mhob ffurf ac eithrio yn y rhai sy'n cynnwys -as-.

absennus *ans* athrodus; llawn absen neu sen; difenwol slanderous

absennwr *eg* (absenwyr) athrodwr; un sy'n absennu; difenwr slanderer

absenoldeb:absenoliad *eg* (absenoldebau:absenoliadau) cyflwr neu gyfnod o fod yn absennol, o fod i ffwrdd; diffyg, prinder absence
    absenoldeb mamolaeth/tadolaeth cyfnod swyddogol i ffwrdd o'r gwaith a ganiateir i riant cyn geni'r baban ac am gyfnod wedi'r enedigaeth maternity leave, paternity leave

absenoli *be* [absenol•¹] bod yn absennol, mynd yn absennol to be absent

absenoliad gw. absenoldeb

absenoliaeth *eb* (absenoliaethau)
    1 absenoldeb cyson ac aml o'r gwaith, ysgol, etc. absenteeism
    2 cyfradd amser (fel arfer nifer y diwrnodau mewn blwyddyn) y mae gweithwyr ar gyfartaledd yn absennol o'u gwaith, neu ddisgyblion yn absennol o'r ysgol absenteeism

absenolion *ell* rhai absennol absentees

absenolwr:absenolyn *eg* (absenolion) un sy'n ei absenoli ei hun absentee

absgisa *eg* (absgisâu) MATHEMATEG cyfesuryn pwynt mewn system gyfesurynnol Gartesaidd o ran ei bellter o'r echelin *y*; y cyfesuryn *x* abscissa

absgisedd *eg* BOTANEG cwymp naturiol blodau, ffrwythau neu ddail oddi ar blanhigyn abscission

absgisig *ans* BOTANEG fel yn *asid absgisig*, hormon mewn planhigion sy'n rheoli prosesau fel cwymp y dail, eginiad, cysgiad hadau a datblygiad blagur abscisic

absoliwt *ans* cyflawn a digyfnewid; diamod, terfynol absolute, complete

absoliwtiaeth *eb* ATHRONIAETH cred mewn egwyddorion absoliwt mewn materion gwleidyddol, athronyddol, diwinyddol, etc. absolutism

abswrd *ans* eithafol o ddisynnwyr absurd

abswrdiaeth *eb* ATHRONIAETH y gred bod bodolaeth yn ddiystyr a bod bodau dynol yn bodoli mewn bydysawd diamcan, di-drefn absurdism

abwyd:abwydyn *eg* (abwydod)
    1 mwydyn, pryf genwair earthworm, worm
    2 yn wreiddiol, bwyd a ddefnyddid i ddenu anifail neu bysgodyn fel y gellid ei ddal, ond erbyn hyn unrhyw beth sy'n denu anifail neu berson; llith bait, lure

abwydyn y cefn madruddyn y cefn; y llinyn o nerfau sydd y tu mewn i'r asgwrn cefn spinal cord

codi at yr abwyd:llyncu'r abwyd
    1 (am anifail, etc.) cymryd abwyd
    2 (am berson) ymateb i rywbeth a gynigir fel abwyd, naill ai drwy gael ei ddenu neu drwy gael ei wylltio to rise to the bait

abwydfa *eb* (abwydfeydd) man lle mae mwydod yn cael eu magu (fel llith neu abwyd pysgota neu er mwyn gwella ansawdd pridd) wormery

abwydod:mwydod *ell* yr enw cyffredinol ar greaduriaid di-asgwrn-cefn, heb draed na choesau, heb lygaid na chlustiau, sy'n byw yn y pridd neu mewn dŵr, neu sy'n barasitiaid y tu mewn i blanhigion neu anifeiliaid neu hyd yn oed yng nghorff dyn; yr anelidau, y nematodau a'r platyhelminthau worms

abwydyn gw. abwyd

abwydyn y cefn gw. abwyd

ac gw. a⁴

AC *byrfodd* Aelod Cynulliad (Cenedlaethol) AM

academaidd:academig *ans*
    1 yn ymwneud ag astudio ac ysgolheictod; dysgedig, ysgolheigaidd scholarly
    2 yn ymwneud ag ysgol, prifysgol neu goleg academic
    3 yn ymwneud â syniadau annelwig yn hytrach na phethau ymarferol academic

academi *eb* (academïau)
    1 athrofa, coleg neu sefydliad sydd gan amlaf yn cynnig hyfforddiant arbennig academy
    2 cymdeithas o ysgolheigion, llenorion neu artistiaid academy

academiaeth *eb* ymlyniad wrth werthoedd traddodiadol mewn celfyddyd a llenyddiaeth academicism

academig
    1 gw. academaidd
    2 gw. academydd

academydd:academig *eg* (academyddion:academigiaid) aelod o staff sefydliad addysg uwch; un sydd ag agwedd academaidd tuag at bethau academic

a cappella *adf* ac *ans* CERDDORIAETH (am gerddoriaeth leisiol) heb gyfeiliant

acasia *eb* un o nifer o fathau o goed neu brysgwydd pigog sy'n tyfu mewn gwledydd cynnes; pren y goeden hon acacia

acen *eb* (acenion:acennau)
1 ffordd o ynganu sy'n dangos, wrth siarad, o ba ardal neu o ba wlad y mae'r siaradwr yn dod accent
2 pwyslais penodol ar nodyn neu ar gyfres o nodau cerddorol, neu ar air neu ar ran o air, ac a ddynodir weithiau gan arwydd arbennig accent, stress
3 GRAMADEG arwydd a ddefnyddir wrth ysgrifennu neu argraffu llythyren i ddynodi ynganiad, e.e. *gwên, caniatáu, gweddïo* accent, diacritic
Sylwch: ceir pedair acen mewn Cymraeg ysgrifenedig: acen grom, acen ddisgynedig, acen ddyrchafedig a didolnod.

acen ddisgynedig yr acen a ddefnyddir i ddangos bod ynganiad y llafariad yn fyr, yn enwedig pan fydd dau air wedi'u sillafu yn yr un ffordd, e.e. *mùg, mwg; clòs, clos; pìn* (nodwydd), *pin* (coed pin); *sgìl* (medr), *sgil* (yn sgil). Mae llafariaid Cymraeg gan amlaf yn hir ac eithrio mewn geiriau unsill o flaen 'c' *cic*; 't' *sut*; 'p' *tap*; 'm' *mam*; 'ng' *deng*. grave accent

acen ddyrchafedig yr acen a ddefnyddir, lle y bo amwysedd, i ddangos bod y sillaf olaf mewn berfenwau yn acennog, e.e. *casáu, iacháu,* a lle y bo llafariad acennog fer mewn (rhai) geiriau benthyg, e.e. *sigarét, carafán, personél* acute accent

acen grom to bach yn dangos bod y llafariad yn hir
1 i wahaniaethu rhwng geiriau a sillefir yn yr un ffordd, e.e. *gwen, gwên; tal, tâl; pwl, pŵl*
2 mewn ffurfiau deusain, e.e. *gŵyr* (o 'gwybod'), *gwŷr* (dynion); *gûydd* (yr aderyn), *gwŷdd* (coed)
3 ac mewn rhai ffurfiau treigledig, e.e. *chŵyn* a *gŵyn* (o 'cwyn') i'w gwahaniaethu oddi wrth *chwyn* (weeds) a *gwyn* (white)
4 mewn terfyniadau sydd wedi'u cywasgu, e.e. 'parha' + 'ai' = *parhâi*, 'iacha' + 'af' = *iachâf*, 'camera' + 'au' = *camerâu*, 'berfa' + 'au' = *berfâu*
5 yn dynodi bod yr acen wedi symud i'r sillaf olaf, e.e. *arwyddocâd, cytûn, ynglŷn, ogofâu* circumflex accent

didolnod gw. didolnod

aceniad *eg* (aceniadau) patrwm neu ddefnydd o bwyslais neu acenion accentuation

acennod *eg* (acenodau) CERDDORIAETH symbol a ddefnyddir i ddynodi pwyslais penodol ar nodyn, neu gyfres o nodau, mewn darn o gerddoriaeth accent mark

acennog *ans* yn dwyn acen, wedi'i acennu accented

acennu *be* [acenn•⁹] gosod pwyslais penodol, e.e. ar air neu sill mewn gair, neu ar nodyn, neu gyfres o nodau, mewn cerddoriaeth to accentuate, to stress
Sylwch: dyblwch yr 'n' ym mhob ffurf ac eithrio yn y rhai sy'n cynnwys -*as*-.

acer:acr *eb* (aceri) erw; darn o dir sy'n 4840 llathen sgwâr (4047 metr sgwâr) acre

aciwbigo *eg* system o feddygaeth gyflenwol lle y gosodir blaenau nodwyddau yn y croen mewn mannau penodol o'r corff er mwyn ysgogi'r nerfau; nodwyddo acupuncture

aciwbigydd *eg* (aciwbigwyr) un sy'n arfer aciwbigo i drin anhwylderau acupuncturist

acne *eg* MEDDYGAETH cyflwr ar y croen, yn enwedig ymhlith pobl ifanc, a nodweddir gan lid chwarennau'r croen a phlorynnod acne

acolâd *eg* (acoladau) y ddefod o urddo marchog drwy daro ei ysgwyddau yn ysgafn â chleddyf accolade

acolit:acolyt *eg* (acolitiaid:acolytiaid) gwas offeiriad, un sy'n cynorthwyo mewn defodau crefyddol drwy gyflawni mân ddyletswyddau; cynorthwyydd, dilynwr, disgybl acolyte

acordion *eg* (acordiynau) offeryn cerdd sy'n cael ei gario gan ei chwaraewr; mae iddo res o nodau (neu fotymau) neu seinglawr fel piano, megin a chyrs metel, ac wrth i'r chwaraewr wasgu'r fegin a tharo'r nodau/botymau mae aer yn cael ei wthio drwy'r cyrs i greu'r seiniau accordion

acr gw. acer

acrobat *eg* (acrobatiaid) rhywun ystwyth ei gorff sy'n perfformio campau gymnastig anodd acrobat

acrobateg *eb*
1 holl faes campau a sgiliau acrobat acrobatics
2 unrhyw berfformiad disglair yn gofyn am hyblygrwydd anghyffredin, *acrobateg gerddorol y feiolinydd* acrobatics

acrobatig *ans* yn amlygu nodweddion acrobateg acrobatic

acromatig *ans*
1 heb liw (h.y. du, gwyn neu lwyd), niwtral achromatic
2 nad yw'n hawdd ei liwio na'i staenio i'w archwilio (dan ficrosgop) achromatic
3 FFISEG (am lensys) yn plygu golau heb ei rannu i'w liwiau sylfaenol achromatic

acronym *eg* (acronymau) gair sy'n cael ei greu drwy ddefnyddio llythrennau cyntaf geiriau eraill, e.e. CBAC acronym

acrostig *eg* (acrostigau) darn o farddoniaeth neu bos geiriau lle mae llythrennau cyntaf neu olaf pob llinell yn sillafu gair neu frawddeg acrostic

acrylig[1] *eg* (acryligion)
1 ffibr neu ddefnydd synthetig acrylic

2 paent acrylig, *Defnyddiwch acryligion i wneud y llun.* acrylic

acrylig² *ans*

1 mae *asid acrylig* yn hylif organig a ddefnyddir yn y broses o greu resinau synthetig acrylic

2 yn dynodi ffibrau tecstilau wedi'u gwneud o bolymerau asid acrylig acrylic

3 wedi'i beintio â lliwiau yn cynnwys resin acrylig acrylic

acsiom *eb* (acsiomau)

1 gwireb; cynnig a ystyrir yn wirionedd axiom

2 gwireb; egwyddor, rheol neu osodiad a ddefnyddir fel man cychwyn ymresymiad ffurfiol

3 MATHEMATEG gosodiad y mae adeiledd haniaethol yn cael ei godi arno axiom

acsiomatig *ans* o natur acsiom; o wirionedd amlwg axiomatic

acsis *eg* ANATOMEG ail asgwrn cefn y gwegil y mae'r pen ac asgwrn cyntaf y gwegil yn troi ar ei echelin axis

acsiwn¹ *eb* (acsiynau) arwerthiant, ocsiwn auction

acsiwn² *eg* peirianwaith mewn piano neu organ (neu offerynnau tebyg) sy'n gwneud i rywbeth weithredu, hefyd y gweithrediad ei hun, e.e. acsiwn piano; arwaith action

acson *eg* (acsonau) BIOLEG rhan hir, edafeddog sy'n cludo ysgogiadau o gellgorff nerf i gelloedd eraill axon

act *eb* (actau)

1 gweithred; yn y Beibl gelwir y llyfr sy'n rhoi hanes gwaith yr Apostolion yn 'Llyfr yr Actau' act

2 un o brif raniadau drama act

actadwy *ans* posibl ei actio

actif *ans* yn cael effaith gemegol neu fiolegol ar rywbeth active

actifadu *be* [actifad•¹]

1 gwneud yn weithredol to activate

2 FFISEG gwneud (sylwedd) yn ymbelydrol to activate

3 CEMEG trin cemegyn, e.e. carbon, i'w wneud yn well arsugnydd to activate

4 CEMEG cyflymu cyfradd adwaith to activate

5 BIOLEG trin defnydd organig ag aer a bacteria er mwyn hyrwyddo twf organebau sy'n achosi pydredd defnyddiau organig to activate

actifadydd *eg* (actifadyddion) sylwedd sy'n actifadu neu'n achosi actifadu activator

actifedig *ans* wedi'i actifadu activated

actifedd *eg* (actifeddau)

1 FFISEG y nifer o weithiau y bydd sylwedd ymbelydrol yn ymddatod o fewn uned benodol o amser activity

2 CEMEG mesur o allu sylwedd i newid yn gemegol activity

actifiant *eg* (actifiannau) y weithred neu'r broses o actifadu, canlyniad actifadu activation

actifydd *eg* (actifyddion) un sy'n credu mewn gweithredu'n rymus, e.e. drwy brotest dorfol er mwyn darbwyllo pobl o ddilysrwydd ei safbwynt activist

actin *eg* BIOCEMEG protein a geir mewn celloedd, yn enwedig celloedd cyhyrau, lle mae'n cydweithio â myosin i achosi i gyhyrau gyfangu actin

actiniwm *eg* elfen gemegol rhif 89; metel ymbelydrol, prin (Ac) actinium

actinomorffig *ans* BIOLEG (am organeb) y gellir ei rhannu'n gymesur ar hyd mwy nag un plân yn rhedeg drwy ei chanol; rheiddiol gymesur, e.e. seren fôr actinomorphic

actio *be* [acti•²]

1 perfformio mewn drama to act

2 dynwared rhywun neu rywbeth; chwarae, efelychu, ymarweddu to imitate

3 chwarae rhan neu ymddwyn er mwyn twyllo to act

actio'r ffŵl ymddwyn fel twpsyn, gwneud pethau dwl to act the fool

actiwaraidd *ans* yn perthyn i waith actiwari a'r hyn y mae'n ei asesu actuarial

actiwari *eg* (actiwariaid) ystadegydd sy'n asesu tebygolrwydd digwyddiadau, e.e. y tebygolrwydd y bydd rhywun yn marw cyn cyrraedd oedran penodol a'r risg ariannol i gwmni yswiriant sy'n deillio o hynny actuary

actol *ans* yn cael ei actio, ar gyfer ei actio, *cân actol* action (song)

actor *eg* (actorion) un sy'n actio (mewn drama, ffilm, etc.); chwaraewr actor

actores *eb* (actoresau) merch neu wraig sy'n actio actress

actus reus *eg* (*acti rei*) CYFRAITH gweithred neu ymddygiad y cyhuddedig sy'n cynnwys holl elfennau trosedd ac eithrio *mens rea*, sef amcan drwg y cyhuddedig

acw¹ *adf*

1 yna, fan draw, nid yma there

2 *tafodieithol, yn y Gogledd* fy nhŷ i neu ein tŷ ni neu ein pentref ni, *Pam na ddewch chi acw am baned o de?*

acw² *ans dangosol* am rywbeth neu rywbeth sy'n bell, *y dyn acw, y merched acw*; honno, hwnnw, hynny

Sylwch: o ran dynodi pellter, mae 'yma' ychydig yn nes nac 'yna' sydd ei hun yn nes nac 'acw'.

acwafeithrin *eg* y broses o dyfu neu amaethu planhigion mewn dŵr at ddefnydd pobl aquaculture

acwariwm *eg* (acwaria)

1 tanc i gadw anifeiliaid y dŵr neu bysgod aquarium

2 yr adeilad lle mae'r tanciau'n cael eu cadw aquarium

acwatint *eg* (acwatintau) llun tebyg i lun
dyfrlliw a argreffir drwy ysgythru plât metel ag
asid nitrig aquatint

acwsteg *eb*
1 nodweddion ystafell neu neuadd sy'n effeithio
ar natur a safon y sain a glywir ynddi acoustics
2 FFISEG cangen o ffiseg sy'n astudio
priodweddau sain a natur sŵn acoustics

acwstig *ans*
1 yn ymwneud â gwyddor sain acoustic
2 yn amsugno neu'n lleihau sain, *paneli acwstig*
acoustic
3 am offeryn cerdd nad yw ei sain yn cael ei
thrin yn electronig, *gitâr acwstig* acoustic
4 FFISEG yn cael ei weithredu gan donnau sain
neu'n defnyddio tonnau sain acoustic

ach¹ *eb* (achau) llinach neu dras, sef rhestr o'r
hynafiaid y mae teulu neu unigolion wedi disgyn
ohonynt; cyff, gwehelyth lineage, pedigree
olrheiniwr achau achydd genealogist
Ymadroddion
ddim yn ei adnabod o'r nawfed ach yn y
cyfreithiau Cymreig yr oedd cyfrifoldeb am
dalu iawn yn gallu ymestyn o'r gorhendad hyd
at y gorchaw (pumed cefnder), hynny yw, hyd y
'nawfed ach' wouldn't know him from Adam
ers achau ers amser for ages
nawfed ach gw. nawfed

ach² *eb* yn ferch i, *Marged ach Ifan* daughter of
ach³ *ebychiad* mynegiant o ddiflastod; ych ugh
ach a fi am rywbeth brwnt neu ffiaidd ugh

acha *ardd tafodieithol, yn y De* ar, ar gefn astride, on
acha wew ar oleddf, yn pwyso i un ochr aslant

achen *eg* (achenau) BOTANEG ffrwyth bach sych
ac ynddo un hedyn yn unig nad yw'n hollti
wrth aeddfedu, e.e. blodyn yr haul achene

achles *eg tafodieithol, yn y De* compost, gwrtaith,
tail fertilizer, manure

achlod *eb hynafol* cywilydd, gwaradwydd shame
yr achlod iddo rhag ei gywilydd for shame
Ymadrodd
yr achlod! *ebychiad* mawredd heavens

achludiad *eg* (achludiadau)
1 METEOROLEG y ffrynt sy'n ymffurfio pan fydd
corff o aer oer yn goddiweddyd aer cynnes
ac yn codi'r aer hwnnw uwchlaw lefel y tir
occlusion
2 MEDDYGAETH ataliad neu rwystr yn un o
bibellau gwaed neu organau cau y corff occlusion

achludo *be* [achlud•¹]
1 METEOROLEG ffurfio achludiad to occlude
2 CEMEG (am solid) ymgorffori sylwedd drwy
amsugno neu drwy arsugno to occlude

achlust *eg* (achlustiau) hanes nad oes neb yn
gwybod a yw'n wir ai peidio; si, sibrwd, sôn
rumour, whisper
cael achlust clywed si to hear a rumour

achlysur *eg* (achlysuron) digwyddiad penodol
neu arbennig; achos, amgylchiad occasion

achlysuraeth *eb* ATHRONIAETH damcaniaeth
sy'n honni nad oes cysylltiad achosol rhwng y
meddwl a'r corff; ar un adeg credai pobl mai
Duw oedd yn cysylltu'r ddau occasionalism

achlysurol *ans* yn digwydd o bryd i'w gilydd,
ambell waith, o dro i dro; ysbeidiol occasional,
casual

achos¹ *eg* (achosion)
1 rhywun neu rywbeth sy'n peri i rywbeth
ddigwydd, *Beth oedd achos y ddamwain?*;
achosiad cause
2 rheswm, *Does ganddi ddim achos poeni.* cause
3 mudiad a gefnogir, *achos da*; elusen cause
4 capel neu gynulliad enwadol, *A oes yna achos
gan y Bedyddwyr yn Aberaeron?* cause
5 digwyddiad arbennig neu benodol, *Mewn
achosion fel hyn, mae'n well gadael y peth yn
nwylo'r gweithwyr proffesiynol.*; achlysur,
adeg, amgylchiad case, proceedings
6 mater i lys barn benderfynu yn ei gylch,
*Mae nifer o achosion i ddod o flaen y barnwr
heddiw.* case
achos da corff neu fudiad dyngarol sy'n
haeddu cefnogaeth good cause
yn achos parthed, ynglŷn â in the case of

achos² *ardd* oherwydd, oblegid, *Rhedodd y
bachgen i ffwrdd o achos y ci.* because
o'm (o'th, o'i, etc.) **hachos** oherwydd
because of

achos³ *cysylltair* oherwydd, oblegid, *Doedd hi
ddim yn gallu canu achos collodd hi ei llais.*
because

achoseg *eb*
1 astudiaeth o'r hyn sy'n achosi pethau;
priodoliad o achos rhywbeth aetiology
2 MEDDYGAETH astudiaeth o'r hyn sy'n achosi
heintiau ac afiechydon aetiology

achosegol *ans* yn ymwneud ag achoseg, yn
enwedig mewn meddygaeth aetiological

achosi *be* [achos•¹] bod yn achos i (rywbeth)
ddigwydd; creu, gwneud, peri (~ **i** (*rywbeth
ddigwydd*)) to cause, to occasion

achosiad *eg* (achosiadau) yr hyn sy'n achosi
rhywbeth; achos cause

achosiaeth *eb*
1 ATHRONIAETH damcaniaeth yn ymwneud â'r
berthynas rhwng achos ac effaith causality
2 yr egwyddor bod gan bob peth ei achos
causality

achosol *ans*
1 yn gweithredu fel achos causative
2 yn mynegi neu'n dynodi achos causal

achosydd:achoswr *eg* (achoswyr) rhywun neu
rywbeth sy'n achosi neu sydd wedi achosi
rhywbeth cause, causer, instigator

achrededig *ans* wedi'i achredu; ardystiedig, cofrestredig accredited

achrediad *eg* (achrediadau) y broses o achredu, statws achrededig accreditation

achredu *be* [achred•¹]
1 cydnabod yn ffurfiol fod (rhywbeth neu rywun) yn cyrraedd safon arbennig to accredit
2 rhoi tystlythyr neu dystysgrif yn profi cymwysterau to accredit

achres *eb* (achresau:achresi) rhestr o achau person o genhedlaeth i genhedlaeth, cart achau; ach genealogy, lineage

achub¹ *be* [achub•¹ 3 *un. pres.* achub/achuba; 2 *un. gorch.* achub/achuba]
1 cadw neu arbed (rhag niwed neu berygl); gwared (~ *rhywun/rhywbeth* **rhag** *rhywun/rhywbeth*) to rescue, to save
2 CREFYDD rhyddhau person o afael pechod; gwaredu to deliver, to save

achub angen cadw, cynilo to save for a rainy day

achub cam amddiffyn rhywun neu rywbeth sy'n cael ei feio ar gam to defend

achub cyfle dal ar ddigwyddiad neu ar amser sydd o fantais i rywun to take the opportunity

achub ei phen yn talu ei ffordd to pay its way

achub fy (dy, ei, etc.**) nghroen** gw. croen

achub mantais arnaf fi (arnat ti, arno ef, etc.**)** manteisio (yn annheg) ar rywun to take (unfair) advantage of

achub pen (rhywun) achub croen rhywun to save someone's bacon

achub y blaen rhagweld cyn iddo ddigwydd; gwneud rhywbeth cyn i rywun arall ei wneud to forestall, to pre-empt

achub y blewyn a cholli'r bwrn poeni yn ormodol am bethau bychain ar draul y pethau mawr to be penny wise and pound foolish

achub y ffordd cymryd llwybr tarw/llwybr llygad to take a short cut

achub² *eg* (achubion) *mewn enwau lleoedd* darn o dir wedi'i feddiannu, gafael o dir, e.e. *Rachub* (sef yr Achub) holding

achubadwy *ans* y gellir ei achub redeemable

achubiad *eg* (achubiadau) y weithred o achub; achubiaeth, arbediad deliverance

achubiaeth *eb* (achubiaethau)
1 gwaredigaeth rhag rhywbeth niweidiol neu beryglus; achubiad, rhyddhad, ymwared salvation
2 gwaredigaeth rhag dylanwad ac effaith pechod; cadwedigaeth, iachawdwriaeth salvation

achubol *ans* yn achub (yn yr ystyr grefyddol a'r ystyr gyffredinol); adferol, gwaredigol redemptive, saving

achubwr:achubydd *eg* (achubwyr)
1 un sy'n achub rhag niwed neu berygl rescuer, saver

2 (yn grefyddol) gwaredwr; ceidwad, iachawdwr, prynwr redeemer, saver

achwyn *be* [achwyn•¹ 3 *un. pres.* achwyn/achwyna; 2 *un. gorch.* achwyn/achwyna]
1 gweld bai; beio, ceintach(u), cwyno, grwgnach (~ **ar** *rywun* **am** *rywbeth*; ~ **wrth** *rywun*) to complain
2 cwyno o fod yn sâl, dioddef o salwch to complain

achwyn fy (dy, ei, etc.**) nghwyn** cwyno to complain

achwyn fy (dy, ei, etc.**) nhraed** bod â thraed tost to suffer with one's feet

achwyngar *ans* hoff o achwyn; ceintachlyd, cwynfanllyd, grwgnachlyd complaining

achwyniad *eg* (achwyniadau) honiad bod rhywbeth yn anghywir neu'n annheg; cwyn, cyhuddiad, haeriad complaint

achwynwr:achwynydd *eg* (achwynwyr:achwynyddion)
1 un sy'n achwyn; conyn, cwynwr, grwgnachwr grumbler
2 CYFRAITH un sy'n dwyn achos cyfreithiol yn erbyn rhywun arall; pleintydd complainant, plaintiff

achydd:achyddwr *eg* (achyddion:achyddwyr) un sy'n olrhain achau genealogist

achyddiaeth *eb* y gwaith o hel achau; astudiaeth o linach deuluol genealogy

achyddol *ans* yn ymwneud â hel achau neu achyddiaeth; achaidd genealogical

achyddwr gw. achydd

ad *bf hynafol* ffurf wedi'i threiglo o gad

ad-:at- *rhag*
1 ail, eilwaith, drachefn, e.e. *adlais*, *adennill* re-
2 tra, . . . iawn, e.e. *atgas* (cas iawn) very
3 drwg, e.e. *adflas* bad

adagio *adf* ac *ans* CERDDORIAETH mewn tempo araf a gosgeiddig

adain:aden *eb* (adenydd)
1 y rhan o'r corff sy'n galluogi aderyn neu bryfyn i hedfan; asgell wing
2 darn anhyblyg, llorweddol yn ymestyn o ddwy ochr awyren ac sy'n cynnal yr awyren yn yr awyr; asgell wing
3 darn ynghlwm wrth ochr adeilad; asgell wing
4 un o'r barrau sy'n cysylltu canol olwyn wrth ei hymyl; braich olwyn spoke
5 asgell; atodyn ar gorff pysgod ac anifeiliaid dyfrol eraill a ddefnyddir i nofio neu i gadw eu lle yn y dŵr fin
6 cymorth llywio yn debyg i adain pysgodyn ynghlwm wrth beiriant, e.e. roced neu aradr fin, wing
7 carfan mewn plaid wleidyddol sy'n credu mewn polisïau mwy eithafol (i'r chwith neu i'r dde) na'r mwyafrif o'r blaid; asgell wing

8 rhan benodol o adran, e.e. adain grantiau Adran Addysg wing

Sylwch: gw. hefyd **adenydd**

aden dywydd ystyllen hir o bren sy'n rhedeg ar hyd ymyl y to ar dalcen tŷ yn gorchuddio a diogelu pennau'r trawstiau sy'n cynnal y to bargeboard

ar adain yn hedfan on the wing

dan adain dan ofal under the wing

adalw *be* [adalw•³ *3 un. pres.* adeilw/adalwa; *2 un. gorch.* adalw/adalwa] galw yn ôl, gwysio i ddychwelyd, e.e. cerbydau yn cael eu hadalw oherwydd nam to recall

adalw gwybodaeth CYFRIFIADUREG y broses o ddod o hyd i wybodaeth benodol o ganol yr holl wybodaeth sy'n cael ei storio ar gyfrifiadur information retrieval

adalwad *eb* (adalwadau) y broses neu'r weithred o adalw, canlyniad adalw recall

adalwadwy *ans* (am wybodaeth) y gellir ei hadalw retrievable

adamant *eg* (adamantau) mwyn chwedlonol y credid ei fod mor galed fel na ellid ei dorri, a hefyd ei fod yn dynfaen adamant

adamantaidd *ans* o natur neu wneuthuriad adamant; eithriadol o galed; o galedwch a disgleirdeb diemwnt adamantine

adamsugniad *eg*

1 y weithred o adamsugno reabsorption

2 FFISIOLEG proses ffisiolegol lle mae sylweddau (e.e. glwcos, asidau amino a halwynau mwynol) yn cael eu hadamsugno yn ôl i'r gwaed ar ôl cael eu hidlo dan wasgedd yn yr arennau reabsorption

adamsugno *be* [adamsugn•¹]

1 amsugno (rhywbeth) drachefn to reabsorb

2 FFISIOLEG (am yr arennau) echdynnu sylweddau defnyddiol o'r hylif sydd wedi'i hidlo o'r gwaed wrth iddo symud ar hyd y neffronau to reabsorb

adar *ell* lluosog aderyn

adar o'r unlliw pobl sy'n debyg i'w gilydd birds of a feather

adar treigl adar sy'n ymfudo; pobl grwydrol birds of passage

adar ysglyfaethus adar sy'n lladd anifeiliaid eraill ac yn bwyta eu cig, e.e. boda, eryr a thylluan birds of prey

adara *be* hela neu ddal adar to fowl

Sylwch: nid yw'r ferf hon yn arfer cael ei rhedeg.

adareg *eb* astudiaeth wyddonol o adar ornithology

adarfogi *be* [adarfog•¹]

1 rhoi cyflenwad newydd o arfau (i wlad neu i rywun); ailarfogi to rearm

2 cael gafael ar neu gasglu ynghyd gyflenwad newydd o arfau; ailarfogi to rearm

adargi *eg* (adargwn) ci bywiog, canolig ei faint, â chot sy'n gwrthsefyll dŵr, a ddefnyddir i gasglu adar neu anifeiliaid sydd wedi cael eu saethu retriever

adargraffiad *eg* (adargraffiadau) copi (o lyfr neu ddeunydd printiedig arall) sydd wedi'i argraffu eto reprint

adargraffu *be* [adargraff•³] argraffu unwaith eto (heb newid dim) to reprint

adarwr *eg* (adarwyr) un sy'n hela adar bird catcher, fowler

adarwyddo *be* [adarwydd•¹] llofnodi (dogfen) er mwyn tystio i lofnod rhywun arall; adlofnodi to countersign

adarydd:aderydd *eg* (adaryddion) un sy'n astudio adar ornithologist

adborth:atborth *eg* (adborthion)

1 gwybodaeth a roddir i rywun, i beiriant neu i fusnes ynglŷn â chanlyniadau rhyw weithgarwch ac a ddefnyddir yn aml i newid rhyw gymaint ar y gweithgarwch hwnnw feedback

2 dychweliad rhan o allbwn cylched neu ddyfais electronig neu system fecanyddol fel mewnbwn er mwyn newid ei phriodweddau neu i wella perffformiad feedback

3 BIOLEG y ffordd y mae newidiadau sy'n deillio o gylch o weithrediadau'n effeithio ar brosesau blaenorol yn y cylch feedback

Sylwch: 'atborth' yw'r ffurf sy'n cydymffurfio â gofynion orgraff yr iaith.

ad-dâl:ad-daliad *eg* (ad-daliadau) taliad yn ôl (arian fel arfer) repayment, rebate

ad-dalu *be* [ad-dal•³]

1 talu yn ôl; digolledu (~ *rhywbeth i rywun*) to repay, to requite

2 talu iawndal to recompense

ad-drefniad *eg* (ad-drefniadau) y broses o ad-drefnu, canlyniad ad-drefnu, yn enwedig newidiadau ym maes gweinyddiaeth neu fusnes reorganization

ad-drefniant *eg* (ad-drefniannau)

1 y broses o ad-drefnu, newid mewn trefniadau neu gynlluniau rearrangement

2 CERDDORIAETH trefniant newydd o ddarn o gerddoriaeth, *ad-drefniant o 'Myfanwy' ar gyfer pedwarawd offerynnol* rearrangement

ad-drefnu *be* [ad-drefn•¹] trefnu drachefn; aildrefnu, ailwampio, diwygio to reorganize, reorganization, to reshuffle

adechelinol *ans* BOTANEG yn wynebu'r echelin, fel y mae wyneb deilen yn wynebu coesyn y ddeilen adaxial

adeg *eb* (adegau) amser penodol neu arbennig, *adeg y Nadolig*; cyfnod time

ar adegau weithiau sometimes

adeilad *eg* (adeiladau)
1 lloches wedi'i chodi gan unigolyn neu gan grŵp o unigolion i'w diogelu rhag y tywydd a rhag eu gelynion, e.e. tŷ, neuadd, castell, hefyd unrhyw neuadd, ystafell neu gyfres o ystafelloedd sefydlog, e.e. ffatri, llyfrgell, eglwys, etc. building, premises
2 CYFRAITH mae adeilad yn cynnwys y tir sy'n amgylchu ac yn amgáu'r adeilad (y libart) building

adeiladol *ans* (am feirniadaeth) yn ceisio gwella a chadarnhau; cadarnhaol, positif constructive, edifying

adeiladu *be* [adeilad•³]
1 codi (adeilad, wal, ffordd, etc.) (~ **ar**) to build, to construct, construction
2 creu, ffurfio, gwneud, llunio *Adeiladodd y cwmni o ddim.* to build, to raise
adeiladu ar dywod adeiladu ar sylfeini simsan to build on sand

adeiladwaith *eg* (adeiladweithiau)
1 rhywbeth wedi'i adeiladu, gan gynnwys pethau llai nag adeiladau construction
2 y ffordd y mae rhywbeth (yn enwedig adeilad) wedi cael ei adeiladu neu ei ffurfio; cyfansoddiad, ffurfiad, saernïaeth structure

adeiladwr:adeiladydd *eg* (adeiladwyr)
1 un sy'n gwneud bywoliaeth o godi ac atgyweirio adeiladau builder
2 rhywun neu rywbeth sy'n adeiladu neu'n codi (rhywbeth) assembler, builder

adeiledig *ans* â llawer iawn o adeiladau, *ardaloedd adeiledig ein trefi* built-up

adeiledd *eg* (adeileddau) y ffordd y mae pethau wedi'u gosod at ei gilydd, gan gynnwys trefn y rhannau a'r berthynas rhyngddynt, yn enwedig mewn rhywbeth cymhleth, e.e. adeiledd yr atom, adeiledd cell; strwythur structure
adeiledd cellog strwythur wedi'i ffurfio o gelloedd cellular structure
adeiledd yr atom adeiladwaith yr atom, sef niwclews yn cynnwys protonau a niwtronau sydd wedi'i amgylchynu gan electronau atomic structure

adeileddiaeth *eb* CELFYDDYD arddull a mudiad celf a oedd yn cyfuno defnyddiau amrywiol fel metel, plastig a phren diwydiannol ac yn creu ohonynt strwythur haniaethol; dechreuodd y mudiad yn Rwsia tua'r flwyddyn 1914 a byddai'n canolbwyntio ar effeithiau esthetig y cyfuniadau o ffurfiau geometrig a'r ansoddau gwahanol hyn fel lliw a gwead constructivism

adeileddol *ans* yn ymwneud ag adeiledd, wedi'i achosi gan adeiledd structural

adeilw *bf* [adalw] *ffurfiol* mae ef yn adalw/mae hi'n adalw; bydd ef yn adalw/bydd hi'n adalw

adeinig *eb* (adeinigion) darn symudol ar adain awyren sy'n caniatáu rheoli symudiad ochrol yr awyren wrth iddi hedfan ailerons

adeiniog *ans*
1 ag adenydd neu esgyll; asgellog, hededog winged, finned
2 ag adenydd, yn medru hedfan; asgellog, hededog winged

aden *gw.* **adain**

adendriad *eg* (adendriadau) CYFRAITH *hanesyddol* dilead o hawliau sifil rhywun a gafwyd yn euog o fradwriaeth neu o ffeloniaeth attainder

adeni *be* [*amh. pres.* adenir; *amh. gorff.* adaned/adanwyd; *amh. amhen.* adenid; *amh. gorb.* adanesid; *amh. gorch.* adaner; *amh. dib.* adaner]
1 cael ei eni eto to regenerate
2 ennyn egni newydd neu frwdfrydedd newydd; adennyn, ailgynnau to regenerate, regeneration
Sylwch: ni cheir ond y ffurfiau amhersonol.

adenilledig *ans* a adenillwyd reclaimed

adenillion *ell* yr hyn a geir yn ôl ar fuddsoddiad neu am gyflawni tasg benodol return, earnings

adenin *eg* BIOCEMEG un o'r pedwar bas yn adeiledd DNA ac (A) yn y cod genynnol adenine

adennill *be* [adenill•¹ 3 *un. pres.* adennill/adenilla; 2 *un. gorch.* adennill/adenilla]
cael neu ennill (rhywbeth) yn ôl ar ôl ei golli; ailennill to regain, to recapture, to reclaim
adennill costau peidio â gwneud colled to break even
adennill cydbwysedd osgoi cwympo neu golli cydbwysedd to regain one's balance
adennill gwybodaeth y broses o ddod o hyd i wybodaeth benodol allan o ganol yr holl wybodaeth sydd ar gael (yn enwedig mewn llyfrgell neu gasgliad o wybodaeth) information retrieval

adennyn *be* [adenynn•⁹] ennyn drachefn; ailennyn, ailgynnau to rekindle
Sylwch: dyblwch yr 'n' ym mhob ffurf ac eithrio yn y rhai sy'n cynnwys -as-.

adenoidau *ell* casgliad o feinwe lymffatig rhwng cefn y trwyn a'r gwddf adenoids

adenydd *ell* lluosog **adain**
ar adenydd y gwynt gwasgaredig i bedwar ban byd scattered to the four winds

adenyniad *eg* y broses o adennyn, canlyniad adennyn rekindling

aderydd *gw.* **adarydd**

aderyn:deryn *eg* (adar)
1 anifail gwaed cynnes â phlu ac adenydd, ac sy'n dodwy wyau bird, fowl
2 enw ar lafar ar rywun direidus, cyfrwys, afieithus, *Tipyn o dderyn yw e.*; cono, gwalch lad, wag
Sylwch: gw. hefyd **adar**

aderyn drycin Manaw aderyn y cefnfor ac iddo gefn tywyll a rhannau isaf golau, a phig â bachyn ar ei phen blaen; mae rhai o'r poblogaethau mwyaf ohono yn nythu ar ynysoedd Sgomer a Sgogwm Manx shearwater

aderyn drycin y graig aderyn moroedd y gogledd o faint gwylan ac iddo gorff gwyn, adenydd llwyd a phig felen ac arni ffroenau allanol sy'n ymdebygu i diwbiau fulmar

aderyn du math o fronfraith y mae'r ceiliog yn ddu drosto a chanddo big felen; brown yw lliw plu a phig yr iâr; mwyalchen blackbird

aderyn y bwn aderyn y corsydd â phlu brown brith yn perthyn i deulu'r crëyr; fe'i nodweddir gan alwad dwfn y ceiliog bittern

aderyn yr eira drudwy starling

aderyn y to aderyn bach cyffredin o liw brown a llwyd house sparrow, sparrow

Ymadroddion

aderyn bach rhywun, heb ei enwi, sydd wedi dweud rhyw hanes neu stori, *Dywedodd aderyn bach wrthyf.* a little bird

aderyn brith cymeriad amheus shady character

aderyn corff aderyn sy'n rhagfynegi marwolaeth, tylluan fel arfer

aderyn dieithr rhywun dieithr neu wahanol; ymwelydd stranger

aderyn y nos rhywun sydd ar ei orau yn yr hwyr neu sy'n mwynhau'r math o ddigwyddiadau sy'n cael eu cynnal yn yr hwyr night-owl

adf *byrfodd* adferf

adfach *eg* (adfachau) y rhan finiog sy'n gwthio allan ac yn wynebu am yn ôl ar fachyn neu flaen saeth barb

adfachiad *eg* (adfachiadau) CYLLID y broses o adennill swm o arian a dalwyd eisoes, yn enwedig drwy godi treth; hefyd y swm o arian a adenillir clawback

adfachu *be* [adfach•³] CYLLID adennill neu hawlio'n ôl (swm o arian a dalwyd eisoes, e.e. grant, treth, etc.) to claw back

adfail *eg* (adfeilion) olion hen adeilad sydd wedi cwympo; murddun ruin

adfeddiannu *be* [adfeddiann•¹⁰]
1 adennill meddiant, e.e. eiddo na thalwyd yn llawn amdano; atafaelu to repossess
2 adennill rheolaeth arnoch eich hun to regain (one's) composure
   Sylwch: dyblwch yr 'n' ym mhob ffurf ac eithrio yn y rhai sy'n cynnwys *-as-*.

adfeddiant *eg* (adfeddiannau) y broses o adfeddiannu, canlyniad adfeddiannu repossession, appropriation

adfeddu *be* [adfedd•¹] meddiannu at ddefnydd personol heb ganiatâd to appropriate

adfeiliad *eg* (adfeiliadau) y broses o adfeilio; dadfeiliad, dirywiad decline, ruin

adfeiliedig *ans* wedi adfeilio, yn adfail, wedi mynd a'i ben iddo; dadfeiliedig in ruins

adfeilio *be* [adfeili•²] cwympo'n adfail; chwalu, dadfeilio to fall into decay

adfeilion *ell* lluosog adfail; murddun, olion

Adfent *eg* CREFYDD tymor eglwysig yn cynnwys y pedwar Sul cyn y Nadolig (yr Adfent) Advent

adfer¹ *be* [adfer•¹ *3 un. pres.* adfer/adfera; *2 un. gorch.* adfer/adfera]
1 dwyn (rhywun neu rywbeth) yn ôl i'w gyflwr blaenorol, i iechyd, etc.; adfywio, gwella, iacháu (~ i) to restore
2 dod o hyd i rywbeth a fu ar goll, *adfer ffeil gyfrifiadurol* to recover
3 CERDDORIAETH symud o anghytgord i gytgord to resolve

adfer² *ans* yn ceisio dwyn rhai yn ôl i fywyd neu iechyd, i iawn bwyll neu lefel uwch o addysg remedial
   Sylwch: nid yw'n cael ei gymharu.

adferadwy *ans*
1 y gellir ei adfer, y gellir ei adennill recoverable, retrievable
2 y gellir ei adfeddiannu neu ei ailennill restorable

adferedig *ans* wedi'i adfer, wedi'i adnewyddu restored

adferf *eb* (adferfau) GRAMADEG gair sy'n goleddfu (ychwanegu at ystyr) berf – arhoswch *ragor*, gwelodd ryfeddodau *yno*, gweithiodd *yn ddiwyd*, daeth *ddoe*, gadawodd *flwyddyn yn ôl*, mae'n ysgrifennu*'n dda iawn*. adverb
   Sylwch: gan amlaf bydd gair yn treiglo'n feddal wrth gael ei ddefnyddio'n adferfol, *Bu ym Mhontypridd ddechrau'r wythnos. Af am dro ddwywaith yr wythnos.*

adferfol *ans* yn perthyn i adferf, nodweddiadol o adferf adverbial

ymadrodd adferfol GRAMADEG geiriau sydd ynghyd yn gweithredu fel adferf – yn goleddfu berf, e.e. *yn gyflym, ar wasgar, yn sobr o wael* adverbial phrase

adferiad *eg* (adferiadau)
1 y weithred o adfer iechyd, nerth, etc. i'w cyflwr normal; adfywiad, gwellhad convalescence, recovery, restitution
2 CERDDORIAETH symudiad o anghytgord i gytgord resolution

adferiad buan ymadrodd a ddefnyddir i ddymuno bod rhywun yn gwella yn gyflym a speedy recovery

Ymadrodd

yr Adferiad HANESYDDOL cyfnod teyrnasiad y Brenin Siarl II (ac weithiau'r Brenin Iago II), sef y cyfnod o 1660 ymlaen pan ailsefydlwyd brenhiniaeth Lloegr Restoration

adferiadydd *eg* (adferiadyddion) rhywbeth sy'n adfer iechyd, hoen neu ymwybyddiaeth restorative

adferol *ans* â'r gallu i adnewyddu, yn adfer; achubol restorative

adferwr *eg* (adferwyr) un sy'n adfer, un sy'n dychwelyd rhywun neu rywbeth i'w gyflwr gwreiddiol, *adferwr celfi*; adnewyddwr, atgyweiriwr renovator

adfewnol *ans* (am ongl neu bwynt, mewn lle caerog yn aml) yn wynebu neu'n cyfeirio tuag i mewn re-entrant

adfilwr *eg* (adfilwyr) aelod newydd o'r lluoedd arfog; recriwt recruit

adflas *eg* (adflasau)
  1 blas cas, ôl blas drwg; cwt tang
  2 ôl blas aftertaste, tang

adfocad *eg* (adfocadau) CYFRAITH un sy'n dadlau achos rhywun, e.e. mewn llys barn; eiriolwr advocate

adfowswn *eb* (adfowsynau) y ddyletswydd i noddi swydd neu achos eglwysig a'r hawl i benodi i swydd wag advowson

adfresych *ell* llysiau bwytadwy tebyg i fresych bach sy'n tyfu'n frith ar goesyn planhigyn; ysgewyll Brussels sprouts

adfresychen *eb* unigol adfresych

adfyd *eg* (adfydau) cyflwr o galedi neu drueni; argyfwng, cyfyngder, cystudd, trallod adversity, affliction

adfydus *ans* llawn adfyd; gofidus, trallodus, truenus wretched

adfywhad *eg* (adfywhadau) y broses o adfywhau, canlyniad adfywhau regeneration

adfywhau *be* [adfywha•¹⁴] achosi bywyd corfforol neu ysbrydol newydd, *Adfywhaodd y gweinidog newydd fywyd ysbrydol yn yr ardal.*; adfywio to regenerate, to resuscitate

adfywiad *eg* (adfywiadau) y broses o adfywio, canlyniad adfywio; adferiad, adnewyddiad, dadeni, gwellhad recovery, regeneration, revitalisation

adfywio *be* [adfywi•²]
  1 adennill bywyd neu asbri, *Adfywiodd John yn dilyn noson dda o gwsg.*; adnewyddu, gwella to recover
  2 dod â bywyd ac asbri yn ôl i rywbeth; adfer, adfywhau, adnewyddu to revive
  3 dod â bywyd newydd i ardaloedd o drefi neu o ddinasoedd sydd wedi dirywio, neu fywyd economaidd newydd i ardaloedd difreintiedig; adfer, adfywhau to regenerate
  4 adennill ymwybyddiaeth, dod â rhywun yn ôl o fod yn anymwybodol; adfywhau to resuscitate

adfywio ceg wrth geg y weithred o anadlu'n uniongyrchol i ysgyfaint rhywun anymwybodol er mwyn ei adfywio mouth-to-mouth resuscitation

adfywiol *ans* yn adfywio refreshing, restorative, reviving

ad hoc *adf* ac *ans* am y tro; unswydd

adiabatig *ans* FFISEG yn digwydd heb ennill na cholli egni gwres adiabatic

adiad *eg* (adiadau) y weithred neu'r broses o adio addition

adict *eg* (adictiaid) rhywun sy'n gaeth i rywbeth, e.e. cyffur; caethydd addict

ad infinitum *adf* heb ddiwedd, yn ddiddiwedd

adio *be* [adi•²]
  1 MATHEMATEG ychwanegu (rhifau at ei gilydd) i gyrraedd cyfanswm, *Mae 5 adio 3 yn rhoi 8.* to add
  2 ychwanegu neu asio at rywbeth arall; atodi (~ *rhywbeth* at) to add

adladd *eg* (adladdau) ail dyfiant o borfa yn yr un haf, ar ôl lladd y gwair cyntaf aftermath

adlais *eg* (adleisiau) ailadroddiad llai eglur o rywbeth sydd eisoes wedi bod, e.e. yr ail-ddweud a ddaw yn ôl o garreg ateb; atsain, eco, tinc echo

adlam:adlamiad *eg* (adlamau:adlamiadau) sbonc yn ôl oddi ar rywbeth caled rebound
  cic adlam gw. cic
  gôl adlam gw. gôl

adlamol *ans* (am sylwedd) yn dychwelyd i'w ffurf wreiddiol ar ôl cael ei blygu, ei wasgu neu ei anffurfio resilient

adlamu *be* [adlam•³] llamu'n ôl, sboncio'n ôl; gwrthlamu to bounce, to rebound

adlef *eb* (adlefau) llef yn ateb llef; atsain resounding

adleisio *be* [adleisi•²] ailadrodd (rhywbeth) yn ddistawach neu'n llai eglur; atseinio to echo

adleisiol *ans* yn adleisio, yn codi adlef neu eco echoing

adlen *eb* (adlenni)
  1 darn o gynfas neu blastig a ddefnyddir i gysgodi ffenestr siop awning
  2 darn tebyg o ddefnydd sy'n creu pabell ychwanegol ynghlwm wrth garafán, etc. awning

adlenwad *eg* (adlenwadau) y broses o adlenwi; canlyniad adlenwi; ail-lenwad top-up

adlenwi *be* [adlanw•³ *3 un. pres.* adleinw/ adlanwa; *2 un. gorch.* adlanw/adlanwa] llenwi i'r ymyl, ychwanegu hyd nes cyrraedd y pen eithaf to refill, to replenish, to top-up

adleoladwy *ans* y gellir ei adleoli relocatable

adleoli *be* [adleol•¹] symud i rywle newydd (yn enwedig am weithiwr neu fusnes), i ardal newydd neu i waith newydd (~ *i rywle*) to relocate, to redeploy

adleoliad *eg* (adleoliadau) y broses o adleoli, canlyniad adleoli relocation, redeployment

adlewyrchiad *eg* (adlewyrchiadau)
  1 y broses o adlewyrchu, canlyniad adlewyrchu reflection

2 MATHEMATEG y weithred o wrthdroi rhywbeth mewn perthynas â phlân neu mewn drych fel y bydd y gwrthrych a'i ddelwedd bob tro yr un pellter perpendicwlar o'r llinell drych reflection

adlewyrchol *ans* (am arwyneb) yn gallu adlewyrchu, (am olau, delwedd, etc.) wedi'i adlewyrchu reflective

adlewyrchu *be* [adlewyrch•¹]
1 (am gorff neu arwyneb) taflu golau neu wres yn ôl heb ei amsugno, *Roedd yr haul yn adlewyrchu oddi ar y ffenestr.* (~ **oddi ar**) to reflect
2 (am ddrych neu arwyneb gloyw) dangos (delwedd), *Roedd ei hwyneb yn cael ei adlewyrchu yn y llyn.* to reflect
3 cynrychioli'n ffyddlon neu mewn fformdd addas, *Mae costau cludiant yn cael eu hadlewyrchu ym mhrisiau'r nwyddau.* to reflect
  adlewyrchu ar dwyn bri neu anfri ar rywun neu rywbeth, *Roedd eu hymddygiad yn y gwersyll yn adlewyrchu'n ddrwg ar yr ysgol.* to reflect on

adlewyrchydd *eg* (adlewyrchyddion) unrhyw beth, e.e. drych neu fetel gloyw, sy'n adlewyrchu golau neu wres reflector

ad lib *adf* ac *ans* (*ad libitum*) faint a fynnir; yn fyrfyfyr, byrfyfyr

ad libio *be* [adlibi•²] ymateb neu berfformio'n fyrfyfyr to ad-lib

adlif *eg* (adlifoedd) llif tuag yn ôl; trai ebb, reflux

adlifiad *eg* (adlifiadau) CEMEG y broses o ferwi hylif fel bod unrhyw anwedd yn cyddwyso'n ôl yn hylif reflux

adlifo *be* [adlif•¹] llifo yn ôl; treio to ebb

adlithro *be* [adlithr•¹] llithro yn ôl, dychwelyd i gyflwr a fu; gwrthgilio to regress, regression

adlofnodi *be* [adlofnod•¹] llofnodi (dogfen) er mwyn tystio i lofnod rhywun arall; adarwyddo to countersign

adlog *eg* (adlogau) y tâl a geir ar y swm gwreiddiol a'r llog a ychwanegwyd compound interest

adloniadol *ans* yn ymwneud ag adloniant, yn rhoi adloniant, yn difyrru entertaining, recreational

adloniant *eg* (adloniannau)
1 gweithgarwch (ysgafn, fel arfer) difyr a phleserus; diddanwch, difyrrwch entertainment
2 y difyrion y mae pobl yn eu dilyn yn ystod eu horiau hamdden recreation

adlonni *be* [adlonn•⁹] creu adloniant; diddanu, diddori, difyrru to entertain
  Sylwch: dyblwch yr 'n' ym mhob ffurf ac eithrio yn y rhai sy'n cynnwys -*as*-.

adluniad *eg* (adluniadau) y broses o adlunio, canlyniad adlunio reconstruction

adluniad arlunydd gwaith o adlunio rhywbeth gan arlunydd, e.e. wyneb rhywun sydd wedi cael ei ladd ar sail ffurf y benglog artist's reconstruction

adluniedig *ans*
1 wedi'i adlunio reconstructed
2 wedi'i lunio eto reconstituted

adlunio *be* [adluni•⁶] llunio o'r newydd (rywbeth sydd wedi'i ddinistrio neu wedi'i ddifrodi, e.e. creu darlun neu fodel o'r gorffennol, o drosedd, etc.) ar sail y dystiolaeth sydd ar gael to reconstruct, to remodel

adlyn *eg* (adlynion) sylwedd sy'n glynu pethau wrth ei gilydd; yn wreiddiol, byddai'n cael ei wneud o ddefnyddiau naturiol ond, erbyn hyn, gall adlyn fod yn gemegyn ag anwedd peryglus; glud, gludydd, gwm adhesive

adlyniad *eg* (adlyniadau)
1 y weithred neu'r broses o adlynu wrth rywbeth adhesion
2 MEDDYGAETH uniad annormal meinweoedd oherwydd llid neu anaf adhesions
3 FFISEG yr atyniad rhwng moleciwlau lle mae dau wyneb yn cyffwrdd â'i gilydd adhesion

adlynol *ans* ac adlyn neu lud drosto, yn peri adlyniad; gludiog, glynol adhesive

adlynu *be* [adlyn•¹ *3 un. pres.* adlŷn/adlyn/ adlyna; *2 un. gorch.* adlŷn/adlyn/adlyna] glynu'n dynn wrth arwyneb neu sylwedd (~ **wrth**) to adhere

adnabod *be* [²⁰]
1 gwybod pwy yw (rhywun) neu beth yw (rhywbeth), a gallu gwahaniaethu rhyngddo ac unrhyw un neu unrhyw beth arall; enwi to recognize, to identify, to know (a person or place)
2 bod yn gyfarwydd â (rhywun neu rywbeth) to know
  Sylwch:
  1 yn anarferol mae dau fôn i'r ferf, **adwaen-** sy'n fôn i'r *Amser Presennol* a'r *Amser Amhenodol* ac **adnabydd-**; mae'n fwy arferol defnyddio ffurfiau cwmpasog y ferf na'i ffurfiau cryno;
  2 Mae'r canlynol yn amrywiadau llai cyffredin: *2il un. pres.* adweini; *1af lluos. pres.* adwaenwn, *2il luos. pres.* adwaenwch.

adnabod llais CYFRIFIADUREG (am gyfrifiadur) dadansoddi llais dynol, yn enwedig at ddibenion dehongli geiriau ac ymadroddion neu adnabod llais unigol voice recognition
Ymadrodd
adnabod (rhywun) ym mhig y frân (ar ôl brwydr pan fyddai celanedd yn cael eu gadael ar faes y gad) adnabod (rhywun) hyd yn oed pan nad ydynt ond yn ddarn o gig ym mhig y gigfran to recognize someone anywhere

adnabyddiad *eg* (adnabyddiadau) y weithred o adnabod, canlyniad adnabod recognition

adnabyddiaeth *eb* (adnabyddiaethau) gwybodaeth am berson neu am beth; cynefindra, profiad (~ o) knowledge, recognition

adnabyddus *ans* a adnabyddir gan lawer; cyfarwydd, enwog, hysbys renowned, well known

adnau *eg* (adneuon)
1 rhywbeth wedi'i ymddiried i rywun neu wedi'i osod mewn man arbennig i'w gadw'n ddiogel deposit
2 arian a gedwir gan unigolyn neu sefydliad mewn banc deposit
gosod ar adnau trosglwyddo rhywbeth i ofal rhywun arall heb golli hawl ar ei berchenogaeth, *gosod llawysgrif ar adnau i archifdy* to deposit

ad nauseam *adf* hyd syrffed

adnawd *ans* BOTANEG (am blanhigyn) wedi'i gysylltu â rhan gyfagos adnate

adnebydd *bf* [adnabod]
1 *ffurfiol* bydd ef yn adnabod/bydd hi'n adnabod
2 *ffurfiol* gorchymyn i ti adnabod

adneuo *be* [adneu•¹] gosod ar adnau to deposit

adneuydd:adneuwr *eg* (adneuyddion:adneuwyr) un sy'n adneuo, un sy'n gosod rhywbeth ar adnau, e.e. arian mewn banc depositor

adnewid *be* [adnewidi•²] gwneud newidiadau er mwyn ateb diben arbennig; addasu, cyfaddasu, cymhwyso to modify

adnewidiad *eg* unigol adnewidiadau modification

adnewidiadau *ell* mân newidiadau i gyrraedd nod arbennig; addasiadau, cyfaddasiadau modifications

adnewyddadwy *ans*
1 y gellir ei adnewyddu renewable
2 (am egni) yn deillio o ffynonellau sy'n eu hadnewyddu eu hunain yn naturiol, e.e. gwynt, y môr, yr haul, etc. (yn hytrach na ffynonellau fel glo ac olew sy'n darfod unwaith iddynt gael eu defnyddio) renewable

adnewyddedig *ans* wedi'i adnewyddu renovated

adnewyddiad *eg* (adnewyddiadau) y broses o adnewyddu, canlyniad adnewyddu; adferiad, adfywiad renewal, renovation
adnewyddiad trefol y gwaith o ailennyn bywyd a masnach i ganol trefi neu ddinasoedd urban renewal

adnewyddol *ans* yn peri adnewyddiad, adfywiol renewing

adnewyddu *be* [adnewydd•¹]
1 gwneud i (rywbeth) edrych fel newydd; atgyweirio to renovate, to restore, to recondition
2 parhau dilysrwydd, e.e. aelodaeth sefydliad, neu barhau yn dilyn cyfnod o absenoldeb to renew

adnewyddwr *eg* (adnewyddwyr) un sy'n adnewyddu; adferwr, atgyweiriwr renovator

adnod *eb* (adnodau) rhaniad byr wedi'i rifo o bennod o'r Beibl (neu ysgrythur arall) verse

adnodd *eg*
1 unigol **adnoddau** resource
2 ECONOMEG rhywun neu rywbeth a ddefnyddir i gynhyrchu nwyddau resource

adnoddau *ell*
1 yr hyn a ddefnyddir neu sydd ar gael i gynhyrchu nwyddau neu i ddarparu gwasanaethau (yn adnoddau ariannol, dynol, naturiol, etc.); cyfarpar, darpariaeth, defnyddiau resources
2 pobl neu nodweddion personol sydd o fantais i unigolyn neu grŵp, *Mae digon o adnoddau gan y tîm i ennill y cwpan eleni.* resources

adolesent¹ *eg* person ifanc yn y cyfnod rhwng bod yn blentyn a bod yn oedolyn; glaslanc, glaslances adolescent

adolesent² *ans*
1 yn perthyn i lasoed neu laslencyndod adolescent
2 llencynnaidd; nodweddiadol o lasoed neu laslencyndod adolescent

adolwg *eg* (adolygon) arolwg o bethau sydd wedi digwydd; ôl-sylliad retrospect

adolygiad *eg* (adolygiadau) beirniadaeth neu werthfawrogiad o lyfr, o ddrama, o ffilm, etc. review, revision
adolygiad barnwrol ymchwiliad sy'n ystyried a yw awdurdod cyhoeddus wedi gweithredu yn unol â'r pwerau statudol sydd ganddo, neu beidio judicial review

adolygiadaeth *eb*
1 y gred y dylid ailfeddwl yn gyson am sefyllfaoedd, e.e. adolygiadaeth hanesyddol revisionism
2 ATHRONIAETH y gred bod rhai ffenomenau'n cael eu gwrthdroi wrth iddynt gael eu disgrifio mewn termau gwahanol i'r rhai arferol revisionism
3 ATHRONIAETH (term beirniadol fel arfer) athrawiaeth Farcsaidd yn cefnogi datblygiad esblygol tuag at gomiwnyddiaeth yn hytrach na chreu chwyldro revisionism

adolygiadwr *eg* (adolygiadwyr) un sy'n arddel adolygiadaeth revisionist

adolygol *ans*
1 yn bwrw golwg yn ôl, yn ymwneud â phethau o'r gorffennol; ôl-syllol retrospective
2 yn perthyn i adolygiad, nodweddiadol o adolygiad; beirniadol critical

adolygu *be* [adolyg•¹]
1 bwrw golwg dros (rywbeth) a'i ailystyried; cywiro, diwygio, golygu to revise, to review, to redraft

2 beirniadu neu werthfawrogi (llyfr, drama, ffilm, etc.); asesu, cloriannu to review
3 astudio eto (wersi sydd wedi'u dysgu) to revise
adolygydd:adolygwr *eg* (adolygwyr) un sy'n adolygu reviewer, critic
adraddiant *eg* (adraddiannau) DAEAREG y broses o adraddu, canlyniad adraddu aggradation
adraddoli *be* [adraddol•[1]] newid y graddau mewn cyfundrefn, newid y graddau sydd wedi cael eu rhoi i bobl; ailraddio to regrade
adraddu *be* [adradd•[1]] DAEAREG codi lefel arwyneb y tir drwy ddyddodiad aggradation
adran *eb* (adrannau)
1 un darn ymhlith nifer sy'n rhan o uned fwy; cangen, dosbarth, israniad, rhaniad department, section
2 rhan bwysig o gyfundrefn neu gorff; cangen, dosbarth, uned department, division
3 nifer o dimau neu gystadleuwyr wedi'u casglu ynghyd ar gyfer cyfres o gêmau neu gystadlaethau division
adraneiddio *be* [adraneiddi•[2]] rhannu cwmni neu gorff yn adrannau to departmentalize, departmentalization
adrannol *ans* yn perthyn i adran, wedi'i rannu'n adrannau departmental
adref *adf* tua thref, i gyfeiriad cartref homewards
adrenal *ans* ANATOMEG yn dynodi neu'n perthyn i bâr o chwarennau uwchben yr arennau sy'n secretu hormonau fel adrenalin, cortison, etc. adrenal
chwarren adrenal gw. **chwarren**
adrenalin *eg* BIOCEMEG hormon a gynhyrchir yn y chwarennau adrenal pan fydd y corff yn ymateb i straen, gan achosi i'r galon guro'n gyflymach ac i bwysedd y gwaed godi adrenalin
adrewi *be* [adrew•[1]] METEOROLEG rhewi unwaith yn rhagor, e.e. pan fydd dŵr sy'n deillio o iâ wedi dadmer ac yn ailrewi to regelate
adrewiad *eg* METEOROLEG y broses o adrewi, canlyniad adrewi regelation
adrodd *be* [adrodd•[1] 3 *un. pres.* edrydd/adrodda; 2 *un. gorch.* adrodd/adrodda]
1 datgan (barddoniaeth yn arbennig) i gynulleidfa, *A fydd Dafydd yn adrodd heno?*; llefaru, traethu to recite
2 cyfathrebu, dweud, mynegi, traethu, *adrodd stori*; hysbysu (~ *rhywbeth* **wrth, o flaen**) to narrate, to relate, to tell
3 rhoi adroddiad am rywbeth neu ryw bethau sydd wedi digwydd; cyhoeddi (~ *am rywbeth* **wrth** *rywun*) to report
adrodd fy (dy, ei, etc.) hap a'm (a'th, a'i etc.) anhap adrodd hanes hynt a helyntion ei fywyd ei hun to tell of one's ups and downs
adroddgan *eb* (adroddganeuon) CERDDORIAETH math o gân i unawdydd neu gyfres o unawdwyr

a ddefnyddir i gyflwyno'r naratif mewn opera, oratorio neu gantata recitative
adroddiad *eg* (adroddiadau)
1 cofnodion neu sylwadau (ar lafar neu'n ysgrifenedig) ar destun; crynodeb, hanes report
2 sylwadau ar sut mae rhywun wedi gweithio neu ymddwyn yn ystod cyfnod arbennig, *adroddiad ysgol*; cofnod, datganiad report
3 darn adrodd recitation
4 rhan o ddrama sy'n cael ei hadrodd yn hytrach na'i hactio narration
adroddiadol *ans*
1 yn ymwneud ag adrodd neu ddatgan penillion neu farddoniaeth
2 yn ymwneud ag adrodd stori neu naratif narrative
3 nodweddiadol o adroddiad ffurfiol a diddychymyg, *Roedd mynegiant y nofel yn adroddiadol ac yn llawn jargon.* prosaic
adroddllyd *ans* yn ymgorffori nodweddion gwaethaf y grefft o adrodd
adroddreg gw. **adroddwraig**
adroddwr *eg* (adroddwyr)
1 un sy'n adrodd, un sy'n llefaru; areithiwr, llefarydd reciter, elocutionist
2 (mewn drama) un sy'n cyflwyno'r stori neu'n rhoi adroddiad am rywbeth narrator
adroddwraig:adroddreg *eb* merch neu wraig sy'n adrodd neu'n llefaru reciter, elocutionist
adsefydlu *be* [adsefydl•[1]]
1 adfer i gyflwr o iechyd, adfer yn aelod cyflawn o'r gymdeithas, e.e. ar ôl bod yn sâl neu ar ôl bod yn y carchar to rehabilitate, rehabilitation
2 sefydlu drachefn; ailsefydlu to re-establish
aduniad *eg* (aduniadau) achlysur i grŵp o bobl ailgyfarfod â'i gilydd wedi cyfnod o amser reunion
aduno *be* [adun•[1]] dod yn ôl at ei gilydd, peri dod yn ôl at ei gilydd (~ â) to reunite
adwaedd *eb* (adwaeddau) fel yn *gwaedd uwch adwaedd* (a geir mewn seremonïau eisteddfodol), gwaedd atebol
adwaen *bf* [adnabod]
1 *ffurfiol* rwy'n adnabod, *Adwaen i fy mam.*
2 *ffurfiol* mae ef yn adnabod/mae hi'n adnabod, *Adwaen y ci ei feistr.*; edwyn
adwaenwch *bf* [adnabod] *llenyddol* rydych chi'n adnabod; byddwch chi'n adnabod
adwaenwn *bf* [adnabod] *llenyddol* rydym ni'n adnabod; byddwn ni'n adnabod
adwaith *eg* (adweithiau)
1 ymateb i symbyliad neu ysgogiad reaction
2 FFISEG grym a gynhyrchir gan gorff mewn ymateb i rym arall reaction
3 CEMEG y newid sy'n digwydd i sylwedd

cemegol yn dilyn newid mewn amodau, e.e. tymheredd neu wrth i sylwedd(au) arall/ eraill effeithio arno reaction

adwaith cadwynol adwaith cemegol lle mae cynnyrch yr adwaith hwnnw yn cychwyn yr adwaith nesaf; hefyd yn ffigurol chain reaction

adweini *bf* [adnabod] *llenyddol* rwyt ti'n adnabod; byddi di'n adnabod

adweithedd *eg* (adweitheddau) mesur o barodrwydd elfen neu gyfansoddyn i fod yn rhan o adwaith cemegol; natur adweithiol reactivity

adweitheg *eb* therapi a ddefnyddir mewn meddygaeth amgen i drin afiechyd a llaesu tyndra ar y sail bod mannau adweithiol ar y traed, y dwylo a'r pen sy'n cysylltu â phob rhan o'r corff reflexology

adweithio *be* [adweithi•²] ymateb i symbyliad; gwrthweithio (~ *i rywbeth*) to react

adweithiol *ans*
1 yn gwrthwynebu newid, o blaid glynu wrth yr hen drefn; croes, gwrthwynebol reactionary
2 CEMEG (am sylwedd) tueddol o adweithio'n gemegol rymus reactive

adweithiwr *eg* (adweithwyr) rhywun adweithiol reactionary

adweithydd *eg* (adweithyddion) CEMEG sylwedd cemegol sy'n newid wrth gymryd rhan mewn adwaith cemegol reagent

adweithydd niwclear dyfais neu adeilad lle mae adweithiau niwclear yn digwydd nuclear reactor

adwerthu *be* [adwerth•¹]
1 gwerthu nwyddau i unigolion a fydd yn debyg o'u defnyddio (yn hytrach na'u gwerthu er mwyn iddynt gael eu hailwerthu); manwerthu to retail
2 (am nwyddau) gwerthu, manwerthu, *Mae'r sudd oren yn adwerthu am £1.00 y botel* to retail

parc adwerthu gw. parc

adwerthwr *eg* (adwerthwyr) un sy'n adwerthu; mân-werthwr retailer

adwreiddyn *eg* (adwreiddiau) BOTANEG gwreiddyn sy'n codi'n ysbeidiol neu mewn mannau annisgwyl adventitious root

adwy¹ *eb* (adwyau)
1 bwlch mewn clawdd, caer, rheng, etc.; agoriad gap, breach
2 bwlch mewn mynydd neu fwlch rhwng mynyddoedd; agoriad, culffordd col, gap, pass

dod i'r adwy llenwi'r bwlch ar adeg o argyfwng to step into the breach

draenen i gau adwy ateb dros dro stopgap

adwy² *eb* (adwyon) ELECTRONEG cylched electronig sydd ag un allbwn ac sy'n ddibynnol ar un neu ragor o fewnbynnau gate

adwyo *be* [adwy•¹] peri adwy mewn (rhywbeth); bylchu to breach

adwyth *eg* (adwythau) drwg, niwed harm, misfortune

adwythig *ans hynafol* drwg, niweidiol, cas baneful

adyn *eg* (adynod) dyn drwg; cnaf, dihiryn, gwalch reprobate, ruffian, scoundrel

adysgrif *eb* (adysgrifau) copi ysgrifenedig neu deipiedig, fel arfer copi wedi'i deipio o rywbeth wedi'i arddweud neu wedi'i recordio; trawsgrifiad transcript

adysgrifio *be* [adysgrifi•²] creu copi ysgrifenedig (o araith, recordiad, etc.); trawsgrifio to transcribe

addas *ans* cymwys, priodol, pwrpasol, teilwng, *Bydd yn rhaid meddwl am rywbeth addas i'w ddweud*. (~ *i rywun*) suitable, appropriate, fit

addasadwy *ans* y gellir ei addasu adaptable

addasedig *ans* wedi'i addasu adapted

addasiad *eg* (addasiadau)
1 y weithred o addasu, rhywbeth a addaswyd; adnewidiad, cyfaddasiad, cymhwysiad adaptation, modification
2 BIOLEG proses lle mae nodweddion organeb yn newid i fod yn fwy addas i'w hamgylchedd, e.e. addasiad ym mhig aderyn fel y gall fwyta bwydydd arbennig adaptation

addasol *ans* yn tueddu i addasu, a nodweddir gan addasiad adaptive

addasrwydd:addaster *eg* cymhwyster neu briodoldeb ar gyfer rhywbeth; cyfaddasrwydd, gwedduster appropriateness, suitability

addasu *be* [addas•³] cymhwyso neu newid (rhywbeth) i'w wneud yn addas, mynd yn addas; adnewid, cyfaddasu, cymhwyso to adapt, to adjust, to modify

addaswr *eg* (addaswyr) un sy'n addasu gwaith rhywun arall adapter

addasydd *eg* (addasyddion)
1 plwg trydan sy'n caniatáu i blwg arall weithio mewn soced na fyddai'n ei ffitio fel arall adaptor
2 unrhyw declyn sy'n cyplysu dau neu ragor o bethau tebyg nad oeddynt wedi'u cynllunio i'w cysylltu â'i gilydd yn wreiddiol adaptor
3 rhywun sy'n addasu rhywbeth, *Ef oedd yr addasydd ar gyfer y teledu*. adaptor

addawaf *bf* [addo] rwy'n addo; byddaf yn addo

addawedig *ans* wedi'i addo promised

addawol *ans* yn dangos arwyddion y gallai fod yn dda iawn yn y dyfodol; ffafriol, gobeithiol promising, auspicious

addawr:addewidiwr *eg* (addawyr:addewidwyr) un sy'n addo promisor

addef¹ *be* [addef•¹ 3 un. pres. eddyf/addefa; 2 un. gorch. addef] cydnabod bai neu wendid; cyfaddef, cyffesu (~ *rhywbeth* **wrth** *rywun*) to admit, to confess, to grant, to profess

addef²:haddef *eg* (addefau) cartref, preswylfa home

addefiad *eg* (addefiadau)
1 datganiad neu gydnabyddiaeth agored neu gyhoeddus (~ **am** *rywbeth*) avowal
2 cydnabyddiaeth fod ffaith neu haeriad yn wir; cyfaddefiad, cyffes admission, confession

addewi *bf* [addo] *ffurfiol* rwyt ti'n addo; byddi di'n addo

addewid *egb* (addewidion)
1 geiriau rhywun sy'n ei rwymo i wneud rhywbeth neu i beidio â gwneud rhywbeth; adduned, gair, llw, ymrwymiad promise, pledge, undertaking
2 priodoledd yn rhywun a allai ddatblygu'n rhywbeth da, *Mae'r ferch yn dangos addewid – gallai fod yn bianydd rhagorol gyda mwy o ymarfer.* potential, promise
Gwlad yr Addewid man neu sefyllfa y credir y bydd yn gwireddu pob gobaith neu'n cynnig boddhad hirddisgwyliedig (yn seiliedig ar addewid Duw i Abraham yn y Beibl) the Promised Land

addewidiol *ans* CYFRAITH am rywbeth sy'n cyfleu neu'n awgrymu addewid na ellir ei dynnu'n ôl promissory
nodyn addewidiol gw. nodyn¹

addewidiwr gw. addawr

addfwyn *ans* [addfwyn•] tyner a mwyn; hawddgar, llariaidd, tirion, trugarog (~ **wrth** *rywun*) gentle, meek
yr addfwyn rai pobl addfwyn the meek

addfwynder:addfwyndra *eg* (addfwynderau) y cyflwr o fod yn addfwyn; anwyldeb, mwynder, tiriondeb, tynerwch gentleness

addo *be* [addaw•³ *llu. gorff.* addawsom etc.; 2 *un. gorch.* addo]
1 rhoi addewid, rhoi eich gair; addunedu, gwarantu, sicrhau, ymrwymo (~ *rhywbeth* **i** *rywun*) to promise
2 darogan (y tywydd), *Beth maen nhw'n ei addo am yfory?*
addo môr a mynydd addo pethau mawr to promise the Earth

addod gw. wy addod

addoedi *be*
1 CYFRAITH rhoi terfyn ar waith y senedd drwy orchymyn brenhinol to prorogue
2 CYFRAITH rhoi'r gorau i gyfarfodydd corff deddfwriaethol, heb ddiddymu'r corff hwnnw to prorogue
Sylwch: nid yw'r ferf hon yn arfer cael ei rhedeg.

addoediad *eg* (addoediadau) CYFRAITH y broses o addoedi prorogation

addoldy *eg* (addoldai) lle i addoli (capel, eglwys, teml, etc.); cysegr place of worship

addolgar *ans* yn ymroi i addoli; crefyddol, defosiynol, duwiol devout

addoli *be* [addol•¹]
1 mawrygu a thalu gwrogaeth i (Dduw neu dduwiau) to worship
2 caru (rhywun neu rywbeth) yn fawr neu'n ormodol to adore, to worship
3 cymryd rhan mewn gwasanaeth crefyddol, *Maen nhw'n addoli yn nhai ei gilydd* to worship

addoliad *eg* (addoliadau)
1 CREFYDD y weithred o addoli, canlyniad addoli adoration, worship
2 gwasanaeth crefyddol service

addolwr *eg* (addolwyr) un sy'n addoli worshipper

adduned *eb* (addunedau)
1 addewid o ddifrif (i Dduw yn aml); cyfamod, diofryd, llw, ymrwymiad vow
2 penderfyniad cryf resolution
3 ymrwymiad, addewid (yn enwedig am gyfraniad ariannol gan aelod capel at yr achos)

addunedig *ans* wedi'i addunedu, wedi'i addo avowed

addunedol *ans* yn cael ei gynnig yn dilyn adduned fel mesur o ddiolch neu addoliad votive

addunedu *be* [adduned•¹] gwneud adduned, addo (rhywbeth) o ddifrif, tyngu llw; cyfamodi, ymdynghedu, ymrwymo (~ **i**) to vow

addunedwr *eg* (addunedwyr) un sy'n addunedu votary

addurn *eg* (addurnau) rhywbeth sydd wedi'i fwriadu i ychwanegu at brydferthwch neu harddwch rhywun neu rywbeth; tlws decoration, ornament, trimming

addurndlysau *ell* y dillad ac addurnau sy'n nodweddu uchel swyddog ac a wisgir ar achlysuron ffurfiol; regalia regalia

addurnedig *ans* wedi'i addurno decorated

addurniad *eg* (addurniadau) y broses o addurno, canlyniad addurno adornment

addurniadol *ans* yn addurno decorative

addurniadwaith *eg* gwaith sy'n addurno, gwaith cain addurniadol decorative work

addurno *be* [addurn•¹]
1 harddu ag addurniadau, *Y noson cyn y Nadolig, byddwn yn addurno'r goeden.*; gwisgo, tecáu (~ *rhywun/rhywbeth* **â**) to decorate
2 papuro neu beintio (ystafell) to decorate

addurnod *eg* (addurnodau) CERDDORIAETH nodyn ychwanegol sy'n addurn nad yw'n hanfodol i'r alaw nac i'r harmoni grace note

addurnwr *eg* (addurnwyr) un sy'n ennill ei fywoliaeth drwy bapuro a pheintio adeiladau, neu sy'n creu cynlluniau addurno ystafelloedd neu adeiladau decorator

addwyn *ans hynafol* cain, teg, lluniaidd fine

addysg *eb* yr hyfforddiant a'r wybodaeth sy'n cael eu trosglwyddo wrth addysgu rhywun, yn enwedig mewn ysgol, coleg, etc. education

addysgadwy *ans* y gellir ei addysgu educable

addysgedig *ans* wedi derbyn (llawer o) addysg educated

addysgedd *eg* y cyflwr neu'r ansawdd o fod yn addysgadwy educability

addysgeg *eb* gwyddor addysgu pedagogy

addysgiadol *ans* yn addysgu, yn trosglwyddo gwybodaeth educative, educational

addysgol *ans* yn ymwneud ag addysg, nodweddiadol o addysg educational

addysgu *be* [addysg•¹] cyflwyno gwybodaeth neu addysg i rywun; dysgu to educate, to teach

addysgwr:addysgydd *eg* (addysgwyr) un sy'n addysgu; un sy'n arbenigo mewn theorïau addysg; athro, darlithydd, hyfforddwr, tiwtor educationalist, educationist

aeddfed *ans* [aeddfet•]
1 parod i'w gynaeafu, ei gasglu neu ei fwyta ripe
2 wedi cyrraedd ei lawn dwf, cyflawn o ran datblygiad mature
3 (am ddolur) wedi casglu neu grynhoi yn ben gathered

aeddfediad *eg* (aeddfediadau) y broses o aeddfedu ripening

aeddfedrwydd *eg* y cyflwr o fod yn aeddfed ripeness, maturity

aeddfedu *be* [aeddfed•¹]
1 tyfu'n aeddfed, bod ar y ffordd i gyrraedd ei lawn dwf, gwneud yn aeddfed to mature, to ripen
2 dwyn i'w lawn dwf, *Maen nhw'n aeddfedu'r gwirod mewn hen farilau pren.* to mature

aeddfetach:aeddfetaf:aeddfeted *ans* [aeddfed] mwy aeddfed; mwyaf aeddfed; mor aeddfed

ael *eb* (aeliau) y rhimyn o flew sy'n tyfu uwchben crau llygad rhywun eyebrow
ael bore toriad gwawr daybreak
ael nos dechrau'r nos nightfall
ael y bryn pen uchaf bryn, mynydd neu lechwedd brow of hill, crest
codi aeliau mynegi syndod a beirniadaeth drwy godi'r aeliau to raise one's eyebrows

aele *ans hynafol* alaethus, athrist, digalon, trist sad

aelod *eg* (aelodau)
1 un o'r prif rannau sy'n ymestyn allan o'r corff, e.e. braich neu goes limb
2 un sy'n perthyn i deulu, clwb, eglwys, tîm, etc. member
Aelod Cynulliad aelod wedi'i ethol i gynrychioli etholaeth benodol neu aelod wedi'i ethol dan y gyfundrefn cynrychiolaeth gyfrannol i Gynulliad Cenedlaethol Cymru; AC Assembly Member (AM)
Aelod Seneddol un sy'n cael ei ethol gan drigolion etholaeth benodol i'w cynrychioli yn Nhŷ'r Cyffredin (AS) Member of Parliament (MP)

aelodaeth *eb* (aelodaethau) y cyfnod neu'r cyflwr o fod yn aelod (o gymdeithas, eglwys, etc.) membership

aelod-wladwriaeth *eb* (aelod-wladwriaethau)
1 CYFRAITH (yng nghyd-destun yr Undeb Ewropeaidd) un o'r gwledydd sydd wedi ymaelodi â'r Undeb Ewropeaidd member state
2 gwlad neu wladwriaeth sydd wedi ymaelodi ag undeb o wahanol wledydd, e.e. y Cenhedloedd Unedig member state

aelwyd *eb* (aelwydydd)
1 cartref, y lle mae rhywun yn byw; anheddfa, preswylfa home
2 y lle tân yn y cartref fireside, hearth
3 CYFRAITH uned sy'n cynnwys tŷ a'r bobl sy'n byw ynddo household
Aelwyd cangen o Urdd Gobaith Cymru

AEM *byrfodd* Arolygydd Ei Mawrhydi HMI

aeolaidd *ans*
1 yn cael ei gynhyrchu gan y gwynt, yn enwedig am offeryn cerdd sy'n cynhyrchu sain yn y gwynt aeolian
2 DAEAREG (am waddodion) wedi'u dyddodi gan y gwynt aeolian

aeon *eg* (aeonau)
1 cyfnod hir iawn, cyfnod annherfynol o amser aeon
2 DAEAREG y rhaniad mwyaf o amser daearegol sy'n cynnwys sawl gorgyfnod aeon

aer¹ *eg* cymysgedd o nwyon anweladwy sy'n amgylchynu'r Ddaear, sef y cymysgedd hwnnw o nwyon yr ydym yn ei anadlu; awyr air

aer² *eg* (aerod) mab sy'n etifeddu; disgynnydd, etifedd, olynydd heir

aerdymheru *eg* y broses o ddefnyddio cyfarpar i reoli tymheredd ac weithiau purder a lleithder yr aer o'ch cwmpas, mewn tŷ, car, etc. air conditioning

aerdyn defnyddiwch **aerglos**

aeres *eb* (aeresau) merch neu wraig sy'n etifeddu; disgynnydd, etifeddes, olynydd heiress

aerfa *eb* (aerfâu) *hynafol* anrhaith, cyflafan, galanas, lladdfa massacre

aerglo *eg* (aergloeon:aergloeau)
1 chwysigen o aer sy'n achosi ataliad mewn llif o hylif airlock
2 ystafell neu siambr (e.e. mewn llong ofod) sy'n caniatáu mynediad i siambr ag aer dan wasgedd heb achosi gostyngiad yng ngwasgedd yr aer airlock

aerglos *ans* wedi'i gau mor dynn fel na all aer fynd i mewn iddo na dianc ohono airtight

aergorff *eg* (aergyrff) METEOROLEG cyfaint mawr o aer (e.e. ar raddfa gyfandirol) ac iddo dymheredd a lleithder lled unffurf ar ledred ac uchder penodol air mass

aerobeg:erobeg *eb* cwrs o ymarferion ar gyfer cynyddu'r ocsigen a ddefnyddir gan y corff; proses sy'n cryfhau'r galon a'r ysgyfaint aerobics

aerobig:erobig *ans*
1 BIOLEG (am rywbeth byw) yn defnyddio ocsigen neu y mae angen ocsigen arno aerobic
2 yn cyfeirio at ymarfer corfforol sydd â'r nod o wella gallu'r system gardiofasgwlar i amsugno a chludo ocsigen aerobic

aerodynameg:erodynameg *eb* gwyddor neu astudiaeth o'r ffordd y mae rhywbeth yn symud drwy lif o aer neu nwy aerodynamics

aerodynamig:erodynamig *ans* yn ymwneud ag aerodynameg, ac iddo ffurf sy'n ei gwneud yn haws symud drwy aer aerodynamic

aeroleg *eb* METEOROLEG cangen o feteoroleg yn ymwneud â'r atmosffer aerology

aeron *ell* unrhyw ffrwythau bach crwn, llawn sudd a heb gerrig; grawn berries

aeronen *eb* unigol aeron

aerosol:erosol *eg* (aerosolau)
1 sylwedd (e.e. gwenwyn lladd pryfed, persawr, etc.) yn cael ei chwistrellu dan bwysau o gynhwysydd, fel daliant o ronynnau solet neu ddiferion mewn nwy aerosol
2 CEMEG daliant o ronynnau neu ddiferion mân iawn, iawn wedi'u gwasgaru mewn nwy aerosol

aerwy *eg* (aerwyau:aerwyon)
1 *hynafol* torch neu gadwyn addurnedig chain, torque
2 coler neu gadwyn am wddf anifail; cadwyn, tid cow-collar, yoke

aesth- gw. esth-

aeth *bf* [mynd] bu iddo ef/iddi hi fynd

aethnen *eb* (aethnennau) coeden o deulu'r boplysen y mae ei dail yn crynu yn yr awel leiaf, a hynny oherwydd coesynnau fflat y dail; pren y goeden hon aspen

af- *rhag* ffurf a ddefnyddir ar ddechrau gair i wrth-ddweud neu negyddu'r hyn sy'n ei dilyn, e.e. *afreolaidd*, heb fod yn rheolaidd

afal *eg* (afalau) ffrwyth yr afallen (coeden afalau) apple

afalau surion afalau bychain â blas sur crab apples

afal breuant y darn hwnnw ar flaen gwddf y gallwch ei weld yn symud pan fydd rhywun yn siarad neu'n yfed (mae'n fwy amlwg mewn dynion na merched) Adam's apple

afal clun pant y forddwyd hollow of the thigh

afal pîn pinafal pineapple

afalans *eg* (afalansau) eirlithriad; cwymp sydyn a chyflym tunelli o eira neu gerrig i lawr llethr ardal fynyddig avalanche

afallen *eb* (afallennau) coeden afalau (surion), pren afalau (surion); pren y goeden hon crab apple tree

afan:afan coch/cochion *ell* ffrwythau bach coch; mafon raspberries

afanc *eg* (afancod)
1 anifail sy'n perthyn i deulu'r llygoden Ffrengig; mae ganddo gynffon lydan a gall godi argaeau ar draws nentydd ac afonydd; llostlydan beaver
2 math o anghenfil chwedlonol yn byw yn y dŵr

afanen *eb* unigol afan raspberry

afatar gw. avatar

afell *eb* (afellau) thoracs; y rhan o'r corff rhwng y gwddf a'r abdomen; hefyd y ceudod sy'n cynnwys y galon a'r ysgyfaint thorax

canol yr afell gw. canol[1]

afiach *ans*
1 heb fod yn iachus; aflan, budr, mochaidd dirty, insanitary, unhygienic
2 heb fod yn iach; claf, gwael ill
3 tebyg o wneud drwg neu niwed, *Mae eu hagwedd at yr iaith yn hollol afiach.*; budr, ffiaidd, gwrthun deleterious, unwholesome

afiach o fe'i defnyddir i ddwysáu ystyr ansoddair, *Mae'n afiach o frwnt.*

afiaith *eg* bwrlwm o fywyd; asbri, hwyl, miri, nwyf glee, zest

afiechyd *eg* (afiechydon) achos o salwch neu gyfnod o salwch; gwaeledd ill health, illness

Afiechyd Imiwnedd Diffygiol MEDDYGAETH haint sy'n cael ei hachosi gan firws sy'n ymosod ar system amddiffyn y corff AIDS

afiechyd meddwl cyflwr sy'n achosi i berson feddwl ac ymddwyn yn wahanol i'r arfer ac sy'n ei rwystro rhag cyflawni gweithgareddau arferol o ddydd i ddydd mental illness

afieithus *ans* llawn afiaith; bywiog, hwyliog, llon, siriol exuberant, gleeful

aflafar *ans* (am sŵn) uchel neu gras, neu am rywun neu rywbeth sy'n gwneud sŵn o'r fath; amhersain, croch, cyflafar harsh, raucous

aflan *ans*
1 heb fod yn lân; afiach, brwnt, budr, mochaidd dirty, unclean
2 (am feddwl, iaith, etc.) heb fod yn bur; aflednais, amhûr, anweddus, llygredig dirty, indecent

aflawen *ans* heb fod yn llawen; anhapus, digalon, trist cheerless, joyless

aflednais *ans* (am iaith, ymddygiad, etc.) heb fod yn fwyn nac yn chwaethus; aflan, anweddus, cwrs coarse, crude, vulgar

afledneiseb *eb* (afledneisebion) gair neu ymadrodd anweddus, cwrs vulgarism

afledneisrwydd *eg* y cyflwr neu enghraifft o fod yn aflednais; anwedduster uncouthness, crudeness

aflem *ans* ffurf fenywaidd **aflym**

ongl aflem gw. **ongl**

aflendid *eg* y cyflwr o fod yn aflan; baw, bryntni, budreddi, llygredigaeth filth

afleoli *be* [afleol•¹] amharu neu darfu ar leoliad arferol (rhywbeth) to dislocate, to displace

afleoliad *eg* (afleoliadau) y broses o afleoli, canlyniad afleoli dislocation, displacement

aflêr *ans* heb fod yn drefnus nac yn gymen; anghymen, anhrwsiadus, anniben, blêr untidy

aflerwch *eg* y cyflwr o fod yn aflêr; annibendod, blerwch, cawdel, llanastr untidiness

aflesol *ans* yn gwneud drwg; anfanteisiol, anffafriol disadvantageous, pernicious

aflinol *ans*
1 nad yw'n llinol non-linear
2 (am naratif) nad yw'n dilyn dilyniant cronolegol non-linear
3 FFISEG â diffyg llinoledd rhwng dwy nodwedd gysylltiedig megis mewnbwn ac allbwn non-linear
4 MATHEMATEG (am hafaliad) na ellir ei gynrychioli gan linell syth ar graff, e.e. mae $x = y^2$ yn hafaliad aflinol sy'n mynegi'r berthynas rhwng y newidynnau x ac y; cynrychiolir y berthynas ar graff gan gromlin ar siâp parabola non-linear

afliwio *be* [afliwi•²] newid neu beri newid yn lliw rhywbeth (er gwaeth), *Mae tudalennau'r hen lyfr wedi afliwio'n llwyr. Alwminiwm oedd yn gyfrifol am afliwio'r dŵr.*; staeno to discolour

aflonydd *ans* [aflonydd•] heb fod yn llonydd; anghysurus, anesmwyth, diorffwys, rhwyfus restless, uneasy, disturbed

aflonyddgar gw. **aflonyddus**

aflonyddion *ell* rhai aflonydd the disturbed

aflonyddu *be* [aflonydd•¹]
1 cyffroi a chynhyrfu; blino, poeni (~ **ar** *rywun/rywbeth*) to disturb, to disrupt, to harass
2 mynd yn aflonydd; anesmwytho, cythryblu to become anxious, to become restless, to fidget

aflonyddu hiliol ymddygiad tuag at berson sy'n aflonyddu arno oherwydd ei natur hiliol racial harassment

aflonyddu rhywiol ymddygiad tuag at berson sy'n aflonyddu arno oherwydd ei natur rywiol sexual harassment

aflonyddus:aflonyddgar *ans* yn achosi cyffro; anesmwyth, afreolus restless, unruly, disruptive

aflonyddwch *eg*
1 y cyflwr o fod yn aflonydd; cyffro, cynnwrf, cythrwfl unrest, disruption
2 poen meddwl; anesmwythder, anfodlonrwydd, anfoddogrwydd, anniddigrwydd agitation, disquiet

aflonyddwr *eg* (aflonyddwyr) un sy'n torri ar draws; cynhyrfwr, tarfwr disturber, harasser

afloyw *ans* [afloyw•] heb fod yn glir nac yn loyw; anhryloyw, anllathraidd, dilewyrch, pŵl dull, opaque, unclear

afloywder *eg* y cyflwr o fod yn afloyw; pylni opaqueness

afloywon *ell* rhai afloyw

afluniad *eg* (afluniadau) y weithred o aflunio, canlyniad aflunio distortion

afluniaidd *ans* nad yw'n lluniaidd; di-lun, di-siâp formless, misshapen

aflunieidd-dra *eg* y cyflwr o fod yn afluniaidd, diffyg harddwch; amhrydferthwch, anharddwch, hagrwch deformity, ugliness

aflunio *be* [afluni•⁶]
1 tynnu neu wyro oddi wrth y ffurf gywir; gwyrdroi, llurgunio, ystumio to deform, to distort
2 gwneud neu droi'n afluniaidd; anffurfio, llurgunio to deform, to disfigure

aflwydd *eg* (aflwyddau) er ei fod yn golygu trychineb yn y gorffennol, gan amlaf gair llanw ydyw heddiw, *Sut aflwydd? Pam aflwydd?* calamity

aflwyddiannus *ans* heb lwyddo, wedi methu; anffyniannus unsuccessful, failed

aflwyddiant *eg* (aflwyddiannau) y cyflwr o fod yn aflwyddiannus; methiant failure, misfortune

aflwyddiant cyfiawnder CYFRAITH achos o fethiant i wneud cyfiawnder; camwedd miscarriage of justice

aflym *ans* [aflym• *b* aflem] MATHEMATEG am ongl sydd yn fwy na 90° ond yn llai na 180° obtuse

aflywodraethus *ans* na ellir ei reoli na'i gadw mewn trefn; afreolus, anhydrin, annisgybledig, anystywallt uncontrollable

afocado *eg* (afocados) ffrwyth gwyrdd tywyll neu borffor ar siâp gellygen avocado

afon *eb* (afonydd) ffrwd gref o ddŵr yn llifo i'r môr, i lyn neu i afon fwy river
Sylwch: fel arfer, ni ddefnyddir y fannod o flaen enwau afonydd mewn Cymraeg ysgrifenedig *afon Teifi* nid *yr afon Teifi*, ac eithrio *Y Fenai* ac *Yr Iorddonen.*

afonfarch *eg* (afonfeirch) *hynafol* hipopotamws, dyfrfarch hippopotamus

afonig *eb* (afonigion) afon fechan, nant fach; cornant, ffrwd brook, rivulet

afonladrad *eg* DAEARYDDIAETH dargyfeiriad naturiol blaenddyfroedd un afon i ddalgylch afon gyfagos river capture

afonol *ans* nodweddiadol o nant neu afon, a achosir gan afon, a geir mewn afon, ar lan afon fluvial

afrad *ans* â thuedd i afradu, i wastraffu; afradlon, afradus, gwastraffus extravagant, prodigal

afradlon *ans* [afradlon•] yn byw bywyd ofer, gwastraffus; afrad, anghynnil extravagant, prodigal, profligate

afradlondeb:afradloneedd *eg* y cyflwr o fod yn afradlon; gormodedd, gwagedd, moeth, oferedd extravagance, prodigality, profligacy

afradloni *be* [afradlon•¹]
  1 gwastraffu mewn ffordd fyrbwyll neu ffôl; afradu, ofera to squander
  2 FFISEG achosi i egni gael ei golli drwy ei drawsnewid yn wres to dissipate

afradloniaid *ell* rhai afradlon the prodigal

afradu *be* [afrad•³] gwario'n ffôl mewn ffordd wastraffus; afradloni, gwastraffu, ofera to waste, to spoil

afradus *ans* yn afradu; afrad, afradlon, gwastraffus wasteful

afradwr *eg* (afradwyr) un afradlon; oferwr waster

afraid *ans* dros ben, heb ei angen; diangen, dianghenraid needless, superfluous

afreal:afrealaidd *ans* nad yw'n real; dychmygol unreal

afrealistig *ans* heb fod yn realistig unrealistic

afreidrwydd *eg*
  1 y cyflwr o beidio â bod neu o beidio bellach â bod yn angenrheidiol redundancy
  2 y weithred o gynnwys cydrannau ychwanegol nad ydynt yn angenrheidiol i weithio system, rhag ofn y bydd cydrannau eraill yn methu redundancy

afreolaeth *eb* diffyg rheolaeth; anhrefn, dryswch disorder, unruliness

afreolaidd *ans*
  1 heb fod yn rheolaidd o ran ffurf, trefn neu amseriad, yn torri ar draws patrwm neu drefn arferol; anghyson erratic, irregular
  2 yn torri ar draws rheol neu arfer irregular
  3 (yn ramadegol) nad yw'n dilyn y rheolau neu'r ffurfdroadau arferol, *berfau afreolaidd* irregular

afreoleidd-dra *eg*
  1 y cyflwr o fod yn afreolaidd irregularity
  2 yr hyn nad yw'n cyrraedd safonau proffesiynol neu foesol irregularity
    afreoleidd-dra'r galon MEDDYGAETH cyflwr lle mae'r galon yn curo'n afreolaidd neu mewn ffordd annormal arrhythmia

afreolus *ans* llawn cyffro na ellir ei reoli; aflywodraethus, anhydrin, annisgybledig, anystywallt unruly, obstreperous, uncontrollable

afreolusrwydd *eg* y cyflwr o fod yn afreolus, heb reolaeth; afreolaeth, anhrefn disorder

afresymegol *ans* heb fod yn rhesymegol, croes i egwyddorion rhesymeg; direswm illogical

afresymol *ans* heb fod yn rhesymol, heb fod yn synhwyrol, nad yw'n deg ei ddisgwyl; direswm, disynnwyr irrational, unreasonable
    afresymol o fe'i defnyddir i ddwysáu ystyr ansoddair, *afresymol o ddrud*

afresymoldeb *eg* (afresymoldebau) y cyflwr o fod yn afresymol neu o fynd y tu hwnt i beth sy'n rhesymol a chymedrol unreasonableness

afrifed *ans* (y mae cynifer ohonynt) na ellir eu rhifo; aneirif, dirifedi innumerable
  Sylwch: nid yw'n arfer cael ei gymharu.

afrlladen *eb* (afrllad) CREFYDD y darn tenau o fara croyw a gysegrir yng ngwasanaeth y Cymun communion wafer

afrosgo *ans*
  1 lletchwith a thrwm ei symudiad; anghydlynus, trwsgl clumsy, ungainly
  2 heb fod yn gain nac yn gelfydd; anhylaw, anheuaig, trwstan awkward, gawky

afrwydd *ans* heb fod yn rhwydd; anodd, astrus, caled difficult

afrwyddineb *eg* (afrwyddinebau) diffyg ystwythder, diffyg llithrigrwydd ymadrodd stiffness

afrywiog *ans*
  1 heb fod yn hyfryd nac yn ddymunol; blwng, gwrthnysig, sarrug sullen, surly
  2 GRAMADEG am gymal perthynol yn y cyflwr genidol, dan reolaeth arddodiad neu yn y cyflwr adferfol; yn aml, mae cymal perthynol yn cael ei gyflwyno gan 'y' neu 'yr' yn hytrach na chan 'a', *y dyn y clywais sôn amdano* oblique (of relative clause)

afrywiogrwydd *eg* y cyflwr o fod yn afrywiog; annymunoldeb, sarugrwydd roughness

afu *eg* (afuau)
  1 ANATOMEG organ mawr a geir yng ngheudod abdomenol fertebratau; mae'n achosi ymddatodiad y sylweddau gwenwynig sydd yn y gwaed ac yn cynhyrchu bustl, ac mae'n chwarae rhan bwysig ym metabolaeth carbohydradau, brasterau a phroteinau; iau liver
  2 iau anifail, aderyn neu bysgodyn a ddefnyddir fel bwyd liver
    afu glas ail stumog aderyn lle mae bwyd yn cael ei chwalu'n fân; crombil, cropa, glasog gizzard

afwyn *eb* (afwynau) llinyn ynghlwm wrth ffrwyn a ddefnyddir i lywio a rheoli anifail; awen rein

affaith *eg* (affeithiau) SEICOLEG mynegiant gweladwy o emosiwn neu deimladau person o ran pryd a gwedd, goslef, symudiadau dwylo neu arwyddion eraill megis chwerthin neu lefain affect

affasia *eg* MEDDYGAETH colled lwyr neu rannol o'r gallu i ddeall neu ddefnyddio geiriau aphasia

affeithiad *eg* (affeithiadau) GRAMADEG newid sy'n digwydd i lafariad dan ddylanwad sain ddilynol, *tal(u) – telir, alarch – elyrch*, hefyd yr un newid lle mae'r sain a achosodd y newid wedi diflannu, e.e. *bardd – beirdd*, neu lle y ceir datblygiad tebyg drwy gydweddiad affection

affeithio *be* [affeithi•²] GRAMADEG peri affeithiad i (air) to affect

affeithiol *ans*
1 SEICOLEG yn deillio o affaith; emosiynol affective
2 CYFRAITH yn ymwneud ag affeithiwr (troseddwr eilaidd) accessory

affeithiwr *eg* (affeithwyr) CYFRAITH un sy'n cynorthwyo rhywun i gyflawni trosedd; troseddwr eilaidd accessory

affelion *eg* SERYDDIAETH pellafbwynt taith comed, planed neu asteroid o'r Haul aphelion

afferol *ans* FFISIOLEG (am nerfau, pibellau gwaed, etc.) yn tynnu neu'n cyfeirio i mewn i'r corff, e.e. ysgogiadau nerfol tuag at yr ymennydd neu fadruddyn y cefn afferent

Affgan:Affganaidd *ans* yn perthyn i Afghanistan, nodweddiadol o Afghanistan Afghan

Affganes *eb* merch neu wraig o Afghanistan, un o dras neu genedligrwydd Affganaidd Afghan

Affganiad *eg* (Affganiaid) brodor o Afghanistan, un o dras neu genedligrwydd Affganaidd Afghan

affidafid *eg* (affidafidiau) CYFRAITH datganiad ysgrifenedig wedi'i dyngu ar lw o flaen un cymwys i weinyddu llwon affidavit

affin *eg* ANTHROPOLEG rhywun sy'n perthyn drwy briodas affine

affinedd *eg* (affineddau) BIOCEMEG atyniad rhwng sylweddau cemegol sy'n peri iddynt gyfuno ac aros wedi'u cyfuno affinity

affliw *eg* fel yn *affliw o ddim*, dim tamaid, dim o gwbl bit, nothing at all

afforddio *be* [afforddi•²] bod â digon o arian i dalu am (rywbeth); fforddio to afford

affráe *eb* (affraeon) CYFRAITH ymladd gan grŵp sy'n aflonyddu ar yr heddwch mewn lle cyhoeddus; cythrwfl, ffrwgwd affray

Affricanaidd *ans* yn perthyn i Affrica, nodweddiadol o Affrica African

Affricanes *eb* (Affricanesau) merch neu wraig (ddu) o Affrica African

Affricanwr *eg* (Affricanwyr) brodor (du) o Affrica African

Affro-Americanaidd *ans* am frodorion America o dras Affricanaidd African American, Afro-American

Affro-Caribïaidd *ans* am frodorion India'r Gorllewin o dras Affricanaidd African Caribbean, Afro-Caribbean

affrodisiac *eg* (affrodisiacs) sylwedd sy'n achosi chwant rhywiol aphrodisiac

affrodisiaidd *ans* o natur affrodisiac, yn cyffroi dyhead rhywiol aphrodisiac

affwys *eg* (affwysau) dyfnder mawr, pwll diwaelod, agendor dwfn iawn; dyfnfor abyss, (the) deep
affwys anobaith cyflwr o fod wedi colli pob gobaith the depths of despair

affwysedd *eg* gostyngiad sydyn o'r gwych a'r aruchel i'r cyffredin neu'r absŵrd, yn enwedig mewn gwaith llenyddol bathos

affwysol *ans*
1 rhy ddwfn i'w fesur deep, unfathomable
2 chwerthinllyd o wael; alaethus, anobeithiol abysmal, pathetic
affwysol o fe'i defnyddir i ddwysáu ystyr ansoddair, *Mae'n affwysol o undonog.*

ag gw. â¹ ac â²

agalen *eb* (agalennau:agalenni) carreg hogi; hogfaen whetstone

agar *eg* sylwedd gludiog a geir o rai mathau o wymon coch ac a ddefnyddir fel cyfrwng meithrin biolegol ac i dewychu bwydydd agar
plât agar BIOLEG llestr gwydr neu blastig bas y gellir tyfu meithriniad o gelloedd neu ficro-organebau arno agar plate

agat *eg* (agatau) math o gwarts mân-grisialog â streipiau lliwgar sy'n cael ei gaboli'n faen gwerthfawr agate

agen *eb* (agennau)
1 agoriad a achosir gan hollti neu gracio, yn enwedig mewn craig neu yn y ddaear; crac, hollt, rhwyg fissure, gap, rift
2 (mewn peiriant) agoriad hir a chul y mae'n bosibl rhoi rhywbeth ynddo slot

agenda *eb* (agendâu) rhestr o eitemau i'w trafod neu fusnes i'w gyflawni (e.e. mewn cyfarfod) agenda

agendor:gagendor *egb* (agendorau:gagendorau)
1 bwlch diwaelod rhwng dau le neu ddau safbwynt abyss, chasm, gap
2 DAEARYDDIAETH agen ddofn a chul yn y ddaear chasm

agennu *be* [agenn•⁹] hollti, cracio (yn enwedig am graig) to split
Sylwch: dyblwch yr 'n' ym mhob ffurf ac eithrio yn y rhai sy'n cynnwys -*as*-.

agent provocateur *eg* (*agents provocateurs*) un sy'n cymell pobl eraill i dorri'r gyfraith fel y gallent gael eu herlyn; cudd-gynhyrfwr

ager *eg* (agerau) dŵr berw wedi anweddu; anwedd, stêm steam

peiriant ager peiriant sy'n cael ei yrru gan ager steam engine

agerlong *eb* (agerlongau) llong sy'n cael ei gyrru gan ager steamship

ageru *be* [ager•¹]
1 gollwng ager, *Pibell yn ageru yn yr awyr oer.* to steam
2 trin ag ager, e.e. coginio bwyd to steam

agitprop *eg* CELFYDDYD propaganda gwleidyddol (yn enwedig mewn celf neu lenyddiaeth)

agnawd *ans* yn perthyn drwy linach y gwrywod neu o ochr y tad agnate

agnosia *eg* MEDDYGAETH methiant i ddehongli synwyriadau'r corff ac i adnabod pethau, fel arfer yn dilyn niwed i'r ymennydd agnosia

agnostic:agnostig *eg* (agnosticiaid) un sy'n arddel agnosticiaeth agnostic

agnosticiaeth *eb*
1 y gred na ellir gwybod a oes Duw ai peidio agnosticism
2 y gred na ellir gwybod dim hyd sicrwydd ac mai credu neu ddyfalu am bethau yw'r unig beth sy'n bosibl agnosticism

agnostig *ans*
1 yn perthyn i gredo agnosticiaeth, nodweddiadol o gredo agnosticiaeth agnostic
2 anodd ei argyhoeddi; amheugar, drwgdybus agnostic
3 gw. **agnostic**

agor *be* [agor•¹ *3 un. pres.* egyr/agora; *2 un. gorch.* agor/agora]
1 symud rhwystr i ganiatáu mynediad, rhwyddhau ffordd, *agor heol ar ôl damwain* to open
2 palu, cloddio, *agor bedd* to dig
3 torri i mewn i (gorff), *Bydd raid agor y clwyf i weld beth sy'n achosi'r drwg.* to cut open, to gut
4 taenu ar led, *agor llyfr, agor map* to open, to unfold
5 dechrau, peri dechrau, *agor cyfarfod* to open
6 dylyfu gên, ymagor, *agor pen/ceg* to yawn
7 (am lythyr, parsel, etc.) tynnu allan o amlen neu focs, tynnu'r papur y mae rhywbeth wedi'i lapio ynddo to open
8 (am botel, tun, etc.) tynnu caead neu gorcyn to open
9 (am ddilledyn) datod botymau neu sip to open, to undo, to unfasten
10 (am siop, swyddfa, etc.) rhoi mynediad i gwsmeriaid; datgloi to open
11 (am flodyn) lledu petalau a fu ar gau to open
12 dod yn agored, *Agorodd y drws ond nid oedd neb yno.* to open

agor hen friw codi hen ddadl neu gynnen to resurrect an old quarrel

agor y mater cychwyn dadl neu drafodaeth to open a debate

ar agor
1 agored open
2 ar fin agor about to open

agoraffobia *eg* MEDDYGAETH ofn (afresymol) o fannau agored neu gyhoeddus agoraphobia

agorawd *eb* (agorawdau) darn o gerddoriaeth offerynnol sy'n agor opera, cyngerdd, etc. overture

agored *ans*
1 wedi agor, heb fod ar gau; dilestair, di-rwystr open
2 heb geisio cuddio dim, *cyfaddef mewn ffordd agored* candid, overt
3 heb fod dan do neu dan gysgod, *awyr agored* open
4 heb ei gyfyngu, ar agor i bawb, *cystadleuaeth agored;* cyhoeddus open

agored i fethu â'r posibilrwydd y bydd yn methu liable to fail

meddwl agored parod i wrando mewn ffordd deg a diduedd open-minded

agorell *eb* (agorellau) teclyn â phen siarp sy'n troelli ar gyfer lledu tyllau neu eu llyfnhau; ebill, taradr, tyllwr, tyllydd reamer

agorfa *eb* (agorfeydd)
1 yr agoriad yn lens camera sy'n gadael y golau i mewn aperture
2 diamedr drych telesgop aperture
3 DAEAREG twll neu agoriad yng nghramen y Ddaear y daw defnyddiau folcanig allan ohono; allfa vent
4 MEDDYGAETH agoriad yn y corff orifice

agoriad *eg* (agoriadau)
1 y weithred o agor, canlyniad agor opening
2 cyfle, *agoriad mewn swydd;* siawns opportunity
3 bwlch, adwy, *gweld awyr las drwy agoriad yn y cymylau* opening
4 cychwyniad, dechreuad, *agoriad gan fatwyr mewn gêm o griced* opening
5 *tafodieithol, yn y Gogledd* allwedd key

agoriad llygad peth neu ddigwyddiad sy'n creu syndod neu sioc ac yn peri i rywun weld rhywbeth o'r newydd eye-opener

agoriadol *ans* yn digwydd ar y dechrau; arweiniol, cychwynnol, cyntaf, dechreuol opening, inaugural

agorwr *eg* (agorwyr) un o ddau gricedwr sy'n agor batiad opener, opening batsman

agorydd *eg* (agoryddion) dyfais i agor rhywbeth, e.e. tuniau opener

agos¹ *ans* [agos• *hefyd* nesed; nes; nesaf]
1 heb fod ymhell, yn ymyl, ar bwys; gerllaw near
2 (o ran amser) heb fod yn bell, yn ymyl; gerllaw imminent, near

3 (o ran perthynas) clòs *Maen nhw'n deulu agos iawn.*; caruaidd (~ *at rywun*) close
Sylwch: rydych yn agos *at* berson ac yn agos *i* le.

agos at fy (dy, ei, etc.**) nghalon** gw. calon

agos atoch am rywun cyfeillgar y gallwch ymddiried ynddo friendly, intimate

agos i'm (i'th, i'w, etc.**) lle**
1 gweddol gywir o ran ffeithiau not far out
2 (am berson) yn ceisio byw yn foesol ac yn egwyddorol upright

agos² *adf* mewn ymadroddion negyddol megis *nid yw agos cystal, nid oes gennym agos digon*; o gwbl (not) at all, (not) nearly

agosâ *bf* [agosáu] *ffurfiol* mae ef yn agosáu/ mae hi'n agosáu; bydd ef yn agosáu/bydd hi'n agosáu

agosatrwydd *eg* teimlad o fod yn agos at rywun neu rywbeth; anwyldeb, cynhesrwydd, hynawsedd intimacy, warmth

agosáu *be* [agosa•¹⁵] mynd yn nes; closio, dynesu, nesáu (~ at) to approach, to draw near

agoslun *eg* (agosluniau) llun neu ddarlun mewn ffilm sy'n dangos rhywbeth yn agos iawn close-up

agosrwydd *eg* y cyflwr o fod yn agos neu o fod mewn perthynas agos nearness, proximity

agreg *eb* (agregau) DAEAREG casgliad neu bentwr o ddarnau o greigiau neu ronynnau o fwynau, neu gyfuniad ohonynt aggregate

agregu *be* [agreg•¹] tynnu ynghyd yn un crynswth, casglu neu ymgasglu ynghyd to aggregate, aggregation

agronomeg *eb* cangen o amaethyddiaeth yn ymwneud â chynhyrchu cnydau a rheolaeth pridd agronomy

agronomegydd:agronomegwr *eg* (agronomegwyr) un sy'n arbenigo mewn agronomeg agronomist

agwedd *eb* (agweddau)
1 y ffordd y mae rhywun yn meddwl am rywbeth, *Doedd y prifathro ddim yn hoffi agwedd rhieni'r bechgyn at yr ysgol.*; gogwydd, meddylfryd, tueddfryd (~ at) attitude, approach
2 un ochr i broblem neu sefyllfa, *Yn y wers heddiw, buom yn trafod un agwedd ar derfysgaeth.*; ~ ar aspect

ang- *rhag* ffurf ar **an-** a ddefnyddir ar ddechrau gair i wrth-ddweud neu negyddu'r hyn sy'n ei dilyn, e.e. *angall*, heb fod yn gall, *angharedig*, heb fod yn garedig

angall *ans* prin o synnwyr cyffredin, heb fod yn gall unwise

angau *eg* (angheuoedd) diwedd bywyd; dihenydd, marwolaeth, tranc death

angel *eg* (angylion:engyl)
1 bod goruwchnaturiol sy'n gwasanaethu Duw

(neu wedi gwasanaethu Duw yn achos yr angylion syrthiedig), yn enwedig fel negesydd angel
2 rhywun o brydferthwch neu o garedigrwydd neu o ddaioni anghyffredin angel

angel gwarcheidiol bod goruwchnaturiol sy'n cadw rhywun rhag drwg, hefyd yn ffigurol guardian angel

angel pen ffordd, diawl pen pentan gw. diawl

angen *eg* (anghenion) y cyflwr o fod yn brin o rywbeth, yn enwedig rhywbeth sy'n hanfodol neu'n bwysig yn hytrach nag yn ddymunol, *Mae angen dŵr ar y planhigion rhag iddynt wywo. Mae angen mawr am fwy o waith yn yr ardal.*; anghenraid, eisiau, prinder (~ **am, ar**) need

angenfilod *ell* lluosog **anghenfil**

angenogion *ell* pobl anghenog the needy

angenrheidiau *ell* lluosog **anghenraid**

angenrheidiol *ans* y mae'n rhaid wrtho; anhepgor, gofynnol, hanfodol (~ **i** *rywun wneud rhywbeth*) necessary, requisite

angenrheidrwydd *eg* y cyflwr o fod yn angenrheidiol neu'n anhepgor necessity

angerdd *eg* teimlad cryf iawn sy'n anodd ei reoli weithiau; brwdfrydedd, nwyd, taerineb, tanbeidrwydd passion, fervency

angerddol *ans* yn teimlo'n gryf iawn, dan deimlad; eirias, taer, tanbaid intense, fervent, passionate

anghaffael *eg* digwyddiad anffodus; anffawd, anhap, anlwc, damwain mishap

anghallineb *eg* y cyflwr o fod yn angall neu'n annoeth; ffolineb foolishness

anghanfyddadwy *ans* na ellir ei ganfod imperceptible

angharedig *ans* [angharedic•] heb fod yn garedig, prin o gydymdeimlad; anghymwynasgar, annhirion, cas unkind

angharedigrwydd *eg* y cyflwr o fod yn angharedig, gweithred angharedig unkindness

anghartrefol *ans* heb fod yn gartrefol; anghysurus unhomely, incommodious

anghefnogi *be* [anghefnog•¹] peidio â chefnogi, peidio â bod o blaid to discourage

anghefnogol *ans* heb fod yn gefnogol, heb fod o blaid discouraging

anghelfydd *ans* heb fod yn gain nac yn gelfydd; anghywrain, anhyfedr, coch inartistic

anghellog *ans* BIOLEG heb gelloedd, nad yw'n rhannu'n gelloedd acellular

anghenedl *ans* *hynafol* yn ymwneud â gwlad, cenedl neu hil nad ydych chi'n aelod ohonynt; estron foreign

anghenfil *eg* (angenfilod) creadur mawr a hyll (fel arfer) monster

anghenion *ell* lluosog **angen**

anghenog *ans* mewn angen needy

anghenraid *eg* (angenrheidiau)
1 rhywbeth y mae'n rhaid wrtho, rhywbeth na ellir gwneud hebddo necessity
2 nwydd fel bwyd a dillad y mae prynwyr yn eu hystyried yn angenrheidiol necessity

anghenus *ans* mewn angen; amddifad, diymgeledd, llwm, tlawd needy

angherddorol *ans*
1 (am rywun) heb ddawn gerddorol unmusical
2 (am seiniau) heb fod yn bersain unmusical

angheuoedd *ell* lluosog **angau**

angheuol *ans* yn achosi marwolaeth; marwol fatal, mortal

anghildroadwy *ans*
1 na ellir ei gildroi; anwrthdroadwy, diwrthdro irreversible
2 CEMEG yn achosi adwaith neu newid mewn un cyfeiriad yn unig irreversible

anghlod *eg* (anghlodau) anghymeradwyaeth, beirniadaeth *Derbyniodd anghlod y gynulleidfa am ei ymddygiad ar y llwyfan.* dispraise

anghlodwiw *ans*
1 yn tanseilio enw da; yn rhoi enw drwg disreputable
2 yn achosi cywilydd; cywilyddus, gwaradwyddus shameful

anghludadwy *ans* nad oes modd ei gludo untransportable

anghlwyfadwy *ans* nad oes modd ei glwyfo na'i niweidio invulnerable

anghlywadwy *ans* na ellir ei glywed; anhyglyw inaudible

anghoeth *ans* (am aur, olew, etc.) heb ei buro; amhuredig unrefined

anghofiedig *ans* wedi'i anghofio forgotten

anghofio *be* [anghofi•²]
1 peidio â chofio, gollwng dros gof (~ **am** *rywun/rywbeth*) to forget
2 cau rhywbeth o'ch meddwl, *Mwynha dy hun ac anghofia am dy bryderon.* to forget
anghofio'n lân llwyr anghofio to forget completely

anghofrestredig *ans* heb ei gofrestru unregistered

anghofrwydd gw. **anghofusrwydd**

anghofus *ans* yn tueddu i anghofio forgetful

anghofusrwydd:anghofrwydd *eg* y cyflwr o fod yn anghofus; angof, difancoll, ebargofiant forgetfulness, oblivion

anghonfensiynol *ans* nad yw'n glynu wrth safonau arferol neu gydnabyddedig; anghyffredin, anarferol unconventional

anghredadun:anghrediniwr *eg* (anghrediniaid:anghredinwyr) un nad yw'n credu, un heb ffydd; anffyddiwr, pagan infidel, unbeliever

anghredadwy *ans* anodd ei gredu, nad yw'n debygol o fod yn wir; amheus, anhygoel incredible, unbelievable

anghrediniaeth *eb* (anghrediniaethau)
1 gwrthodiad neu anallu i dderbyn bod rhywbeth yn wir neu'n real disbelief
2 y cyflwr o fethu credu neu ymddiried yn Nuw; diffyg ffydd yn Nuw; anffyddiaeth unbelief

anghrediniol *ans* heb gredu; agnostig, di-ffydd incredulous, unbelieving

anghrediniwr gw. **anghredadun**

anghrefyddol *ans* heb fod yn grefyddol; digrefydd irreligious

anghrisialog *ans* heb fod ar ffurf crisial (o ran ei adeiledd) non-crystalline

Anghrist *eg* gelyn mawr Iesu Grist y disgwylir iddo ymddangos ychydig cyn diwedd y byd Antichrist

anghristnogol *ans* heb fod yn Gristnogol neu'n Gristion, heb arddel Cristnogaeth; croes i egwyddorion Cristnogaeth unchristian

anghroesawgar *ans* heb fod yn groesawgar; digroeso inhospitable

anghronnus *ans* nad yw'n cynyddu drwy ychwanegiadau non-cumulative

anghronolegol *ans* heb fod wedi'i osod yn nhrefn amser non-chronological

anghrybwylladwy *ans* na ellir sôn amdano, na ddylid ei grybwyll unmentionable

anghrychadwy *ans* nad oes modd ei grychu wrinkle free

anghryno *ans* heb fod yn gryno; amleiriog, cwmpasog, hirwyntog inconcise, verbose

anghwmpasog *ans* heb fod yn gwmpasog; cryno, cwta, cymen, uniongyrchol concise

anghwrtais *ans* heb fod yn gwrtais; anfoesgar, anfoneddigaidd rude, discourteous, uncivil
anghwrtais o fe'i defnyddir i ddwysáu ystyr ansoddair, *Gadawodd yn anghwrtais o sydyn.*

anghwrteisi *eg* diffyg boneddigeiddrwydd; anfoesgarwch, anfoneddigeiddrwydd discourtesy, rudeness

anghydamseredig *ans*
1 CYFRIFIADUREG yn medru trosglwyddo data yn ysbeidiol yn hytrach na mewn un llif di-dor asynchronous
2 SERYDDIAETH (am loeren) yn cylchdroi planed ar amseriad gwahanol i gylchdro'r blaned asynchronous

anghydbwysedd *eg* diffyg cydbwysedd; anghyfartaledd imbalance

anghydfod *eg* (anghydfodau) anghytundeb chwyrn; cweryl, cynnen, ffrae, ymrafael disagreement, dispute, dissension

anghydffurfedd *eg* (anghydffurfeddau) DAEAREG toriad mewn dilyniant o greigiau sy'n cynrychioli cyfnod pan na fyddai unrhyw waddodion yn cael eu dyddodi unconformity

anghydffurfiadwy *ans* DAEAREG heb fod yn gydffurfiadwy, yn disgrifio strata sy'n gorchuddio creigiau gwahanol o ran eu hoed a'u hadeiledd unconformable

anghydffurfiaeth[1] *eb* amharodrwydd i gydymffurfio â threfn neu sefydliad nonconformity

Anghydffurfiaeth[2] *eb*
1 CREFYDD trefn, cred ac arferion enwadau Anghydffurfiol; Ymneilltuaeth Nonconformity
2 CREFYDD *hanesyddol* trefn, cred ac arferion enwadau a oedd yn gwrthod cydymffurfio ag athrawiaeth yr Eglwys Wladol; Ymneilltuaeth Nonconformity
3 CREFYDD Anghydffurfwyr fel corff; Ymneilltuaeth Nonconformity

anghydffurfiol[1] *ans*
1 nad yw'n cydymffurfio, nad yw'n ymddwyn fel pawb arall; gwahanol nonconformist
2 nad yw'n cydymffurfio â rhywbeth arall incompatible

Anghydffurfiol[2] *ans* yn perthyn i Anghydffurfiaeth neu Anghydffurfwyr, nodweddiadol o Anghydffurfiaeth neu Anghydffurfwyr; Ymneilltuol Nonconformist

anghydffurfiwr[1] *eg* (anghydffurfwyr) un sy'n amharod i gydymffurfio â threfn neu sefydliad arbennig nonconformist

Anghydffurfiwr[2] *eg* (Anghydffurfwyr) aelod o un o'r enwadau Anghydffurfiol; Ymneilltuwr Nonconformist

anghydlynus *ans*
1 heb fod yn medru symud y corff mewn ffordd lyfn ac esmwyth; afrosgo, trwsgl clumsy, uncoordinated
2 â'r elfennau unigol heb gael eu cydlynu uncoordinated

anghydnabyddedig *ans* heb ei gydnabod unacknowledged

anghydnaws *ans*
1 heb fod yn hynaws; anghymdeithasol uncongenial
2 heb fod yn gydnaws, o natur neu ansawdd croes i'w gilydd; anghydweddol, anghymharus incompatible, antipathetic

anghydradd *ans* heb fod yn gydradd; anghyfartal (of) unequal (standard/status)

anghydraddoldeb *eg* y cyflwr o beidio â bod yn gyfartal neu'n gydradd (yn aml ar sail rhyw, dosbarth cymdeithasol, ethnigrwydd, etc.) inequality

anghydryw *ans* yn amrywio o ran natur neu gymeriad; heterogenaidd heterogeneous

anghydsynio *be* [anghydsyni•[6]] bod o farn wahanol, gwrthod cytuno; anghydweld, anghytuno (~ â) to disagree, to dissent

anghydwedd *ans* FFISEG (am donffurfiau) heb fod yn gydwedd; gwrthwedd antiphase, out of phase

anghydweddol *ans* (am bethau neu bobl) o natur mor wahanol i'w gilydd na allant gydfodoli; (am bethau) nad yw'n addas eu defnyddio neu eu cymryd gyda'i gilydd; anghydnaws, anghymharus incompatible, incongruous

anghydweithredol *ans* heb fod yn barod i gydweithredu uncooperative

anghydweld *be* [anghydwel•[4] *3 un. pres.* anghydwêl] methu cydsynio; anghydsynio, anghytuno, gwrth-ddweud, ymrannu (~ â *rhywun* am *rywbeth*) to disagree, disagreement, to dissent

anghydymdeimladol *ans* heb fod yn cydymdeimlo uncongenial, unsympathetic

anghyfaddas *ans* heb fod yn addas; anghymwys, anaddas unsuitable

anghyfamserol *ans* heb fod ar adeg addas; anamserol inopportune

anghyfan *ans* heb fod yn gyfan; anghyflawn, anorffenedig incomplete

anghyfanhedd-dra *eg* y cyflwr o fod yn anghyfannedd; anial, anialwch, diffeithwch desolation, desolateness

anghyfannedd *ans*
1 heb unrhyw gartrefi na thai ynddo; amhoblog deserted, forsaken, uninhabited
2 am rywbeth sydd ar ei ben ei hun; anghyraeddadwy, anghysbell, unig lone, lonely, solitary
3 heb dyfiant; anial, diffaith, moel desolate

anghyfansoddiadol *ans* croes i'r cyfansoddiad unconstitutional

anghyfartal *ans* heb fod yn gyfartal, heb fod yr un o ran maint, nifer neu werth; anghydradd, anghymesur, anghytbwys, unochrog unequal

anghyfartaledd *eg* (anghyfartaleddau) diffyg cyfartaledd, y cyflwr o fod yn anghyfartal; anghydbwysedd inequality

anghyfarwydd *ans*
1 heb fod yn gyfarwydd (â); amhrofiadol, dibrofiad (~ â) unaccustomed, unused
2 anghynefin, dieithr *Mae'r lle yma yn gwbwl anghyfarwydd imi.* unfamiliar

anghyfeb *ans* (am anifail) heb fod yn gyfeb; nad yw'n gallu cael rhai bach; anffrwythlon barren
Sylwch: nid yw'n cael ei gymharu.

anghyfeillgar *ans*
1 heb fod yn gyfeillgar; anhygar, oeraidd unfriendly
2 heb fod yn hawdd ei ddefnyddio user-unfriendly

anghyfesur *ans* MATHEMATEG (am rifau neu feintiau) mewn cymhareb â'i gilydd nad yw'n hafal i gymhareb unrhyw ddau gyfanrif, *Mae* *cylchedd cylch a diamedr cylch yn feintiau anghyfesur gan mai π:1 yw eu cymhareb ac mae π yn rhif anghymarebol.* incommensurable

anghyfiaith *ans* heb fod o'r un iaith, yn siarad iaith wahanol; dieithr, estron alien

anghyfiawn *ans* heb fod yn gyfiawn, yn gwneud cam â rhywun neu rywbeth; annheg unfair, unjust

anghyfiawnder *eg* (anghyfiawnderau) diffyg cyfiawnder; annhegwch, cam, camwri injustice

anghyfieithadwy *ans* na ellir ei gyfieithu; anhrosadwy untranslatable

anghyflawn *ans*
1 heb fod yn gyflawn; anghyfan, anorffenedig, diffygiol incomplete
2 GRAMADEG (am ferf) yn cymryd gwrthrych uniongyrchol i'w chwblhau, yn gallu derbyn gwrthrych, e.e. llyncu, gwthio, *llyncodd dabled, gwthiodd ferfa* transitive

anghyflawnder *eg* y cyflwr o fod yn anghyflawn neu'n anorffenedig incompleteness

anghyfleus *ans* heb fod yn gyfleus, yn peri anhawster neu drafferth; anhwylus, lletchwith inconvenient, inopportune

anghyfleuster:anghyfleustra *eg* (anghyfleusterau) rhywbeth anghyfleus; anhawster, anhwylustod, trafferth inconvenience

anghyflogadwy *ans* anaddas i'w gyflogi, heb fod neb yn barod i'w gyflogi unemployable

anghyflogaeth *eg* diffyg cyflogaeth; diweithdra unemployment

anghyfnewidiol *ans* heb fod yn gyfnewidiol; cyson, digyfnewid changeless, unchanging

anghyfochrog *ans*
1 heb fod yn gyfochrog unparallel
2 MATHEMATEG (am driongl) y mae hyd pob un o'i ochrau'n wahanol scalene

anghyfraith *eb* cyflwr o fod heb gyfraith; anarchiaeth lawlessness

anghyfreithiol *ans*
1 croes i'r gyfraith; anghyfreithlon, troseddol illegal, unlawful
2 croes i reolau neu ddeddfau, e.e. rheolau gêm unlawful

anghyfreithlon *ans*
1 yn torri'r gyfraith; anghyfreithiol, troseddol illegal, unlawful
2 (am blentyn) wedi'i eni y tu allan i briodas illegitimate

anghyfreithlondeb *eg* yr ansawdd neu'r cyflwr o fod yn anghyfreithlon neu'n anghyfreithiol illegality, illegitimacy, unlawfulness

anghyfrifadwy *ans*
1 MATHEMATEG na ellir ei gyfrifo incalculable
2 anrhifadwy; nad oes modd eu cyfrif; gormod i'w cyfrif uncountable, innumerable

anghyfrifol *ans* heb fod yn gyfrifol, heb ystyriaeth o'r canlyniadau; difater, di-hid irresponsible

anghyfundrefnol *ans* â thuedd i beidio â chyfundrefnu; heb fod yn perthyn i gyfundrefn; heb fod yn ysgrifenedig uncodified, unsystematic

anghyfyngedig *ans* heb unrhyw gyfyngiad; rhydd unlimited, unrestricted

anghyfystyr *ans* heb fod yn gyfystyr, heb olygu'r un peth non-synonymous

anghyffelyb *ans*
1 heb fod yn gyffelyb; annhebyg, gwahanol different
2 heb ei debyg; anghymharol, digymar incomparable

anghyfforddus:anghyffyrddus *ans* heb fod yn gyfforddus; anghysurus, anesmwyth, anniddig uncomfortable

anghyffredin *ans* heb fod yn gyffredin; anarferol, eithriadol, hynod, rhyfedd uncommon, extraordinary

anghyffredin o fe'i defnyddir i ddwysáu ystyr ansoddair, *anghyffredin o dda*

anghyffredinedd *eg* y cyflwr o fod yn anghyffredin neu'n anarferol oddity, uncommonness

anghyffwrdd:anghyffyrddadwy *ans* na ellir ei gyffwrdd, na ellir rhoi eich bys arno, na ellir ei ddirnad; anchwiliadwy, anhreiddiadwy, annirnad, anwybodadwy untouchable, intangible, impalpable

anghyffyrddus gw. anghyfforddus

anghyhoeddedig *ans* heb ei gyhoeddi unpublished

anghyhuddadwy *ans* y tu hwnt i gyhuddiad, na ellir ei gyhuddo; di-fefl, dilychwin irreproachable, unimpeachable

anghymarebol *ans* MATHEMATEG (am rif) na ellir ei fynegi fel cymhareb dau gyfanrif irrational

anghymarusrwydd *eg* y cyflwr o fod yn anghymharus incompatibility

anghymdeithasol *ans* amharod i gymysgu neu gymdeithasu; anghyfeillgar, mewnblyg antisocial, unsociable

anghymdogol *ans* heb weithredu fel cymydog da un-neighbourly

anghymedrol *ans* yn mynd y tu hwnt i'r hyn sy'n synhwyrol ac yn rhesymol; eithafol, gormodol immoderate, inordinate, intemperate

anghymedroldeb *eg* y cyflwr o fod yn anghymedrol; gormodedd, syrffed excess, immoderation

anghymen *ans* heb fod yn dwt ac yn ddestlus; aflêr, anhrwsiadus, anniben, blêr untidy

anghymeradwy *ans* heb fod yn gymeradwy; amhoblogaidd, anfoddhaol, annerbyniol, gwrthodedig unacceptable

anghymeradwyaeth *eb* diffyg cymeradwyaeth; anghlod, beirniadaeth deprecation, disapproval

anghymeradwyo *be* [anghymeradwy•⁴] peidio â chymeradwyo, bod yn erbyn; anghytuno, gwrthsefyll, gwrthwynebu, herio to disapprove

anghymesur *ans* heb fod yn gymesur (o ran maint, siâp, etc.); anghydradd, anghyfartal, anghytbwys asymmetrical, disproportionate
    Sylwch: mae 'anghyfesur' yn wahanol.
    anghymesuredd *eg* (anghymesureddau) MATHEMATEG absenoldeb cymesuredd asymmetry

anghymharol *ans* heb ei debyg; di-ail, digyffelyb, digymar, dihafal incomparable

anghymharus *ans*
    1 am rywun neu rywrai nad ydynt yn gallu byw neu fodoli mewn heddwch neu mewn cytgord â rhywun neu rywrai eraill; anghydnaws, anghydweddol incompatible
    2 (am bethau) nad ydynt yn gallu cydfodoli neu gael eu defnyddio gyda'i gilydd incompatible

anghymhelliad *eg* (anghymhelliadau) rhywbeth sy'n gwneud ichi beidio â gwneud rhywbeth (yn enwedig mewn cyd-destun ariannol) disincentive

anghymhleth *ans* heb fod yn gymhleth; syml uncomplicated

anghymhwyso *be* [anghymhwys•¹] gwahardd (rhywun) rhag derbyn gwobr neu barhau mewn cystadleuaeth, etc. (oherwydd iddo dorri'r rheolau) (~ *rhywun/rhywbeth* **rhag**) to disqualify

anghymhwyster *eg* y cyflwr o fod yn anghymwys, diffyg cymhwyster unsuitability, incompetence

anghymodlon *ans* amharod i gyfaddawdu, i gymodi neu i ddod i gytundeb; digyfaddawd, digymrodedd irreconcilable, uncompromising

anghymreig *ans* heb fod yn Gymreig un-Welsh

anghymreigrwydd *eg* y cyflwr o fod yn anghymreig un-Welshness

anghymwynas *eb* (anghymwynasau) tro gwael disservice

anghymwynasgar *ans* heb fod yn gymwynasgar; angharedig, annhirion disobliging

anghymwynasgarwch *eg* tro gwael, gweithred angharedig unkindness

anghymwys *ans* heb fod yn gymwys; anghyfaddas incompetent, unqualified, unsuitable

anghymysgadwy *ans*
    1 nad oes modd ei gymysgu immiscible
    2 CEMEG (am hylif yn enwedig) na ellir ei gymysgu â hylif arall heb iddynt ymrannu immiscible

anghynaliadwy:anghynaladwy *ans* nad oes modd ei gynnal, na ellir parhau i'w gynnal unsupportable, unsustainable, untenable

anghynaliadwyedd *eg* y cyflwr o fod yn anghynaliadwy unsustainability

anghynanadwy *ans* nad oes modd ei gynanu (ynganu) unpronounceable

anghynefin *ans*
    1 heb fod yn gynefin; anghyfarwydd, dieithr, estron unfamiliar
    2 anghyfarwydd (â rhywbeth neu rywle) unacquainted (with)

anghynefindra *eg* y cyflwr o fod yn anghynefin; dieithrwch, hynodrwydd unfamiliarity

anghynhenid *ans*
    1 heb fod yn gynhenid not innate
    2 FFISIOLEG (am gyhyr neu nerf) yn deillio y tu allan i'r rhan o'r corff y mae'n effeithio arni, e.e. cyhyrau'r llygad extrinsic

anghynhesrwydd *eg* diffyg cynhesrwydd (mewn perthynas), diffyg agosatrwydd coolness

anghynhyrchiol *ans* heb fod yn gynhyrchiol; anffrwythlon, diffrwyth, hesb, unproductive

anghynilach:anghynilaf:anghyniled *ans* [anghynnil] mwy anghynnil; mwyaf anghynnil; mor anghynnil

anghynildeb *eg* diffyg cynildeb neu ddarbodaeth; afradlondeb, annarbodaeth extravagance, profligacy

anghynnes *ans*
    1 yn creu anesmwythder; annifyr, annymunol, ffiaidd creepy, loathsome, odious
    2 heb fod yn gynnes; digysur, oer cold

anghynnil *ans* [anghynil•] heb fod yn gynnil; afradlon, annarbodus, gwastraffus, ofer extravagant

anghyraeddadwy *ans* na ellir ei gyrraedd; anhygyrch, anghysbell, diarffordd unattainable, unreachable

anghyrydol *ans* nad yw'n cyrydu nac yn ysu non-corrosive

anghysbell *ans* pell o bob man, anodd mynd ato; anghyraeddadwy, anhygyrch, diarffordd, unig remote

anghysegredig *ans* heb fod yn gysegredig, heb ei gysegru, heb ei sancteiddio unconsecrated

anghyseinedd *eg*
    1 cymysgedd amhersain o synau dissonance
    2 CERDDORIAETH anghytgord nad yw'n cael ei adfer yn gerddorol dissonance

anghyseiniol *ans* yn deillio o anghyseinedd neu'n achosi anghyseinedd; amhersain, ansoniarus discordant, dissonant

anghyson *ans* [anghyson•] heb fod yn gyson; anwadal, cyfnewidiol, mympwyol, oriog fickle, inconsistent

anghysondeb:anghysonder *eg* (anghysondebau:anghysonderau) diffyg cysondeb; anwadalwch, gwamalrwydd inconsistency, anomaly

anghystadleuol *ans* heb fod yn gystadleuol uncompetitive

anghysur *eg* (anghysuron) diffyg neu brinder cysur discomfort

anghysuradwy *ans* nad oes modd ei gysuro inconsolable

anghysurus *ans*
1 heb fod yn gyfforddus; anghyfforddus, digysur uncomfortable
2 heb fod â meddwl tawel; anesmwyth, annifyr, pryderus uncomfortable, uneasy
anghysurus o fe'i defnyddir i ddwysáu ystyr ansoddair, *Mae'n eistedd yn anghysurus o agos ati hi.*

anghyswllt *ans*
1 (am ddau neu ragor o bethau) heb eu cysylltu ac ar wahân i'w gilydd; anghysylltiedig, digyswllt disjointed, unconnected
2 SWOLEG (am rai pryfed) â rhigolau dwfn rhwng y pen, y thoracs a'r abdomen disjunct

anghysylltiedig *ans* heb fod yn gysylltiedig; anghyswllt, digyswllt, gwasgarog disconnected

anghysylltus *ans* nad yw'n cydlynu; anghysylltiedig, digyswllt, gwasgarog incoherent

anghytbwys *ans* heb fod y pwysau yn gyfartal; anghyfartal, anghymesur, annheg, unochrog unbalanced

anghytgord *eg* (anghytgordiau)
1 CERDDORIAETH cyfuniad o nodau sy'n gras i'r glust discord, dissonance
2 diffyg cytgord, *Arweiniodd y ddadl pa un ai y dylid cefnogi'r rhyfel yn Iraq ai peidio at anghytgord ymhlith llawer o deuluoedd.*; anghydfod, anghytundeb, cynnen discord

anghytûn *ans* yn anghytuno, yn anghydweld; rhanedig in disagreement

anghytundeb *eg* (anghytundebau) diffyg cytundeb, gwahaniaeth barn; anghydfod, anghytgord, ymraniad disagreement, dispute

anghytuno *be* [anghytun•¹] peidio â chytuno; anghydsynio, anghydweld, gwrthwynebu (~ â *rhywun*) to disagree
anghytuno (â) peri salwch (am fwyd), *Rwyf wedi bwyta rhywbeth sy'n anghytuno â mi.* to disagree with (me)

anghywasg:anghywasgadwy *ans* na ellir ei gywasgu incompressible

anghywir *ans* [anghywir•] heb fod yn gywir; anwir, cyfeiliornus, gwallus incorrect, wrong, erroneous

anghywirdeb *eg* (anghywirdebau)
1 gwall neu gamgymeriad ffeithiol incorrectness, mistake
2 diffyg cydymffurfiad â safonau neu ddisgwyliadau cymdeithasol, *anghywirdeb gwleidyddol* (political) incorrectness

anghywrain *ans* heb ddeheurwydd na chywreinrwydd; anghelfydd, anhyfedr inexpert, unskilful

angladd *egb* (angladdau) gwasanaeth neu seremoni a gynhelir yn fuan ar ôl i rywun farw sydd fel arfer yn cynnwys claddu neu amlosgi'r corff; arwyl, claddedigaeth, cynhebrwng funeral
Sylwch: mae'n wrywaidd yn y Gogledd ac yn fenywaidd yn y De.

angladdol *ans* yn perthyn i angladd, nodweddiadol o angladd, e.e. cyn arafed neu cyn drymed ag angladd funeral, funereal

Angliad gw. **An(-)gliad**

Anglicanaidd gw. **An(-)glicanaidd**

Anglicaniad gw. **An(-)glican**

angof *eg* y cyflwr o fod wedi cael ei anghofio; difancoll, ebargofiant oblivion
gadael yn angof anghofio to forget
mynd yn angof cael ei anghofio to be forgotten

Angolaidd gw. **An(-)golaidd**

angor *eg* (angorau:angorion) offeryn o fetel a ddefnyddir i fachu llong neu gwch yn ddiogel wrth wely'r môr anchor
wrth angor yn cael ei sicrhau gan angor at anchor

angora gw. **an(-)gora**

angorfa *eb* (angorfeydd) lle i long fwrw ei hangor; glanfa, hafan, porthladd anchorage, berth

angori *be* [angor•¹]
1 sicrhau (llong) wrth angor (~ *rhywbeth* **wrth**) to anchor, to moor, to berth
2 gollwng neu fwrw'r angor to anchor

angorle *eg* (angorleoedd) darn cysgodol o ddŵr, ger y tir, lle mae llongau yn gallu bod wrth angor roadstead

angylaidd *ans* tebyg i angel o ran pryd a gwedd neu o ran ymddygiad angelic

angyles *eb* (angylesau) merch neu wraig o angel, merch neu wraig debyg i angel angel

angylion *ell* lluosog **angel**

ai *geiryn gofynnol*
1 geiryn a ddefnyddir ar ddechrau cwestiwn pan fydd yn cael ei ddilyn gan enw, berfenw, ansoddair neu adferf, neu mewn isgymal enwol gofynnol, pan gaiff ei ddilyn gan unrhyw elfen ac eithrio ffurf ar y ferf, *Ai ti a giciodd y ci? Gofynnodd ai mynd mewn car fyddai orau. Ai coch yw lliw gwaed?* if, whether
2 geiryn a ddefnyddir pan fydd dewis rhwng dau beth – y naill neu'r llall, *P'un sydd orau gennyt, ai afal ynteu oren?* either . . . or
Sylwch: nid oes treiglad yn ei ddilyn mewn arddull ffurfiol. Clywir 'Ai mynd ai pheidio sydd orau?' ar lafar, ond nid yw'n cael ei dderbyn yn ysgrifenedig.

âi *bf* [**mynd**] *ffurfiol* byddai ef yn mynd/byddai hi'n mynd

aide-de-camp *eg* (*aides-de-camp*) swyddog (milwrol) sy'n cynorthwyo uwch swyddog

aide-memoire *eg* (*aides-memoire*) cynhorthwy i'r cof

AIDS *eg* haint a achosir gan firws sy'n ymosod ar system amddiffyn y corff; mae'r enw yn acronym o *Acquired Immune Deficiency Syndrome* (Afiechyd Imiwnedd Diffygiol) AIDS

aidd *eg* *hynafol* brwdfrydedd mawr dros achos neu amcan; arddeliad, awch, eiddgarwch zeal

aiff *bf* [**mynd**] (ffurf anffurfiol ar â³) mae ef yn mynd/mae hi'n mynd; bydd ef yn mynd/bydd hi'n mynd

aig *eb* (eigiau) haig o bysgod shoal

ail¹ *rhifol*
1 y rhifol (rhif trefnol) nesaf mewn trefn ar ôl 'cyntaf' second
2 rhif 2 mewn rhestr o ddau/ddwy neu fwy; 2il second
3 tebyg i rywun neu rywbeth arall; cyffelyb, hafal like
  Sylwch: mae'n achosi'r treiglad meddal.
ail i ddim nesaf peth i ddim next to nothing
ail-law wedi bod yn eiddo i rywun arall cyn y perchennog presennol second-hand
ar yn ail bob yn ail, am yn ail every other
bob yn ail:am yn ail y naill ar ôl y llall, yna yn ôl at y cyntaf, etc. alternately, every other
cael ail cael siom (a hynny'n haeddiannol yn aml); dod yn ail take second-best
heb fy (dy, ei, etc.) **ail** heb neb tebyg (i mi, i ti, iddo, etc.) peerless

ail-²:eil- *rhag*
1 unwaith eto, drachefn, e.e. *ailadeiladu, eildwym* again, re-
2 yn dilyn, llai pwysig, e.e. *eilbeth* secondary
  Sylwch: mae'n achosi'r treiglad meddal.

ailadeiladu *be* [ailadeilad•¹] adeiladu o'r newydd, adeiladu drachefn; ailgodi to rebuild, to reconstruct

ailadrodd *be* [ailadrodd•¹ *3 un. pres.* ailedrydd/ ailadrodda; *2 un. gorch.* ailadrodd/ailadrodda]
1 adrodd unwaith eto; ail-ddweud, dyblu (~ *rhywbeth* **wrth** *rywun*) to repeat, repetition, to reiterate
2 gwneud neu gyflawni drachefn; ail-wneud to repeat

ailadroddiad *eg* (ailadroddiadau) y gwaith o ailadrodd; darn sy'n cael ei ailadrodd repetition

ailadroddol *ans* yn cael ei ailadrodd repeated, repetitive

ailadroddus *ans* yn ailadrodd (hyd syrffed) repetitious, repetitive

ailafael *be* [ailafael•¹] dechrau gwneud (rhywbeth) am yr eildro, ar ôl rhoi'r gorau iddi unwaith (~ **yn** *rhywbeth*) to resume, to take up again

ailagor *be* [ailagor•¹]
1 cychwyn am yr eildro, *William oedd yr un a ailagorodd y ddadl.* to reopen

2 agor eilwaith, *Ailagorodd yr ysgol wedi'r Pasg.* to reopen

ailarfogi *be* [ailarfog•¹]
1 rhoi cyflenwad newydd o arfau (i wlad neu i rywun); adarfogi to rearm
2 cael gafael ar neu gasglu ynghyd gyflenwad newydd o arfau; adarfogi to rearm

ailargraffiad *eg* (ailargraffiadau) argraffiad newydd gyda newidiadau (o lyfr neu ddeunydd arall sydd wedi bod allan o brint) reprint, second edition

ailargraffu *be* [ailargraff•³] argraffu (llyfr neu ddeunydd arall sydd wedi mynd allan o brint) gan gynnwys newidiadau to reprint

ailbeintio *be* [ailbeinti•²] peintio drachefn, peintio eto o'r newydd to repaint

ailblentyndod *eg* y cyflwr neu'r profiad o ymddwyn fel plentyn neu o fod yn debyg i blentyn drachefn; ailfabandod second childhood

ailbobi *be* [ailbob•¹]
1 ailgyflwyno neu ailddefnyddio ar ei newydd wedd heb fod unrhyw newid neu welliant o ran sylwedd to rehash
2 pobi am yr ail waith, pobi drachefn to rebake

ailbobiad *eg* ailgyflwyniad neu ailddefnydd ar ei newydd wedd heb unrhyw newid neu welliant o ran sylwedd rehash

ailbriodi *be* [ailbriod•¹] priodi eto o'r newydd, priodi drachefn (~ **â** *rhywun*) to remarry

ailbrisiad *eg*
1 CYLLID y weithred o adolygu gwerth eiddo neu asedau ariannol revaluation
2 ECONOMEG y weithred o godi neu ostwng cyfradd gyfnewid y wlad, e.e. gwerth y bunt yn erbyn y ddoler revaluation

ailbrisio *be* [ailbrisi•²] adolygu gwerth eiddo neu asedau ariannol to revalue

ailchwarae *be* [ailchwarae•¹]
1 chwarae (e.e. gêm) drachefn to replay
2 chwarae (tâp neu ddisg, sain neu fideo, etc.) drachefn to replay

ailchwydiad *eg* (ailchwydiadau) y broses o ailchwydu, canlyniad ailchwydu regurgitation

ailchwydu *be* [ailchwyd•¹] ailgodi i'r geg fwyd a lyncwyd to regurgitate

ail drannoeth *adf* ddiwrnod wedi trannoeth two days later

aildrefnu *be* [aildrefn•¹] newid trefn, gosod mewn trefn newydd; ad-drefnu, ailwampio to rearrange

aildroseddu *be* [aildrosedd•¹] troseddu drachefn, troseddu eto o'r newydd to reoffend

aildwymo *be* [aildwym•¹] twymo drachefn; ailgynhesu to get warm again, to reheat

aildyfu *be* [aildyf•¹] tyfu drachefn neu achosi i dyfu drachefn to regrow

ailddarllediad *eg* (ailddarllediadau) y broses o ailddarlledu neu enghraifft ohoni repeat

ailddarlledu *be* [ailddarlled•¹] darlledu drachefn
to repeat

ail ddarlleniad *eg* (ail ddarlleniadau) y broses
o gyflwyno darpar ddeddf i senedd am yr ail
waith second reading

ailddechrau *be* [ailddechreu•⁴] dechrau drachefn,
dechrau eto o'r newydd, *Mae'r gwersi'n
ailddechrau yn yr hydref.* to restart, to resume

ailddefnyddio *be* [ailddefnyddi•²] defnyddio eto
neu fwy nag unwaith to reuse

ailddiffinio *be* [ailddiffini•⁶] diffinio drachefn,
diffinio eto o'r newydd to redefine

ailddodrefnu *be* [ailddodrefn•¹] gwneud
yn gymen, yn lân neu'n gyfan drwy adfer,
adnewyddu neu ddarparu ag offer neu â
dodrefn newydd (~ â) to re-equip, to refurbish,
to refurnish

ailddosbarthiad *eg* y weithred o ailddosbarthu
reclassification, redistribution

ailddosbarthiad cyfoeth neu incwm
ECONOMEG cred y dylai cyfoeth neu incwm
gwlad gael ei sianelu drwy drethi oddi wrth y
rhai sydd â llawer at y rhai sydd ag ychydig, i
dalu am fudd-daliadau redistribution of wealth

ailddosbarthu *be* [ailddosbarth•³]
1 newid dosbarthiad (rhywbeth), rhoi (rhywbeth)
mewn dosbarth gwahanol to reclassify
2 newid dosraniad (rhywbeth), e.e. cyfoeth,
er mwyn sicrhau cydraddoldeb cymdeithasol
to redistribute, redistribution

ailddrafftio *be* [ailddraffti•²] drafftio drachefn,
drafftio o'r newydd; ailysgrifennu to redraft

ail-ddweud *be* [ailddwed•¹ *3 un. pres.* ailddywed;
2 un. gorch. ailddywed] dweud drachefn;
ailadrodd to repeat, to reiterate

Ailddyfodiad *eg* CREFYDD yr achlysur pan fydd
Iesu Grist yn dychwelyd i'r byd ar Ddydd y
Farn Second Coming

ail echdoe *adf* ddiwrnod cyn echdoe three
days ago

ailenedigaeth *eb* (ailenedigaethau)
1 genedigaeth o'r newydd yn ysbrydol rebirth
2 CREFYDD (Bwdhaeth) genedigaeth ar ffurf
bod arall rebirth

aileni *be* [*amh. pres.* ailenir; *amh. gorff.*
ailaned; *amh. amhen.* ailenid; *amh. gorch.*
ailaner; *amh. dib.* ailaner] peri geni o'r
newydd yn ysbrydol to (cause to) be reborn,
to regenerate
Sylwch: y ffurfiau amhersonol yn unig a geir.
cael fy (dy, ei, etc.) aileni cael fy achub;
credu yng Nghrist fel gwaredwr personol
to be reborn

ailennill *be* [ailenill•¹ *3 un. pres.* ailennill] ennill
yn ôl, adennill to regain

ailennyn *be* [ailenynn•⁹ *3 un. pres.* ailennyn/
ailenynna] cynnau unwaith eto, ennyn

drachefn, *Ar ôl methu'r tro cyntaf, llwyddodd
y clown i ailennyn diddordeb y dorf.*; adennyn,
ailgynnau to rekindle
Sylwch: ac eithrio 'ailennyn', dyblwch yr ail 'n'
ym mhob un o ffurfiau'r ferf ac eithrio'r rhai
sy'n cynnwys -as-.

ailenwi *be* [ailenw•¹] enwi drachefn, newid enw
to rename

ailethol *be* [ailethol•¹] ethol drachefn to re-elect

ailfabandod *eg* y cyflwr neu'r profiad o
ymddwyn fel baban neu fod yn debyg i faban
drachefn; ailblentyndod second childhood

Ailfedyddiwr *eg* (Ailfedyddwyr) CREFYDD
aelod o enwad yn yr unfed ganrif ar bymtheg
nad oedd yn credu mewn bedyddio plant, dim
ond oedolion Anabaptist

ailfeddwl *be* [ailfeddyli•²] newid meddwl,
meddwl drachefn; ailystyried to reconsider,
to rethink

ailfeintio *be* [ailfeinti•²] newid maint (rhywbeth)
to resize

ailfrigo *be* [ailfrig•¹] codi i'r wyneb eto, dod i'r
amlwg unwaith yn rhagor to resurface

ail-fyw *be* (dychmygu) byw (profiad arbennig)
unwaith eto to relive
Sylwch: nid yw'r ferf hon yn cael ei rhedeg.

ailfformatio *be* [ailfformati•²] ad-drefnu fformat
(rhywbeth), e.e. dogfen, disg cyfrifiadurol, etc.
to reformat

ailffurfio *be* [ailffurfi•²] ffurfio eilwaith,
*Chwalwyd y dorf gan yr heddlu ond
ailffurfiodd mewn man arall. Ailffurfiwyd yr
ardd ar batrwm gardd Fictoraidd.* to re-form

ailgartrefu *be* [ailgartref•¹] symud (rhywun
neu rywbeth) i gartref newydd to rehouse,
to resettle

ailgodi *be* [ailgod•¹]
1 codi drachefn, *Ailgododd y tir o waelod y
môr.* to rise again
2 codi drachefn; ailadeiladu to rebuild,
to reconstruct, to resurrect

ailgread *eg* rhywbeth sydd wedi cael ei ail-greu
recreation

ail-greu *be* [ailgre•¹ *2 un. pres.* ailgrëi; *1 llu. pres.*
ailgrëwn; *2 llu. pres.* ailgrëwch; *amh. pres.*
ailgrëir; *amh. gorff.* ailgrëwyd; *1 un. amhen.*
ailgrëwn; *2 un. amhen.* ailgrëit; *amh. amhen.*
ailgrëid; *1 llu. gorch.* ailgrëwn; *2 llu. gorch.*
ailgrëwch; *1 un. dib.* ailgrëwyf; *2 un. dib.*
ailgrëych] creu drachefn, gwneud o'r newydd ar
batrwm rhywbeth a fu to recreate

ailgychwyn *be* [ailgychwynn•⁹] cychwyn
drachefn, *Ailgychwynnodd Meirion yr injan
ar y trydydd cynnig.* to restart, to resume,
to reactivate
Sylwch: dyblwch yr 'n' ym mhob ffurf ac
eithrio yn y rhai sy'n cynnwys -as-.

ailgydio *be* [ailgydi•²]
  1 cymryd rhan unwaith eto, cymryd diddordeb drachefn; ailymafael (~ *yn*) to take up again
  2 cydio ynghyd unwaith eto, asio drachefn to rejoin

ailgyfeirio *be* [ailgyfeiri•²]
  1 newid cyfeiriad post (llythyr neu barsel) to readdress
  2 newid cyfeiriad taith (rhywun neu rywbeth) to redirect

ailgyflogi *be* [ailgyflog•¹] cyflogi drachefn to re-employ

ailgyfrifo *be* [ailgyfrif•¹] MATHEMATEG cyfrifo eto (gan ddefnyddio data gwahanol fel arfer) to recalculate

ailgylchadwy *ans* y gellir ei ailgylchu recyclable

ailgylchu:ailgylchynu *be* [ailgylch•¹] trin rhywbeth sydd wedi cael ei ddefnyddio o'r blaen fel y gellir ei ddefnyddio eto to recycle

ailgymodi *be* [ailgymod•¹] ailafael yn y cyfeillgarwch a fu unwaith rhwng dau neu ragor o bobl; cyflafareddu, cymodi, cymrodeddu (~ *â*) to reconcile

ailgynefino *be* [ailgynefin•¹] cynefino drachefn (~ *â*) to refamiliarize

ailgynhesu *be* [ailgynhes•¹¹] cynhesu neu wresogi drachefn; aildwymo to reheat
  Sylwch: ailgynhes- a geir yn ffurfiau'r ferf ac eithrio'r rhai sy'n cynnwys *-as-*.

ailgynnau *be* [ailgyneu•¹ 3 *un. pres.* ailgynnau/ailgyneua; 2 *un. gorch.* ailgynnau/ailgyneua] cynnau drachefn; adennyn, ailennyn to rekindle, to relight

ailgysodi *be* [ailgysod•¹] cysodi drachefn, cysodi o'r newydd to reset

ailgysylltu *be* [ailgysyllt•¹] cysylltu drachefn, *Daeth y cwmni i ailgysylltu'r ffôn. Ailgysylltodd John â'i gyfeillion.* (~ *â*) to reconnect, to rejoin

ailhyfforddi *be* [ailhyffordd•¹] hyfforddi drachefn (~ *yn athro/saer, etc.*) to retrain

ail isradd *eg* (ail israddau) MATHEMATEG rhif, o'i luosi ag ef ei hun, sy'n rhoi fel ateb y rhif y mae'n ail isradd iddo, e.e. *Mae* 3 *a* –3 *yn ail isradd* 9 *gan fod* 3 × 3 = 9 *a* –3 × –3 = 9 *a* $\sqrt{9}$ = 3 *neu* –3. square root

ail-law *gw.* ail¹

ail-lenwad *eg* (ail-lenwadau) y broses o ail-lenwi, canlyniad ail-lenwi; adlenwad refill

ail-lenwi *be* [ail-lanw•³] llenwi drachefn, llenwi unwaith eto to refill

ail natur *eb* arfer sydd wedi tyfu yn ymateb greddfol second nature

ail orau *ans* gorau ond un second-best

ailosod *be* [ailosod•¹] gosod drachefn, rhoi (rhywbeth) yn ôl yn ei le to reset, to rearrange, to reassemble

ailraddio *be* [ailraddi•²] gosod ar raddfa (gyflog) newydd; adraddoli to regrade

ailrwymo *be* [ailrwym•¹] rhwymo (llyfr neu rwymyn) drachefn to rebind

ailsefydlu *be* [ailsefydl•¹]
  1 sefydlu drachefn; adsefydlu to re-establish
  2 cynorthwyo (rhywun a fu'n sâl neu garcharor sydd newydd ei ryddhau) i addasu i gymdeithas neu swydd newydd drwy gyngor, hyfforddiant neu therapi; adsefydlu to rehabilitate
  3 gosod yn ôl mewn swydd neu ar safle to reinstate

ailsefyll *be* [ailsaf•³ 3 *un. pres.* ailsaif/ailsafa; 2 *un. gorch.* ailsaf] sefyll eto, *Mae'n bosibl ailsefyll yr arholiad yn yr haf.* to resit

ailstrwythuro *be* [ailstrwythur•¹] strwythuro mewn ffordd wahanol to restructure

ailuno *be* [ailun•¹]
  1 uno eto, neu beri uno eto ar ôl cyfnod ar wahân neu o anghytundeb to reunite, reunification
  2 adfer undod gwleidyddol (i le neu grŵp, yn enwedig i diriogaeth ranedig) to reunify

ailwaeledd *eg* y broses o ailwaelu; ail bwl relapse

ailwaelu *be* [aelwael•¹] llithro yn ôl (i gyflwr gwael), cael ail bwl to relapse

ailwampio *be* [ailwampi•²] atgyweirio rhywbeth yn fras, trefnu drachefn, ailbobi, ailddefnyddio; ad-drefnu, aildrefnu to revamp, to rehash, to remodel

ailwefradwy y gellir ei ailwefru, *batri ailwefradwy* rechargeable

ailwefru *be* [ailwefr•¹] adfer egni trydanol i fatri neu ddyfais a weithredir gan fatri drwy eu cysylltu â chyflenwad pŵer to recharge

ailwifro *be* [ailwifr•¹] weirio drachefn, rhoi gwifrau trydan newydd mewn (tŷ, car, etc.) to rewire

ail-wneud *be* gwneud drachefn; ailadrodd to redo, to remake, to replicate
  Sylwch: dilynwch batrwm 'gwneud'.

ailymafael:ailymaflyd *be* [ailymafael•¹] cymryd diddordeb neu gymryd rhan drachefn; ailgydio (~ *yn*) to resume, to take up again

ailymarfogi *be* [ailymarfog•¹] ei arfogi ei hun drachefn to rearm, rearmament

ailymddangos *be* [ailymddangos•¹ 3 *un. pres.* ailymddengys/ailymddangosa; 2 *un. gorch.* ailymddengys/ailymddangosa] ymddangos drachefn, dod i'r golwg unwaith eto to reappear, to resurface

ailymddengys *bf* [ailymddangos] *ffurfiol* mae ef yn ailymddangos/mae hi'n ailymddangos; bydd ef yn ailymddangos/bydd hi'n ailymddangos

ailymgnawdoliad *eg* (ailymgnawdoliadau)
  1 person neu anifail y credir bod enaid wedi'i aileni ynddo reincarnation

2 CREFYDD (Hindŵaeth) ailenedigaeth enaid mewn corff newydd neu ar ffurf bod arall ar ôl marw reincarnation

ailymgynnull *be* [ailymgynnull•¹] dod ynghyd drachefn, *Bydd y Cynulliad yn ailymgynnull ddydd Llun.* to reassemble

ailymosod *be* [ailymosod•¹] ymosod drachefn (~ **ar**) to attack again

ailymrwymo *be* [ailymrwym•¹] ymrwymo drachefn, ymrwymo eto to recommit (oneself)

ailymuno *be* [ailymun•¹] ymuno drachefn (~ **â**) to rejoin

ailymweld *be* [ailymwel•⁴ 3 un. pres. ailymwêl/ ailymwela; 2 un. gorch. ailymwêl/ailymwela] ymweld drachefn, ymweld eto o'r newydd (~ **â**) to revisit

ailysgrifennu *be* [ailysgrifenn•⁹] ysgrifennu drachefn, ysgrifennu eto o'r newydd to rewrite, to redraft
    Sylwch: dyblwch yr 'n' ym mhob ffurf ac eithrio yn y rhai sy'n cynnwys -*as*-.

ailystyried *be* [ailystyri•²] ystyried drachefn, newid meddwl; ailfeddwl to reconsider

aillt *eg* (eillt) *hanesyddol* fel yn *mab aillt*, un a oedd yn gaeth i'w arglwydd o dan gyfundrefn ffiwdaliaeth ond yn gyfreithiol rydd mewn perthynas ag eraill; bilain churl, villein

Ainw *eg* (Ainŵiaid) un o gynfrodorion blewog ynysoedd gogleddol Japan sydd wedi goroesi a chadw nifer o'u harferion a'u defodau Ainu

ais *ell* lluosog **asen**

âl *eb* (alau) genedigaeth llo, bwrw llo; esgoriad calving

alabastr *eg* mwyn gwyn meddal mân-grisialog sy'n cael ei gerfio'n addurniadau cain alabaster

à la carte *adf* ac *ans* (i'w harchebu yn unigol) oddi ar y fwydlen

alaeth *eg* (alaethau) *hynafol* y cyflwr o fod yn alaethus; galar, hiraeth, ing, tristwch grief

alaethus *ans*
1 llawn galar; athrist, galarus, trist grieving, tragic
2 anobeithiol o wael; affwysol abysmal
alaethus o fe'i defnyddir i ddwysáu ystyr ansoddair, *Perfformiad alaethus o wael.*

à la mode *adf* ac *ans*
1 cwbl gyfoes
2 (am gig eidion) wedi'i goginio mewn gwin

alantois *eg* ANATOMEG meinwe o gwmpas ffoetws ymlusgiaid, adar a mamolion, sydd, mewn rhai mamolion, e.e. dyn, yn cyfuno â'r gorion i greu'r brych allantois

alarch *eg* (elyrch) unrhyw un o amryw fathau o adar dŵr â gwddf hir, plu gwyn gan amlaf a thraed gweog swan
golchi traed alarch gwneud gwaith ofer to boondoggle, to carry coals to Newcastle

alaru *be* [alar•³] cael llond bol; diflasu, syrffedu (~ **ar**) to be fed up with, to have a surfeit of

alaw¹ *eb* (alawon) CERDDORIAETH nifer o nodau cerddorol yn dilyn ei gilydd i greu patrwm boddhaol o seiniau; cainc, melodi, tiwn, tôn tune, melody, air
alaw werin alaw leisiol neu offerynnol wedi'i throsglwyddo o genhedlaeth i genhedlaeth (heb ei hysgrifennu i ddechrau) drwy gyfrwng y traddodiad llafar folk tune

alaw² *eb* (alawau) planhigyn llynnoedd a dyfroedd llonydd â dail llydan a blodau mawr ac iddynt betalau niferus gwyn a brigerau melyn; lili'r dŵr water lily

alb *eb* (albau) gwenwisg hir, laes a wisgir gan offeiriad a'r rhai sy'n gweini yn ystod yr offeren alb

alban *eg* (albanau) *llenyddol* chwarter blwyddyn (enw a ddyfeisiwyd gan Iolo Morganwg); heuldro, cyhydnos equinox, solstice
Alban Arthan heuldro'r gaeaf; cyfnod diwrnodau byrraf y flwyddyn, tua 21 Rhagfyr winter solstice
Alban Eilir cyhydnos y gwanwyn; y cyfnod yn y gwanwyn pan fydd yr Haul yn croesi'r cyhydedd, gan wneud dydd a nos tua'r un hyd, tua 21 Mawrth vernal equinox
Alban Elfed cyhydnos yr hydref; y cyfnod yn yr hydref pan fydd yr Haul yn croesi'r cyhydedd, gan wneud dydd a nos tua'r un hyd, tua 23 Medi autumnal equinox
Alban Hefin heuldro'r haf; cyfnod diwrnodau hiraf y flwyddyn, tua 21 Mehefin summer solstice

Albanaidd *ans* yn perthyn i'r Alban, nodweddiadol o'r Alban Scottish

Albanes *eb* merch neu wraig o'r Alban, un o dras neu genedligrwydd Albanaidd Scotswoman

Albaniad *eg* (Albaniaid) brodor o Albania, un o dras neu genedligrwydd Albanaidd Albanian

Albaniaidd *ans* yn perthyn i Albania, nodweddiadol o Albania Albanian

Albanwr *eg* (Albanwyr) brodor o'r Alban, un o dras neu genedligrwydd Albanaidd Scot, Scotsman

albedo *eg* (albedoau) SERYDDIAETH cyfran y golau neu'r pelydriad trawol sy'n cael ei hadlewyrchu oddi ar wyneb planed, lleuad, cwmwl, etc., grym adlewyrchol albedo

albinedd *eg* cyflwr o ddiffyg lliw mewn organeb, a nodweddir mewn pobl gan groen a gwallt gwyn neu olau iawn a channwyll binc i'r llygad albinism

albwm *eg* (albymau)
1 llyfr â thudalennau gwag ar gyfer casglu (stampiau, lluniau, etc.) album
2 casgliad o recordiadau wedi'u cyhoeddi yn un album

albwmen *eg* gwynnwy, neu'r protein sydd ynddo albumen

albwmin *eg* BIOCEMEG protein syml a geir yng nghyrff anifeiliaid, e.e. mewn llaeth, gwaed, yn y cyhyrau, etc. ac mewn planhigion; mae'n tewychu o gael ei wresogi ac yn hydoddi mewn dŵr albumin

alcali *eg* (alcalïau) CEMEG cemegyn sy'n troi litmws coch yn las, ac sy'n ffurfio halwynau wrth niwtralu asid; mae soda brwd ac amonia yn alcalïau cyffredin alkali

alcalïaidd *ans* ac iddo briodweddau alcali, yn cynnwys alcali alkaline

alcaloid *eg* (alcaloidau) CEMEG un o ddosbarth o gyfansoddion organig, nitrogenaidd yn deillio o blanhigion sy'n gallu cael effaith ffisiolegol sylweddol ar fodau dynol alkaloid

alcam *eg* metel meddal, llwydwyn a ddefnyddir i wneud caniau, etc. tin, tinplate

alcan *eg* (alcanau) CEMEG unrhyw un o'r gyfres o hydrocarbonau dirlawn, e.e. methan, ethan, propan, etc. alkane

alcemeg:alcemi *eb* gwyddor cemeg yn yr Oesoedd Canol; ei nod oedd troi metelau syml yn aur, canfod gwellhad i bob clefyd a dod o hyd i gyfrinach bywyd tragwyddol alchemy

alcemydd *eg* (alcemyddion) un yn ymarfer alcemeg alchemist

alcen *eg* (alcenau) CEMEG unrhyw un o'r gyfres o hydrocarbonau annirlawn sy'n cynnwys bond dwbl, e.e. ethen (ethylen) alkene

alcohol *eg* (alcoholau)
1 hylif di-liw, anweddol, hylosg sy'n achosi i ddiod feddwol fod yn feddwol alcohol
2 CEMEG cyfansoddyn organig yn cynnwys grŵp hydrocsyl -OH alcohol

alcoholiaeth *eb* gorddibyniaeth ar alcohol, a'r newid corfforol a meddyliol sy'n gallu deillio o hyn alcoholism

alcoholig[1] *ans* yn cynnwys alcohol alcoholic

alcoholig[2] *eg* (alcoholigion) un sy'n gaeth i alcohol alcoholic

alcyl *eg* (alcylau) CEMEG alcan sydd wedi colli atom hydrogen; gall fod yn ïon neu yn radical ag un electron falens alkyl

alcyleiddiad *eg* CEMEG y broses o alcyleiddio (fe'i defnyddir mewn purfeydd olew i gynhyrchu tanwydd octan uchel) alkylation

alcyleiddio *be* [alcyleiddi•[2]] CEMEG creu adwaith cemegol lle mae un neu ragor o grwpiau alcyl yn cael eu hychwanegu at adeiledd moleciwlaidd cyfansoddyn cemegol to alkylate

alcyn *eg* (alcynau) CEMEG unrhyw un o'r gyfres o hydrocarbonau sy'n cynnwys bond triphlyg, gan gynnwys ethyn (asetylen) alkyne

alch *eb* (alchau) gridyll neu grât, yn enwedig y barrau hynny wedi'u gosod uwchben twll mewn heol i gadw anifeiliaid rhag eu croesi, e.e. *alch wartheg*; bualch grid

al dente *adf* ac *ans* (am basta, llysiau, etc.) wedi'i goginio ond heb fod yn rhy feddal

ale *eb* (aleon) llwybr (rhwng rhesi o seddau fel arfer) aisle

aleatoraidd *ans* CERDDORIAETH am ddarnau byrfyfyr sy'n digwydd ar hap, ond o fewn terfynau penodol; yn dibynnu ar siawns neu lwc aleatory

alegori *eb* (alegorïau) chwedl neu stori ac iddi ystyr ffigurol allegory

alegorïaidd *ans* o natur alegori, yn cynnwys ail ystyr ffigurol allegorical

alel *eg* (alelau) BIOLEG dau neu ragor o ffurfiau gwahanol o'r un genyn sy'n gallu cymryd lle ei gilydd mewn man arbennig ar gromosom ac sy'n gyfrifol am amrywiadau ar yr un nodwedd etifeddol, e.e. lliw'r llygaid allele

alergaidd *ans* yn perthyn i alergedd, nodweddiadol o alergedd; ag alergedd, *Gall unrhyw fwyd achosi adwaith alergaidd.* (~ i) allergic

alergedd *eg* (alergeddau)
1 MEDDYGAETH newid yn adwaith y corff, e.e. drwy adweithio yn fwy eithafol, i antigen arbennig yn ganlyniad i adwaith blaenorol y corff i'r antigen hwnnw allergy
2 adwaith mwy eithafol i sylwedd (drwy disian, crafu, llid y croen, etc.) nag arfer allergy

alergen *eg* (alergenau) MEDDYGAETH sylwedd sy'n ysgogi alergedd allergen

alewron *eg* BOTANEG protein gronynnog a geir yn haen allanol endosberm llawer o hadau a grawn aleurone

alfeolaidd *ans* ANATOMEG yn perthyn i alfeolws neu alfeoli alveolar

alfeolws *eg* (alfeoli)
1 ANATOMEG un o'r mân godennau yn yr ysgyfaint lle mae cyfnewid nwyon yn digwydd alveolus
2 ANATOMEG unrhyw bant neu grau bychan mewn rhan o'r corff, e.e. un y mae blewyn yn tyfu ohono alveolus

al fresco *adf* ac *ans* yn yr awyr agored

Alffa *eg* llythyren gyntaf yr wyddor Roeg fel enw ar Dduw Alpha

alffa ac omega llythyren gyntaf ac olaf yr wyddor Roeg; dechrau a diwedd pethau alpha and omega

alffaniwmerig *ans* yn defnyddio llythrennau a rhifau, e.e. rhif car alphanumerical

alga *eg* (algâu) un o grŵp o blanhigion syml, diflodau (e.e. gwymon); mae rhai, e.e. *Euglena*, yn cael eu hystyried yn ficro-organebau alga

algaidd *ans* yn perthyn i algâu algal

algâu *ell* lluosog **alga** algae

algebra *eg* (algebrâu) MATHEMATEG cangen o fathemateg lle mae rhifau neu setiau o rifau'n cael eu cynrychioli gan symbolau ac yn cael eu trin o fewn cyfundrefn arbennig o reolau algebra

algebraidd *ans* MATHEMATEG yn perthyn i algebra, nodweddiadol o algebra algebraic

Algeraidd *ans* yn perthyn i Algeria, nodweddiadol o Algeria Algerian

Algeriad *eg* (Algeriaid) brodor o Algeria, un o dras neu genedligrwydd Algeraidd Algerian

algorithm *eg* (algorithmau) MATHEMATEG ffordd o gyfrifo neu ddatrys problemau drwy ddilyn cyfres o gamau fesul un algorithm

algorithmig *ans* MATHEMATEG yn defnyddio algorithmau, yn meddu ar nodweddion algorithm algorithmic

ali *eb* (alis) pelen galed (o wydr fel arfer) a ddefnyddir mewn gêmau plant; marblen marble

ali bop marblen fawr o wydr i gau pen potel

alibi *eg* (alibïau) tystiolaeth yn cefnogi ple o fod yn ddieuog drwy honni fod y cyhuddedig yn rhywle arall adeg cyflawni'r drosedd alibi

alidad *eg* (alidadau) *hanesyddol* offeryn mesur a ddefnyddiid i bennu cyfeiriad mewn astronomeg ac i wneud mesuriadau seryddol, mordwyo, etc., e.e. fel rhan o astrolab alidade

alimoni *eg* (alimonïau) CYFRAITH taliadau a wneir gan un priod i'r llall ar ôl iddynt wahanu neu ysgaru alimony

aliniad *eg* (aliniadau)
1 y broses o alinio, canlyniad alinio alignment
2 llinell neu linellau sy'n cael eu ffurfio drwy alinio, *aliniad olwynion blaen y car* alignment

alinio *be* [alini•⁶] gosod mewn llinell syth, trefnu neu ymffurfio'n llinell syth; cyfunioni (~ *rhywbeth* â) to align

aliwn *eg* (aliwns)
1 rhywun o genedl neu hil arall; estron, estrones alien
2 rhywun o fyd arall alien

allegro *adf* ac *ans* CERDDORIAETH mewn tempo sionc a bywiog

Almaenaidd:Almaenig *ans* yn perthyn i'r Almaen, nodweddiadol o'r Almaen German

Almaenes:Almaenwraig *eb* merch neu wraig o'r Almaen, un o dras neu genedligrwydd Almaenaidd German

Almaenig gw. Almaenaidd

Almaenwr *eg* (Almaenwyr) brodor o'r Almaen, un o dras neu genedligrwydd Almaenaidd German

Almaenwraig gw. Almaenes

almanac *eg* (almanaciau) calendr (ar ffurf llyfr gan amlaf) sy'n cynnwys gwybodaeth am ddiwrnodau arbennig, y tywydd a phethau y disgwylir iddynt ddigwydd yn ystod y flwyddyn; blwyddiadur, blwyddlyfr almanac

almanaciwr *eg* (almanacwyr) un sy'n llunio a gwerthu almanaciau compiler and seller of almanacs

almon *eb* (almonau) cneuen fwytadwy sy'n ffrwyth y pren almon almond

pren almon coeden mewn gwledydd poeth y mae'r ffrwyth almon yn tyfu arni; pren y goeden hon almond

almonwr *eg* (almonwyr) gweithiwr cymdeithasol sy'n gysylltiedig ag ysbyty ac sy'n cynorthwyo'r cleifion almoner

aloi *eg* (aloion) cymysgedd o ddau neu fwy o fetelau wedi'u toddi gyda'i gilydd (fel arfer, er mwyn gwrthsefyll effeithiau cyrydu yn well) ac sydd â nodweddion gwahanol i'r metelau unigol alloy

alopesia *eg* MEDDYGAETH moelni annormal mewn pobl, neu golli plu neu ffwr mewn anifeiliaid alopecia

alotiad *eg* (alotiadau) cyfran o'r hyn sydd wedi'i alotio allotment

alotio *be* [aloti•²] CYLLID rhannu neu ddosrannu (cyfranddaliadau, etc.) to allot

alotrop *eg* (alotropau) CEMEG un o ddwy neu ragor o ffurfiau ffisegol elfen gemegol, e.e. graffit a diemwnt sy'n ffurfiau ar garbon allotrope

alotropaeth *eb* CEMEG y gallu i fodoli mewn mwy nag un ffurf (yn enwedig am elfennau cemegol megis carbon) allotropy

alotropig *ans* CEMEG nodweddiadol o alotropaeth, yn arddangos alotropaeth allotropic

alp *eg* (alpau) (yn y Swistir) dôl neu faes yn uchel yn y mynyddoedd; enw ar fynydd uchel alp

alpaca *eg*
1 anifail â blew hir sy'n perthyn i'r un teulu â'r lama ac a geir yn Ne America alpaca
2 GWNIADWAITH math o wlân meddal neu ddefnydd wedi'i wneud o flew'r alpaca ac sy'n cael ei ddefnyddio mewn dillad, yn enwedig rhai drud alpaca

alpafr *eb* (alpeifr) gafr wyllt gorniog a barfog sy'n byw ym mynyddoedd Ethiopia a chanoldir Asia; hefyd gafr debyg a'i chynefin yn y Pyreneau ibex

alpaidd *ans* yn perthyn i ardal yr Alpau, nodweddiadol o'r Alpau neu fynyddoedd uchel alpine

alter ego *eg* hunan arall, gwedd arall ar bersonoliaeth person neu gyfaill agos sy'n debyg iawn i chi

altimedr *eg* (altimedrau) offeryn sy'n mesur uchder uwchben y tir neu'r môr (yn enwedig mewn awyren) altimeter

alto *egb* (altos)
1 y rhan gerddorol sy'n cael ei chanu gan leisiau isaf merched neu leisiau uchaf dynion alto

2 merch neu wraig neu ddyn sy'n canu'r rhan gerddorol hon alto

Sylwch: mae'n fenywaidd wrth sôn am gantores, ac yn wrywaidd wrth sôn am y llais.

altocwmwlws *eg* METEOROLEG cwmwl sy'n ffurfio ar uchder cymedrol, yn un o haen o gymylau mawr, crwn â gwaelod gwastad altocumulus

altrad *eg* (altradau) y broses o altro, canlyniad altro; cyfnewidiad, newid, trawsnewidiad alteration

altro *be* [altr•¹]

1 newid (ond heb droi'n rhywbeth arall), *Nid yw wedi altro dim.* to alter

2 newid, addasu (dilledyn) to alter

alwm *eg* CEMEG halwyn mwynol gwyn yn cynnwys alwminiwm a photasiwm a ddefnyddir yn y broses o wneud lledr a phapur alum

alwmina *eg* ocsid gwyn solet o alwminiwm a geir mewn nifer o wahanol fathau o glai, y mae rhuddem a saffir yn ffurfiau crisialog ohono alumina

alwminiwm *eg* elfen gemegol rhif 13; metel ysgafn o liw arian nad yw'n cyrydu (Al) aluminium

allafon *eb* (allafonydd) DAEARYDDIAETH cangen o afon nad yw'n dychwelyd at y brif ffrwd ar ôl ei gadael distributary

Allah *eg* CREFYDD (Islam) enw'r Mwslimiaid ar Dduw

allan¹ *adf*

1 heb fod i mewn; maes, ma's, *Mae hi allan.* out

2 tu faes, yn yr awyr agored outside

3 heb fod yn y cartref am gyfnod, *Well inni alw eto, maen nhw allan.*, (gydag awgrym yn aml o fynd i rywle i fwynhau eich hun), *Rydym yn mynd allan bob nos Sadwrn.* out

4 yn yr amlwg, yn gyhoeddus *Daeth yr haul allan. Mae'r stori allan.* out

5 wedi diffodd, *Mae'r tân wedi mynd allan.* out

6 (am lyfr, cylchgrawn, etc.) wedi cael ei gyhoeddi, *Bydd ei lyfr newydd allan erbyn y Nadolig.* out

7 (am bapur, gwaith, etc.) wedi'i daenu neu ei osod, *Rho'r map allan ar y llawr i ni gael ei weld yn iawn.* out

allan o bob rheswm hollol afresymol totally unreasonable

allan o brint (am lyfr neu gyhoeddiad) heb fod ar gael; wedi'u gwerthu i gyd out of print

allan o diwn heb daro'r union nodyn out of tune

allan o drefn heb fod mewn trefn, heb gydymffurfio â'r rheolau neu â'r drefn gydnabyddedig; annerbyniol out of order

allan ohoni yn ei methu hi; yn anghywir way out

allan o'm (o'th, o'i, etc.) byd gw. byd

allan o'm (o'th, o'i, etc.) dyfnder am bethau nad wyf yn eu deall neu sydd y tu hwnt i'm gallu i wneud dim amdanynt out of one's depth

allan o wynt yn brin o anadl out of breath

cael (rhywbeth) allan o rywun llwyddo i gael gwybod (rhywbeth) gan rywun to discover

o hyn allan o'r amser yma ymlaen from now on, henceforth, henceforward

allan² *ans*

1 y tu faes, heb fod i mewn, e.e. tai allan out

2 (mewn gêm o griced) am un ochr pan nad oes hawl ganddi i fatio rhagor neu am fatiwr unigol pan nad oes ganddo yntau hawl i fatio rhagor out

tu allan:tu faes heb fod tu mewn outside

allanadliad *eg* (allanadliadau) y weithred o allanadlu, canlyniad allanadlu exhalation

allanadlu *be* [allanadl•³] anadlu allan to exhale

allanfa *eb* (allanfeydd) drws neu ffordd allan o adeilad, e.e. *allanfa dân*; dihangfa exit

allanol *ans*

1 yn perthyn i'r tu allan, nodweddiadol o'r tu allan external, outdoor

2 yn digwydd y tu allan, yn deillio o ffynhonnell y tu allan (i'r hyn yr effeithir arno) external

3 (am fyfyrwyr) wedi'u cofrestru gan goleg ac yn sefyll arholiadau'r coleg ond heb fod yn fyfyriwr preswyl external

allanoldeb *eg* ECONOMEG sefyllfa sy'n gallu bod yn negyddol neu yn bositif externality

allanoldeb negyddol ECONOMEG sefyllfa economaidd pan fydd cynnyrch neu benderfyniad yn costio mwy i'r gymdeithas na'i gost ar y farchnad, e.e. cost llygredd aer i'r gymdeithas wrth i bobl ddefnyddio'u ceir negative externality

allanoldeb positif ECONOMEG sefyllfa economaidd lle bydd rhywun arall yn elwa yn sgil trafod economaidd, e.e. pan fydd tad-cu yn cael boddhad wrth roi hufen iâ i'w wyres a hithau hefyd yn cael boddhad wrth dderbyn yr hufen iâ yr un pryd positive externality

allanoli *be* [allanol•¹] SEICOLEG priodoli drychfeddwl neu broses feddyliol i achosion allanol y tu hwnt i'r hunan to externalize

allanolion *ell* pethau allanol neu arwynebol externals

allblyg *ans* yn cyfeirio sylw a diddordeb yn bennaf at bethau y tu allan i'r hunan; cymdeithasgar extrovert

allblygedd *eg* y cyflwr o fod yn allblyg a nodweddir gan fywiogrwydd, hoffter o fod gydag eraill a siarad llawer extroversion

allborth *eg* (allbyrth) porthladd atodol i brif borthladd sy'n medru delio'n well â'r llongau mwyaf outport

allbrint *eg* (allbrintiau) CYFRIFIADUREG dogfen wedi'i hargraffu gan argraffydd sydd wedi'i gysylltu â chyfrifiadur printout

allbwn *eg* (allbynnau) yr hyn sy'n dod allan o beiriant; cynnyrch cyfrifiadur; y gwrthwyneb i 'mewnbwn' output

allbynnu *be* [allbynn•²] cynhyrchu fel allbwn (o gyfrifiadur, peiriant, etc.) to output
  Sylwch: dyblwch yr 'n' ym mhob ffurf ac eithrio'r rhai sy'n cynnwys *-as-*.

alldafliad *eg* (alldafliadau)
  1 y weithred o alldaflu, yn enwedig alldaflu had ejaculation
  2 FFISEG llwch ymbelydrol sy'n codi o ffrwydrad niwclear neu lwch folcanig sy'n codi o echdoriad folcanig fallout
  Sylwch: 'alltafliad' yw'r ffurf sy'n cydymffurfio â gofynion orgraff yr iaith.

alldaflu *be* [alldafl•³]
  1 (am ddyn neu anifail gwryw) gollwng had o'r corff yn anterth cyffro rhywiol, ffrydio had to ejaculate
  2 bwrw allan; gollwng to emit, to release
  Sylwch: 'alltaflu' yw'r ffurf sy'n cydymffurfio â gofynion orgraff yr iaith.

alldarddol *ans*
  1 yn cael ei achosi gan ffactorau allanol exogenous
  2 BIOLEG yn tyfu y tu allan i (ran o) organeb, yn tarddu y tu allan i (ran o) organeb exogenous
  Sylwch: 'alltarddol' yw'r ffurf sy'n cydymffurfio â gofynion orgraff yr iaith.

alldynnu *be* [alldynn•²] tynnu (rhywbeth) allan o (rywbeth) (~ *rhywbeth* o) to abstract
  Sylwch:
  1 'alltynnu' yw'r ffurf sy'n cydymffurfio â gofynion orgraff yr iaith;
  2 Dyblwch yr 'n' ym mhob ffurf ac eithrio yn y rhai sy'n cynnwys *-as-*.

alldarlleniad *eg* (alldarlleniadau) CYFRIFIADUREG y broses o dynnu gwybodaeth o storfa, e.e. o gof cyfrifiadur, er mwyn ei harddangos mewn ffurf ddealladwy, e.e. fel allbrint; yr wybodaeth a arddangosir readout

allechelinol *ans* BOTANEG wedi'i leoli y tu allan i echelin organ, organeb neu ran o blanhigyn; yn cyfeirio i ffwrdd oddi wrth echelin organ, organeb neu ran o blanhigyn abaxial

allfa *eb* (allfeydd)
  1 man neu fwlch lle mae rhywbeth yn cael ei ollwng; agorfa outlet
  2 asiantaeth (e.e. siop) sy'n marchnata nwyddau arbennig outlet
  3 SEICOLEG dull o ryddhau tyndra emosiynol outlet

allfaes *eg* (allfeysydd) (mewn criced neu bêl-fas) y rhan o'r cae y tu hwnt i'r llain outfield

allforio *be* [allfori•²]
  1 gwerthu (nwyddau neu wasanaethau) neu yrru (nwyddau) i wlad dramor to export
  2 CYFRIFIADUREG trosglwyddo (data) mewn fformat sy'n gallu cael ei ddefnyddio gan raglenni eraill to export

allforion *ell* lluosog **allforyn**, nwyddau a gwasanaethau a werthir i wlad dramor, nwyddau a yrrir i wlad dramor exports

allforiwr *eg* (allforwyr) un sy'n allforio exporter

allforyn *eg* unigol **allforion** export

allfridio *be* [allfridi•²] bridio neu epilio o stoc nad yw'n perthyn yn agos to outbreed

allfrig *ans* (am gyfnod) pan nad oes cymaint o alw am rywbeth ag arfer, e.e. am drenau, am drydan, etc. off-peak

allfudo *be* [allfud•¹] gadael y wlad frodorol er mwyn mynd i wlad arall i fyw yno'n barhaol; ymfudo to emigrate

allfwriwr *eg* (allfwrwyr) un sy'n bwrw allan ysbrydion drwg neu gythreuliaid exorcist

allfwrw *be* [allfwri•²] bwrw allan (ysbryd drwg) drwy ddefod eglwysig (~ *rhywbeth* o) to exorcise

allfydol *ans* y tu allan i'r Ddaear a'i hatmosffer; o'r gofod extraterrestrial

allgaredd *eg* gofal am fuddiannau eraill o flaen eich buddiannau eich hun; anhunanoldeb altruism

allgarol *ans* a nodweddir gan allgaredd; anhunanol altruistic

allgarwr *eg* (allgarwyr) un sy'n poeni am les neu fuddiannau eraill o flaen ei les ei hun altruist

allgáu *be* cau allan, eithrio to exclude
  Sylwch: nid yw'r ferf hon yn arfer cael ei rhedeg.

allglofan *eg* (allglofannau) rhan o wlad wedi'i gwahanu oddi wrth weddill y wlad honno ac wedi'i hamgylchynu â thir estron exclave

allgludiad *eg* (allgludiadau) y broses o allgludo (rhywun neu rywbeth), canlyniad allgludo deportation

allgludo *be* [allglud•¹] gyrru (rhywun) o wlad os yw yno yn anghyfreithlon, neu os penderfynir bod ei bresenoldeb yn annerbyniol to deport

allgofnodi *be* [allgofnod•¹] CYFRIFIADUREG dirwyn cyfnod o ddefnyddio cyfrifiadur i ben drwy ddilyn cyfres o gamau, yn enwedig drwy ddefnyddio gorchymyn to log off, to log out

allgraidd *ans* nad yw'n cael ei ystyried yn greiddiol non-core

allgraig *eb* (allgreigiau) DAEAREG ardal o greigiau iau yng nghanol creigiau hŷn outlier

allgwricwlaidd *ans* allgyrsiol; y tu allan i gynnwys cwricwlwm neu faes llafur arferol ysgol neu goleg extra-curricular

allgyrchol *ans* FFISEG yn cael ei wthio o ganol cylch i'w ymyl pan fydd y cylch yn troi centrifugal

grym allgyrchol grym sy'n peri i bethau sy'n symud mewn cylch gael eu gwthio o ganol y cylch i'w ymyl centrifugal force

allgyrchu *be* [allgyrch•¹]
1 FFISEG rhoi (rhywbeth) dan effaith allgyrchydd to centrifuge
2 FFISEG gwahanu drwy ddefnyddio allgyrchydd to centrifuge

allgyrchydd *eg* (allgyrchyddion)
1 FFISEG peiriant sy'n defnyddio grym allgyrchol i wahanu sylweddau o wahanol ddwysedd oddi wrth ei gilydd (e.e. hufen o lefrith) drwy eu chwyrlïo'n gyflym centrifuge
2 FFISEG unrhyw ddyfais sy'n troi'n gyflym ac yn cael ei defnyddio i efelychu grym disgyrchiant uchel, er enghraifft ar anifeiliaid neu bobl centrifuge

allgyrsiol *ans* y tu allan i gynnwys cwricwlwm neu faes llafur arferol ysgol neu goleg; allgwricwlaidd extra-curricular

all-lein *ans* CYFRIFIADUREG yn ymwneud â rhan o system gyfrifiadurol nad yw wedi'i chysylltu â'r prosesydd canolog ond sy'n cael ei rheoli gan ddyfais storio gwybodaeth off-line

all-lif *eg* (all-lifoedd) rhywbeth sy'n llifo allan; gofer outflow

all-lifo *be* [all-lif•¹] llifo allan; goferu (~ o) to outflow

allnaturiol *ans* yn mynd y tu hwnt i'r hyn sy'n naturiol preternatural

allor *eb* (allorau)
1 man dyrchafedig wedi'i godi i osod aberth i'r duwiau arno altar
2 bwrdd y Cymun mewn eglwys altar

allosod *be* [allosod•¹] MATHEMATEG rhagfynegi gwerthoedd anhysbys newidyn ar sail gwerthoedd sydd eisoes yn hysbys to extrapolate

allosodiad *eg* (allosodiadau) rhagfynegiad sy'n ganlyniad allosod extrapolation

allrwyd *eb* (allrwydi) CYFRIFIADUREG mewnrwyd y mae'n rhannol bosibl i ddefnyddwyr allanol fynd ati sy'n galluogi cyfathrebu diogel, e.e. rhwng cwmni a'i gwsmeriaid extranet

allsugno *be* [allsugn•¹] MEDDYGAETH gwaredu (sylwedd) o geudod yn y corff (e.e. hylif yn yr ysgyfaint) drwy ei sugno i ffwrdd (~ *rhywbeth* o) to aspirate

allsugnydd *eg* (allsugnyddion) MEDDYGAETH dyfais ar gyfer allsugno sylwedd o geudod yn y corff aspirator

allsynhwyraidd *ans* y tu hwnt i'r synhwyrau extrasensory

canfyddiad allsynhwyraidd y gallu i ganfod drwy ddulliau gwahanol i'r synhwyrau cydnabyddedig (e.e. drwy glirwelediad neu delepathi) extra-sensory perception

allt:gallt *eb* (gelltydd)
1 *tafodieithol, yn y Gogledd* ochr bryn; llechwedd, llethr, rhiw, tyle hillside, slope
2 *tafodieithol, yn y De* llechwedd coediog wood, wooded slope

allt bren y grisiau i fyny'r staer stairs

alltafliad gw. **alldafliad** a'r nodyn

alltaflu gw. **alldaflu** a'r nodyn

alltarddol gw. **alldarddol** a'r nodyn

alltraeth *ans*
1 am nodwedd wedi'i lleoli yn y môr oddi ar yr arfordir, e.e. bar tywod offshore
2 (am wynt) yn chwythu o'r tir at y môr offshore

alltud¹ *eg* (alltudion)
1 rhywun sydd wedi'i orfodi i adael ei wlad fel cosb, rhywun a allgludir exile, deportee
2 rhywun sy'n byw y tu allan i'w wlad ei hun; aliwn, estron exile

alltud² *ans* wedi'i alltudio exiled

alltudiaeth *eb* (alltudiaethau)
1 y broses o alltudio, canlyniad alltudio; caethgludiad deportation
2 y cyflwr neu'r cyfnod o fod yn alltud exile

alltudio *be* [alltudi•²]
1 allgludo; gyrru (rhywun) o wlad os yw yno yn anghyfreithlon, neu os penderfynir bod ei bresenoldeb yn annerbyniol to deport, to expel
2 gyrru (rhywun) o'i wlad ei hun to banish, to exile

alltynnu gw. **alldynnu** a'r nodyn

allwedd *eb* (allweddau:allweddi)
1 offeryn i gloi a datod clo; agoriad key
2 teclyn i dynhau a llacio tannau telyn neu i weindio cloc key
3 yr ateb i bos neu i broblem neu'r hyn sy'n rhoi modd i ddehongli, e.e. ystyr y symbolau ar fap; eglurhad key
4 cleff; symbol a osodir ar ddechrau pob llinell o gerddoriaeth ysgrifenedig er mwyn dynodi'r traw clef

allweddau Mair ffrwyth yr onnen ash keys

allweddair *eg* (allweddeiriau)
1 gair sy'n allwedd i ddatrys cod keyword
2 gair mewn dogfen a ddefnyddir wrth fynegeio'r ddogfen keyword
3 CYFRIFIADUREG gair a ddefnyddir mewn system adalw gwybodaeth i ddynodi beth yw cynnwys testun arbennig keyword

allweddell *eb* (allweddellau) y rhan o biano neu o wahanol offerynnau electronig tebyg i'r piano lle y gosodir y bysedd; seinglawr keyboard

allweddol *ans* tebyg i allwedd yn yr ystyr ei fod yn hanfodol i agor neu ddatrys problem neu anhawster; canolog, hanfodol, hollbwysig key, critical, crucial
   Sylwch: gall ragflaenu ansoddair, *allweddol bwysig.*

allwthiad *eg* (allwthiadau) y weithred o allwthio (metel, plastig, etc.), rhywbeth sydd wedi'i lunio drwy allwthio extrusion

allwthio *be* [allwthi•²]
1 gwthio, gwasgu neu orfodi allan to extrude
2 gosod ffurf (ar fetel neu blastig) drwy ei wasgu drwy ddei to extrude

allwyriad *eg* (allwyriadau)
1 y broses o allwyro, canlyniad allwyro deflection
2 y graddau y mae nodwydd yn gwyro o 0 ar fesurydd (trydanol fel arfer) deflection

allwyro *be* [allwyr•¹] (peri) gwyro neu droi i'r naill ochr o'i gyfeiriad gwreiddiol to deflect

allyriad *eg* (allyriadau) sylwedd sy'n cael ei ryddhau i'r atmosffer (o simnai ffatri, pibell wacáu car, etc.) emission

allyriant *eg* (allyriannau) y broses o allyrru emission

allyrredd *eg* FFISEG mesur o allu arwyneb i belydru gwres emissivity

allyrru *be* [allyrr•⁹] rhyddhau neu ledaenu tonnau o unrhyw fath (e.e. golau, radio, sain, pelydr X, etc.), gronynnau (e.e. electronau) neu sylweddau (e.e. nwy neu fwg) to emit
   Sylwch: dyblwch yr 'r' ym mhob ffurf ac eithrio yn y rhai sy'n cynnwys *-as-.*

allyrrydd *eg* (allyrwyr)
1 peth neu sylwedd sy'n allyrru rhywbeth emitter
2 ELECTRONEG y rhan o dransistor deubegwn sy'n cynhyrchu cludyddion cerrynt emitter

am¹ *cysylltair* o achos, *Methodd dalu am nad oedd ganddo ddigon o arian.*; canys, gan, oblegid, oherwydd because, since
   Sylwch:
   1 mae'n achosi'r treiglad meddal;
   2 defnyddir 'am' a 'gan' pan nad yw'r rheswm mor bwysig ag 'oherwydd' neu 'oblegid'.

am wn i cyn belled ag yr wyf i'n gwybod as far as I know
Ymadroddion
am fod pam yn bod a bod yn pallu gw. bod¹
am hynny felly for that reason, therefore

am² *ardd* [amdanaf fi, amdanat ti, amdano ef (fe/fo), amdani hi, amdanom ni, amdanoch chi, amdanynt hwy (amdanyn nhw)]
1 ar, o gwmpas (yn enwedig am ddillad), *Beth sydd gennyt am dy draed?* on
2 o gwmpas, o boptu (am le), *Dechreuodd y llifogydd gau am y dref.* around
3 tuag at, *troi am adref* towards

4 (am amser) ar adeg arbennig, *am ddau o'r gloch y bore* at
5 am hyd arbennig o amser neu bellter, *Teithiodd am bum milltir.* for
6 ynghylch, ynglŷn â, *Beth a ddywedaist ti am dy frawd?* about
7 yn lle, yn dâl neu'n iawn am rywbeth, *Llygad am lygad, dant am ddant.* for
8 gyda golwg ar, o ran, *Am y rheini, mi gei di eu taflu nhw.* as for
9 yn dynodi dymuniad neu fwriad, *Wyt ti am fynd i'r ffair?*
10 nodwch y defnydd o *am* gyda *dweud* i lunio gorchymyn, *Dywedais wrtho am fynd.* to
11 dyna, y fath, *Am ddiwrnod gwael!* what a . . .
12 er mwyn achub, *Rhed am dy fywyd.* for
13 ar fin, *Mae hi am law.* about to
   Sylwch: mae'n achosi'r treiglad meddal.

am ben gw. pen¹
am y . . . â yr ochr arall i, y tu draw i, *Eisteddai hi am y tân ag ef.*
am y cyntaf *Am y cyntaf i'r môr!* first (to the sea), I'll race you
am y gorau gw. gorau¹
am yn ôl wysg ei gefn backwards
am y tro am nawr for the time being

am- *rhag* ffurf ar **an-** a ddefnyddir ar ddechrau gair i wrth-ddweud neu negyddu'r hyn sy'n ei ddilyn, e.e. *amhoblogaidd*

amaeth *eg* y grefft o drin y tir a ffermio; amaethyddiaeth agriculture

amaethdy *eg* (amaethdai) tŷ fferm farmhouse

amaethu *be* [amaeth•¹] trin y tir, *Roedd y teulu yn amaethu yma ers cyn cof; dechreuodd drwy amaethu'r tir nesaf at yr afon.*; ffermio to farm, to cultivate

amaethwr *eg* (amaethwyr) un sy'n amaethu; ffermwr farmer

amaethyddiaeth *eb* y grefft o drin y tir a ffermio; amaeth, hwsmonaeth agriculture

amaethyddol *ans* yn ymwneud â ffermio neu amaethyddiaeth agricultural

amalgam *eg* (amalgamau) CEMEG aloi o fercwri a metel arall, e.e. arian, sydd naill ai'n hylif neu'n solid, gan ddibynnu ar faint o fercwri sy'n bresennol; fe'i defnyddir yn aml i lenwi tyllau mewn dannedd amalgam

amarch *eg* (amharchion) diffyg parch; anfri, dirmyg, gwaradwydd, sen (~ **tuag at**) dishonour, disrespect

Amasoniad *eb* (Amasoniaid) yn ôl chwedlau Groeg, un o lwyth o wragedd ymryfelgar ac ymladdgar Amazon

amatur¹ *eg* (amaturiaid)
1 rhywun nad yw'n broffesiynol, nad yw'n cael ei dalu amateur

2 rhywun nad yw'n broffesiynol oherwydd
safon isel yr hyn y mae'n ei wneud amateur

amatur² *ans* heb fod yn broffesiynol oherwydd
nad yw'n derbyn cyflog neu'n cyrraedd safon
ddigon uchel amateur

amaturaidd *ans* prin o ddawn neu allu;
anneheuig amateurish

amaturiaeth *eb* y cyflwr o fod yn amatur neu'n
amaturaidd, o ddewis gwneud rhywbeth
oherwydd cariad tuag ato yn hytrach nag am
dâl, gan osgoi'r pethau gwael sy'n gallu deillio
o broffesiynoldeb amateurism

amaturiaid *ell* lluosog amatur

amau *be* [amheu•¹¹]
   1 peidio â chredu; drwgdybio (~ *rhywun* o
rywbeth) to doubt, to suspect
   2 tybio *Rwy'n amau mai ti sy'n iawn.* to suspect
   Sylwch: amheu- a geir ym mhob un o ffurfiau'r
   ferf ac eithrio'r rhai sy'n cynnwys -*as*-.
   amau braidd lled amau to be in some doubt
   amau dim (mewn brawddegau negyddol) bod
   yn sicr, *Nid wy'n amau dim.* to have no doubts
   amau nad mae 'nad' yn gadarnhaol yn dilyn
   y ferf hon pan olyga 'doubt', *Dydw i ddim yn
   amau nad chi sy'n iawn.* to have no doubt that

ambarél *eb* (ambarelau) teclyn ar ffurf canopi
ar bolyn a ddefnyddir i gysgodi rhag y glaw
neu'r haul, ac y gellir ei agor a'i gau; ymbarél
umbrella

ambegynol *ans*
   1 yn amgylchynu un o begynau'r Ddaear
   neu yng nghyffiniau'r naill begwn neu'r llall
   circumpolar
   2 SERYDDIAETH i'w weld yn barhaus uwchlaw'r
   gorwel, e.e. *seren ambegynol* circumpolar

ambell:ambell i *ans* heb fod yn aml neu'n
fynych *Cawn ambell ddiwrnod cynnes yn y
gaeaf.*; achlysurol, anfynych occasional, some
   Sylwch: mae *ambell* yn dod o flaen enw ac
   yn achosi treiglad meddal. Nid yw'n cael ei
   ddilyn gan 'i' mewn arddull ffurfiol.
   ambell dro gw. tro
   ambell un rhyw ychydig a few
   ambell waith weithiau occasionally

ambilen *eb* (ambilenni) corion; pilen allanol y
ddwy bilen sy'n gorchuddio embryo mamolyn,
aderyn neu ymlusgiad; mewn mamolyn mae'n
rhan o'r brych chorion

ambiwlans *eg* (ambiwlansys) cerbyd arbennig i
gludo cleifion ambulance

ambr¹ *eg* hylif gludiog a ddiferodd o goed
pinwydd filiynau o flynyddoedd yn ôl ac sydd
bellach wedi ymgaregu amber

ambr² *ans* o'r un lliw brown ag ambr amber

amcan *eg* (amcanion)
   1 yr hyn yr anelir ato; bwriad, nod, perwyl,
targed intention, objective

2 dealltwriaeth neu wybodaeth anghyflawn,
syniad bras; clem, crap notion

amcanbrisio *be* [amcanbrisi•²] amcangyfrif pris
neu werth (rhywbeth) to estimate

amcanestyniad *eg* (amcanestyniadau)
amcan o bosibiliadau'r dyfodol yn seiliedig
ar dueddiadau'r presennol; rhagamcaniad
projection

amcanfesur *be* [amcanfesur•¹] amcangyfrif
maint (rhywbeth) to estimate

amcangyfrif¹ *eg* (amcangyfrifon) cyfrif bras o
faint neu bris (rhywbeth) estimate

amcangyfrif² *be* [amcangyfrif•¹] cynnig syniad
bras o faint neu bris (rhywbeth), bwrw amcan
(am); amcanu to estimate

amcanu *be* [amcan•³]
   1 anelu at amcan neu nod; arfaethu, bwriadu,
cyrchu to aim, to intend
   2 bwrw amcan (o); amcangyfrif, dyfalu to estimate

amcanus *ans* llawn pwrpas, penderfynol;
bwriadol, bwriadus purposeful

amchwaraefa *eb* (amchwaraefeydd) adeilad
crwn neu hirgrwn â rhesi o seddau yn codi o
gylch agored yn ei ganol; maes neu arena lle
y cynhelir gêmau a chystadlaethau cyhoeddus
amphitheatre

amdaith *eb* (amdeithiau) taith gyson yn cynnwys
nifer penodol o alwadau neu leoliadau (e.e. gan
farnwr, gweinidog, theatr, etc.); cylchdaith
circuit

amdanaf gw. am

amdani *ebychiad* fel yn *Ewch/awn amdani!*
go for it

amdo *eg* (amdoeau) y wisg a roddir am gorff
marw; amwisg shroud

amdoi *be* [amdo•¹⁷ 1 un. pres.amdoaf]
gorchuddio ag amdo; amwisgo (~ *rhywbeth*
mewn, yn) to enshroud, to shroud

amdorchi *be* [amdorch•¹] amgylchynu,
e.e. â thorch o flodau (~ *rhywun/rhywbeth* â)
to wreathe

amdoriad *eg* (amdoriadau) canlyniad torri
neu ysigo rhywbeth, yn enwedig rhywbeth o
ddefnydd caled fracture

amdro *ans* yn troi o gwmpas echel fel olwyn
rotary

amdroi *be* [amdro•¹⁷]
   1 cylchu o gwmpas pwynt canolog, troi ar
echelin; cylchdroi, chwyldroi to revolve
   2 dolennu, ymdroelli (fel afon) to meander
   3 troi neu lapio o gwmpas to fold, to wrap

amddifad *ans* [amddifat•] (amddifaid) wedi'i
adael heb rieni, wedi'i adael heb gymorth nac
ymgeledd; anghenus, diymgeledd orphaned,
destitute

amddifadedd *eg*
   1 y cyflwr o fod heb rai o angenrheidiau bywyd

neu o fod yn ddifreintiedig neu'n dlawd;
amddifadrwydd deprivation, destitution
2 y weithred o fynd â rhywbeth a ystyrir yn
angenrheidiol oddi ar rywun deprivation

amddifadiad *eg* (amddifadiadau) y cyflwr o
fod heb rywbeth, e.e. amddifadiad emosiynol,
amddifadiad diwylliannol, etc. deprivation

amddifadrwydd *eg* y cyflwr o fod yn blentyn
amddifad; amddifadedd orphanhood,
destitution

amddifadu *be* [amddifad•³] tynnu ymaith
ymgeledd a chymorth oddi wrth (rywun); mynd
â rhywbeth oddi ar (rywun); gwneud plentyn
yn amddifad; difreinio (~ *rhywun o rywbeth*)
to deprive, to orphan

amddifadus *ans* heb fod ganddo angenrheidiau
bywyd neu amgylchfyd llesol; difreintiedig
deprived

amddifaid¹ *ans* ffurf luosog amddifad

amddifaid² *ell* rhai amddifad

amddifatach:amddifataf:amddifated *ans*
[amddifad] mwy amddifad; mwyaf amddifad;
mor amddifad

amddiffyn *be* [amddiffynn•⁹]
1 cadw rhag drwg neu niwed, diogelu rhag
ymosodiadau; cysgodi, gwarchod, gwared
(~ *rhywun/rhywbeth* **oddi wrth, rhag** *rhywun/
rhywbeth*) to defend, to protect
2 CYFRAITH (mewn llys barn) pledio achos
(diffynnydd) to defend
 Sylwch: dyblwch yr 'n' ym mhob ffurf ac
 eithrio yn y rhai sy'n cynnwys *-as-.*

amddiffynadwy *ans* y gellir ei amddiffyn
defensible

amddiffynedig *ans* wedi'i amddiffyn protected

amddiffynfa *eb* (amddiffynfeydd) lle cadarn
wedi'i lunio i wrthsefyll ymosodiadau;
cadarnle, caer fortress

amddiffyniad *eg* (amddiffyniadau)
1 y gwaith neu'r weithred o amddiffyn defence
2 tystiolaeth neu ddadleuon yn erbyn
cyhuddiad defence
3 CYFRAITH (mewn llys barn) achos neu ochr y
diffynnydd defence

amddiffynnol *ans*
1 yn amddiffyn; gwarcheidiol, gwarchodol
defensive, protective
2 yn canolbwyntio ar ymwrthod ag ymosodiad
neu feirniadaeth defensive

amddiffynnwr:amddiffynnydd *eg*
(amddiffynwyr) un sy'n amddiffyn neu'n diogelu;
ceidwad, gwarcheidwad defender, upholder

amddiffynwraig *eb* merch neu wraig sy'n
amddiffyn defender

ameba gw. amoeba

amedr *eg* (amedrau) offeryn sy'n mesur cerrynt
trydanol mewn amperau ammeter

amen *eb* (ameniau) gair a ddefnyddir fel
diweddglo i emyn neu weddi; mae'n golygu
'felly y byddo' amen

amenedigol *ans* MEDDYGAETH yn perthyn
i gyfnod o rai wythnosau cyn ac ar ôl
genedigaeth perinatal

amenio *be* [ameni•⁶] *ffigurol* gosod sêl bendith
ar (rywbeth); cymeradwyo to approve, to rubber
stamp

Americanaidd *ans*
1 yn perthyn i America, nodweddiadol o
America American
2 yn perthyn i Unol Daleithiau America,
nodweddiadol o Unol Daleithiau America
American

Americaneiddio *be* [Americaneiddi•²] troi neu
wneud yn Americanaidd to Americanize

Americanes *eb* merch neu wraig o America
American

Americanwr *eg* (Americanwyr) brodor neu
ddinesydd o un o wledydd America (Gogledd,
Canol neu Dde) American

americiwm *eg* elfen gemegol rhif 95; metel
ymbelydrol sy'n cael ei greu'n artiffisial o
blwtoniwm (Am) americium

Amerindiad *eg* (Amerindiaid) un o frodorion
gwreiddiol Gogledd neu Dde America
Amerindian

amfeddiad *eg* (amfeddiadau) CYFRAITH y
broses o amfeddu, canlyniad amfeddu
impropriation

amfeddu *be* [amfedd•¹] CYFRAITH trosglwyddo
meddiant neu reolaeth (o eiddo eglwysig) i
leygwr to impropriate

amfesur *eg* (amfesurau) perimedr; hyd llinell
ddi-dor sy'n ffin i ffigur geometrig caeedig
perimeter

amffetamin *eg* (amffetaminau) cyffur synthetig
grymus sy'n ysgogi'r system nerfol ganolog, ac
y gellir mynd yn gaeth iddo amphetamine

amffibiad *eg* (amffibiaid) SWOLEG unigol
amffibiaid amphibian

amffibiaid *ell* SWOLEG dosbarth o anifeiliaid
gwaed oer yn cynnwys y llyffant a'r broga, sy'n
gallu byw mewn dŵr croyw yn ogystal ag ar dir
sych Amphibia, amphibians

amffibiaidd *ans*
1 SWOLEG yn perthyn i amffibiaid,
nodweddiadol o amffibiaid amphibian
2 wedi'i wneud i'w ddefnyddio ar dir ac yn y
dŵr amphibious

amffinio *be* [amffini•⁶]
1 gosod terfynau problem, pwnc, maes, etc.
to delimit
2 CYFRIFIADUREG pennu drwy gyfrwng nod neu
symbol ddechrau neu ddiwedd maes, llinyn,
etc. to delimit

amffitheatr *eg* (amffitheatrau) adeilad crwn neu hirgrwn â rhesi o seddau yn codi o gwmpas maes agored; amchwaraefa, arena, amphitheatre

amffoterig *ans* CEMEG (am gyfansoddyn) yn gallu gweithredu fel bas neu asid amphoteric

amg *byrfodd* amgaeedig enclosed

amgaeaf *bf* [amgáu] rwy'n amgáu; byddaf yn amgáu

amgaeedig *ans* wedi'i gau i mewn, wedi'i gynnwys oddi mewn; cynwysedig, ymhlyg enclosed, surrounded

amganol *eg* MATHEMATEG pwynt canol amgylch circumcentre

amgant *eg* (amgantau) MATHEMATEG ymyl neu ffin allanol arwynebedd neu wrthrych; perifferi periphery

amgantol *ans* MATHEMATEG yn perthyn i'r amgant, wedi'i leoli ar yr amgant peripheral

amgarn *eg* (amgarnau)
1 cylch o fetel a roddir ar waelod coes o bren (e.e. ffon gerdded) i'w gryfhau a'i gadw rhag hollti; fferul ferrule
2 llawes o fetel sy'n creu uniad tyn rhwng pibau; fferul ferrule

amgáu *be* [amgae•[1] 3 un. pres. amgae/amgaea; 2 un. gorch. amgae/amgaea]
1 cau i mewn, cynnwys y tu mewn i (rywbeth); amgylchynu, cwmpasu, cylchynu (~ *rhywbeth* â) to enclose, to surround
2 *hanesyddol* cau tiroedd amaethyddol i'w gwneud yn eiddo personol i dirfeddiannwr to enclose

amgeledd *eg* (amgeleddau) *hynafol* gofal, cysur, ymgeledd care

amgen *ans*
1 a ddefnyddir yn lle rhywbeth arall; amryw, arall, gwahanol alternative, different, other
2 yn perthyn i ffordd o fyw neu ddull o weithredu sy'n wahanol i'r un traddodiadol neu'n ei herio alternative
nid amgen hynny yw namely
nod amgen rhywbeth sy'n gwahaniaethu rhwng un peth neu berson a'r gweddill distinguishing feature
os amgen os fel arall if otherwise

amgodio *be* [amgodi•[2]] CYFRIFIADUREG trosi llythrennau a symbolau i ffurf ddigidol; codio to encode

amgrom *ans* ffurf fenywaidd **amgrwm**

amgrwm *ans* yn crymu o'r tu allan fel cefn llwy neu ochr allan cylch; y gwrthwyneb i 'ceugrwm' convex

amgrymedd *eg* (amgrymeddau) y cyflwr o fod yn amgrwm convexity

amgryptio *be* [amgrypti•[2]] cyfieithu (data) i god (er mwyn cyfyngu ar y rhai sy'n medru eu darllen/deall); cuddio drwy gyfieithu i god to encrypt

amgueddfa *eb* (amgueddfeydd) lle i gadw ac arddangos eitemau sy'n gysylltiedig â hanes, byd natur, celfyddyd, peiriannau, etc. museum

amgyffred[1] *be* [amgyffred•[1]] deall, dirnad, sylweddoli, *A yw'n amgyffred faint o drafferth y bydd hyn i gyd yn ei achosi?* to comprehend

amgyffred[2]:amgyffrediad *eg* (amgyffredion:amgyffrediadau) dealltwriaeth, dirnadaeth, sylweddoliad, *Does ganddo ddim amgyffred o'r costau sydd ynghlwm â'r peth.*; clem, crap, syniad comprehension, concept, perception

amgylch *eg* (amgylchau:amgylchoedd) MATHEMATEG cylch sydd wedi'i amsgrifio o amgylch ffigur arall circumcircle, circumscribed circle
o amgylch [o'm hamgylch, o'th amgylch, o'i amgylch, o'i hamgylch, o'n hamgylch, o'ch amgylch, o'u hamgylch] o gwmpas around

amgylchedd *eg* (amgylcheddau)
1 cyfanswm yr holl ddylanwadau allanol ar ddyn, anifail, neu blanhigyn; amodau byw dyn, anifail, neu blanhigyn; amgylchfyd, cwmpas, cynefin environment
2 y byd naturiol, yn enwedig y modd y mae gwaith dyn yn effeithio arno (the) environment

amgylcheddiaeth *eb* pryder ynglŷn â mesurau diogelu'r amgylchedd environmentalism

amgylcheddol *ans* yn ymwneud â'r amgylchedd environmental

amgylcheddwr *eg* (amgylcheddwyr) un sy'n poeni am yr amgylchedd, yn enwedig am lygredd dŵr ac aer; un sy'n ceisio amddiffyn yr amgylchedd environmentalist

amgylchfyd *eg* (amgylchfydoedd) y byd corfforol o amgylch dyn, anifail, neu blanhigyn, amodau byw dyn, anifail, neu blanhigyn; amgylchedd environment

amgylchiad *eg* (amgylchiadau) digwyddiad penodol; achlysur, achos, sefyllfa circumstance, event

amgylchiadau *ell* lluosog **amgylchiad**, cyfuniad arbennig o achlysur, cyflwr a digwyddiadau sy'n effeithio ar rywbeth
o dan yr amgylchiadau ar ôl ystyried popeth under the circumstances

amgylchiadol *ans*
1 yn dibynnu ar yr amgylchiadau circumstantial
2 perthnasol (ond heb fod yn hanfodol) circumstantial

amgylchu *be* [amgylch•[1]] MATHEMATEG tynnu llinell ar ffurf cylch o amgylch ffigur penodol sy'n cyffwrdd â chynifer o bwyntiau â phosibl ar y ffigur to circumscribe

amgylchynol *ans* yn amgylchynu, o gwmpas; cylchynol surrounding, ambient

amgylchynu *be* [amgylchyn•[1]] ffurfio cylch o gwmpas; amgáu, cwmpasu to surround

amharchu *be* [amharch•[13]] peidio â pharchu; bychanu, difenwi, gwaradwyddo, gwarthruddo to dishonour, to disrespect
  Sylwch: ceir 'h' ym mhob ffurf ac eithrio yn y rhai sy'n cynnwys -*as*-.

amharchus *ans* heb barch na boneddigeiddrwydd; di-barch, difriol, dilornus, dirmygus disrespectful
  amharchus o fe'i defnyddir i ddwysáu ystyr ansoddair, *yn amharchus o ddoniol*

amhariad *eg* (amhariadau) lleihad mewn grym, ansawdd neu faint; amhariaeth, gwanychiad, nam impairment
  Sylwch: wrth gyfeirio at bobl, defnyddiwch 'nam'.

amhariaeth *eb* (amhariaethau) y broses o amharu, canlyniad amharu; amhariad, gwanychiad impairment

amharod *ans* [amharot•]
  1 heb fod yn barod; heb ei baratoi (~ i) unprepared
  2 anewyllysgar, anfodlon, anfoddog, cyndyn (~ i) unwilling, reluctant

amharodrwydd *eg* y cyflwr o fod yn amharod; anfodlonrwydd, anfodd, cyndynrwydd (~ i) reluctance, unpreparedness

amharotach:amharotaf:amharoted *ans* [amharod] mwy amharod; mwyaf amharod; mor amharod

amharu *be* [amhar•[13]] achosi amhariaeth, gwneud yn llai effeithiol, *Mae ymddygiad Gerwyn yn amharu ar waith gweddill y dosbarth.*; andwyo, tarfu ar (~ ar) to impair, to harm
  Sylwch: ceir 'h' ym mhob ffurf ac eithrio yn y rhai sy'n cynnwys -*as*-.

amhendant *ans* heb fod yn bendant, yn tueddu at amhendantrwydd; amhenodol, amwys, annelwig, penagored indefinite, indecisive

amhendantrwydd *eg* y cyflwr o fod yn amhendant, diffyg pendantrwydd; amhenodolrwydd, ansicrwydd, petruster indecisiveness, indefiniteness

amhenderfynadwy *ans* nad oes modd ei benderfynu indeterminable

amhenderfynedig *ans* heb ei benderfynu undetermined

amhenderfynol *ans* ansicr ynglŷn â'r ffordd o fynd ymlaen; amhendant, petrus irresolute

amhenodol *ans* heb fod yn benodol nac yn neilltuol; amhendant, amwys, penagored indeterminate, indefinite, conditional

amhenodolrwydd *eg* y cyflwr o fod yn amhenodol; amhendantrwydd, amwysedd, aneglurder indeterminacy

amherffaith *ans* [amherffeith•] (amherffeithion)
  1 heb fod yn berffaith, a nam arno; anghyflawn, diffygiol, gwallus imperfect
  2 GRAMADEG *Amser Amherffaith* oedd yn arfer cael ei ddefnyddio ar gyfer yr **Amser Amhenodol**, ond yn y geiriadur hwn cyfyngir yr *Amser Amherffaith* i ffurfiau 'bod', *oeddwn, oeddet*, etc. gw. *Y Tabl Berfau* imperfect

amherffeithach:amherffeithaf:amherffeithed *ans* [amherffaith] mwy amherffaith; mwyaf amherffaith; mor amherffaith

amherffeithion *ell* pethau amherffaith

amherffeithrwydd *eg* y cyflwr o fod yn amherffaith imperfection

amhersain *ans* heb fod yn bersain; anghyseiniol, ansoniarus, cras dissonant, discordant

amhersonol *ans*
  1 heb ddangos teimladau neu ddiddordeb personol impersonal
  2 GRAMADEG yn nodi ffurf ar y ferf nad yw'n dynodi pwy sy'n gwneud y weithred (y goddrych), e.e. ciciwyd y bêl impersonal

amherthnasol *ans* heb fod yn berthnasol, nad yw'n ymwneud â dim byd, heb fod ar y pwnc; diangen irrelevant

amherthnasolion *ell* pethau amherthnasol irrelevancies

amherthynol *ans* heb berthyn, heb gysylltiad unrelated

amhetrus *ans* heb os nac oni bai; diamau, diymwad, sicr indubitable, undoubted

amheuaeth *eb* (amheuon) y cyflwr o fod yn amau, neu enghraifft ohono; ansicrwydd, drwgdybiaeth, petruster suspicion, doubt, distrust

amheuaf *bf* [amau] rwy'n amau; byddaf yn amau

amheugar *ans* llawn amheuon; agnostig, drwgdybus sceptical

amheuon *ell* lluosog **amheuaeth** misgivings, suspicions

amheus *ans*
  1 yn drwgdybio; drwgdybus suspicious
  2 yn amau; anargyhoeddedig, ansicr, petrus doubtful
  3 am iaith neu ymddygiad sy'n ymylu ar y garw a'r aflednais; amwys, brith, coch, di-chwaeth ambiguous, dubious

amheuthun *ans*
  1 ac arno flas da; blasus, danteithiol, ffein, sawrus delicious, scrumptious
  2 prin, anghyffredin, *Profiad amheuthun oedd cael ei glywed yn perfformio'n fyw.* rare

amheuwr *eg* (amheuwyr)
  1 un sy'n amau'r posibilrwydd o wybodaeth sicr; sgeptig sceptic

2 un sy'n amau credoau crefyddol, e.e. bodolaeth Duw, bywyd tragwyddol, etc.; anghrediniwr, anffyddiwr sceptic

3 un sy'n drwgdybio pawb a phopeth; anghredadun, anghrediniwr sceptic

amhlantadwy *ans* (am wraig) yn methu cael plant; anffrwythlon infertile, barren

amhleidgarwch *eg* y cyflwr o beidio â chefnogi un blaid neu garfan yn fwy nag un arall impartiality

amhleidiol *ans* heb fod yn fwy pleidiol i un nag i un arall; diduedd, di-dderbyn-wyneb, diragfarn impartial

amhleserus *ans* heb fod yn bleserus; anhyfryd, annifyr, annymunol unpleasant

amhoblog *ans* heb fawr o boblogaeth, prin o bobl; anghyfannedd sparsely populated, unpopulated

amhoblogaidd *ans* heb fod yn boblogaidd, cas gan bobl neu'n annerbyniol ganddynt; anghymeradwy, annerbyniol, gwrthodedig unpopular

amhoblogrwydd *eg* y cyflwr o fod yn amhoblogaidd unpopularity

amholiticaidd *ans* heb gysylltiad na diddordeb mewn gwleidyddiaeth apolitical, unpolitical

amhosibilrwydd *eg* y cyflwr o fod yn amhosibl; rhywbeth amhosibl impossibility

amhosibl *ans* heb fod yn bosibl, na ellir ei wneud; annichon, annichonadwy (~ **i** *rywun* wneud) impossible

amhosibl o fe'i defnyddir i ddwysáu ystyr ansoddair, *amhosibl o anodd*

amhreswyliadwy *ans* na ellir byw ynddo; anhrigiadwy uninhabitable

amhriodol *ans* heb fod yn briodol, heb fod yn addas i'r achlysur; anghyfaddas, anaddas inappropriate, improper

amhriodoldeb *eg* y cyflwr o fod yn amhriodol, diffyg priodoldeb; anaddasrwydd, anaddaster, anffitrwydd inappropriateness

amhrisiadwy *ans* uwchlaw gwerth, y tu hwnt o werthfawr inestimable, invaluable, priceless

amhrofiadol *ans* heb brofiad; dibrofiad inexperienced

amhroffesiynol *ans* heb fod yn broffesiynol, yn methu safonau proffesiwn unprofessional

amhroffidiol *ans* heb ddwyn elw; dielw unprofitable

amhrydferth *ans* heb fod yn brydferth, heb fod yn hardd; anhardd, diolwg, hyll, salw plain, ugly

amhrydferthwch *eg* diffyg prydferthwch, diffyg harddwch; aflunieidd-dra, anharddwch, hagrwch, ugliness

amhrydlon *ans* heb fod yn brydlon; hwyr unpunctual

amhrydlondeb *eg* y cyflwr neu'r arfer o fod yn amhrydlon unpunctuality

amhûr *ans* [amhur•] heb fod yn bur; aflan, brwnt, budr, halogedig, llygredig impure

amhurdeb *eg* y cyflwr o fod yn amhûr; amhuredd impurity

amhuredig *ans* heb ei buro; anghoeth unrefined

amhuredd *eg* (amhureddau)

1 y cyflwr o fod yn amhûr impurity, uncleanness

2 ansoddyn sy'n amharu ar burdeb rhywbeth impurity

amhuriad *eg* y weithred neu'r broses o amhuro, canlyniad amhuro; difwyniad, halogiad, llygriad pollution

amhuro *be* [amhur•¹] llygru neu ddifwyno drwy ychwanegu defnydd estron neu o ansawdd gwael; halogi to pollute

amhwylledd *eg* y cyflwr o fod wedi colli pwyll; gwallgofrwydd, ynfydrwydd madness, folly, rashness

amhwysigrwydd *eg* diffyg pwysigrwydd; dinodedd, distadledd unimportance

amin *eg* (aminau) CEMEG cyfansoddyn organig lle mae grŵp alcyl organig yn amnewid ag un neu ragor o'r atomau hydrogen sydd mewn amonia amine

amitosis *eg* BIOLEG ffurf anarferol ar gellraniad lle mae'r cnewyllyn a'r cytoplasm yn ymrannu heb ffurfio cromosomau amitosis

aml¹ *ans* [aml•]

1 (yn dilyn yr hyn a oleddfir) cyson, mynych, *bysiau aml* frequent, regular

2 (o flaen yr hyn a oleddfir) niferus, llawer, *Mae aml flwyddyn wedi mynd heibio. Awdur aml ei syniadau.* many, numerous

Sylwch: mae'n achosi treiglad meddal pan ddaw o flaen enw.

yn aml nifer o weithiau frequently, often

yn amlach na heb:yn amlach na pheidio go aml, fel arfer more often than not

aml-² (mewn cyfuniad) llawer o, nifer o, e.e. *amlbwrpas* multi-

Sylwch: mae'n achosi treiglad meddal.

amlannirlawn *ans* CEMEG (am gyfansoddyn organig, yn enwedig braster neu olew) yn cynnwys nifer o fondiau cemegol dwbl neu driphlyg rhwng atomau carbon polyunsaturated

amlap *ans*

1 yn dynodi math o ofal plant y tu allan i oriau ysgol wrap-around

2 CYFRIFIADUREG (am air ar sgrin) yn cario ymlaen yn awtomatig i linell newydd wrth gyrraedd yr ymyl wrap-around

amlapio *be* [amlapi•²] gorchuddio â rhywbeth (sy'n ei amgylchynu fel clawr) (~ *rhywun/ rhywbeth* **mewn, yn**) to wrap

amlbegynol *ans*
1 FFISEG yn cynnwys sawl pegwn (mannau lle mae trydan yn cronni) multipolar
2 BIOLEG (am nerfgelloedd) yn cynnwys nifer o ddendridau multipolar
3 (yn y byd gwleidyddol) yn cynnwys nifer o bwerau mawrion ag amrywiaeth o ddiddordebau yn hytrach na dau bŵer mawr â diddordebau gwrthgyferbyniol multipolar
amlbrosesydd *eg* (amlbrosesyddion) cyfrifiadur â mwy nag un prosesydd canolog multiprocessor
amlbwrpas *ans* ac iddo sawl diben neu bwrpas multipurpose
amlder:amldra *eg* (amlderau)
1 y cyflwr o fod yn aml neu'n helaeth; cyflawnder, helaethrwydd, lliaws, toreth abundance
2 y gyfradd y mae rhywbeth yn digwydd dros gyfnod penodol o amser neu mewn sampl ystadegol frequency
dosraniad amlder gw. **dosraniad**
amlddefnyddiwr *ans* CYFRIFIADUREG (am system gyfrifiadurol) y gellir ei defnyddio gan nifer o bobl ar yr un pryd multi-user
amlddimensiynol *ans* yn ymwneud â nifer o ddimensiynau multidimensional
amlddirgrynydd *eg* (amlddirgrynyddion) ELECTRONEG cylched electronig sy'n switsio'n sydyn rhwng dau neu ragor o gyflyrau drwy gyfrwng adborth positif multivibrator
amlddisgyblaethol *ans* yn cyfuno nifer o feysydd arbenigol (academaidd fel arfer) multidisciplinary
amlddiwylliannol *ans* yn deillio o ddiwylliannau gwahanol, ar gyfer nifer o ddiwylliannau multicultural
amldduwiaeth *eb*
1 y cyflwr o fod yn credu mewn mwy nag un duw polytheism
2 y cyflwr o fod yn addoli mwy nag un duw polytheism
amledd *eg* (amleddau)
1 nifer y tonfeddi radio yr eiliad y mae sianel radio analog yn eu defnyddio i ddarlledu, *Mae Radio Cymru yn darlledu ar amledd o 93 cilohertz.* frequency
2 FFISEG cyfradd ailadrodd digwyddiad (e.e. pendil cloc, cerrynt eiledol, ton golau) dros gyfnod penodol o amser frequency
amleiriog *ans* yn defnyddio gormod o eiriau; anghryno, cwmpasog, hirwyntog long-winded, verbose
amlen *eb* (amlenni) cas llythyr, clawr envelope
amlfesurydd *eg* (amlfesuryddion) ELECTRONEG dyfais i fesur cerrynt, foltedd, ac fel arfer gwrthiant multimeter
amlfynediad *ans* CYFRIFIADUREG (am system gyfrifiadurol) yn caniatáu cysylltiad cydamserol rhwng nifer o derfynellau multi-access

amlffurf *ans* ar gael ar sawl ffurf neu ymddangosiad; amlweddog, amryffurf multiform
amlgellog *ans* yn cynnwys llawer o gelloedd multicellular
amlgenhedlig *ans* yn cynnwys pobl neu ddiwylliannau o wahanol rannau o'r byd cosmopolitan
amlgyfeiriol *ans* yn ymestyn i nifer o gyfeiriadau gwahanol multidirectional
amlgyfrwng *ans* yn defnyddio cyfuniad o dechnolegau cyfathrebu, neu ddulliau celf (e.e. cyfrifiadur yn defnyddio sain, lluniau a fideo) multimedia
amlhad *eg* (amlhadau) lluosogiad mewn nifer; cynnydd, twf, tyfiant increase, proliferation
amlhau *be* [amlha•[14]] mynd neu wneud yn fwy o ran nifer; cynyddu, helaethu, lluosogi, tyfu to increase, to proliferate
amlhiliol *ans* yn cynnwys nifer o grwpiau ethnig gwahanol; ar gyfer cyfuniad o grwpiau ethnig multiethnic
amlieithog *ans*
1 wedi'i fynegi mewn nifer o ieithoedd, *geiriadur amlieithog* multilingual
2 yn gallu siarad neu ddeall nifer o ieithoedd multilingual, polyglot
amlinell *eb* (amlinellau) llinell neu linellau sy'n dynodi ffin allanol gwrthrych neu ffigur outline
amlinelliad *eg* (amlinelliadau)
1 y llinell sy'n dangos ffurf neu derfyn; cyfuchlin, siâp outline, contour
2 braslun, drafft, *Cyflwynodd amlinelliad o'i gynlluniau ar gyfer y dyfodol.* outline, sketch
amlinellol *ans* ar ffurf amlinelliad neu fraslun schematic
amlinellu *be* [amlinell•[1]]
1 tynnu neu greu llinell sy'n dangos ffurf neu fraslun; braslunio, darlunio, drafftio, portreadu to outline
2 adrodd yn fras gan nodi'r prif bwyntiau yn unig; braslunio to outline
aml-lawr *ans* yn cynnwys nifer o loriau, *maes parcio aml-lawr*; amrylawr multistorey
aml-linynnol *ans* yn cynnwys llawer o linynnau multistranded
aml-liwiog *ans* yn cynnwys llawer o liwiau; amryliw, brith, lliwgar multicoloured
amlochrog *ans*
1 â llawer o ochrau neu arweddau; cynhwysfawr many-sided
2 yn gallu gwneud llawer o bethau; amryddawn versatile
amlorchwyl *ans* yn medru cyflawni nifer o dasgau ar yr un pryd multitasking
amlosgfa *eb* (amlosgfeydd) adeilad arbennig lle y caiff cyrff meirwon eu llosgi'n ulw crematorium

amlosgi *be* [amlosg•¹] troi (corff marw) yn lludw drwy ei losgi to cremate

amlsianel *ans* yn meddu ar nifer o sianelau (cyfathrebu), e.e. am deledu multichannel

amlsillafog *ans* yn cynnwys mwy na dwy sillaf; lluosill polysyllabic

amlswyddogaethol *ans* yn cyflawni mwy nag un swyddogaeth multifunctional

amlsynhwyraidd *ans* yn ymwneud â mwy nag un o'r synhwyrau (e.e. gweld a chlywed) multisensory

amlweddog *ans* yn meddu ar sawl gwedd neu ffurf; amlffurf, amryfath, amryffurf, polymorffig multifaceted, multiform

amlwg *ans* [amlyc•]
1 hawdd ei ddeall; clir, eglur, hysbys clear, evident, obvious
2 hawdd ei weld; gweladwy, gweledig conspicuous, noticeable, visible
3 i'w weld yn glir (o'i gymharu â phethau neu bobl eraill); adnabyddus, blaengar, blaenllaw eminent, famous, prominent
dod i'r amlwg gw. **dod**¹

amlwladol *ans* yn gweithredu mewn mwy nag un wlad multinational

amlwladoldeb *eg* trefn sy'n gweithredu mewn mwy nag un wlad multinationalism

amlwreiciaeth *eb* y cyflwr o fod yn briod â mwy nag un wraig ar yr un pryd polygamy

amlwreiciog *ans* priod â mwy nag un wraig ar yr un pryd polygamous

amlwreiciwr *eg* (amlwreicwyr) gŵr sy'n briod â mwy nag un wraig ar yr un pryd polygamist

amlwriaeth *eb* y cyflwr o fod yn briod â mwy nag un gŵr ar yr un pryd polyandry

amlwriog *ans* priod â mwy nag un gŵr ar yr un pryd polyandrous

amlwyddorol *ans* (am astudiaeth) yn defnyddio cyfuniad o ddisgyblaethau academaidd gwahanol multidisciplinary

amlwyth *eg* (amlwythi) cynhwysydd mawr metel o faint safonol ar gyfer cludo nwyddau ar long, lorri neu awyren, ac y gellir ei symud drwy ddefnyddio peiriannau container

amlwytho *be* [amlwyth•¹] pacio neu gludo mewn amlwythi to containerize

amlycach:amlycaf:amlyced *ans* [amlwg] mwy amlwg; mwyaf amlwg; mor amlwg

amlygiad *eg* (amlygiadau)
1 y broses o amlygu, canlyniad amlygu; dadleniad, datgeliad, ymddangosiad disclosure, manifestation
2 y weithred o adael i egni pelydrol (e.e. golau) ddisgyn ar bapur neu blât ffotograffig; hefyd hyd yr amser y mae hyn yn digwydd exposure

amlygrwydd *eg* y cyflwr o fod yn amlwg; cyhoeddusrwydd, enwogrwydd, statws prominence, conspicuousness

amlygu *be* [amlyg•¹] dwyn i'r amlwg, gwneud yn amlwg; arddangos, dadlennu, dangos, datgelu to display, to highlight, to reveal
(fy) amlygu fy (dy, ei, etc.) hun dangos fy mod yn gallu (gwneud rhywbeth), ennill enwogrwydd fel

amlynciad *eg* BIOLEG y weithred o gymryd bwyd a diod i mewn i'r corff drwy'r geg ingestion

amlyncu *be* [amlync•¹]
1 BIOLEG cymryd (bwyd, diod neu sylwedd arall) i mewn i'r corff drwy lyncu to ingest
2 BIOLEG (am amoeba) cymryd bwyd i mewn drwy lifo drosto a'i amgáu to engulf

amnaid *eb* (amneidiau) arwydd â'r pen, y llaw, etc. nod, sign

amneidio *be* [amneidi•²] gwneud arwydd â'r pen, y llaw, etc.; arwyddo, nodio (~ **ar** *rywun*) to beckon, to nod

amnesia *eg* MEDDYGAETH anghofrwydd sy'n deillio o niwed i'r ymennydd neu drawma seicolegol amnesia

amnest *eg* (amnestau) pardwn neu faddeuant i grŵp mawr o bobl; yn wreiddiol am droseddau gwleidyddol ond erbyn hyn am droseddau eraill, e.e. am beidio â thalu dirwyon amnesty

amnewid *be* [amnewidi•²] gosod un peth yn lle peth arall, e.e. atom mewn moleciwl, un nwydd neu adnodd am un arall, neu un gwerth mathemategol yn lle un arall; cyfnewid, newid (~ *rhywbeth* **am** *rywbeth arall*) to replace, to substitute

amnewidiad *eg* (amnewidiadau) y broses o amnewid; cyfnewidiad substitution

amnewidiadwy *ans* y gellir ei amnewid substitutionary

amnewidiadwyedd *eg* y cyflwr o fod yn amnewidiadwy substitutability

amnewidyn *eg* (amnewidynnau) rhywbeth sy'n cael ei gyfnewid am rywbeth arall substitute

amniocentesis *eg* MEDDYGAETH y broses o dynnu sampl o hylif amniotig o'r groth â nodwydd gau er mwyn gwneud profion am ffoetws annormal; pigiad brychbilen amniocentesis

amnion *eg* SWOLEG y bilen fewnol, denau a geir o gwmpas embryo mamolyn, aderyn neu ymlusgiad amnion

amniotig *ans* SWOLEG yn perthyn i'r amnion amniotic

amnyth *ans* yn gorwedd yn dwt y tu mewn i'r llall nested

amobr *eg* (amobrau) *hanesyddol* tâl i'w arglwydd gan ddeiliad adeg priodas ei ferch marriage fee, merchet

amod *eg* (amodau)
1 rhan o gytundeb lle mae un peth yn dibynnu ar rywbeth arall, *Roedd hi'n cael dod i'r cyngerdd ar yr amod y byddai'n gwisgo'i ffrog newydd.*; dealltwriaeth condition
2 fel yn *amodau byw*; amgylchiadau, cyflwr

amodau *ell* lluosog amod, amgylchiadau sy'n effeithio ar y ffordd y mae rhywun neu rywbeth yn gweithio neu'n bodoli, e.e. amodau gwaith, amodau byw

amodi *be* [amod•[1]] gosod amod neu amodau'n rhan o gytundeb to stipulate

amodiad *eg* (amodiadau) amod sy'n rhan o gytundeb stipulation

amodol *ans* darostyngedig i amod, dibynnol ar amod, yn rhagdybio amod; dibynnol conditional

amoeba:ameba *eg* (amoebau:amebau) BIOLEG organeb ungellog sy'n perthyn i'r Protosoa amoeba

amonia *eg* nwy di-liw ag arogl cryf sy'n gyfuniad o nitrogen a hydrogen; mae'n hydoddi mewn dŵr ac fe'i defnyddir i gynhyrchu gwrteithiau a ffrwydron ammonia

amorffaidd *ans*
1 heb siâp penodol; di-ffurf, di-lun, di-siâp amorphous
2 heb gymeriad na natur benodol; amhosibl ei ddosbarthu amorphous

amorteiddio *be* [amorteiddi•[2]] CYLLID ad-dalu dyled, e.e. morgais, dros gyfnod o amser to amortize

amour propre *eg* hunan-barch

amper *eg* (amperau) uned fesur safonol sy'n dynodi grym cerrynt trydanol yn cyfateb i un coulomb yr eiliad ampere

ampwla *eb* (ampwlâu)
1 llestr crwn â dwy ddolen a gâi ei ddefnyddio gan y Rhufeiniaid gynt; llestr i ddal olew cysegredig; costrel ampulla
2 ANATOMEG pen chwyddedig rhai dwythellau neu bibellau yn y corff ampulla

amrangwymp *eg* MEDDYGAETH gostyngiad rhan o'r amrant ptosis

amrant *eg* (amrannau) ANATOMEG un o'r ddau ddarn o groen sy'n gorchuddio pelen y llygad pan fydd y llygad ar gau eyelid
ar drawiad amrant yn yr amser byrraf y gellir ei ddychmygu in the twinkling of an eye

amrantiad *eg* trawiad llygad; chwinciad blink, instant
ar amrantiad yn gyflym iawn in the twinkling of an eye

amrediad *eg* (amrediadau)
1 yr amrywiaeth neu'r cwmpas sydd ar gael o fewn grŵp o bethau; rhychwant, ystod range
2 MATHEMATEG y gwahaniaeth rhwng y gwerth uchaf a'r gwerth isaf mewn set o ddata,

Marciau tîm Karim oedd 12, 8, 15, 11, 19 a 10. Amrediad y marciau yw 11. range
3 MATHEMATEG y set o werthoedd posibl sydd gan newidyn dibynnol ffwythiant penodol, *Amrediad y ffwythiant y = sin x yw'r holl rifau o −1 hyd at 1.* range

amrediad rhyngchwartel MATHEMATEG (mewn ystadegaeth) mesur o wasgariad data, sef y gwahaniaeth rhwng y chwartel cyntaf a'r trydydd chwartel interquartile range

amrwd *ans*
1 heb ei goginio raw
2 heb ei drin, heb ei gaboli (am bethau ac am bobl); anniwylliedig, crai, garw crude

amrwym *eg* (amrwymau) *hynafol* rhwymyn i lapio rhywun neu rywbeth ynddo binding, swathe

amrwymo *be* [amrwym•[1]] lapio mewn rhwymyn neu orchuddio gan rwymyn (~ *rhywbeth* **mewn, yn**) to bind, to swathe

amrydedd *eg* cyflwr amrwd, diffyg coethder crudeness, rawness

amryddawn *ans*
1 â llawer o ddoniau, galluog mewn nifer o ffyrdd; amlochrog versatile
2 BIOLEG (am facteria yn bennaf) yn gallu byw o dan fwy nag un math o amodau amgylcheddol facultative

amryfaen *eg* (amryfeini) clymfaen; craig waddod yn cynnwys darnau crwn neu led grwn yn amrywio o ran eu maint, yn gymysg â thywod a silt wedi'u clymu ynghyd â sment naturiol, e.e. silica conglomerate

amryfal *ans* yn cynnwys amrywiaeth o bethau neu o bobl; amryfath, amrywiol, gwahanol diverse, various
Sylwch: mae 'amryfal' yn arfer dod o flaen enw (*amryfal ganu*) ac yn achosi treiglad meddal.

amryfath *ans* o wahanol fathau; amlffurf, amryfal, amrywiol multifarious

amryfusedd *eg* (amryfuseddau) camgymeriad, camsyniad, dryswch, *Drwy ryw amryfusedd cafodd Tudur ei roi yn y dosbarth anghywir.* blunder, error

amryffurf *ans* ac iddo ffurfiau, gweddau, arddulliau neu gymeriadau amrywiol; amlweddog, polymorffig multiform, polymorphic

amryffurfedd *eg*
1 y cyflwr o fod yn amryffurf polymorphism
2 polymorffedd; bodolaeth gwahanol ffurfiau ymysg poblogaeth neu gytref, neu o fewn cylchred bywyd organeb, *Mae brenhines a gweithwyr y wenynen fêl yn arddangos amryffurfedd.* polymorphism
3 polymorffedd; amrywiaeth genetig o fewn poblogaeth, y gall detholiad naturiol weithredu arni polymorphism

amrylawr *ans* yn cynnwys nifer o loriau; aml-lawr multistorey

amryliw *ans* â nifer o liwiau'n perthyn iddo; aml-liwiog, brith, lliwgar multicoloured, motley, variegated

amryw[1] *eg* gwahanol rai, amrywiaeth diversity, variety

amryw[2] *ans* yn cynnwys sawl math o bobl neu bethau gwahanol various, sundry
   Sylwch: mae'n cael ei ddilyn gan ffurf luosog yr enw, *amryw dai*; mae'r diffyg treiglad yn 'amryw byd' yn eithriad.

amryw byd pob math multiplicity, wide range

amryweb *eb* (amrywebau) MATHEMATEG newidyn ystadegol ac iddo amrediad o werthoedd a bennir gan ddosraniad tebygolrwydd variate

amrywedd *eg* (amryweddau) y cyflwr o fod yn amrywiol variability

amrywiad *eg* (amrywiadau)
  1 newid neu wahaniaeth, yn enwedig newid oddi wrth y safon arferol, *Mae amrywiadau rhwng ffurfiau ieithyddol y tafodieithoedd a Chymraeg ffurfiol.* variation
  2 CERDDORIAETH fersiwn newydd o thema adnabyddus, e.e. *Amrywiadau Brahms ar Thema gan Haydn* variation
  3 BIOLEG gwahaniaeth rhwng organebau o'r un rhywogaeth, e.e. o ran lliw neu ffurf variation

amrywiaeth *eb* (amrywiaethau)
  1 fersiwn gwahanol i'r gwreiddiol variation
  2 nifer o bethau gwahanol, *Mae amrywiaeth o siopau yn y dref.*; cymysgedd, dewis, ystod variety, diversity, range

amrywiaethu *be* [amrywiaeth•[1]]
  1 darparu neu ddatblygu amrywiaeth; (am gwmni) ehangu amrediad ei gynnyrch neu ei wasanaethau; arallgyfeirio to diversify
  2 CYLLID amrywio, e.e. buddsoddiadau, er mwyn lleihau'r perygl o golli arian to diversify

amrywiant *eg* (amrywiannau) MATHEMATEG cyfradd neu fesur ystadegol o faint y mae mesuriadau wedi'u gwasgaru neu'n gwyro oddi wrth y cymedr variance

amrywio *be* [amrywi•[2]] newid, gwahaniaethu, *Mae'r lliwiau yn amrywio yn y golau. Mae'n amrywio'r fwydlen bob wythnos.* to vary, to differ

amrywiol *ans* (amrywiolion) heb aros yr un drwy'r amser, yn amrywio, yn cynnwys nifer o wahanol fathau (o bobl neu bethau); amryfal, amryfath, gwahanol, newidiol diverse, variable, various

amrywioldeb *eg* y cyflwr o fod yn amrywiol; (am fesur) y cyflwr o fedru derbyn gwerthoedd rhifiadol gwahanol variability

amrywiolion *ell* dau neu ragor o bobl neu bethau tebyg iawn i'w gilydd neu i'r hyn sydd i'w ddisgwyl ond â mân wahaniaethau rhyngddynt variants

amser *eg* (amserau:amseroedd)
  1 cyfnod o fodolaeth a gaiff ei fesur mewn oriau, munudau, eiliadau, etc. time
  2 cyfnod (mewn hanes), adeg, *Amser gorau fy mywyd oedd pan oeddwn yn bymtheg oed.*; epoc, oes time
  3 cyfeiriad at amser geni neu farw, *Roedd y fuwch yn cyrraedd ei hamser i fwrw llo.* time
  4 adeg arbennig, benodol, *amser cinio* time
  5 egwyl, seibiant, *Oes gen i amser i newid?* time
  6 CERDDORIAETH uned o rythm mewn darn o gerddoriaeth a ddynodir gan yr amsernod time
  7 GRAMADEG (Amser, gyda phriflythyren) ansawdd ieithyddol sy'n mynegi pryd y digwydd gweithred neu gyflwr a fynegir gan ferf tense
  Sylwch: am Amserau eraill y ferf, gw. *Y Tabl Berfau.*

Amser Amhenodol amser y ferf sy'n sôn naill ai am weithred neu am gyflwr sy'n parhau yn y gorffennol neu am arfer yn y gorffennol, *Eisteddai yn yr ardd gan edrych ar yr adar. Eisteddai yn yr ardd ar ddiwrnodau heulog.* Mae hefyd yn cyfleu'r amodol, *Mi brynwn i docyn ond...*; ffurfiau'r Amser Amhenodol Mynegol yw *bôn y ferf* + y terfyniadau -wn, -it, -ai, etc. Ceir defnydd cynyddol o'r ffurfiau Amhenodol cwmpasog ar lafar, *Roeddwn i'n cerdded i'r ysgol bob dydd.*, *Byddwn i'n prynu tocyn ond...* Imperfect Tense

Amser Amherffaith GRAMADEG enw a oedd yn arfer cael ei ddefnyddio ar gyfer yr *Amser Amhenodol*, ond yn y geiriadur hwn cyfyngir yr *Amser Amherffaith* i ffurfiau 'bod', *oeddwn, oeddet,* etc.; gw. *Y Tabl Berfau*

Amser Dyfodol (sef yr hyn y cyfeirir ato fel yr Amser Presennol yn draddodiadol) mae'n cyfeirio at rywbeth a fydd yn digwydd neu a ddaw i fodolaeth, *Gwelaf chi eto. Awn i'r ddrama heno.*; ffurfiau'r Amser Dyfodol Mynegol Syml yw *bôn y ferf* + y terfyniadau -af, -i, etc. Ceir defnydd cynyddol o'r ffurfiau berfol cwmpasog ar lafar, *Byddaf yn eich gweld eto. Byddwn ni'n mynd i'r ddrama heno. Gwnawn ni fynd i'r ddrama heno.* Future Tense

Amser Gorberffaith mae'n edrych ar y gorffennol o safbwynt y gorffennol, *Canaswn dri o'r darnau o'r blaen.*, *Gorffenasai ei waith cyn i mi gyrraedd.*; ffurfiau'r Amser Gorberffaith Mynegol Syml yw *bôn y ferf* + y terfyniadau -aswn, -asit, -asai, etc. Ceir defnydd cynyddol o'r ffurfiau berfol cwmpasog ar lafar, *Roeddwn i wedi canu tri o'r darnau o'r blaen. Roedd wedi gorffen ei waith cyn i mi gyrraedd.* Pluperfect Tense

Amser Gorffennol mae'n cyfeirio at gyflwr neu weithred a fu yn y gorffennol ac yn pwysleisio bod y cyflwr neu'r weithred wedi dod i ben, *Cerddais yr holl ffordd adref.*; ffurfiau'r Amser Gorffennol Mynegol Syml yw *bôn y ferf* + y terfyniadau -ais, -aist, -odd, etc.; ar lafar, defnyddir ffurfiau gorffennol 'gwneud' fel berf gynorthwyol, *Gwnes i gerdded yr holl ffordd adref.* Preterite

Amser Presennol mae'n cyfleu cyflwr penodol sy'n bodoli ar hyn o bryd, neu'n cyfeirio at ffeithiau a gwirioneddau parhaus nad yw amser yn effeithio arnynt; gan dair berf yn unig y mae ffurfiau neilltuol i fynegi'r Amser Presennol Mynegol Syml: bod, *wyf*, etc.; adnabod, *adwaen*, etc.; a gwybod, *gwn*; yn achos berfau eraill mae modd defnyddio ffurfiau'r Amser Dyfodol i fynegi'r Amser Presennol, yn bennaf pan gyfeirir at arferiad neu at rywbeth cyffredinol wir, *Af i nofio bob dydd Mawrth.* Present Tense

amser cyfansawdd CERDDORIAETH rhythm neu fesur cerddorol lle mae pob curiad mewn bar yn cael ei rannu'n dair uned lai, fel bod pob curiad yn werth curiad herciog (nodyn dot) compound time

amser syml CERDDORIAETH rhythm neu fesur cerddorol lle y gellir rhannu pob curiad mewn bar yn ddau hanner neu'n chwarteri simple time

llawn amser yn llenwi'r amser sydd ar gael full-time

Ymadroddion

amser a ddengys daw pethau'n glir gydag amser time will tell

amser chwarae gw. chwarae²

ar amser yn brydlon on time

cael amser da mwynhau to have a good time

cymryd amser
1 bod am amser hir, *Bydd yn cymryd amser inni gario'r rhain i gyd i'r tŷ.* to take time
2 pwyllo, peidio â rhuthro, *Cymerwch chi eich amser i ddringo'r grisiau.* to take time

drwy'r amser o hyd, ar hyd yr amser all the time

lladd amser gwneud rhywbeth i ddifyrru'r amser nes i rywbeth ddigwydd neu i rywun ddod to kill time

un amser o gwbl *Ni ddaw un amser i'r Gymdeithas.* never

unwaith yn y pedwar amser yn anaml iawn once in a blue moon

yng nghyflawnder amser pan fydd yr amser yn addas i wneud rhywbeth in the fullness of time

yn fy (dy, ei, etc.) amser fy hun pan fyddaf (fyddi, fydd, etc.) yn teimlo fel dod, gwneud, etc.; pan fydd hi'n gyfleus i mi (i ti, iddi hi, etc.) in one's own good time

yr amserau yr oes bresennol the times

amseriad *eg* (amseriadau)
1 y broses o amseru, canlyniad amseru; cyfnod o amser a fesurir timing
2 rhythm neu fesur darn o gerddoriaeth; curiad, tempo tempo

amserlen *eb* (amserlenni)
1 rhestr o'r amserau y mae bysiau, trenau, awyrennau, etc. yn cyrraedd a gadael timetable
2 rhestr o amserau dosbarthiadau ysgol neu goleg timetable
3 unrhyw gynllun neu raglen o ddigwyddiadau yn nhrefn amser timetable, schedule

amserlennu *be* [amserlenn•⁹] cynnwys mewn amserlen; cael hyd i amser (i wneud rhywbeth) to timetable
Sylwch: dyblwch yr 'n' ym mhob ffurf ac eithrio yn y rhai sy'n cynnwys *-as-.*

amsernod *eg* (amsernodau) CERDDORIAETH arwydd ar erwydd cerddoriaeth yn dynodi nifer a gwerth y curiadau ym mhob bar, fel arfer ar ffurf $\frac{3}{4}$, $\frac{6}{8}$ lle mae'r rhif isaf yn dynodi hyd y nodyn sy'n sylfaen y curiad (4 = crosiet, 8 = cwafer) a'r rhif uchaf yn dynodi sawl un o'r rhain a geir mewn bar time signature

amserol *ans* yn cyrraedd ar yr adeg iawn, yn digwydd yn ei bryd; mewn pryd; cydamserol, cyfaddas, cyfamserol timely, opportune, topical

amseru *be* [amser•¹]
1 mesur faint o amser sydd wedi mynd neu sydd i fynd heibio to time
2 trefnu neu ddewis amser to time

amserwr *eg* (amserwyr) swyddog sy'n cadw amser, e.e. mewn cystadlaethau athletaidd, mewn gêmau, etc. timekeeper

amserydd *eg* (amseryddion)
1 dyfais sy'n rhoi arwydd pan fydd cyfnod penodol o amser wedi dod i ben, e.e. amserydd ffwrn, neu sy'n cychwyn ac yn diffodd peiriant ar amserau penodol timer
2 dyfais mewn peiriant tanio sy'n sicrhau taniad mewn silindr ar yr union amser cywir timer

amseryddiaeth *eb* astudiaeth wyddonol o wahanol ffyrdd o gofnodi digwyddiadau'n gronolegol (yn nhrefn amser); cronoleg chronology

amseryddol *ans* yn nhrefn amser; cronolegol chronological

amsugnedd *eg*
1 gallu sylwedd i amsugno absorbency
2 FFISEG mesur o allu sylwedd i amsugno golau o donfedd benodol absorbance

amsugniad *eg* (amsugniadau) y broses o amsugno, canlyniad amsugno absorption

amsugno *be* [amsugn•¹] sugno i mewn (hylif, gwres, etc.) drwy broses gemegol neu ffisegol to absorb

amsugnol *ans* â'r gallu i amsugno absorbent

amsugnydd *eg* (amsugnyddion) sylwedd neu beth sy'n amsugno absorbent

amwisg *eb* (amwisgoedd) y wisg a roddir am y meirw; amdo shroud

amwisgo *be* [amwisg•¹] gwisgo (corff) yn barod i'w gladdu; amdoi (~ *rhywbeth* â) to shroud

amwynder *eg* unigol **amwynderau** amenity

amwynderau *ell* lluosog **amwynder**, pethau neu gyfleusterau mewn lle (tref, gwesty, etc.) y gellir eu mwynhau, ac sy'n gwneud bywyd yn fwy pleserus amenities

amwys *ans* [amwys•] â mwy nag un ystyr; amhendant, amhenodol, aneglur ambiguous, ambivalent

amwysedd:amwyster *eg* (amwyseddau) y cyflwr o fod yn amwys; amhenodolrwydd, aneglurder ambiguity, ambivalence

amygdala *eg* ANATOMEG darn o freithell y tu mewn i ddau hemisffer yr ymennydd ac sy'n gysylltiedig â phrosesu a mynegi emosiynau amygdala

amylas *eg* BIOCEMEG ensym carbohydras a geir mewn poer ac sy'n catalyddu ymddatodiad startsh yn faltos amylase

amylu *be* [amyl•¹] GWNIADWAITH gwnïo dros (ddau ymyl darn o ddefnydd) â mân bwythau to oversew

amylwr *eg* (amylwyr) GWNIADWAITH peiriant sy'n gwnïo dros (ddau ymyl darn o ddefnydd) â mân bwythau ac yn rhwystro'r defnydd rhag rhaflo overlocker

amynedd *eg* y gallu i ddisgwyl yn dawel pan fo'r amgylchiadau'n gwneud hynny'n anodd, y gallu i oddef yn hir; dioddefgarwch, goddefgarwch, hirymaros patience, forbearance
  amynedd Job amynedd di-ben-draw the patience of Job

amyneddgar *ans* â llawer o amynedd, yn gallu goddef yn hir; dioddefgar, goddefgar, hirymarhous patient

amyneilio *be* gw. **aryneilio**

an- *rhag* ffurf a ddefnyddir ar ddechrau gair i wrth-ddweud neu i negyddu'r hyn sy'n ei ddilyn, e.e. *anobeithiol*

anabatig *ans* METEOROLEG (am wynt) yn codi, yn chwythu i fyny llethr anabatic

anabl *ans* [anabl•] heb fedru gwneud rhywbeth oherwydd nam corfforol neu feddyliol disabled

anabledd *eg* (anableddau)
  1 y cyflwr o fod â nam corfforol neu feddyliol sy'n cael effaith niweidiol sylweddol a thymor hir ar allu person i gyflawni gweithgareddau arferol o ddydd i ddydd disability
  2 rhywbeth sy'n rhwystro neu'n creu anallu disability

anabolaeth *eb* BIOCEMEG proses sy'n rhan o fetabolaeth y corff, lle mae egni'n cael ei ddefnyddio i syntheseiddio moleciwlau cymhleth o foleciwlau symlach anabolism

anabolig *ans* BIOCEMEG yn perthyn i anabolaeth, yn hyrwyddo anabolaeth anabolic

anacademaidd:anacademig *ans* heb fod yn academaidd non-academic

anacrwsis *eg*
  1 CERDDORIAETH curiad o flaen prif guriad cyntaf darn o gerddoriaeth, neu guriad sy'n arwain i mewn iddo anacrusis
  2 sillaf ddiacen neu sillafau diacen ar ddechrau llinell o farddoniaeth anacrusis

anachroniaeth *eb* (anachroniaethau)
  1 y weithred o osod rhywun neu rywbeth yn y cyfnod hanesyddol anghywir; camamseriad anachronism
  2 rhywun neu rywbeth sydd fel pe bai'n perthyn i gyfnod arall o hanes anachronism

anad *ardd* yn hytrach na, o flaen, yn fwy na in preference to, rather than
  yn anad dim yn fwy na dim byd arall above all
  yn anad neb yn fwy nag unrhyw un arall more than anyone

anadeiniog *ans* heb adenydd wingless

anadferadwy *ans* na ellir ei adfer na'i gael yn ôl; anwelladwy, cyfrgolledig, dirwymedi irreparable, irretrievable

anadl *ebg* yr aer sy'n cael ei dynnu i mewn i'r ysgyfaint ac yn cael ei ollwng o'r ysgyfaint; gwynt breath
  anadl drwg anadl sy'n drewi bad breath
  Ymadroddion
  a'm hanadl yn fy (dy, ei, etc.) nwrn yn brin o anadl breathless
  â'm ('th, 'i, etc.) hanadl olaf am rywun sy'n taeru hyd y diwedd with one's dying breath
  anadl einioes anadl sy'n cadw'r corff yn fyw the breath of life

anadliad *eg* (anadliadau) y weithred o anadlu, y broses o gymryd anadl i'r ysgyfaint, canlyniad anadlu breath, respiration

anadliedydd *eg* (anadliedyddion) dyfais sy'n mesur lefel yr alcohol yn yr anadl breathalyser

anadlu *be* [anadl•³]
  1 tynnu aer i'r ysgyfaint ac yna ei ollwng allan (fel rhan o broses ffisiolegol barhaus), *Anadlodd yn ddwfn. Anadlodd yr awyr iach.* to breathe
  2 (am blanhigyn neu anifail di-asgwrn-cefn) resbiradu neu gyfnewid nwyon to respire
  anadlu fy (dy, ei, etc.) anadliad olaf marw to breathe one's last
  anadlu unwaith eto rhoi'r gorau i ddal anadl wedi i argyfwng neu berygl fynd heibio to breathe again

anadnabyddadwy *ans* amhosibl ei adnabod unrecognisable, unidentifiable

anadnabyddus *ans* heb fod yn adnabyddus, nad oes neb yn gwybod ei enw; anenwog, anhysbys, dienw, distadl unknown

anadnewyddadwy *ans* nad oes modd ei adnewyddu, yn enwedig am ffynonellau egni, e.e. glo, olew unrenewable

anadweithiol *ans* heb fod yn achosi adwaith; anymadweithiol unreactive, inert

anaddas *ans* heb fod yn addas; anghyfaddas, anghymwys, amhriodol (~ i) unsuitable, inapplicable

anaddasrwydd:anaddaster *eg* y cyflwr o fod yn anaddas; amhriodoldeb, anffitrwydd inappropriateness, unsuitability

anaddawol *ans* yn ymddangos na fydd yn cynnig nac yn arwain at ddim o werth unpromising

anaddysgadwy *ans* na ellir ei addysgu ineducable

anaeddfed *ans* [anaeddfet•]
1 (am berson) heb gyrraedd ei lawn dwf, heb fod yn gyflawn o ran datblygiad; glas, ifanc immature, callow
2 (am ffrwyth neu rawn) heb fod yn barod i'w gynaeafu neu ei gasglu unripe
3 (am farn) heb fod yn sad; chwit-chwat, plentynnaidd immature

anaeddfedrwydd *eg* y cyflwr o fod yn anaeddfed; glaslencyndod, ieuengrwydd immaturity, callowness

anaemia:anemia *eg* MEDDYGAETH cyflwr sy'n cael ei achosi gan brinder celloedd (neu gorffilod) coch yn y gwaed, neu pan fo'r corff yn brin o waed anaemia

anaerobig:anerobig *ans* BIOLEG yn ffynnu neu'n gallu digwydd heb bresenoldeb ocsigen anaerobic

anaesthesia:anesthesia *eg* ansensitifrwydd i boen a achosir gan gyffuriau cyn i rywun dderbyn llawdriniaeth anaesthesia

anaestheteg:anestheteg *eb* astudiaeth wyddonol o anaesthesia anaesthetics

anaesthetegydd:anesthetegydd *eg* (anaesthetegyddion:anesthetegyddion) arbenigwr meddygol yn y defnydd o anaesthetig anaesthetist

anaesthetig:anesthetig *eg* (anaesthetigion:anesthetigion) hylif neu nwy fel clorofform sy'n gwneud i'r corff neu ran o'r corff golli pob teimlad, neu i rywun fynd yn anymwybodol anaesthetic

anaf:anafiad *eg* (anafiadau) niwed i ran o'r corff, e.e. gan ergyd neu o ganlyniad i afiechyd; briw, clwyf, nam injury

anafu *be* [anaf•¹] peri anaf (i), cael dolur, gwneud niwed (i), *Mae wedi'i anafu'n ddrwg.*

Fe anafodd ei gefn.; brifo, niweidio, sigo to injure, to hurt

anafus *ans*
1 wedi cael anaf; briwedig, clwyfedig, ysig injured
2 (am berson yn aml) a nam neu niwed arno blemished, defective

anagram *eg* (anagramau) gair neu ymadrodd sy'n cael ei lunio drwy ad-drefnu llythrennau gair neu eiriau eraill, e.e. mae *cell ddu* yn anagram o *lle cudd* anagram

analgesia *eg*
1 diffyg teimlad o boen heb fynd yn anymwybodol analgesia
2 MEDDYGAETH proses o liniaru poen drwy ddefnyddio cyffuriau a/neu ddulliau eraill analgesia

analgesig *ans* poenleddfol; yn ymwneud ag analgesia analgesic

analog *ans* yn defnyddio rhifau wedi'u cynrychioli gan fesuriadau, e.e. foltedd neu gylchdroeon bys cloc (yn hytrach na rhifau digidol) analogue

analwedigaethol *ans* heb fod yn alwedigaethol non-vocational

analytig *ans* dadansoddol; yn ymwneud â dadansoddi'r elfennau a geir mewn undod cymhleth a pherthynas yr elfennau hyn â'i gilydd analytic

anallu *eg* (analluoedd) diffyg gallu, methiant i wneud rhywbeth; anabledd, diymadferthedd inability

analluedd *eg* (anallueddau) cyflwr rhywun sydd ag anabledd neu afiechyd difrifol dros amser hir invalidity

analluedd rhywiol MEDDYGAETH (am ŵr) anallu i gael neu i gynnal codiad nac orgasm impotency

analluog *ans* [analluoc•]
1 prin o'r gallu neu o'r cymhwyster i gyflawni rhywbeth (~ i wneud) incapable, impotent
2 heb fod mewn cyflwr i gyflawni rhywbeth, *yn feddw ac yn analluog* incapable

analluogi *be* [analluog•¹]
1 gwneud yn analluog to disable
2 amddifadu o'r gallu naturiol i wneud rhywbeth to incapacitate

analluogrwydd *eg* y cyflwr o fod yn analluog; anabledd incapacity

anamddiffynadwy *ans* na ellir ei amddiffyn indefensible

anaml *ans* [anaml•] ddim yn aml, bob hyn a hyn; anfynych, prin infrequent, rare, sparse

anamlder:anamledd *eg* (anamlderau) prinder mewn nifer infrequency, paucity

anamlwg *ans* [anamlyc•] heb fod yn amlwg indistinct

anamlycach:anamlycaf:anamlyced *ans* [**anamlwg**] mwy anamlwg; mwyaf anamlwg; mor anamlwg

anamserol *ans* ar adeg anaddas; anghyfamserol, annhymig untimely

anaralladwy *ans* CYFRAITH am hawl neu eiddo na ellir eu trosglwyddo i feddiant rhywun arall; anhrosglwyddadwy inalienable

anarchaidd *ans* yn ymwneud ag anarchiaeth, nodweddiadol o anarchiaeth anarchistic, anarchic

anarchiaeth *eb* **1** cyflwr o anhrefn sy'n deillio o amharodrwydd i dderbyn trefn y llywodraeth neu unrhyw system arall; anghyfraith, anllywodraeth anarchy **2** ATHRONIAETH cred wleidyddol sy'n ymwrthod â grym neu awdurdod llywodraeth, ac yn credu mewn cyfathrach a chydweithio rhydd rhwng unigolion a grwpiau anarchism

anarcholladwy *ans hynafol* nad oes modd ei archolli, nad oes modd ei niweidio invulnerable

anarchydd *eg* (anarchwyr) **1** un sy'n credu mewn anarchiaeth anarchist **2** un sy'n ymosod ar gyfraith a threfn fel y mae, yn enwedig un sy'n barod i ddefnyddio trais anarchist

anarferedig *ans* nad yw'n cael ei arfer na'i ddefnyddio rhagor; ansathredig disused, obsolete

anarferol *ans* heb fod yn arferol; anghonfensiynol, anghyffredin, dieithr, hynod unusual

anarferol o fe'i defnyddir i ddwysáu ystyr ansoddair, *anarferol o hir*

anargraffedig *ans* (am destun) heb ei gyhoeddi neu ei argraffu unpublished

anargyhoeddadwy *ans* na ellir ei argyhoeddi; annarbwylladwy inconvincible

anargyhoeddedig *ans* am rywun heb ei ddarbwyllo; amheus, ansicr, petrus unconvinced

anastomosis *eg* (anastomoses) **1** y broses o uno rhannau neu ganghennau (e.e. nentydd, pibellau gwaed, gwythiennau dail, etc.) er mwyn creu cydgysylltiad anastomosis **2** MEDDYGAETH uniad dau organ tiwbaidd (neu ddwy ran o'r un organ) yn y corff, e.e. ailgysylltu'r coluddyn ar ôl torri darn clwyfedig i ffwrdd anastomosis

anataliadwy *ans* nad yw'n bosibl ei atal neu ei ddal yn ôl irrepressible, unrestrainable

anatebadwy *ans* nad oes modd ei ateb na'i wadu; anwadadwy, diamheuol, di-ddadl, diymwad irrefutable, unanswerable

anatebol *ans* heb fod yn atebol, heb fod yn rhwymedig i ateb i rywun neu am rywbeth unaccountable, unanswerable

anatomeg *eb* astudiaeth wyddonol o adeiledd corfforol pobl, anifeiliaid a phlanhigion, yn enwedig drwy ddyrannu'r organebau hyn i'w harchwilio anatomy

anatomegol *ans* yn ymwneud ag anatomeg, nodweddiadol o anatomeg anatomical *Sylwch:* nid yw'n cael ei gymharu.

anatomegydd *eg* (anatomegwyr) un sy'n arbenigo mewn anatomeg anatomist

anatomi *eg* **1** astudiaeth o adeiladwaith neu ddynameg rhywbeth, e.e. prosesau'r gyfraith anatomy **2** adeiledd planhigyn neu gorff anifail anatomy

anatyniadol *ans* heb fod yn atyniadol; anhyfryd, anneniadol, annymunol unattractive

anathema *eg* (anathemâu:anathemata) **1** CREFYDD melltith sy'n cael ei chyhoeddi gan yr Eglwys ac sy'n cynnwys ysgymuniad anathema **2** rhywun neu rywbeth sy'n cael ei gasáu anathema

anathraidd *ans* nad yw'n caniatáu i hylif neu nwy dreiddio drwyddo, *pilen anathraidd*; anhydraidd impermeable

anawd *eg* gw. anodau

anawdurdodedig *ans* heb dderbyn caniatâd neu sêl bendith, heb gael ei awdurdodi unauthorised

anawdurdodol *ans* heb awdurdod; ansafonol unauthoritative

anawsterau *ell* lluosog **anhawster**

ancr *eg* (ancriaid:ancrod) un sy'n byw ar wahân i bobl eraill am resymau crefyddol; meudwy anchorite

anchwaethus *ans* heb fod yn chwaethus; amheus, di-chwaeth tasteless

anchwiliadwy *ans* na ellir ei chwilio na'i archwilio; anghyffwrdd, annatrys, annirnad, anwybodadwy inscrutable, unsearchable

andante *adf* ac *ans* CERDDORIAETH yn gymharol araf

Andoraidd *ans* yn perthyn i wlad Andorra, nodweddiadol o Andorra Andorran

Andoriad *eg* (Andoriaid) brodor o wlad Andorra Andorran

androgen *eg* (androgenau) BIOCEMEG hormon gwrywol, e.e. testosteron androgen

androgynaidd *ans* **1** yn meddu ar nodweddion a chymeriad gwryw a benyw androgynous **2** BOTANEG yn cynnwys blodau gwryw a benyw yn yr un clwstwr androgynous

androgynedd *eg* y cyflwr o fod yn meddu ar nodweddion a chymeriad gwryw a benyw androgyny

andros:andras *ebychiad* fel *Yr andros!* good heavens

andros o fe'i defnyddir i ddwysáu ystyr ansoddair ac enw, *andros o lwcus; andros o ymrwymiad*

andros o lwyth anferth o lwyth, llwyth mawr iawn one heck of a load

andwyo *be* [andwy•¹] gwneud drwg (i rywun neu i rywbeth); amharu (ar), difetha, niweidio, sbwylio to maim, to spoil

andwyol *ans* yn andwyo, yn gwneud drwg neu niwed; niweidiol damaging, injurious

aneconomaidd *ans* heb fod yn economaidd ymarferol; rhy gostus, rhy ddrud uneconomic

anedifeiriol *ans* heb fod yn edifeiriol unrepentant

aneddfeydd *ell* lluosog anheddfa

aneddiadau *ell* lluosog anheddiad

anefelychadwy *ans* na ellir ei efelychu; anghymharol, digyffelyb, digymar, dihafal inimitable

aneffeithiol *ans* heb unrhyw effaith; nad yw'n gweithio fel y dylai ineffective, ineffectual

aneffeithioldeb:aneffeithiolrwydd *eg* y cyflwr o fod yn aneffeithiol, methiant i gyflawni'r hyn sydd ei angen ineffectiveness, inefficacy

aneffeithlon *ans* heb fod yn effeithlon inefficient

aneffeithlonrwydd *eg* y cyflwr o fod yn aneffeithlon neu o weithredu mewn ffordd aneffeithlon inefficiency

aneglur *ans* [aneglur•] heb fod yn eglur; annelwig, niwlog blurred, obscure, unclear

aneglurder:aneglurdeb *eg* diffyg eglurder, y cyflwr o fod yn annelwig; amhenodolrwydd, amwysedd indistinctness, obscurity

anegni *eg* amharodrwydd i symud neu i wneud rhywbeth, diffyg egni; blinder, diogi, lludded, syrthni inertia

aneiri:aneirod *ell* lluosog anner

aneirif *ans* na ellir eu cyfrif na'u mesur; afrifed, anfesuradwy, difesur, dirifedi countless, innumerable

aneirod *ell* gw. aneiri

anelau:anelion *ell* lluosog annel

aneliad *eg* (aneliadau)
1 y weithred o anelu, canlyniad anelu; annel aim, aiming
2 y broses o anelio annealing

anelid *eg* SWOLEG unigol **anelidau** annelid

anelidau *ell* SWOLEG ffylwm mawr sy'n cynnwys mwydod sydd â'u cyrff wedi'u rhannu'n segmentau, e.e. pryfed genwair, mwydod y traeth, gelenod, etc. annelids, Annelida

anelio *be* [aneli•²] caledu aloi (e.e. dur) drwy ei wresogi, ei oeri ac yna ei ailwresogi a'i oeri; tymheru to anneal

anelion *ell* gw. anelau

anelu *be* [anel•¹]
1 pwyntio (rhywbeth) i gyfeiriad arbennig; cyfeirio (~ at *rywun/rywbeth*; ~ *rhywbeth* at) to aim
2 ceisio cyrraedd rhyw nod; amcanu, cyrchu, ymgyrraedd at to aim

3 plygu (bwa) to draw

anelu saethau gwneud sylwadau pigog to make barbed comments

ei hanelu hi mynd am, *ei hanelu hi am y traeth* to head for (somewhere)

anemia gw. anaemia

anemomedr *eg* (anemomedrau) METEOROLEG offeryn i fesur buanedd y gwynt anemometer

anenwadol *ans* heb fod yn perthyn i enwad non-sectarian

anenwog *ans* [anenwoc•] heb fod yn enwog; anadnabyddus, anhysbys, di-nod, distadl unrenowned

anenwogion *ell* rhai anenwog the unrenowned

anerchaf *bf* [annerch] rwy'n annerch; byddaf yn annerch

anerchiad *eg* (anerchiadau) araith fer, cyflwyniad llafar; cyfarchiad, sgwrs address, greeting, oration

anerchwr *eg* (anerchwyr) un sy'n anfon neu'n cyflwyno anerchiad greeter, speaker

anerobig gw. anaerobig

aneroid *ans* (am faromedr) yn gweithio drwy fesur effaith gwasgedd aer ar glawr elastig blwch yn cynnwys gwactod aneroid

anesboniadwy *ans* na ellir ei egluro na'i esbonio inexplicable, unaccountable

anesboniedig *ans* heb ei esbonio, heb eglurhad unexplained

anesgusadwy:anesgusodol *ans* na ellir ei esgusodi; anfaddeuol inexcusable

anesgynadwy *ans* na ellir ei ddringo, na ellir ei oresgyn; anoresgynnol unclimbable

anesmwyth *ans* [anesmwyth•] heb fod yn esmwyth; aflonydd, anghyfforddus, anniddig, rhwyfus uneasy, uncomfortable, restless

anesmwythder:anesmwythyd *eg* (anesmwythderau) y cyflwr o fod yn anesmwyth, yn anghyfforddus; aflonyddwch, anniddigrwydd, pryder unease, discomfort

anesmwytho *be* [anesmwyth•¹] mynd yn anesmwyth, dechrau poeni; aflonyddu, cynhyrfu to become anxious, to become restless

anesmwythyd gw. anesmwythder

anesthesia gw. anaesthesia

anesthetaidd *ans* heb adnabod neu gydnabod estheteg (gwerthfawrogiad o brydferthwch) unaesthetic

anestheteg gw. anaestheteg

anesthetegydd gw. anaesthetegydd

anesthetig gw. anaesthetig

anetholedig *ans* heb ei ethol unelected

anewyllysgar *ans* heb fod yn ewyllysgar; amharod, anfodlon, anfoddog reluctant, unwilling

anfad *ans* [anfat•] *hynafol* drwg, erchyll, ysgeler heinous

cylch anfad cylch drwg o achos ac effaith gyda'r naill yn dwysáu'r llall vicious circle

anfadrwydd *eg* drwg mawr; erchyllta, ysgelerder enormity, wickedness

anfadwaith *eg* (anfadweithiau) gweithred ddrwg iawn; drygioni, erchyllta, mileindra, ysgelerder villainy, atrocity

anfaddeugar *ans* cyndyn i faddau; anghymodlon unforgiving

anfaddeuol *ans* na ellir ei faddau; anesgusadwy unpardonable

anfalaen *ans* MEDDYGAETH (am afiechyd neu diwmor) heb fod yn falaen benign, non-malignant

anfantais *eb* (anfanteision) rhywbeth sy'n rhwystr, rhywbeth nad yw'n gwneud lles; rhywbeth anffafriol; tramgwydd disadvantage, handicap, detriment

dan anfantais (am rywun) mewn cyflwr sy'n cyfyngu ar ei allu i weithredu'n gorfforol, yn feddyliol neu'n gymdeithasol disadvantaged

anfanteisiol *ans* yn peri anfantais; aflesol detrimental, disadvantageous

anfanteision *ell* ffurf luosog **anfantais**

anfanwl *ans* [anfanyl•] heb fod yn fanwl, ag angen manylder; amhendant, bras imprecise, inexact

anfarchnatadwy *ans* na ellir ei farchnata unmarketable

anfarddonol *ans* heb fod yn farddonol; diawen prosaic, unpoetic

anfarwol *ans*
1 na fydd yn marw; a fydd fyw byth; diddiwedd, tragwyddol immortal
2 gwych, bythgofiadwy, *perfformiad anfarwol* unforgettable

anfarwoldeb *eg*
1 bywyd tragwyddol immortality
2 cof tragwyddol am rywbeth neu rywun immortality

anfarwoli *be* [anfarwol•¹] cadw'n fyw byth; sicrhau y bydd cofio am (rywbeth neu rywun) to immortalize

anfarwolion *ell* rhai anfarwol immortals

anfasnachol *ans* heb fod yn fasnachol, heb fwriad i wneud elw neu heb lwyddo i wneud elw non-commercial, uncommercial

anfedrus *ans* [anfedrus•] heb fod yn fedrus; anghelfydd, anhyfedr unskilful, artless

anfedrusrwydd *eg* diffyg medrusrwydd; anneheurwydd, lletchwithdod unskilfulness

anfeidraidd *ans* MATHEMATEG heb derfyn na diwedd: anfesuradwy am ei fod yn rhy fawr infinite

anfeidredd *eg* (anfeidreddau) MATHEMATEG rhif sy'n fwy nag unrhyw faint rhifadwy infinity

anfeidrol *ans* heb ddechrau na diwedd; anfesuradwy, annherfynol, diddiwedd infinite

anfeidroldeb *eg* y cyflwr o fod yn anfeidrol, y cyflwr o fod heb ffin na therfyn infinity

anfeidrolion *ell* rhai anfeidrol immortals

anfeirniadol *ans*
1 heb fod yn feirniadol, heb ddangos y chwaeth na'r gallu i bwyso a mesur uncritical
2 heb fod yn cydymffurfio â dulliau beirniadu dilys uncritical

anferth:anferthol *ans* [anferth•] mawr iawn, iawn *problem anferth*; *anferth o broblem*; aruthrol, dirfawr, enfawr huge, vast, gargantuan

anferthedd:anferthwch *eg* maint aruthrol; aruthredd immensity, enormity

anferthol *gw.* **anferth**

anferthwch *gw.* **anferthedd**

anfesuradwy *ans* na ellir ei fesur; rhy fawr/ rhy fach i'w fesur; aneirif, anfeidrol, difesur immeasurable, measureless, non-quantifiable

anfesuradwy o fe'i defnyddir i ddwysáu ystyr ansoddair, *anfesuradwy o fychan*

anfesuroldeb *eg* y cyflwr o fod yn anfesuradwy neu'n ddiderfyn; anfeidredd unmeasurability

anfetel *eg* (anfetelau) CEMEG elfen gemegol (e.e. boron, carbon, nitrogen) nad oes ganddi briodweddau metel sy'n gallu bod yn rhan o gyfansoddyn cemegol sefydlog non-metal

anfetelaidd *ans* CEMEG yn perthyn i elfen gemegol nad oes ganddi briodweddau metel non-metallic

anfioddiraddadwy *ans* (am sylwedd) nad yw'n gallu torri i lawr yn sylweddau symlach diniwed, drwy waith organebau (e.e. bacteria) non-biodegradable

anflodeuol *ans* BOTANEG (am blanhigyn) nad yw'n dwyn blodau neu hadau non-flowering

anfodlon *ans* [anfodlon•] heb fod yn fodlon (ar rywbeth); amharod, anewyllysgar, anfoddog, anhapus discontented, dissatisfied, unwilling

anfodloni *be* [anfodlon•¹] achosi i fod yn anfodlon, methu bodloni; bod yn anfodlon; siomi to be dissatisfied, to dissatisfy

anfodlonrwydd *eg*
1 y cyflwr o fod yn anfodlon, diffyg bodlonrwydd; anfoddogrwydd, anhapusrwydd, annedwyddwch discontent, displeasure
2 amharodrwydd, cyndynrwydd, *ei anfodlonrwydd i gyfrannu at achosion da* reluctance, unwillingness

anfodd *eg* y cyflwr o fod yn anfodlon, amharodrwydd neu gyndynrwydd i gydsynio; anfodlonrwydd unwillingness, displeasure
o'm (o'th, o'i, etc.) bodd neu o'm (o'th, o'i, etc.) hanfodd os oes arnaf (arnot, arno, etc.) eisiau neu beidio like it or not

anfoddhaol *ans* heb fod yn foddhaol; anghymeradwy, annigonol, diffygiol unsatisfactory

anfoddog *ans* heb fod yn fodlon derbyn rhywbeth fel y mae; anfodlon, annedwydd, anniddan, anniddig displeased, dissatisfied

anfoddogrwydd *eg* y cyflwr o fod yn anfoddog, amharodrwydd neu gyndynrwydd i dderbyn rhywbeth fel y mae; anfodlonrwydd, anhapusrwydd, annedwyddwch, anniddigrwydd discontent, dissatisfaction

anfoesegol *ans* heb fod yn foesegol, croes i egwyddorion moeseg unethical

anfoesgar *ans* heb fod yn foesgar; anghwrtais, anfoneddigaidd, anhygar boorish, impolite

anfoesgarwch *eg* diffyg moesgarwch; afledneisrwydd, anghwrteisi, anfoneddigeiddrwydd discourtesy, impoliteness, rudeness

anfoesol *ans* heb fod yn foesol; anllad, drwg, llygredig, masweddus immoral

anfoesoldeb *eg* y cyflwr o fod yn anfoesol, llygredd moesol; anlladrwydd immorality

anfon *be* [anfon•¹ 3 *un. pres.* enfyn/anfona; 2 *un. gorch.* anfon/anfona]
1 danfon, gyrru, hela, *Anfonodd am feddyg. Anfonodd barsel ati.* (~ **am** rywun/rywbeth, **at** berson ac **i** le) to send
2 cydymdeithio, cadw cwmni, hebrwng to accompany
anfon cofion gw. cofion

anfonadwy *ans* y gellir ei anfon remittable

anfoneb *eb* (anfonebau) rhestr o nwyddau neu wasanaethau sydd wedi'u darparu, ynghyd â'r swm sy'n ddyledus invoice

anfonebu *be* [anfoneb•¹] anfon anfoneb at rywun yn gofyn am dâl; bilio to invoice

anfonedig *ans* wedi'i anfon sent

anfoneddigaidd:anfonheddig *ans* yn ymddwyn mewn ffordd nad yw'n gweddu i foneddigion; anghwrtais, anfoesgar boorish, ungentlemanly

anfoneddigeiddrwydd:anfoneddigrwydd *eg* gweithred anfonheddig, y cyflwr o fod yn anfonheddig; anghwrteisi, anfoesgarwch discourtesy

anfonheddig gw. anfoneddigaidd

anfonwr:anfonydd *eg* (anfonwyr) un sy'n anfon rhywbeth sender

anfreiniol *ans* heb fod yn freiniol unprivileged

anfri *eg* (anfrïon) diffyg parch; amarch, dirmyg, gwaradwydd discredit, disrespect

anfrwdfrydig *ans* heb fod yn frwdfrydig neu'n awyddus unenthusiastic

anfuddiol *ans* heb fod o werth, nad yw o unrhyw les, da i ddim; aflesol, anfanteisiol, dielw, di-fudd, useless, worthless

anfuddugol *ans* heb fod yn fuddugol, heb ennill unvictorious

anfwriadol *ans* heb fod yn fwriadol; damweiniol unintentional

anfwytadwy *ans* heb fod yn fwytadwy inedible

anfynych *ans* heb fod yn fynych, ambell waith; anaml, prin infrequent, rare

anfyw *ans* nad yw'n berchen ar fywyd; nad yw'n perthyn i organebau byw; abiotig non-living

anffaeledig *ans* heb fod yn ffaeledig, byth yn ffaeledig, yn enwedig am y Pab wrth iddo ddiffinio materion o ffydd neu foesau; di-feth, di-ffael, sicr infallible

anffaeledigion *ell* rhai anffaeledig the infallible

anffaeledigrwydd *eg* y cyflwr o fod yn anffaeledig infallibility

anffafriaeth *eb* rhagfarn yn erbyn rhywun neu rywrai ar sail rhyw, crefydd, lliw croen, oedran neu unrhyw reswm annilys discrimination

anffafriol *ans* heb fod yn ffafriol; anfanteisiol, beirniadol unfavourable

anffasiynol *ans* heb fod yn ffasiynol unfashionable

anffawd *eb* (anffodion) drwg annisgwyl; anghaffael, anhap, damwain misfortune, misadventure

anfferrus *ans* CEMEG am fetel nad yw'n haearn neu'n ddur non-ferrous

anffitrwydd *eg*
1 diffyg ffitrwydd corfforol unfitness
2 anaddasrwydd, amhriodoldeb, *anffitrwydd rhywun i lenwi swydd* unsuitability

anfflamadwy *ans* heb fod yn fflamadwy, nad yw'n tanio neu'n llosgi'n rhwydd non-flammable

anffodus *ans* heb fod yn ffodus, yn cael anlwc; anlwcus, truan unfortunate, hapless, infelicitous
anffodus o fe'i defnyddir i ddwysáu ystyr ansoddair, *anffodus o fyr*

anffodusion *ell* rhai anffodus the unfortunate

anffodusyn *eg* (anffodusion) rhywun anffodus; truan unfortunate person, wretch

anffrwythlon *ans*
1 heb fod yn ffrwythlon; anghynhyrchiol, diffrwyth, hesb infertile, sterile
2 yn methu atgenhedlu; anghyfeb, amhlantadwy barren, infertile

anffrwythlondeb:anffrwythlonder *eg* y cyflwr o fod yn anffrwythlon neu'n ddiffrwyth infertility

anffurfiad *eg* (anffurfiadau) MEDDYGAETH amhariad neu nam corfforol; llurguniad deformity, disfigurement

anffurfiant *eg* (anffurfiannau) amhariad ar harddwch deformation, disfigurement

anffurfio *be* [anffurfi•²] amharu ar harddwch; anharddu, llurgunio, ystumio to deform, to disfigure, to distort

anffurfiol *ans* nad yw'n cydymffurfio â'r rheolau arferol; answyddogol, llac informal

anffyddiaeth *eb* anghrediniaeth ym modolaeth Duw neu dduwiau, y gred nad oes Duw atheism

anffyddiwr *eg* (anffyddwyr) un nad yw'n credu ym modolaeth Duw neu dduwiau; anghredadun, anghrediniwr, pagan atheist

anffyddlon *ans* heb fod yn ffyddlon; annheyrngar, godinebus unfaithful, disloyal

anffyddlondeb *eg* (anffyddlondebau) diffyg ffyddlondeb; annheyrngarwch, brad, godineb, twyll disloyalty, deceit

anffyddloniaid *ell* rhai anffyddlon

anffyniannus *ans* heb fod yn ffyniannus; aflwyddiannus, dilewyrch unfruitful, unsuccessful

angina *eg* MEDDYGAETH talfyriad o *angina pectoris*, cyflwr a nodweddir gan boenau yn y frest sy'n deillio o ddiffyg yn y cyflenwad gwaed i'r galon angina

Angliad *eg* (Eingl) *hanesyddol* aelod o un o'r llwythau Germanaidd a oresgynnodd Loegr yn y bumed ganrif; gyda'r Sacsoniaid a'r Jiwtiaid, daeth yr Eingl yn Eingl-Sacsoniaid Angle

Anglican:Anglicaniad *eg* (Anglicaniaid) CREFYDD aelod o un o'r Eglwysi Anglicanaidd, e.e. Eglwys Loegr neu'r Eglwys yng Nghymru Anglican

Anglicanaidd *ans* yn ymwneud ag Eglwys Loegr neu unrhyw eglwys sydd mewn perthynas ffurfiol â hi Anglican

Anglicaniaeth *eb* CREFYDD cred, trefniadaeth a sacramentau Eglwys Loegr neu unrhyw eglwys sydd mewn perthynas ffurfiol â hi Anglicanism

Angolaidd *ans* yn perthyn i wlad Angola neu'n nodweddiadol ohoni Angolan

Angoliad *eg* (Angoliaid) brodor o wlad Angola neu un sy'n byw yno Angolan

angora *eg* gafr, cath neu gwningen o fath sydd â blew hir; brethyn neu wlân wedi'i wneud o flew gafr neu gwningen o'r math hwn angora

anhaeddiannol *ans* heb fod yn haeddiannol, heb ei haeddu; annheilwng undeserved, unmerited, unworthy

anhael:anhaelionus *ans* heb fod yn hael; crintach, cybyddlyd, mên ungenerous

anhafal *ans* MATHEMATEG heb fod yn hafal, heb fod yn gywerth unequal

anhafaledd *eg* (anhafaleddau) MATHEMATEG y berthynas rhwng mesurau nad ydynt yn gywerth (hafal) o ran eu gwerth na'u maint; arwyddion anhafaledd yw < (yn llai na), > (yn fwy na) a ≠ (heb fod yn hafal) inequality

anhalogadwy *ans* na ddylid neu na ellir ei halogi; cysegredig inviolable

anhalogedig *ans* heb ei lygru na'i halogi; anllygredig, dihalog, diwair, pur inviolate, undefiled

anhanesyddol *ans* heb fod yn cydymffurfio â ffeithiau hanesyddol, croes i dystiolaeth hanesyddol unhistorical

anhap:anap *eg* (anhapau) drwg annisgwyl; anghaffael, anffawd, damwain mishap, accident

anhapus *ans* [anhapus•] heb fod yn hapus, heb fod yn fodlon; aflawen, anfodlon, annedwydd, trist unhappy

anhapusrwydd *eg* diffyg hapusrwydd; anfoddogrwydd, annedwyddwch, tristwch unhappiness

anhardd *ans* heb fod yn hardd; anolygus, diolwg, hyll, salw uncomely, unsightly

anharddu *be* [anhardd•³] gwneud yn anhardd; anffurfio, hagru, llurgunio, ystumio to deface

anharddwch *eg* diffyg harddwch; aflunieidddra, amhrydferthwch, hagrwch, unsightliness

anhawsaf:anhawsed *ans* mwyaf anodd; mor anodd

anhawster *eg* (anawsterau) yr hyn sy'n gwneud rhywbeth yn anodd, diffyg rhwyddineb; anhwylustod, problem, rhwystr, trafferth difficulty, catch

anhedonia *eg* SEICIATREG anallu i brofi unrhyw bleser mewn gweithgareddau sydd fel arfer yn bleserus anhedonia

anheddau *ell* lluosog annedd

anheddeg *eb* ANTHROPOLEG astudiaeth wyddonol o aneddiadau dynol a'r ffordd y maent wedi esblygu ekistics

anheddfa *eb* (aneddfeydd) lle i fyw; annedd, cartref, cyfannedd, preswylfa abode, dwelling

anheddiad *eg* (aneddiadau) lle a gyfanheddir, man lle mae grŵp o bobl yn dod at ei gilydd i fyw ynghyd settlement, dwelling

anheddu *be* [anhedd•¹] cyfanheddu; byw mewn man arbennig; preswylio, trigo, ymgartrefu to dwell, to settle

anheddwr *eg* (anheddwyr) un sy'n ymsefydlu mewn tiriogaeth newydd; cyfanheddwr, gwladychwr, preswylydd, ymsefydlwr settler, dweller

anheini *ans* heb fod yn heini, heb fod yn ffit ac yn iach unfit

anhepgor:anhepgorol *ans* rhaid ei gael, na ellir gwneud hebddo; angenrheidiol, hanfodol indispensable

anhoffter *eg* (anhoffterau) diffyg hoffter; atgasedd, cas (gan) dislike

anhraethol:anhraethadwy *ans* y tu hwnt i eiriau, na ellir ei fynegi inexpressible, unspeakable, unutterable

Sylwch: gall ddod o flaen yr hyn a oleddfir, *anhraethol* well

anhramwyadwy *ans* na ellir ei dramwyo; anhyffordd impassable

anhrechadwy *ans* na ellir ei drechu; anorchfygol, anorfod, anorthrech unbeatable

anhrefn *eb* (anhrefnau) diffyg trefn, diffyg llywodraeth; afreolaeth, afreolusrwydd, anllywodraeth chaos, anarchy, disorder

anhrefnus *ans* heb fod yn drefnus; anniben, blêr, di-drefn disorganized, untidy

anhrefnusrwydd *eg* diffyg trefn; annibendod disorder, untidiness

anhreiddiadwy *ans*
1 nad oes modd ei dyllu na'i drywanu impenetrable
2 nad oes modd treiddio iddo a'i ddeall; anchwiliadwy, annatrys, annirnad impenetrable

anhreuliadwy *ans* (am fwyd) na ellir ei dreulio, anodd ei dreulio; anhydraul indigestible

anhreuliedig *ans* heb ei dreulio, e.e. am fwyd neu amser undigested, unspent

anhrigiadwy *ans* na ellir byw ynddo; amhreswyliadwy uninhabitable

anhringar *ans*
1 anodd neu amhosibl ei drin; aflywodraethus, anhydrin, anhydyn, anystywallt intractable
2 heb fod yn sensitif i deimladau pobl eraill; anniplomataidd, ansyber, di-dact insensitive, tactless

anhrosadwy *ans* na ellir ei gyfieithu neu ei drosi; anghyfieithadwy untranslatable

anhrosglwyddadwy *ans*
1 na ellir ei drosglwyddo non-transferable
2 CYFRAITH am hawl neu eiddo na ellir eu trosglwyddo i feddiant rhywun arall; anaralladwy inalienable

anhrugaredd *eg* (anhrugareddau) diffyg trugaredd; creulondeb, mileindra mercilessness, ruthlessness

anhrugarog *ans* heb fod yn drugarog; creulon, didostur, didrugaredd merciless, ruthless

anhrwsiadus *ans* heb fod yn dwt ac yn daclus; aflêr, anghymen, anniben, blêr unkempt, untidy

anhrwyddedig *ans* heb drwydded neu dystysgrif unlicensed, uncertified

anhryloyw *ans* heb fod yn glir nac yn dryloyw; afloyw, anllathraidd, dilewyrch, pŵl opaque

anhuddo *be* [anhudd•¹] pentyrru glo neu danwydd ar dân er mwyn iddo fudlosgi heb ddiffodd to bank up

anhunanol *ans* heb fod yn hunanol; allgarol, hael unselfish, altruistic

anhunanoldeb *eg* diffyg hunanoldeb; allgaredd, allgarwch unselfishness, altruism

anhunedd *eg* MEDDYGAETH cyflwr a nodweddir gan ddiffyg cwsg insomnia

anhwyldeb *eg* (anhwyldebau) afiechyd ysgafn, diffyg hwyl; salwch indisposition, sickness

anhwylder *eg* (anhwylderau) MEDDYGAETH amhariad neu darfiad ar weithrediad arferol y corff neu'r meddwl (~ ar) ailment, complaint, disorder

anhwylder deubegwn SEICIATREG anhwylder meddwl a nodweddir gan newid neu bendilio yn hwyliau rhywun – o fod yn anarferol o hapus (mania) i fod yn anarferol o drist (iselder) bipolar disorder

anhwylder meddwl salwch sy'n achosi i berson feddwl ac ymddwyn yn wahanol i'r arfer ac sy'n ei rwystro rhag cyflawni gweithgareddau arferol o ddydd i ddydd mental disorder

anhwylder unbegynol SEICIATREG anhwylder meddyliol a nodweddir un ai gan gyfnodau o hwyliau anarferol o hapus (mania) neu gan gyfnodau anarferol o drist (iselder) unipolar disorder

anhwylus *ans*
1 heb fod yn teimlo'n dda; di-hwyl, gwael, sâl, tost indisposed, unwell
2 anghyfleus, lletchwith inconvenient

anhwylustod *eg* diffyg hwylustod; anghyfleustra, anhawster, trafferth inconvenience

anhyblyg *ans* [anhyblyc•] anodd ei blygu (am bobl a phethau); anhydwyth, anystwyth, cyndyn, gwrthnysig, stiff inflexible, rigid, stubborn

anhyblygedd *eg* y cyflwr o fod yn anystwyth a methu symud yn rhwydd stiffness, rigidity

anhyblygrwydd *eg* diffyg hyblygrwydd; anystwythder, stiffrwydd inflexibility

anhydawdd *ans* heb fod yn hydawdd, nad yw'n hydoddi mewn hylif insoluble

anhydeiml *ans* heb fod yn hydeiml, heb fod yn sensitif; ansensitif, croendew, dideimlad insensitive

anhyderus *ans* heb fod yn hyderus; ansicr, ofnus, petrus, swil diffident

anhydoddedd *eg* priodwedd sylwedd anhydawdd insolubility

anhydor *ans* na ellir ei dorri; annhoradwy unbreakable, infrangible

anhydraidd *ans* nad yw'n caniatáu i leithder neu wlybaniaeth dreiddio drwyddo; anathraidd, gwrth-ddŵr impermeable, impervious

anhydraul *ans* na ellir ei dreulio (yn enwedig am fwyd); anhreuliadwy indigestible

anhydrid *eg* (anhydridau) CEMEG cyfansoddyn cemegol a grëir o gyfansoddyn arall (yn enwedig asidau carbocsylig) pan dynnir ymaith elfennau dŵr anhydride

anhydrin *ans* amhosibl ei drin na'i reoli; aflywodraethus, anhringar, annisgybledig, anystywallt intractable, restive, unmanageable

anhydrus *ans* CEMEG (am sylwedd, yn enwedig cyfansoddyn crisialog) heb ddŵr anhydrous

anhydwyth *ans* [anhydwyth•] heb fod yn hydwyth, na ellir ei blygu; anhyblyg, anystwyth, stiff inflexible

anhydyn *ans* anodd neu amhosibl ei drin; aflywodraethus, anhringar, anhydrin, anystywallt intractable, stubborn

anhydynrwydd *eg* amharodrwydd i wrando nac ufuddhau, natur anystywallt; cyndynrwydd, gwargaledwch, pengaledwch, ystyfnigrwydd intractability, perverseness

anhyddysg *ans* prin o wybodaeth neu ddysg; annysgedig, anwybodus, di-ddysg ignorant, uninformed

anhyfedr *ans* prin o ddawn; anghelfydd, anghywrain, anfedrus inept, unskilled

anhyfryd *ans* heb fod yn hyfryd; amhleserus, annifyr, annymunol unpleasant, disagreeable

anhyfrydwch *eg* cyflwr annymunol, diflas, cas; annifyrrwch, annymunoldeb disagreeableness, unpleasantness

anhyffordd *ans* na ellir ei dramwyo, na ellir ei groesi; anhramwyadwy impassable

anhygar *ans* heb fod yn ddymunol neu'n foesgar; anfoesgar, annymunol, cas disagreeable

anhyglyw *ans* na ellir ei glywed; anghlywadwy inaudible

anhygoel *ans* annhebygol o fod yn wir, anodd ei gredu; anghredadwy incredible, unbelievable
　anhygoel o fe'i defnyddir i ddwysáu ystyr ansoddair, *anhygoel o dda*

anhygyrch *ans*
　1 anodd ei gyrraedd, pell o bobman; anghyraeddadwy, anghysbell, diarffordd, pellennig inaccessible, remote
　2 (yn ffigurol) anodd ei ddeall neu ei ddefnyddio inaccessible

anhygyrchedd *eg* y cyflwr o fod yn anhygyrch, natur anhygyrch inaccessibility

anhylaw *ans* anodd ei drin; afrosgo, lletchwith, trwsgl awkward, unwieldy

anhylosg *ans* nad yw'n llosgi'n rhwydd, os o gwbl; anllosgadwy incombustible

anhynaws *ans* heb fod yn hynaws; anghwrtais, anhygar, digroeso, diserch ungenial

anhynawsedd *eg* y cyflwr o fod yn anhynaws, diffyg mwynder a chwrteisi unpleasantness

anhynod *ans* heb fod yn hynod; di-nod, distadl, disylw unremarkable

anhynodrwydd *eg* y cyflwr o fod yn anhynod; dinodedd, distadledd insignificance

anhysbys *ans* heb fod yn hysbys; anadnabyddus, anwybyddus, dienw anonymous, unknown

anhysbysrwydd *eg* y cyflwr o fod yn anhysbys anonymity

anhysbysyn *eg* (anhysbysion) MATHEMATEG maint, newidyn neu ffwythiant anhysbys unknown

anhywaith *ans* [anhyweith•] anodd iawn ei drin; anhydrin, anystywallt, chwyrn, gwyllt intractable, wild

anial[1] *ans* [anial•] (am diroedd) sych a diffrwyth; anghyfannedd, diffaith, moel desolate

anial[2] *eg* (anialoedd) lle anial; anghyfanhedd-dra, anialwch, diffeithwch desert, wilderness

anialdir *eg* (anialdiroedd) tir anial; anialwch, diffeithwch desert, wilderness

anialwch *eg* lle anial; anghyfanhedd-dra, anialdir, diffeithwch desert, wilderness

anian *eb* (anianau:anianoedd)
　1 natur dyn; ansawdd, cymeriad, cynneddf, personoliaeth nature, temperament
　2 cyflwr, priodoledd, stad characteristic, nature
　3 y byd naturiol, deddfau natur nature

anianol *ans* yn perthyn i anian, nodweddiadol o anian; cynhenid, cynhwynol, greddfol, naturiol natural

anifail *eg* (anifeiliaid)
　1 organeb fyw sydd, yn wahanol i blanhigyn, yn bwydo ar ddefnyddiau organig; mae gan anifeiliaid organau synhwyro a system nerfol arbenigol, ac maent yn gallu symud o gwmpas ac ymateb yn gyflym i ysgogiadau; creadur animal, beast
　2 defnyddir y gair am berson i ddangos ei fod yn annynol animal
　anifail anwes anifail sy'n cael ei gadw er mwyn pleser neu gwmnïaeth pet
　anifail cnoi cil SWOLEG mamolyn carnol sy'n cnoi cil, e.e. dafad, buwch, carw, camel, etc.; cilgnöwr ruminant
　anifail gwaith anifail wedi'i hyweddu gan ddyn i gyflawni gwaith, anifail a ddefnyddir i gario llwyth beast of burden, work animal
　anifeiliaid y maes yr anifeiliaid cyffredin a welir yn pori mewn caeau the beasts of the field

anifeilaidd *ans* ac iddo natur waethaf anifeiliaid; annynol, barbaraidd, ciaidd, mileinig brutish, animal

anifeiliol *ans* yn ymwneud â nodweddion biolegol anifeiliaid, *brasterau anifeiliol* animal

animeiddiad *eg* (animeiddiadau) y broses (ffilmio) o ddefnyddio cyfres o ddelweddau statig, pob un ychydig yn wahanol i'r un o'i blaen, i greu argraff o symudiad animation

animeiddiedig *ans* (am ffilm neu ddelwedd) wedi'i gwneud gan ddefnyddio technegau animeiddio animated

animeiddio *be* [animeiddi•[2]] creu argraff bod cymeriad neu ffilm yn symud drwy ddefnyddio technegau animeiddiad to animate

animeiddiwr:animeiddydd *eg* (animeiddwyr) arlunydd yn arbenigo ym maes animeiddio animator

animistiad *eg* (animistiaid) un sy'n credu mewn animistiaeth animist

animistiaeth *eb* y gred grefyddol bod bywyd neu ysbryd yn bodoli mewn gwrthrychau ac mai dyma sy'n gyfrifol am eu symudiadau (e.e. daeargryn, cwymp dail, etc.) animism

anïon *eg* (anïönau) CEMEG ïon â gwefr negatif, yn enwedig ïon mewn hydoddiant wedi'i electroleiddio sy'n cael ei atynnu at yr anod anion

anïönig *ans* CEMEG yn perthyn i anïönau, nodweddiadol o anïönau anionic

anis *eg* llysieuyn â hadau mân iawn sy'n blasu ac yn sawru o licris anise, aniseed

degymu'r mintys a'r anis gw. mintys

anlwc *eb* diffyg lwc; anghaffael, anffawd, anhap, damwain mischance, misfortune

anlwcus *ans* heb unrhyw lwc; anffodus unlucky, luckless

anlynol *ans* (am sosban, padell ffrio, etc.) wedi'i gorchuddio â haen o ddefnydd sy'n cadw bwyd rhag glynu ati wrth goginio non-stick

anllad *ans* (am lyfr, etc.) yn tueddu i lygru; anfoesol, anniwair, masweddus obscene, salacious, wanton

anlladrwydd *eg* y cyflwr o fod yn anllad; anfoesoldeb, chwant, maswedd bawdiness, obscenity

anllathraidd *ans* heb fod yn llathraidd; afloyw, anhryloyw, dilewyrch, pŵl lacklustre

anllosgadwy *ans* na ellir ei losgi; anhylosg incombustible

anllygradwy *ans* na ellir ei lygru; di-lwgr incorruptible

anllygredig *ans* heb ei effeithio gan lygredd; anhalogedig, dihalog, dilychwin, diwair, pur pure

anllythrennedd *eg* y cyflwr o fod yn anllythrennog illiteracy

anllythrennog *ans*
1 yn methu darllen nac ysgrifennu illiterate
2 (yn siarad) fel rhywun na all ddarllen nac ysgrifennu; annysgedig, anwybodus ignorant, illiterate

anllywodraeth *eb* y cyflwr o fod yn ddilywodraeth; anarchiaeth, anhrefn misrule

anllywodraethol *ans* (am sefydliad) nad yw'n perthyn i unrhyw lywodraeth nac yn cael ei gysylltu â llywodraeth, *Mae Oxfam yn enghraifft o sefydliad anllywodraethol.* non-governmental

annaearol *ans* heb fod yn perthyn i'r byd hwn; yn iasol o frawychus; annaturiol, arallfydol unearthly, eerie

annaearolion *ell* pethau annaearol the eerie

annamweiniol *ans* heb fod yn ddamweiniol non-accidental

annarbodaeth *eb* y cyflwr o fod yn annarbodus; anghynildeb improvidence

annarbodion *ell* ECONOMEG anfanteision economaidd fel cynnydd mewn costau yn sgil cynnydd ym maint cwmni, etc. diseconomies

annarbodion maint ECONOMEG anfanteision economaidd fel cynnydd mewn costau wrth i gwmni dyfu, e.e. problemau rheoli cwmni cymhleth diseconomies of scale

annarbodus *ans* heb fod yn ddarbodus, heb ddarparu yn ddigonol at y dyfodol; afradlon, anghynnil improvident

annarbwylladwy *ans* na ellir ei ddarbwyllo na'i berswadio; anargyhoeddadwy unpersuadable

annarllenadwy *ans* na ellir ei ddarllen illegible, unreadable

annarogan *ans* na ellir ei ragweld; annisgwyl, anrhagweladwy unpredictable

annarostyngedig *ans* heb fod yn ddarostyngedig not subject to

annatblygedig *ans*
1 heb fod wedi datblygu undeveloped
2 heb fod wedi datblygu'n ddigonol underdeveloped
3 heb ddiwydiannau modern na'r modd i'w hariannu, ynghyd â safon isel o fyw underdeveloped

annatod *ans* na ellir ei ddatod, hanfodol i gyfanrwydd rhywbeth; anwahanadwy inextricable, integral

annatodadwy *ans*
1 na ellir ei ddatod, ei ddatgymalu na'i ryddhau inextricable
2 heb fodd o'i ddatrys na'i esbonio; anesboniadwy inexplicable, insoluble

annatrys *ans* na ellir ei ddatrys, na ellir dod o hyd i ateb iddo; anghyffwrdd, anchwiliadwy, anhreiddiadwy, annirnad insoluble, unsolvable

annatrysadwy *ans* nad oes modd ei ddatrys, na ellir dod o hyd i ateb iddo; annatrys insoluble

annaturiol *ans* heb fod yn naturiol; annormal, artiffisial, gwneud, synthetig unnatural

annaturiol o fe'i defnyddir i ddwysáu ystyr ansoddair, *annaturiol o dawel*

annealladwy *ans* na ellir ei ddeall; aneglur, annirnad, diamgyffred, tywyll incomprehensible, unintelligible

annealltwriaeth *ebg* diffyg dealltwriaeth, prinder gwybodaeth neu werthfawrogiad; cam-dyb, camddealltwriaeth, camsyniad lack of understanding

anneallus *ans* heb fod yn ddeallus; diddeall, twp ignorant, unintelligent

annedwydd *ans* [annedwydd•] heb fod yn ddedwydd; anfodlon, anfoddog, anhapus, anniddan discontented, unhappy

annedwyddwch *eg* diffyg dedwyddwch; anfodlonrwydd, anhapusrwydd, tristwch discontentment, unhappiness

annedd *ebg* (anheddau) tŷ neu le arall i fyw; aelwyd, anheddfa, cartref, preswylfa dwelling

anneheuig *ans* heb fod yn ddeheuig; afrosgo, lletchwith, trwsgl, trwstan awkward, unskilled

anneheurwydd *eg* diffyg deheurwydd; anfedrusrwydd, lletchwithdod awkwardness, unskilfulness

annel *egb* (anelau:anelion)
  1 y cyfuniad o gyfeiriad, uchder a chyflymder sydd ei angen er mwyn medru bwrw rhywbeth o bell, *Trigain pwynt yw'r mwyaf y gallwch ei sgorio ag un dart os yw eich annel yn gywir.* aim
  2 ystum anelu; aneliad aiming
  3 amcan, bwriad aim, purpose
  4 rhywbeth i ddal rhywbeth arall i fyny; colofn stanchion, prop

annelwig *ans*
  1 na ellir ei weld yn eglur; amhendant, aneglur, niwlog unclear, hazy
  2 (am syniadau, etc.) heb fod yn bendant; amhendant, diafael, gwlanog vague

annemocrataidd *ans* heb ddilyn egwyddorion democratiaeth, e.e. drwy dra-arglwyddiaethu undemocratic

anneniadol *ans* heb fod yn ddeniadol; anatyniadol, anhyfryd, annymunol unattractive

anner *eb* (aneiri:aneirod) buwch ifanc; heffer, treisiad heifer

annerbyniol *ans* heb fod yn dderbyniol; anghymeradwy, amhoblogaidd, gwrthodedig inadmissible, unacceptable

annerch *be* [anerch•¹ 3 *un. pres.* annerch/ anercha; 2 *un. gorch.* annerch/anercha] traddodi araith gerbron (rhywun); areithio, cyfarch, llefaru, traethu to address

annethol *ans* yn dewis yn wael, nad yw'n dewis nac yn dethol ill-chosen, non-selective

annhebycach:annhebycaf:annhebyced *ans* [annhebyg] mwy annhebyg; mwyaf annhebyg; mor annhebyg

annhebyg *ans* [annhebyc•]
  1 heb fod yn debyg; anghyffelyb, cyferbyniol, gwahanol dissimilar, unlike
  2 heb fod yn debygol; annhebygol unlikely

annhebygol *ans* heb fod yn debygol; annhebyg, annichon (~ o) unlikely, far-fetched, improbable

annhebygolrwydd *eg* diffyg tebygolrwydd, y graddau y mae'n annhebygol y bydd rhywbeth yn digwydd unlikelihood

annhebygrwydd *eg* diffyg tebygrwydd; cyferbyniad, gwahaniaeth, gwrthgyferbyniad disparity, dissimilarity

annhecach:annhecaf:annheced *ans* [annheg] mwy annheg; mwyaf annheg; mor annheg

annheg *ans* [annhec•] heb fod yn deg; anghyfiawn, anghytbwys unfair

annhegwch *eg* diffyg tegwch neu gyfiawnder; anghyfiawnder, cam, camwri unfairness

annheilwng *ans* [annheilyng•]
  1 heb fod yn deilwng; anhaeddiannol unworthy
  2 amhriodol, ansafonol, *Yr oedd ei gyflwyniad gwallus ac anwybodus yn annheilwng o'r testun dan sylw.* improper, unworthy

annheilyngach:annheilyngaf:annheilynged *ans* [annheilwng] mwy annheilwng; mwyaf annheilwng; mor annheilwng

annheilyngdod *eg* diffyg teilyngdod neu haeddiant unworthiness

annheimladrwydd *eg* diffyg teimlad insensitivity

annheimladwy *ans*
  1 heb fedru teimlo (yn emosiynol); dideimlad insensible
  2 na ellir ei synhwyro drwy gyffyrddiad impalpable

annherfynol *ans* heb derfyn na ffin; anfeidrol, diderfyn, diddiwedd infinite, limitless

annherfynoldeb *eg* parhad diddiwedd; anfeidredd boundlessness, endlessness

annheyrngar *ans* heb fod yn deyrngar; anffyddlon, bradwrus disloyal

annheyrngarwch *eg* y cyflwr o fod yn annheyrngar neu o weithredu'n annheyrngar; anffyddlondeb, bradwriaeth disloyalty

annhirion *ans* heb fod yn dirion; angharedig, anghymwynasgar, anhynaws ungentle

annhoddadwy *ans* na ellir ei doddi gan wres unmeltable

annhoradwy *ans* na ellir ei dorri; anhydor unbreakable, infrangible

annhueddol *ans* heb fod yn dueddol neu'n ewyllysgar averse, disinclined

annhymig *ans* cyn amser, cyn pryd; anamserol, cynamserol premature, untimely

anniben *ans* heb fod yn daclus nac yn gymen; anghymen, anhrefnus, blêr, di-drefn untidy

annibendod *eg* y cyflwr o fod yn anniben, diffyg trefn; anhrefnusrwydd, blerwch, cawdel, cybolfa untidiness, confusion

annibynadwy *ans* heb fod yn ddibynadwy; anwadal, chwit chwat, oriog unreliable, untrustworthy

annibyniaeth *eb* y cyflwr o fod yn annibynnol; hunanlywodraeth, ymreolaeth independence

Annibyniaeth *eb*
  1 CREFYDD trefn, cred ac arferion yr Annibynwyr, sy'n credu mai gan aelodau pob eglwys unigol, yn hytrach na chan gorff canolog, y mae'r awdurdod i wneud penderfyniadau eglwysig Congregationalism
  2 CREFYDD Annibynwyr fel enwad Congregationalism

annibynnol *ans* heb fod yn atebol i neb na dim, heb ddibynnu ar neb na dim independent

Annibynnol *ans* CREFYDD yn perthyn i enwad yr Annibynwyr, sy'n credu mai penderfyniad i gynulleidfa capel unigol yn hytrach na chorff canolog yw penderfyniadau ynglŷn â chynnal eglwys Congregationalist

Annibynnwr *eg* (Annibynwyr) CREFYDD un sy'n aelod o gapel neu eglwys Annibynnol Congregationalist

Annibynwraig *eb* merch neu wraig sy'n aelod o gapel neu eglwys Annibynnol Congregationalist

annichellgar *ans* heb fwriadu drwg i neb, heb falais; diddichell, diniwed guileless

annichon:annichonadwy *ans* heb fod yn ddichonadwy; amhosibl, annhebygol, anymarferol impossible
    Sylwch: nid yw'n cael ei gymharu.

annidwyll *ans* heb fod yn ddidwyll; celwyddog, dauwynebog, ffuantus, rhagrithiol disingenuous, insincere

anniddan *ans* heb fod yn ddiddan; anfodlon, anfoddog, annedwydd unhappy

anniddicach:anniddicaf:anniddiced *ans* [anniddig] mwy anniddig; mwyaf anniddig; mor anniddig

anniddig *ans* [anniddic•] heb fod yn ddiddig; anesmwyth, anfodlon, anfoddog, rhwyfus uneasy, irritable

anniddigrwydd *eg* y cyflwr o fod yn anniddig; aflonyddwch, anesmwythder, anfodlonrwydd, pryder unease, disquiet, irritability

anniddorol *ans* heb fod yn ddiddorol; diflas, sych uninteresting

anniddos *ans* [anniddos•] heb fod yn ddiddos nac yn glyd; digysur leaky, comfortless

anniflan *ans*
    1 nad yw'n diflannu; anniflanedig, parhaol permanent, unfading
    2 (am liw) yn gwrthsefyll colli ei liw fast

anniflanedig *ans* nad yw'n diflannu; diddarfod, parhaol perpetual

anniflannedd *eg* GWNIADWAITH gallu defnydd neu lifyn i gadw'i liw heb iddo bylu neu ddiflannu fastness

annifyr *ans* [annifyrr•] heb fod yn ddifyr nac yn ddymunol; amhleserus, anhyfryd, annymunol disagreeable, unpleasant, miserable

annifyrrach:annifyrraf:annifyrred *ans* [annifyr] mwy annifyr; mwyaf annifyr; mor annifyr

annifyrrwch *eg* y cyflwr o fod yn annifyr; anhyfrydwch, annymunoldeb, embaras, helbul discomfiture, unpleasantness

anniffiniadwy *ans* na ellir ei ddiffinio indefinable

anniffiniedig *ans* heb ei ddiffinio undefined

anniffoddadwy:anniffodd *ans* na ellir ei ddiffodd inextinguishable

anniffygiol *ans* heb ddiffyg; di-ball, diderfyn, diddarfod indefatigable, inexhaustible

annigonedd *eg* y cyflwr o fod yn annigonol, rhy ychydig; annigonolrwydd, diffyg, prinder insufficiency

annigonol *ans* heb fod yn ddigonol, nad yw'n cyrraedd y safon; anghyflawn, anfoddhaol, diffygiol insufficient, inadequate

annigonolrwydd *eg* y cyflwr o fod yn annigonol; annigonedd, diffyg, prinder insufficiency

annileadwy *ans* na ellir ei ddileu, na ellir dileu ei ôl indelible

annilys *ans* [annilys•] heb fod yn ddilys, heb fod mewn grym; di-rym invalid, void

annilysrwydd *eg* y cyflwr o fod yn annilys neu'n ffug, diffyg dilysrwydd invalidity, spuriousness

annilysu *be* [annilys•¹] gwneud yn annilys, profi annilysrwydd; dirymu to invalidate

annioddefol *ans* na ellir ei ddioddef na'i oddef intolerable, unbearable, unendurable

annioddefol o fe'i defnyddir i ddwysáu ystyr ansoddair, *annioddefol o boenus*

anniogel *ans*
    1 heb fod yn ddiogel; peryglus unsafe
    2 amheus, heb fod yn sicr, *barn anniogel* unsafe

anniolchgar *ans* heb fod yn ddiolchgar; diddiolch ungrateful

anniolchgarwch *eg* y cyflwr o fod yn anniolchgar, diffyg diolchgarwch ingratitude

anniplomataidd *ans* heb fod yn ddiplomataidd; di-dact undiplomatic

annirlawn *ans*
    1 BIOCEMEG (am frasterau) â chyfran uchel o asidau brasterog yn cynnwys o leiaf un bond dwbl unsaturated
    2 DAEAREG (am waddodion) nad ydynt yn llawn dŵr neu'n ddirlawn unsaturated
    3 CEMEG (am gyfansoddyn organig) yn cynnwys o leiaf un bond carbon-carbon dwbl neu driphlyg unsaturated

annirnad:annirnadwy *ans* na ellir ei ddirnad, na ellir ei amgyffred; anghyffwrdd, anchwiliadwy, annealladwy, anwybodadwy incomprehensible, unintelligible

annisgrifiadwy *ans* na ellir ei ddisgrifio, y tu hwnt i ddisgrifiad indescribable

annisgwyl:annisgwyliadwy *ans* na ellir ei ragweld, heb ei ragweld neu na ellid bod wedi'i ragweld; dirybudd, disyfyd, disymwth, sydyn unexpected, unforeseen

annisgwyl o fe'i defnyddir i ddwysáu ystyr ansoddair, *annisgwyl o sydyn*

annisgybledig *ans* heb fod yn ddisgybledig; afreolus, anhydrin, anystywallt, direol undisciplined

anniwair *ans* [anniweir•] anffyddlon i adduned neu addewidion priodas; anllad unfaithful, unchaste

anniwall *ans* na ellir ei ddiwallu; barus, blysgar, gwancus, trachwantus insatiable

anniweirach:anniweiraf:anniweired *ans* [anniwair] mwy anniwair; mwyaf anniwair; mor anniwair

anniwygiadwy *ans* na ellir ei ddiwygio na'i newid er gwell incorrigible, irreparable

anniwylliedig *ans* heb fod yn ddiwylliedig; amrwd, anwar, barbaraidd uncultured, uncouth

annodweddiadol *ans* heb fod yn nodweddiadol (~ o) uncharacteristic, atypical

annoeth *ans* [annoeth•] (annoethion) heb fod yn ddoeth; ffôl unwise, imprudent

annoethineb *eg* diffyg doethineb; ffolineb, gwiriondeb, hurtrwydd, twpdra folly

annoethion *ell* rhai annoeth the unwise

annog *be* [anog•¹ 3 un. pres. annog/annoga; 2 un. gorch.* annog/annoga]
1 perswadio'n gryf; annos, cymell, hysian, ysgogi (~ *rhywun* i) to exhort, to persuade, to urge
2 CYFRAITH cymell a chynorthwyo yn ymarferol to abet
Sylwch: un 'n' sydd ym mhob un o ffurfiau'r ferf ac eithrio *annog ef/hi*

annomestig *ans* heb fod yn ymwneud â'r cartref neu'r teulu non-domestic

annormal *ans*
1 yn gwyro oddi wrth yr arferol neu'r normal, yn enwedig mewn ffordd sy'n peri pryder; annaturiol, anrheolaidd abnormal
2 GRAMADEG am frawddeg lle rhoddir elfen heblaw'r ferf yn gyntaf, ond heb fwriadu pwyslais gwahaniaethol neu gryf ar yr elfen honno, *Mi a af. A'i ddisgyblion a ddaethant. Yfory yr af.* (Mae'n nodweddiadol o'r hen gyfieithiad o'r Beibl ac o Gymraeg Canol) abnormal

annormalaeth *eb* y cyflwr o fod yn annormal abnormalism

annormaledd *eg* (annormaleddau) enghraifft o rywbeth annormal abnormality

annos *be* [anos•¹]
1 gyrru ymlaen, ceisio gorfodi, e.e. ci; annog, hysian to set on
2 cymell a chynorthwyo; annog, perswadio, ysbarduno to persuade

annosbarthadwy *ans* na ellir ei ddosbarthu, na ellir ei roi mewn cyfundrefn unclassifiable

annosbarthedig *ans* heb ei ddosbarthu, heb ei osod mewn cyfundrefn unclassified

annrylliadwy *ans* nad yw'n chwalu'n deilchion (e.e. am wydr wrth gael ei dorri) shatterproof

annuwiol *ans* heb fod yn dduwiol, yn anufuddhau i Dduw; drwg, pechadurus ungodly

annuwioldeb *eg* y cyflwr o fod yn annuwiol; pechod impiety, ungodliness

annuwiolion *ell* rhai annuwiol the ungodly

annwfn:annwn *eg*
1 y byd arall, gwlad y tylwyth teg; isfyd the Otherworld
2 *llenyddol* uffern hell

annwyd *eg* (anwydau) haint a achosir gan firws ac a nodweddir gan ddolur gwddf, peswch, tisian, trwyn yn rhedeg, etc. cold, chill
dal annwyd cael annwyd to catch a cold

annwyl *ans* [anwyl•] (anwylion) yn cael ei garu neu ei hoffi'n fawr; cariadus, cu, cun, ffel dear, cherished, sweet
Sylwch: defnyddir 'Annwyl' o flaen enw neu deitl person ar ddechrau llythyr, e.e. *Annwyl Mr Williams; Annwyl Megan;* nid yw enwau pobl yn treiglo, e.e. *Annwyl Dafydd* ond treiglir enwau cyffredin, e.e. *Annwyl bawb.*
annwyl gan yn cael ei hoffi'n fawr gan (rywun) beloved of
o'r annwyl!:yr annwyl! oh dear!

annychmygadwy *ans* na ellir ei ddychmygu unimaginable

annychwel *ans* heb fod yn dychwelyd, heb allu dychwelyd unreturning

annymunol *ans* heb fod yn ddymunol; anhyfryd, anhygar, annifyr, gwrthun undesirable, unpleasant

annymunoldeb *eg* y cyflwr o fod yn annymunol neu enghraifft ohono; anhyfrydwch, annifyrrwch unpleasantness

annyngar *ans* heb hoffter o bobl, yn casáu pobl misanthropic

annynol *ans* heb fod yn meddu ar nodweddion dynol fel cydymdeimlad, trugaredd neu dosturi; anifeilaidd, ciaidd, creulon, milain inhuman

annysgadwy *ans*
1 nad oes modd ei ddysgu unlearnable
2 nad oes modd ei addysgu neu ei hyfforddi unteachable

annysgedig *ans* [annysgedic•] heb fod yn ddysgedig; anhyddysg, anwybodus, di-ddysg ignorant, uneducated

annywedadwy *ans*
1 anodd neu amhosibl ei ynganu; anghynanadwy unpronounceable
2 y tu hwnt i eiriau; anhraethol unutterable

anobaith *eg* (anobeithiau) diffyg gobaith; digalondid, pesimistiaeth despair
cors anobaith cyflwr o fod heb unrhyw obaith the depths of despair

anobeithio *be* [anobeithi•²] mynd i anobaith, colli gobaith, llwyr ddigalonni; danto, gwangalonni (~ *am*) to despair

anobeithiol *ans*
1 yn anobeithio; diobaith, digalon despairing

2 heb obaith y daw'n well; alaethus, affwysol, di-glem hopeless

anobeithiol o fe'i defnyddir i ddwysáu ystyr ansoddair, *anobeithiol o wael*

anocsia *eg* MEDDYGAETH diffyg ocsigen, yn enwedig pan fydd yn achosi niwed parhaol i gorff anoxia

anochel:anocheladwy *ans* [anochel•] na ellir ei osgoi na dianc rhagddo; anorfod, sicr inescapable, inevitable

anocheledd *eg* y cyflwr neu'r ansawdd o fod yn anochel inevitability

anochelgar *ans* heb fod yn ochelgar; anwyliadwrus, byrbwyll, di-hid, diofal incautious

anod *eg* (anodau) FFISEG yr electrod y mae electronau yn ymadael â dyfais drwyddo; mewn batri sy'n dadwefru yr anod yw'r electrod negatif, ond os bydd y batri'n cael ei wefru, yna yr anod yw'r electrod positif anode

anodau *ell hanesyddol* (ffurf luosog **anawd**) refeniw blwyddyn gyntaf esgobaeth neu fywoliaeth a gâi ei thalu i'r Pab annates

anodedig *ans* wedi'i anodi annotated

anodeiddio *be* [anodeiddi•[2]] FFISEG gorchuddio metel, yn enwedig alwminwm, â haen amddiffynnol o ocsid drwy ddefnyddio electrolysis to anodize

anodi *be* [anod•[1]] paratoi sylwadau beirniadol neu eglurhaol (ar destun, etc.) to annotate

anodd *ans* [anodd• *hefyd* anhawsed; anos; anhawsaf] heb fod yn hawdd ei wneud neu ei ddeall; afrwydd, astrus, caled, dyrys (~ *gan rywun* wneud; ~ *i rywun* wneud) difficult, hard, tricky

anodd dysgu hen gostog gw. costog

anoddefedd *eg* (am fwyd) anallu'r corff i ddreulio bwyd penodol, e.e. llaeth buwch, gwenith, pysgod cregyn, neu gyffur penodol heb sgileffeithiau annymunol intolerance

anoddefgar *ans*
1 yn methu goddef, yn gwrthod parchu hawliau cymdeithasol, crefyddol, etc.; cul intolerant
2 yn methu treulio bwyd neu foddion heb gael adwaith drwg intolerant

anoddefgarwch *eg* y cyflwr o fod yn anoddefgar, diffyg goddefgarwch intolerance

anoeth *eg* (anoethau) *llenyddol* camp yr oedd yn rhaid i arwr ei chyflawni i ennill ei wobr yn yr hen chwedlau exploit, feat

anogaeth *eb* (anogaethau) y broses o annog, cefnogaeth gref; anogiad, symbyliad, ysgogiad exhortation

anogaf *bf* [annog] rwy'n annog; byddaf yn annog

anogiad *eg* (anogiadau) gweithred o annog; cymhelliad, perswâd encouragement, exhortation

anogoneddus *ans* heb fod yn ogoneddus; cywilyddus inglorious

anogwr *eg* (anogwyr)
1 un sy'n annog; cymhellwr, symbylydd encourager, urger
2 CYFRAITH un sy'n annog neu'n cynorthwyo rhywun i wneud drwg, yn enwedig i gyflawni trosedd abettor

anolygus *ans* heb fod yn olygus; amhrydferth, anhardd, diolwg, salw unsightly

anomalaidd *ans* yn deillio o anamoledd, nodweddiadol o anamoledd anomalous

anomaledd *eg* (anomaleddau)
1 gwyriad oddi wrth yr hyn sy'n safonol neu'n arferol neu'n ddisgwyliedig; anghysondeb anomaly
2 SERYDDIAETH pellter onglog planed neu loeren o'i pherihelion neu ei pherige anomaly

anomi *eg* diffyg safonau moesol neu gymdeithasol ymhlith unigolion neu gymdeithas yn gyffredinol, cymdeithas heb gyfraith anomie, anomy

anonest *ans* heb fod yn onest, dan din; anwir, celwyddog, twyllodrus crooked, deceitful, dishonest

anonestrwydd *eg* diffyg gonestrwydd; anwiredd, celwydd, hoced, twyll deceit, dishonesty

anorac *eg* (anoracs)
1 siaced neu got fer, ddiddos, a chwfl yn rhan ohoni anorak
2 *difrïol* un sy'n ymddiddori'n obsesiynol mewn pwnc, yn enwedig pwnc anarferol neu anffasiynol anorak

anorchfygedig *ans* heb ei orchfygu, heb ei drechu; anorfod, anorthrech, diguro unvanquished

anorchfygol *ans* na ellir ei drechu na'i orchfygu; anhrechadwy, anorfod, anorthrech, safadwy invincible, unconquerable

anorecsia *eg* MEDDYGAETH colli archwaeth at fwyd (dros gyfnod hir) anorexia

anorecsia nerfosa MEDDYGAETH anorecsia sydd wedi datblygu'n gyflwr seiciatrig difrifol anorexia nervosa

anorecsig:anorectig *ans* MEDDYGAETH yn dioddef o anorecsia neu'n amlygu symptomau anorecsia anorexic

anoresgynnol *ans* na ellir ei ddringo, na ellir ei oresgyn; anesgynadwy insurmountable

anorfod *ans*
1 na ellir ei osgoi na'i hepgor; anochel, anocheladwy inevitable
2 na ellir ei drechu; anhrechadwy, anorchfygol, anorthrech, diguro invincible

anorfodrwydd *eg* y cyflwr o fod yn anorfod neu'n anochel inevitability

anorffen *ans* heb ddiwedd; annherfynol, di-ben-draw, diderfyn, diddiwedd endless

anorffenedig *ans* heb ei orffen; anghyfan, anghyflawn, bylchog incomplete, unfinished

anorganig *ans*
1 heb fod ag adeiledd neu nodweddion organeb fyw inorganic
2 yn dynodi neu'n ymwneud â sylweddau heb eu gwneud o ddefnydd organig (fel defnydd planhigion neu anifeiliaid) inorganic
3 CEMEG yn ymwneud â changen o gemeg sy'n trin sylweddau nad ydynt yn cynnwys carbon fel prif elfen inorganic

anorthrech *ans* na ellir ei drechu; anhrechadwy, anorchfygol, anorfod, diguro invincible

anos *ans* mwy **anodd**

anostyngadwy *ans* na ellir ei leihau i gyflwr symlach irreducible

anostyngedig *ans* heb fod yn ostyngedig; eofn, haerllug insolent, insubordinate

anraddedig *ans* (anraddedigion) heb ei raddio, heb dderbyn gradd ungraded, ungraduated

anramadegol *ans* heb fod yn cydymffurfio â rheolau gramadeg ungrammatical

anraslon *ans* heb fod yn raslon; anfoneddigaidd, anrasol graceless

anrasol *ans* heb ras Duw; annuwiol, drwg graceless

anrhagweladwy *ans* na ellir ei ragweld neu ei ddarogan; annarogan, annisgwyl, dirybudd unforeseeable, unpredictable

anrhaith *eb* (anrheithiau)
1 casgliad o bethau wedi'u dwyn; ysbail booty
2 distryw, *anrhaith Rhufain*; cyflafan, dinistr, galanas destruction, fall

anrhamantus:anrhamantaidd heb fod yn rhamantus unromantic

anrhanadwy *ans* na ellir ei rannu; anwahanadwy indivisible

anrhanedig *ans* heb ei rannu; anwahanedig, cyfan, cyflawn undivided

anrheg *eb* (anrhegion) rhywbeth sy'n cael ei roi yn ddi-dâl gan un person i'r llall; rhodd gift, present

anrhegu *be* [anrheg•¹] cyflwyno anrheg (i rywun) (~ *rhywun* â) to reward

anrheithio *be* [anrheithi•²] lladrata a difa (yn enwedig ar adeg o ryfel); dinistrio, rheibio, ysbeilio to ransack, to plunder, to despoil

anrheithiwr *eg* (anrheithwyr) un sy'n anrheithio ac yn dinistrio; dinistriwr, rheibiwr, ysbeiliwr despoiler

anrheolaidd *ans* yn gwyro o'r safon neu o'r rheol; annormal, anomalaidd anomalous

anrhifadwy *ans* MATHEMATEG nad oes modd eu rhifo, gormod i'w cyfrif uncountable, innumerable

anrhydedd *egb* (anrhydeddau)
1 cydnabyddiaeth o statws uchel; bri, clod, parch, urddas honour

2 rhywbeth a roddir i gydnabod safon aruchel; braint, gradd, rhagorfraint honour
3 teimlad o hapusrwydd a phleser o dderbyn parch a bri gan bobl eraill honour
er anrhydedd er mwyn anrhydeddu honorary

anrhydeddu *be* [anrhydedd•¹] cyflwyno neu estyn anrhydedd i (rywun); breinio, dyrchafu, mawrygu, urddo (~ *rhywun/rhywbeth* â) to honour

anrhydeddus *ans*
1 teilwng o anrhydedd; gwiw, parchus honourable
2 er anrhydedd, yn gweithio'n ddi-dâl; mygedol honorary

anrhywiol *ans*
1 BIOLEG heb organau rhywiol asexual
2 BIOLEG yn atgynhyrchu heb gametau na ffrwythloniad asexual
3 SEICOLEG heb fynegi na chyfeirio at ddiddordeb rhywiol asexual

ans *byrfodd* **ansoddair**

ansad *ans* heb fod yn sad; ansefydlog, anwadal, sigledig, simsan, fickle, rickety, unsteady

ansadrwydd *eg* y cyflwr o fod yn ansad, o fod mewn perygl o gwympo neu o droi drosodd; ansefydlogrwydd, anwadalwch, simsanrwydd instability

ansafonol *ans* heb gydymffurfio â'r safon non-standard

ansathredig *ans* (am air, etc.) heb ei arfer yn gyffredin, (am lwybr) heb ei droedio; anarferedig obsolete, untrodden

ansawdd *eg* (ansoddau) graddfa o ragoriaeth; anian, cyflwr, natur, stad quality, condition, state

ansbaradigaethus *ans* anffurfiol rhyfeddol, nodedig, rhagorol, gwych amazing

ansefydlocach:ansefydlocaf:ansefydloced *ans* [ansefydlog] mwy ansefydlog; mwyaf ansefydlog; mor ansefydlog

ansefydlog *ans* [ansefydloc•]
1 heb fod yn sefydlog; ansad, simsan unstable, unsettled
2 CEMEG (am gyfansoddyn) yn tueddu i newid yn rhwydd labile

ansefydlogi *be* [ansefydlog•¹] peri i (rywbeth, megis adeilad) fod yn ansefydlog; creu ansicrwydd ynglŷn â (llywodraeth neu economi gwlad) to destabilize, to unsettle

ansefydlogrwydd *eg* y cyflwr o fod yn ansefydlog, yn enwedig y sefyllfa wleidyddol, y sefyllfa economaidd, etc.; ansadrwydd, anwadalwch, simsanrwydd instability

anseneddol *ans* heb fod yn perthyn i'r senedd, heb fod yn cydweddu â safonau'r senedd unparliamentary

ansensitif *ans* heb fod yn sensitif; anhydeiml, croendew, dideimlad insensitive

ansensitifrwydd *eg* diffyg sensitifrwydd
insensitivity

ansicr *ans* [ansicr•] heb fod yn sicr; amhendant,
amheus, petrus, simsan uncertain, doubtful,
dubious

ansicredig *ans*
  1 CYLLID (am gredydwr) heb ernes dros ddyled
benodol, ac felly â llai o hawl nag sydd gan
gredydwr sicredig unsecured
  2 CYLLID (am fenthyciad) heb warant (e.e. eiddo
y gellir ei adfeddiannu) y caiff benthyciad ei ad-
dalu unsecured

ansicrwydd *eg* diffyg sicrwydd; amhendantrwydd,
amheuaeth, petruster uncertainty, doubt

ansigladwy *ans* na ellir ei siglo; di-sigl, di-syfl,
diysgog, sad steadfast, unshakeable

ansigledig *ans* nad yw'n siglo; cadarn, di-syfl,
diysgog, safadwy unshaken

ansiofi *eg* (ansiofis) pysgodyn môr bychan â blas
cryf tebyg i'r pennog, a'i gynefin yn bennaf yn y
Môr Canoldir anchovy

ansoddair *eg* (ansoddeiriau) GRAMADEG
gair sy'n dweud beth yw ansawdd enw, gair
sy'n goleddfu (neu ddisgrifio) enw, ac yn
mynegi priodoledd enw, e.e. coch, cryf, glân
adjective
  Sylwch: gellir defnyddio'r fannod weithiau i
  droi ansoddair yn enw, e.e. *y tlawd hwn.*

ansoddair benywaidd GRAMADEG ffurf ar
ansoddair a ddefnyddir gydag enw benywaidd
neu yn lle enw benywaidd, e.e. Yr Ynys Werdd,
y fechan

ansoddair dangosol GRAMADEG [hwn(nw),
hon(no), hyn(ny), yma, yna, acw] ansoddair a
ddefnyddir i gyfeirio at leoliad rhywbeth neu
rywun demonstrative adjective

ansoddair lluosog GRAMADEG ffurf ar
ansoddair a ddefnyddir gydag enw lluosog neu
yn lle enw lluosog, e.e. llygaid gleision;
y deillion

ansoddau *ell* lluosog ansawdd

ansoddeiriol *ans* yn perthyn i ansoddair, yn
defnyddio ansoddeiriau; disgrifiadol adjectival

ansoddol *ans*
  1 yn ymwneud ag ansawdd (yn hytrach na
maint) qualitative
  2 (mewn meysydd megis economeg neu'r
gwyddorau cymdeithasol) am ddadansoddiad
neu dystiolaeth nad yw'n seiliedig ar ystadegau
qualitative

ansoddyn *eg* (ansoddau) sylwedd sy'n rhan o
gymysgedd constituent

ansolfedd *eg* CYFRAITH y cyflwr o fethdaliad,
cyflwr lle nad yw rhywun yn gallu talu ei
ddyledion yn llawn insolvency

ansoniarus *ans* heb fod yn soniarus; anghyseiniol,
amhersain dissonant

anstatudol *ans* heb ei ymgorffori mewn statud
neu gyfraith ysgrifenedig non-statutory

answyddogol *ans* heb fod yn swyddogol;
anffurfiol unofficial

ansyber *ans* heb fod yn syber; aflednais,
anwaraidd, anweddus, cwrs rude

ansylweddol *ans* heb fod yn sylweddol; dibwys,
disylwedd insubstantial

ansymudol *ans* nad yw'n symud; disymud,
llonydd, safadwy static

ansymudoledd *eg* y cyflwr o fod yn ansymudol,
yn enwedig am bobl sy'n gaeth i'r tŷ immobility

ansystematig *ans* heb fod yn systematig
non-systematic, unsystematic

ânt *bf* [mynd] *ffurfiol* maen nhw'n mynd; byddan
nhw'n mynd

Antarctig *ans* yn perthyn i Antarctica neu'n
nodweddiadol ohoni Antarctic

antelop *eg* (antelopau) gafrewig; un o nifer o
fathau o anifeiliaid tebyg i afr neu ewig sy'n
byw yng ngogledd Affrica; maent yn symud
yn osgeiddig ac mae ganddynt lygaid mawr,
disglair antelope

antennyn *eg* (antenynnau) SWOLEG teimlydd
bychan, yn enwedig un sy'n rhan o'r pâr cyntaf
o deimlyddion a geir ar ben cramenogion
antennule

anterliwt *ebg* (anterliwtiau) math o ddrama fer,
yn aml o natur ddifyrrus, a oedd yn ei bri yn y
ddeunawfed ganrif interlude

anterliwtiwr *eg* (anterliwtwyr) awdur neu
berfformiwr anterliwt

anterth *eg*
  1 uchafbwynt, eithaf, *yn anterth ei nerth*; brig,
penllanw, pinacl, uchafbwynt climax, peak, prime
  2 SERYDDIAETH y man uchaf a gyrhaeddir gan
gorff wybrennol ac sydd gyferbyn â'r nadir zenith

yn fy (dy, ei, etc.**) anterth** ar fy ngorau
in one's prime

anti *eb* (antis) *anffurfiol* modryb, bodo, bopa auntie

antibiotig *eg* (antibiotigau) gwrthfiotig;
sylwedd, e.e. penisilin, y mae rhai organebau
yn ei gynhyrchu sy'n gallu lladd neu atal twf
micro-organebau eraill antibiotic

anticlin *eg* (anticlinau) DAEAREG haen o greigiau
ar ffurf bwa lle mae'r haenau bob ochr i echelin
y plyg yn goleddfu tuag i lawr; bwa maen
anticline

antiffon *eb* (antiffonau)
  1 CERDDORIAETH salm, adnod neu anthem sy'n
cael ei llafarganu mewn eglwys gan ddau gôr,
gyda'r naill yn ateb y llall antiphon
  2 CERDDORIAETH adnod sy'n cael ei llafarganu
ac sy'n rhagflaenu ac yn cloi salm neu ddarn
arall o'r ysgrythur antiphon

antigen *eg* (antigenau) MEDDYGAETH sylwedd sy'n
symbylu'r corff i gynhyrchu gwrthgyrff antigen

Antigwad *eg* (Antigwaid) brodor o wlad Antigua a Barbuda neu un sy'n byw yno Antiguan

Antigwaidd *ans* yn perthyn i Antigua a Barbuda neu'n nodweddiadol ohonynt Antiguan

antimoni *eg* elfen gemegol rhif 51; lled-fetel brau, ariannaidd (Sb) antimony

antinod *eg* (antinodau) FFISEG y pwynt mewn system donnau unfan lle mae dadleoliad ar ei uchaf antinode

antinomiad *eg* (antinomiaid) CREFYDD un sy'n credu mewn antinomiaeth antinomian

antinomiaeth *eb* CREFYDD y gred nad yw'n ofynnol i Gristnogion gydymffurfio â gofynion deddfau moesol e.e. yr Hen Destament neu'r wladwriaeth antinomianism

antipasto *eg* (*antipasti*) COGINIO *hors d'oeuvre* (cwrs cyntaf pryd) o'r Eidal

antiseiclon *eg* (antiseiclonau) METEOROLEG cylch o wyntoedd o gwmpas aer gwasgedd uchel sy'n chwythu mewn cyfeiriad clocwedd yn hemisffer y Gogledd ac mewn cyfeiriad gwrthglocwedd yn hemisffer y De anticyclone

antiseptig[1] *ans* yn atal haint a phydredd, fel arfer drwy atal twf micro-organebau ar feinwe byw antiseptic

antiseptig[2] *eg* sylwedd antiseptig antiseptic

antur *eb* (anturiau) camp beryglus neu feiddgar, gweithred sy'n herio perygl; anturiaeth, menter adventure, venture

 ar antur ar hap a damwain at random, on spec

anturiaeth *eb* (anturiaethau) camp beryglus neu feiddgar, gweithred sy'n herio perygl; antur adventure, escapade

anturiaethus gw. **anturus**

anturiaethwr *eg* (anturiaethwyr) un sy'n anturio, un sy'n mentro adventurer

anturio *be* [anturi•[2]] herio perygl; meiddio, mentro to venture

anturus:anturiaethus *ans* nodweddiadol o antur, hoff o anturio; beiddgar, eofn, mentrus adventurous

anthem *eb* (anthemau) cân o fawl neu lawenydd (un grefyddol fel arfer) anthem

 anthem genedlaethol y gân swyddogol y mae gwlad yn ei mabwysiadu i'w chynrychioli national anthem

anther *eg* (antheri) BOTANEG y blew mân ar ben y briger sy'n cynnwys y paill anther

anthropogenig *ans* (yn enwedig am lygredd amgylcheddol) yn deillio o weithgarwch dynol anthropogenic

anthropoid[1] *eg* (anthropoidiaid) SWOLEG un yn perthyn i'r primatiaid uwch, sy'n cynnwys epaod, mwncïod a bodau dynol anthropoid

anthropoid[2] *ans* SWOLEG yn perthyn i'r anthropoidiaid; tebyg i ddyn o ran ffurf anthropoid

anthropoleg *eb* astudiaeth wyddonol o ddyn a dynolryw anthropology

anthropolegol *ans* yn perthyn i wyddor anthropoleg anthropological

anthropolegwr:anthropolegydd *eg* (anthropolegwyr) un sy'n arbenigo mewn anthropoleg anthropologist

anthropometreg *eb* astudiaeth wyddonol o fesuriadau cymharol y corff anthropometrics, anthropometry

anthropometrig *ans* yn perthyn i wyddor anthropometreg anthropometric

anthropomorffaeth *eb* priodoliad nodweddion dynol i rywbeth nad yw'n ddynol, e.e. anifail, duw anthropomorphism

anthropomorffig *ans* nodweddiadol o anthropomorffaeth, yn defnyddio anthropomorffaeth anthropomorphic

anudon *eg* (anudonau) CYFRAITH llw celwyddog neu dystiolaeth gelwyddog mewn llys barn, *tyngu anudon* perjury

anudonwr *eg* (anudonwyr) CYFRAITH un sy'n tyngu anudon perjurer

anufudd *ans* heb fod yn ufudd, amharod i ufuddhau disobedient

anufudd-dod *eg* y cyflwr o fod yn anufudd, amharodrwydd i ufuddhau disobedience

anufuddhau *be* [anufuddha•[14]] bod yn anufudd, gwrthod gwrando (~ i *rywun*) to disobey

anunion *ans* heb fod yn union; cwmpasog, gwyrgam, igam-ogam crooked

anuniongred *ans* heb fod yn uniongred (am grefydd neu ymddygiad); hereticaidd unorthodox

anuniongyrchol *ans*

1 heb ddilyn y ffordd fyrraf; cwmpasog indirect

2 (am ddigwyddiad) heb fod yn ganlyniad uniongyrchol i rywbeth arall ond y mae modd ei olrhain i'r un man yn y pen draw indirect

3 GRAMADEG (am sgwrs, etc.) nad yw'n cael ei ddyfynnu'n union, air am air, mewn dyfynodau, e.e. '*Rwy'n mynd*,' *meddai John* (uniongyrchol). *Dywedodd John ei fod yn mynd* (anuniongyrchol).; cwmpasog indirect

anurddasol *ans* heb fod yn urddasol undignified

anwadadwy *ans* na ellir ei wadu; anwrthbrofadwy, diamheuol, di-ddadl, diymwad undeniable

anwadal *ans* [anwadal•]

1 na ellir dibynnu arno; anghyson, cyfnewidiol, chwit-chwat, gwamal, oriog fickle, wayward, capricious

2 yn cynyddu neu'n lleihau yn afreolaidd o ran maint neu nifer; ansefydlog fluctuating

anwadaliad *eg* (anwadaliadau) newid afreolaidd a pharhaus; gwamalder, gwamalrwydd fluctuation, vacillation

anwadalu *be* [anwadal•[3]] newid meddwl; gwamalu, petruso, simsanu to vacillate

anwadalwch *eg* y cyflwr o fod yn anwadal neu enghraifft ohono; anghysondeb, ansadrwydd, gwamalrwydd, oriogrwydd fickleness, vacillation

anwahanadwy *ans* na ellir eu gwahanu, amhosibl eu tynnu ar wahân; annatod, anrhanadwy, mynwesol indivisible, inseparable

anwahanedig *ans* heb eu gwahanu; anrhanedig, cyfan indivisible

anwahaniaethol *ans* heb fod yn gwahaniaethu rhwng categorïau o bobl neu bethau mewn ffordd annheg neu sy'n dangos rhagfarn non-discriminatory

anwaith *eg* (anweithiau)
1 CYFRAITH methiant i gyflawni gweithred y gofynnir amdani o dan y gyfraith nonfeasance
2 y cyflwr o beidio â bod mewn gwaith non-work

anwaraidd:anwar *ans* heb fod yn waraidd; anifeilaidd, barbaraidd, gwyllt barbaric, brutish, uncivilized

anwareidd-dra *eg* diffyg gwareiddiad; barbareiddiwch barbarism

anwareiddiedig *ans* heb fod yn wareiddiedig; anwar, barbaraidd, gwyllt barbaric, uncivilized

anwariad *eg* (anwariaid) rhywun anwar; barbariad savage

anwastad *ans* [anwastat•]
1 heb fod yn wastad; clapiog, clonciog, garw, pantiog uneven, bumpy
2 heb fod yn gyson ac yn ddibynadwy; ansefydlog, ansicr, oriog fickle

anwastadrwydd *eg* diffyg gwastadrwydd roughness, unevenness

anwastatach:anwastataf:anwastated *ans* [anwastad] mwy anwastad; mwyaf anwastad; mor anwastad

anwe *eb* yr edafedd sy'n rhedeg o'r naill ochr i'r llall mewn darn o ddefnydd ac sy'n cael eu gwau drwy'r ystof (sef yr edafedd sy'n rhedeg o'r pen i'r gwaelod) weft, woof

anwedd *eg* (anweddau)
1 dŵr berw wedi anweddu; ager, stêm steam, vapour
2 CEMEG sylwedd sydd yn ei gyflwr nwyol vapour

anweddaidd gw. anweddus

anwedd-drydarthiad *eg* y broses lle mae dŵr yn cael ei drosglwyddo o'r tir i'r atmosffer drwy ei anweddu o'r pridd ac o arwynebau eraill, a thrwy ei drydarthu o blanhigion evapotranspiration

anweddiad *eg* (anweddiadau) y broses o anweddu evaporation

anweddol *ans* CEMEG yn anweddu'n rhwydd volatile

anweddolion *ell* CEMEG sylweddau ar ffurf anwedd neu wedi'u hanweddu volatiles, vapours

anweddolrwydd *eg* CEMEG y cyflwr o fod yn anweddol volatility

anweddu *be* [anwedd•¹]
1 troi'n anwedd neu'n ager to evaporate, to vaporize
2 coginio mewn ager, trin ag ager to steam

anweddus:anweddaidd *ans* [anweddus•] heb fod yn weddus; aflednais, ansyber, cwrs, masweddus indecent, unbecoming, unseemly

anwedduster *eg* (anweddusterau) y cyflwr o fod yn anweddus; afledneisrwydd impropriety, indecency

anweithredol *ans* heb fod yn weithredol, heb fod yn gweithio inactive, inoperative

anwel *ans* heb ei weld, o'r golwg; anweledig, cudd, cuddiedig (the) unseen

anweladwy *ans* nad yw'n bosibl ei weld; anweledig invisible

anweledig *ans* o'r golwg; anwel, anweladwy, cudd, cuddiedig invisible

anweledigion *ell* pethau neu bobl anweledig the invisible

anweledigrwydd *eg* y cyflwr o fod yn anweledig invisibility

anwelladwy *ans* na ellir ei wella; anadferadwy incurable

anwerthadwy *ans* na ellir ei werthu unsaleable, unmarketable

anwes¹ *eg* (anwesau) y weithred o anwesu, o fwytho; da, maldod, mwythau pat, fondling
capel anwes capel lle y caiff corff ei gadw cyn angladd chapel of ease

anwes² *ans* (am anifail) yn cael ei gadw er mwyn pleser neu gwmnïaeth, *anifail anwes* pet

anwesu *be* [anwes•¹] tynnu llaw yn garuaidd dros (rywun neu rywbeth); anwylo, cofleidio, mwytho, tolach to fondle, to embrace

anwir *ans* [anwir•] heb fod yn wir (y gwrthwyneb i 'gwir' mewn gosodiadau technegol); ffals, gau false, untrue

anwiredd *eg* (anwireddau) rhywbeth nad yw'n wir; celwydd, twyll lie, untruth
dweud anwiredd dweud celwydd to lie

anwireddu:anwirio *be* ffugio, newid (rhywbeth) i guddio twyll, *anwireddu cyfrifon* to falsify
Sylwch: nid yw'r ferf hon yn arfer cael ei rhedeg.

anwirfoddol *ans* heb fod yn wirfoddol, yn enwedig am rai o weithrediadau'r corff, e.e. curiad y galon, anadlu, etc. involuntary, non-voluntary

anwirio gw. anwireddu

anwlar *ans* SERYDDIAETH ar siâp modrwy neu gylch fel yn *diffyg anwlar*, sef diffyg ar yr Haul lle mae rhimyn o olau'r Haul yn gylch o gwmpas cylch tywyll y Lleuad annular (eclipse)

anwleidyddol *ans* heb fod yn wleidyddol non-political, apolitical, unpolitical

anwlws *eg* (anwli) BIOLEG cylch neu ffurfiant tebyg i gylch, e.e. cylch tyfiant ar gen pysgodyn y gellir ei ddefnyddio i gyfrifo oedran y pysgodyn annulus

anwraidd:anwrol *ans* heb fod yn nerthol nac yn rymus, heb fod yn wrol; llwfr, ofnus faint-hearted

anwrthbrofadwy *ans* nad oes modd ei wrthbrofi; diamheuol, di-ddadl, diymwad incontrovertible

anwrthdroadol *ans* ELECTRONEG (am ddyfais) nad yw'n troi cerrynt trydanol union yn gerrynt eiledol, e.e. *mwyhadur anwrthdroadol* non-inverting

anwrthdroadwy *ans* na ellir ei droi yn ôl; anghildroadwy, diwrthdro irreversible

anwrthsafadwy *ans* na ellir ei wrthsefyll irresistible

anwrthwynebol:anwrthwynebadwy *ans* na ellir ei wrthwynebu, na ellir ei wrthsefyll irresistible

anws *eg* (anwsau) ANATOMEG yr agoriad yng nghefn y corff y mae ymgarthion yn mynd drwyddo o system dreulio'r corff; rhefr anus

anwybodadwy *ans* na ellir ei wybod unknowable

anwybodaeth *eb* diffyg gwybodaeth, y cyflwr o beidio â gwybod ignorance

anwybodus *ans* heb fod yn wybodus; anhyddysg, anllythrennog clueless, ignorant

anwybodusion *ell* rhai anwybodus the ignorant

anwybodusyn *eg* (anwybodusion) un anwybodus ignoramus

anwybyddu *be* [anwybydd•¹ *gorb.* anwybuaswn etc.] peidio â chymryd sylw o (rywun neu rywbeth), peidio â chydnabod; diystyru, esgeuluso, hepgor to ignore, to snub
   Sylwch: mae'n dilyn patrwm 'gwybod' ac eithrio'r Amser Presennol.

anwybyddus *ans* heb fod yn gwybod; diarwybod, diymwybod ignorant, unbeknown, unknown

anwydau *ell* lluosog **annwyd**

anwydog:anwydus *ans* ac annwyd arno, oer a rhynllyd

anwyddonol *ans* heb fod yn wyddonol, heb gydymffurfio â gofynion neu safonau gwyddonol unscientific

anwylach:anwylaf:anwyled *ans* [annwyl] mwy annwyl; mwyaf annwyl; mor annwyl

anwyldeb *eg* y cyflwr o fod yn annwyl, yr hyn sy'n gwneud rhywun yn annwyl i eraill; hoffusrwydd, hynawsedd charm, sweetness, endearment

anwyliad *eg* (anwyliaid) un annwyl; anwylyn, cariad loved one

anwyliadwrus *ans* heb fod yn wyliadwrus; anochelgar, byrbwyll, difeddwl, di-hid incautious, careless

anwyliaid *ell* ffurf luosog **anwylyn** loved ones

anwylo *be* [anwyl•¹]
  1 anwesu neu fwytho yn gariadus; cofleidio, mwytho, tolach to fondle
  2 ennyn cariad at to cherish, to endear

anwylyd *egb* un sy'n cael ei garu'n fawr; cariad, carwr beloved, darling, love
   Sylwch: mae'n newid cenedl yn ôl rhyw'r unigolyn.

anwylyn *eg* (anwyliaid) un bach sy'n cael ei garu; ffefryn loved one

anwythiad *eg* (anwythiadau)
  1 cyflwyniad i bwnc, swydd newydd etc. induction
  2 RHESYMEG y broses o resymu mewn ffordd sy'n arwain o ragosodiad penodol at gasgliad cyffredinol induction
  3 FFISEG y broses o anwytho induction

anwythiant *eg* FFISEG priodwedd cylched drydanol, e.e. coil; pan fydd llif y cerrynt trydanol drwy'r gylched yn newid, cynhyrchir foltedd yn y gylched – anwythiant yw maint y foltedd pan fydd y cerrynt yn newid un amper bob eiliad inductance

anwytho *be* [anwyth•¹]
  1 cyflwyno (rhywun) i bwnc, swydd newydd, etc.; sefydlu to induct
  2 FFISEG trosglwyddo priodweddau trydanol neu fagnetig o gylched neu gorff i gylched neu gorff arall, heb fod cysylltiad corfforol rhwng y ddau gorff to induce
  3 RHESYMEG cyrraedd casgliad drwy anwythiad to induce

anwythol *ans*
  1 FFISEG wedi'i gynhyrchu gan anwythiad induced
  2 RHESYMEG wedi'i anwytho, yn perthyn i anwythiad inductive

anwythydd *eg* (anwythyddion) ELECTRONEG cydran mewn cylched drydanol sy'n meddu ar anwythiant inductor

anwyw *ans* heb fod yn gwywo, yn cadw ei ffresni a'i newydd-deb, yn cadw ei ddiddordeb; bythwyrdd evergreen

anyfadwy *ans* na ellir ei yfed, heb fod yn ffit i'w yfed undrinkable

anymadweithiol *ans* heb fod yn achosi adwaith; anadweithiol unreactive

anymagorol *ans* BOTANEG (am goden neu ffrwyth) nad yw'n agor i ollwng hadau wedi iddynt aeddfedu indehiscent

anymarferol *ans*
  1 heb fod yn ymarferol, na ellir ei gyflawni; annichon, annichonadwy impracticable
  2 (am rywun) nad yw'n dda iawn am wneud pethau nac am roi cynlluniau ar waith impractical

anymataliaeth *eb* MEDDYGAETH diffyg rheolaeth ar golli ymgarthion (baeddu) neu droeth (gwlychu) incontinence

anymddiried *be* [anymddiried•¹] peidio ag ymddiried; amau, drwgdybio to distrust

anymddiriedaeth *eb* methiant i ymddiried, diffyg ymddiriedaeth distrust

anymochredd *eg* y cyflwr o fod yn anymochrol non-alignment

anymochrol *ans* (am wlad neu wladwriaeth) heb fod wedi ochri yn wleidyddol ag un o wledydd mawr y byd non-aligned

anymosodol *ans* heb fod yn ymosodol non-aggressive

anymwthgar *ans* heb fod yn ei wthio ei hun neu'n tynnu sylw ato ei hun; diymhongar, encilgar, swil unobtrusive

anymwthiol *ans*
1 heb fod yn ymwthiol; dirodres, diymffrost, diymhongar, gwylaidd unobtrusive
2 MEDDYGAETH (am driniaeth) nad yw'n golygu torri i mewn i'r corff non-invasive

anymwybod *eg* SEICOLEG y rhan o'r meddwl nad yw pobl yn ymwybodol ohoni, ond sy'n dylanwadu ar ein hymddygiad ac sy'n ei mynegi ei hun mewn breuddwydion neu lithriadau tafod (the) unconscious

anymwybodol *ans* heb fod yn ymwybodol, wedi colli ymwybyddiaeth unconscious, unaware, insensible

anymwybyddiaeth *eb* y cyflwr o fod yn anymwybodol unconsciousness

anymyrraeth *eb* (anymyraethau) diffyg ymyrraeth non-interference, non-intervention

anynad *ans* drwg ei dymer; blin, crac, dig, piwis cross, peevish

anysbrydol *ans* heb fod yn ysbrydol; materol unspiritual

anysbrydoledig *ans* heb ei ysbrydoli; diawen, di-fflach, diysbrydoliaeth uninspired

anysgrifenedig *ans* heb ei ysgrifennu unwritten

anysgrythurol *ans* heb fod yn ysgrythurol, heb fod ag awdurdod yr ysgrythurau i'w gefnogi unscriptural

anystwyth *ans* [anystwyth•] heb fod yn ystwyth; anhyblyg, anhydwyth, cyndyn, stiff inflexible, stiff

anystwythder *eg* y cyflwr o fod yn anystwyth; anhyblygrwydd, stiffrwydd inflexibility, stiffness

anystwytho *be* [anystwyth•¹] mynd yn anystwyth; stiffáu, stiffio to stiffen

anystyriaeth *eb* (anystyriaethau) diffyg ystyriaeth; difaterwch, difrawder, dihidrwydd heedlessness

anystyriol *ans* heb fod yn ystyried anghenion pobl neu bethau eraill neu'n eu dirmygu'n fwriadol; didaro, difater, di-hid, diystyriol thoughtless, uncaring, inconsiderate

anystyrlon *ans* heb ystyr; abswrd, disynnwyr, diystyr meaningless

anystywallt *ans* anodd iawn ei drin; aflywodraethus, annisgybledig, gwyllt disorderly, intractable

aorta *eg* (aortâu) ANATOMEG y brif rydweli sy'n cludo gwaed ocsigenedig o'r galon i bob rhan o'r corff ac eithrio'r ysgyfaint aorta

aortig *ans* ANATOMEG yn perthyn i'r aorta aortic

ap¹ gw. **ab**

ap² *eg* (apiau) rhaglen gyfrifiadurol, hunangynhaliol neu ddarn o feddalwedd a gynlluniwyd i gyflawni diben penodol; rhaglen, yn enwedig un y bydd defnyddiwr yn ei lawrlwytho i ddyfais symudol app

apanaeth *eb* *hanesyddol* rhodd o dir neu arian gan frenin neu gorff deddfwriaethol, fel rheol i aelodau iau o'r teulu brenhinol appanage

apartheid *eg* cyfundrefn sy'n cadw hiliau o liw gwahanol ar wahân, yn enwedig y system honno a fu'n gormesu pobl ddu yn Ne Affrica ac Unol Daleithiau America apartheid

apathi *eg* diffyg diddordeb neu frwdfrydedd i chwarae rhan; difaterwch apathy

apêl *eb* (apeliadau)
1 gofyniad taer; deisyfiad, erfyniad, ple, ymbil (~ **at**) appeal
2 rhywbeth sy'n denu; atynfa, atyniad, tynfa (~ **at**) appeal
3 CYFRAITH cais ar i lys uwch newid barn neu ddedfryd llys is appeal

apelgar *ans* yn apelio; atyniadol, dengar, deniadol appealing

apeliad *eg* (apeliadau) CYFRAITH y broses o wneud apêl i lys uwch i newid penderfyniad llys is appeal

apeliadol *ans* CYFRAITH (am lys yn enwedig) yn ymwneud â cheisiadau i wrthdroi penderfyniadau appellate

apelio *be* [apeli•²]
1 gofyn yn daer; crefu, deisyf, eiriol, erfyn, ymbil (~ **ar** neu **i** *rywun am rywbeth*) to appeal
2 bod yn atyniadol; denu, swyno (~ **at** *rywun*) to appeal, to attract
3 CYFRAITH gwneud apêl i lys uwch i newid barn neu ddedfryd llys is (~ **yn erbyn**) to appeal

apeliwr:apelydd *eg* (apelwyr:apelyddion) CYFRAITH un sy'n apelio i lys uwch appellant

apig *eb* (apigau) MATHEMATEG rhan uchaf rhywbeth, yn enwedig os yw'n ffurfio pwynt; pigyn apex

aplach:aplaf:apled *ans* [abl] mwy abl; mwyaf abl; mor abl

apocalyps *eg*
1 diwedd y byd, fel y mae sôn amdano yn 'Datguddiad Ioan' yn y Beibl apocalypse

2 digwyddiad lle mae'r difa a'r difrod ar lefel gatastroffig apocalypse

apocalyptaidd *ans* yn perthyn i ddiwedd y byd, yn rhagweld diwedd y byd apocalyptic

apocalyptiaeth *eb* dysg, athroniaeth neu lenyddiaeth o natur apocalyptaidd

Apocryffa *eg* llyfrau rhwng yr Hen Destament a'r Newydd sydd â chysylltiad â'r Beibl ond nad ydynt yn cael eu hystyried yn rhan ohono Apocrypha

apocryffaidd *ans*

1 (am destun neu ddatganiad) amheus, annilys apocryphal

2 yn perthyn i'r Apocryffa (llyfrau rhwng yr Hen Destament a'r Newydd sydd â chysylltiad â'r Beibl ond nad ydynt yn cael eu hystyried yn rhan ohono) apocryphal

apoge *eg* (apogeau)

1 uchafbwynt neu ddiwedd rhywbeth apogee

2 SERYDDIAETH y pwynt pellaf o ganol y Ddaear neu unrhyw blaned arall y mae lloeren yn ei gyrraedd wrth i'r lloeren droi o'i hamgylch apogee

a posteriori *adf* ac *ans* o'r effaith i'r achos

apostol[1] *eg* (apostolion) athro neu genhadwr Cristnogol o gyfnod yr Eglwys Fore; cennad, negesydd apostle

Apostol[2] *eg* (Apostolion) un o'r deuddeg disgybl a anfonwyd gan Iesu Grist i bregethu'r Efengyl Apostle

apostolaidd *ans* yn ymwneud â'r Apostolion, yn debyg i'r Apostolion neu'n deillio o'r Apostolion apostolic

appliqué *eg* GWNIADWAITH addurnwaith lle mae darn o ddefnydd yn cael ei dorri a'i lynu wrth ddarn arall o ddefnydd

apracsia *eg* MEDDYGAETH colli'r gallu i gyflawni symudiadau cymhleth sy'n gofyn am gydlyniad rhwng gwahanol rannau o'r corff apraxia

après-ski *eg* gweithgareddau cymdeithasol ar ôl bod yn sgio

aps *eg* (apsau)

1 cromfan; talcen crwn adeilad, cilfach hanner crwn neu amlochrog ym mhen bwaog dwyreiniol eglwys apse

2 to (eglwys fel arfer) ar ffurf bwa neu gromen apse

aptus *ans tafodieithol, yn y De* tueddol, chwannog apt (to), be inclined to

apwyntai *eg* (apwynteion) CYFRAITH un sydd wedi cael ei apwyntio i benderfynu tynged ystad appointee

apwyntiad *eg* (apwyntiadau)

1 trefniant i gyfarfod, *apwyntiad deintydd* appointment

2 y broses o apwyntio rhywun, canlyniad apwyntio; dewisiad, penodiad appointment

apwyntiedig *ans* wedi'i apwyntio appointed

apwyntio *be* [apwynti•[2]]

1 penodi (i swydd, etc.); dethol, dewis, pigo (~ **yn**) to appoint

2 CYFRAITH enwebu (rhywun) mewn dogfen neu ewyllys i benderfynu pwy sy'n derbyn eiddo ystad to appoint

ar *ardd* [arnaf fi, arnat ti, arno ef (fe/fo), arni hi, arnom ni, arnoch chi, arnynt hwy (arnyn nhw)]

1 yn dynodi safle uwchben ac mewn cysylltiad â rhywbeth, e.e. *gorwedd ar y gwely* on, upon

2 yn dynodi pwyso ar neu yn erbyn, e.e. *llun yn hongian ar y wal* on

3 (gyda rhifolion) yn ychwanegol, *un ar bymtheg, dau ar hugain*; (gyda threfnolion) yn gymaint eto, *ennill ar ei ganfed* (one hundred) fold

4 yn dynodi safle perthynol, *Mae'r capel ar y chwith a'r dafarn ar y dde.* on

5 myn (mewn llw), *ar fy llw* on

6 mewn, gyda, *Rwy'n mynd ar y bws.* by

7 i gyfeiriad, tuag at, *Edrychwch arnyn nhw.* at

8 ar fin, bron, *ar farw* about

9 i ffurfio ymadrodd adferfol, *ar goll, ar wasgar*

10 wrth ddilyn *bod* a'i ddefnyddio gyda'r arddodiad 'i', gall ddangos dyled, *Faint o arian sydd arnat ti i mi?*

11 wrth ddilyn *bod* gall ddangos cyflwr meddwl neu iechyd, *Beth sy'n bod arni hi?*

12 yn dynodi dymuniad neu orchymyn wrth ddilyn geiriau fel *deisyf, gweddïo*, etc.

13 yn ymddangosiadol, ar yr wyneb, *Mae golwg dda arni.*

14 yn cyflwyno ymadrodd sy'n dweud yn union pa bryd y bydd rhywbeth yn digwydd, *Codwch ar ganiad y corn.* at

Sylwch: mae'n achosi'r treiglad meddal ac 'h' o flaen 'ugain'.

ar amser gw. amser

ar draws gw. traws

ar ei hôl hi heb fod yn gyfoes; hwyr behind the times, late

ar ei hyd gw. hyd[1]

ar flaen gw. blaen[1]

ar fyr o dro heb fod yn hir; yn fuan (wedyn) soon

ar goll

1 wedi'i golli, *Mae cot Siân ar goll.*

2 heb wybod beth i'w wneud nac ym mhle y mae, *Mae Siân yn edrych fel petai hi ar goll yng nghanol y bobl ddieithr yma.* lost, astray

ar gyfer gw. cyfer

ar i fyny gw. fyny

ar ôl [ar f'ôl, ar d'ôl, ar ei ôl (ef), ar ei hôl (hi), ar ein hôl, ar eich ôl, ar eu hôl]

1 yn dilyn o ran amser, lle neu drefn; wedi, *Fe ddof i ar ôl imi orffen hwn.*

2 gan geisio dal, er mwyn cael gafael yn (rhywbeth), *Rhedodd y plismon ar ôl y lleidr.*

3 ag enw, *Cafodd ei enwi ar ôl ei dad-cu/daid.* after

ar waith gw. gwaith[1]

ar y ffordd gw. ffordd

ar y gorau at best

ar y lleiaf at least

beth sydd arnaf fi (arnat ti, arno ef, etc.)? beth sy'n bod? what's the matter with (me, you, etc.)?

âr *eg* (arau) *hanesyddol* fel yn *tir âr,* darn o dir wedi'i aredig neu dir sy'n rhan o gylchdro amaethyddol arable, tilth

Arab:Arabiad *eg* (Arabiaid) aelod o bobl Semitig o Arabia a'r cyffiniau yn wreiddiol, sydd bellach yn byw yn y rhan fwyaf o'r Dwyrain Canol ac yng ngogledd Affrica Arab

Arabaidd *ans*
1 yn perthyn i Arabia, nodweddiadol o Arabia a'i phobloedd Arabian
2 yn Arabeg neu'n perthyn i'r Arabeg; yn dynodi'r rhifolion 1,2,3, etc. Arabic

arabedd *eg* clyfrwch geiriol; cellwair, ffraethineb, smaldod wit, drollery

arabésg *eg* (arabesgau)
1 dyluniad cywrain lle mae llinellau yn gwau o gwmpas ei gilydd; gwelir yr enghreifftiau cynharaf mewn celf Islamaidd gynnar arabesque
2 (mewn bale) safiad lle mae dawnsiwr yn plygu ymlaen ar un goes gan estyn un fraich ymlaen a chan estyn y goes a'r fraich arall yn ôl arabesque

Arabiad gw. Arab

arabus *ans* parod ei ateb; cellweirus, doniol, ffraeth, huawdl witty

aradeiledd *eg* (aradeileddau)
1 endid neu strwythur sy'n cael ei godi ar rywbeth mwy sylfaenol, yn enwedig sefydliadau cymdeithasol, e.e. y gyfraith neu wleidyddiaeth sydd (yn ôl Marcsaeth) wedi'u codi ar sylfaen economaidd; goruwchadail superstructure
2 PENSAERNÏAETH rhywbeth wedi'i adeiladu yn estyniad uwchben rhywbeth arall, e.e. y rhan o adeilad uwchben y ddaear, y rhan o long uwchben bwrdd y llong superstructure

aradr *egb* (erydr)
1 offeryn at droi'r tir a thorri cwysi ar gyfer hau a phlannu; gwŷdd plough
2 patrwm o sêr ar lun aradr yng nghytser yr Arth Fawr (the) Plough

aradwr *eg* (aradwyr) un sy'n defnyddio'r aradr; arddwr ploughman

aráe:arae *eb* (araeau)
1 trefniad neu gydosodiad trefnedig, *aráe o baneli solar* array
2 MATHEMATEG trefniad penodol o rifau neu symbolau (mewn rhesi a cholofnau gan amlaf) array
3 CYFRIFIADUREG set o ddata tebyg mewn cof cyfrifiadurol sy'n uned y mae modd i bob darn o'i mewn dderbyn cyfarwyddyd unigol array

araen *eb* (araenau) haenen sy'n amddiffyn neu'n addurno; mae'n gorchuddio plastig neu fetel fel arfer; caenen coating

araenu *be* [araen•[1]] gosod haen neu orchudd dros ddefnydd (plastig neu fetel fel arfer) to coat

araf *ans* [araf•]
1 heb fod yn gyflym; hamddenol, pwyllog slow, leisurely, dilatory
2 ar ei hôl hi, *Mae fy watsh bum munud yn araf.*; hwyr slow
3 heb fawr yn digwydd; anniddorol, diflas slow
ara(f) bach/ara(f) fach araf iawn, gan bwyll, heb frys very slowly
ara(f) deg araf iawn, gan bwyll, heb frys very slowly

arafiad:arafiant *eg* (arafiadau) y broses neu'r weithred o arafu, canlyniad arafu deceleration, retardation

arafu *be* [araf•[3]]
1 symud yn arafach, colli cyflymder, *Arafodd yn raddol cyn cyrraedd y goleuadau.*; pwyllo to slow, to slow down
2 peri i fynd neu weithio'n arafach, *Arafodd y chwynleiddiad dwf y planhigyn.*; atal, llesteirio, rhwystro to retard, to slow

arafwch *eg* diffyg cyflymder; pwyll slowness

araith *eb* (areithiau) cyflwyniad llafar cyhoeddus; anerchiad, cyfarchiad, pregeth speech, oration

arall *ans* (eraill)
1 ar wahân i (rywun neu rywbeth); amgen, gwahanol other
2 ychwanegol, *Gallwn wneud y tro ag un arall rwy'n credu.* another, other
Sylwch: nid yw'n cael ei gymharu.

aralladwy *ans* CYFRAITH am hawl neu eiddo y gellir ei drosglwyddo i feddiant rhywun arall; trosglwyddadwy alienable

aralleiriad *eg* (aralleiriadau) darn o waith sy'n aralleirio gwaith arall paraphrase

aralleirio *be* [aralleiri•[2]] mynegi ystyr (darn, yn enwedig un ysgrifenedig) mewn geiriau gwahanol to paraphrase

arallenw *eg* (arallenwau) enw arall; enw a ddefnyddir gan rywun nad yw'n dymuno i bobl wybod ei enw iawn alias

arallenwad *eg*
1 y dechneg o ddefnyddio teitl neu lysenw rhywun yn lle ei enw priod, e.e. *Ei Mawrhydi* am y Frenhines, *y Pêr Ganiedydd* am William Williams Pantycelyn antonomasia

2 y dechneg o ddefnyddio enw unigolyn i sefyll am ddosbarth sy'n rhannu rhyw nodwedd debyg, e.e. *Mae e'n real Jwdas bach* am fradwr antonomasia

arallfydol *ans* nad yw'n perthyn i'r byd hwn, yn perthyn i fyd y meddwl a'r dychymyg; annaearol otherworldly, ethereal, fey

arallgyfeirio *be* [arallgyfeiri•²] (am gwmni) ehangu neu amrywio amrediad cynnyrch neu weithgarwch er mwyn peidio â gorfod dibynnu ar un farchnad neu dderbynnydd; amrywiaethu to diversify

aralliad *eg* CYFRAITH y broses o arallu, o drosglwyddo hawliau perchenogaeth eiddo; trosglwyddiad alienation

arallu *be* CYFRAITH trosglwyddo eiddo neu hawl i rywun arall drwy weithred benodol, e.e. ewyllys, neu drwy arfer y gyfraith to alienate
  Sylwch: nid yw'r ferf hon yn arfer cael ei rhedeg.

aramid *eg* GWNIADWAITH ffibr synthetig cryf anhylosg aramid

aranadliad *eg* (aranadliadau) CREFYDD defod Gristnogol sy'n golygu anadlu ar rywun fel symbol o waith yr Ysbryd Glân insufflation

araul *ans* yn tywynnu fel yr haul; disglair, heulog, llachar, tanbaid sunny

arbed *be* [arbed•¹ 3 *un. pres.* arbed/arbeda; 2 *un. gorch.* arbed/arbeda]
  1 amddiffyn rhag niwed neu rhag gorfod gwneud rhywbeth; achub, gwared, sbario (~ *rhywun/rhywbeth* **rhag**) to save
  2 cadw (arian) yn hytrach na'i wario, *Byddwn yn arbed arian o fynd i'r siop hon.*; cynilo, safio to save
  3 peidio â gwastraffu, *Byddwn yn arbed amser wrth fynd y ffordd hon.*; safio to salvage, to save
  4 (mewn chwaraeon) rhwystro (gôl, etc.) to save

arbediad *eg* (arbediadau)
  1 y weithred o arbed, canlyniad arbed saving
  2 gwaith gôl-geidwad mewn gêm wrth arbed gôl save

arbedion *ell* yr hyn a arbedir neu a arbedwyd, yn enwedig arian savings
  arbedion effeithlonrwydd arbedion ariannol yn deillio o ddiddymu gwastraff o brosesau gwaith efficiency savings

arbedol *ans* yn arbed, yn atal saving

arbedwr sgrin *eg* (arbedwyr sgrin) rhaglen gyfrifiadurol sydd, ar ôl amser penodedig, yn gosod symudlun neu sgrin wag yn lle llun llonydd ar sgrin cyfrifiadur screen saver

arbelydriad *eg* (arbelydriadau)
  1 y broses o arbelydru, canlyniad arbelydru irradiation
  2 techneg o ddiheintio bwyd drwy ei arbelydru irradiation

arbelydru *be* [arbelydr•¹]
  1 trin â phelydrau (~ *rhywbeth* â) to irradiate
  2 trin (bwyd, etc.) â lefel isel o belydriad i'w gadw rhag pydru to irradiate

arbenicach:arbenicaf:arbeniced *ans* [arbennig] mwy arbennig; mwyaf arbennig; mor arbennig

arbenigaeth *eb* (arbenigaethau) BIOLEG addasiad yn adeiledd organeb neu organ fel y gall gyflawni swyddogaeth benodol neu oroesi mewn amgylchedd penodol specialization

arbenigedd *eg* (arbenigeddau) maes y mae rhywun yn arbenigo ynddo expertise, specialism, speciality

arbenigo *be* [arbenig•¹]
  1 bod yn awdurdodol mewn maes penodol, canolbwyntio ar faes llafur, etc. (~ **yn/mewn** *rhywbeth*) to specialize
  2 BIOLEG (am organeb, organ neu gell) datblygu i fod yn addas i gyflawni swyddogaeth arbennig neu i fyw mewn amgylchedd arbennig to specialize

arbenigol *ans*
  1 yn gofyn arbenigedd, nodweddiadol o arbenigwr expert, specialist
  2 BIOLEG wedi'i addasu ar gyfer swyddogaeth neu amgylchedd penodol specialized

arbenigrwydd *eg* nodwedd arbennig, yr hyn sy'n arbennig; hynodrwydd distinction

arbenigwr *eg* (arbenigwyr)
  1 un sy'n awdurdod yn ei faes; awdurdod, meistr expert, specialist
  2 meddyg sy'n canolbwyntio ar un maes yn unig consultant, specialist

arbenigwraig *eb* merch neu wraig sy'n awdurdod yn ei maes expert, specialist

arbennig *ans* [arbenic•]
  1 gwell, mwy neu'n wahanol i'r hyn sy'n arferol; anghyffredin, hynod, neilltuol, nodedig distinctive, special
  2 godidog, gwych, rhagorol, *Talwyd teyrnged arbennig iddo yn ei angladd.* marvellous, splendid, wonderful
  arbennig o fe'i defnyddir i ddwysáu ystyr ansoddair, *arbennig o flasus*

arbost *eg* (arbyst) PENSAERNÏAETH bloc o garreg ymwthiol sy'n gorffwys ar ran uchaf colofn neu wal sy'n cynnal bwa pensaernïol impost

arbrawf *eg* (arbrofion) cais neu fodd i ddarganfod neu gadarnhau rhyw ffaith neu wirionedd experiment

arbrisiant *eg* cynnydd yng ngwerth ased yn sgil ffactorau economaidd appreciation

arbrofi *be* [arbrof•¹] gwneud arbrawf, ceisio canfod neu gadarnhau damcaniaeth neu ffaith drwy arbrawf; arloesi, mentro (~ **ar**) to experiment

arbrofol *ans* yn perthyn i arbrawf, nodweddiadol o arbrawf; arloesol, mentrus experimental

arbrofwr *eg* (arbrofwyr) un sy'n arbrofi experimenter

arbyst *ell* lluosog **arbost**

arc *eb* (arcau)
 1 y golau a welir wrth i drydan groesi'r bwlch rhwng dwy ran o gylched drydanol arc
 2 MATHEMATEG rhan o gromlin, e.e. darn o gylchyn cylch arc
 3 SERYDDIAETH llwybr tybiedig seren neu blaned uwchlaw ac islaw'r gorwel arc

arcêd *eb* (arcedau) rhodfa dan do a siopau ar y naill ochr a'r llall fel arfer arcade

Arctig *ans* yn perthyn i ardaloedd o gwmpas pegwn y Gogledd neu'n nodweddiadol o'r rhain Arctic

arch¹ *eb* (eirch)
 1 math o gist y rhoddir corff marw ynddi i'w gladdu neu ei losgi coffin
 2 arch Noa, sef y cwch neu'r llong anferth a adeiladodd Noa rhag y Dilyw yn ôl 'Llyfr Genesis' yn y Beibl ark
 3 Arch y Cyfamod, sef y gist lle y cadwyd y ddwy lechen a'r Deg Gorchymyn wedi'u hysgrifennu arnynt (yn ôl 'Llyfr Cyntaf y Brenhinoedd' yn y Beibl) Ark of the Covenant
 allan o'r arch am rywbeth sydd mor hen y gallai fod wedi dod allan o arch Noa out of the ark

arch² *bf* [erchi] *hynafol* gorchymyn i ti erchi

arch- *rhag* fe'i defnyddir ar ddechrau gair i ddynodi prif, pennaf, mawr (iawn), e.e. *archesgob, archelyn, archfarchnad*; carn-, uchaf arch-, chief

archaeoleg *eb* astudiaeth wyddonol o olion materol cymdeithasau dynol archaeology

archaeolegol *ans* yn perthyn i archaeoleg, nodweddiadol o archaeoleg archaeological

archaeolegwr:archaeolegydd *eg* (archaeolegwyr) un sy'n arbenigo mewn archaeoleg archaeologist

archaf *bf* [erchi] *hynafol* rwy'n erchi; byddaf yn erchi

archangel *eg* (archangylion) prif angel archangel

archdeip *eg* (archdeipiau)
 1 y ddelw wreiddiol, y model cyntaf un; cynddelw archetype
 2 enghraifft nodweddiadol; cynddelw archetype
 3 thema neu symbol sy'n ymddangos yn gyson mewn gweithiau celf neu lên archetype
 4 SEICOLEG (yn ôl y seicolegydd Jung) delwedd gyntefig yn goroesi o gynfrodorion dynol ac sy'n rhan o anymwybod cyffredinol dynolryw archetype

archdderwydd *eg* (archdderwyddon) prif swyddog Gorsedd y Beirdd archdruid

archddiacon *eg* (archddiaconiaid) y clerigwr nesaf islaw esgob o ran gradd ac awdurdod archdeacon

arch-ddug *eg* (archddugiaid) teitl mab ymerawdwr Awstria, a fabwysiadwyd gan rai o lywodraethwyr gwledydd eraill Ewrop archduke

archdduges *eb* (archddugesau) teitl gwraig i arch-ddug a merch ymerawdwr Awstria archduchess

archddyfarniad *eg* (archddyfarniadau) CYFRAITH penderfyniad barnwrol, yn enwedig mewn achos o ysgariad neu o brofiant decree

Archeaidd *ans* DAEAREG yn perthyn i ail aeon y cyfnod cyn-Gambriaidd (3,800–2,500 miliwn o flynyddoedd yn ôl), nodweddiadol o ail aeon y cyfnod cyn-Gambriaidd Archaean

archeb *eb* (archebion)
 1 rhestr o nwyddau i'w cyflenwi gan siop neu gwmni order
 2 gorchymyn ysgrifenedig gan fanc neu swyddfa bost order
 archeb sefydlog archeb am nwyddau neu wasanaethau y disgwylir iddynt gael eu cyflenwi yn rheolaidd, e.e. unwaith yr wythnos, unwaith y mis standing order

archebu *be* [archeb•¹] rhoi archeb (am); clustnodi to book, to order

Archentaidd *ans* yn perthyn i'r Ariannin, nodweddiadol o'r Ariannin Argentinian

Archentwr *eg* (Archentwyr) brodor o'r Ariannin, un o dras neu genedligrwydd Archentaidd Argentinian

Archentwraig *eb* merch neu wraig o'r Ariannin, benyw o dras neu genedligrwydd Archentaidd Argentinian

archesgob *eg* (archesgobion) esgob o'r radd uchaf, esgob a chanddo gyfrifoldeb am archesgobaeth archbishop, primate

archesgobaeth *eb* (archesgobaethau) swydd a chylch awdurdod archesgob archbishopric, primacy

archfarchnad *eb* (archfarchnadoedd) siop fawr (iawn) sy'n gwerthu pob math o fwydydd a nwyddau tŷ i gwsmer, neu gyfuniad o siopau wedi'u lleoli yn aml ar ymyl tref supermarket

archiad *eg* (archiadau) *hynafol* deisyfiad taer; gorchymyn bidding

archif *eb* (archifau) casgliad o ddogfennau neu gofnodion, e.e. ffilmiau, recordiau, data cyfrifiadurol, etc., a ddiogelir ar gyfer y dyfodol archive

archifdy *eg* (archifdai) man lle mae archifau yn cael eu cadw, eu diogelu ac weithiau eu dehongli record office

archifol *ans* yn perthyn i faes archifau, addas ar gyfer cadw archifau archival

archifydd *eg* (archifwyr) un sy'n gyfrifol am archifau archivist

architraf *eg* (architrafau)
1 PENSAERNÏAETH ffrâm (addurniadol) o gwmpas drws, ffenestr neu unrhyw agoriad petryal arall; rhan isaf goruwchadail architrave
2 PENSAERNÏAETH prif drawst sy'n gorwedd ar ben colofnau architrave

archoffeiriad *eg* (archoffeiriaid) prif offeiriad (yn enwedig yn y ffydd Iddewig) high priest

archoll *eb* (archollion) *llenyddol* clwyf neu niwed wedi'i achosi drwy dorri croen y corff; briw, cwt, toriad gash, wound

archolladwy *ans llenyddol* agored i gael niwed neu i gael ei archolli; clwyfadwy vulnerable

archolledig *ans llenyddol* wedi derbyn archoll; briwedig, clwyfedig injured, wounded

archolli *be* [archoll•¹] *llenyddol* peri archoll i (rywun neu rywbeth); clwyfo, torri to wound, to cut

archwaeth *eg* (archwaethau) chwant bwyd; awch, awydd, blys, eisiau (~ at) appetite

archwiliad *eg* (archwiliadau) arolwg manwl (yn enwedig un meddygol neu ariannol); arolygiad, dadansoddiad, ymchwiliad audit, examination, investigation
archwiliad post-mortem MEDDYGAETH y broses o archwilio corff marw er mwyn dod o hyd i achos y farwolaeth post-mortem examination

archwiliedig *ans* (am gyfrifon) wedi'u harchwilio audited

archwilio *be* [archwili•²] edrych i mewn i (rywbeth), chwilio'n fanwl; adolygu, dadansoddi, gwirio, profi to inspect, to examine, to audit

archwiliwr *eg* (archwilwyr) rhywun sy'n archwilio; arolygwr auditor, examiner, inspector

archwysiad *eg* (archwysiadau) BIOLEG y broses o ryddhau deunyddiau o gell, organ neu organeb exudation

archwysu *be* [archwys•¹] BIOLEG gollwng neu gael ei ollwng o gell, organ neu organeb, e.e. chwys o'r croen neu nodd o blanhigyn to exude

ardafod *eg* (ardafodau) epiglotis; llabed neu glawr tenau o gartilag sy'n cau pen y laryncs wrth ichi lyncu er mwyn atal bwyd rhag mynd i'r bibell wynt epiglottis

ardal *eb* (ardaloedd) rhan (fach) o wlad; bro, cwmwd, cylch, parth district, locality, region

ardalwyr *ell* pobl sy'n byw mewn ardal arbennig; brodorion, preswylwyr, trigolion locals

ardalydd *eg* (ardalyddion) uchelwr o radd rhwng dug ac iarll marquis

ardalyddes *eb* gwraig ardalydd neu wraig o radd ardalydd marchioness

ardaro *be* [ardraw•³ *llu. gorff.* ardrawsom etc.] cael effaith ar, dod i gyffyrddiad â (rhywun neu rywbeth); effeithio (~ ar) to impinge

ardeleriad *eg* (ardeleriadau) y sefyllfa hanesyddol o roi hawl i wladwriaeth Gristnogol sefydlu llysoedd barn mewn gwladwriaethau nad oeddynt yn Gristnogol, er mwyn barnu deiliaid y gwladwriaethau hynny capitulation

ardoll *eb* (ardollau)
1 toll neu dreth, yn enwedig un a godir at ddibenion penodol levy
2 y swm a godir levy

ardrawiad *eg* (ardrawiadau)
1 trawiad un corff yn erbyn un arall collision, impact
2 gwthiad dau gorff yn rymus yn erbyn ei gilydd impact

ardrawol *ans* yn ymwneud ag ardrawiad, *glud ardrawol* impact, contact

ardraws *ans* wedi'i osod ar draws neu'n gorwedd ar draws transverse

ardrawslin *eb* (ardrawslin[i]au) MATHEMATEG un llinell sy'n croesi dwy neu ragor o linellau transversal

ardrefniant *eg* (ardrefniannau) *hanesyddol* gosod trefn lywodraethol neu grefyddol gyflawn ar wlad neu genedl settlement

ardreth *eb* (ardrethi) CYLLID treth leol ar eiddo sy'n seiliedig ar werth yr eiddo rate, tax

ardrethol *ans* CYLLID (am eiddo) y gellir codi ardreth arno, yn ymwneud ag ardreth rateable
gwerth ardrethol CYLLID gwerth a roddir ar eiddo yn seiliedig ar ei faint a'i leoliad er mwyn pennu maint y dreth y gofynnir i'w berchennog ei dalu rateable value

ardrethu *be* [ardreth•¹] codi ardreth to set a rate

ardyfwr *eg* (ardyfwyr) epiffyt; planhigyn, e.e. mwsogl, sy'n tyfu ar blanhigyn arall ond sy'n derbyn ei ddŵr a'i faeth o'r aer a'r glaw epiphyte

ardymer *eb* (ardymherau) CERDDORIAETH addasiad tiwnio ar y deuddeg cyfwng neu nodyn mewn wythfed arferol fel y gall offeryn sydd wedi'i diwnio chwarae mewn unrhyw gywair cerddorol temperament

ardystiad *eg* (ardystiadau) y broses o ardystio, canlyniad ardystio; dilysiad, prawf attestation, endorsement

ardystiedig *ans* wedi'i ardystio; achrededig, arnodedig, cofrestredig attested

ardystio *be* [ardysti•²]
1 cadarnhau drwy lofnodi bod (rhywbeth) yn wir, e.e. ewyllys to attest, to certify
2 tystio bod gwartheg yn glir o haint neu glefyd (~ i) to attest
3 arnodi, cadarnhau, dilysu, gwarantu to endorse

ardywallt *be* [ardywallt•¹] arllwys (hylif) o
un cynhwysydd i un arall heb aflonyddu ar y
gwaddod neu ar haenau eraill (o hylif) o dan
yr hylif a arllwysir (~ *rhywbeth* o *rywbeth* i
rywbeth) to decant

ardd *byrfodd* **arddodiad**

arddaearol *ans* epigeal; yn tyfu neu'n bodoli ar
wyneb y ddaear neu'n agos at y ddaear epigeal

arddaf *bf* [aredig] *hynafol* rwy'n aredig; byddaf
yn aredig

arddangos *be* [arddangos•¹]
1 dangos yn gyhoeddus, e.e. mewn sioe
to display, to exhibit
2 amlygu, dangos *Arddangosodd ddewrder
mawr mewn sefyllfa beryglus iawn*. to display,
to reveal

arddangosfa *eb* (arddangosfeydd) dangosiad
cyhoeddus; cyflwyniad, sioe exhibition

arddangosiaeth *eb* SEICOLEG gwyrdroad sy'n
ei amlygu ei hun drwy i rywun ddinoethi'r
organau rhywiol yn anweddus exhibitionism

arddangoswr:arddangosydd *eg* (arddangoswyr)
un sy'n arddangos sut i wneud rhywbeth, un
sy'n arddangos, e.e. anifeiliaid mewn sioe,
gwaith celf, etc. demonstrator, exhibiter

arddangosyn *eg* (arddangosion)
1 dogfen neu wrthrych sydd yn rhan o'r
dystiolaeth a gyflwynir mewn llys barn exhibit
2 gwrthrych mewn arddangosfa exhibit

arddegau *ell* y cyfnod rhwng un ar ddeg a
phedair ar bymtheg oed; glasoed, llencyndod,
mebyd teens

arddegol *ans* nodweddiadol o'r arddegau
teenage

arddeisyf *be* [arddeisyf•¹]
1 galw ar Dduw am gymorth; deisyf, erfyn,
ymbil to invoke
2 galw (ysbryd) drwy adrodd swyn neu drwy
ddefnyddio cyfaredd to invoke

arddel *be* [arddel•¹ 3 *un. pres.* arddel/arddela;
2 *un. gorch.* arddel/arddela]
1 addef, cydnabod, derbyn, proffesu, *Mae'n
arddel rhai syniadau rhyfedd*. to hold, to profess
2 dweud neu ddangos eich bod yn perthyn
i (rywun) neu'n adnabod (rhywun), *Nid
oedd ei deulu'n barod i arddel John fel un
ohonyn nhw.*; cydnabod, derbyn to accept,
to acknowledge

arddeliad *eg* (arddeliadau)
1 y weithred o arddel neu gydnabod, canlyniad
arddel; addefiad, proffes approval, avowal
2 brwdfrydedd ac argyhoeddiad, *Siaradodd
ag arddeliad yn y cyfarfod dros beidio â chau
ysgol y pentref.*; angerdd, eiddgarwch, sêl,
taerineb conviction

ardderchocach:ardderchocaf [ardderchog]
mwy ardderchog; mwyaf ardderchog

ardderchog *ans* [ardderchoc•] da ofnadwy;
campus, godidog, gwych, ysblennydd splendid,
excellent

ardderchogrwydd *eg* y cyflwr o fod yn
ardderchog; godidowgrwydd, gogoniant,
gwychder, ysblander splendour, excellence

arddo *bf* [aredig] *hynafol* pe byddai'n aredig

arddodi *be* [arddod•¹] trefnu (casgliad o
dudalennau wedi'u gosod mewn teip) yn barod
i'w hargraffu yn un adran to impose

arddodiad *eg* (arddodiaid) GRAMADEG
gair megis *dan, ar, am, gan*, etc., sy'n dod o
flaen enw neu ragenw. Yn aml mae'n dynodi
lleoliad neu amseriad (e.e. ar y ford, am dri o'r
gloch), ond hefyd yn cyflenwi ystyr berfau (e.e.
siarad am y tywydd, gweddïo ar Dduw), neu'n
cyplysu dwy elfen (e.e. llawer o bobl, gwych o
beth) preposition

arddull *ebg* (arddulliau)
1 patrwm neu ddull o fynegiant sy'n
nodweddiadol o siaradwr neu o ysgrifennwr
neilltuol, ac sy'n ei osod ar wahân i eraill style
2 ffordd arbennig o wneud rhywbeth sy'n
nodweddiadol o unigolyn, o grŵp neu o gyfnod
hanesyddol; steil style

arddulleg *eb*
1 gwedd ar astudiaethau llenyddol sy'n
dadansoddi gwahanol elfennau arddull, e.e.
trosiadau, ieithwedd, etc. stylistics
2 astudiaeth o'r nodweddion llenyddol hynny
sy'n cyfoethogi mynegiant stylistics

arddullydd *eg* (arddullwyr) arbenigwr mewn
arddull, yn enwedig llenor sydd wedi magu ei
arddull ei hun stylist

arddweud *be* [arddywed•¹ 3 *un. pres.*
arddywed] dweud neu ddarllen (rhywbeth) yn
uchel er mwyn i rywun arall ei gofnodi air am
air to dictate

arddwr *eg* (arddwyr) un sy'n aredig; aradwr
ploughman

arddwrn *eg* (arddyrnau) y cymal sy'n cysylltu'r
llaw a'r fraich wrist

arddwys *ans* yn ymwneud ag arddwysedd
intensive

arddwysedd *eg* (arddwyseddau) FFISEG maintioli
grym, egni neu belydriad fesul uned (o wefr,
màs, etc.) intensity

arddyrnol *ans* yn perthyn i'r arddwrn carpal

arddywediad *eg* (arddywediadau) y weithred o
arddweud, darn sy'n cael ei arddweud dictation

aredig *be* [ardd•³ 1 *un. gorff.* erddais] troi (tir)
ag aradr, trin (tir), torri cwysi to plough

areiniad *eg* (areiniadau) CYFRAITH y broses o
areinio arraignment

areinio *be* [areini•²] CYFRAITH (mewn llys barn)
darllen y cyhuddiad a gofyn i'r diffynnydd
bledio i'r cyhuddiad to arraign

areitheg *eb*
1 y grefft o lunio areithiau er mwyn argyhoeddi, plesio, dylanwadu, etc.; rhethreg rhetoric
2 arddull siarad cyhoeddus sy'n flodeuog ac yn emosiynol oratory
areithiau *ell* lluosog **araith**
areithio *be* [areithi•[2]] traddodi araith, datgan ar lafar yn gyhoeddus; annerch, llefaru, pregethu, traethu to make a speech
areithiwr:areithydd *eg* (areithwyr) un sy'n areithio; adroddwr, llefarydd, pregethwr, siaradwr orator, public speaker
areithyddiaeth *eb* celfyddyd areithio neu siarad cyhoeddus oratory
aren *eb* (arennau)
1 ANATOMEG un o'r ddau organ yn y ceudod abdomenol sy'n hidlo'r ysgarthion o'r gwaed cyn ei waredu fel troeth; elwlen kidney
2 aren (dafad, ych neu fochyn) a ddefnyddir fel bwyd; elwlen kidney
arena *eb* (arenâu)
1 y rhan yng nghanol amffitheatr Rufeinig lle y byddai'r ymrysonfeydd yn cael eu cynnal arena
2 lle gwastad i gynnal gweithgareddau, a rhesi o seddau o'i gwmpas arena
3 hefyd yn ffigurol, *yr arena wleidyddol* arena
arennol *ans* ANATOMEG yn ymwneud â'r arennau renal
aresgid *eb* (aresgidiau) esgid rwber a wisgir dros ben esgid arferol (i'w chadw'n sych); botasen galosh
arestiad *eg* (arestiadau) y weithred o arestio, canlyniad arestio (the) arrest
arestio *be* [aresti•[2]] dal rhywun drwy rym y gyfraith gyda'r bwriad o'i gyhuddo o drosedd (~ *rhywun am*) to arrest
areulder *eg* hynafol y cyflwr o fod yn araul (hefyd am gymeriad); disgleirdeb, gloywder, llewyrch splendour
arf *eg* (arfau)
1 offeryn a ddefnyddir i beri niwed corfforol weapon
2 dyfais ar gyfer gwneud rhyw waith arbennig; erfyn, offeryn, teclyn tool
arf tanio arf cludadwy sy'n tanio drwy rym ffrwydrol neu aer cywasgedig firearm
arfaeth *eb*
1 yr hyn a gynllunnir; amcan, cynllun, pwrpas intention, purpose
2 bwriad neu gynllun Duw; rhagluniaeth God's design
arfaethedig *ans* yn yr arfaeth, wedi'i fwriadu, yn cael ei baratoi intended, proposed
arfaethu *be* [arfaeth•[1]] bod â chynllun neu fwriad i wneud rhywbeth; amcanu, bwriadu, cynllunio (~ **ar gyfer**) to intend, to plan

arfarniad *eg* (arfarniadau) y broses o arfarnu, canlyniad arfarnu; gwerthusiad appraisal, evaluation
arfarnu *be* [arfarn•[3]] asesu neu farnu gwerth (rhywbeth); cloriannu, gwerthuso, tafoli to evaluate
arfau *ell*
1 lluosog **arf**; lluosog **erfyn** arms
2 (mewn herodraeth) llun neu gynlluniau ar darianau, baneri, etc., yn dynodi teulu neu gorff arbennig coat of arms
arfbais *eb* (arfbeisiau) hanesyddol mewn herodraeth, tarian ac arni gyfuniad arbennig o luniau, lliwiau a phatrymau ffurfiol y mae rhai unigolion, teuluoedd neu gyrff yn ei defnyddio fel arwyddlun crest, escutcheon, coat of arms
arfdy *eg* (arfdai) man lle y caiff arfau eu cadw neu eu cynhyrchu armoury
arfer[1] *ebg* (arferion) deddf anysgrifenedig, ymddygiad neu drefn sefydlog; confensiwn, defod, dull, traddodiad custom, habit, practice
arfer cyfyngol ECONOMEG trefniant twyllodrus gan gynhyrchwyr preifat neu gyhoeddus i rwystro cyflenwyr newydd rhag ymuno â'r farchnad neu i gyfyngu ar eu nifer; eu bwriad yw diogelu eu buddiannau eu hunain restrictive practice
Ymadroddion
arfer gwlad yr hyn sy'n gyffredin common usage
fel arfer
1 gan amlaf, *Byddaf yn cerdded adref fel arfer.*
2 yn ôl yr arfer, *busnes fel arfer* as usual
arfer[2] *be* [arfer•[1] 3 *un. pres.* arfer/arfera; 2 *un. gorch.* arfer]
1 defnyddio, gwneud defnydd (o rywbeth), *Nid yw'n air sy'n cael ei arfer yn yr ardal hon.* to use
2 gwneud rhywbeth yn rheolaidd, *Rwy'n arfer mynd i'r capel ar ddydd Sul.* to be accustomed, to be used to
3 dod yn gyfarwydd (â rhywbeth), *Nid wyf wedi arfer â'r car newydd eto.*; cyfarwyddo, cynefino (~ **â**) to get used to
dod i arfer â cyfarwyddo â (rhywun neu rywbeth), cynefino â (rhywun neu rywbeth) get used to, to get/become accustomed
arferadwy *ans* yn cael ei ddefnyddio fel arfer; arferedig customary
arferedig *ans* yn cael ei ddefnyddio fel arfer; arferadwy customary
arferiad *eg* (arferiadau) ymddygiad neu drefn sefydlog; arfer, defod, ffasiwn, traddodiad custom, habit
arferol *ans* yn digwydd yr un ffordd neu ar yr un pryd ag arfer, yn unol ag arfer; cyffredin, cyson, normal usual, normal, customary

arfin *eg* (arfiniau) lletem finiog o ddur sy'n ffwlcrwm i dafol neu glorian knife-edge

arfod *eb* (arfodau) ergyd neu afael pladur sweep

arfog *ans* yn gwisgo neu'n cario arfau; wedi'i arfogi armed

arfogaeth *eb* (arfogaethau) arfau neu offer rhyfel; arfwisg, rhyfelwisg armour

arfogi *be* [arfog•¹]
1 gwisgo arfau, paratoi at ryfel; ymarfogi, ymfyddino to arm, to take up arms
2 rhoi arfau i rywun, *Arfogi plant â gynnau.* to arm

arfor:arfordirol *ans* yn perthyn i arfordir, nodweddiadol o arfordir, ar neu'n agos at arfordir coastal

arfordir *eg* (arfordiroedd) rhan o dir gerllaw'r môr; glan môr coast, seashore

arfordirol *ans* yn perthyn i arfordir, nodweddiadol o arfordir, ar neu'n agos at arfordir coastal

arforol *ans*
1 yn ymylu â'r môr coastal, maritime
2 yn perthyn i'r môr neu fordwyo marine, maritime

arfwisg *eb* (arfwisgoedd) gwisg ar gyfer amddiffyn y corff mewn brwydr; arfogaeth, rhyfelwisg armour, suit of armour

arffed *eb* (arffedau) *tafodieithol* rhan flaen y corff o'r wasg i'r gliniau pan fo rhywun ar ei eistedd; côl, glin lap

arffin *eb* (arffiniau) MATHEMATEG rhif sydd naill ai'n fwy neu'n llai na phob elfen mewn set bound

arg *eg* (argiau) MATHEMATEG yr ongl θ pan fynegir y rhif cymhlyg z ar y ffurf $z = r(\cos\theta + i \sin\theta)$ argument, arg, amplitude

arg. *byrfodd* argraffiad edn

argae *eg* (argaeau) math o wal neu glawdd cadarn, uchel a godir ar draws afon neu nant er mwyn creu llyn neu gronfa ddŵr, neu ar draws darn o fôr i'w gadw rhag gorlifo dros y tir; còb, morglawdd dam, embankment, barrage

argaeledd *eg* y cyflwr o fod ar gael, e.e. i'w ddefnyddio, i ymgynghori ag ef, etc. availability

argaen *eb* (argaenau)
1 GWAITH COED haenen denau o bren hardd neu galed a ludir wrth bren salach i wella'i olwg; caenen o bren veneer
2 araen coating

argaenu *be* [argaen•¹] GWAITH COED gludio haen o bren wrth (bren arall) (~ *rhywbeth* â) to veneer

argaenwaith *eg* (argaenweithiau) GWAITH COED gwaith addurnol lle y gludir cynllun wedi'i greu o argaenau wrth wyneb o bren, e.e. darn o ddodrefn marquetry

argáu *be* [argae•¹] codi argae ar draws afon neu nant; cronni to dam

argian:argien *ebychiad* fel yn *Yr argian!*, mawredd sy'n gwybod! good heavens!

arglwydd *eg* (arglwyddi)
1 gŵr uchel ei radd mewn cymdeithas, llywodraethwr tiriogaeth; pendefig lord
2 aelod gwryw o'r bendefigaeth a chanddo'r hawl i'r teitl 'Arglwydd' peer
3 yr Arglwydd Dduw; Iesu Grist; Iôn, Iôr the Lord
   Sylwch: nid oes angen y fannod os yw enw lle yn rhan o'r teitl, e.e. *Arglwydd Crucywel, Arglwydd Tonypandy,* ond *Yr Arglwydd Elis-Thomas.*

Tŷ'r Arglwyddi gw. tŷ

Ymadroddion

bwrdd yr Arglwydd bwrdd y Cymun Communion table

dydd yr Arglwydd dydd Sul the Lord's day

swper yr Arglwydd y Cymun Lord's Supper

arglwyddaidd *ans* yn ymddwyn fel arglwydd, nodweddiadol o arglwydd; pendefigaidd, uchelwrol lordly

arglwyddes *eb* (arglwyddesau) gwraig sy'n llywodraethu tiriogaeth, gwraig arglwydd, gwraig fonheddig; pendefiges Lady

arglwyddiaeth *eb* (arglwyddiaethau)
1 swydd, awdurdod ac urddas arglwydd; pendefigaeth lordship
2 y tir a'r eiddo y mae arglwydd yn arglwyddiaethu arnynt lordship
3 y cyfnod y mae arglwydd yn arglwyddiaethu lordship

arglwyddiaethu *be* [arglwyddiaeth•¹] teyrnasu (fel arglwydd); dominyddu, llywodraethu, rheoli (~ **ar** *rywun/rywbeth*) to govern

argoel *eb* (argoelion)
1 rhagolwg o rywbeth sydd i ddod; arwydd omen, sign
2 MEDDYGAETH rhagolwg o hynt clefyd neu anhwylder prognosis
3 rhagfynegiad am yr hyn sy'n mynd i ddigwydd yn y dyfodol prognosis

yr argoel *ebychiad* mynegiant o syndod heavens above

argoeli *be* awgrymu beth sydd i ddod; darogan, rhagfynegi, rhagweld to bode, to augur, to portend
   Sylwch: nid yw'r ferf hon yn arfer cael ei rhedeg.

argoelus *ans* yn rhagfynegi neu'n darogan portentous

argon *eg* elfen gemegol rhif 18; nwy nobl nad yw'n adweithio'n gemegol, aelod o deulu'r nwyon nobl (Ar) argon

argraff *eb* (argraffau:argraffiadau) y darlun neu'r ddelwedd sy'n aros ym meddwl rhywun; effaith, marc, ôl impression

bod dan yr argraff credu (yn gam neu'n gymwys) to be under the impression

argraffadwy *ans*
1 y gellir ei argraffu neu ei brintio printable
2 (am berson) hawdd gadael argraff arno impressionable

argraffedig *ans*
1 wedi'i argraffu printed
2 am syniad (geiriau, delwedd etc.) sydd wedi'i serio yn y cof imprinted

argraffiad *eg* (argraffiadau)
1 y ffurf gorfforol y mae llyfr yn cael ei argraffu ynddi imprint
2 yr holl gopïau o lyfr neu gyhoeddiad sy'n cael eu hargraffu ar yr un pryd edition

argraffiad diwygiedig argraffiad newydd a newidiadau wedi'u cynnwys ynddo revised edition

argraffiadaeth *eb*
1 CELFYDDYD arddull neu fudiad o arlunwyr a oedd yn ceisio cyfleu effaith golau naturiol drwy ddefnyddio smotiau neu stribedi; dechreuodd y mudiad yn Ffrainc yn y 1870au impressionism
2 CERDDORIAETH mudiad Ewropeaidd ar ddiwedd y bedwaredd ganrif ar bymtheg a dechrau'r ugeinfed ganrif; roedd cyfansoddwyr y mudiad yn mynegi emosiwn drwy ddefnyddio cynghanedd a seiniau cyfoethog ac amrywiol yn eu cyfansoddiadau impressionism
3 (mewn llenyddiaeth) cais i greu golygfa, teimlad neu gymeriad drwy ddefnyddio manylion i ysgogi teimladau neu ymateb goddrychol yn y darllenydd yn hytrach na thrwy ddisgrifio gwrthrychau yn fanwl gywir impressionism

argraffiadol *ans* yn perthyn i argraffiadaeth, nodweddiadol o argraffiadaeth impressionistic

argrafflen *eb* (argrafflenni) darn o bapur y mae ei faint yn cyfateb i faint llawn y plât a ddefnyddir ar beiriant argraffu papurau newydd maint llawn; dalen lydan broadsheet

argraffty *eg* (argrafftai) adeilad neu sefydliad lle mae argraffu yn digwydd; gwasg, tŷ cyhoeddi press, printing house

argraffu *be* [argraff•³]
1 gadael ôl print ar rywbeth (papur fel arfer); cyhoeddi, printio to print
2 gadael argraff ar y meddwl (~ *rhywbeth* **ar** *rywun*) to impress, to impress upon

argraffwaith *eg* y gelfyddyd neu'r broses o argraffu printing

argraffwasg *eb* (argraffweisg) peiriant argraffu, gwasg brintio printing press

argraffwr *eg* (argraffwyr) un sy'n argraffu printer

argraffydd *eg* (argraffwyr:argraffyddion) person neu beiriant sy'n argraffu printer
Sylwch: argraffwyr = pobl sy'n argraffu; *argraffyddion* = peiriannau argraffu

argragen *eb* (argregyn) SWOLEG y gragen galed sydd wedi'i gwneud o asgwrn neu gitin ac sy'n cuddio rhan o gorff crwbanod, crancod, etc carapace

argroenol *ans* MEDDYGAETH (am feddyginiaeth) i'w thaenu ar wyneb y croen topical

arguddiad *eg* (arguddiadau) SERYDDIAETH y broses o arguddio, canlyniad arguddio occultation

arguddio *be* [arguddi•²] SERYDDIAETH cuddio (golau un corff wybrennol) gan gorff wybrennol arall (yn enwedig pan fydd y Lleuad yn cuddio seren neu blaned) to occult

argyfwng *eg* (argyfyngau) sefyllfa beryglus, cyfnod peryglus, uchafbwynt perygl; achos brys; adfyd, cyfyngder, trychineb crisis, emergency

argyfyngus *ans* o natur argyfwng, yn achosi argyfwng; dybryd, enbyd, peryglus critical

argyhoeddadwy *ans* y gellir ei argyhoeddi, yn argyhoeddi convincible, convincing

argyhoeddedig *ans* wedi'i argyhoeddi; crediniol convinced

argyhoeddi *be* [argyhoedd•¹] perswadio (rhywun) i gredu rhywbeth; darbwyllo (~ *rhywun* **o** *rywbeth*) to convince

argyhoeddiad *eg* (argyhoeddiadau) cred gadarn ddiysgog; angerdd, arddeliad, taerineb conviction

argyhoeddiadol *ans* yn argyhoeddi, yn peri argyhoeddiad convincing

argyhuddo *be* [argyhudd•¹] CYFRAITH awgrymu neu ensynio euogrwydd neu fai (~ *rhywun* **o**) to incriminate

argylch *eg* (argylchoedd) MATHEMATEG cylch bychan y mae ei ganol yn symud ar hyd cylchyn cylch mwy; episeicl epicycle

argymell *be* [argymhell•¹¹] cefnogi a chymeradwyo, cynghori (rhywun i wneud rhywbeth); cymell to recommend, to propose, to urge
Sylwch: argymhell- a geir yn ffurfiau'r ferf ac eithrio'r rhai sy'n cynnwys -*as*-.

argymhellaf *bf* [argymell] rwy'n argymell; byddaf yn argymell

argymhelliad *eg* (argymhellion) cymeradwyaeth, awgrym cryf, e.e. *Fy argymhelliad i yw eich bod yn gwerthu'r hen dŷ 'ma ar unwaith, cyn iddo fynd yn gostus iawn i chi.*; anogaeth, cymhelliad recommendation, exhortation, submission

arholi *be* [arhol•¹] profi gwybodaeth (rhywun) o faes penodol, profi gallu (rhywun) o ran sgìl neu sgiliau arbennig; asesu, holwyddori to examine

arholiad *eg* (arholiadau) y broses neu'r weithred o arholi, canlyniad arholi; asesiad, prawf examination

arholiadol *ans* yn ymwneud ag arholi neu arholiadau examining

arholwr:arholydd *eg* (arholwyr) un sy'n arholi; aseswr, holwr examiner

arhosaf *bf* [aros] rwy'n aros; byddaf yn aros

arhosfan *egb* (arosfannau) man aros, yn enwedig wrth ymyl heol stopping-place

arhosfan bysys/bysiau man arbennig lle mae bysys yn aros i godi a gollwng teithwyr bus stop

arhosiad *eg* (arosiadau) yr amser y mae rhywun yn sefyll neu'n aros mewn man arbennig stay, stop

arhosol *ans* yn aros, yn parhau am amser hir; parhaus, preswyl, sefydlog lasting

aria *eb* (ariâu) CERDDORIAETH unawd (mewn opera neu oratorio fel arfer) ar gyfer un llais a chyfeiliant aria

Ariad *eg* (Ariaid)

1 un o lwyth o bobl a siaradai iaith Indo-Ewropeaidd ac a oresgynnodd ogledd India yn yr ail fileniwm CC Aryan

2 (yn ideoleg y Natsïaid) un o lwyth a nodweddid gan eu taldra, eu croen gwyn, eu gwallt golau a'u llygaid gleision, ac, oherwydd eu tras an-Iddewig, a ystyrid yn bobl ddyrchafedig Aryan

Ariaidd *ans*

1 *hanesyddol* yn perthyn i lwyth o bobl a oedd yn siarad iaith Indo-Ewropeaidd, nodweddiadol o'r llwyth hwnnw Aryan

2 (yn ideoleg Natsïaid) yn perthyn i hil Almaenaidd, nodweddiadol o hil Almaenaidd; heb fod o dras Iddewig Aryan

arial *eg* *llenyddol* ysbryd ac egni; afiaith, asbri, hoen, nwyf spirit, verve, vigour

arian¹ *eg* elfen gemegol rhif 47; metel gwyn, disglair, gwerthfawr (Ag) silver

arian byw mercwri mercury, quicksilver

arian² *eg* ac *ell* cyfrwng cyfnewid ar ffurf darnau metel a phapur, e.e. ceiniog, darn pum ceiniog, punt, papur £5, £10, etc.; darnau arian, pres money, coins

arian bath arian ar ffurf darnau metel yn hytrach na nodau papur coinage, specie

arian cyfred cyfundrefn ariannol gwlad benodol currency

arian cyfred sengl ECONOMEG arian cyfred a ddefnyddir gan bob aelod o ffederasiwn economaidd single currency

arian drwg arian ffug counterfeit money

arian papur papurau £5, £10, etc. note(s), paper money

arian parod arian y mae rhywun yn ei gario (yn hytrach na llyfr sieciau, cerdyn credyd, etc.) cash

arian poced swm (bychan fel arfer) o arian y mae plentyn yn ei dderbyn yn rheolaidd (gan ei rieni fel arfer) pocket money

Ymadroddion

arian cochion darnau ceiniog, dwy geiniog, etc. coppers

arian gleision/gwynion darnau pum ceiniog, deg ceiniog, ugain ceiniog, etc. silver

arian sychion darnau o arian ac arian papur (yn hytrach na sieciau, etc.) hard cash

arian³ *ans* am y lliw gwyn a disglair sy'n nodweddiadol o'r metel arian silver

ariandlws *egb* (ariandlysau) tlws arian ar lun cadair, telyn neu grwth a wisgid gynt gan athrawon cerdd dafod a cherdd dant (bardd, telynor, crythor a datgeiniad); gwobr eisteddfodol

ariangar *ans* yn caru arian, trachwantus am arian a chyfoeth; barus, cybyddlyd, materol avaricious, miserly

ariangarwch *eg* trachwant am arian; crintachrwydd, cybydd-dod avarice

arianllys *eg* planhigyn yn perthyn i deulu'r blodyn ymenyn; mae ganddo flodau bach melynwyrdd, piws neu wyn meadow rue

ariannaid *ans* wedi'i wneud o arian, wedi'i orchuddio â haen o arian silver, silvered

ariannaidd *ans* tebyg i arian o ran lliw a disgleirdeb silvery

arianneg *eb* gwyddor rheoli materion ariannol finance

ariannog *ans* â digon o arian; abl, cefnog, cyfoethog, goludog rich, wealthy

ariannol *ans* yn ymwneud ag arian a chyllid; cyllidol financial, monetary

ariannu *be* [ariann•¹⁰ *1 un. gorff.* ariennais]

1 rhoi arian at (rywbeth), talu am (rywbeth), *Pwy sy'n mynd i ariannu'r cynllun?* to finance, to fund

2 gwneud i (rywbeth) edrych fel arian, gosod haen o arian ar ben (rhywbeth), *'A'r lloer yn ariannu'r lli.'* to silver

Sylwch: dyblwch yr 'n' ym mhob ffurf ac eithrio yn y rhai sy'n cynnwys -as-.

ariannwr:ariannydd *eg* (arianwyr)

1 uchel swyddog mewn banc neu gwmni ariannol sy'n gyfrifol am yr arian sy'n cael ei dderbyn a'i wario cashier

2 aelod o staff banc sy'n derbyn arian a thalu allan arian dros y cownter cashier

3 un sy'n delio ag arian, cyllidwr financier

arianwe *eb* ffiligri; gwaith addurnedig cain tebyg i sideru ond yn defnyddio gwifrau aur neu arian filigree

arien *eg* *hynafol* gwlith wedi rhewi; barrug, llwydrew rime

aristocrat *eg* (aristocratiaid) aelod o'r dosbarth uchaf mewn cymdeithas, yn aml yn perthyn i hen deulu o bendefigion; arglwydd, pendefig, uchelwr aristocrat

aristocrataidd *ans* nodweddiadol o aristocrat, yn perthyn i aristocrat; arglwyddaidd, pendefigaidd, uchelwrol aristocratic

aristocratiaeth *eb* math o lywodraeth lle mae'r grym yn nwylo'r bendefigaeth aristocracy

arlais *eb* (arleisiau) ANATOMEG ochr y pen rhwng y glust a'r talcen temple

ar lein *adf* CYFRIFIADUREG yn gysylltiedig â'r Rhyngrwyd neu â chyfrifiadur arall, *Bydd yn bosibl prynu unrhyw beth ar lein cyn bo hir.* online

ar-lein *ans*
1 CYFRIFIADUREG (am wasanaeth neu weithgarwch) ar gael neu'n cael ei gynnal drwy gyfrwng y Rhyngrwyd, *Gwasanaeth ar-lein sydd gan y cwmni erbyn hyn.* online
2 CYFRIFIADUREG wedi'i gysylltu â chyfrifiadur neu wedi'i reoli gan gyfrifiadur online

arloesi *be* [arloes•¹] newid trefn sefydlog drwy gyflwyno dulliau neu syniadau newydd, torri tir newydd; arbrofi, mentro to innovate, to pioneer

arloesol *ans* yn arloesi; arbrofol, blaengar, mentrus innovative, pioneering

arloeswr *eg* (arloeswyr) un sy'n arloesi; sylfaenydd innovator, pioneer

arlunio *be* [arluni•⁶] tynnu llun o (rywun neu rywbeth); darlunio, peintio to draw, to paint

arlunydd:arluniwr *eg* (arlunwyr) artist sy'n arlunio; peintiwr artist

arlwy *eg* (arlwyon)
1 cyflenwad o fwyd, y bwyd sydd ar gael, y bwyd a baratowyd; gwledd provision, provisions
2 cyflenwad o gyfarpar; darpariaeth, paratoad preparation

arlwyaeth *eb* y busnes o baratoi a chyflenwi bwyd yn ôl y galw catering

arlwyo *be* [arlwy•¹]
1 paratoi (bord neu fwrdd); hulio to prepare
2 darparu neu gyflenwi (prydau) bwyd to cater

arlwywr *eg* (arlwywyr) un sy'n arlwyo, un sy'n gyfrifol am yr arlwyaeth; cyflenwr, darparwr caterer

arlywydd *eg* (arlywyddion) pennaeth etholedig gweriniaeth, cymdeithas, cwmni etc. president

arlywyddiaeth *eb* (arlywyddiaethau)
1 y cyfnod y mae arlywydd yn ei dreulio yn ei swydd presidency
2 swydd a chyfrifoldeb arlywydd presidency

arlywyddol *ans*
1 yn ymwneud â swydd a chyfrifoldebau arlywydd presidential
2 yn dynodi dull o reoli neu lywodraethu gyda'r arlywydd yn bennaeth presidential

arlywyddoliaeth *eb* trefn wleidyddol lle mae arlywydd yn cael ei ethol presidentialism

arlliw *eg* (arlliwiau)
1 argoel, arwydd, ôl trace, vestige
2 gradd o liw, ffurf ysgafnach neu ddyfnach o liw; gwawr shade, hue
dim arlliw (ohono) dim (o'i) ôl, dim sôn (amdano) no sign of (him)

arlliwio *be* [arlliwi•²] lliwio drwy ychwanegu arlliw (~ *rhywbeth* â) to shade, to tint

arllwys *be* [arllwys•¹ *3 un. pres.* arllwys/ arllwysa; *2 un. gorch.* arllwys/arllwysa]
1 trosglwyddo (rhywbeth) yn llif cyson o lestr; gollwng, gwagio, tywallt to pour
2 rhedeg yn llif, *Roedd y chwys yn arllwys i lawr ei wyneb.*; ffrydio, goferu, llifo to pour
arllwys fy (dy, ei, etc.) mol mynegi fy (dy, ei, etc.) nheimladau a'm cwynion to pour out one's troubles
arllwys y glaw bwrw glaw yn drwm iawn, tywallt y glaw, bwrw hen wragedd a ffyn, pistyllio to teem down

arllwysfa *eb* (arllwysfeydd) genau ffos neu geuffos, aber afon neu lyn outfall

arllwysiad *eg* (arllwysiadau)
1 y broses o arllwys, canlyniad arllwys; tywalltiad outpouring
2 *technegol* mesur o lif y dŵr mewn afon a fynegir mewn metrau ciwbig yr eiliad discharge

armada *eb* *hanesyddol* llynges o longau arfog, yn enwedig Armada Sbaen yn erbyn Lloegr yn 1588 armada

Armagedon *eg* yn wreiddiol, y man lle bydd y frwydr fawr derfynol rhwng y da a'r drwg, rhwng Nefoedd ac Uffern yn cael ei hymladd; erbyn hyn, brwydr fawr dyngedfennol Armageddon

armatwr *eg* (armatyrau)
1 darn o haearn meddal neu ddur a roddir dros ddau ben magnet i gwblhau'r gylched a chadw'r magnet rhag colli'i fagnetedd armature
2 y rhan o fodur trydan neu generadur sy'n cynnwys craidd o fetel a gwifren wedi'i hynysu a'i dirwyn yn dynn amdano ac sy'n cylchdroi armature

Armenaidd *ans* yn perthyn i Armenia, nodweddiadol o Armenia Armenian

Armeniad *eg* (Armeniaid) brodor o Armenia, un o dras Armenaidd Armenian

arnaf *gw. ar*

arnawf:arnofiol *ans* yn arnofio floating
pwynt arnawf *gw. pwynt*

arnodedig *ans* wedi'i arnodi; achrededig, ardystiedig endorsed

arnodi *be* [arnod•¹]
1 CYFRAITH torri enw ar ddogfen, e.e. siec, dogfen gyfreithiol, etc., gan dystio i'w dilysrwydd ac awdurdodi trosglwyddo arian, hawl neu eiddo; ardystio to endorse

2 CYFRAITH cofnodi manylion collfarn ar drwydded yrru to endorse

arnodiad *eg* (arnodiadau) CYFRAITH y broses o arnodi, canlyniad arnodi endorsement

arnodd *adf* ymlaen, *troi'r teledu arnodd* on

arnofio *be* [arnofi•² 3 *un. pres.* arnawf/arnofia] gorwedd mewn hylif neu lifydd heb suddo to float

arnofiol *ans* gw. **arnawf**

arobryn *ans* yn haeddu gwobr, wedi derbyn gwobr; buddugoliaethus, teilwng award-winning, prizewinning

arodion *ell* lluosog **arawd**

arofal *eg* (arofalon) y gwaith o gynnal a chadw maintenance

arogl:aroglau *eg* (arogleuon) yr hyn a aroglir gan y ffroenau; gwynt, sawr smell

arogldarth *eg* (arogldarthau)
1 mwg persawrus a ddefnyddir i greu awyrgylch, yn enwedig mewn defodau crefyddol; mygdarth incense
2 thus neu'r llysiau a losgir i greu'r mwg hwn incense

arogldarthu *be* [arogldarth•¹] llosgi arogldarth, llenwi ag arogldarth to burn incense

arogleuo *be* [arogleu•¹]
1 clywed arogl, *Wyt ti'n arogleuo'r blodau?*; arogli, gwynto, sawru to smell
2 rhoi allan neu wasgaru aroglau (pêr neu ddrwg), *Ych a fi, mae'r hen ddillad yma'n arogleuo.*; gwyntio (~ o) to smell

arogleuol *ans*
1 yn arogleuo, ac arno aroglau strong-smelling
2 MEDDYGAETH yn ymwneud ag arogli, yn enwedig am y rhan o'r corff neu'r nerf a ddefnyddir wrth arogli olfactory

arogli *be* [arogl•¹]
1 synhwyro neu glywed arogl drwy'r ffroenau; arogleuo, gwynto, sawru to smell, to sniff
2 rhoi allan neu wasgaru aroglau, *Mae dy ddillad yn arogli o fwg.*; gwynto (~ o) to smell

arogliad *eg* (arogliadau) y broses o arogli, canlyniad arogli smelling

aroglus *ans* yn arogli; aromatig, peraroglus, persawrus fragrant, odorous

aroleuo *be* [aroleu•¹]
1 cannu neu oleuo (rhan o'r gwallt); goleuo, e.e. boch â cholur (~ â) to highlight
2 lliwddangos; lliwio (darn o ysgrifen neu ddogfen) â phen fflwroleuol lliwgar er mwyn tynnu sylw ato to highlight

arolwg *eg* (arolygon:arolygiadau)
1 proses o edrych yn drylwyr ac yn fanwl ar (rywbeth); archwiliad, arolygiad (~ o) survey, scrutiny, review
2 y weithred o archwilio a chofnodi hyd a lled a nodweddion darn o dir er mwyn llunio cynllun neu fap neu ddisgrifiad ohono survey

arolwg barn arolwg lle y caiff cyfran o'r boblogaeth ei holi er mwyn cael syniad bras o farn trwch y boblogaeth opinion poll

arolygiad *eg* (arolygiadau) y broses o arolygu, canlyniad arolygu; archwiliad, arolwg inspection

arolygiaeth *eb* (arolygiaethau)
1 y broses o arolygu; goruchwyliaeth supervision
2 corff o arolygwyr sydd â'r gwaith o gynnal arolygiadau ac asesiadau o ysgolion, ffatrïoedd etc. inspectorate

arolygol *ans* yn arolygu, yn goruchwylio supervisory

arolygu *be* [arolyg•¹]
1 cadw golwg ar (rywun neu rywbeth); cyfarwyddo, goruchwylio to supervise, to superintend, to inspect
2 gwneud arolwg o (rywbeth); archwilio to survey

arolygwr *eg* (arolygwyr) un sy'n arolygu; arolygydd, goruchwyliwr, stiward inspector, supervisor, scrutineer

arolygwr Ysgol Sul yr un sy'n gyfrifol am arolygu'r Ysgol Sul Sunday School superintendent

arolygydd *eg* (arolygwyr:arolygyddion)
1 un sydd wedi'i benodi i arolygu; goruchwyliwr inspector, supervisor
2 swyddog uchel yn yr heddlu superintendent
Arolygydd Ei Mawrhydi swyddog a benodir i archwilio ac adrodd ar waith corff neu sefydliad, e.e. ysgolion a sefydliadau addysg Her Majesty's Inspector

aromatig *ans*
1 yn perarogli; aroglus, peraroglus, persawrus aromatic, fragrant
2 CEMEG (am gyfansoddyn organig) yn cynnwys cylch bensen yn ei adeiledd moleciwlaidd aromatic

aros *be* [arhos•¹¹ 3 *un. pres.* erys/arhosa; 2 *un. gorch.* aros]
1 disgwyl, oedi, *Peidiwch ag aros amdana i.* (~ **am** *rywun/rywbeth*) to wait
2 byw, preswylio, trigo (dros dro fel arfer), *Efallai y bydd angen aros rywle dros nos cyn mynd ar yr awyren.* to stay
3 peidio â symud, *Bydd y bws yn aros ym mhob pentref.*; oedi, sefyll, stopio, tario (~ **yn** *rhywle*) to halt, to stop
4 bod yn yr un cyflwr am gyfnod, *Arhosodd yn was ffarm am weddill ei fywyd.*; parhau (~ **yn** *rhywun*) to remain
Sylwch: arhos a geir yn ffurfiau'r ferf ac eithrio'r rhai sy'n cynnwys -as-, a'r rhai a nodir uchod.

aros fy (dy, ei, etc.**) nhro** aros nes cael cynnig to wait one's turn

Ymadrodd
aros ar fy (dy, ei, etc.**) nhraed** peidio â mynd i'r gwely, bod ar lawr to stay up
arosfannau *ell* lluosog **arhosfan**
arosgo *ans* ar ogwydd, ar oleddf; lletraws oblique
ongl arosgo gw. **ongl**
arosod *be* [arosod•¹] gosod ar ben (rhywbeth), uwchben (rhywbeth) neu dros (rywbeth), *arosod llais ar recordiad o gerddoriaeth* to superimpose
arosodiad *eg* (arosodiadau) y broses o arosod, canlyniad arosod superimposition
arpeggio *eg* (*arpeggi*) CERDDORIAETH nodau cord sy'n cael eu chwarae un ar ôl y llall, i fyny neu i lawr
arsang *eg* (arsangau) tarsws; y grŵp o saith o esgyrn bach yn y droed sy'n ffurfio'r ffêr a'r sawdl tarsus
arsefydlu *be* [arsefydl•¹]
1 gosod (cyfarpar) yn ei le yn barod i'w ddefnyddio to install
2 gosod (meddalwedd) ar gyfrifiadur to install
arsenig *eg* elfen gemegol rhif 33; lled-fetel crisialog, llwyd, tra gwenwynig (As) arsenic
arsugniad *eg* (arsugniadau) y broses o arsugno, canlyniad arsugno adsorption
arsugno *be* [arsugn•¹] CEMEG (am hylif neu solid) (peri) crynhoi ar ei wyneb haen denau o foleciwlau'r nwy neu'r hylif sy'n ei gyffwrdd to adsorb
arsugnydd *eg* (arsugnyddion) sylwedd sy'n arsugno un arall adsorbent
arswyd *eg* (arswydau) ofn mawr; braw, dychryn terror
codi arswyd ar hela ofn; arswydo to frighten
yr arswyd:arswyd y byd *ebychiad* mynegiant o syndod neu ofn heavens
arswydedig *ebychiad* mynegiant o syndod a braw good heavens!
arswydo *be* [arswyd•¹]
1 cael arswyd, cael ofn, cael braw, *Arswydais i pan welais faint y bil.*; dychryn (~ **rhag** *rhywbeth*) to be afraid
2 achosi ofn i, rhoi braw i, *Arswydodd bawb gyda'i straeon am ysbrydion.*; brawychu to frighten
arswydus *ans* yn peri arswyd; brawychus, dychrynllyd, erchyll, ofnadwy fearful, horrific, terrible
arswydus o fe'i defnyddir i ddwysáu ystyr ansoddair, *arswydus o ddrud*
arsylw:arsylwad *eg* (arsylwadau) cofnod yn deillio o arsylwi observation
arsylwi *be* [arsylw•¹] sylwi ar neu wylio er mwyn casglu data *arsylwi ar wersi mewn ysgol; defnyddir offer arbennig yn aml ar gyfer arsylwi gwyddonol* (~ **ar**) to observe
arsylwr *eg* (arsylwyr) un sy'n arsylwi; arsyllwr, gwyliwr, sylwedydd observer

arsyllfa *eb* (arsyllfeydd)
1 SERYDDIAETH adeilad arbennig ar gyfer gwylio'r sêr a'r planedau, etc. observatory
2 adeilad sy'n rhoi golwg dros yr hyn sydd o'i amgylch; gwylfa watchtower
arsyllu *be* [arsyll•¹]
1 sylwi ar neu wylio er mwyn casglu data; arsylwi to observe
2 SERYDDIAETH gwylio (y sêr a'r planedau) â chymorth telesgop fel arfer to observe
arsyllwr:arsyllydd *eg* (arsyllwyr) un sy'n arsyllu; arsylwr, gwyliwr, sylwedydd observer
artaith *eb* (arteithiau) poen angerddol, yn aml wedi'i hachosi'n fwriadol torture
art deco *eg* arddull gelfyddydol a nodweddir gan ffurfiau geometrig bras ond manwl gywir
arteffact *eg* (arteffactau)
1 gwrthrych o waith dyn, e.e. offeryn, arf neu addurn artefact
2 (mewn arbrawf gwyddonol) rhywbeth sy'n deillio o'r broses baratoadol neu ymchwiliadol yn hytrach na'i fod yn rhan naturiol o'r arbrawf artefact
arteithglwyd *eb* (arteithglwydi) dyfais arteithio lle y clymir arddyrnau dioddefydd ar un pen a'i fferau ar y pen arall ac estyn y corff drwy dynhau'r rhaffau ar bob pen rack
arteithio *be* [arteithi•²] peri artaith i (rywun) fel cosb neu er mwyn ei orfodi i ddatgelu cyfrinach; dirdynnu, poenydio to torture
arteithiol *ans* poenus ofnadwy; dirdynnol, ingol excruciating, agonizing
arteithiwr *eg* (arteithwyr) un sy'n arteithio torturer
artiffisial *ans* o wneuthuriad neu gynhyrchiad dynol (o'i gymharu â phethau naturiol); annaturiol, gwneud, synthetig artificial
artist *eg* (artistiaid) un â dawn arbennig i greu neu i berfformio artist
artistiaeth *eb* ansawdd gwaith celfyddydol; dawn artistig artistry
artistig *ans*
1 yn ymwneud â chelfyddyd neu'r celfyddydau, nodweddiadol o gelfyddyd neu o'r celfyddydau artistic
2 wedi'i greu yn gelfydd; cain, coeth, creadigol, cywrain artistic
3 ac iddo ddawn fel artist; celfydd artistic
art nouveau *eg* CELFYDDYD arddull addurniadol a oedd yn boblogaidd yn Ewrop o ddiwedd y bedwaredd ganrif ar bymtheg ac a ddefnyddiai batrymau cymhleth a chromliniau wedi'u seilio ar siapiau naturiol fel dail a blodau
arth *eb* (eirth) creadur mawr, trwm, â chot flewog heb fawr o gynffon, sy'n gallu cerdded ar ddwy goes a rhedeg yn gyflym ar bedair coes bear

arth wen arth â chot wen sy'n byw yn y gogledd pell polar bear

yr Arth Fawr SERYDDIAETH cytser gogleddol yn cynnwys saith seren yr Aradr Ursa Major *Ymadrodd*

oes yr arth a'r blaidd cyfnod cynhanesyddol, hefyd am rywbeth hen iawn, *Mae'r het yna'n perthyn i oes yr arth a'r blaidd* prehistoric

arthes *eb* (arthesau) arth fenyw she-bear

arthio *be* [arthi•2]

1 cyfarth neu ruo fel arth to roar, to growl, to bawl

2 siarad yn fygythiol, dweud y drefn (~ ar) to berate, to scold

arthritis *eg* MEDDYGAETH clefyd sy'n achosi llid ac anhyblygedd yng nghymalau'r corff arthritis

arthropod *eg* SWOLEG unigol **arthropodau** arthropod

arthropodau *ell* SWOLEG ffylwm mawr o infertebratau yn cynnwys pryfed, corynnod, cantroediaid a chramenogion, a nodweddir gan gorff wedi'i rannu'n segmentau, aelodau cymalog a sgerbwd allanol caled Arthropoda, arthropods

aruchel *ans* uchel iawn, yn enwedig wrth gyfeirio at safonau chwaeth, harddwch, iaith, etc; dyrchafedig, godidog, goruchel majestic, sublime

arucheledd *eg* y cyflwr o fod yn aruchel; godidowgrwydd, mawredd, rhwysg, urddas grandeur, majesty

ei/eich Arucheledd (yn yr Eglwys Gatholig Rufeinig) teitl a ddefnyddir wrth gyfarch cardinal Eminence

arunig *ans*

1 ar wahân, ar ei ben ei hun, o'r neilltu free-standing, isolated

2 wedi'i arunigo isolated

arunigo *be* [arunig•1] BIOCEMEG cael hyd i (gyfansoddyn, micro-organeb, etc.) neu echdynnu (cyfansoddyn, micro-organeb, etc.) mewn ffurf bur iawn to isolate

aruthredd *eg* maint aruthrol; anferthedd, anferthwch immensity

aruthrol *ans* anferth a rhyfeddol; dirfawr, enfawr, trawiadol immense, terrific, tremendous

aruthrol o fe'i defnyddir i ddwysáu ystyr ansoddair, *Mae'n aruthrol o bell.*

arwahanol *ans*

1 yn bodoli ar wahân i unrhyw beth arall; unigolyddol discrete, distinct, individualistic

2 MATHEMATEG (am set) yn cynnwys nifer meidraidd neu rifadwy o bethau discrete

arwahanrwydd *eg* y cyflwr neu'r graddau o fod yn arwahanol; gwahaniaeth individuality, otherness

arwahanu *be* [arwahan•3]

1 gosod rhywun ar wahân neu ar ei ben ei hun to segregate, segregation, to set apart

2 gwahanu neu rannu grwpiau ar sail rhyw, hil, crefydd to segregate

arwain *be* [arweini•2 *3 un. pres.* arwain/ arweinia; *2 un. gorch.* arwain]

1 mynd ar y blaen i (rywun) er mwyn dangos y ffordd, etc.; rhagflaenu, tywys (~ at *rywun/ rywbeth*; ~ i *rywle*) to lead

2 cyfarwyddo (cerddorfa neu gôr, etc. to conduct

3 mynd i (le neu gyfeiriad penodol), *Mae'r ffordd yma'n arwain i'r pentref.* to lead

4 bod ar y blaen; bod yn arweinydd ar, llywyddu ar (grŵp o bobl, etc.) *arwain plaid neu ymgyrch*; blaenu, cyfeirio, llywio to lead

arwain ar gyfeiliorn arwain (rhywun) oddi ar y llwybr cywir, arwain i'r cyfeiriad anghywir to lead astray

arwain y gân lledu'r gân, dechrau canu gan ddenu eraill i ymuno, codi canu

arwaith *eg* (arweithiau)

1 mecanwaith sy'n gwneud i rywbeth weithio (e.e. piano neu ddryll), a natur y gwaith a wneir ganddo; acsiwn2 action

2 effaith neu ddylanwad gweithredoedd arbennig neu sylwedd megis cemegyn action

arwedd *eb* (arweddau)

1 ffurf nodweddiadol; gwedd, pryd, ymddangosiad feature

2 y cyfeiriad y mae adeilad, ffenestr, etc. yn ei wynebu aspect

arweinbost *eg* (arweinbyst) postyn ar yr heol yn dangos y ffordd i rywle signpost

arweiniad *eg* (arweiniadau) y broses o arwain, canlyniad arwain, cyfarwyddyd a chymorth; canllaw, cyngor, llywyddiaeth guidance, leadership

arweiniaf *bf* [arwain] rwy'n arwain; byddaf yn arwain

arweiniol *ans* yn arwain; agoriadol, blaenaf, cyntaf, rhagymadroddol leading, introductory

arweinlyfr *eg* (arweinlyfrau) llyfr i ymwelwyr yn cynnwys gwybodaeth am le, neu lyfr yn cynnig arweiniad i faes arbennig; cyfarwyddiadur, cyfeiriadur, cyfeirlyfr guidebook

arweinydd *eg* (arweinyddion)

1 un sy'n arwain neu'n tywys; hebryngydd, tywysydd leader

2 un sy'n arwain cerddorfa neu gôr; cyfarwyddwr conductor

arweinyddiaeth *eb* (arweinyddiaethau) y weithred o arwain, natur yr arwain leadership

arwerthiant *eg* (arwerthiannau) man lle y caiff pethau eu gwerthu i'r sawl sy'n cynnig y swm mwyaf amdanynt; ocsiwn auction

arwerthu *be* [arwerth•1] gwerthu mewn arwerthiant, gwerthu ar ocsiwn to auction

arwerthwr *eg* (arwerthwyr) un sy'n ennill bywoliaeth drwy drefnu a chynnal arwerthiannau; gwerthwr auctioneer

arwisgiad *eg* (arwisgiadau) seremoni arwisgo, yn enwedig seremoni urddo mab hynaf brenin neu frenhines Lloegr yn Dywysog Cymru investiture

arwisgo *be* [arwisg•¹] rhoi awdurdod i (rywun) a chydnabod hynny drwy ei urddo â dillad arbennig; coroni, gorseddu, urddo (~ *rhywun* â) to enrobe, to invest

arwr *eg* (arwyr)
1 gŵr dewr, gŵr sy'n cael ei gydnabod am ei gampau; pencampwr hero
2 gŵr y mae pobl yn ei ddilyn neu'n ei edmygu'n fawr; eilun, gwron hero
3 prif gymeriad gwryw llyfr, ffilm neu ddrama, neu gymeriad yn meddu ar alluoedd goruwchnaturiol yn yr hen chwedlau hero

arwraddoliaeth *eb* edmygedd mawr iawn (neu ormodol) o arwr hero worship

arwres *eb* (arwresau)
1 merch neu wraig ddewr sy'n cael ei chydnabod am ei champau; campwraig heroine
2 merch neu wraig y mae pobl yn ei dilyn neu'n ei hedmygu'n fawr heroine
3 merch neu wraig sy'n brif gymeriad mewn llyfr, ffilm neu ddrama, neu gymeriad yn meddu ar alluoedd goruwchnaturiol yn yr hen chwedlau heroine

arwrgerdd *eb* (arwrgerddi) cerdd hir yn adrodd hanes arwrol mewn iaith urddasol; epig epic, epic poem

arwriaeth *eb* ymddygiad arwrol; dewrder, glewder, gwroldeb, gwrhydri heroism, valour

arwrol *ans* yn ymddwyn fel arwr, tebyg i arwr, nodweddiadol o arwr; epig, glew, gwrol heroic

arwydryn *eg* (arwydrau) haen denau o wydr a roddir ar ben gwrthrych sydd ar sleid, yn barod i'w archwilio dan ficrosgop cover glass, cover slip

arwydd *eg* (arwyddion)
1 marc, symbol neu ysgrifen yn dangos cyfeiriad, e.e. arwyddion ffyrdd (~ o) sign
2 nod neu farc confensiynol, e.e. mewn mathemateg; symbol symbol
3 gwrthrych, ansawdd neu ddigwyddiad sy'n dynodi presenoldeb neu ddigwyddiad rhywbeth arall, sydd naill ai eisoes wedi bod neu sydd ar fin digwydd sign, token
4 rhybudd o'r hyn sydd i ddod; argoel, darogan, symbol portent, sign
5 symudiad yn dynodi cyfarwyddyd neu orchymyn; amnaid signal
arwyddion yr amserau arwyddion (drwg fel arfer) o gyflwr y byd o'n cwmpas signs of the times

arwyddair *eg* (arwyddeiriau) geiriau neu ymadrodd byr yn dynodi cred neu werth (a gysylltir yn aml â theulu neu â sefydliad), e.e. 'Golud gwlad, rhyddid' motto

arwyddbost *eg* (arwyddbyst) arwydd yn rhoi gwybodaeth am gyfeiriad a phellter tref neu bentref cyfagos signpost

arwyddiaith *eb* (arwyddieithoedd) cyfundrefn o arwyddion llaw a ddefnyddir i gyfathrebu, e.e. gan bobl fyddar sign language

arwyddlun *eg* (arwyddluniau)
1 dyfais herodrol neu arwydd symbolaidd a ddefnyddir yn fathodyn nodweddiadol o genedl, corff, teulu etc. emblem
2 rhywun neu rywbeth sy'n cynrychioli nodwedd neu syniad arbennig; symbol symbol

arwyddluniol *ans* yn gweithredu fel arwyddlun; cynrychioliadol, symbolaidd symbolic, emblematic

arwyddnod *eg* (arwyddnodau) marc sy'n nodweddu; llofnod, nod characteristic mark

arwyddo *be* [arwydd•¹]
1 torri enw ar (rywbeth); llofnodi to sign
2 gwneud arwydd, bod yn arwydd; arwyddocáu, dangos, dynodi to signal

arwyddocâd *eg* yr hyn sy'n cael ei arwyddocáu, *Beth yw arwyddocâd y cynlluniau hyn?*; gwerth, pwysigrwydd, ystyr significance
arwyddocâd ystadegol y graddau y mae canlyniad yn gwyro oddi wrth y cyfeiliornau samplu disgwyliedig statistical significance

arwyddocaol *ans* gwerth sylwi arno, ac arwyddocâd iddo; nodweddiadol significant

arwyddocáu *be* [arwyddoca•¹⁵] sefyll yn arwydd yn lle rhywbeth; dynodi, golygu, meddwl to signify

arwyddol *ans* yn dangos rhywbeth, arwydd o rywbeth indicative

arwyddwr *eg* (arwyddwyr) un sy'n arwyddo; llofnodwr signatory

arwyl *eb* (arwylion) gair llenyddol am angladd; claddedigaeth, cynhebrwng funeral

arwyneb *eg* (arwynebau)
1 haen uchaf neu olwg allanol rhywbeth; arwynebedd, wyneb face, surface
2 MATHEMATEG set o bwyntiau sy'n ffurfio llain nad oes iddi unrhyw ddyfnder surface

arwynebedd *eg* (arwynebeddau)
1 y cyflwr o fod yn arwynebol; baster superficiality
2 ochr allanol rhywbeth; arwyneb, wyneb surface
3 MATHEMATEG mesur o faint arwyneb rhywbeth wedi'i ddynodi (fel arfer) mewn unedau sgwâr area

arwynebol *ans* ar yr wyneb yn unig, heb ddyfnder; bas, basaidd superficial

a

arwynebolrwydd *eg* y cyflwr o fod yn arwynebol, diffyg dyfnder superficiality

arwyr *ell* lluosog **arwr**

arwyrain *egb hynafol* cerdd o foliant; molawd panegyric

arwystl *eg* (arwystlon) CYFRAITH llyffethair ar eiddo, fel arfer ar ffurf swm o arian y mae'n rhaid ei dalu yn ôl er mwyn adfer rhywbeth sydd wedi'i osod yn sicrwydd yn erbyn methu talu, e.e. talu morgais (legal) charge

aryneilio:amyneilio *be* [aryneili•²]
1 mynd/gwneud am yn ail, *Maent yn aryneilio fesul wythnos.*; eiledu (~ *rhywbeth* â) to alternate
2 newid am yn ail, *Mae'n aryneilio'r chwaraewyr er mwyn ceisio'u harbed rhag cael gormod o anafiadau.* (~ *rhywbeth* â) to alternate

arysgrif:arysgrifen *eb* (arysgrifau)
1 geiriau neu lythrennau wedi'u torri ar garreg (e.e. cofgolofn) neu fetel (e.e. ar ymyl darn o arian) inscription, legend
2 cyflwyniad neu ddarn disgrifiadol ar ddechrau llyfr inscription

arysgrifio *be* [arysgrifi•²] torri neu gerfio arysgrif to engrave, to inscribe

as *eb* (asau) (mewn pac o gardiau) cerdyn chwarae sy'n werth 'un', ond yn aml hefyd yn dwyn y gwerth uchaf ace

AS *byrfodd* Aelod Seneddol MP

asasin *eg* (asasiniaid)
1 *hanesyddol* yng nghyfnod y Croesgadau, aelod o urdd gyfrinachol o Fwslimiaid a fyddai'n brawychu eu gelynion drwy lofruddio yn y dirgel o dan ddylanwad y cyffur hashish assassin
2 un sy'n asasineiddio rhywun assassin

asasineiddio *be* [asasineiddi•²] llofruddio (rhywun) fel arfer am resymau gwleidyddol neu grefyddol to assassinate

asb *eb* (asbiaid) gwiber fach wenwynig; cobra'r Aifft asp

asbestos *eg* ffibrau meddal, sidanaidd yn cynnwys silicon y gellir eu gwau ynghyd i greu ffabrig sy'n gwrthsefyll gwres mawr asbestos

asbig *eg* jeli tryloyw sawrus (o isgell cig neu bysgod) a ddefnyddir i baratoi gwahanol fwydydd aspic

asbri *eg* ysbryd ac egni; afiaith, arial, bywiogrwydd, nwyf ebullience, vitality, zest

ASE *byrfodd* Aelod o Senedd Ewrop MEP

ased *eg* (asedau:asedion)
1 rhywun neu rywbeth gwerthfawr asset
2 CYFRAITH eiddo rhywun y caiff dyledion neu unrhyw gymynroddion eu talu ohono asset
3 ECONOMEG eiddo unigolyn, cwmni neu sefydliad, yn cynnwys arian, adeiladau, buddsoddiadau, etc. asset

asedau sefydlog ECONOMEG asedau (e.e. peiriannau, adeiladau, cerbydau) a brynir at ddefnydd tymor hir nad oes disgwyl iddynt droi'n arian parod yn gyflym fixed assets

aseinai *eg* (aseineion) CYFRAITH rhywun y mae eiddo neu atebolrwydd yn cael ei drosglwyddo iddo yn ôl y gyfraith assignee

aseiniad *eg* (aseiniadau)
1 darn o waith; tasg, traethawd assignment
2 CYFRAITH y weithred o drosglwyddo eiddo neu atebolrwydd yn gyfreithiol assignment

aseinio *be* [aseini•²] CYFRAITH trosglwyddo (eiddo neu atebolrwydd) i rywun arall (~ *rhywbeth* i *rywun*) to assign

aseiniwr *eg* (aseinwyr) CYFRAITH un sy'n aseinio assignor

asen¹ *eb* (asennau:ais:eis)
1 un o'r esgyrn sy'n ymestyn o'r asgwrn cefn hyd at y frest rib
2 darn o gig yn cynnwys yr asen(nau) rib

asen² *eb* (asennod) asyn benyw she-ass

asennog *ans* yn meddu ar asennau ribbed

aseptig *ans* rhydd o halogiad gan ficro-organebau aseptic

asesiad *eg* (asesiadau) y broses o asesu, canlyniad asesu; arholiad, prawf assessment

asesiad crynodol y broses o asesu dysgu disgybl ar ddiwedd cyfnod, uned, project, cwrs, etc. summative assessment

asesiad ffurfiannol y broses o ddehongli lle mae disgybl arni o ran ei ddysgu ac adnabod camau nesaf ei ddatblygiad formative assessment

asesu *be* [ases•¹] pwyso a mesur gwerth neu safon (rhywun neu rywbeth); adolygu, arfarnu, arholi, cloriannu, tafoli to assess, assessment

aseswr:asesydd *eg* (aseswyr)
1 un sy'n asesu; arholwr, holwr, profwr assessor
2 arbenigwr sy'n cynghori llys barn ar faterion technegol neu wyddonol assessor

asetabwlwm *eg* (asetabwla) ANATOMEG y crau neu'r soced yn y pelfis sydd yn derbyn pen asgwrn y fforddwyd acetabulum

asetad *eg* (asetadau) CEMEG un o nifer o halwynau neu esterau a grëir wrth gyfuno asid asetig ag atom metelaidd neu alcohol acetate

asetig *ans* CEMEG fel yn *asid asetig*, yr hylif di-liw, egr ei arogl a geir mewn finegr, ethanöig yw'r term cyfoes acetic

aseton *eg* CEMEG propanon; hylif di-liw anweddol a ddefnyddir fel hydoddydd, e.e. mewn hylif tynnu paent ewinedd acetone, propanone

asetylcolin *eg* BIOCEMEG cyfansoddyn sy'n trosglwyddo ysgogiadau o un nerf i'r llall neu i'r cyhyrau acetylcholine

asetylen *eg* CEMEG ethyn; nwy llosgadwy di-liw

a ddefnyddir yn bennaf fel tanwydd, e.e. mewn torsh weldio acetylene

asetyn *eg* (asetynnau:asetion) CEMEG y cyfansoddyn cemegol asetad cellwlos, neu ddefnydd, e.e. haen dryloyw, a wneir ohono acetate

asffalt *eg* defnydd gludiog du o dar wedi'i gymysgu â thywod, gro, etc. a ddefnyddir fel arwyneb gwrth-ddŵr mewn adeiladau ac i wneud heolydd a phalmantau asphalt

asgell *eb* (esgyll)
1 y rhan o'r corff sy'n galluogi aderyn neu bryfyn i hedfan; adain wing
2 ochr neu ystlys tîm, byddin, cae chwarae, etc. flank, wing
3 atodyn ar gorff pysgod ac anifeiliaid dyfrol eraill a ddefnyddir ganddynt i nofio neu i gadw eu lle yn y dŵr; adain fin
4 cymorth llywio sy'n debyg i asgell pysgodyn ynghlwm wrth beiriant, e.e. roced neu aradr; adain fin
5 (mewn theatr) yr ardal ar bob ochr i'r llwyfan nad oes modd i'r gynulleidfa ei gweld wing
6 carfan mewn plaid wleidyddol sy'n credu mewn polisïau mwy eithafol na'r rhan fwyaf o gefnogwyr y blaid; adain wing
7 LLENYDDIAETH (yn y ffurf 'esgyll') cwpled o gywydd sy'n ffurfio dwy linell olaf englyn unodl union

asgell arian ji-binc chaffinch
asgell aur nico, teiliwr Llundain, eurbinc goldfinch

asgellog *ans*
1 (am adar, etc.) ag adenydd; adeiniog, hedegog winged
2 (am bysgod, etc.) ag asgell neu esgyll finned

asgellwr *eg* (asgellwyr) un sy'n chwarae ar yr asgell mewn gêm winger, wing three quarter

asgetig[1] *ans* yn perthyn i asgetigiaeth, nodweddiadol o asgetigiaeth ascetic

asgetig[2] *eg* (asgetigion) un sy'n arfer bywyd o asgetigiaeth ascetic

asgetigiaeth *eb* yr ymarfer o hunanymwadaeth neu hunanddisgyblaeth lem, yn enwedig yng nghyd-destun bywyd crefyddol; meudwyaeth asceticism

asglodyn *gw.* sglodyn

asgorbig *ans* CEMEG fel yn *asid asgorbig*, sef fitamin C ascorbic

asgwrn *eg* (esgyrn) un o'r darnau caled unigol sy'n ffurfio sgerbwd unrhyw greadur sydd ag asgwrn cefn (fertebrat) bone
   Sylwch: gw. hefyd **esgyrn**

asgwrn cefn ANATOMEG
1 [ANATOMEG] cyfres o fertebrâu sy'n amgáu madruddyn y cefn; mae'n ymestyn o'r benglog

i waelod y cefn ac yn cynnal y thoracs a'r abdomen backbone
2 (yn ffigurol) person neu beth sy'n cynnal person neu grŵp o bobl eraill ac yn rhoi cryfder iddynt; rhuddin backbone, mainstay

asgwrn cyfelin wlna; yr hwyaf o'r ddau asgwrn a geir mewn elin ddynol ulna

asgwrn cynffon ANATOMEG asgwrn bach trionglog ar waelod asgwrn cefn bodau dynol a rhai epaod coccyx

asgwrn parwydol ANATOMEG y naill neu'r llall o esgyrn pilennog y benglog parietal bone

asgwrn y foch ANATOMEG yr asgwrn sydd o dan y llygad cheekbone

asgwrn y forddwyd ANATOMEG asgwrn pen uchaf y goes (neu goes ôl anifail); ffemwr femur

asgwrn y frest sternwm; asgwrn tenau, gwastad sy'n rhedeg i lawr canol y frest y mae'r asennau ynghlwm wrtho; cledr y ddwyfron breastbone, sternum

asgwrn y gedor pwbis; y naill neu'r llall o'r ddau asgwrn sy'n ffurfio dwy ochr y pelfis pubis

asgwrn y grimog tibia; asgwrn mewnol (mwyaf) y ddau asgwrn rhwng y pen-glin a'r ffêr shin bone, tibia

asgwrn y pen creuan; y rhan o'r benglog sy'n gorchuddio'r ymennydd cranium

asgwrn yr ên genogl; un o esgyrn yr ên, yn enwedig yr asgwrn isaf jawbone
Ymadroddion

asgwrn i'w grafu cynnen i'w chodi a bone to pick

asgwrn y gynnen achos cweryl neu ffrae bone of contention

magu asgwrn cefn bod yn ddewr to summon up courage

nerth asgwrn/esgyrn fy (dy, ei, etc.) mhen at the top of one's voice

asgwrneiddio *be* [asgwrneiddi•[2]] troi'n asgwrn neu'n feinwe esgyrnog to ossify

ashrama *ell* CREFYDD (Hindŵaeth) un o bedwar cyfnod bywyd delfrydol

asiad *eg* (asiadau) uniad; y weithred o asio, y man lle mae dau beth wedi'u cysylltu'n dynn wrth ei gilydd joint

Asiad *eg* (Asiaid) brodor o Asia neu o dras Asiaidd Asian

Asiaidd *ans* yn perthyn i Asia, nodweddiadol o Asia Asian

asiant *eg* (asiantiaid) rhywun sy'n gweithredu ar ran rhywun arall neu rywrai eraill; cynrychiolydd, gweithredwr agent

asiantaeth *eb* (asiantaethau)
1 sefydliad sy'n gweithredu ar ran unigolyn neu gorff arall agency

2 adain weinyddol, *un o asiantaethau'r Cenhedloedd Unedig* agency
3 y cyfrwng a ddefnyddir i gyflawni rhywbeth agency

asid *eg* (asidau) CEMEG sylwedd cemegol sy'n adweithio â bas i ffurfio halwyn ac sy'n troi papur litmws glas yn goch acid

asid amino BIOCEMEG un o ddosbarth o ryw ugain o gyfansoddion organig sy'n rhan o adeiledd proteinau ac sy'n cynnwys grŵp carbocsyl (–COOH) a grŵp amino –NH$_2$ amino acid

asid wrig BIOCEMEG cyfansoddyn cemegol nitrogenaidd y ceir ychydig ohono yng nghorff mamolion ond sy'n brif gynnyrch ysgarthol adar, reptiliaid a phryfed uric acid

asidedd *eg* y lefel o asid a welir mewn sylwedd megis gwin, dŵr, etc. acidity

asidig *ans*
1 sur neu egr ei flas acid, acidic
2 yn cynnwys asid, ac iddo nodweddion asid acid, acidic

asidio *be* [asidi•^{2}] troi'n asid to acidify

asiedu *be hanesyddol* fforffedu tir, dychwelyd tir i'r mechdeyrn (arglwydd ffiwdal) a'i rhoddodd yn wreiddiol, fel arfer oherwydd nad oedd gan berchennog y tir berthnasau to escheat
Sylwch: nid yw'r ferf hon yn arfer cael ei rhedeg.

asimwth *eg* (asimwthau)
1 yr ongl lorweddol neu gyfeiriad a nodir gan gwmpawd azimuth
2 SERYDDIAETH ongl o bellter rhwng cylch fertigol corff wybrennol a chylch fertigol sefydlog azimuth

asio *be* [asi•^{2}]
1 cysylltu, gludio, sodro, uno, *Roedd angen asio pen y morthwyl wrth ei goes.* (~ *rhywbeth wrth*) to join, to bind
2 dod ynghyd, *Cymerodd dymor cyfan i'r chwaraewyr asio fel tîm.*; cydio, cyfannu, cyfuno, plethu to bond together

aspirin *eg* (aspirins) y cyfansoddyn asid asetylsalisylig (ar ffurf tabledi fel arfer) a ddefnyddir i leddfu poen a gostwng llid aspirin

astalch *eg* (astylch:esteilch) *hynafol* tarian buckler

astatin *eg* elfen gemegol rhif 85; halogen ymbelydrol, ansefydlog (At) astatine

Astec *eg* (Asteciaid) aelod o'r llwyth a deyrnasai ym México cyn i'r wlad gael ei gorchfygu gan Cortes yn 1519 Aztec

astell *eb* (estyll)
1 planc; darn hir, tenau, gwastad o bren ar gyfer gwneud lloriau neu waith adeiladu arall; bwrdd, estyllen, ystyllen plank
2 silff o graig neu o bren shelf

astell ddeifio bwrdd cryf, hyblyg a ddefnyddir gan ddeifwyr springboard

asteroid *eg* (asteroidau) SERYDDIAETH un o'r llu gwrthrychau bychain amrywiol eu maint y ceir llawer ohonynt rhwng y planedau Mawrth ac Iau asteroid

astigmatedd *eg* nam ar y llygad, ar lens neu ar ddrych, sy'n golygu nad yw pelydrau sy'n deillio o un man yn ffocysu yn un man astigmatism

astroffiseg *eb* cangen o seryddiaeth yn ymwneud â nodweddion ffisegol a chemegol planedau, sêr, etc. astrophysics

astrolab *eg* (astrolabau) SERYDDIAETH dyfais a ddefnyddid i arsylwi ar leoliad y sêr a'r planedau cyn i'r secstant gael ei ddyfeisio astrolabe

astroleg *eb* astudiaeth o'r dylanwad y mae rhai yn honni y mae'r sêr a'r planedau'n ei gael ar ein bywydau pob dydd; sêr-ddewiniaeth astrology

astrolegol *ans* yn ymwneud ag astroleg, yn deillio o astroleg astrological

astrolegwr:astrolegydd *eg* (astrolegwyr) un sy'n arfer sêr-ddewiniaeth; sêr-ddewin astrologer

astronot *eg* (astronotiaid) un sy'n teithio i'r gofod; gofodwr astronaut

astronoteg *eb* gwyddor a thechnoleg teithio a fforio yn y gofod astronautics

astrus *ans* [astrus•] anodd ei ddeall; caled, cymhleth, dyrys puzzling, complex, abstruse

astrusi *eg* yr ansawdd o fod yn astrus, natur gymhleth a dyrys; cymhlethdod abstruseness, complexity

astud *ans* (am wrando) gofalus, yn canolbwyntio'n llwyr attentive, rapt

astudiaeth *eb* (astudiaethau)
1 y broses o astudio, canlyniad astudio; trafodaeth, triniaeth, ymdriniaeth (~ o) study
2 ymchwil, myfyrdod neu sylw arbennig study

astudio *be* [astudi•^{2}]
1 myfyrio, dysgu, *Astudiodd yn galed ar gyfer yr arholiadau.* to study
2 sylwi yn fanwl ac yn drylwyr ar (rywbeth), ymchwilio i (faes arbennig), *Treuliodd ei oes yn astudio ffyngau.* to study

astudrwydd *eg* y cyflwr neu'r graddau o fod yn astud attentiveness

asthenosffer *eg* DAEAREG haen uchaf mantell y Ddaear, o dan y lithosffer, yn cynnwys defnydd dwys ac iddo briodweddau plastig y gall y lithosffer symud drosto asthenosphere

asthma *eg* MEDDYGAETH cyflwr resbiradol a nodweddir gan byliau o anhawster anadlu, caethder y frest a phesychu asthma

asur *eg* glas golau, lliw'r awyr, yr enw am liw glas a ddefnyddir mewn herodraeth azure

aswiriant *eg* (aswiriannau) CYLLID yswiriant sy'n gysylltiedig â rhywbeth sydd yn rhwym o ddigwydd (e.e. marwolaeth) ac y bydd yn rhaid felly ei dalu rywbryd, yswiriant bywyd assurance

aswy *eb hynafol* (y) chwith, (yr ochr) chwith left-hand side

aswyn *eb* (aswynau) CYFRAITH esgus dros beidio â bod yn bresennol mewn llys barn essoin

asymptot *eg* (asymptotau) MATHEMATEG llinell syth y mae cromlin yn dynesu ati ond heb gyffwrdd â hi asymptote

asymptotig *ans* MATHEMATEG o natur asymptot, yn perthyn i asymptot asymptotic

asyn *eg* (asynnod)
1 creadur â chlustiau hir sy'n perthyn i deulu'r ceffyl donkey, ass
2 gair dilornus am fachgen dwl; hurtyn, lembo, twpsyn ass

asynnaidd *ans* tebyg i asyn neu ful; dwl, hurt, twp asinine

at *ardd* [ataf fi, atat ti, ato ef (fe/fo), ati hi, atom ni, atoch chi, atynt hwy (atyn nhw)]
1 i (ond heb fynd i mewn i), i gyfeiriad, tua, *Aeth at y drws. Dewch yn nes at y tân.* towards, (up) to
2 cyfuwch â, cyn belled â, *gwlychu at y croen, cwpan llawn at yr ymyl* (up) to
3 er mwyn, i bwrpas, *dillad at waith* for, for (the purpose of)
4 tuag at, ar gyfer, *rhoi arian at achos da* to, towards
5 er mwyn gwella, *moddion at annwyd* for
Sylwch:
1 mae'n achosi'r treiglad meddal;
2 rydych yn mynd *at* berson ond *i* le, lle mae *at* yn golygu 'hyd at', ac *i* yn golygu 'i mewn i'.
at ei gilydd ar y cyfan on the whole
at hynny gw. hynny[1]

at- gw. ad-

atacsia *eg* MEDDYGAETH methiant i reoli neu gydlynu symudiadau'r cyhyrau, sy'n symptom o rai anhwylderau nerfol ataxia

ataf gw. at

atafaeliad *eg* (atafaeliadau) CYFRAITH y broses o atafaelu, canlyniad atafaelu distraint, sequestration

atafaelu *be* [atafael•[1]] CYFRAITH mynd ag eiddo rhywun er mwyn ei orfodi i dalu dyled neu werthu'r eiddo i dalu dyled; hefyd yn y gorffennol, i orfodi rhywun i gyflawni gwasanaeth to sequester

atafaelwr *eg* (atafaelwyr) CYFRAITH un (swyddog) sy'n atafaelu sequestrator

atafiaeth *eb* BIOLEG atgyfodiad nodweddion cyntefig neu hynafiadol atavism, throw back

atal[1] *be* [atali•[5] 3 *un. pres.* eteil/etyl/atal/atalia; 2 *un. gorch.* atal] cadw'n ôl; ffrwyno, llesteirio, rhwystro (~ *rhywun/rhywbeth* rhag gwneud) to prevent, to foil, to staunch, to keep back

atal cenhedlu defnyddio dulliau artiffisial neu dechnegau eraill er mwyn peidio â beichiogi contraception

atal imiwnedd gw. imiwnedd
Ymadrodd

atal fy (dy, ei, etc.**) llaw** peidio â chyflawni cosb neu wneud drwg i rywbeth (dros dro yn aml) to stay one's hand

atal[2] *eg*
1 rhywbeth sy'n llesteirio, sy'n dal rhywbeth yn ôl impediment
2 atal dweud, rhwystr wrth lefaru sy'n golygu ailadrodd, yn aml ac yn anwirfoddol, seiniau llafar (cytseiniaid fel arfer) stammer

atalfa *eb* (atalfeydd) rhywbeth sy'n atal; gwaharddiad, llestair, llyffethair, rhwystr check, restraint

ataliad *eg* (ataliadau)
1 y broses o atal rhywbeth, canlyniad atal; gwaharddiad, llestair, rhwystr restraint, stoppage
2 SEICOLEG rhwystr (gwirfoddol neu anwirfoddol) sy'n atal ysgogiad greddfol rhag cael ei fynegi'n uniongyrchol; cymhleth inhibition

ataliad y galon MEDDYGAETH yr hyn sy'n digwydd pan fydd y galon yn peidio â churo cardiac arrest

ataliol *ans*
1 yn atal, yn rhwystro preventative, preventive
2 yn cadw dan reolaeth neu hunanreolaeth repressive

atalnod *eg* (atalnodau)
1 marc i ddynodi seibiant, pwyslais, cwestiwn, etc., gan ychwanegu at ystyr darn wrth ei ddarllen, megis atalnod/coma (,), atalnod llawn (.), gofynnod/holnod (?), ebychnod (!), hanner colon (;), gwahannod/colon (:), dyfynodau (" "), collnod ('), cromfachau ( ) punctuation mark
2 coma; marc sy'n dynodi'r rhaniad lleiaf mewn brawddeg ysgrifenedig neu brintiedig comma

atalnod llawn defnyddir atalnod llawn i ddangos diwedd brawddeg os nad yw'n gwestiwn neu'n ebychiad, a hefyd mewn rhai mathau o fyrfoddau, e.e. Ph.D. full stop

atalnodi *be* [atalnod•[1]] gosod atalnodau mewn testun to punctuate

atalwatsh *eb* (atalwatshys) watsh ac iddi un bys y gellir ei stopio (ei atal) neu ei gychwyn ar amrantiad, *Defnyddir atalwatsh i amseru rasys i'r ganfed ran o eiliad.* stopwatch

atalydd *eg* (atalyddion) CEMEG sylwedd sy'n ymyrryd ag adwaith cemegol neu'n ei arafu, e.e. *atalydd rhwd* inhibitor

atbereiddio *be* [atbereiddi•²] pereiddio neu buro drachefn; atburo (~ â) to repurify

atblyg *ans* MATHEMATEG (am ongl) mwy na 180° ond llai na 360° reflex

ongl atblyg gw. ongl

atblygol *ans*

1 GRAMADEG am ferf sy'n cyfeirio'n ôl at y gweithredydd, e.e. ymolchi = fy ngolchi fy hun, dy olchi dy hun, etc. reflexive

2 GRAMADEG am ddosbarth o ragenwau a ddefnyddir i ôl-gyfeirio neu i bwysleisio pwy sy'n cyflawni gwaith y ferf: *fy hun, dy hun, ei hun, ein hunain, eich hun (unigol), eich hunain (lluosog), eu hunain* reflexive

atboblogi *be* [atboblog•¹] llenwi drachefn â thrigolion to repopulate

atborth *eg* defnyddiwch **adborth**

Sylwch: 'atborth' yw'r ffurf sy'n cydymffurfio â gofynion orgraff yr iaith.

atbreis *eg* (atbreisiau) *hanesyddol* tâl blynyddol a fyddai'n cael ei godi ar stad neu faenor reprise

atbrisio *be* [atbrisi•²] edrych drachefn ar bris neu werth rhywbeth; ailbrisio to revalue

atburo *be* [atbur•¹] puro neu bereiddio drachefn; atbereiddio to repurify

atchwel *ans* MATHEMATEG yn ymwneud â'r dull o fesur y berthynas ystadegol rhwng dau newidyn regression

dadansoddiad atchwel MATHEMATEG prawf ystadegol ar gyfer lleoli'r llinell ffit orau ar ddiagram gwasgariad regression analysis

llinell atchwel MATHEMATEG llinell ar graff sy'n dangos y ffit orau rhwng dau newidyn ac yn cynrychioli'r berthynas rhyngddynt regression line

atchweliad *eg* (atchweliadau)

1 BIOLEG ymddangosiad nodwedd hynafiadol reversion

2 MATHEMATEG mesur o'r berthynas rhwng dau newidyn regression

atchwelyd *be* [atchwel•¹]

1 BIOLEG dychwelyd i fath neu gyflwr blaenorol neu hynafiadol to revert

2 SEICOLEG dychwelyd i gyflwr meddyliol cynharach o ran ei ddatblygiad to regress

atchwyddiant *eg* ECONOMEG y weithred o atchwyddo reflation

atchwyddo *be* [atchwydd•¹]

1 ECONOMEG cynyddu maint yr arian a'r credyd sydd yn yr economi, yn enwedig gan lywodraeth to reflate

2 ECONOMEG (am yr economi) tyfu o ganlyniad i'r cynyddu hwn to reflate

ateb¹ *be* [ateb•¹ 3 un. pres.* etyb/ateba; *2 un. gorch.* ateb/ateba]

1 dweud neu ysgrifennu mewn ymateb i gwestiwn to answer, to reply

2 bodloni, cyflawni, *Mae'n ateb y gofynion i'r dim.* to answer

ateb dros bod yn barod i dderbyn cyfrifoldeb dros (rywun) to assume responsibility for (someone)

ateb y diben gwneud y tro to suffice

ateb y drws mynd i weld pwy sydd wedi curo'r drws neu ganu'r gloch to answer the door

ateb y galw gwneud y gwaith to serve the purpose

ateb yn ôl ateb mewn ffordd haerllug (e.e. plentyn wrth ei rieni) to answer back

ateb²:atebiad *eg* (atebion:atebiadau)

1 yr hyn a atebir, yr hyn a fynegir wrth ateb cwestiwn answer, reply

2 yr hyn a geir ar ôl datrys problem; datrysiad, eglurhad, esboniad solution

3 ymateb, adwaith, *Cnociodd y drws ond doedd dim ateb.* answer

4 CREFYDD rhan o wasanaeth eglwysig sy'n cael ei llefaru gan y gynulleidfa (yn ymateb i offeiriad fel arfer) responsory

5 amddiffyniad neu ymateb a roddir i gyhuddiad mewn llys barn neu i gŵyn answer

ateb parod ateb ffraeth a slick reply

atebol *ans*

1 rhwymedig i ateb; cyfrifol (~ i) accountable, responsible

2 *tafodieithol, yn y Gogledd* yn gallu gwneud rhywbeth yn iawn; abl, dibynadwy, galluog, medrus able, able-bodied

atebolrwydd *eg*

1 y cyflwr o fod yn atebol neu'n gyfrifol am ateb; cyfrifoldeb accountability, responsibility

2 CYFRAITH y cyflwr o fod yn gyfreithiol gyfrifol am rywbeth liability

3 dyletswydd aelodau o gorff (llywodraethol fel arfer) i roi esboniad am eu gweithredoedd accountability

atebolrwydd cyfyngedig ECONOMEG y cyflwr lle mae cyfranddalwyr yn gyfreithiol gyfrifol am ddyledion cwmni hyd at werth enwol eu buddsoddiant yn unig limited liability

atebydd:atebwr *eg* (atebyddion) CYFRAITH diffynnydd mewn achos llys sy'n ganlyniad i ddeiseb neu apêl, yn enwedig i ddeiseb ysgaru respondent

ateg *eb* (ategion) darn sy'n cynnal ac yn sefydlogi rhywbeth arall; cynhaliad, cynheiliad, prop prop, stanchion

ategiad *eg* (ategiadau) y weithred o ategu; cadarnhad, cefnogaeth support, corroboration

ategol *ans*

1 yn cefnogi neu'n cadarnhau rhywbeth arall; cadarnhaol, cynhaliol corroborative

2 (am weithgaredd neu ddiwydiant) yn darparu gwasanaethau neu'n cyflenwi defnyddiau

ar gyfer prif weithgaredd neu ddiwydiant; cynorthwyol ancillary

ategolyn *eg* (ategolion) peth y gellir ei ategu wrth rywbeth arall er mwyn ei wneud yn fwy defnyddiol, hyblyg neu atyniadol; peth bychan a ddefnyddir neu a wisgir i gyd-fynd â dilledyn accessory

ategu *be* [ateg•¹]
1 bod yn ateg i; cadarnhau, cefnogi, cymeradwyo, eilio to confirm, to support
2 ychwanegu at (rywbeth); atodi to append, to attach
3 CYFRAITH cadarnhau (barn, ffeithiau, etc.), yn enwedig drwy gyflwyno tystiolaeth newydd to corroborate

ategwaith *eg* (ategweithiau) PENSAERNÏAETH rhan o adeiladwaith sy'n cynnal bwa, pont, etc. abutment

ategyn *eg* (ategion) CYFRIFIADUREG darn o feddalwedd cyfrifiadurol sy'n ychwanegu nodweddion neu'n gwella rhaglen plug-in

atelir *bf* [atal] *ffurfiol* mae (rhywun neu rywbeth) yn cael ei atal; bydd (rhywun neu rywbeth) yn cael ei atal

a tempo *adf* ac *ans* CERDDORIAETH (yn ôl) i'r amseriad (tempo) blaenorol

atfor *ans* yn wynebu'r môr, tua'r môr seaward

atffurfiant *eg* BIOLEG ffurfiant meinwe anifeiliol neu blanhigol newydd regeneration

atffurfio *be* [atffurfi•²] BIOLEG (am feinweoedd, celloedd, organau, etc.) aildyfu ar ôl cael eu dinistrio neu eu niweidio to regenerate

atgas *ans* [atgas•] cas iawn; annymunol, ffiaidd, gwrthun hateful

atgasedd:atgasrwydd *eg* dim cariad a diffyg hoffter; casineb, digasedd, ffieidd-dra hatred, loathing, repugnance

atgenhedliad *eg* BIOLEG y broses o atgenhedlu, canlyniad atgenhedlu reproduction

atgenhedlol *ans* BIOLEG yn ymwneud ag atgenhedlu neu â'r broses o atgenhedlu reproductive

atgenhedlu *be* [atgenhedl•¹] BIOLEG (am anifeiliaid a phlanhigion blodeuol) cynhyrchu epil drwy broses rywiol wrth i gamet gwryw a gamet benyw uno to reproduce

atgno *eg* (atgnoeon) teimlad dwfn o edifeirwch remorse

atgof *eg* (atgofion) rhywbeth wedi'i ailgofio neu ei ddwyn i gof; cof, coffa recollection, reminiscence

atgofio *be* [atgofi•²] dwyn i gof, peri i gofio; atgoffa, coffáu to remind

atgofion *ell* (ffurf luosog **atgof**) casgliad o straeon am ddigwyddiadau'r gorffennol yn ôl cof yr awdur reminiscences

atgoffa *be* [atgoff•¹] peri dwyn i gof, peri i (rywun) gofio; coffáu (~ *rhywun* o/am *rywbeth*) to remind

atgoffaol *ans* yn atgoffa, yn dwyn i gof reminiscent

atgyfannu *be* [atgyfann•¹⁰] gwneud yn undod unwaith eto, cyfannu drachefn to reintegrate
Sylwch: dyblwch yr 'n' ym mhob ffurf ac eithrio yn y rhai sy'n cynnwys *-as-*.

atgyflyru *be* [atgyflyr•¹] adfer i gyflwr da to recondition

atgyfnerthiad *eg* (atgyfnerthiadau) y broses o atgyfnerthu; rhywbeth sy'n atgyfnerthu; ategiad, cadarnhad, cymorth, sicrhad fortification, reinforcement

atgyfnerthol *ans* yn atgyfnerthu boosting

atgyfnerthu *be* [atgyfnerth•¹] adfer nerth neu roi nerth newydd i (rywun neu rywbeth), adennill nerth; cryfhau, cyfnerthu, grymuso to reinforce, to strengthen, to boost

atgyfodi *be* [atgyfod•¹]
1 codi o farw'n fyw (yn grefyddol yn bennaf), *Atgyfododd ar y trydydd dydd.* to resurrect, to revive
2 ailennyn neu adfywio yr arfer, y defnydd neu'r cof am (rywbeth) to resurrect

atgyfodiad *eg* (atgyfodiadau) y weithred o godi o farw'n fyw, yn enwedig Atgyfodiad Iesu Grist, canlyniad atgyfodi resurrection, Resurrection

atgynhyrchiad *eg* (atgynyrchiadau) y broses o atgynhyrchu, canlyniad atgynhyrchu; copi, ffacsimili reproduction

atgynhyrchu *be* [atgynhyrch•¹]
1 cynhyrchu copi o (rywbeth); copïo to reproduce
2 BIOLEG (am organebau) cynhyrchu epil sy'n enetig unfath â'i gilydd drwy broses anrhywiol to reproduce

atgyrch *eg* (atgyrchau) MEDDYGAETH ymateb anwirfoddol, awtomatig gan y corff, e.e. sbonc y goes pan fydd y pen-glin yn cael ei daro reflex

atgyrch cyflyredig atgyrch y mae'r ymateb iddo (e.e. tynnu dŵr o'r dannedd) yn deillio, nid o'r ymateb greddfol gwreiddiol ond o symbyliad y mae'r ymatebydd wedi dysgu ei gysylltu â'r ymateb greddfol (drwy gael ei addysgu neu drwy hir ymarfer) conditioned reflex

atgyrchol *ans* nodweddiadol o atgyrch, canlyniad atgyrch reflex

atgyweiriad *eg* (atgyweiriadau) y broses o atgyweirio, canlyniad atgyweirio repair

atgyweirio *be* [atgyweiri•²] cyweirio (rhywbeth sydd wedi torri neu wedi'i ddifa); adfer, adnewyddu, clytio, trwsio to repair, to restore

atgyweiriwr *eg* (atgyweirwyr) un sy'n atgyweirio; adnewyddwr, trwsiwr renovator, repairer, restorer

atig *eb* (atigau) ystafell neu ofod yn union o dan do adeilad; croglofft, goruwchystafell, llofft attic, loft

atlas *eg* (atlasau) llyfr o fapiau atlas

atmosffer *eg* (atmosfferau) yr haen gymharol denau o nwyon o gwmpas y Ddaear, neu haen gyfatebol o gwmpas planedau eraill atmosphere

atmosfferig *ans*
  1 yn perthyn i'r atmosffer, nodweddiadol o'r atmosffer atmospheric
  2 yn creu awyrgylch atmospheric

atodedig *ans* wedi'i atodi attached

atodeg *eb* (atodegau)
  1 CYFRAITH cymal a ychwanegir at ddogfen gyfreithiol, yn enwedig mesur seneddol adeg ei drydydd darlleniad rider
  2 CYFRAITH datganiad a ychwanegir at ddyfarniad rheithgor rider

atodi *be* [atod•[1]] ychwanegu (rhywbeth) at (rywbeth); adio to add, to append

atodiad *eg* (atodiadau) rhywbeth a ychwanegir (at ddiwedd llyfr, er enghraifft); codisil, ychwanegyn appendix, attachment, supplement

atodlen *eb* (atodlenni) CYFRAITH rhestr o fanylion a ychwanegir at ddogfen gyfreithiol neu ddeddfwriaethol schedule

atodol *ans* cyflenwol, mwy, rhagor, ychwanegol, *Ceir rhestr atodol o lyfrau ar ddiwedd y gyfrol.* additional, supplementary
  ongl atodol gw. **ongl**

atodyn *eg* (atodion)
  1 rhywbeth, yn enwedig teclyn neu ddyfais, sy'n cael ei ychwanegu at rywbeth arall neu ei lynu wrtho attachment
  2 BIOLEG (ar organeb) rhan ymestynnol, e.e. teimlyddion pryfyn, sy'n cyflawni swyddogaeth benodol appendage

atol *eb* (atolau) ynys wedi'i ffurfio o gwrel sy'n amgylchynu lagŵn atoll

atolwg *ebychiad hynafol* hen air sy'n golygu 'erfyniaf' a ddefnyddir yn seremonïau'r Orsedd yn yr Eisteddfod Genedlaethol prithee

atom *egb* (atomau) gronyn bach o elfen gemegol yn cynnwys niwclews positif ac electronau negatif atom

atomadur *eg* (atomaduron) dyfais sy'n troi hylif yn chwistrelliad o fân ddefnynnau atomizer

atomedd *eg* CEMEG nifer yr atomau mewn moleciwl o elfen atomicity

atomeg *eb* cangen o ffiseg sy'n astudio nodweddion atomau, yn enwedig mewn perthynas ag egni niwclear atomics

atomeiddiad *eg* y broses o atomeiddio, canlyniad atomeiddio atomization

atomeiddio *be* [atomeiddi•[2]] troi hylif yn chwistrelliad o fân ddefnynnau to atomize

atomfa *eb* (atomfeydd) pwerdy arbennig sy'n defnyddio egni atomig i gynhyrchu trydan nuclear power station

atomig *ans*
  1 yn perthyn i'r atom, nodweddiadol o'r atom atomic
  2 yn ymwneud â'r egni sy'n cael ei ryddhau pan fydd niwclews atom yn cael ei hollti atomic
  rhif atomig gw. **rhif**

atraeth *ans*
  1 (am nodwedd) wedi'i lleoli ar y tir onshore
  2 (am wynt) yn chwythu o'r môr at y tir onshore

atriwm *eg* (atria)
  1 ANATOMEG y naill a'r llall o ddwy siambr uchaf y galon, o'r rhain y mae gwaed yn cael ei bwmpio i'r fentriglau atrium
  2 PENSAERNÏAETH (mewn fila Rufeinig) cwrt canolog heb do; (mewn adeilad modern) neuadd neu gyntedd canolog ac iddo do gwydrog, a'r to hwnnw yn aml yn uchel uwchben llawr y cyntedd atrium

atsain *eb* (atseiniau) ailadroddiad sain wrth i donnau sain gael eu hadlewyrchu; adlais, eco echo, resonance, reverberation

atseinio *be* [atseini•[2]]
  1 ailadrodd (am sain), *Atseiniodd bonllefau'r dorf drwy'r eisteddle.* (~ **drwy** *rywle*) to echo, to resonate
  2 morio mewn sŵn; diasbedain to resound

atseiniol *ans* yn atseinio echoing, resounding

atwrnai *eg* (atwrneiod) CYFRAITH un sydd wedi'i benodi i weithredu ar ran rhywun arall attorney

atwynt *ans* yn wynebu'r gwynt, ar ochr y gwynt windward

atynfa *eb* (atynfeydd) rhywbeth deniadol, rhywbeth sy'n denu; atyniad, tynfa attraction

atyniad *eg* (atyniadau)
  1 rhywbeth deniadol, rhywbeth sy'n denu; apêl, atynfa, temtasiwn, tynfa (~ **at**) attraction, appeal, lure
  2 FFISEG grym atynnol attraction

atyniadol *ans* yn atynnu, yn denu; apelgar, dengar, deniadol attractive, engaging

atynnol *ans* FFISEG yn atynnu, yn perthyn i atyniad attractive

atynnu *be* [atynn•[9]]
  1 creu atyniad tuag at (rywun neu rywbeth); denu, hudo, swyno, temtio to attract
  2 FFISEG tynnu gwrthrych neu ronyn tuag at wrthrych neu ronyn arall gan rym, e.e. grym disgyrchiant neu rym electromagnetig to attract
  Sylwch: dyblwch yr 'n' ym mhob ffurf ac eithrio yn y rhai sy'n cynnwys *-as-*.

Atheniad *eg* (Atheniaid) *hanesyddol* brodor o Athen, dinesydd Athen Athenian

atherosglerosis *eg* MEDDYGAETH clefyd y rhydwelïau a nodweddir gan fraster a ddyddodir ar eu muriau mewnol atherosclerosis

athletaidd:athletig *ans* yn ymwneud ag athletau, nodweddiadol o athletau; ystwyth o gorff; nerthol athletic

athletau *ell* math o chwaraeon sy'n cynnwys cystadlaethau rhedeg, neidio a thaflu gwahanol wrthrychau athletics

athletig gw. **athletaidd**

athletwr *eg* (athletwyr) un sydd wedi'i hyfforddi ac yn cymryd rhan mewn chwaraeon sy'n gofyn am gryfder, ystwythder neu stamina arbennig athlete

athletwraig *eb* merch neu wraig sydd wedi'i hyfforddi ac yn cymryd rhan mewn chwaraeon sy'n gofyn am gryfder, ystwythder neu stamina arbennig athlete (female)

athraidd *ans* (am ddefnydd neu bilen) â mandyllau neu agoriadau sy'n gadael i nwy neu hylif dreiddio drwyddynt permeable

athrawes *eb* (athrawesau) merch neu wraig sy'n addysgu; ysgolfeistres teacher, schoolmistress

athrawiaeth *eb* (athrawiaethau) yr hyn y mae grŵp crefyddol neu wleidyddol penodol yn ei gredu a'i ddysgu; credo, dysgeidiaeth doctrine

athrawiaethol *ans* yn ymwneud ag athrawiaeth doctrinal

athrawiaethus *ans* yn glynu (yn ormodol) wrth athrawiaeth doctrinaire

athreiddedd *eg*
1 y cyflwr o fod yn athraidd permeability
2 FFISEG mesur a ddefnyddir i ddynodi effaith amgylchedd ar faes magnetig; os gwactod yw'r amgylchedd fe'i gelwir yn athreiddedd absoliwt permeability

athreiddio *be* [athreiddi•[2]] ymledu drwy (rywbeth); treiddio (~ i) to permeate

athreuliad *eg*
1 y gwaith o wanhau (gwrthwynebiad) drwy erlid, hambygio, creu blinder neu drwy gam-drin ac enllibio attrition
2 DAEAREG proses erydol sy'n lleihau maint unrhyw ddefnydd, e.e. cerrig, drwy effaith ffrithiant attrition

athreuliol *ans* DAEAREG yn achosi athreuliad, o natur athreuliad attritional

athrist *ans* [athrist•] trist iawn; alaethus, galarus, prudd sorrowful

athro *eg* (athrawon)
1 un sy'n addysgu; sgwlyn, ysgolfeistr teacher, schoolteacher
2 un sydd â chadair prifysgol professor

athrod *eg* (athrodion) CYFRAITH y drosedd o athrodi rhywun slander

athrodi *be* [athrod•[1]] CYFRAITH dweud (ar ffurf nad yw'n barhaol) gelwyddau maleisus, di-sail am (rywun) to slander

athrodus *ans* CYFRAITH o natur athrod; yn pardduo enw da slanderous

athrodwr *eg* (athrodwyr) CYFRAITH un sy'n cyflawni athrod slanderer

athrofa *eb* (athrofâu) man lle mae pobl yn cael eu dysgu; academi, coleg, ysgol college, academy

athrofaol *ans* yn perthyn i athrofa neu academi; colegol collegiate, scholastic

athroniaeth *eb* (athroniaethau)
1 ffordd arbennig o geisio meddwl yn glir, yn ddiduedd ac yn drefnus am syniadau cymhleth megis bodolaeth, moesoldeb, gwybod, rhesymu, celfyddyd, y wladwriaeth a chrefydd philosophy
2 casgliad trefnus o syniadau gan un neu ragor o bobl ar destun penodol philosophy

athronydd *eg* (athronwyr) un sy'n athronyddu, arbenigwr ar athroniaeth philosopher

athronyddol *ans*
1 yn perthyn i athroniaeth, nodweddiadol o athroniaeth philosophical
2 nad yw'n gwylltio mewn argyfwng philosophical

athronyddu *be* [athronydd•[1]] egluro yn nhermau athroniaeth (~ am) to philosophize

athrylith *eb* (athrylithoedd)
1 gallu cynhenid arbennig; awen, crebwyll, cynneddf, dawn genius
2 rhywun sy'n meddu ar ddoniau arbennig iawn genius

athrylithgar *ans* yn meddu ar ddoniau creadigol neu ymenyddol anghyffredin o uchel; awenyddol, ysbrydoledig highly talented

athyrru *be* [athyrr•[9]] casglu ynghyd yn dwr neu'n grŵp (~ ynghyd) to agglomerate
Sylwch: dyblwch yr 'r' ym mhob ffurf ac eithrio yn y rhai sy'n cynnwys -as-.

au *fait ans* cyfarwydd â rhywbeth

auf Wiedersehen *ebychiad* hwyl! da boch! (tan y tro nesaf)

au gratin *ans* wedi'i goginio â chroen o gaws neu friwsion bara

au pair *egb* merch (gan amlaf) o wlad dramor sy'n gwneud gwaith tŷ neu'n edrych ar ôl plant i deulu fel tâl am lety
Sylwch: mae cenedl yr enw'n newid yn ôl rhyw yr unigolyn.

aur[1] *eg* elfen gemegol rhif 79; metel gwerthfawr iawn o liw melyn disglair, sy'n hawdd ei weithio ac nad yw'n rhydu (Au) gold
aur coeth aur pur pure gold
aur mâl
1 darnau o arian/o bres wedi'u gwneud o aur gold coins
2 aur coeth pure gold

aur² *ans*
  1 yn disgrifio'r lliw melyn disglair sy'n nodweddiadol o'r metel, *traethau aur*; euraid golden
  2 wedi'i wneud o aur; euraid, euraidd golden
au revoir *ebychiad* da boch! (tan y tro nesaf)
avant garde *ans* newydd a heriol; arloesol
avatar:afatar *eg*
  1 ymgorfforiad o berson neu syniad avatar
  2 CYFRIFIADUREG llun o berson neu anifail ar sgrin cyfrifiadur sy'n cynrychioli defnyddiwr cyfrifiadur penodol, yn enwedig mewn gêm gyfrifiadurol neu ystafell sgwrsio; afatar avatar
  3 CREFYDD (Hindŵaeth) ymweliad â'r byd gan dduwdod mewn corff neu fel enaid rhydd avatar
awch *eg* (awchau)
  1 y cyflwr o fod yn finiog; llymder, miniogrwydd sharpness
  2 awydd neu archwaeth mawr; arddeliad, eiddgarwch, sêl, taerineb relish, keenness, avidity
awchlym *ans* [awchlym• *b* awchlem] llym iawn; miniog, siarp sharp-edged
awchlymu *be* [awchlym•¹] rhoi min ar (rywbeth); hogi, llifanu, minio to sharpen
awchu *be* [awch•¹] bod yn awyddus iawn, bod ag awydd mawr iawn; blysio, chwennych, dyheu, ysu (~ *am rywbeth*) to desire eagerly
awchus *ans*
  1 ag awch mawr; awyddus, chwannog, eiddgar eager, greedy
  2 yn meddu awch; llym, miniog, siarp sharp
awditoriwm *eg* (awditoria)
  1 y rhan o theatr lle mae'r gynulleidfa yn eistedd; llawr theatr auditorium
  2 neuadd fawr, darlithfa, *Roedd yr awditoriwm yn llawn ar gyfer y cyngerdd.* auditorium
awdl *eb* (awdlau) (yn wreiddiol) cerdd hir ar un odl; bellach cerdd hir ar rai o 24 mesur y canu caeth. Fel arfer, am awdl y rhoddir y Gadair yn yr Eisteddfod Genedlaethol
awdlwr *eg* (awdlwyr) bardd sy'n cyfansoddi awdl neu awdlau
awdur *eg* (awduron) un sy'n gyfrifol am lunio neu ysgrifennu rhywbeth, e.e. llyfr, erthygl, llythyr, etc.; creawdwr, lluniwr, ysgrifennwr author, writer
awdurdod *eg* (awdurdodau)
  1 yr hawl i roi gorchmynion i bobl eraill, neu i fynnu bod pobl eraill yn ufuddhau i chi; dylanwad, grym authority
  2 corff swyddogol ac iddo allu neu hawl gyfreithlon mewn maes penodol, *awdurdod addysg*; llywodraeth authority
  3 un sy'n arbenigwr cydnabyddedig yn ei faes; meistr authority

  4 y sicrwydd neu'r argyhoeddiad sy'n deillio o wybodaeth arbenigol authoritativeness, authority
  yr awdurdodau yr heddlu a'r llysoedd barn gan amlaf the authorities
awdurdodaeth *eb* CYFRAITH yr awdurdod a'r hawl i weinyddu barn ac i ddehongli a gweithredu'r gyfraith jurisdiction
awdurdodaidd *ans* (am gyfundrefn wleidyddol) yn credu mewn rhoi awdurdod yn nwylo arweinydd grymus a grŵp dethol o ddilynwyr iddo, nad ydynt wedi'u hethol authoritarian
awdurdodedig *ans* wedi'i awdurdodi (i wneud rhywbeth); swyddogol authorized
awdurdodi *be* [awdurdod•¹] rhoi awdurdod neu hawl i (rywun); caniatáu, trwyddedu (~ *rhywun i wneud rhywbeth*) to authorize, to empower
awdurdodol *ans* a chanddo awdurdod; dilys, swyddogol authoritative
awdurdodus *ans* yn credu mewn dilyn y drefn yn gaeth i'r llythyren authoritarian
awdurdodyddiaeth *eb* y cyflwr o fod yn awdurdodaidd neu o fynnu bod yn awdurdodol authoritarianism
awdures *eb* (awduresau) merch neu wraig sy'n gyfrifol am ysgrifennu rhywbeth, e.e. llyfr, erthygl, llythyr, etc. authoress
awduro *be* [awdur•¹] bod yn awdur, gweithredu fel awdur (ar ran rhywun arall); ysgrifennu to author
awel *eb* (awelon) gwynt ysgafn; chwa, chwyth breeze
  awel dro chwyrlwynt; colofn o aer yn chwyldroi'n gyflym o amgylch craidd o wasgedd isel; trowynt whirlwind
  Ymadrodd
  awel groes rhywbeth drwg neu anghyfleus sy'n chwythu i mewn i fywyd ill wind
awelan *eb* chwa dyner, fwyn o wynt breeze
awelog *ans* yn chwythu awelon; gwyntog breezy
awen¹ *eb* (awenau) yr hyn sy'n ysbrydoli dawn farddonol; athrylith, ysbrydoliaeth muse
  yr Awenau y naw chwaerdduwies a oedd, yn ôl chwedlau Groeg, yn gyfrifol am ddysg a'r celfyddydau, ac yn enwedig am gerddoriaeth a barddoniaeth the Muses
awen² *eb* (awenau) llinyn ffrwyn; afwyn rein
  cymryd yr awenau cymryd drosodd a rheoli neu arwain to take charge
awenog:awenus *ans* yn meddu ar yr awen; athrylithgar, ysbrydoledig inspired
awenydd *eg* (awenyddion) un y mae'r awen ganddo; athrylith, bardd poet, dreamweaver, inspired person
awenyddiaeth *eb* dawn neu athrylith farddonol poesy

awenyddol *ans* yn meddu ar yr awen; athrylithgar, ysbrydoledig inspired, poetic

awgrym:awgrymiad *eg* (awgrymiadau)
1 syniad wedi'i gynnig i'w ystyried, *Rwy'n edrych ymlaen at gael eich awgrymiadau ar gyfer gwella'r sefyllfa.*; cynnig suggestion
2 rhywbeth sy'n cael ei awgrymu, a all fod yn wir neu beidio, *Roedd awgrym o wên ar wyneb y pennaeth.*; arlliw, ôl suggestion, hint, trace

awgrymiadol *ans*
1 yn awgrymu, yn dangos cyfeiriad suggestive
2 yn ysgogi syniadau ac yn achosi i rywun feddwl suggestive

awgrymog *ans* yn cyfleu awgrym, tueddol o awgrymu rhywbeth (anweddus); ensyniadol suggestive

awgrymu *be* [awgrym•¹] crybwyll neu gynnig (syniad, cynllun, etc.) i'w ystyried, rhoi awgrym, gwneud arwydd; cyfleu, dynodi (~ *rhywbeth* i *rywun*) to suggest, to intimate

awn¹ *bf* [mynd] *ffurfiol* roeddwn i'n mynd; byddwn i'n mynd
'd awn i byth o'r fan *ebychiad* mynegiant o syndod I'll be blowed

awn² *bf* [mynd] rydym ni'n mynd; byddwn ni'n mynd; gadewch i ni fynd

awr *eb* (oriau)
1 trigain munud, y bedwaredd ran ar hugain ($^1/_{24}$) o ddiwrnod hour
2 amser, adeg arbennig time
Sylwch: gw. hefyd **oriau**
ar awr wan ar adeg pan nad yw rhywun mor gryf neu mor bendant ag y dylai fod in a moment of weakness
awr gron awr gyfan
yn awr (nawr) ac yn y man:bob yn awr ac eilwaith bob hyn a hyn now and then
yr unfed awr ar ddeg gw. unfed

awrfys *eg* y bys ar gloc sy'n dynodi'r awr hour hand

awrigl *eg* (awriglau)
1 ANATOMEG rhan allanol clust mamolion a bodau dynol auricle
2 atriwm; y naill a'r llall o ddwy siambr uchaf y galon o'r rhai y mae gwaed yn cael ei bwmpio i'r fentriglau; cyntedd y galon auricle

awrlais:orlais *eg* (awrleisiau) *llenyddol* cloc clock

awron *eb* yr awr hon, ond sy'n fwy cyfarwydd yn y ffurf ogleddol 'rŵan'

awrora *eg* (aurorâu) SERYDDIAETH ffenomen wybrennol lle mae rhubanau llydan o olau naturiol sy'n deillio o echdoriadau'r Haul yn cael eu tynnu at begynau magnetig y Ddaear aurora

awrwydr *eg* (awrwydrau) dyfais mesur amser sy'n cynnwys dwy belen o wydr â chysylltydd main rhyngddynt, mae'n cymryd awr i dywod lifo o'r belen uchaf i'r isaf hourglass

Awst *eg* wythfed mis y flwyddyn August
mis Awst 'ym mis Awst' nid *yn Awst* August

awstenit *eg* METELEG hydoddiant solet o garbon mewn haearn sy'n digwydd dan amgylchiadau arbennig wrth wneud dur austenite

Awstralaidd *ans* yn perthyn i Awstralia, nodweddiadol o Awstralia Australian

Awstraliad *eg* (Awstraliaid) brodor o Awstralia, un o dras neu genedligrwydd Awstralaidd Australian

Awstriad *eg* (Awstriaid) brodor o Awstria, un o dras Awstriaidd Austrian

Awstriaidd *ans* yn perthyn i Awstria, nodweddiadol o Awstria Austrian

awtarchiaeth *eb* unbennaeth absoliwt autarchy

awtistiaeth *eb* cyflwr meddyliol a nodweddir gan anhawster i gyfathrebu a chreu perthynas â phobl, diffyg iaith a phatrymau ymddygiad ailadroddus autism

awtistig *ans* yn amlygu symptomau awtistiaeth, nodweddiadol o awtistiaeth autistic

awtocrat *eg* (awtocratiaid) teyrn, unben autocrat

awtocratiaeth *eb* llywodraeth yn llwyr dan awdurdod unben; unbennaeth autocracy

awtocratig *ans* nodweddiadol o awtoctratiaeth, yn ymddwyn fel unben; unbenaethol autocratic

awtomataidd *ans* wedi'i awtomeiddio; awtomatig automated

awtomatedd *eg* CYFRAITH gweithred sy'n cael ei chyflawni heb feddwl na bwriad automatism

awtomatiaeth *eb*
1 y dechneg o greu dyfeisiadau neu systemau sy'n gweithredu'n awtomatig automation
2 y broses o awtomeiddio, canlyniad awtomeiddio automation

awtomatig *ans*
1 (am beiriant neu offeryn) yn gweithio ar ei ben ei hun; nad oes raid ei reoli; awtomataidd automatic
2 (am weithred neu ymateb) yn digwydd heb orfod meddwl amdano; hunanysgogol automatic

awtomeiddio *be* [awtomeiddi•²] newid i system sy'n dibynnu'n drwm, os nad yn llwyr, ar awtomatiaeth to automate

awtonomaidd *ans* (am wlad, cenedl, etc.) yn ei llywodraethu ei hun; hunanlywodraethol, ymreolaethol autonomous

awtonomiaeth *eb* y cyflwr o fod yn awtonomaidd; hunanlywodraeth, ymreolaeth autonomy

awtonomig *ans* FFISIOLEG (am weithrediadau rhannau o'r system nerfol) yn digwydd yn anwirfoddol neu'n anymwybodol, e.e. curiad y galon, anadlu, etc. autonomic

awtopeilot *eg* (awtopeilotiaid) peilot neu lyw awtomatig autopilot

awtopsi *eg* (awtopsïau) CYFRAITH archwiliad o gorff yn dilyn marwolaeth naill ai i bennu achos y farwolaeth neu i archwilio natur a maint newidiadau a achoswyd gan glefyd autopsy

awydd *eg* dymuniad cryf; archwaeth, awch, chwant, dyhead desire, eagerness

codi awydd ar ysgogi to make one want to

awyddus *ans* llawn awydd; awchus, chwannog, eiddgar (~ **i** wneud) eager

awyr *eb*
1 y nefoedd uwchben, yr wybren sky
2 aer; cymysgedd o nwyon anweladwy sy'n amgylchynu'r Ddaear, sef y cymysgedd hwnnw o nwyon yr ydym yn ei anadlu air

awyr agored man heb unrhyw gyfyngder ar yr awyr; y tu allan open air

awyr draeth gw. traeth

awyr iach awyr heb lygredd gydag awgrym o awel fresh air

awyr las awyr ddigwmwl blue sky

malu awyr clebran am ddim byd; siarad dwli to prattle, to talk rubbish

yn yr awyr heb fod yn bendant; mewn egwyddor yn unig, *siarad yn yr awyr* airy-fairy

awyrblan *eg* gair hen ffasiwn am awyren aeroplane

awyrbost *eg* system sy'n defnyddio awyrennau i gludo post airmail

awyrell *eb* (awyrellau) agorfa i ollwng nwy vent

awyren *eb* (awyrennau) peiriant hedfan ag adenydd sefydlog sy'n drymach na'r aer mae'n ei ddadleoli aeroplane, plane

awyren barcud awyren ar gyfer un neu ddau nad yw'n pwyso mwy na 150 kg ac nad yw arwynebedd ei hadenydd dros ddeng metr sgwâr microlight

awyrendy *eg* (awyrendai) adeilad i gadw awyren ynddo hangar

awyrennaeth:awyrenneg *eb* gwyddor hedfan aeronautics

awyrenneg gw. awyrennaeth

awyrennwr *eg* (awyrenwyr) peilot neu aelod o griw awyren airman, aviator

awyrfaen *eg* (awyrfeini) SERYDDIAETH meteoryn wedi'i wneud o graig aerolite

awyrgludiad *eg* (awyrgludiadau) y weithred o awyrgludo pethau, fel arfer mewn gwarchae neu mewn argyfwng arall airlift

awyrgludo *be* [awyrglud•¹] cludo (milwyr neu nwyddau) mewn awyren to airlift

awyrgylch *eg* (awyrgylchoedd)
1 yr amgylchfyd teimladol sydd o gwmpas digwyddiad neu le, *Fe greodd y goleuadau a'r gerddoriaeth awyrgylch o hud a lledrith yn y castell.*; natur, naws, tymer atmosphere
2 amgylchedd, *Mae'r awyrgylch yn llaith yn yr hen dŷ.* atmosphere

awyriad *eg* (awyriadau)
1 cylchrediad aer, ffordd o sicrhau awyr iach mewn ystafell neu adeilad ventilation
2 MEDDYGAETH cyflenwad aer i'r ysgyfaint, yn enwedig drwy ddulliau artiffisial ventilation

awyriadur *eg* (awyriaduron) dyfais sy'n cylchredeg awyr iach; awyrydd ventilator

awyrladrad *eg* (awyrladradau) CYFRAITH y weithred o herwgipio awyren, canlyniad yr herwgipio (air) piracy

awyrlong *eb* (awyrlongau) math o awyren y gellir ei gyrru, ar ffurf balŵn mawr yn cynnwys nwy ysgafnach nag aer (heliwm fel arfer); llong awyr airship

awyrlu *eg* (awyrluoedd) y rhan o luoedd arfog gwlad sy'n ymwneud ag ymosod ac amddiffyn o'r awyr; llu awyr air force

awyrlun *eg* (awyrluniau) ffotograff wedi'i dynnu o'r awyr aerial photograph

awyrofod *eg*
1 METEOROLEG atmsffer y Ddaear a'r gofod sy'n ei amgylchynu aerospace
2 cangen o dechnoleg a diwydiant yn ymwneud â hedfan yn y gofod aerospace

awyrofodol *ans* yn ymwneud â'r awyrofod ac awyrennau sy'n teithio ynddo aerospace

awyrol *ans* yn digwydd yn yr awyr; yn tyfu yn yr awyr (yn hytrach na mewn pridd) aerial

awyru *be* [awyr•¹]
1 eirio neu grasu dillad to air
2 hwyluso llif aer mewn man caeedig to aerate, to ventilate
3 MEDDYGAETH cyflenwi aer i'r ysgyfaint, yn enwedig drwy ddulliau artiffisial to ventilate

awyrydd *eg* (awyryddion)
1 dyfais sy'n cylchredeg awyr iach; awyriadur ventilator
2 MEDDYGAETH peiriant anadlu, dyfais a ddefnyddir ar gyfer awyru artiffisial ventilator

a.y.b. *byrfodd* ac yn y blaen etc.

Azerbaijanaidd *ans* yn perthyn i Azerbaijan, nodweddiadol o Azerbaijan Azerbaijani

Azerbaijaniad *eg* (Azerbaijaniaid) brodor o Azerbaijan, un o dras neu genedligrwydd Azerbaijanaidd Azerbaijani

B

b:B *eb*

1 cytsain ac ail lythyren yr wyddor Gymraeg; ar ddechrau gair, gall dreiglo'n feddal yn *f* neu dreiglo'n drwynol yn *m*, e.e. ei frawd ef, fy mrawd i; hefyd, ar ddechrau gair, gall fod yn ganlyniad i dreiglo *p* yn feddal, e.e. dy ben b, B

2 CERDDORIAETH enw nodyn mewn hen nodiant, y seithfed nodyn yng ngraddfa C fwyaf B

3 fe'i defnyddir i ddynodi un o'r pedwar math o waed yn y gyfundrefn AOB o ddosbarthu gwaed, yn cynnwys yr antigen B ond nid yr antigen A B

4 fe'i defnyddir i ddynodi maint papur o B0 (1010 × 1414 mm) hyd at B10 (31 × 44 mm) B

5 fe'i defnyddir (o flaen rhif) i ddynodi heol eilaidd, *Trowch i'r dde a dilynwch y B4576 i'r pentref.* B

Sylwch: er ei bod yn fenywaidd nid yw enw'r llythyren yn treiglo, *dwy b.*

ba *eg* gair yn dynwared sŵn bref baa

ba- *rhag* (mewn enwau lleoedd) gw. **ma-**

baban *eg* (babanod) plentyn newydd ei eni neu blentyn ifanc iawn; babi, maban baby, infant

baban glas MEDDYGAETH baban a gwawr las i'w groen yn ganlyniad i gyflwr cynhwynol yn y galon sy'n caniatáu i waed o'r gwythiennau a'r rhydwelïau gymysgu blue baby

babanaidd *ans*

1 tebyg i fabi o ran golwg neu o ran y ffordd y mae'n ymddwyn; plentynnaidd babyish, childish

2 mor syml nes ei fod yn addas i fabi childish

babandod *eg*

1 y cyfnod o fod yn fabi; mabandod infancy

2 y cyfnod cynharaf yn nhwf neu ddatblygiad rhywbeth infancy

babanladdiad *eg*

1 y weithred o ladd baban neu fabanod infanticide

2 arfer rhai pobloedd o ladd plant diangen infanticide

babanleiddiad *eg* (babanleiddiaid) un sy'n lladd baban infanticide

babanu *be* [baban•³]

1 trin fel baban; difetha, maldodi to spoil

2 mynd yn blentynnaidd to become childish

babi *eg* (babis)

1 plentyn newydd ei eni neu blentyn ifanc iawn; baban, maban baby

2 rhywun plentynnaidd baby

3 yr ifancaf mewn grŵp neu deulu baby

mor ddi-ddal â phen-ôl babi yn gwbl annibynadwy about as dependable as a baby's bottom

babïaidd *ans* yn ymddwyn fel babi, addas i faban (nid i rywun mewn oed) infantile

babïo *be* [babï•⁸] trin fel babi bach, difetha (plentyn) to baby, to spoil

Sylwch: does dim angen didolnod pan fydd dwy 'i' yn dilyn ei gilydd, *babiir.*

babwn *eg* (babwnod) mwnci mawr ac iddo ddannedd mawr a safn hir fel ci, ac sy'n byw mewn cymunedau ar lawr (yn hytrach nag yn y coed) baboon

bacas *eb* un o bâr neu nifer o **bacsau**

bacbib:bagbib *eb* (bacbibau:bagbibau) offeryn chwyth ac iddo un bib neu fwy ar gyfer yr alaw a nifer o bibau grwnan; daw'r aer o goden ledr sy'n cael ei llenwi drwy chwythu iddi neu gan fegin dan gesail canwr y pibau; pibau cod bagpipe

bacio:bagio *be* [baci•²] *anffurfiol* symud am yn ôl, symud llwrw eich cefn neu lwyr eich cefn, symud wysg eich cefn; symud rhywbeth yn ôl, *Baciodd yn araf oddi wrth y llew. Baciodd Ifan y lorri i fwlch rhwng dau gar.* to back, to reverse

baco *eg anffurfiol* tybaco; planhigyn o America y mae ei ddail yn cael eu paratoi mewn ffordd arbennig i'w hysmygu, eu cnoi neu eu cymryd fel snisin tobacco

bacsau *ell* lluosog **bacas**

1 dilledyn i'w wisgo am y coesau, yn wreiddiol wedi'u gwneud o ledr neu gynfas leggings

2 hen sanau a wisgir dros esgidiau ar adeg o eira neu rew

3 twffiau o flew sy'n tyfu y tu ôl i goesau ceffyl uwchben y carnau fetlock-hair

bacsog:bacsiog *ans* ac iddo facsau, e.e. blew yn achos ceffyl, plu yn achos aderyn

bacteria *ell* lluosog **bacteriwm**

bacterioffag *eg* (bacterioffagau) BIOLEG firws parasitig sy'n medru heintio bacteria bacteriophage

bacteriol *ans* yn ymwneud â bacteria, yn deillio o facteria bacterial

bacterioleg *eb* astudiaeth wyddonol o facteria bacteriology

bacteriolegydd:bacteriolegwr *eg* (bacteriolegwyr) gwyddonydd sy'n arbenigo mewn bacterioleg bacteriologist

bacteriostat *eg* sylwedd cemegol neu fiolegol sy'n atal bacteria rhag tyfu a lluosogi ond nad yw'n eu distrywio bacteriostat

bacteriostatig *ans* (am sylweddau cemegol neu fiolegol) yn gallu atal bacteria rhag tyfu neu luosogi bacteriostatic

bacteriwm *eg* (bacteria) BIOLEG aelod o deulu o ficro-organebau ungellog a geir mewn pridd, dŵr, aer, planhigion, cyrff anifeiliaid, etc.;

mae rhai mathau'n gallu achosi clefydau tra
mae eraill, fel y rhai sy'n troi llaeth yn gaws,
yn ddefnyddiol bacterium

bacwn *eg* cig moch wedi'i halltu bacon

bacws gw. becws

bach¹ *ans* [lleied; llai; lleiaf] (bychain)
  1 heb fod yn fawr nac yn niferus; bychan, byr,
  mân, ychydig small, tiny
  2 annwyl, hoff dear
  3 mae iddo ystyr fychanol neu annymunol, *dyn
  bach cas*; pitw
  4 fel yn *gair bach, sgwrs fach*, sgwrs frys
  (gydag awgrym o fod yn bwysig)
  5 â grym enw, *Dere 'ma, bach. Sut rwyt ti,
  fy mach i?*
  6 fel yn *distaw bach, tawel bach*, gw. **distaw**
  Sylwch: yn y Gogledd nid yw 'bach' yn cael
  ei dreiglo bob tro ar ôl enw benywaidd,
  e.e. 'Yr Hen Wraig Bach a'i Mochyn', *eglwys
  bach*, ac nid yw'n treiglo mewn cyfarchiad,
  e.e. *Sut rwyt ti, bach?*. Gw. hefyd **bychan.**
  Y ffurf 'mor' (nid 'mwy' a 'mwyaf') yn unig a
  ddefnyddir gyda 'bach', *mor fach.*

bach y nyth yr olaf o dorllwyth, y lleiaf o epil
runt

bod yn fach gorbwysleisio manylion mewn
ffordd feirniadol to be petty

gwneud yn fach o rywun/rywbeth gw.
gwneud¹

bach² *eg* (bachau) darn o fetel wedi'i blygu er
mwyn dal pethau, weithiau a blaen miniog
iddo; bachyn hook
  Sylwch: gw. hefyd **bachau**

bach a dolen bach sy'n cydio mewn cylch
o fetel i gadw dau beth ynghyd neu ar gau
hook and eye

bach angor un o grafangau angor sy'n ei fachu
wrth wely'r môr fluke

bach bugail ffon bugail/fugail a thro yn ei
phen i fachu dafad neu oen shepherd's crook

bach crosio nodwydd a bach ar ei blaen ar
gyfer tynnu edafedd wrth grosio crochet hook

bach³ *eb* (mewn enwau lleoedd) bachell, cilfach,
cwr, e.e. *Bachegraig (bach y graig)* nook

bachadain *eb* (bachadenydd) gwyfyn cul a bachau
ar flaen yr adenydd blaen hook-tip (moth)

bachan *eg anffurfiol* bachgen boy, chap

bachau *ell* lluosog **bach²; bachyn**
  1 arwyddion a ddefnyddir i amgáu geiriau,
  llythrennau neu rifau, e.e. (a+b) brackets
  2 gair tafodieithol yn y Gogledd am fysedd,
  Cadw dy facha' oddi ar 'y mhres i!

bachau coed pâr o bolion unionsyth â lle i
osod troed ar y naill bolyn a'r llall fel y gall y
defnyddiwr gerdded uwchlaw lefel y ddaear stilts

bachau petryal/sgwâr bachau fel hyn [ ]
square brackets

cromfachau bachau crwn, bachau fel hyn ( )
round brackets
  Ymadroddion

bachau brain disgrifiad o ysgrifen flêr neu
anniben; baglau brain

fel bachau crochan am goesau rhywun
coesgam bandy

bachell *eb* (bachellau)
  1 man lle mae dau ymyl yn cwrdd a'r ongl
  rhyngddynt; cilfach, congl corner, nook
  2 dyfais sy'n dal anifail â rhaff neu wifren am
  ei droed neu ei wddf; magl snare

bachell y fforddwyd cesail y fforddwyd; y man
lle mae'r goes yn cysylltu â'r corff groin

bachgen *eg* (bechgyn) plentyn gwryw cyn
iddo dyfu'n ddyn; còg, crwt, hogyn, mab,
rhocyn boy

bachgen bore un cyfrwys a bywiog a bit
of a lad

bachgendod *eg* y cyfnod neu'r cyflwr o fod yn
fachgen; maboed, mebyd boyhood

bachgennaidd *ans* tebyg i fachgen (o ran
ymddygiad, golwg, etc.); llencynnaidd,
mabolaidd boyish

bachgennes *eb* (bachgenesau) merch fach ifanc;
croten, hogen young girl

bachgennyn *eg* bachgen ifanc; crwt, hogyn,
mab, rhocyn little boy

bachiad *eg* (bachiadau) y weithred o fachu
rhywbeth, canlyniad bachu catch, hooking

bachigol *ans* GRAMADEG (am ôl-ddodiad fel
arfer) yn dynodi bychander, e.e. '-yn' yn
bryncyn, blodeuyn, etc. diminutive

bachigyn *eg* (bachigion) GRAMADEG gair megis
bachgennyn, afonig, bryncyn, yn dangos mai
ffurf fechan ar yr hyn a ddynodir gan y gair
gwreiddiol a olygir diminutive

bachog *ans*
  1 yn cydio neu'n brathu fel bachyn, *Roedd gan
  y papur newydd sylwadau bachog ar araith y
  Prif Weinidog.*; gafaelgar, llym barbed, catchy
  2 wedi'i blygu fel bachyn; cam hooked

bachu *be* [bach•³]
  1 cael gafael ar (rywbeth) drwy ddefnyddio
  bachyn, dal â bachyn; cipio, crafangu, sicrhau
  to fasten, to hook
  2 cael gafael ar bêl rygbi a'i gyrru tuag yn ôl â'r
  droed yn y sgrym to hook
  3 (mewn criced, golff, etc.) taro'r bêl fel nad
  yw'n hedfan yn syth yn ei blaen to hook
  4 cydio, mynd yn sownd, *Mae'r hoelen wedi
  bachu yn fy nghrys.* to catch
  5 cydio yn (rhywbeth) yn sydyn, *Bachodd
  frechdan cyn mynd ar y trên.*; cipio to grab

bacha hi o 'ma! cer i ffwrdd push off

bachu ar gyfle cymryd mantais
to take advantage

ei bachu hi rhedeg i ffwrdd, *Wedi torri'r ffenestr, dyma'r plant yn ei bachu hi nerth eu traed.*; gwadnu, heglu to run off, to scoot

bachwr *eg* (bachwyr) y blaenwr rygbi sy'n gyfrifol am fachu'r bêl o'r sgrym hooker

bachyn *eg* (bachau) darn o fetel wedi'i blygu er mwyn dal pethau, weithiau a blaen miniog iddo; bach hook

　Sylwch: gw. hefyd **bachau**

bad[1] *eg* (badau) cwch mawr, llong fach; cwch boat

bad achub

　1 cwch arbennig wedi'i adeiladu i herio'r stormydd gwaethaf er mwyn achub bywydau ar y môr lifeboat

　2 cwch bach sy'n cael ei gadw ar long fawr yn barod ar gyfer argyfwng lifeboat

bad[2] *eb hynafol* y fad; pla, haint plague

badaid *eg* (badeidiau) llond bad boatful

badminton *eg* gêm a chwaraeir ar gwrt â rhwyd uchel yn ei rannu; mae'r chwaraewyr yn defnyddio racedi arbennig i daro gwennol yn ôl ac ymlaen dros y rhwyd badminton

badwr *eg* (badwyr)

　1 un sy'n rhwyfo, yn hwylio neu'n gyrru bad; cychwr boatman, ferryman

　2 un sy'n llogi cychod bach boatman

badd-dy gw. **baddondy**

baddon *eg* (baddonau)

　1 llestr tebyg i fasn mawr y gellir eistedd neu orwedd ynddo i ymolchi; bàth, twb bath

　2 llestr yn cynnwys hylif mewn proses trochi cemegol neu ddiwydiannol bath

baddondy:badd-dy *eg* (badd-dai:baddondai) adeilad ac ynddo faddonau at ddefnydd y cyhoedd bathhouse

bae *eg* (baeau) rhan o arfordir lle mae'r môr wedi'i gau i mewn yn rhannol gan y tir bay

baeas *eg* brethyn gwlân neu gotwm tebyg i ffelt ysgafn a ddefnyddir yn bennaf yn orchudd (e.e. i fwrdd snwcer) neu i leinio droriau baize

baedd *eg* (baeddod) mochyn gwryw heb ei ysbaddu boar

baedd (o'r) coed mochyn gwyllt ysgithrog; twrch wild boar

baedda *be* (am hwch) gofyn baedd to be in heat (of a sow)

　Sylwch: nid yw'r ferf hon yn cael ei rhedeg.

baeddredog *ans* (am hwch) yn gofyn baedd in heat

baeddu *be* [baedd•1]

　1 gwneud neu fynd yn frwnt; difwyno, llygru, trochi to soil

　2 bod yn drech na; curo, gorchfygu, maeddu, trechu to beat, to defeat

　3 ymgarthu a'ch trochi eich hun oherwydd diffyg rheolaeth ar y corff to be incontinent

baetio *be* [baeti•2] blino neu boenydio (e.e. anifail wedi'i gadwyno) â chŵn am sbort to bait

Bafaraidd *ans* yn perthyn i Bafaria, nodweddiadol o Bafaria Bavarian

Bafariad *eg* (Bafariaid) brodor o Bafaria Bavarian

bag *eg* (bagiau) math o gwdyn, wedi'i wneud o bapur, plastig, lledr neu ddefnydd arall, i ddal neu i gadw pethau ynddo; cwdyn, ysgrepan bag

bag dillad math o gynhwysydd ac iddo ddolen i'w gario a chlawr agoradwy a ddefnyddir i gludo dillad suitcase

bag dyrnu pêl neu fag wedi'i stwffio sy'n cael ei daro â'r dyrnau wrth hyfforddi bocsio neu fel ffordd o gadw'n heini punchbag

bag llaw bag bach a ddefnyddir gan ferch neu wraig (gan amlaf) i gario pethau personol, pob dydd handbag

bag tywod bag wedi'i lenwi â thywod a ddefnyddir i amddiffyn rhag llifogydd neu ffrwydradau sandbag

bag ysgol bag â strapen hir i'w gario ar yr ysgwydd ar gyfer llyfrau ysgol yn bennaf satchel

bagad *eg* (bagadau) (hen air)

　1 casgliad neu sypyn o ffrwyth, *bagad o rawnwin*; clwstwr, swp, twr bunch, cluster

　2 casgliad mawr, llawer o rywbeth, *bagad gofalon bugail*; baich, llwyth load, multitude

bagaid *eg* (bageidiau) llond bag bagful

bagio *be* [bagi•2]

　1 gw. bacio

　2 rhoi mewn cwdyn to bag

bagl *eb* (baglau)

　1 ffon arbennig sydd, gan amlaf, yn ffitio dan gesail rhywun cloff crutch

　2 hen air am goes mewn dywediadau fel *bagl abówt* neu *bagl o boptu*, sef coes ar y ddwy ochr i rywbeth astride

　3 ffon swyddogol abad neu esgob sy'n dynodi ei awdurdod crozier

baglau brain ysgrifen anniben spidery handwriting

baglor *eg* (baglorion) un sydd wedi ennill gradd sylfaenol prifysgol, *Baglor yn y Celfyddydau* (B.A., etc.) bachelor

bagloriaeth *eb* (bagloriaethau) cyfundrefn astudio ar gyfer arholiadau a gydnabyddir gan nifer o wledydd yn gymhwyster addas ar gyfer mynediad i goleg neu brifysgol baccalaureate

baglu *be* [bagl•3]

　1 dal eich troed yn rhywbeth nes eich bod bron â syrthio, hefyd yn ffigurol, *baglu dros eich geiriau* (~ dros) to stumble

　2 peri i droed neu goes rhywun arall gael ei dal er mwyn i hwnnw gwympo (~ *rhywun* â) to trip

baglu ar draws fy (dy, ei, etc.) nhraed fy hun baglu mewn ffordd drwsgl to trip over one's feet

ei baglu hi rhedeg i ffwrdd ar frys; dianc to scarper

bangor gw. ban(-)gor

Bahamaidd *ans* yn perthyn i'r Bahamas, nodweddiadol o'r Bahamas Bahamian

Bahamiad *eg* (Bahamiaid) brodor o'r Bahamas Bahamian

Bahrainaidd *ans* yn perthyn i Bahrain, nodweddiadol o Bahrain Bahranian

Bahrainiad *eg* (Bahrainiaid) brodor o Bahrain Bahraini

bai[1] *eg* (beiau)
1 rhywbeth sy'n gyfrifol am amherffeithrwydd; diffyg, gwall, gwendid, mefl fault, flaw
2 cyfrifoldeb am ddrwg neu gam, *Rhys a gafodd y bai am dorri'r ffenestr.* blame
bod ar fai bod yn gyfrifol am ddrwg, bod yn euog (*Gan mai Meinir a giciodd y bêl, hi oedd ar fai am dorri'r ffenestr.*) to be at fault, to be culpable
bwrw'r bai arnaf fi (arnat ti, arno ef, etc.) gw. bwrw
gweld bai ar gw. gweld
pigo bai archwilio a chodi beiau to pick faults
rhoi'r bai arnaf fi (arnat ti, arno ef, etc.) beio (rhywun neu rywbeth) to blame
syrthio ar fy (dy, ei, etc.) mai cyfaddef bod yn euog a gofyn maddeuant to admit to one's failings

bai[2] *bf* [bod] *ffurfiol* 3ydd unigol Amhenodol Dibynnol 'bod' sy'n aml yn dilyn *pe* ac *oni*, *Ni fyddai wedi gwlychu'i grys pe bai wedi gwisgo'i got.*

baich *eg* (beichiau)
1 peth trwm neu fawr i'w gario, *Roedd gan yr asyn faich trwm ar ei gefn.*; llwyth, pwysau load
2 pwysau cyfrifoldeb, *Roedd yn edrych fel pe bai beichiau'r byd ar ei ysgwyddau.*; bagad, gofid burden
baich drain cario baich drain oedd y gosb am hela ar y Sul
baich dyn diog llwyth afresymol y mae rhywun yn ei gario er mwyn ceisio arbed amser neu ail siwrnai lazy man's load

baidd *bf* [beiddio] *hynafol* mae ef yn beiddio/mae hi'n beiddio; bydd ef yn beiddio/bydd hi'n beiddio

bain-marie *eg* (bains-marie) COGINIO llestr ar gyfer dŵr poeth y mae modd gosod llestr arall yn cynnwys bwyd ynddo er mwyn ei goginio neu ei gadw'n gynnes

bais *ell* beisiau, lluosog **bas** shallows

bal *eg* seren neu smotyn gwyn ar dalcen ceffyl blaze

bala *eg mewn enwau lleoedd* darn o dir (sych) rhwng dau lyn neu rhwng llyn a gwlyptir, e.e. *Baladeulyn*

balalaica *eg* offeryn cerdd o Rwsia sy'n debyg i fanjo trionglog a chanddo dri neu chwe thant balalaika

balans *eg* (balansau)
1 gweddill; swm yn dangos faint o arian sydd mewn cyfrif banc, etc. balance
2 y gwahaniaeth rhwng y swm o arian sy'n ddyledus a'r swm sydd eisoes wedi'i dalu; gwarged, gweddill balance

balaon *ell* lluosog **bele**

balast *eg*
1 unrhyw sylwedd trwm, e.e. tywod, graean, a gedwir yn llwyth ar waelod llong i'w sefydlogi wrth hwylio ballast
2 unrhyw sylwedd trwm, e.e. tywod, graean, a gedwir mewn bagiau yn llwyth ar waelod balŵn neu long awyr, a ddefnyddir i'w sefydlogi neu a all gael ei ollwng i reoli eu cyflymder wrth ddisgyn ballast
3 cerrig bras a ddefnyddir i greu gwely rheilffordd neu ffordd fawr ballast

balconi *eg* (balconïau)
1 llwyfan yn ymestyn o lawr uwch ar du blaen adeilad a chanllaw neu wal o'i chwmpas balcony
2 y rhesi uchaf o seddau mewn theatr; galeri balcony

balch *ans* [balch•] (beilch:beilchion)
1 am un sydd â meddwl uchel o'i bwysigrwydd ei hun; ffroenuchel, hunanbwysig, trahaus proud, vain
2 hapus, llawen, *Rwy'n falch iawn o weld bod cynifer wedi dod heno.* (~ o) happy, pleased
3 gwych, hardd, urddasol, *ceffyl balch yr olwg* fine, proud
tlawd a balch a byw mewn gobaith ateb parod i'r cwestiwn 'Sut rwyt ti?'

balchder *eg* (balchderau)
1 teimlad o foddhad yn deillio o lwyddiannau, o briodoleddau neu o eiddo arbennig y gellir ymhyfrydu ynddynt; bodlonrwydd, boddhad pride, conceit
2 ymwybyddiaeth ormodol o hunanbwysigrwydd; haerllugrwydd, rhyfyg vanity
3 y cyflwr o fod yn falch; hapusrwydd, llawenydd, pleser pleasure

baldorddi *be* [baldordd•[1]] siarad dwli; breblian, bregliach, brygawthan, cabarddylu to babble, to gabble, to prattle

baldorddus *ans* llawn o glebran, gwag siarad ac o falu awyr babbling, chattering

baldorddwr *eg* (baldorddwyr) un sy'n baldorddi; clebryn, breblwr chatterbox

bale *eg* celfyddyd glasurol lle mae dawnswyr yn cyfleu stori neu awyrgylch arbennig i gyfeiliant cerddoriaeth ballet

baled *eb* (baledi)
  1 stori ar ffurf penillion wedi'u llunio yn
  wreiddiol i'w canu mewn lle cyhoeddus, baled
  storïol ballad
  2 stori neu hanes ar ffurf barddoniaeth ballad
baledol *ans* yn perthyn i faledi, nodweddiadol o
  faledi balladic
baledwr *eg* (baledwyr)
  1 cyfansoddwr baledi balladeer, composer of
  ballads
  2 canwr neu werthwr baledi taflennol ballad-
  monger
balerina *eb* (balerinas) dawnswraig fale ballerina
Balïad *eg* (Balïaid) brodor o Bali Balinese
Balïaidd *ans* yn perthyn i Bali, nodweddiadol o
  Bali Balinese
balisteg *eb* gwyddor sy'n ymwneud â symudiad
  gwrthrych drwy'r atmosffer neu drwy'r gofod,
  er enghraifft gwyddor taflegrau a gynnau tanio
  ballistics
balistig *ans* yn ymwneud â balisteg, yn hedfan
  yn unol â deddfau balisteg ballistic
ballet *eg* bale
balm *eg* (balmau) ennaint i wella clwyfau neu i
  leddfu poen; eli, iraid, olew balm
  balm i'r llygad golygfa sy'n achosi rhyddhad
  neu bleser i rywun a sight for sore eyes
balmaidd *ans* yn lliniaru fel balm balmy
balog *eg* (balogau)
  1 agoriad ar flaen pâr o drowsus a gaeir gan sip
  neu fotymau; copis fly
  2 *hanesyddol* cwdyn neu god, a gâi ei glymu
  â chareiau wrth glos neu lodrau, i guddio
  organau rhywiol dyn codpiece
balot *eg* pleidlais ddirgel ballot
balsa *eg*
  1 coeden drofannol o America balsa
  2 pren ysgafn, cryf y goeden hon a ddefnyddir
  i greu raffitiau a hefyd fodelau o awyrennau,
  llongau, etc. balsa
balŵn *egb* (balwnau)
  1 cwdyn bach lliwgar o rwber y gellir ei lenwi ag
  aer neu nwy i wneud tegan neu addurn balloon
  2 cwdyn mawr aerglos y mae modd ei lenwi ag
  aer poeth neu nwy ysgafn er mwyn iddo hedfan
  a chludo pobl balloon
balwnydd *eg* (balwnwyr) un sy'n hedfan mewn
  balŵn balloonist
balwster *eg* (balwsterau) PENSAERNÏAETH math o
  golofn yn cynnal canllaw (grisiau neu falconi)
  neu gopin baluster
balwstrad *eg* (balwstradau) PENSAERNÏAETH
  rhes o falwsterau yn cynnal canllaw a
  ddefnyddir fel rhwystr balustrade
ballasg *eg* (ballasgau:ballasgod) aelod o deulu o
  gnofilod pigog tebyg i ddraenogiaid mawr sy'n
  dod o Asia ac Affrica porcupine

ballu *tafodieithol, yn y Gogledd* fel yn *a ballu*, sef
  'a phethau felly' and so on, etc.
bambŵ *eg* planhigyn tal â choes gau, sy'n tyfu
  orau yn y trofannau bamboo
ban *egb* (bannau)
  1 pen mynydd, e.e. *Bannau Brycheiniog*; brig,
  copa, uchelder summit
  2 rhan, ardal neu le, *pedwar ban byd* place,
  region
banadl *ell* lluosog **banhadlen**, llwyni â blodau
  melyn a dail bach pigfain broom
banana *eb* (bananas) ffrwyth hir, meddal,
  â chroen melyn pan fydd yn aeddfed, sy'n
  tyfu mewn clystyrau ar goed bananas mewn
  gwledydd twym banana
banc¹ *eg* (banciau)
  1 sefydliad sy'n derbyn, cyfnewid a benthyca
  arian bank
  2 yr adeilad lle y cyflawnir y gwaith hwn bank
  3 casgliad neu stoc o rywbeth at ddefnydd pan
  fydd ei angen, e.e. banc gwaed bank
  banc bwyd gwasanaeth argyfwng sy'n darparu
  cyflenwad o fwyd sylfaenol am ddim i bobl
  sydd mewn angen food bank
  gŵyl banc diwrnod o wyliau cyhoeddus pan
  fydd banciau ar gau yn swyddogol bank holiday
banc²:bencyn *eg* (bancau:banciau:bencydd)
  1 ochr bryn; goleddf, llechwedd, llethr bank
  2 crynhoad o waddodion (tywod fel arfer) ar
  wely'r môr neu ar wely afon, *banc tywod* bank
bancio *be* [banci•²]
  1 rhoi (arian) yn y banc, *Rydym yn bancio'r
  arian bob dydd Iau.* to bank
  2 bod â chyfrif mewn banc, *Rydym yn byw yng
  Nghaerdydd ond yn bancio yn Aberystwyth.*
  to bank
banciwr:bancwr *eg* (bancwyr) perchennog,
  rheolwr neu gyfarwyddwr banc banker
band¹ *eg* (bandiau)
  1 cwmni o offerynwyr sy'n chwarae offerynnau
  pres, chwythbrennau ac offerynnau taro;
  seindorf band
  2 grŵp bach o offerynwyr a chantorion sy'n
  perfformio cerddoriaeth bop, jazz neu roc a rôl
  band
  3 ADDYSG grŵp gallu gweddol eang band
  Sylwch: mae'n derbyn ffurf unigol neu luosog
  berf.
  band arian seindorf arian (offerynnau pres ac
  offerynnau taro) silver band
  band chwyth seindorf o offerynnau chwyth
  (offerynnau pres, chwythbrennau ac offerynnau
  taro) wind band
  band pres seindorf bres (offerynnau pres ac
  offerynnau taro) brass band
  band taro grŵp o offerynnau taro (e.e.
  drymiau, seiloffon, etc.) percussion band

Ymadrodd

band un dyn

1 difyrrwr yn chwarae nifer o offerynnau cerdd yr un pryd one-man band

2 un sy'n rhedeg busnes ar ei ben ei hun one-man band

band²:bandyn *eg* (bandiau)

1 cylch o ddefnydd neu fetel i ddal pethau rhydd ynghyd, *Bandiau dur oedd yn dal y gasgen at ei gilydd.* band

2 stribed o ddefnydd neu linell lydan, *Gwisgodd fandyn du am ei fraich i fynd i'r angladd.*; rhwymyn band

band lastig band o rwber elastic band

band eang¹ *eg* CYFRIFIADUREG cysylltiad sy'n caniatáu trosglwyddo data yn gyflym o'r Rhyngrwyd i gyfrifiadur y derbynnydd broadband

band eang²:band llydan *ans* CYFRIFIADUREG yn perthyn i amrediad eang o signalau amledd uchel mewn proses delegyfathrebu neu'n gwneud defnydd ohonynt broadband

bandio *be* [bandi•²] ADDYSG gosod disgyblion neu ysgol mewn bandiau to band

bandit *eg* (banditiaid:bandits) lleidr pen-ffordd; lleidr bandit

band llydan gw. **band eang**

bando *eg*

1 hen gêm Gymreig yn debyg i hoci bandy

2 y pastwn â phen crwca a ddefnyddid i chwarae bando bandy-stick

bandog *ans* a bandiau drosto banded

bandyn gw. **band²**

baner *eb* (baneri) darn petryal neu drionglog o ddefnydd a godir i ben polyn fel arwyddlun (o genedligrwydd fel arfer); fflag, lluman banner, flag, pennant

baner wen arwydd o barodrwydd i roi'r gorau i ymladd er mwyn trafod neu ildio; yn draddodiadol ni fyddai un a ddaliai faner wen yn cael ei niweidio white flag

banerog *ans* wedi'i addurno â baneri, yn cludo baneri

banerwr *eg* (banerwyr) swyddog neu filwr sy'n cario baner standard-bearer

Bangladeshaidd *ans* yn perthyn i Bangladesh, nodweddiadol o Bangladesh Bangladeshi

Bangladeshiad *eg* (Bangladeshiaid) brodor o Bangladesh Bangladeshi

bangor *eb* mewn enwau lleoedd plethwaith mewn gwrych neu glawdd, e.e. *Bangor Teifi*

bangorwaith *eg* hanesyddol fframwaith o bolion wedi'u plethu â changhennau a brwyn a ddefnyddid gynt wrth adeiladu neu i wneud cloddiau neu glwydi; plethwaith wattle

bangorwaith a dwb plethwaith a chlai; bangorwaith wedi'i orchuddio â chlai a gâi

ei ddefnyddio fel ffordd o godi adeiladau gynt wattle and daub

banhadlen *eb* unigol **banadl**

banhadlog *ans*

1 llawn blodau'r banadl neu fanadl

2 o liw (melyn) blodau'r banadl

banister *eg* (banisterau) y canllaw a'r colofnau sy'n ei gynnal a geir ar hyd ymyl grisiau, canllaw grisiau banister

banjo:banjô *eg* (banjos) offeryn cerdd llinynnol (4, 5 neu 6 thant) o deulu'r gitâr, â phen bach crwn a gwddf hir banjo

banllef gw. **bonllef**

bannau *ell* lluosog **ban**; mynydd-dir, ucheldir

bannod *eb* GRAMADEG (y fannod) y ffurfiau *y*, *yr* neu *'r*, sydd yn dangos, fel arfer, mai rhywbeth penodol a olygir pan fyddant yn dod o flaen enw (bannod bendant) the (definite article)

Sylwch: gw. **y²**

bannog *ans* hynafol ac iddo gyrn, *ych bannog* horned

bant *adf* tafodieithol, yn y De i ffwrdd, oddi yma away, off

bant â ni:bant â'r cart i ffwrdd â ni off we go

o bant i bentan gw. **pant**

pobl o bant pobl ddŵad, pobl nad ydynt yn frodorion strangers

troi (rhywbeth) bant diffodd (rhywbeth) to switch off

bantam *egb* (bantamiaid)

1 un o nifer o fathau o ddofednod bychain bantam

2 un bach cwerylgar bantam

Sylwch: mae cenedl yr enw yn newid yn ôl rhyw'r aderyn.

pwysau bantam lefel gornest focsio ar gyfer rhai nad ydynt yn pwyso dros 53.5 cilogram os ydynt yn broffesiynol, neu rhwng 51 a 54 cilogram os ydynt yn amaturiaid bantamweight

Ymadrodd

ceiliog bantam

1 enw gwryw'r aderyn bantam cock

2 dyn bach cynhennus parod ei ddadl bantam cock

banw¹ *ans* (am anifeiliaid a phlanhigion) o ryw'r fenyw, *llo fanw* female

banw² *eg* (beinw) mewn enwau lleoedd mochyn ifanc wedi'i ddiddyfnu, porchell, e.e. *Aman(w)*

banwes *eb* (banwesau) hwch ifanc; hesbinwch gilt, young sow

bar¹ *eg* (barrau:bariau)

1 darn hir, cul, cryf o fetel a ddefnyddir fel trosol neu i gadw drws ar gau; barryn bar

2 darn neu slab o ddefnydd solet, *bar o siocled*; barryn bar

3 tywod sydd wedi casglu wrth geg afon neu harbwr ac sy'n gallu bod yn rhwystr i gychod neu longau bar

4 ystafell neu gownter, mewn gwesty neu dŷ tafarn lle mae diodydd yn cael eu gwerthu bar
5 y man mewn llys barn lle mae'r carcharor yn sefyll bar
6 rhaniad mewn llinell o gerddoriaeth; mesur bar
7 dosbarth o fargyfreithwyr a'u proffesiwn bar
8 y darn sy'n cysylltu dwy ochr pyst gôl rygbi neu bêl-droed, etc. bar
9 y darn ar ffurf rhoden, sy'n poethi a chochi mewn tân trydan; barryn bar
croesi'r bar croesi'r tywod wrth geg harbwr a bwrw allan i'r môr mawr

bar² *eg* (barrau) FFISEG uned gwasgedd yn cyfateb i gan mil newton y metr sgwâr bar

bar³ *eg mewn enwau lleoedd* pen mynydd, copa, brig, e.e. *Crug-y-bar, Y Berwyn*

bâr *eg*
1 *hynafol* dicter, llid, digofaint wrath
2 *hynafol* awydd gormodol am rywbeth; blys, trachwant greed

bara *eg* bwyd wedi'i wneud o flawd, dŵr a burum gan amlaf, wedi'u cymysgu a'u pobi; torth bread
bara brith teisen lawn cwrens y gellir ei thaenu â menyn currant bread
bara can bara gwenith, bara gwyn wheat bread, white bread
bara cartref bara a bobir gartref home-made bread
bara ceirch math o fisgïen denau a wneir o flawd ceirch oatcake
bara clatsh bara sydd heb godi'n iawn
bara crasu tost toast
bara cri:bara crai bara croyw unleavened bread
bara croyw bara heb furum unleavened bread
bara gwenith bara gwyn traddodiadol wheat bread
bara gwenith cyflawn bara wedi'i wneud o flawd yn cynnwys plisgyn y gwenith wholemeal bread
bara gwyn bara gwenith, bara can white bread
bara haidd bara lliw tywyll a wneir o haidd, yn hytrach na'r gwenith arferol barley bread
bara henbob bara sydd wedi mynd yn hen ac yn sych stale bread
bara lawr nid bara iawn ond bwyd wedi'i wneud o wymon arbennig wedi'i gymysgu â blawd ceirch laver bread
bara menyn tafell o fara â haen denau o fenyn bread and butter
bara planc bara wedi'i grasu ar faen uwchben y tân bakestone bread
bara poeth math o deisen yn cynnwys sinsir gingerbread
bara prŷn bara o'r siop (yn hytrach na bara cartref)

Ymadroddion
bara a chaws cynhaliaeth ddyddiol, cyflog bread and butter
bara beunyddiol ymadrodd o'r Beibl yn golygu yr hyn sy'n ein cynnal yn ein bywyd pob dydd daily bread
bwrw dy fara (ar wyneb y dyfroedd) mentro ar rywbeth yn ffyddiog y bydd yn troi'n llwyddiant yn y dyfodol to cast one's bread upon the waters
fel bara brwd disgrifiad o rywbeth y mae tipyn o alw amdano, yn enwedig rhywbeth sy'n gwerthu'n dda like hot cakes
mewn 'da'r bara ma's 'da'r byns *ffigurol* (mae angen mwy o amser ar fara i bobi na byns) am rywun diniwed
torri bara rhannu bara yng ngwasanaeth y Cymun Sanctaidd to break bread
torri bara gyda (rhywun) cael pryd o fwyd gyda (rhywun) to break bread with (someone)
yn sych fel bara am rywbeth sych iawn
baracs gw. **barics**
Barbadaidd *ans* yn perthyn i Barbados, nodweddiadol o Barbados Barbadian
Barbadiad *eg* (Barbadiaid) brodor o Barbados Barbadian
barbaraidd *ans* nodweddiadol o farbariad; anwar, anwaraidd barbaric, barbarous
barbareiddiwch *eg* y cyflwr o fod yn farbaraidd; barbariaeth, creulondeb, gwylltineb, ffyrnigrwydd barbarity, barbarism
barbariad *eg* (barbariaid)
1 yn wreiddiol, unrhyw un nad oedd yn Roegwr neu'n Rhufeiniwr barbarian
2 erbyn heddiw, un sy'n ymddwyn mewn ffordd anwar, anniwylliedig, ansyber barbarian
barbariaeth *eb* y cyflwr o fod yn farbaraidd; barbariaeth, creulondeb, gwylltineb, ffyrnigrwydd barbarity, barbarism
barbeciw *eg* (barbeciwiau)
1 lle tân (symudol fel arfer) gyda gridyll ar gyfer grilio bwyd uwchben tân agored barbecue
2 achlysur ar gyfer paratoi bwyd yn y ffordd hon (yn yr awyr agored fel arfer); bwyd a baratoir yn y ffordd hon barbecue
barbeciwio *be* [barbeciwi•²] coginio ar ridyll uwchben golosg poeth neu droi (cig) ar fêr o flaen tân agored neu uwch ei ben to barbecue
barbitwrad *eg* (barbitwradau) un o nifer o gyffuriau a ddefnyddir i dawelu'r nerfau ac sy'n gallu creu dibyniaeth barbiturate
barbola *eg* dull o addurno darnau o waith pren neu wydr drwy lynu wrthynt ddarnau lliw yn cynrychioli ffrwythau neu blanhigion barbola
barbwr *eg* (barbwyr) gŵr sy'n trin gwallt a barfau barber

barc *eg* (barciau) llong hwylio â thri hwylbren fel arfer barque

barcarôl *eg* (barcarolau) CERDDORIAETH cân cychod o Fenis sy'n creu argraff o rwyfo drwy gyfrwng ei rhythm; darn cerddorol yn dynwared barcarôl barcarole

barcer:barcwr *eg* (barceriaid:barcwyr) un sy'n trin crwyn, un sy'n barcio tanner

barcerdy *eg* (barcerdai) man lle mae crwyn yn cael eu trin i'w troi'n lledr tannery

barcio *be* [barci•²] trin (crwyn anifeiliaid) i'w troi'n lledr, drwy eu mwydo mewn cymysgedd arbennig a fyddai yn aml yn cynnwys rhisgl coed ac ynddo lawer o dannin to tan

barclod *eg* (barclod[i]au) dilledyn i'w wisgo dros ddillad eraill rhag iddynt gael eu difwyno neu eu baeddu; brat, ffedog apron

barcud:barcut *eg* (barcutiaid)
1 aderyn ysglyfaethus o'r un teulu â'r cudyll a'r bwncath a chanddo gynffon fforchog kite
2 tegan i'w hedfan kite
fel barcud ar gyw disgrifiad o ymosodiad didrugaredd
llygad barcud gw. llygad

barcuta *be* [barcut•¹] hedfan ynghlwm wrth farcud sy'n ddigon mawr i ddal pwysau unigolyn to hang-glide, hang-gliding

barcutaidd *ans* yn perthyn i deulu'r barcud, o natur barcud, parod i ymosod; ysglyfaethus hawkish, predatory

barcwr gw. **barcer**

bardd *eg* (beirdd) cyfansoddwr barddoniaeth; prydydd poet, bard
    Sylwch: gw. hefyd **beirdd**
bardd cocos yn wreiddiol, John Evans, cymeriad od o Fôn ganol y bedwaredd ganrif ar bymtheg a ysgrifennai benillion yr oedd ef yn eu galw'n farddoniaeth; erbyn hyn, enw ar fardd gwael, talcen slip, neu rywun sy'n canu'n fwriadol yn y fordd honno rhymester
bardd gwlad bardd, fel arfer heb lawer o addysg uwch, sydd yn dathlu digwyddiadau'r fro, megis priodasau, marwolaethau, troeon trwstan, etc.
bardd pen pastwn:bardd talcen slip rhywun sy'n medru llunio cerddi sy'n ymddangos fel barddoniaeth ac sy'n swnio fel barddoniaeth ond sydd heb wir grefft lenyddol; pastynfardd rhymester
Bardd y Gadair y bardd buddugol yng nghystadleuaeth yr awdl am Gadair yr Eisteddfod Genedlaethol; bardd y gadair (heb brif lythrennau), sef bardd arobryn eisteddfod (leol) chaired bard
Bardd y Goron y bardd buddugol yng nghystadleuaeth y mesurau rhydd am Goron yr Eisteddfod Genedlaethol; bardd y goron

(heb brif lythrennau), sef bardd arobryn eisteddfod (leol) crowned bard

barddas *eb* celfyddyd cyfansoddi barddoniaeth, yn enwedig cerdd dafod poesy, poetics

barddol *ans* yn perthyn i fyd y beirdd neu i fyd barddas; barddonol, prydyddol poetic, bardic

barddoni *be* [barddon•¹] cyfansoddi barddoniaeth; canu, prydyddu to compose poetry

barddoniaeth *eb* math o lenyddiaeth wedi'i chyfansoddi â sylw arbennig i'r dychymyg a'r teimlad; yn aml mae rhythm, odl a mesur rheolaidd i farddoniaeth (e.e. soned, telyneg) ac, yn Gymraeg, mae barddoniaeth weithiau'n cael ei hysgrifennu mewn cynghanedd (e.e. awdl, englyn); ffurf lenyddol nad yw'n rhyddiaith; cerdd dafod, prydyddiaeth poetry

barddonllyd *ans* ffug farddonol a rhodresgar

barddonol *ans* yn perthyn i farddoniaeth neu i fyd barddoniaeth, nodweddiadol o farddoniaeth; barddol, prydyddol poetical

bared *eg* (baredau) argae neu gòb a godir ar draws afon neu aber i'w dyfnhau neu i ddargyfeirio'r dŵr barrage

barf *eb* (barfau) y blew sy'n tyfu ar fochau neu ên dyn (ac weithiau anifail) beard

barfog *ans* a chanddo farf bearded

barfogyn *eg* (barfogiaid) pysgodyn dŵr croyw â darnau o gnawd tebyg i farf yn hongian bob ochr i'w geg a ddefnyddir i deimlo am fwyd ar wely afon neu lyn barbel

barforwyn *eb* (barforynion) merch neu wraig sy'n gweini diodydd y tu ôl i far barmaid

barf yr afr *eb* planhigyn, yn perthyn i'r un teulu â llygad y dydd, ac iddo ddail tebyg i laswellt a blodau bach melyn sy'n cau tua hanner dydd goat's beard

barf yr hen ŵr *eb* llwyn coediog o deulu'r blodyn ymenyn ac iddo flodau heb betalau ond â phedwar sepal melynwyrdd blewog a sawl briger, sy'n dringo ac yn ymledu dros wrychoedd a phrysgwydd yn nhiriogaeth y garreg galch; cudd y coed old man's beard, traveller's joy

bargeinio *be* [bargeini•²]
1 dadlau a thrafod er mwyn ceisio cyrraedd cytundeb to bargain
2 dadlau a thrafod ynglŷn â phris rhywbeth er mwyn ceisio'i gael yn rhatach (~ â *rhywun* am *rywbeth*) to haggle

bargen *eb* (bargeinion)
1 rhywbeth sydd wedi cael ei brynu neu ei werthu am bris sydd wedi'i ostwng bargain
2 yr hyn y mae rhywun wedi'i ennill drwy fargeinio bargain
3 *hanesyddol* wyneb o graig chwe llath o led mewn chwarel lechi wedi'i osod i'r chwarelwr

b

(neu griw bach o chwarelwyr) oedd yn derbyn
y pris isaf y dunnell am lechfaen o ansawdd
cynhyrchiol bargain

bargen bôn clawdd cytundeb wedi'i
ddrafftio'n flêr verbal agreement

gwneud bargen:taro bargen cytuno ar ôl
bargeinio to strike a bargain

bargod *eg* (bargodion) y darn hwnnw o'r to sy'n
cyrraedd dros ymyl wal y tŷ ac sy'n ei gysgodi'n
rhannol; bondo eaves

bargodfaen *eg* (bargodfeini) PENSAERNÏAETH
darn o garreg sy'n gwthio allan uwchben
ffenestr, drws, etc. er mwyn cyfeirio dŵr rhag
gwlychu'r hyn sydd oddi tano dripstone

bargodi *be* [bargod•¹] ymestyn, e.e. fel bargod
uwchben wal tŷ (~ dros) to overhang

bargyfreithiwr *eg* (bargyfreithwyr) cyfreithiwr
sydd wedi'i alw i'r bar ac sydd â hawl i ddadlau
achosion yn y llysoedd uchaf barrister

bariaeth *egb*
1 dicter; digofaint, llid ire, wrath
2 awydd gormodol am rywbeth; blys, gwanc,
trachwant greed, lust

baricêd *eg* (baricedau) rhwystr dros dro a roddir
ar draws stryd, llwybr, mynedfa, etc. i atal pobl
rhag symud o'r naill ochr i'r llall, yn enwedig
yn ystod protestiadau barricade

baricedio *be* [baricedi•²] rhwystro mynediad
drwy osod baricêd to barricade

barics:baracs *ell* adeilad arbennig wedi'i godi
i letya llu o ddynion, e.e. milwyr, chwarelwyr
barracks

baril *egb* (barilau)
1 math o silindr gwag a'i ddau ben yn gaeedig,
wedi'i wneud o ystyllod pren wedi'u rhwymo
â bandiau dur; mae'n bolio tuag at y canol ac
fe'i defnyddir i gadw diodydd fel cwrw a gwin;
casgen, cerwyn barrel
2 tiwb mewn dryll y mae bwled neu ffrwydryn
yn cael ei saethu drwyddo barrel

barilaid *eb* (barileidiau) llond baril barrelful

barilo *be* [baril•¹] rhoi mewn baril(au) to barrel,
to cask

bario *be* [bari•²] cloi â bar, gosod bar ar draws
rhywbeth fel rhwystr; bolltio (~ *rhywbeth* â)
to bar

bariton¹ *ans* am lais neu offeryn y mae ei
gwmpas rhwng y bas a'r tenor baritone

bariton² *eg* (baritoniaid:baritonwyr) canwr y
mae cwmpas ei lais yn gorwedd rhwng cwmpas
lleisiau baswr a thenor baritone

bariwm *eg* elfen gemegol rhif 56; metel meddal,
arianaidd, gwenwynig (Ba) barium

uwd bariwm cymysgedd yn cynnwys
bariwm sylffad a dŵr a lyncir fel y bo modd
archwilio'r stumog a'r coluddion â phelydr X
barium meal

bariwns *ell* math o glwydi symudol i gau bwlch
neu i rwystro rhywun neu rywbeth rhag mynd
a dod yn rhwydd barriers

barlad:barlat *eg* (barlatiaid) ceiliog hwyaden;
marlad, marlat drake

barlys *eg* math o ŷd y defnyddir ei rawn i wneud
bwyd neu i facsu cwrw; haidd barley

barlysen *eb* unigol barlys

barlysyn *eg* unigol barlys

bar mitzvah *eg* defod grefyddol Iddewig a
gynhelir mewn synagog i ddathlu'r ffaith fod
bachgen wedi cyrraedd tair ar ddeg oed ac o
hynny ymlaen y bydd yn mwynhau breintiau
a chyfrifoldebau oedolyn, yn grefyddol ac yn
gymdeithasol

barmon *eg* (barmyn) dyn sy'n gweini diodydd y
tu ôl i far barman

barn *eb* (barnau)
1 casgliad neu ffordd o feddwl nad yw o raid
wedi'i seilio ar unrhyw ffaith na gwybodaeth
arbennig; damcaniaeth, piniwn, tybiad opinion,
estimation, view
2 y gwaith o weithredu cyfiawnder mewn llys
barn judgement

digon o farn disgrifiad o rywun neu rywbeth
sy'n dreth ar amynedd dyn; niwsans a nuisance

Dydd y Farn y Dydd Olaf pan fydd Duw yn gosod
ei Farn ar y byd cyfan the Day of Judgement

gwyro barn gwyrdroi cyfiawnder to pervert
the course of justice

pawb â'i farn rhydd i bawb ei farn each to his
own opinion

y Farn Fawr dyfarniad terfynol Duw ar
ddynion (ar Ddydd y Farn) the Last Judgement

yn fy (dy, ei, etc.) marn i yn ôl yr hyn rwy'n ei
gredu, yn fy nhyb i in my opinion

barnedigaeth *eb* (barnedigaethau)
1 *hynafol* y weithred o weinyddu cyfiawnder,
o gyrraedd dedfryd yn ôl cyfraith gwlad neu
gyfraith Duw; barn judgement
2 *hynafol* y gosb a ddaw o gael eich barnu'n euog
punishment

barnol *ans* am rywun neu rywbeth sy'n dreth ar
amynedd dyn, sy'n ddigon o farn (ar lafar gan
amlaf) annoying, troublesome

barnu *be* [barn•³]
1 eistedd mewn barn ar (rywun neu rywbeth),
rhoi ar brawf to adjudge, to try
2 dod i gasgliad; dyfarnu, penderfynu (~ **oddi**
wrth *ryw dystiolaeth*) to judge
3 pwyso a mesur; cloriannu, meddwl, ystyried
to judge, to think

barnwr *eg* (barnwyr)
1 un sy'n eistedd mewn barn, sy'n dedfrydu ar
ddiwedd prawf mewn llys judge
2 enw ar arweinydd yn yr Hen Israel cyn i'r
genedl droi'n frenhiniaeth judge

barnwriaeth *eb* awdurdodau barnwrol gwlad; y barnwyr judiciary

barnwrol *ans* yn ymwneud â barnwr neu'r hyn a gyflawnir gan farnwr, e.e. adolygiad barnwrol judicial

baróc *ans* am arddull yn perthyn i'r ail ganrif ar bymtheg (yn bennaf) a'r ddeunawfed ganrif, ac a nodweddir gan addurniadau tra chymhleth a chain baroque

barograff *eg* (barograffau) METEOROLEG baromedr sy'n cadw cofnod o'i ddarlleniadau (ar bapur graff) barograph

baromedr *eg* (baromedrau)
1 METEOROLEG offeryn sy'n rhagweld newidiadau yn y tywydd drwy fesur gwasgedd aer barometer
2 rhywbeth sy'n dynodi newid, e.e. cynnydd yn nifer y prydau bwyd ysgol rhad fel dull o fesur i ba raddau mae cymuned yn dioddef mewn cyfnod o ddirwasgiad barometer

barometrig *ans* METEOROLEG (am wasgedd atmosfferig) fel y dangosir ar faromedr barometric

barrau *ell* lluosog bar

barriff *eg* riff cwrel sy'n gyfochrog â'r lan ond yn cael ei wahanu oddi wrthi gan sianel o ddŵr dwfn barrier reef

barrug *eg* dafnau o wlith wedi rhewi sy'n gorchuddio'r ddaear ar fore oer ac sy'n edrych fel powdr gwyn; llwydrew hoar frost

barryn *eg* darn neu slab o ddefnydd solet sydd fel arfer yn llai o faint na bar; bar bar

barugo *be* [barug•¹] gorchuddio â barrug, mynd neu wneud yn farugog; gwynnu, llwydrewi, rhewi to become frosty, to freeze, to rime

barugog *ans* wedi'i orchuddio â barrug, gwyn; fferllyd, rhewllyd, rhynllyd frosted, frosty

barus *ans* llawn bâr neu drachwant, *Y bolgi barus!*; blysgar, gwancus, trachwantus greedy, avaricious

barwn *eg* (barwniaid:baryniaid) y teitl isaf a roddir i arglwydd yng ngwledydd Prydain; uchelwr baron

barwnes *eb* (barwnesau) teitl gwraig neu weddw barwn, neu wraig wedi'i hurddo'n farwn baroness

barwnig *eg* (barwnigiaid) y teitl isaf a all gael ei etifeddu gan ddisgynyddion arglwydd baronet

barwnol *ans* yn perthyn i farwn, teilwng o farwn baronial

baryon *eg* (baryonau) FFISEG dosbarth o ronynnau isatomig sy'n fwy na lepton ac yn cynnwys y proton a'r niwtron baryon

bas¹ *ans* [bas•]
1 heb fod yn ddwfn, heb sylwedd; arwynebol shallow
2 CERDDORIAETH am lais neu offeryn sy'n canu'r nodau isaf bass

bas² *eg* (beisiau, bais) dŵr sydd heb fod yn ddwfn y gellir ei rydio shallows

bas³ *eg* (basau)
1 prif elfen neu gynhwysyn yr ychwanegir pethau ato base
2 CEMEG cyfansoddyn cemegol (fel arfer â blas hallt), sy'n troi papur litmws coch yn las ac sy'n adweithio ag asid i ffurfio halwyn base

bas⁴ gw. bas dwbl

basaidd *ans* heb fod yn ddwfn; arwynebol, bas shallow

basalt *eg* DAEAREG craig igneaidd lwyd tywyll neu ddu; weithiau mae'r haenau o lafa ar ffurf colofnau amlochrog basalt

basâr *eg* (basarau)
1 y rhesi o stondinau neu siopau sy'n ffurfio marchnad mewn gwledydd dwyreiniol bazaar
2 ffair neu arwerthiant at achosion elusennol, ffair foes a phryn bazaar

bas dwbl *eg* (basau dwbl) y mwyaf a'r dyfnaf ei sain o offerynnau llinynnol cerddorfa, un sy'n perthyn i deulu'r feiol; bas double bass, contrabass

Basgaidd *ans* yn perthyn i Wlad y Basg, nodweddiadol o Wlad y Basg Basque

basged *eb* (basgedau:basgedi) llestr neu fag wedi'i wneud yn wreiddiol o wiail neu frwyn, ond erbyn hyn o ddefnydd (lledr, metel, plastig, etc.), i gario bwyd neu nwyddau; cawell basket, hamper

basged ddillad basged dal dillad (yn barod i'w sychu neu eu smwddio) clothes basket

basged fara basged cario bara bread basket

basgedaid *eb* (basgedeidiau) llond basged basketful

basgedu *be* [basged•¹] rhoi mewn basged to put in a basket

basgedwaith *eg* plethwaith sy'n enghraifft o'r grefft o blethu gwiail i greu basgedi neu wrthrychau eraill basketry, wickerwork

basgedwr *eg* (basgedwyr) gwneuthurwr basgedi basketmaker

basgerfiad:basgerflun *eg* (basgerfiadau:basgerfluniau) cerfwedd isel; math o gerflun lle mae wyneb y llun yn ymwthio ychydig yn uwch na'r hyn y mae wedi'i gerfio ohono bas-relief

Basgiad *eg* (Basgiaid) brodor o Wlad y Basg, un o dras neu genedligrwydd Basgaidd Basque

basidiomycet *eg* (basidiomycetau) BIOLEG aelod o ddosbarth mawr o ffyngau sy'n cynnwys gwahanol fathau o fadarch neu gaws llyffant basidiomycete

basig *ans*
1 CEMEG yn ymwneud â bas cemegol, yn cynnwys bas cemegol, tebyg i fas cemegol basic

2 METELEG (am broses o wneud dur) wedi'i gynhyrchu mewn ffwrnais â gorchudd mewnol o alcali (e.e. calch) yn hytrach nag asid basic

3 DAEAREG (am greigiau) yn cynnwys rhwng 45% a 52% o silica basic

basigedd *eg* CEMEG nifer yr atomau hydrogen mewn asid arbennig y mae modd eu hamnewid gan fas basicity

basilica *eg* (basilicâu)

1 PENSAERNÏAETH adeilad ar ffurf petryal a chromfan ar un pen neu ar y ddau ben lle y byddai'r Rhufeiniaid yn ymgynnull neu'n cynnal llys barn basilica

2 CREFYDD eglwys Gristnogol ar yr un patrwm yn cynnwys llwybr canol llydan a dwy (neu ragor) o eiliau bob ochr yn cael eu gwahanu gan golofnau basilica

basin gw basn

basipetalaidd *ans* BOTANEG (am flodau neu blanhigion) yn datblygu o frig coesyn y planhigyn i'r gwaelod, fel bod y blodau hynaf ar ben uchaf y coesyn basipetal

basn:basin *eg* (basnau)

1 llestr sy'n debyg i gwpan heb ddolen ond ei bod yn fwy; bowlen, cawg, dysgl basin

2 DAEAREG dilyniant o greigiau wedi'u plygu ar ffurf soser gron neu hirgron lle mae'r creigiau iau yng nghanol y plyg a'r creigiau hŷn o amgylch ei ystlysau, *Mae cystradau glo maes glo de Cymru yn llenwi basn a grëwyd gan symudiadau daear tua 290 miliwn o flynyddoedd yn ôl.* basin

basn siwgr basn dal siwgr (ar fwrdd bwyta) sugar bowl

basn ymolchi basn wedi'i sicrhau wrth wal neu ar bedestal, a ddefnyddir ar gyfer ymolchi wyneb neu ddwylo washbasin

basnaid *eg* (basneidiau) llond basn basinful

bastard *eg* (bastardiaid)

1 *hanesyddol* plentyn anghyfreithlon, plentyn siawns, plentyn llwyn a pherth bastard

2 *aflednais* rhywun cas, annymunol; diawl, cythraul bastard

baster *eg* (basterau) y cyflwr o fod yn fas, diffyg dyfnder shallowness

bastio *be* [basti•²] brasteru; arllwys saim neu fenyn yn ysbeidiol dros (gig) wrth ei goginio er mwyn ei gadw rhag sychu neu er mwyn ei wresogi (~ *rhywbeth* â) to baste

baswn *eg* (baswnau) offeryn cerdd o deulu'r obo a'r *cor anglais* sy'n canu'r nodau isaf ymhlith y chwythbrennau bassoon

baswn dwbl offeryn sy'n canu nodau'r baswn wythfed yn is na'r baswn arferol contrabassoon, double bassoon

baswnydd *eg* (baswnwyr) un sy'n chwarae'r baswn bassoonist

baswr *eg* (baswyr) gŵr sy'n canu bas, sef cwmpas isaf llais dyn bass

bat *eg* (batiau) offeryn arbennig (o bren gan amlaf) ac iddo wyneb solet, gwastad ar gyfer taro pêl mewn gêmau fel criced, tennis bwrdd, etc. bat

bataliwn *eg* (bataliynau) mintai sy'n rhan o frigâd; nifer mawr o filwyr battalion

batiad *eg* (batiadau) (yn enwedig mewn criced) y cyfnod y mae chwaraewr neu chwaraewyr wrthi â'r bat yn ceisio sgorio mewn gêmau innings

bating(en) *eg* (batingod) tywarchen a godir wrth fatingo; betin(g) sod, turf

batingo:betingo *be*

1 codi wyneb neu ddigroeni (tir chwynllyd), er mwyn llosgi'r chwyn a defnyddio'r llwch yn wrtaith i wella'r tir to pare

2 gwneud yr un gwaith ond ar raddfa lai, e.e. yn yr ardd; hofio to hoe

  Sylwch: nid yw'r ferf hon yn arfer cael ei rhedeg.

batio *be* [bati•²]

1 taro (pêl) â bat to bat

2 (am dîm neu chwaraewr) cymryd tro i daro'r bêl yn hytrach na'i thaflu (~ **dros** *dîm arbennig*) to bat

batiwr *eg* (batwyr)

1 un sy'n batio batsman, batter

2 un sy'n batingo; betingwr

batog *eb* (batogau) offeryn palu tebyg i bicas ond gydag un o'r pigau ar ffurf llafn tebyg i ben rhaw (ond yn gulach); caib mattock

baton:batwn *eg* (batonau:batynau)

1 ffon fer ysgafn a ddefnyddir gan arweinydd côr, cerddorfa neu fand i arwain cerddorion baton

2 ffon fer ysgafn a ddefnyddir gan athletwyr mewn rasys cyfnewid baton baton

batri *eg* (batrïau:batris) cell neu nifer o gelloedd wedi'u cyplysu â'i gilydd, i storio egni trydanol ar ffurf gemegol battery

Batus *eg* *anffurfiol* Bedyddiwr, Bedyddwyr Baptist

y Batus Bach Scotch Baptists

batwn gw. baton

bath *ans* rhywbeth sydd wedi'i fathu, *arian bath* minted

  Sylwch: nid yw'n cael ei gymharu.

bàth *eg* (bathiau)

1 llestr tebyg i fasn mawr y gellir eistedd neu orwedd ynddo i ymolchi; baddon, twb bath

2 llestr yn cynnwys hylif mewn proses trochi cemegol neu ddiwydiannol; baddon bath

bathair *eg* (batheiriau) gair neu derm wedi'i fathu coined word

bathdy *eg* (bathdai) adeilad neu sefydliad lle mae arian a medalau yn cael eu bathu mint

bathiad *eg* (bathiadau) y broses o fathu, canlyniad bathu (arian, geiriau, etc.) coinage

bathodyn *eg* (bathodynnau) arwyddlun neu dlws tebyg i fedal, a wisgir er mwyn dangos bod rhywun yn perthyn i grŵp, dosbarth, etc. neu ei fod mewn swydd arbennig badge

batholith *eg* (batholithau) DAEAREG corff mawr iawn o graig igneaidd, e.e. gwenithfaen, a ffurfiwyd wrth i fagma ymgasglu a chrisialu yn ddwfn yng nghramen y Ddaear batholith

bathu *be* [bath•¹]
   1 gwneud (arian) drwy osod ôl neu stamp arbennig ar ddarn o fetel to coin
   2 llunio geiriau a thermau newydd to coin

bathwr *eg* (bathwyr) un sy'n bathu coiner

bathymedr *eg* (bathymedrau) offeryn a ddefnyddir i fesur dyfnder dŵr mewn môr neu lyn bathymeter

bathymetreg *eb* yr wyddor o fesur dyfnder cefnforoedd, moroedd, llynnoedd, etc. bathymetry

bathymetrig *ans* yn ymwneud â mesur dyfnder moroedd a llynnoedd bathymetric

bathysffer *eg* (bathysfferau) siambr danddwr, sef llestr cryf, crwn ar gyfer arsylwi yn nyfnderoedd môr bathysphere

baw *eg*
   1 yr hyn sy'n gwneud rhywbeth yn frwnt neu'n fudr; aflendid, bryntni, budreddi dirt, grime
   2 ysgarthion anifail neu ddyn; cachu, tom excrement

bawa *be* [baw•¹] gwneud baw, ysgarthu, e.e. am gi neu gath to foul

bawaidd *ans* a baw drosto; aflan, bawlyd, brwnt, budr dirty

bawd *ebg* (bodiau)
   1 y bys byrdew sy'n nes at yr arddwrn na bysedd eraill y llaw thumb
   2 bawd troed yw'r bys cyfatebol ar y droed big toe

bawd troed y mwyaf o fysedd troed bod dynol big toe

bawd y melinydd pysgodyn bach dŵr croyw â phen mawr gwastad ac esgyll pigog bullhead, miller's thumb

Ymadroddion

dan fawd dan reolaeth, yn gorfod gwneud fel y mae'r un yr ydych dan ei fawd yn ei ddweud under the thumb

heb fod uwch bawd na sawdl ni ddaw dim ohono (never) amount to anything

o'r bawd (o'r fawd) i'r genau (byw) yn fain iawn, heb ddim wrth gefn from hand to mouth

synnwyr y fawd gw. synnwyr

yn fodiau i gyd yn drwsgl, yn lletchwith all thumbs

bawdd *bf* [boddi] *hynafol* mae ef yn boddi/mae hi'n boddi; bydd ef yn boddi/bydd hi'n boddi

baweidd-dra *eg* diffyg haelioni; crintachrwydd meanness

bawiach *ell* pethau neu bobl wael, ddi-werth; dihirod, sothach, sbwriel trash

bawio *be* [bawi•²] ei drochi ei hun; ysgarthu, difwyno to bemire, to excrete

bawlyd *ans* a baw drosto; aflan, bawaidd, brwnt, budr dirty

be *byrfodd* berfenw

beau geste *eg* gweithred hael ac urddasol

beau monde *eg* pobl ffasiynol a'u cymdeithas

Beca *talfyriad hanesyddol* talfyriad o **Rebeca**, yn arbennig enw a roddwyd ar arweinydd y mudiad i gael gwared ar dollbyrth o gefn gwlad Cymru a gychwynnodd yn Sir Gaerfyrddin yn 1839

becquerel *eg* (becquerelau) FFISEG yr uned safonol ryngwladol ar gyfer mesur cyfradd ymddatodiad niwclear, yn cyfateb i un dadfeiliad yr eiliad; Bq becquerel

becso:becsio *be* [becs•¹] gofidio, hidio, malio, poeni (~ am) to worry, to vex

becws:bacws *eg* *anffurfiol* adeilad ar gyfer pobi (bara fel arfer); popty bakehouse

béchamel *eg* COGINIO saws gwyn llyfn a wneir â blawd a llaeth wedi'u sawru â pherlysiau

bechan *ans* ffurf fenywaidd **bychan**
   y fechan merch fach, babi (sy'n ferch)

bechgyn *ell* lluosog **bachgen**

bechingalw *eg* rhywun neu rywbeth na allwch gofio'i enw; bethma thingummy, what-d'you-call-it

bedel *eg* (bedeliaid) *hanesyddol* mân swyddog plwyf beadle

bedlam *eg*
   1 fel yn *yn fedlam gwyllt*, cyflwr o anhrefn llwyr yn llawn stŵr bedlam
   2 *Bedlam* oedd yr enw ar lafar ar wallgofdy yn Llundain, sef *The Hospital of St Mary of Bethlehem*

Bedowin *eg* (Bedowiniaid) un o lwyth o Arabiaid crwydrol anialwch Arabia, Syria neu ogledd Affrica Bedouin

bedw¹ *ell* coed â phren caled a rhisgl llyfn gwyn, a changhennau sy'n hongian yn llaes ac yn denau; hefyd yn unigol fel pren y coed hyn birch

bedw² *eb* *mewn enwau lleoedd* llwyn neu gelli o goed bedw, e.e. *Tyla'r Fedw*

bedwen *eb* unigol bedw birch (tree)
   bedwen arian enw ar ddwy rywogaeth sy'n tyfu ledled gorllewin Ewrop silver birch
   bedwen Fai:bedwen haf y polyn tal, addurnedig y byddai pobl ifanc yn dawnsio o'i gwmpas ar Ddydd Calan Mai (1 Mai) a Dydd Gŵyl Ifan (24 Mehefin) maypole

bedydd *eg* (bedyddau)
  1 CREFYDD defod Iddewig/Gristnogol lle y trochir unigolyn edifeiriol neu un sy'n dymuno datgan ei ffydd, mewn dŵr fel arwydd o olchi ymaith bechodau'r gorffennol a dechrau bywyd newydd baptism
  2 defod o naill ai trochi baban neu daenellu dŵr dros ei ben, er mwyn ei gyflwyno i fywyd yr Eglwys a magwraeth Gristnogol baptism, christening
  bedydd arch yr arfer o fedyddio babi wrth gorff ei fam
  bedydd drwy drochiad yr arfer o fedyddio person drwy ei lwyr ymdrochi
  bedydd esgob CREFYDD defod grefyddol lle mae rhywun sydd wedi'i fedyddio yn cael ei dderbyn yn aelod llawn o'r Eglwys confirmation
  enw bedydd enw cyntaf person, yr enw (neu'r enwau) sy'n dod o flaen ei gyfenw Christian name
  mab bedydd y bachgen y mae mam neu dad bedydd yn addunedu ar ei ran godson
  mam fedydd gwraig (nid y fam) sy'n addunedu mewn gwasanaeth bedydd y bydd plentyn yn cael ei fagu'n Gristion godmother
  merch fedydd y ferch y mae mam neu dad bedydd yn addunedu ar ei rhan god-daughter
  tad bedydd gŵr (nid y tad) sy'n addunedu mewn gwasanaeth bedydd y bydd plentyn yn cael ei fagu'n Gristion godfather
  Ymadrodd
  bedydd tân profiad cyntaf milwr mewn brwydr neu unrhyw brofiad cyntaf tebyg baptism of fire

bedyddfa *eb* (bedyddfâu:bedyddfeydd)
  1 rhan o eglwys, neu weithiau adeilad annibynnol ar gyfer bedyddio baptistery
  2 ffynnon neu bwll ar gyfer llwyr ymdrochi a ddefnyddir gan y Bedyddwyr baptistery

bedyddfaen *eg* (bedyddfeini) llestr o garreg i ddal dŵr bedydd mewn eglwys font

bedyddiad *eg* (bedyddiadau) CREFYDD y weithred neu'r ddefod o fedyddio, canlyniad bedyddio baptism, christening

bedyddiedig *ans* CREFYDD wedi'i fedyddio; yn perthyn i enwad y Bedyddwyr baptized, christened

bedyddio *be* [bedyddi•²]
  1 CREFYDD (yn perthyn yn wreiddiol i Iddewiaeth a Christnogaeth) llwyr ymdrochi unigolion fel arwydd cyhoeddus o'u hedifeirwch neu o'u ffydd to baptize
  2 CREFYDD trochi baban neu daenellu dŵr dros ei ben, er mwyn ei gyflwyno i fywyd yr Eglwys ac i fagwraeth Gristnogol to baptize
  3 CREFYDD cyflwyno enw(au) bedydd plentyn, dodi enw ar rywun; enwi to baptize, to christen

Bedyddiwr *eg* (Bedyddwyr) CREFYDD aelod o enwad Protestannaidd sy'n credu mewn bedyddio oedolion drwy drochiad (yn hytrach na bedyddio babanod neu blant ifanc); Batus Baptist

bedd *eg* (beddau)
  1 twll yn y ddaear ar gyfer claddu rhywun sydd wedi marw grave
  2 unrhyw fan lle mae meirwon wedi'u claddu; beddrod, gweryd grave
  bedd torfol bedd lle mae llawer o gyrff wedi'u claddu (yn ddienw fel arfer) mass grave
  Ymadroddion
  beddau wedi'u gwyngalchu am bobl sy'n ymddangos yn dda yn arwynebol ond sy'n cuddio o'u mewn ddrygioni a chasineb whited sepulchres
  fel y bedd yn dawel iawn, heb unrhyw sŵn

beddargraff *eg* (beddargraffiadau)
  1 yr hyn sydd wedi'i ysgrifennu ar garreg fedd epitaph
  2 yr hyn a ddywedir am y sawl sydd wedi'i gladdu epitaph

beddfaen *eg* (beddfeini) carreg fedd tombstone

beddrod *eg* (beddrodau)
  1 bedd, yn enwedig bedd mawr ar gyfer mwy nag un arch, e.e. bedd teuluol; claddgell, cromgell, daeargell grave, tomb, sepulchre
  2 mynwent, claddfa cemetery

befel *eg* (befelau)
  1 ymyl ar ogwydd, fel y rhimyn pwti sy'n dal gwydr mewn ffenestr bevel
  2 erfyn (a ddefnyddir gan saer fel arfer) ar gyfer marcio ongl bevel
  befel llithr erfyn y gellir ei addasu a'i osod i farcio ongl sliding bevel

befo fel yn *hidia befo* gw. **hidio**

begar gw. **beger**

begegyr gw. **bygegyr**

beger:begar *eg* (begeriaid) un sy'n byw drwy ofyn am arian, bwyd, etc.; cardotyn beggar

begera *be* gofyn am elusen (arian neu fwyd); begian, cardota to beg
  Sylwch: nid yw'r ferf hon yn arfer cael ei rhedeg.

begerllyd *ans* tebyg i feger o ran natur, golwg neu ymddygiad beggarly

begian *be*
  1 begera, cardota (~ am) to beg, to cadge
  2 gofyn yn daer (am); apelio, crefu, deisyf, erfyn, ymbil (~ ar *rywun* i) to beg, to plead
  Sylwch: nid yw'r ferf hon yn arfer cael ei rhedeg.

beiau *ell* lluosog **bai**

beibl *eg* llyfr sy'n cael ei ystyried fel yr un awdurdodol mewn maes penodol bible
  Beibl, y CREFYDD llyfr sanctaidd y grefydd Gristnogol yn cynnwys yr Hen Destament

(39 o lyfrau), y Testament Newydd (27 o lyfrau) ac weithiau yr Apocryffa; ysgrythur Bible

beiblaidd *ans* yn ymwneud â'r Beibl; ysgrythurol biblical, scriptural

beic *eg* (beiciau:beics) peiriant dwy olwyn (tair weithiau) a sedd rhyngddynt i'r un sy'n gyrru'r peiriant drwy wthio dau bedal â'i goesau a'i lywio â'i ddwylo; beisicl bicycle, bike

beic modur beic sy'n defnyddio injan i yrru'r olwynion motorbike, motorcycle

beic mynydd beic â ffrâm ysgafn, teiars llydan trwchus a gerau aml ac a gynlluniwyd yn wreiddiol i'w ddefnyddio ar fynydd-dir mountain bike

beic rasio beic a adeiladwyd ar gyfer cystadlu mewn rasys racing bike
Ymadrodd

ar gefn beic yn gyrru beic on (my) bike

beicio *be* [beici•²] mynd ar gefn beic; seiclo to cycle

beiciwr *eg* (beicwyr) un sy'n mynd ar gefn beic cyclist

beichiau *ell* lluosog **baich**

beichio¹ *be* [beichi•²] fel yn *beichio wylo*, crio'n dorcalonnus; igian, llefain to sob

beichio² *be* [beichi•²] gosod baich ar (rywun neu rywbeth); llwytho (~ *rhywun/rhywbeth* â) to burden

beichiog *ans*
1 am fenyw sy'n disgwyl plentyn; am anifail sy'n mynd i gael un neu rai bach pregnant
2 yn cario baich neu lwyth burdened

beichiogi *be* [beichiog•¹]
1 mynd yn feichiog to become pregnant, to conceive
2 peri i (wraig) fod yn feichiog to cause to be pregnant

beichiogrwydd *eg* y cyflwr o fod yn feichiog pregnancy

beichus *ans* o natur baich, tebyg i faich; llafurus, llethol, trafferthus, trwm burdensome

beidiog *eb* planhigyn yn perthyn i deulu llygad y dydd; mae ganddo ddail sy'n wyrdd tywyll ar yr wyneb ond yn oleuach oddi tani ac mae'n gyffredin mewn cloddiau mugwort

beidr gw. **meidr**

beiddgar *ans* [beiddgar•] llawn menter a hyfdra; anturus, eofn, herfeiddiol, mentrus daring

beiddgar o fe'i defnyddir i ddwysáu ystyr ansoddair, *Mae'n feiddgar o fentrus.*

beiddgarwch *eg* agwedd feiddgar; blaengarwch, hyfdra, menter audaciousness, audacity, boldness

beiddio *be* [beiddi•² 3 *un. pres.* baidd/beiddia; 2 *un. gorch.* beidda] bod yn ddigon eofn i (wneud rhywbeth mentrus); meiddio, mentro to dare

beilch *ans* ffurf luosog **balch**

beilchion *ell* pobl falch, *beilchion byd* the proud

beili¹ *eg* (beilïaid)
1 *hanesyddol* gwas i siryf yn gyfrifol am weinyddu mân faterion gweinyddol a chyfreithiol bailiff
2 stiward neu oruchwyliwr stad bailiff
3 swyddog sy'n casglu dyledion (drwy atafaelu) bailiff

fel beili mewn sesiwn yn llawn ffys a chyffro like a bee in a bottle

beili² *eg* (beilïau)
1 *hanesyddol* iard neu gwrt eang a ffos a ffens o'i chwmpas; mewn castell mwnt a beili, dyma'r ardal agored a ffos a ffens o'i gwmpas lle byddai'r milwyr a'r anifeiliaid yn byw bailey
2 *hanesyddol* mur allanol castell a fyddai'n cael ei godi o gerrig bailey
3 yr iard agored o flaen tŷ fferm sydd wedi'i amgylchynu ag adeiladau fferm; buarth, clos, cowt, cwrt, iard farmyard

beilïaeth *eb*
1 y tir neu'r ardal y mae beili yn gyfrifol amdano bailiwick
2 *hanesyddol* swyddogaeth a chyfrifoldebau beili bailiffship

beindin *eg* stribyn o frethyn a ddefnyddir i rwymo ymylon rhacsiog darn o frethyn binding

beinw *ell* lluosog **banw²**

beio *be* [bei•¹ 2 *un. pres.* beii; *amh. pres.* beiir; 2 *un. amhen.* beiit; *amh. amhen.* beiid] rhoi'r bai ar (rywun neu rywbeth); cyhuddo (~ *rhywun am rywbeth*; ~ *rhywbeth* ar *rywun*) to blame

beirdd *ell* lluosog **bardd**

Beirdd yr Uchelwyr beirdd a noddwyd gan uchelwyr wedi cwymp Llywelyn ap Gruffydd yn 1282 a diwedd nawdd o du'r Tywysogion poets of the gentry

Beirdd y Tywysogion gw. **Gogynfardd**

beirniad *eg* (beirniaid)
1 un sy'n dyfarnu mewn cystadleuaeth adjudicator
2 un sy'n pwyso a mesur gwerth celfyddydol rhywun neu rywbeth critic

beirniadaeth *eb* (beirniadaethau)
1 y broses o bwyso a mesur gwerth gweithiau celfyddydol neu o ddyfarnu beth neu bwy i'w wobrwyo mewn cystadleuaeth; dyfarniad adjudication, criticism
2 datganiad neu fynegiant o farn anffafriol; anghlod, anghymeradwyaeth criticism

beirniadol *ans*
1 â thuedd i weld gwendidau neu i bigo bai critical
2 yn ymwneud â beirniadaeth; adolygol critical

beirniadu *be* [beirniad•³]
1 datgan barn feirniadol; barnu, condemnio to criticize

2 bod yn feirniad mewn cystadleuaeth a thraddodi beirniadaeth arni; cloriannu, tafoli to adjudicate, to judge

beirniadu'n llym:beirniadu'n hallt gweld bai mawr ar (rywun neu rywbeth) to criticize severely

beirniadus *ans* yn tueddu i chwilio bai neu i feirniadu; llawdrwm censorious

beirniaid *ell* lluosog **beirniad**

beiro:biro *egb* (beiros:biro) math o bìn ysgrifennu lle mae pelen fach iawn ar y blaen yn rheoli llif yr inc; Ladislao a Georg Biro oedd y ddau ŵr a ddyfeisiodd y math hwn o bìn; pen, ysgrifbin biro

beisfor *eg* (beisforoedd) môr bas shallow sea

beisgawnu *be* codi beisgawn, sef tas neu fwdwl o wair neu wellt to stack (hay, corn etc.)
Sylwch: nid yw'r ferf hon yn arfer cael ei rhedeg.

beisiau *ell* lluosog **bas²**

beisicl *eg* (beisiclau) beic dwy olwyn bicycle, bike

beisle *eg* (beisleoedd) man bas mewn môr, afon neu lyn shallow

beiston *eb* (beistonnau)
1 traeth, glan y môr beach
2 ton ewynnog surf
3 darn neu rimyn o dir rhwng marc penllanw'r môr a thir a all gael ei drin strand

beistonna *be* [beistonn•⁹] syrffio; gorwedd neu sefyll ar fwrdd syrffio a theithio ar frig y tonnau i gyfeiriad y traeth to surf

beistonnwr *eg* (beistonwyr) syrffiwr; un sy'n syrffio neu'n beistonna surfer

beit *eg* (beitiau) CYFRIFIADUREG uned o wybodaeth sy'n cyfateb i 8 did byte

beius *ans* ar fai, o'i le; cyfeiliornus, diffygiol, euog culpable, faulty

bel *eg* (belau) FFISEG mesur ar gyfer cymharu arddwysedd seiniau neu gerhyntau trydanol, yn cyfateb i 10 desibel bel

belai *eg* (beleiau) (wrth ddringo) y dull neu'r broses o sicrhau rhywun wrth raff ac yna sicrhau'r rhaff belay

Belarwsiad *eg* (Belarwsiaid) brodor o Belarus Belarusian

Belarwsiaidd *ans* yn perthyn i Belarus, nodweddiadol o Belarus Belarusian

belau gw. **bele**

bel canto *eg* CERDDORIAETH dull swynol a chyfoethog o gynhyrchu'r llais ar gyfer canu operatig

bele:belau *eg* (belaod:belaon) anifail bach Ewropeaidd yn debyg i wenci â chot frown tywyll, gwddf melyn a chynffon blewog; mae'n gigysydd yn bennaf ac yn byw mewn coedwigoedd pine marten

Belgaidd *ans* yn perthyn i Wlad Belg, nodweddiadol o Wlad Belg Belgian

Belgiad *eg* (Belgiaid) brodor o Wlad Belg, un o dras neu genedligrwydd Belgaidd Belgian

Belisaidd *ans* yn perthyn i Belize, nodweddiadol o Belize Belizean

Belisiad *eg* (Belisiaid) brodor o Belize Belizean

belle époque *eg* hanesyddol cyfnod sefydlog a chyfforddus cyn y Rhyfel Byd Cyntaf 1914–18

belt *eb* (beltiau)
1 stribed o ledr neu ddefnydd wedi'i glymu o gwmpas person i ddal dillad neu arfau; gwregys belt
2 cylch o ddefnydd neu ledr sy'n cael ei droi gan olwynion belt

bellach *adf* o hyn allan, ymhellach, mwyach, *Does neb ar ôl bellach sy'n cofio'r digwyddiad.*; erbyn hyn, nawr any longer, by now, further

benben gw. **penben**

bencyn gw. **banc²**

bendicach:bendicaf *ans* [bendig] mwy bendig; mwyaf bendig

bendig *ans* [bendic•] bendigedig blessed
Sylwch: does dim ffurf gyfartal.

bendigaid *ans* teilwng o fawl, *Mair Fendigaid*; cysegredig, gwynfydedig, sanctaidd blessed

bendigedig *ans*
1 teilwng o fawl; gogoneddus, gwynfydedig, sanctaidd, blessed
2 ar lafar, erbyn hyn, mae'r ystyr yn debycach i ardderchog, hyfryd fabulous, fantastic, lovely
bendigedig o fe'i defnyddir i ddwysáu ystyr ansoddair, *Mae'n fendigedig o flasus.*

bendigo *be* [bendig•¹]
1 addoli a gogoneddu (Duw); clodfori, moliannu to glorify
2 cyhoeddi bendith; bendithio, cysegru to bless
Sylwch: ffurfiau cryno'r ferf sydd fwyaf cyfarwydd.

bendith *eb* (bendithion)
1 arwydd o ffafr Duw; gweddi'n gofyn am ffafr Duw, *Bendith Duw fo arnat ti.* blessing
2 gras o flaen bwyd grace
3 help mawr, *Mae'r tabledi newydd at y cryd cymalau wedi bod o fendith fawr.*; caffaeliad, cymorth, mantais boon
4 gweddi i gloi gwasanaeth crefyddol Cristnogol yn enw'r Tad a'r Mab a'r Ysbryd Glân benediction
bendith y mamau y Tylwyth Teg fairy folk
bendith y nefoedd:bendith y tad *ebychiad* mynegiant o anghrediniaeth neu ddiffyg amynedd yn ymylu ar reg for heaven's sake
gofyn bendith cynnig gweddi cyn pryd o fwyd (i ddiolch amdano ac iddo gael ei fendithio) to say grace
rhoi bendith i cymeradwyo, caniatáu to give one's blessing

bendithio *be* [bendithi•²]
1 cyhoeddi'n awdurdodol ffafr (bendith) Duw, rhoi bendith; bendigo, cysegru, dwyfoli, sancteiddio (~ *rhywun/rhywbeth* **yn enw**) to bless
2 rhoi diolch i to bless
3 rhoi rhywbeth i rywun fel bendith (gan Dduw), *Cawsom ein bendithio â merch fach.* (~ *rhywun* â) to be blessed (with)
4 gofyn am ffafr Duw ar (rywun), cyhoeddi ffafr Duw ar rywun to bless

bendithiol *ans* llawn o fendithion; buddiol, gwerthfawr, llesol, manteisiol beneficent

bendithiwr *eg* (bendithwyr) un sy'n bendithio, un sy'n dwyn bendith blesser

Benedictaidd *ans* yn perthyn i urdd Benedict, nodweddiadol o Fenedictiaid Benedictine

Benedictiad *eg* (Benedictiaid) mynach neu leian sy'n dilyn rheolau urdd Gristnogol a sefydlwyd gan Sant Benedict tua'r flwyddyn 529 Benedictine

Bengalaidd *ans* yn perthyn i Bengal, nodweddiadol o Bengal Bengali

Bengaliad *eg* (Bengaliaid) brodor o Bengal Bengali

Beninaidd *ans* yn perthyn i Benin, nodweddiadol o Benin Beninese

Beniniad *eg* (Beniniaid) brodor o Benin Beninese

bennu *be* talfyriad o **dibennu**

bensen *eg* CEMEG hydrocarbon hylifol di-liw, anweddol a geir mewn petroliwm ac a nodweddir gan adeiledd yn cynnwys chwe atom carbon ar ffurf hecsagon benzene

benthos *eg* BIOLEG organebau (planhigion ac anifeiliaid) sy'n byw ar waelod llynnoedd neu foroedd benthos

benthyca:benthycio:benthyg³ *be* [benthyc•¹ *3 un. pres.* benthyg/benthyca; *2 un. gorch.* benthyg/benthyca]
1 caniatáu i rywun gael rhywbeth dros dro gan dderbyn y bydd y peth yn cael ei ddychwelyd; rhoi benthyg, *Benthyciais fy nghôt iddo pan oedd hi'n bwrw glaw.* (~ *rhywbeth* i *rywun*) to lend
2 cymryd meddiant o rywbeth dros dro gyda'r bwriad o'i roi'n ôl; cael benthyg, *Mae'r cyhoedd yn benthyg llyfrau o'r llyfrgell.* (~ *rhywbeth* o *rywle*; **gan/oddi wrth** *rywun*) to borrow

benthyciad *eg* (benthyciadau)
1 yr hyn sydd wedi cael ei fenthyca (arian gan amlaf) loan
2 y weithred o fenthyca issue

benthycio gw. **benthyca**

benthycion *ell* pethau wedi'u benthyg loans

benthyciwr *eg* (benthycwyr)
1 un sy'n benthyca rhywbeth gan rywun borrower
2 un sy'n rhoi benthyg rhywbeth lender

benthyg¹ *ans*
1 yn benthyca, *llyfrgell fenthyg* lending
2 am rywbeth sydd wedi cael ei fenthyca, *gair benthyg* borrowed
Sylwch: nid yw'n cael ei gymharu.

benthyg² *eg* (benthycion) meddiant dros dro; benthyciad dros dro i rywun arall loan
ar fenthyg wedi'i fenthyca on loan
ym menthyg (as) a loan

benthyg³ gw. **benthyca**

benyw¹ *eb* (benywod) aelod o'r rhyw neu'r rhywogaeth sy'n medru epilio neu gynhyrchu wyau female

benyw² *ans* o rywogaeth benyw, *colomen fenyw*; benywaidd female

benywaidd *ans*
1 yn ymwneud â merch neu wraig, nodweddiadol o ferch neu wraig; banw, benyw female, feminine
2 GRAMADEG cenedl dosbarth o enwau sydd, gan amlaf, yn ymddwyn yn debyg i enwau ar bethau byw benywaidd feminine

benywol *ans*
1 (am berson neu anifail) yn perthyn i'r rhyw sy'n esgor ar epil neu'n cynhyrchu wyau female
2 (am blanhigyn neu flodyn) yn meddu ar bistil ond heb friger female

ber *ans* ffurf fenywaidd **byr**, *gwraig fer*

bêr *eg* (berau) gwialen (o fetel fel arfer) i ddal darn o gig dros wres (tân agored fel rheol) i'w goginio skewer, spit

bera *eb* (beraon:berâu) twmpath trefnus o wair neu wellt; cocyn, helm, mwdwl, tas rick, stack

Berber *eg* (Berberiaid) aelod o lwyth o bobl yn hanu o gynfrodorion croen-golau gogledd Affrica Berber

berceliwm *eg* elfen gemegol rhif 97; metel ymbelydrol, ansefydlog (Bk) berkelium

berdio *be* [berdi•²] gosod pigau drain ar ben clawdd i gadw defaid rhag crwydro

berdys *ell* lluosog **berdysen, berdysyn** shrimps

berdysen *eb* (berdys) unrhyw un o nifer o gramenogion bach bwytadwy y môr; mae ganddynt gorff hirgul, coesau hir a chynffon debyg i wyntyll shrimp

berdysyn *eg* (berdys) unrhyw un o nifer o gramenogion bach bwytadwy y môr; mae ganddynt gorff hirgul, coesau hir a chynffon debyg i wyntyll shrimp

beret *eg* capan meddal heb big na chantel gyda band i'w gadw yn dynn am y pen

berf *eb* (berfau) GRAMADEG math arbennig o air (rhan ymadrodd) a ddefnyddir i ddynodi gweithred neu fodolaeth rhywbeth, e.e. eisteddwch, rhedaf, bydd; mae ffurf y ferf yn arfer cynnwys gwybodaeth am amser y digwyddiad (y presennol, y gorffennol, y dyfodol, etc.) ac am y sawl sy'n gyfrifol am y weithred (fi, ti, ni, etc.) verb

Sylwch: mae nifer o ferfau Cymraeg yn gallu gweithredu yn gyflawn ac yn anghyflawn, e.e. *llosgai John goed* (anghyflawn); *llosgai coed yn y grât* (cyflawn).

berf anghyflawn GRAMADEG berf a all gymryd gwrthrych i'w chwblhau neu sydd arni angen gwrthrych, e.e. 'taro', *trewais ddyn*, 'canu', *canodd gân* transitive verb

berf gyflawn GRAMADEG berf na all gymryd gwrthrych neu nad oes angen gwrthrych arni, e.e. 'eistedd', 'dod', *eisteddais, daeth* intransitive verb

berfa *eb* (berfâu) cerbyd bach i ddal llwyth, ag un olwyn neu ddwy y tu blaen a dwy fraich (neu lorp) fel y gall un person godi a gwthio'r llwyth (yn wreiddiol, roedd dwy fraich ar y ddau ben fel y gallai dau berson gario'r llwyth rhyngddynt); whilber wheelbarrow

berfâid *eb* (berfeidiau) llond berfa barrowful, barrowload

berfenw *eg* (berfenwau)
1 GRAMADEG y ffurf symlaf ar y ferf sy'n mynegi ei hystyr heb gyfeirio at neb na dim, e.e. mynd, dod, eistedd infinitive
2 mae 'berfenw' hefyd yn gallu cyflawni swydd 'enw' yn Gymraeg, e.e. *mae hwn yn ganu da*, yn cyfateb i *singing, running, shooting*, etc. yn Saesneg verbal noun, verb-noun

Sylwch: un gair yw'r berfenw Cymraeg, mae'n cyfateb i ddau air Saesneg, e.e. eistedd = *to sit*, rhedeg = *to run*.

berfol *ans* GRAMADEG yn perthyn i ferf, nodweddiadol o ferf, yn deillio o ferf, e.e. ansoddair berfol verbal

Sylwch: nid yw'n cael ei gymharu.

Bermwdaidd *ans* yn perthyn i Bermuda, nodweddiadol o Bermuda Bermudan

Bermwdiad *eg* (Bermwdiaid) brodor o Bermuda Bermudan

bernais *bf* [barnu] *ffurfiol* gwnes i farnu
berni *bf* [barnu] *ffurfiol* rwyt ti'n barnu; byddi di'n barnu
berth *ans hynafol* hardd, prydferth, coeth, gwerthfawr fine
berw¹ *eg*
1 bwrlwm dŵr dan effaith gwres uchel boiling
2 bwrlwm tebyg i ddŵr yn berwi turmoil
berw² *ans*
1 yn berwi, wedi cyrraedd pwynt berwi, poeth iawn boiling
2 yn byrlymu ac yn tasgu boiling
3 wedi i ferwi, *cig berw* boiled

Sylwch: nid yw'n cael ei gymharu.
yn ferw gwyllt yn llawn bwrlwm a chyffro aboil
berw³ gw. berwr

berwad *eg* y broses o ferwi, canlyniad berwi boiling
berwbwynt *eg* (berwbwyntiau) CEMEG y tymheredd pan fydd hylif yn newid i anwedd boiling point
berwedig *ans*
1 yn berwi, newydd ei ferwi boiled, boiling
2 yn llosgi petaech yn ei gyffwrdd; brwd, chwilboeth, eirias boiling
berwedig o fe'i defnyddir i ddwysáu ystyr ansoddair, *berwedig o boeth*.
berwedydd *eg* (berwedyddion)
1 cynhwysydd ar gyfer berwi boiler
2 rhan o beiriant ager lle mae dŵr yn cael ei droi'n ager boiler
3 tanc i ferwi dŵr neu i storio dŵr poeth boiler
berwi *be* [berw•¹]
1 (am hylif) cyrraedd neu achosi iddo gyrraedd tymheredd pan fydd yn byrlymu a throi'n anwedd neu'n nwy, *Mae'r dŵr yn berwi.* to boil
2 coginio neu dwymo (rhywbeth) mewn hylif sy'n cael ei ferwi, *berwi wy* to boil
3 (am rywun) cynddeiriogi, ffromi to fume
4 siarad ymlaen ac ymlaen, *Roedd o'n berwi am ryw bobl roedd o wedi cwrdd â nhw yn y dref.*; baldorddi, breblian to go on about
berwi'n glychau byrlymu berwi to boil away
berwi o yn llawn o rywbeth sy'n byrlymu'n fyw, *Mae'r llyn yma'n berwi o bysgod.*
berwi pen
1 holi (yn ffigurol) am synnwyr cyffredin rhywun am wneud neu ddweud rhywbeth ffôl, *Mae angen berwi pen y dyn am ddweud y fath beth!*
2 gwastraffu amser, *Pam mae'n berwi'i ben â'r hen beth 'na, mae'r penderfyniad wedi'i wneud?*
berwr:berw³ *eg* planhigyn bwytadwy â dail gwyrdd sy'n perthyn i'r un teulu â mwstard cress

berwr dŵr:berw dŵr math o ferwr sy'n tyfu mewn dŵr croyw, rhedegog y defnyddir ei ddail i greu blas poeth mewn salad watercress
beryl *eg* mwyn tryloyw gwyrdd golau, glas golau, melyn neu wyn, sef silicad o feryliwm ac alwminiwm, a ddefnyddir weithiau fel gem beryl
beryliwm *eg* elfen gemegol rhif 4; metel caled, llwyd golau sy'n ffurfio halwynau gwenwynig (Be) beryllium
beryn *eg* (berynnau) darn o beiriant y mae darn arall yn troi neu'n llithro arno er mwyn lleihau effeithiau ffrithiant, e.e. pelferyn bearing
bet *eb* (betiau) cytundeb rhwng dwy ochr y bydd yr un sy'n anghywir (e.e. am ganlyniad ras geffylau neu gêm o ryw fath), yn talu swm penodol i'r un sydd wedi dyfalu'n gywir bet

bête noire *eg* (*bêtes noires*) bwgan

betgwn *eg* (betgynau)

1 gwisg i ferch (gan amlaf) gysgu ynddi, gwisg nos; coban, gŵn nos nightgown

2 rhan o'r wisg draddodiadol Gymreig (i ferched)

betingo gw. **batingo**

betin(g) *eg* (betingau) gw. **bating**

betio *be* [beti•²] mentro (arian, etc.) fel un ochr i fet, taro ar fet, *Betiodd ddeg punt y byddai'r ceffyl yn ennill. Peidiwch â dechrau betio, neu fe fyddwch yn difaru.*; gamblo, hapchwarae (~ **ar**) to bet

Betsan brysur *eb* planhigyn o Ddwyrain Affrica a nodweddir gan lu o flodau gwyn, coch neu binc busy Lizzie

betws¹ *eg* (betysau) *mewn enwau lleoedd* hen air yn golygu tŷ gweddi neu gapel neu eglwys, e.e. *Betws-y-coed*

y byd a'r betws eglwyswyr a'r rhai y tu allan i'r Eglwys, sef y byd i gyd

betws² *eg mewn enwau lleoedd* ffurf ar **bedwos**, man lle mae coed bedw bychain neu brysgwydd yn tyfu, e.e. *Bedwas*

betys *ell* lluosog **betysen**, llysiau bwytadwy sy'n fwyd i anifeiliaid a phobl beet

betys coch llysiau a dyfir ar gyfer eu gwreiddiau coch bwytadwy beetroot

betys siwgr math o fetys y defnyddir eu gwreiddiau i baratoi siwgr (swcros) sugar beet

betysen *eb* unigol **betys**

beth *rhagenw*

1 *rhagenw gofynnol* gair ar ddechrau cwestiwn uniongyrchol ynglŷn â rhywbeth neu rywun fel yn *Beth sy'n bod? Beth yw hwn?* what

2 gair yng nghanol brawddeg mewn cwestiwn anuniongyrchol, e.e. *Gofynnais iddo beth a ddigwyddodd.* what

3 yr hyn, y peth, *Dywedodd wrtho beth i'w wneud.* what

Sylwch: nid yw 'beth' yn cael ei ddilyn gan y treiglad meddal bob tro, yn enwedig pan fydd yn dalfyriad o'r ffurf ffurfiol 'beth y', *Beth (y) byddwch chi'n ei wneud yfory?*; er bod treiglad meddal yn digwydd mewn berfau ar ôl 'beth', nid 'beth' sy'n achosi'r treiglad ond yn hytrach y rhagenw perthynol sy'n ddealledig, e.e. mae *Gofynnais iddo beth ddigwyddodd* yn dalfyriad o'r ffurf ffurfiol, *gofynnais iddo beth (a) ddigwyddodd.*

beth am

1 ynglŷn â (rhywun neu rywbeth), ynghylch, *Beth am Wil?*

2 pam na wnawn ni? *Beth am fynd i'r pictiwrs?* what about?

bethma¹ *eg* rhywbeth na allwch gofio'i enw; bechingalw thingummy, what-d'you-call-it

bethma²:pethma *ans tafodieithol, yn y Gogledd* gwael, anhwylus *Rwy'n teimlo'n ddigon bethma heddiw.* off-colour, poorly

beudag *eb* (beudagau) laryncs; rhan o'r system resbiradol sy'n cynnwys y tannau llais; mae'n gyfrifol am gynhyrchu'r llais ac yn ein cynorthwyo i lyncu ac i anadlu larynx

beudy *eg* (beudai, beudái) adeilad lle y cedwir da neu wartheg; glowty cowshed

beunos *adf* bob nos nightly

beunos beunydd bob nos a bob dydd constantly

beunosol *ans* yn digwydd bob nos nightly, nocturnal

Sylwch: nid yw'n cael ei gymharu.

beunydd *adf* bob dydd, o ddydd i ddydd; parhaus daily, every day

beunydd beunos bob dydd a bob nos all day, every day

Ymadrodd

byth a beunydd gw. **byth**

beunyddiol *ans* dyddiol am byth, bob dydd yn wastadol, e.e. *bara beunyddiol* ond *papur dyddiol* daily

Sylwch: nid yw'n cael ei gymharu.

bhakti *eg* CREFYDD (Hindŵaeth) addoliad defosiynol wedi'i gyfeirio at un duwdod hollalluog

Bhwtanaidd *ans* yn perthyn i Bhutan, nodweddiadol o Bhutan Bhutanese

Bhwtaniad *eg* (Bhwtaniaid) brodor o Bhutan Bhutanese

bias *eg* (biasau)

1 GWNIADWAITH llinell yn rhedeg yn groes i raen neu rediad y defnydd; yn aml, wrth wneud dillad bydd y defnydd yn gorwedd yn gywirach o dorri ar hyd y llinell hon bias

2 ELECTRONEG foltedd a roddir ar derfynell dyfais er mwyn cyrraedd cyflwr pan all rhywbeth penodol ddigwydd, e.e. rhoi foltedd ar adwy transistor fel y gall cerrynt trydanol lifo drwyddo bias

biasu *be* [bias•¹] ELECTRONEG rhoi bias ar derfynell dyfais electronig to bias

biau gw. **piau**

bib *eg* (bibiau) darn o liain (neu blastig) a roddir am wddf plentyn i orchuddio'r fron ac i gadw'r plentyn rhag baeddu ei ddillad â bwyd bib

bicer *eg* (biceri)

1 math o gwpan yfed mawr â cheg lydan beaker

2 math o wydryn ar ffurf silindr â phigyn arllwys, a ddefnyddir gan gemegydd beaker

3 ARCHAEOLEG diodlestr a gâi ei ddefnyddio gan Ficerwyr beaker

Bicerwr *eg* (Bicerwyr) ARCHAEOLEG aelod o grŵp o bobloedd cynhanesyddol, Ewropeaidd yn byw yn y cyfnod tua 2500 o flynyddoedd CC (ddiwedd yr Oes Neolithig [Oes Newydd y Cerrig] a dechrau'r Oes Efydd); un o nodweddion eu diwylliant oedd y biceri cain, addurnedig a gladdwyd gyda'r meirwon Beaker folk

bicini *eg* (bicinis) gwisg nofio i ferched a dwy ran iddi bikini

bid[1] *eb* (bidiau) *tafodieithol, yn y De* perth; rhes o lwyni neu goed bychain sy'n ffurfio clawdd; gwrych, sietin hedge

bid[2] *bf* [bod] *hynafol* bydded, boed, gadawed iddo ef/iddi hi fod, *a fo ben bid bont*

    bid hynny fel y bo beth bynnag be that as it may

    bid sicr gellir bod yn siŵr to be sure

bidio[1] *be* [bidi•[2]] cynnig pris am rywbeth, mewn arwerthiant fel arfer, *Bidiodd bum punt yn yr ocsiwn am y jar.* (~ **am**) to bid

bidio[2] *be* [bidi•[2]] plygu neu drin gwrych to plash a hedge

bidog *eb* (bidogau) cyllell neu gleddyf byr sy'n gallu cael ei osod ar flaen dryll milwr bayonet

bidoglys *eg* planhigyn â blodau glas neu goch sy'n tyfu'n sypynnau lobelia

bigitan:bigitian *be* cweryla, cwympo mas; cecran, cega to bicker

    Sylwch: nid yw'r ferf hon yn arfer cael ei rhedeg.

bing *eg* (bingoedd) llwybr mewn beudy, y tu draw i breseb y gwartheg neu'r da, lle y cedwir y bwyd alley

bihafio *be* [bihafi•[2]] *anffurfiol* ymddwyn mewn ffordd arbennig (yn dda fel arfer) to behave

bil *eg* (biliau)

    1 nodyn yn gofyn am arian sy'n ddyledus am waith, gwasanaeth neu nwyddau bill

    2 CYFRAITH cynnig ar gyfer deddf newydd wedi'i baratoi a'i ysgrifennu fel drafft o ddeddf i'w ystyried gan Gynulliad Cenedlaethol Cymru bill

    Sylwch: Cyfraith: 'bil' yw'r term a ddefnyddir i ddisgrifio cynnig drafft ar gyfer deddf newydd yn y Cynulliad er 2011. 'Mesur' yw'r term a ddefnyddir i ddisgrifio cynnig ar gyfer deddf newydd yn San Steffan. Defnyddid y term 'mesur' gan y Cynulliad rhwng 2006 a 2011, i olygu mesur arfaethedig (y cynnig ar gyfer cyfraith newydd) a mesur (y gyfraith wedi'i phasio).

    Bil Hawliau gw. **Mesur Iawnderau**

bilain:bilaen *eg* (bileiniaid) *hanesyddol* taeog a oedd yn gaeth i ddarn o dir ac yn gorfod gwasanaethu'r arglwydd a oedd yn berchennog ar y tir; aillt churl, villein

biled *eg* (biledau)

    1 gorchymyn swyddogol bod aelod o'r lluoedd arfog i gael ei letya (e.e. mewn tŷ preifat) billet

    2 llety aelod o'r lluoedd arfog billet

biledu *be* [biled•[1]] lletya (aelod o'r lluoedd arfog) drwy orchymyn biled (~ *rhywun* **gyda** *rhywun*) to billet

biliards *eg* gêm i ddau chwaraewr ar fwrdd gwastad arbennig â phocedi ar ei ymyl, yn defnyddio un bêl goch, dwy bêl wen a ffon arbennig, sef ciw billiards

bilidowcar *eg* (bilidowcars) aderyn y môr, du ei liw, sy'n byw ar bysgod; mae ganddo wddf hir a phig fachog; morfran, mulfran cormorant

bilio *be* [bili•[2]] anfon bil yn gofyn am dâl; anfonebu (~ *rhywun* **am** *rywbeth*) to bill

biliwn *eg* (biliynau) y rhif 1,000,000,000 (ym Mhrydain gynt, miliwn o filiynau); mil o filiynau billion

    Sylwch: un ffordd o wahaniaethu rhwng 'biliwn' a 'miliwn' os bydd perygl amwysedd (e.e. treiglad meddal 'b' ac 'm') yw gosod 'un' neu 'y' o'u blaen; bydd 'miliwn' *eb* yn treiglo ond ni fydd biliwn *eg*; lle nad yw hyn yn bosibl a bod perygl o amwysedd nid yw'n arfer treiglo 'biliwn'.

bilwg *eg* (bilygau) llafn cryf a thro yn ei flaen ar gyfer torri canghennau a choed bychain billhook

bin *eg* (biniau) drwm i ddal sbwriel neu weithiau tun i ddal bwyd bin

    bin bara cynhwysydd i gadw bara ynddo bread bin

    bin sbwriel cynhwysydd mawr ar gyfer gwastraff a gynhyrchir mewn cartref dustbin

bingo *eg*

    1 gêm o siawns yn defnyddio cardiau a'u llond o sgwariau a rhifau arnynt; y cyntaf i gwblhau rhes o'r rhifau wrth i rifau gael eu galw ar hap sy'n ennill bingo

    2 yr ebychiad gan yr enillydd i ddangos pwy sydd wedi ennill; ymadrodd i ddangos bod rhywun wedi llwyddo i wneud neu ddatrys rhywbeth bingo

binomaidd *ans*

    1 BIOLEG (am enwau organebau) yn cynnwys dwy ran, y cyntaf yw'r genws a'r ail yw'r rhywogaeth, e.e. *Sciurus vulgaris* am y wiwer goch binomial

    2 MATHEMATEG (am fynegiad mathemategol) yn cynnwys dau derm wedi'u cysylltu â phlws (+) neu â minws (−), e.e. $x + 3$ neu $pq - st$ binomial

binomial *eg* (binomialau)

    1 BIOLEG dull o enwi anifeiliaid a phlanhigion yn cynnwys dau enw, y cyntaf yn enwi'r genws a'r ail, y rhywogaeth, e.e. *Prunus spinosa* am y ddraenen ddu binomial

    2 MATHEMATEG mynegiad mathemategol yn cynnwys dau derm wedi'u cysylltu â phlws, (+) neu â minws (−), e.e. $x + 3$ neu $pq - st$ binomial

bio- *rhag* â pherthynas â bywyd neu â bioleg bio-

    Sylwch: nid yw 'bio' + cyfaddasiad o air Saesneg yn achosi treiglad yn yr ail elfen, e.e. *biotechnoleg*.

bioamrywiaeth *eb* nifer y rhywogaethau gwahanol a geir mewn cynefin penodol biodiversity

bioberygl *eg* (bioberyglon) perygl i iechyd bodau dynol neu i'r amgylchedd o ganlyniad i waith biolegol (yn enwedig gyda micro-organebau) biohazard

biocemeg *eb* astudiaeth wyddonol o'r cyfansoddion cemegol, adweithiau cemegol, etc. sy'n digwydd mewn organebau byw biochemistry

biocemegol *ans* yn perthyn i fiocemeg biochemical

biocemegwr:biocemegydd *eg* (biocemegwyr) gwyddonydd yn arbenigo ym maes biocemeg biochemist

biodanwydd *eg* (biodanwyddau) tanwydd a grëir o blanhigion neu organebau byw biofuel

bioddiraddadwy *ans* (am sylwedd) yn gallu dadelfennu i sylweddau symlach diniwed drwy waith bacteria ac organebau eraill; pydradwy biodegradable

bioddiraddadwyedd *eg* y cyflwr o fod yn fioddiraddadwy biodegradability

bioddiraddio *be* cael ei ddadelfennu gan facteria neu organebau byw eraill, dadelfennu sylwedd to biodegrade

bioffiseg *eb* cangen o fioleg sy'n cymhwyso gwybodaeth a dulliau ffiseg i astudiaethau biolegol biophysics

biogenesis *eg* BIOLEG synthesis sylweddau gan organebau byw biogenesis

biohinsoddeg *eb* astudiaeth wyddonol o effeithiau'r hinsawdd ar bethau byw bioclimatology

bioleg *eb* gwyddor bywyd, astudiaeth o bethau byw biology

biolegol *ans* yn perthyn i fioleg, nodweddiadol o fioleg biological

biolegydd *eg* (biolegwyr) gwyddonydd sy'n arbenigo mewn bioleg biologist

bïom *eg* (biomau) BIOLEG ardal eang o blanhigion ac anifeiliaid sydd wedi'u haddasu i fyw mewn amgylchedd arbennig, e.e. y twndra, y safana, etc.; mae'n cynnwys holl organebau'r ardal ddaearyddol benodol biome

biomas *eg*
1 BIOLEG màs sych yr organebau a geir mewn arwynebedd neu gyfaint penodol; fel arfer mae'n cael ei fesur yn ôl y gramau o fàs sych i bob metr sgwâr biomass
2 defnydd organig a gynhyrchir yn unswydd i gynhyrchu egni biomass

biomecaneg *eb* astudiaeth wyddonol o'r rheolau mecaneg yn ymwneud ag adeiledd pethau byw neu'r ffordd y maent yn symud biomechanics

biometreg *ebg* y broses o gymhwyso

dadansoddiad ystadegol i ddata biolegol biometrics

biometrig *ans* yn perthyn i fiometreg, yn defnyddio biometreg biometric

bioneg *eb*
1 astudiaeth wyddonol sy'n cymhwyso gwybodaeth o faes bioleg wrth greu systemau artiffisial, e.e. cyfrifiaduron bionics
2 y defnydd o gydrannau electromecanyddol i weithio ynghyd ag aelodau o'r corff neu rannau electromecanyddol i gymryd lle aelodau o'r corff (e.e. coes) sydd wedi cael niwed bionics

biopsi *eg* (biopsïau) MEDDYGAETH y broses o archwilio meinwe wedi'i gymryd o gorff byw er mwyn canfod presenoldeb, achos neu ymlediad haint biopsy

biosffer *eg* y rhan o arwyneb ac atmosffer y Ddaear sy'n medru cynnal bywyd biosphere

biosynthesu *be* [biosynthes•¹] defnyddio organeb fyw i gynhyrchu cyfansoddyn cemegol to biosynthesize, biosynthesis

biotechnoleg *eb* datblygiad prosesau biolegol at ddibenion diwydiannol, masnachol, etc. yn enwedig y broses o drin micro-organebau genynnol i gynhyrchu gwrthfiotigau a hormonau biotechnology

biotig *ans* BIOLEG a achosir neu a gynhyrchir gan organebau byw, yn perthyn i organebau byw biotic

bioymoleuedd *eg* BIOLEG allyriad golau gan organebau byw, e.e. magïod bioluminescence

bioymoleuol *ans* BIOLEG (am organeb) yn allyrru golau bioluminescent

biro *gw.* beiro

bisgedi *ell* lluosog bisgïen

bisgïen:bisged *eb* (bisgedi) math o deisen fach denau, galed biscuit

bisi:bishi *ans* llawn prysurdeb, *plentyn bach bisi*; prysur busy, meddlesome

bismillah *eg* CREFYDD (Islam) ebychiad yn enw Duw; deisyfiad a wneir gan Fwslimiaid cyn ymgymryd â thasg

bismwth *eg* elfen gemegol rhif 83; metel brau, llwyd â gwawr goch a'r mwyaf diamagnetig o'r metelau (Bi) bismuth

bison *eg* ych gwyllt (mae bison Ewrop bron wedi diflannu ond ceir rhai ar ôl yn America dan yr enw 'byfflo'); bual bison

bisque *eg* cawl pysgod cregyn, e.e. *bisque cimwch*

biswail *eg* cymysgedd o dail a throeth, yr hylif sy'n dod o domen dail slurry

biswail gwartheg yr hylif sy'n dod o garthion gwartheg

bit *eg* (bitiau) y darn metel mewn ffrwyn a roddir yng ngheg ceffyl ac sydd ynghlwm wrth yr awenau; genfa bit

bitwmen *eg* CEMEG cymysgedd gludiog du o hydrocarbonau a geir yn naturiol neu'n waddod yn dilyn distyllu petroliwm, ac a ddefnyddir i greu tarmac bitumen

biwba:biwbo *eg* offeryn cerdd bach ar ffurf telyn a osodir rhwng y dannedd; cynhyrchir y sain drwy daro tafod o fetel â'r bysedd; giwga, sturmant Jew's harp

biwgl *eg* (biwglau) offeryn cerdd pres yn debyg i gornet neu drwmped bach ond heb falfiau i newid y traw bugle

biwrét *eg* (biwretau) tiwb hir o wydr wedi'i fesur mewn mililitrau; mae twll bychan yn ei waelod, sy'n cael ei agor a'i gau gan dap, ar gyfer gollwng mesurau manwl gywir o hylif burette

biwro:biwrô *egb* (biwros)
1 math o gwpwrdd gyda chlawr top sy'n agor i ffurfio bwrdd ysgrifennu a droriau oddi tano bureau
2 adran o'r llywodraeth bureau
3 swyddfa ymgynghori bureau

biwrocrat *eg* (biwrocratiaid) aelod o fiwrocratiaeth; swyddog sy'n cyflawni ei ddyletswyddau mewn ffordd gul, amhersonol bureaucrat

biwrocrataidd *ans* yn ymwneud â biwrocratiaeth, nodweddiadol o fiwrocratiaeth (fel arfer fel beirniadaeth o broses hir a chymhleth) bureaucratic

biwrocratiaeth *eb* system o lywodraeth lle mae swyddogion y wladwriaeth (biwrocratiaid) yn gwneud y penderfyniadau yn hytrach na chynrychiolwyr wedi'u hethol bureaucracy

blacin *eg* math o gŵyr meddal neu bast du ar gyfer glanhau a gloywi esgidiau blacking

blac-led *eg*
1 sylwedd a ddefnyddir mewn pensil; graffit blacklead
2 math o gŵyr neu sylwedd du ar gyfer glanhau a gloywi gratiau neu waith haearn blacklead

blacledio *be* [blacledi•²] defnyddio blac-led i lanhau a gloywi (gwaith haearn, e.e. gratiau) to blacklead

blacmel *eg* cais i gael arian yn anghyfreithlon gan rywun drwy fygythiadau neu drwy fygwth datgelu rhyw ddrwg amdano blackmail

blaen¹ *eg* (blaenau)
1 pen, brig, *blaen tafod, blaenau traed*; copa, top front, point, tip
2 y man lle bydd yr un sy'n arwain; y cyntaf (o ran amser neu le) front, lead
3 *mewn enwau lleoedd* y lle mae nant neu afon yn tarddu, e.e. *Blaenrhondda, Blaenrheidol*; tarddell, tarddle source
4 *mewn enwau lleoedd* man uchel diarffordd, e.e. *Blaenau Ffestiniog, Blaenau Gwent*
ac yn y blaen ac ati and so on, etc.

achub y blaen gw. achub¹
ar flaen:ar y blaen yn arwain ahead, at the head
ar flaenau fy mysedd gw. bys
ar flaenau'r traed on tiptoe
ar flaen fy nhafod gw. tafod
blaen ac ôl MORWRIAETH am long hwylio lle mae'r hwyliau'n gyfochrog â hyd y llong fore and aft
blaen y bysedd pen eithaf a rhan fwyaf sensitif bysedd y llaw a ddefnyddir i deimlo fingertips
blaen y gad ar flaen y frwydr in the van
blaen y llanw troi'r llanw turn of the tide
blaen y tafod pen blaen y tafod, y darn mwyaf sensitif a ddefnyddir i brofi blas tip of the tongue
cael y blaen arnaf (arnat, arno, etc.) trechu rhywun, y syniad o gychwyn ar ôl pawb ac yna eu goddiweddyd i ennill neu ragori to get the better of
dod yn fy (dy, ei, etc.) mlaen gwella fy nghyflwr; ffynnu, llwyddo to get on
o flaen
1 gerbron, *sefyll o flaen y dosbarth* before, in front of
2 o'm blaen, o'th flaen, o'i flaen, o'i blaen, o'n blaen, o'ch blaen, o'u blaen in front of
o'r blaen cyn hyn, yn y gorffennol, *Fuoch chi yma o'r blaen?* before, previously
rhag blaen ar unwaith, heb oedi immediately
rhag fy (dy, ei, etc.) mlaen yn syth ymlaen straight ahead
tu blaen *yn nhu blaen y gynulleidfa* at the front of
y dydd o'r blaen the other day

blaen² *ans* ar y pen, yn y blaen; cyntaf, *ceffyl blaen* front
Sylwch: ceir y ffurf eithaf **blaenaf** yn unig.

blaenaf *ans* [blaen] mwyaf blaen foremost

blaenasgellwr *eg* (blaenasgellwyr) (mewn gêm o rygbi) un o'r ddau flaenwr sy'n gwthio ar ymyl neu asgell y sgrym flanker, wing forward

blaenasgellwr ochr agored yr un sy'n gwthio ar ochr y sgrym sydd bellaf o'r ystlys open side flanker, open side wing forward

blaenasgellwr ochr dywyll yr un sy'n gwthio ar ochr y sgrym sydd agosaf at yr ystlys blind side flanker, blind side wing forward

blaenbori *be* [blaenbor•¹] cnoi neu fwyta darnau bychain; bwyta pennau uchaf planhigion; brigbori to crop, to nibble

blaenbwl *ans* heb awch, heb flaen miniog; pŵl blunt

blaendal *eg* (blaendaliadau) tâl (rhannol) ymlaen llaw, naill ai fel sicrwydd y bydd y gweddill yn cael ei dalu neu fel tanysgrifiad; ernes deposit, down payment

blaendarddiad:blaendarddiant *eg* (blaendarddiadau) y tyfiant newydd cyntaf, y broses o flaguro neu egino budding, sprouting

blaendarddu *be* [blaendardd•³] ymddangos yn flaguryn; blaguro,brigo, egino, glasu to bud, to sprout

blaendir *eg* (blaendiroedd) y rhan o ddarlun, golygfa, etc. sydd agosaf at y gwyliwr foreground

blaendon *eb* (blaendonnau) FFISEG arwyneb yn cynnwys pwyntiau sy'n cael eu heffeithio yn yr un ffordd gan don ar amser penodol wavefront

blaendorri *be* [blaendorr•⁹]
1 byrhau drwy docio to truncate
2 torri ymaith, e.e. ymylon neu gorneli crisial to truncate
   Sylwch: dyblwch yr 'r' ym mhob ffurf ac eithrio yn y rhai sy'n cynnwys -as-.

blaenddalen *eb* (blaenddalennau) dalen ar ddechrau llyfr yn cynnwys teitl y llyfr ac enw'r awdur(on) title page

blaenddant *eg* (blaenddannedd) ANATOMEG un o'r wyth dant ym mlaen y geg sy'n torri bwyd (yn hytrach na'i falu fel y cilddannedd) incisor

blaenffrwyth *eg* (blaenffrwythau) ffrwythau cyntaf y tir, y pethau cyntaf i ffrwytho o lafur dyn first fruits

blaengar *ans*
1 awyddus i hyrwyddo datblygiadau newydd a chynnydd; arloesol, mentrus progressive, innovative
2 yn hoffi bod yn flaenllaw; amlwg, blaenllaw prominent

blaengaredd *eg* (blaengareddau) cynllun neu weithred i ddatrys problem, i wella sefyllfa neu i gynyddu rhywbeth initiative, progressiveness

blaengarwch *eg* dyhead neu awydd i wneud pethau newydd, i wneud pethau mewn ffyrdd newydd, neu i fod ar flaen datblygiadau; beiddgarwch, menter, uchelgais ambition, initiative

blaengau *be* [blaengae•¹] CYFRAITH tynnu oddi ar rywun yr hawl i adbrynu (gwystl, morgais, etc.) to foreclose

blaengroen *eg* (blaengrwyn) ANATOMEG y gorchudd o groen symudol sy'n cuddio blaen y pidyn foreskin

blaengrom *ans* ffurf fenywaidd **blaengrwm**

blaengrwm *ans* [*b* blaengrom] â blaen amgrwm neu'n crymu allan (e.e. am gelficyn neu ffenestr) bow-fronted

blaengyfran *eb* (blaengyfrannau) CYLLID cyfranddaliad lle mae gan ei ddeiliad yr hawl i dderbyn buddran sefydlog cyn i fuddran y cyfranddaliadau cyffredin gael eu talu preference share

blaenhwyl *eb* (blaenhwyliau) yr hwyl isaf ar hwylbren blaen llong foresail

blaenllaeth:blaenion *eg* y llaeth cyntaf a'r llaeth teneuaf wrth odro a ddaw o flaen yr armel first milk

blaenllaw *ans*
1 ar y blaen; amlwg, enwog, pwysig conspicuous, prominent
2 parod i hyrwyddo datblygiad neu gynnydd; blaengar progressive

ergyd flaenllaw ergyd i'r bêl pan fydd cledr y llaw neu wyneb y raced yn wynebu'r bêl forehand

blaenllym *ans* â blaen miniog; pigfain, pigog pointed, sharp

blaenor *eg* (blaenoriaid)
1 un a ddewiswyd i fod yn gyfrifol am agweddau materol (diacon) neu ysbrydol (henuriad) ar fywyd capel deacon, elder
2 (mewn cerddorfa) gw. **blaenwr**

blaenores *eb* gwraig sy'n flaenor; diacones deaconess

blaenori *be* [blaenor•¹]
1 dod o flaen pawb a phopeth arall, bod ar y blaen; arwain, blaenu, rhagflaenu, tywys to lead
2 bod yn well na neb na dim arall; maeddu, rhagori, trechu to excel

blaenoriaeth *eb* (blaenoriaethau) y lle blaenaf, y safle cyntaf neu flaenaf; ffafriaeth priority, precedence

blaenoriaethau *ell* y pethau pwysicaf wedi'u gosod yn nhrefn eu pwysigrwydd priorities

blaenoriaethu *be* pennu blaenoriaethau, gosod yn flaenoriaeth to prioritize

blaenorol *ans* wedi bod o'r blaen; cynt, rhagflaenol former, previous, foregoing
   Sylwch: nid yw'n cael ei gymharu.

blaenslaes *eg* (blaenslaesau) yr arwydd / forward slash

blaenswm *eg* (blaensymiau) swm o arian sy'n cael ei dalu am waith cyn i'r gwaith hwnnw gael ei gwblhau'n llwyr advance

blaenu *be* [blaen•¹] bod ar y blaen (i); rhagori (ar); arwain, blaenori, rhagflaenu to lead, to surpass

blaenwr *eg* (blaenwyr)
1 mewn tîm, un o'r rhai sy'n chwarae o flaen y cefnwyr neu'r olwyr forward
2 (mewn cerddorfa) y prif feiolinydd a'r chwaraewr blaenaf; mae'n eistedd ar ochr allanol y ddesg flaen, yn agos at law chwith yr arweinydd leader

blaenwraig *eb* (mewn cerddorfa) merch neu wraig sy'n brif feiolinydd a'r chwaraewr blaenaf leader (female)

blaenyriant *eg* (blaenyriannau) gyriant peiriant, e.e. car, sy'n cael ei drosglwyddo drwy'r olwynion blaen front-wheel drive

blaguro *be* [blagur•¹] (am blanhigion) cynhyrchu egin neu flagur sy'n datblygu'n ddail neu flodyn neu sbrigyn; blaendarddu, egino, glasu, impio to bud, to sprout

blaguryn *eg* (blagur) tyfiant newydd ar blanhigyn, sy'n datblygu'n ddeilen, blodyn neu gyffyn; eginyn, impyn bud, shoot

blaguryn bron pen blaen bron y mae modd tynnu llaeth ohoni; diden, teth nipple

blaidd *eg* (bleiddiaid) anifail gwyllt ysglyfaethus o deulu'r ci sy'n byw ac yn hela mewn haid wolf

blanc *eg* (blanciau) darn yn barod i gael ei wneud yn ddarn arian, allwedd, etc., drwy ei fathu, ei dorri, ei ysgythru, etc. blank

blanced *eb* (blancedi) gorchudd meddal wedi'i wau o wlân, etc., ar gyfer gwely fel arfer; carthen, cwrlid, gwrthban blanket

blanced drydan blanced â gwifrau cynhesu trydanol yn rhedeg drwyddi electric blanket

blansio *be* [blansi•²] COGINIO paratoi llysiau ar gyfer eu rhewi neu eu coginio ymhellach drwy eu gostwng am ychydig i mewn i ddŵr berwedig to blanch

blas *eg* (blasau) un o'r pum synnwyr, sef yr hyn a glywir â'r tafod; tast taste, flavour

a blas y pridd arno yn dweud yn blwmp ac yn blaen down to earth

blas hir hel blas cas (rhywbeth sydd wedi cael ei gadw'n rhy hir)

blas pres (arno) am rywbeth sy'n costio'n ddrud (pryd o fwyd fel arfer) ac nad yw mor flasus efallai oherwydd hynny

blas tafod cerydd scolding

cael blas ar rywbeth mwynhau, gwerthfawrogi'n fawr, *Cafodd flas mawr ar y llyfr.* to enjoy

colli blas gw. colli

blasbwynt *eg* (blasbwyntiau) un o'r celloedd hirgrwn ar wyneb y tafod sy'n profi blas rhywbeth taste bud

blasenw *eg* (blasenwau) enw anffurfiol a ddefnyddir yn lle enw iawn rhywun; glasenw, llysenw nickname

blaslyn *eg* saws i'w ychwanegu at fwyd, cymysgedd o olew a finegr fel arfer, i gyd-fynd â saladau; enllyn dressing

blastwla *eg* (blastwlâu) BIOLEG y belen wag o gelloedd sy'n ffurf gynnar iawn ar embryo anifail blastula

blasu *be* [blas•³]
1 bod â blas, *Nid yw hwn yn blasu'n iawn i mi.*; sawru to taste
2 clywed blas, *Wyt ti'n blasu'r cnau a'r hufen?* to taste

blasus *ans* [blasus•] ac iddo flas da; amheuthun, danteithiol, sawrus tasty, delectable

blasusfwyd *eg* bwyd blasus iawn, bwyd amheuthun; danteithfwyd delicacy

blasusrwydd *eg* y cyflwr o fod yn flasus palatability

blasyn *eg* (blasynnau) tamaid bach blasus o fwyd, yn enwedig rhywbeth a gymerir cyn pryd o fwyd i ysgogi'r archwaeth; danteithyn appetizer, titbit

blawd *eg* rhan fwytadwy ŷd wedi'i falu'n bowdr; can, fflŵr, paill flour, meal

blawd bras croen mewnol gwenith, haidd neu geirch, wedi'i wahanu oddi wrth y grawn a'i falu; bran bran

blawd ceirch y blawd a gynhyrchir o geirch ac a ddefnyddir mewn uwd, etc. oatmeal

blawd coch blawd mân o'r eisin neu o'r us sy'n amgáu grawn ŷd fine bran

blawd codi blawd a phowdr codi wedi'i ychwanegu ato er mwyn gwneud y toes yn fwy ysgafn self-raising flour

blawd corn blawd mân indrawn a ddefnyddir i dewychu sawsiau cornflour

blawd cyflawn blawd (gwenith) yn cynnwys y plisgyn wholemeal flour

blawd gwenith blawd wedi'i wneud o rawn gwenith ar ôl cael gwared ar yr eisin wheatmeal

blawd llif llwch tebyg i flawd sy'n cael ei adael gan lif wrth dorri pren sawdust

ble¹ *adf* yn gofyn cwestiwn uniongyrchol 'O ba le?' neu 'I ba le?' *O ble'r ydych chi'n dod?* neu gwestiwn anuniongyrchol, *Gofynnais iddi i ble'r oedd hi'n mynd.* where

ble² *adf* y lle, *Dywedais wrtho ble i fynd.* where

bleffaritis *eg* MEDDYGAETH llid yn ymylon yr amrannau blepharitis

bleiddast *eb* (bleiddeist) blaidd benyw she-wolf

bleiddgi *eg* (bleiddgwn) ci mawr a ddefnyddid i hela'r blaidd a gwarchod defaid rhag bleiddiaid wolfhound

bleiddiaid *ell* lluosog blaidd

bleind *eg* (bleindiau:bleinds) gorchudd ffenestr a ddefnyddir i gau allan golau, neu er mwyn sicrhau nad oes neb yn gallu gweld i mewn drwy'r ffenestr; cysgodlen blind

blend *eg* (blendiau) cymysgedd o fathau gwahanol o'r un peth blend

blendio *be* creu blend to blend

blêr *ans* [bler•] heb drefn; anghymen, anhrwsiadus, anniben, di-lun untidy, dishevelled, sloppy

blerdwf *eg* twf anhrefnus, yn enwedig lle mae ardal drefol neu ddiwydiannol yn lledu i'r wlad sprawl

blerwch *eg* y cyflwr o fod yn flêr; aflerwch, anhrefn, annibendod untidiness, slovenliness

blerwm-blerwm *eg* y sŵn a wneir wrth fwmial a chwarae â'r wefus isaf â'ch bysedd

blesawnt *eg* baner ac arni arfau bonedd neu arfbais blazon

blew *ell*
1 y gwallt sy'n tyfu ar y corff a'r wyneb hair
2 ffwr neu wallt byr anifeiliaid neu ddefnydd tebyg iddo fur, pile
3 mân esgyrn pysgodyn (yn enwedig wrth eu bwyta)
blew camel GWNIADWAITH defnydd sy'n cael ei wneud o flew'r camel camel hair
blew geifr cymylau main gwasgaredig sy'n arwydd o law cirrus clouds
hollti blew poeni am fanion dibwys to split hairs
blewiach *ell* mân flew; gwallt tenau a phrin
blewog *ans* a llawer o flew drosto furry, hairy
dwylo blewog gw. dwylo
blewyn *eg* (blew)
1 llinyn unigol o wallt neu flew bristle, hair, whisker
2 un llafn o borfa neu wellt; gweiryn blade of grass
blewyn da disgrifiad o anifail mewn cyflwr da
blewyn glas porfa ffres iawn (nad yw'n dda i ddefaid)
heb flewyn ar dafod yn blwmp ac yn blaen forthright
i drwch blewyn/i drwch y blewyn i'r dim, yn union, *mesur i drwch y blewyn*
i'r blewyn i'r dim to a T
mae blewyn mul arno disgrifiad o rywun anniben
o fewn trwch blewyn ond y dim, bron â bod within a hair's breadth
tynnu blewyn cwta ffordd o benderfynu rhwng nifer o bobl lle mae'r un sy'n tynnu'r gwelltyn neu'r papur byrraf yn gorfod cyflawni rhyw orchwyl annymunol to draw the short straw
tynnu blewyn o drwyn cythruddo, gwylltio to antagonize
blewynna *be* [blewynn•⁹]
1 sefyll o gwmpas heb wneud fawr o ddim; segura to mooch
2 pori lle mae porfa yn brin, hel ambell weiryn yma a thraw; blaenbori, brigbori
Sylwch: dyblwch yr 'n' ym mhob ffurf ac eithrio yn y rhai sy'n cynnwys -as-.
blif *eg* (blifiau) peiriant rhyfel gynt a fyddai'n hyrddio creigiau neu bicellau; peiriant i guro ac ysigo muriau ballista, battering ram, catapult
blingo *be* [bling•¹]
1 tynnu croen i ffwrdd to skin, to flay
2 twyllo'n ariannol, *Cafodd Ifan ei flingo mewn gêm o gardiau.* to fleece
blingo hwch â chyllell bren gwneud peth dianghenraid, a hynny mewn ffordd lafurus iawn a waste of time and effort
blingo'r gath hyd at ei chynffon gw. cath

blingwr *eg* (blingwyr) un sy'n blingo anifeiliaid skinner
blin *ans* [blin•] (blinion)
1 fel yn yr ymadrodd *mae'n flin gennyf*, sef 'mae'n ddrwg gennyf'; drwg, edifar sorry
2 heb fod yn gysurus na chysurlon, *oriau blin y nos pan na allwch gysgu*; anghysurus, anniddig, annymunol, cas troubled, troublesome
3 drwg ei dymer, *Aeth Mam yn eithaf blin pan welodd yr annibendod.*; crac, dig angry, annoyed, cross
blinder *eg* (blinderau)
1 yr hyn sy'n dilyn gwaith caled neu ddiffyg cwsg, y cyflwr o fod wedi blino neu o fod wedi ymlâdd; llesgedd, lludded, syrthni fatigue, tiredness
2 poen meddwl, *Cerddai fel pe bai blinderau'r byd ar ei ysgwyddau.*; gofid, gorthrymder, trallod trouble
blinderog *ans* yn profi blinder, wedi blino weary
blinderus *ans*
1 yn achosi blinder neu lesgedd; maith wearisome
2 yn cythruddo, yn peri gofid; adfydus, gofidus, trallodus, truenus annoying, grievous
blinedig *ans*
1 yn peri blinder tiring
2 wedi blino tired
blinion¹ *ans* ffurf luosog blin
blinion² *ell* pobl flin the angry
blino *be* [blin•¹]
1 mynd i gyflwr o flinder corfforol neu feddyliol, teimlo'n gysglyd; diffygio, fflagio, ymlâdd to tire
2 aflonyddu, plagio, poeni, *Mae hi'n cael ei blino gan glefyd y gwair yn ystod misoedd yr haf.* to trouble
3 cael digon, *Rwyf wedi blino ar ei gwyno parhaus.*; alaru, diflasu, syrffedu (~ ar rywbeth) to tire
blipiwr *eg* (blipwyr) dyfais electronig sy'n gwneud sŵn i dynnu sylw bleeper
blistro *be* [blistr•¹] codi'n bothelli neu'n swigod to blister
blith *ans* (blithion) llawn llaeth (am fuchod, etc.), ffrwythlon; blithog milch
da blith:da blithion gwartheg sy'n cael eu cadw am eu llaeth milch cows, milking cows
blith draphlith *adf* dros y lle i gyd, mewn cawl; sang-di-fang higgledy-piggledy, topsy-turvy
blitzkrieg *eg* ymosodiad milwrol dwys iawn gyda'r bwriad o ennill buddugoliaeth gyflym
blithog:blithiog *ans*
1 ffrwythlon, yn dwyn plant neu epil fecund
2 llawn llaeth; blith milch

bloc:blocyn *eg* (blociau)
1 boncyff pren neu ddarn praff o bren (yn enwedig un a ddefnyddir i dorri pethau arno); darn praff o rywbeth arall, e.e. iâ block
2 un o'r darnau sgwâr o bren a ddefnyddir gan blentyn i adeiladu pethau block
3 adeilad mawr wedi'i rannu'n adrannau, *bloc o fflatiau* block

blocâd *eg* (blocadau) rhwystr i fasnach gwladwriaeth elyniaethus (drwy geisio cadw nwyddau'r wlad rhag cael eu hallforio neu nwyddau gwledydd eraill rhag cael eu mewnforio i'r wlad); gwarchae blockade

blocbyster *eg* (blocbysters) llyfr neu ffilm sy'n llwyddiant masnachol enfawr blockbuster

blocfwrdd *eg* GWAITH COED defnydd adeiladu wedi'i wneud o stribedi o bren meddal wedi'u gludo wrth ei gilydd rhwng dwy haen o argaen pren caled blockboard

blocio *be* [bloci•²] achosi rhwystr drwy gau neu drwy lenwi, *Mae'r bibell wedi'i blocio. Blociodd cwmwl olau'r haul.* to block

blocyn gw. **bloc**

blodamlen *eb* (blodamlenni) calycs; rhan allanol blodyn, fel arfer y cwpan o sepalau gwyrdd sy'n diogelu'r blaguryn calyx

blodau *ell*
1 BOTANEG lluosog **blodyn**, y rhannau hynny o blanhigion lle mae'r had yn cael eu cynhyrchu, fel arfer maent yn lliwgar ac yn ddeniadol flowers
2 mewn gardd, planhigion a dyfir oherwydd siâp, lliw neu sawr eu blodau blooms, flowers
blodau'r bedd gwallt gwyn
blodau'r ffair y ferch harddaf mewn cwmni belle of the ball
Sul y Blodau gw. **Sul**
ym mlodau ei (d)dyddiau (am rywun) yn ei anterth (in the) prime of life
yn ei blodau/flodau yn ei (h)anterth, ar ei (g)orau, *Roedd y bardd Dafydd ap Gwilym yn ei flodau rhwng 1320 a 1370.* in his/her prime

blodeugerdd *eb* (blodeugerddi) detholiad o ddarnau barddoniaeth anthology

blodeuglwm *eg* (blodeuglymau) sypyn bach o flodau; pwysi, tusw bouquet, posy, nosegay

blodeuo *be* [blodeu•¹]
1 bod mewn blodau; (am flodau) dechrau agor to blossom, to flower
2 bod â graen arno; ffynnu (~ **yn**) to bloom, to flourish, to flower

blodeuog *ans*
1 llawn blodau, mewn blodau flowering, floral
2 yn tueddu i fod yn rhy gymhleth, addurnedig iawn, e.e. *iaith flodeuog* flowery, florid

blodeuol *ans* BOTANEG (am blanhigyn) yn gallu cynhyrchu blodau sy'n cynnwys organau atgenhedlu flowering

blodeuyn gw. **blodyn**

blodfresychen *eb* (blodfresych) llysieuyn â phen o flodau mân, gwyn, caled, bwytadwy ag ychydig o ddail bresych o'u cwmpas cauliflower

blodfresych gaeaf llysieuyn yn perthyn i deulu'r bresych y mae ganddo bennau o fân flagur gwyrdd neu borffor; brocoli broccoli

blodigyn *eg* (blodigion) BOTANEG blodyn bychan, yn enwedig un sydd â llu o rai tebyg yn ffurfio fflurben, e.e. blodfresychen floret

blodyn:blodeuyn *eg*
1 unigol **blodau** flower
2 cyfarchiad cariadus gwamal, *Sut mae, flodyn?*
 Sylwch: gw. hefyd **blodau**

blodyn eilflwydd planhigyn sy'n tyfu am flwyddyn ac yn blodeuo, hadu a gwywo yn ystod yr ail flwyddyn biennial (flower)

blodyn gardd blodyn a feithrinir gan arddwr garden flower

blodyn gwyllt blodyn sy'n tyfu heb ei drin, ar hyd ochrau'r priffyrdd ac yn y caeau, etc. wild flower

blodyn lluosflwydd blodyn sy'n blodeuo am fwy na dwy flynedd perennial (flower)

blodyn unflwydd planhigyn sy'n ymddangos am flwyddyn yn unig annual (flower)

blodyn y cleddyf planhigyn yn perthyn i deulu'r gellesg; y mae ganddo flodau mawr lliwgar a dail ar siâp cleddyfau gladiolus

blodyn y fagwyr planhigyn yn perthyn i deulu'r bresych a dyfir er mwyn ei flodau persawrus lliwgar wallflower

blodyn y gog planhigyn yn perthyn i deulu'r bresych sy'n tyfu ar dir corsiog ac yn dwyn blodau porffor golau neu wyn cuckoo flower

blodyn y gwynt planhigyn gwyllt â blodau gwyn sy'n perthyn i deulu'r blodyn ymenyn ac sy'n tyfu dan goed yn y gwanwyn cynnar; planhigyn gardd â blodau glas, coch a gwyn wood anemone, anemone

blodyn ymenyn:blodyn menyn planhigyn bach â blodyn melyn, llachar a siâp cwpan iddo buttercup

blodyn yr haul planhigyn mawr, tal ac iddo flodyn ag wyneb euraid sunflower

bloedd *eb* (bloeddiau:bloeddiadau) sŵn rhywun yn bloeddio; bonllef, bugunad, gwaedd, llef shout, yell

bloeddio *be* [bloeddi•²] gweiddi'n groch, *Bloeddiodd mewn llawenydd. Bloeddiodd ei gân i'r pedwar gwynt.*; rhuo (~ **ar** *rywun*, **am** *rywbeth*) to shout, to yell

bloeddiwr *eg* (bloeddwyr) un sy'n bloeddio shouter

bloesg *ans* heb siarad yn glir, naill ai oherwydd nam ar y lleferydd neu oherwydd crygni (colli llais); cryg, gyddfol husky, indistinct

bloesgedd:bloesgni *eg* yr hyn sy'n peri i rywun fod yn floesg (yn enwedig tafod tew neu atal dweud); crygni hoarseness

blog *eg* (blogiau) tudalen we neu wefan bersonol lle mae unigolyn yn diweddaru ei gofnodion yn aml, yn cynnig sylwadau personol ac yn creu cysylltiadau â safleoedd gwe eraill blog, weblog

blogio *be* [blogi•²] ysgrifennu am rywbeth mewn blog a'i ddiweddaru'n rheolaidd to blog

blogiwr *eg* (blogwyr) awdur blog blogger

blong *ans* ffurf fenywaidd **blwng**

blonden *eb* menyw neu ferch â gwallt melyn blonde (female)

blondyn *eg* dyn â gwallt melyn blond (male)

bloneg *eg* y braster a geir yng nghorff dyn neu anifail fat, lard

   byw ar fy (dy, ei, etc.**) mloneg** byw ar yr hyn sydd wedi'i gasglu yn y gorffennol (fel anifail gwyllt sy'n gaeafu)

   magu bloneg mynd yn dew; tewhau to get fat, to put on weight

blonegen *eb* haen o floneg neu o fraster ym mol mochyn neu ŵydd fel arfer layer of fat

blonegog *ans* llawn bloneg; brasterog, seimllyd, tew greasy

   meinwe blonegog ANATOMEG meinwe'r corff a ddefnyddir i storio bloneg adipose tissue

blot:blotyn *eg* (blotiau) smotyn (o inc fel arfer); nam, staen blot

blotio *be* [bloti•²]
   1 colli dafnau o inc ar (bapur) to blot
   2 sychu (inc gwlyb) â phapur sugno arbennig to blot

blotyn gw. **blot**

blows:blowsen *eb* (blowsys) math o grys ysgafn i ferched neu wragedd blouse

blwch *eg* (blychau) cist neu gas o bren, tun, plastig, etc. i gadw pethau ynddo; bocs, coffr box, casket

blwch cerdd blwch sy'n cynnwys dyfais fecanyddol sy'n chwarae alaw pan fydd ei glawr yn cael ei agor musical box

blwch cosbi (ar faes pêl-droed) siâp petryal a dynnir ar y cae o flaen y gôl; os bydd aelod o'r tîm sy'n amddiffyn yn ffowlio aelod o'r tîm sy'n ymosod y tu mewn i'r blwch hwn, rhoddir cic gosb i'r tîm sy'n ymosod penalty area

blwch deialog gw. **deialog**

blwch du dyfais recordio hedfaniad awyren black box

blwch gêr set o gêrs wedi'u hadeiladu i mewn i gerbyd modur gear box

blwch llwch derbynnydd bach i ddal olion sigarennau a sigarau a'r llwch a gynhyrchir wrth ysmygu tybaco ashtray

blwch ticio (ar ffurflen) blwch bach gyferbyn â sylw y disgwylir i'r un sy'n llenwi'r ffurflen roi tic ynddo os yw'n cytuno â'r sylw neu yn ei gymeradwyo tick box

blwng *ans* [*b* blong] anodd ei drin, pengaled; gwrthnysig, pwdlyd, sarrug surly

blwm *eg* (blymau) bar o haearn neu ddur wedi'i forthwylio neu ei rolio o ingot bloom

blwydd *eb* (blwyddi) blwyddyn (wrth sôn am oedran), *tair blwydd oed* year(s) old

blwydd-dal *eg* (blwydd-daliadau) swm o arian sy'n cael ei dalu i rywun ar adegau penodol (e.e. bob mis neu bob blwyddyn) am weddill ei fywyd neu am gyfnod penodol annuity

blwyddiad *eg* (blwyddiaid) oen neu ddafad dros flwydd oed ond yn llai na dwyflwydd yearling

blwyddiadur *eg* (blwyddiaduron) llyfr a gyhoeddir yn flynyddol ac sy'n cynnwys yr wybodaeth ddiweddaraf am y testun dan sylw; almanac, blwyddlyfr, calendr yearbook, year planner

blwyddlyfr *eg* (blwyddlyfrau) yr un peth â blwyddiadur yearbook

blwyddnod *eg* (blwyddnodion) cofnod o ddigwyddiadau wedi'u gosod yn nhrefn blwyddyn annal

blwyddyn *eb* (blynedd:blynyddoedd)
   1 yr amser y mae'n ei gymryd i'r Ddaear fynd o amgylch yr Haul un waith, sef 365 diwrnod, 48 munud, 46 eiliad; ar galendr mae'n cael ei rannu'n 12 mis o 1 Ionawr hyd at 31 Rhagfyr. Yng ngwledydd y Gorllewin rhennir blynyddoedd yn rhai ar ôl i Iesu Grist gael ei eni – oed Crist (OC) – ac yn rhai cyn geni Iesu – cyn Crist (CC) year
   2 cyfnod o 12 mis, *Byddaf yn dy weld flwyddyn i heddiw.* year
   3 plant ysgol sy'n perthyn i'r un flwyddyn academaidd, *Bydd cyfarfod arbennig i rieni plant blwyddyn 8 nos yfory.* year
   Sylwch: gw. hefyd **blynedd**, **blynyddoedd**

blwyddyn ariannol CYLLID cyfnod o flwyddyn a ddefnyddir i gyfrifo treth neu faterion cyfrifyddol (e.e. yn y Deyrnas Unedig, mae'n cychwyn ar 6 Ebrill) financial year

blwyddyn golau SERYDDIAETH uned o bellter yn cyfateb i'r pellter a deithir gan olau mewn blwyddyn, tua 6 miliwn o filiynau o filltiroedd (9.4607×10^{12} km) light year

blwyddyn naid 365¼ o ddiwrnodau sydd mewn blwyddyn galendr, ac felly ychwanegir

b

un diwrnod at fis Chwefror bob pedair blynedd
leap year
Ymadroddion
blwyddyn gron gyfa' blwyddyn lawn o 365
(neu 366) diwrnod year-long
blwyddyn y tair caib 1777
blychaid *eg* (blycheidiau) llond blwch boxful
blychau *ell* lluosog **blwch**
blychyn *eg* (blychynnau) blwch bach small box
blymau *ell* lluosog **blwm**
blynedd *ell* lluosog **blwyddyn**, ffurf a ddefnyddir
ar ôl rhifol yn unig, *pum mlynedd* years
Sylwch:
1 'y ddwy flynedd ddiwethaf' sy'n fanwl gywir
ond erbyn hyn gall 'diwethaf' wrthsefyll
treiglo yn dilyn 'blynedd', e.e. *y ddwy flynedd
diwethaf y tair blynedd ddiwethaf*;
2 mae'n treiglo'n drwynol yn dilyn 'un' mewn
rhifau cyfansawdd (*un mlynedd ar ddeg*).
blynyddoedd *ell* lluosog **blwyddyn**
flynyddoedd maith yn ôl amser mawr yn ôl
many years ago, once upon a time
y mil blynyddoedd cyfnod delfrydol; cyfnod y
bydd Crist yn teyrnasu ar y Ddaear
blynyddol *ans*
1 yn digwydd unwaith y flwyddyn bob
blwyddyn annual, yearly
2 (mewn garddio) am lysiau neu blanhigion
sy'n byw am flwyddyn yn unig annual
blys *eg* (blysiau) chwant cryf; chwenychiad,
gwanc, trachwant craving, longing, lust
codi blys arnaf fi (arnat ti, arno ef, etc.) creu
awydd ynof
blysgar:blysig *ans* llawn chwant neu flys; barus,
gwancus, trachwantus lustful, gluttonous,
voracious
blysio *be* [blysi•²] dyheu yn awchus am
(rywbeth); awchu, chwantu, chwennych,
trachwanta (~ **am**) to lust, to crave
Bnr *byrfodd* bonwr fel teitl cwrtais gŵr, *y Bnr
Lewis* Mr
Bns *byrfodd* boneddiges, fel teitl cwrtais
gwraig briod neu ddibriod, *y Fns Richards*
Miss, Mrs, Ms
bo:byddo *bf* [bod] *ffurfiol* byddo ef/hi; 3ydd
unigol Presennol Dibynnol 'bod'
boa *eg* (boaod) neidr sy'n byw yn y gwledydd
trofannol ac sy'n lladd ei hysglyfaeth drwy ei
gwasgu i farwolaeth boa
bob gw. **pob**
bobin *eg* (bobinau)
1 dyfais fach y mae edefyn yn cael ei roi
arni er mwyn gwneud addurniadau les
bobbin
2 gwerthyd (neu silindr) y mae edau neu
edafedd yn cael eu dirwyn arni (ar gyfer gwnïo
neu wau/gwehyddu) bobbin

bocs *eg* (bocsys)
1 blwch, er y gall bocs fod yn fwy o faint na
blwch box
2 tun, can, fel yn *bocs o ffa pob* can
3 llwyn â dail bach gwyrdd a dorrir i wneud
perthi addurnedig o gwmpas gerddi; pren bocs
box tree
bocsachus *ans* hoff o frolio; bostfawr,
mawreddog, rhodresgar, ymffrostgar boastful
bocsaid *eg* (bocseidi:bocseidiau) llond bocs
boxful
bocsio *be* [bocsi•²] camp ymladd rhwng dau sy'n
gwisgo menig arbennig, lle mae'r naill yn ceisio
bwrw'r llall yn anymwybodol neu sgorio mwy
o bwyntiau na'i wrthwynebydd, yn ôl rheolau'r
ornest; paffio to box
bocsit *eg* DAEAREG clai sy'n cynnwys yn bennaf
y mwyn alwminiwm hydrocsid y cynhyrchir y
metel alwminiwn ohono bauxite
bocsiwr *eg* (bocswyr) un sy'n bocsio; paffiwr boxer
bocswraig *eb* merch neu wraig sy'n bocsio boxer
boch¹ *eb* (bochau) y darn cnodiog y naill ochr a'r
llall i'r wyneb dan y llygaid a rhwng y trwyn a'r
glust cheek
â'm (â'th, â'i, etc.) **tafod yn fy (dy, ei,** etc.)
moch gw. **tafod**
bochfoch yn agos iawn at ei gilydd cheek to
cheek
boch tin ffolen; y naill neu'r llall o rannau
crwn pen-ôl y corff dynol buttock
foch ym moch yn agos iawn cheek, to cheek,
cheek by jowl
boch² *bf* [bod] *ffurfiol* 2il luosog Presennol
Dibynnol 'bod' fel yn y cyfarchiad *da boch chi*
may you be well
bochaidd *ans* ANATOMEG yn ymwneud â'r foch
neu geudod y geg buccal
bochdew *eg* (bochdewion) aelod o deulu'r cnofil
sy'n hoff o ddyrchu ac y mae ganddo gynffon
gwta a bochau llawn iawn hamster
bochgoch *ans* yn meddu ar fochau cochion rosy-
cheeked
bochog *ans* â bochau amlwg, tewion full-cheeked
bod¹ *be* [²⁰]
1 bodoli, yn mynegi bodolaeth neu leoliad
to be, to exist
2 galw a gadael, *Mae'r postmon wedi bod.*
3 disgwyl o ran hawl neu gyfrifoldeb, *Wyt ti i
fod yno erbyn pedwar?* to be
4 (fel berf gynorthwyol mewn cystrawen
beriffrastig) e.e. *Yr wyf yn mynd; mae hi wedi
mynd*
Sylwch: **treiglo 'bod'** 'mae dadleuon cryf dros
beidio â threiglo 'bod' ar ddechrau cymal
a gyflwynir gan ferf ddiberson, enw, neu
ansoddair' (Peter Wynn Thomas)
beth sy'n bod beth sydd o'i le what's the matter

nad yw'n bod heb fod yn bod, neu'n ymddangos nad yw'n bod non-existent *Ymadroddion*

am fod pam yn bod a bod yn pallu ymateb i gwestiynau parhaus gan blentyn – Pam? because that's why

bod am

1 bod yn awyddus, eisiau, *Dydw i ddim am fynd i'r ysgol.*; dymuno, chwennych
2 bwriadu to intend, to want

bod ar heb fod yn iawn, o'i le, *Mae rhywbeth yn bod ar y car 'ma.* to be the matter with

bod wrthi bod yn weithgar, *Mae wrthi yn yr ardd er y bore bach.*; gweithio to be hard at it

bod² *eg* (bodau)

1 bodolaeth, hanfod, *A oes y fath beth ag uncorn mewn bod?* existence
2 rhywbeth sy'n bod, sy'n bodoli, *bod dynol* (a) being

bod³ *eb* mewn enwau lleoedd cartref parhaol, lle i fyw, e.e. *Bodedern, Hafod*; annedd, preswylfa, trigfan

boda¹:bòd *eg* (bodaod:bodion) aderyn ysglyfaethus cyffredin o deulu'r hebog; bwncath, boncath buzzard

boda'r mêl aderyn ysglyfaethus ag adenydd llydan sy'n bwydo ar wenyn a gwenyn meirch a'u nythod honey buzzard

boda tinwyn aderyn ysglyfaethus y mae'r ceiliog yn cael ei gamgymryd am wylan weithiau hen harrier

boda² *eb* gw. bodo

bodan *eb* tafodieithol, yn y Gogledd merch, cariad, gwraig girl, sweetheart

bodeg *eb* ontoleg; cangen o athroniaeth yn ymwneud â natur, ystyr ac arwyddocâd bodolaeth neu'r cyflwr o fod ontology

bodiad *eg* y weithred o drafod rhywbeth â'r bysedd, canlyniad bodio fingering

bodiaid *eb* (bodieidiau) cymaint ag y gallwch ei godi rhwng bys a bawd; pinsiad pinch

bodiau *ell* lluosog bawd

yn fodiau i gyd gw. bawd

bodio *be* [bodi•²]

1 trafod rhwng bys a bawd; byseddu to thumb
2 estyn bys bawd at geir a lorïau yn y gobaith o gael lifft gan un ohonynt; ffawdheglu to hitch-hike, to thumb

bodis *eg* (bodisiau) rhan uchaf gwisg merch sy'n cau'n dynn o'r wasg i fyny bodice

bodiwr *eg* (bodwyr) un sy'n ceisio denu lifft gan gar, lorri, etc. drwy godi bawd arnynt; ffawdheglwr hitch-hiker

bodlon *ans* [bodlon•]

1 heb fod yn anniddig, yn ddigon hapus; dedwydd, hapus (~ ar) contented, satisfied

2 yn caniatáu, *Wyt ti'n fodlon i mi fynd i siopa?*; parod willing

bodlondeb *eg*

1 y cyflwr o fod yn fodlon; boddhad, diddanwch contentment, satisfaction
2 y cyflwr o gydsynio; cydsyniad, parodrwydd willingness

bodloni:boddloni *be* [bodlon•¹]

1 bod wrth fodd, *Mae o wedi bodloni'r bwrdd penodi.*; boddhau, plesio (~ ar rywbeth) to satisfy
2 cytuno, caniatáu, ond heb fod yn frwd; dygymod, goddef (~ i rywbeth) to acquiesce

bodlonrwydd *eg* y cyflwr o fod yn fodlon; boddhad, dedwyddwch satisfaction, contentment

bodlonus *ans* hawdd ei fodloni, heb fod yn feirniadol; diddan contented, satisfied

bodo:boda² *eb* ffurf anwes ar fodryb neu hen wraig, *Bodo Jane*; bopa auntie

bodolaeth *eb* (bodolaethau) y cyflwr o fod; bywyd, bod being, existence

bodoli *be* [bodol•¹] bod mewn bodolaeth; bod to exist

bodd *eg* (boddau) bodlonrwydd, ewyllys, pleser, *Doedd yr anrheg a gafodd wrth ymddeol ddim wrth fodd Sara.* favour, pleasure

drwy fodd gyda chaniatâd

er bodd er mwyn boddhau

o'm (o'th, o'i, etc.) bodd yn wirfoddol, heb reidrwydd willingly

rhwng bodd ac anfodd hanner bodlon half-heartedly

rhyngu bodd gwneud yn hapus, boddhau, bodloni, plesio to please

wrth fodd calon gw. calon

wrth fy (dy, ei, etc.) modd hollol fodlon delighted

boddar gw. bodder

boddedig *ans* wedi boddi, wedi'i foddi, dan y dŵr drowned

bodder:boddar *eg* anffurfiol trafferth, helynt bother

boddfa *eb* digon o ddŵr i foddi ynddo, hefyd yn ffigurol, *boddfa o chwys, boddfa o ddagrau* flood

boddhad *eg* y cyflwr o fod wedi rhyngu bodd; balchder, bodlondeb, hapusrwydd, pleser fulfilment, gratification, satisfaction

boddhaol *ans*

1 yn bodloni'r disgwyliadau; cymeradwy, derbyniol, teilwng satisfactory
2 yn cyrraedd safon dderbyniol ond heb fod yn rhagorol satisfactory

boddhau *be* [boddha•¹⁴] rhyngu bodd, peri boddhad; bodloni, plesio to please, to satisfy

boddhaus *ans* yn boddhau neu yn plesio; dymunol satisfying, agreeable

boddi *be* [bodd•¹ 3 *un. pres.* bawdd/bodda;
2 *un. gorch.* bodda]
1 marw oherwydd methu anadlu dan ddŵr neu
hylif arall to drown
2 achosi marwolaeth drwy ddal pen rhywun
neu rywbeth dan ddŵr, etc. to drown
3 trechu, tagu, diffodd, *Cafodd llais y siaradwr
ei foddi gan sŵn awyren yn hedfan heibio.*
to drown, to swamp
boddi cathod bach mewn dŵr cynnes dweud
y drefn neu geryddu'n llym, mewn modd sy'n
golygu nad yw'r sawl sy'n cael ei geryddu yn
ffromi neu'n pwdu
boddi'r cynhaeaf yfed a gwledda i ddathlu
casglu'r cynhaeaf
boddi yn ymyl y lan methu pan fo llwyddiant
o fewn cyrraedd to fall at the last hurdle
boddio *be* rhyngu bodd, peri boddhad; bodloni,
boddhau, plesio to satisfy
Sylwch: nid yw'r ferf hon yn arfer cael ei rhedeg.
boddlon gw. bodlon
boddloni gw. bodloni
boddran:boddro *be*
1 achosi trafferth; blino, trafferthu to bother
2 mynd i drafferth, *Paid â boddran edrych yn
awr.* to bother
Sylwch: nid yw'r ferf hon yn arfer cael ei rhedeg.
boddro fy (dy, ei, etc.) mhen gofidio, poeni
to worry
boed *bf* [bod] *ffurfiol* gadawed iddo ef/iddi hi fod;
bydded, bid
boeler *eg* (boeleri)
1 llestr at ferwi rhywbeth boiler
2 rhan o beiriant ager lle mae dŵr yn cael ei
droi'n ager boiler
3 tanc neu silindr i ferwi dŵr neu i gadw dŵr
berw ynddo boiler
Boer *eg* (Boeriaid) brodor o Dde Affrica o dras yr
Iseldirwyr neu'r Huguenotiaid a ymsefydlodd
yno yn yr ail ganrif ar bymtheg Boer
bogail *egb* (bogeiliau)
1 ANATOMEG pant yng nghanol y bol (mae
ynddo gnepyn o feinwe creithiog, sef ôl y llinyn
a fu'n cysylltu babi â'i fam pan oedd yn ei
chroth); botwm bol navel
2 canol rhywbeth, sy'n atgoffa dyn o fotwm
bol, e.e. canol tarian neu foth olwyn boss, hub
Sylwch: mae'n wrywaidd yn y Gogledd ac yn
fenywaidd yn y De.
bwrw/hollti/torri bogail gweithio mor galed
ag sy'n bosibl to bust a gut
bogi *eg* (bogïau)
1 (mewn golff) un ergyd dros y safon am gael y
bêl i mewn i'r twll bogey
2 fframwaith yn cynnwys un neu ragor o barau
o olwynion sy'n llywio un pen i gerbyd a dynnir
gan drên bogie

boglynnog *ans* brith o gnapiau, wedi'i addurno
â thalpiau; cnapiog embossed, studded
boglynnu *be* CELFYDDYD cerfio, mowldio neu
stampio dyluniad ar arwyneb neu wrthrych fel
ei fod yn codi'n uwch nag arwyneb y cefndir
to emboss
Sylwch: nid yw'r ferf hon yn arfer cael ei rhedeg.
bohemaidd *ans* o anian artistig, amharod i
gydymffurfio bohemian
Bohemaidd *ans* yn perthyn i hen wlad Bohemia,
nodweddiadol o Bohemia Bohemian
bohemiad *eg* (Bohemiaid) un o anian artistig,
anghonfensiynol bohemian
boi *eg* (bois) *anffurfiol* bachgen, dyn boy,
bloke, chap
bois bach ebychiad good heavens
fel y boi yn (teimlo'n) dda iawn
tipyn o foi dyn arbennig quite a guy
boicot *eg* y weithred o foicotio boycott
boicotio *be* [boicoti•²] gwrthod ymwneud yn
fasnachol neu'n gymdeithasol â (sefydliad neu
unigolyn) fel arwydd o brotest to boycott
bol:bola *eg* (boliau)
1 *anffurfiol* stumog; rhan flaen y corff rhwng yr
asennau a'r coesau sy'n cynnwys y stumog a'r
coluddion; crombil stomach
2 rhywbeth sy'n debyg o ran ei siâp i stumog
wedi chwyddo, e.e. arwyneb uchaf feiolin belly
arllwys fy (dy, ei, etc.) mol gw. arllwys
bol clawdd *difrïol* ffordd o ddilorni rhywun
neu rywbeth, e.e. *bardd bol clawdd*, bardd heb
addysg na dawn nondescript, uncouth
bwrw'ch bola perfedd dweud y cyfan to spill
the beans
cael llond bol
1 cael gormod, *cael llond fy mol ar gŵynion
pobl*; diflasu, syrffedu
2 cael digonedd, cael (eich) bodloni, *cael llond
bol o chwerthin braf* to have a bellyful
daw bola'n gef(e)n dim ond i rywun fwyta
digon fe ddaw yn gryfach
fel bol buwch yn dywyll iawn; yn ddiolau
pitch black
hel ei fol bwyta'n awchus
torri fy (dy, ei, etc.) mol gw. torri
bolaheulo gw. bolheulo
bolard *eg* (bolardiau) postyn bach a roddir yn
ymyl palmant neu gylchfan i dynnu sylw a
rhybuddio gyrwyr bollard
bolchwydd:bolchwyddi *eg* MEDDYGAETH
chwyddi yn y coluddyn neu yn y stumog a
achosir gan nwyon yn ymgasglu tympanites
bolero *eg* (boleros) CERDDORIAETH
dawns Sbaenaidd â thri churiad i'r bar a
berfformir i gyfeiliant llais a rhythm castanetau
bolgarwch *eg* gorhoffter o fwyd a diod;
glythineb, gwanc gluttony

bolgi *eg* (bolgwn) un trachwantus am ei fwyd, un sy'n gorfwyta, un sy'n stwffio'i fwyd; glwth, sglaffiwr glutton, gourmand

bolgno *eg* colig; gwayw o boen yn y coluddion a achosir gan wynt neu gan rwystr yn y coluddion colic, gripes

bolgod *eg* (bolgodau) SWOLEG cod allanol a geir ar folgodogion benyw i gario'u rhai bach marsupium

bolgodog[1] *ans* SWOLEG (am famolion) yn meddu ar folgod marsupial

bolgodog[2] *eg* SWOLEG un o'r bolgodogion marsupial

bolgodogion *ell* SWOLEG urdd o famolion bolgodog, e.e. y cangarŵ, y mae gan y fenyw fag o groen wrth ei bol i gario'i rhai bach Marsupialia, marsupials

bolheulo:bolaheulo *be* [bolheul•[1]] gorwedd yn yr haul; torheulo to sunbathe

boliaid:boliad *eg* (boleidiau) llond bola bellyful

Bolifiad *eg* (Bolifiaid) brodor o Bolivia Bolivian

Bolifiaidd *ans* yn perthyn i Bolivia, nodweddiadol o Bolivia Bolivian

bolio *be* [boli•[2]]
1 codi'n dalpyn (fel bol) ar wyneb rhywbeth (oherwydd pwysau oddi tano fel arfer); chwyddo to bulge
2 llenwi'r bol (i'r eithaf), claddu bwyd to gorge

boliog *ans* â bola mawr; corffog, chwyddedig, tew pot-bellied, corpulent, rotund

bolrwym *ans* rhwym; yn methu ymgarthu constipated

bolrwymyn *eg* (bolrwymynnau) rhwymyn neu wregys yn mynd o gwmpas y bol, yn enwedig bol neu ganol ceffyl gwedd i ddal y tresi neu'r llorpiau; cengl, tordres bellyband

bolsbryd *eg* trawst sy'n ymestyn allan o ben blaen llong hwyliau y clymir y staes blaen wrtho bowsprit

Bolsiefic:Bolsiefig *eg* (Bolsieficiaid:Bolsiefigiaid) *hanesyddol* aelod o garfan fwyafrifol Plaid y Democratiaid Cymdeithasol yn Rwsia a gipiodd rym yn Chwyldro mis Hydref 1917 Bolshevik

bollt *eb* (byllt:bolltau)
1 rhoden o fetel sy'n cael ei gwthio o'r drws i mewn i soced priodol ar ffrâm y drws er mwyn cloi'r drws bolt
2 math o sgriw arbennig heb flaen miniog, a chlopa ar ei phen a nyten yn troi am ei blaen bolt
3 saeth bwa croes â choes fer a phen praff bolt
4 fflach o fellten; llucheden, taranfollt flash of lightening, thunderbolt

bollten *eb* (bolltenni) bollt fach bolt

bolltio *be* [bollti•[2]]
1 cloi (drws, etc.) drwy wthio'r follt i'w lle; bario (~ *rhywbeth* â) to bolt

2 rhoi dau beth yn dynn wrth ei gilydd a'u sicrhau â bollt (~ *rhywbeth* **wrth**) to bolt

bom *egb* (bomiau) casyn llawn o ddefnydd niweidiol wedi'i gynllunio i ffrwydro a lladd pobl neu ddifa adeiladau bomb

bom atomig:bom hydrogen:bom niwclear bomiau sy'n dibynnu ar ffrwydrad niwclear i ladd a difa atom bomb, hydrogen bomb, nuclear bomb
Ymadrodd
mynd fel bom mynd yn gyflym iawn, yn llwyddiannus iawn to go like a bomb

bomio *be* [bomi•[2]] ymosod ar (dref, adeilad, pobl, etc.) â bomiau, gollwng bomiau ar to bomb

bomiwr *eg* (bomwyr) un sy'n gollwng neu'n ffrwydro bomiau bomber

bôn *eg* (bonion:bonau)
1 gwaelod, rhan ôl, cynffon, e.e. *Mae'r bêl wrth fôn y sgrym.* base
2 rhan isaf boncyff coeden; bonyn, cyff, gwaelod, sail base
3 pen trwchus arf neu erfyn butt
4 GRAMADEG y rhan o ferf, enw, ansoddair, etc. y gellir ychwanegu terfyniadau ato, e.e. bôn 'canu' yw 'cân', bôn 'mawredd' yw 'mawr', bôn 'heulog' yw 'haul' stem
5 MATHEMATEG rhif sy'n sylfaen i system rifo neu logarithmau, *10 yw bôn y system ddegol*; radics base

bôn clawdd gwaelod clawdd base of hedge, hedge-side

bôn y gwallt gwreiddyn gwallt roots of hair
Ymadroddion
â bôn braich drwy rym gwaith llaw by hand, physically
bôn y gwynt y cyfeiriad y mae'r gwynt yn chwythu oddi wrtho
hyd at y bôn i'r carn to the hilt
o'r bôn i'r brig o'r gwaelod i'r pen from top to bottom
yn y bôn yn sylfaenol, yn y diwedd basically

bona fide *adf* ac *ans* yn ddiffuant; go iawn

bon appétit (cyfarchiad) mwynhewch eich bwyd

bôn-asiad *eg* (bôn-asiadau) weldiad bôn; uniad o ddau ddarn o ddefnydd (e.e. darnau o fetel) nad ydynt yn gorgyffwrdd wedi'i greu drwy weldio; bôn-uniad butt weld

bonc[1]:**boncyn** *eg* (bonciau) codiad tir; bryncyn, ponc bank, hillock

bonc[2] *eg* di-chwaeth cyfathrach rywiol bonk

boncath gw. **bwncath**

bonclust *eg* (bonclustau) dyrnod yn agos at y glust, trawiad â dwrn neu law agored ar ochr y pen; cleren, clowten, clusten clip, clout

boncyff *eg* (boncyffion) bôn coeden, plocyn o bren sy'n debyg i fôn coeden; bonyn log, stump

boncyn gw. **bonc**

bond eg (bondiau)

1 CEMEG grym atynnol cryf sy'n dal atomau at ei gilydd mewn moleciwl neu grisial ac sy'n digwydd wrth i atomau gydrannu neu drosglwyddo electronau bond

2 CYFRAITH tystysgrif o fwriad i dalu i ddeiliad y bond swm penodedig o arian ar ddyddiad penodol; mae'n cael ei werthu am y pris a ddangosir neu am bris gostyngol bond

bond cofalent CEMEG bond cemegol a ffurfir pan fydd dau atom yn cydrannu parau o electronau covalent bond

bond cyd-drefnol CEMEG math o fond rhwng dau atom lle mae un atom yn cydrannu'r ddau electron sy'n creu'r bond coordinate bond

bond dwbl CEMEG bond cofalent lle mae dau atom yn cydrannu dau bâr o electronau double bond

bond ïonig CEMEG bond cemegol a ffurfir wrth i un atom drosglwyddo electronau i atom arall ionic bond

bond triphlyg CEMEG bond cofalent lle mae dau atom yn cydrannu tri phâr o electronau triple bond

bondigrybwyll ans talfyriad o 'na bo ond ei grybwyll', prin y gellir sôn amdano; disgrifiad (gwawdlyd braidd) o gynlluniau neu syniadau crand, uchelgeisiol so-called
    Sylwch: nid yw 'bondigrybwyll' yn treiglo ar ôl enw benywaidd.

bondio be [bondi•²]

1 cydio dau beth yn dynn wrth ei gilydd, yn enwedig drwy lynu, gwresogi neu bwytho to bond

2 creu perthynas emosiynol agos ag unigolyn, e.e. mam a'i phlentyn to bond

3 CEMEG (am atomau) uno neu gael eu huno gan fond cemegol to bond

bondo eg (bondoeau) y darn hwnnw o'r to sy'n cyrraedd dros ymyl wal y tŷ ac sy'n ei gysgodi'n rhannol; bargod eaves

bondrwm ans MATHEMATEG fel yn *ffracsiwn bondrwm*, sef ffracsiwn lle mae'r rhif o dan y llinell yn fwy na'r rhif sydd uwchben y llinell, e.e. $^1/_4$, $^2/_3$ a $^5/_8$ proper fraction

boned:bonet eb (bonedi:bonetau)

1 gwisg pen i fabanod a glymir tan yr ên; roedd gwragedd hefyd yn eu gwisgo ar un adeg bonnet

2 darn blaen car y gellir ei agor i fynd at yr injan bonnet

bonedd eg ac ell unigolion a theuluoedd o ddras ac urddas aruchel mewn cymdeithas; boneddigion, uchelwyr the aristocracy, the gentry, the nobility
    Sylwch: mae'n derbyn ffurf unigol neu luosog berf.

bonedd a gwrêng boneddigion a'r werin *Ymadrodd*

Bonedd Gwŷr y Gogledd casgliad o achau gwŷr y Gogledd

boneddicach:boneddicaf:boneddiced ans [bonheddig] mwy bonheddig; mwyaf bonheddig; mor fonheddig

boneddigaidd ans

1 o dras uchel; aristocrataidd, pendefigaidd, uchelwrol noble

2 yn ymddwyn mewn ffordd fonheddig; cwrtais, moesgar courteous, mannerly, polite

boneddigeiddio be [boneddigeiddi•²] gwneud (rhywun neu ei ffordd o fyw) yn fwy bonheddig neu'n fwy dosbarth canol to gentrify

boneddigeiddrwydd eg y cyflwr a'r arfer o fod yn foneddigaidd; cwrteisi, gwarineb, moesgarwch courtesy

boneddiges eb (boneddigesau)

1 gwraig fonheddig lady

2 teitl yn y bendefigaeth; arglwyddes, bonesig Lady

3 teitl cwrtais a roddir o flaen enw merch neu wraig; Bns Miss, Mistress, Mrs

boneddigesau ell merched neu wragedd bonheddig
    Sylwch: y ffordd o gyfarch cynulleidfa o ferched a gwragedd yn gwrtais iawn yw, 'Foneddigesau'.

boneddigion ell rhai bonheddig, gwŷr bonheddig; bonedd gentlemen, petty gentry
    Sylwch: y ffordd o gyfarch cynulleidfa o ddynion yn gwrtais iawn yw, 'Foneddigion'

bonesig eb

1 teitl yn y bendefigaeth; boneddiges, arglwyddes Dame, Lady

2 merch ddibriod; Bns. Miss

bonet gw. **boned**

bongam ans â thraed cam; coesgam splay-footed

bongamu be [bongam•³] cerdded yn goesgam, cerdded â'r traed ar led to waddle

bôn-gell eg (bôn-gelloedd) cell fonyn; cell heb wahaniaethu sy'n gallu rhannu drwy fitosis i greu celloedd sy'n datblygu i fod yn wahanol fathau o gelloedd arbenigol stem cell

bongorff eg (bongyrff) corff (dyn neu anifail) heb y pen na'r aelodau eraill; torso trunk

bonheddig ans [bonheddic•] (boneddigion)

1 yn ymddwyn yn gwrtais tuag at eraill courteous, genteel

2 o dras uchel; breiniol, pendefigaidd, urddasol noble, stately

bonheddwr eg (bonheddwyr) gŵr bonheddig; gwrda, uchelwr gentleman

bonhomie eg hwyliau da

bonito eg pysgodyn tiwna o faint cymedrol bonito

bonllef *eb* (bonllefau) gwaedd uchel; banllef, bloedd, cri shout

bonllwm *ans* heb drowsus na llodrau bare bottomed

bon mot *eg* (*bons mots*) dywediad ffraeth

bôn-uniad *eg* (bôn-uniadau) uniad rhwng dau ddarn o fetel neu bren fel arfer, sy'n cyffwrdd (ond nad ydynt yn gorgyffwrdd) â'i gilydd butt joint

bôn-uno *be* [bôn-un•¹] bytio; creu uniad rhwng dau ddarn o ddefnydd (metel neu bren fel arfer) sy'n cyffwrdd (ond nad ydynt yn gorgyffwrdd) â'i gilydd to butt

bon vivant *eg* un sy'n byw yn fras

bon voyage *ebychiad* (mewn cyfarchiad) siwrnai dda

bonwr *eg* (bonwyr) teitl cwrtais a roddir o flaen enw dyn; Bnr Mister, Mr

bonws *eg*
1 tâl sy'n cael ei ychwanegu at gyflog rhywun, fel arfer fel gwobr am berfformiad da bonus
2 unrhyw beth pleserus sy'n fwy na'r disgwyl bonus

bonyn *eg* (bonion)
1 rhan isaf boncyff coeden; coesyn planhigyn; bôn, boncyff, gweiryn stump, stalk,
2 y rhan o docyn, siec etc. y gellir ei chadw fel cofnod; gwrthddalen counterfoil, stub

Boole *eg* CYFRIFIADUREG (mathemategydd a roddodd ei enw i system algebraidd) newidyn deuaidd a all fod ag un o ddau werth posibl, 0 (gau) neu 1 (gwir)

bopa *eb* ffurf anwes y De ar fodryb neu hen wraig; bodo auntie

bôr *eg* (borau) rhywun neu rywbeth syrffedus ac anniddorol, un sy'n fwrn bore

boracs *eg* cyfansoddyn cemegol gwyn sydd i'w gael yn fwyn naturiol; fe'i defnyddir i hyrwyddo asio metelau (fflwcs), fel glanedydd ac i feddalu dŵr borax

bord *eb* (bordydd) celficyn ag un neu ragor o goesau ac wyneb llyfn y gellir gosod pethau, e.e. llestri a bwyd, arno ac eistedd wrtho; bwrdd table
y Ford Gron bord enwog y Brenin Arthur; roedd yn grwn er mwyn dangos bod pob marchog a eisteddai wrthi yn gyfartal the Round Table

bordaid *eb* (bordeidiau) llond bwrdd tableful

borden *eb* (bordenni) dalen o haearn ynghlwm wrth aradr i godi a throi'r tir; asgell aradr mouldboard

border *eg* (borderi) ymyl gardd a'i blanhigion border

bore¹ *eg* (boreau:boreuau)
1 y cyfnod o'r dydd o doriad gwawr hyd hanner dydd morning
2 wrth gyfeirio at amser, unrhyw amser ar ôl deuddeg o'r gloch y nos hyd at ddeuddeg o'r gloch ganol dydd, *tri o'r gloch y bore* a.m., morning
Sylwch:
1 pan ddigwydd 'bore' yn adferfol o flaen diwrnod yr wythnos mae'n treiglo'n feddal, *Dewch fore Sadwrn.*;
2 ond os daw o flaen adferf arall nid yw'n treiglo'n feddal, *Fe'i gwelais bore ddoe.*

bore da cyfarchiad boreol good morning
bore oes adeg plentyndod formative years
o fore gwyn tan nos drwy'r dydd from morn to night
y bore ymadrodd a ddefnyddir i ddynodi amser cyn hanner dydd, *un o'r gloch y bore* a.m.
y bore bach yn gynnar y bore wee small hours

bore² *ans* [boreu•] yn codi'n fore neu'n perthyn i'r bore bach; cynnar
meistri bore yr artistiaid cyntaf i berffeithio crefft, *meistri bore y Dadeni Dysg ym myd arlunio* early masters

borebryd:boreubryd *eg* (borebrydau: boreubrydau) *llenyddol* pryd cyntaf y dydd; brecwast breakfast

boreddydd *eg* (boreddydiau) *llenyddol* y bore bach, glas y dydd; gwawr morn

boregodwr *eg* (boregodwyr) un sy'n codi'n gynnar early riser

boregwaith:boreugwaith *eg* rhyw fore, un bore of a morning, one morning
Sylwch: fel adferf yn ei ffurf dreigledig y'i defnyddir amlaf.

boreol:boreuol *ans* yn perthyn i'r bore neu i fore oes; cynoesol, dechreuol, plygeiniol morning

boreuach:boreuaf:boreued *ans* [bore] mwy bore; mwyaf bore; mor fore

boreubryd gw. borebryd
boreugwaith gw. boregwaith
boreuol gw. boreol

boron *eg* elfen gemegol rhif 5; anfetel ar ffurf powdr brown neu grisialau du sy'n lled-ddargludyddion (B) boron

borscht *eg* cawl betys coch o Rwsia a Dwyrain Ewrop yn wreiddiol

bosn gw. bosyn

Bosniad *eg* (Bosniaid) brodor o Bosnia a Hercegofina Bosnian

Bosniaidd *ans* yn perthyn i Bosnia a Hercegofina, nodweddiadol o Bosnia a Hercegofina Bosnian

boson *eg* (bosonau) FFISEG gronyn isatomig, e.e. ffoton boson

bost *eb* honiad eofn, y gwaith o'ch canmol eich hun yn ormodol; brol, ymffrost boast

bostfawr *ans* hoff o'i frolio ei hun; bocsachus, ymffrostgar boastful

bostio:bostian *be* [bosti•²] canu ei glodydd ei hun; brolio, clochdar, ymffrostio (~ **am**) to boast

bostiwr *eg* (bostwyr) un sy'n ei frolio'i hun, un sy'n canu'i glod ei hun boaster, braggart

bosyn:bosn *eg* uwch-forwr sy'n gyfrifol am alw'r morwyr eraill at eu gwaith â'i chwiban, ac sy'n gyfrifol am y rhaffau, yr hwyliau, etc. ar y llong boatswain, bosun

botaneg *eb* astudiaeth wyddonol o blanhigion botany

botanegol *ans* yn ymwneud â byd botaneg, yn perthyn i fotaneg botanical

botanegydd *eg* (botanegwyr) gwyddonydd sy'n arbenigo mewn botaneg botanist

botas:botias:botys *ell*
1 esgidiau uchel yn cyrraedd hyd y pen-glin (e.e. esgidiau marchogaeth) boots
2 weithiau fe'i defnyddir am esgidiau uchel o rwber neu blastig; aresgidiau wellington boots

botasen:botysen *eb* un o bâr neu nifer o **botas**

botel *eb* sypyn neu fwndel o wair neu wellt bundle of hay

botgyn *eg* (botgynau) math o nodwydd ar gyfer gwneud tyllau mewn defnydd neu dynnu llinyn drwy dyllau mewn defnydd; nodwydd gwallt addurniadol bodkin

botias gw. botas

Botswanaidd *ans* yn perthyn i Botswana neu'n nodweddiadol ohoni Botswanan

Botswaniad *eg* (Botswaniaid) brodor o Botswana Botswanan

botwliaeth *eb* MEDDYGAETH gwenwyn bwyd difrifol, marwol yn aml, a achosir gan fotwlin botulism

botwlin *eg* BIOCEMEG protein gwenwynig iawn a grëir gan facteria (botwlinws) ac sy'n achosi botwliaeth botulin

botwlinws *eg* BIOLEG bacteriwm anaerobig sy'n gyfrifol am gynhyrchu'r gwenwyn botwlin botulinus

botwm:botwn:bwtwm:bwtwn *eg* (botymau:botynau)
1 darn bach caled (crwn fel arfer) wedi'i wnïo ar ymyl dilledyn, gyferbyn â thwll priodol ar ymyl arall y dilledyn; drwy roi'r botwm drwy'r twll gellir cau'r dilledyn a'i agor wedyn pan fydd angen button, counter
2 darn bach crwn, caled ar beiriant sydd, o'i wasgu, yn rheoli'r peiriant mewn rhyw ffordd button

botwm bol pant yng nghanol y bol (mae ynddo gnepyn o feinwe creithiog, sef ôl y llinyn a fu'n cysylltu babi â'i fam pan oedd o fewn ei chroth); bogail belly button

botwm corn rhywbeth di-werth, di-nod, *Nid*

oedd yn malio botwm corn am wersi. a brass farthing

fel botwm am rywun trwsiadus a heini bright as a button

botwm crys *eg* serenllys; planhigyn â choesyn main a blodau bach gwyn, serennog ac sy'n perthyn i deulu'r penigan stitchwort

botymog *ans* yn gallu cael ei gau â botymau, wedi'i addurno â llawer o fotymau buttoned, studded

botymu *be* [botym•¹] cau (rhywbeth) â botwm to button

botys gw. botas

botysen gw. botasen

both *eb* (bothau)
1 y darn hwnnw yng nghanol olwyn y mae'r adenydd yn dod ohono a'r echel yn mynd drwyddo hub
2 bogail tarian boss

bouclé *eg* GWNIADWAITH math o edafedd neu ddefnydd dolennog

boudoir *eg* ystafell wely gwraig neu ystafell fach breifat

bouillabaisse *eg* COGINIO cawl pysgod o ardaloedd o gwmpas y Môr Canoldir yn wreiddiol

boulevard *eg* stryd lydan rhwng llwyn o goed

bouquet garni *eg* (bouquets garnis) tusw neu gwdyn bach o berlysiau cymysg ar gyfer blasu cawl, etc.

bourgeois *ans*
1 dosbarth canol
2 yn cynnal gwerthoedd cyfalafiaeth

bowlaid *eg* (bowleidiau) llond bowlen; bowlennaid bowlful

bowlen:powlen *eb* (bowlenni:powlenni)
1 llestr crwn, dwfn tebyg i gwpan heb ddolen ond sy'n fwy o lawer, ar gyfer dal hylif, blodau, siwgr, etc.; basn, cawg, dysgl bowl
2 y rhan gron o lwy neu bib/cetyn sy'n dal siwgr, tybaco, etc. bowl

bowlennaid *eb* (bowleneidiau) llond bowlen, llond basn bowlful

bowliad *eg* (bowliadau)
1 (mewn criced) cyfnod o fowlio pêl at fatiwr bowl
2 y weithred o fowlio pêl, canlyniad bowlio bowl

bowlin *eb* (bowliniau) cwlwm arbennig sy'n creu dolen nad yw'n llithro ar ben rhaff bowline

bowlio *be* [bowli•²]
1 (mewn bowls) rholio neu dreiglo pêl arbennig to bowl
2 (am fowliwr) taflu'r bêl mewn ffordd arbennig at y batiwr, *Bowliodd yn ddiflino drwy'r prynhawn.* to bowl

bowliwr *eg* (bowlwyr) un sy'n bowlio, yn enwedig mewn gêm griced bowler

b

bowls *ell* gêm awyr agored a than do lle mae peli arbennig yn cael eu rholio ar hyd lawnt arbennig er mwyn gweld pwy all gael ei bêl ef (neu ei phêl hi) agosaf at y bêl fach wen ym mhen pellaf y lawnt bowls

bownd:bown *ans anffurfiol* rhwym (o), sicr (o), siŵr (o), *Mae hi'n bownd o ddod*. bound

bownsio *be* [bownsi•²]
1 (am wrthrych) neidio neu dasgu'n ôl, ar ôl bwrw yn erbyn llawr neu wal; sboncio to bounce
2 symud neu neidio i fyny ac i lawr sawl gwaith drosodd to bounce

bowt *eg* (bowtiau)
1 gornest focsio, ffensio, etc. bout
2 cyfnod byr ond dwys, e.e. o salwch bout

Br *byrfodd* bonwr, fel teitl cwrtais gŵr, *y Br Williams* Mr

brac *ans* fel yn *brac ei dafod*, llac, llyfn, rhwydd, rhydd glib

braced *eb* (bracedi) darn o bren neu fetel wedi'i osod ar wal i ddal pwysau rhywbeth bracket

bracsan:bracso *be*
1 cerdded drwy ddŵr a llaid; pystylad to wade
2 gwneud rhywbeth mewn ffordd drwsgl, letchwith to muddle through
Sylwch: nid yw'r ferf hon yn arfer cael ei rhedeg.

bract *eg* (bractau) BOTANEG deilen â blodyn yn tyfu yn ei gesail bract

bracty gw. bragdy

brad *eg*
1 toriad ymddiriedaeth; dichell, twyll, ystryw treachery
2 CYFRAITH y drosedd o fradwriaeth, yn enwedig drwy ddymchwelyd y frenhiniaeth neu'r llywodraeth; bradychiad treason
Brad y Cyllyll Hirion *hanesyddol* digwyddiad chwedlonol y cyfeiriwyd ato gyntaf gan Nennius ac y mae sôn amdano yn *Drych y Prif Oesoedd* gan Theophilus Evans; trefnodd Hengist, arweinydd y Saeson, ladd arglwyddi'r Brythoniaid drwy dwyll mewn cyfarfod a oedd i fod i greu heddwch rhwng y ddwy ochr the Night of the Long Knives
Brad y Llyfrau Gleision *hanesyddol* condemniad hallt (ac annheg) o gyflwr addysg a moesau yng Nghymru a gynhwyswyd mewn adroddiadau swyddogol (y Llyfrau Gleision) yn ymchwilio i gyflwr addysg yng Nghymru yn 1847 the Reports of the Commissioners of Inquiry into the State of Education in Wales 1847

bradwr *eg* (bradwyr) un sy'n cyflawni brad, un sy'n annheyrngar i rywun sy'n ymddiried ynddo; bradychwr betrayer, traitor

bradwriaeth *eb* (bradwriaethau)
1 y weithred o dorri ymddiriedaeth neu o fradychu cyfrinach; annheyrngarwch, brad treachery
2 CYFRAITH y drosedd o fod yn annheyrngar i'r wladwriaeth neu i'r brenin/frenhines; brad treason

bradwrus *ans* am un sydd â brad yn ei natur; annheyrngar, twyllodrus treacherous, faithless

bradychiad *eg* (bradychiadau) gweithred o frad; bradwriaeth betrayal

bradychu *be* [bradych•¹]
1 rhoi (rhywun neu rywbeth) yr oeddech i fod i ofalu amdano yn nwylo gelyn, cyflawni bradwriaeth (yn erbyn) (~ *rhywun/rhywbeth* i) to betray
2 datgelu (cyfrinach) yn fwriadol neu'n anfwriadol to betray

bradychwr *eg* (bradychwyr) un sy'n bradychu; bradwr traitor

braen:braenllyd *ans* yn pydru, yn enwedig lle mae bacteria neu ffyngau anaerobig yn achosi i brotein ddadelfennu heb ocsigen, gan achosi drewdod; llygredig, mall, pwdr festering, putrid

braenar *eg* (braenarau) tir wedi'i droi a'i lyfnu a'i adael heb ei hadu am gyfnod, er mwyn gwella'i ansawdd fallow

braenaru *be* [braenar•³]
1 gadael tir fel braenar to leave fallow
2 *ffigurol* paratoi'r ffordd; arloesi to pioneer

braenedd *eg* clwy'r afu (yn enwedig mewn defaid) a achosir gan lyngyren yr afu fascioliasis

braenllyd gw. braen

braenu *be* [braen•¹] troi'n fraenllyd; gori, madreddu, pydru to decay, to putrefy

braf *ans* [brafi•]
1 teg, tesog, *Mae'r tywydd yn braf*. fine
2 hyfryd, pleserus, *Mae'n braf gweld cynifer ohonoch chi wedi dod ynghyd*. fine
3 o gryn faint; digonol, mawr ample
Sylwch: mae *braf* yn gwrthsefyll treiglo, e.e. *mae hi'n braf; coeden braf*.
braf gennyf fi (gennyt ti, ganddo ef, etc.) rwy'n falch, mae'n dda gennyf I'm pleased to
mae'n braf arnaf fi (arnat ti, arno ef, etc.) bod yn braf arnaf, ffodus fy myd to be fortunate

brafio *be* [brafi•²] (am y tywydd) codi'n braf; hinddanu, hinoni, tecáu to become fine

brag *eg* (bragau)
1 grawn haidd wedi'u gwlychu a'u gadael i egino yn barod i'w ddefnyddio yn y broses o fragu neu facsu cwrw malt
2 y ddiod a wneir o rawn haidd wedi'u heplesu (wedi'u cymysgu â burum a siwgr a dŵr a'u gadael i weithio) malt liquor

bragdy:bracty *eg* (bragdai:bractai) adeilad lle mae brag yn cael ei baratoi, lle mae cwrw'n cael ei fragu neu ei facsu brewery

bragod *eg* math o gwrw wedi'i gymysgu â sbeis a mêl bragget

bragu *be* [brag•³]

1 gwneud cwrw neu frag; macsu to brew, brewing

2 eplesu, gweithio, *Bu'r cwrw'n bragu mewn barilau am ddwy flynedd.* to brew

bragwr *eg* (bragwyr) un sy'n bragu neu facsu cwrw a'i werthu brewer

Brahman CREFYDD (Hindŵaeth) y bod mawr, neu'r bod hollbresennol y mae popeth yn dod oddi wrtho ac yn dychwelyd iddo yn y pen draw

braich¹ *eb* (breichiau)

1 un o'r ddau aelod o'r corff sy'n ymestyn o'r ysgwydd i'r llaw arm

2 rhywbeth sy'n edrych fel braich neu'n gweithio fel braich, *Roedd braich y craen yn ymestyn dros y stryd.* arm

3 y rhan ar ochr cadair sy'n cynnal braich yr eisteddwr arm, armrest

4 siafft; un o'r ddau bolyn y cysylltir ceffyl rhyngddynt i dynnu trol; llorp shaft

5 adain; un o nifer o farrau neu rodenni sy'n cynnal cylch olwyn spoke

  Sylwch: gw. hefyd **breichiau**

fraich ym mraich yn cydio ym mreichiau ei gilydd arm in arm

nerth braich ac ysgwydd gw. **nerth**

o hyd braich:cadw o hyd braich *ffigurol* heb fod yn rhy agos, *Mae eisiau i chi gadw hwnna o hyd braich, mae'n beryglus.* at arm's length

braich² *eg* (breichiau) *mewn enwau lleoedd* crib neu esgair o fynydd, e.e. *Braichmelyn;* pentir

braidd *adf* lled, go, ychydig, gweddol, *Mae braidd yn hen ffasiwn. Mae'n hen ffasiwn, braidd.* rather, hardly, scarcely

braidd gyffwrdd prin gyffwrdd, cyffwrdd yn ysgafn iawn to barely touch

o'r braidd prin, gydag anhawster, *Roedd mor fyr fel mai o'r braidd y cyrhaeddai gloch y drws.* hardly, scarcely

braille *eg* system a enwyd ar ôl y Ffrancwr Louis Braille, a ddyfeisiodd god o ddotiau neu 'blorod' i gyflwyno'r wyddor; y mae deillion yn gallu 'darllen' y rhain â blaenau eu bysedd ac mae llyfrau a phapurau newydd yn cael eu hargraffu mewn braille braille

brain *ell* lluosog **brân** crows

bugeilio'r brain ceisio gwneud yr amhosibl

digon oer i rewi brain oer iawn cold enough to freeze a brass monkey

myn brain i *ebychiad* mynegiant o syndod I'll be blowed

(mynd) rhwng y cŵn a'r brain adfeilio, dirywio, gwaethygu to go to rack and ruin

braint *eb* (breintiau:breiniau)

1 hawl neu fantais sy'n perthyn i unigolyn neu

ychydig o bobl; yn aml mae'n deillio o swydd neu safle mewn cymdeithas privilege

2 anrhydedd, *Fy mraint i heno yw cael cyflwyno ein siaradwr gwadd.* privilege

braint a defod hen hawliau ac arferion rights and customs

braisg *ans* (breisgion)

1 tew a thrwm; blonegog, bras, trwchus thick, stout

2 cadarn a nerthol; cryf, praff sturdy, brave, resolute

braith *ans* ffurf fenywaidd **brith**

y Fantell Fraith gw. **mantell**

y siaced fraith cot amryliw Joseff (y ceir ei hanes yn y Beibl) coat of many colours

bramio gw. **bremain**

bran *eg* croen mewnol gwenith, haidd neu geirch wedi'i wahanu oddi wrth y grawn i wneud bwyd anifeiliaid ac a ddefnyddir hefyd er mwyn ychwanegu ffibr at ein bwydydd ni, blawd bras; eisin bran

brân *eb* (brain)

1 un o amryw fathau o adar mawr â phlu, pig a thraed duon a chrawc gras crow

2 CERDDORIAETH bwrdd bysedd crwth yn wreiddiol, y gwddf hir ar offeryn llinynnol (megis feiolin, gitâr, etc.) y mae tannau'n cael eu gwasgu yn ei erbyn â'r bysedd er mwyn amrywio'r nodau fingerboard

  Sylwch: gw. hefyd **brain**

brân dyddyn brân ddu gyffredin carrion crow

brân goesgoch aelod o deulu'r frân â phig goch neu felen sy'n troi tuag i lawr, fe'i ceir ar dir mynyddig neu glogwyni arfordirol chough

brân lwyd aderyn yn perthyn i'r frân dyddyn; mae ganddo gorff llwyd a phen, cynffon ac adenydd du hooded crow

Ymadroddion

brân wen clapgi snitch

fel yr hed y frân gw. **hed**

llais fel brân llais cras

ym mhig y frân dan yr amgylchiadau mwyaf anodd

brand *eg* (brandiau) enw arbennig a ddefnyddir gan gwmni pan fydd yn cynhyrchu math arbennig o nwyddau brand

brandi *eg* diod feddwol (math o wirod) wedi'i distyllu o win i'w gwneud yn gryfach brandy

brandio *eg* ECONOMEG dull o hybu cynnyrch neu gwmni penodol drwy hysbysebu a defnyddio dyluniad arbennig, e.e. logo, defnydd cyson o liw branding

branell *eb* (branellau) CERDDORIAETH bar y mae modd ei gloi ar frân (bwrdd bysedd) gitâr sy'n newid traw'r offeryn capo

branes *eb* (branesi) haid o frain neu gigfrain flight, flock of crows

bras¹ *ans* [bras•] (breision)
　1 mwy o faint na mân, ond sydd eto heb fod yn fawr, *dafnau bras o law* large, coarse
　2 llawn o fraster; seimlyd, *cig bras* fat, fatty
　3 moethus, toreithiog, *byw yn fras; tiroedd bras* rich
　4 anfanwl, cyffredinol, eang, *bwrw golwg bras* general, approximate
　5 (am iaith) aflednais, cwrs lewd, ribald
　6 *hynafol* wedi pesgi, *Hu Fras;* praff, tew stout
llythyren fras priflythyren capital letter
print bras print mwy na'r cyffredin large print
　Ymadrodd
　cam bras gw. cam¹
bras² *eg* (breision) enw ar deulu o adar mân sydd â thraed arbennig wedi'u haddasu i afael yn rhwydd mewn brigau a mân ganghennau wrth i'r adar glwydo bunting
　bras melyn aderyn bach y mae gan y gwryw wawr felen i'w fron a'i ben yellowhammer
　bras yr ŷd aderyn llwyd a brown sy'n debyg i'r ehedydd corn bunting
bras- (mewn cyfuniad) cyffredinol, heb lawer o fanylion, e.e. *brasgynllun*
brasamcan *eg* (brasamcanion) amcangyfrif sy'n weddol agos i'w le ond heb fod yn fanwl gywir approximation
brasáu *be* [brasa•¹⁵]
　1 mynd yn dew; tewhau to get fat
　2 gwneud yn dew; pesgi, tewychu to fatten
brasbwytho *be* [brasbwyth•¹] GWNIADWAITH tacio (dau ddarn o ddefnydd) ynghyd â phwythau mawr llac (~ *rhywbeth* **wrth** *rywbeth*) to tack, to baste
brasgamu *be* [brasgam•³] cerdded â chamau mawrion to stride, to lope
brasgynllun *eg* (brasgynlluniau) cynllun anfanwl; amlinelliad, braslun sketch plan
Brasilaidd *ans* yn perthyn i Frasil, nodweddiadol o Frasil Brazilian
Brasiliad *eg* (Brasiliaid) brodor o Frasil Brazilian
braslun *eg* (brasluniau) darlun sy'n dangos y prif nodweddion heb fanylion; amlinelliad, proffil sketch
braslunio *be* [brasluni•⁶] tynnu braslun o (rywbeth); amlinellu, darlunio, drafftio to sketch, to draft
brasnaddu *be* [brasnadd•³] llunio neu dorri amlinelliad amrwd o (rywbeth) (~ *rhywbeth* o) to rough-hew
braster *eg* (brasterau)
　1 sylwedd olewog a geir yng nghyrff anifeiliaid, yn enwedig o dan y croen neu o gwmpas rhai organau fel stôr o fwyd; bloneg, olew fat
　2 sylwedd brasterog wedi'i wneud o gynhyrchion anifeiliaid neu blanhigion, ac a ddefnyddir wrth goginio; saim fat, grease, lard

3 rhan frasaf, orau rhywbeth, *braster bro;* hufen, praffter fat (of the land), richness
　4 BIOCEMEG unrhyw un o grŵp o esterau naturiol glyserol ac amryw asidau brasterog sy'n solet ar dymheredd ystafell; y rhain yw prif gyfansoddion braster anifail a braster planhigion fat
brasterog *ans* llawn braster fatty
brasteru *be* [braster•¹] COGINIO arllwys saim neu fenyn yn ysbeidiol dros (gig) wrth ei goginio er mwyn ei gadw rhag sychu neu er mwyn ei wresogi; bastio (~ *rhywbeth* â) to baste
brastyfiant *eg* tyfiant gwyllt, mawr; gordyfiant overgrowth
brat *eg* (bratiau)
　1 dilledyn syml a wisgir dros ddillad eraill i'w harbed rhag difwyno neu faeddu, yn enwedig wrth goginio; barclod, ffedog, piner apron
　2 dilledyn wedi'i racsio; cadach, cerpyn, clwt, rhecsyn rag
brenin y bratiau gw. brenin
bratiaith *eb* iaith lwgr, iaith wedi dirywio a cholli'i hystyr a'i hurddas slang
bratiau *ell* lluosog **brat;** bretyn
bratiog *ans* heb ei orffen, heb drefn, heb fod yn gain nac yn gaboledig, wedi'i racsio; carbwl, carpiog, clytiog, rhacsiog tattered, frayed, shoddy
brathiad:brath *eg* (brathiadau:brathau)
　1 toriad poenus drwy'r croen, fel arfer â dannedd, sy'n aml yn tynnu gwaed; cnoad, gwaniad, pigiad, trywaniad bite, stab, sting
　2 y pellter rhwng dannedd llif
brath angheuol clwyf angheuol mortal wound
brath cleddyf anaf a achoswyd gan gleddyf sword cut
brathog *ans* yn brathu, yn cnoi; colynnog, llym, pigog biting, caustic, waspish
brathu *be* [brath•³ *3 un. pres.* brath/bratha]
　1 torri drwy groen (person neu anifail) â'r dannedd neu â cholyn nes tynnu gwaed, *Brathodd y neidr y plentyn bach.;* cnoi, trywanu, pigo to bite, to stab
　2 peri dolur, *Mae'r gwynt oer yma'n dechrau brathu.;* cnoi, trywanu to bite, to nip
brathu fy (dy, ei, etc.) nhafod ymatal, ag ymdrech, rhag ateb yn ôl to bite one's tongue
brathu'r gaseg wen yn ei chynffon lledaenu straeon sy'n anghywir
brau *ans* [breu•] (breuon) hawdd ei dorri; bregus, eiddil, llegach brittle, crumbly, tender
braw *eg* (brawiau) rhywbeth sy'n dychryn pobl, sy'n eu gwneud yn ofnus; arswyd, dychryn, ofn, ysgytiad fear, fright
Brenin Braw gw. brenin
brawd¹ *eg* (brodyr)
　1 bachgen sydd â'r un rhieni â bachgen neu ferch arall brother

2 cyfaill, hen ffrind, *Sut rwyt ti, yr hen frawd?* friend

3 cyd-Gristion; cyd-aelod o gymdeithas, o undeb neu alwedigaeth brother

brawd maeth bachgen a godir gan rieni fel un o'r teulu (am gyfnod) er nad eu plentyn nhw ydyw foster brother

brawd yng nghyfraith gŵr eich chwaer, neu frawd eich priod brother-in-law
Ymadrodd

brawd mogi/mygu yw tagu mae'r naill cynddrwg â'r llall; does dim llawer o ddewis rhyngddynt six of one and half a dozen of the other

brawd² *eg* (brodyr) CREFYDD aelod o rai urddau crefyddol penodol o ddynion, yn enwedig yr urddau cardod; mynach friar

Brawd Du un o Urdd y Dominiciaid Dominican friar

Brawd Gwyn un o Urdd y Carmeliaid Carmelite friar

Brawd Llwyd un o Urdd y Ffransisgiaid Franciscan, Franciscan friar

Brodyr Cardod gw. cardod

brawd³ *eb* (brodiau) hen air am farn, fel yn *Dydd Brawd*, sef Dydd y Farn judgement

brawdgarol *ans* caredig at gyd-ddyn; cymwynasgar, dyngarol, elusengar brotherly

brawdgarwch *eg* cariad fel y cariad sydd rhwng dau frawd brotherly love

brawdladdiad *eg* llofruddiaeth brawd fratricide

brawdlys *eg* (brawdlysoedd) *hanesyddol* un o'r sesiynau a fyddai'n cael ei chynnal bedair gwaith y flwyddyn ym mhrif lys pob sir dan ofal un o farnwyr yr Uchel Lys; fe'i disodlwyd yn 1971 gan Lys y Goron assize

brawdol *ans* tebyg i frawd, nodweddiadol o frawd brotherly, fraternal

brawdoliaeth *eb* (brawdoliaethau)
1 cymdeithas o ddynion, corff o ddynion â'r un amcanion (mewn crefydd, undeb, galwedigaeth, etc.); cymrodoriaeth, urdd brotherhood, fraternity, comradeship
2 y cyflwr cariadus o fod yn frodyr brotherhood, fellowship

brawddeg *eb* (brawddegau) GRAMADEG rhestr o eiriau sy'n ramadegol gyflawn ac sy'n cyflwyno gosodiad, gorchymyn neu gwestiwn; ar bapur mae brawddeg yn cychwyn â phrif lythyren ac yn gorffen ag . neu ! neu ? sentence

brawddegu *be* [brawddeg•¹]
1 ffurfio brawddegau; ynganu, ymadroddi to enunciate sentences, to phrase
2 CERDDORIAETH cyflwyno cymal o gerddoriaeth mewn ffordd arbennig to phrase

brawychiaeth *eb* dull o weithredu wedi'i sefydlu ar godi ofn ar bobl; y defnydd o drais i gymell pobl neu'r llywodraeth i ildio i'ch gofynion; terfysgaeth terrorism

brawychu *be* [brawych•¹]
1 cael ofn mawr, cael braw; dychryn, arswydo, syfrdanu to be terrified
2 peri ofn ar (rywun neu rywbeth), codi ofn mawr ar (rywun neu rywbeth), achosi braw i (rywun neu rywbeth); dychryn to terrify, to terrorize

brawychus *ans* yn peri braw; arswydus, dychrynllyd, echrydus, hunllefus, ofnadwy frightful, terrible

brawychwr *eg* (brawychwyr)
1 un sy'n defnyddio trais (e.e. gosod bomiau, saethu pobl) er mwyn dychryn pobl neu'r llywodraeth a'u gorfodi i ildio i'w ofynion terrorist
2 un sy'n peri braw neu ddychryn terrifier

bre *egb mewn enwau lleoedd* bryn, ucheldir, e.e. *Moelfre, Pen-bre* brae, hill

breblian *be* siarad yn wag ac yn hir; baldorddi, bregliach, brygawthan, cabarddylu to babble, to prattle
Sylwch: nid yw'r ferf hon yn arfer cael ei rhedeg.

breblwr *eg* (breblwyr) un sy'n breblian; baldorddwr, clebrwr prattler

brêc *eg* (breciau) dyfais i arafu neu atal symudiad brake

breci *eg* hylif tenau o siwgrau wedi'u hydoddi mewn brag, sy'n cael ei eplesu i wneud cwrw wort
te breci te cryf iawn

brecio *be* [breci•²] defnyddio brêc i arafu (ac weithiau stopio) to brake

brecwast *eg* (brecwastau) pryd bwyd cyntaf y dydd; borebryd, boreubryd breakfast

brecwasta *be* bwyta brecwast fel pryd ffurfiol mewn gwesty, neu fel cyfle i gynnal cyfarfod to breakfast
Sylwch: nid yw'r ferf hon yn arfer cael ei rhedeg.

brech¹ *eb* (brechau) smotiau neu gornwydydd dros y corff sy'n arwydd o haint; brychau rash
brech yr ieir MEDDYGAETH clefyd heintus a nodweddir gan frech o blorod sy'n cosi a thwymyn ysgafn chicken-pox, varicella
y frech Almaenig rwbela; clefyd tebyg i'r frech goch sy'n achosi peswch, gwddf tost, brech ar y croen a chyfogi; gall achosi niwed cynhwynol os digwydd yn ystod tri mis cyntaf beichiogrwydd German measles, rubella
y frech ddu y Pla Du Black Death, bubonic plague
y frech goch MEDDYGAETH clefyd heintus cyfnod plentyndod fel arfer, sy'n achosi twymyn a brech goch dros y croen measles
y frech wen MEDDYGAETH clefyd heintus, llym a nodweddir gan dwymyn, a llinorod sy'n gadael creithiau parhaol smallpox

brech² *ans* ffurf fenywaidd **brych**, *y gaseg frech*

brechdan *eb* (brechdanau)
1 tafell o fara menyn slice of bread and butter
2 dwy dafell o fara a rhywbeth blasus rhyngddynt sandwich
brechdan llysfam brechdan â llawer o fara ond ychydig o fenyn
brechdan nain brechdan lle mae'r bara cyn deneued â deilen ac arno drwch ceiniog o fenyn
brechdan pump dwrn (yn yr wyneb)
hen frechdan *difrïol* dyn merchetaidd, cadi-ffan poof, sissy

brechiad *eg* (brechiadau) y chwistrelliad a geir wrth frechu inoculation, vaccination

brechlyn *eg* (brechlynnau) MEDDYGAETH daliant o ficro-organebau (e.e. firysau, bacteria, etc.) marw neu wedi'u cyfyngu yn eu heffaith, o ryw haint niweidiol, a chwistrellir i'r corff er mwyn hyrwyddo creu gwrthgyrff a fydd yn imiwneiddio'r corff rhag yr haint vaccine

brechu *be* [brech•¹] MEDDYGAETH trin (rhywun) â brechlyn er mwyn ei imiwneiddio yn erbyn haint penodol (~ *rywun* â *rhywbeth* **rhag** *rhywbeth*) to inoculate, to vaccinate

brêd *eg* darn cul o ddefnydd, yn enwedig am ruban neu gortyn wedi'i gyfrodeddu i fod yn addurn braid

bref:brefiad *eb* (brefiadau) llef neu gri dafad, buwch, gafr, asyn, etc. bleat, low

brefiari *eg* (brefiarïau) llyfr gwasanaeth, yn cynnwys yr holl weddïau, emynau a darlleniadau ar gyfer gwasanaethau dyddiol i'r rheini mewn urddau yn yr Eglwys Gatholig Rufeinig breviary

brefu *be* [bref•¹] (am ddafad, buwch, gafr, asyn, etc.) cadw sŵn dolefus (~ **am**) to bleat, to low

breg *eg* (bregion) DAEAREG hollt neu agen mewn craig heb fod unrhyw symudiad amlwg wedi digwydd ar hyd iddi joint

bregedd *eg* peth ofer, dibwys, gwael, ysgafn frivolity

bregliach *be* gwag siarad; brygawthan, cabarddylu, clebran, janglo to prattle
Sylwch: nid yw'r ferf hon yn cael ei rhedeg.

bregog *ans* DAEAREG (am graig) yn cynnwys bregion jointed

bregus *ans* [bregus•] heb fod yn gryf, hawdd ei dorri; brau, eiddil, gwan, llegach fragile, brittle, flimsy

brehyrion *ell* lluosog **brëyr**

breichiau *ell* lluosog **braich**
cynnal breichiau gw. **cynnal**

breichio *be* [breichi•²] (ym myd dawnsio gwerin) mynd fraich ym mraich â rhywun wrth ddawnsio heibio iddo

breichled *eb* (breichledau) addurn (ar ffurf cylch neu gadwyn) a wisgir am arddwrn neu fraich bracelet, bangle

breichydd *eg* (breichyddion) gorchudd y mae saethydd yn ei wisgo ar ei fraich rhag i linyn y bwa wneud dolur wrth fwrw yn erbyn y fraich bracer

breindal *eg* (breindaliadau) tâl i'r sawl sydd wedi darganfod neu greu rhywbeth, am yr hawl i'w ddefnyddio neu ei atgynhyrchu royalty

breiniau *ell* lluosog **braint**

breinio:breintio *be* [breini•²] rhoi neu gael braint neu ffafr; anrhydeddu, cynysgaeddu, ffafrio, urddo (~ *rhywun* â) to bless, to favour, to invest

breiniol:breinol *ans* wedi'i freintio o ran swydd neu safle uchel; bonheddig, brenhinol privileged, franchised
y celfyddydau breiniol meysydd fel llenyddiaeth a hanes, yn hytrach na'r gwyddorau liberal arts

breinlen *eb* (breinlenni) CYFRAITH dogfen yn enw'r brenin neu'r wladwriaeth yn cydnabod yr hawl i sefydlu bwrdeistref, prifysgol neu gorfforaeth, etc., a'r breintiau ynghlwm wrth yr hawl; siarter charter
y Siarter/Freinlen Fawr gw. **siarter**

breinlythyr:breintlythyr *eg* (breinlythyrau:breintlythyrau)
1 CYFRAITH dogfen ffurfiol sy'n creu neu'n dyfarnu patent letter(s) of patent
2 dogfen swyddogol yn cyflwyno braint neu hawl patent

breinol gw. **breiniol**

breintiau *ell* lluosog **braint**

breintiedig *ans* wedi'i freintio, wedi derbyn braint neu anrhydedd privileged

breintio gw. **breinio**

breintlythyr gw. **breinlythyr**

breisgáu *be* [breisga•¹⁵]
1 mynd yn dew; pesgi, tewhau, tewychu to fill out
2 mynd yn feichiog; beichiogi to become pregnant

breisgion *ell* ffurf luosog **braisg**

breision *ans* ffurf luosog **bras**, *llythrennau breision*

breithell *eb* (breithelli)
1 ANATOMEG un o'r tair pilen sy'n gorchuddio'r ymennydd a madruddyn y cefn meninx, one of the meninges
2 ANATOMEG meinwe tywyllach yr ymennydd a madruddyn y cefn yn cynnwys nerfgelloedd a ffibrau nerfol grey matter

bremain:bramio *be* di-chwaeth torri gwynt; rhechu to fart
Sylwch: nid yw'r ferf hon yn arfer cael ei rhedeg.

brenhines *eb* (breninesau)
1 gwraig brenin, gwraig sy'n bennaeth ar deyrnas queen

2 (mewn pac o gardiau) cerdyn a llun brenhines arno y mae ei werth yn uwch na'r gwalch ond yn llai na'r brenin queen

3 (mewn gwyddbwyll) y darn grymusaf queen

4 y famwenynen queen bee

brenhingyff *eg* dilyniant o frenhinoedd cynhwynol (h.y. rhai sydd wedi etifeddu'r frenhiniaeth) a hyd y cyfnod y bu i'r teulu deyrnasu; llinach frenhinol; brenhinllin dynasty

brenhiniaeth *eb* (breniniaethau)
1 swydd, awdurdod ac urddas brenin neu frenhines sovereignty
2 gwlad y mae brenin neu frenhines yn teyrnasu drosti; teyrnas realm
3 y cyfnod y mae brenin neu frenhines yn teyrnasu ynddo; teyrnasiad reign

brenhinllin:brenhinlin *eb* (breninlliniau: breninliniau) *hanesyddol* llinach teulu brenhinol; brenhingyff dynasty, lineage

brenhinllys *eg* (breninllysau) planhigyn â blodau gwyn o deulu'r mintys, a ddefnyddir i roi blas ar fwydydd basil

brenhinoedd *ell* lluosog **brenin**

brenhinol *ans* tebyg i frenin, e.e. o ran urddas neu awdurdod, yn perthyn i frenin; aruchel, goruchel royal, regal

brenhinwr *eg* (brenhinwyr)
1 un sy'n bleidiol i frenin neu frenhines a theyrnasiaeth brenhinol monarchist
2 *hanesyddol* un a oedd yn cefnogi'r Brenin Siarl I yn y Rhyfel Cartref royalist

brenigen *eb* unigol **brennig** limpet

brenin *eg* (brenhinoedd)
1 gŵr sy'n bennaeth ar deyrnas neu un sydd ag awdurdod brenin yn ei gylch ei hun, e.e. llew fel *brenin y goedwig*; sofran, teyrn king
2 (mewn pac o gardiau) cerdyn â llun brenin arno sy'n uwch ei werth na'r frenhines ond yn llai na'r as king
3 y darn allweddol mewn gwyddbwyll neu gêmau cyffelyb; os yw eich gwrthwynebydd yn llwyddo i ddal eich brenin, rydych chi wedi colli'r gêm, ond os gallwch chi ddal ei frenin ef, chi sy'n ennill king

Brenin Braw marwolaeth death

brenin y bratiau *ebychiad* mynegiant o syndod neu anfodlonrwydd for goodness' sake, good heavens

diwrnod i'r brenin diwrnod o segura, o ymlacio a mwynhau yn lle gweithio

y Brenin Mawr Duw God Almighty

yn frenin o'i gymharu â llawer iawn gwell na rhywbeth arall, *Er bod heddiw'n ddiwrnod oer, mae'n frenin o'i gymharu â ddoe.*

breninesau *ell* lluosog **brenhines**

breniniaethau *ell* lluosog **brenhiniaeth**

brennig *ell* lluosog **brenigen**, pysgod cregyn sydd â'u cregyn yn glynu'n dynn wrth greigiau; llygaid meheryn limpets

brensiach *ebychiad* fel yn *brensiach annwyl* good heavens

brest *eb* rhan flaen y corff rhwng y gwddf a'r bola chest

o'r frest (am siarad yn gyhoeddus, gweddïo, etc.) heb baratoi ymlaen llaw, yn fyrfyfyr, *siarad o'r frest, gweddïo o'r frest* extempore

bresych *ell* llysiau bwytadwy a dyfir er mwyn y dail tew o liw gwyrdd neu borffor sy'n amgáu pelen neu galon o ddail ifanc; cabaets cabbages

bresychen *eb* unigol **bresych**; cabaetsen cabbage

bresychen y cŵn *eb* (bresych y cŵn) planhigyn y coedwigoedd o deulu'r llaethlys â blodau gwyrdd di-nod dog's mercury

bresys *ell* pâr o strapiau a glymir wrth flaen a chefn pâr o drowsus ac a wisgir dros yr ysgwyddau i gadw'r trowsus rhag syrthio braces

bretyn *eg* (bratiau) darn o ddefnydd carpiog; cerpyn, clwt, rhecsyn rag

brethyn *eg* (brethynnau) darn o ddefnydd wedi'i wehyddu o wlân (neu weithiau o gotwm, sidan, neilon neu fath arall o edafedd) ar gyfer gwneud dillad cloth, woollen cloth

brethyn cartref rhywbeth wedi'i wneud yn lleol neu'n agos atoch chi, o'i gyferbynnu â phethau sydd wedi dod o bell homespun

llathen o'r un brethyn ymadrodd (dilornus fel arfer) i ddisgrifio rhywun sy'n debyg i berson arall y mae'n perthyn iddo, e.e. mab sydd â'r un nodweddion drwg â'i dad; natur y cyw yn y cawl a chip off the old block, two of a kind

brethynnwr *eg* (brethynwyr)
1 un sy'n gwerthu brethyn a dillad clothier, draper
2 un sy'n gwneud brethyn cloth worker

breuach:breuaf:breued *ans* [brau] mwy brau; mwyaf brau; môr frau

breuan *eb* (breuanau) melin fach a fyddai'n cael ei throi â llaw i falu grawn quern

breuant *eg* tracea; (fel yn *afal breuant*) y brif ran yn y system o diwbiau sy'n cludo aer i'r ysgyfaint ac o'r ysgyfaint; pibell wynt windpipe, trachea

breuder *eg* y cyflwr o fod yn hawdd ei chwalu neu ei dorri, o fod yn frau neu'n fregus; eiddilwch brittleness, fragility

breuddwyd *eb* (breuddwydion)
1 yr hyn sy'n cael ei deimlo, ei feddwl neu ei weld pan fyddwch yn cysgu dream
2 yr hyn sy'n mynd drwy'ch meddwl pan fydd eich meddwl ymhell i ffwrdd er nad ydych yn cysgu daydream

breuddwyd gwrach (*breuddwyd gwrach wrth ei hewyllys* ywr'r ymadrodd llawn) tyb

b

neu gred wedi'i seilio ar ddymuniad neu obaith yn hytrach nag ar unrhyw ffeithiau wishful thinking

breuddwydio *be* [breuddwydi•²] cael breuddwyd:

1 pan fyddwch yn cysgu (~ **am** *rywbeth*) to dream

2 â'ch llygaid ar agor ond â'ch meddwl ymhell to daydream

3 (yn enwedig mewn brawddeg negyddol) meddwl y byddai rhywbeth yn digwydd, *Freuddwydiais i erioed y byddai hi'n gwneud y fath beth.*; dychmygu to dream

breuddwydiol *ans*

1 yn breuddwydio, â'i feddwl ymhell, heb ganolbwyntio daydreaming

2 fel breuddwyd; dychmygol, synfyfyriol dreamy

breuddwydiwr *eg* (breuddwydwyr) un sy'n breuddwydio, un sy'n cael gweledigaeth dreamer

breuo *be* [breu•¹] mynd yn frau; gwaelu, gwanychu, llesgáu, treulio to become brittle, to decay

breuon *ans* ffurf luosog **brau**

brewlan *be* siarad yn ddi-baid ac yn aneglur; browlan to mutter

Sylwch: nid yw'r ferf hon yn arfer cael ei rhedeg.

brëyr *eg* (brehyrion) *hynafol* gŵr bonheddig o'r dosbarth uchaf; arglwydd nobleman, thane

bri *eg* anrhydedd, parch, teilyngdod, *Roedd bri mawr ar y gymanfa ganu yn yr ardal hon tan yn ddiweddar.* honour, prestige, respect, esteem

mewn bri yn y ffasiwn in vogue

o fri enwog of renown

bri-air *eg* (brieiriau) darn o jargon fel arfer ag ystyr gyfyng, ond a ddefnyddir yn gyffredinol i greu argraff buzzword

briallen *eb* unigol **briallu** primrose

briallu *ell* blodau melyn golau sy'n blodeuo'n gynnar yn y gwanwyn ac sy'n tyfu'n wyllt mewn coedlannau ac ar gloddiau primroses

briallu Mair briallu gwyllt sydd â chlystyrau o flodau melyn persawrus yn y gwanwyn cowslips

bribsyn *eg* (bribis:bribys) darn bach, tamaid bach; briwsionyn, cetyn, gronyn, mymryn bit

bric-a-brac *ell* casgliad o fân bethau ac addurniadau heb fawr o werth; trugareddau bric-a-brac

bricio *be* [brici•²] cau neu amgáu â wal o frics, rhoi brics ar wyneb (rhywbeth) to brick

briciwr *eg* (bricwyr) crefftwr sy'n adeiladu â brics bricklayer

bricsen *eb* (briciau:brics) bloc o glai wedi'i grasu'n ddigon caled i gael ei ddefnyddio i godi adeiladau; priddfaen brick

bricwaith *eg* (bricweithiau) y rhan o adeilad sydd wedi'i gwneud o friciau, gwaith brics brickwork

bricyllen *eb* (bricyll) ffrwyth â chnawd melyn, melys, suddlon, sy'n edrych yn debyg i eirinen wlanog fach apricot

brid *eg* (bridiau) grŵp o anifeiliaid, planhigion, etc. o'r un rhywogaeth, yn enwedig un sy'n cael ei fridio gan ddyn ar gyfer rhai nodweddion penodol; llinach, math, tras breed

bridfa *eb* (bridfeydd) sefydliad astudio bridio (planhigion neu anifeiliaid) yn wyddonol, neu fath o fferm lle mae pethau'n cael eu bridio, e.e. ieir, pysgod breeding station

bridio *be* [bridi•²]

1 magu a datblygu bridiau arbennig o anifail to breed

2 atgenhedlu, atgynhyrchu, epilio, *Maen nhw'n bridio fel cwningod.* to breed

bridiwr *eg* (bridwyr) un sy'n bridio anifeiliaid breeder

brif *eg* (brifiau) CERDDORIAETH nodyn hir o'r un gwerth â dau hanner brif neu bedwar minim (sef 8 curiad crosiet) breve

brifo *be* [brif•¹]

1 peri niwed neu ddolur i, *Cafodd John ei frifo pan syrthiodd oddi ar ei feic.*; anafu, clwyfo, niweidio, sigo to hurt

2 gwneud dolur, bod yn ddolurus neu'n boenus, *Mae fy nghoes i'n brifo'n ofnadwy heddiw.*; dolurio to hurt

brifo teimladau dweud neu wneud rhywbeth sy'n peri loes i rywun arall to hurt (someone's) feelings

briff *eg* (briffiau)

1 cyfres o gyfarwyddiadau a roddir i berson ynglŷn â swydd neu dasg brief

2 CYFRAITH datganiad byr o'r ffeithiau yn ymwneud ag achos (mewn llys barn) wedi'i baratoi (e.e. gan gyfreithiwr) ar gyfer bargyfreithiwr; cyfarwyddyd brief

briffio *be* [briffi•²] cyflwyno'r wybodaeth angenrheidiol i rywun er mwyn i rywbeth gael ei gyflawni (~ *rhywun* **am**) to brief, briefing

brig¹ *eg* (brigau)

1 man uchaf, uchafbwynt; copa, coron, pen, penllanw peak, top

2 pen uchaf ton; crib crest

3 craig neu wythïen sy'n ymwthio i'r wyneb outcrop

4 (mewn chwarel) y trwch o raean, pridd a rwbel ar ben y fargen

glo brig glo sy'n agos at wyneb y ddaear

Ymadroddion

ar y brig am rywun neu rywbeth sy'n cyrraedd pen rhestr, yn gyntaf (to come out) on top

brig dalen pen tudalen top of the page

brig, gwraidd a bôn y cyfan from top to tail

brig y môr blaen ewynnog ton crest

brig y nos:brig yr hwyr cyfnos, min nos dusk, eventide

brig y wawr blaen y wawr dawn
o'r brig i'r bôn yn llwyr, yn gyfan gwbl
from top to bottom
brig² gw. brigyn
brigâd eb (brigadau)
  1 tua 5,000 o filwyr, dwy gatrawd neu ragor o
  filwyr; rhan o fyddin brigade
  2 grŵp o bobl wedi'i drefnu ar gyfer
  dyletswyddau arbennig, Brigâd Dân brigade
brigadydd eg (brigadyddion) swyddog ym
  myddin Prydain un cam yn uwch na chyrnol,
  sydd gan amlaf yn gyfrifol am frigâd brigadier
brigantîn eb (brigantinau) llong â dau hwylbren
  a hwyliau sgwâr yn hongian o'u canol brigantine
brigau ell lluosog brig neu brigyn, coed mân fel y
  rheini ym mrig coeden, mân ganghennau twigs
brigbori be [brigbor•¹] cnoi neu fwyta blaen
  brigau; blaenbori to crop, to nibble
brigdorri be [brigdorr•⁹] torri blaen neu ben
  (coeden neu blanhigyn) to lop, to prune
    Sylwch: dyblwch yr 'r' ym mhob ffurf ac
    eithrio yn y rhai sy'n cynnwys -as-.
brigell eb (brigellau) anther; y blew mân ar ben y
  briger sy'n cynnwys y paill anther
briger ell BOTANEG rhannau gwrywol blodyn
  sy'n debyg i flew mân yng nghanol y blodyn;
  mae'n cynnwys ffilament sy'n cynnal anther
  stamens
brigeryn eg BOTANEG un blewyn o'r briger
  stamen
brigiad eg (brigiadau) (am blanhigyn neu graig)
  y broses o frigo outcropping
briglwyd ans â gwallt yn gwynnu, â gwallt
  llwyd grey-haired
brigo¹ be [brig•¹]
  1 torri drwodd i'r wyneb (am blanhigyn neu
  graig); blaendarddu, blaguro, egino to sprout,
  to outcrop
  2 tocio pen (clawdd), torri'r brigau ar flaen
  (rhywbeth) to prune
brigo² be ffurf lafar ar barugo
brigog ans llawn brigau; canghennog, ceinciog
  full of twigs
brigwellt ell rhywogaeth o laswellt sydd â
  choesynnau a dail main iawn hair grass
brigwth:brigwthiad eg (brigwthiadau)
  DAEAREG symudiad rhan o arwyneb y ddaear i
  fyny upthrust
brigyn:brig² eg (brigynnau:brigau) darn bach
  tenau o bren fel y rheini sy'n tyfu ar frig
  coeden, cangen fach; sbrigyn twig
brisged eb darn o gig o ran isaf ysgwydd anifail
  (fel arfer cig eidion), â'r esgyrn wedi'u tynnu,
  sy'n cael ei goginio drwy ei fudferwi neu ei
  rostio'n araf brisket
brits:britsh eg (britsys) trowsus byr sy'n cau am
  y pen-glin; clos, llodrau breeches

brith ans [brith• b braith] (brithion)
  1 (yn dilyn yr hyn a oleddfir) wedi'i orchuddio
  â smotiau (du a gwyn neu goch a gwyn fel
  arfer) bara brith; amryliw, brych flecked,
  mottled, speckled
  2 (yn dilyn yr hyn a oleddfir) llawn o (rywbeth),
  Roedd y blodau'n frith yn ymyl y coed.; aml,
  niferus abundant, numerous
  3 (yn dilyn yr hyn a oleddfir) i'w ddrwgdybio,
  aderyn brith; amheus, gwael dubious,
  shady
  4 (o flaen yr hyn a oleddfir) heb fod yn gyflawn
  neu'n llawn, Rhyw frith gof o'r digwyddiad
  oedd ganddo.; anghyflawn, aneglur, lled, pell
  distant, faint, vague
brith y fuches aderyn bach pied wagtail
cerdyn brith cerdyn a llun o'r teulu brenhinol
  arno mewn pac o gardiau chwarae face card
yn frith o yn llawn o teeming with
  Ymadrodd
brith berthyn perthyn o bell to be distantly
  related
brithder:brithedd eg y cyflwr neu'r ansawdd o
  fod yn frith dappledness, speckledness
britheg eb rhywogaeth o blanhigion o deulu'r lili
  â blodyn brith ar ffurf cloch fritillary
brithgi eg (brithgwn) ci cymysg ei dras; mwngrel
  mongrel
brithiad eg (brithiaid) eog teirblwydd oed mort
brithion ans ffurf luosog brith
brithlen eb (brithlenni) tapestri; brethyn trwm â
  lluniau lliwgar a chymhleth wedi'u brodio arno
  tapestry
britho be [brith•¹]
  1 gorchuddio â smotiau; brychu, dotweithio
  (~ â) to speckle
  2 troi'n rhannol wyn, dechrau gwynnu
  (am wallt neu farf) to turn grey
britho crimogau cochi blaen y coesau drwy
  eistedd yn (rhy) agos at y tân
brithro eg (brithroeaid) eog ifanc ar ei ail gyfnod
  o dyfu samlet
brithwaith eg (brithweithiau)
  1 darlun neu batrwm wedi'i greu drwy osod
  ynghyd ddarnau bach o garreg, o grochenwaith
  neu o wydr mosaic
  2 addurn a wneir drwy fewnosod darnau o
  bren, ifori, etc. ar wyneb celficyn inlay, intarsia
  3 MATHEMATEG patrwm sy'n gorchuddio llawr
  neu blân drwy ailadrodd yr un siâp dro ar ôl
  tro heb adael unrhyw fylchau tessellation
brithweithio be MATHEMATEG gorchuddio drwy
  ailadrodd yr un siâp dro ar ôl tro heb adael
  bylchau to tessellate
    Sylwch: nid yw'r ferf hon yn arfer cael ei rhedeg.
Brithwr eg (Brithwyr) hanesyddol Pict; aelod o
  lwyth nad oedd yn Geltaidd a oedd yn byw yng

ngogledd yr Alban yng nghyfnod y Rhufeiniaid; Ffichtiad Pict

brithyll *eg* (brithyllod) pysgodyn dŵr croyw bwytadwy sydd â smotiau coch a du ar ei hyd; mae'n perthyn i deulu'r eog trout

brithyll seithliw brithyll mawr a geir yn Ewrop a Gogledd America â gwawr las ar ei gefn, tor wen, streipen binc ar ei ddwy ochr a smotiau duon drosto rainbow trout

brithylla *be* hel neu ddal brithyll
Sylwch: nid yw'r ferf hon yn arfer cael ei rhedeg.

briw *eg* (briwiau)
1 clwyf neu niwed wedi'i achosi drwy dorri croen y corff; anaf, cwt, nam cut, gash, wound
2 dolur agored, llidus ar y croen neu mewn meinwe, e.e. yn y geg, neu yn y stumog ulcer
agor hen friw gw. agor

briwedig *ans* wedi cael dolur; anafus, clwyfedig, dolurus wounded

briweg *eb* planhigyn bach â dail cnodiog, suddlawn a blodau serennog melyn; mae'n tyfu ar furiau neu ynghanol creigiau stonecrop

briwfwyd melys *eg* cymysgedd melys o rawnwin, afal, lemon, siwed, siwgr a sbeis wedi'u malu, a ddefnyddir i lenwi tartennau neu deisennau eraill mincemeat

briwgig *eg* cig wedi'i dorri'n fân mince

briwio:briwo *be* [briwi•²] torri'n ddarnau, malu'n fân; briwsioni to mince, to crumble, to shatter

briwlan *be* bwrw glaw mân; dechrau bwrw glaw to drizzle
Sylwch: nid yw'r ferf hon yn arfer cael ei rhedeg.

briwlio *be* [briwli•²] COGINIO coginio (cig fel arfer) o flaen gwres uniongyrchol, rhostio o flaen tân neu ar farwor to broil

briwlys *eg* planhigyn blewog o deulu'r farddanhadlen ac iddo flodau porffor a dail danheddog; arferai gael ei ddefnyddio gynt i wella clwyfau woundwort

briwo gw. briwio

briws *eg* cegin gefn back kitchen

briwsion *ell* lluosog **briwsionyn**

briwsioni *be* [briwsion•¹]
1 dadfeilio'n ddarnau mân iawn, *Mae'r bara sych yn briwsioni yn y bag.*; adfeilio, briwio, chwalu to crumble
2 gwneud briwsion o, malu'n fân, *Mae angen briwsioni'r bara cyn ei gymysgu â'r cynhwysion eraill.* to crumble, to mince

briwsionllyd *ans* yn tueddu i friwsioni; brau, hyfriw crumbly, friable

briwsionyn *eg* (briwsion) darn bach iawn o fara, etc., unrhyw damaid bach sy'n debyg i friwsionyn bara; mymryn crumb

briwydd felen *eb* planhigyn a nodweddir gan glystyrau o flodau melyn, peraroglus; arferid

defnyddio gwair a wnaed ohono i lenwi matresi gwely lady's bedstraw

bro *eb* (broydd)
1 rhan benodol o wlad a gydnabyddir gan y brodorion sy'n byw ynddi, e.e. *papur bro*; ardal, cylch, cymdogaeth, cynefin region, locality
2 tir gwastad, tir isel, dyffryn, e.e. *Bro Morgannwg* vale
y Fro Gymraeg yr ardaloedd hynny yng Nghymru lle y siaredir y Gymraeg fel mamiaith Welsh heartland

broc *ans* (am anifeiliaid gan amlaf) brown neu felyn yn gymysg â gwyn, e.e. *dafad froc* grizzled, roan
Sylwch: nid yw'n cael ei gymharu.

brocêd *eg* (brocedau) defnydd main o sidan â phatrymau aur ac arian yn codi allan ohono brocade

brocer *eg* (broceriaid)
1 un sy'n prynu a gwerthu asedau ar ran cleientiaid broker
2 canolwr mewn trafodaethau busnes broker

broc môr *eg* pethau (coed gan amlaf) a olchir i'r lan gan y môr driftwood, flotsam

brocoli *eg* llysieuyn yn perthyn i deulu'r bresych y mae ganddo bennau o fân flagur gwyrdd neu borffor; blodfresych gaeaf broccoli

broch *eg* (brochion:brochod) anifail gwyllt hollysol sy'n perthyn i'r wenci ac yn hela gan amlaf yn y nos; mae ganddo resi llydan du a gwyn ar hyd ei ben o flaen ei drwyn i'w war; daearfochyn, mochyn daear, pryf llwyd badger

brochgi *eg* (brochgwn) ci â chorff hir a choesau byrion a ddefnyddid yn yr Almaen i hela moch daear (brochod) dachshund

brochi *be* [broch•¹] (am y môr) bod yn dymhestlog; ewynnu, rhuo to foam, to roar

brochus *ans* yn brochi; gwyntog, stormus, tymhestlog blustering, tempestuous

broderie anglaise *eb* GWNIADWAITH brodwaith sy'n defnyddio patrymau o dyllau llygaid wedi'u gwnïo â chotwm gwyn ar liain main

brodiad *eg* (brodiadau) gwaith trwsio twll mewn darn o frethyn â phwythau brodio; twll o'r fath wedi'i drwsio darn

brodiau *ell* lluosog **brawd³**

brodio *be* [brodi•²]
1 gwnïo patrymau edau'n fân ac yn gywrain ar ddarn o liain neu ddefnydd, gweithio brodwaith; pwytho to embroider
2 trwsio (dilledyn neu dwll mewn dilledyn, etc.) drwy wau darn newydd, *brodio hosan*; clytio to darn

brodor *eg* (brodorion) un o drigolion gwreiddiol gwlad; un sydd wedi'i eni mewn gwlad neu ardal arbennig native

brodordy *eg* (brodordai) mynachlog ar gyfer brodyr, sef mynaich a fyddai'n cyfuno bywyd mynach â gwaith yn y gymuned, tŷ'r brodyr; mynachdy friary

brodorol *ans* nodweddiadol o wlad neu ardal, yn wreiddiol neu'n enedigol o wlad neu ardal arbennig; cynhenid indigenous, native

brodwaith *eg* y grefft o addurno defnydd drwy wnïo edafedd wrtho, darn o waith brodio embroidery

brodyr *ell* lluosog **brawd**[1]

broes *eg* (broesau) math o ebill a ddefnyddir i dapio (h.y. tynnu plwg) baril, cŷn main broach

broesio:broetsio *be* [broesi•[2]] tynnu corcyn neu blwg o (faril); agor, tapio to broach

broetsh *eg* (broetshys) tlws neu addurn sy'n cael ei binio wrth ddilledyn brooch

broetsio gw. **broesio**

broga *eg* (brogaod) anifail bach gwyrdd neu felyn, llyfn ei groen, digynffon, â thraed gweog sy'n byw mewn dŵr neu wrth ymyl dŵr, ac yn perthyn i deulu'r amffibiaid; llyffant melyn (yn y Gogledd) frog

brogaredd:brogarwch *eg* cariad tuag at ardal arbennig, yn enwedig eich ardal enedigol

brol *eg* (broliau) y gwaith o'ch canmol eich hun yn ormodol; bost, ymffrost boast

brolgi gw. **broliwr**

brolian gw. **brolio**

broliant *eg* (broliannau) disgrifiad byr o gynnwys llyfr ar gefn y llyfr neu ar ei siaced lwch fel arfer blurb

brolio:brolian *be* [broli•[2]]
1 ymffrostio, eich canmol eich hun, sôn am y 'fi fawr'; bostio (~ wrth *rywun*) to brag
2 canmol i'r cymylau, *Roedd yr erthygl yn brolio'r ffilm a'r actorion.*; clodfori, cymeradwyo, moli to praise

broliwr:brolgi *eg* (brolwyr) un sy'n hoff iawn o frolio; ymffrostiwr boaster, braggart

bromid *eg* (bromidau) cyfansoddyn cemegol yn cynnwys bromin ac elfen neu grŵp o gemegion arall bromide

bromin *eg* elfen gemegol rhif 35; halogen ar ffurf hylif anweddol coch, drewllyd (Br) bromine

bron[1] *eb* (bronnau)
1 un o ddwy ochr mynwes (neu frest) menyw, sydd wedi datblygu'n fwy na'r ochr gyfatebol mewn dyn er mwyn iddi fedru rhoi llaeth o'i bron i'w babi; y rhan gyfatebol mewn gŵr breast
2 cartref y teimladau, y fynwes, y galon breast, heart
3 rhan flaen y corff rhwng y gwddf a'r bol a'r rhan gyfatebol mewn anifail breast
bron y llaw rhan feddal cledr y llaw dan y fawd ball of the thumb

siarad o'r fron siarad yn ddifyfyr neu'n fyrfyfyr to extemporise

bron[2] *eb* (bronnydd) ochr bryn, llethr bryn; trum breast of hill

bron[3] *adf* o fewn y dim, *Bûm i bron â chwympo.*; agos, braidd, jest (~ â) almost, nearly
Sylwch:
1 nid yw 'bron' yn achosi treiglad (*bron cwympo*);
2 mae'n gwrthsefyll y treiglad meddal ond yn treiglo'n drwynol (*mae hi'n cymryd rhan ym mron popeth*).
bron i mi (i ti, iddo ef, etc.) bu ond y dim i mi I almost, I nearly
o'r bron
1 yn gyfan, i gyd, *Safodd y gynulleidfa ar ei thraed o'r bron.*
2 y naill ar ôl y llall, *Sgoriodd Sam dair gôl o'r bron.*
3 agos, braidd o fewn y dim almost, nearly

brôn *eg* cosyn o gig wedi'i wneud drwy ferwi cig mochyn (cig y pen yn bennaf) wedi'i ddarnio, ei wasgu a'i fowldio mewn dysgl; cosyn pen mochyn brawn

bronci lluosog **broncws**

bronciolyn *eg* (bronciolynnau) ANATOMEG un o'r tiwbiau bach iawn sy'n canghennu o froncws ac sy'n cysylltu â'r alfeoli mewn ysgyfant bronchiole

broncitis *eg* llid y bibell wynt a'r ysgyfaint a all arwain at frest dynn iawn bronchitis

broncws *eg* (bronci) ANATOMEG un o'r ddwy brif bibell aer yr ysgyfaint sy'n canghennu o'r tracea bronchus

bronegau *ell* lluosog **bronneg**

bronfraith *eb* (bronfreithiaid:bronfreithod) aderyn â chân nodweddiadol a smotiau brown neu lwyd ar hyd ei fron a'i wddf; mae'n perthyn i'r un teulu â'r mwyeilch song thrush, thrush

bronglwm *eg* (bronglymau) darn o ddillad isaf benyw i gynnal y bronnau brassiere

bronnau *ell* lluosog **bron**[1]

bronneg *eb* (bronegau) darn o arfwisg sy'n amddiffyn y fron; dwyfronneg, llurig breastplate

bronnoeth *ans* â hanner uchaf y corff yn noeth bare chested, topless

bronnog *ans*
1 â bronnau mawr busty
2 (am dir) tonnog; bryncynnog, bryniog hillocky, rolling

bronnydd *ell* lluosog **bron**[2]

bront *ans* ffurf fenywaidd **brwnt**

bronten *eb* difrïol menyw front a didoreth slut

bronwen *eb* (bronwennod) enw arall am gwenci

brou ffurf lafar ar **brau**

browlan *be* siarad yn ddi-baid ac yn aneglur; brewlan to mutter
  Sylwch: nid yw'r ferf hon yn arfer cael ei rhedeg.
brown *ans* [brown•] (brownion) coch, melyn a du wedi'u cymysgu â'i gilydd; cochddu brown
  Sylwch: gellir defnyddio *papur llwyd* a *siwgr coch* yn yr ystyr 'papur brown' a 'siwgr brown'
browngoch *ans* o liw brown a choch tebyg i liwiau rhai dail yn yr hydref russet
brownin *eg* sylwedd, e.e. siwgr wedi'i gochi drwy ei dwymo, i roi lliw brown ar fwyd, e.e. grefi gravy browning
brownio *be* [browni•²] troi'n frown neu achosi i droi'n frown to brown
brownion *ans* ffurf luosog **brown**
bru *eg* (bruoedd) croth; organ yn rhan isaf corff mamolyn benywol lle mae'n beichiogi womb
brut *eg* (brutiau) *hanesyddol* (hen air o'r Ffrangeg am lyfr hanes) gwybodaeth hanesyddol yn nhrefn amser, e.e. *Brut y Brenhinedd*, *Brut y Tywysogion*; cofrestr, cronicl chronicle
brwd *ans*
  1 llawn brwdfrydedd; brwdfrydig, eiddgar, pybyr, selog enthusiastic, ardent, avid
  2 poeth iawn, yn berwi, *calch brwd*; berwedig, chwilboeth, eirias, tanbaid heated
  heb fod nac oer na brwd heb fod o blaid nac yn erbyn dim apathetic, indifferent
brwdfrydedd *eg* teimlad cryf iawn o blaid rhywbeth; angerdd, eiddgarwch, sêl, tanbeidrwydd enthusiasm, gusto
brwdfrydig *ans* llawn brwdfrydedd; brwd, eiddgar, pybyr, selog fervent
brwmstan *eg* hen air am sylffwr, fel yn *tân a brwmstan*, lle mae'n cyfeirio at uffern brimstone
Brwneiad *eg* (Brwneiaid) brodor o Brunei Bruneian
Brwneiaidd *ans* yn perthyn i Brunei, nodweddiadol o Brunei Bruneian
brwnt *ans* [brynt• *b* bront] (bryntion)
  1 *tafodieithol, yn y De* a baw drosto; aflan, bawaidd, bawlyd, budr dirty, filthy, grubby
  2 *tafodieithol, yn y Gogledd* cas, creulon, ffiaidd cruel, nasty
brwselosis *eg* clefyd heintus ymhlith da, geifr a moch, sy'n gallu cael ei drosglwyddo i bobl, e.e. drwy yfed llaeth wedi'i heintio; mae'r symptomau'n cynnwys twymyn, annwyd a phen tost; twymyn donnog brucellosis
brwsh *eg* (brwshys) teclyn neu offeryn sydd gan amlaf â choes bren neu blastig a thusw(au) o flew neu neilon ar ei ben; caiff ei symud ar draws wyneb rhywbeth i'w lanhau, ei wneud yn llyfn, neu ei orchuddio â haen o rywbeth (e.e. paent neu lud) brush
  fel brwsh:fel coes brwsh twp (dull as) a brush

brwsiad *eg* (brwsiadau) cyffyrddiad â brws ar hyd wyneb rhywbeth, e.e. er mwyn glanhau dannedd, symud llwch, trefnu gwallt; ysgubiad brushing
brwsio *be* [brwsi•²]
  1 ysgubo â brws, symud brws yn ôl ac ymlaen at ryw bwrpas arbennig to brush
  2 braidd gyffwrdd, cyffwrdd yn ysgafn, *Brwsiodd ei chot yn erbyn y clawdd gwlyb.* to brush
brwsio aer CELFYDDYD defnyddio dyfais i chwistrellu paent drwy gyfrwng aer cywasgedig to airbrush
brwyd *eg* (brwydau)
  1 (mewn gwŷdd) un o'r gwifrau cyflin a geir yn yr harnais ac a ddefnyddir i gyfeirio edafedd yr ystof heddle
  2 ffrâm i ddal defnydd ar gyfer brodio embroidery frame
brwydr *eb* (brwydrau)
  1 ymladdfa hir rhwng dwy fyddin; cad battle
  2 gornest ddifrifol rhwng dau neu ragor o ymladdwyr (mewn rhyfel fel arfer ond hefyd yn ffigurol); cyrch, ymladdfa, ymryson battle, fight
brwydro *be* [brwydr•¹] cynnal brwydr; milwrio, rhyfela, ymgyrchu, ymladd (~ **dros**; ~ **yn erbyn**) to fight
brwydrwr *eg* (brwydrwyr) un sy'n brwydro neu'n barod i frwydro; ymladdwr battler, fighter
brwyn *ell* lluosog **brwynen**, planhigion tebyg i wellt sy'n tyfu ar dir corsiog neu wrth ymyl dŵr; ers talwm, roedd pobl yn eu gwasgaru fel gorchudd ar loriau, yn gwneud canhwyllau o'u bywyn; plethir brwyn sych i wneud basgedi neu seddau cadeiriau; cawn, cyrs, hesg, pabwyr rushes
brwynddail y mynydd *ell* blodau bach gwyn â llinellau coch ar eu petalau, a ddarganfuwyd gan Edward Lhuyd yn 1695 yn Eryri, yr unig ardal ym Mhrydain lle mae'r planhigyn arctig-alpaidd hwn yn tyfu; lili'r Wyddfa Snowdon lily
brwynen *eb* unigol **brwyn** rush
brwyniad *eg* (brwyniaid) pysgodyn bychan blasus o rywogaeth y brithyll a geir yn aml mewn dŵr hallt ger aberoedd; mae blas neu aroglau brwyn arno a dywed traddodiad mai Sant Ffraid Leian a'i gwnaeth o'r brwyn anchovy
brwynog *ans* llawn brwyn, tebyg i frwyn rushy
brwysg *ans* [brwysg•] *llenyddol* meddw drunk
brwysio *be* [brwysi•²] COGINIO coginio (cig, llysiau) drwy eu brownio'n gyntaf mewn saim, ac yna eu coginio'n araf mewn llestr caeedig ac ynddo ychydig o wlybwr to braise

brych¹ *eg* (brychau)
1 ffurf arall ar y gair mwy cyfarwydd **brycheuyn** speck
2 yr hyn sy'n cael ei fwrw allan o groth buwch neu gaseg ar ôl geni llo neu ebol; y garw afterbirth
wedi cadw'r brych a thaflu'r llo ffordd ddilornus o ddweud bod rhywun yn hyll
brych² *ans* [brych• *b* brech]
1 a smotiau drosto, e.e. ych brych; brith speckled
2 o liw brown yn gymysg â lliw arall brindled
brych y coed bronfraith fawr â llais cras sy'n hoffi aeron yr uchelwydd; tresglen mistle thrush
brychau *ell* lluosog **brych** neu **brycheuyn**
brychau haul smotiau bach coch, brown neu felyn ar groen yr wyneb a'r breichiau freckles
brychbilen *eb* (brychbilenni) amnion; y bilen fewnol, denau a geir o gwmpas embryo mamolyn, aderyn neu ymlusgiad amnion
brycheulyd *ans* llawn brychau; llawn o fân wallau freckled, spotted
brycheuyn *eg* (brychau)
1 darn bach o lwch; brych, mymryn, smotyn speck, mote
2 amryfusedd, diffyg, gwall, nam blemish
3 smotyn bach coch, brown neu felyn ar y croen freckle
brychni *eg*
1 brychau haul freckles
2 smotiau bychain (o lwydni) fleck, spot
brychu *be* [brych•¹]
1 difwyno neu faeddu (rhywbeth) â brychau; llychwino (~ â) to fleck, to spot
2 gorchuddio â brychau haul; britho to freckle, to speckle
bryd *eg* (brydiau) amcan, bwriad, dymuniad, ewyllys, *Roedd Mair â'i bryd ar fod yn Brif Weinidog.* aim, intent
mynd â'm (â'th, â'i, etc.) bryd ennyn neu gadw fy niddordeb, diddori to occupy one's attention
rhoi/dodi fy (dy, ei, etc.) mryd ar gobeithio'n daer; bwriadu to set one's mind on (something)
yn un fryd yn unol, fel un dyn unanimously
brygawthan *be* siarad yn faith heb ddweud dim o werth, pregethu'n ddiystyr; baldorddi, bregliach, cabarddylu, paldaruo to prate, to rant
Sylwch: nid yw'r ferf hon yn arfer cael ei rhedeg.
brymlys *eg* planhigyn ac iddo flodau o liw lelog golau a dail yn sawru o fintys pennyroyal
bryn *eg* (bryniau) mynydd bach, codiad tir, twmpath mawr; bonc, ponc hill, brae
bryncyn *eg* (bryncynnau) bryn bach; ponc, twmpath, twyn hillock, hummock, knoll

bryncynnog *ans* llawn twmpathau; anwastad, bryniog, bronnog, tonnog hillocky, hummocked
bryngaer *eb* (bryngaerau:bryngeyrydd) ARCHAEOLEG pen bryn neu fryncyn â gwrthgloddiau a ffosydd amddiffynnol o'i amgylch, a oedd yn nodweddiadol o aneddiadau yr Oes Haearn hill fort
bryniog *ans* â llawer o fryniau neu lechweddau; bronnog, bryncynnog, tonnog hilly
bryntach:bryntaf:brynted *ans* [brwnt] mwy brwnt; mwyaf brwnt; mor frwnt
bryntion *ans* ffurf luosog **brwnt**
bryntni:brynti *eg* sbwriel brwnt; aflendid, baw, budreddi dirtiness, filth
brys *eg*
1 yr angen i wneud rhywbeth ar unwaith, yn gyflym; ffrwst, hast, rhuthr haste, hurry, urgency
2 fel yn *gwasanaethau brys*, y gwasanaethau sy'n ymateb ar adeg o argyfwng, e.e. gwasanaethau tân, yr heddlu, ambiwlans emergency
brysbennu *eg* MEDDYGAETH y broses o ddidoli cleifion yn ôl faint o frys sydd ei angen cyn eu trin triage
brysgennad *eb* (brysgenhadon) un sy'n cael ei anfon â neges ar frys; un sy'n rhedeg â'i neges courier
brysgyll *eg* (brysgyllau)
1 *hanesyddol* arf rhyfel, sef pastwn byr a phigau miniog ar ei ben; byrllysg mace
2 tlws seremonïol yn dynodi anrhydedd neu awdurdod; byrllysg mace
brysio *be* [brysi•²] cyflymu, ffrystio, hastio, prysuro *Brysiwch, neu bydd y cyngerdd wedi dechrau!* to hurry, to rush
brysiog *ans* llawn brys; cyflym, hastus hasty
brysneges *eb* (brysnegesau) math arbennig o neges a fyddai'n cael ei hanfon ar frys ar hyd gwifren delegraff neu ffôn gan ddefnyddio cyn lleied o eiriau ag oedd yn bosibl cablegram, telegram
Brython *eg* (Brython:Brythoniaid) *hanesyddol* aelod o lwyth Celtaidd a ddaeth yn wreiddiol o ganolbarth Ewrop ac a orchfygodd Ynys Prydain tua 500 CC Briton
Brythoneg *ebg* iaith y Brythoniaid a mamiaith y Gymraeg, y Gernyweg, y Gwmbreg a'r Llydaweg
Brythones *eb* (Brythonesau) merch neu wraig o Frython
brywes *eg* (brywesau) bara ceirch wedi'i dorri'n fân a'i adael i sefyll mewn cawl neu ddŵr neu laeth twym cyn ei fwyta; siot gruel
bys yn y brywes cyfeiriad at rywun sy'n chwarae rhan bwysig (heb eisiau gan amlaf) mewn sefyllfa gymhleth a finger in every pie

bu *bf* [bod] mae ef/hi wedi bod; daru iddo/iddi fod
   Sylwch: mae'n achosi'r treiglad meddal wrth ragflaenu 'byw', 'marw' a 'rhaid'.

buain *ans* ffurf luosog **buan**, *ar adenydd buain*

bual *eg* (buail)
   1 ych gwyllt Prydeinig sydd wedi diflannu o'r wlad erbyn hyn buffalo
   2 (hen air) llestr yfed wedi'i wneud o gorn bual, corn yfed horn

bualch *eb* (bueilch) ffrâm o farrau metel a cheudod oddi tani, sy'n rhwystro anifeiliaid rhag ei chroesi ond sy'n caniatáu i geir a loriau ei chroesi, grid gwartheg cattle grid

buan *ans* [buan• *hefyd* cynted; cynt; cyntaf] (buain)
   1 (yn medru) symud yn gyflym; clau, chwim, sydyn swift, quick
   2 o flaen yr amser cywir (am gloc neu watsh) fast
   yn fuan rhyw gymaint yn gynt o ran amser na 'cyn bo hir' soon

buander:buandra *eg* pa mor gyflym y mae rhywun neu rywbeth yn symud; chwimder quickness, swiftness

buandra defnyddiwch **buanedd**

buandroed *ans* (am redwr) cyflym swift-footed

buanedd *eg* (buaneddau) FFISEG mesur o newid lleoliad mewn perthynas ag amser heb gymryd cyfeiriad i ystyriaeth speed

buarth *eg* (buarthau)
   1 yr iard agored o flaen tŷ fferm sydd wedi'i amgylchynu ag adeiladau fferm; beili, clos, cowt, cwrt, ffald, iard farmyard
   2 iard ysgol, fel yn *chwaraeon buarth* school playground

buchedd *eb* (bucheddau)
   1 bywyd, ond â'r pwyslais ar y ffordd y mae rhywun yn byw, naill ai'n dda neu'n ddrwg, cyflwr bywyd; ymarweddiad, ymddygiad life
   2 hanes moesol neu grefyddol bywyd unigolyn, *Bucheddau'r Saint*; bywgraffiad, bywyd, cofiant, oes biography, life

bucheddol *ans* (am fywyd a ffordd o fyw) yn adlewyrchu buchedd dda; defosiynol, egwyddorol, moesol, rhinweddol devout, virtuous

buches *eb* (buchesau) nifer o wartheg neu o fuchod godro; gyr herd (of dairy cows)
   Sylwch: mae'n derbyn ffurf unigol neu luosog berf.

buchod *ell* lluosog **buwch**, gwartheg (neu dda) benyw, yn enwedig gwartheg (neu dda) godro

buchod coch cwta *ell* lluosog **buwch goch gota**

budr *ans* [butr•] (budron)
   1 llawn budredd; aflan, bawlyd, brwnt, mochaidd dirty, filthy, smutty

   2 *tafodieithol, yn y De* hynod, anghyffredin, e.e. bachan budr (tipyn o dderyn) bit of a lad
   3 annheg, gyda'r bwriad o wneud niwed, *chwarae budr* dirty

budredd:budreddi *eg* (budreddau) aflendid sy'n cynnwys baw, bryntni ac ysgarthion; llaca, stecs filth, squalor

budreddu gw. **budro**

budrelw *eg* arian, yn enwedig arian wedi'i gymryd drwy drais, wedi'i ennill yn anonest filthy lucre

budrelwa *be* [budrelw•¹] gwneud elw mewn ffordd anonest; cribddeilio, gorelwa (~ **ar**) to profiteer

budro:budreddu *be* [budr•¹] gwneud yn fudr; baeddu, difwyno to foul, to soil

budron *ans* ffurf luosog **budr**

budrwleidydda *eg* ffordd o wleidydda sy'n canolbwyntio ar bardduo ac ar ddifenwi gwrthwynebwyr gwleidyddol yn bersonol, yn hytrach nag ar ddadlau ar sail polisïau; defnyddio unrhyw gast i ennill pleidleisiau gutter politics

budd *eg* (buddion)
   1 lles, *Gweithiodd Dr Barnardo yn galed er budd plant amddifaid. Daw buddion o weithio'n galed ac yn gyson.*; bendith, caffaeliad, elw, mantais benefit
   2 ECONOMEG y pleser neu'r boddhad personol (na ellir ei fesur) y bydd rhywun yn ei brofi wrth brynu nwydd neu wasanaeth utility
   mae imi fudd o hwn datganiad ffurfiol gan aelod o bwyllgor neu banel swyddogol I declare an interest

buddai *eb* (buddeiau) casgen neu beiriant i gorddi (troi a chynhyrfu) llaeth er mwyn ei droi'n fenyn ac yn llaeth enwyn; corddwr churn

budd-dal *eg* (budd-daliadau) tâl er budd neu er lles, tâl a wneir o dan y wladwriaeth les (fel arfer) i helpu rhai mewn angen; lwfans benefit

budd-ddeiliad *eg* (budd-ddeiliaid) rhanddeiliad; un sy'n cyfranogi o system neu wasanaeth, *Roedd y budd-ddeiliaid yn gytûn bod angen gwerthu'r busnes.* stakeholder

buddeiau *ell* lluosog **buddai**

buddiannau *ell* lluosog **buddiant**, hawliau dan y wladwriaeth; pethau sy'n mynd i fod o fudd neu o werth i unigolyn neu grŵp arbennig o bobl benefits, interests, welfare

buddiant *eg* unigol **buddiannau**

buddiol *ans* yn gwneud lles; bendithiol, iachusol, llesol, manteisiol beneficial, edifying

buddioldeb *eg* y cyflwr o fod yn fuddiol; defnyddioldeb, gwerth, lles, mantais benefit, usefulness

buddiolwr *eg* (buddiolwyr)
1 un sy'n derbyn incwm o waddol neu
gymynrodd; un sy'n derbyn budd beneficiary
2 un sydd â hawl i dderbyn enillion (e.e. polisi
yswiriant) beneficiary

buddran *eb* (buddrannau) CYLLID yr arian (fel
arfer) a ddaw i gyfranddalwyr wrth i elw,
neu ran ohono, gael ei rannu yn ôl nifer y
cyfranddaliadau sydd gan bob deiliad; difidend
dividend

buddsoddi *be* [buddsodd•¹]
1 prynu rhywbeth yn y gobaith o'i ailwerthu
am bris uwch ac/neu o gael incwm; rhoi arian
mewn busnes, cynllun ariannol neu gyfrannau
gyda'r bwriad o wneud elw (~ yn) to invest
2 gwneud ymdrech i wneud rhywbeth neu
roi amser i rywbeth gyda'r bwriad y bydd yr
ymdrech yn talu ffordd yn y dyfodol to invest
3 ECONOMEG ehangu gallu'r economi i
gynhyrchu nwyddau a gwasanaethau, e.e.
drwy adeiladu ffyrdd, ffatrïoedd, etc. neu drwy
addysgu a hyfforddi'r gweithlu to invest

buddsoddiad *eg* (buddsoddiadau)
1 swm o arian a fuddsoddir er mwyn cael
incwm neu er mwyn gwneud elw investment
2 yr hyn y buddsoddir ynddo investment

buddsoddiant *eg* y broses o fuddsoddi,
canlyniad buddsoddi investment

buddsoddwr *eg* (buddsoddwyr) un sy'n
buddsoddi investor

buddugol *ans* wedi ennill, yn derbyn y wobr
gyntaf, wedi'i ddyfarnu'n orau; arobryn,
buddugoliaethus, gorchfygol, trech conquering,
victorious
   Sylwch: nid yw'n cael ei gymharu.

buddugoliaeth *eb* (buddugoliaethau) canlyniad
trechu rhywun neu rywbeth; concwest,
gorchfygiad, goresgyniad, goruchafiaeth victory

buddugoliaethus *ans* wedi cael buddugoliaeth,
yn ymddwyn fel buddugwr, yn dathlu
buddugoliaeth; arobryn, buddugol, gorchfygol,
trech triumphant

buddugwr *eg* (buddugwyr) un sy'n fuddugol,
enillydd gwobr, un sy'n cael ei ddyfarnu'n orau;
campwr, pencampwr, trechwr victor

buddugwraig *eb* merch neu wraig fuddugol
victrix

bueilch *ell* lluosog bualch

bues *bf* (ffurf anffurfiol ar 'bûm')

bugail *eg* (bugeiliaid)
1 yn wreiddiol, ceidwad anifeiliaid megis
defaid, gwartheg, moch, etc., ond yn awr,
gŵr sy'n gwarchod defaid ac ŵyn shepherd,
herdsman
2 un sy'n gofalu am eneidiau pobl yn yr Eglwys
Gristnogol; gweinidog, offeiriad, esgob pastor
y Bugail Da Iesu Grist the Good Shepherd

bugeiles *eb* (bugeilesau) merch neu wraig sy'n
gwarchod defaid ac ŵyn shepherdess

bugeilgerdd *eb* (bugeilgerddi) cerdd neu gân
yn portreadu bywyd delfrydol neu ramantaidd
bugail; eclog pastoral, eclogue

bugeiliaeth *eb* (bugeiliaethau) gweinidogaeth,
swydd a gwaith bugail, gofal eglwys ministry

bugeilio *be* [bugeili•²]
1 gwylio a gwarchod (yn enwedig praidd o
ddefaid), *Bu'n bugeilio'r mynyddoedd hyn ar
hyd ei oes. Bugeilio'r praidd liw nos*; diogelu,
gwylio to shepherd
2 gofalu am (eglwys); gweinidogaethu
to minister

bugeilio'r brain gw. brain

bugeiliol *ans* yn cynnig cyngor a gofal ysbrydol
a moesol; gweinidogaethol pastoral

bugunad¹ *eg* (bugunadau) rhuad anifail, e.e.
tarw; bloedd, llef, rhu bellow

bugunad² *be* cadw sŵn mawr, rhuo'n groch;
bloeddio to roar, to bellow
   Sylwch: nid yw'r ferf hon yn arfer cael ei rhedeg.

bulwg yr ŷd *eg* planhigyn blewog gwenwynllyd
o deulu'r penigan sydd â blodau o liw coch neu
borffor corncockle

bûm *bf* [bod] *ffurfiol* rwyf wedi bod, daru i mi fod

bun *eb* *llenyddol* merch, anwylyd, cariad, rhiain
damsel, maiden, sweetheart

burgyn *eg* (burgynnod) *hen ffasiwn* corff marw;
celain, corpws, sgerbwd carcass, carrion

Burkinaidd *ans* yn perthyn i Burkina neu'n
nodweddiadol ohoni Burkinan

Burkiniad *eg* (Burkiniaid) brodor o Burkina
Burkinan

Burmaidd *ans* yn perthyn i Burma (Myanmar)
neu'n nodweddiadol ohoni Burmese

Burmiad *eg* (Burmiaid) brodor o Burma (Myanmar),
un o dras neu genedligrwydd Burmaidd Burmese

burum *eg*
1 micro-organeb yn perthyn i deyrnas y
ffyngau; fe'i defnyddir i eplesu'r siwgr mewn
diodydd i gynhyrchu carbon deuocsid ac
alcohol i greu diod feddwol, ac i eplesu'r siwgr
o'r startsh mewn blawd lle mae'r nwy carbon
deuocsid yn creu bara ysgafn; eples, lefain,
surdoes yeast
2 yr ewyn ar wyneb diod fel cwrw foam

busnes *eg* (busnesau)
1 cwmni neu siop sy'n gwerthu nwyddau
neu wasanaeth er mwyn gwneud elw, *Aeth
busnesau bach y dref i'r wal pan agorwyd yr
archfarchnad.*; ffyrm, masnach business, firm
2 mater preifat, mater y mae angen ei drafod,
Meindia dy fusnes dy hun. business, concern

busnes byw busnes sy'n weithredol, yn
gwneud elw ac sy'n debyg o barhau am o leiaf
blwyddyn going concern

busnesa *be* [busnes•¹] cymryd gormod o ddiddordeb ym materion preifat pobl eraill, trafod busnes pobl eraill; busnesu, ymyrryd *to meddle, to pry*

busneslyd:busnesgar *ans* hoff o fusnesa interfering, nosy

busnesu *be* [busnes•¹] cymryd gormod o ddiddordeb ym materion preifat pobl eraill, trafod busnes pobl eraill; busnesa, ymyrryd *to meddle, to pry*

busnesyn *eg* un sy'n busnesa busybody

bustach *eg* (bustych) tarw wedi'i ddisbaddu ('sbaddu) yn ifanc; eidion bullock

bustachaidd *ans* twp ac ystyfnig, fel llo obstinate, stupid

bustachu *be* [bustach•³] gweithio'n galed heb ddim effaith, gwneud cawl o bethau; bwnglera, stryffaglio *to bumble, to bungle*

bustl *eg* (bustlau) BIOCEMEG hylif melyn chwerw a gynhyrchir gan yr afu/iau ac sy'n hybu treuliad braster drwy ei emwlsio bile

carreg y bustl gw. carreg

bustlaidd *ans* â blas cas; chwerw, egr, sur bitter

bustlog *ans* MEDDYGAETH yn ymwneud â chyfog a chwŷd bilious

bustych *ell* lluosog bustach

butrach:butraf:butred *ans* [budr] mwy budr; mwyaf budr; mor fudr

buwch *eb*
1 unigol buchod cow
2 benyw anifeiliaid fel yr eliffant a'r morlo cow

cael gormod o laeth y fuwch goch yfed gormod o gwrw; meddwi

buwch goch gota *eb* (buchod coch cwta) chwilen fach goch (neu felyn) a chanddi smotiau duon ar ei chefn ladybird

bw *ebychiad* bloedd i arswydo neu i ddangos anghymeradwyaeth boo

na bw na ba heb yngan gair, heb ddweud dim not a peep

bwa *eg* (bwâu)
1 darn o bren gwydn wedi'i ddal ar ffurf hanner cylch gan linyn cryf yn estyn o'r naill ben i'r llall, ar gyfer saethu saethau bow
2 darn o bren, yn wreiddiol yn plygu'n amgrwm ond erbyn hyn yn plygu'n geugrwm, â rhawn yn cysylltu'r ddau ben; caiff ei ddefnyddio i dynnu sŵn o linynnau feiolin, sielo, etc. bow, fiddlestick
3 adeiladwaith ar siâp bwa neu hanner cylch; mae bwa wedi'i adeiladu o gerrig â maen clo yn ei ganol yn un ffordd gref o godi pont; arc arch

bwa croes hen arf rhyfel grymus yn cynnwys bwa wedi'i osod ar ben cyff tebyg i gyff gwn i saethu bolltau arbennig crossbow

bwa maen
1 adeiladwaith o feini ar siâp bwa neu hanner cylch, e.e. pont stone arch
2 anticlin; haenau o greigiau wedi'u plygu ar ffurf bwa anticline

Ymadroddion

bwa'r arch:bwa'r Drindod enfys rainbow

bwa'r glaw/bwa'r hin enfys rainbow

bwa-nodi *be* [bwa-nod•¹] CERDDORIAETH nodi ar ddarn o gerddoriaeth ar gyfer offeryn llinynnol yn defnyddio bwa pa un ai ar i fyny neu ar i lawr y mae'r bwa'n symud ar nodyn, neu grŵp o nodau, penodol to bow

bwaog *ans* ar ffurf bwa, wedi'i blygu ar siâp bwa; crwm arched

bwbach *eg* (bwbachod) unrhyw beth annaturiol sy'n codi ofn ar rywun; bwci, bwgan, drychiolaeth, ellyll ghost, phantom

bwbechni *eg* cyfathrach rywiol drwy'r anws rhwng dau wryw, rhwng dyn a dynes, neu ag anifail buggery

bwced *eg* (bwcedi)
1 llestr crwn agored o fetel neu blastig ac arno ddolen er mwyn i rywun fedru codi neu gario dŵr, glo, tywod, etc. bucket
2 darn o beiriant sy'n gwneud yr un math o waith â bwced bucket

bwcedaid *eg* (bwcedeidiau) llond bwced bucketful

bwci *eg* (bwcïod) bwgan, drychiolaeth, ellyll bogey, spook

bwciad *eg* (bwciadau) y weithred o fwcio, canlyniad bwcio booking

bwcio *be* [bwci•²]
1 talu neu archebu rhywbeth, e.e. llety, tocyn, etc., ymlaen llaw to book
2 cofnodi'n ffurfiol fanylion (rhywun) sydd wedi torri'r gyfraith, e.e. am barcio'n anghyfreithlon, neu reolau, e.e. mewn gêm o rygbi neu bêl-droed to book

bwcl *eg* (byclau) cylch neu sgwaryn o fetel a phigyn yn ei ganol ar gyfer cydio dau ben strapen ynghyd drwy wthio'r pigyn i dyllau priodol yn un o bennau'r strapen; gwäeg buckle

dod i fwcl cyrraedd y pen yn llwyddiannus, dod i ben yn llwyddiannus

bwcler:bwcled *egb* (bwclerau:bwcledi) tarian fach a ddefnyddid i amddiffyn blaen y fraich neu flaen y corff buckler

bwclo:byclo *be* [bycl•¹] cau ynghyd â bwcl to buckle

bwch *eg* (bychod) gwryw anifail megis gafr, cwningen, ysgyfarnog buck

bwch danas:bwchadanas carw gwryw roebuck

Ymadrodd

bwch dihangol un sy'n cael ei gosbi neu ei feio ar gam ar ran eraill (yn wreiddiol, bwch gafr wedi'i aberthu yn y Deml) scapegoat

bwchio *be* [bwchi•²] *aflednais* cael cyfathrach rhywiol to fuck

Bwdha *eg* 'un goleuedig' yw ystyr Bwdha, a dyma'r enw a roddir ar Siddhartha Gautama, athro crefyddol a oedd yn byw tua 500 CC yn India Buddha

Bwdhaeth *eb* y ddysgeidiaeth a'r gyfundrefn grefyddol a sefydlwyd gan y Bwdha Buddhism

Bwdhaidd *ans* yn ymwneud â Bwdhaeth, nodweddiadol o Fwdhaeth Buddhist

Bwdhydd *eg* (Bwdhyddion) un sy'n dilyn Bwdha neu sy'n arddel y grefydd Bwdhaeth Buddhist

bwdram *eg* blawd ceirch wedi'i fwydo mewn dŵr oer dros nos a'i hidlo, yna ei ferwi a'i dywallt dros ddarnau o fara; griwel, llymru, uwd gruel

bwff *eg* lledr meddal, cryf o liw golau iawn, wedi'i wneud o groen eidion buff

bwffe *eg* (bwffes) COGINIO pryd o fwyd sy'n cynnwys sawl saig neu ddiod lle mae gwesteion yn gweini arnynt eu hunain buffet

bwffio *be* [bwffi•²] amddiffyn neu wella golwg defnydd, e.e. metel, drwy ei gwyro neu ei gaboli to buff

bwgan *eg* (bwganod) unrhyw beth annaturiol sy'n codi ofn ar rywun; bwci, drychiolaeth, ellyll, rhith bugbear, ghost, phantom

bwgan brain peth wedi'i wneud ar ffurf person er mwyn dychryn adar i ffwrdd o faes lle mae cnydau'n tyfu; bwbach brain scarecrow

bwgan yr eira anifail mawr iawn tebyg i arth neu epa y ceir hanesion amdano yn byw yn ardaloedd uchaf mynyddoedd Himalaya abominable snowman, yeti

Ymadrodd

codi bwganod codi ofnau di-sail to raise the spectre of

bwgan dŵr *eg* (bwganod dŵr) pysgodyn bach lliwgar, heb gen ar ei gorff, sy'n byw yn y môr ac sy'n fwytadwy dragonet

bwng:byng *eg* (byngau) corcyn neu dopyn a ddefnyddir i gau twll mewn baril neu gerwyn bung

bwnglera *be* gw. bwn(-)glera

bwhwman *be* crwydro o gwmpas, cerdded yma ac acw; bod mewn penbleth, bod yn ansicr; anwadalu, gwamalu, petruso to vacillate

Sylwch: nid yw'r ferf hon yn arfer cael ei rhedeg.

bwi *eg* (bwïau) teclyn lliwgar sy'n arnofio ar y môr (neu ar afon); mae wedi'i angori mewn lle arbennig i ddangos mannau peryglus i longwyr, neu i ddangos iddynt lwybr diogel drwy'r dŵr buoy

bwji:byji *eg* (bwjis:byjis) aderyn bach lliwgar o Awstralia sy'n boblogaidd fel aderyn anwes budgerigar

bwlas *eg* ffrwyth y goeden fwlas, math o eirinen; eirin duon gwyllt bullace

bwlb:bŵlb *eg* (bylbiau)
1 coesyn byr lle mae planhigyn yn storio haenau o fwyd dros y gaeaf, e.e. wynionyn/ wynwynyn, tiwlip; oddf bulb
2 unrhyw beth yr un siâp â bwlb planhigyn, yn enwedig y bwlb gwydr y mae golau trydan yn tywynnu drwyddo bulb

bwlch *eg* (bylchau)
1 man gwag mewn peth neu adwy rhwng dau beth; agendor, agoriad, gofod, gwagle gap, breach
2 rhaniad neu agoriad rhwng dau fynydd yn enwedig mewn enwau lleoedd, e.e. *Bwlch yr Oernant*; agendor, ceunant, dyfnant pass
3 un o'r rhes o agoriadau amddiffynnol ar frig mur castell embrasure
llenwi'r bwlch dod i'r adwy ar adeg o argyfwng, camu i'r bwlch to step into the breach
sefyll yn y bwlch bod yn amddiffynnwr mewn argyfwng to step into the breach

bwldagu *be* [bwldag•¹] peswch, tagu a bytheirio yr un pryd to splutter

bwled *eb* (bwledi:bwledau)
1 darn hirgrwn, pigfain sy'n cael ei saethu o ddryll neu wn bullet
2 symbol bach sy'n cael ei ddefnyddio i gyflwyno a phwysleisio pob eitem mewn rhestr bullet

bwlefard *eg* (bwlefardiau) rhodfa lydan a choed ar hyd-ddi fel arfer boulevard

bwletin *eg* (bwletinau)
1 darn byr o newyddion cyhoeddus bulletin
2 adroddiad ar bapur o'r sefyllfa ddiweddaraf mewn rhyw faes neu'i gilydd bulletin

Bwlgaraidd *ans* yn perthyn i Fwlgaria, nodweddiadol o Fwlgaria Bulgarian

Bwlgariad *eg* (Bwlgariaid) brodor o Fwlgaria, un o dras neu genedligrwydd Bwlgaraidd Bulgarian

bwli *eg* (bwlïod:bwlïaid) un sy'n defnyddio ei rym neu ei nerth i ddychryn neu i wneud dolur i rai sy'n wannach nag ef; gormeswr bully

bwlian:bwlio *be* defnyddio grym, nerth, dylanwad, etc., i ormesu (rhywun), yn enwedig er mwyn eu gorfodi i wneud rhywbeth to bully

Sylwch: nid yw'r ferf hon yn arfer cael ei rhedeg.

bwliwn *eg* barrau o aur neu arian cyn iddynt gael eu toddi i wneud arian bath bullion

bwlyn *eg* (bwlynnau) y belen fach yr ydych yn cydio ynddi a'i throi er mwyn agor drws, nobyn drws; unrhyw beth o'r un siâp â nobyn drws knob

bwmbeili *eg* (bwmbeilïaid) *difrïol* y beili a gymerai droseddwr i'r ddalfa, neu am un sy'n atafaelu eiddo troseddwr neu fethdalwr bum-bailiff

bwmbwr *eg* darn o ddefnydd i guddio'r llygaid (mewn chwarae plant neu er mwyn symud anifail); mwgwd blindfold

bwmerang *eg* (bwmerangau) darn crwm o bren sydd, o'i daflu'n iawn, yn hedfan mewn cylch ac yn dychwelyd at ei daflwr; fe'i defnyddid i hela gan gynfrodorion Awstralia boomerang

bwn *eg* fel yn *aderyn y bwn*, aderyn y nos tebyg i grëyr bychan sy'n gwneud sŵn dwndwr uchel bittern

bwncath:boncath *eg* (bwncathod:boncathod) aderyn ysglyfaethus o deulu'r hebog; boda buzzard

bwndel *eg* (bwndeli:bwndelau) nifer o bethau wedi'u rhwymo neu eu clymu ynghyd (heb fawr o drefn yn aml); pecyn, pwn, sypyn bundle

bwndelu *be* [bwndel•¹] cydio ynghyd mewn bwndel neu sypyn; pecynnu to bundle

bwnglera *be* [bwngler•¹] gwneud cawl o (ryw waith), gweithio'n drwsgl ac yn wallus; bustachu to botch, to bungle, to fudge

bwnglerwaith *eg* gwaith trwsgl, aflêr, anniben bungled work

bwrán *eg* METEOROLEG storm fawr o eira ac oerfel difrifol ar wastadeddau uchel Rwsia buran

bwrdeistref *eb* (bwrdeistrefi)
1 tref (nid dinas) â hawliau corfforaethol a breiniau arbennig a gyflwynwyd iddi drwy siarter frenhinol borough, municipality
2 *hanesyddol* tref yr oedd ganddi'r hawl i ethol Aelod Seneddol borough

bwrdeistref boced *hanesyddol* bwrdeistref lle rheolid etholiad seneddol gan dirfeddiannwr neu deulu breintiedig pocket borough

bwrdeistrefol *ans* yn perthyn i fwrdeistref, nodweddiadol o fwrdeistref municipal

bwrdd *eg* (byrddau)
1 dodrefnyn â thop gwastad ar goes neu goesau y gellir eistedd wrtho i fwyta, gweithio, chwarae, etc.; bord table
2 (*yn derbyn ffurf unigol neu luosog berf*) grŵp swyddogol o bobl sy'n arfer cynnal eu cyfarfodydd o gwmpas bwrdd; corff, pwyllgor board
3 llawr llong; dec deck
4 astell, planc, ystyllen plank
5 darn o ddefnydd ag wyneb gwastad at ddefnydd arbennig, *bwrdd hysbysebion*, *bwrdd sglefrio* board

bwrdd bysedd *eg* (byrddau bysedd CERDDORIAETH y gwddf hir ar offeryn llinynnol (megis feiolin, gitâr, etc.) y mae tannau'n cael eu gwasgu yn ei erbyn â'r bysedd er mwyn amrywio'r nodau; brân fingerboard

bwrdd du bwrdd ag wyneb llyfn du yr arferai athro ysgrifennu arno â sialc er mwyn i bawb yn y dosbarth fedru'i ddarllen blackboard

bwrdd eira bwrdd hir, llydan y mae rhywun yn sefyll arno wrth eirfyrddio snowboard

bwrdd gwaith CYFRIFIADUREG y sgrin agoriadol ar gyfrifiadur cyn i unrhyw raglen gael ei hagor desktop

bwrdd gwyn bwrdd y gellir ei sychu'n lân ac a ddefnyddir i arddangos neu i gyflwyno gwybodaeth (i grŵp) whiteboard

bwrdd gwyn rhyngweithiol CYFRIFIADUREG bwrdd wedi'i gysylltu â chyfrifiadur y gellir arddangos gwybodaeth o'r cyfrifiadur neu y gellir bwydo gwybodaeth i'r cyfrifiadur drwy gyffwrdd â'r bwrdd interactive whiteboard

bwrdd naws casgliad o ddelweddau, defnyddiau, darnau o destun, etc. sydd wedi'u trefnu i gyfleu neu ddwyn i gof arddull neu syniad penodol mood board

bwrdd sglodion bwrdd a ddefnyddir wrth adeiladu wedi'i gynhyrchu o sglodion pren wedi'u bondio wrth ei gilydd ag adlyn resin chipboard

bwrdd stori cyfres o luniau (sydd fel arfer yn cynnwys ambell gyfarwyddyd a deialog) sy'n cynrychioli'r saethiadau sydd wedi'u cynllunio ar gyfer cynhyrchiad ffilm neu deledu storyboard

Ymadroddion

a'i draed dan y bwrdd am rywun sydd ar fin priodi ac yn treulio amser yng nghartref y ddarpar wraig

ar fwrdd ar y llong aboard

bwrdd yr Arglwydd gw. arglwydd

bwrddgyhoeddi *eg* cyhoeddi bwrdd gwaith; argraffu deunydd print o ansawdd da drwy gyfrwng cyfrifiadur pen-bwrdd wedi'i gysylltu ag argraffydd desktop publishing

bwrglera *be* [bwrgler•¹] mynd i mewn (i adeilad) yn anghyfreithlon gyda'r bwriad o gyflawni trosedd (lladrata fel arfer) neu achosi niwed corfforol difrifol to burgle

bwrgleriaeth:byrgleriaeth *eb* (bwrgleriaethau: byrgleriaethau) y weithred o fwrglera, canlyniad bwrglera burglary

bwriad *eg* (bwriadau) amcan neu gynllun; bryd, diben, pwrpas intention
o fwriad yn fwriadol intentionally

bwriadol *ans* wedi'i fwriadu, o fwriad; wedi'i wneud ag un amcan mewn golwg; pwrpasol, unswydd intentional, deliberate

bwriadu *be* [bwriad•³] bod â bwriad neu amcan (i wneud rhywbeth); amcanu, arfaethu, golygu to intend, to aim

bwriadus *ans* wedi'i gynllunio ymlaen llaw; amcanus, bwriadol aforethought

bwriadus o fe'i defnyddir i ddwysáu ystyr ansoddair, *Mae'n fwriadus o araf.*

bwriaf *bf* [bwrw] rwy'n bwrw; byddaf yn bwrw

bwrlésg *eb* ffurf lenyddol sy'n defnyddio dynwarediad a gormodiaith i wneud sbort a dychanu burlesque

bwrlwm *eg* (byrlymau)
1 cloch ddŵr; chwysigen bubble
2 sŵn dŵr fel pe bai'n berwi; cyffro, cynnwrf bubbling
3 llawer iawn o symud ac o weithgaredd, *bwrlwm bro*; cythrwfl

bwrn *eg* (byrnau)
1 fel arfer mae'n cyfeirio at rywbeth neu rywun y mae rhywun yn dechrau cael digon arno; baich, bwndel, pwn, sypyn burden
2 sypyn neu fwndel mawr o wair neu wellt wedi'i gasglu ynghyd a'i rwymo'n dynn bale

bwrneisio *be* [bwrneisi•²] llathru drwy rwbio (rhywbeth) yn galed; caboli, gloywi (~ *rhywbeth* â) to burnish

bwrsari *eg* (bwrsarïau) grant, yn enwedig un sy'n cael ei gynnig i alluogi rhywun i astudio yn y brifysgol neu mewn coleg bursary

bwrw *be* [bwri•²]
1 taro ergyd; clatsio, cledro, curo, dyrnu, ergydio, ffusto, pwno to hit
2 hyrddio, lluchio, taflu, *Bwriodd y blwch i ddyfnder y môr.* to throw
3 (am anifail) geni, esgor ar, *buwch yn bwrw llo* to drop, to give birth to
4 bwrw glaw, bwrw eira; glawio to rain, to snow
5 rhoi llun ar (rywbeth), creu (siâp) mewn mold; mowldio to cast
a bwrw fy (dy, ei, etc.) mod gan gymryd, gan dderbyn assuming

bwrw allan gythreuliaid gyrru ysbrydion dieflig allan o le neu o unigolyn to exorcise

bwrw am anelu am, teithio i to head for (somewhere)

bwrw amcan amcangyfrif to estimate

bwrw amser treulio amser to spend time

bwrw angor angori to cast anchor

bwrw arfau diosg arfau to lay down arms

bwrw arni mynd ati'n ddiwyd to get on with it

bwrw ati mynd ati o ddifrif to get on with it

bwrw bai beio to put the blame (on someone or something)

bwrw blew/croen/plu gwaredu hen flew, croen neu blu, colli cot to moult, to shed

bwrw blinder dadflino

bwrw cipolwg dros gw. cipolwg

bwrw coelbren gw. coelbren

bwrw cyllyll a ffyrc bwrw glaw'n drwm to rain cats and dogs

bwrw drwyddi mynd drwy rywbeth (e.e. darlleniad) a'i orffen to get through (something)

bwrw ei ffrwyth (am de) rhoi ei nodd to brew

bwrw ewyn codi'n ewyn to foam

bwrw fy (dy, ei, etc.) hiraeth cael gwared ar fy hiraeth

bwrw fy (dy, ei, etc.) mara ar y dyfroedd gwneud rhywbeth hael gan obeithio elwa arno yn ddiweddarach to cast one's bread on the waters

bwrw fy (dy, ei, etc.) mol rhannu problemau a chyfrinachau to confide one's troubles

bwrw golwg edrych (a rhoi barn ar rywbeth) to have a look at (something)

bwrw gwreiddiau mewn daear ffres ymgartrefu mewn lle newydd to settle in

bwrw heibio rhoi'r gorau i (rywbeth) to give up, to set aside

bwrw heli yn y môr gw. heli

bwrw hen wragedd a ffyn arllwys y glaw to teem down

bwrw hud hudo to cast a spell

bwrw iddi rhoi cychwyn ar rywbeth to get on with it

bwrw i'r dwfn mentro to take the plunge

bwrw llid (ar) bod yn gas (wrth rywun) to inflict one's anger (on)

bwrw llygad (dros rywbeth) cymryd golwg (ar rywbeth) to examine, to take a look

bwrw prentisiaeth gw. prentisiaeth

bwrw'r bai arnaf fi (arnat ti, arno ef, etc.) rhoi'r bai (ar rywun neu rywbeth arall) to put the blame (on someone or something)

bwrw'r draul gwneud amcangyfrif o'r costau to estimate

bwrw('r) gaeaf treulio cyfnod y gaeaf to hibernate, to winter

bwrw'r hoelen ar ei phen taro'r union bwynt to hit the nail on the head

bwrw'r Sul (treulio) cyfnod y penwythnos, *Roeddwn i ym Mangor i fwrw'r Sul.* (to spend) the weekend

bwrw swildod dod i adnabod eich gilydd, yn enwedig am ŵr a gwraig ar fis mêl to break the ice

bwrw ymlaen parhau to carry on

(cael) fy (dy, ei, etc.) mwrw oddi ar fy echel to be knocked off balance

ei bwrw hi (am) teithio mewn cyfeiriad arbennig (yn gyflym fel arfer) to head for (somewhere)

fy (dy, ei, etc.) mwrw yn fy (dy, ei, etc.) nhalcen sylweddoli yn sydyn to be suddenly struck by (something)

Bwrwndiad *eg* (Bwrwndiaid) brodor o Burundi Burundian

Bwrwndiaidd *ans* yn perthyn i Burundi, nodweddiadol o Burundi Burundian

bws:bỳs *eg* (bysiau:bysys)
1 cerbyd modur mawr, weithiau a dau lawr

iddo, wedi'i wneud i gario nifer o deithwyr bus, omnibus

2 CYFRIFIADUREG mewn system gyfrifiadurol, set arbennig o ddargludyddion sy'n cario data a signalau rheoli; gellir cysylltu darnau o offer â nhw mewn paralel bus

bwsh *eg* (bwshys) silindr neu lawes o fetel o gwmpas gwerthyd, e.e. mewn peiriant car, llawes i ddiogelu cebl trydan bush

bwtan *eg* nwy fflamadwy a geir mewn petroliwm a nwy naturiol butane

bwtias gw. **bwtsias**

bwtler *eg* (bwtleriaid) prif was mewn tŷ lle mae nifer o weision; mae'n arolygu gweini bwyd ac yn gweini ar bennaeth y tŷ butler

bwtres *eg* (bwtresi) adeiladwaith o briddfaen neu gerrig wedi'i godi yn erbyn mur i'w gryfhau neu ei gynnal buttress

bwtri *eg* ystafell i gadw bwydydd a llestri, neu ystafell y mae bwyd yn dod ohoni i'r bwrdd; pantri larder, pantry

bwtsias:bwtias *ell* lluosog **bwtsiasen**, esgidiau uchel yn cyrraedd hyd at y pen-glin, yn wreiddiol wedi'u gwneud o ledr ond erbyn heddiw o ledr, rwber neu blastig boots, wellingtons

bwtsias y gog blodau glas sy'n tyfu'n wyllt, yn enwedig mewn mannau coediog, ac sydd i'w gweld ar ddechrau'r haf yn drwch fel niwlen las ar hyd y ddaear dan y coed; clychau glas, clychau'r gog, croeso haf bluebells

bwtsiasen *eb* un o bâr neu ragor o **bwtsias**

bwtsier *eg* (bwtsieriaid)

1 un sy'n lladd anifeiliaid wedi'u magu am eu cig, ac yn paratoi'r cig yn ddarnau i'w gwerthu, un sy'n gwerthu cig; cigydd butcher

2 un sy'n lladd yn ddidrugaredd butcher

bwtsiera *be* [bwtsier•¹]

1 lladd (anifail) a'i ddarnio yn barod i'w werthu'n gig to butcher

2 lladd yn ddidrugaredd to butcher

3 gweithio fel bwtsiwr to (be a) butcher

bwtwm:bwtwn gw. **botwm**

bwth *eg* (bythod)

1 math o ystafell fach neu le amgaeedig preifat, e.e. *bwth pleidleisio*; cell booth

2 llety dros dro; caban, cwt, sièd hut, shed

bwthyn *eg* (bythynnod) tŷ bychan, yn enwedig yng nghefn gwlad; daliad, tyddyn cottage

bwy *ardd* fel yn yr ymadrodd *bwygilydd*, (un) ar ôl y llall

bwyd *eg* (bwydydd) yr hyn sy'n cynnal twf corff anifail neu blanhigyn, yr hyn y mae dyn neu anifail yn ei fwyta; lluniaeth, maeth, porthiant, ymborth food, victuals

bwyd coginio-oeri COGINIO bwyd lle mae'r gwneuthurwr yn coginio'r bwyd ac yn ei oeri yn yr oergell yn barod i'r defnyddiwr ei aildwymo cook-chill food

bwyd cyflym COGINIO bwyd wedi'i brosesu, hawdd ei baratoi sy'n cael ei weini mewn barrau byrbryd a bwytai fel pryd bwyd sydyn neu fel pryd i fynd fast food

bwyd hwylus COGINIO pryd o fwyd wedi'i baratoi ymlaen llaw yn fasnachol fel nad oes angen i'r defnyddiwr baratoi llawer mwy arno convenience food

bwyd i fynd COGINIO bwyd sy'n cael ei brynu o siop neu fwyty ac yn cael ei fwyta yn rhywle arall takeaway

Ymadroddion

bwyd a llyn *hynafol* bwyd a diod food and drink

bwyd llwy bwyd babi pap

bwyd y boda/barcud madarch mushrooms

bwyda gw. **bwydo**

bwydlen *eb* (bwydlenni)

1 COGINIO rhestr sy'n dangos y bwydydd y gellir dewis ohonynt mewn tŷ bwyta; arlwy menu

2 COGINIO rhestr o awgrymiadau ar gyfer prydau bwyd penodol menu

bwydlen osod COGINIO bwydlen gyfyngedig sy'n cael ei chynnig ar gyfer nifer penodol o gyrsiau am bris gosod set menu, table d'hôte

bwydo:bwyda *be* [bwyd•¹]

1 rhoi bwyd i rywun neu rywbeth, neu dderbyn bwyd oddi wrth rywun neu rywbeth; porthi, ymborthi to feed

2 trosglwyddo (deunydd) i beiriant neu gynhwysydd, *bwydo data i gyfrifiadur* to feed

bwydo ar derbyn maeth yn rheolaidd drwy fwyta (rhyw fwyd penodol) to feed (on)

bwydo o'r fron

1 bwydo babi â llaeth/llefrith o'r fron to breastfeed

2 (am fabi) bwydo o'r fron to breastfeed

bwyeill *ell* lluosog **bwyell**

bwyell *eb* (bwyeill) erfyn â phen trwm o ddur a llafn (neu lafnau) miniog yn sownd wrth goes bren neu fetel, a ddefnyddir i gymynu neu dorri coed; arf rhyfel o'r un siâp axe, hatchet

bwyell arf bwyell fawr a ddefnyddid gynt i ymladd mewn brwydrau battleaxe

bwyell fechan bwyell â choes fer i'w defnyddio ag un llaw hatchet

bwyell gam erfyn saer tebyg i gaib fechan adze

bwyell ryfel bwyell goes fer a sbeic ar ei chefn a ddefnyddid mewn brwydrau gynt poleaxe

Ymadrodd

taro'r fwyell ar ei thalcen dweud y gwir yn blaen to hit the nail on its head

bwygilydd *adf* mewn ymadroddion fel *am oriau bwygilydd*, am oriau maith, y naill awr ar ôl y llall, ac *o ben bwygilydd*, o'r naill ben i'r llall after another

bwylltid *eg* (bwylltidau) teclyn sy'n cysylltu dau ddarn fel bod y naill a'r llall yn gallu troi ar ei ben ei hun swivel

bwylltidio *be* [bwylltidi•²] troi ar fwylltid neu fel bwylltid to swivel

bwystfil *eg* (bwystfilod)
1 anifail gwyllt, *bwystfil rheibus*; creadur, mil beast
2 dyn sy'n greulon neu'n anifeilaidd ei ffordd beast

bwyta *be* [bwyta•¹⁵ 3 *un. pres.* bwyty/bwytâ]
1 cnoi a llyncu (bwyd), *Cofiwch fwyta digon cyn mynd.*; llyncu, pori, ymborthi to eat, to consume
2 erydu'n araf, *y môr yn bwyta i mewn i'r tir*; rhydu, treulio (~ **drwy**; ~ **i mewn i**) to eat

bwyta bara iach am rywun iach ei olwg in the pink

bwyta fel ceffyl am rywun sydd ag archwaeth da to eat like a horse

bwyta geiriau
1 tynnu geiriau yn ôl to retract
2 siarad yn aneglur to mumble

bwyta potsh â rhaw ceisio cyflawni tasg heb yr offer angenrheidiol to attempt the impossible

bwyta uwd â mynawyd ceisio cyflawni tasg heb yr offer angenrheidiol to attempt the impossible

bwytadwy *ans* diogel i'w fwyta edible

bwytäwr *eg* (bwytawyr) un sy'n bwyta neu'n gorfwyta; bolgi, glwth devourer, eater

bwyty¹ *eg* (bwytai) tŷ bwyta, caffe restaurant, café

bwyty² *bf* [bwyta] *hynafol* mae ef yn bwyta/mae hi'n bwyta; bydd ef yn bwyta/bydd hi'n bwyta

byclau *ell* lluosog **bwcl**

byclo gw. **bwclo**

bych *ans mewn enwau lleoedd* bach, bychan, e.e. *Dinbych*

bychain *ans* ffurf luosog **bychan**

bychan¹ *ans* [lleied; llai; lleiaf *b* bechan] (bychain)
1 heb fod yn fawr nac yn niferus; bach, byr, mân, ychydig little, small, tiny
2 heb fod yn bwysig; dibwys, di-nod unimportant
3 ifanc, dibrofiad; yr ifancaf ymhlith nifer o blant, e.e. Gruffydd Fychan junior

bychan² *eg* bachgen (cf. *y fechan*) neu fabi bach; cwb, pwt little one

bychander:bychandra *eg* diffyg maint, y cyflwr o fod yn fach; byrder smallness

bychanol *ans* yn bychanu; difrïol, dirmygus, sarhaus slighting

bychanu *be* [bychan•³] gwneud yn fach o (rywun), tynnu oddi wrth enw da (rhywun); amharchu, dibrisio, dirmygu, gwaradwyddo to belittle

bychanus *ans* yn bychanu; coeglyd, dirmygus, dilornus, gwawdlyd derogatory

bychanwr *eg* (bychanwyr) un sy'n bychanu, un sy'n gwneud yn fach o rywun; dilornwr, dychanwr, gwatwarwr, gwawdiwr belittler, detractor

bychod *ell* lluosog **bwch**

byd *eg* (bydoedd)
1 y Ddaear, y blaned yr ydym yn byw arni, a phopeth sy'n gysylltiedig â'r blaned honno Earth, globe, the world
2 un o'r planedau eraill, *Mae rhai'n meddwl bod bydoedd eraill yn y bydysawd.* world
3 cylch neu faes arbennig, *byd y bêl* world
4 cyflwr bywyd ac amgylchiadau unigolyn neu gymdeithas, *Ar ôl etifeddu arian ei dad mae Dafydd yn weddol dda ei fyd ar hyn o bryd.* life
5 llawer iawn, *Mae cawod o law yn gwneud byd o les i'r ardd.* world

Byd Newydd *hanesyddol* rhannau newydd o'r byd a ddarganfuwyd yn bennaf gan Sbaen, Portiwgal a'r Iseldiroedd yng nghyfnod y Dadeni o ail ran y bymthegfed ganrif ymlaen New World

Hen Fyd Ewrop, Asia ac Affrica, sef y byd cyn i America gael ei ddarganfod; henfyd antiquity *Ymadroddion*

allan o'm (o'th, o'i, etc.) **byd** tu allan i faes gwybodaeth neu ddiddordeb yr un sy'n siarad not in one's field

amryw byd gw. **amryw²**

(beth, pwy, pam) yn y byd? mae'n cryfhau'r elfen o syndod (what, who, why) on Earth?

cael byd mawr cael trafferth to have difficulty

cyntaf byd, gorau byd gorau po gyntaf the sooner the better

daw tro ar fyd bydd pethau'n newid things will change

er y byd am unrhyw beth, *Ni wnawn niwed iddi er y byd.* for the world

meddwl y byd o gw. **meddwl²**

o bethau'r byd o bopeth of all things

rhoi'r byd yn ei le yn wreiddiol, diwygio neu wella cyflwr pethau, ond yn amlach yn awr, am sgwrs hir rhwng dau gyfaill to set the world to right

y byd a'r betws gw. **betws¹**

y byd sydd ohoni fel y mae pethau yn awr as things stand

y byd yn grwn y byd i gyd the whole wide world

byd-eang *ans* dros y byd i gyd; cydwladol, eciwmenaidd, rhyngwladol worldwide, global, universal

byd-enwog *ans* enwog drwy'r byd i gyd world-famous

bydol *ans*
1 yn ymwneud â'r byd a phethau daearol; daearol worldly
2 yn canolbwyntio ar y byd materol ac eiddo ac arian yn hytrach na'r byd ysbrydol; materol worldly

bydol-ddoeth *ans* yn meddu ar ddealltwriaeth ymarferol, graff, faterol o deithi'r byd a'i bobl; soffistigedig worldly-wise

bydwraig *eb* (bydwragedd) gwraig neu ŵr wedi'i hyfforddi i gynorthwyo gwraig ar adeg geni ei phlentyn midwife

bydwreigiaeth *eb* obstetreg; gwaith bydwraig midwifery

bydysawd *eg* y gofod a'r holl ddefnyddiau sydd ynddo gan gynnwys y Ddaear, sêr, planedau eraill, etc.; cread, creadigaeth, cyfanfyd, hollfyd universe, cosmos

bydd *bf* [bod] mae ef yn mynd i fod/mae hi'n mynd i fod

byddar *ans* [byddar•] (byddair) wedi colli'i glyw'n rhannol neu'n llwyr, trwm ei glyw deaf

mor fyddar â phost giât:byddar post byddar iawn deaf as a doorpost

byddardod *eg* y cyflwr o fod yn fyddar, trymder clyw deafness

byddariad *eg* (byddariaid) rhywun byddar, un wedi colli'i glyw deaf person

byddarol *ans* (am sŵn) mor uchel fel na ellir clywed dim byd arall, neu'n peri i chi golli eich clyw yn gyfan gwbl deafening

byddarol o fe'i defnyddir i ddwysáu ystyr ansoddair, *Mae'n fyddarol o uchel.*

byddaru *be* [byddar•³] gwneud yn fyddar, colli clyw (~ *rhywun* â) to deafen

byddin *eb* (byddinoedd) lluoedd arfog gwlad sy'n ymladd ar dir; llu o wŷr arfog wedi'u hyfforddi i ryfela army

Byddin yr Iachawdwriaeth CREFYDD mudiad Cristnogol a sefydlwyd yn y bedwaredd ganrif ar bymtheg, sy'n enwog am helpu pobl mewn angen the Salvation Army

byddin y tir *hanesyddol* merched a symudodd o'r dinasoedd a'r trefi mawr i weithio ar ffermydd yn ystod yr Ail Ryfel Byd; y bwriad oedd cymryd lle'r dynion er mwyn parhau i gynhyrchu cymaint â phosibl o fwyd tra oedd y dynion yn rhyfela land army

byddino *be* casglu byddin ynghyd yn barod i ryfela; mwstro to mobilize, to muster
Sylwch: nid yw'r ferf hon yn arfer cael ei rhedeg.

byddo gw. bo
byffer *eg* (byfferau)
1 dyfais i leihau effaith gwrthdrawiad, yn enwedig dyfais ar drên sy'n amsugno effeithiau gwrthdrawiad rhwng dwy goets neu wagen buffer
2 CYFRIFIADUREG man i gadw gwybodaeth dros dro, yn enwedig mewn dyfais neu raglen sy'n derbyn gwybodaeth ar un cyflymder neu ar un adeg ac yn ei gollwng ar gyflymder neu ar adeg wahanol buffer

byfflo *eg* (byfflos)
1 ych â chyrn hir a geir yng ngwledydd Affrica ac Asia; bual buffalo
2 bison America bison

byffro *be* CYFRIFIADUREG cadw (data) dros dro mewn byffer to buffer
Sylwch: nid yw'r ferf hon yn cael ei rhedeg.

byg *eg* (bygiau) camgymeriad mewn rhaglen gyfrifiadurol sy'n golygu nad yw'n gweithio'n iawn bug

bygegyr:begegyr *eg* (bygegyron) gwenynen wryw nad yw'n gweithio nac yn amddiffyn y nyth, a'i hunig swyddogaeth yw ffrwythloni'r frenhines; gwenynen ormes, gwenynen segur drone

bygwth:bygythio *be* [bygythi•² 3 *un. pres.* bygwth/bygythia; 2 *un. gorch.* bygwth/bygythia]
1 dangos bwriad i weithredu yn erbyn (rhywun neu rywbeth) drwy wneud niwed, cosbi, peri poen, streicio, etc.; bygythio to threaten
2 rhoi mewn perygl, creu risg; peryglu to threaten
3 edrych yn debygol o, *Mae hi'n bygwth storm.*; argoeli to threaten

bygythiad *eg* (bygythiadau:bygythion) datganiad o'r bwriad i wneud niwed, cosbi, peri poen (fel arfer er mwyn gorfodi rhywun i wneud yr hyn y mae'r un sy'n bygwth yn ei ddymuno) threat, menace

bygythiaf *bf* [bygwth] rwy'n bygwth; byddaf yn bygwth

bygythio [bygythi] gw. bygwth

bygythiol *ans* yn bygwth, yn argoeli'n ddrwg; heriol threatening, menacing

bygythion *ell* lluosog bygythiad

byng gw. bwng

byngalo gw. byn(-)galo

byji *eg* gw. bwji

byl *eb* (bylau) fel yn *yn llawn hyd y fyl* ymyl llestr; min brim

bỳlb gw. bwlb

bylbiau *ell* lluosog bwlb

bylchau *ell* lluosog bwlch

bylchfur *eg* (bylchfuriau) mur isel ar ben caer neu gastell ac ynddo fylchau rheolaidd i saethu drwyddynt; murfwlch battlement

bylchiad *eg* (bylchiadau)
1 canlyniad bylchu breach, break
2 y gofod a geir rhwng unrhyw ddau wrthrych, fel arfer mewn trefniant cyson, e.e. y bylchiad rhwng llinellau'r llyfr hwn spacing

bylchog *ans*
1 a bwlch neu fylchau ynddo; anghyfan incomplete
2 a tholciau ynddo; danheddog jagged
3 heb fod yn ddidor, *Roedd y ddarpariaeth fylchog yn ganlyniad i golli'r holl staff.* irregular, patchy

bylchu *be* [bylch•¹] gwneud bwlch neu fylchau, creu agoriad; adwyo to notch

bylchwr *eg* (bylchwyr) y fysell hir ar waelod bysellfwrdd (cyfrifiadur, etc.) a ddefnyddir i greu gofod rhwng geiriau space bar

byllt *ell* lluosog **bollt**

byncer *eg* (bynceri)
1 ystafell danddaearol wedi'i gwneud o goncrit cryf iawn er mwyn gwrthsefyll ffrwydradau bomiau a thaflegrau bunker
2 twll eang (i'w osgoi) a'i lond o dywod ar gwrs golff bunker

byngalo *eg* (byngalos) tŷ ag un prif lawr wedi'i seilio ar batrwm tai a adeiladwyd ar gyfer cyfaneddwyr o Ewrop yn Bengal, India bungalow

bynji *eg* rhaff elastig a ddefnyddir i ddiogelu rhywun sy'n cymryd *naid fynji*, sef naid oddi ar le uchel â'r rhaff ynghlwm wrth ei draed fel arfer bungee

bynnag *rhagenw* fel yn *beth bynnag, ble bynnag, pwy bynnag,* fe'i defnyddir gyda gair arall i roi ystyr mwy cyffredinol i'r gair hwnnw (what)soever, (where)soever, (who)soever
Sylwch: nid yw 'bynnag' yn treiglo ar ôl enw benywaidd, e.e. *pa swydd bynnag.*
fodd bynnag *ta p'un,* beth bynnag however
Sylwch: defnyddiwch 'fodd bynnag' (y ffurf wedi'i threiglo) bob tro.

bynnen:bynsen *eb* (byns) teisen fach felys ar ffurf torth gron ag ychydig o gwrens ynddi bun

byr *ans* [byrr• *b* ber] (byrion)
1 heb fod yn fawr o ran taldra, heb fod yn hir o ran amser neu bellter, llai na'r cyffredin o ran hyd neu estyniad; bach, bychan, cryno, cwta short
2 heb fod â digon (o rywbeth), *byr o arian;* diffygiol, prin, swta short
byr, brwnt a brau disgrifiad o gyflwr bywyd dyn cyffredin yn yr Oesoedd Canol brief, brutal and bloody
Ymadroddion
ar fyr (o amser; o dro; rybudd) heb lawer
byr fy (dy, ei, etc.) ngolwg yn methu gweld rhywbeth yn glir oni bai ei fod yn eithaf agos at y llygaid; â myopia short-sighted, myopic
byr fy (dy, ei, etc.) (h)amynedd yn ddiamynedd impatient

byrbryd *eg* (byrbrydau) pryd bach ysgafn o fwyd snack

byrbwyll *ans* heb fod yn bwyllog, heb ystyried yn iawn; chwyrn, diamynedd, difeddwl, gwyllt rash, foolhardy, impetuous

byrbwylledd:byrbwylltra *eg* diffyg pwyll ac amynedd, diffyg ystyriaeth, rhuthr i ddod i gasgliad; amhwylledd rashness, impulsiveness, recklessness

byrder:byrdra *eg* yr ansawdd neu'r cyflwr o fod yn fyr, diffyg hyd o ran taldra, amser neu bellter; bychander brevity, shortness
ar fyrder yn gyflym, cyn bo hir quickly, soon

byrdew *ans* byr a thew dumpy, stocky, stubby

byrdwn *eg* (byrdynau)
1 CERDDORIAETH darn o gân neu gerddoriaeth a ailadroddir ar ôl pob pennill; cytgan refrain, chorus
2 cnewyllyn neges, *Byrdwn sgwrs y darlithydd oedd y dylem weithio'n galetach.*; cenadwri, thema burden, main topic, theme

byrdymor *ans*
1 yn ymwneud â chyfnod cymharol fyr o amser short-term
2 (am gynlluniau ariannol) ar gyfer cyfnodau byrrach na blwyddyn short-term

byrddaid *eg* (byrddeidiau) llond bwrdd tableful

byrddau *ell* lluosog **bwrdd**

byrddiwr *eg* (byrddwyr) un sy'n lletya, yn enwedig disgybl sy'n lletya mewn ysgol breswyl; disgybl preswyl boarder

byrfodd *eg* (byrfoddau) talfyriad gair, cwtogiad term, ffordd fer o ysgrifennu rhywbeth, *e.e. am er enghraifft, eg am enw gwrywaidd* abbreviation

byrfyfyr *ans* heb fod wedi paratoi, ar y pryd, o'r frest; difyfyr improvised, extempore, impromptu
creu'n fyrfyfyr creu (cerddoriaeth, geiriau drama, araith, etc.) wrth chwarae neu siarad yn hytrach na pharatoi ymlaen llaw to improvise, improvisation

byrhau *be* [byrha•¹⁴]
1 torri'n fyr, lleihau hyd, *Bydd angen byrhau'r sgert o ryw 5 cm.*; crynhoi, cwtogi, talfyrru, tocio to shorten
2 mynd yn fyrrach, *Mae'r dydd yn byrhau.* to shorten

byrhoedledd *eg* byrder bywyd brevity of life

byrhoedlog *ans* yn dod i ben yn gyflym, yn parhau am gyfnod byr yn unig, ag oes fer short-lived, transient

byrion *ans* ffurf luosog **byr**

byrlymau *ell* lluosog **bwrlwm**

byrlymu *be* [byrlym•¹] berwi'n wyllt, llifo'n rhwydd (am hylif neu eiriau); cynhyrfu, goferu, pefrio (~ o) to bubble, to effervesce

byrlymus *ans* yn byrlymu, llawn bwrlwm
bubbling, effervescent

byrllysg *eg* gwialen, teyrnwialen; brysgyll mace

byrnau *ell* lluosog **bwrn**

byrnio:byrnu *be* casglu'n fyrnau; sypynnu
to bale
Sylwch: nid yw'r ferf hon yn arfer cael ei rhedeg.

byrnwr:byrnydd *eg* (byrnwyr) peiriant byrnio
baler

byrrach:byrraf:byrred *ans* [byr] mwy byr;
mwyaf byr; mor fyr

byrstio *be* [byrsti•²]
1 ffrwydro neu dorri'n sydyn dan effaith
pwysau oddi mewn; chwalu, chwythu, dryllio
(~ o) to burst
2 pigo, torri, *Byrstiodd y balŵn â phìn.* to burst

bys *eg* (bysedd)
1 un o'r pedwar darn hirgul, cymalog sy'n rhan
o'r llaw ddynol (pump o gyfrif y fawd); un o'r
darnau cyfatebol ar y droed finger, toe
2 y rhan o faneg neu o ddilledyn arall sydd
wedi'i gwneud i orchuddio'r bys finger
3 y darn bach ar wyneb watsh, cloc neu ddeial
sy'n pwyntio at yr oriau, y munudau neu'r
eiliadau hand
4 clo syml y gellir ei godi neu ei ostwng er
mwyn agor neu gau drws; cliced drws latch
5 rhywbeth sy'n debyg o ran siâp neu ffurf i un
bys yn pwyntio finger

bys awr y darn ar gloc neu watsh sy'n dangos
yr oriau hour hand

bys bach y bys lleiaf ar ochr allanol y llaw
little finger

bys bawd bys byr, tew, cyntaf y llaw, mae
wedi'i leoli'n is na'r lleill ac yn gyferbynadwy
iddynt thumb

bys blaen mynegfys; y bys cyntaf nesaf at y
fawd; bys yr uwd forefinger, index finger

bysedd blaidd y gerddi planhigion o deulu'r
bysen sydd â phigau hir o flodau amryliw lupin

bysedd y cŵn planhigion â blodau coch neu
wyn (ffion) yn hongian fel clychau ar hyd
coesyn hir foxgloves

bys troed un o'r pedwar darn hirgul, cymalog
sy'n rhan o'r droed ddynol (pump o gyfrif
y fawd) toe

bys y cogwrn/y gyfaredd:hirfys bys hwyaf
y llaw, bys canol middle finger

bys y fodrwy y bys nesaf at y bys bach, y
bys ar y llaw chwith yr arferir gosod modrwy
briodas arno ring finger

bys yr uwd mynegfys; y bys nesaf at y fawd
(a ddefnyddir fel arfer i brofi gwres, blas, etc.);
bys blaen forefinger, index finger
Ymadroddion
ar flaenau fy (dy, ei, etc.) mysedd yn hollol
gyfarwydd â rhywbeth at one's fingertips

bys yn y brywes gw. brywes

codi'r bys bach gw. codi

llosgi bysedd cael profiad annymunol
(ag arian yn aml) sy'n gwneud rhywun yn
gyndyn o fentro eilwaith to burn one's fingers

mêl ar fysedd (yn ffigurol gan awgrymu
anffawd sydd wedi dod i ran rhywun arall)
rhywbeth i'w flasu a'i fwynhau music to
one's ears

pawb â'i fys lle bo'i ddolur mae pobl yn
tueddu i siarad yn fwy angerddol am bethau
sy'n bwysig iddynt

pwyntio bys cyhuddo to point the finger

rhoi bys ar (rywbeth) adnabod beth yn union
sy'n bod to put one's finger on (something)

bỳs gw. bws

Bysantaidd *ans* *hanesyddol* nodweddiadol o
ddinas hynafol Caergystennin (Bysantiwm)
o ran celfyddyd a phensaernïaeth, lle y ceid
lluniau lliwgar ar gefndir o aur, ac o ran
gwleidyddiaeth a oedd yn gymhleth tu hwnt ac
anodd ei deall Byzantine

byseddiad *eg*
1 y gwaith o gyffwrdd neu drafod â'r bysedd;
ôl trafod neu gyffwrdd â'r bysedd
2 patrwm y bysedd wrth chwarae nodau ar
offeryn fingering

byseddu *be* [bysedd•¹] cydio yn rhywbeth a'i
drafod rhwng bys a bawd; bodio to handle,
to thumb

bysell *eb* (bysellau) darn unigol ar beiriant
neu offeryn, e.e. cyfrifiadur, ffliwt, etc.
sydd wedi'i wneud i'w wasgu gan fys neu
fysedd key

bysellfwrdd *eg* (bysellfyrddau) allweddell
cyfrifiadur sy'n cynnwys y bysellau i'w gwasgu
keyboard

bysiau:bysys *ell* lluosog **bws**

bysio¹ *be* [bysi•²] mynd â (rhai) mewn bysiau
o'r naill le i'r llall, *Bysio'r plant i'r ysgol.*
(~ rhywun i; ~ rhywun o) to bus
Sylwch: nid yw'r ferf hon yn arfer cael ei rhedeg.

bysio² *be* [bysi•²] CERDDORIAETH canu darn
ar offeryn cerdd, e.e. feiolin, piano, lle mae'r
bysedd yn dilyn patrwm penodol; nodi
patrwm y bysedd i'w ddefnyddio ar ddarn o
gerddoriaeth to finger
Sylwch: nid yw'r ferf hon yn arfer cael ei
rhedeg.

byslen *eb* (byslenni) gorchudd amddiffynnol i'w
osod am fys fingerstall

bysys gw. bysiau

bytio *be* [byti•²] creu uniad rhwng dau ddarn
o ddefnydd (metel neu bren fel arfer) sy'n
cyffwrdd (ond nad ydynt yn gorgyffwrdd)
â'i gilydd; bôn-uno (~ rhywbeth yn erbyn)
to butt

byth *adf*

1 bob amser, yn wastad, drwy'r amser, unrhyw amser, yn dragywydd, o hyd, eto, *Wyt ti yno byth?*; erioed always, ever

2 (mewn brawddeg negyddol) dim byth, *Dydw i byth yn mynd i siarad â hi eto!* never

3 mewn ymadroddion fel *yn waeth byth, diolch byth* i ddwysáu a chryfhau'r ystyr even, ever, still

   Sylwch: 1 defnyddir 'byth' gyda berfau yn yr Amser Presennol, Dyfodol ac Amherffaith ('erioed' a ddefnyddir yn yr Amser Gorffennol); 2 nid yw'n treiglo'n feddal yn dilyn arddodiad (*am byth; hyd byth*).

am byth yn dragwyddol forever

byth a beunydd:byth a hefyd yn aml, bob amser forever

byth bythoedd yn oes oesoedd evermore

dros byth am byth forever

hyd byth am byth forever

bytheiad *eg* (bytheiaid) ci hela, yn enwedig ci hela llwynogod; helgi hound

bytheirio *be* [bytheiri•²]

1 chwythu llwon a bygythion, etc.; diawlio, rhegi, rhuo, tyngu to shout threats

2 cadw sŵn croch, torri gwynt to belch

bythgofiadwy *ans* am rywbeth neu rywun nad anghofiech chi byth, y cofiech chi amdano am byth; anfarwol memorable

bythod *ell* lluosog **bwth**

bythol *ans* yn parhau am byth; tragwyddol eternal

   Sylwch: nid yw'n cael ei gymharu.

bythwyrdd:bytholwyrdd *ans* am goed neu blanhigion nad ydynt yn colli eu dail i gyd dros y gaeaf ac sy'n deilio'n wyrdd drwy'r flwyddyn; anwyw evergreen

bythynnod *ell* lluosog **bwthyn**

bythynnwr *eg* (bythynwyr) un sy'n byw mewn bwthyn cottager

byw¹ *be*

1 bod â bywyd, parhau yn fyw; bodoli to live

2 preswylio, *Mae Delyth yn byw yn Aberystwyth.*; cyfanheddu, trigo, ymgartrefu to live, to dwell, to reside

3 treulio eich bywyd mewn modd arbennig, *Mae Dafydd yn byw bywyd o oferedd.* to live

4 derbyn cynhaliaeth, *Mae Mair yn byw ar arian ei thad.*

   Sylwch: does dim ffurfiau cryno.

ar dir y byw gw. byw³

byw a bod (yn rhywle) treulio'r amser i gyd (mewn un man) to spend all one's time

byw ar bwrs y wlad byw ar fudd-daliadau (yn hytrach na gweithio)

byw ar drugaredd a gwynt y dwyrain byw ar ddim to live on fresh air

byw ar fy (dy, ei, etc.) nghynffon yn lle byw ar f'ewinedd cardota yn lle gweithio

byw ar fy (dy, ei, etc.) mloneg gw. bloneg

byw ar gythlwng:byw ar oleuni dydd a gwynt byw'n fain ac yn dlawd, rhygnu byw to scrape a living

byw fel ci a hwch/cath gw. ci

byw lle mae'r brain yn marw goroesi lle mae pawb arall yn methu

byw'n fain byw heb fawr o ddim to live frugally

byw'n fras byw'n foethus to live in luxury

byw o'r llaw/fawd i'r genau byw heb ddim byd wrth gefn, heb fedru cynilo neu ddymuno cynilo; dal llygoden a'i bwyta to live from hand to mouth

byw tali byw fel gŵr a gwraig ond heb fod yn briod to cohabit

cael modd i fyw cael eich plesio'n fawr iawn, bod wrth eich bodd to be beside oneself with joy

methu'n lân â byw yn fy (dy, ei, etc.) nghroen methu aros, bod ar bigau'r drain

byw² *ans*

1 yn berchen ar fywyd, y mae bywyd ynddo alive

2 llawn bywyd; bywiog, afieithus lively

3 (am raglen radio neu deledu) yn cael ei darlledu fel y mae'n digwydd, heb iddi gael ei recordio'n gyntaf live

4 mor llawn o anifeiliaid neu drychfilod nes bod y cyfan fel petai'n symud, *Roedd y gwely'n fyw o chwain.* alive

5 â thrydan yn rhedeg drwyddo live

   Sylwch: gellir hepgor yr 'yn' traethiadol yn dilyn ffurfiau 'bod' ond yn wahanol i ansoddeiriau eraill gellir dewis treiglo'n feddal neu beidio, *bu fyw yn hen ŵr* neu *bu byw yn hen ŵr; byddaf fyw* neu *byddaf byw.*

byw ac iach gw. byw³

byw³ *eg*

1 pobl neu anifeiliaid neu blanhigion sy'n fyw, nad ydynt yn farw the living

2 darn meddal, sensitif o'r corff, e.e. dan yr ewin, cannwyll y llygad; bywyn the quick

ar dir y byw yn fyw, heb farw in the land of the living

byw ac iach yn teimlo'n dda alive and well

edrych ym myw llygad (rhywun) edrych yn syth i lygad (rhywun) to look (someone) straight in the eye

naw byw cath y goel bod cath yn fwy llwyddiannus nag anifeiliaid eraill i oroesi peryglon, yn gysylltiedig efallai â'i gallu i ddisgyn ar ei thraed a cat's nine lives, nine lives

teimlo i'r byw cael eich brifo neu eich siomi; teimlo'n ddwys to be cut to the quick

yn fy (dy, ei, etc.) myw er ymdrechu'n galed for the life of (me), in my life

bywddyraniad *eg* yr arfer o arbrofi ar anifeiliaid byw gan dorri neu ddyrannu'r corff vivisection

bywesgorol *ans*

1 SWOLEG (am famolion) yn geni epil byw sydd wedi datblygu yng nghroth y fam viviparous

2 BOTANEG (am hadau) yn egino cyn gwahanu oddi wrth y fam blanhigyn viviparous

3 BOTANEG (am blanhigion) yn cynhyrchu planhigion bychain yn hytrach na blodau viviparous

bywgraffiad *eg* (bywgraffiadau) hanes bywyd rhywun wedi'i ysgrifennu gan rywun arall; buchedd, cofiant biography

bywgraffiadur *eg* (bywgraffiaduron) casgliad o fywgraffiadau byrion; cyfeirlyfr o wybodaeth am fywydau enwogion biographical dictionary

bywgraffyddol *ans* o natur bywgraffiad neu'n cynnwys bywgraffiadau, e.e. geiriadur bywgraffyddol; cofiannol biographical

bywhau:bywiocáu *be* [bywha•[14]] [bywioca[15]]

1 anadlu bywyd i mewn i rywbeth, gwneud i rywun neu rywbeth fyw, *Bywhaodd drwyddo pan welodd hi. Mae angen rhywbeth i fywhau'r parti yma.*; adfer, bywiogi to enliven

2 bod neu fynd yn fywiog; sioncio to enliven

bywiocáu *be* [bywioca•[15]] gw. **bywhau**.

bywiog *ans* [bywioc•] llawn bywyd, yn methu aros yn llonydd; afieithus, cynhyrfus, egnïol, hoenus lively, vivacious, active

bywiogi *be* [bywiog•[1]] bywhau, gwneud neu fynd yn fywiog, rhoi bywyd (newydd) i rywbeth to enliven, to revive

bywiogrwydd *eg* y cyflwr o fod yn fywiog; afiaith, arial, asbri, nwyf sprightliness, vivacity

bywiogydd *eg* (bywiogwyr) un sy'n ysgogi, un sy'n dod â bywyd ac egni newydd i rywbeth animateur

bywiol *ans* llawn bywyd, llawn egni; adnewyddol lively, vivacious

bywoliaeth *eb* (bywoliaethau)

1 y ffordd y mae rhywun yn llwyddo i gynnal ei fywyd, fel arfer drwy ennill arian; cynhaliaeth, gwaith, gyrfa, swydd livelihood

2 cynhaliaeth arbennig i offeiriad, arian a delir iddo gan ei eglwys benefice, living

bywyd *eg* (bywydau)

1 y cyflwr sy'n amlygu'r gwahaniaeth rhwng pethau byw (anifeiliaid a phlanhigion) a defnydd anorganig, mae'n cynnwys tyfu, atgynhyrchu a newid cyson cyn marw; bodolaeth, einioes life

2 bodolaeth bod dynol neu anifail life

3 hanes bywyd, bywgraffiad; buchedd, cofiant, hunangofiant life

4 y cyfnod y mae rhywun neu rywbeth yn fyw; oes life, lifetime

5 ffordd o fyw; buchedd life

6 bywiogrwydd, ynni, afiaith life, verve

am fy (dy, ei, etc.**) mywyd** fel petai bywyd yn dibynnu arno for one's life

bywydaeth *eb* ATHRONIAETH y gred na ellir egluro bywyd drwy reolau cemeg a ffiseg yn unig ond bod egwyddor fywiol sylfaenol yn bodoli vitalism

bywydfa *eb* (bywydfeydd) lle amgaeedig lle y caiff anifeiliaid eu cadw mewn amgylchfyd mor debyg ag sy'n bosibl i'w hamgylchfyd naturiol vivarium

bywyn *eg*

1 rhan fewnol neu ganol rhywbeth, yn enwedig rhan ganol feddal, e.e. *bywyn afal*, *bywyn dant*; calon, cnewyllyn, craidd core

2 (am hedyn) y rhan sy'n datblygu i fod yn blanhigyn newydd embryo, germ

bywyn bara y rhan o'r dorth y tu mewn i'r crystyn

bywyn carn ceffyl darn trionglog, elastig, corniog, sy'n tyfu yng nghanol carn ceffyl, buwch, etc.; ffroga, gwennol, llyffant frog

C

c¹:C *eb*

1 cytsain, a thrydedd lythyren yr wyddor Gymraeg; ar ddechrau gair, gall dreiglo'n llaes yn *ch*, neu dreiglo'n feddal yn *g* neu dreiglo'n drwynol yn *ngh*, *ei chath, dwy gath, fy nghath*. c, C

2 mewn cyfundrefn farcio, golyga 'cymedrol', *Cefais C am fy nhraethawd*. C

3 CERDDORIAETH enw nodyn mewn hen nodiant, y nodyn sylfaen mewn cywair heb lonnod na meddalnod, *Symffoni rhif pump yn C fwyaf*. C

4 cant mewn rhifau Rhufeinig C

5 (fel yn C15) canrif C (century)

6 canradd C (Celsius), C (centigrade)

Sylwch: er ei bod yn enw benywaidd nid yw enw'r llythyren yn treiglo, *dwy C*.

c² *byrfodd* ceiniog p (penny)

cab *eg* (cabiau)

1 car a ddefnyddir i gario pobl am dâl (yn wreiddiol, roedd cerbydau fel hyn yn cael eu tynnu gan geffylau); tacsi cab

2 y rhan o gerbyd, e.e. lorri, trên, tractor, y mae'r gyrrwr yn eistedd ynddi cab

cabaetsen:cabeitsen:cabetsen *eb* (cabaets) llysieuyn bwytadwy a dyfir er mwyn y dail tew o liw gwyrdd neu borffor sy'n amgáu pelen neu galon o ddail ifanc; bresychen cabbage

cabál *eg* (cabalau)

1 grŵp neu glymblaid sy'n cyfarfod yn y dirgel, yn enwedig felly i gynllwynio'n wleidyddol neu i dwyllo; clic cabal

2 *hanesyddol* grŵp o bump o gynghorwyr answyddogol a benodwyd gan y Brenin Siarl II; lluniwyd yr enw o lythrennau cyntaf eu cyfenwau; daeth eu cyfarfodydd i ben yn 1673.

Cabala *eg*

1 cynllwyn cudd (gwleidyddol) Cabbala

2 math o gyfriniaeth Iddewig sy'n seiliedig ar esboniad dadleuol o'r traddodiad llafar o ddehongli'r cyfreithiau Iddewig Cabbala

caban *eg* (cabanau)

1 adeilad bychan, moel (wedi'i wneud o foncyffion coed fel arfer); bwth, cwt cabin, hut, kiosk

2 ystafell fach breifat ar long ar gyfer teithwyr neu swyddogion o'r criw cabin

cabarddylu *be* gwag siarad, siarad lol; baldorddi, breblian, brygawthan, janglo to rattle on

Sylwch: nid yw'r ferf hon yn arfer cael ei rhedeg.

cabeitsen gw. **cabaetsen**

cabetsen gw. **cabaetsen**

cabidwl *eg* (cabidylau)

1 CREFYDD llys neu gyngor eglwysig chapter

2 cyfarfod rheolaidd o ganoniaid eglwys gadeiriol neu o aelodau urdd o fynaich conclave

cabidyldy *eg* (cabidyldai) tŷ neu adeilad y mae cabidwl yn ei ddefnyddio ar gyfer ei gyfarfodydd chapter house

cabinet *eg* (cabinetau)

1 dodrefnyn ar ffurf cist ac ynddi silffoedd neu ddroriau i gadw neu i arddangos tlysau cabinet

2 pwyllgor o brif weinidogion y llywodraeth dan lywyddiaeth y Prif Weinidog cabinet

3 pwyllgor tebyg mewn cyngor sir dan lywyddiaeth arweinydd y cyngor cabinet

cabl *eg* fel yn *dan gabl*, dan feirniadaeth neu gerydd llym

cabledd *eg* (cableddau) CREFYDD mynegiant o ddiffyg parch tuag at Dduw; melltith yn enw Duw; llw, rheg blasphemy

cableddus *ans* yn amharchu Duw, yn melltithio yn enw Duw blasphemous, profane

cableddwr gw. **cablwr**

cablu *be* [cabl•³] cymryd enw Duw yn ofer, rhegi neu felltithio yn enw Duw to blaspheme, to revile

cablwr:cableddwr *eg* (cablwyr:cableddwyr) un sy'n cablu blasphemer, reviler

Cablyd *eg* fel yn *dydd Iau Cablyd*, y dydd Iau cyn y Pasg sy'n cael ei ddathlu gan rai eglwysi i gofio gweithred Iesu Grist yn golchi traed ei ddisgyblion Maundy Thursday

caboledig *ans* wedi'i gaboli, a sglein arno (hefyd am berfformiad, darn o waith, etc.); coeth, disglair, graenus, llathredig polished

caboledig o fe'i defnyddir i ddwysáu ystyr ansoddair, *yn gaboledig o gain*

caboli *be* [cabol•¹] gweithio ar rywbeth nes ei fod yn llathraidd ac yn loyw; coethi, gloywi, llathru, mireinio to polish, to buff

caboliad *eg* (caboliadau) gwead a golwg wyneb darn o bren, brethyn, etc. finish

cacamwci gw. **cyngaf**

cacao *eg* coeden fach fythwyrdd, drofannol, o America y gwneir coco o'r hadau a geir mewn codennau sy'n tyfu ar ei boncyff cacao

cacen *eb* (cacennau:cacs)

1 cymysgedd (wedi'i goginio fel arfer) o flawd, siwgr, wyau, ynghyd ag amrywiaeth o bethau blasus eraill megis cwrens, jam, siocled, etc.; teisen cake

2 *tafodieithol, yn y Gogledd* melysion sweets

cacen Aberffro math o fisgïen wedi'i gwneud o fenyn, blawd a siwgr; teisen Aberffro shortbread

cacennau cri teisennau crwn, fflat a chwrens ynddynt sy'n cael eu coginio ar radell fel arfer; pice ar y maen Welsh cakes

caclwm *eg* y stad o fod yn ddig iawn, *gwylltio'n gaclwm* rage

cacoffoni *eg* cymysgedd amhersain o seiniau cacophony

cacoffonig *ans* llawn cacoffoni cacophonous

cacs *ell* lluosog **cacen**

cactws *eg* (cacti) un o deulu o blanhigion suddlon, pigog, heb ddail ond sy'n dwyn blodau lliwgar ac sy'n ffynnu yn niffeithdiroedd sych a phoeth America a rhai gwledydd poeth eraill fel México a'r Eidal cactus

cacwn *ell* lluosog **cacynen** neu **cacynyn**, pryfed ac iddynt gyrff du a melyn sy'n hedfan ac yn pigo ac sy'n debyg o ran golwg i wenyn; gwenyn meirch, picwn wasps
  nyth cacwn rhywbeth sydd, o'i gynhyrfu, yn codi llond lle o drafferthion a phroblemau, *Cododd y cynnig i gau'r capel nyth cacwn ymhlith yr aelodau.* hornets' nest
  yn gacwn gwyllt yn wyllt cynddeiriog

cacynen *eb* unigol **cacwn**; cacynyn wasp
  fel cacynen mewn bys coch llawer o sŵn a stŵr like a bee in a bottle

cacynyn *eg* unigol **cacwn**; cacynen wasp

cachad:cachiad *eg* *di-chwaeth* y weithred o gachu, canlyniad cachu shit
  mewn cachad *di-chwaeth* ar fyr o dro in a jiffy

cachgi *eg* (cachgwn)
  1 *di-chwaeth* rhywun llwfr, ofnus; cachwr, llipryn, llwfrgi coward, shit
  2 *di-chwaeth* un sy'n bradychu cyfrinach; llechgi sneak

cachgïaidd *ans* *di-chwaeth* yn ymddwyn fel cachgi; dan din, llwfr, ofnus cowardly

cachu[1] *be* [cach•[1] 3 *un. pres.* cach/cacha; 2 *un. gorch.* cach/cacha] *di-chwaeth* gwaredu gweddillion bwyd o'r corff, *Yr iach a gach y bore! Roedd y boi bach yn cachu brics.*; tomi, ymgarthu, ysgarthu to shit
  cachu ar y gambren *di-chwaeth* difetha unrhyw obaith o gael gwneud rhywbeth to piss on the chips
  cachu yn y nyth *di-chwaeth* difetha unrhyw obaith o gael gwneud rhywbeth to piss on the chips
  wedi cachu arnaf fi (arnat ti, arno ef, etc.) *di-chwaeth* ffurf ar 'mae wedi canu arnaf' to be buggered

cachu[2] *eg* *di-chwaeth* gwastraff solet sy'n cael ei ysgarthu o'r corff; baw, tom crap, shit
  cachu hwch *di-chwaeth* y math mwyaf drewllyd o gachu a ddefnyddir yn ffigurol i ddisgrifio rhywbeth sy'n nonsens pur bullshit
  fel cael cachu o geffyl pren *di-chwaeth* am ryw dasg anobeithiol, amhosibl like getting blood from a stone

cachwr *eg* (cachwrs) *di-chwaeth* adyn llwfr; cachgi, llechgi shit, shithead

cad *eb* (cadau:cadoedd) brwydr, gornest, rhyfel, ymladdfa battle, war
  i'r gad *ebychiad* anogiad i ymuno yn y frwydr let's go, to the fray
  maes y gad man lle mae brwydr wedi cael ei hymladd neu'n cael ei hymladd battlefield
  Ymadrodd
  ar flaen y gad am un sydd gyda'r arweinyddion ac yn ymladd yn frwdfrydig dros rywbeth in the van

cadach *eg* (cadachau)
  1 dilledyn wedi'i racsio; clwtyn, cerpyn, cewyn, rhacsyn cloth, rag
  2 cadach poced; ffunen, hances, macyn, napcyn, neisied handkerchief
  cadach llestri clwtyn golchi llestri dishcloth
  Ymadrodd
  cadach o ddyn gŵr ofnus, ansicr, un sy'n methu penderfynu wimp

cadachau *ell* y stribedi o liain neu o ddefnydd y byddai babi yn cael ei rwymo ynddynt i'w gadw'n gysurus swaddling clothes

cadair *eb* (cadeiriau)
  1 sedd (symudol) â chefn a phedair coes ar gyfer unigolyn; sêt, stôl chair
  2 *mewn enwau lleoedd* mynydd ar ffurf cadair; lle cadarn neu gaer, e.e. *Cadair Idris*
  3 pwrs; organ tebyg i gwdyn neu fag sy'n dal y chwarennau llaeth mewn buwch, dafad neu afr; piw udder
  4 gwobr eisteddfodol i feirdd neu lenorion; yn yr Eisteddfod Genedlaethol rhoddir y gadair i un o brifeirdd yr ŵyl, y bardd sy'n ennill cystadleuaeth yr awdl chair
  5 swydd athro mewn prifysgol chair
  6 clwstwr o frigau neu ganghennau'n ymledu o'r un boncyff tiller
  7 talaith farddol a ddyfeisiwyd gan Iolo Morganwg; y pedair Cadair oedd Morgannwg a Gwent, Gwynedd, Powys, a Dyfed
  (bod) yn y gadair cadeirio to chair
  cadair esmwyth cadair fawr gyffordus easy chair
  cadair olwyn cadair yn rhedeg ar olwynion at ddefnydd pobl anabl wheelchair
  cadair siglo cadair wedi'i gosod ar sbringiau neu sodlau siglo rocking chair

cadarn *ans* [cadarn•] (cedyrn)
  1 cryf, grymus, nerthol, *tŵr cadarn*; cydnerth, cyfnerth strong, secure
  2 anodd ei symud; ansigledig, di-syfl, diysgog, safadwy firm
  3 (am ddiod) meddwol neu am win â gwirod wedi'i ychwanegu (e.e. sieri) strong, fortified

cadarnhad *eg* sicrhad bod rhywbeth yn gywir neu'n wir; ategiad, cefnogaeth, sicrhad confirmation, corroboration

cadarnhaol *ans* yn cadarnhau, yn caniatáu; adeiladol, ategol, positif affirmative, positive

cadarnhau *be* [cadarnha•¹⁴]
1 rhoi cadarnhad; cymeradwyo, dilysu, eilio to confirm, to ratify
2 cytuno bod rhywbeth yn wir; ategu, gwarantu to confirm, to endorse
3 gwneud yn fwy cadarn; atgyfnerthu, cryfhau, grymuso to strengthen

cadarnle *eg* (cadarnleoedd)
1 man caerog, man wedi'i amddiffyn; amddiffynfa, caer fortress, stronghold
2 man diogel lle y gall rhywbeth dyfu a datblygu stronghold

cad-drefniad *eg* (cad-drefniadau) symudiad byddin neu lynges, yn enwedig ymarferiadau hyfforddiant ar raddfa eang manoeuvre

cadeiriau *ell* lluosog cadair

cadeirio *be* [cadeiri•²]
1 cyflwyno gwobr y Gadair i brifardd eisteddfod (yn enwedig yr Eisteddfod Genedlaethol) a'r holl seremoni sy'n gysylltiedig â'r cyflwyno to chair
2 bod yn gadeirydd ar bwyllgor; llywyddu to chair

cadeiriol *ans*
1 *eglwys gadeiriol* yw'r eglwys lle mae gorsedd neu 'gadair' (*cathedra* yn Lladin) yr esgob sy'n gyfrifol am holl eglwysi'r rhan honno o'r wlad yn cael ei chadw
2 am fardd sydd wedi ennill cadair, am eisteddfod sy'n cynnig cadair yn wobr chaired *Sylwch:* nid yw'n cael ei gymharu.

cadeirlan *eb* (cadeirlannau) eglwys gadeiriol cathedral

cadeirydd *eg* (cadeiryddion)
1 un sy'n cael ei ddewis i lywyddu neu gadw rheolaeth ar drafodaeth pwyllgor neu gyfarfod arbennig chairman, chairperson
2 llywydd parhaol bwrdd, pwyllgor neu gymdeithas chairman, chairperson

cadeiryddiaeth *eb* (cadeiryddiaethau) swydd cadeirydd, neu'r cyfnod y mae yn y swydd (**dan ~**) chairmanship

cadenza *eb* CERDDORIAETH darn i unawdydd wedi'i ysgrifennu mewn aria, symudiad o goncerto neu waith offerynnol arall sydd, fel arfer, yn ymddangos yn agos i'r diwedd; mae'n caniatáu i'r unawdydd arddangos ei allu a'i fedr technegol

cadernid *eg* y cyflwr o fod yn gadarn; cryfder, grym, nerth, rhuddin power, robustness, strength

cadfarch *eg* (cadfeirch) march rhyfel; rhyfelfarch warhorse

cadfridog *eg* (cadfridogion) swyddog uchel iawn sy'n gyfrifol am fyddin neu ran fawr o fyddin general

cadi *eg* dyn merchetaidd sissy
cadi ffan *difriol* dyn neu fachgen merchetaidd ei ffordd sissy
Cadi Haf dawns ymdeithiol gan barti o ddynion yn dathlu Calan Mai. Byddai'n cynnwys dyn a'i wyneb wedi'i bardduo, yn gwisgo cot dyn a phais merch; hwn oedd y Cadi.

cadlanc *eg* (cadlanciau) gŵr ifanc sy'n hyfforddi i fod yn blismon neu'n swyddog yn y lluoedd arfog; cadét cadet

cadlas *eb* (cadlasau) *hanesyddol* buarth neu iard (ger ysgubor, yn aml) lle byddai gwair neu ŷd yn cael ei gadw; hefyd grawn cyn cael ei storio; ydlan rickyard

cadlys *eb* (cadlysoedd)
1 beili castell castle bailey
2 gwersyll milwrol camp

cadlywydd *eg* (cadlywyddion) un mewn safle o awdurdod a chanddo hawl i orchymyn llu arfog commander

cadmiwm *eg* elfen gemegol rhif 48; metel meddal, glas/gwyn (Cd) cadmium

cadnawes:cadnöes *eb* (cadnawesau) cadno benywaidd; llwynoges vixen

cadno *eg* (cadnoid)
1 creadur gwyllt, ysglyfaethus â thrwyn hir pigfain a chot o flew coch, sy'n perthyn i deulu'r ci; llwynog, madyn fox
2 rhywun cyfrwys, twyllodrus fox

cadoediad *eg* (cadoediadau) cytundeb rhwng rhai sy'n brwydro yn erbyn ei gilydd i roi'r gorau i'r ymladd, o leiaf dros dro armistice, truce

cadw¹ *be* [cadw•³ 3 *un. pres.* ceidw/cadwa; 2 *un. gorch.* cadw]
1 achub, amddiffyn, diogelu, gwarchod, *Mae gwisgo cot law pan fydd hi'n bwrw yn ein cadw rhag gwlychu.* (~ *rhywun/rhywbeth* **rhag**) to save
2 gofalu am, gwylio, *Rwy'n cadw ychydig o ieir ar waelod yr ardd.* to keep
3 cynnal busnes, bod â rhywbeth ar werth yn barhaol, *Mae fy nhad yn cadw siop ddillad.*
4 dal meddiant ar, perchenogi, hawlio, *Does arna i ddim eisiau'r llyfr 'na yn ôl. Fe gei di ei gadw fo.* to keep
5 achosi i barhau, *Mae'r botel ddŵr poeth yn ei chadw hi'n gynnes.* (~ **i** wneud) to keep
6 aros, parhau mewn cyflwr da, *O ystyried y bydd hi'n bedwar ugain oed ar ei phen blwydd nesaf, mae Mrs Jones yn cadw'n dda iawn.* to keep
7 atal, rhwystro, *Beth sy'n cadw Siôn? Mae'n hwyr!* to detain, to keep
8 cydnabod, cynnal, dathlu, cyflawni, *Mae teulu Rhydowen yn cadw'r Sul yn barchus.* to observe

c

9 cofnodi, ysgrifennu, *cadw dyddiadur; cadw cofnodion* to keep

10 cyflawni, *cadw addewid* to keep

11 (am siop) bod â rhywbeth ar werth yn gyson, *Ydych chi'n cadw bwyd cŵn?* to stock

12 dodi neu storio mewn lle rheolaidd, *Ble rwyt ti'n cadw dy lyfrau?* to keep

13 peri neu wneud (sŵn, twrw, mwstwr, etc.) to make

14 CYFRIFIADUREG cadw (data) drwy symud copi i leoliad storio to save

15 diogelu rhywbeth yn ei gyflwr gwreiddiol neu gyflwr cyfredol to preserve

cadw yn y ddalfa cadw troseddwr yn gaeth to remand, to remand in custody

Ymadroddion

ar gadw ar gael, wedi'i gofnodi preserved

cadw ar gof cadw cofnod to keep on record

cadw at glynu wrth to keep to

cadw bwrdd da am le sy'n darparu bwyd da a diod

cadw cannwyll o dan lestr cuddio gallu to hide one's light under a bushell

cadw ci a chyfarth eich hun gw. ci

cadw cow ar cadw rhywun dan fawd to keep under one's thumb

cadw cyfrif nodi cyfanswm to keep count

cadw dan lenni cadw'n gyfrinachol to keep under wraps

cadw draw aros i ffwrdd to stay away

cadw dyletswydd gweddïo fel teulu to engage in family prayer

cadw fy (dy, ei, etc.) llaw mewn ymarfer sgìl, sicrhau nad ydych yn colli dawn to keep one's hand in

cadw fy (dy, ei, etc.) mhen gw. pen¹

cadw gŵyl bentan cymryd diwrnod o wyliau to have a day off

cadw helynt creu helynt to make a fuss

cadw i'm gwely/cadw i'r tŷ aros yn fy ngwely/yn y tŷ

cadw llygad ar gwylio to keep an eye on

cadw mewn cof cofio am to bear in mind

cadw mis gw. mis

cadw'n dawel peidio â sôn, cadw'n gyfrinach to keep quiet

cadw noswyl gorffen gwaith a setlo am y noson to settle down for the night

cadw ochr ochri gyda (rhywun) to take (someone's) side

cadw oed cyfarfod â rhywun fel y trefnwyd to keep a date or appointment

cadw pen rheswm cael sgwrs hir to have a chat

cadw rhan ochri gyda (rhywun), bod yn bleidiol i to stick up for

cadw trefn gwneud yn siŵr fod pawb yn bihafio to keep order

cadw tŷ gw. tŷ

cadw wyneb osgoi cywilydd to save face

cadw wyneb syth gw. wyneb

mynd i gadw mynd i'r gwely to go to bed

rhoi i gadw

1 rhoi rhywbeth yn ôl yn ei le

2 cynilo, *Rwyf wedi llwyddo i roi rhyw ychydig o arian i gadw erbyn imi ymadael.* to put by

cadw² *ans* wedi cadw, *seddau cadw* reserved
   Sylwch: nid yw'n cael ei gymharu.

cadwedig *ans* (am un) sicr ei argyhoeddiad bod bywyd tragwyddol eisoes yn ei feddiant; yn honni ei fod wedi'i achub yn yr ystyr grefyddol saved

cadwedigaeth *eb* gwaredigaeth rhag pechod; achubiaeth, gwaredigaeth, iachawdwriaeth, prynedigaeth salvation

cadweinydd *eg* (cadweinyddion) swyddog gweinyddol sy'n cynorthwyo cadfridog ar faes y gad aide-de-camp

cadw-mi-gei *eg* blwch cadw arian (ar ffurf tegan yn aml) money box

cadwolyn *eg* (cadwolion) sylwedd sy'n cadw rhywbeth rhag dadfeilio, colli lliw neu gael ei niweidio, *cadwolyn pren* preservative

cadwraeth *eb* (cadwraethau)

1 y gwaith o gadw, diogelu neu warchod, *cadwraeth natur*; gofal, gwarchodaeth conservation

2 CYFRAITH yr hawl i ofalu am rywun, e.e. plentyn yn dilyn ysgariad, yn enwedig pan fydd yn benderfyniad gan lys barn custody

3 FFISEG egwyddor lle mae cyfanswm priodweddau ffisegol, e.e. egni neu fomentwm, yn aros yn ddigyfnewid y tu mewn i system gaeedig conservation

cadwrol *ans* yn cynorthwyo cadwraeth conservative

cadwyn *eb* (cadwynau:cadwyni)

1 llinyn cryf o fodrwyau neu ddolennau metel wedi'u cysylltu y naill drwy'r llall; aerwy, tid, tres chain

2 *ffigurol* unrhyw linyn o bobl, siopau, syniadau, etc. wedi'i greu o unedau wedi'u cydgysylltu, e.e. *cadwyn o englynion*, sef cyfres o englynion â dolen gyswllt rhyngddynt; dilyniant, rhes chain, concatenation

cadwyn fwyd (cadwynau bwydydd)

1 y gyfres o brosesau sy'n cynnwys tyfu neu gynhyrchu bwyd, ei werthu a'i brynu food chain

2 BIOLEG cyfres o organebau gyda phob organeb yn ddibynnol ar yr un nesaf yn y gadwyn fel ffynhonnell fwyd food chain

cadwynedd *eg* (cadwyneddau)

1 y cyflwr o fod wedi'i gadwyno catenation

2 CEMEG cysylltiad atomau o'r un elfen mewn cadwyn catenation

cadwyno *be* [cadwyn•¹]

1 rhwymo mewn cadwynau; yn ffigurol am unrhyw gyfrifoldeb sy'n caethiwo unigolyn; clymu, llyffetheirio, rhwymo (~ *rhywun/ rhywbeth* **wrth**) to chain

2 CEMEG (am atomau) cysylltu neu gael eu cysylltu mewn cadwyn neu gyfres to catenate, catenation

cadwynog *ans* wedi'i gadwyno, mewn cadwynau chained

cadwynol *ans*

1 yn ffurfio cadwyn, mewn cadwynau chained, linked

2 CEMEG (am atomau) wedi'u cysylltu mewn cyfres neu gadwyn catenated

adwaith cadwynol gw. adwaith

caddug *eg llenyddol* mwrllwch, niwl, tarth, tywyllwch darkness, gloom, mist

cae¹ *eg* (caeau) darn o dir wedi'i amgáu (â chlawdd fel arfer); dôl, gweirglodd, maes, parc enclosure, field

cae chwarae

1 lle awyr agored i blant chwarae

2 cae a ddefnyddir ar gyfer gêmau tîm awyr agored playground, playing field

Ymadroddion

cae nos gwely a chysgu

heb fod yn yr un cae â (rhywun) heb fod hanner cystal â (rhywun) not in the same league

cae² *bf* [cau] *ffurfiol* mae ef yn cau/mae hi'n cau; bydd ef yn cau/bydd hi'n cau

caead¹ *eg* (caeadau)

1 darn sy'n cau (weithiau ar golfach, weithiau sy'n rhydd) ar ben llestr, sosban, blwch, etc.; clawr, gorchudd lid, cover

2 clawr y gellir ei sgriwio a'i ddadsgriwio ar jar neu botel; math o gorcyn y gellir ei fwrw a'i dynnu'n rhydd o botel; top lid, stopper

3 darn sy'n cau o flaen ffenestr shutter

caead² *be* ffurf lafar ar **cau¹**

caeaf *bf* [cau] rwy'n cau; byddaf yn cau

caeaid *eg* llond cae fieldful

caecwm *eg* (caeca) ANATOMEG coden sy'n cysylltu'r colon â'r coluddyn bach ac y mae'r pendics yn rhan ohoni caecum

caeedig *ans* wedi'i gau, heb fod yn agored; anhramwyadwy, anhyffordd, cyfyng shut, closed, impassable

cael *be* [¹⁹]

1 meddiannu, *Rwy'n cael trên yn anrheg Nadolig. Mae'r plant yn cael amser da yn y gwersyll.*; caffael, derbyn, perchenogi, mwynhau (~ *rhywbeth gan rywun*) to have

2 dod o hyd i, *Cafwyd y corff yn gorwedd yn y dŵr.*; darganfod to discover

3 derbyn caniatâd (i wneud rhywbeth), bod â chaniatâd (i wneud rhywbeth), *Os byddi di'n blentyn da, fe gei di fynd i'r parti.*; caniatáu, gallu, medru to be allowed

4 peri i rywbeth ddigwydd, *Cefais dorri fy ngwallt ddydd Iau.* to have

5 dioddef gan, profi, *Dwi wedi cael annwyd, anaf, colled etc.* to have

6 geni, *Mae hi wedi cael tri o blant.* to have
Sylwch: defnyddir *cael* gyda berfenw i gyflwyno rhywbeth y mae rhywun yn ei wneud i chi, yn hytrach na'r hyn yr ydych yn ei wneud eich hunan (stad oddefol) (*Cefais fy nghyhuddo o dorri'r ffenestr gan y wraig drws nesaf.*)

ar gael parod i'w feddiannu neu i ymweld ag ef; wedi goroesi available

cael a chael ansicr neu amheus o ran y canlyniad (ond yn llwyddo o drwch blewyn) touch and go

cael at cyrraedd to reach

cael dau benllinyn ynghyd llwyddo i fyw heb fynd i ddyled to make ends meet

cael gafael ar dod o hyd i (rywbeth); medru cydio yn (rhywbeth); deall (rhywbeth) yn iawn to get a grip on

cael gwared ar gwaredu to get rid of

cael gwres fy (dy, ei, etc.) nhraed gw. gwres

cael hwyl ar cyflawni'n llwyddiannus to succeed

cael hyd i dod o hyd i, darganfod to come across, to find

ei chael hi derbyn cerydd neu gosb to cop it

caenen *eb* (caenennau) gorchudd tenau; cen, haen, pilen film, layer

caenu *be* [caen•¹] COGINIO gorchuddio â haen (o rywbeth), *caenu pysgodyn â briwsion cyn ei goginio* (~ *rhywbeth* â) to coat

caer *eb* (caerau:ceyrydd) lle cadarn wedi'i amddiffyn yn dda; mur amddiffynnol yn enwedig gwersyll milwrol wedi'i adeiladu gan y Rhufeiniaid; amddiffynfa, cadarnle, castell castle, fort, rampart

Caer Arianrhod y Llwybr Llaethog; Caer Gwydion Milky Way

Caer Gwydion y Llwybr Llaethog; Caer Arianrhod Milky Way

caerog *ans*

1 wedi'i amddiffyn megis caer fortified

2 GWNIADWAITH wedi'i wehyddu mewn modd sy'n cynhyrchu arwyneb o resi cyfochrog twilled

caets *eg* (caetsys)

1 ffrâm o wifrau neu farrau i gaethiwo adar neu anifeiliaid; cawell cage

2 y cawell a fyddai'n cludo gweithwyr i fyny ac i lawr siafft pwll glo cage

caeth *ans* [caeth•] (caethion)

1 wedi'i gaethiwo, yn cael ei gyfyngu'n llym; caeedig, cyfyng, darostyngedig, rhwym captive, confined

2 yn gorddibynnu ar gyffuriau; yn methu rhoi'r gorau i gyffur arbennig addicted
3 byr ei anadl breathless
canu caeth gw. canu²
Ymadrodd
caeth i'r tŷ yn methu mynd allan housebound
caethder:caethdra *eg* (caethderau)
1 cyflwr un a garcharwyd captivity
2 asthma; cyflwr resbiradol a nodweddir gan byliau o anhawster anadlu, caethder y frest a phesychu; y fogfa asthma
3 MEDDYGAETH diffyg neu fyrder anadl dyspnoea
caethes *eb* (caethesau) merch neu wraig mewn caethwasanaeth; caethferch slave
caethfasnach *eb* masnach mewn caethweision, yn enwedig y fasnach mewn trawsgludo caethweision du i America cyn y Rhyfel Cartref slave trade
caethferch *eb* (caethferched) merch sy'n eiddo i rywun; caethes slave
caethglud *eb* cludiad carcharorion o'u cynefin i wlad arall, yn enwedig symudiad yr Iddewon i Fabilon yn y chweched ganrif CC deportation, transportation
caethgludiad *eg* y gosb o gael eich caethgludo; alltudiaeth deportation
caethgludo *be* [caethglud•¹]
1 symud pobl gyfan o'u gwlad i wlad arall to exile
2 *hanesyddol* danfon drwgweithredwr i wlad bell fel cosb, neu gario pobl a oedd wedi'u cipio yn erbyn eu hewyllys i wlad arall i'w gwerthu'n gaethweision (~ *rhywun o rywle i rywle*) to deport, to transport
caethineb *eg* y cyflwr o fod yn gaeth, o orddibynnu (ar rywbeth); methiant i roi'r gorau i arfer niweidiol, *caethineb i gyffuriau* addiction
caethion¹ *ell* mwy nag un person **caeth**; carcharorion captives, slaves
caethion² *ans* ffurf luosog **caeth**
caethiwed *eg*
1 y cyflwr o fod yn gaeth, o fod yn garcharor; carchariad, caethwasiaeth captivity, confinement
2 y cyflwr o orddibynnu; methiant i roi'r gorau i arfer niweidiol addiction
caethiwo *be* [caethiw•¹] gwneud yn gaeth, cau mewn cell; carcharu, clymu, cyfyngu, llyffetheirio (~ *rhywun/rhywbeth yn rhywle*) to imprison, to confine, to restrict
caethiwus *ans* (am sylwedd neu weithgaredd) yn achosi neu'n debyg o achosi i rywun fynd yn gaeth iddo addictive
caethlong *eb* (caethlongau) llong ar gyfer cludo caethweision slaver, slave ship

caethwas *eg* (caethweision) gŵr caeth sy'n gorfod ufuddhau i ddymuniadau ei feistr drwy ei oes neu nes iddo gael ei ryddhau slave
caethwasanaeth *eg hanesyddol* cyfundrefn ffiwdal lle roedd taeog yn gaeth i wasanaethu tir ei arglwydd, a phe bai'r tir yn newid dwylo byddai'r taeog yn cael ei drosglwyddo gyda'r tir; taeogaeth serfdom, bondage, servitude
caethwasiaeth *eb*
1 y cyflwr o fod yn gaethwas neu'n gaethferch; bywyd caethwas neu gaethferch; caethiwed bondage, slavery
2 yr arfer o brynu a gwerthu caethweision; masnach gaethion slave trading
caf *bf* [cael] rwy'n cael; byddaf yn cael
Cafalîr *eg* (Cafaliriaid) *hanesyddol* marchog a gefnogai'r Brenin Siarl I neu ei fab y Brenin Siarl II yn erbyn Cromwell a'i Bengrynwyr yn ystod y Rhyfel Cartref cavalier
cafaliraidd *ans* am ddull o ddelio â materion pwysig mewn ffordd ddi-hid cavalier
cafeat *eg* (cafeatau)
1 datganiad rhybuddiol er mwyn ceisio osgoi camddehongliad caveat
2 CYFRAITH rhybudd ffurfiol i lys ohirio achos nes clywed y gwrthwynebiadau iddo caveat
café au lait *eg* coffi llaeth; lliw brown golau
cafell *eb* CREFYDD teml neu le cysegredig; (mewn Iddewiaeth) y cysegr sancteiddiolaf yn y Deml holy of holies
café noir *eg* coffi du (heb laeth)
cafiar *eg* gronell pysgodyn mawr fel y stwrsiwn wedi'i halltu a'i pharatoi yn fwyd amheuthun caviar
cafn *eg* (cafnau) llestr i ddal dŵr
1 yn wreiddiol, twba wedi'i naddu o bren neu garreg, ond yn ddiweddarach, llestr hirgul i ddal dŵr neu fwyd i anifeiliaid; mansier, preseb trough, vat
2 sianel hirgul i gyfeirio dŵr, e.e. dŵr afon i felin neu ddŵr glaw o'r to i beipen yn ymyl y tŷ; lander gutter
3 ardal hirgul o wasgedd baromedrig isel trough
4 DAEAREG dyffryn wedi'i ledu, ei ddyfnhau a'i unioni gan rym erydol rhewlif, e.e. cafn rhewlifol (glacial) trough
cafod *tafodieithol, yn y Gogledd* cawod
caff *eg* (caffiau) fforch haearn ac iddi dair pig a ddefnyddir i lwytho tail muck rake
caff gwag methiant i gael gafael ar rywbeth sy'n arwain at siom
caffael *be*
1 dod o hyd i nwyddau neu wasanaethau a'u prynu neu eu meddiannu yn y niferoedd priodol, am y pris iawn, ar yr adeg iawn ac yn y man iawn; meddu, perchenogi to procure

2 dysgu neu ddatblygu (sgìl, ansawdd, etc.), *caffael iaith* to acquire
   Sylwch: nid yw'r ferf hon yn cael ei rhedeg.
caffaeledig *ans* yn cael neu'n meddiannu rhywbeth mewn ffordd nad yw'n hysbys acquired
caffaelgarwch *eg* blys i feddiannu, i fod yn berchen ar bethau acquisitiveness
caffaeliad *eg* (caffaeliaid)
   1 rhywbeth buddiol i'w gael, rhywbeth a fydd o help mawr; budd, cymorth, lles, mantais acquisition, asset
   2 y broses o ddysgu neu o ddatblygu (sgìl, ansawdd, etc.) acquisition
caffe:caffi *eg* (caffes:caffis) tŷ bwyta sy'n gwerthu prydau ysgafn a byrbrydau (yn wahanol i *restaurant* sy'n paratoi prydau cyflawn); bwyty café
caffein *eg* cyfansoddyn a geir yn naturiol mewn coffi a the; mae'n gweithredu fel symbylydd i'r system nerfol ac yn cynyddu maint y troeth a gynhyrchir gan y corff caffeine
cafflo *be tafodieithol* twyllo, yn enwedig mewn gêm (e.e. cardiau) to cheat
   Sylwch: nid yw'r ferf hon yn arfer cael ei rhedeg.
caffo *bf* [cael] *hynafol* (fel y) byddo ef yn cael/ (fel y) byddo hi'n cael
cagl *eg* (caglau) tom neu faw, yn enwedig tom defaid wedi caledu yng ngwlân y coesau, neu faw ynghlwm wrth odre dillad clotted dirt
caglog *ans* â thom neu faw ynghlwm wrth odre dillad rhacsiog; bawlyd, lleidiog, mwdlyd bedraggled, caked
caglu *be* [cagl•³] casglu'n gaglau, e.e. baw defaid neu eifr wedi caledu ar y gwlân, neu laid wedi caledu ar ddillad
cangell *eb* (canghellau) PENSAERNÏAETH rhan ddwyreiniol eglwys lle mae'r allor a lle mae'r offeiriad a'r côr yn gwasanaethu; côr chancel
cangelloriaeth *eb* (cangelloriaethau) swydd a chyfrifoldebau cangellor chancellorship
cangellorion *ell* lluosog **cangellor**
cangen *eb* (canghennau)
   1 darn o bren yn tyfu o foncyff coeden; cainc, colfen bough
   2 israniad neu gainc o unrhyw beth y gellir ei ystyried yn un corff â nifer o aelodau neu ganghennau'n tyfu ohono, *cangen llyfrgell*; adran, dosbarth branch
   Cangen Haf polyn â ffrâm i ddal addurniadau megis watshys a llwyau arian a fyddai'n cael ei dywys o gwmpas ardal i gasglu arian
   fel cangen Mai yn ei (d)dillad gorau like a dog's dinner
cangen las *eb* (canghennau gleision) pysgodyn dŵr croyw sy'n perthyn i deulu'r eog ac sy'n dda i'w fwyta grayling

cangellor *eg* (cangellorion)
   1 (mewn nifer o wledydd) gweinidog pwysicaf y wlad chancellor
   2 swyddog uchel iawn yn y wladwriaeth neu yn y gyfundrefn gyfreithiol, e.e. *Yr Arglwydd Ganghellor*, sef y prif farnwr yn Nhŷ'r Arglwyddi chancellor
   3 pennaeth swyddogion prifysgol chancellor
   Cangellor y Trysorlys y gweinidog sy'n gyfrifol am y Trysorlys Chancellor of the Exchequer
canghennau *ell* lluosog **cangen**
canghennog *ans* (am blanhigyn yn bennaf) â nifer o ganghennau; brigog, ceinciog branching
canghennu *be* [canghenn•⁹] (am blanhigyn yn bennaf) ymrannu'n ganghennau to branch
   Sylwch: dyblwch yr 'n' ym mhob ffurf ac eithrio yn y rhai sy'n cynnwys *-as-*.
caiac *eg* (caiacau) math o ganŵ wedi'i adeiladu o ffrâm bren a gorchudd drosto sy'n dal dŵr ac agoriad yn y gorchudd i eistedd ynddo; fe'i defnyddiwyd gyntaf gan yr Inuit kayak
caiacio *be* [caiaci•⁵] teithio mewn caiac to kayak
caib *eb* (ceibiau) math o bicas ond bod iddi o leiaf un pen llydan ar gyfer torri tyweirch neu bridd yn ogystal â phen pigfain ar gyfer hollti pethau; batog mattock
caib eira math o fwyell fach a ddefnyddir gan ddringwyr i dorri holltau mewn iâ i ddal eu traed; bwyell rew/iâ ice axe
Ymadroddion
gwaith caib a rhaw gwaith trwm, caled (yn gorfforol neu'n ffigurol) hard slog
meddw gaib yn feddw dwll blind drunk, plastered
caifn:ceifn *eg* (ceifnaint) *hynafol* trydydd cefnder, y berthynas yn dilyn 'cyfyrder' third cousin
caiff *bf* [cael] mae ef yn cael/mae hi'n cael; bydd ef yn cael/bydd hi'n cael
caill *eb* (ceilliau) un o ddau organ hirgrwn mewn mamolion gwryw lle y cynhyrchir y sbermau a ddefnyddir i ffrwythloni wyau mamolion benyw testicle
cain *ans* [cein•] (ceinion) coeth a hardd, *y celfyddydau cain*; gwych, prydferth, telaid fine, stylish
cainc *eb* (ceinciau)
   1 darn o bren yn tyfu o foncyff coeden; cangen, colfen bough, branch
   2 israniad o gorff megis afon neu fôr; cangen branch
   3 israniad o waith cyfan, *Pedair Cainc y Mabinogi*; adran branch
   4 un llinyn neu edafedd o blith nifer wedi'u cyfrodeddu i wneud rhaff, *edafedd tair cainc* ply, strand
   5 ôl cangen mewn darn o bren sy'n debyg i fotwm o liw gwahanol i weddill y pren; cnap knot

6 CERDDORIAETH darn o gerddoriaeth offerynnol, yn enwedig yr alaw y gosodir darn o gerdd dant arni; alaw, melodi, tiwn, tôn air

Cainosöig *ans* DAEAREG yn perthyn i orgyfnod diweddaraf y Ffanerosöig (65 miliwn o flynyddoedd yn ôl hyd heddiw), nodweddiadol o orgyfnod diweddaraf y Ffanerosöig Cenozoic

cais¹ *eg* (ceisiadau)

1 cynnig, ymdrech, ymgais, *Clywn o hyd am ddringwyr yn cael eu lladd yn eu cais i ddringo mynyddoedd uchel.* attempt, effort

2 cynnig, deisyfiad, dymuniad, galwad, *Cyrhaeddodd cais Megan am y swydd ddiwrnod yn hwyr.*; gofyniad application, behest, request

3 *llenyddol* y chwilio am anturiaethau gan farchogion y Brenin Arthur quest

cais² *eg* (ceisiau) (mewn rygbi) sgôr pan fydd chwaraewr o un tîm yn llwyddo i dirio'r bêl y tu ôl i linell gais ei wrthwynebwyr try

cais³ *bf* [ceisio] *ffurfiol* mae ef yn ceisio/mae hi'n ceisio; bydd ef yn ceisio/bydd hi'n ceisio

cal:cala *eb* (caliau) pidyn; aelod rhywiol allanol anifeiliaid gwryw; penis, pidlen penis

calamin *eg* carbonad o sinc ar ffurf hylif pinc sy'n oeri'r croen ac yn lleddfu dolur o losgiadau calamine

calan *eg* (calannau) diwrnod cyntaf y flwyddyn; diwrnod cyntaf tymor neu fis calends

Calan Gaeaf 1 Tachwedd; Dydd Gŵyl yr Holl Saint, Glangaea' All Saints' Day

Calan Hen Hen Galan

Calan Mai:Clanmai:Clamai 1 Mai May Day

dydd Calan diwrnod cyntaf y flwyddyn newydd New Year's Day

Hen Galan dathliad arbennig yng Nghwm Gwaun yn Sir Benfro a Llandysul yng Ngheredigion, y naill ar 13 Ionawr a'r llall ar 12 Ionawr, sef Dydd Calan yr hen galendr (cyn 1752); Calan Hen

nos Galan 31 Rhagfyr New Year's Eve *Ymadrodd*

nos Galan Gaeaf nos 31 Hydref Halloween

calasa *eg* (calasâu) SWOLEG (mewn wy aderyn) un o'r ddau fandyn troellog sy'n cysylltu'r melynwy â philen plisgyn yr wy; rhith wy, rhith y ceiliog chalaza

calc:calcyn *eg* sylwedd a ddefnyddir i wasgu i fylchau rhwng prennau i gadw dŵr allan caulk

calcio *be* [calci•²] llanw bylchau â sylwedd sy'n cadw'r dŵr allan (~ *rhywbeth* â) to caulk

calcwlws *eg* MATHEMATEG cangen o fathemateg yn ymwneud â ffwythiannau pan fydd mân amrywiadau yng ngwerth newidynnau'r ffwythiannau hyn calculus

calch *eg* (calchoedd) ocsid calsiwm sy'n ganlyniad i wresogi calchfaen i greu calch

brwd; mae'n troi'n bowdr gwyn (calch) wrth iddo gael ei gymysgu â dŵr ac fe'i defnyddir i wrteithio tir asidig ac i wneud sment, concrit, plastig, etc. lime, quicklime

calchaidd *ans*

1 yn cynnwys calsiwm carbonad calcareous

2 BOTANEG (am lystyfiant) yn tyfu ar bridd sy'n tarddu o galchfaen calcareous

calchbalmant *eg* (calchbalmentydd) DAEAREG arwyneb lled wastad o galchfaen noeth wedi'i wahanu gan agennau neu greiciau gan greu clintiau limestone pavement

calcheiddiad *eg* CEMEG y broses o galcheiddio, canlyniad calcheiddio calcification

calcheiddio *be* [calcheiddi•²]

1 CEMEG troi neu newid yn gyfansoddyn o galsiwm, yn enwedig calsiwm carbonad to calcify

2 FFISIOLEG (am y corff) caledu sy'n digwydd i feinwe'r corff wrth i gyfansoddion o galsiwm ymgrynhoi ar y meinwe hwnnw to calcify

calchen *eb* carreg galch neu delpyn o galch brwd; calchfaen limestone

calchfaen *eg* (calchfeini) DAEAREG math o graig waddod a grëwyd yn bennaf drwy wasgu gweddillion creaduriaid môr fel cregyn at ei gilydd, e.e. mae sialc yn fath o galchfaen gwyn; calchen limestone

calchgar *ans* BOTANEG (am blanhigyn) yn tyfu'n dda mewn pridd calchaidd calcicole, calciphile

calchgas *ans* BOTANEG (am blanhigyn) nad yw'n dda am dyfu mewn pridd calchaidd calcifuge

calchu *be* [calch•³]

1 gwasgaru calch ar hyd y tir, gwrteithio neu drin tir â chalch to lime

2 lliwio'n wyn (wal tŷ fel arfer) â chymysgedd o galch a dŵr; gwyngalchu to whitewash

calchynnu *be* [calchynn•⁹] poethi heb doddi (mwyn metelaidd fel arfer) er mwyn anweddu amhureddau, creu cyfansoddyn yn cynnwys ocsigen neu er mwyn ei droi'n bowdr to calcinate *Sylwch:* dyblwch yr 'n' ym mhob ffurf ac eithrio yn y rhai sy'n cynnwys -as-.

caldrist *eb* planhigyn yn perthyn i deulu'r tegeirian helleborine

caled *ans* [calet•] (celyd:caledion)

1 heb fod yn feddal nac yn eiddil, anodd iawn ei blygu, ei bantio neu ei drywanu, (gall rhywbeth fod yn galed heb fod yn gryf, e.e. gwydr) hard

2 anodd ei ddioddef (gan gynnwys y tywydd); didostur, egr, garw, llym severe

3 anodd ei ddeall, ei ddatrys neu ei gyflawni, *cwestiwn caled mewn arholiad*; afrwydd, astrus abstruse, difficult

4 yn gofyn am lawer o egni, *gwaith caled*; corfforol, dygn, egnïol hard

5 (am ddŵr) yn cynnwys llawer o galch (mae'n

gwneud sebon yn aneffeithiol ac yn gadael haen
o galch y tu mewn i degelli, pibellau, etc.) hard
6 dideimlad, didostur, llym, *Mae'n galed iawn
gyda'r plant*. hard, callous
cyn galeted â dur as hard as iron
mae'n galed arnaf fi (arnat ti, arno ef, etc.)
mae bywyd yn anodd
caleden *eb* (caledennau)
1 darn caled o groen, ar gledr y llaw fel arfer,
sy'n ganlyniad i waith corfforol caled; corn callus
2 MEDDYGAETH darn o asgwrn sy'n cael ei ffurfio
wrth i asgwrn sydd wedi'i dorri wella callus
3 BOTANEG meinwe caled, yn enwedig meinwe
newydd sy'n ffurfio lle mae planhigyn
prennaidd ei natur wedi cael niwed callus
caledfwrdd *eg* defnydd caled wedi'i wneud o
ddarnau mân o bren wedi'u gwasgu'n fyrddau
neu'n estyll llydan, tenau; fe'i defnyddir fel pren
ysgafn hardboard
caledi *eg* caledwch (yn enwedig am fywyd),
diffyg cydymdeimlad neu gymorth; cyfyngder,
cyni, cystudd, trallod adversity, hardship
calediad *eg*
1 y weithred neu'r broses o wneud neu fynd yn
galed hardening
2 GRAMADEG treiglad caled, y broses o droi
b yn p, d yn t, dd yn d, g yn c, canlyniad
caledu, e.e. nos da, yn lle *nos dda*, caled, ond
caleted, caletach, canlyniad caledu provection
calediant *eg* MEDDYGAETH calediad annormal
meinwe neu organ, yn enwedig y croen
induration
caledion *ans* ffurf luosog **caled**
caledu *be* [caled•[1]]
1 mynd yn galed, troi'n galed, *Ymhen amser
mae sment gwlyb yn caledu fel craig.*; caregu,
crisialu to harden, to solidify
2 gadael (e.e. dillad llaith) i sychu mewn lle
cynnes neu yn yr awyr agored; crasu, eirio,
tempru to air
3 mynd yn ddideimlad, troi'n ddidostur
to become stubborn, to become unfeeling
4 gwresogi ac oeri (dur neu haearn fel arfer)
nes iddo gyrraedd y caledwch angenrheidiol;
tymheru to temper, to toughen
5 GRAMADEG treiglo (troi) cytsain feddal yn
gytsain galed, sef troi *b* yn *p*, *d* yn *t*, *dd* yn
d, *g* yn *c*, e.e. nos da, yn lle 'nos dda', *caled*,
ond *caleted*; hefyd y caledu tafodieithol sy'n
nodweddu ardaloedd i'r dwyrain o Gwm
Tawe. Bydd *b*, *d*, *g*, yn troi yn *p*, *t*, *c*, rhwng
llafariaid neu lafariad a *n* neu *l* yn y goben,
e.e. *epol* (ebol), *atar* (adar), *acor* (agor), *datleth*
(dadleth), *atnod* (adnod), *grwcnach* (grwgnach)
caledwch *eg*
1 y cyflwr o fod yn galed hardness, toughness
2 creulondeb neu ddiffyg teimlad tuag at bobl

neu anifeiliaid; egrwch, gerwinder, llymder
callousness, severity
caledwch yr afu/iau sirosis yr afu/iau cirrhosis
caledwedd *egb* CYFRIFIADUREG rhannau
peiriannol cyfrifiadur (e.e. bysellfwrdd, sgrin,
cof) o'u cymharu â'r meddalwedd hardware
caledwr *eg* (caledwyr) rhywbeth sy'n caledu,
yn enwedig sylwedd cemegol a ychwanegir at
farnais neu ddefnydd llenwi i'w gwneud yn
galetach hardener
caleidosgop *eg* tegan ar ffurf tiwb yn cynnwys
drychau sy'n adlewyrchu darnau bychain
o bapur lliw neu wydr ac yn creu amryfal
batrymau wrth iddo gael ei droi, yn ffigurol,
patrwm o liwiau sy'n symud yn barhaus
kaleidoscope
calen *eb* (calenni)
1 carreg hogi; hogalen, hôn whetstone,
sharpener
2 bar (o sebon, halen, roc, etc.) bar
calendr *eg* (calendrau)
1 taflen neu lyfryn sy'n dangos dyddiau,
wythnosau a misoedd y flwyddyn ynghyd
ag unrhyw wybodaeth am ddiwrnodau
arbennig yn ystod y flwyddyn honno; almanac,
blwyddiadur calendar
2 trefn y flwyddyn yn ôl digwyddiadau rhyw
faes neu alwedigaeth arbennig, *calendr rasio
ceffylau* calendar
calendr Gregori cyfaddasiad o galendr Iŵl
a gyflwynwyd gan y Pab Gregori XIII yn 1582
ac a ddefnyddir hyd y dydd heddiw Gregorian
calendar
calendr Iŵl/ calendr Julius calendr Iŵl (Julius)
Cesar a ddisodlwyd gan galendr Gregori yn
1582 Julian calendar
calendro *be* [calendr•[1]] rhoi (rhywbeth) mewn
calendr neu amserlen to calendar
calennig *eg* (calenigion)
1 rhodd neu anrheg ar ddydd Calan
2 arfer lle bydd plant yn mynd o dŷ i dŷ i hela
calennig. Y plentyn cyntaf i alw mewn tŷ sy'n
cael yr anrheg (arian fel arfer) orau, yn enwedig
os yw'r plentyn hwnnw'n fachgen â gwallt du
(sy'n cael ei ystyried yn lwcus).
caletach:caletaf:caleted *ans* [caled] mwy caled;
mwyaf caled; mor galed
Calfaria *eg* CREFYDD y man ychydig y tu allan i
Jerwsalem lle y croeshoeliwyd Iesu Grist Calvary
Calfiniaeth *eb* CREFYDD athrawiaeth Gristnogol
John Calvin a'i ddilynwyr sy'n pwysleisio
sofraniaeth absoliwt Duw ac felly fod pob dim
wedi'i ragordeinio Calvinism
calibr *eg*
1 diamedr mewnol baril gwn neu ddryll calibre
2 maint bwled neu ffrwydryn sy'n cael ei saethu
gan ddryll neu wn arbennig calibre

3 *ffigurol* pwysigrwydd, teilyngdod, rhagoriaeth calibre

calico *eg* (calicoau) brethyn cotwm gwyn, plaen, o bwysau cymedrol a fewnforid yn wreiddiol o India calico

califforniwm *eg* elfen gemegol rhif 98; metel ymbelydrol â hanner oes o 700 mlynedd (Cf) californium

caligraffeg *eb* y grefft o ysgrifennu â llaw; llythrennu cain calligraphy

caligraffydd *eg* (caligraffwyr) un sy'n medru caligraffeg calligrapher

caliper *eg* (caliperau)

  1 teclyn â dwy fraich a ddefnyddir i fesur dimensiynau mewnol ac allanol, e.e. trwch papur, diamedr peipen yn fewnol neu'n allanol caliper

  2 un o ddwy roden o fetel yn ymestyn o blât dan y droed ac yn cael eu rhwymo i'r goes yn ymyl y pen-glin er mwyn cynnal y goes; heyrn coesau caliper

calon *eb* (calonnau)

  1 organ cyhyrol mewn dyn ac anifeiliaid eraill sy'n gwthio'r gwaed drwy'r rhydwelïau a'r gwythiennau heart

  2 yr hen syniad oedd mai'r organ hwn oedd cartref y teimladau, yr enaid, yr ewyllys a'r deall – y pethau sy'n perthyn i'r ymennydd, *Mae'n ei charu â'i holl galon.* heart

  3 canol, *Pan siaradodd, llwyddodd i dynnu sylw ei gynulleidfa at galon y gwir.*; bywyn, craidd, hanfod, rhuddin centre, core

  4 rhywbeth yr un ffurf â chalon (e.e. un o'r pedwar siâp ar wyneb pac o gardiau)

  5 dewrder, *Roedd llawer iawn mwy o galon yn chwarae'r tîm heddiw nag oedd ddydd Sadwrn diwethaf.*; gwroldeb, hyder, rhuddin spirit

  agos at fy (dy, ei, etc.) nghalon yn golygu llawer, yn enwedig o hoff o close to one's heart

  â'm (â'th, â'i, etc.) calon yn f'esgidiau yn drist, heb fawr o obaith with one's heart in one's boots

  â'm (â'th, â'i, etc.) calon yn fy ngwddf yn ofnus, yn nerfus with one's heart in one's mouth

  calon agored didwyll open-hearted

  calon feddal tosturiol tender-hearted

  calon-galed didrugaredd hard-hearted

  calon gynnes cyfeillgar, hael warm-hearted

  calon y gwir gw. gwir[1]

  clywed ar fy (dy, ei, etc.) nghalon gw. clywed

  codi calon gwneud i rywun deimlo'n fwy ffyddiog neu'n hapusach to cheer up, to hearten

  cyfaill calon gw. cyfaill

  o eigion calon:o ddyfnder calon gyda theimladau dyfnion a didwyll from the bottom of one's heart

  teimlo ar fy (dy, ei, etc.) nghalon teimlo bod

yn rhaid gwneud rhywbeth neu deimlo awydd i'w wneud

  tor calon:torcalondid cyflwr neu deimlad torcalonnus heartbreak

  torri calon gw. torri

  wrth fodd calon er mawr bleser just what the doctor ordered

calondid *eg* codiad calon; anogaeth, cadarnhad, ysbrydiaeth, ysgogiad encouragement

calonnog *ans*

  1 o'r galon; brwd, didwyll, diffuant, parod hearty

  2 mewn ysbryd da, yn gweld yr ochr orau; ffyddiog, gobeithiol in good heart

  Sylwch: 'calonocaf' yw'r unig ffurf gymharol.

calonocaf *ans* [calonnog] mwyaf calonnog

calonogi *be* [calonog•[1]] codi calon; cefnogi, cysuro, helpu, ysbrydoli to encourage, to hearten

calonogol *ans* yn codi calon, yn rhoi gobaith, yn ysbrydoli; gobeithiol, ysgogol encouraging, heartening

calonogol o fe'i defnyddir i ddwysáu ystyr ansoddair, *yn galonogol o hyderus*

calori *eg* (calorïau) uned a ddefnyddir i fesur yr egni sy'n bresennol mewn bwyd calorie

caloriffig *ans* FFISEG yn ymwneud â chynhyrchu gwres calorific

calorimedr *eg* (calorimedrau) dyfais i fesur faint o wres a gynhyrchir neu sydd ei angen (e.e. mewn adwaith cemegol neu wrth doddi solid) calorimeter

calsiwm *eg* elfen gemegol rhif 20; metel ariannaidd ac elfen hanfodol i fodau byw (Ca) calcium

calsiwm carbid *eg* cyfansoddyn o galsiwm a charbid a gynhyrchir drwy gynhesu calch a golosg; mae'n cynhyrchu'r nwy asetylen wrth adweithio â dŵr calcium carbide

calsiwm carbonad *eg* cyfansoddyn anhydawdd a geir yn naturiol ar ffurf calch, calchfaen, marmor ac yng nghregyn molysgiaid calcium carbonate

calycs *eg* (calycsau)

  1 BOTANEG rhan allanol blodyn, fel arfer y cwpan o sepalau gwyrdd sy'n diogelu'r blaguryn calyx

  2 SWOLEG rhan o belfis aren mamolyn y mae troeth yn cael ei hidlo drwyddo cyn cyrraedd y bledren calyx

calypso *egb* (calypsos) CERDDORIAETH dawns frodorol o India'r Gorllewin; cân â geiriau byrfyfyr ar destun cyfoes

call *ans* [call•] yn debyg ei ystyr i 'doeth' ond â'r pwyslais ar synnwyr cyffredin yn hytrach na dysg, y gwrthwyneb i 'dwl'; craff, synhwyrol sensible, wise, sane, smart

fawr callach (mewn brawddeg negyddol)
dim callach, *Hyd yn oed ar ôl cael gafael ar y
ddogfen, nid oedd fawr callach*. none the wiser
callestr *eb* (cellystr)
1 DAEAREG carreg silica galed iawn sy'n
cynhyrchu gwreichion i greu tân os caiff ei
tharo â dur neu haearn flint
2 *ffigurol* rhywbeth caled, digysur, didostur flint
callineb *eg* doethineb naturiol heb gymorth
dysg; craffter, dirnadaeth, synnwyr prudence,
wisdom
callio *be* [calli•²] tyfu'n gallach, peidio â bod
mor ddwl, dod at ei goed; difrifoli, sadio,
sobreiddio to get wiser
callor *eg* (callorau) DAEAREG crater folcanig
mawr a grëwyd wrth i losgfynydd echdorri a
pheri i'r copa ddymchwel caldera
cam¹ *eg* (camau)
1 y weithred o osod un droed o flaen y llall er
mwyn cerdded, rhedeg, dawnsio, etc. step
2 y pellter sydd rhwng y ddwy droed wrth
gerdded neu redeg pace
3 sŵn troed yn camu footfall, footstep
4 ôl troed footprint
5 cynnydd mewn datblygiad; graddfa stage
bob cam yr holl ffordd all the way
cam a cham fesul cam step by step
camau breision fel yn *gwneud camau
breision*, symud ymlaen yn sylweddol (to make)
good progress
cam bras cam hir great step
cam ceiliog cam byr iawn
cam gwag camgymeriad false step
o gam i gam fesul cam, un cam ar y tro
step by step
cam² *eg* (camau) anghyfiawnder, annhegwch,
*Roedd y beirniad wedi gwneud cam â'n Sioni
bach ni yn yr eisteddfod*.; camwri, drwg wrong
achub cam gw. achub¹
ar gam yn annheg, heb fod yn gyfiawn unjustly
cael cam cael triniaeth annheg, anghyfiawn
to be wronged
gwneud cam â bod yn annheg â rhywun neu
rywbeth, bod yn anghyfiawn to wrong
yn gam neu'n gymwys y naill ffordd neu'r
llall rightly or wrongly
cam³ *eg* (camau) math o olwyn neu ran o olwyn
a ddefnyddir i newid cyfeiriad symudiad, e.e.
o symudiad mewn cylch i symudiad i fyny ac i
lawr neu symudiad yn ôl ac ymlaen cam
cam⁴ *ans* [cam•] (ceimion)
1 (yn dilyn yr hyn a oleddfir) heb fod yn syth,
llygad cam; anunion, crwca, gŵyr, gwyrgam
bent, crooked, askew
2 (o flaen yr hyn a oleddfir) ar fai, e.e.
camddefnydd; anghywir, beius, gwallus faulty,
incorrect

cam- *rhag* (mewn cyfuniad) anghywir, gwallus,
cyfeiliornus, drwg, e.e. *camddeall*, *cam-drin*
mis-
Sylwch: mae'n achosi treiglad meddal.
camacennu *be* [camacenn•⁹] gosod pwyslais yn
y man anghywir yn gerddorol neu wrth ynganu
gair to accent incorrectly, to mispronounce
Sylwch: dyblwch yr 'n' ym mhob ffurf ac
eithrio yn y rhai sy'n cynnwys *-as-*.
camaddasiad *eg* (camaddasiadau) canlyniad
addasu anghywir neu anaddas maladjustment
camamseriad *eg* (camamseriadau) canlyniad
gosod rhywun neu rywbeth yn y cyfnod
hanesyddol anghywir; anachroniaeth
anachronism
camamseru *be* [camamser•¹] (yn gyffredinol)
gwneud rhywbeth ar yr adeg anghywir,
amseru'n anghywir, e.e. camamseru pàs mewn
gêm bêl-droed to mistime
camamsugniad *eg* MEDDYGAETH methiant y
coluddyn bach i lwyr amsugno bwyd neu faeth
malabsorbtion
camarfer *eg* (camarferion) defnydd anghywir
neu anaddas; camdriniaeth, camddefnydd
misuse
camargraff *eb* (camargraffau) syniad anghywir
delusion, false impression
camargraffiad *eg* (camargraffiadau)
gwall argraffu misprint
camarwain *be* [camarweini•² 3 un. pres.
camarwain/camarweinia; 2 un. gorch.
camarwain/camarweinia] arwain ar gyfeiliorn,
hyfforddi'n anghywir, peri camddealltwriaeth;
camddarlunio, camgyfeirio, twyllo to delude,
to mislead
camarweiniad *eg* y broses o gamarwain,
canlyniad camarwain misdirection
camarweiniol *ans* yn arwain ar gyfeiliorn; yn
creu syniad anghywir; cyfeiliornus, twyllodrus
misleading, deceptive
camarweiniol o fe'i defnyddir i ddwysáu ystyr
ansoddair, *yn gamarweiniol o rwydd*
camberchenogi *be* [camberchenog•¹] dwyn neu
gymryd rhywbeth yn annheg (yn enwedig arian
rhywun arall) to misappropriate
cambihafio:camfihafio *be* [cambihafi•²]
bod yn ddrwg (am blentyn); camymddwyn
to misbehave
cambiwm *eg* BOTANEG (mewn planhigion) haen
denau o feinwe meristematig rhwng y ffloem a'r
sylem sy'n cynhyrchu rhisgl a chelloedd pren
newydd cambium
Cambodaidd *ans* yn perthyn i Gambodia,
nodweddiadol o Gambodia Cambodian
Cambodiad *eg* (Cambodiaid) brodor o
Gambodia, un o dras neu genedligrwydd
Cambodaidd Cambodian

cambr *eg* (cambrau)
  1 camedd yn codi o'r ymylon i'r canol (e.e.
  cambr heol); crymder **camber**
  2 crymedd adenydd awyren **camber**
  3 ffordd o osod olwynion cerbyd fel bod
  gwaelodion yr olwynion yn nes at ei gilydd na'u
  pennau **camber**
cambren *eg* (cambrenni)
  1 darn o bren neu fetel neu blastig wedi'i ffurfio
  i ddal dillad (cot a throwsus, neu sgert, etc.)
  ac yna'i hongian mewn cwpwrdd **coat hanger,
  hanger**
  2 yn wreiddiol, y darn o bren y byddai mochyn
  yn cael ei grogi wrtho ar ôl iddo gael ei ladd
  cambrel
  3 pren traws ar drol neu gerbyd yr oedd y ceffyl
  blaen yn cael ei fachu wrtho **swingletree**
Cambriaidd *ans* DAEAREG yn perthyn i gyfnod
  cyntaf y gorgyfnod Palaeosöig (542–488
  miliwn o flynyddoedd yn ôl), nodweddiadol
  o gyfnod cyntaf y gorgyfnod Palaeosöig, sef
  cyfnod yr anifeiliaid morol cragennog a welir
  ar ffurf ffosiliau heddiw **Cambrian**
cambrig:camrig *eg* lliain main gwyn a
  ddefnyddid gynt i wneud hancesi poced **cambric**
cambriodoli *be* [cambriodol•[1]] tadogi neu
  briodoli'n anghywir (~ *rhywbeth* i) **to attribute
  falsely**
cambro *be* [cambr•[1]] crymu o'r ochrau i fyny at
  y canol, creu cambr **to camber**
camdafliad *eg* (camdafliadau) (mewn gêmau)
  tafliad (pêl) mewn ffordd nad yw'n
  cydymffurfio â'r rheolau **foul throw**
camdaflu *be* [camdafl•[3]] taflu (pêl) mewn ffordd
  nad yw'n cydymffurfio â'r rheolau **to commit a
  foul throw**
camdreiglad *eg* (camdreigladau) treiglad anghywir
camdreiglo *be* [camdreigl•[1]] treiglo
  llythrennau'n anghywir, e.e. *merch phrydferth*
camdreuliad *eg* diffyg traul **indigestion**
camdreulio *be* [camdreuli•[2]]
  1 gwastraffu amser **to misspend**
  2 methu treulio (bwyd) **to digest badly**
cam-drin *be* [camdrini•[6]]
  1 bod yn gas neu'n angharedig wrth (rywun
  neu rywbeth), peidio â thrin mewn ffordd
  sensitif; brifo, gwarthruddo, hambygio
  to ill-treat, to maltreat
  2 trin (unigolyn neu anifail) mewn ffordd
  sy'n arwain at niwed corfforol neu feddyliol;
  cystuddio, niweidio, poenydio **to abuse**

camdriniaeth *eb* (camdriniaethau) y broses o
  gam-drin (rhywun neu rywbeth), canlyniad
  cam-drin; camarfer, camddefnydd **abuse,
  ill treatment**
camdriniaeth rywiol cyflawni gweithredoedd
  rhywiol ar blant neu ar oedolion mewn ffordd
  anaddas neu anghyfreithlon **sexual abuse**
camdroad *eg* (camdroadau) ystumiad neu
  gamder sydd wedi datblygu yn rhywbeth a fu
  unwaith yn syth (e.e. darn o bren) **warp**
cam-droi *be* [camdro•[17]] (am bren, plastig, etc.)
  datblygu camder neu ystumiad sy'n golygu nad
  yw'n wastad neu'n syth fel y bu, *Mae'r fframin
  wedi cam-droi yng ngwres yr haul.* **to warp**
camdwll *eg* (camdyllau) glotis; y rhan o'r laryncs
  sy'n cynnwys tannau'r llais a'r gofod hir, cul
  rhwng tannau'r llais **glottis**
cam-dyb *eb* (camdybiau) canlyniad camddehongli
  rhywbeth; annealltwriaeth, camddealltwriaeth,
  camsyniad **misconception, fallacy**
camdybio:camdybied *be* [camdybi•[2]] tybio ar
  gam, meddwl yn anghywir; camfarnu,
  camgymryd, camsynied **to misapprehend,
  to misconceive**
camdystiolaeth *eb* (camdystiolaethau)
  CYFRAITH adroddiad anghywir neu gelwyddog
  mewn llys neu i rai sy'n archwilio rhywbeth
  false evidence
camdystiolaethu *be* [camdystiolaeth•[1]]
  cyflwyno tystiolaeth anghywir neu gelwyddog;
  tyngu anudon (~ **yn erbyn**) **to bear false witness**
camddarlunio *be* [camddarluni•[6]] tynnu llun
  anghywir; camarwain, camliwio, twyllo
  to misrepresent
camddarllen *be* [camddarllen•[1]] darllen yn
  anghywir, gwneud camgymeriad wrth ddarllen
  to misread
camddeall *be* [camddeall•[3]] methu deall yn
  iawn, heb fod wedi clywed neu ddirnad yn
  gywir; camddehongli, camgymryd, camsynied,
  cyfeiliorni **to misunderstand**
camddealltwriaeth *eg* (camddealltwriaethau)
  methiant i ddeall yn iawn, dealltwriaeth
  anghywir; annealltwriaeth, cam-dyb,
  camsyniad **misunderstanding**
camddefnydd *eg* defnydd anghywir, defnydd at
  ddibenion (gwael) nas bwriadwyd; camarfer,
  camdriniaeth **misuse, abuse**
camddefnyddio *be* [camddefnyddi•[2]]
  defnyddio at ddibenion gwael; defnyddio
  mewn ffordd sy'n debyg o wneud drwg neu
  niwed, *camddefnyddio'i awdurdod*; cam-drin
  to misuse, to abuse
camddefnyddio hydoddyddion yr arfer
  (peryglus) o sniffian anwedd meddwol
  sylweddau cemegol fel glud, glanedyddion, etc.
  solvent abuse

camddehongli *be* [camddehongl•¹] camddeall ac egluro yn anghywir; camgymryd, camsynied, cyfeiliorni to misconstrue, to misinterpret

camddehongliad *eg* (camddeongliadau)
1 camddealltwriaeth ac eglurhad anghywir; cam-dyb, camgymeriad, camsyniad, cyfeiliornad misinterpretation
2 (am ffaith neu gyfraith) datganiad neu honiad anwir sy'n cymell rhywun i wneud cytundeb misrepresentation

camddyfynnu *be* [camddyfynn•⁹] dyfynnu'n anghywir (~ *rhywbeth* **allan o**) to misquote
Sylwch: dyblwch yr 'n' ym mhob ffurf ac eithrio yn y rhai sy'n cynnwys -as-.

camedd gw. **camder**

camedd y fraich plyg y fraich bend of the elbow

cameg gw. **camog**

camel *eg* (camelod) un o ddau fath o anifail y diffeithwch sydd â gwddf hir, cot o flew brown a chrwb ar ei gefn i storio braster. Dromedari yw'r camel ag un crwb a ddefnyddir gan yr Arabiaid, a chamel Bactriaidd yw'r camel â dau grwb sydd i'w gael yn Asia. camel

blew camel gw. **blew**

camelion:cameleon *eg* (camelionod) madfall o Affrica neu Asia â chroen cramennog a'r gallu i newid ei liw yn ôl yr amgylchfyd chameleon

camenw *eg* (camenwau) defnydd anghywir o enw neu deitl misnomer

camenwi *be* [camenw•¹] defnyddio'r enw anghywir, galw (rhywun neu rywbeth) wrth yr enw anghywir to misname

cameo *eg* (cameos)
1 darn o faen gwerthfawr a dwy haen o liwiau gwahanol iddo, wedi'i gerfio yn y fath fodd fel bod lliw'r cefndir yn wahanol i liw'r llun sydd ychydig yn uwch na'r cefndir cameo
2 medal neu dlws ac amlinelliad (ychydig yn uwch na'r cefndir) o ben unigolyn wedi'i gerfio arno cameo
3 darn o lenyddiaeth neu ddrama sy'n amlinellu'n glir sefyllfa neu gymeriad arbennig cameo
4 (mewn ffilm) un rhan fach, arbennig, wedi'i chwarae gan actor neu actores adnabyddus cameo

camera *eg* (camerâu) dyfais â siambr gwbl dywyll o'i mewn y mae modd taflunio llun o wrthrych, drwy lens ar ei blaen, naill ai ar ddefnydd fel ffilm sy'n ei gofnodi neu ar arwyneb a fydd yn cadw'r llun ar ffurf electronig. Mae rhai mathau o gamerâu yn tynnu lluniau llonydd ac eraill yn tynnu lluniau symudol. camera

camera obscura *eg*
1 blwch ac ynddo lens sy'n taflunio llun o'r tu allan ar sgrin y tu mewn i'r blwch
2 adeilad bach crwn a drych yn ei do sy'n taflunio tirwedd o'r tu allan ar sgrin y tu mewn i'r adeilad

Camerŵnaidd *ans* yn perthyn i Cameroun, nodweddiadol o Cameroun Cameroonian

Camerŵniad *eg* (Camerŵniaid) brodor o Cameroun Cameroonian

camesbonio *be* [camesboni•⁶] esbonio'n anghywir (~ *rhywbeth* **i** *rywun*) to misconstrue, to misinterpret

camfa *eb* (camfeydd) grisiau o bren (neu weithiau o gerrig) wedi'u codi y naill ochr a'r llall i glawdd neu wal neu ffens er mwyn i bobl fedru eu croesi; sticil, sticill stile

camfaethiad *eg* diffyg ymborth digonol oherwydd prinder bwyd, oherwydd peidio â bwyta'r pethau angenrheidiol neu oherwydd bod y corff yn methu defnyddio'r hyn sy'n cael ei fwyta, diffyg maeth malnutrition

camfaethol *ans* yn perthyn i ymborth neu faeth anghywir neu wedi'i achosi ganddynt dystrophic

camfarnu *be* [camfarn•³] barnu'n anghywir, dod i gasgliad anghywir neu dybio'n gyfeiliornus; camdybio, camgymryd, camsynied to misjudge

camfeddiannu *be* [camfeddiann•¹⁰] hawlio awdurdod neu deyrnasiaeth ar gam neu mewn ffordd anghyfreithlon; cipio, dwyn, trawsfeddiannu to usurp
Sylwch: dyblwch yr 'n' ym mhob ffurf ac eithrio yn y rhai sy'n cynnwys -as-.

camfesur¹:camfesuriad *eg* (camfesurau) mesuriad anghywir, safon wallus neu anghywir mismeasurement

camfesur² *be* [camfesur•¹] mesur yn anghywir to mismeasure

camfihafio gw. **cambihafio**

camffor *eg* cyfansoddyn o bren a rhisgl y goeden camffor, mae'n sawru'n gryf ac fe'i defnyddir fel eli neu sylwedd ymlid pryfed camphor

camffurfiad *eg* (camffurfiadau) annormaledd o ran siâp neu ffurf malformation

camganfod *be* [²⁰] canfod yn anghywir to misperceive

camgastio *be* [camgasti•²] gosod actor neu actores i chwarae rhan anaddas to miscast

camglywed *be* [camglyw•¹] clywed rhywbeth yn anghywir to mishear

camgrediniaeth *eb* (camgrediniaethau) CREFYDD cred mewn athrawiaeth sy'n groes i ddysgeidiaeth yr Eglwys; heresi heresy

camgyfeirio *be* [camgyfeiri•²] anfon i'r cyfeiriad anghywir; camarwain, twyllo (~ **at** *rhywun/ rywbeth*; ~ *rhywun* **i** *rywle*) to misdirect

camgyfrif *be* [camgyfrif•¹] rhifo'n anghywir to miscount

camgyhuddiad *eg* (camgyhuddiadau) cais i roi bai ar rywun heb achos, cyhuddiad di-sail false accusation

camgyhuddo *be* [camgyhudd•¹] rhoi bai ar rywun heb achos, cyhuddo ar gam (~ *rhywun* o) to accuse falsely

camgymeraf *bf* [camgymryd] rwy'n camgymryd; byddaf yn camgymryd

camgymeriad *eg* (camgymeriadau) rhywbeth nad yw'n gywir; gweithred sy'n gamsyniad; camsyniad, cyfeiliornad, gwall, llithriad mistake, blunder

camgymryd *be* [camgymer•¹] dehongli'n anghywir, cymysgu rhwng pethau a derbyn y peth anghywir, gwneud camgymeriad; camdybio, camddeall, camgymryd, camsynied (~ *rhywun/rhywbeth* **am**) to mistake

camhysbysu *be* [camhysbys•¹] rhoi gwybodaeth anghywir; camarwain (~ *rhywun* o) to misinform

camlas *eb* (camlesi)
1 math o afon wedi'i chreu gan ddyn; ffos ddofn, lydan wedi'i hagor gan ddyn i gysylltu afonydd neu foroedd er mwyn i longau neu gychod fedru teithio ar ei hyd canal
2 ffos neu sianel wedi'i hagor er mwyn cario dŵr i dir sych a'i wneud yn ffrwythlon channel
3 ANATOMEG agoriad neu lwybr naturiol yn y corff, fel yr un sy'n arwain o'r glust allanol i dympan y glust meatus

camleoli *be* [camleol•¹] gosod mewn man anghywir; camosod to misplace

camliwiad *eg* (camliwiadau) darlun (geiriol) anghywir; camddehongliad, gwyrdroad, gwyriad misrepresentation

camliwio *be* [camliwi•²] cyflwyno darlun anghywir; camarwain, camddarlunio, twyllo to misrepresent

camocs:ciamocs *ell* triciau, pranciau, castiau, jôcs, ystrywiau, gamocs, giamocs capers, pranks

camochri *be* [camochr•¹] (mewn gêmau pêl rhwng dau dîm) camsefyll to be offside

camog¹:cameg *eb* (camogau) rhan o gylch allanol olwyn sy'n cael ei chysylltu â'r both gan yr adenydd felloe

camog² *eg* (cemig) eog gwryw teirblwydd oed, pan fydd yn troi'n lliw mwy coch ac y bydd ei ên yn datblygu bach ar ei blaen three-year-old salmon

camosod *be* [camosod•¹] gosod rhywbeth yn anghywir (e.e. gosod geiriau ar gyfer cerdd dant); camleoli to misplace

camp *eb* (campau)
1 gorchwyl sy'n gofyn am lawer o ddysg neu wroldeb a dyfalbarhad i'w gyflawni, *camp Albert Schweitzer yn codi ysbyty yn Lambaréné*; gorchest, gwrhydri, rhagoriaeth feat

2 chwarae neu gystadleuaeth athletaidd sy'n gofyn am fedr a chryfder, *y campau Olympaidd*; gornest feat, game
3 y wobr a geir am ennill gornest neu fuddugoliaeth mewn chwaraeon, e.e. *Y Gamp Lawn*, a geir ar ôl maeddu neu guro pob gwrthwynebydd mewn tymor rygbi rhyngwladol Ewropeaidd

camp a rhemp y da a'r drwg, rhagoriaeth a gwendid

camp i mi (i ti, iddo ef, etc.) geiriau sy'n cael eu defnyddio i herio rhywun i wneud rhywbeth, *Camp i ti neidio dros yr afon yna!* (I) dare (you) to

tan gamp gwych, rhagorol first-rate

campanoleg *eb* y grefft o ganu clychau (yn enwedig cyfres o glychau eglwysig) campanology

campfa *eb* (campfeydd) man (adeilad arbennig fel arfer) i ymarfer a chynnal arddangosfeydd o gampau corfforol neu gêmau dan do gymnasium, stadium

campio *be* [campi•²] sefydlu gwersyll neu fyw mewn gwersyll; gwersylla (~ **ar**) to camp

campus *ans* yn cyflawni camp, dan gamp; ardderchog, gwych, penigamp, rhagorol excellent, splendid

campwaith *eg* (campweithiau) gwaith gorau meistr ar ei grefft; gorchest masterpiece

campwr *eg* (campwyr) un sy'n cymryd rhan mewn campau; un sy'n cyflawni campau i ennill; buddugwr, meistr champion, contender, expert

campwraig *eb* merch neu wraig sy'n cymryd rhan mewn campau, meistres ar ei chrefft

campwriaeth *eb* (campwriaethau) cystadleuaeth i ddarganfod campwr neu gampwraig championship

campws *eg* (campysau) safle (daearyddol) prifysgol neu goleg, yn enwedig y tir a'r adeiladau a gynhwysir ar un safle campus

camrannu *be* [camrann•¹⁰] rhannu mewn ffordd anghyfartal neu annheg (~ *rhywbeth* **rhwng**) *Sylwch*: dyblwch yr 'n' ym mhob ffurf ac eithrio yn y rhai sy'n cynnwys -*as*-.

camre *eg* rhes o gamau, ôl traed; cerddediad, llwybr, siwrnai footsteps

camreolaeth *eb* rheolaeth wael, aneffeithiol; camweinyddiad mismanagement

camreoli *be* [camreol•¹] rheoli'n wael, *camreoli tîm pêl-droed*; camweinyddu to misgovern, to mismanage

camri *eg* planhigyn yn perthyn i deulu llygad y dydd y mae ei ddail a'i flodau yn cael eu defnyddio i wneud te llesol camomile, chamomile

camrifo *be* [camrif•¹] gwneud camgymeriad wrth rifo; camgyfrif to miscount

camrig *gw.* cambrig

camsefyll *be* [camsaf•[3] 3 *un. pres.* camsaif/ camsafa] (mewn gêmau pêl rhwng dau dîm mae rheolau manwl ynglŷn â pha le y mae'n gyfreithiol i chwaraewr drin y bêl a pha le y mae'n anghyfreithiol) trin neu ddilyn y bêl mewn man anghyfreithiol to be offside

camsiafft *eg* (camsiafftiau) rhoden neu siafft (mewn peiriant) ac un cam (darn ymestynnol, crwm) neu fwy arni, yn arbennig un sy'n gweithredu falfiau peiriant tanio mewnol camshaft

camsillafiad *eg* (camsillafiadau) gair wedi'i gamsillafu misspelling

camsillafu *be* [camsillaf•[3]] sillafu'n anghywir to misspell

camsin *eg* gwynt poeth yr Aifft sy'n chwythu o'r Sahara khamsin

camsyniad *eg* (camsyniadau) syniad anghywir neu gyfeiliornus; cam-dyb, camgymeriad, cyfeiliornad, gwall error, misconception, mistake

camsyniadol:camsyniol *ans* drwy gamsyniad, yn camgymryd mistaken

camsynied:camsynio:camsynnu *be* [camsyni•[6]] meddwl yn anghywir neu'n gyfeiliornus; camdybio, camddeall, camgymryd, cyfeiliorni to mistake

camsyniol gw. **camsyniadol**

camsynnu gw. **camsynied**

camu[1] *be* [cam•[3]] cymryd cam; mesur fesul cam; cerdded neu lamu dros rywbeth; brasgamu, troedio to pace, to step

camu[2] *be* [cam•[3]] crymu, gwyro, plygu to bend, to distort

camwaith *eg* (camweithiau) CYFRAITH y defnydd o broses gyfreithiol mewn ffordd anghyfreithlon neu anghywir misfeasance

camwario *be* [camwari•[2]] gwario'n ofer, gwastraffu arian (~ **ar**) to misspend, to squander

camwedd *eg* (camweddau)
1 gweithred ddrwg; bai, drygioni, pechod, trosedd misdeed, transgression
2 CYFRAITH camwri (ac eithrio torri contract) y mae hawl cynnal achos sifil am iawndal yn ei gylch; drwgweithred, trosedd, ysgelerder tort

camweddu *be* CYFRAITH cyflawni camwedd; camymddwyn, pechu, tramgwyddo, troseddu to transgress
Sylwch: nid yw'r ferf hon yn arfer cael ei rhedeg.

camweinyddiad *eg* gweinyddiad gwael neu lwgr; camreolaeth maladministration

camweinyddu *be* [camweinydd•[1]] gweinyddu mewn ffordd aneffeithiol neu lwgr to maladminister

camweithio *be* [camweithi•[2]] methu gweithredu yn y ffordd gywir neu'r ffordd arferol to malfunction

camweithred *eb* (camweithredoedd) gweithred ddrwg; camwedd, pechod, trosedd transgression

camweithrediad *eg* (camweithrediadau) gweithred annormal neu un a nam arni (yn enwedig am ran o'r corff) dysfunction

camweithredol *ans* (am ran o'r corff) yn gweithredu'n annormal neu mewn ffordd sy'n ddiffygiol dysfunctional

camwerthyd *eb* (camwerthydau) camsiafft; rhoden neu siafft (mewn peiriant) ac un cam (darn ymestynnol, crwm) neu fwy arni, yn arbennig un sy'n gweithredu falfiau peiriant tanio mewnol camshaft

camwr *eg* (camwyr) un sy'n camu neu'n cerdded; brasgamwr strider

camwri *eg* (camwriau) niwed anghyfiawn; anghyfiawnder, camwedd, drwgweithred, ysgelerder wrong, injustice

camynganu *be* [camyngan•[3]] ynganu'n anghywir to mispronounce

camymddwyn *be* ymddwyn mewn ffordd wael, ymarweddu'n ddrwg; cambihafio, pechu, tramgwyddo to misbehave
Sylwch: nid yw'r ferf hon yn arfer cael ei rhedeg.

camymddygiad *eg* (camymddygiadau) y broses o gamymddwyn malpractice, misbehaviour, misconduct

can[1] *eg* blawd gwyn; fflŵr, paill flour

can[2] *eg* (caniau) bocs tun arbennig y mae bwyd neu ddiod yn cael ei selio ynddo ar ôl cael gwared ar yr aer, sy'n caniatáu iddo gael ei gadw am gyfnod hir heb ei ddifetha can

can[3] *rhifol* gw. **cant**
can diolch diolch yn fawr iawn many thanks

can[4] *ardd* ffurf gysefin **gan** a **chan**
Sylwch: fel *gan* mae'n cael ei ddilyn gan dreiglad meddal.

cân[1] *eb* (caneuon)
1 darn arbennig o gerddoriaeth, gan amlaf ynghyd â geiriau, i'w ganu gan lais neu leisiau i gyfeiliant neu'n ddigyfeiliant song
2 cyfres o nodau neu sŵn nodweddiadol aderyn, *cân y ceiliog*; caniad song
3 darn o farddoniaeth, neu eiriau sydd wedi'u cyfansoddi (weithiau) ar gyfer eu canu; caniad, cathl lyric, poem

cân serch cân yn mynegi teimladau o serch love song

cân werin cân yn deillio o'r traddodiad gwerinol neu sydd wedi'i hysgrifennu mewn arddull debyg folk-song
Ymadrodd
diwedd y gân yw'r geiniog beth bynnag yw'r ystyriaethau eraill, bydd raid i rywun dalu yn y diwedd

cân² *bf* [canu]
1 *ffurfiol* mae ef yn canu/mae hi'n canu; bydd ef yn canu/bydd hi'n canu
2 *ffurfiol* gorchymyn i ti ganu

canabis *eg* dail a blodau sych planhigion cywarch a ysmygir neu a fwyteir am yr effaith feddwol a grëir ganddynt cannabis

Canadaidd *ans* yn perthyn i Ganada, nodweddiadol o Ganada Canadian

Canadiad *eg* (Canadiaid) brodor o Ganada Canadian

canadwy *ans* addas i'w ganu, hawdd ei ganu singable

Cananead *eg* (Cananeaid) *hanesyddol* brodor o Wlad Canaan Canaanite

Cananeaidd *ans hanesyddol* yn perthyn i Wlad Canaan, nodweddiadol o Wlad Canaan

canawon *ell* lluosog cenau, cenawon

cancr *eg*
1 briw neu niwed wedi'i achosi gan afiechyd sy'n ymddangos ar gorff pobl ac anifeiliaid neu ar risgl coed a phlanhigion canker
2 canser; tyfiant niweidiol yn y corff neu arno sy'n gallu lledu ac achosi poen a marwolaeth cancer

cancro *be* [cancr•¹] datblygu cancr, yn enwedig yn achos anifeiliaid a choed; madru, pydru to canker

candela *eg* (candelâu) uned safonol i fesur arddwysedd golau candela

candi *eg* crisialau siwgr sy'n cael eu ffurfio wrth ferwi sudd siwgr candy
candi-pîl ffrwythau neu groen ffrwythau wedi'u gorchuddio â haen lefn o siwgr neu â chrisialau siwgr; croen candi candied peel

candis *ell* danteithion melys; cisys, da-da, fferins, losin, melysion, minceg, pethau da, taffis sweets

cando *eg* tŷ lle y cedwir cŵn hela; tŷ heliwr kennel, lodge
mynd i'r c(i)ando mynd i'r gwely

candryll *ans*
1 wedi'i falu; chwilfriw, teilchion, tipiau, yfflon shattered
2 wedi colli'i dymer yn llwyr, o'i gof; crac, cynddeiriog, gwyllt enraged, furious, livid

caneitio *be* [caneiti•²] disgleirio, yn enwedig am y sêr, y lleuad, etc.; pefrio, pelydru, serennu, tywynnu to shine, to twinkle

caneri *eg* (caneris) aderyn bach melyn, yn wreiddiol o'r Ynysoedd Dedwydd (Ynysoedd y Caneri), a gedwir fel aderyn anwes oherwydd ei fod yn canu mor swynol canary
(dim) gobaith caneri dim gobaith o gwbl (byddai gweithwyr dan ddaear yn arfer mynd â chaneri gyda nhw i brofi a oedd nwy'n bresennol, gan y byddai'r caneri yn mynd yn

anymwybodol oherwydd effaith y nwy cyn iddo gael effaith ar y dynion)

caneuon *ell* lluosog cân

canfasio *be* [canfasi•²]
1 mynd o gwmpas yn ceisio cefnogaeth, pleidleisiau, archebion, etc.; yn enwedig mynd o dŷ i dŷ i ofyn am bleidleisiau mewn etholiad (~ dros) to canvass
2 gofyn i gynghorydd (neu rywun mewn awdurdod) gefnogi'ch cais am swydd

canfasiwr *eg* (canfaswyr) un sy'n canfasio canvasser

canfed¹ *ans*
1 y rhifol (rhif trefnol) nesaf mewn trefn ar ôl 'naw deg nawfed' hundredth
2 rhif 100 mewn rhestr o gant neu fwy; 100fed hundredth
Sylwch:
1 mae'n achosi'r treiglad meddal yn achos enw benywaidd sy'n ei ddilyn (*y ganfed ferch*);
2 mae 'canfed' yn treiglo'n feddal yn dilyn y fannod os yw'n cyfeirio at enw benywaidd.

canfed² *eg* (canfedau) un rhan o rywbeth sydd wedi'i rannu'n gant o rannau, *Roedd y sgïwr wedi trechu'r lleill o ddau ganfed ran o eiliad.* hundredth
ar fy (dy, ei, etc.) nghanfed
1 wedi cynyddu ganwaith
2 (ffigurol) llwyddo'n eithriadol hundredfold

canfod *be* [²⁰ 3 *un. pres.* cenfydd; 2 *un. gorch.* cenfydd] gweld rhywbeth a fu'n aneglur neu'n anweledig cyn hynny, cael hyd i; amgyffred, deall, dirnad to discern, to perceive

canfodiad *eg* (canfodiadau) ATHRONIAETH gwrthrych yr hyn a ganfyddir neu a ddeellir, gwrthrych dirnadaeth; cysyniad percept

canfodydd *eg* (canfodyddion) peiriant sy'n gallu darganfod neu adnabod presenoldeb pethau nad yw dynion yn gallu eu gweld neu eu profi, *canfodydd metel, canfodydd celwyddau* detector

canfyddadwy *ans* y gellir ei ganfod, y mae modd ei adnabod discernible, identifiable

canfyddiad *eg* (canfyddiadau) SEICOLEG y broses o ganfod, o ddirnad yn feddyliol yr hyn a welir neu a glywir drwy'r synhwyrau; amgyffrediad, darganfyddiad, dirnadaeth perception

canfyddiadol *ans* yn ymwneud â chanfod, yn enwedig yn ymwneud â dehongli'r hyn a gyflwynir drwy'r synhwyrau perceptual

cangarŵ *eg* (cangarŵod:cangarŵaid) y bolgog mwyaf ei faint, mae'n byw yn Awstralia ac mae'n hynod am ei allu i neidio kangaroo

canhwyllarn *eg* (canwyllarnau) llestr neu declyn o fetel (gan amlaf) i ddal cannwyll neu ganhwyllau; canhwyllbren candlestick

canhwyllau *ell* lluosog cannwyll

canhwyllbren *egb* (canwyllbrennau) llestr neu declyn o fetel (gan amlaf) i ddal cannwyll neu ganhwyllau; canhwyllarn candlestick

canhwyllnerth *eg* arddwysedd goleuol (cryfder golau) wedi'i fesur mewn candelâu candlepower

canhwyllwr *eg* (canhwyllwyr) un sy'n gwneud canhwyllau neu'n eu gwerthu candlemaker, chandler

canhwyllydd *eg* (canhwyllwyr) *hanesyddol* y swyddog yn llys y brenin a oedd yn gyfrifol am ganhwyllau'r llys candle steward, candle bearer

canhwyllyr *eg* (canhwyllyron) dyfais (addurnedig fel arfer) ar gyfer dal nifer o ganhwyllau (neu fylbiau trydan erbyn heddiw) ac yn hongian wrth y nenfwd er mwyn goleuo ystafell, byddai'n dal nifer o ganhwyllau; seren ganhwyllau candelabra, chandelier

caniad *eg* (caniadau)
1 y weithred o ganu neu o seinio offeryn; datganiad, galwad singing, sounding
2 *hynafol* cân song

caniad ceiliog yn ôl rhaniadau amser yr Hebreaid gynt, dyma'r enw ar y wawr cockcrow

caniad corn galwad corn, e.e. wrth hela, mewn byddin, yn yr Eisteddfod Genedlaethol etc. sounding of a horn

caniad ffôn rhybudd bod rhywun yn eich ffonio, hefyd sgwrs ffôn *Rho ganiad i mi yfory.* a telephone call, ring

caniadaeth *eb* cerddoriaeth, yn enwedig cerddoriaeth leisiol singing, music

caniadaeth y cysegr cerddoriaeth grefyddol (e.e. salmau, emynau, anthemau, etc.) sacred music

caniatâd *eg* (caniatadau) y broses o ganiatáu, canlyniad caniatáu, rhwydd hynt, *Cefais ganiatâd y perchennog i bysgota'r afon.*; cennad, hawl, trwydded consent, permission

caniatol *ans* yn caniatáu, wedi'i ganiatáu granted

cymryd yn ganiatol derbyn fel rhywbeth sydd wedi cael ei brofi neu sy'n debygol iawn o fod yn wir to take for granted

caniatáu *be* [caniata•¹⁵] gadael i, rhoi hawl i, rhoi caniatâd i; awdurdodi, cydsynio (~ i rywun wneud) to allow, to grant, to permit

caniatei *bf* [caniatáu] *ffurfiol* rwyt ti'n caniatáu; byddi di'n caniatáu

canibal *eg* (canibaliaid:canibalyddion) un sy'n bwyta cnawd ei gyd-ddyn; unrhyw greadur sy'n bwyta cnawd creadur o'r un rhywogaeth ag ef ei hun cannibal

canibalaidd *ans* yn perthyn i ganibal, tebyg i ganibal cannibalistic

canibaliaeth *eb*
1 yr arfer gan rai llwythau cyntefig o fwyta cnawd dynol cannibalism
2 arfer creadur sy'n bwyta cnawd creadur o'r un rhywogaeth ag ef ei hun cannibalism

caniedydd *eg*
1 *llenyddol* canwr, un sy'n canu; cantor, datgeinydd singer
2 awdur geiriau caneuon lyricist

y Pêr Ganiedydd teitl a roddwyd i'r bardd a'r emynydd William Williams, Pantycelyn (1717–91)

canig *eb* (canigau) cân fach ditty, song

canio *be* [cani•⁶] gosod mewn tun, cadw mewn tun to can

caniwla *eg* (caniwlâu) MEDDYGAETH pibell fach y mae modd ei gosod mewn ceudod neu ddwythell yn y corff (e.e. er mwyn draenio hylif) cannula

canlyn *be* [canlyn•¹ 3 un. pres. canlyn/canlyna; 2 un. gorch. canlyn/canlyna]
1 digwydd ar ôl rhywbeth fel effaith, neu yn ôl trefn amser neu leoliad, dod ar ôl; dilyn, olynu to follow
2 cadw cwmni mewn carwriaeth, *Mae Mari a Tom yn canlyn ers mis.*; caru to be seeing someone, to court

canlyn arni dilyn ymlaen, dal ati to keep at it

canlyn crefft arfer crefft to practise a trade

canlyn march yr hen arfer o deithio'r wlad â march gan alw ar ffermydd i gyfebru cesig; dilyn march

canlyn y llif mynd gyda'r mwyafrif to go with the flow

canlyn yr oes bod ag agweddau neu syniadau cyfoes to move with the times

canlyneb *eb* (canlynebau) RHESYMEG casgliad yn deillio o osodiad sydd wedi'i brofi corollary

canlyniad *eg* (canlyniadau)
1 y marciau neu'r dyfarniad a roddir ar ddiwedd arholiad neu archwiliad result
2 casgliad neu effaith anochel cyfres o bethau sydd wedi digwydd; ffrwyth (o ~) consequence, outcome
3 casgliad y mae rhywun yn dod iddo yn dilyn proses o resymu; penderfyniad conclusion

canlyniadol *ans* yn ganlyniad i, yn dilyn resultant

canlynol *ans* yn dilyn (mewn trefn); dilynol, nesaf, olynol following

canlynwr *eg* (canlynwyr) un sy'n dilyn (person neu syniadau); dilynwr, disgybl follower

canllath *ell* cant o lathenni hundred yards

canllaw *egb* (canllawiau)
1 yn wreiddiol, rheilen yn ymyl grisiau neu ddibyn y gallech gydio ynddi i'ch cadw rhag syrthio neu fel cymorth i ddringo handrail, rail
2 erbyn heddiw, awgrym cyffredinol, nad yw

mor gaeth â rheol, sy'n cynorthwyo rhywun
i wneud neu gyflawni rhywbeth; arweiniad,
cyfarwyddyd, cymorth guideline, guidance

canmil *rhifol* fel yn *canmil gwell*, llawer iawn
gwell hundred thousand

canmlwyddiant *eg* (canmlwyddiannau) dathliad
pen blwydd yn gant oed centenary
Sylwch: nid yw 'canmlwyddiant' yn treiglo yn
dilyn 'dau' *daucanmlwyddiant*.

canmol *be* [canmol•[1]]
1 datgan bod rhywun neu rywbeth yn dda
iawn, rhoi clod i; brolio, clodfori, cymeradwyo,
moli (~ *rhywun* am) to compliment, to praise
2 fel yn *canmol anifail*, rhoi da iddo, esmwytho
to pat
canmol fy (dy, ei, etc.) lwc cydnabod fy lwc;
bod yn ddiolchgar iawn acknowledging one's
luck, to count one's lucky stars
canmol i'r cymylau canmol yn fawr iawn
to praise to the skies

canmoladwy *ans* yn haeddu canmoliaeth;
teilwng o glod; clodwiw, cymeradwy, hyglod
commendable, praiseworthy
canmoladwy o fe'i defnyddir i ddwysáu ystyr
ansoddair, *yn ganmoladwy o hael*

canmoliaeth *eb* (canmoliaethau) y weithred
o ganmol, canlyniad canmol; clod,
cymeradwyaeth, mawl, moliant praise,
compliment

canmoliaethus:canmoliaethol *ans* yn canmol,
yn llawn canmoliaeth complimentary, flattering

canmolwr *eg* (canmolwyr) un sy'n canmol
flatterer

cannaid *ans* wedi'i gannu; claerwyn, disglair,
gloyw, gwyn shining white, white

cannoedd *ell* lluosog cant

cannu *be* [cann•[10]] (am ddefnydd neu frethyn
fel arfer) golchi'n wyn ac yn lân ac yna ei
adael yn yr haul i sychu a chrasu; gwynnu
(~ *rhywbeth* â) to bleach
Sylwch: dyblwch yr 'n' ym mhob ffurf ac
eithrio yn y rhai sy'n cynnwys -as-.

cannwyll *eb* (canhwyllau) bys hir o wêr neu
gŵyr â phabwyr neu linyn drwy ei ganol y
gallwch ei gynnau er mwyn cael golau candle
cannwyll gorff yn llên gwerin Cymru, golau
cannwyll sy'n cael ei dal gan ysbrydion, ac sy'n
rhybudd o farwolaeth i'r sawl sy'n ei gweld
corpse candle
cannwyll rwth MEDDYGAETH ymlediad
annaturiol cannwyll y llygad a achosir gan
gyffuriau neu gyflwr meddygol fel coma
mydriasis
Can(n)wyll y Cymry teitl llyfr o benillion
crefyddol i addysgu'r werin, gan y Ficer
Rhys Prichard (1579–1644)
cannwyll (y) llygad[1] ANATOMEG y cylch du

yng nghanol iris y llygad sy'n gadael i olau
gyrraedd y retina pupil
Ymadroddion

cannwyll llygad[2] rhywbeth gwerthfawr neu
rywbeth y mae rhywun yn hoff iawn ohono,
Y babi newydd oedd cannwyll llygad ei fam.
the apple of (my) eye
dal cannwyll (mewn ymadroddion negyddol)
cymharu â to hold a candle to
llosgi'r gannwyll yn y ddau ben bod wrthi'n
hwyr y nos ac yn gynnar y bore heb ddigon o
orffwys to burn the candle at both ends

cannydd *eg* (canyddion) sylwedd a ddefnyddir i
gannu, i droi rhywbeth yn wyn bleach

canol[1] *eg* (canolau)
1 mewn cylch, yr unig fan sydd yn union yr
un pellter bob tro oddi wrth unrhyw bwynt
ar ymyl y cylch hwnnw; mewn llinell, neu o
ran lle, amser, etc., hanner ffordd rhwng dau
eithaf neu rhwng dechrau a diwedd; y pwynt
sy'n rhannu rhywbeth yn ddwy ran gyfartal;
canolbwynt centre
2 perfedd, craidd, rhan fewnol, *Cyrhaeddodd
adref a'i gael ei hun yng nghanol yr helynt.*
middle
3 canol y corff, gwasg, *Syrthiodd i'r dŵr hyd
at ei ganol.* midriff, waist
canol yr afell mediastinwm; y barwyden sy'n
gwahanu dau geudod neu ddwy ran organ yn y
corff, yn enwedig y barwyden a geir rhwng yr
ysgyfaint mediastinum
Ymadroddion
ar ganol hanner ffordd drwy (rywbeth), yng
nghanol in the middle of
canol dydd deuddeg o'r gloch y bore pan fydd
yr haul yn ei anterth; hanner dydd midday
canol llonydd y man sy'n union yng nghanol
cylch dead centre
canol nos deuddeg o'r gloch y nos, hanner nos
midnight
canol oed y cyfnod rhwng ieuenctid a henaint,
rhwng tua deugain a thrigain oed middle age
yn ei chanol hi yng nghanol helynt neu bentwr
o waith up to one's eyes

canol[2] *ans*
1 wedi'i amgylchynu fel canol cylch mid, middle
2 yn gorwedd rhwng dau eithaf, rhwng dau ben
sy'n bell oddi wrth ei gilydd mid, middle

canolbarth *eg* (canolbarthau) ardaloedd neu
diroedd yng nghanol gwlad midlands

canolbwynt *eg* (canolbwyntiau)
1 man canol; craidd, ffocws essence, focus
2 MATHEMATEG (ar linell) pwynt sydd yn union
hanner ffordd rhwng dau bwynt arall midpoint

canolbwyntio *be* [canolbwynti•[2]] rhoi sylw
arbennig i graidd neu galon testun neu
destunau; bod yn hollol effro i beth bynnag

sy'n cael sylw, hoelio sylw ar rywbeth arbennig
gan anghofio popeth arall; craffu, ffocysu (~ **ar**)
to concentrate, to focus

canoldir *eg* (canoldiroedd)
1 tir yng nghanol gwlad, tir sy'n bell o'r môr
inland region
2 ardal ddaearyddol arbennig o gwmpas y
Môr Canoldir Mediterranean

canolduedd *eb* (canoldueddiadau) MATHEMATEG
mesur ystadegol sy'n adnabod gwerth unigol
fel un sy'n nodweddiadol o ddosraniad cyfan,
e.e. canolrif, cymedr, modd; cyfartaledd
central tendency

canoldymor *ans* am dymor canolig; (ym maes
arian) am gyfnod rhwng 5 a 15 mlynedd
medium-term

canolddydd *eg* deuddeg o'r gloch, hanner dydd
midday

canolfan *eb* (canolfannau) man arbennig lle
mae llawer o bethau neu bobl yn dod ynghyd
am reswm penodol, man canolog; pencadlys
centre, depot
canolfan ddydd man sy'n cynnig gofal a
seibiant i rai nad ydynt yn gallu byw yn gwbl
annibynnol day centre
canolfan groeso man sy'n cynnig gwybodaeth
a chyngor i ymwelwyr tourist information centre
canolfan hamdden adeilad neu adeiladau
wedi'u codi ar gyfer gwneud pethau megis
nofio, chwarae sboncen, etc. yn ystod oriau
hamdden leisure centre
canolfan waith swyddfa gan y llywodraeth
mewn ardal leol yn cynnig gwybodaeth am
swyddi ac yn talu budd-daliadau i rai di-waith
job centre

canoli *be* [canol•¹]
1 tynnu nifer o bethau i un pwynt (canolfan),
yn enwedig awdurdod neu gyfrifoldeb
to centralize, centralization
2 ceisio gwneud cymod rhwng dau unigolyn
neu ddwy blaid sy'n gwrthwynebu ei gilydd;
cyflafareddu, cymodi, cymrodeddu, heddychu
to mediate

canoliaeth *eb* yr egwyddor o grynhoi awdurdod
a grym (e.e. yn wleidyddol, ym myd addysg,
etc.) i fan canolog sefydliad centralism

canolig *ans*
1 yn y canol rhwng dau eithaf o ran lle,
maint, ansawdd neu gyflwr, go lew; cyffredin,
cymedrol, gweddol, symol middling, moderate
2 am rywbeth nad yw y naill beth na'r llall,
diddrwg didda; glastwraidd, niwtral average,
mediocre

canoloesoedd *ell* cyfnod hanesyddol rhwng
tua OC 1000 ac OC 1500; yr Oesoedd Canol
Middle Ages

canoloesol *ans* yn perthyn i'r cyfnod rhwng tua

OC 1000 ac OC 1500, nodweddiadol o'r cyfnod
hwnnw medieval

canolog *ans*
1 yn y canol o ran amser neu le central, centred
2 cwbl angenrheidiol; allweddol, creiddiol,
hanfodol basic, essential

canolradd *ans* yn y canol rhwng dau beth
intermediate

canolrif *eg* (canolrifau) MATHEMATEG mesur
o gyfartaledd (canolduedd) set o rifau neu
feintiau wedi'u gosod mewn trefn, lle mae nifer
y rhifau neu'r meintiau sy'n fwy na'r canolrif yr
un â'r nifer sy'n llai na'r canolrif median

canolrwydd *eg* y cyflwr o fod yn y canol neu o
lynu wrth y canol centrality

canolwr *eg* (canolwyr)
1 un sy'n ceisio cymodi rhwng dwy ochr, un
sy'n ceisio torri dadl; cyfryngwr, cymodwr,
eiriolwr intermediary, mediator
2 (mewn busnes) masnachwr sy'n prynu oddi
wrth gynhyrchydd bwyd neu nwyddau, ac
yna'n gwerthu'r cynnyrch am elw i rywun arall
middleman
3 (mewn gêmau tîm) un sy'n chwarae yng
nghanol y cae neu'r cwrt centre
4 un sy'n rhoi'i farn am gymeriad a safon gwaith
un sy'n cael ei ystyried ar gyfer swydd referee

canon¹ *eg* (canonau)
1 LLENYDDIAETH rhestr safonol o waith awdur
canon
2 CREFYDD cyfraith neu ddeddf eglwysig, neu
gorff o gyfraith yr Eglwys canon
3 CREFYDD rhestr safonol o lyfrau'r Beibl a
dderbynnir gan yr Eglwys; rhestr swyddogol o'r
seintiau a gydnabyddir gan yr Eglwys canon
4 CERDDORIAETH math o dôn gron, e.e. 'Ble
mae Daniel?', lle mae'r un alaw yn cael ei
chanu gan fwy nag un llais neu offeryn mewn
gwrthbwynt, gyda phob llais (offeryn) yn
cychwyn ar adeg wahanol ond eto'r cyfan yn
cynganeddu'n swynol canon

canon² *eg* (canoniaid) offeiriad â swyddogaeth
arbennig mewn eglwys gadeiriol canon

canon³ *eg* (canonau)
1 math o wn nerthol hen ffasiwn yr oedd yn
rhaid ei sicrhau naill ai wrth y ddaear neu wrth
gerbyd cyn ei danio; magnel cannon
2 erbyn hyn, gelwir gynnau awyren yn ganonau
cannon

canonaidd *ans* yn perthyn i ganon¹ canonical

canoneiddio *be* [canoneiddi•²] CREFYDD gwneud
rhywun yn sant, cael ei dderbyn i ganon (rhestr
swyddogol) seintiau'r Eglwys Gatholig Rufeinig
(~ *rhywun* **yn** sant) to canonize, canonization

canoniaeth *eb* (canoniaethau) CREFYDD
swydd canon²; y gwaddol sy'n cynnal swydd
canon canonry

canonwr *eg* (canonwyr) CREFYDD arbenigwr ym maes cyfraith eglwysig canonist

canopi *eg* (canopïau)
1 llen gysgodol dros wely; llen a fyddai'n cael ei chario i gysgodi rhywun neu rywbeth pwysig; gorchudd, gortho canopy
2 haen uchaf coedwig yn cynnwys plethiad o ganghennau deiliog canopy

canradd *ans* am fesur sydd wedi'i rannu'n gant o raddau, e.e. yn system Celsius mae cant o raddau'n cael eu pennu rhwng tymheredd rhewi dŵr yn 0 gradd ganradd (0°C) a'r berwbwynt yn 100 gradd ganradd (100°C) centigrade

canran *ebg* (canrannau) MATHEMATEG y ganfed ran, rhan o gant a ddynodir gan yr arwydd %; fe'i defnyddir i ddangos gwerth cyfran o swm penodol, e.e. 10% o £200 yw £20. percentage

canrannol *ans* MATHEMATEG yn ôl y ganfed ran, fesul canran, e.e. *twf canrannol* percentage

canrif *eb* (canrifoedd) cyfnod o gant o flynyddoedd century

cans *cysylltair* talfyriad o canys, oherwydd, o achos because

cansen *eb* (cansennau:cansenni)
1 ffon, yn enwedig y ffon a ddefnyddid gan athrawon i guro plant; gwialen cane
2 coesyn llyfn, caled rhai mathau o wellt tal, e.e. bambŵ cane

canser *eg* MEDDYGAETH tyfiant niweidiol yn y corff neu arno sy'n gallu lledu ac achosi poen a marwolaeth; cancr cancer

canseraidd *ans* MEDDYGAETH a chanser ynddo, yn achosi canser cancerous

canslad *eg* (cansladau) dilead o rym; diddymiad cancellation

canslo *be* [cansl•¹]
1 peidio â chynnal rhywbeth sydd wedi'i drefnu; diddymu, dirymu to cancel
2 gosod marc arbennig ar stamp post fel na ellir ei ailddefnyddio to cancel
3 MATHEMATEG rhannu dwy ochr hafaliad, neu enwadur a rhifiadur ffracsiwn, â'r un ffactor, *Gallwn ganslo 2 ar ddwy ochr yr hafaliad 4y = 6z i ffurfio'r hafaliad symlach 2y = 3z.* to cancel

cant¹ *eg* (cannoedd) y rhif 100, deg deg, pump ugain hundred

can³ ffurf ar cant
Sylwch:
1 'can' yw'r ffurf arferol o flaen enw; mae'n achosi treiglad trwynol yn achos 'blwydd', 'blynedd' a 'diwrnod', *can mlynedd*.
2 nid yw 'can' yn treiglo yn dilyn 'dau'.

y cant ffordd o gyflwyno maint neu rif fel cyfran o gant a ddynodir gan yr arwydd %, *Mae tua 20 y cant o'r aer yr ydym yn ei anadlu yn ocsigen.* per cent

Ymadroddion
can diolch gw. can³

cant a mil nifer mawr o bethau a hundred and one

cant y cant yn llwyr, yn gyfan gwbl one hundred per cent

hen gant am rywun sy'n edrych yn hŷn na'i oedran

cant² *bf* [canu] *hynafol* fel yn yr ymadrodd *Taliesin a'i cant*, hen ffurf ar 'canodd', ar ddiwedd cerdd i ddangos enw'r bardd

cant³ *eg* (cantau)
1 ymyl allanol rhod; cylched, terfyngylch periphery
2 entrych y nen the vault of heaven

cant⁴ *eg* cant a deuddeg o bwysi, *cant o lo* hundredweight

cantata *eg* (cantatau) CERDDORIAETH darn crefyddol ar gyfer côr ac unawdwyr; cantawd

cantawd *eb* cantata cantata

cantel *eg* (cantelau) ymyl het, cylch allanol; min, rhimyn brim, flange, rim

cantigl *eb* (cantiglau) CERDDORIAETH cân (neu emyn) feiblaidd, yn seiliedig ar litwrgi'r Eglwys, e.e. Cân Mair, Cân Simeon, etc. canticle

cantilifer *eg* (cantilifrau) elfen o strwythur sy'n ymestyn allan ac yn cael ei gynnal ar un pen yn unig, e.e. braced sy'n cynnal balconi cantilever

cantilifrog *ans* yn cael ei gynnal gan gantilifer; yn ymestyn allan gan gael ei gynnal ar un pen yn unig cantilevered

cantîn *eg* (cantinoedd) lle bwyta i'r rhai sy'n gweithio neu'n astudio mewn sefydliad arbennig, e.e. ffatri neu ysgol; ffreutur canteen

cantoedd *ell* fel yn *ers cantoedd* ers amser mawr

canton *eg* (cantonau) talaith yn y Swistir canton

cantor *eg* (cantorion:cantoriaid) arweinydd y gân mewn eglwys; codwr canu; datgeinydd cantor

cantores *eb* (cantoresau) merch neu wraig sy'n canu singer, vocalist

cantorion *ell* lluosog cantor, ond yn yr ystyr gyffredinol o ganwr neu gantores singers

cantref *eg* (cantrefi) un o hen adrannau gweinyddol Cymru, yn cynnwys dau gwmwd neu ragor a thua chant o drefi neu ffermydd mawrion hundred

Cantre'r Gwaelod y cantref ym Mae Ceredigion a foddwyd gan y môr, yn ôl y chwedl am Gwyddno Garanhir a Seithennin

cantroed *eg* (cantroediaid) arthropod â chorff hir wedi'i rannu'n nifer mawr o gymalau a phâr o goesau ynghlwm wrth bob cymal; neidr gantroed centipede

canu¹ *be* [can•³ 3 *un. pres.* cân/cana; 2 *un. gorch.* cân/cana]
1 (am bobl neu adar) cynhyrchu cyfres o

seiniau cerddorol â'r llais; perori, pyncio, telori, tiwnio (~ **am** *rywun/rywbeth*) to sing

2 cynhyrchu synau soniarus, e.e. gan degell, afon, etc.; cwafrio, pyncio, telori, tiwnio to sing, to ring

3 cynhyrchu seiniau cerdd ar offeryn cerddorol, *canu'r ffidil*; cathlu, chwarae, perori to play

4 cyfansoddi barddoniaeth, yn enwedig i rywun arbennig neu ar destun arbennig, *Canodd y Prifardd Dic Jones awdl enwog i'r cynhaeaf*.; barddoni, prydyddu (~ **i** *rywun/ rywbeth*; ~ **am** *rywun/rywbeth*)

cân di bennill fwyn i'th nain, fe gân dy nain i tithau am ddau sy'n cynorthwyo'i gilydd er lles ei gilydd you scratch my back, I'll scratch yours

canu cloch sbarduno atgof; atgoffa to ring a bell

canu clod talu teyrnged; canmol, clodfori to praise

canu cnul canu cloch eglwys yn araf adeg angladd to toll

canu corn seinio corn car to toot the horn

canu crwth canu grwndi to purr

canu crwth i fyddar gw. crwth

canu cywydd y gwcw grwgnach yn barhaus to harp on

canu grwndi gwneud y sŵn y mae cath yn ei gynhyrchu pan fydd yn fodlon to purr

canu gyda'r tannau canu i gyfeiliant telyn to sing to harp accompaniment

canu huw suo-ganu to sing a lullaby

canu'n iach dweud ffarwél to bid farewell

codwr canu y sawl sy'n arwain y canu mewn capel precentor

cythraul (y) canu anghydfod a chenfigen ymhlith cantorion (mewn capel neu eisteddfod fel arfer)

dan ganu gwneud rhywbeth a chanu'r un pryd; gwneud rhywbeth yn ddidrafferth a hwyliog

dos/cer i ganu dos/cer o'ma push off

(wedi) canu arnaf fi (arnat ti, arno ef, etc.) mae hi ar ben arnaf, dim gobaith i mi, *Os cewch eich dal yn goryrru drwy'r pentref, mae hi wedi canu arnoch chi.* to be sunk

canu² *eg*

1 darn o farddoniaeth poem

2 cyfres o seiniau cerddorol a gynhyrchir â'r llais (the) singing

3 casgliad o gerddi, *Canu Dafydd ap Gwilym.* poetry

canu caeth barddoniaeth gynganeddol yn y mesurau caeth, sef y pedwar mesur ar hugain a drefnwyd yn eisteddfod Caerfyrddin, 1451 strict-metre poetry

canu gwerin cerddoriaeth draddodiadol heb gyfansoddwr cydnabyddedig ac a drosglwyddwyd ar lafar o un genhedlaeth i'r

llall, cerddoriaeth a ysgrifennir yn yr arddull hon folk music

canu rhydd barddoniaeth nad yw yn y mesurau caeth traddodiadol; er bod cerddi canu rhydd yn ddigynghanedd fel rheol, maen nhw'n tueddu i ddilyn patrwm rheolaidd o ran aceniad ac odl free-metre poetry

canŵ *eg* (canŵs) cwch hir, cul, ysgafn sy'n cael ei yrru â rhodlenni canoe

canwaith *adf* cant o weithiau

canwio *be* [canwi•²] teithio mewn canŵ to canoe

canwr *eg* (cantorion)

1 un sy'n defnyddio'i lais i ganu; cantor, datgeinydd, lleisiwr vocalist, singer, songster

2 un sy'n canu cloch neu offeryn cerdd; chwaraewr, offerynnwr player

canwraidd *eb* planhigyn llysieuol â phigyn o flodau a gwreiddyn troellog bistort

canwriad *eg* (canwriaid) swyddog yn y fyddin Rufeinig a oedd yn gyfrifol am 80 neu gant o filwyr centurion

canwyllbrennau *ell* lluosog **canhwyllbren**

canyddion *ell* lluosog **cannydd**

canys:cans *cysylltair* (hen ffasiwn) gan mai; am, gan, oblegid, oherwydd because, since

caolin *eg* clai tenau, gwyn a ddefnyddir i greu crochenwaith ac mewn moddion kaolin

caos *eg* FFISEG y ffordd y mae systemau dynamig yn gweithredu ar hap a damwain (h.y. mewn ffordd na ellir ei rhagfynegi) ond eto sydd â threfn sylfaenol yn perthyn iddi chaos

cap *eg* (capiau)

1 penwisg fflat, meddal ac iddi big cap

2 cap y mae chwaraewr yn ei ennill er anrhydedd pan fydd yn cael ei ddewis i chwarae i dîm arbennig neu dros ei wlad, *Enillodd Gareth Edwards 53 o gapiau wrth chwarae rygbi dros Gymru.* cap

3 gorchudd neu gaead arbennig i lestr, *cap potel laeth* cap

4 ffrwydryn papur ar gyfer drylliau tegan cap

cap brethyn/cap stabal cap gwastad cloth cap

cap pig gloyw cap swyddog officer's hat

capan *eg* (capanau) cap bach, *Mae'r capan corrach coch wedi'i werthu.* cap

capan drws darn o bren neu garreg sy'n pontio drws ac sy'n cynnal yr hyn sydd wedi'i adeiladu uwch ei ben; lintel lintel

Ymadrodd

capan penbwl *hanesyddol* côn o bapur a roddid fel arwydd o warth am ben disgybl a oedd yn araf yn dysgu mewn dosbarth ysgol dunce's cap

capel *eg* (capeli)

1 CREFYDD addoldy'r Ymneilltuwyr, tŷ cwrdd chapel

2 CREFYDD eglwys fechan lle mae cynulleidfa breifat yn addoli; rhan o eglwys gadeiriol wedi'i neilltuo ar gyfer gwasanaethau preifat. Y capel cyntaf oedd yr adeilad sanctaidd lle y cedwid mantell neu glogyn (*capella* yn Lladin) Sant Martin, Esgob Tours yng ngogledd Ffrainc tua'r flwyddyn OC 400.; addoldy chapel

capela *be* mynychu cyfarfodydd mewn addoldy Ymneilltuol yn rheolaidd to go to chapel
   Sylwch: nid yw'r ferf hon yn arfer cael ei rhedeg.

capelaid *eg* llond capel (o bobl) chapelful

capelwr *eg* (capelwyr) un sy'n mynychu cyfarfodydd mewn addoldy Ymneilltuol yn rheolaidd chapel-goer

capelwraig *eb* merch neu wraig sy'n mynychu cyfarfodydd mewn addoldy Ymneilltuol yn rheolaidd chapel-goer (female)

capilaraidd *ans* FFISEG yn deillio o gapilaredd, yn enwedig mewn tiwb bach cul iawn capillary

capilaredd *eg* (capilareddau) FFISEG y ffenomen lle mae wyneb hylif sydd yn cyffwrdd â solid (e.e. mewn tiwb cul) yn codi neu'n gostwng yn ôl atyniad moleciwlau'r hylif at ei gilydd ac at wyneb y solid capillarity

capilari *eg* (capilarïau) ANATOMEG un o'r mân bibellau gwaed sy'n cysylltu rhydweliynnau wrth wythienigau ac sy'n rhan o rwydwaith mewnol y corff capillary

capio *be* [capi•²]
   1 gosod cap ar ben (rhywbeth) i'w gysgodi neu ei amddiffyn (~ *rhywbeth* â) to cap
   2 cyflwyno cap i rywun, e.e. chwaraewr rygbi neu bêl-droed, fel arwydd o anrhydedd to cap
   3 ECONOMEG gosod terfyn ar rywbeth, e.e. pris, gwariant, benthyciad, etc. to cap

caplan *eg* (caplaniaid)
   1 CREFYDD offeiriad neu weinidog sy'n gofalu am goleg, ysbyty, carchar, etc. chaplain
   2 CREFYDD offeiriad sy'n gwasanaethu'n swyddogol gyda'r lluoedd arfog chaplain

caplaniaeth *eb* (caplaniaethau) CREFYDD swydd a dyletswyddau caplan chaplaincy

capoc *eg* y trwch o edafedd sidanaidd a geir o amgylch hadau'r goeden gapoc ac a ddefnyddir i lenwi pethau fel matresi, siacedi achub, etc. kapok

cappuccino *eg* (*cappuccinos*) math o goffi yn cynnwys llaeth wedi'i ewynnu ag ager

capriccio *eg* (*capricci*) CERDDORIAETH darn byr a chyflym o gerddoriaeth nad yw ar ffurf gaeth

caprwn:capwllt *eg* (capryniaid:capylltiaid) ceiliog wedi'i ddisbaddu capon

caprysen *eg* (caprys) prysgwydden bigog o ardaloedd y Môr Canoldir y mae ei hegin a'i haeron yn cael eu cyffeithio caper

capsiwl *eg* (capsiwlau)
   1 math o diwb bach yn cynnwys moddion capsule
   2 y rhan o long ofod y mae'r gofodwyr yn

eistedd ynddi, rhan sy'n gallu cael ei rhyddhau o'r roced sy'n ei gyrru capsule

capsiwlaidd *ans* ar ffurf capsiwl capsular

capteiniaeth *eb* (capteiniaethau) swydd ac awdurdod capten captaincy

capten *eg* (capteiniaid)
   1 y swyddog sy'n gyfrifol am long neu awyren captain
   2 swyddog yn y fyddin captain
   3 pennaeth ar dîm, *capten tîm rygbi* captain

capwllt *gw.* caprwn

capylltiaid *ell* lluosog capwllt

car *eg* (ceir)
   1 yn wreiddiol, math o sled; cerbyd, cert car
   2 erbyn heddiw, cerbyd ac iddo injan a phedair olwyn (tair weithiau), a gynlluniwyd ar gyfer cludo tua phedwar o bobl gan gynnwys gyrrwr; modur car, automobile

car llusg cerbyd heb olwynion sy'n cael ei lusgo gan geffyl; cerbyd tebyg ar gyfer llithro ar eira sledge, sleigh

car rasio car arbennig wedi'i gynllunio i gystadlu â cheir tebyg am y cyflymaf racing car

câr *eg* (ceraint) perthynas drwy waed kinsman, relative

carac *eb* (caracau) llong hwylio fawr ar gyfer cludo nwyddau a fyddai'n cael ei defnyddio rhwng y bedwaredd ganrif ar ddeg a'r ail ganrif ar bymtheg carrack

carafán *eb* (carafannau)
   1 cwmni o deithwyr neu farsiandwyr sy'n cyd-deithio er mwyn diogelu ei gilydd caravan
   2 math o dŷ pren ar olwynion y byddai sipsiwn yn byw ynddo ac a fyddai'n cael ei dynnu gan geffyl caravan
   3 cerbyd modern sy'n cael ei dynnu gan gar, lorri, etc. neu sy'n cael ei barcio'n barhaol mewn man arbennig caravan

carafanio *be* [carafani•⁶] teithio neu wersylla mewn carafán to caravan

carafel *eb* (carafelau) llong hwylio fechan yn perthyn i'r bymthegfed ganrif a'r unfed ganrif ar bymtheg caravel

caramel *eg* sylwedd brown â blas ychydig yn chwerw, a gynhyrchir drwy dwymo siwgr ar wres uchel, ac a ddefnyddir i liwio a blasu bwyd; siwgr toddi caramel

carameleiddio *be* [carameleiddi•²] troi siwgr yn garamel to caramelize

carat *eg* (caratau)
   1 uned mesur coethder aur yn cyfateb i ¹/₂₄ rhan o aur pur mewn aloi carat
   2 uned mesur pwysau meini gwerthfawr yn cyfateb i 200 mg carat

carbocsylig *ans* CEMEG yn dynodi neu'n perthyn i'r grŵp –COOH sy'n bresennol yn y rhan fwyaf o asidau organig carboxylic

carbohydrad *eg* (carbohydradau) BIOCEMEG
unrhyw un o ddosbarth o gyfansoddion
organig (gan gynnwys siwgrau, startsh a
cellwlos) sydd wedi'u gwneud o garbon, ocsigen
a hydrogen carbohydrate

carbohydras *eg* (carbohydrasau) BIOCEMEG
un o grŵp o ensymau, e.e. amylas, sy'n catalyddu
ymddatodiad carbohydradau'n siwgr carbohydrase

carbon *eg* (carbonau) elfen gemegol rhif 6;
anfetel a geir mewn ffurf bur fel diemwnt,
graffit a siarcol, ac mewn ffurf amhur fel glo
a huddygl. Mae popeth byw wedi'i wneud o
ddefnyddiau sy'n cynnwys carbon. (C) carbon
dyddio carbon gw. **dyddio**

carbonad *eg* (carbonadau) CEMEG halwyn sy'n
gyfuniad o asid carbonig a metel carbonate

carbonadu *be* [carbonad•¹] CEMEG awyru neu
fyrlymu â charbon deuocsid to carbonate

carbonaidd *ans* yn cynnwys carbon,
nodweddiadol o garbon carbonaceous

carbon deuocsid *eg* nwy trwm heb arogl na lliw
sydd i'w gael yn yr aer (0.04% mewn cyfaint),
ac sy'n cael ei ffurfio wrth losgi tanwydd sy'n
cynnwys carbon; y nwy hwn yw un o'r nwyon
tŷ gwydr pwysicaf carbon dioxide

carbonedig *ans* (am ddiod) yn byrlymu
oherwydd ei bod yn cynnwys carbon deuocsid
carbonated

carboneiddio *be* [carboneiddi•²] troi'n garbon
to carbonize

Carbonifferaidd *ans* DAEAREG yn perthyn i
bumed cyfnod y gorgyfnod Palaeosöig (359–299
miliwn o flynyddoedd yn ôl), nodweddiadol
o bumed cyfnod y gorgyfnod Palaeosöig, sef
cyfnod ffurfio'r cystradau glo Carboniferous

carbon monocsid *eg* nwy gwenwynig heb arogl
na lliw a gynhyrchir pan nad yw carbon yn
hylosgi'n llwyr carbon monoxide

carborwndwm *eg* solid du caled wedi'i wneud o
silicon carbid a ddefnyddir i sgraffinio, e.e. ar
bapur sy'n llyfnhau carborundum

carbwl *ans* wedi'i ddrysu neu ei gymysgu; aneglur,
bratiog, clapiog, clogyrnaidd clumsy, confused

carbwradur *eg* (carbwraduron) y rhan o beiriant
tanio mewnol sy'n cymysgu aer a phetrol i
greu'r nwy ffrwydrol sydd, wrth losgi, yn rhoi
ei egni i'r peiriant carburettor

carco:carcio *be* tafodieithol, yn y De bod yn
ddarbodus ac yn ofalus (yn enwedig ag arian
neu eiddo); gofalu am, gwarchod, gwylio dros,
pryderu ynghylch to take care
Sylwch: nid yw'r ferf hon yn arfer cael ei rhedeg.

carcus *ans* tafodieithol, yn y De gofalus (yn enwedig
yn achos arian neu eiddo); cynnil, darbodus,
gwyliadwrus canny, careful

carchar:carchardy *eg* (carcharau:carchardai)
1 adeilad mawr cyhoeddus lle mae troseddwyr
yn cael eu cadw'n gaeth; dalfa, jêl, rheinws
gaol, jail
2 unrhyw fan lle mae unigolyn neu anifail yn
cael ei gaethiwo prison
carchar crydd esgidiau sy'n rhy fach

carchariad *eg* (carchariadau)
1 y weithred o garcharu, canlyniad carcharu
imprisonment
2 y cyfnod y mae rhywun yn ei dreulio mewn
carchar; caethiwed internment

carcharor *eg* (carcharorion) un sydd wedi'i
gaethiwo mewn carchar, rhywun sydd wedi
cael ei anfon i garchar am ei droseddau
prisoner, convict, captive

carcharu *be* [carchar•³] rhoi mewn carchar,
caethiwo mewn carchar, cymryd i'r ddalfa, cloi
mewn cell; caethiwo (~ *rhywun/rhywbeth* **yn**)
to imprison, to incarcerate

cardbord:cardfwrdd *eg* defnydd lled anhyblyg
wedi'i wneud o haenau o bapur wedi'u gludo
a'u gwasgu at ei gilydd, ar gyfer gwneud bocsys
yn bennaf cardboard

carden *eb* (cardiau) darn fflat o bapur trwchus
neu gardbord tenau, naill ai ar gyfer ysgrifennu
arno, e.e. carden bost, carden Nadolig, neu yn
un o set neu bac o gardiau ar gyfer gwahanol
gêmau; cerdyn card

cardfwrdd gw. **cardbord**

Cardi *eg* (Cardis) un sy'n enedigol o Geredigion;
hefyd yn gellweirus am rywun darbodus,
gofalus o'i arian

cardiaidd *ans* MEDDYGAETH yn ymwneud â'r
galon, yn gweithredu ar y galon cardiac

cardiau *ell* lluosog **carden** neu **cerdyn**
cael fy (dy, ei, etc.**) nghardiau** cael cardiau
gwaith yn ôl gan gyflogwr, colli swydd to get
one's cards
rhoi fy (dy, ei, etc.**) nghardiau ar y bwrdd**
dweud yn agored beth yw fy amcanion to put
one's cards on the table

cardigan *eb* (cardiganau) math o siwmper lewys
hir sy'n agor ar ei hyd ac y gellir ei chau â
botymau; cot wau cardigan

cardinal *eg* (cardinaliaid) CREFYDD un o'r saith
deg swyddog sydd nesaf at y Pab o ran safle yn
yr Eglwys Gatholig Rufeinig, ac sy'n cael eu
penodi ganddo i'w gynghori a dewis olynydd
iddo cardinal

cardio *be* [cardi•³] glanhau, datrys a thynnu
ynghyd (e.e. ffibrau gwlân) drwy ddefnyddio
peiriant arbennig neu fath o grib llaw, cyn
mynd ati i nyddu'r ffibrau; cribo to card

cardiofasgwlar *ans* MEDDYGAETH yn ymwneud
â'r galon a'r pibellau gwaed cardiovascular

cardioid¹ *eg* (cardioidau) MATHEMATEG
cromlin ar ffurf calon sy'n cael ei llunio wrth
ddilyn pwynt ar gylchyn cylch sy'n rholio

o amgylch cylch llonydd sydd â'r un radiws cardioid

cardioid² *ans* MATHEMATEG yr un siâp â chardioid cardioid

cardioleg *eb* MEDDYGAETH astudiaeth o'r galon, ei chlefydau a'u triniaethau cardiology

cardiolegydd *eg* (cardiolegwyr) meddyg sy'n arbenigo ar y galon cardiologist

cardod *eb* (cardodau) rhodd i'r tlawd; elusen alms, charity

   Brodyr Cardod CREFYDD aelodau o un o'r urddau Cristnogol a ddibynnai ar gardod am eu cynhaliaeth mendicant friars

cardodol *ans* yn byw drwy gardota neu ar gardod mendicant

cardodwyn *eg* y mochyn bach lleiaf a gwannaf o dorllwyth, y gwannaf neu'r lleiaf o epil unrhyw anifail; corbedwyn runt

cardota *be* [cardot•¹] gofyn am gardod, deisyf arian neu fwyd; begera, begian (~ **am**) to beg

cardotes:cardotwraig *eb* merch neu wraig sy'n cardota beggarwoman

cardotyn *eg* (cardotwyr) un sy'n gofyn am gardod, un sy'n cardota; beger, tlotyn, tramp beggar, mendicant

caredicach:caredicaf:carediced *ans* [caredig] mwy caredig; mwyaf caredig; mor garedig

caredig *ans* [caredic•] llawn cariad; cymwynasgar, hael, rhadlon, tirion (~ **wrth**) kind

caredigion *ell* nifer o bobl garedig, yn enwedig grŵp o bobl sy'n cyfrannu at achos da, *caredigion yr Eisteddfod Genedlaethol* benefactors, friends

   caredigion yr achos rhai sy'n cefnogi achos crefyddol (capel) yn ariannol, ond nad ydynt o reidrwydd yn aelodau

caredigrwydd *eg* parodrwydd i fod o gysur neu i helpu mewn unrhyw ffordd bosibl; cymwynasgarwch, haelioni, rhadlonrwydd, tiriondeb kindliness, kindness

caregl *eg* (careglau) CREFYDD y cwpan arbennig a ddefnyddir mewn eglwys yng ngwasanaeth y Cymun chalice

caregog *ans* llawn cerrig, wedi'i wneud o garreg, yn debyg i garreg, *cae caregog*; creigiog, ysgithrog stony

caregu *be* [careg•¹] troi yn garreg; caledu, ffosileiddio to petrify, to fossilize

caregwaith *eg* y gwaith o baratoi, naddu a gosod cerrig yn eu lle; gwaith cerrig, gwaith maen stonework

caregyn *eg* (cerigos) carreg fach, yn enwedig un sydd wedi'i llyfnhau gan y môr pebble

careiau *ell* lluosog carrai

   tynnu'n gareiau rhwygo'n ddarnau; chwalu, malurio to tear to ribbons

carennydd¹ *eg* perthynas drwy waed (hyd y nawfed ach); gwehelyth, llinach, tras kinship

carennydd² *ell* hynafol perthnasau, cyfeillion, ceraint kindred

carfaglach:crafaglach *eg*

   1 creadur trwstan, lletchwith clumsy person, fumbler

   2 un o epil trafferthus y Tylwyth Teg a fyddai'n cael ei adael yn lle baban heb ei fedyddio y byddent wedi'i gipio o'i grud; crimbil changeling

carfan *eb* (carfanau)

   1 rhes neu restr o bobl, yn enwedig grŵp bach anghydffurfiol o fewn grŵp mwy; clic, clymblaid, grŵp, sect cohort, faction

   2 y rhan o wŷdd y gwehydd y mae edafedd yr ystof yn cael eu dirwyn arni; bar, canllaw, ffrâm, rheilen beam, rail

   carfan bwyso grŵp o bobl sy'n ceisio dylanwadu ar bolisi cyhoeddus er lles achos penodol pressure group

carfil *eg* (carfilod) un o nifer o fathau o adar y môr sy'n plymio; gan amlaf y mae ganddynt wddf byr, pen du, adenydd byr a phlu du a gwyn; maent yn cynnwys y pâl, y llurs a'r gwylog sy'n nythu yn eu miloedd ar Ynys Sgomer auk

cargo *eg* (cargoau) llwyth llong neu awyren cargo

cariad¹ *eg* (cariadau)

   1 teimlad cryf o hoffter tuag at rywun, y serch naturiol sy'n gallu codi rhwng dau unigolyn (~ **at** *rywun/rywbeth*) love

   2 CREFYDD gofal Duw a'r berthynas raslon rhyngddo a dynion drwy Iesu Grist, a'r ymateb addolgar sy'n dilyn gan ddynion sy'n credu hyn love

   mewn cariad yn caru rhywun in love

cariad² *eg* (cariadon)

   1 un o ddau sy'n caru'i gilydd, cariadfab neu gariadferch; anwylyd, carwr lover, sweetheart, beloved

   2 *anffurfiol* cyfarchiad ysgafn, cyfeillgar, *Beth wyt ti eisiau, cariad?* dear, love

   Sylwch: mae'n wrywaidd yn dilyn y fannod ond yn newid yn ôl rhyw y sawl y sonnir amdano fel arall (*fy nghariad brydferth*) a defnyddir y rhagenw gwrywaidd neu fenywaidd (ef/hi) fel sy'n briodol.

cariadfab *eg* (cariadfeibion) *llenyddol* anwylyd, carwr lover, suitor, sweetheart

cariadferch *eb* (cariadferched) *llenyddol* anwylyd, merch sy'n caru lover, sweetheart

cariadus *ans* yn denu cariad, llawn o gariad; annwyl, cu, hoffus, serchog affectionate, loving

Caribïad *eg* brodor o un o Ynysoedd Môr y Caribî Caribbean

Caribïaidd *ans* yn perthyn i Ynysoedd Môr y Caribî, nodweddiadol o Ynysoedd Môr y Caribî Caribbean

caridým *eg* (caridýms) *tafodieithol, yn y Gogledd* rhywun tlawd, carpiog; dihiryn, tramp, truan down-and-out, rapscallion, riff-raff

cario *be* [cari•²]
1 dal (rhywun neu rywbeth) yn eich dwylo, yn eich breichiau neu ar eich cefn, a mynd ag ef i rywle arall, *Cariodd y bwyd o'r gegin i'r ystafell fwyta.*; cludo, cywain to bear, to carry
2 cludo, dwyn (mewn cerbyd) to carry
3 bod yn gyfrwng cludo rhywbeth o un man i'r llall, *Pibau tanddaearol sy'n cario dŵr i'r tŷ.* to carry
4 trosglwyddo o'r naill i'r llall, *Mae llawer o afiechydon yn cael eu cario gan drychfilod.*; lledaenu to carry
5 cyrraedd pellter arbennig, *Roedd gan y rhingyll lais a oedd yn cario'n bell.*; trafaelu to carry
6 pasio penderfyniad ar ôl i fwyafrif bleidleisio o'i blaid, *Cariwyd y cynnig â mwyafrif o ddwy bleidlais.* to carry

cario ar ennill, trechu, maeddu, gorchfygu, *Yn y rownd derfynol cariodd tîm y merched ar y bechgyn.* to beat
cario clecs clecian to tell tales
cario'r dydd bod yn fuddugol ar y diwedd, ennill, trechu to carry the day
cario'r post bod yn bostman to carry the mail

carisma *eg*
1 grym a swyn personoliaeth hudolus sy'n gallu dylanwadu ar bobl eraill charisma
2 CREFYDD grym grasol a welir ym mywyd Cristion charisma

carismatig:carismataidd *ans*
1 yn amlygu carisma; atyniadol charismatic
2 CREFYDD (am grwpiau Cristnogol) yn arfer doniau'r ysbryd megis llefaru â thafodau, proffwydo, iacháu cleifion, etc. charismatic

cariwr *eg* (carwyr) un sy'n cario; cludwr, cludydd, dygiedydd carrier, haulier

carlam *eg* (carlamau) rhediad cyflymaf ceffyl, carw etc. (pan fydd ei bedair troed yn gadael y ddaear ar yr un pryd) gallop
cwrs carlam cwrs sy'n gwasgu llawer o ddysgu i ychydig o amser, cwrs dwys accelerated course, crash course
Ymadrodd
ar garlam yn carlamu, nerth ei draed at full speed

carlamu *be* [carlam•³] (am anifail) rhedeg mor gyflym ag y gall â'r pedair troed yn gadael y ddaear ar yr un pryd; (am ddyn) rhedeg nerth ei draed, ag awgrym o fod braidd yn afrosgo (~ dros) to gallop

carlamus *ans*
1 yn carlamu galloping
2 rhyfygus ag awgrym o afledneisrwydd; byrbwyll, cwrs, gwyllt presumptuous, racy, rash
carlamus o fe'i defnyddir i ddwysáu ystyr ansoddair, *yn garlamus o ffraeth*

carlwm *eg* (carlymod) anifail bach sy'n fwy o faint na'r wenci ac sy'n perthyn i deulu'r carlymoliaid; mae ganddo got o flew sy'n frown yn yr haf ac sy'n troi'n wyn yn y gaeaf. stoat, ermine

carlymoliad *eg* SWOLEG un o'r **carlymoliaid** mustelid

carlymoliaid *ell* SWOLEG teulu o famolion cigysol yn cynnwys y wenci, y carlwm, y mochyn daear, y dyfrgi a'r bele Mustelidae, mustelids

Carmeliad *eg* (Carmeliaid) CREFYDD aelod o urdd gardodol y Brodyr Gwynion a sefydlwyd ar Fynydd Carmel yn y ddeuddegfed ganrif Carmelite

carn¹ *eg* (carnau)
1 ewin trwchus a chaled ar flaen troed anifeiliaid fel ceffylau a moch hoof
2 y rhan o gleddyf neu gyllell yr ydych yn gafael ynddi; dwrn handle, hilt
carn yr ebol planhigyn yn perthyn i deulu llygad y dydd y mae ei flodau melyn yn ymddangos yn gynnar yn y gwanwyn cyn y dail mawr ar ffurf calonnau coltsfoot
Ymadrodd
i'r carn bob cam o'r ffordd, i'r eithaf, *cefnogi i'r carn* to the hilt

carn² *eb* (carnau)
1 ARCHAEOLEG tomen o gerrig wedi'i chodi uwchben bedd neu feddau mewn cyfnod cyn-Gristnogol; carnedd, crug cairn, tumulus
2 copa creigiog, e.e. *Carn Ingli*

carn-³ *rhag* gwaethaf, pennaf, e.e. *carn-leidr*; arch-, prif- arch-

carnedd *eb* (carneddau:carneddi)
1 pentwr o gerrig wedi'i godi uwchben bedd neu feddau mewn cyfnod cyn-Gristnogol, e.e. *Carnedd Llywelyn*; carn, crug cairn, tumulus
2 adfail, murddun ruin

carneddog *ans* creigiog, twmpathog rocky

cárnifal *eg* (carnifalau) dathliad cyhoeddus yn cynnwys gorymdaith liwgar a sioeau fel arfer carnival

carnol *ans* (am anifail) a charnau ganddo hoofed, ungulate

carnolion *ell* SWOLEG dosbarth o anifeiliaid â charnau ungulates

carnolyn *eg* (carnolion) SWOLEG anifail carnol ungulate

carntro *eg* (carntroeon)
1 y rhan o erfyn saer (ar gyfer gwneud tyllau

mewn coed) yr ydych yn ei dal a'i throi, dril llaw heb yr ebill brace

2 teclyn i ddatod neu i ryddhau nytiau olwyn cerbyd; ecstro axletree, wheel brace

carobwydd *ell* coed bythwyrdd yn perthyn i deulu'r pys, sy'n tyfu yn ardal y Môr Canoldir ac y mae ganddynt flodau cochion a chnau bwytadwy; hefyd, yn unigol, pren y coed hyn; coed carob carob

carobwydden *eb* unigol carobwydd carob (tree)

carol *egb* (carolau)

1 cân neu emyn yn dathlu'r Nadolig carol

2 (yn wreiddiol) dawns carol

3 cân y byddai rhywun yn dawnsio iddi carol

4 cân ddathlu hwyliog carol

carol haf cân yn dathlu'r haf summer carol

carol Pasg emyn Pasg Easter carol

carol plygain un o'r hen garolau Nadolig traddodiadol sy'n cael eu canu'n ddigyfeiliant mewn gwasanaethau eglwysig arbennig (yn wreiddiol adeg plygain) mewn rhai ardaloedd yng nghanolbarth a gogledd-ddwyrain Cymru yn bennaf

Carolingaidd *ans hanesyddol* yn perthyn i linach frenhinol a ddechreuodd tua OC 613 gan gynnwys brenhinoedd Ffrainc, yr Almaen a'r Eidal hyd at OC 987 Carolingian

carolwr *eg* (carolwyr) un (o gwmni fel arfer) sy'n canu carolau carol singer

caroten *eg* CEMEG cyfansoddyn a geir yn y lliw oren mewn rhai planhigion ac ym meinwe brasterog anifeiliaid sy'n bwyta planhigion o'r fath; mae'n gallu cael ei droi'n fitamin A gan y corff carotene

carotid *ans* ANATOMEG yn perthyn i un o'r ddwy brif rydweli sy'n rhedeg ar y naill ochr a'r llall i'r gwddf ac sy'n mynd â gwaed i'r pen carotid

carp *eg* (carpiaid) pysgodyn mawr a geir mewn dyfroedd croyw; mae hefyd yn cael ei ffermio ar gyfer bwyd carp

carpal *ans* ANATOMEG yn perthyn i'r carpws (yr arddwrn) carpal

carped *eg* (carpedi:carpedau) gorchudd llawr mwy trwm a mwy o faint na mat, wedi'i wau o wlân neu ddefnydd tebyg a chan amlaf yn cyrraedd o wal i wal carpet

carpe diem *ebychiad* gwnewch y gorau o heddiw

carpedu *be* [carped•¹] gosod carped ar lawr (yn enwedig o wal i wal) to carpet

carpel *eg* (carpelau) BOTANEG organ cenhedlu benywol blodyn yn cynnwys ofari a stigma a gysylltir fel arfer gan diwb neu golofnig fain carpel

carpiau *ell* lluosog cerpyn, dillad (fel arfer) rhacsiog, dillad sy'n dyllau i gyd; rhacs rags

carpio *be* [carpi•²] tynnu'n gareiau, rhwygo'n ddarnau to shred

carpiog *ans* wedi'i racsio, tebyg i gadachau; bratiog, clytiog, rhacsiog ragged, tattered

carpiog y gors planhigyn yn perthyn i deulu'r penigan ac iddo flodau coch carpiog ragged robin

carpws *eg* ANATOMEG y grŵp o wyth mân asgwrn sy'n ffurfio'r cymal rhwng y fraich a'r llaw carpus

carrai *eb* (careiau) darn hir cul o ddefnydd (lledr, yn wreiddiol) ar gyfer cau esgid; llinyn lace

carreg *eb* (cerrig)

1 darn cymharol fach o graig, sylwedd caled anfetelaidd; maen stone

2 defnydd caled sy'n cael ei gloddio o'r ddaear ac a ddefnyddir i godi waliau, tai etc. stone

3 yr hedyn caled y tu mewn i ffrwyth megis ceiriosen pip, stone

4 caill; un o ddau organ hirgrwn mewn mamolion gwryw lle y cynhyrchir y sbermau a ddefnyddir i ffrwythloni wyau mamolion benyw testicle

carreg ateb/lafar/lefain carreg sy'n peri adlais neu eco echo stone

carreg derfyn carreg sy'n dynodi'r ffin rhwng tiroedd boundary stone

carreg farch/feirch esgynfaen neu ris i helpu marchogion i fynd ar gefn eu ceffylau mounting block

carreg fedd carreg ac arni gofnod yn cofio am y sawl a gladdwyd oddi tani gravestone

carreg filltir

1 un o gyfres o gerrig, wedi'u gosod fesul milltir ar ochr y ffordd, yn nodi'r pellter i fan neu fannau penodol milestone

2 dyddiad neu ddigwyddiad o bwys yn hanes unigolyn, corff, gwlad neu wareiddiad milestone

carreg glo maen clo; y maen neu'r garreg ganol mewn pont neu fwa y mae'r cerrig ar bob ochr yn pwyso arni keystone

carreg hogi maen graen mân ar gyfer rhoi min ar lafnau; calen, hogalen, hôn whetstone

carreg lam un o res o gerrig a ddefnyddir i groesi nant neu afon stepping stone

carreg las

1 llechen slate

2 un o gerrig igneaidd glas y Preselau dolerite

carreg orchest maen trwm yr oedd pobl yn arfer cystadlu i weld pwy a allai ei godi neu ei daflu bellaf putting stone

carreg y bustl MEDDYGAETH darn bach caled fel carreg sy'n ffurfio yng nghoden y bustl gallstone

carreg (yr) aelwyd carreg lle tân mewn tŷ, a ddefnyddir yn drosiadol i gyfeirio at y cartref cyfan hearthstone

Ymadroddion

o fewn ergyd/tafliad carreg heb fod yn bell, o fewn cyrraedd within a stone's throw

troi pob carreg chwilio yn ddyfal, gwneud popeth posibl to leave no stone unturned

carsinogen *eg* (carsinogenau) rhywbeth, e.e. sylwedd cemegol, a all achosi canser carcinogen

carsinogenaidd:carsinogenig *ans* yn medru achosi canser carcinogenic

carst *eg* (carstiau) DAEAREG tirwedd galchfaen lle mae dolinau, ogofâu, nentydd ac afonydd tanddaearol yn gyffredin karst

carstig *ans* DAEAREG yn perthyn i garst, nodweddiadol o garst karstic

cart¹ *eg* (certi:ceirt)
1 cerbyd dwy olwyn ar gyfer cludo nwyddau, fel arfer, sy'n cael ei dynnu gan geffyl (neu ryw anifail arall); cert, gambo cart
2 cerbyd ysgafn o bren sydd â dwy neu bedair olwyn ac sy'n cael ei symud â llaw; trol cart

bant â'r cart i ffwrdd (â ni) off we go

rhoi'r cart o flaen y ceffyl gosod pethau mewn trefn anghywir to put the cart before the horse

cart² *eg* (cartiau) fel yn *cart achau*, dalen o bapur neu o femrwn yn rhestru achau teulu; achres genealogical table

carte blanche *eg* rhwydd hynt i wneud fel y gwelir yn dda

cartél *eg* (cartelau) cyfuniad o gwmnïau (sydd fel arfer yn cystadlu â'i gilydd) sy'n cytuno i gynyddu'r elw a wnânt drwy reoli cyflenwad cynnyrch (e.e. olew), prisiau a sut y mae'r cynnyrch yn cael ei farchnata cartel

Cartesaidd *ans* ATHRONIAETH yn ymwneud ag athroniaeth René Descartes (1596–1650), yn perthyn i'r athroniaeth honno, yn enwedig y gred mai deuoliaeth o gorff a meddwl yw person Cartesian

cartilag *eg* (cartilagau) ANATOMEG defnydd lled dryloyw, hydwyth a geir yn y laryncs, yn y llwybr resbiradol ac ar wyneb rhai cymalau; fe'i ceir yn sgerbwd fertebratau ifanc iawn cyn i'r rhan fwyaf ohono galedu a throi'n asgwrn cartilage

cartilagaidd *ans* ANATOMEG wedi'i wneud o gartilag, tebyg i gartilag cartilaginous

cartio:carto *be* [carti•²]
1 cludo mewn cart, cario mewn trol to cart
2 *anffurfiol* cario, ynghyd â'r syniad o rywbeth sy'n cael ei lusgo o le i le yn anfoddog, *Mae dy dad wedi bod yn cartio'r llyfrau yma lan a lawr y staer drwy'r dydd.* to cart

cartograffeg *eb* y gwaith o lunio mapiau a siartiau cartography

cartograffydd *eg* (cartograffwyr) un sy'n llunio mapiau a siartiau; un sy'n arbenigo ym maes mapiau a siartiau cartographer

carton *eg* (cartonau) cynhwysydd o gardbord neu blastig carton

cartref¹ *eg* (cartrefi)
1 y tŷ y mae rhywun yn byw ynddo, neu'r man lle y cafodd rhywun ei eni a lle roedd yn arfer byw; aelwyd, preswylfa, trigfan home
2 man lle mae pethau byw yn tyfu ac yn bodoli yn eu cynefin naturiol, *India yw cartref y teigr.*; bro, cylch, cynefin home
3 sefydliad arbennig sy'n gofalu am bobl neu anifeiliaid o'r un math ond nid o'r un teulu, *cartref hen bobl* home
4 y man y mae'n rhaid ei gyrraedd i orffen rhai gêmau, gyda'r cyntaf i gyrraedd yn ennill fel arfer home
5 fel yn *gêm gartref*, gêm lle mae eich gwrthwynebwyr yn dod atoch chi i chwarae (sydd o fantais i chi) home game

Sylwch: rydych yn byw neu'n aros *gartref* ond yn mynd (tuag) *adref*.

gadael cartref mynd yn annibynnol, gwneud eich ffordd eich hun yn y byd to leave home

oddi cartref heb fod gartref (dros dro, fel arfer) away, away from home

cartref² *ans* yn ymwneud â'r cartref, yn digwydd yn y cartref home, domestic, domiciliary

cartrefol *ans*
1 yn perthyn i gartref, yn digwydd mewn cartref; croesawgar homely
2 am y ffordd y mae rhywun yn teimlo pan fydd gartref, neu am unrhyw beth sy'n gallu gwneud iddo deimlo felly; cydnaws, cyfeillgar, cyfforddus at home, congenial
3 syml, heb rwysg na rhodres; dirodres homely

cartrefol o fe'i defnyddir i ddwysáu ystyr ansoddair, *yn gartrefol o gyfforddus*

cartrefu *be* [cartref•¹]
1 gwneud cartref, bwrw gwreiddiau; byw, preswylio, trigo, ymsefydlu
2 rhoi cartref i, *Penderfynwyd yn y diwedd y dylid cartrefu'r llun yn yr amgueddfa.*; lletya to house

cartrefwr *eg* (cartrefwyr) gweithiwr cymdeithasol sy'n gofalu am gartref am gyfnod pan fydd gwraig neu ŵr y tŷ yn methu homemaker

cartrefwraig *eb* gweithwraig gymdeithasol sy'n gofalu am gartref am gyfnod pan fydd gwraig neu ŵr y tŷ yn methu homemaker

cartwlari *eg* (cartwlarïau) casgliad o gofnodion a breinlenni a'r ystafell lle maent yn cael eu cadw cartulary

cartŵn *eg* (cartwnau)
1 darlun sy'n gorbwysleisio pethau er mwyn bod yn ddoniol neu er mwyn dychanu digwyddiadau neu unigolion; digriflun cartoon
2 ffilm sinema neu deledu wedi'i gwneud drwy

ffilmio nifer helaeth o luniau llonydd unigol; symudlun cartoon

3 CELFYDDYD yn wreiddiol, braslun maint llawn o ddarlun y mae arlunydd yn ei wneud cyn peintio'r llun terfynol cartoon

cartwnydd *eg* (cartwnwyr) un sy'n creu cartwnau cartoonist

cartws *eg* adeilad lle y câi'r certi eu cadw; hoywal carthouse

carthbwll *eg* (carthbyllau)

1 twll yn y ddaear i gladdu gwastraff tŷ a budreddi cesspit

2 pwll i gasglu carthion, yn enwedig un lle y defnyddir bacteria i buro'r carthion cesspool

cartheig *eb* chwyn cyffredin yn perthyn i deulu llygad y dydd y mae ganddynt flodau bach melyn nipplewort

carthen *eb* (carthenni)

1 cwrlid neu orchudd trwm, wedi'i wau o frethyn lliw; blanced, cwilt, gwrthban bedspread, blanket, counterpane

2 llen fras neu glogyn cwrs

carthffos *eb* (carthffosydd) pibell neu ffos i gario dŵr a budreddi a charthion i ffwrdd drain, sewer

carthffosiaeth *eb*

1 y system o bibau neu dwneli sy'n golchi dŵr a budreddi a charthion o dai ac adeiladau cyhoeddus, ac yna'r driniaeth a roddir iddynt sewerage

2 system o bibau neu ffosydd sy'n cael eu gosod fel bod dŵr yn rhedeg i mewn iddynt er mwyn sychu tir gwlyb drainage

carthffrwd *eb* (carthffrydiau) unrhyw lif (gwastraff diwydiannol fel arfer) sy'n llygru'r amgylchfyd, e.e. carthion effluent

carthiad *eg* (carthiadau)

1 y weithred o lanhau neu waredu'r hyn sy'n amhûr; glanhad, puredigaeth cleansing, purification

2 BIOLEG y weithred neu'r broses o ryddhau ymgarthion o'r corff; ysgarthiad egestion

carthion *ell*

1 gweddillion di-werth, yn enwedig yr hyn a gludir drwy system garthffosiaeth; ysgarthion excrement, sewage

2 ymgarthion; y defnyddiau gwastraff sy'n cael eu rhyddhau o'r corff yn ystod carthiad faeces, stools

carthu *be* [carth•³]

1 cael gwared ar garthion; clirio, glanhau, sgwrio to muck out

2 cael gwared ar (grŵp o bobl) o sefydliad neu le yn ddirybudd neu mewn modd treisgar to purge

carthu gwddf/gwddwg pesychu i godi poer to clear the throat, to hawk

carthwr *eg* (carthwyr) un sy'n carthu, yn glanhau budreddi mucker-out

carthydd *eg* (carthyddion) moddion neu sylwedd arall i garthu'r coluddion laxative, purgative

carthysol *ans* SWOLEG (am garthysydd) yn bwydo ar garthion coprophagous

carthysydd *eg* (carthysyddion) SWOLEG rhywbeth (pryfyn neu chwilen) sy'n bwydo ar dom neu garthion corff coprophage

caru *be* [car•³ 3 *un. pres.* câr/cara; *2 un. gorch.* câr/cara]

1 bod mewn cariad â (rhywun neu rywbeth), ymserchu yn, bod â hoffter angerddol tuag at rywun neu rywbeth to love

2 trin eich cyd-ddyn yn garedig to love

3 addoli, cydnabod ac ymateb i gariad Duw to love

4 anwesu, anwylo, cofleidio, mynwesu to love

5 canlyn, *Ers faint maen nhw wedi bod yn caru?* to court

caru'r encilion osgoi cyhoeddusrwydd

caru'r nyth ac nid yr aderyn (am briod sy'n) caru'r eiddo neu'r arian yn fwy na'i gymar

caru yn y gwely hen arfer lle byddai gwas yn ymweld â morwyn yn ei hystafell

caruaidd *ans* llawn cariad; cariadus, serchus affectionate

caru'n ofer *eg* blodyn gardd yn perthyn i'r trilliw a'r fioled; mae ganddo flodau melfedaidd o liw glas, melyn, brown, gwyn neu borffor pansy

carw *eg* (ceirw) anifail â phedair troed sy'n byw yn wyllt ym Mhrydain, sy'n cnoi ei gil ac sy'n enwog am ei gyflymder; mae'r gwryw yn tyfu cyrn canghennog a elwir yn rheiddiau deer

carw Llychlyn carw o wledydd oer hemisffer y Gogledd sydd, yn ôl traddodiad, yn tynnu car llusg Siôn Corn reindeer

Ymadrodd

carw cotiau stondin dal cotiau coat stand

carwe gw. carwy

carwr *eg* (carwyr) un sy'n caru; anwylyd, cariad lover

carwriaeth *eb* (carwriaethau) y berthynas o gariad sydd rhwng dau unigolyn sy'n caru courtship, wooing

carwriaethol *ans* yn ymwneud â charwriaeth amatory

carwsél *eg* (carwselau) dyfais dal pethau sy'n gallu troi a'u gollwng mewn man arall, *carwsél bagiau*, *carwsél sleidiau* carousel

carwy:carwe *eb* planhigyn persawrus â blodau gwyn yn perthyn i deulu'r foronen; defnyddir ei hadau i roi blas ar fwyd caraway

caryatid *eg* (caryatidau) PENSAERNÏAETH colofn ar ffurf gwraig a gwisg laes amdani sy'n cynnal goruwchadail adeilad clasurol caryatid

cas¹ *ans* [cas•]

1 blin, crac, *hen wraig gas*; angharedig, dig, sarrug (~ **wrth**) hateful, nasty, unkind

2 drwg, niweidiol, peryglus, *peswch cas* nasty
3 heb fod yn amlwg neu'n glir, *sefyllfa gas*; annifyr, anodd, twyllodrus nasty
4 (o flaen yr hyn a oleddfir) nad yw'n cael ei hoffi, *Mae mynd at y deintydd yn un o'm cas bethau.*
cas gennyf fi (gennyt ti, ganddo ef, etc.) yn haeddu neu'n peri casineb, *Cas gennyf gaws.* I hate

cas²:casyn *eg* (casys:casiau)
1 math o focs, clawr, amlen neu gist y gellir cadw rhywbeth ynddo'n ddiogel a'i symud o gwmpas; cynhwysydd case
2 gorchudd neu flwch allanol ar gyfer cynnwys rhywbeth o'i fewn; y bocs neu'r clawr y mae peth yn cael ei gadw ynddo, *cas cloc* case
cas cadw da corff a graen da arno, rhywun llond ei groen

cas³ *eg* (mewn enwau lleoedd) talfyriad o **castell**, e.e. *Casnewydd*

casâf *bf* [casáu] *ffurfiol* rwy'n casáu; byddaf yn casáu

casafa *eg* un o nifer o fathau o blanhigion y defnyddir eu gwreiddiau i wneud startsh maethlon (e.e. tapioca) ac sy'n tyfu yn y trofannau cassava

casáu *be* [casa•¹⁵] teimlo'n gas tuag at; ffieiddio to detest, to hate, to loathe
casáu â chas perffaith teimlo casineb llwyr tuag at rywun neu rywbeth, bod yn gwbl wrthun gan rywun to detest

casawn *bf* [casáu] *ffurfiol* rydym yn casáu; byddwn yn casáu; gadewch i ni gasáu

casäwr *eg* (casawyr) un sy'n casáu; gelyn hater
casäwr gwragedd un sy'n casáu gwragedd misogynist

casbeth *eg* (casbethau) rhywbeth y mae rhywun yn ei gasáu yn fwy na dim byd arall; ffieiddbeth aversion, bugbear

caseg *eb* (cesig)
1 ceffyl benyw mare
2 ton môr ewynnog billow, breaker
caseg fagu caseg sy'n cael ei chadw i fagu ebolion broodmare
caseg forter teclyn fel cafn ar bolyn a ddefnyddir gan fricwyr i gario morter neu friciau ar eu hysgwyddau i fyny ac i lawr ysgolion hod
Ymadroddion
caseg ddyre gw. dyre
caseg eira pelen eira sy'n tyfu wrth ei rholio yn yr eira snowball
caseg fedi ysgub olaf y cynhaeaf wedi'i phlethu a'i chario i'r tŷ i ddathlu diwedd y cynhaeaf

casein *eg* BIOCEMEG y prif brotein mewn llaeth ac sy'n cynnwys pob un o'r asidau amino hanfodol casein

caserol *eg* (caserolau) llestr dwfn sy'n gwrthsefyll gwres a ddefnyddir i bobi bwyd yn araf i'w weini; bwyd sy'n cael ei bobi mewn caserol casserole

caserolio *be* pobi mewn caserol to casserole
Sylwch: nid yw'r ferf hon yn arfer cael ei rhedeg.

casét *eg* (casetiau) casyn bychan yn dal rhywbeth fel ffilm, inc, etc. cassette

casewin *eg* (casewinedd) ewin sy'n tyfu i'r byw (yn enwedig ar fys bawd y droed) ac sy'n gallu troi'n llidus ingrowing nail

casgen *eb* (casgenni:casgiau) math o silindr gwag a'i ddau ben yn gaeedig, wedi'i wneud o ystyllod pren wedi'u rhwymo â bandiau dur; mae'n bolio tuag at y canol ac fe'i defnyddir i gadw diodydd fel cwrw a gwin; baril, celwrn, cerwyn, twba barrel, butt, cask

casgennaid *eb* (casgeneidiau) llond casgen barrelful, caskful

casgliad *eg* (casgliadau)
1 y weithred o gasglu (rhywun neu rywbeth), e.e. *casgliad data* collection
2 penderfyniad neu farn a gyrhaeddir drwy resymu; dyfarniad conclusion, inference
3 grŵp o bethau penodol y mae rhywun wedi'u crynhoi ynghyd, e.e. *casgliad stampiau* collection
4 swm o arian sy'n cael ei gasglu gan gynulleidfa, *gwneud casgliad at achos da mewn cyngerdd* collection
5 llyfr o ddarnau llenyddol; blodeugerdd, detholiad anthology, collection
6 nifer o bobl sydd wedi dod ynghyd; cynulliad, grŵp, twr gathering
7 *tafodieithol, yn y Gogledd* crawniad; dolur neu chwydd sy'n magu crawn abscess, gathering
8 RHESYMEG yr hyn a ddiddwythir o ragosodiadau, diwedd ymresymiad rhesymegol conclusion

casgliadol *ans*
1 RHESYMEG yn defnyddio dulliau mathemategol neu resymegol i gyrraedd casgliad; yn diddwytho deductive
2 RHESYMEG yn medru diddwytho casgliad o'r cynseiliau a ddefnyddir deductive

casglifiad *eg* (casglifiadau) DAEAREG cymysgedd o ddefnyddiau hindreuliedig sydd wedi ymgasglu wrth waelod llethr dan ddylanwad grym disgyrchiant colluvium

casglu *be* [casgl•³ 3 un. pres. casgl/casgla]
1 hel neu dynnu ynghyd; crynhoi, cronni (~ **at** *rywun/rywbeth*) to collect, to compile
2 crynhoi, cyfarfod, ymgynnull to congregate
3 magu crawn (am glwyf neu ddolur); crawni to fester
4 crynhoi pethau i'w hastudio neu fel hobi, *casglu stampiau* to collect

5 galw am rywbeth a mynd ag ef gyda chi, *Casglaf y llyfrau o'r siop yfory.* to collect
6 derbyn taliadau, *casglu treth* to collect
7 dod i gasgliad, cyrraedd barn ar ôl ystyried yn rhesymegol; barnu, edwytho to conclude, to deduce, to infer
casglwr:casglydd *eg* (casglwyr:casglyddion) un sy'n casglu neu un sy'n gwneud casgliad; casglydd collector, compiler
casglydd *eg* (casglyddion) ELECTRONEG y rhan o dransistor deubegwn sy'n amsugno cludyddion gwefrau collector
cashmir *eg* gwlân o got isaf gafr Cashmir; y brethyn main a wneir o'r gwlân cashmere
casin *eg* (casinau) rhywbeth sy'n amgáu ac yn amddiffyn rhywbeth casing
casineb *eg* teimlad eithafol ei bod yn gas gennych (rywun neu rywbeth); atgasedd, ffieidd-dra, gelyniaeth, mileindra hatred, loathing, spite
casiterit *eg* tun deuocsid ar ffurf mwyn du neu frown tywyll; prif ffynhonnell y metel tun cassiterite
casment *eg* (casmentau) ffenestr sy'n agor yr un ffordd â drws (â cholfachau ar ei hochr) casement
casnach *ell* y blew mân a geir ar wyneb brethyn; ceden nap
casog *eb* (casogau) CREFYDD gwisg glerigol hir (yn cynnwys llewys) sy'n cael ei botymu o'i gwaelod hyd y gwddf ac a wisgir gan glerigwyr a lleygwyr sy'n cynorthwyo mewn gwasanaethau eglwysig cassock
cast¹ *eg* (castiau)
1 gweithred sy'n twyllo neu'n camarwain rhywun; stranc, tric, twyll, ystryw prank, trick, hoax
2 arferiad drwg neu annymunol bad habit
3 yr actorion sy'n chwarae mewn drama, ffilm, sioe, etc. cast
codi cast codi arfer ddrwg to catch a bad habit
gwneud castiau chwarae triciau to play tricks
hen gastiau arferion gwael neu gas old tricks
cast² *eg* (castau) (Hindŵaeth) un o'r grwpiau neu ddosbarthiadau etifeddol o bobl (nad ydynt yn ymwneud â'i gilydd) y mae unigolyn yn cael ei eni iddo caste
castan *eb* (castanau) cneuen gochddu sydd i'w chael yng nghibau pigog ffrwyth y gastanwydden; gallwch fwyta un math (castanwydden bêr) ac mae math arall yn cael ei ddefnyddio i chwarae concers (castanwydden y meirch) chestnut, horse chestnut
castanét *eg* (castanetau) un o bâr o gregyn wedi'u gwneud o ddefnydd caled fel pren neu blastig, sy'n cael eu clymu wrth y fawd a'u

taro'n rhythmig yn erbyn ei gilydd yn gyfeiliant i ddawnswyr traddodiadol o Sbaen, neu fel offeryn taro mewn cerddorfa castanet
castanwydd *ell*
1 castanwydd y meirch sy'n cynhyrchu'r concer; hefyd, yn unigol, pren y coed hyn horse chestnut
2 castanwydd pêr sy'n rhoi'r gastan felys y gellir ei bwyta; hefyd, yn unigol, pren y coed hyn sweet chestnut
castanwydden *eb* unigol **castanwydd** chestnut (tree)
castell *eg* (cestyll)
1 yn wreiddiol, adeilad amddiffynnol yn cynnwys mwnt (sef tŵr ar fryncyn o dir) a beili (y maes o gwmpas y mwnt) wedi'u hamgylchynu â ffos; amddiffynfa, caer castle
2 adeilad o gerrig a adeiladwyd yn lle'r castell mwnt a beili castle
3 darn o wyddbwyll ar ffurf castell sydd ar bob pen i res y brenin castle, rook
codi cestyll yn yr awyr breuddwydio am wneud pethau mawr ond heb gyflawni dim to build castles in the air
castellog *ans* â muriau fel castell castellated
castellu *be* [castell•¹] (mewn gwyddbwyll) symud y brenin dau sgwâr yn nes at y castell ac ar yr un pryd symud y castell un sgwâr yr ochr draw i'r brenin to castle
castellydd *eg* (castellwyr) ceidwad castell castellan
castiad *eg* (castiadau) y broses o gastio, canlyniad castio casting
castio¹ *be* [casti•²]
1 bwrw, yn enwedig bwrw lein i'r dŵr wrth bysgota; taflu to cast
2 METELEG rhoi ffurf arbennig i fetel neu blastig tawdd drwy eu harllwys i fowld; mowldio to cast
castio² *be* [casti•²] dewis cast, sef yr actorion sy'n chwarae mewn drama, ffilm, sioe, etc. to cast
castiog *ans* llawn castiau, llawn triciau; cyfrwys, dichellgar, twyllodrus artful, wily
castor *eg* (castorau) olwyn fach a roddir dan gelfi i'w gwneud yn haws eu symud castor
cast plastr *eg* plastr gwlyb sy'n cael ei fowldio i greu ffurf arbennig pan fydd yn sychu ac yn caledu, e.e. y plastr sy'n amgáu ac yn cynnal asgwrn wedi'i dorri plaster cast
casul *eg* (casulau) CREFYDD gwisg allanol ddilewys offeiriad sy'n gweinyddu'r offeren chasuble
caswir *eg* gwirionedd annymunol unpalatable truth
caswist *eg* (caswistiaid) un sy'n arfer caswistiaeth casuist

caswistiaeth *eb*
1 ATHRONIAETH ymresymiad moesegol sy'n ymwneud â dangos y cysylltiad rhwng egwyddorion moesol cyffredinol a sefyllfaoedd moesol penodol, yn enwedig pan fo gwrthdaro rhwng dyletswyddau moesol casuistry
2 twyllresymeg casuistry, sophistry

casyn gw. cas²

catabolaeth *eb* BIOLEG metabolaeth ddinistriol sy'n arwain at ryddhau egni ac at ymddatodiad sylweddau cymhleth catabolism

catabolyn *eg* (catabolion) BIOLEG sylwedd a gynhyrchir yn y broses o gatabolaeth catabolite

catacwm *eg* (catacwmau) mynwent danddaearol ar ffurf rhwydwaith o orielau ac ynddynt gilfachau i ddal y cyrff, yn enwedig y rhai yn Rhufain a fu'n noddfa i'r Cristnogion cynnar catacomb

Catalanaidd *ans* yn perthyn i Gatalonia, nodweddiadol o Gatalonia Catalan

Catalaniad *eg* (Catalaniaid) brodor o Gatalonia, un o dras neu genedligrwydd Catalanaidd Catalan

catalas *eg* BIOCEMEG ensym sy'n catalyddu dadelfeniad hydrogen perocsid yn ddŵr ac ocsigen catalase

catalog *eg* (catalogau) rhestr o'r hyn sydd ar gael gan sefydliad neu sefydliadau arbennig (e.e. llyfrau llyfrgell, nwyddau siop) wedi'i gosod mewn trefn arbennig (e.e. trefn yr wyddor, fesul testun, yn ôl dyddiad); cofrestr catalogue

catalogio *be* [catalogi•²] creu catalog, rhestru rhywbeth mewn catalog to catalogue

catalogydd *eg* (catalogwyr) un sy'n creu neu'n cynnal catalog cataloguer

catalydd *eg* (catalyddion)
1 CEMEG sylwedd sy'n hyrwyddo neu'n cyflymu adwaith cemegol heb gael ei newid ei hun yn y broses catalyst
2 rhywun neu rywbeth sy'n peri i rywbeth ddigwydd catalyst

catalyddu *be* CEMEG cynyddu cyflymder adwaith cemegol drwy ddefnyddio catalydd to catalyse
Sylwch: nid yw'r ferf hon yn arfer cael ei rhedeg.

catalysis *eg* CEMEG y broses o ddefnyddio catalydd i gyflymu adwaith cemegol catalysis

catalytig *ans* CEMEG yn ymwneud â chatalyddu catalytic

catâr *eg* MEDDYGAETH llid meinwe'r trwyn a'r ceudodau anadlu; diferwst catarrh

cataract *eg* (cataractau)
1 MEDDYGAETH pilen sy'n tyfu ar lens y llygad ac yn amharu ar y gallu i weld cataract
2 cadwyn o raeadrau a grëir wrth i afon groesi haenau o greigiau caled, garw cataract

Cataraidd *ans* yn perthyn i Qatar, nodweddiadol o Qatar Qatari

Catariad *eg* (Catariaid) brodor o Qatar Qatari

catastroffiaeth *eb* trychinebedd; y theori bod newidiadau daearegol mawr wedi digwydd o ganlyniad i ysgogiadau a phrosesau sydyn a chwyrn yn hytrach nag yn raddol dros gyfnod hir o amser catastrophism

catatonia *eg* SEICIATREG ymddygiad neu symudiadau annormal yn deillio o gyflwr meddyliol cythryblus catatonia

cateceisio *be* [cateceisi•²] dysgu sy'n seiliedig ar holi ac ateb, lle mae'r atebion wedi'u dysgu ymlaen llaw (yn enwedig ym maes crefydd) to catechize

catecism *eg* (catecismau) ffordd o ddysgu ar ffurf cyfres o gwestiynau ac atebion yn enwedig holi ac ateb ffurfiol yn seiliedig ar y Beibl; holwyddoreg catechism

categoreiddio *be* [categoreiddi•²] gosod mewn categorïau; dosbarthu, graddio, gwahaniaethu, safoni to categorize, categorization

categori *eg* (categorïau) dosbarth o bobl neu bethau sy'n debyg i'w gilydd, sydd o'r un natur neu anian; teip category

caten *eb* (catiau) (mewn criced) un o ddau ddarn bach o bren sy'n gorwedd ar ben tair ffon bren sy'n ffurfio wiced bail

catena *eb* (catenâu) cromlin a ffurfir gan gorden sy'n cael ei chynnal ar bob pen ond sy'n hongian yn rhydd heb unrhyw rym ond disgyrchiant yn effeithio arni catenary

catiau *ell* lluosog cetyn a caten

catïon *eg* (catïonau) CEMEG ïon â gwefr bositif, yn enwedig ïon mewn hydoddiant wedi'i electroleiddio sy'n cael ei atynnu at y catod cation

cato *bf* [cadw] *anffurfiol* bydded iddo ef gadw/ bydded iddi hi gadw, fel yn *cato(n) pawb*

catod *eg* (catodau) FFISEG yr electrod y mae electronau'n cyrraedd dyfais drwyddo; yr electrod positif mewn batri sy'n dadwefru, neu'r electrod negatif mewn batri sy'n cael ei wefru cathode

catrawd *eb* (catrodau) llu mawr o filwyr dan awdurdod cyrnol sy'n ffurfio uned arbennig mewn byddin regiment
y Gatrawd Gymreig *hanesyddol* catrawd o droedfilwyr a ffurfiwyd yn 1831 ac a ehangwyd yn ystod y Rhyfel Byd Cyntaf; fe'i cyfunwyd yn Gatrawd Frenhinol Cymru yn 1969 the Welch Regiment

catrisen gw. cetrisen

catwad *eg* math o bicl wedi'i wneud o ffrwythau neu lysiau, finegr, siwgr a sbeis; cyffaith chutney

cath *eb* (cathod) anifail bach dof â phedair troed, cot feddal o ffwr ac ewinedd miniog;

mae'n cael ei chadw fel anifail anwes neu ar gyfer dal llygod cat

Sylwch: gw. hefyd **cathod.**

cath drilliw cath fraith â ffwr melyn, brown a du tortoiseshell cat

cath fach cath ifanc kitten

cath frech cath lwyd neu frown a smotiau neu streipiau tywyll yn frith drosti tabby cat

cath las cath â chot o ffwr hir yn deillio'n wreiddiol o wlad Persia Persian grey (cat)

Ymadroddion

blingo'r gath hyd at ei chynffon gwario pob dimai

fel cath i gythraul mor gyflym ag sy'n bosibl hell for leather

gollwng y gath o'r cwd datgelu cyfrinach to let the cat out of the bag

naw byw cath gw. byw[3]

prynu cath mewn cwd talu am rywbeth heb ei weld to buy a pig in a poke

catharsis *eg* SEICOLEG y broses o leddfu cymhleth seicolegol gudd drwy ei thynnu i'r ymwybod a sôn amdani catharsis

cathartig *ans* SEICOLEG yn perthyn i gatharsis, yn achosi catharsis cathartic

catherig *ans* (am gath) yn ceisio gwrcath, yn gwrcatha in heat

cathetr *eg* (cathetrau) MEDDYGAETH tiwb i'w osod i geudod yn y corff (e.e. i bibell waed neu i un o gamlesi'r corff, etc.) ar gyfer chwistrellu hylif, neu dynnu hylif neu er mwyn cadw'r bibell ar agor catheter

cathl *eb* (cathlau) *llenyddol* darn o farddoniaeth neu o gerddoriaeth; cân, canig melody, song, lay

cathl symffonig CERDDORIAETH darn i gerddorfa sy'n adrodd stori neu'n darlunio sefyllfa ac sy'n fwy llac ei wead na symffoni symphonic poem, tone poem

cathlu *be* [cathl•[3]] seinio cân; canu, perori, pyncio to sing

cathod *ell* lluosog cath, enw ar y teulu o famolion y mae'r llew, y teigr, y panther a'r piwma yn ogystal â chathod dof yn aelodau ohono felines

cael cathod bach bod yn ofnus iawn to have kittens

Catholic gw. Catholig[2]

Catholig[1] *eg* (Catholigion) CREFYDD Cristion sy'n aelod o'r Eglwys Gatholig Rufeinig; pabydd Roman Catholic

Catholig[2]:Catholic *ans*

1 CREFYDD yn perthyn i'r eglwys Gristnogol yn gyffredinol; byd-eang Catholic

2 CREFYDD yn perthyn yn benodol i'r Eglwys Gatholig Rufeinig; pabyddol Catholic

Catholigiaeth *eb* CREFYDD trefn a chredo yr Eglwys Gatholig Rufeinig; pabyddiaeth Catholicism

catholigrwydd *eg* rhyddid oddi wrth ragfarn a chulni; eangfrydedd catholicity

cau[1] *be* [cae•[1] *3 un. pres.* cae/caea; *2 un. gorch.* cae/caea]

1 gosod rhwystr i atal rhywun neu rywbeth rhag mynd drwy ryw le neu at rywbeth neu rywun, atal mynediad; bario, cloi to close

2 dirwyn i ben, *Mae'r ffatri'n cau ar ôl y Nadolig.*; gorffen, terfynu to close

3 tynnu ynghyd a sicrhau, *cau cot*; botymu, clymu, sipio to fasten

4 iacháu (am glwyf neu friw) to heal

5 plygu at ei gilydd, tynnu ynghyd, *cau llygaid* to shut

ar gau wedi cau, ynghau closed, shut

cau am gwneud cylch o gwmpas rhywun neu rywbeth a dechrau ei dynhau to encircle, to enclose

cau (dy) ben/geg *sarhaus* ffordd anghwrtais o ddweud wrth rywun am fod yn dawel shut your mouth

cau llygaid ar anwybyddu to turn a blind eye

cau pen y mwdwl cloi neu orffen yn derfynol to tie up the loose ends

cau tiroedd HANES amgáu tiroedd amaethyddol i'w gwneud yn eiddo personol i dirfeddiannwr to enclose

cau[2] *ans* [ceu•] gwag oddi mewn, â cheudod y tu mewn hollow

Sylwch: gwyliwch rhag cymysgu ei ffurf dreigledig 'gau' â gau 'anwir'.

cau[3] gw. nacáu

caul *eg* (ceulion)

1 un dafn o'r **ceulion**; ceuled, cyweirdeb curd

2 BIOCEMEG hylif llaethog yn cynnwys lymff a globylau braster wedi'u hemwlsio a gynhyrchir yn y coluddyn bach yn ystod treuliad chyle

cawad gw. cawod

cawc *eg* (cawciau) pigyn ar bedol ceffyl i'w chadw rhag llithro calkin

cawcws *eg* (cawcysau)

1 cyfarfod cyfyngedig i aelodau o'r un blaid neu garfan ar gyfer dewis aelodau neu bennu polisïau; aelodau neu arweinwyr plaid wleidyddol fel grŵp caucus

2 grŵp o bobl yn rhannu'r un diddordebau o fewn mudiad mwy neu o fewn plaid wleidyddol caucus

cawdel *eg* (cawdelau) diffyg trefn; aflerwch, annibendod, cybolfa, llanastr farrago, hotchpotch, mess

cawell *eg* (cewyll)

1 basged wedi'i llunio o wiail plethedig basket, hamper

2 basged arbennig i fabi; crud cradle

3 llestr arbennig (yn wreiddiol o wiail) i ddal neu gaethiwo pysgod, *cawell cimwch*; caets cage, creel

cawell asennau yr esgyrn sy'n amgáu'r frest; esgyrn yr asennau a'r hyn sy'n eu cysylltu ribcage

cawell cimwch llestr arbennig (yn wreiddiol o wiail) i ddal neu gaethiwo cimychiaid lobster pot

cawell saethau casyn symudol saethwr â bwa a saeth i ddal ei saethau quiver

Ymadroddion

cael cawell cael siom mewn cariad to be jilted

rhoi cawell i gariad terfynu carwriaeth to ditch a lover

cawellwr *eg* (cawellwyr) un sy'n plethu cewyll neu'n gwneud basgedi o wiail basketmaker

cawg *eg* (cawgiau) cwpan mawr heb ddolen; bowlen, dysgl basin, pitcher

cawiau *ell* lluosog cewyn

cawio *be* [cawi•²] clymu, *cawio plu pysgota*; bancawio, rhwymo to tie

cawl *eg*

1 COGINIO saig a geir drwy ferwi cig neu bysgod neu lysiau (neu gymysgedd o gig a llysiau neu bysgod a llysiau) mewn dŵr neu isgell soup

2 *safonol, yn y De* saig a geir o gydferwi darnau o gig (cig oen, fel arfer), tatws, llysiau a pherlysiau mewn dŵr; lobsgows broth, Irish stew

3 *ffigurol* anhrefn, cawdel, llanastr, smonach mess

cawl eildwym

1 cawl wedi'i aildwymo

2 rhywbeth nad yw'n wreiddiol, rhywbeth ail-law rehash

mae cawl eildwym yn ffeinach mae cariad o gael ei ailennyn yn fwy dwys

mewn cawl mewn trybini, mewn picil in a fix

cawlach *eg* llanastr, annibendod, cawl, *Doedd dim trefn ar bethau – roedd hi'n gawlach llwyr yno*. mess

cawlio *be* [cawli•²] gwneud cawl o rywbeth; drysu, cymysgu to bungle

cawn¹ *ell*

1 bonion cau planhigion tebyg i wellt sy'n tyfu mewn mannau gwlyb ac a ddefnyddir i doi tai, *to cawn*; brwyn, cyrs, hesg, pabwyr reeds

2 y bonion sy'n weddill mewn cae ar ôl lladd gwair neu ŷd; sofl stubble

cawn² *bf* [cael]

1 rydym ni'n cael; byddwn ni'n cael

2 roeddwn i'n cael; byddwn ni'n cael

cawnen *eb* unigol cawn¹ reed

cawod:cawad *eb* (cawodau:cawodydd)

1 cyfnod byr o law, cenllysg neu eira; tywalltiad sydyn o law, cenllysg neu eira; glawiad shower

2 unrhyw dywalltiad sydyn, *cawod o boer* shower

3 rhywbeth sy'n debyg i ôl cawod ysgafn o law, sef llu o smotiau ar wyneb rhywbeth (e.e. malltod neu rwd ar blanhigion neu frech ar y croen) mildew, rash

4 teclyn sy'n tywallt dŵr (cynnes neu oer) er mwyn i rywun ymolchi tano shower

5 lle y mae modd cael cawod ynddo shower

cawod o fêl sylwedd siwgraidd a adewir ar ddail planhigion gan y pryf glas; melwlith honeydew

cawodog *ans* (am y tywydd) yn tueddu i lawio'n ysbeidiol, yn hel am gawodydd showery

cawr *eg* (cewri)

1 dyn neu greadur sy'n anarferol o fawr giant

2 mewn chwedlau, creadur anferth, cryf, ar ffurf dyn, ond sydd fel arfer yn casáu bodau dynol giant

3 dyn sy'n amlwg yn llawer gwell nag eraill o ran dysg neu ddawn arbennig giant

Sylwch: gw. hefyd cewri.

cawraidd *ans* tebyg i gawr o ran maint; anferth, enfawr gigantic

cawres *eb* (cawresau) cawr benyw giantess

caws *eg* (cawsiau) bwyd sy'n cael ei wneud o geulion llaeth pur wedi'u gwahanu oddi wrth y glastwr ac wedi'u gwasgu'n dynn at ei gilydd i wneud cosynnau cheese

caws colfran caws meddal, gwyn, talpiog, wedi'i wneud o geulion llaeth enwyn cottage cheese

caws llyffant math o fadarch sy'n anfwytadwy neu'n wenwynig toadstool

caws pen mochyn cig pen mochyn wedi'i goginio a'i wasgu mewn jeli brawn

Ymadrodd

y drwg yn y caws y peth sy'n achosi'r broblem bugbear

cawsai *eg* (cawseiau) heol neu lwybr sy'n uwch na'r tir o'i gwmpas ac sy'n aml yn croesi tir corslyd; sarn causeway

cawsaidd *ans* tebyg i gaws cheesy

cawsant *bf* [cael] *ffurfiol* bu iddynt gael

cawsellt *eg* (cawselltydd) y llestr y byddai ceulion llaeth yn cael eu gwasgu ynddo i'w troi'n gaws cheese vat

cawsio:cawsu *be* [cawsi•²] yr hyn sy'n digwydd i laeth pan fydd yn suro, gwahanu'r rhannau caled (y ceulion) oddi wrth y rhannau gwlyb (y gleision); ceulo to curdle

cawsionyn *eg* (cawsionod) eidionyn (byrger) â chaws pob drosto cheeseburger

cawstig *ans* sy'n gallu llosgi neu gyrydu meinwe organig drwy adwaith cemegol caustic

cawsu gw. cawsio

CBAC *byrfodd* Cyd-bwyllgor Addysg Cymru WJEC

CC *byrfodd* cyn Crist, y cyfnod hanesyddol cyn geni Iesu Grist o'i gymharu â'r cyfnod ar ôl geni Iesu Grist, sef OC (Oed Crist) BC, before Christ
Sylwch: daw CC ar ôl y flwyddyn (500 CC) ac OC o flaen y flwyddyn (OC 1992).

ccc *byrfodd* cwmni cyhoeddus cyfyngedig plc

CCC¹ *byrfodd* Cyngor Celfyddydau Cymru ACW

CCC² *byrfodd* Y Coleg Cymraeg Cenedlaethol

cebl *eg* (ceblau)
  1 rhaff drwchus, wedi'i gwneud o wifrau neu o gywarch, a ddefnyddir i dynnu neu i gario pwysau trwm cable
  2 gwifren ynysedig y tu mewn i gasin amddiffynnol a ddefnyddir i drawsyrru signalau telathrebu neu drydan cable
  3 math o neges a fyddai'n cael ei danfon ar hyd gwifren delegraff danfon neu danddaearol cable

cebyst *eg* mewn llwon fel *myn cebyst*, melltith, aflwydd the deuce, (what/who) on earth

cêc *eg* bwyd sych ar gyfer anifeiliaid, yn enwedig ceffylau neu wartheg cake

cecian:cecial *be* siarad ag atal dweud neu floesgni to stammer, to stutter
  Sylwch: nid yw'r ferf hon yn arfer cael ei rhedeg.

cecran:cecru *be* anghytuno a dadlau'n gas am rywbeth dibwys; ceintachu, cweryla, cynhenna, ffraeo (~ â) to bicker, to quarrel
  Sylwch: nid yw'r ferf hon yn arfer cael ei rhedeg.

cecren *eb* (cecrennod) *difriol* merch neu wraig gecrus shrew, termagant

cecru gw. cecran

cecrus *ans* hoff o gecran, o gweryla am bethau dibwys; cynhennus, ffraegar, pigog, piwis bickering, cantankerous

cecryn *eg* (cecrynnod) *difriol* un cecrus bickerer, wrangler

ceden *eb* haenen feddal o edafedd yn debyg i flew mân ar wyneb brethyn; casnach down, nap

cedenu *be* [ceden•¹] codi haenen feddal o edafedd ar wyneb brethyn (~ *rhywbeth* â) to nap

cedor *eb*
  1 ANATOMEG rhan isaf yr abdomen o flaen y pelfis a orchuddir â blew o'r glasoed ymlaen pubes
  2 pwbis; y man yn y corff lle mae dwy ochr asgwrn y pelfis yn cyfarfod pubis

cedorol *ans* ANATOMEG yn ymwneud â'r gedor, wedi'i leoli yn ardal y gedor pubic

cedowrach *eb* cyngaf, cacamwci burdock

cedowydd *ell* planhigion yn perthyn i deulu llygad y dydd y mae ganddynt flodau euraidd tebyg i flodau llygad y dydd fleabane

cedrwydd *ell* coed tal, bythwyrdd sy'n aelodau o ddosbarth y conwydd, ac sydd â phren coch caled a sawr nodedig iddo; hefyd, yn unigol, pren y coed hyn cedar

cedrwydden *eb* unigol cedrwydd cedar

cedwais *bf* [cadw] *ffurfiol* gwnes i gadw

cedwi *bf* [cadw] *ffurfiol* rwyt ti'n cadw; byddi di'n cadw

cedyrn¹ *ans* ffurf luosog cadarn

cedyrn² *ell* mwy nag un person cadarn, *Ynys y Cedyrn* mighty (ones)

cefais *bf* [cael] *ffurfiol* gwnes i gael

cefn *eg* (cefnau)
  1 y rhan o gorff dyn neu anifail a geir bob ochr i'r asgwrn cefn; y rhan gyferbyn â'r bol back
  2 y gwrthwyneb i 'blaen' neu 'wyneb'; y lleiaf pwysig o ddwy ochr back, reverse
  3 (mewn adeilad) y pen pellaf oddi wrth y fynedfa swyddogol back, rear
  4 (am gadair) y darn y pwysir yn ei erbyn wrth eistedd back
  5 (am lyfr neu bapur) y rhannau olaf, y diwedd back
  6 *mewn enwau lleoedd* darn o fynydd neu fryn â chreigiau'n brigo i'r wyneb gan ei wneud yn debyg i asgwrn cefn, e.e. *Cefncoedycymer*; cefnen, crib, esgair ridge
  7 canol, perfedd, *cefn gwlad, cefn dydd* middle
  8 (fel yn) *bod yn gefn i rywun* cymorth, cynhaliwr, cynhorthwy

cefn troed ANATOMEG y rhan o'r droed ddynol sydd rhwng pelen y droed a'r ffêr; mwnwgl y droed instep

Ymadroddion
ar gefn yn eistedd ar astride
ar gefn beic gw. beic
ar gefn fy (dy, ei, etc.) ngheffyl yn uchel fy nghloch, yn ffroenuchel on one's high horse
cael cefn (rhywun) cael gwared ar rywun, cael cyfnod heb fod rhywun yn bresennol to see the back of (someone)
cael fy (dy, ei, etc.) nghefn ataf adfer iechyd neu nerth, cael traed tanaf; cryfhau to recover
cefn dydd golau yng nghanol y dydd broad daylight
cefn gwlad yn nghanol y wlad countryside
cefn nos/cefn trymedd nos canol y nos dead of night
cefn yng nghefn cefn wrth gefn back to back
curo cefn (rhywun) cymeradwyo, mynegi gwerthfawrogiad, dweud pa mor dda yw rhywun to pat on the back
dangos cefn (i rywun) dianc (rhag rhywun), troi a ffoi to turn tail
llwrw/llwyr fy (dy, ei, etc.) nghefn (mynd) am yn ôl, tuag yn ôl backwards
magu cefn tyfu'n gryfach, hefyd, ennill arian, mynd yn fwy cefnog
trach fy (dy, ei, etc.) nghefn tuag yn ôl, llwrw fy nghefn backwards
troi fy (dy, ei, etc.) nghefn ar gwrthod, anwybyddu to turn one's back on
tu cefn tu ôl i gefn behind

wrth gefn yn ychwanegol, *Mae gennyf ddigon o arian wrth gefn i sicrhau na fydd y cynllun yn methu.* in reserve

cefndedyn *eg*
1 pancreas llo neu oen a ddefnyddir fel bwyd sweetbread
2 pancreas; organ rhwng y stumog a'r coluddyn bach yn cynnwys chwarennau sy'n cynhyrchu inswlin a nifer o ensymau ar gyfer treulio bwyd pancreas

cefnder *eg* (cefndryd:cefnderwyr:cefndyr) mab i ewythr neu fodryb cousin, first cousin (male)

cefndeuddwr *eg* (cefnau deuddwr) gwahanfa ddŵr; y tir uchel neu gymharol uchel sy'n gwahanu dalgylch dwy neu ragor o afonydd cyfagos a'u rhwydweithiau o lednentydd a nentydd watershed

cefndir *eg* (cefndiroedd)
1 yr hyn sydd y tu cefn i brif gymeriad neu wrthrych llun, ffotograff, etc. background, setting
2 ffeithiau neu hanes sy'n gosod cyd-destun i stori, set o ffigurau, adroddiad, etc. background

cefnen *eb* (cefnennau)
1 darn hir o dir sy'n codi'n uwch na'r hyn sydd ar y naill ochr a'r llall iddo, crib mynydd; esgair, trum ridge
2 METEOROLEG ardal hirgul o wasgedd barometrig uchel rhwng dwy ardal o wasgedd isel ridge

cefnfor *eg* (cefnforoedd) un o'r moroedd mawr, sef Cefnfor Iwerydd, y Cefnfor Tawel, Cefnfor India, Cefnfor y De, Cefnfor Arctig; dyfnfor, eigion, gweilgi ocean, the main

cefnforol *ans* yn perthyn i'r eigion neu i gefnfor oceanic

cefnfur *eg* (cefnfuriau) DAEARYDDIAETH y clogwyn sy'n gefn i beiran backwall

cefnffordd *eb* (cefnffyrdd) ffordd fawr, un o'r prif ffyrdd highway, main road

cefngam:cefngrwca *ans* â'i gefn yn crymu, a chrwbi ar ei gefn; gwargam hunchbacked

cefngefn *adf* cefn wrth gefn, cefn yng nghefn back to back

cefngrwca gw. cefngam

cefngrwm *ans* â'r cefn yn crymu; gwargam, gwargrwm humpbacked

cefnlen *eb* (cefnlenni) llen hir beintiedig sy'n cael ei chrogi wrth gefn llwyfan yn rhan o'r olygfa backcloth, backdrop

cefnog *ans* â digon o arian neu eiddo; ariannog, cyfoethog, goludog affluent, wealthy, well off

cefnogaeth *eb* cymorth a chynhaliaeth y tu cefn i unigolyn, syniad neu fudiad; ategiad, cadarnhad, calonid support, backing, endorsement

cefnogi *be* [cefnog•¹]
1 bod o blaid, bod dros (rywun neu rywbeth), bod yn gefnogaeth i (rywun neu rywbeth); ategu, cymeradwyo, hybu, noddi (~ *rhywun/ rhywbeth* **drwy**) to encourage, to support, to endorse
2 (mewn cyfarfod ffurfiol) ategu penderfyniad neu gynnig; eilio to second

cefnogol *ans* parod i gefnogi; calonogol, ffafriol, pleidiol encouraging, supportive

cefnogwr *eg* (cefnogwyr) un sy'n cefnogi, e.e. drwy gyfrannu arian, drwy fod yn weithgar, neu drwy fynychu cyfarfodydd, gêmau, etc.; dilynwr, ffan, hyrwyddwr, noddwr, pleidiwr backer, fan, supporter

cefnsyth *ans* yn gwrthod plygu, heb grymu; ffroenuchel straight-backed, stuck-up

cefnu *be* [cefn•¹] troi cefn a gadael; cilio, encilio, ffoi (~ **ar** *rywun/rywle/rywbeth*) to desert, to withdraw

cefnwlad *eb*
1 tir sy'n gorwedd y tu draw i arfordir neu afon hinterland
2 ardal y tu hwnt i drefi neu o'u cwmpas; perfeddwlad hinterland

cefnwr *eg* (cefnwyr) chwaraewr mewn safle amddiffynnol ger y gôl, safle arbennig ymhlith yr olwyr mewn gêmau fel rygbi a phêl-droed back, full back

cefnwyrni *eg* MEDDYGAETH tro neu gamder i un ochr yr asgwrn cefn scoliosis

cefnyn *eg* (cefnynnau) rhywbeth sy'n cynnal neu'n cryfhau darn o ddefnydd backing

ceffalig *ans* technegol yn ymwneud â'r pen cephalic

ceffalopod *eg* (ceffalopodau) SWOLEG aelod o ddosbarth o folysgiaid ysglyfaethus yn cynnwys octopysau ac ystiflogod cephalopod

ceffyl *eg* (ceffylau) anifail cryf â mwng, cynffon a charnau; fe'i dofir gan ddyn i'w farchogaeth, i gario beichiau neu i dynnu cerbydau; cel, còb, march horse

ceffylau bach llwyfan gron mewn ffair sy'n troi ac arni geffylau pren neu blastig sy'n symud i fyny ac i lawr wrth gludo pobl carousel

ceffyl blaen
1 ceffyl blaenaf pâr pan fo dau neu bedwar yn tynnu aradr
2 ffefryn mewn ras neu'n ffigurol am ymgeisydd blaen front runner
3 rhywun sy'n mynnu cael lle blaenllaw; rhywun sy'n hoffi bod yn bwysig

ceffyl broc am geffyl â chot frith o liw gwyn neu winau gyda rhawn gwyn yn rhedeg drwyddi; ceffyl lliw rhech a rhwd roan horse

ceffyl gwedd ceffyl mawr, cryf a ddefnyddir i dynnu llwythi trwm draught horse

ceffyl lliw llaeth a chwrw ceffyl a chlytiau deuliw (gwyn a brown) dros ei gorff piebald horse

ceffyl lliw rhech a rhwd am geffyl â chot frith
o liw gwyn neu winau gyda rhawn gwyn yn
rhedeg drwyddi; ceffyl broc roan horse
Ymadroddion
ar gefn fy (dy, ei, etc.) ngheffyl gw. cefn
ceffyl da yw ewyllys mae grym ewyllys yn cario
dyn yn bell where there's a will there's a way
ceffyl parod rhywun sydd bob tro yn barod i
ymgymryd â thasg a willing horse
ceffyl pren delw o ddyn (neu weithiau'r dyn
ei hun) a oedd wedi'i gyhuddo o gyflawni
trosedd (godineb fel arfer) yn cael ei chario
ar bolyn drwy bentref, er mwyn dilorni'r
troseddwr
fel ceffyl am rywun cryf iawn (strong) as a
horse
fel ceffyl preimin am rywun trwsiadus iawn
dressed to a T
ceg *eb* (cegau)
1 yr agoriad yn wyneb anifeiliaid a dynion a
ddefnyddir i fwyta ac i siarad neu i gynhyrchu
synau drwyddo, cartref y tafod a'r dannedd;
genau, safn mouth
2 agoriad sy'n debyg i geg, e.e. *ceg ogof*
mouth, opening
ceg y groth gwddf y groth; llwybr cul a geir ar
ben isaf y groth cervix
Ymadroddion
cau ceg (rhywun) llwyddo i gadw rhywun yn
dawel neu ei atal rhag cwyno to keep (someone)
quiet
cau dy geg ffordd anghwrtais o ddweud wrth
rywun am fod yn dawel, bydd dawel, cau dy
ben. shut up!
geg yn geg yn rhannu clecs neu straeon
spreading rumours
hen geg rhywun sy'n siarad gormod ac yn
cario clecs a gossip, big-mouth
cega *be* [ceg•¹]
1 ateb yn ôl yn amharchus; cecran, cynhenna,
dadlau, ffraeo (~ â) to bicker
2 adrodd straeon, cario clecs; clebran, clepian
to gossip
cegaid *eb* (cegeidiau) llond ceg; dracht, joch,
llymaid mouthful
cegddu *eg* (cegdduon) pysgodyn môr bwytadwy
â phen bras, safn hir a dannedd cryf hake
cegiden *eb* (cegid) planhigyn gwenwynig o
deulu'r persli, sydd â mân flodau gwynion
hemlock
cegin *eb* (ceginau) ystafell lle mae bwyd yn cael
ei baratoi a'i goginio; briws kitchen
cegin fach/gefn ystafell tu draw i'r gegin i
olchi llestri etc. scullery
cegin orau ystafell â chelfi ar gyfer eistedd ac
ymlacio parlour
cegog *ans difrïol* am rywun uchel ei gloch, sy'n

cega neu'n clepian; ffit, haerllug, tafodrydd
garrulous, loud-mouthed
cegolch *eg* (cegolchion) hylif golchi'r geg a'r
gwddf gargle, mouthwash
cegrwth *ans* â cheg agored; safnrhwth, syfrdan,
syn flabbergasted, gaping, open-mouthed
cengl *eb* (cenglau)
1 strapen neu rwymyn o ledr sy'n cael ei
dynnu'n dynn dan fol ceffyl neu asyn er mwyn
sicrhau'r cyfrwy neu'r llwyth ar ei gefn; tordres
girth, bellyband, band
2 rholyn llac o edafedd hank, skein
cenglu *be* [cengl•¹] rhwymo â chengl; harneisio
to girth
cei¹ *bf* [cael] rwyt ti'n cael; byddi di'n cael
cei² *eg* (ceiau) glanfa wedi'i chodi er mwyn
hwyluso llwytho a dadlwytho llongau; doc,
harbwr quay
ceian *eb* blodyn gardd â blodau persawrus coch,
gwyn neu binc carnation, dianthus, pink
ceibiau *ell* lluosog caib
ceibio *be* [ceibi•²] torri tir â chaib; cloddio,
rhychu, twrio, tyllu to dig
ceibio arni bwrw arni, dygnu arni to get on
with it
ceibr *eg* (ceibrau) PENSAERNÏAETH rhan o
fframwaith to sy'n cynnal y gorchudd a
ddefnyddir; sbarras rafter
ceidw *bf* [cadw] *ffurfiol* mae ef yn cadw/mae hi'n
cadw; bydd ef yn cadw/bydd hi'n cadw
ceidwad *eg* (ceidwaid) un sy'n gyfrifol am gadw
rhywun neu rywbeth yn ddiogel, *ceidwad
carchar*; gofalwr, gwarcheidwad, gwarchodwr,
warden curator, custodian, keeper
y Ceidwad CREFYDD (mewn Cristnogaeth)
Iesu Grist; Achubwr, Gwaredwr, Iachawdwr,
Prynwr Saviour
ceidwadaeth *eb* y duedd i gadw at yr hyn sydd
eisoes wedi'i sefydlu conservatism
Ceidwadaeth *eb* GWLEIDYDDIAETH athroniaeth
wleidyddol sy'n seiliedig ar draddodiad a
sefydliadau traddodiadol, ac sy'n cefnogi
newid araf, cymedrol yn hytrach na chwyldro
Conservatism
ceidwadol *ans* yn tueddu i gadw at ffyrdd
traddodiadol, heb hoffi newid conservative
Ceidwadol *ans* GWLEIDYDDIAETH yn perthyn
i blaid wleidyddol y Torïaid Conservative,
Tory
ceidwadwr *eg* (ceidwadwyr) un sy'n glynu wrth
hen ffyrdd traddodiadol conservative
Ceidwadwr *eg* (Ceidwadwyr) GWLEIDYDDIAETH
un sy'n aelod o blaid wleidyddol y Torïaid
Conservative
ceifn gw. caifn
ceifnaint *ell* lluosog caifn
ceiliagwydd defnyddiwch clacwydd

ceiliog *eg* (ceiliogod) aderyn gwryw, yn enwedig y gwryw o rywogaeth yr ieir dof cock, cockerel

ceiliog iâr aderyn ag organau rhywiol gwrywaidd a benywaidd; ceilioges hermaphrodite hen

ceiliog y gwynt arwydd ar ffurf ceiliog yn aml (yn enwedig ar frig tŵr eglwys) sy'n symud gyda'r gwynt ac felly'n dangos o ba gyfeiriad y mae'r gwynt yn chwythu weathercock, weathervane

Ymadroddion

cam ceiliog gw. **cam¹**

caniad ceiliog gw. **caniad**

ceiliog ar ei domen ei hun rhywun sy'n cymryd arno ac yn ymfalchïo yn y ffaith mai ef yw'r unigolyn pwysicaf mewn cylch arbennig, yn enwedig mewn lle neu gylch y mae'n ei adnabod yn dda (e.e. plentyn yn ei gartref ei hun yn ei ddangos ei hun pan fydd plant eraill yn ymweld) cock of the walk

ceiliog bantam gw. **bantam**

ceiliog dandi gŵr sy'n ymhyfrydu'n ormodol yn ei olwg, ei ddillad a'i ymddygiad; gŵr mursennaidd fop

fel ceiliog gwynt am rywun anwadal

fel ceiliog wedi torri ei ben am rywun yn rhuthro'n ddigyfeiriad like a headless chicken

ceilioges *eb* (ceiliogesau) aderyn ag organau rhywiol gwrywaidd a benywaidd; ceiliog iâr hermaphrodite hen

hen geilioges menyw falch, ormesol

ceiliogi *be* (am ddofednod yn eu cyfnod ffrwythlon) disgwyl ceiliog

Sylwch: nid yw'r ferf hon yn arfer cael ei rhedeg.

ceiliog y rhedyn *eg* (ceiliogod y rhedyn) pryfyn sy'n perthyn i'r un teulu â'r locust ac sy'n nodedig oherwydd ei allu i sboncio ymhell a'i 'gân' arbennig yn yr haf; sioncyn y gwair grasshopper

ceilys¹ *eg* ceian pink

ceilys² *ell* set o brennau y mae chwaraewyr mewn gêm o sgitls yn ceisio eu bwrw i lawr â phêl ninepins, skittles

ceilysyn *eg* unigol ceilys² skittle

ceillgwd *eg* (ceillgydau) ANATOMEG y cwdyn o gnawd sy'n dal y ceilliau mewn mamolion scrotum

ceilliau *ell* lluosog **caill** testicles

ceimion *ans* ffurf luosog **cam**, *olwynion ceimion*

ceinach¹ *eb* (ceinachod) ysgyfarnog hare

ceinach²:ceinaf:ceined *ans* [cain] mwy cain; mwyaf cain; mor gain

ceinciau *ell* lluosog **cainc**

ceincio *be* [ceinci•²] rhannu'n ganghennau, bwrw neu dyfu'n ganghennau to branch

ceinciog *ans* â nifer o ganghennau, ag olion nifer o ganghennau arno; brigog, canghennog, clymog, cnotiog gnarled, knotted

ceindeg *ans* cain a theg; syber, dillyn elegant

ceinder *eg* yr ansawdd neu'r cyflwr o fod yn gain; coethder, cywreinrwydd, mireinder beauty, elegance

ceinioca *be* cardota ceiniogau, hen arfer lle byddai gŵr ifanc yn gofyn am gymorth ariannol yn dilyn colli buwch neu fochyn

Sylwch: nid yw'r ferf hon yn arfer cael ei rhedeg.

ceiniog *eb* (ceiniogau)

1 er Ionawr 1984, y darn lleiaf o arian bath y Deyrnas Unedig; mae cant ohonynt yn werth punt; cyn 1971 roedd y bunt yn werth 240 o hen geiniogau penny

2 yn ffigurol fe'i defnyddir am swm go lew o arian, *Doedd e ddim yn brin o geiniog neu ddwy*. penny

ceiniog a dimai rhad a di-werth tuppenny-ha'penny

ceiniog goch y delyn un geiniog one penny

Siôn llygad y geiniog rhywun cynnil a darbodus miser

syrthiodd y geiniog (am rywun) deall yn sydyn, gwawriodd arno the penny dropped

ceiniogwerth *eb* (ceiniogwerthau) cymaint ag y gellir ei brynu am geiniog; mesur bach iawn o rywbeth; ychydig pennyworth

ceinion¹ *ans* ffurf luosog **cain**, *patrymau ceinion*

ceinion² *ell* casgliad neu grŵp o bethau hardd, prydferth, *Ceinion y Gân*

ceintachlyd *ans* am un sy'n ceintachu, sy'n hoff o geintach; achwyngar, cwynfanllyd, grwgnachlyd quarrelsome, querulous

ceintach(u):cintach(u) *be* [ceintach•³] bod yn biwis neu'n flin; cecran, cwyno, grwgnach to grumble, to moan, to quarrel

ceintachwr *eg* (ceintachwyr) un sy'n achwyn; un sy'n cecran grumbler, moaner

ceir¹ *ell* lluosog **car**

ceir² *bf* [cael] *ffurfiol* gellir cael

ceirch:cerch:cyrch² *ell* (lluosog ceirchyn neu ceirchen) math o rawn sy'n cael ei ddefnyddio i fwydo anifeiliaid ac i wneud blawd oats

ceirchen *eb* unigol ceirch

ceirchyn *eg* unigol ceirch

ceirios *ell* lluosog ceiriosen

ceirios y waun aeron bach coch sy'n tyfu ar brysgwydd o deulu'r grug ac a ddefnyddir i wneud jeli a saws; llygaeron cranberries

lliw ceirios lliw coch clir, ysgafn cerise

ceiriosen *eb* (ceirios) ffrwyth bach coch neu felyn, melys ei flas â charreg ynddo cherry

ceirioswydd *ell* coed ceirios, prennau ceirios; hefyd, yn unigol, pren y coed hyn cherry

ceirioswydden *eb* unigol ceirioswydd cherry tree

ceirsio *be* [ceirsi•²] troi neu dorchi rhaff o gwmpas cynhalydd er mwyn ei sicrhau, e.e.

rhaff llong, neu er mwyn sicrhau dringwr wrth raff to coil, to belay

ceirt *ell* lluosog **cart/cert**

ceirw *ell* lluosog **carw**

ceisbwl *eg* (ceisbyliaid) *hanesyddol* casglwr trethi yn yr Oesoedd Canol catchpole

ceisfa *eb* (ceisfeydd) llain o dir ar gae rygbi rhwng llinell y gôl a'r llinell gwsg in-goal area

ceisiadau *ell* lluosog **cais**[1]

ceisiau *ell* lluosog **cais**[2]

ceisio *be* [ceisi•[2] 3 *un. pres.* cais/ceisia; 2 *un. gorch.* cais/ceisia]
1 rhoi cynnig ar, gwneud eich gorau; trio, ymdrechu to try, to attempt
2 gwneud cais am, gofyn am, chwilio am; deisyf, holi, ymofyn (~ *rhywbeth* **gan** *rywun*) to request, to seek, to ask for

ceisydd *eg* (ceiswyr) un sy'n ceisio (e.e. am grant); ymgeisydd applicant

cel *eg tafodieithol, yn y De* enw anwes am geffyl horse

cêl[1] *ans* wedi'i guddio; anweledig, cuddiedig, dirgel, ynghudd covert, hidden, secret
dan gêl ynghudd, yn gyfrinach hidden

cêl[2] *eg* bresychen â dail main nad ydynt yn casglu i greu calon, ac sy'n medru gwrthsefyll tywydd mwy garw nag arfer kale

celadiad *eg* (celadiadau)
1 CEMEG y broses o geladu, canlyniad celadu chelation
2 DAEAREG y broses sy'n peri i greigiau a phriddoedd ddadelfennu a dadfeilio o ganlyniad i weithredoedd organebau neu sylweddau organig chelation

celadu *be* [celad•[3]] CEMEG adweithio'n gemegol i greu adeiledd moleciwlaidd yn cynnwys ïon sy'n cael ei gynnal gan un neu ragor o fondiau cyd-drefnol to chelate

celain *eb* (celanedd) corff marw; corpws, sgerbwd cadaver, corpse
chwythu bygythion a chelanedd bygwth pob math o bethau cas a difrifol to huff and to puff
yn farw gelain yn hollol farw stone dead

celanedd-dy *eg* (celanedd-dai) man lle mae hen anifeiliaid fferm yn cael eu lladd knackery

celc *eg* swm o arian wedi'i gronni a'i gadw'n ddirgel cache, hoard

celcio *be* [celci•[2]] crynhoi a chuddio (arian); lladrata to conceal, to pilfer

celedig *ans* CEMEG wedi'i geladu (celadu) chelated

celf *eb* celfyddyd yn fwyaf arbennig drwy gyfrwng meysydd gweledol megis arlunio neu gerflunio art

celfi *ell*
1 dodrefn tŷ, e.e. cadeiriau, byrddau, gwelyau, etc.; moddion tŷ furniture
2 cyfarpar, gêr, offer, taclau implements, tools

celficyn *eg* (celfi)
1 un darn o gelfi; dodrefnyn piece of furniture
2 darn o offer neu gêr; dyfais, teclyn tool

celfin *eg* yr uned safonol ryngwladol ar gyfer mesur tymheredd thermodynamig, wedi'i seilio ar raddfa Celsius; K kelvin

celfydd *ans* galluog mewn ffordd artistig; cain, cywrain, deheuig, medrus skilful

celfyddyd *eb* (celfyddydau) mynegiant lle y defnyddir sgiliau creadigol a'r dychymyg, *Mae ysgrifennu stori dda yn gelfyddyd; mae astudiaeth o ramadeg yn wyddor.*; celf art, artistry

celfyddydau perfformio gweithgareddau creadigol sy'n cael eu perfformio o flaen cynulleidfa, e.e. drama, cerddoriaeth, dawns performing arts

celfyddyd gain celfyddyd (e.e. arlunio, cerddoriaeth, etc.) y mae ei gwerth esthetig yn hollbwysig fine art

y celfyddydau meysydd megis llenyddiaeth, cerddoriaeth, arlunio, drama, etc. sy'n cael eu cyferbynnu â'r gwyddorau neu wyddoniaeth, sef cemeg, bioleg, ffiseg, etc. the arts

Ymadroddion

y gelfyddyd ddu hud a lledrith magic, the black art

y gelfyddyd gwta y grefft o lunio epigramau neu englynion

y saith gelfyddyd *hanesyddol* hanfod addysg prifysgol yn yr Oesoedd Canol, sef Gramadeg, Rhethreg, Dilechdid, Rhifyddeg, Geometreg, Cerddoriaeth a Seryddiaeth The Seven Liberal Arts

celfyddydol *ans* yn ymwneud â'r celfyddydau, nodweddiadol o'r celfyddydau artistic

cello gw. **sielo**

celog *eb* (celogiaid) pysgodyn bwytadwy du neu wyrdd tywyll o deulu'r penfras ac sydd i'w gael yng ngogledd Cefnfor Iwerydd; chwitlyn glas coley

Celsius *ans* yn perthyn i raddfa fesur tymheredd lle mae dŵr yn rhewi pan fydd yn 0° ac yn berwi pan fydd tua 100° Celsius

Celt *eg* (Celtiaid) *hanesyddol* aelod o un o bobloedd canolbarth Ewrop a ymledodd ar draws rhannau eang o Ewrop, (gan gynnwys Prydain ac Iwerddon) yn ystod yr Oes Haearn Celt

Celtaidd *ans*
1 yn perthyn i'r gwledydd hynny (e.e. Cymru, Iwerddon, Yr Alban, Cernyw, Llydaw ac Ynys Manaw) lle y trigai'r hen Geltiaid Celtic
2 *hanesyddol* yn perthyn i fyd, i iaith neu i wareiddiad yr hen Geltiaid Celtic

Celteg *ebg* iaith y Celtiaid; o'r iaith hon y datblygodd yr ieithoedd Celtaidd (e.e. Cymraeg, Gwyddeleg a Llydaweg) sy'n cael eu siarad heddiw Celtic

Celtiaid *ell* lluosog **Celt**

celu *be* [cel•[1]] cadw'n ddirgel; cuddio, cwato (~ *rhywbeth* **rhag** *rhywun*) to conceal, to hide

celwrn *eg* (celyrnau) math o silindr gwag a'i ddau ben yn gaeedig, wedi'i wneud o ystyllod pren wedi'u rhwymo â bandiau dur; mae'n bolio tuag at y canol; baril, casgen, twba cask, tub

celwydd *eg* (celwyddau) gosodiad nad yw'n wir, sy'n fwriadol anghywir neu rywbeth arall sy'n cuddio'r gwirionedd; anonestrwydd, anwiredd, hoced, twyll lie, fib

celwydd golau anwiredd diniwed white lie

celwydd noeth celwydd amlwg barefaced lie

dweud celwydd(au) dweud anwiredd to lie

palu/rhaffu celwyddau dweud rhesi o gelwyddau to spin lies

celwyddast *eb* (celwyddeist) *difrïol* merch neu wraig sy'n dweud celwyddau liar

celwyddgi *eg* (celwyddgwn) un sy'n adnabyddus am ddweud celwyddau; celwyddwr, twyllwr fibber, liar

celwyddog *ans* yn dweud celwydd; heb fod yn wir, yn llawn anwiredd; anonest, anwir, gau, twyllodrus lying, mendacious

celwyddwr *eg* (celwyddwyr) un sy'n dweud anwiredd; celwyddgi liar

celyd *ans* ffurf luosog **caled**

celyn *ell* coed bythwyrdd â dail pigog gloyw ac aeron cochion; hefyd, yn unigol, pren y coed hyn holly

celynnen *eb* unigol **celyn** holly (tree)

celyrnau *ell* lluosog **celwrn**

cell *eb* (celloedd)

1 ystafell fechan mewn carchar, mynachlog neu leiandy cell

2 grŵp bach o bobl mewn mudiad cudd neu fudiad gwleidyddol cell

3 un rhan o rywbeth mwy wedi'i wneud o nifer o'r rhannau hyn (e.e. un rhan o'r diliau mêl mewn cwch gwenyn) cell

4 dyfais sy'n cynhyrchu cerrynt trydanol drwy adwaith cemegol, *Mae gan fatri un neu fwy o gelloedd.* cell

5 BIOLEG uned sylfaenol leiaf organeb, yn cynnwys cnewyllyn a chytoplasm y tu mewn i gellbilen ledathraidd cell

cell fonyn (celloedd bonyn) BIOLEG cell heb arbenigo sy'n gallu rhannu drwy fitosis i greu celloedd sy'n datblygu i fod yn wahanol fathau o gelloedd arbenigol; bôn-gell stem cell

cell goch y gwaed (celloedd coch y gwaed) FFISIOLEG cell waed sy'n cludo ocsigen; nid oes cnewyllyn gan gelloedd coch y gwaed ac maent yn cynnwys hemoglobin sy'n rhoi lliw coch iddynt red blood cell

cell gof (celloedd cof) FFISIOLEG lymffocyt hirhoedlog a gynhyrchir fel ymateb i antigen penodol ac sy'n gallu ysgogi ymateb imiwn i'r antigen penodol hwn os bydd yn cael ei ailgyflwyno i'r corff memory cell

cell wen y gwaed (celloedd gwyn y gwaed) FFISIOLEG cell waed ddi-liw, e.e. lymffocyt neu ffagocyt white blood cell

cell y grog y gell lle mae carcharor sy'n mynd i gael ei ddienyddio yn cael ei gadw condemned cell

cellbilen *eb* (cellbilenni) BIOLEG y bilen o gwmpas cell cell membrane

cellfur *eg* (cellfuriau)

1 BOTANEG y mur (o gellwlos fel arfer) sy'n amgáu ac yn cynnal celloedd planhigion cell wall

2 BIOLEG y mur sy'n amgáu ac yn cynnal celloedd ffwng neu facteria cell wall

cellgorff *eg* (cellgyrff) BIOLEG craidd nerfgell sy'n cynnwys y cnewyllyn cell body

celli *eb* (cellïoedd) llwyn o goed; coedlan, gallt, gwig copse, grove

cellnodd *eg* BOTANEG yr hylif a geir mewn gwagolyn yng nghell planhigyn cell sap

cellog *ans* yn cynnwys celloedd cellular

cellraniad *eg* (cellraniadau) BIOLEG ymraniad rhiant-gell yn ddwy gell newydd drwy fitosis neu'n bedwar gamet drwy feiosis cell division

cellwair[1] *eg* (cellweiriau) siarad ysgafn chwareus; arabedd, direidi, smaldod banter, jest

cellwair[2]:cellweirio *be* siarad yn ddireidus, siarad dwli, tynnu coes; smalio to jest, to joke, to banter

Sylwch: nid yw'r ferf hon yn arfer cael ei rhedeg.

cellweiriwr *eg* (cellweirwyr)

1 un ffraeth, un hoff o gellwair; digrifwr jester

2 gŵr y byddai boneddigion gynt yn ei gadw i'w difyrru, byddai'n gwisgo dillad lliwgar, het â chlychau ac yn cario ffon ffŵl jester

cellweirus *ans* llawn cellwair, hoff o ddynwared neu watwar; arabus, chwareus, direidus, smala bantering, facetious, jocular

cellweirus o fe'i defnyddir i ddwysáu ystyr ansoddair, *yn gellweirus o ffraeth*

cellwloid *eg* (enw masnachol) math o blastig wedi'i wneud o sylwedd sydd i'w gael yng nghelloedd planhigion celluloid

cellwlos *eg* math o garbohydrad sy'n brif sylwedd cellfuriau planhigion, e.e. ffibrau llysiau cotwm; fe'i defnyddir mewn nwyddau megis papur a seloffan cellulose

cellwyriad *eg* (cellwyriadau) mwtaniad; newid sydyn neu annisgwyl mewn genyn neu gromosom sy'n achosi nodwedd newydd a allai gael ei throsglwyddo i'r genhedlaeth nesaf mutation

cellystr *ell* lluosog **callestr**

cemais[1] *ell* *mewn enwau lleoedd* troeon neu ystumiau afon neu gilfachau arfordirol, e.e. *Cemais Comawndwr* meanders, sea inlets

cemais² *bf* [camu] *ffurfiol* gwnes i gamu

cemeg *eb* astudiaeth wyddonol o elfennau mater a'r hyn sy'n digwydd pan fyddant yn cyfuno i greu sylweddau newydd, ynghyd ag astudiaeth o'r rheolau sy'n sail i adweithiau cemegol chemistry

cemegion *ell* lluosog **cemegyn**

cemegol *ans* yn ymwneud â chemeg, nodweddiadol o gemeg chemical

cemegwr:cemegydd *eg* (cemegwyr) gwyddonydd sy'n arbenigo mewn cemeg chemist

cemegyn *eg* (cemegion) sylwedd neu gyfansoddyn cemegol, yn enwedig y rhai sy'n cael eu hastudio neu eu creu gan gemegwyr chemical

cemodderbynnydd *eg* (cemodderbynyddion) FFISIOLEG organ synhwyro (e.e. blasbwynt ar y tafod) sy'n ymateb i ysgogiad cemegol chemoreceptor

cemotacsis *eg* BIOLEG symudiad celloedd neu organebau mewn ymateb i ysgogiad cemegol chemotaxis

cemotherapi *eg* y defnydd o gyffuriau wrth drin neu reoli clefyd (e.e. canser) chemotherapy

cemyw *eg* (cemywod:cemywion) eog gwryw salmon (male)

cen *eg* (cennau)
1 haenen denau o groen, e.e. yng ngwallt y pen; caenen, marwdon dandruff, flake, scurf
2 plisgyn, caenen, e.e. ar groen pysgodyn neu neidr scale
3 dyddodyn calcheiddiedig caled sy'n ffurfio ar ddannedd ac sy'n gallu achosi pydredd tartar
4 organeb gramennog (o liw llwyd, melyn, gwyrdd, etc.) sy'n tyfu ar arwynebau megis cerrig, creigiau, canghennau, boncyffion coed, etc. lichen

cenadaethau *ell* lluosog **cenhadaeth**

cenadesau *ell* lluosog **cenhades**

cenadwri *eb* cyhoeddiad ar lafar neu'n ysgrifenedig gan rywun i rywun arall, yn enwedig byrdwn pregeth neu air ysbrydoledig; byrdwn, cenhadaeth, neges, thema message, tidings

cenais *bf* [canu] *ffurfiol* gwnes i ganu

cenau *eg* (cenawon:canawon)
1 epil rhai mathau o anifeiliaid sy'n hela'u bwyd (e.e. llwynog, blaidd, arth, llew, ci) cub, pup, whelp
2 dyn neu fachgen drygionus; cnaf, gwalch knave, rascal, rapscallion

cenawes *eb* (cenawesau)
1 cenau benyw cub
2 gw. cnawes

cenawon *ell*
1 lluosog **cenau**
2 blodau sy'n hongian fel cynffonnau bychain

wrth ganghennau coed megis bedw a chyll; gwyddau bach, cynffonnau ŵyn bach catkins

cenedl *eb* (cenhedloedd)
1 nifer mawr o bobl yn byw (fel arfer) yn yr un wlad ac (fel arfer) dan yr un llywodraeth nation
2 nifer mawr o bobl sy'n arddel yr un gwreiddiau, sy'n rhannu'r un diwylliant ac sy'n siarad yr un iaith (neu gyfuniad o rai o'r elfennau hyn) nation
3 GRAMADEG rhyw enw, rhifol, rhagenw neu ansoddair (h.y. yn Gymraeg, yn dynodi a yw'n wrywaidd neu'n fenywaidd) gender

cenedlaethau *ell* lluosog **cenhedlaeth**

cenedlaethol *ans* yn perthyn i wlad neu genedl; nodweddiadol o genedlaetholdeb national, nationalistic

cenedlaetholdeb *eg*
1 teimlad dwfn o fod yn perthyn i genedl arbennig ac o ymfalchïo yn y genedl honno; cenedlgarwch, gwladgarwch nationalism
2 GWLEIDYDDIAETH polisi gwleidyddol sy'n ceisio sicrhau annibyniaeth cenedl nationalism

cenedlaetholgar *ans* am rywun sy'n genedlaetholwr nationalist

cenedlaetholi *be* [cenedlaethol•¹] gwladoli; trosglwyddo pethau fel diwydiant, masnach, trafnidiaeth, tir, etc. o ddwylo preifat er mwyn sicrhau mai'r genedl neu'r wladwriaeth sy'n berchen arnynt; gwladoli to nationalize

cenedlaetholwr *eg* (cenedlaetholwyr)
1 un sy'n credu mewn cenedlaetholdeb gwleidyddol nationalist
2 un sy'n aelod o blaid wleidyddol sy'n ceisio sicrhau annibyniaeth i'r genedl nationalist

cenedlaetholwraig *eb*
1 merch neu wraig sy'n credu mewn cenedlaetholdeb gwleidyddol nationalist (female)
2 merch neu wraig sy'n aelod o blaid wleidyddol sy'n ceisio sicrhau annibyniaeth i'r genedl nationalist

cenedl-ddyn *eg* (cenedl-ddynion) rhywun nad yw'n Iddew o ran tras gentile

cenedliadau *ell* lluosog **cenhedliad**

cenedligrwydd *eg* GWLEIDYDDIAETH bodolaeth fel cenedl, y teimlad o fod yn genedl nationality, nationhood

cenel *eg* (cenelau) cwb neu gwt ci kennel

cenfaint *eb* (cenfeintiau) llu neu gasgliad o foch herd (of pigs)
Sylwch: mae'n derbyn ffurf unigol neu luosog berf.

cenfigen *eb* (cenfigennau) drwgdeimlad tuag at rywun oherwydd llwyddiant, cyfoeth, dawn neu harddwch yr unigolyn hwnnw; eiddigedd envy, jealousy

cenfigennu *be* [cenfigenn•[9]] teimlo cenfigen at rywun, bod yn genfigennus; chwenychu, eiddigeddu (~ **wrth** *rywun* **am** *rywbeth*) to be jealous, to envy
   Sylwch: dyblwch yr 'n' ym mhob ffurf ac eithrio yn y rhai sy'n cynnwys -*as*-.

cenfigennus *ans* llawn cenfigen; eiddigeddus envious
   Sylwch: yn fanwl gywir, yr ydych yn eiddigeddus (*jealous*) o'ch eiddo eich hun; yr ydych yn genfigennus (*envious*) o eiddo rhywun arall.

cenfydd *bf* [canfod]
   1 *ffurfiol* mae ef yn canfod/mae hi'n canfod; bydd ef yn canfod/bydd hi'n canfod
   2 *ffurfiol* gorchymyn i ti ganfod

cengroen *eg* MEDDYGAETH clefyd y croen a nodweddir gan smotiau cochion a chen ar y croen psoriasis

cenhadaeth *eb* (cenadaethau)
   1 grŵp neu fintai o bobl sy'n cael eu danfon i ledaenu neges arbennig, i addysgu ac i wasanaethu, yn enwedig y bobl sy'n cael eu danfon gan gorff crefyddol i efengylu; cynrychiolaeth, dirprwyaeth mission
   2 neges a gwaith cenhadon; cenadwri, cennad mission

cenhadau *ell* lluosog **cennad**

cenhades *eb* (cenadesau) CREFYDD merch neu wraig sy'n cenhadu missionary (female)

cenhadol *ans*
   1 yn perthyn i genhadaeth, nodweddiadol o genhadaeth missionary
   2 am rywun ar dân â'i genadwri

cenhadon *ell* lluosog **cennad**

cenhadu *be* [cenhad•[13]]
   1 lledaenu syniadau arbennig a cheisio cael pobl i'w derbyn, *Bu'n cenhadu'n galed dros sianel deledu Gymraeg.* (~ **dros**) to conduct a mission
   2 CREFYDD lledaenu ffydd grefyddol ymysg pobl nad ydynt yn credu yn y ffydd honno; efengylu, pregethu to conduct a mission
   Sylwch: cenhad- a geir ym mhob ffurf ac eithrio yn y rhai sy'n cynnwys -*as*-.

cenhadwr *eg* (cenhadon:cenhadwyr) CREFYDD un sy'n ceisio lledaenu ffydd grefyddol drwy bregethu, addysgu a chynnig meddyginiaeth i'r rhai hynny nad ydynt yn credu yn y ffydd honno; cennad, efengylwr, pregethwr missionary

cenhedlaeth *eb* (cenedlaethau) to o bobl; cyfnod o tua deng mlynedd ar hugain sy'n gwahanu un to o bobl oddi wrth y nesaf; pawb a anwyd tua'r un cyfnod generation

cenhedliad *eg* (cenediadau) y weithred o genhedlu, canlyniad cenhedlu conception, procreation

cenhedloedd *ell* lluosog **cenedl**

y Cenhedloedd Unedig corff a ffurfiwyd ar 24 Hydref 1945 yn sgil yr Ail Ryfel Byd, gyda'r bwriad o sicrhau heddwch ymhlith gwledydd y byd the United Nations

cenhedlol *ans*
   1 yn ymwneud ag atgenhedlu neu gamau cyntaf datblygiad germinal
   2 yn medru cenhedlu neu atgenhedlu generative
   3 BIOLEG yn perthyn i organ cenhedlu, nodweddiadol o organ cenhedlu genital

cenhedlu *be* [cenhedl•[11]] BIOLEG creu (embryo) drwy ffrwythloni wy; epilio, planta to conceive, to procreate, to beget
   Sylwch: cenhedl- a geir ym mhob ffurf ac eithrio yn y rhai sy'n cynnwys -*as*-.

cenhinen *eb* unigol **cennin** leek

cenhinen Bedr unigol **cennin Pedr** daffodil

ceni *bf* [canu] *ffurfiol* rwyt ti'n canu; byddi di'n canu

Ceniad *eg* (Ceniaid) brodor o Kenya Kenyan

Ceniaidd *ans* yn perthyn i Kenya, nodweddiadol o Kenya Kenyan

cenlli(f) *egb* (cenllifoedd) llif o ddŵr; llifeiriant, rhyferthwy flood, torrent

cenllysg *eg ac ell*
   1 dafnau glaw wedi'u rhewi yn belenni bychain o iâ sy'n disgyn yn gawod; cesair hail, hailstones
   2 cawod o ddafnau glaw wedi'u rhewi; cesair hail

cenllysgen *eb* unigol **cenllysg**; ceseiren hailstone

cennad[1] *eb* (cenhadon:cenhadau)
   1 un sydd â chenadwri i'w chyflwyno; apostol, cenhadwr, negesydd, pregethwr messenger, representative
   2 (*lluosog* cenhadau) caniatâd, hawl, *A gefaist ti gennad gan dy brifathro i ddod yma heddiw?* permission
   3 cynrychiolydd swyddogol llywodraeth neu bennaeth llywodraeth; diplomydd, legad, llysgennad envoy, legate

cennad[2] *eb* neges, cenadwri, cenhadaeth, newyddion message

cennin *ell* llysiau gardd sy'n perthyn i deulu'r wynionyn a chanddynt goesau gwyn hir a dail gwyrdd trwchus; y genhinen yw arwyddlun cenedlaethol Cymru leeks

cennin Pedr planhigion oddfog (yn tyfu o fylbiau) a chanddynt flodau melyn llachar ar ffurf corn trwmped daffodils

cennin syfi planhigion bach a chanddynt ddail bwytadwy sy'n tyfu ar ffurf tiwbiau bychain chives

cennog *ans* wedi'i orchuddio â chen scaly, scurfy

centilitr *eg* (centilitrau) canfed ran o litr; cl centilitre

centimetr *eg* (centimetrau) canfed ran o fetr, sef 0.01 metr neu 0.4 modfedd; cm centimetre
   Sylwch: dau gentimetr, tri chentimetr

centriol *eg* (centriolau) BIOLEG y naill neu'r llall o bâr o organynnau a geir yn agos at y cnewyllyn yng nghelloedd anifeiliaid ac sy'n chwarae rhan yn natblygiad y werthyd yn ystod cellraniad centriole

centrosom *eg* (centrosomau) BIOLEG organyn sy'n cynnwys y centriolau ac a geir yn y cytoplasm wrth ymyl cnewyllyn cell centrosome

cer *bf* [mynd] *tafodieithol, yn y De* gorchymyn i ti fynd; dos

ceraint *ell llenyddol* perthnasau drwy waed neu gyfeillion agos; teulu, tylwyth kith, friends, relatives

cerameg:serameg *eb*
1 y grefft o lunio gwrthrych o glai a'i danio nes iddo galedu ceramics
2 gwrthrychau, e.e. llestri, teils, sydd wedi cael eu ffurfio o glai a daniwyd nes iddo galedu ceramics
Sylwch: ysgrifennwch yr hyn yr ydych yn ei ynganu.

ceramig:seramig *ans* yn ymwneud â'r grefft o lunio gwrthrych o glai a'i danio nes iddo galedu ceramic
Sylwch: ysgrifennwch yr hyn yr ydych yn ei ynganu.

ceratin *eg* BIOCEMEG protein ffibrog sy'n sylfaen ewinedd, crafangau, cyrn a gwallt keratin

cerbyd *eg* (cerbydau)
1 un o nifer mawr o ddyfeisiadau ar olwynion wedi'u cynllunio ar gyfer cludo pobl neu nwyddau (e.e. coets, car, fan, bws) vehicle
2 dyfais ar olwynion wedi'i chynllunio i gludo nifer da o bobl ac yn cael ei thynnu gan geffylau neu locomotif (injan drên) carriage

cerbydol *ans* yn perthyn i gerbydau, wedi'i gynllunio ar gyfer cerbydau vehicular

cerbydwr *eg* (cerbydwyr) gyrrwr cerbyd (bws, car, coets, etc.) coachman

cerch gw. ceirch

cerdin:cerddin *ell* coed â dail ysgafn tebyg i blu ac aeron bach o liw orengoch yn yr hydref; hefyd, yn unigol, pren y coed hyn; criafol mountain ash, rowan

cerdinen:cerddinen *eb* unigol cerdin:cerddin; criafolen mountain ash, rowan (tree)

cerdyn *eg* (cardiau) darn fflat o bapur trwchus neu gardbord tenau, naill ai ar gyfer ysgrifennu arno, e.e. *cerdyn post, cerdyn Nadolig*, neu'n un o set neu bac o gardiau ar gyfer gwahanol gêmau; carden card

cerdyn adnabod cerdyn sy'n cadarnhau pwy yn union yw ei berchennog identity card

cerdyn brith gw. brith

cerdyn sain ELECTRONEG dyfais y gellir ei gosod mewn cyfrifiadur i ganiatáu iddo gynhyrchu sain, synau, cerddoriaeth, etc. sound card

cerdd *eb* (cerddi)
1 darn o farddoniaeth; cân poem
2 cerddoriaeth, *Yr Ystafell Gerdd*; miwsig, peroriaeth music

cerdd dafod crefft barddoniaeth; barddas, prydyddiaeth ars poetica, poetic art

cerdd dant cyfansoddiad unigryw i Gymru sy'n gosod barddoniaeth ar un alaw i gyfeiliant telyn sy'n canu cainc neu alaw arall; canu penillion, canu gyda'r tannau

cerdded *be* [cerdd•[1] 3 *un. pres.* cerdd/cerdda; 2 *un. gorch.* cerdd/cerdda]
1 symud fesul cam, y ffordd naturiol o symud wrth roi un droed o flaen y llall; yn achos pobl mae un o'r ddwy droed yn cyffwrdd â'r ddaear drwy'r amser wrth gerdded (yn wahanol i redeg), yn achos anifeiliaid mae o leiaf dwy droed yn cyffwrdd â'r ddaear; troedio to walk
2 mynd am dro to go for a walk, to hike
3 (am amser, cloc etc.) mynd yn ei flaen, symud to move on, to proceed
4 symud mewn ffordd ddirgel, *Mae beiros yn cerdded yn y tŷ yma.*

ar gerdded yn symud afoot, on the move

cerdded ar bwys ffon defnyddio ffon yn gymorth i gerdded to walk with the aid of a stick

cerddedfa *eb* lle i gerdded (rhodfa) ar ochr ddwyreiniol eglwys, neu mewn mynachlog, â tho drosto fel arfer ambulatory

cerddediad *eg* dull rhywun o gerdded, *Roedd ganddo gerddediad bach ysgafn.*; camre gait, walk

cerddgar *ans* hoff o gerddoriaeth music loving

cerddinen gw. cerdinen

cerddoleg gw. cerddoreg

cerddolegwr *eg* (cerddolegwyr) un sy'n ymchwilio i hanes cerddoriaeth neu'n dadansoddi cyfansoddiadau cerddorol musicologist

cerddor *eg* (cerddorion) un sydd â dawn gerddorol arbennig, gan amlaf un sy'n cyfansoddi, yn canu neu'n chwarae offeryn musician

cerddoreg:cerddoleg *eb* astudiaeth o gerddoriaeth fel cangen o wybodaeth, yn enwedig astudiaeth hanesyddol a dadansoddol o fathau penodol o gerddoriaeth musicology

cerddorfa *eb* (cerddorfeydd) cyfuniad o bobl yn canu offerynnau cerddorol, yn cynnwys adran llinynnau, chwythbrennau, pres ac offerynnau taro orchestra

cerddorfaol *ans* yn perthyn i gerddorfa, nodweddiadol o gerddorfa orchestral

cerddoriaeth *eb*
1 cyfuniad o nodau neu synau sy'n creu patrymau alaw, rhythm, cynghanedd a gwrthbwynt; cerdd, miwsig, peroriaeth music

2 cyfansoddiad cerddorol wedi'i ddynodi
gan nodau ar erwydd, *Ydy'r gerddoriaeth
ganddi?* music

cerddoriaeth siambr cerddoriaeth ar gyfer
grŵp bach o offerynwyr sy'n fwy addas i
ystafell na neuadd chamber music

cerddorol *ans* yn perthyn i fyd cerddoriaeth;
(un) â dawn arbennig mewn cerddoriaeth
musical

cerddwr *eg* (cerddwyr) un sy'n cerdded; heiciwr,
rhodiwr, teithiwr pedestrian, walker, hiker

cerebelwm *eg* (cerebela) ANATOMEG y rhan o'r
ymennydd sydd yng nghefn y pen ac sy'n rheoli
cydbwysedd y corff ac yn cydlynu gwaith y
cyhyrau; yr ymennydd bach cerebellum

cerebrol *ans* ANATOMEG yn ymwneud â'r
cerebrwm cerebral

cerebrwm *eg* (cerebra) ANATOMEG rhan flaen
yr ymennydd; mae'n cynnwys dau hemisffer
ac mae'n gorwedd dros weddill yr ymennydd,
dyma gartref y prosesau meddyliol yr ydym
yn ymwybodol ohonynt; yr ymennydd uchaf
cerebrum

cerfddelw *eb* (cerfddelwau) delw gerfiedig; eilun
graven image

cerfiad *eg* (cerfiadau) gwrthrych (llun neu
ddelw) wedi'i gerfio; cerfddelw, cerflun,
cerflunwaith, delw carving

cerfiedig *ans* am rywbeth wedi'i gerfio carved

cerfigol *ans* ANATOMEG yn ymwneud â gwddf y
groth cervical

cerfio *be* [cerfi•²]
1 naddu neu dorri llun tri dimensiwn mewn
defnydd caled fel pren neu garreg; cerflunio;
cerflunio, ysgythru (~ *rhywbeth* ar) to carve
2 (am gig etc.) torri'n dafellau wedi iddo gael ei
goginio to carve

cerfiwr *eg* (cerfwyr) un sy'n cerfio; cerflunydd,
naddwr carver

cerflun *eg* (cerfluniau)
1 gwrthrych (delw neu fodel) mewn tri
dimensiwn wedi'i gerfio, ei fowldio neu ei
ffurfio o garreg, pren, metel neu unrhyw
ddefnydd addas sculpture
2 delw o ddyn neu anifail mewn tri dimensiwn,
wedi'i llunio o garreg, pren, metel neu unrhyw
ddefnydd addas, i'w harddangos gan amlaf
mewn lle cyhoeddus; cerflunwaith statue

cerfluniaeth *eb* CELFYDDYD y gelfyddyd o greu
gweithiau tri dimensiwn o ddefnydd caled
neu fowldadwy drwy eu cerfio, eu castio, eu
mowldio, etc. sculpture

cerflunio *be* [cerfluni•⁶] creu cerfluniau; cerfio,
naddu, ysgythru to sculpt

cerflunwaith *eg* (cerflunweithiau) darn
o waith wedi'i gerflunio; cerflun sculpture,
statue

cerflunwaith cerfweddol CELFYDDYD math
o gerflunwaith lle mae'r gwrthrychau a gerfir
yn codi'n uwch na gwastadedd y cefndir
relief (sculpture)

cerflunydd *eg* (cerflunwyr) un sy'n creu
cerfluniau; cerfiwr, naddwr sculptor

cerfwedd isel *eb* (cerfweddau isel) CELFYDDYD
math o gerflunwaith lle mae'r gwrthrychau a
gerfir yn codi'n uwch na gwastadedd y cefndir
ond dim mor uchel â gwrthrychau cerflunwaith
cerfwedd uchel bas-relief, low relief

cerfweddol *ans* CELFYDDYD am ddull o fowldio,
cerfio neu stampio lle mae'r dyluniad yn codi'n
uwch na gwastadedd y cefndir relief

cerfwedd uchel (cerfweddau uchel) CELFYDDYD
math o gerflunwaith lle mae'r gwrthrychau a
gerfir yn codi'n uwch na gwastadedd y cefndir
ac yn uwch na gwrthrychau cerflunwaith
cerfwedd isel high relief

cerhyntau *ell* lluosog **cerrynt**

ceri *bf* [caru] *ffurfiol* rwyt ti'n caru; byddi di'n caru

ceriach *eb* ac *ell* mân offer, pethau di-werth; gêr,
geriach, taclau gear

cerigach:cerigos *ell* cerrig rhydd, graean, mân
gerrig stones, pebbles

ceriwb *gw.* cerub

ceriwm *eg* elfen gemegol rhif 58; metel arianwyn
(Ce) cerium

cerlyn *eg* (cerliaid:cerlod) rhywun anwaraidd,
amrwd ei ffordd, o dras isel churl

cern *eb* (cernau) asgwrn y foch; yr asgwrn sydd
o dan y llygad cheekbone

cernlun *eg* (cernlluniau) amlinelliad o wyneb
unigolyn o un ochr; proffil profile

cernod *eb* (cernodiau) ergyd ar y foch neu ochr y
pen; bonclust, clatsien, clusten clout, smack

Cernywaidd *ans* yn perthyn i Gernyw,
nodweddiadol o Gernyw Cornish

Cernyweg *ebg* iaith Geltaidd Cernyw a
chwaeriaith i'r Gymraeg a'r Llydaweg Cornish
Sylwch: mae enw'r iaith yn fenywaidd, ond os
sonnir am fath arbennig o Gernyweg, mae'n
wrywaidd.

Cernywes *eb* (Cernywesau) merch neu wraig
o Gernyw, un o dras neu genedligrwydd
Cernywaidd Cornishwoman

Cernywiad *eg* (Cernywiaid) brodor o Gernyw,
un o dras neu genedligrwydd Cernywaidd; un o
wŷr Cernyw Cornishman

cerosin *eg* gair arall (Gogledd America yn
bennaf) am **paraffîn** kerosene

cerpyn *eg* (carpiau)
1 dilledyn wedi'i dreulio'n dyllau; bretyn,
cadach, pilyn, rhecsyn rag
2 darn o ddefnydd (i olchi llawr, sychu llestri,
etc.); clwtyn cloth

cerrig *ell* lluosog **carreg**

C

cerrynt *eg* (ceryntau:cerhyntau) llif (o ddŵr, aer, trydan, etc.) i gyfeiriad arbennig; ffrydlif, llifeiriant current

cerrynt eiledol math o gerrynt trydanol sy'n newid ei gyfeiriad yn gyson ac yn aml alternating current

cerrynt trydanol llif gwefrau trydanol drwy gylched (e.e. llif electronau drwy wifrau metel) er mwyn trosglwyddo egni o un rhan o'r gylched i ran arall electrical current

cerrynt union cerrynt trydanol sy'n llifo i un cyfeiriad yn unig, *Cerrynt union sy'n dod o fatris o bob math.* direct current

cersi *eg* brethyn gwlân, trwm, caerog â cheden fer kersey

cert *eb* (ceirt:certi) ffurf arall ar cart

certmon *eg* (certmyn) gyrrwr cart neu drol; troliwr carter, drayman

cerub:ceriwb *eg* (cerubiaid:ceriwbiaid) math o angel sy'n arfer cael ei ddarlunio fel plentyn bach ag adenydd cherub

cerwch *bf* [mynd] *tafodieithol, yn y De* gorchymyn i chi fynd; ewch

cerwyn *eb* (cerwyni) math o silindr gwag a'i ddau ben yn gaeedig, wedi'i wneud o ystyllod pren wedi'u rhwymo â bandiau dur; mae'n bolio tuag at y canol ac fe'i defnyddir i gadw diodydd fel cwrw a gwin; baril, casgen, celwrn, twba barrel, cask, vat

cerydd *eg* (ceryddon) gair neu weithred o gosb am fod rhywun wedi gwneud rhywbeth na ddylai fod wedi'i wneud; condemniad, cystwyad, edliwiad rebuke, reprimand, reproach

ceryddol *ans* yn ceryddu neu'n cosbi; cosbol, cystwyol corrective

ceryddu *be* [cerydd•¹] dweud y drefn; cystwyo, dwrdio, tantro (~ *rhywun* am) to rebuke, to reprimand

ceryddwr *eg* (ceryddwyr) un sy'n ceryddu, sy'n cosbi; dwrdiwr chider, rebuker

ceryntau *ell* lluosog cerrynt

cesail *eb* (ceseiliau)
1 ANATOMEG y man o dan y fraich lle mae'r fraich yn cysylltu â'r corff armpit, axilla
2 unrhyw fan sy'n cael ei gysgodi fel y mae'r gesail yn cael cysgod y fraich a'r fynwes, *Adeiladwyd y bwthyn yng nghesail y mynydd.* nook, recess
3 BOTANEG yr ongl uchaf rhwng coesyn deilen neu gangen a'r coesyn neu'r boncyff y mae'n tyfu ohono axil

cesail y fforddwyd ANATOMEG y man lle mae'r goes yn cysylltu â'r corff groin

cesair *eg ac ell*
1 dafnau glaw wedi'u rhewi yn belenni bychain o iâ sy'n disgyn yn gawod; cenllysg hail, hailstones
2 cawod o ddafnau glaw wedi'u rhewi; cenllysg hail

Cesar *eg* (Cesariaid) *hanesyddol* teitl ar yr ymerawdwyr Rhufeinig a ddilynodd Iŵl Cesar Caesar

ceseilaidd *ans*
1 ANATOMEG yn perthyn i'r gesail, yn tyfu yn ymyl cesail axillary
2 BOTANEG yn perthyn i gesail planhigyn, yn tyfu yn ymyl cesail planhigyn axillary

ceseiliad *eb* (ceseileidiau) cymaint ag y mae modd ei gario dan y gesail; coflaid, hafflaid armful

ceseiliau *ell* lluosog cesail

ceseiren *eb* unigol cesair; cenllysgen hailstone

cesglir *bf* [casglu] *ffurfiol* mae rhywun neu rywbeth yn cael ei gasglu; bydd rhywun neu rywbeth yn cael ei gasglu

cesig *ell* lluosog caseg

cesiwm *eg* elfen gemegol rhif 55; metel alcalïaidd, meddal, ariannaidd a ddefnyddir i greu celloedd ffotodrydanol (Cs) caesium

c'est la vie *ebychiad* fel 'na mae; dyna fywyd i chi! (wrth orfod wynebu rhywbeth annymunol)

cestog *ans* a chanddo fol amlwg; boliog, tew corpulent

cestyll *ell* lluosog castell

cetris *ell* lluosog cetrisen

cetrisen:catrisen *eb* (cetris)
1 tiwb bach o fetel neu bapur yn cynnwys ffrwydryn a bwled i'w saethu o ddryll cartridge
2 cynhwysydd yn dal rhywbeth, e.e. inc, yn barod i'w osod mewn dyfais cartridge

cetsyp *eg* saws tomato yn cynnwys finegr ac amrywiaeth o sesnin ketchup

cetyn *eg* (catiau:cetynnau)
1 pibell â choes fer ar gyfer ysmygu baco; pib pipe
2 tamaid o rywbeth, darn bach; ysbaid fer o amser; bribsyn, dryll, gronyn, mymryn bit, piece
3 CERDDORIAETH y darn hwnnw o offeryn chwyth y chwythir drwyddo er mwyn cynhyrchu sain mouthpiece

ers cetyn ers meitin for ages

cethin *ans hynafol* coch tywyll roan

cethlydd *eg* (cethlyddion) canwr, yn enwedig aderyn cân songster

cethreinwr *eg* (cethreinwyr) *hanesyddol* un a gerddai o flaen ychen yn eu hwynebu a'u hannog â ffon bigog (cethr) a chân driver of oxen, goader

cethru *be* [cethr•¹] yn wreiddiol, gyrru ychen; erbyn heddiw, annog, arthio, cymell, dwrdio, sbarduno (~ wrth) to goad

ceuach:ceuaf:ceued *ans* [cau] mwy cau; mwyaf cau; mor gau

ceubal:ceubol *eg*
 1 bol mawr glwth; tor pot belly
 2 *hynafol* cwch, bad boat
ceubren *eg* (ceubrennau) coeden gau, coeden â'i thu mewn wedi pydru ond â'i thu allan yn gyfan hollow tree
ceubwll *eg* (ceubyllau)
 1 siafft serth mewn tir calchfaen y mae nant yn plymio drwyddi ac yn diflannu tan ddaear pothole
 2 DAEAREG twll crwn neu led-grwn sy'n cael ei ffurfio yng nghraig gwely afon wrth i gerrig a graean ei llifanu drwy rym cerrynt y dŵr pothole
ceudod *eg* (ceudodau) lle gwag y tu mewn i rywbeth, gwagle mewnol, e.e. *y ceudod abdomenol, wal geudod* cavity
ceudwll *eg* (ceudyllau) ogof danddaearol; twll cavern
ceudyllog *ans* tebyg i geudwll; llawn ceudyllau cavernous
ceuffordd *eb* (ceuffyrdd) llwybr lled lorweddog yn arwain i mewn i waith mwyn sydd hefyd yn gadael i ddŵr redeg allan adit
ceuffos *eb* (ceuffosydd) llwybr (pibell fel arfer) ar gyfer draenio hylif; cwter, draen, ffos drain, gutter, ditch
ceugrwm *ans* [*b* ceugrom] (ceugrymion) am rywbeth yr un siâp â thu mewn sffêr, y gwrthwyneb i amgrwm; pantiog concave
ceugrymedd *eg* ffurf geugrwm concave curvature
ceulad *eg* (ceuladau)
 1 y broses o geulo; cawsiad, fferiad, tewychiad coagulation
 2 tolchen; darn o hylif organig (yn enwedig gwaed) sydd wedi dechrau caledu neu geulo clot
ceulan *eb* (ceulannau:ceulennydd) glan afon lle mae'r dŵr wedi erydu'r tir o dan y lan; torlan hollow riverbank
ceuled *eg*
 1 sylwedd (ceulion) sy'n cael ei ffurfio wrth i laeth geulo; caul, sopen curd
 2 bwyd sy'n debyg i geulion, yn enwedig cyffaith o ffrwythau, menyn, siwgr ac wyau, e.e. ceuled lemon; sopen, tewychiad curd
 3 sylwedd sy'n cael ei wneud o stumog llo ac a ddefnyddir i geulo neu gawsio llaeth, cywair llaeth; cyweirdeb rennet
ceulfraen *eg* caws gwyn meddal wedi'i wneud o geulion llaeth glas; colfran cottage cheese
ceulion *ell* lluosog caul, y dafnau bras sy'n ffurfio pan fydd llaeth yn suro ac sy'n cael eu defnyddio i wneud caws curds
ceulo *be* [ceul•¹] troi o fod yn hylif i ffurf fwy trwchus, e.e. cawsu fel llaeth neu dolchennu fel gwaed; caledu, cawsio, jelio to clot, to coagulate, to curdle

ceunant *eg* (ceunentydd) dyffryn hir a chul ag ochrau serth sydd fel arfer yn lletach na dyfnant canyon, gorge
ceunwyddau *ell* llestri o wydr, metel neu grochenwaith sydd â chyfaint neu ddyfnder sylweddol, yn enwedig rhai metel fel sosbannau, tegelli, etc. hollow ware
cewc *eg* (gair llafar yn y De)
 1 cipolwg, ciledrychiad peep
 2 golwg, meddwl estimation, regard
cewri *ell* lluosog cawr
 Côr y Cewri cylch hynafol o feini; y cylch arbennig a geir ar Wastadedd Caersallog yn ne Lloegr Stonehenge
cewyll *ell* lluosog cawell
cewyn *eg* (cewynnau:cawiau) lliain neu glwt sy'n cael ei glymu neu ei binio o gwmpas pen-ôl babi ac sy'n cael ei newid wedi iddo gael ei wlychu neu ei drochi nappy
ceyrydd *ell* lluosog caer
CFfI *byrfodd* Clwb Ffermwyr Ifanc YFC
CGC *byrfodd* Cynnyrch Gwladol Crynswth GNP
chaconne *eb* CERDDORIAETH dawns araf dri churiad i'r bar o'r cyfnod baróc sy'n seiliedig ar grwndfas
Chadaidd gw. Tsiadaidd
Chadiad gw. Tsiadiad
chalet *eg* bwthyn pren nodweddiadol, e.e. o'r Swistir, gyda'r to yn ymestyn dros ymylon blaen a chefn y tŷ
champlevé *eg* CELFYDDYD gwaith enamel addurnedig lle y llenwir ceudodau mewn gwaith metel ag enamel lliw
chargé d'affaires *eg* (*chargés d'affaires*) dirprwy lysgennad; cynrychiolydd diplomyddol gwlad yn un o wledydd llai y byd
Chec gw. Tsiecaidd
chiaroscuro *eg* CELFYDDYD y defnydd a wneir o olau a chysgod mewn gwaith celf
chop suey *eg* COGINIO saig Tsieineaidd lle y cymysgir darnau o gig a llysiau mewn isgell i'w gweini gyda nwdls a saws soya
choux *eg* COGINIO crwst ysgafn iawn sy'n cael ei wneud ag wy ac sy'n cael ei ddefnyddio ar gyfer teisennau, e.e. eclairs siocled a danteithion sawrus, fel byns *choux* caws
chow mein *eg* COGINIO saig Tsieineaidd yn seiliedig ar nwdls wedi'u ffrio neu eu berwi ac sy'n debyg i *chop suey*
ci *eg* (cŵn)
 1 anifail cyffredin sydd â phedair troed ac sydd wedi cael ei ddofi gan ddyn yn anifail anwes neu anifail gwaith dog
 2 ci gwryw dog
 3 enw difrïol ar berson, yn enwedig mewn ffurfiau cyfansawdd megis *clapgi, celwyddgi, cachgi* dog

Sylwch: gw. hefyd **cŵn**.

ci defaid ci wedi'i hyfforddi i warchod neu gorlannu defaid, neu'r math o gi y gellir ei hyfforddi at y gwaith hwn; bugeilgi sheepdog

ci glas (cŵn gleision) siarc bach tope

ci hela bytheiad, helgi hound

ci labrador ci â chot o flew byr o liw du, melyn neu frown a ddefnyddir fel adargi neu fel ci tywys i rywun dall labrador

Ymadroddion

byw fel ci a hwch/chath cweryla drwy'r amser

cadw ci a chyfarth eich hun gwneud rhywbeth yn lle yr un a ddylai ei wneud

ci bach cenau ci, ci anwes lapdog, pup, puppy

cŵn Annwn cŵn hela chwedlonol a ystyrid yn rhybudd fod rhywun yn mynd i farw; cŵn Bendith y Mamau hounds of hell

cŵn Bendith y Mamau cŵn y Tylwyth Teg a fyddai'n darogan angau; cŵn Annwn

cyn codi cŵn Caer yn gynnar iawn yn y bore

mynd i'r cŵn mynd ar ei waethaf, dirywio'n gyflym to go to the dogs

(mynd) rhwng y cŵn a'r brain gw. brain

ciaidd *ans* cas fel ci; anifeilaidd, annynol, creulon, mileinig brutal, cruel, hard-hearted

ciaidd o fe'i defnyddir i ddwysáu ystyr ansoddair negyddol ei ystyr, *yn giaidd o gas*

ciamocs gw. camocs

cib:cibyn *eg* (cibau:cibynnau) croen caled y tu allan i rywbeth, sy'n ei amddiffyn, e.e. croen hedyn, llestr hadau, coden; cod, masgl, plisgyn hull, husk, pod

ciblys *eg* (ciblysiau) codlys; un o deulu o blanhigion megis pys, ffa, meillion, etc. legume

cibo *be* [cib•¹] fel yn *cibo aeliau*, crychu talcen; cuchio, gwgu to knit one's brows

cibwst *eb* hynafol llosg eira chilblains

cibwts *eg* (cibwtsau) gwladfa neu drefedigaeth gydweithredol yn Israel kibbutz

cibyn gw. cib

cic *eb* (ciciau:cics)

1 ergyd â blaen troed kick

2 y gallu i adael ei ôl neu ei effaith, *Mae tipyn o gic yn y gwin 'ma.*; gwefr, hergwd, ias kick

cic adlam (mewn rygbi yn bennaf) cic sy'n digwydd wrth ollwng y bêl i'r llawr a'i chicio wrth iddi sboncio drop kick

cic gôl (mewn pêl-droed) cic gan y gôl-geidwad fel arfer i ailgychwyn chwarae ar ôl i'r bêl groesi ei linell gôl ef goal kick

cic gornel (mewn pêl-droed) cic rydd sy'n cael ei chymryd o'r naill eithaf neu'r llall i'r llinell gôl gan un o'r tîm sy'n ymosod ar y gôl honno, wedi i'r tîm sy'n amddiffyn fwrw'r bêl dros ei linell gôl ei hun corner kick

cic gosb (mewn pêl-droed neu rygbi) cic nad oes hawl gan chwaraewyr o'r tîm arall ymyrryd â hi; mae'n cael ei dyfarnu i un tîm ar ôl i'r tîm arall dorri un o reolau'r gêm penalty kick

cic rydd cic gosb ond weithiau heb yr hawl i gael sgorio'n uniongyrchol â'r gic honno free kick

Ymadroddion

cic i'r post i'r pared gael clywed cyflwyno barn neu gyngor i un gyda'r bwriad y bydd rhywun arall neu rywrai eraill sy'n bresennol yn cymryd sylw

nid oes disgwyl gan ful ond cic ffordd ddilornus o gyfeirio at rywun cwynfanllyd sy'n eich beio am rywbeth

cicaion *eg* pren neu blanhigyn y mae sôn amdano yn y Beibl a oedd yn hardd ac yn cynnig cysgod allan o'r haul

cicio *be* [cici•²]

1 bwrw â throed, rhoi ergyd â'r droed to kick

2 rhoi cic, *Ciciodd y ceffyl yn wyllt.*; ergydio to kick

cicio dros y tresi gwrthryfela, mynnu cael rhyddid to kick over the traces

cicio nyth cacwn codi cynnen, achosi cythrwfl to stir a hornet's nest

cicio sodlau aros yn hir heb ddim i'w wneud to kick (one's) heels

ciciwr *eg* (cicwyr) un sy'n cicio, yn enwedig anifail; chwaraewr sy'n medru cicio'r bêl yn dda kicker

ciclid *eg* (ciclidiaid) pysgodyn tebyg i'r draenogyn dŵr croyw ac sy'n aelod o deulu mawr o bysgod trofannol sy'n boblogaidd mewn acwaria cichlid

ciconia *eg* (ciconiaid) aderyn tal â chorff gwyn ac ymylon du i'w adenydd; mae ganddo wddf hir, pig hir a choesau hir cochaidd; storc ciconia, stork

cieidd-dra *eg* ymddygiad ciaidd; creulondeb, mileindra brutality, cruelty

cig *eg* (cigoedd) cnawd, yn enwedig cnawd anifeiliaid a ddefnyddir fel bwyd meat

cig bras braster ar gig fat

cig coch cig tywyll, e.e. cig eidion, cig oen, cig carw, etc. red meat

cig eidion cig gwartheg/da beef

cig gwyn

1 cig golau, e.e. cyw iâr, twrci, etc. white meat

2 braster ar gig fat

cig moch cig wedi'i halltu neu ei drin o ystlys neu gefn y mochyn; bacwn bacon

cig mochyn cig mochyn heb ei halltu neu ei drin; porc pork

cig oen lamb

cig y dannedd deintgig; y cnawd o gwmpas gwreiddiau'r dannedd gum

Ymadrodd
cig a gwaed
1 unigolyn cyflawn, y gellir credu yn ei gryfder
a'i wendidau, *Fel dramodydd, cryfder Saunders
Lewis yw ei gymeriadau cig a gwaed.*
2 teulu a pherthnasau flesh and blood

cigfran *eb* (cigfrain) aderyn ysglyfaethus a'r
mwyaf o deulu'r brain; mae ganddo ben du
sgleiniog, crawc gras ac mae'n bwydo ar gyrff
marw yn bennaf raven

cignoeth *ans* mor boenus â chnawd byw heb
groen drosto, yn brifo i'r byw; dolurus, poenus,
tost cutting to the quick, raw
  cignoeth o fe'i defnyddir i ddwysáu ystyr
  ansoddair, *yn gignoeth o onest*

cigwain *eb* (cigweiniau) bach dal cig meat hook

cigwrthodaeth *eb* y weithred o ymwrthod â
bwyta cig neu bysgod; llysieuaeth vegetarianism
  cigwrthodaeth gaeth feganiaeth veganism

cigwrthodwr *eg* (cigwrthodwyr) llysieuwr; un sy'n
ymwrthod â bwyta cig neu bysgod vegetarian

cigydd¹ *eg* (cigyddion) un sy'n ennill ei
fywoliaeth drwy werthu cig neu drwy ladd
anifeiliaid am eu cig; bwtsier butcher

cigydd² *eg* (cigyddion) aderyn cân â phig gref
ddanheddog, sy'n trywanu'i ysglyfaeth
(adar mân, pryfed, madfallod) ar ddrain neu
wifren bigog butcher-bird, shrike

cigyddes *eb* (cigyddesau) merch neu wraig sy'n
gigydd butcher (female)

cigyddiaeth *eb* y broses o baratoi cig i'w
werthu; bwtsiera butchery

cigysol *ans* (am anifail neu blanhigyn) yn bwydo
ar anifeiliaid carnivorous

cigysydd *eg* (cigysyddion) organeb, e.e. llew,
arth, planhigyn cigysol, etc. sy'n bwydo ar
anifeiliaid carnivore

cil *eg* (ciliau:cilion)
  1 cwr, cornel, congl, *cil y llygad* corner
  2 lle o'r neilltu, *cil y mynydd*; cilfach, encil,
  lloches nook
  3 diffyg ar yr Haul neu'r Lleuad eclipse
  4 pedwar chwarter y Lleuad, ciliad y Lleuad
  waning
  ar gil y gwaith o ymgilio retreat
  cil y drws cymaint o le ag sydd rhwng y drws
  a ffrâm y drws pan nad yw'r drws wedi'i gau'n
  dynn
  cnoi cil
  1 codi bwyd o'r stumog yn ôl i'r geg i'w
  ail-gnoi a'i ail-dreulio (bydd gwartheg/da
  a rhai anifeiliaid eraill yn gwneud hyn); cilgnoi
  to chew the cud
  2 (yn ffigurol) meddwl yn ddwfn dros rywbeth
  a chymryd amser i'w ystyried to ruminate,
  to chew over, to chew the cud

cilagor *be* [cilagor•¹] agor ychydig, hanner agor,

*Cilagorodd y drws yn y gwynt. Cilagorodd
Megan y drws a chymryd cip ar yr ystafell.*
to part open

cilagored *ans* wedi'i agor ychydig; lled-agored
ajar

cilan *eb* (cilannau)
  1 bae bach cul, llecyn ar yr arfordir lle mae
  tafod o'r môr wedi creu hafan neu loches;
  cilfach cove, inlet
  2 hollt, bwlch, cilfach recess

cilannog *ans* am rywbeth a hollt neu fwlch
ynddo recessed

cilannu *be* [cilann•¹⁰] adeiladu neu lunio cilan
to recess
  Sylwch: dyblwch yr 'n' ym mhob ffurf ac
  eithrio yn y rhai sy'n cynnwys -*as*-.

cilbost *eg* (cilbyst) postyn yn cynnal llidiart (gât)
neu ddrws, neu un y mae llidiart neu ddrws yn
cau yn ei erbyn doorjamb

cilbren *eg* (cilbrennau) y pren neu'r set o blatiau
sy'n rhedeg ar hyd gwaelod cwch neu long ac
sy'n sylfaen i weddill yr adeiladwaith keel

cilcyn *eg* (cilcynnos) darn, lwmp, talp, tamaid
chunk, lump

cilchwarren *eb* (cilchwarennau) tonsil; un o'r
ddau ddarn bach hirgrwn sy'n tyfu ar ddwy
ochr y gwddf yng nghefn y geg tonsil

cildorri *be* [cildorr•⁹] (mewn gêm fel tennis)
taro'r bêl ag ergyd byr, sydyn, am i lawr to chop
  Sylwch: dyblwch yr 'r' ym mhob ffurf ac
  eithrio yn y rhai sy'n cynnwys -*as*-.

cildrem *eb* cipolwg o gil y llygad sideways glance

cildroad *eg* (cildroadau) y weithred o gildroi,
canlyniad cildroi reversal

cildroadedd *eg* y cyflwr o fod yn gildroadwy
reversibility

cildroadwy *ans* y gellir ei gildroi; (e.e. am broses
gemegol y mae modd ei gwrthdroi) reversible

cildroi *be* [cildro•¹⁷] gosod mewn trefn o chwith;
troi wyneb i waered, *cildroi dalen o bapur*
to reverse

cildwrn *eg* (cildyrnau)
  1 tâl ychwanegol i rywun am wasanaeth, e.e.
  mewn gwesty, lle trin gwallt, etc. gratuity, tip
  2 tâl dirgel er mwyn dylanwadu yn
  anghyfreithlon ar benderfyniad; tâl neu rodd ar
  gyfer llwgrwobrwyo bribe

cilddant *eg* (cilddannedd) ANATOMEG dant a geir
yng nghefn ceg mamolyn ac a ddefnyddir i falu
bwyd molar
  cilddant blaen ANATOMEG dant a leolir rhwng
  dant y llygad â childdant ôl premolar
  cilddant ôl ANATOMEG un o'r pedwar cilddant
  yng nghefn y geg sy'n ymddangos pan fydd
  rhywun yn tynnu am ei ugeiniau wisdom tooth

cilddwr *eg* (cilddyfroedd) corff o ddŵr yn cael ei
ddal yn ôl, e.e. gan argae, llanw, etc. backwater

ciledrych *be* [ciledrych•[1]] taflu golwg o gil y llygad, edrych yn gyflym ac yn llechwraidd; cipedrych, pipo (~ **ar**) to glance, to peep

ciledrychiad *eg* edrychiad o gil y llygad, edrychiad llechwraidd; cipdrem, cipolwg, sbec glance

cilfach *eb* (cilfachau)
1 lle cysgodol, cornel i lechu ynddi, llecyn dirgel, diogel; encil, lloches enclave, nook, recess
2 bae bach cul, llecyn ar yr arfordir lle mae tafod o'r môr wedi creu hafan neu loches; cilan cove, creek, inlet
3 MEDDYGAETH unrhyw goden sy'n ffurfio oherwydd gwendid mewn wal yn un o rannau mewnol y corff, yn enwedig wal y coluddion diverticulum
    cilfach barcio ardal ar ymyl ffordd fawr i geir gael tynnu i mewn a pharcio lay-by
    Ymadrodd
    cilfach werdd gwerddon oasis

cilfantais *eb* (cilfanteision) CYLLID elw neu fantais a geir yn annibynnol ac ar ben cyflog, yn enwedig rhywbeth a gynigir neu a ddisgwylir fel rhan o swydd fringe benefit, perk, perquisite

cilffordd *eb* (cilffyrdd) heol fach anaml ei defnydd byway

cilgant *eg* (cilgantau) gwedd y Lleuad (hefyd y planedau Gwener a Mercher) pan nad yw'n llawn, pan fydd yn llai na hanner cylch; dyma arwyddlun crefydd Islam crescent

cilgantaidd *ans* tebyg i gilgant, nodweddiadol o gilgant crescent

cil-gnoi *be* [cilgno•[17]] yr hyn y mae rhai anifeiliaid megis gwartheg/da yn ei wneud wrth godi bwyd o'r stumog yn ôl i'r geg i'w ail-gnoi a'i aildreulio; cnoi cil to chew the cud

cilgnöwr *eg* (cilgnowyr) anifail cnoi cil; mamolyn carnol sy'n cnoi cil, e.e. defaid, gwartheg/da, ceirw, camelod, etc. ruminant

ciliad *eg* (ciliadau) y broses o gilio waning, withdrawal

cilio *be* [cili•[2]]
1 symud yn ôl, tynnu'n ôl, troi'n ôl; cefnu, encilio, pellhau, ymadael (~ **o**; ~ **i**; ~ **rhag**) to retreat, to withdraw
2 (am amser) llithro heibio; pasio to pass
3 diflannu'n raddol, *yr eira yn cilio yng ngwres yr haul*; lleihau, treio to ebb, to recede, to shrink, to wane

ciliwm *eg* (cilia) BIOLEG ffurfiad tebyg i flewyn ar arwyneb cell neu organeb syml cilium

cilo *eg* (cilos) mesur o fil o unedau yn y system ddegol o rifo a mesur; k kilo

cilobeit *eg* (cilobeitiau) CYFRIFIADUREG 1024 beit cyfrifiadurol; KB kilobyte

cilogram *eg* (cilogramau) uned mesur pwysau, 1000 gram; kg kilogram

cilolitr *eg* (cilolitrau) uned mesur cyfaint, 1000 litr; kl kilolitre

cilometr *eg* (cilometrau) uned mesur pellter, 1000 metr; km kilometre

ciloseicl *eg* (ciloseiclau) 1000 seicl; kc kilocycle

cilowat *eg* (cilowatiau) uned mesur pŵer trydanol, 1000 wat; kW kilowatt

cilt *eg* (ciltiau) gwisg draddodiadol Albanwr ar ffurf sgert o frethyn tartan wedi'i lapio am y canol a'i chydio ynghyd ar ei blaen kilt

cilwen *eb* (cilwenau) rhyw hanner gwên fursennaidd neu ddirmygus simper, sneer

cilwenu *be* [cilwen•[1]] lledwenu mewn ffordd fursennaidd neu ddirmygus (~ **ar**) to simper, to sneer

cilwg *eg* (cilygon) golwg gas; cuwch, gwg frown, scowl

cilwgu *be* [cilwg•[1]] crychu talcen mewn anfodlonrwydd; cuchio, digio, gwgu to scowl

cilydd *eg* (cilyddion)
1 gw. gilydd
2 MATHEMATEG y rhif a geir wrth rannu 1 gan rif arall, e.e. *Cilydd 10 yw 0.1, cilydd 3 yw* $^1/_3$. reciprocal

cilyddol *ans*
1 y naill yn dibynnu ar y llall reciprocal
2 MATHEMATEG (am feintiau neu ffwythiannau) yn perthyn i'w gilydd fel mai 1 yw eu lluoswm, e.e. *Mae 5 a 0.2 yn rhifau cilyddol.* reciprocal

cimwch *eg* (cimychiaid) anifail cramennog o liw glas tywyll, a chanddo bedwar pâr o goesau, dwy grafanc fawr a chynffon; mae'n byw yn y môr ac yn cael ei bysgota am ei gig sy'n troi'n binc wrth gael ei goginio lobster

cimwch coch *eg* (cimychiaid cochion) anifail y môr, tebyg iawn ei olwg i'r cimwch ond yn llai o faint crayfish

cinaesthesia:cinesthesia *eg* y synnwyr sy'n canfod lleoliad y corff, pwysau'r corff a thyndra a symudiadau'r cyhyrau kinaesthesia

cinaesthetig:cinesthetig *ans* yn ymwneud â chinaesthesia kinaesthetic

cinc *eg* (cinciau)
1 plyg neu dro tyn wrth i rywbeth gael ei blygu neu ei droi kink
2 tro neu anghysondeb yng nghymeriad rhywun; mympwy kink

cinemateg *eb* FFISEG cangen o ddynameg sy'n astudio mudiant heb ystyriaethau grym neu ryngweithiad kinematics

cinematig *ans* FFISEG yn ymwneud â chinemateg kinematic

cinesthesia gw. cinaesthesia
cinesthetig gw. cinaesthetig

cineteg *eb*
 1 CEMEG cangen o gemeg yn ymwneud â chyfraddau adweithiau cemegol kinetics
 2 FFISEG term arall am **dynameg** kinetics

cinetig *ans*
 1 FFISEG yn ymwneud â symudiad, e.e. *egni cinetig* kinetic
 2 FFISEG term arall am **dynamig**

cingroen *eb* (cingrwyn) llysieuyn drewllyd yn debyg i gaws llyffant sy'n tyfu mewn fforestydd yn enwedig lle mae llystyfiant yn pydru stinkhorn

ciniawa *be* [ciniaw•³ *llu. gorff.* ciniawsom etc.] bwyta cinio, bwyta prif bryd y diwrnod; mynd allan i ginio i rywle arbennig neu ar achlysur arbennig; cyfeddach, gloddesta, gwledda (~ **ar**) to dine, to feast, to lunch

cinio *eg* (ciniawau)
 1 prif bryd bwyd y dydd, sy'n cael ei fwyta naill ai ganol dydd (amser cinio) neu gyda'r hwyr lunch, dinner
 2 pryd o fwyd ffurfiol er anrhydedd i rywun neu rywrai neu i ddathlu achlysur arbennig dinner

cintach(u) gw. **ceintach(u)**

ciosg *eg* (ciosgau)
 1 math o gaban agored lle y bydd papurau newydd, losin, hufen iâ neu fyrbrydau'n cael eu gwerthu kiosk
 2 caban arbennig ar gyfer ffôn cyhoeddus kiosk

cip *eg* golwg brysiog; cipolwg, sbec, trem glimpse, look

cipar gw. **ciper**

cipdrem *eb* (cipdremion) golwg sydyn; ciledrychiad, cipolwg, sbec glimpse

cipddarllen *be* [cipddarllen•¹] darllen (llythyr, adroddiad, llyfr, etc.) yn gyflym gan nodi'r pwyntiau pwysicaf to skim

cipedrych *be* [cipedrych•¹] bwrw golwg brysiog, edrych yn lladradaidd; ciledrych, pipo (~ **ar**) to glance

ciper:cipar *eg* (ciperiaid) un sy'n gyfrifol am fagu a gwarchod rhai mathau o adar (megis y ffesant neu'r rugiar), neu weithiau anifeiliaid, e.e. ceirw, er mwyn i bobl gael eu hela neu eu saethu gamekeeper, keeper

cipio *be* [cipi•²]
 1 tynnu ymaith yn sydyn, mynd â (rhywbeth) i ffwrdd; camfeddiannu, dwyn, lladrata, ysbeilio (~ *rhywbeth* **oddi ar**) to snatch, to steal
 2 bachu, ennill, *Cipiodd y wobr gyntaf yn y sioe.* to take, to win
 3 CYFRIFIADUREG peri bod data yn cael eu storio mewn cyfrifiadur to capture

cipiwr *eg* (cipwyr) un sy'n cipio, un sy'n dwyn drwy drais snatcher

cipolwg *eg* (cipolygon) golwg cyflym, edrychiad sydyn; cip, rhagflas, sbec, trem glance, glimpse, peep

bwrw cipolwg dros edrych dros, archwilio (heb fod yn fanwl) look over

ciprys *eg* ysgarmes am feddiant neu wobr skirmish
 gair ciprys cwyn cysetlyd cavil

circadaidd *ans* BIOLEG am gylchred fiolegol sy'n digwydd yn naturiol bob pedair awr ar hugain circadian

cirocwmwlws *eg* METEOROLEG cwmwl sy'n ffurfio haen doredig o gymylau bach crwn, gwyn yn uchel yn yr awyr cirrocumulus

cirol *ans* CEMEG (am grisial neu foleciwl) na ellir ei arosod yn union ar ei ddrych-ddelwedd chiral

ciropodydd *eg* (ciropodyddion) un sy'n trin anhwylderau'r traed chiropodist

ciropracteg *eb* system o feddygaeth gyflenwol sy'n trin problemau mecanyddol cymalau, cyhyrau a nerfau'r corff, yn enwedig rhai'r asgwrn cefn chiropractic

ciropractydd *eg* (ciropractyddion) un sy'n defnyddio ceiropracteg er mwyn gwella pobl chiropractor

cirrus *eg*
 1 cwmwl ar ffurf rhibynnau ysgafn, gwyn yn uchel yn yr awyr cirrus
 2 tendril planhigyn neu flewyn o ffilament cirrus

cis *eg* (cisiau) ergyd ysgafn, fel yn *chwarae cis* tag

cist *eb* (cistiau)
 1 blwch mawr; coffr chest, coffer
 2 arch y marw coffin
 cist car gwagle (fel arfer) yng nghefn car ar gyfer cludo pethau boot
 cist ddillad cwpwrdd tal ar gyfer hongian neu gadw dillad; cwpwrdd dillad wardrobe
 cist flawd blwch i gadw blawd ynddo flour-bin
 cist lythyron (cistiau llythyron) agen neu hollt mewn drws ar gyfer derbyn llythyron letter box
 cist rew rhewgell deep freeze, freezer

cistfaen *eb* (cistfeini) *hanesyddol* math o fedd hynafol ar lun pedrongl o feini mawr ynghyd â maen mawr arall yn glawr arno; cromlech dolmen

cisys *ell* danteithion melys; candis, da-da, fferins, losin, melysion, minceg, pethau da, taffis sweets

cit *eg* (citiau)
 1 set o offer, dillad, etc. ar gyfer pwrpas penodol kit
 2 set o gydrannau i gydosod rhywbeth kit

citin *eg* BIOCEMEG sylwedd caled o garbohydrad cymhleth a geir yn sgerbwd allanol arthropodau ac yng nghellfuriau ffyngau chitin

citrig:sitrig *ans* fel yn *asid citrig*, asid a geir o sudd lemon, leim neu ffrwythau sur eraill, neu drwy eplesu siwgrau (proses sy'n digwydd oddi mewn i'r corff); mae ganddo flas siarp citric
 Sylwch: ysgrifennwch yr hyn yr ydych yn ei ynganu.

citrws:sitrws *eg* (citrysau: sitrysau) un o nifer o goed pigog o genws sy'n cynnwys coed lemon, oren, leim a grawnffrwyth ac a dyfir er mwyn eu ffrwythau bwytadwy llawn sudd; pren y goeden hon citrus
  Sylwch: ysgrifennwch yr hyn yr ydych yn ei ynganu.

ciw¹ *eg* (ciwiau) rhes o bobl neu gerbydau yn aros eu tro cyn cael symud ymlaen; cwt queue

ciw² *eg* (ciwiau) y ffon hir â blaen main iddi sy'n cael ei defnyddio mewn biliards, pŵl neu snwcer i fwrw'r peli o gwmpas y bwrdd cue

ciw³ *eg* (ciwiau) arwydd i actor neu berfformiwr i ddod i mewn neu i ddechrau ei berfformiad cue

ciwb *eg* (ciwbiau)
  1 MATHEMATEG siâp tri dimensiwn ac iddo chwe wyneb sgwâr o'r un maint, tebyg i ddis cyffredin cube
  2 MATHEMATEG canlyniad lluosi rhif ddwywaith ag ef ei hun, *Ciwb 2 (2³) (sef 2 × 2 × 2) yw 8.* cube
  rhif ciwb gw. rhif

ciwbaidd *ans* CELFYDDYD yn nodweddiadol o giwbiaeth cubist

Ciwbaidd *ans* yn perthyn i Cuba, nodweddiadol o Cuba Cuban

Ciwbiad *eg* (Ciwbiaid) brodor o Cuba Cuban

ciwbiaeth *eb* CELFYDDYD arddull a mudiad celf dylanwadol, yn enwedig ym maes arlunio, ar ddechrau'r ugeinfed ganrif a gynrychiolai wrthrychau a phobl fel siapiau geometrig; yn wahanol i'r persbectif traddodiadol, a oedd yn darlunio pethau o un safle statig 'unllygeidiog', roedd yr arddull hon yn darlunio nifer o wahanol onglau ar yr un pryd gan geisio cynnwys pob syniad posibl am y testun cubism

ciwbig *ans*
  1 ar lun ciwb cubic
  2 MATHEMATEG am uned o fesur sy'n cyfateb i gyfaint ciwb a hyd ei ymylon yn un uned, e.e. metr ciwbig cubic
  3 MATHEMATEG am achos lle y defnyddir ciwb newidyn neu faint (ond nid unrhyw bŵer uwch na 3), e.e. mae $z^3 + 5z^2 + 6 = 0$ yn hafaliad ciwbig cubic

ciwbio *be* [ciwbi•²]
  1 (am fwyd, etc.) torri'n giwbiau to cube
  2 MATHEMATEG lluosi rhif penodol ag ef ei hun ddwywaith, codi i'r pŵer 3, e.e. 5 × 5 × 5 = 125 to cube

ciwboid *eg* (ciwboidau) MATHEMATEG siâp tri dimensiwn ac iddo chwe wyneb petryal cuboid

ciwbydd *eg* (ciwbyddion) CELFYDDYD arlunydd sy'n arddel arddull ciwbiaeth cubist

ciwcymber *eg* (ciwcymberau) llysieuyn hir ac iddo groen gwyrdd tywyll a thu mewn gwyrdd golau, dyfrllyd; mae'n cael ei fwyta heb ei goginio, gan amlaf, fel rhan o salad cucumber

ciwed *eb* (ciweidiau) grŵp o bobl, torf (gydag awgrym sarhaus o fod yn afreolus neu'n anwar); criw, fflyd, haid gang, mob, rabble

ciwio¹ *be* [ciwi•²] ymuno â chiw; ffurfio ciw (~ am *rywbeth*) to queue

ciwio² *be* [ciwi•²] bwrw peli pŵl, snwcer neu filiards â chiw to cue

ciwpid *eg* (ciwpidiau) y duw Cupid ar ffurf bachgen ifanc noeth yn dal bwa a saeth cupid

ciwrad:ciwrat *eg* (ciwradiaid) dirprwy offeiriad eglwys sy'n cynorthwyo offeiriad plwyf; curad curate

ciwt *ans* [ciwt•]
  1 â meddwl chwim; clyfar, cyfrwys, siarp smart
  2 bach, pert ac atyniadol; del, ffel cute

cl *byrfodd* centilitr cl

clacwydd:clagwydd *eg* (clacwyddau: clagwyddau) ceiliog gŵydd, gŵydd wryw gander

cladd *eg* (claddau) pentwr o datws a phridd neu wellt drostynt i'w cadw dros y gaeaf clamp

claddedigaeth *eb* (claddedigaethau) y gwasanaeth claddu; angladd, arwyl, cynhebrwng burial, funeral

claddfa *eb* (claddfeydd) man lle mae cyrff y meirwon yn cael eu claddu; beddrod, mynwent cemetery, graveyard

claddgell *eb* (claddgellau:claddgelloedd)
  1 PENSAERNÏAETH cell danddaearol neu rannol danddaearol, yn enwedig un dan brif lawr eglwys a ddefnyddir yn gapel neu'n storfa eirch; crypt, daeargell crypt, vault
  2 cromgell crypt, tomb, vault, catacomb

claddu *be* [cladd•³ 3 un. pres. cladd]
  1 gosod corff marw mewn bedd to bury, to inter
  2 gosod rhywbeth mewn twll yn y ddaear a'i orchuddio â phridd gyda'r bwriad o'i guddio neu ei adael yno, *claddu trysor*; daearu, priddo to bury
  3 llyncu bwyd yn wancus; llowcio, sglaffio, traflyncu to gobble
  claddu ei fwyd llyncu'i fwyd yn wancus, llarpio'i fwyd, sglaffio'i fwyd to devour

claddwr *eg* (claddwyr) un sy'n claddu; cloddiwr burier, digger

claear *ans*
  1 heb fod yn boeth nac yn oer, canolig o ran gwres; llugoer lukewarm, tepid
  2 heb fod yn frwdfrydig, heb deimlo'n gryf dros nac yn erbyn rhywbeth; difater unenthusiastic, indifferent

claearineb *eg* y cyflwr o fod yn llugoer, diffyg brwdfrydedd; difaterwch indifference

claer *ans* yn tywynnu, yn llathru; clir, croyw, disglair, gloyw, llathraidd bright, clear, shining

claerder *eg* disgleirdeb, gloywder, eglurder brightness

claerwyn *ans* [claerwynn• *b* claerwen] (claerwynion) gwyn a disglair, gwelw a gloyw; cannaid pallid, pure white

claf¹ *eg* (cleifion) rhywun sâl, rhywun ag afiechyd neu anaf; dioddefwr invalid, patient

claf allanol person sy'n mynd i'r ysbyty i gael triniaeth ond heb aros yno dros nos outpatient

Ymadrodd

claf diglefyd un sy'n poeni'n ormodol am gyflwr ei iechyd; poenyn hypochondriac

claf² *ans* ag afiechyd; anhwylus, gwael, sâl, tost ill, sick

Sylwch: nid yw'n arfer cael ei gymharu.

claf o gariad yn hiraethus neu'n wan yn dilyn syrthio mewn cariad love-sick

clafdy *eg* (clafdai) *hanesyddol* tŷ ar gyfer rhai yn dioddef o'r gwahanglwyf infirmary

claficord *eg* (claficordiau) offeryn petryal â seinglawr yr oedd ei dannau yn cael eu taro oddi tanynt gan binnau bach metel clavichord

clafr:clafri:clefri *eg* clefyd (mewn anifeiliaid yn bennaf) sy'n peri crach ar y croen mange, scabies

clafrllyd *ans* a chrach drosto; crachlyd, cramennog mangy, scabby

clafrllys *eg* planhigyn â sypyn tyn o flodau glas, lelog neu fioled, a ddefnyddid gynt i drin y clafr scabious

clafychu *be* [clafych•¹] mynd yn sâl neu'n dost; dihoeni, gwaelu, llesgáu, nychu to ail, to fall sick, to sicken

clagwydd gw. **clacwydd**

clai *eg* (cleiau) math o bridd trwm, gludiog sy'n cynnwys gronynnau mân iawn wedi'u clymu wrth ei gilydd â lleithder clay, adobe

clais¹ *eg* (cleisiau)

1 nam sy'n afliwio croen person neu ffrwyth o ganlyniad i ergyd; briw, clwyf, dolur bruise, contusion

2 rhywbeth sy'n debyg i glais o ran lliw neu ffurf, e.e. smotiau bras o liw tywyll ar geffyl

clais y dydd toriad dydd daybreak

clais² *eb* (cleis(i)au) *mewn enwau lleoedd* y ffos neu'r llwybr y mae afonig yn rhedeg ar ei hyd, e.e. *Penglais, Y Glais*; ffos, nant, rhych

Clamai gw. **Calan Mai**

clamp¹ *eg* (clampiau) talp mawr ei faint, *clamp o ddyn, clamp o gelwydd*; clobyn (~ o) giant, whopper

clamp² *eg* (clampiau) math o offeryn i gryfhau neu i gadw dau beth yn dynn wrth ei gilydd, e.e. pan fydd saer am ludio dau ddarn o bren wrth ei gilydd bydd yn defnyddio clamp o ryw fath i'w cadw'n dynn nes i'r glud sychu clamp

clampio *be* [clampi•²]

1 dal rhywbeth yn dynn â chlamp to clamp

2 cloi clamp wrth olwyn cerbyd sydd wedi'i barcio'n anghyfreithlon to clamp

clamydosbor *eg* (clamydosborau) BIOLEG sbôr rhai mathau o ffyngau neu algâu sy'n gallu aros ynghwsg cyn datblygu o'r newydd chlamydospore

clan *eg* (claniau) grŵp o deuluoedd, yn enwedig yng ngogledd yr Alban, sy'n arddel yr un dras; gwehelyth, llwyth, tylwyth clan

clandro *be* [clandr•¹] bwrw cyfrif, rhifo; cyfrif, cyfrifo to calculate

Clanmai gw. **Calan Mai**

clap *eg* (clapiau:claps)

1 sŵn sydyn, caled, e.e. sŵn dwylo'n taro yn erbyn ei gilydd; clec, cnoc, trawiad clap

2 cnepyn, darn, talp, *clap o lo* lump

3 mân siarad, *cario claps*; stori, clec gossip

clapgi *eg* (clapgwn) un sy'n hoff o glapian, o hela clecs, o gario straeon gossip, snitch, telltale

clapian *be* [clapi•²] cario clecs, adrodd straeon, datgelu'n faleisus, taenu cleber; clepian (~ **wrth rywun**) to gossip, to tell tales

clapio *be* [clapi•²]

1 curo dwylo to clap

2 curo rhywun i'w gyfarch neu ei longyfarch â chledr y llaw; taro, slapio to clap, to slap

3 ffurfio lympiau (clapiau)

clapiog *ans*

1 llawn lympiau; anwastad, clonciog lumpy, rough

2 heb fod yn safonol neu raenus, heb fod yn llyfn ac yn gywir, *Cymraeg clapiog oedd gan yr Aelod Seneddol.*; anghywir, bratiog, carbwl, clogyrnaidd awkward, stilted

clared *eg* gwin coch sych, yn wreiddiol o ardal Bordeaux yn Ffrainc ond erbyn hyn o nifer o wledydd eraill claret

clarinét *eg* (clarinetau) offeryn cerdd o deulu'r chwythbrennau; mae'n cael ei ganu drwy chwythu ar gorsen sengl ac mae'r nodau'n cael eu hamrywio drwy wasgu bysellau neu gau tyllau â'r bysedd clarinet

clarinetydd *eg* (clarinetwyr) un sy'n canu'r clarinét clarinettist

clarsach *eg* (clarsachau) y delyn fach Geltaidd a adfywiwyd yn yr Alban

clas *eg* (clasau)

1 *hanesyddol* cymdeithas o fynachod neu glerigwyr, yn cynnwys o leiaf un offeiriad ac abad yn ben arni (un o ffurfiau'r eglwys yng Nghymru cyn dyfodiad y Normaniaid yn yr unfed ganrif ar ddeg)

2 (mewn eglwys neu fynachlog) llwybr yn ymyl sgwâr agored a mur ar un ochr iddo a tho drosto cloister

clast *eg* (clastau) DAEAREG darn o graig neu fwyn clast

clastig *ans* DAEAREG (am greigiau) wedi'u gwneud o ddarnau o greigiau neu glastau hŷn clastic

clastir *eg* (clastiroedd) tir yn perthyn i glas neu eglwys; darn o dir a roddid i offeiriad yn rhan o'i fywoliaeth glebe

clasur *eg* (clasuron) gwaith o'r safon uchaf sy'n perthyn i brif ffrwd y traddodiad, yn enwedig gwaith celfyddydol a llenyddol classic

clasuriaeth *eb* yr hyn sy'n nodweddiadol o glasur, yn enwedig clasuron llenyddol Groeg a Rhufain classicism

clasurol *ans*
1 o'r safon uchaf, yn perthyn i'r dosbarth blaenaf (yn enwedig gwaith celfyddydol a llenyddol); coeth classic
2 yn perthyn i gelfyddyd neu ddiwylliant Groeg neu Rufain classical
3 tebyg i waith celfyddydol y Rhufeiniaid a'r Groegiaid a'i bwyslais ar ddisgyblaeth, coethder a ffurf gelfyddydol yn hytrach nag ar deimladau a ffurfiau rhydd; disgybledig, traddodiadol classical

clasurwr *eg* (clasurwyr)
1 un sy'n arddel nodweddion clasuriaeth classicist
2 ysgolhaig yn arbenigo yn y clasuron Groeg a Lladin classicist

clatsh *ans* am deisen heb ei choginio drwyddi; soeglyd

clatsian *be* tasgu, poeri, clecian to crackle
  Sylwch: nid yw'r ferf hon yn arfer cael ei rhedeg.

clatsien *eb* (clatsys) bonclust (yn enwedig â chledr y llaw), hefyd yn ffigurol, *Roedd colli'r fuwch yn dipyn o glatsien i'r ffermwr.*; ergyd, trawiad slap, blow

clatsio *be* [clatsi•²] taflu ergyd neu ergydion; bwrw, curo, slapio, taro to hit, to strike
  clatsio arni bwrw ymlaen yn egnïol; mwstro to get a move on
  clatsio bant dechrau, rhoi cychwyn ar (rywbeth) to get moving

clathrad *eg* (clathradau) CEMEG cyfansoddyn cemegol lle mae un sylwedd wedi'i ddal y tu mewn i ddelltwaith crisial sylwedd arall clathrate

clau:clou *ans* [clou•] ar frys; buan, cyflym, chwim, sydyn fast, quick
  Sylwch: ffurf lafar y De yw 'clou', ni chlywir y ffurf 'clau' ar lafar.

clawdd *eg* (cloddiau)
1 wal o bridd a cherrig neu dywyrch; gwrych neu berth sydd ar glawdd neu sy'n ffurfio clawdd ei hunan; gwrych, perth, sietin dyke, hedge
2 ffos sy'n cael ei chloddio i godi wal o bridd a cherrig ditch, gutter

Clawdd Offa y clawdd a godwyd yn ffin rhwng Cymru a Lloegr a gafodd ei enwi ar ôl Offa, brenin Mersia rhwng OC 757 a 796 Offa's Dyke
Ymadroddion
  bol clawdd gw. bol
  clawdd terfyn clawdd yn nodi terfyn; ffin boundary

clawr *eg* (cloriau)
1 rhywbeth sy'n gorwedd ar neu dros (rywbeth), yn enwedig os yw'n ei guddio; caead, gorchudd cover, lid
2 rhan allanol, gwarchodol, llyfr neu gylchgrawn sy'n fwy trwchus a gwydn na'r tudalennau eraill; cas cover
3 bwrdd, yn enwedig bwrdd ar gyfer chwarae gêm, *clawr gwyddbwyll*; astell, wyneb board, surface
4 darn solet nad yw'n drwchus sy'n cau neu'n selio (rhywbeth), *clawr desg* lid
  clawr meddal:clawr papur am lyfr paperback
  clawr y llygad amrant; un o'r ddau ddarn o groen sy'n gorchuddio pelen y llygad pan fydd y llygad ar gau eyelid
Ymadroddion
  ar glawr wedi'i gofnodi, ar gof a chadw available, on record
  dwyn i glawr darganfod rhywbeth fu ar goll to bring to light

clawstr *eg* (clawstrau) (mewn eglwys neu fynachlog) llwybr yn ymyl sgwâr agored a mur ar un ochr iddo a tho drosto cloister

clawstroffobia *eg* MEDDYGAETH ofn mannau cyfyng claustrophobia

cleber:clebar *egb* mân siarad; baldordd, gwag-siarad, lol chatter, tittle-tattle

clebran *be* [clebr•¹] siarad yn ddi-baid, hel straeon, dweud clecs; bregliach, clepian, cloncian, janglo (~ **wrth** *rywun*) to chatter, to gossip

clebren *eb* (clebrennod) merch neu wraig sy'n clebran ac yn hel straeon; janglen, cloncen chatterbox, gossip

clebryn *eg* (clebrynnod) un sy'n clebran, neu'n hel straeon; baldorddwr, pepryn chatterbox, gossip

clec *eb* (clecs)
1 sŵn dau beth caled yn taro'i gilydd; clap, cnoc, trawiad clap, snap
2 stori am bobl, gwag-siarad; cleber gossip
3 sain cynghanedd lwyddiannus mewn cerdd
  y Glec Fawr FFISEG enw ar ddamcaniaeth wyddonol sy'n ceisio esbonio sut yr ymffurfiodd y bydysawd o bwynt dwys tua 13.7 biliwn o flynyddoedd yn ôl Big Bang
Ymadroddion
  cael clec *di-chwaeth* bod rhywun yn feichiog to have a bun in the oven

coes glec coes bren peg leg

rhoi clec ar fawd to snap one's fingers

clecian be [cleci•²]

1 gwneud sŵn caled, sydyn fel rhywbeth yn cracio neu rywun yn clapio dwylo, *clecian bysedd*; clicio, clindarddach to crackle, to snap 2 cario clecs, datgelu rhyw stori; clebran, clepian, prepian (~ wrth *rywun*) to gossip, to tell tales

clecs ell straeon gwag am bobl; cleps gossip

cario clecs gw. cario

hel clecs dweud straeon ar led, hel straeon to gossip

cledr:cledren eb (cledrau)

1 yn wreiddiol, canllaw, ffon, gwialen, post rail, rod, stave 2 erbyn heddiw, rheilen reilffordd rail 3 ANATOMEG ochr fewnol y llaw rhwng y bysedd a'r arddwrn palm

cledr y ddwyfron sternwm; asgwrn tenau, gwastad sy'n rhedeg i lawr canol y frest y mae'r asennau ynghlwm wrtho; asgwrn y frest breastbone, sternum

cledrau ell rheiliau'r rheilffordd railway lines

cledriadur eg (cledriaduron) cyfrifiadur bychan y mae modd ei ddal mewn un llaw palmtop

cledro be [cledr•¹] bwrw'n galed ac yn gryf; curo, ergydio, pwnio, taro (~ *rhywbeth â*) to bash, to wallop

cledd eg (cleddau) ffurf dalfyredig cleddyf; llafn sword, blade

cleddau eg hen enw am cleddyf, e.e. Aberdaugleddau

cleddlys eg planhigyn ac iddo ddail hir, main a ffrwythau crwn, pigog, sy'n tyfu mewn dŵr bur-reed

cleddyf eg (cleddyfau)

1 yn wreiddiol, arf rhyfel â llafn hir miniog a charn i afael ynddo sword 2 erbyn heddiw, mae cleddyf yn arwydd o anrhydedd neu statws, neu'n cael ei ddefnyddio yn y gamp o ffensio sword 3 darn sy'n cael ei osod ar draws rhywbeth i'w gryfhau neu ei ddal yn ei le cleat

cleddyf daufiniog/deufin cleddyf ac iddo ddwy ochr finiog; yn ffigurol am rywbeth sy'n dda ac yn ddrwg yr un pryd double-edged sword

croesi cleddyfau anghytuno, cweryla, gwrthwynebu to cross swords

cleddyfa be [cleddyf•¹]

1 ymladd â chleddyf; lladd â chleddyf to fence, to put to the sword 2 ffensio; ymladd â chleddyfau fel camp to fence

cleddyfu be [cleddyf•¹] sicrhau rhywbeth â chleddyf (math o hoelen arbennig) to cleat

cleddyfwr eg (cleddyfwyr) un sy'n gallu trin cleddyf yn fedrus, ymladdwr â chleddyf, un sy'n ffensio fencer, swordsman

clefri eg gw. clafr

clefyd eg (clefydau) MEDDYGAETH anhwylder yn adeiledd neu weithrediad bod dynol, anifail neu blanhigyn, yn enwedig anhwylder sy'n arddangos symptomau penodol neu sy'n effeithio ar ran benodol o'r corff disease

clefyd Alzheimer MEDDYGAETH clefyd lle mae clystyrau o brotein yn ymffurfio ac yn ymosod ar y nerfau ac ar gelloedd yr ymennydd gan amharu ar y cof ac ar y broses o drawsyrru negeseuon Alzheimer's disease

clefyd coch ('y clefyd coch') y dwymyn goch; clefyd heintus bacteriol sy'n effeithio ar blant yn bennaf ac a nodweddir gan dwymyn a brech fflamgoch scarlet fever

clefyd hysbysadwy MEDDYGAETH clefyd heintus y mae'n rhaid rhoi gwybod i'r awdurdodau priodol amdano notifiable disease

clefyd Parkinson MEDDYGAETH clefyd cynyddol yr ymennydd a'r system nerfol a nodweddir gan gryndod, anhyblygedd neu anystwythder y cyhyrau, a symudiadau araf, anfanwl Parkinson's disease

clefyd siwgr diabetes; clefyd lle nad yw'r corff yn rheoli lefel y glwcos yn y gwaed yn iawn diabetes

clefyd y dwst *tafodieithol, yn y De* silicosis; cyflwr yr ysgyfaint lle mae'r meinwe ffibraidd wedi cynyddu'n aruthrol o ganlyniad i anadlu llwch yn cynnwys silica, e.e. llwch glo neu lwch cerrig, sydd yn achosi prinder anadl; clefyd y llwch silicosis

clefyd y galon MEDDYGAETH clefyd sy'n achosi niwed i'r galon heart disease

clefyd y gwair MEDDYGAETH alergedd i lwch neu baill sy'n achosi llid ym mhilenni mwcws y trwyn a'r llygaid hay fever

clefyd y gwartheg gwallgof clefyd angheuol sy'n effeithio ar system nerfol gwartheg BSE, mad cow disease

clefyd y llwch *tafodieithol, yn y Gogledd* silicosis; cyflwr yr ysgyfaint lle mae'r meinwe ffibraidd wedi cynyddu'n aruthrol o ganlyniad i anadlu llwch yn cynnwys silica, e.e. llwch glo neu lwch cerrig, sydd yn achosi prinder anadl; clefyd y dwst silicosis

clefyd y llwyfen clefyd ffwngaidd sy'n ymosod ar goed llwyfen Dutch elm disease

clefyd yr haul MEDDYGAETH twymyn a achosir gan fethiant systemau rheoli tymheredd y corff pan dreulir gormod o amser yng ngwres yr haul sunstroke

y clefyd crafu MEDDYGAETH clefyd cyffwrdd-ymledol a achosir gan widdonyn arbennig ac a nodweddir gan smotiau bach coch sy'n cosi scabies

c

y **clefyd melyn** MEDDYGAETH cyflwr lle mae'r croen yn melynu oherwydd bod gormod o bigment y bustl yn y gwaed jaundice

y **clefyd melys** diabetes; clefyd lle nad yw'r corff yn rheoli lefel y glwcos yn y gwaed yn iawn diabetes

Ymadrodd

clefyd y Sul enw dilornus ar anhwylder sy'n codi nos Sadwrn ac yn diflannu erbyn dydd Llun sy'n golygu bod y sawl sy'n ei ddioddef yn gorfod colli gwasanaethau'r capel neu'r eglwys

cleff *eg* (cleffiau) CERDDORIAETH arwydd arbennig ar ddechrau llinell o gerddoriaeth hen nodiant i ddynodi'r traw; allwedd clef

cleff y bas CERDDORIAETH cleff sy'n gosod F o dan C ganol ar yr ail linell o frig yr erwydd bass clef

cleff yr alto CERDDORIAETH cleff sy'n gosod C ganol ar y drydedd linell o waelod yr erwydd alto clef

cleff y tenor CERDDORIAETH cleff sy'n gosod C ganol ar yr ail linell o frig yr erwydd tenor clef

cleff y trebl CERDDORIAETH cleff sy'n gosod G uwchben C ganol ar yr ail linell o waelod yr erwydd treble clef

clegar *be* gwneud y sŵn y mae ieir neu wyddau yn ei wneud; (yn ffigurol) baldorddi, malu awyr; clochdar, clwcian to cackle, to cluck, to prattle

Sylwch: nid yw'r ferf hon yn arfer cael ei rhedeg.

clegyr *eg* (clegyrau) *mewn enwau lleoedd* lle creigiog, e.e. *Clegyrfwya*; carnedd, clogwyn, craig cairn, crag

clegyrog *ans* garw a chreigiog craggy

cleiau *ell* lluosog clai

cleibwll *eg* (cleibyllau) pwll y cloddir clai ohono clay-pit

cleien *eb* pridd cleiog clayey soil

cleient *eg* (cleientau:cleientiaid)
1 un sy'n llogi neu'n derbyn cyngor proffesiynol gan unigolyn neu gwmni, e.e. gan gyfreithwyr client
2 cwsmer, defnyddiwr, prynwr client

cleientaeth *eb* GWLEIDYDDIAETH trefn wleidyddol yn seiliedig ar gyfnewid nwyddau a gwasanaethau am gefnogaeth wleidyddol clientelism

cleifion *ell* ffurf luosog claf, rhai afiach neu wedi'u hanafu patients

cleifis *eg* (cleifisiau) cyswllt metel ar ffurf U y mae modd sicrhau rhywbeth wrtho drwy osod bollt rhwng breichiau'r ffurf U clevis

cleio *be* [clei•[1] 2 *un. pres.* cleii; *amh. pres.* cleiir; 2 *un. amhen.* cleiit; *amh. amhen.* cleiid] llenwi (rhywbeth) yn dynn â chlai neu forter (i'w wneud yn fwy diddos neu i leihau maint sŵn fel arfer); plygio to plug

cleiog *ans* o'r un ansawdd â chlai; wedi'i orchuddio â chlai neu'n llawn o glai clayey

cleisiau *ell* lluosog clais

cleisio *be* [cleisi•[2]] achosi clais; troi'n glais; anafu, marcio to bruise

cleisiog *ans*
1 a chleisiau drosto bruised
2 (am geffyl) a smotiau mawr, amryliw drosto dappled

clem *eb* (clemiau)
1 amcan, amgyffred, crap, syniad, ond fel arfer mewn ffordd negyddol, *dim clem* clue, idea
2 darn o fetel ar flaen esgid

clemau *ell* siapiau ar wyneb, *gwneud clemau*; giamocs, ystumiau faces, grimaces, jibs

clemio *be* [clemi•[2]] *tafodieithol* llewygu o newyn; llwgu, newynu to starve

clên *ans* [clen•] *tafodieithol, yn y Gogledd* braf, dymunol, hoffus, hyfryd, hynaws pleasant

clensio *be* [clensi•[2]]
1 dal yn dynn (yn enwedig am hoelen, wrth fwrw'i blaen yn fflat i'w sicrhau ar ôl ei bwrw drwy rywbeth); sicrhau to clench, to clinch
2 gwasgu yn dynn yn ei gilydd (am fysedd, dannedd, etc.), cau yn dynn (am ddwrn) to clench

clep *eb* (clepiau)
1 clec, ergyd, *cau'r drws yn glep* clap
2 clebar, gwag-siarad gossip

clepian *be* [clepi•[3]]
1 hel clecs, cario straeon; clebran, clecian, prepian (~ **wrth** *rywun*) to gossip, to tell tales
2 cau'n sydyn â sŵn mawr, cau'n glep; clecian to slam

cleptomania *eg* SEICOLEG cymhelliad anorfod i ddwyn kleptomania

clêr[1] *ell* lluosog cleren, gwahanol fathau o bryfed hedegog; cylion, gwybed, pryfed flies, horse-flies

clêr[2] *eb* twr neu gwmni o feirdd, o gerddorion neu o ysgolheigion crwydrol yn yr Oesoedd Canol goliardi, jongleurs, minstrels

clera *be*
1 arfer beirdd a cherddorion gynt o ymweld â chartrefi noddwyr i ganu mawl am dâl ar adegau gŵyl fel y Nadolig, Calan, etc.
2 cardota fel un o'r glêr
3 chwarae offeryn yn y stryd er mwyn ennill arian to busk

Sylwch: nid yw'r ferf hon yn arfer cael ei rhedeg.

clerc *eg* (clercod)
1 swyddog mewn llys, cyngor, corfforaeth neu gymdeithas sy'n gyfrifol am y cofnodion, yr ohebiaeth ysgrifenedig a'r cyfrifon; ysgrifennydd clerk
2 rhywun sy'n gweithio mewn banc, swyddfa neu siop yn copïo dogfennau neu'n cadw cyfrifon clerk

3 clerigwr yn un o urddau isaf yr Eglwys Gatholig Rufeinig; swyddog sy'n helpu offeiriad plwyf yn yr Eglwys Anglicanaidd clerk

clercyddol *ans* yn ymwneud â gwaith clerc mewn swyddfa neu gwmni; clerigol clerical

cleren[1] *eb* un o lawer o glêr; pryf fly, housefly
  cleren las cleren chwythu gyffredin â chorff o liw glas metelaidd bluebottle
  cleren lwyd cleren fawr y mae'r fenyw yn brathu ac yn sugno gwaed ceffylau a mamolion mawr eraill; pryf llwyd horsefly

cleren[2] *eb* ergyd gan law i ben rhywun; bonclust, cernod, clatsien, clusten clout

clerigaeth *eb* CREFYDD awdurdod a swyddogaeth yr holl offeiriaid sydd wedi'u hordeinio gan yr Eglwys Gristnogol clericalism

clerigol *ans*
  1 yn ymwneud â gwaith clerc mewn swyddfa neu gwmni; clercyddol clerical
  2 CREFYDD yn gysylltiedig â swydd grefyddol neu urddau eglwysig clerical
  Sylwch: nid yw'n arfer cael ei gymharu.

clerigwr *eg* (clerigwyr) CREFYDD gweinidog neu offeiriad Cristnogol; curad, ficer, person, rheithor clergyman

clerwr *eg* (clerwyr)
  1 un o'r clêr, bardd trwyddedig o'r dosbarth isaf a chanddo hawl i gael ei dalu am ganu mawl neu am ganu dychan
  2 un sy'n canu offeryn ar y stryd er mwyn ennill arian busker

clerwriaeth *eb* swyddogaeth a gwaith y clerwyr minstrelsy

clesbyn *eg* (claspiau) bwcl sy'n cydio dau beth ynghyd, e.e. dau ben gwregys clasp

cletir *eg* (cletiroedd) DAEAREG haen anhydraidd galed (o glai fel arfer) yn y pridd neu oddi tano sy'n amharu ar ddraeniad y pridd a thwf planhigion hardpan

clewt *eg* (clewtiau) *anffurfiol* ergyd i'r pen; bonclust, cernod, clowten clip, clout

clic[1] *eg* (cliciau) clec fain, fel sŵn switsh click

clic[2] *eg* (cliciau) criw bach, dethol sy'n cadw pawb arall allan, cylch cyfrin; cabál, carfan clique, cabal

clicied:cliced *eb* (clic(i)edau)
  1 bar bach o fetel sy'n cael ei godi neu ei ostwng i fachyn priodol gan dafod o fetel (y gellir ei wasgu â'r fawd fel arfer) ar gyfer cau ac agor drws neu glwyd latch
  2 dyfais i gadw drws, ffenestr neu flwch ar gau catch
  3 ELECTRONEG cylched sy'n dargadw'r cyflwr allbwn sy'n deillio o signal mewnbwn enydol nes iddo gael ei ailosod gan signal arall latch
  clicied ddannedd dyfais wedi'i gwneud o far neu olwyn ddanheddog sy'n cydweithio â

phawl gan ganiatáu mudiant i un cyfeiriad yn unig ratchet

clicio:clician *be* [clici•[2]]
  1 gwneud sŵn clic, *cliciodd ei fysedd*; clecian to click
  2 gwasgu botwm neu switsh (~ *ar rywbeth*) to click
  3 deall rhywbeth (e.e. yn sydyn ar ôl pendroni); gwawrio to click

climacterig *eg* MEDDYGAETH cyfnod mewn bywyd pan fydd ffrwythlondeb yn pylu climacteric

clindarddach[1] *eg* sŵn llawer o bethau'n cracio neu'n clecian yn gras; atsain, diasbedain crackling, rattling

clindarddach[2] *be* clecian fel drain ar dân neu fân bethau caled yn disgyn ar wyneb caled to clatter, to crackle, to rattle
  Sylwch: nid yw'r ferf hon yn arfer cael ei rhedeg.

clinig:clinic *eg* (clinigau) rhan o adeilad neu ysbyty lle mae meddygon neu arbenigwyr eraill yn cynghori pobl neu'n cynnig triniaeth iddynt clinic

clinigol *ans*
  1 sgilgar ac effeithiol, *Rhaid i Gymru fod yn fwy clinigol yn eu chwarae a sgorio pwyntiau pan ddaw cyfleoedd.* clinical
  2 MEDDYGAETH yn ymwneud ag arsylwi a thrin cleifion (yn hytrach nag astudiaethau haniaethol neu astudiaethau mewn labordy) clinical
  3 MEDDYGAETH (am glefyd neu gyflwr) yn achosi symptomau y gellir eu hadnabod clinical

clinomedr *eg* (clinomedrau) dyfais a ddefnyddir gan dirfesurydd i fesur onglau llethrau clinometer

clint *eg* (clintiau) DAEAREG blocyn o galchfaen ac iddo arwyneb lled wastad sydd yn rhan o galchbalmant; ar hyd ymylon pob clint mae greiciau neu agennau clint

clip[1] *eg* (clipiau)
  1 trawiad ysgafn; clipen clip, slap
  2 teclyn metel neu blastig a ddefnyddir fel arfer i gydio dau beth ynghyd clip, fastener

clip[2]:clips *eg* (clipiau) *anffurfiol* diffyg ar yr Haul neu'r Lleuad; eclips eclipse

clipen:clipsen *eb* clowten ysgafn, bonclust bach; clip clip, smack

clipfwrdd *eg* (clipfyrddau) darn o ddefnydd caled ynghyd â chlip i ddal papurau y mae modd pwyso papurau arno i ysgrifennu clipboard

clipio:clipo *be* [clipi•[2]]
  1 torri â siswrn neu wellaif; cneifio, tocio (~ *rhywbeth* â) to clip, to cut
  2 rhoi clowten ysgafn, rhoi bonclust bach; taro to clip

cliplun *eg* (clipluniau) llun digidol parod nad yw'n ffotograff masnachol, y mae modd ei gopïo a'i ymgorffori (weithiau oddi ar y We) mewn dogfennau neu waith celf electronig clip art

clipsen gw. **clipen**

clir *ans* [clir(i)•]

1 hawdd gweld drwyddo; croyw, eglur, gloyw, tryloyw clear

2 hawdd ei ddeall; amlwg, eglur, plaen clear

3 heb rwystr; didramgwydd clear

4 llawn argyhoeddiad, *Mae'n hollol glir ei feddwl mai dyna beth sydd ei eisiau.*; hyderus clear

5 uniongyrchol, rhesymegol, *meddwl clir* clear

6 net; ar ôl didynnu trethi neu gostau y mae'n rhaid eu talu net

cadw'n glir

1 sicrhau nad oes rhwystr to keep clear

2 osgoi, *cadw'n glir o'r heddlu* to avoid

methu'n glir â methu'n llwyr, methu'n lân to fail utterly

cliradain *eb* (cliradenydd) gwyfyn ag adenydd tryloyw sy'n debyg i wenynen neu bicwnen clearwing

clirffordd *eb* (clirffyrdd) heol nad yw trafnidiaeth yn cael parcio arni ac eithrio mewn argyfwng clearway

cliriad *eg* (cliriadau)

1 y gwaith neu'r broses o glirio, yn enwedig y broses o symud pethau o rywle clean-out, clearance

2 y pellter rhwng dau beth sy'n pasio'i gilydd clearance

clirio *be* [cliri•²]

1 (am y tywydd) dod yn glir neu yn braf, *Roedd hi'n glawio yn y bore ond cliriodd hi erbyn y prynhawn.* to clear

2 mynd â rhywbeth sydd yn y ffordd ymaith; cymoni, symud, tacluso to clear

3 neidio dros rywbeth heb ei gyffwrdd to clear

4 yr hyn sy'n digwydd i siec pan mae'n cael ei derbyn gan fanc ac yna'i hymgorffori yn ei system to clear

5 rhyddhau o gyhuddiad neu euogrwydd, *Ar ôl brwydr hir drwy'r llysoedd, llwyddodd i glirio'i enw o unrhyw awgrym o dwyllo.* to clear

6 (am iechyd) gadael (rhywun) yn iach, gadael heb nam, *Cliriodd y dolur gwddf yn fuan.* to clear

clirwelediad *eg* y gallu i ddirnad pethau na ellir eu canfod â'r synhwyrau clairvoyance

clirweledol *ans* yn ymwneud â chlirwelediad; yn meddu dawn clirwelediad clairvoyant

clitoris *eg* ANATOMEG organ bach ar flaen pen ucha'r fwlfa sy'n ganolbwynt cyffroadau rhywiol benywod clitoris

cliw *eg* (cliwiau) rhywbeth sy'n gymorth i ddod o hyd i ateb i bos, i broblem neu i ddirgelwch clue

clo *eg* (cloeon:cloeau)

1 dyfais i sicrhau bod drws neu gaead yn dynn ar gau ac na all gael ei agor yn rhwydd heb ddatod y clo naill ai ag allwedd neu drwy dynnu bollt lock

2 un o'r ddau flaenwr rygbi yn ail reng y sgrym sy'n clymu'r sgrym wrth ei gilydd lock foward

3 y peirianwaith sy'n tanio'r ergyd mewn dryll lock

4 y rhan o bregeth (ysgrif, anerchiad, cerdd, etc.) sy'n ei dirwyn i ben ac yn cloi'r cyfan; casgliad, diweddglo conclusion

carreg glo gw. **carreg**

clo clwt:clo clap clo symudol â bys y gellir ei wthio drwy ddolen neu stwffwl ac yna ei roi yn sownd yn ôl wrth y clo padlock

clo cyfunrif clo y mae angen gwybod cyfuniad o rifau neu lythrennau i'w agor combination lock

maen clo PENSAERNÏAETH y maen neu'r garreg ganol mewn pont neu fwa y mae'r cerrig ar bob ochr yn pwyso arni; carreg glo keystone

Ymadroddion

ar glo wedi'i gloi locked

dan glo wedi'i gaethiwo, wedi'i garcharu locked up, under lock and key

yng nghlo ar glo, wedi'i gloi locked

cload *eg* (cloadau)

1 y weithred o gloi neu o gau'n dynn, canlyniad cloi locking

2 diwedd y broses o ddirwyn rhywbeth i ben a'i gau closing, closure

cloadwy *ans* y gellir ei gloi lockable

cloben *eb* rhywun neu rywbeth (benywaidd) eithaf mawr, *Roedd hi'n globen o goeden.*

clobyn *eg* (clobynnod)

1 rhywun neu rywbeth (gwrywaidd) mawr, *Roedd e'n globyn o gar.*; clamp, clorwth, cwlffyn

2 darn crwn; cnepyn, talpyn lump

cloc *eg* (clociau)

1 peiriant neu offeryn i fesur amser clock

2 unrhyw offeryn tebyg i gloc a ddefnyddir i fesur rhywbeth clock

cloc larwm cloc â chloch neu rywbeth i wneud sŵn i ddihuno cysgwr alarm clock

cloc parcio dyfais amseru y rhoddir arian ynddi er mwyn cael parcio cerbyd am gyfnod penodol parking meter

cloc tywydd baromedr barometer

cloc wyth niwrnod cloc mewn casyn tal o bren, yn sefyll ar ei draed ei hun, a weithir gan bwysau; nid oes angen ei weindio ond bob wyth niwrnod grandfather clock, long-case clock

Ymadroddion

fel cloc yn gyson, yn rheolaidd, yn gweithio'n dda like a watch, like clockwork

rownd y cloc drwy'r dydd a thrwy'r nos round the clock

troi'r cloc yn ôl (yn ffigurol) mynd yn ôl i'r gorffennol (am gyfle arall neu i well byd) to turn back the clock

clocio *be* [cloci•²] (i mewn neu allan) cofnodi'r amser y mae rhywun yn dechrau gwaith (clocio i mewn) a gorffen gwaith (clocio allan) naill ai ar gerdyn arbennig neu ar gloc pwrpasol to clock

clociwr *eg* (clocwyr) gwneuthurwr clociau clockmaker

clocsen *eb* (clocs:clocsiau) un o bâr o esgidiau arbennig â gwadnau trwchus o bren masarnen neu wernen; er bod rhai pobl yn dal i'w gwisgo, cânt eu defnyddio'n bennaf yng Nghymru heddiw ar gyfer math arbennig o ddawns werin, sef 'Dawns y Glocsen' clog

clocsio *be* [clocsi•²]
1 gwneud neu gyweirio clocs; gosod gwadnau pren ar esgidiau
2 dawnsio â chlocs gan ddefnyddio stepiau arbennig i greu patrymau gweladwy a rhythmau sydd i'w clywed yn glir; perfformio dawns y glocsen to clog dance

clocsiwr *eg* (clocswyr)
1 gŵr sy'n gwneud neu'n trwsio clocs clog-maker
2 un sy'n dawnsio mewn clocs clog dancer

clocwaith *eg* (clocweithiau)
1 yn wreiddiol, mecanwaith cloc clockwork
2 erbyn heddiw, peirianwaith sy'n cael ei redeg drwy rym sbring wedi'i droi'n dynn clockwork

clocwedd *adf* yn symud i'r cyfeiriad y mae bysedd cloc yn symud, y gwrthwyneb i 'gwrthglocwedd' clockwise

cloch *eb* (clychau:clych)
1 offeryn tebyg i gwpan o ran ei siâp, wedi'i wneud i gynhyrchu nodyn soniarus pan gaiff ei daro gan forthwyl neu dafod y gloch bell
2 rhywbeth yr un siâp â chloch, e.e. chwysigen ddŵr neu ewyn sebon bell
3 rhywbeth sy'n gwneud sŵn fel cloch er mwyn tynnu sylw, *cloch drws, cloch larwm* bell
4 CERDDORIAETH rhan flaen offeryn, e.e. trwmped, sacsoffon, sy'n agor fel twndis bell

cloch dân cloch sy'n rhybuddio bod rhywle ar dân fire alarm

cloch ddŵr pilen denau o ddŵr a'i llond o aer; bwrlwm bubble

cloch iâ pibonwy icicle

cloch yr ymadrodd wfwla; darn o gnawd (tebyg i dafod bach) yng nghefn y daflod feddal sy'n hongian uwchben y mynediad i'r gwddf; tafodig uvula

Ymadroddion

gwybod faint o'r gloch yw hi (yn ffigurol) gwybod yn iawn beth yw'r wir sefyllfa

o'r gloch ymadrodd a ddefnyddir i ddynodi'r awr wrth ddweud yr amser, *tri o'r gloch* o'clock

uchel fy (dy, ei, etc.**) nghloch** yn fawr fy sŵn; â llais uchel loud, noisy

clochaidd *ans* tebyg i sŵn cloch neu'n uchel ei gloch; swnllyd noisy, resonant

clochdar¹ *be*
1 (am iâr) gwneud y sŵn sy'n galw ei chywion neu'n dynodi ei bod wedi dodwy wy; clegar, clwcian (~ **am** *rywbeth* **wrth** *rywun*) to cluck, to cackle
2 canu eich clodydd eich hunan; bostio, brolio, ymffrostio to brag, to crow
Sylwch: nid yw'r ferf hon yn arfer cael ei rhedeg.

clochdar² *eg* sŵn iâr; siarad uchel, parablus cackling, clucking

clochdy *eg* (clochdai) twr y gloch neu'r clychau mewn eglwys belfry, bell tower

clochen *eb* (clochenni) llestr gwydr ar ffurf cloch a ddefnyddir mewn labordai i orchuddio cyfarpar gwyddonol neu i ddal nwyon, ac yn fwy cyffredinol i orchuddio eitemau bregus bell jar

clochydd *eg* (clochyddion) swyddog yn yr eglwys sy'n gyfrifol am ganu'r gloch neu'r clychau, am ofalu am yr adeilad ac am dorri beddau sexton

clod *eg* (clodydd) enw da; bri, canmoliaeth, cymeradwyaeth, moliant credit, praise

canu clod gw. canu¹

dwyn clod denu canmoliaeth, dod â bri to attract praise

er clod i yn dwyn clod i to (its) credit

pob clod i gyda chanmoliaeth every credit to

clodfawr *ans* teilwng o glod, (am rywun neu rywbeth) enwog iawn; clodwiw, cymeradwy, hyglod celebrated, praiseworthy
Sylwch: ni cheir ond y ffurfiau cymharol 'clodforach', 'clodforaf'.

clodforedd *eg* clod, canmoliaeth praise

clodfori *be* [clodfor•¹] rhoi clod; mawrygu, moli, moliannu (~ *rhywun* **am**) to extol, to glorify, to praise

clodwiw *ans* yn haeddu clod; canmoladwy, clodfawr, cymeradwy, hyglod commendable, laudable, praiseworthy

cloddfa *eb* (cloddfeydd)
1 chwarel, e.e. *cloddfa gerrig, cloddfa lechi*; mwynglawdd, e.e. *cloddfa aur, cloddfa halen*; pwll quarry, mine
2 ARCHAEOLEG safle archwilio a phalu archaeolegol archaeological dig

cloddiau *ell* lluosog **clawdd**

cloddilion *ell* ffosiliau

cloddio *be* [cloddi•²]
1 gwneud ffos neu dwll, *cloddio bedd*; ceibio, palu, rhofio, tyllu to burrow, to dig, to quarry
2 ARCHAEOLEG twrio'n systematig am olion cynhanesyddol a hanesyddol (~ **am**) to excavate

cloddio glo brig cloddio am lo sy'n eithaf agos i wyneb y ddaear (yn hytrach na suddo pwll) opencast coal mining

cloddiwr *eg* (cloddwyr)
1 un sy'n cloddio digger, excavator, miner
2 milwr yn arbenigo yn y gwaith o agor ffosydd a chladdu ffrwydron ym maes y gad sapper

cloëdig:cloiedig *ans* ar glo, wedi'i gloi locked, sealed
Sylwch: nid yw'n arfer cael ei gymharu.

cloeon:cloeau *ell* lluosog clo

cloer *eg* (cloerau)
1 twll i golomennod gael nythu ynddo pigeonhole
2 un o nifer o flychau agored mewn desg neu ar wal i gadw llythyron neu ddogfennau pigeonhole
3 blwch ac iddo ddrws i gadw pethau mwy ynddo, e.e. dillad locker

cloerdwll *eg* (cloerdyllau)
1 *hanesyddol* hollt hir, cul mewn mur tŵr neu gastell ar gyfer saethu drwyddo; saethdwll loophole
2 twll tebyg ar gyfer awyr neu olau, neu er mwyn medru arsylwi loophole

clofan *eg* (clofannau) parth arbennig wedi'i amgylchynu gan diriogaeth ehangach y mae ei thrigolion yn perthyn i ddiwylliant neu grŵp ethnig gwahanol enclave

clofs *ell* blodau wedi'u sychu a ddefnyddir i roi blas ar fwyd ac sy'n dod o goeden yn perthyn i'r ewcalyptws cloves

clofsen *eb* unigol clofs clove

cloff¹ *ans* [cloff•]
1 a nam ar ei gerddediad; herciog lame, limping
2 (am esgus neu esboniad) gwan neu annigonol; llipa, tila feeble, lame

cloff² *eg* (cloffion) rhywun a nam ar ei gerddediad lame person

cloffi *be* [cloff•¹]
1 mynd neu gerdded yn gloff, cael anhawster i gerdded yn iawn; clunhercian, gwegian, hercian, honcian to limp, to hobble, to become lame
2 gwneud yn gloff, achosi nam i gerddediad rhywun neu rywbeth to make lame
cloffi rhwng dau feddwl petruso, methu penderfynu to be in two minds, to prevaricate

cloffion *ell* lluosog cloff² (the) lame

cloffni *eg*
1 y cyflwr o fod yn gloff, nam ar gerddediad; herc lameness, limp
2 diffyg rhwyddineb (yn enwedig wrth siarad neu ddadlau); arafwch, petruster hesitancy, lameness

cloffrwym *eg* (cloffrwymau) rhywbeth sy'n cydio dwy goes anifail ynghyd (neu weithiau'n cydio'r goes i'r war) i'w gadw rhag crwydro; gefyn, hual, llyffethair fetter, hobble

clog *eb* (clogau) *mewn enwau lleoedd* clogwyn, craig, dibyn, e.e. *Clocaenog* cliff, rock-face

clogfaen *eg* (clogfeini) maen mawr, darn mawr o graig a all fod yn weddol lyfn; clogwyn, craig boulder

clog-glai *eg* (clog-gleiau) DAEAREG gwaddod rhewlifol yn cynnwys clogfeini, cerigos a darnau o greigiau o bob lliw a llun ynghyd â thywod, silt a/neu glai; til boulder clay, till

clogwyn *eg* (clogwynau:clogwyni)
1 wal serth o graig; dibyn, llethr cliff, precipice
2 maen mawr; clogfaen, craig boulder, crag

clogyn *eg* (clogynnau) gwisg laes allanol (heb lewys fel arfer) yn debyg i babell o ran ei siâp, ar gyfer cadw rhywun yn sych ac yn gynnes; cochl, hugan, mantell cape, cloak

clogyrnaidd *ans* heb fod yn llyfn nac yn gaboledig (yn enwedig am iaith – ar lafar neu'n ysgrifenedig); bratiog, carbwl, clapiog, trwsgl awkward, clumsy

clogyrnog *ans* (am dir neu ddarn o'r wlad) anwastad; caregog, creigiog, garw rough, rugged

cloi¹ *be* [clo•¹⁶ 3 *un. pres.* cly]
1 sicrhau neu gau â chlo; carcharu neu gaethiwo to lock
2 dirwyn i'r diwedd, dod i ben, e.e. *cloi dadl*; diweddu, gorffen, terfynu to conclude, to end
3 (yn ffigurol) pallu symud, *Mae'r olwyn wedi cloi ac ni allaf ei symud.*; clymu to be locked
cloi bargen dod i gytundeb terfynol to clinch a deal

cloi² *bf* [cloi] rwyt ti'n cloi; byddi di'n cloi

cloiedig gw. cloëdig

cloig:clöig *eg* (cloigod) dyfais i gadw rhywbeth ar gau, ar ffurf strapen o fetel sy'n ffitio dros stwffwl (neu gleifis) a all gael ei sicrhau â chlo clwt neu ebill clasp, hasp

clôn *eg* (clonau)
1 rhywun neu rywbeth sy'n cael ei ystyried yn gopi union o un arall clone
2 BIOLEG epil wedi'i gynhyrchu drwy ddull anrhywiol sy'n unfath yn enetig â'r rhiant clone

clonc¹ *eb* (clonciau)
1 y sŵn a wneir wrth daro metel; tonc clang, clank
2 yr ôl sy'n aros, e.e. mewn darn o fetel, yn dilyn ergyd; tolc, trawiad bump, dent
3 cleber, clecs, sgwrs, straeon chat, gossip

clonc² *ans* (am wy) gwag, drwg; clwc addled
Sylwch: nid yw'n arfer cael ei gymharu.

cloncen *eb* merch neu wraig sy'n hoff o glebran; janglen, clebren chatterbox, gossip

clonc(i)an:clonc(i)o *be* [clonci•³]
1 gwneud sŵn fel darn o fetel yn cael ei fwrw; toncio (~ **yn erbyn**) to clang, to clatter
2 clebran, hel straeon, hel clecs; bregliach, clepian, janglo (~ **wrth** *rywun*) to chat, to gossip

clonciog *ans* a tholciau drosto; clapiog, pantiog, tolciog lumpy, bumpy, dented

cloncyn *eg* un sy'n hoff o glebran; baldorddwr, clebryn, pepryn chatterbox

clonio *be* [cloni•⁶] BIOLEG achosi i organeb neu grŵp o gelloedd atgynhyrchu mewn ffordd anrhywiol er mwyn creu clôn to clone

clopa *eb* (clopâu)
1 *tafodieithol, yn y De* darn arbennig i gydio ynddo, *clopa ffon*, neu ei fwrw, *clopa hoelen* head, knob
2 *difriol* hurtyn, penbwl numbskull

clopáu:clopanu *be* METELEG byrhau a thewhau (darn o fetel eirias) drwy guro neu forthwylio un pen iddo to upset
Sylwch: nid yw'r ferf hon yn arfer cael ei rhedeg.

cloradain *eb* (cloradenydd) SWOLEG gorchudd sy'n cuddio adenydd rhai mathau o bryfed elytron, wing case

cloren *eb* (clorennau) cynffon neu asgwrn y gynffon; cwt, llosgwrn tail

gwŷr y Gloran *enw* ar hen deuluoedd y Rhondda cyn dyfodiad y pyllau glo (edrychid gynt ar 'Glyn Rhondda' fel 'cloren' Morgannwg)

clorian *eb* (cloriannau)
1 teclyn ar gyfer pwyso pethau; mae'r hyn sy'n cael ei bwyso yn cael ei osod ar un ochr a darnau metel yr ydych yn gwybod eu pwysau yn cael eu gosod ar yr ochr arall; mantol, tafol balance, scales
2 unrhyw declyn ar gyfer pwyso pethau balance

cloriannu *be* [cloriann•¹⁰]
1 mesur pwysau; mantoli, pwyso, tafoli to weigh
2 *ffigurol* gwerthuso neu dafoli natur, gwerth neu ansawdd (rhywun neu rywbeth); arfarnu, asesu, barnu to weigh up, to assess
Sylwch: dyblwch yr 'n' ym mhob ffurf ac eithrio yn y rhai sy'n cynnwys *-as-*.

cloriau *ell* lluosog **clawr**

clorid *eg* (cloridau) CEMEG cyfansoddyn a grëir pan fydd clorin a metel neu sylwedd arall yn cael eu cyfuno, e.e. mae halen cyffredin yn glorid o sodiwm chloride

clorin *eg* elfen gemegol rhif 17; halogen a geir fel arfer ar ffurf nwy trwchus, melynwyrdd, gwenwynig a ddefnyddir i buro dŵr, i ddiheintio a channu dillad; ceir arogl nodweddiadol clorin weithiau mewn pyllau nofio neu mewn cemegion cannu dillad (Cl) chlorine

clorinedig *ans* CEMEG yn cynnwys clorin chlorinated

clorineiddio *be* [clorineiddi•²] CEMEG trin â chlorin neu achosi i gyfuno â chlorin (yn enwedig fel rhan o broses ddiheintio) to chlorinate

clorofflwrocarbon *eg* un o deulu o gyfansoddion anadweithiol a gâi eu defnyddio mewn oergelloedd ac aerosolau cyn darganfod eu heffaith andwyol ar yr haen oson; CFfC CFC, chlorofluorocarbon

clorofform *eg* hylif y mae ei nwyon yn gallu peri anymwybyddiaeth; fe'i cynhyrchir wrth glorineiddio methan chloroform

cloroffyl *eg* pigment gwyrdd a geir mewn planhigion, ac sy'n defnyddio golau ar gyfer ffotosynthesis chlorophyll

cloronen *eb* (cloron) coes (planhigyn) byr, tew sy'n tyfu dan y ddaear, e.e. taten; oddf tuber

cloronen y moch ffwng bwytadwy o liw brown tywyll sy'n tyfu dan y ddaear ac a ystyrir yn ddanteithfwyd truffle

cloroplast *eg* (cloroplastau) BOTANEG ffurfiad a geir yng nghelloedd planhigion gwyrdd ac sy'n cynnwys cloroffyl; yma mae ffotosynthesis yn digwydd chloroplast

clorosis *eg* BOTANEG cyflwr lle mae dail gwyrdd planhigion yn colli eu lliw gwyrdd oherwydd diffyg golau, clefyd neu o ganlyniad i ddiffyg haearn neu fagnesiwm chlorosis

clorwth *eg* rhywbeth anferthol o fawr, afrosgo, *clorwth o ddyn*; clamp, cwlffyn, horwth large unwieldy object or person

clos¹ *eg* (closydd) yr iard agored o flaen tŷ fferm sydd wedi'i amgylchynu ag adeiladau fferm; beili, buarth, cowt, cwrt, ffald farmyard, enclosure

clos² *eg* (closau) drowsus, llodrau, britsh breeches, trousers

clos pen-glin math o drowsus byr sy'n cau tan y pen-glin knee-breeches, knickerbockers

clòs *ans* [clos•]
1 heb fod ymhell, agos close
2 agos (o ran perthynas neu deimlad) close
3 (am gystadleuaeth) bron â bod yn gyfartal close
4 (am y tywydd) mwll, trymaidd, mwrn close

closed *eg* (closedau) toiled, yn enwedig closed dŵr y mae modd ei fflysio; tŷ bach closet

closio *be* [closi•²] tynnu tuag at; agosáu, dynesu, nesáu (~ at) to draw near, to snuggle

clotsen *eb* (clots) talp o bridd neu glai (weithiau a phorfa ynghlwm wrtho); tywarchen clod, sod

clotsyn *eg* (clots) talp o bridd neu glai (weithiau a phorfa ynghlwm wrtho); tywarchen clod, sod

clou *gw.* **clau**

clown *eg* (clowniaid)
1 cymeriad mewn syrcas sy'n actio'n ddigrif ac yn gwisgo'n ddoniol; digrifwas clown
2 *anffurfiol* rhywun sy'n gwneud neu'n dweud pethau dwl a thwp; ffŵl, hurtyn, twpsyn clown, fool

clowten *eb* *anffurfiol* ergyd â chledr y llaw; bonclust, dyrnod, pwniad clout, cuff

cludadwy *ans* y gellir ei gludo; wedi'i wneud i'w gario portable

cludadwyedd *eg*
1 y cyflwr o fod yn gludadwy portability
2 CYFRIFIADUREG (am feddalwedd) y graddau y mae modd trosglwyddo meddalwedd o un peiriant neu system i un arall portability

cludair *eb* (cludeiriau)
1 pentwr, yn enwedig pentwr o goed tân; llwyth woodpile, stack
2 *mewn enwau lleoedd* bryncyn, crug, e.e. *Y Glyder Fawr*
3 DAEAREG llain o gerrig neu glogfeini onglog yn gorchuddio arwyneb lled wastad mynydd-dir neu lwyfandir uchel block field, felsenmeer

cludfelt *eg* (cludfeltiau) band o ddefnydd sy'n symud yn ddi-baid gan gludo neu gario pethau (mewn ffatri fel arfer) conveyor belt

cludiad *eg*
1 y weithred neu'r broses o gludo, o gario, canlyniad cludo carriage
2 y gost o bostio rhywbeth neu'r tâl am iddo gael ei gludo i rywle carriage, postage

cludiant *eg* ffordd neu fodd i gludo pobl neu bethau (ar ffyrdd, rheilffyrdd, yn yr awyr, ar y môr, etc.) transport

cludiant actif BIOLEG proses lle y caiff halwynau neu iönau eu pwmpio ar draws cellbilen o ardal â chrynodiad isel i ardal â chrynodiad uwch; mae'r broses yn defnyddio egni sy'n cael ei ryddhau gan y gell active transport

cludo *be* [clud•¹] codi rhywbeth a'i symud o un man i fan arall; cario, cyrchu, dwyn to carry, to convey, to transport

cludwely *eg* (cludwelyau) dyfais yn cynnwys darn o gynfas neu frethyn y mae dwy ochr iddi ynghlwm wrth ddau bolyn ar gyfer cludo rhywun wedi'i anafu neu gorff marw; unrhyw ddyfais debyg ar gyfer yr un gwaith stretcher

cludwr *eg* (cludwyr)
1 un sy'n cael ei gyflogi i gludo bagiau porter
2 un sy'n ennill ei fywoliaeth drwy gario nwyddau o gwmpas y wlad; cariwr, dygiedydd carrier
3 un sy'n helpu i gario arch pall-bearer

cludydd *eg* (cludyddion)
1 FFISEG electron (neu dwll) sy'n medru cludo gwefr drydanol mewn lled-ddargludydd carrier
2 MEDDYGAETH un sy'n cario haint nad yw'n effeithio arno, ond a all gael ei throsglwyddo ganddo i eraill carrier
3 CEMEG sylwedd, e.e. catalydd, nad yw'n cael ei effeithio ei hun ond y mae elfen neu grŵp o elfennau yn cael eu trosglwyddo drwyddo o un cyfansoddyn cemegol i gyfansoddyn arall carrier

4 FFISEG tonfedd sy'n hanfodol i ddarlledu sain neu lun heb gyflwyno unrhyw wybodaeth ei hun carrier

clun¹ *eb* (cluniau) estyniad o'r pelfis ac asgwrn uchaf y fordddyd ar ddwy ochr y corff hip

clun² *eg mewn enwau lleoedd* cae, dôl, e.e. *Clunderwen, Cluneithinog*

clunhercian *be* cerdded yn gloff; cloffi, gwegian, hercian, honcian to limp
Sylwch: nid yw'r ferf hon yn arfer cael ei rhedeg.

clunol *ans*
1 yn ymwneud â'r glun sciatic
2 MEDDYGAETH yn ymwneud neu'n effeithio ar y nerf a leolir yn ymyl y glun neu'r fordddyd sciatic

cluro *be* anffurfiol (ffurf ar **coluro**) rhwbio yn erbyn rhywbeth a hwnnw'n gadael ei ôl to rub against

clust *eb* (clustiau)
1 organ clyw dyn ac anifail, yn enwedig y rhan weladwy o bob ochr i'r pen ear
2 rhywbeth tebyg i glust o ran ei siâp, *clust cwpan*; dolen, trontol handle

clust dost MEDDYGAETH poen y tu mewn i'r glust earache
Ymadroddion

clustiau main am un sy'n clywed yn dda sharp ears

dros fy (dy, ei, etc.) mhen a'm ('th, 'i, etc.) clustiau yn ddwfn, *dros fy mhen a 'nghlustiau mewn cariad*; *dros ei ben a'i glustiau mewn dyled* head over heels, up to the eyes

glust yng nghlust yn sibrwd yng nghlustiau ei gilydd

i mewn drwy un glust ac allan drwy'r llall heb fod yn gwrando; heb fod yn cymryd sylw in through one ear and out through the other

mae clustiau hirion gan foch bach mae plant yn gallu clywed pethau nas bwriadwyd ar eu cyfer

o glust i glust lled y pen from ear to ear
rhoi clust i gwrando ar (rywun neu rywbeth) to listen to

yn glustiau i gyd yn gwrando'n astud all ears

clustdlws gw. **clustlws**

clusten *eb* (clustenni) ergyd ar y glust neu ochr y pen; bonclust, cernod, clowten box on the ear, clip, smack

clustfeinio *be* [clustfeini•²]
1 gwrando'n astud, moeli clustiau (~ **ar**) to listen intently
2 gwrando'n ddirgel heb i neb wybod to eavesdrop
3 MEDDYGAETH gwrando ar synau mewnol y corff drwy stethosgop; cornio to auscultate

clustfeiniwr *eg* (clustfeinwyr) un sy'n clustfeinio eavesdropper

clust fôr *eb* molwsg bwytadwy yn perthyn i'r malwod a'r brennig sydd â gorchudd o nacr a ddefnyddir ar gyfer addurniadau y tu mewn i'w gragen abalone

clustlipa *ans* â chlustiau yn hongian yn llaes lop-eared

clustlws:clustdlws *eg* (clustlysau:clustdlysau) modrwy neu addurn a wisgir wrth glust earring

clustnod *eg* (clustnodau) arwydd o berchenogaeth sy'n cael ei dorri i glust dafad ar ffurf patrwm o dyllau a holltau earmark

clustnodi *be* [clustnod•[1]]
1 torri nod ar glustiau dafad i ddangos pwy yw ei pherchennog to earmark
2 neilltuo rhywbeth yn barod i'w ddefnyddio at bwrpas arbennig; dewis, dynodi, pennu (~ *rhywun/rhywbeth* **ar gyfer**) to earmark

clustog *eb* (clustogau) casyn o ddefnydd wedi'i lenwi â phlu (neu ewyn plastig) i orffwys pen arno, i eistedd arno neu i benlinio arno; gobennydd bolster, cushion, pillow

clustogwaith *eg* y brethyn, sbringiau, defnydd llenwi, etc., sydd eu hangen ar gyfer llunio gorchudd meddal i sedd neu soffa upholstery

clustol *ans* yn ymwneud â'r glust aural

clust yr arth *eb* planhigyn yn perthyn i'r un teulu â'r foronen y mae ganddo hadau pigog a gwreiddiau a ddefnyddid yn foddion sanicle

clwb[1] *eg* (clybiau)
1 cymdeithas o bobl sy'n cyfarfod yn rheolaidd er mwyn difyrrwch neu adloniant fel arfer; urdd club
2 trefniant i gynilo arian ar gyfer achos neu achlysur arbennig drwy gasglu symiau bychain o arian yn rheolaidd, *clwb Nadolig* club
3 yr adeilad lle mae criw o bobl yn cyfarfod (yn enwedig clwb yfed) club
troed glwb/clwb gw. **troed**[1]

clwb[2] *eg* (clybiau) rhywbeth a chnepyn neu glopa ar ei flaen, e.e. clwb golff; pastwn club

clwc *ans*
1 am wy sy'n methu datblygu'n gyw; clonc, drwg, gorllyd addled
2 heb fod yn teimlo'n dda; anhwylus out-of-sorts, queasy
3 (am iâr) awyddus i ori, i eistedd ar ei hwyau broody

clwcian *be* (am iâr) gwneud sŵn byr gyddfol; clegar, clochdar (~ **ar**) to cluck

clwm *talfyriad* **cwlwm** wedi'i dalfyrru

clwpa *eg* (clwpâu)
1 cnwpa, pastwn bludgeon, cudgel
2 *difriol* hurtyn, penbwl, twpsyn blockhead, nincompoop

clws *ans* ffurf ar **tlws** pretty

clwstwr *eg* (clystyrau) grŵp arbennig o bethau o'r un math sy'n tyfu gyda'i gilydd neu sydd i'w cael neu eu gweld yn agos at ei gilydd; bagad, cwlwm, haid, sypyn cluster

clwt *eg* (clytiau)
1 darn o liain neu ddefnydd; brethyn, cadach, cerpyn, rhacsyn cloth, duster, patch
2 darn o lechfaen o faintioli addas i'w hollti
3 darn o dir; llannerch patch (of land)
4 darn bach gwahanol i'r gweddill, *Mae clwt glas a du ar adenydd sgrech y coed.* patch
clwt babi lliain arbennig sy'n cael ei glymu neu ei binio o gwmpas pen-ôl babi ac sy'n cael ei newid wedi iddo gael ei wlychu neu ei faeddu; cewyn nappy
Ymadrodd
ar y clwt diymgeledd; yn ddi-waith (ac yn ddigartref hefyd weithiau) destitute

clwtyn *eg* (clytiau) cadach, clwt bach cloth, duster, rag

clwy gw. **clwyf**

clwyd *eb* (clwydi:clwydau:clwydydd)
1 rhwystr mawr y gellir ei agor a'i gau ar draws adwy cae; gât, giât, iet, llidiart gate
2 rhwystr dros dro i gau neu atal symudiad (anifeiliaid fel arfer) hurdle
3 rhwystr a ddefnyddir mewn ras glwydi, fel bod yn rhaid i athletwyr neu geffylau redeg a neidio drosto hurdle
4 pren neu drawst arbennig i aderyn (ieir yn enwedig) glwydo arno roost

clwyden *eb* (clwydenni) rhwystr wedi'i wneud o frigau wedi'u plethu rhwng polion i gadw anifeiliaid rhag crwydro; clwyd hurdle, wattle

clwydo *be* [clwyd•[1]]
1 (am adar) mynd ar glwyd, bod yn barod i gysgu to roost
2 (am bobl) mynd i'r gwely; noswylio to go to bed

clwyf:clwy *eg* (clwyfau)
1 MEDDYGAETH niwed i ran o'r corff; anaf, briw, dolur sore, wound
2 afiechyd, clefyd, haint disease, fever
clwyf y marchogion gwythïen chwyddedig (haemoroid) neu gwlwm o wythiennau chwyddedig yn ymyl yr anws haemorrhoids, piles
clwyf (y) pennau MEDDYGAETH clefyd firaol sy'n effeithio ar blant yn bennaf ac yn achosi chwydd yn y chwarennau poer mumps
clwyf y traed a'r genau clefyd firaol, cyffwrdd-ymledol sy'n effeithio ar wartheg a defaid ac yn achosi briwiau o gwmpas y traed a'r genau foot-and-mouth disease
clwy'r dŵr oedema; gormodedd o hylif yn casglu rhwng celloedd ym meinwe'r corff oedema

clwyfadwy *ans* agored i gael niwed neu i gael ei glwyfo; archolladwy vulnerable

clwyfedig *ans* wedi'i glwyfo; anafus, briwedig wounded

clwyfedigion *ell* pobl glwyfedig (the) injured

clwyfo *be* [clwyf•¹]
1 gwneud dolur neu niwed; anafu, brifo, niweidio, sigo to wound
2 mynd yn dost, mynd yn sâl; clafychu, nychu to sicken

clwyfus *ans* wedi'i glwyfo; anafus, briwedig, dolurus, ysig sick, wounded

clwyrwystrol *ans* proffylactig; (am feddyginiaeth, triniaeth, etc.) wedi'i fwriadu i atal afiechyd prophylactic

clwystrol *ans* yn perthyn i glwysty, nodweddiadol o glwysty claustral

clwysty:glwysty *eg* (clwystai:glwystai) mynachlog, clas cloister, monastery

cly *bf* [cloi] *hynafol* mae ef yn cloi/mae hi'n cloi; bydd ef yn cloi/bydd hi'n cloi

clybiau *ell* lluosog **clwb**

clybod hen ffurf ar **clywed** y mae ffurfiau fel *clybu ef/hi* yn deillio ohoni

clybodol *ans* a brofir drwy'r clyw; clywedol auditory

clychau:clych *ell* lluosog **cloch**

clychau'r eos *ell* planhigyn main â blodau glas yn debyg iawn i glychau'r gog harebell

clychau'r gog *ell* blodau glas sy'n tyfu'n wyllt, yn enwedig mewn mannau coediog, ac sydd i'w gweld ar ddechrau'r haf yn drwch fel niwlen las o dan y coed; bwtsias y gog, clychau glas, croeso'r haf bluebells

clychlys *eg* planhigyn sydd, fel arfer, â blodau amlwg ar ffurf clychau bellflower, campanula

clychlys deilgrwn planhigyn main â blodau glas yn debyg iawn i glychau'r gog; clychau'r eos harebell

clychsain *eb* (clychseiniau)
1 CERDDORIAETH sain gerddorol yn efelychu sain clychau chime
2 set o ddiwiau wedi'u tiwnio i efelychu sain clychau chime bars

clyd *ans* [clyt•] diogel rhag y tywydd; cysgodol, cysurus, diddos sheltered, snug, cosy

clydwch *eg* y cyflwr o fod yn glyd; cysgod, cysur, diddosrwydd, diogelwch shelter, warmth

clyfar *ans* [clyfr•]
1 yn meddu dawn a gwybodaeth; dawnus, galluog, gwybodus, medrus clever, artful
2 (am ddyfais) wedi'i rhaglennu i wneud rhai pethau'n annibynnol smart

clyfrach:clyfraf:clyfred *ans* [clyfar] mwy clyfar; mwyaf clyfar; mor glyfar

clyfrwch *eg* medr (gyda'r awgrym weithiau o fod yn arwynebol); dawn, gallu, medrusrwydd artfulness, cleverness

clymau *ell* lluosog **cwlwm**

clymblaid *eb* (clymbleidiau)
1 GWLEIDYDDIAETH dwy neu ragor o bleidiau gwleidyddol wedi ymuno â'i gilydd, dros dro, er mwyn medru ffurfio llywodraeth; cynghrair coalition
2 pobl o grwpiau gwahanol sy'n cytuno i weithio gyda'i gilydd tuag at ddiben penodol; cawcws caucus

clymbleidiol *ans* GWLEIDYDDIAETH am gynghrair dros dro rhwng dwy neu ragor o bleidiau gwleidyddol i ffurfio llywodraeth coalitional

clymfaen *eg* (clymfeini) DAEAREG craig waddod yn cynnwys darnau crwn neu led grwn yn amrywio o ran eu maint, yn gymysg â thywod a silt wedi'u clymu ynghyd â sment naturiol, e.e. silica conglomerate

clymog *ans* llawn clymau; cnotiog, ceinciog knotted, knotty

clymu *be* [clym•¹]
1 sicrhau rhywbeth drwy wneud cwlwm allan o un neu ragor o ddarnau o gordyn neu linyn; cau, llyffetheirio, rhwymo (~ *rhywun/rhywbeth* **wrth**) to knot, to tie
2 rhwymo, cadwyno, caethiwo, *Mae fy (dy, ei, etc.) nwylo wedi'u clymu.* to bind
3 dod ynghyd, *glo yn clymu wrth losgi*; asio, plethu, priodi to bind, to knit

clymu a llifo GWNIADWAITH clymu rhannau o ddefnydd cyn ei lifo er mwyn creu patrymau ynddo tie and dye
Ymadrodd
(mae angen) clymu fy (dy, ei, etc.) **mhen** mae'n rhaid fy mod yn dwp my head needs examining

clymwellt *eg* un o nifer o fathau o borfeydd bras sy'n cael eu plannu ar dywod i'w glymu a'i gadw rhag cael ei erydu lyme grass

clystyrau *ell* lluosog **clwstwr**

clystyru *be* [clystyr•¹] casglu ynghyd yn glwstwr; cronni, crynhoi, ymgasglu (~ **o** *gwmpas*; ~ *ynghyd*) to cluster

clytach:clytaf:clyted *ans* [clyd] mwy clyd; mwyaf clyd; mor glyd

clytiau *ell* lluosog **clwt, clwtyn**

clytio *be* [clyti•²] cuddio twll neu fan wedi'i dreulio mewn dilledyn neu ddarn o ddefnydd drwy wnïo, gwau, gludio neu asio clwt drosto; atgyweirio, cyweirio, trwsio to patch

clytiog *ans* wedi'i glytio neu a nifer o glytiau drosto; bratiog, carpiog, rhacsiog patched, ragged

clyts *eg* (clytsys) (mewn modur) cydiwr; y peirianwaith sy'n caniatáu i'r rhannau symudol gael eu cysylltu a'u datgysylltu (er mwyn newid gêr, er enghraifft) clutch

clytwaith *eg* (clytweithiau) unrhyw beth sydd wedi'i lunio drwy wnïo nifer mawr o ddarnau bach amrywiol at ei gilydd, e.e. cwrlid neu gwilt patchwork

clyw¹ *eg*

1 y synnwyr sy'n caniatáu inni glywed sŵn hearing

2 y pellter y mae sŵn yn cario, *o fewn clyw* earshot

trwm fy (dy, ei, etc.) nghlyw lled fyddar hard of hearing

clyw² *bf* [clywed]

1 *ffurfiol* mae ef yn clywed/mae hi'n clywed; bydd ef yn clywed/bydd hi'n clywed

2 gorchymyn i ti glywed

clywadwy *ans* y gellir ei glywed; hyglyw audible

clywadwyedd *eg* y graddau y mae modd clywed rhywbeth, pa mor glywadwy ydyw audibility

clywdeipio *be* [clywdeipi•²] teipio geiriau wrth iddynt gael eu chwarae yn ôl ar beiriant recordio to audio-type

clywed *be* [clyw•⁴ *3 un. pres.* clyw/clywa; *2 un. gorch.* clyw]

1 canfod synau drwy'r clustiau; synhwyro seiniau drwy'r glust a'r nerfau clyw, *Clywais sŵn curo.*; gwrando to hear

2 derbyn gwybodaeth am (rywbeth neu rywun), *Clywais ei fod yn sâl.* (~ *am rywbeth* **oddi wrth** *rywun*) to hear

3 rhoi ar brawf mewn llys, *Mae'r achos yn cael ei glywed yfory.* to try

4 synhwyro ag un o'r pum synnwyr ac eithrio'r golwg, *Roedd ei dalcen i'w glywed yn boeth. Roedd y gwin i'w glywed yn felys ar ôl y caws. Roedd aroglau'r coed yn llosgi i'w clywed yn bell cyn cyrraedd y tŷ.*; arogli, blasu, cyffwrdd, teimlo to sense

clywch! clywch! cymeradwyaeth hear! hear!

clywed ar fy (dy, ei, etc.) nghalon teimlo bod yn rhaid to feel obliged to

clywed awydd teimlo awydd to feel inclined to

clywed effaith teimlo'r effaith to feel the effect(s)

clywedol *ans* yn ymwneud â'r organau clywed neu â'r clyw; clybodol auditory, aural

clyweled *ans* fel yn *cyfarpar clyweled*, y gellir ei glywed a'i weld audiovisual

Sylwch: nid yw'n cael ei gymharu.

clyweliad *eg* (clyweliadau) perfformiad ar brawf gan actorion, adroddwyr neu gerddorion; gwrandawiad, prawf audition

cm *byrfodd* centimetr cm

cnaf *eg* (cnafon)

1 dyn drwg; adyn, cenau, dihiryn, gwalch rascal, scoundrel

2 y cerdyn brith isaf ei werth mewn pac o gardiau; gwalch jack, knave

cnafaidd *ans* o natur neu anian cnaf; cyfrwys, dichellgar, knavish, rascally

cnaif *eg* (cneifion) cot wlanog dafad, yr hyn sydd i'w gneifio; cnu fleece

cnap *eg* (cnapiau)

1 cnepyn mawr, *cnapiau o lo*; clap, talp chunk, lump

2 ôl cangen ar ddarn o bren knot

3 BIOLEG darn atodol naturiol ar organeb neu y tu mewn i organeb, e.e. *cnap ar asgwrn* process

cnapiau asgwrn cefn ANATOMEG y bwlynnau cnotiog a deimlir ar yr asgwrn cefn spinous processes

cnapan *eg*

1 hen gêm Gymreig a oedd yn cael ei chwarae rhwng dau dîm â ffyn a phêl bren

2 y bêl bren a fyddai'n cael ei tharo â ffon wrth chwarae cnapan

cnapiog *ans* brith o gnapiau, wedi'i addurno â thalpiau; boglynnog encrusted

cnau *ell* lluosog cneuen; ffrwythau rhai mathau o goed a phlanhigion ac ynddynt gnewyllyn (bwytadwy fel arfer) o fewn plisgyn neu fasgl caled nuts

cnau almon cnewyll bwytadwy (tebyg i gnau) y goeden almon almonds

cnau castanwydd cnau brown disglair sy'n tyfu y tu mewn i blisg pigog y goeden gastan ac y gellir eu rhostio a'u bwyta chestnuts

cnau coco hadau mawr hirgrwn y balmwydden drofannol â chibyn caled ffibrog allanol a gorchudd mewnol o gnawd bwytadwy yn cynnwys hylif clir yfadwy coconuts

cnau cyll cnau bach brown, bwytadwy â phlisgyn caled y gollen hazelnuts

cnau Ffrengig cnau crychog bwytadwy â phlisg caled a geir y tu mewn i ffrwythau gwyrdd walnuts

cnau ffawydd cnau onglog y ffawydden y ceir parau ohonynt mewn casyn gludiog beechmast

cnau mwnci hadau hirgrwn bwytadwy planhigyn o Dde America monkey nuts, peanuts

cnawd *eg* (cnawdiau)

1 cig, cig dynol fel arfer ond cig anifail hefyd, sef y rhan o'r corff sy'n gorchuddio'r esgyrn ac sy'n cael ei gorchuddio yn ei thro gan y croen flesh

2 *ffigurol* ochr faterol, gorfforol bywyd o'i chyferbynnu â'r ochr ysbrydol neu feddyliol; corff flesh

yn y cnawd yn bresennol in person

cnawdnychiad *eg* MEDDYGAETH rhwystr i lif y gwaed, e.e. gan thrombws, sy'n achosi i feinwe cyfagos farw infarction

cnawdol *ans*
  1 yn perthyn i'r cnawd neu i'r corff, yn aml am demtasiynau neu am drachwantau'r corff; corfforol, trachwantus bodily, carnal
  2 â llawer o gnawd; tew fleshy

cnawdolrwydd *eg* ymroddiad i bleserau'r cnawd; anlladrwydd carnality, sensuality, wantonness

cnawes *eb difrïol* merch neu wraig gas; gast, jaden bitch, vixen

cnec *eb* (cneciau)
  1 *di-chwaeth* sŵn cras, rhech, clec fart
  2 *difrïol* dihiryn, gwalch, cnaf, adyn rogue
  3 cosi yn y gwddf; peswch cough, frog in the throat

cneifio *be* [cneifi•²] eillio gwlân dafad neu anifail arall â chot wlanog, torri'r cnu i ffwrdd â gwellaif; clipio, tocio to shear, to clip
  cneifio mochyn (yn ffigurol) am orchwyl anodd nad yw'n werth yr ymdrech

cneifion *ell* lluosog **cnaif**

cneifiwr *eg* (cneifwyr) un sy'n cneifio shearer

cnepyn *eg* (cnepynnau) cnap bach, darn bach; lwmp, talpyn lump, nodule

cnepynnaidd *ans* wedi'i orchuddio â chnepynnau nodular

cneua *be* [cneu•¹] hel neu gasglu cnau to gather nuts

cneuen *eb* (cnau) ffrwyth rhai mathau o goed a phlanhigion ac ynddo gnewyllyn bwytadwy (fel arfer) mewn masgl neu blisgyn caled nut
  Sylwch: am y gwahanol fathau gw. **cnau.**
  yn iach fel y gneuen holliach, heb unrhyw nam ar ei iechyd fit as a fiddle

cnewyllol *ans*
  1 ac iddo gnewyllyn, *Mae'r cysyniad traddodiadol o deulu cnewyllol yn golygu pâr priod heterorywiol a'u plant biolegol.* nuclear
  2 BIOLEG (am gell) ac iddi gnewyllyn nucleate

cnewyllyn *eg* (cnewyll)
  1 y darn bwytadwy (fel arfer) yng nghanol cneuen a geir y tu mewn i'r plisgyn caled; y garreg neu'r hedyn mewn ffrwyth; bywyn kernel, core, heart
  2 rhan ganolog a phwysicaf gwrthrych, mater, mudiad, etc. *Cnewyllyn y broblem yw nad oes digon o nyrsys ar y ward.*; craidd, hanfod crux
  3 BIOLEG y rhan o gell organeb fyw sy'n cynnwys y cromosomau nucleus
  Sylwch: defnyddier 'niwclews' yng nghyd-destun atomau.

cnith *eg* (cnithiau) trawiad ysgafn rap, tap

cnither ffurf lafar ar **cyfnither**

cnoad:cnoead *eg* (cno(e)adau)
  1 y weithred o gnoi, canlyniad cnoi bite, gnawing
  2 clwyf a geir o ganlyniad i frathiad; cnofa, pigiad, trywaniad bite

3 dolur i'r meddwl neu i'r gydwybod neu i'r emosiynau; cnofa pang
4 gwayw yn y bol; cnofa gnawing, pain

cnoc *eb* (cnociau) curiad, yn enwedig curiad ar ddrws; clec, ergyd, trawiad knock, rap

cnocell y coed *eb* (cnocellau'r coed) un o nifer o wahanol fathau o adar â phig hir, gref sy'n gwneud tyllau mewn coed ac sy'n bwydo ar y pryfed a geir ynddynt; taradr y coed woodpecker

cnocio *be* [cnoci•²] gwneud sŵn taro, *Cnociodd y ffenestr yn ysgafn. Wyt ti'n clywed sŵn yr injan yn cnocio?*; bwrw, curo, ergydio (~ *rhywbeth* â; ~ *rhywbeth* **yn erbyn**) to hit, to knock, to tap

cnociwr *eg* (cnocwyr) ysbryd neu ellyll mewn gwaith mwyn y byddai hen fwynwyr yn honni ei fod yn cnocio'r graig i'w harwain at wythïen o blwm knocker

cnodiog *ans* llawn cig neu gnawd; bras, tew fleshy

cnoead gw. **cnoad**

cnofa *eb* (cnofeydd)
  1 brathiad o boen yn enwedig yn yr ymysgaroedd; cnoad, gwayw gnawing pain
  2 gofid meddwl a achosir gan gydwybod euog; cnoad pang

cnofil *eg* SWOLEG unigol **cnofilod** rodent

cnofilod *ell* SWOLEG urdd o famolion bychain yn cynnwys llygod, cwningod a gwiwerod, sydd â blaenddannedd miniog a chryf Rodentia, rodents

cnoi¹ *be* [cno•¹⁶]
  1 rhwygo a malu, e.e. bwyd, â'r dannedd cyn ei lyncu; brathu, torri to bite, to chew, to gnaw
  2 *ffigurol* pigo, poeni, gofidio, blino, e.e. *cydwybod euog yn cnoi* to worry, to fret, to vex

cnoi cil gw. **cil**

cnoi fy (dy, ei, etc.) nhafod
  1 ymdrechu'n galed i beidio â dweud dim
  2 edifarhau am ddweud (neu weithiau am wneud) rhywbeth to bite one's tongue

cnoi² *bf* [cnoi] rwyt ti'n cnoi; byddi di'n cnoi

c'nonyn *eg tafodieithol, yn y Gogledd* talfyriad o **cynrhonyn** (yn ffigurol) plentyn bach aflonydd live wire

cnotiog *ans* wedi'i orchuddio â chlymau, *canghennau cnotiog coeden*; ceinciog, clymog gnarled, knotted

cnu *eg* (cnuoedd) cot wlanog dafad neu anifail sydd â chot debyg; cnaif fleece

cnuch *eg* (cnuchiau) *aflednais* cyfathrach rywiol fuck

cnuchio *be* [cnuchi•²] *aflednais* cael cyfathrach rywiol; bwchio to fuck

cnuchiwr *eg* (cnuchwyr) *aflednais* un sy'n cnuchio fucker

cnud *eb* (cnudoedd) llu neu gasgliad (yn enwedig o fleiddiaid neu o anifeiliaid rheibus); gre, gyr, haid, pac band, pack
Sylwch: mae'n derbyn ffurf unigol neu luosog berf.

cnul *eg* (cnuliau) sŵn araf, rheolaidd cloch yn canu (yn enwedig ar adeg angladd) knell, toll, tolling

cnuog *ans* tebyg i wlân trwchus fleecy

cnuta gw. cynuta

cnwc:cnwch *eg* (cnyciau) bryncyn, twyn, twmpath, ponc, yn enwedig mewn enwau lleoedd, e.e. *Cnwch Coch* hummock, hillock, knoll

cnwd *eg* (cnydau)
1 cynnyrch (a dyfir gan ffermwr gan amlaf) megis ŷd, grawn neu ffrwythau crop
2 cymaint o'r cynnyrch hwn ag a geir mewn blwyddyn (neu yn ystod tymor ei dyfiant) crop
3 rhywbeth sy'n debyg i dyfiant trwchus o wair neu ŷd ac yn cuddio'r hyn sydd oddi tano, *cnwd o wallt* shock

cnwpa *eg* (cnwpâu)
1 pastwn, darn o bren a ddefnyddir fel arf; clwpa cudgel
2 darn arbennig i gydio ynddo; clopa knob

cnwpfwsogl *eg* (cnwpfwsoglau) planhigyn diflodau, isel ei dyfiant â changhennau hir ac arnynt ddail bach niferus clubmoss

cnyciau *ell* lluosog **cnwc**

cnydau *ell* lluosog **cnwd**

cnydio *be* [cnydi•²] dwyn ffrwyth, tyfu'n gnwd to fruit, to yield

cnydiog *ans* yn dwyn ffrwyth; ffrwythlon fruitful

cnyw *eg* (cnywion) anifail ifanc, e.e. porchell, ebol, etc.; cenau, llwdn, swclyn colt, whelp

Co (cofis) gw. **Cofi**

'co *anffurfiol* gw. **dacw**
Sylwch: mae'n achosi'r treiglad meddal.

còb¹ *eg* (cobiau)
1 brid arbennig o geffyl gwaith sy'n gysylltiedig â Cheredigion ac sy'n mesur rhwng 13.2 a 15 dyrnfedd, a'i brif liwiau yw du, gwinau neu goch cob
2 *tafodieithol, yn y De* llanc direidus; cono, cymeriad, deryn lad, wag

còb² *eg* (cobiau) clawdd wedi'i godi i gadw'r môr rhag gorlifo dros ddarn o dir, e.e. *Còb Porthmadog*; argae, morglawdd embankment, levee

cobalt *eg* elfen gemegol rhif 27; metel caled, disglair o liw arian, o'r un teulu â haearn a nicel (Co) cobalt

coban *eb* (cobanau) gwisg i ferch (gan amlaf) gysgu ynddi; betgwn, gwisg nos, gŵn nos nightgown, nightshirt, mantle

coben *eb* caseg cob cob

cobl *eg* (coblau) carreg lefn o faint caregyn a ddefnyddir i balmantu heolydd cobble

cobler *eg* (cobleriaid) crydd; un sy'n gwneud esgidiau neu'n eu trwsio cobbler, shoemaker

coblo *be* [cobl•¹]
1 rhoi at ei gilydd ar frys heb gymryd llawer o ofal (~ *rhywbeth* at ei gilydd) to cobble
2 gosod heol o goblau to cobble
3 chwarae gêm o goncers, gw. **concer**

coblyn *eg* (coblynnod)
1 aelod o'r tylwyth teg; bwgan, drychiolaeth, ellyll, pwca imp, goblin, hobgoblin
2 plentyn direidus, *y coblyn drwg!*; cenau, gwalch imp
3 mae'n cymryd lle 'diawl' mewn ymadroddion fel *be goblyn, myn coblyn!*

coblyn o aruthrol o, enfawr o, anferth o heck of

cobra *eg* (cobraod) math o sarff neu neidr wenwynig a geir yn Asia ac Affrica; mae'n enwog am y ffordd y mae'n lledu ei wddf pan fydd ar fin ymosod cobra

cobyn¹:còb *eg* (cobiau) gw. **còb¹** cob

cobyn² *eg* (cobynnau) tusw neu dwffyn o blu ar ben aderyn tuft

coc *eg* (cociau) aflednais pidyn cock

coc oen *di-chwaeth* dyn ifanc sy'n meddwl ei fod yn well nag ydyw jerk, schmuck

côc *eg* glo wedi'i hanner llosgi i gael gwared ar y nwy er mwyn gadael tanwydd ysgafn sy'n taflu gwres heb lawer o fwg; golosg, marwor, marwydos coke

coca *eg* un o nifer o fathau o brysgwydd o Dde America, yn enwedig prysgwydden y mae ei dail yn cynnwys cocên ac sy'n cael eu cnoi gan frodorion fel symbylydd i'r corff coca

cocatŵ *eg* (cocatŵod) aderyn yn perthyn i'r parot ac sydd i'w gael yn Awstralia yn bennaf; ar ei ben mae tusw o blu y mae'n gallu'i godi neu ei ostwng cockatoo

cocên *eg* cyffur a geir o ddail y planhigyn coca; fe'i defnyddiwyd fel anaesthetig ar un adeg, ond mae hefyd yn symbylydd ac yn gyffur y gellir mynd yn gaeth iddo cocaine

coci *ell* lluosog **cocws**

coco *eg*
1 y powdr a geir o falu hadau'r goeden cacao, sef defnydd crai siocled cocoa
2 diod siocled a wneir o bowdr y goeden cacao cocoa
Sylwch: gw. hefyd **cnau coco**

cocos¹ *ell* (lluosog **cocsen¹:cocosen**), molysgiaid bychain bwytadwy sy'n byw mewn cregyn ar ffurf calon; maent i'w cael ar draethau lle mae digon o dywod neu mewn mwd yng ngenau afon; rhython cockles

bardd cocos gw. **bardd**

cocos² *ell*
1 cyfres o ddannedd ar hyd ymyl olwyn sy'n cydio mewn dannedd ar olwyn arall neu ar gledren ddanheddog cogs, pinions
2 cyfres neu system o olwynion danheddog cogs

cocosen gw. cocsen¹

cocotte *eb* COGINIO dysgl fwrdd o haearn bwrw neu borslen addas i'r ffwrn ac y gweinir y saig o'r ffwrn i'r bwrdd ynddi

cocs *eg* (cocsys) un sy'n llwyio cwch rhwyfo mewn ras ac yn galw amser y rhwyfiadau cox

cocsen¹:cocosen *eb* unigol cocos¹ cockle

cocsen² *eb* (cocs)
1 olwyn ddanheddog sy'n trosglwyddo mudiad pan fydd yn troi drwy gydio mewn dannedd ar olwyn arall neu ar gledren ddanheddog cog
2 un dant neu far (ar olwyn â dannedd neu farrau ar hyd ei hymyl)

cocsidiosis *eg* haint ymhlith adar a mamolion, e.e. defaid, a achosir gan ficro-organebau sy'n byw yn barasitiaid ym mhibell fwyd rhai anifeiliaid coccidiosis

cocsio¹ *be* [cocsi•²] perswadio drwy deg neu drwy seboni, darbwyllo to coax

cocsio² *be* [cocsi•²] llwyio cwch rhwyfo to cox

coctel *eg* (coctels)
1 diod feddwol yn cynnwys dau neu ragor o gynhwysion wedi'u cymysgu â'i gilydd ac un ohonynt o leiaf yn alcoholaidd ; gwirod yn cynnwys amrywiaeth o flasau cocktail
2 blasyn, e.e. corgimychiaid, sudd tomato, sy'n rhagarweiniad i'r brif saig cocktail

cocŵn *eg* (cocŵnau) gorchudd amddiffynnol sidanaidd sy'n amgáu'r chwiler mewn nifer o bryfed, e.e. gwyfynod a gwenyn, yn ystod eu datblygiad cocoon

cocws *eg* (coci)
1 BOTANEG un o'r carpelau sy'n cynnwys hedyn ac sy'n ymwahanu â ffrwyth aeddfed coccus
2 BIOLEG bacteriwm sfferaidd coccus

cocwyllt *ans* anffurfiol yn cael llawer o berthnasau rhywiol randy, wanton

cocyn *eg* (cocynnau) pentwr bach, llai na mwdwl, o wair, ŷd, etc., ar ffurf côn; twmpath haycock

cocyn hitio rhywun neu rywbeth sy'n destun beirniadaeth hallt Aunt Sally, butt, target

coch¹ *eg* lliw gwaed neu aeron aeddfed coed celyn; ysgarlad red

coch tân coch fel tân fiery red

coch² *ans* [coch•] (cochion)
1 o liw gwaed, tomato aeddfed, etc. red
2 (am liw gwallt) oren auburn, ginger
3 am liw tir newydd aredig, neu dir heb borfa yn tyfu arno brown
4 o safon isel; anghelfydd, anfedrus, gwael, sâl poor, rough, ropey
5 (am fara neu siwgr) brown brown

6 (am iaith) anweddus, brwnt, di-chwaeth, masweddus bawdy, blue (language), ribald

coch y berllan un o adar bach yr ardd â phig dew, gryf ac y mae gan y ceiliog fron binc bullfinch

coch y bonddu math o bluen bysgota cockabundy

cochddu *ans* o liwiau coch a du wedi'u cymysgu â'i gilydd; brown brown, brownish, russet

cochen *eb* merch neu wraig â gwallt coch redhead

coch-gam *eb* robin goch robin

cochi *be* [coch•¹]
1 troi'n goch, gwneud yn goch; gwrido, rhuddo to blush, to redden
2 ymddangos (am bridd neu ddaear) e.e. *Roedd y llwybr wedi cochi ar ôl yr holl gerddwyr ar Ŵyl y Banc.* to become bare
3 COGINIO hongian bwyd mewn mwg i'w gadw rhag pydru ac i roi blas arbennig iddo; mygu to smoke

cochiad *eg* pysgodyn dŵr croyw o liw arian ond â chefn gwyrdd ac esgyll cochion; rhufell roach

cochion¹ *ans* ffurf luosog coch, *bochau cochion*

cochion² *ell* pethau coch the reds

cochl *eg* (cochlau) gwisg laes allanol; clogyn, hugan, mantell cloak, robe

dan gochl yn cuddio o dan (rywbeth), *byddin yn symud dan gochl nos* under the cover of

cochlea *eg* (cochleâu) ANATOMEG y rhan o glust fewnol mamolion sy'n ymgordeddu fel cragen falwen ac sy'n rhan hanfodol o'r synnwyr clyw; cogwrn y glust cochlea

cochni *eg* lliw coch; gwrid redness, ruddiness

cochyn *eg* bachgen neu ŵr â gwallt coch redhead

cod¹ *eb* (codau)
1 masgl *cod pys, cod ffa*; cib, plisgyn husk, pod
2 *hynafol* cwdyn pouch

cod² *bf* [codi] gorchymyn i ti godi

cod³ *eg* (codau)
1 set o reolau code
2 cyfundrefn o lythrennau, rhifau a/neu arwyddion a ddefnyddir i drosglwyddo neges, e.e. i'w chadw'n gyfrinachol, neu ei throsglwyddo mewn ffordd wahanol, *cod Morse* code, cipher

cod bar CYFRIFIADUREG cod a roddir ar nwyddau, yn cynnwys eu pris, gwneuthuriad, etc., ar ffurf nifer o linellau paralel o wahanol led a ddarllenir gan ddyfais sganio barcode

cod genynnol BIOLEG dilyniant y basau mewn moleciwlau DNA ac RNA sy'n cludo gwybodaeth enetig mewn celloedd byw genetic code

cod post grŵp o lythrennau a rhifau a ychwanegir at gyfeiriad post er mwyn hwyluso didoli'r post postcode

coda *eg* (codâu) CERDDORIAETH diweddglo darn o gerddoriaeth sy'n bodoli naill ai fel adran ar wahân i gorff y gwaith neu'n rhan o'r symudiad

codecs *eg* (codecsau) llawysgrif ar ffurf llyfr, yn enwedig llawysgrif ysgrythurol neu ddiwynyddol codex

codeiddiad *eg* CYFRAITH y broses o gasglu a threfnu cyfreithiau neu reolau mewn modd systematig codification

codeiddio *be* [codeiddi•²] mynegi neu drefnu mewn dull systematig to codify

coden *eb* (codennau)
  1 cod fechan, bag bach bag, pouch
  2 ANATOMEG cod fechan o feinwe ar y corff neu yn y corff sy'n cynnwys hylif cyst
  3 BOTANEG hadlestr hir planhigyn codlysol, e.e. pysen, sy'n ymagor pan fydd yn aeddfed pod

  coden y bustl ANATOMEG organ ar ffurf coden fach a geir dan yr afu/iau sy'n storio bustl cyn iddo gael ei ollwng i'r coluddyn gall bladder

codennaidd *ans* wedi'i lunio o nifer o godau neu godennau sacculated

codennog *ans* tebyg i goden saccular

codennyn *eg* (codenynnau) ANATOMEG coden fechan, yn enwedig y lleiaf o'r ddwy goden lawn hylif sy'n ffurfio rhan o labyrinth y glust fewnol saccule

codetta *eg* CERDDORIAETH coda byr neu lai arwyddocaol ar ddiwedd adran o gyfansoddiad

codi *be* [cod•¹ 3 *un. pres.* cwyd/coda; 2 *un. gorch.* cwyd/cod/coda]
  1 sefyll wedi i chi fod yn gorwedd neu'n eistedd, *codi o'r gwely* to get up
  2 symud rhywbeth i fyny, o fan isel i safle uwch, *codi cwpan oddi ar y bwrdd* to lift, to raise
  3 gwneud neu fynd yn fwy, *Bydd prisiau tai yn codi yn sgil y Gyllideb.*; cynyddu to increase
  4 deillio, tarddu, *Mae ganddo nant yn codi yng nghanol y cae.* to arise
  5 magu, meithrin, *Cafodd Mair ei chodi gan ei mam-gu a'i thad-cu.* to rear
  6 hawlio pris, gofyn tâl am nwyddau neu wasanaeth, *Faint rwyt ti'n ei godi am bwys o datws?* to charge, to levy
  7 adeiladu, *Sefydlwyd cronfa tuag at godi neuadd yn y pentref.* to build
  8 mynd yn fwy, *Mae hen lwmp cas yn codi lle trawodd ei ben.*; chwyddo to swell
  9 achosi, creu, peri, *Does dim byd yn well ganddo na chodi helynt yn y pentref. Mae'r dyn 'na'n codi ofn arnaf fi bob tro rwy'n ei weld.* to cause
  10 prynu tocyn, *codi bet*
  11 tynnu allan, *codi arian o'r banc* to withdraw, to lift, to raise
  12 dewis, dethol, dyfynnu, *Mae'r gweinidog yn codi testun ei bregeth o'r Testament Newydd gan amlaf.* to select, to take, to quote
  13 cofnodi, recordio, *Codais y dyfyniad oddi ar garreg fedd.* to record
  14 adfer i fywyd, *Cododd Iesu Grist Lasarus o farw'n fyw.*; atgyfodi to raise
  15 dirwyn i ben, achosi i orffen, *codi gwarchae* to raise
  16 casglu, *codi byddin*; crynhoi to assemble, to collect
  17 achosi i (rywbeth) symud neu geisio dianc, *cŵn hela yn codi llwynog*; aflonyddu to raise
  18 (am y tywydd) dechrau datblygu, *Mae'n codi'n braf; codi gwynt*
  19 cael gwared ar, tynnu ymaith, *codi'r pendics, codi bron* to remove

codi'r groth *gw.* croth

Ymadroddion

codi angor codi angor llong yn barod i hwylio to weigh anchor

codi arswyd ar *gw.* arswyd

codi awydd arnaf fi (arnat ti, arno ef, etc.) codi chwant ar

codi blys arnaf fi (arnat ti, arno ef, etc.) *gw.* blys

codi braw arnaf fi (arnat ti, arno ef, etc.) hela ofn ar to frighten

codi bwganod *gw.* bwgan

codi bys gwneud arwydd i alw rhywun atoch to beckon

codi calon *gw.* calon

codi canu arwain y canu (mewn capel yn enwedig), arwain y gân

codi cestyll yn yr aer breuddwydio'n optimistaidd to build castles in the sky

codi crachen ailgychwyn hen gynnen to reopen an old wound

codi cyfog gwneud i rywun deimlo'n gyfoglyd to make (one) sick

codi cywilydd ar *gw.* cywilydd

codi dau fys ar arwydd sarhaus

codi dincod ar fy (dy, ei, etc.) **nannedd** peri ias annifyr yn y dannedd, mynd ar nerfau to set one's teeth on edge

codi dwrn ar bygwth to threaten

codi fy (dy, ei, etc.) **nghloch** dechrau cadw sŵn to raise one's voice

codi fy (dy, ei, etc.) **nghlustiau** cymryd diddordeb a gwrando to prick one's ears

codi fy (dy, ei, etc.) **llais** to raise one's voice

codi fy (dy, ei, etc.) **mwnci** codi gwrychyn to raise one's hackles

codi gwallt eich pen achosi braw to set one's hair on end

codi gwrychyn peri i rywun fynd yn grac, gwneud i rywun golli'i dymer, *Doedd dim byd yn fwy sicr o godi ei wrychyn na phlant*

yn bwyta losin/da-da yn ystod y wers.;
cynddeiriogi, gwylltio, to annoy, to get (one's)
back up, to raise one's hackles

codi helynt creu stŵr to make a fuss

codi hiraeth arnaf gwneud i rywun hiraethu
to make one long for

codi hwyl pregethu lle byddai'r gweinidog yn
llafarganu ar adegau

codi hwyliau dechrau hwylio, cychwyn to set
sail

codi i ben (rhywun) amharu ar synnwyr
cyffredin rhywun to go to one's head

codi llais gw. llais

codi llaw cyfarch drwy chwifio llaw to wave

codi'n bedair oed (neu unrhyw oed arall) bod
ar fin cyrraedd (pedair) oed getting on

codi ofn arnaf fi (arnat ti, arno ef, etc.**)** codi
braw to frighten

codi pac mynd i ffwrdd to pack up and go

codi pwys arnaf fi (arnat ti, arno ef, etc.**)**
gwneud i rywun deimlo'n sâl to make one sick

codi'r bys bach goryfed diod gadarn to tipple

codi stêm dechrau cyflymu to get into one's stride

codi stŵr creu helynt to kick up a fuss

codi tâl (am, ar) hawlio swm o arian am
wasanaeth neu nwyddau to charge

codi twrw creu helynt, gwneud sŵn mawr a
ffws to kick up a row

codi ysgyfarnog codi testun amherthnasol
mewn trafodaeth to drag a red herring (into an
argument)

codiad *eg* (codiadau)
1 y weithred neu'r broses o godi, canlyniad
codi; esgyniad rise, erection
2 cynnydd, dyrchafiad, *codiad cyflog*; cyfodiad
increase, rise
3 cyflwr aelod rhywiol dyn neu anifail gwryw
pan fydd wedi chwyddo i'w lawn faint;
ymchwydd erection
4 bryn bach *codiad tir*; gallt, rhiw, twyn, tyle
hillock, rise

codiad haul gwawr sunrise

codiad y wawr gwawr y dydd daybreak

codiant *eg* (codiannau) FFISEG grym fertigol sy'n
gweithredu ar adain awyren pan fydd yn symud
drwy'r awyr lift

codin *eg* cyffur sy'n deillio o opiwm neu forffin
ac a ddefnyddir i leddfu poen codeine

codio *be* [codi•²] cyfieithu neges i ffurf cod;
amgodio to code, to encode

codisil *eg* (codisiliau) CYFRAITH cymal sy'n
cael ei ychwanegu at ewyllys i'w egluro neu ei
newid; atodiad, ychwanegyn codicil

codlo *be* [codl•¹] cawlio, cymysgu, drysu
to confuse

codlys *eg* (codlysiau) BOTANEG un o deulu
o blanhigion, prysgwydd neu goed sy'n

ffynhonnell bwysig o fwyd (pys, ffa,
meillion, etc.); eu ffrwythau yw'r codennau
hir sy'n amgáu'r hadau ac mae ganddynt
wreiddgnepynnau yn cynnwys bacteria sy'n
sefydlogi nitrogen o'r aer at ddefnydd y
planhigyn; ciblys legume(s)

codlysol *ans* yn aelod o deulu'r codlysiau, tebyg i
godlys leguminous

codowrach gw. cyngaf

codwarth *eg* planhigyn yn perthyn i'r un teulu
â'r tatws ac iddo flodau porffor ac aeron duon
gwenwynig deadly nightshade, nightshade

codwarth caled planhigyn yn perthyn i'r
un teulu â'r codwarth, y mae ganddo flodau
porffor â brigerau melyn amlwg ac aeron
cochion gwenwynig bittersweet

codwm *eg* (codymau) canlyniad syrthio neu
ddisgyn; tafliad (mewn ymaflyd codwm);
cwymp, disgyniad, syrthiad fall, tumble

ymaflyd codwm dull o ymladd (rhwng dau
berson fel arfer) lle mae'r naill yn ceisio taflu'r
llall i'r llawr a'i ddal yno; reslo to wrestle

codwr *eg* (codwyr)
1 un sy'n codi, *boregodwr* riser
2 person neu beiriant sy'n codi pethau lifter

codwr staen sylwedd sy'n dileu staen
stain remover

Ymadrodd

codwr canu gw. canu¹

codymu *be* [codym•¹] cael codwm, cwympo'n
sydyn ac yn ddiymadferth; syrthio to tumble

coed *ell* lluosog coeden
1 nifer o frennau yn tyfu gyda'i gilydd dros
ddarn eang o dir, fforest fach; celli, coetir,
gallt, gwig trees, wood
2 darn neu ddarnau o bren; defnydd crai saer
coed timber
3 darnau hir a thenau o goed a ddefnyddir i
gynnal pys neu ffa poles

coed tân darnau o goed sych wedi'u torri ar
gyfer eu llosgi; cynnud firewood

coed treigl boncyffion neu bolion praff ar
gyfer rholio pethau trwm arnynt, e.e. rholio
llong o dir sych i'r dŵr rollers

Ymadrodd

dod at fy (dy, ei, etc.**) nghoed** dod i feddwl
ac ymddwyn mewn ffordd briodol to come to
one's senses

coeden *eb* (coed) math o blanhigyn deiliog, tal
â boncyff a changhennau o bren; mae dau brif
ddosbarth o goed, sef coed conwydd a choed
llydanddail; pren tree

coediach:coedach *ell* mân lwyni, canghennau
bach ac isdyfiant ar lawr man coediog;
mangoed, prysgwydd brushwood

coediog:coedog *ans* llawn coed, a choed yn
tyfu drosto wooded, sylvan

coediwr *eg* (coedwyr)
1 ceidwad coedwig, cwympwr coed; coedwigwr
2 gwyfyn bach ag adenydd blaen o liw gwyrdd metelaidd sy'n hedfan yn ystod y dydd forester (moth)

coedlan *eb* (coedlannau) man agored wedi'i amgylchynu â choed, llwyn o goed; celli, gallt, gwig, llannerch glade, grove

coedlin *eg* (coedlinau) ffin ar fynydd-dir neu dir uchel lle mae coed yn gorffen tyfu treeline, timberline

coedlo *eg* glo llwyd rhwng glo arferol a mawn, y gellir gweld ynddo wead y coed gwreiddiol; lignit lignite

coedog gw. coediog

coedol *ans* tebyg i goeden arboreal

coedwig *eb* (coedwigoedd) darn helaeth o dir a choed a llwyni yn tyfu'n drwch drosto; fforest, gwig, gwŷdd forest, wood

coedwigaeth *eb*
1 gwyddor codi a meithrin coedwigoedd forestry
2 y gwaith o dyfu coed er mwyn eu gwerthu; fforestiad forestry

coedwigo *be* [coedwig•¹] sefydlu coedwig, plannu coedwig; fforestu to afforest, afforestation

coedwigwr *eg* (coedwigwyr) gŵr sy'n gweithio mewn coedwig neu sy'n gyfrifol am goedwig neu un sy'n gofalu am goedwig forester

coedwyrdd *eg* un o nifer o blanhigion sy'n aelod o deulu glesyn y gaeaf ac sy'n aros yn wyrdd drwy gydol y gaeaf wintergreen

coedyddiaeth *eb* gwaith trin a thyfu coed a phrysgwydd arboriculture

coedd *ans* fel yn *ar goedd*, fel bod pawb yn gallu gweld neu glywed; cyhoeddus public

coegddysgedig *ans* yn ymfalchïo'n rhodresgar yn ei ddysg; pedantig pedantic

coegen *eb* (coegennod) hoeden, jaden, putain strumpet

coegfalch *ans* (am rywun) yn ormodol falch o'i olwg, o'i allu neu ei lwyddiant; hunanbwysig, hunandybus, mawreddog conceited, vain

coegfeddyg *eg* (coegfeddygon) un heb gymhwyster sy'n cymryd arno ei fod yn feddyg; crachfeddyg charlatan, quack

coegio:cogio *be* [coegi•²] *tafodieithol, yn y Gogledd* esgus gwneud rhywbeth; cymryd arnoch, smalio, twyllo to deceive, to fake, to pretend

coeglyd *ans* yn gwneud sbort am ben rhywun drwy esgus ei ganmol, e.e. *'Dim allan o ddeg – O da iawn, Siân.'*; bychanus, dilornus, dirmygus, gwawdlyd sarcastic

coegni *eg* iaith gwawdio, iaith watwarus; dirmyg, dychan, gwatwar, gwawd contempt, sarcasm

coegwych *ans* di-chwaeth o lachar, dros ben llestri garish, gaudy, tawdry

coegyn *eg* (coegynnau:coegynnod) dyn sy'n ymhyfrydu'n ormodol yn ei olwg neu ei wisg dandy, fop, upstart

coegysgolheictod *eg* ysgolheictod diddychymyg sy'n gorbwysleisio manylion pedantry

coel *eb* (coelion)
1 cred bod rhywbeth yn bod neu'n wir; barn, crediniaeth, daliad, tyb belief, credence
2 cred hygoelus gan lawer iawn o bobl, *Mae Amgueddfa Werin Cymru wedi casglu llawer o hen goelion y Cymry.*; ofergoel belief, superstition
3 cred neu ymddiriedaeth, e.e. y bydd rhywun yn talu dyled, *Doedd gen i ddim llawer o goel ar addewidion y gŵr 'na.*; crediniaeth, ffydd trust
4 arian y mae banc yn barod i fenthyca i rywun, fel arfer ar y ddealltwriaeth y bydd yn cael ei dalu yn ôl â llog; credyd credit
ar goel cael rhywbeth pan fydd ei angen arnoch, gan addo talu amdano rywbryd yn y dyfodol on credit
coel gwrach hen gred sydd wedi goroesi o genhedlaeth i genhedlaeth er nad oes unrhyw sail iddi old wives' tale

coelbren *eg* (coelbrennau)
1 *hanesyddol* un o nifer o brennau arbennig a dynnid ar hap i geisio penderfynu beth oedd dymuniad Duw (neu dduwiau) wrth ddewis swyddog neu rannu tir, etc. lot
2 darn o bren neu belen ac ysgrifen arni a fyddai'n cael ei ddefnyddio gynt i ddynodi dewis mewn pleidlais gyfrinachol ballot
coelbren y beirdd gwyddor ffug a grëwyd gan Iolo Morganwg ac a gâi ei naddu ar rodenni pedairochrog a'u rhoi mewn ffrâm o bren (y beithynen) fel bod modd eu troi a'u darllen; honnai Iolo fod hen feirdd Cymru yn ei ddefnyddio
Ymadrodd
bwrw coelbren defnyddio coelbrennau i ddewis neu ddod i benderfyniad to cast lots

coelcerth *eb* (coelcerthi)
1 tanllwyth o dân mewn man agored (yn enwedig ar ben mynydd neu fan uchel) fel dathliad neu rybudd; erbyn hyn y tân awyr agored ar Noson Guto Ffowc (5 Tachwedd); goddaith, tanllwyth bonfire, beacon, pyre
2 (yn ffigurol) sefyllfa danllyd, e.e. rhyfel conflagration

coelenteriad *eg* (coelenteriaid) SWOLEG unigol coelenteriaid coelenterate

coelenteriaid *ell* SWOLEG ffylwm o anifeiliaid dyfrol, di-asgwrn-cefn yn cynnwys slefrod môr, cwrelau, anemonïau môr, etc.; mae ganddynt gorff ar ffurf tiwb neu gwpan ac agoriad neu geg wedi'i amgylchynu â thentaclau Coelenterata, **coelenterates**

coeliag *ans* MEDDYGAETH yn ymwneud â'r abdomen coeliac

clefyd coeliag MEDDYGAETH clefyd a achosir gan orsensitifedd y coluddyn bach i glwten sy'n arwain at fethiant cronig i dreulio bwyd **coeliac disease**

coelio *be* [coeli•²] derbyn fel gwir, *Choelia' i byth!*; credu, hyderu, ymddiried **to believe**

coelion *ell* lluosog **coel**

coelion tywydd arwyddion y mae pobl yn credu eu bod yn darogan sut dywydd sydd i ddod **weather lore**

coelom *eg* (coelomau) SWOLEG (yn y rhan fwyaf o anifeiliaid) prif geudod y corff, a geir rhwng y llwybr coluddol a mur y corff **coelom**

coes¹ *eb* (coesau)
  1 un o'r ddau aelod o'r corff y mae unigolyn yn eu defnyddio i sefyll, i gerdded neu i redeg, ac un o bedwar aelod tebyg mewn anifail; esgair, hegl **leg**
  2 y rhan o'r goes sy'n ymestyn o'r troed i'r pen-glin; crimog **leg**
  3 rhan o ddilledyn i'w gwisgo am y coesau, *coesau trowsus* **leg**

coesau bachau crochan coesau cam **bandy legs**
coesau robin goch coesau tenau **thin-legged**
coes ganol *aflednais* cala, pidlen, pidyn **cock, penis**
coes glec gw. **clec**
cymryd y goes rhedeg i ffwrdd (fel arfer er mwyn dianc) **to leg it**
hen goes term anwes am rywun, *Sut rwyt ti'r hen goes?* **old boy/old girl**
tynnu coes cellwair, gwneud sbort am ben (yn ddiniwed) **to pull someone's leg**

coes² *eg* (coesau)
  1 un o ddarnau cynhaliol cadair, bwrdd, etc. **leg**
  2 y rhan o offeryn, arf neu declyn y gafaelir ynddi, e.e. coes brws, coes bwyell, coes morthwyl; carn, handlen **handle**
  Sylwch: defnyddier 'coesyn' yng nghyd-destun planhigion a blodau.

coesarn *eg* (coesarnau) gorchudd o frethyn neu ledr yn ymestyn o fwnwgl y droed i'r ffêr, i groth y goes neu i'r pen-glin; gorchudd tebyg mewn gwisg filwrol **gaiter**

coesgam *ans* am rywun neu rywbeth nad yw ei goesau'n syth, y mae ei goesau'n crymu; bongam, gargam, glingam **bandy-legged, bow-legged**

coesog *ans* â choes neu goesau hir; heglog **leggy**

coesyn *eg* (coesynnau) coes planhigyn y mae blodyn, ffrwyth neu ddeilen yn tyfu arno sy'n ei gysylltu â changen, brigyn neu goesyn mwy o faint **stalk, stem**

coesyn yr ymennydd ANATOMEG rhan ganolog ymennydd mamolion sy'n cynnwys y medwla oblongata **brainstem**

coeten *eb* (coetiau:coets) cylch trwm o haearn sy'n cael ei daflu mewn campau i weld pwy sy'n gallu ei gael i lanio dros bolyn yn y ddaear neu'n agos ato **quoit**

coetgae *eg* (coetgaeau) cae wedi'i amgylchynu â choed **enclosure**

coetio *be* [coeti•²] chwarae neu daflu coetiau **to play quoits**

coetir *eg* (coetiroedd) tir coediog; coedwig, gwig, gwŷdd **woodland**

coetmon *eg* (coetmyn) torrwr neu gymynwr coed **lumberjack**

coetmona *be* cymynu (torri lawr) a llifio coed **to lumber**
  Sylwch: nid yw'r ferf hon yn arfer cael ei rhedeg.

coets *eb* (coetsys)
  1 cerbyd â phedair olwyn ar gyfer cludo pobl (neu bethau) a fyddai'n cael ei dynnu gan geffylau; defnyddir coetsys heddiw mewn seremonïau **coach**
  2 cerbyd (ar gyfer cludo pobl neu nwyddau) sy'n rhedeg ar gledrau ac yn cael ei dynnu gan drên **carriage, coach**
  3 bws, cerbyd **coach**

coets fach *anffurfiol* crud ar olwynion ar gyfer babi **perambulator, pram**

coets fawr *hanesyddol* coets i deithwyr, a ddaeth i fri yng nghanol yr ail ganrif ar bymtheg wrth i ffyrdd Prydain ddechrau gwella **stagecoach**

coeth *ans* [coeth•] (coethion) wedi'i buro a'i gaboli; caboledig, cain, llathredig, pur **pure, refined**

coethder *eg* y cyflwr neu'r ansawdd o fod yn goeth; ceinder, gwychder, mireinder **elegance, refinement**

coethi¹ *be* [coeth•¹] cael gwared ar amhuredd; caboli, glanhau, puro **to purify, to refine**

coethi² *be*
  1 gwneud sŵn fel ci; cyfarth (~ **ar**) **to bark**
  2 (yn ffigurol) dweud y drefn, ei dweud hi **to let rip**
  Sylwch: nid yw'r ferf hon yn arfer cael ei rhedeg.

coethion *ans* ffurf luosog **coeth**

coethwr *eg* (coethwyr) un sy'n puro neu'n coethi **refiner**

cof *eg* (cofion)
  1 y gallu neu'r gynneddf i alw pethau yn ôl i'r meddwl neu eu cadw yn y meddwl; yr hyn a gofir **memory**
  2 CYFRIFIADUREG y rhan o gyfrifiadur neu beiriant tebyg lle mae data yn cael eu cadw yn barod i'w dwyn i'r sgrin neu i gael eu hargraffu pan fydd galw; y mae gwahanol fathau o gof

gan gyfrifiaduron, e.e. cof darllen yn unig, cof hapgyrch memory

cof darllen yn unig CYFRIFIADUREG cof cyfrifiadurol sefydlog y gellir ei ddarllen yn gyflym, nad yw'n cael ei golli pan gaiff y cyfrifiadur ei ddiffodd, ac nad oes modd ei newid gan gyfarwyddiadau rhaglen gyfrifiadurol arall read-only memory, ROM

cof hapgyrch CYFRIFIADUREG cof o ddata cyfrifiadurol yn cynnwys data sy'n gallu newid yn ôl gofynion y defnyddiwr ac sy'n diflannu wrth ddiffodd y cyfrifiadur (oni bai bod camau penodol wedi'u cymryd i'w cadw) RAM, random-access memory

dysgu ar fy (dy, ei, etc.) nghof dysgu fel bod modd gallu cofio heb gymorth to learn by heart

Tri Chof Ynys Prydain tri thestun yr oedd disgwyl i'r hen feirdd fod yn feistri arnynt, sef hanes a chwedloniaeth Ynys Prydain, iaith y Brytaniaid (sef y Gymraeg) ac achau ac arfau'r teuluoedd brenhinol ac uchelwrol

Ymadroddion

ar gof a chadw wedi'i gofnodi, wedi'i ysgrifennu neu ei recordio on record

co' bach CYFRIFIADUREG ymadrodd llafar am *ffon gof* memory stick

cof brith:brith gof atgof aneglur, ansicr faint memory

cof byw atgof clir iawn vivid memory

cof fel eliffant cof hir long memory

cof fel gogor cof diffygiol memory like a sieve

cof gan cofio, *cof gennyf*, sef 'rwy'n cofio' to remember

cof plentyn atgof am rywbeth a ddigwyddodd pan oedd rhywun yn ifanc iawn childhood memory

dwyn ar gof:dwyn i gof peri i gofio neu atgoffa to bring to mind

er cof er mwyn cofio am in memory of

ers cyn cof ers amser mawr, ers cyfnod nad oes atgof amdano from time immemorial

galw i gof peri cofio, atgoffa to recall

gollwng dros gof anghofio to forget

mynd o'm (o'th, o'i, etc.) cof colli tymer, gwylltio to go mad, to lose one's temper

cofadail *eb* (cofadeiliau) adeilad sylweddol fel colofn neu neuadd wedi'i godi er cof am rywun neu rywrai; cofeb, cofgolofn cenotaph, monument

cofalens *eg*

1 CEMEG priodwedd atomau lle mae atomau sy'n uno yn cydrannu parau o electronau covalency

2 CEMEG nifer y parau hyn o electronau y mae atom yn gallu eu rhannu wrth ffurfio bondiau cofalent covalency

cofalent *ans* CEMEG yn ymwneud â pharau o electronau sy'n gallu cael eu cydrannu wrth i atomau uno covalent

bond cofalent gw. bond

cofbin *eg* (cofbinnau) ffon gof; dyfais fach electronig, symudol, i gadw a throsglwyddo data o'r naill ddyfais electronig i'r llall; co' bach memory stick

cofeb *eb* (cofebau:cofebion) rhywbeth llai o ran maint na chofadail i goffáu unigolyn, grŵp neu ddigwyddiad arbennig; cofgolofn memorial

cofgolofn *eb* (cofgolofnau) cofadail neu biler i goffáu unigolyn, grŵp neu ddigwyddiad arbennig monument

Cofi:Co' *eg* (Cofis) enw (ysgafn) ar frodor o dref Caernarfon

cofiadur *eg* (cofiaduron)

1 un sy'n croniclo, un sy'n gyfrifol am gadw cofnodion; cofrestrydd, hanesydd chronicler, registrar

2 CYFRAITH (yn Lloegr a Chymru) bargyfreithiwr neu gyfreithiwr a benodir yn farnwr rhan-amser recorder

cofiadwy *ans* rhwydd ei gofio; gwefreiddiol, rhyfeddol, trawiadol memorable

cofiannau *ell* lluosog cofiant

cofiannol *ans* yn ymwneud â chofiannau; bywgraffyddol biographical

cofiannydd *eg* (cofianwyr) lluniwr cofiant biographer

cofiant *eg* (cofiannau) LLENYDDIAETH hanes bywyd unigolyn, fel arfer wedi'i ysgrifennu gan rywun arall – y cofiannydd; bywgraffiad biography

cofio *be* [cofi•²]

1 dwyn i gof, *Wyt ti'n cofio John? Dydw i ddim yn cofio'n dda iawn y dyddiau 'ma.*; atgofio, coffáu to recall, to recollect

2 cadw mewn cof, *Cofia wneud dy waith cartref.* (~ **am**) to remember

cofio at anfon cyfarchion at rywun, *Cofia fi at dy fam.* to remember to

cofion *ell* lluosog cof

anfon cofion cofio (at rywun), anfon cyfarchion to send regards

cofis *ell* lluosog cofi

cofl gw. côl

coflaid:cowlaid *eb* (cofleidiau) llond eich côl, llond cofl, cymaint ag y gallwch ei ddal yn eich breichiau; ceseiliaid, hafflaid armful, lapful

coflech *eb* (coflechau) carreg goffa neu ddarn o lechen yn coffáu rhywun memorial, memorial stone/tablet

cofleidiad *eg* y weithred o gofleidio, canlyniad cofleidio; cwtsh, gwasgiad embrace, hug

cofleidio *be* [cofleidi•²] taflu breichiau o gwmpas rhywun fel arwydd o gariad neu gyfeillgarwch; anwesu, mynwesu to embrace, to hug

coflyfr *eg* (coflyfrau) llyfr a ddefnyddir i gofnodi ymrwymiadau a digwyddiadau y mae eisiau cofio amdanynt at y dyfodol; cofrestr, dyddiadur diary, engagement book

cofnod *eg* (cofnodion)
1 tystiolaeth i ffaith hanesyddol wedi'i chadw ar ffurf arhosol, e.e. wedi'i hysgrifennu mewn dogfen neu wedi'i naddu ar garreg record
2 adroddiad byr sy'n crynhoi pwnc a drafodwyd mewn cyfarfod; crynodeb minute
3 nodyn ffurfiol oddi wrth swyddogion (fel arfer) at ei gilydd, yn tynnu sylw at rywbeth neu'n eu hatgoffa am rywbeth; memorandwm, sylw memorandum

cofnodedig *ans* wedi'i gofnodi recorded

cofnodi *be* [cofnod•¹] llunio adroddiad ffurfiol (o drafodaeth cyfarfod, cytundeb, etc.); nodi, cofrestru to minute, to note, to record, to register

cofnodion *ell*
1 lluosog cofnod
2 crynodeb o drafodaeth neu gyfarfod sydd, gan amlaf, yn cael eu paratoi gan ysgrifennydd y cyfarfod a'u dosbarthu i bob aelod minutes

cofrestr *eb* (cofrestrau:cofrestri)
1 rhestr ffurfiol ac awdurdodol y gall pobl gyfeirio yn ôl ati, cofnod awdurdodol ar ffurf rhestr o enwau gan amlaf register
2 llyfr sy'n cynnwys rhestr ffurfiol; brut, catalog, cronicl, llechres register
3 CYFRIFIADUREG (mewn dyfeisiau electronig) lleoliad mewn storfa ddata a ddefnyddir at bwrpas penodol ac sydd ag amser ymateb cyflym register

cofrestredig *ans* wedi'i gofrestru; achrededig, ardystiedig registered

cofrestrfa *eb* (cofrestrfeydd) man lle y gellir cofrestru; man lle mae cofnodion yn cael eu cadw registry

cofrestriad *eg* (cofrestriadau) y broses o gofnodi enw ar restr, e.e. genedigaethau neu farwolaethau, neu o gofrestru yn ffurfiol i ymuno â rhywbeth megis cwrs coleg registration, enrolment

cofrestru *be* [cofrestr•¹]
1 ysgrifennu rhestr ffurfiol neu ychwanegu at restr neu gofnod ffurfiol; cofnodi, croniclo (~ *rhywbeth* ar) to register, registration
2 talu (weithiau) i ychwanegu enw at restr ffurfiol, *Cofrestrodd ar gwrs Cymraeg.*; ymaelodi, ymuno to enrol
swyddfa gofrestru gw. swyddfa

cofrestrydd *eg* (cofrestryddion) swyddog sy'n gyfrifol am gadw cofrestr neu gofrestrau; swyddog sy'n cofnodi genedigaethau, marwolaethau a phriodasau i'r wladwriaeth registrar

y Cofrestrydd Cyffredinol y prif swyddog sy'n gyfrifol am drefnu cofnod o bob genedigaeth, marwolaeth a phriodas ym Mhrydain the Registrar General

cofrodd *eg* (cofroddion) rhodd er cof keepsake, memento

cofus *ans* yn cofio mindful

cofweini *be* [cofweini•²] atgoffa actor neu areithiwr o'i eiriau os yw'n eu hanghofio to prompt

cofweinydd *eg* (cofweinyddion) un sy'n cofweini prompter

coffa *eg* coffadwriaeth, e.e. carreg goffa; atgof, cof, cofffâd memorial, remembrance
llyfr coffa llyfr i goffáu rywun neu rywrai sydd wedi marw book of remembrance
Ymadroddion
coffa da am (rywun) geiriau o ganmoliaeth i gofio am rywun sydd wedi marw of blessed memory
er coffa er cof am in memory of

cofffâd *eg* galwad i gof; coffa, coffadwriaeth, teyrnged commemoration, recollection

coffadwriaeth *eb* (coffadwriaethau) cofffâd drwy gyfrwng seremoni, dathliad neu ŵyl commemoration, remembrance
o barchus goffadwriaeth coffa da am rywun of blessed memory

coffadwriaethol:coffaol *ans* er cof am, i gofio commemorative

coffáu *be* [coffa•¹⁵] dwyn i gof, gwneud rhywbeth er cof am (rywun neu rywbeth); atgofio, atgoffa, cofio to commemorate, to recollect

coffi *eg*
1 hadau ffrwythau cochion tebyg i geirios sy'n tyfu ar y llwyn coffi; cânt eu rhostio'n frown tywyll a'u malu'n fân yn barod i'w trwytho mewn dŵr i wneud diod arbennig coffee
2 diod arbennig wedi'i gwneud o hadau wedi'u paratoi fel uchod coffee
3 lliw'r ddiod hon ar ôl i lefrith/laeth gael ei ychwanegu ati, sef lliw brown golau coffee
coffi du diod o goffi heb laeth/lefrith black coffee
coffi gwyn diod o goffi â llaeth/llefrith neu hufen wedi'i ychwanegu ati white coffee
Ymadrodd
coffi drwy laeth coffi gwyn milky coffee

coffor:coffr *eg* (coffrau) blwch neu focs arbennig; cist gref o bren neu fetel y byddai trysor neu arian yn cael eu cadw ynddi coffer, chest
mae'r coffrau'n wag does dim arian ar gael

cog¹ *eb* (cogau) aderyn llwydlas canolig ei faint, a ddaw i Gymru yn y gwanwyn cyn ymfudo i Affrica neu Asia dros y gaeaf; fel arfer, mae'r iâr yn dodwy ei hwyau yn nythod adar eraill; cwcw cuckoo

fel y gog:mor hapus â'r gog heb unrhyw bryder na gofid, yn ysgafn fy meddwl as happy as a lark

cog² *eg* (hen air) un sy'n coginio; cogydd, cogyddes cook

còg¹ *eb* (cogiau) cocsen; un o gyfres o ddannedd ar ymyl olwyn sy'n bachu neu'n cydio mewn dannedd cyfatebol ar olwyn arall; wrth i'r naill olwyn symud, mae'r llall yn cael ei symud hefyd; cocsen cog

còg² *eg* (cogiau) *tafodieithol, yn y Gogledd* bachgen, crwt, llanc, llefnyn lad

cogail *eg* (cogeiliau)
1 ffon i ddal y gwlân neu'r llin pan fo rhywun yn nyddu â llaw distaff
2 tras deuluol o ochr y fam distaff

cogfran gw. **corfran**

coginiaeth *eb* yr arfer a'r grefft o goginio; cogyddiaeth cookery

coginio *be* [cogini•⁶] paratoi bwyd drwy ei ddwymo mewn ffordd arbennig (e.e. crasu, berwi, rhostio), *coginio cig, coginio ar dân agored*; digoni to cook, cookery

cogio *be* [cogi•²] gw. **coegio**

cogiwr *eg* (cogwyr) un sy'n twyllo, dyn dichellgar; twyllwr, hocedwr faker, swindler, trickster

cogor¹ *eg* mân siarad; twrw, trwst, trydar, cleber, mwstwr cackle, clatter, prattle

cogor² *be* cadw sŵn, cadw mwstwr, gwneud twrw to cackle, to chatter
Sylwch: nid yw'r ferf hon yn arfer cael ei rhedeg.

cogwrn *eg* (cogyrnau)
1 mwdwl o ŷd, gwair, etc.; twmpath, pentwr haycock
2 côn troellog; rhywbeth ar ffurf côn troellog, e.e. sgriw, topyn troi, cragen falwen, etc. cone, spiral

cogwrn y glust cochlea; y rhan o glust fewnol mamolion sy'n ymgordeddu fel cragen falwen ac sy'n rhan hanfodol o'r synnwyr clyw cochlea

cogydd *eg* (cogyddion)
1 un sy'n coginio bwyd; cog² cook
2 arbenigwr ar goginio; rhywun sy'n ennill ei fywoliaeth drwy goginio bwyd i eraill; cog cook

cogyddes *eb* (cogyddesau) merch neu wraig sy'n coginio, yn enwedig un sy'n ennill ei bywoliaeth drwy goginio bwyd i eraill cook

cogyddiaeth *eb* yr arfer a'r grefft o goginio; coginiaeth cookery

congl *eb* (conglau)
1 y man lle mae dwy ochr neu ymyl yn cwrdd, a'r lle rhyngddynt; cornel, cwr, ongl corner, angle
2 tro sydyn mewn heol neu ffordd bend, corner
3 lle cysgodol, cil, cilfach, lloches nook, shelter

cael fy (dy, ei, etc.) ngwasgu i gongl cael fy ngwthio i le nad oes modd dianc ohono to be cornered

conglfaen *eg* (conglfeini)
1 carreg sy'n cael ei gosod ar gornel adeilad, maen cryf sy'n cynnal tu blaen ac ochr adeilad; rhywbeth hanfodol, sylfaenol cornerstone
2 PENSAERNÏAETH ongl allanol adeilad neu un o'r meini allanol sy'n ei wahaniaethu oddi wrth feini eraill yr adeilad quoin

coil *eg* (coiliau) FFISEG gwifren wedi'i throelli sy'n cludo cerrynt trydanol er mwyn iddi weithio fel gwrthydd, neu er mwyn creu maes magnetig coil

col *eg* (colion) tyfiant blewog, pigog a geir ar flaen tywysennau haidd, ceirch, gwenith a rhyg, barf gwenith; colyn awn

côl:cofl *eb* rhan flaen y corff o'r wasg i'r gliniau pan fo rhywun ar ei eistedd; arffed, glin lap

coladiad *eg* (coladiadau) y broses o goladu, canlyniad coladu collation

coladu *be* [colad•³] casglu tudalennau at ei gilydd mewn trefn yn barod i'w rhwymo; gwirio trefn tudalennau neu adrannau mewn llyfr; trefnu to collate

coladydd *eg* (coladwyr) un sy'n coladu collator

colagen *eg* BIOCEMEG prif brotein mamolion; fe'i ceir yn y meinweoedd cyswllt (ffibrau'r gewynnau a'r meinwe o gwmpas esgyrn) collagen

colandr *eg* (colandrau) bowlen rwyllog (h.y. llawn mân dyllau) a ddefnyddir i olchi neu i ddraenio bwyd; hidlydd colander

colbio *be* [colbi•²] bwrw (rhywun, fel arfer); curo, ffusto, taro (~ *rhywun/rhywbeth* â) to beat, to thrash

colchos *eg* fferm gyfunol o'r math a geid yn yr hen Undeb Sofietaidd kolkhoz

colecalchifferol *eg* BIOCEMEG fitamin D3 cholecalciferol

colect *eg* (colectau) gweddi fer a ddarllenir o flaen darlleniad o'r epistol mewn gwasanaeth Anglicanaidd collect

coleddu *be* [coledd•¹] mabwysiadu (syniad fel arfer) a'i feithrin; anwesu, gofalu am, ymgeleddu to harbour, to cherish, to nurture

coleddwr *eg* (coleddwyr) un sy'n coleddu cherisher

coleg *eg* (colegau)
1 athrofa neu ysgol yn cyflwyno addysg uwch, *Coleg Addysg Bellach*; academi college

C

2 corff o fyfyrwyr ac athrawon sy'n ffurfio rhan o brifysgol college
3 ysgol fonedd neu breifat, *Coleg Llanymddyfri* college
4 corff o bobl sy'n perthyn i'r un alwedigaeth, *Coleg Brenhinol y Nyrsys* college
Coleg Etholiadol GWLEIDYDDIAETH corff o etholwyr a ddewiswyd neu a etholwyd gan gorff mwy; (yn UDA) corff o bobl sy'n cynrychioli taleithiau UDA ac sy'n pleidleisio'n ffurfiol i ethol yr Arlywydd a'r Dirprwy Arlywydd Electoral College
colegol *ans* yn perthyn i goleg, nodweddiadol o goleg; athrofaol collegiate
colencyma *eg* (colencymata) BOTANEG meinwe yn cynnwys celloedd hir â muriau anwastad, trwchus sy'n cynnig cryfder a chynhaliaeth i goesyn planhigyn neu wythïen deilen collenchyma
coleoptil *eg* (coleoptilau) BOTANEG haen amddiffynnol o gwmpas egin gwair neu egin grawn coleoptile
coler *ebg* (coleri)
1 y rhan o grys, ffrog neu got sydd naill ai'n sefyll i fyny neu'n cael ei phlygu o gwmpas y gwddf collar
2 band neu gadwyn addurniadol sy'n arwydd o fonedd neu urddau arbennig; torch collar
3 band neu gadwyn a roddir am wddf anifail er mwyn ei adnabod neu ei gaethiwo collar
4 band lledr trwchus sy'n mynd dros ben anifail; bydd cerbyd neu offer o ryw fath yn cael ei gysylltu â'r goler er mwyn i'r anifail ei dynnu; gwedd collar
5 streipen o liw o gwmpas gwddf anifail band
6 math o fodrwy sy'n ffitio ar bibell neu ran o beiriant; fflans collar
Sylwch: mae'n fenywaidd yn y Gogledd ac yn wrywaidd yn y De.
coler gron y goler wen y mae gweinidog, ficer neu offeiriad yn ei gwisgo am ei wddf clerical collar
coler las (yn disgrifio) gweithwyr gwaith corfforol neu mewn diwydiant blue-collar
coler wen (yn disgrifio) gweithwyr neu waith a gyflawnir mewn swyddfa neu amgylchedd proffesiynol white-collar
colera *eg* MEDDYGAETH clefyd heintus y coluddyn bach a all fod yn farwol, a achosir gan facteria ac a nodweddir gan gyfogi difrifol a'r dolur rhydd cholera
coleru *be* [coler•¹]
1 gosod coler am wddf to collar
2 cael gafael yn; dal to collar
colesterol *eg* cyfansoddyn (steroid) sydd i'w gael yn llawer o feinweoedd y corff; mae'n bwysig i brosesau biocemegol ond y mae gormod ohono yn gallu achosi clefyd y galon cholesterol

colesystocinin *eg* BIOCEMEG hormon sy'n cael ei secretu gan gelloedd y duodenwm ac sy'n ysgogi rhyddhau bustl o'r goden bustl ac ensymau pancreatig cholecystokinin
colet *eg* (coletau) coler neu lawes o fetel collet
colfach *eg* (colfachau) teclyn bach neu ddyfais lle mae dau blât o fetel wedi'u cydgysylltu ar echel; mae modd agor a chau'r platiau hyn neu unrhyw ddarnau sy'n cael eu cysylltu â'r platiau, e.e. drws hinge
colfachog *ans* yn agor a chau neu'n codi a gostwng ar golfach(au) hinged
colfachu *be* [colfach•¹] bachu neu grogi wrth golfach (e.e. drws) to hinge
colfen *eb* (colfennau:colfenni) cangen o goeden, cainc; coeden branch, tree
colfran *eg* (ffurf ar **ceulfraen**) llaeth wedi'i geulo a'i halltu gyda'r maidd wedi'i wasgu ohono yn barod i wneud caws cheese-curds
colier:coliar *eg* (coliers:coliars) glöwr; un sy'n gweithio mewn pwll glo, un sy'n gweithio dan ddaear yn cloddio am lo collier, coal miner
colig *eg* MEDDYGAETH gwayw o boen yn y coluddion a achosir gan wynt neu gan rwystr yn y coluddion colic
colin *eg* BIOCEMEG sylwedd alcalïaidd sy'n hanfodol i iechyd y corff drwy rwystro brasterau rhag cronni yn yr afu/iau choline
colinergig *ans* FFISIOLEG am nerf sy'n cael ei ysgogi gan asetylcolin (cemegyn sy'n trosglwyddo ysgogiadau rhwng nerfau) neu sy'n rhyddhau asetylcolin fel ymateb i ysgogiad cholinergic
colinesteras *eg* BIOCEMEG un o nifer o ensymau sy'n dadelfennu cyfansoddion cemegol yn cynnwys colin cholinesterase
colitis *eg* MEDDYGAETH llid leinin y coluddyn mawr colitis
collage *eg* CELFYDDYD gwaith celf lle mae defnyddiau gwahanol (ffotograffau, defnydd, pren, etc.) yn cael eu trefnu a'u gludio ar gefnlen; gludlun
colmio *be* [colmi•²] crwydro oddi amgylch, mynd am dro to jaunt
colofn *eb* (colofnau)
1 piler neu bostyn mewn adeilad sy'n cynnal darn o'r adeilad, sy'n addurn neu'n gofadail; ateg, gwanas column
2 unrhyw beth sy'n debyg i biler o ran ei olwg, *colofn o fwg* column
3 rhaniad tudalen lle bydd dwy neu ragor o adrannau o brint yn rhedeg i lawr y tudalen â bwlch bach rhyngddynt column
4 erthygl gan un o ohebwyr cyson papur newydd, neu erthygl ar destun arbennig y mae lle rheolaidd yn cael ei glustnodi ar ei chyfer, *Y Golofn Grefyddol* column

5 rhes hir o bobl neu gerbydau (yn enwedig yng nghyd-destun byddinoedd) column
6 rhestr o rifau wedi'u trefnu'r naill o dan y llall column
7 *ffigurol* un sy'n cynnal, *Mae Mrs Evans yn un o golofnau'r achos yn y dref.* pillar
colofnfa *eb* (colofnfeydd) PENSAERNÏAETH rhes o golofnau wedi'u gosod yn gymesur oddi wrth ei gilydd ac yn cynnal goruwchadail colonnade
colofnig *eb* (colofnigau) BOTANEG (ar ofari planhigyn) estyniad sy'n dal y stigma style
colofnog *ans*
1 yn ymwneud â cholofnau, â llawer o golofnau columnar
2 BIOLEG fel yn *epitheliwm colofnog*, wedi'i wneud o gelloedd tal a chul columnar
colofnydd *eg* (colofnwyr) gohebydd sy'n cyfrannu colofn (erthygl) i bapur newydd neu gylchgrawn columnist
coloid *eg* (coloidau)
1 CEMEG sylwedd yn cynnwys gronynnau sy'n rhy fân i'w gweld drwy ficrosgop arferol ond eto sy'n rhy fawr i ffurfio gwir hydoddiant colloid
2 CEMEG cyfuniad o goloid ynghyd â'r cyfrwng (nwy, hylif neu solid) sy'n ei gynnwys, *Coloid yw llaeth sy'n cynnwys dafnau o fraster wedi'u gwasgaru ynddo.* colloid
coloidaidd *ans* tebyg i goloid, nodweddiadol o goloid colloidal
Colombiad *eg* (Colombiaid) brodor o Golombia Colombian
Colombiaidd *ans* yn perthyn i Golombia, nodweddiadol o Golombia Colombian
colomen *eb* (colomennod)
1 aderyn cyffredin iawn o'r un teulu â'r ysguthan a'r durtur; mae hi'n gwneud sŵn 'cyhŵ', sŵn isel parhaol, ac mae'n bla mewn rhai dinasoedd a threfi mawrion; mae gwahanol fathau o golomennod yn cael eu magu am wahanol nodweddion ond y rhai enwocaf yw'r colomennod rasio a'u dawn i gyrraedd adre'n gyflym o bellafoedd byd pigeon
2 defnyddir y golomen wen lai ei maint, fel symbol heddwch rhyngwladol dove
colomendy *eg* (colomendai) tŷ bychan wedi'i godi ar gyfer colomennod ac wedi'i osod fel arfer ar ben polyn neu'n uchel ar un o waliau tŷ dovecote, pigeon house
colon[1] *eb* (colonau) ANATOMEG prif ran y coluddyn mawr, sy'n ymestyn o'r caecwm i'r rectwm colon
colon[2] *eg* gwahannod [:] a ddefnyddir
1 i agor rhestr gan gyfleu ystyr tebyg i 'fel a ganlyn', *Dewch â'r canlynol gyda chi i'r wers yfory: siwgr, blawd, menyn ac wyau.* colon
2 i gyflwyno dyfyniad, *Fel y dywed y ddihareb: 'Nid da lle gellir gwell.'* colon

coloratwra *ans*
1 CERDDORIAETH am soprano â llais ysgafn, hyblyg sy'n arbenigo mewn canu darnau coloratwra coloratura
2 CERDDORIAETH am addurniadau tra chywrain a chymhleth mewn cerddoriaeth ar gyfer y llais coloratura
Sylwch: nid yw'n cael ei gymharu.
colorimedr *eg* (colorimedrau) CEMEG offeryn i gymharu dwysedd lliw mewn cyfansoddion colorimeter
colostomi *eg* (colostomïau) MEDDYGAETH triniaeth lawfeddygol sy'n creu agoriad yn lle'r anws o'r coluddion i arwyneb y corff colostomy
colostrwm *eg* y llaeth a gynhyrchir am rai dyddiau yn dilyn genedigaeth sy'n cynnwys lefel uwch o brotein a gwrthgyrff na llaeth arferol colostrum
cols *ell* lluosog colsyn, talpiau o lo sydd naill ai ar fin llosgi'n ulw neu sydd wedi llosgi'n ulw; marwydos cinders, embers
uffern gols:uffach gols *ebychiad* mynegiant o ddicter hell's bells
colsaid *eg* (colseidiau) tafod neu goesyn o fetel yn estyn o lafn (cyllell, cleddyf, pladur) a ddefnyddir i asio'r llafn wrth ddolen, dwrn neu goes tang
colsyn *eg* unigol cols cinder
col-tar *eg* hylif du, tew a gynhyrchir drwy ddistyllu glo meddal coal tar
coltario *be* [coltari•[2]] peintio pren (i'w gadw rhag pydru) â hylif brown yn debyg i olew sy'n cael ei baratoi o gol-tar to coal tar, to creosote
coludd *eg*
1 defnydd sy'n cael ei lunio ar gyfer tannau offerynnau cerdd neu bwythau llawfeddygol o goluddion sych defaid neu geffylau (ond nid cathod) catgut
2 ANATOMEG rhan isaf y bibell fwyd, rhwng y stumog a'r anws gut
coluddion *ell* ANATOMEG lluosog coluddyn, y pibellau sy'n cario bwyd o'r stumog nes y bydd yn gadael y corff; perfedd, ymysgaroedd bowels, entrails, intestines
coluddol *ans* ANATOMEG yn ymwneud â'r coluddion, yn digwydd yn y coluddion intestinal
coluddyn *eg* (coluddion) ANATOMEG (mewn fertebratau) rhan isaf y llwybr ymborth yn ymestyn o ben isaf y stumog i'r anws; (mewn infertebratau) y llwybr ymborth cyfan bowel, intestine
coluddyn bach ANATOMEG y rhan o'r coluddyn sy'n cysylltu'r stumog â'r coluddyn mawr; mae'n cynnwys y dwodenwm, y jejwnwm a'r ilewm small intestine

C

coluddyn crog pendics; coden ar ffurf tiwb bychan ynghlwm wrth ben isaf y coluddyn mawr appendix

coluddyn dall caecwm; coden sy'n cysylltu'r colon â'r coluddyn bach ac y mae'r pendics yn rhan ohoni caecum

coluddyn gwag jejwnwm; y rhan o'r coluddyn bach sydd rhwng y dwodenwm a'r ilewm jejunum

coluddyn mawr ANATOMEG y cyfuniad o'r caecwm, colon a'r rectwm large intestine

colur eg y lliw a ddefnyddir i harddu, newid neu guddio rhyw wedd o'r wyneb make-up

coluro be [colur•¹]
1 lliwio'r wyneb gan ddefnyddio powdr a defnyddiau fel minlliw, etc.; ymbincio to apply make up
2 (crefft) lliwio a pharatoi'r wyneb ar gyfer ymddangos ar lwyfan, neu dan oleuadau llachar to apply make up

colwyn eg (colwynod) llenyddol ci bach; cenau pup

colyn eg (colynnau)
1 aelod blaenllym rhai pryfed ac ymlusgiaid ar gyfer brathu neu bigo sting
2 MECANEG y pwynt canolog y mae mecanwaith yn troi neu'n osgiliadu arno pivot
3 col; tyfiant blewog, pigog a geir ar flaen tywysennau haidd, ceirch, gwenith a rhyg awn, bristle

colynnog ans ac iddo golyn, yn brathu; brathog, llym, pigog stinging

colynnol ans yn gwneud gwaith colyn/colfach pivotal

colynnu be [colynn•⁹]
1 MECANEG rhoi (rhywbeth) ar golyn to pivot
2 MECANEG (am rywbeth) troi ar golyn to pivot
Sylwch: dyblwch yr 'n' ym mhob ffurf ac eithrio yn y rhai sy'n cynnwys -as-.

coll¹ ans ar goll, yn anodd neu'n amhosibl dod o hyd iddo; colledig, cyfrgoll lost, missing
ar goll gw. ar

coll² eg colled, yn enwedig yng nghyd-destun colli synnwyr, Beth sy'n bod? Oes coll arnat ti? loss

coll cof eg amnesia; anghofrwydd sy'n deillio o niwed i'r ymennydd neu o drawma seicolegol amnesia

collddail ans am goeden sy'n colli'i dail dros fisoedd y gaeaf, e.e. derwen, collen deciduous
Sylwch: nid yw'n cael ei gymharu.

colled eb (colledion)
1 y weithred neu'r cyflwr o golli, canlyniad colli loss
2 y gwacter neu'r gofid y mae colli rhywun neu rywbeth yn ei achosi, Gwelodd John golled fawr ar ôl ei fam. loss
3 y broses o golli arian mewn busnes, canlyniad colli arian loss
4 gwallgofrwydd, Mae drygioni'r dosbarth yma yn ddigon i hela colled ar ddyn. lunacy, madness

ar fy (dy, ei, etc.) ngholled gwneud colled at a loss

ar golled am bris yn is na'r hyn a dalwyd am rywbeth at a loss

colledig ans
1 ar goll, dameg y ddafad golledig; coll lost
2 wedi colli'r cyfle i fynd i'r nefoedd, wedi'i ddamnio; cyfrgoll, damnedig lost, damned

colledigaeth eb (colledigaethau) damnedigaeth, distryw perdition

colledigion ell pethau coll the lost

colledus ans
1 â llawer o golled fraught with loss
2 CYFRIFIADUREG (am gynllun cywasgu) yn peri bod cydraniad rhan o ddelwedd yn cael ei golli lossy

colledwr eg (colledwyr) un sy'n colli; collwr loser

collen eb (cyll) y pren cnau mwyaf cyffredin hazel
collen Ffrengig y goeden y mae cnau Ffrengig yn tyfu arni; coeden cnau Ffrengig walnut tree

coll-enillion ell canlyniad ariannol methu gweithio loss of earnings

collfarn eb (collfarnau) CYFRAITH datganiad ffurfiol mewn llys barn fod rhywun yn euog; condemniad, euogfarn conviction

collfarnu be [collfarn•³] CYFRAITH dedfrydu'n euog mewn llys barn; barnu, condemnio (~ rhywun am) to convict

collfarnwr eg (collfarnwyr) un sy'n collfarnu condemner

colli be [coll•¹ 3 un. pres. cyll/colla; 2 un. gorch. coll/colla]
1 methu dod o hyd i rywbeth a fu yn eich meddiant unwaith to lose, to mislay
2 methu cael neu ennill, colli gêm, colli gafael to lose
3 peri neu achosi colled to lose
4 cael llai o rywbeth, Gyda phob cynnydd mewn prisiau, y tlodion sy'n colli a'r cyfoethog sy'n ennill. to lose
5 gweld rhywun neu rywbeth yn cael ei gymryd oddi arnoch drwy farwolaeth neu ddinistr neu amser, Collodd ei rhieni yn ddiweddar. to lose
6 rhyddhau oddi wrth, Collodd ofn y dŵr pan ddechreuodd nofio. to lose
7 methu clywed, gweld neu ddeall, Collais i ran o'r bregeth – roedd y tu hwnt i mi. to lose
8 gwastraffu, peidio â defnyddio, Chollodd y doctor ddim eiliad cyn ffonio'r ysbyty. to lose
9 (am hylif) diferu, gollwng, gorlifo, tywallt to spill
10 bod rhywbeth yn mynd neu'n digwydd heboch chi, colli'r bws to miss

11 gweld eisiau rhywbeth, *Rwy'n colli ei gwmni yn fawr.*; hiraethu to miss

colli adnabod (ar rywun) colli cysylltiad to lose touch

colli amser gwastraffu amser to lose time

colli arnaf fi (arnat ti, arno ef, etc.**) fy hun** drysu yn fy synhwyrau to be beside oneself

colli blas colli diddordeb, dechrau peidio â mwynhau to lose interest

colli dagrau llefain to cry, to shed tears

colli fy (dy, ei, etc.**) limpin** gw. limpin

colli gafael colli rheolaeth to lose one's grip

colli golwg mynd yn ddall to become blind

colli golwg ar methu ei weld rhagor to lose sight of

colli gwynt mynd yn fyr o anadl to lose one's breath

colli llaw ar colli'r ddawn i wneud rhywbeth to lose the knack

colli pen colli rheolaeth, gwylltio to lose one's head

colli'r dydd colli brwydr to lose the day

colli'r ffordd mynd ar goll to lose the way

colli'r maes colli'r frwydr to be defeated

colli stumog colli'ch archwaeth to lose one's appetite

colli synnwyr colli pwyll, mynd yn wallgof to lose one's mind

colli tir gw. tir

colli tymer troi'n gas ac yn ddig to lose one's temper

collnod *eg* (collnodau) GRAMADEG atalnod (') i ddangos bod llythyren neu lythrennau'n eisiau, e.e. *colli'ch ffordd, p'nawn* apostrophe

collwr *eg* (collwyr) un sy'n colli loser

coma¹ *eg* (comas) atalnod (,) sy'n dynodi'r rhaniad lleiaf mewn brawddeg ysgrifenedig neu brintiedig; caiff ei ddefnyddio hefyd i wneud y canlynol:

1 rhannu rhes o eiriau unigol (pan nad oes 'a' rhyngddynt), neu rannu cymalau mewn brawddeg, *Roedd moron, tatws, bresych, pys a ffa yn tyfu yn ei ardd. Rhedodd lan y llwybr, agor y drws a gweiddi ar ei fam.* comma

2 cyflwyno dyfyniad neu union eiriau siaradwr, *Dywedais wrth Dafydd, 'Dos i dy wely'.* comma

3 gorffen sgwrs pan nad oes angen ebychnod (!) neu farc cwestiwn (?) *'John, cofia alw yn y siop,' meddai ei fam.*

4 rhannu adferfau oddi wrth weddill y frawddeg, *Bydd John, ambell waith, yn golchi'r llestri.*

5 ar ôl y gair cyntaf mewn ateb llawn i gwestiwn yn dechrau ag 'A', 'Ai', 'Oni' ac 'Onid', *A wnei di fynd i'r siop drosof? Gwnaf, af i'r siop. Onid ti sy'n byw yn y dref? Nage, nid fi.* comma

coma² *eg* cyflwr o fod yn anymwybodol oherwydd afiechyd, gwenwyn neu ergyd drwg coma

comander *eg* swyddog yn y llynges un radd yn is na chapten commander

combác *eg* (combacs) *tafodieithol, yn y De* aderyn mawr Affricanaidd sy'n cael ei hela er mwyn ei gig; mae ganddo blu llwydlas a smotiau gwyn arnynt a llais uchel ac fe'i megir er mwyn ei gig a'i wyau, ac fe'i henwir ar ôl ei alwad cras; iâr Gini guinea-fowl

combein *eg* (combein(i)au) peiriant sy'n medru medi, dyrnu a nithio ŷd; dyrnwr medi combine harvester

comed *eb* (comedau) SERYDDIAETH gwrthrych a all fod yn rhai cilometrau ar ei draws, sydd wedi'i wneud o iâ, nwyon wedi'u rhewi a llwch ac sy'n cylchdroi o amgylch yr Haul; mae'n datblygu cynffon pan fydd yn agosáu at yr Haul sy'n gallu bod yn filiynau o filltiroedd o hyd; seren gynffon comet

comedi *eb* (comedïau)

1 drama neu ffilm neu fath arall o waith doniol, sy'n diddanu ac sydd â diwedd hapus comedy

2 yr ansawdd neu briodoledd sy'n gwneud gwaith, perfformiad, neu unigolyn, yn ddoniol comedy

comedïwr *eg* (comedïwyr) un sy'n ysgrifennu comedïau, un sy'n actio mewn comedïau, un sy'n dweud jôcs wrth gynulleidfa; comic comedian

comic *eg* (comics)

1 cylchgrawn o gartwnau neu o straeon wedi'u cyflwyno'n bennaf drwy luniau comic

2 un sy'n dweud jôcs wrth gynulleidfa; comedïwr comic

comig *ans* yn gwneud i bobl chwerthin; digrif, doniol, smala comic

comin:cwmin² *eg* (comins:cwmins) darn o dir glas agored y mae gan bawb hawl ei ddefnyddio; cytir common

cominwr *eg* (cominwyr) CYFRAITH un, ymhlith eraill, â hawliau ar dir comin commoner

comisiwn *eg* (comisiynau)

1 gorchymyn neu wŷs ffurfiol, awdurdodol i weithredu mewn ffordd arbennig; archeb benodol i wneud rhyw waith arbennig, *Derbyniodd yr arlunydd gomisiwn gan y cyngor i beintio llun ar gyfer cyntedd Neuadd y Sir.* commission

2 cwmni o bobl sy'n gwneud rhyw waith arbennig i'r llywodraeth neu i awdurdod arall, *Comisiwn Brenhinol Henebion Cymru* commission

3 dogfen sy'n trosglwyddo awdurdod i swyddog, yn enwedig yn y lluoedd arfog commission

4 swm o arian sy'n cael ei dalu i werthwr nwyddau yn seiliedig ar yr arian a gaiff am y nwyddau, *Rydw i'n cael deg ceiniog o*

gomisiwn am bob copi o'r papur bro y bydda i'n ei werthu ar faes yr Eisteddfod.; tâl, taliad commission

Comisiwn Ewropeaidd corff gweinyddiaeth weithredol yr Undeb Ewropeaidd European Commission

comisiynu *be* [comisiyn•¹] talu rhywun i greu darn o waith arbennig (*~ rhywun* i) to commission

comisiynwr:comisiynydd *eg* (comisiynwyr)
1 aelod neu bennaeth comisiwn commissioner
2 cynrychiolydd y llywodraeth mewn uned weinyddol, e.e. rhanbarth neu dalaith, ag awdurdod barnwrol a gweinyddol commissioner
3 un sy'n comisiynu commissioner

comiwn *eg* (comiwnau)
1 cymuned (wledig fel arfer) wedi'i threfnu ar y cyd gyda'r eiddo a'r llafur wedi'u rhannu'n gyfartal rhwng pawb commune
2 grŵp o unigolion neu deuluoedd sy'n byw gyda'i gilydd mewn comiwn commune

comiwnydd *eg* (comiwnyddion) un sy'n credu mewn comiwnyddiaeth communist

Comiwnydd *eg* (Comiwnyddion) GWLEIDYDDIAETH un sy'n aelod o'r Blaid Gomiwnyddol communist

comiwnyddiaeth *eb* GWLEIDYDDIAETH cred wleidyddol a chymdeithasol mewn dileu eiddo preifat fel bod popeth yn eiddo naill ai i'r wladwriaeth neu i'r bobl yn gyffredinol; y canlyniad fyddai cymdeithas ddiddosbarth gyda phob aelod yn cyfrannu yn ôl ei allu ac yn derbyn yn ôl ei angen communism

Comiwnyddiaeth *eb* GWLEIDYDDIAETH cyfundrefn lywodraethu'r Blaid Gomiwnyddol Communism

comiwnyddol:Comiwnyddol *ans* nodweddiadol o gomiwnyddiaeth, yn credu mewn comiwnyddiaeth communist

comôd *eg* (comodau) cadair ar gyfer rhai sy'n ei chael yn anodd cyrraedd y tŷ bach; y mae modd codi'i sedd er mwyn defnyddio'r pot oddi tani commode

comodor *eg* (comodoriaid)
1 swyddog yn y llynges un radd yn is nag ôl-lyngesydd; môr-lywydd commodore
2 uwch-gapten cwmni llongau; môr-lywydd commodore
3 prif swyddog clwb hwylio neu glwb cychod commodore

compendiwm *eg* (compendia) casgliad o gêmau a phosau ar gyfer y tŷ, wedi'u gwerthu mewn un bocs compendium

compos mentis *ans* yn ei iawn bwyll

compost *eg* cymysgedd o ddefnyddiau organig wedi'u gadael i bydru a ddefnydddir i wrteithio tir; achles, gwrtaith, tail compost

tomen gompost tomen wedi'i chodi er mwyn hyrwyddo'r broses o bydru compost heap

compostio *be* [composti•²] troi'n gompost to compost

compot *eg* COGINIO ffrwythau wedi'u coginio mewn syryp a'u gadael i oeri cyn eu bwyta; mwtrin compote

côn *eg* (conau)
1 rhywbeth â sylfaen grwn sy'n tapro'n bigyn, e.e. côn hufen iâ cone
2 ffrwyth y pinwydd a'r ffynidwydd; mochyn y coed cone
3 MATHEMATEG siâp tri dimensiwn â gwaelod crwn a phigyn ar ei ben cone
4 copa llosgfynydd cone

conach:conan *be tafodieithol, yn y De* achwyn, cwyno, grwgnach (*~ am*) to grumble, to moan
Sylwch: nid yw'r ferf hon yn arfer cael ei rhedeg.

conaidd *ans* (bron â bod) ar ffurf côn conoid

concer *eg* (concers) cneuen y gastanwydden; castan conker

concertante *ans* CERDDORIAETH am ddarn yn cynnwys unawdau offerynnol amlwg

concerto *eg* (concerti) CERDDORIAETH darn o gerddoriaeth mewn tri symudiad fel arfer ar gyfer unawdydd (neu unawdwyr) offerynnol a cherddorfa lle y cyferbynnir y naill gan y llall

concerto grosso *eg* (concerti grossi) CERDDORIAETH cyfansoddiad o gyfnod y baróc ar gyfer nifer o unawdwyr offerynnol i gyfeiliant cerddorfa

concièrge *eg* (concièrges)
1 gweithiwr cyflogedig mewn gwesty sy'n cynorthwyo gwesteion yn ystod eu harhosiad
2 rhywun sy'n edrych ar ôl adeilad ac sy'n ei lanhau a'i drwsio; gofalwr

conclaf *eg* (conclafau) CREFYDD cyfarfod cyfrinachol o gardinaliaid, heb unrhyw gysylltiad â'r byd y tu allan, ar adeg ethol Pab; cymanfa'r cardinaliaid conclave

concordans *eg* (concordansiau) mynegai i destun neu gyfuniad o destunau sy'n gosod pob gair yn ei gyd-destun neu ddyfyniad; mynegair concordance

concordat *eg* (concordatiau) cytundeb ffurfiol rhwng Pab a llywodraeth seciwlar ar faterion sydd o ddiddordeb cyffredin iddynt concordat

concretiad *eg* (concretiadau)
1 MEDDYGAETH darn caled o ddefnydd estron sydd wedi ymffurfio mewn organ neu lestr gwaed concretion
2 DAEAREG cnepyn neu lwmpyn o ddefnydd gwaddodol cyffredin mewn siâl, tywodfaen neu galchfaen concretion

concrit *eg* defnydd adeiladu wedi'i wneud o gymysgedd o raean, tywod, sment a dŵr sy'n gryf iawn pan fydd wedi caledu concrete
concrit cyfnerth *gw.* cyfnerth

concro *be* [concr•¹] trechu neu orchfygu (rhywun neu rywbeth); darostwng to conquer

concwerwr *eg* (concwerwyr) un sy'n concro, un sy'n ennill brwydr neu ryfel; gorchfygwr, goresgynnwr conqueror
Gwilym/Wiliam Goncwerwr Gwilym neu Wiliam 1 oedd brenin Normanaidd cyntaf Lloegr a deyrnasodd o 1066 tan ei farwolaeth yn 1087 William the Conqueror

concwest *eb* (concwestau) y weithred o orchfygu rhywun neu rywbeth, canlyniad gorchfygu; buddugoliaeth, gorchfygiad, goresgyniad, goruchafiaeth conquest
y Goncwest Normanaidd Wedi i Gwilym I ennill gorsedd Lloegr yn 1066 sefydlodd iarllaethau ar y ffin rhwng Lloegr a Chymru (y Mers), ac ymestynnodd gafael y Normaniaid ymhellach dan olynydd Gwilym. The Norman Conquest

condemniad *eg* (condemniadau)
1 datganiad bod rhywun ar fai ac wedi gwneud cam mawr; cerydd, cystwyad, edliwiad condemnation
2 datganiad bod rhywun yn euog; collfarn, dedfryd condemnation

condemnio *be* [condemni•²]
1 barnu'n euog; collfarnu, damnio (~ *rhywun i*) to condemn
2 cyhoeddi cosb ddifrifol ar ôl i rywun neu rywrai gael eu dyfarnu'n euog; tynghedu to condemn
3 beirniadu'n anffafriol, mynegi anfodlonrwydd dwys to condemn
4 datgan bod rhywbeth yn anaddas neu heb fod yn ddiogel i'w ddefnyddio (~ *rhywbeth am*) to condemn

condom *eg* (condomau) gorchudd tenau (o rwber fel arfer) sy'n cael ei wisgo ar aelod rhywiol gŵr yn ystod cyfathrach rywiol fel modd i atal cenhedlu a/neu amddiffyn rhag haint condom

condroitin *eg* BIOCEMEG cyfansoddyn cymhleth sydd i'w gael mewn cartilag a meinweoedd cyswllt eraill chondroitin

condrol *ans* ANATOMEG yn ymwneud â chartilag, wedi'i wneud o gartilag chondral

condyl *eg* (condylau) ANATOMEG cwgn neu gogwrn o asgwrn sy'n rhan o gymal condyle

conen *eb* merch neu wraig sy'n hoff o gwyno grumbler

confennau *ell* pethau a ddefnyddir i ychwanegu blas at fwyd (halen, pupur, finegr, etc.) ac sy'n cael eu gosod ar fwrdd bwyd condiments

confensiwn *eg* (confensiynau)
1 egwyddor neu ffordd o weithio sy'n cael ei derbyn yn gyffredinol; arfer convention
2 techneg neu ddull artistig cydnabyddedig, e.e. confensiwn y nofel dditectif convention
3 cyfundrefn gydnabyddedig o rannu gwybodaeth rhwng grŵp o bobl yn chwarae rhai gêmau o gardiau convention
4 RHESYMEG dealltwriaeth rhwng pobl sy'n dilyn pwnc arbennig, pa ffordd y dylid symud ymlaen pan fydd mwy nag un dewis convention
5 cynulliad ffurfiol, e.e. *Confensiwn ar 'Newid yn yr Hinsawdd'*. convention

confensiynol *ans*
1 yn cadw at arferion derbyniol (yn ormodol weithiau); ffurfiol, anhyblyg conventional
2 am arfau nad ydynt yn arfau niwclear conventional (arms)

confentigl *eg* (confentiglau)
1 cyfarfod cyfrinachol, yn enwedig un anarferol neu anghyfreithiol conventicle
2 cyfarfod crefyddol dirgel (o Anghydffurfwyr Protestannaidd yn dilyn yr Adferiad) conventicle

confylsiwn *eg* (confylsiynau) MEDDYGAETH cyfangiad neu gyfres o gyfangiadau diarwybod, grymus, annormal o gyhyrau'r corff convulsion

conffeti *eg* darnau mân o bapur lliw sy'n cael eu taflu at y rhai sy'n priodi confetti

conffirmasiwn *eg* CREFYDD un o ddefodau'r Eglwys lle mae esgob yn gosod dwylo ar unigolyn cyn iddo gael ei dderbyn yn aelod cyflawn o'r Eglwys; bedydd esgob confirmation

conffirmio *be* [conffirmi•²]
1 gweinyddu bedydd esgob to confirm
2 derbyn yn aelod cyflawn o'r Eglwys (~ *rhywun yn*) to confirm

conga *eg* (congas) dawns arbennig o wlad Cuba lle mae un rhes hir o ddawnswyr yn cymryd tri cham ymlaen a chicio conga

Congolaidd *ans* yn perthyn i Weriniaeth Ddemocrataidd Congo, nodweddiadol o Weriniaeth Ddemocrataidd Congo Congolese

Congoliad *eg* (Congoliaid) brodor o Weriniaeth Ddemocrataidd Congo Congolese

congren *eb* (congrod) llysywen fawr fwytadwy sy'n byw yn y môr conger eel

congrinero *eg* ffug arwr, campwr, buddugwr (gydag awgrym o dynnu coes) champion, conquering hero

cóniffer *eg* (conifferiaid) conwydden; coeden sydd fel arfer yn fythwyrdd ac yn cynhyrchu ei had mewn conau (moch coed) megis y binwydden, y ffynidwydden a'r gedrwydden; pren y goeden hon conifer

conifferaidd *ans* yn perthyn i deulu'r coed cóniffer coniferous

conig *ans* MATHEMATEG yn ymwneud â chôn, yn perthyn i gôn, e.e. *cromlin gonig* conic

conigol *ans* ar ffurf côn conical

connoisseur *eg* beirniad sy'n arbenigwr mewn materion o chwaeth

cono *eg* un cyfrwys, un direidus; cnaf, còb, deryn, gwalch blighter, rascal, wag

conoid¹ *eg* (conoidau) gwrthrych neu ffurf ar lun côn conoid

conoid² *ans* (swoleg yn bennaf) ar ffurf côn; conaidd conoid

consárn gw. **consérn**

consensws *eg* dealltwriaeth neu gytundeb cyffredinol ynghylch rhywbeth consensus

consentrig *ans* cydganol; am gylchoedd, arcau a siapiau eraill sydd â'r un canolbwynt concentric

consérn:consárn:consyrn *eg* pryder yn cynnwys diddordeb, ansicrwydd a pheth poeni sy'n deillio o berthynas neu ddiddordeb personol concern

consertina *eg* (consertinas) offeryn cerdd sy'n cael ei ganu yn yr un ffordd â'r acordion, ond ei fod yn ddigon bach i'w ddal rhwng y ddwy law concertina

conservatoir *eg* ysgol gelf (cerddoriaeth fel arfer) Ewropeaidd

consesiwn *eg* (consesiynau) hawl wedi'i ganiatáu; addefiad concession

consgripsiwn *eg* gorfodaeth i ymuno â'r lluoedd arfog; gorfodaeth filwrol conscription

consierto defnyddiwch **concerto**

consistori *eg* CREFYDD tribiwnlys eglwysig consistory

consol *eg* (consolau)
  1 set radio, set deledu neu gyfrifiadur ynghyd â'r modd i'w rheoli, wedi'u cynllunio i sefyll ar y llawr console
  2 panel â deialau a switshys i reoli peirianwaith electronig console
  3 seinglawr neu allweddell organ ynghyd â'r stopiau a'r pedalau console

consommé *eg* COGINIO cawl clir, tenau a wnaed o isgell cig, pysgod neu lysiau

consort *eg* (consortau) CERDDORIAETH grŵp bach o gerddorion yn perfformio gyda'i gilydd, fel arfer cerddoriaeth o gyfnod y Dadeni consort

consortiwm *eg* (consortia) cyfuniad o arianwyr, cwmnïau, etc. wedi dod ynghyd at faterion busnes consortium

consuriaeth *eb* y broses o gonsurio, canlyniad consurio conjuring

consurio *be* [consuri•²]
  1 gwneud i rywbeth ymddangos drwy swyngyfaredd (neu fel pe bai yna swyngyfaredd); cyflawni triciau medrus neu gastiau hud drwy

symud y dwylo'n ddeheuig a chyflym; dewinio (~ *rhywbeth* **allan** o) to conjure
  2 swyno, swyngyfareddu, rheibio to bewitch

consuriwr *eg* (consurwyr)
  1 un sy'n gwneud castiau hud; un sy'n twyllo llygaid ei gynulleidfa conjuror
  2 dewin, dyn hysbys, hudwr, swynwr conjuror

conswl *eg* (consyliaid)
  1 swyddog wedi'i benodi gan lywodraeth un wlad i fyw mewn gwlad dramor i ofalu am fuddiannau ei dinasyddion yn y wlad honno consul
  2 *hanesyddol* y naill neu'r llall o'r ddau brif ynad a fyddai'n cael eu hethol yn flynyddol yng ngweriniaeth Rhufain consul

conswliaeth *eb* swydd a chyfrifoldebau un o'r ddau gonswl a etholwyd yn Rhufain consulate

consyrn gw. **consérn**

cont *eb* (contiau)
  1 *aflednais* organ rhywiol benyw cunt
  2 *aflednais* (mae cenedl yr enw'n newid yn ôl rhyw yr unigolyn) rhywun tra annymunol neu ffiaidd cunt

contact *eg* (contactau) darn arbennig i gysylltu dau ddargludydd trydanol contact

continwwm *eg* (continwa)
  1 parhad neu ymestyniad sydd yn gwbl ddi-dor a chydryw na ellir ei ddisgrifio ond wrth gyfeirio at rywbeth arall, e.e. rhifau continuum
  2 rhywbeth y gellir canfod undod sylfaenol iddo o fewn amrywiaeth o fân newidiadau continuum

contract *eg* (contractau) dogfen yn cynnwys manylion cytundeb a chanddo rym cyfreithiol; cytundeb, cyfamod contract

contractiwr *eg* (contractwyr) un sy'n cytuno neu'n arwyddo contract i gyflenwi nwyddau neu i gyflawni gwaith, yn enwedig gwaith adeiladu yn unol â chynlluniau arbennig contractor

contralto *egb* (contraltos)
  1 alto, llais isaf merch, rhwng y tenor a'r soprano contralto, alto
  2 cantores sydd â llais i ganu darnau o fewn yr amrediad hwn contralto
  Sylwch: mae'n fenywaidd wrth sôn am gantores, ac yn wrywaidd wrth sôn am y llais.

contretemps *eg* tro trwstan; anhap

conwydd *ell* dosbarth o goed yn cynnwys y pinwydd, y ffynidwydd a'r cedrwydd sy'n fythwyrdd ac yn cynhyrchu eu had mewn moch coed; hefyd, yn unigol, pren y coed hyn conifer (trees and wood)

conwydden *eb* unigol **conwydd**; *cóniffer* conifer

conyn¹ *eg* gŵr sy'n hoff o achwyn a chwyno; achwynwr, cwynwr, grwgnachwr grouch, grumbler, moaner

conyn² *eg* unigol **cawn¹**

cop *eg* corryn; cor, pryf cop(yn) spider

copa¹ *eb* (copâu) y rhan o'r pen y mae gwallt yn tyfu arni; coron, iad crown, pate

pob copa walltog pawb, pob un yn ddieithriad every man jack, every single one

copa² *eg* (copaon) man uchaf, *copa mynydd*; ban, brig, pen, uchelder crest, peak, summit

copi *eg* (copïau)
1 rhywbeth wedi'i atgynhyrchu, wedi'i wneud i fod yr un fath yn union â'r gwreiddiol; atgynhyrchiad, dynwarediad, efelychiad copy
2 enghraifft unigol o rywbeth y mae nifer ohonynt wedi cael eu hargraffu, *copi o lyfr neu bapur* copy
3 term technegol am destun sydd yn barod i gael ei argraffu copy

copiddeiliad *eg* (copiddeiliaid) CYFRAITH deiliad tir y mae ei hawl wedi'i sefydlu drwy hir arfer a chopi ysgrifenedig o gofnodion yn ymwneud â thir copyholder

copin *eg* yr haen olaf o friciau, llechi, cerrig, etc. a roddir (ar oleddf yn aml) ar ben wal coping

copïo *be* [copï•⁸]
1 gwneud copi (o rywbeth); atgynhychu to copy
2 dilyn esiampl; dynwared, efelychu to imitate
Sylwch: does dim angen didolnod pan fydd dwy 'i' yn dilyn ei gilydd, *copiir*.

copis *eg* (copisau) (yn y bymthegfed ganrif a'r unfed ganrif ar bymtheg), llabed neu fag ar flaen llodrau dynion yn cuddio neu'n amddiffyn yr organau rhywiol; erbyn hyn gair arall am falog fly, codpiece

copïwr *eg* (copïwyr)
1 un sy'n gwneud copïau; un a fu'n copïo llawysgrifau copier, scrivener
2 peiriant sy'n atgynhyrchu copi (fel yn llungopïwr) copier

copr *eg* elfen gemegol rhif 29; metel meddal, melyngoch sy'n hawdd ei weithio, ac yn ddargludydd da i drydan a gwres (Cu) copper

copraidd *ans* o liw melyngoch tebyg i gopr coppery

Copt *eg* (Coptiaid) aelod o'r Eglwys Gristnogol wreiddiol a dyfodd yn yr Aifft a gredai mai o natur ddwyfol yn unig yr oedd Iesu Grist Copt

cor gw. corrach a corryn

côr *eg* (corau)
1 (*yn derbyn ffurf unigol neu luosog berf*) grŵp o bobl sy'n dod at ei gilydd i ganu dan hyfforddiant arweinydd choir, chorus
2 y rhan o'r eglwys lle mae'r côr (1 uchod) yn eistedd; cangell chancel, choir
3 sêt neu fainc mewn eglwys neu gapel, yn enwedig un a drws iddo pew
4 lle mewn beudy neu stabl i fwydo buwch neu geffyl; preseb, stâl crib, stall

côr cymysg côr o ferched a dynion yn canu mewn pedair rhan (soprano, alto, tenor a bas), côr SATB mixed choir

côr meibion côr o ddynion yn unig â dwy ran i'r tenoriaid a dwy i'r baswyr male voice choir

côr merched côr o ferched a/neu wragedd yn unig â dwy ran soprano ac un rhan i alto ladies' choir
Ymadroddion

Côr y Cewri gw. cewri

côr y wig yr adar sy'n canu yn y coed, e.e. gyda'r wawr dawn chorus

y côr mawr y sêt fawr ym mlaen y capel lle mae'r blaenoriaid neu'r diaconiaid yn eistedd

corachedd *eg* y cyflwr meddygol o fod â thyfiant wedi'i lesteirio neu wedi'i grebachu dwarfism

corachod *ell* lluosog **corrach**

cor anglais *eg* (*cors anglais*) offeryn cerdd o'r un teulu â'r obo ond sy'n chwarae nodau is na rhai'r obo

corâl *eb* (coralau) CERDDORIAETH emyn Almaeneg ar gyfer ei ganu (gan y côr neu gan y gynulleidfa fel arfer) yn yr eglwys chorale

Corân *eg* CREFYDD Qur'an Koran, Qur'an

coraniaid *ell* pobl fychain sy'n bla ar y wlad y sonnir amdanynt yn chwedl *Cyfranc Lludd a Llefelys*

corawl *ans* yn ymwneud â chôr, nodweddiadol o gôr choral
Sylwch: nid yw'n cael ei gymharu.

corbedwyn *eg* y mochyn bach lleiaf a gwannaf o dorllwyth; cardodwyn runt

corbel *eg* (corbelau) PENSAERNÏAETH ysgwydd neu obennydd o garreg yn ymestyn o wal i ddal darn o adeiladwaith; ysgwyddfaen corbel

corbenfras *eg* (corbenfreis) pysgodyn môr bwytadwy o'r un teulu â'r penfras ond yn llai ei faint; hadog haddock

corbennog *eg* (corbenwaig) pennog neu ysgadenyn ifanc neu aelod bach iawn o'r un teulu sprat

corblaned *eb* (corblanedau) SERYDDIAETH corff wybrennol sy'n edrych fel planed fach sy'n cylchdroi o amgylch yr Haul ond sydd heb y màs angenrheidiol i glirio'r cerrig llai o'i llwybr, *Mae Plwton yn enghraifft o gorblaned.*; planed gorrach dwarf planet

corbwll *eg* (corbyllau) cylch o ddŵr yn troi'n ddigon cyflym i greu pant yn ei ganol sy'n sugno iddo bethau o'r ymylon; trobwll whirlpool

corbwmpen *eb* (corbwmpenni) pwmpen fechan ar gyfer ei choginio a'i bwyta courgette

corbys *ell* aelod o deulu'r bysen, yn enwedig ffacbys, sy'n cynhyrchu hadau pys mân iawn pulses, tares

corc *eg* defnydd ysgafn anhydraidd sy'n cael ei wneud o risgl math arbennig o dderwen sy'n tyfu yn Sbaen a Phortiwgal; caiff ei ddefnyddio i wneud pethau fel matiau, offer achub bywyd ar lan y môr a thopiau poteli cork

corcio:corco *be* [corci•²]
1 tasgu, neidio, sboncio, llamu to bounce
2 gosod top neu gorcyn ar botel neu gostrel to cork

corciog *ans* (am win) â blas cas oherwydd iddo gael ei gadw yn rhy hir mewn potel â chorcyn diffygiol corked

corcsgriw *eg* (corcsgriwiau) dyfais y gellir ei sgriwio i mewn i gorcyn potel ynghyd â dolen a ddefnyddir i'w dynnu oddi yno corkscrew

corcyn *eg* (cyrc) top neu gaead potel (o win fel arfer) a fyddai'n cael ei wneud o gorc ond a wneir hefyd o blastig erbyn hyn cork
yn sych fel corcyn:yn gorcyn sych sych iawn bone-dry

cord *eg* (cordiau)
1 tri neu ragor o nodau cerddorol wedi'u seinio gyda'i gilydd sy'n sail i gynghanedd mewn cerddoriaeth chord
2 MATHEMATEG llinell syth yn cysylltu dau bwynt ar gylch neu unrhyw gromlin chord
cord clwstwr CERDDORIAETH cord sy'n cynnwys sawl nodyn sydd hanner tôn neu dôn ar wahân cluster chord
cord gwasgar CERDDORIAETH cord toredig neu wasgaredig lle mae'r nodau'n cael eu seinio y naill ar ôl y llall broken chord

cordeddu *be* [cordedd•¹] cydblethu nifer o edafedd neu linynnau i wneud un llinyn cryfach; cyfrodeddu, nyddu, troelli (~ **ynghyd**) to twine, to twist

corden *eb* (cordenni) rhaff denau; cortyn, llinyn, tennyn cord, string

cordial *eg* (cordialau)
1 syryp melys o ffrwythau yr ychwanegir dŵr ato i wneud diod ddialcohol cordial
2 *hanesyddol* diod adfywiol, felys at gryfhau'r galon a gwella cylchrediad y gwaed cordial

cordiol *ans* CERDDORIAETH am adran gerddorol sy'n seiliedig ar gynghanedd yn hytrach nag ar linellau o alawon (cerddoriaeth bolyffonig); homoffonig chordal

cordon bleu *eg* y rhuban glas, dosbarth cyntaf y byd coginio

cordyn gw. cortyn

corddi *be* [cordd•¹]
1 troi a chynhyrfu hufen mewn buddai nes iddo droi'n fenyn a llaeth enwyn to churn
2 aflonyddu, berwi, cynhyrfu, ewynnu (yn ffigurol hefyd), *Roedd hi wedi corddi drwyddi.* to foment, to seethe
3 codi helynt er mwyn cael hwyl; poeni, tynnu coes to agitate, to stir
corddi'r dyfroedd creu cythrwfl to stir things up
corddi wyau cymysgu wyau gyda fforc neu chwisg to beat eggs

corddiad *eg* (corddiadau)
1 y broses o gorddi churning
2 swm y llaeth a hufen a roddir mewn buddai i'w gorddi churning

corddwr *eg* (corddwyr)
1 un sy'n corddi menyn; un sy'n hoff o dynnu coes ac achosi helynt churner, stirrer
2 buddai; peiriant corddi churn

Coread *eg* (Coreaid) brodor o Dde neu Ogledd Korea, un o dras neu genedligrwydd Coreaidd Korean
Coread o'r De (Coreaid o'r De) South Korean
Coread o'r Gogledd (Coreaid o'r Gogledd) North Korean

Coreaidd *ans* yn perthyn i Korea, nodweddiadol o Korea Korean

cored *eb* (coredau) polion neu byst â rhwydwaith o wiail wedi'i blethu rhyngddynt, wedi'u bwrw i wely afon er mwyn dal pysgod weir

coreograffi *eg*
1 ffordd o gyflwyno gwaith dawns ar ffurf nodiadau ar bapur choreography
2 y gwaith o gyfansoddi neu drefnu bale neu ddawnsfeydd llwyfan choreography

coreograffig *ans* yn ymwneud â choreograffi choreographic
Sylwch: nid yw'n cael ei gymharu.

coreograffydd *eg* (coreograffwyr) arbenigwr mewn coreograffi choreographer

corfan *eg* (corfannau) uned sylfaenol mydr barddonol, sef cyfuniadau penodol o sillafau hir a byr neu drwm ac ysgafn foot (metrical)

corfannu *be* dadansoddi darn o farddoniaeth fesul bar neu droed, yn ôl patrwm yr acennau mewn llinell to scan
Sylwch: nid yw'r ferf hon yn arfer cael ei rhedeg.

côr-feistr *eg* (côr-feistri) hyfforddwr ac arweinydd côr choirmaster

corfran:cogfran *eb* (cogfrain) aelod o deulu'r brain sy'n nythu yn aml yn simneiau tai; jac-y-do jackdaw

corff *eg* (cyrff)
1 ffurf neu ffrâm faterol dyn ac anifail; y cig, y gwaed a'r esgyrn, o'u cyferbynnu â'r meddwl, yr ysbryd a'r enaid; cnawd body, physique
2 rhan uchaf y corff ac eithrio'r pen a'r breichiau trunk
3 corff rhywun sydd wedi marw; celain carcass, corpse
4 cynulliad, cymdeithas neu gasgliad o bobl sy'n dod ynghyd i wneud pethau gyda'i gilydd; bwrdd, grŵp, mudiad, sefydliad group, organization, society
5 darn mawr iawn o fater neu sylwedd, e.e. planed neu seren, *Mae'r Lleuad a'r Haul yn gyrff wybrennol.* (heavenly) body

6 prif ran, rhan fwyaf, *Eisteddai'r gynulleidfa yng nghorff y neuadd*. body, main part
cael fy (dy, ei, etc.) nghorff i lawr cael fy ngweithio; ysgarthu, cachu to have a bowel motion
corff, cyrn a charnau popeth from top to tail
yng nghorff y dydd yn ystod y dydd during the course of the day
yn gorff wedi marw, *Fe'i cafwyd yn gorff ar y traeth*. dead
yr Hen Gorff y Methodistiaid Calfinaidd (erbyn hyn Eglwys Bresbyteraidd Cymru)
corffdy *eg* (corffdai) ystafell lle mae cyrff y meirw yn cael eu cadw cyn cael eu claddu neu eu hamlosgi; marwdy morgue, mortuary
corffgell *eb* (corffgelloedd) un o gelloedd y corff body cell
corffilaidd *ans* BIOLEG yn perthyn i gorffilyn, nodweddiadol o gorffilyn corpuscular
corffilyn *eg* (corffilod) BIOLEG un o'r celloedd gwynion neu gochion sydd yn y gwaed corpuscle
corfflu *eg* (corffluoedd)
1 adran o fyddin sydd wedi derbyn hyfforddiant mewn maes arbennig, e.e. *corfflu meddygol* corps
2 adran o fyddin, mintai o filwyr y tu mewn i fyddin corps
corffog:corffol *ans* llond ei groen; boliog, tew corpulent
corffolaeth *eb* adeiledd neu fframwaith y corff, yn enwedig o ran maint a datblygiad y cyhyrau; corffoledd, corpws, maintioli, taldra physique
corffoledd *eg* adeiledd neu fframwaith y corff, yn enwedig o ran maint a datblygiad y cyhyrau; corffolaeth physique
corfforaeth *eb* (corfforaethau)
1 cyngor dinas neu dref corporation
2 CYFRAITH corff o bobl neu gymdeithas sydd wedi derbyn hawl gyfreithiol i weithredu fel un; cwmni, mudiad, sefydliad, urdd corporation
corfforaethol *ans* yn perthyn i gorfforaeth neu grŵp unedig; yn ymwneud â chorfforaethau neu fusnesau corporate
corfforedig *ans* wedi'i drefnu'n gorfforaeth gyfreithiol (yn enwedig busnes) incorporated
corffori *be* [corffor•¹]
1 ffurfio corfforaeth gyfreithiol to incorporate
2 cynnwys mewn un corff; cyfannu, cyfuno, ymgorffori (~ *rhywbeth* **yn**) to embody
corfforol *ans*
1 yn ymwneud â'r corff neu'n rhan ohono bodily
2 o natur y corff (o'i gyferbynnu â'r meddwl neu'r ysbryd); cnawdol physical
3 yn dibynnu ar y gwrthdrawiad corfforol

rhwng gwrthwynebwyr, e.e. *chwarae corfforol* mewn gêm o rygbi neu bêl-droed; caled, garw physical
corffrwd *eb* (corffrydiau) nant fach; afonig, ffrwd, gofer, cornant runnel
corffyn *eg* (corffynnau) corff bach, yn enwedig uned o sylwedd mewn corff mwy body
corffyn estron rhywbeth a geir yn y corff nad yw'n arfer bod yna ac sydd wedi dod o'r tu allan i'r corff foreign body
côr-gân *eb* (corganau) math o ganu eglwysig a ddefnyddir i gyflwyno testunau o'r Beibl a lle y rhoddir pwyslais ar lefaru'r geiriau; siant, llafargan chant
corganu *be* [corgan•³] CERDDORIAETH canu côr-gân neu siant; llafarganu, goslefu, siantio to chant
corgi *eg* (corgwn) math arbennig o gi bach sy'n debyg ei olwg i lwynog; câi ei ddefnyddio'n wreiddiol fel ci gwartheg ond caiff ei fagu'n awr fel ci anwes (mae corgi Ceredigion ryw gymaint yn fwy ei faint ac yn draddodiadol â chynffon hwy na chorgi Sir Benfro) corgi
corgi môr *eg* (corgwn môr) siarc mawr a geir yng Ngefnfor Iwerydd a'r Môr Canoldir porbeagle
corgimwch *eg* (corgimychiaid) pysgodyn cragen bwytadwy tebyg i ferdysyn mawr neu gimwch bychan prawn
corhedydd *eg* (corhedyddion) un o deulu o adar cân bach, llwyd yn perthyn i'r ehedydd pipit
corhwyaden *eb* (corhwyaid) un o deulu o hwyaid bychain y mae gan y ceiliog ben lliw gwyrdd a gwinau teal
coridor *eg* (coridorau)
1 man cerdded â drysau yn agor i ystafelloedd ar ei hyd mewn adeilad, trên, llong, etc.; tramwyfa corridor
2 llwybr neu dramwyfa drwy dir estron, yn enwedig un sy'n caniatáu gwlad heb arfordir fynediad at y môr corridor
Corinthaidd *ans* PENSAERNÏAETH un o dri dosbarth pensaernïaeth glasurol gwlad Groeg (Ïonig, Corinthaidd a Dorig) a nodweddir gan ben colofn ar ffurf cloch wedi'i hamgylchynu â dail pigog Corinthian
corion *eb* ANATOMEG pilen allanol y ddwy bilen sy'n gorchuddio embryo mamolyn, aderyn neu ymlusgiad; mewn mamolyn mae'n rhan o'r brych chorion
corlan *eb* (corlannau) lle diogel i gadw defaid y tu mewn i glwydi neu waliau cerrig; ffald, lloc fold, enclosure, pen
corlannu *be* [corlann•¹⁰]
1 casglu defaid ynghyd a'u cau mewn corlan; ffaldio, llocio to pen

2 casglu ynghyd, hel at ei gilydd, *Ar ôl trafodaeth hir dyma ddechrau corlannu rhai o'r pwyntiau a godwyd*. to bring together *Sylwch:* dyblwch yr 'n' ym mhob ffurf ac eithrio yn y rhai sy'n cynnwys *-as-*.

corm *eg* (cormau) BOTANEG sylfaen grwn, dew, cocs planhigyn, e.e. saffrwm; mae'n storfa fwyd â dail cennog sy'n tyfu dan wyneb y ddaear ac yn egino o'r newydd bob blwyddyn corm

corn¹ *eg* (cyrn)
1 tyfiant caled, blaenllym a geir bob ochr i bennau rhai anifeiliaid carnol megis gwartheg, meheryn, geifr, etc. horn
2 tyfiant tebyg a geir ar bennau anifeiliaid eraill (e.e. ceirw) neu ar bennau ffigurau chwedlonol megis cythreuliaid neu dduwiau; tyfiant tebyg ei ffurf i gorn (e.e. un o'r teimlyddion sy'n ymestyn o ben malwoden neu rai pryfed eraill)
3 caleden; darn o groen caled ar droed neu ar gledr y llaw, wedi'i achosi gan esgid yn gwasgu neu gan waith caled corfforol, cyson callus, corn
4 *hanesyddol* llestr arbennig wedi'i wneud o gorn anifail a fyddai'n cael ei ddefnyddio i yfed ohono mewn llys drinking horn
5 enw ar sawl math o offeryn cerdd a oedd yn cael eu gwneud yn wreiddiol o gorn anifail, e.e. pibgorn, ond a wneir erbyn hyn o bres neu fetel arall, e.e. corn Ffrengig; utgorn horn, trumpet
6 dyfais y gellir ei ganu neu ei seinio i rybuddio; hwter hooter, horn
7 blaen (yn enwedig am hanner lleuad, bwa, enfys, etc.), *cyrn y lleuad*; pigyn cusp
8 handlen, *corn aradr*; coes, llorp handle, shaft
9 pen uchaf a rhan allanol piben wedi'i hadeiladu i fwg gael dianc o dân ac sy'n codi fel arfer yn uwch na tho'r tŷ chimney pot
10 rholyn o frethyn neu o bapur wal roll
Sylwch: gw. hefyd **cyrn**.

corn Ffrengig offeryn pres, yn cynnwys falfiau a thiwb cylchog hir, sy'n gul ar un pen ac yn agor yn gloch fawr y pen arall; mae llaw dde'r chwaraewr o fewn y gloch yn cynnal y corn ac yn gallu newid traw y nodau French horn

corn gwddf:gwddw:gwddwg y llwnc gullet, throat

corn gwlad utgorn arbennig sy'n cael ei ganu yn rhai o seremonïau'r Eisteddfod Genedlaethol

corn hirlas corn yfed y byddai perchennog llys yn ei gynnig fel rhan o'i groeso i ymwelydd, ond sy'n cael ei ddefnyddio yn awr yn seremoni croesawu'r Eisteddfod Genedlaethol i fro arbennig

corn meddyg *anffurfiol* stethosgop; dyfais sy'n galluogi meddyg i wrando ar ysgyfaint a churiad calon cleifion stethoscope

Ymadroddion
ar gorn
1 oherwydd neu o achos rhywun neu rywbeth, *Fe aeth i'r dref ar gorn y gwahoddiad a gafodd i ymweld â Wil.*
2 ar draul, *Mae rhai pobl yn cael eu cyhuddo o fyw bywyd esmwyth iawn ar gorn y wlad.* at (someone or something's) expense
sathru/damsgel ar gyrn (rhywun) tramgwyddo, digio to tread on someone's toes

corn² *eg* planhigyn â grawn melyn sy'n tyfu ar weiryn tal a dyfwyd yn gyntaf yn America; India corn maize

corn³ *ans* cyfan gwbl; llwyr absolute, complete
Sylwch: nid yw'n cael ei gymharu.
meistr corn meistr llwyr complete master
rhewi'n gorn rhewi'n galed iawn to freeze solid
yn feddw gorn yn feddw gaib dead drunk

cornaidd *ans*
1 tebyg i gorn, yn ymwneud â chorn horny
2 wedi'i wneud o'r un defnydd â chyrn (anifeiliaid) horny

cornant *eb* (cornentydd) nant fechan fyrlymus, ffrwd wyllt; afonig rill, runnel

corn-bîff *eg* cig eidion wedi'i goginio ac yna wedi'i gyffeithio neu erbyn heddiw wedi'i osod mewn tun corned beef

cornbig *eg* (cornbigau) un o nifer o fathau o bysgod y môr â chyrff hir a safnau ar ffurf pig â dannedd miniog garfish

cornbilen *eb* (cornbilennau) ANATOMEG haen dryloyw, wydn sy'n gorchuddio ac yn amddiffyn blaen y llygad cornea

cornbilennol *ans* ANATOMEG yn perthyn i'r gornbilen, yn effeithio ar y gornbilen corneal

cornchwiglen *eb* (cornchwiglod) aderyn sy'n byw ar weunydd a rhosydd a chanddo gri ddolefus, hediad anwastad a chrib o blu am ei ben; cornicyll lapwing, peewit, plover

cornel *eb* (corneli)
1 y man allanol neu fewnol y mae dwy linell, dau wyneb neu ddau ymyl yn cwrdd, e.e. y man y mae dau fur yn dod at ei gilydd mewn ystafell; congl, cwr, ongl corner
2 (mewn pêl-droed) cic i'r tîm sy'n ymosod o ben eithaf y llinell gôl ar ôl i'r tîm sy'n amddiffyn gyffwrdd â'r bêl a pheri iddi fynd dros eu llinell gôl eu hunain corner (kick)
cwpwrdd cornel cwpwrdd ar ffurf triongl wedi'i wneud i ffitio i gornel corner-cupboard

cornelu *be* [cornel•¹]
1 gyrru i gornel neu ddal (rhywun neu rywbeth) mewn cornel (fel nad oes modd dianc) yn gorfforol neu mewn gêm neu mewn dadl to corner
2 techneg gan raswyr ceir i droi corneli'n gyflym to corner

cornet *eg* (cornetau)
1 offeryn chwyth cerddorol sy'n debyg iawn i'r trwmped ond yn llai ei faint; caiff ei ganu mewn bandiau pres a bandiau arian cornet
2 hufen iâ mewn côn cornet
cornicyll *eg* (cornicyllod) cornchwiglen lapwing, peewit, plover
cornio *be* [corni•²]
1 (am anifail â chyrn) ymosod â'i gyrn to butt, to gore
2 clustfeinio; archwilio brest neu gefn â stethosgop (corn meddyg) to examine with a stethoscope
corniog *ans* a chyrn ar ei ben horned
cornis *eg* (cornisiau)
1 darn o bren neu fetel addurnedig ar gyfer cuddio'r hyn sy'n dal llenni cornice
2 talp neu sgafell o eira caled, bargodol ar ben clogwyn neu gopa cornice
3 PENSAERNÏAETH ymyl addurnedig brig adeilad neu biler; moldin rhwng wal a nenfwd cornice
cornwyd *eg* (cornwydydd) MEDDYGAETH chwydd neu ddolur sy'n crynhoi ar gorff person neu anifail a'i lond o grawn boil, carbuncle
coroid *eg* ANATOMEG pilen dywyll pelen y llygad yn cynnwys llawer o bibellau gwaed sy'n gorwedd rhwng y retina a'r sglera choroid
corola *eg* (corolâu) BOTANEG y cylch neu'r cwpan o betalau sy'n ffurfio amlen blodyn; coronig corolla
coron¹ *eb* (coronau)
1 penwisg addurniadol o aur, arian, etc., a gemau a wisgir gan frenin neu frenhines yn arwydd o'u hawdurdod crown
2 cylch o flodau neu ddail a fyddai'n cael ei wisgo gynt yn arwydd o fuddugoliaeth neu awdurdod; coronbleth garland
3 awdurdod llywodraeth (sydd wedi cyfyngu ar awdurdod personol brenin neu frenhines), *Tiroedd y llywodraeth yw tiroedd y Goron erbyn hyn.* crown
4 swydd neu awdurdod brenin neu frenhines sovereign
5 copa'r pen; brig, uchafbwynt crown
6 gwobr eisteddfod i feirdd neu lenorion; yn yr Eisteddfod Genedlaethol rhoddir y Goron i'r bardd sy'n ennill am ysgrifennu pryddest neu gerdd/gerddi yn y mesur rhydd crown
coron driphlyg gwobr ddychmygol sy'n cael ei hennill gan yr unig un un o dimoedd rygbi gwledydd Prydain (yr Alban, Cymru, Iwerddon, Lloegr) sy'n llwyddo i guro timau'r tair gwlad arall mewn un tymor triple crown
coron² *eg* (coronau) *hanesyddol* darn o arian bath Prydain a oedd yn werth pum swllt (25 ceiniog ddegol); nid yw erbyn hyn yn rhan o arian cyfred y wlad ond mae rhai'n cael eu bathu weithiau i ddathlu achlysuron arbennig crown

corona *eg* (coronâu)
1 SERYDDIAETH cylch bach o olau o gwmpas yr Haul neu'r Lleuad corona
2 SERYDDIAETH rhan allanol atmosffer yr Haul wedi'i gwneud o nwy tenau, poeth iawn, a welir weithiau ar ffurf cylch amherffaith o olau o gwmpas y Lleuad adeg diffyg llawn ar yr Haul corona
coronaidd *ans* ANATOMEG yn ymwneud ag un o'r ddwy rydweli sy'n cyflenwi gwaed i gyhyrau'r galon coronary
coronbleth *eb* (coronblethau) torch o flodau a wisgir ar y pen chaplet
corongylch *eg* (corongylchoedd) CELFYDDYD eurgylch; (mewn darluniau) cylch disglair uwch pen Iesu Grist neu aelod o'i deulu, neu uwch pen sant a ddefnyddir i ddynodi eu gogoniant halo
coroni *be* [coron•¹]
1 urddo brenin, brenhines neu ymerawdwr drwy osod coron ar ei ben/phen; gorseddu (~ *rhywun/rhywbeth* â; ~ *rhywun* yn) to crown, coronation
2 gwobrwyo bardd buddugol drwy osod coron ar ei ben; anrhydeddu to crown
3 cwblhau tasg anodd mewn ffordd deilwng, *Coronwyd ei ymdrechion â llwyddiant.*; gwobrwyo to crown
coroni'r cyfan ar ben y cyfan to cap it all
coroniad *eg* (coroniadau) y seremoni neu'r weithred o goroni, canlyniad coroni coronation
coronig *eb* (coronigau) coron fach chaplet
coronog *ans* yn gwisgo coron; wedi'i goroni crowned
Sylwch: nid yw'n cael ei gymharu.
coropleth *eg* (coroplethau) map yn dangos dosbarthiad ffenomen, e.e. dwysedd poblogaeth, drwy ddefnyddio arlliw graddedig, fel rheol, i ddynodi ei ddwysedd ym mhob uned weinyddol choropleth
corporal¹ *eg* (corporaliaid) swyddog digomisiwn un radd yn is na rhingyll ym myddinoedd Prydain ac Unol Daleithiau America corporal
corporal² *eg* CREFYDD y lliain main y rhoddir y bara a'r gwin arno yn ystod gwasanaeth offeren yr eglwys corporal
corps de ballet *eg* cwmni o ddawnswyr bale
corpws *eg*
1 casgliad o ddeunydd ysgrifenedig neu ar lafar y mae modd i beiriant ei ddarllen corpus
2 corff rhywun; celain, corffoledd carcass
corpws caloswm *eg* ANATOMEG y band llydan o ffibrau nerfol sy'n pontio dau hemisffer yr ymennydd corpus callosum
corpws lwtewm *eg* ANATOMEG meinwe cochlyd sy'n ymgasglu yn ofarïau mamolion yn dilyn y

broses o ryddhau wy; mae'n cynhyrchu hormon a fyddai'n caniatáu i feichiogi ddigwydd pe ffrwythlonid yr wy, ond sydd yn dadfeilio'n gyflym pe na bai'r wy yn cael ei ffrwythloni corpus luteum

corrach:cor *eg* (corachod)
1 mewn llên gwerin a llenyddiaeth plant, person bach byr sy'n helpu, e.e. corachod Siôn Corn, neu sy'n mwyngloddio, e.e. corachod Eira Wen dwarf
2 *sarhaus, annerbyniol* rhywun anghyffredin o fyr dwarf

corryn *eg* (corynnod) un o nifer o fathau o bryfed sydd ag wyth o goesau ac sy'n gallu cynhyrchu gwe i rwydo ysglyfaeth; cor, pry cop, pryf copyn spider

cors[1] *eb* (corsydd)
1 darn o dir gwlyb, meddal, tir llaith; ffen, gwern, mawnog, mign, siglen bog, marsh, swamp
2 *ffigurol* unrhyw sefyllfa anodd neu broblem nad yw'n glir a fydd hi'n bosibl dod allan ohoni neu ei datrys morass
cors anobaith gw. anobaith
cors o annwyd annwyd trwm iawn

cors[2] *ell* lluosog corsen

corsen *eb* (corsennau:cors:cyrs)
1 coes brwynen; cawnen, gwelltyn reed, stalk
2 y darn neu'r darnau (sengl neu ddwbl) o gorsen denau (neu blastig neu fetel) mewn offerynnau cerdd megis yr obo, y clarinét, yr acordion, etc., y mae gwynt neu anadl yn cael ei chwythu drwyddynt er mwyn cynhyrchu sain reed
3 ELECTRONEG cysylltiad trydanol mewn switsh neu reléi ac a weithredir gan fagnetedd reed (switch)

Corsiad *eg* (Corsiaid) brodor o ynys Corse (Corsica) Corsican

Corsicaidd *ans* yn perthyn i ynys Corse (Corsica), nodweddiadol o ynys Corse (Corsica) Corsican

corsiog *ans* o ansawdd cors, tebyg i gors; corslyd boggy, marshy

corslwyn *eg* (corslwyni) man lle mae corsennau'n tyfu reed bed

corslyd *ans* o ansawdd cors, tebyg i gors; corsiog boggy, marshy
corslyd o fe'i defnyddir i ddwysáu ystyr ansoddair, *yn gorslyd o wlyb*

corstir *eg* (corstiroedd) darn o dir corsiog; cors, mignen fen, swamp

cortecs *eg* (cortecsau)
1 ANATOMEG haen allanol y cerebrwm wedi'i gwneud o freithell blyg cortex
2 ANATOMEG haen allanol un o rannau neu organau eraill y corff, e.e. aren, blewyn, etc. cortex

3 BOTANEG yr haen allanol o feinwe sydd yn union o dan epidermis coesyn neu wreiddyn cortex

cortison *eg* BIOCEMEG hormon a gynhyrchir gan ran allanol y chwarren adrenal, a hefyd fersiwn synthetig a ddefnyddir i drin arthritis, etc. cortisone

cortyn:cordyn *eg* (cortynnau:cordiau) rhaff denau; llinyn, tennyn, rheffyn cord, string, twine

corun *eg* (corunau)
1 copa'r pen, top y pen, rhan uchaf; iad crown
2 pen wedi'i eillio yn ôl arfer y mynaich; copa moel tonsure
o'r corun i'r sawdl o'r top i'r gwaelod, bob tamaid from head to foot

corwg:corwgl:cwrwgl *eg* (coryglau:cyryglau) cwch bach crwn ar gyfer un neu ddau, wedi'i lunio o ffrâm ysgafn o wiail neu ddarnau hir o bren helyg neu ynn wedi'u hollti (dellt) ac wedi'u cydblethu, a'u gorchuddio â chrwyn neu gynfas neu liain wedi'i beintio â phyg ac olew llin; mae rhai i'w gweld o hyd ar rai afonydd megis afon Teifi ac afon Tywi yn ne-orllewin Cymru coracle

corwlyddyn *eg* (corwlydd) planhigyn bychan â blodau bach gwyn sy'n perthyn i deulu'r penigan pearlwort

corwndwm *eg* DAEAREG mwyn caled a gwydn iawn a ddefnyddir fel sgraffinydd; mae rhuddem a saffir yn fathau ohono corundum

corws *eg* (corysau)
1 grŵp o gantorion; côr choir, chorus
2 darn o gerddoriaeth leisiol i grŵp o gantorion neu gôr chorus
3 darn o gerddoriaeth sy'n cael ei ganu ar ôl pob pennill mewn cân neu mewn emyn; cytgan chorus, refrain
4 grŵp o gantorion, o actorion neu o ddawnswyr sy'n chwarae rhannau cynorthwyol mewn sioe neu ddrama neu ffilm chorus
5 (yn y dramâu Groegaidd) grŵp o actorion a fyddai'n defnyddio barddoniaeth a cherddoriaeth i ddehongli'r ddrama i'r gynulleidfa (Greek) chorus

corwynt *eg* (corwyntoedd) METEOROLEG storm drofannol ddinistriol yn ardal Gwlff México neu Ynysoedd y Caribî yn bennaf lle mae gwyntoedd yn cylchdroi ar fuanedd uwch na 160 km yr awr o amgylch canol llonydd o wasgedd isel iawn; cenllif o law, a mellt a tharanau hurricane

coryglwr *eg* (coryglwyr) un sy'n gwneud corwgl; un sy'n llywio corwgl

corynnod *ell* lluosog corryn
corysau *ell* lluosog corws
cos *byrfodd* gw. cosin

Cosac *eg* (Cosaciaid) aelod o bobl o dde-ddwyrain Rwsia sy'n enwog am eu dawn marchogaeth ac oherwydd hynny fe'u defnyddiwyd yn wŷr meirch ym myddin Rwsia Cossack

cosb *eb* (cosbau) dioddefaint neu dâl neu golled am drosedd; iawn am wneud rhywbeth na ddylech fod wedi'i wneud neu am beidio â gwneud yr hyn y dylech fod wedi'i wneud; disgyblaeth penalty, punishment

cosb gorfforol curo'r corff fel cosb corporal punishment

Ymadrodd

y gosb eithaf lladd fel cosb gyfreithiol, cosb ddihenydd capital punishment

cosbadwy *ans* (o'i gyflawni) y gellir ei gosbi punishable

cosbedigaethol *ans* CYFRAITH (am ddedfryd) gyda'r bwriad o gosbi; ceryddol, cosbol punitive

cosbi *be* [cosb•¹] achosi dioddefaint neu fynnu tâl neu iawn am drosedd, peri bod rhywun yn derbyn cosb; cystuddio (~ *rhywun/ rhywbeth* **am** wneud) to punish, to chastise, to penalize

cwrt cosbi man arbennig o flaen y gôl ar gae pêl-droed; os yw amddiffynnwr yn troseddu ynddo, mae hynny'n arwain at gic gosb uniongyrchol at y gôl gan aelod o'r tîm sy'n ymosod penalty area

cosbol *ans* wedi'i fwriadu fel cosb; cosbedigaethol, ceryddol punitive

cosec *byrfodd* cosecant cosec

cosecant *eg* (cosecannau) MATHEMATEG (ffwythiant ongl lem mewn triongl ongl sgwâr) cymhareb hyd yr hypotenws â hyd yr ochr gyferbyn â'r ongl; cosec cosecant

cosfa *eb* (cosfeydd)

1 y weithred o gosi, canlyniad cosi; rhywbeth sy'n gwneud i rywun fod eisiau crafu neu rwbio itch, tickling

2 coten, crasfa, cweir, *Cawson nhw eithaf cosfa ddydd Sadwrn gan dîm oedd llawer yn is na nhw yn y gynghrair.* beating, thrashing

3 MEDDYGAETH cyflwr o gosi difrifol pruritus

cosh *eg* (coshys) arf llaw ar ffurf rhoden fer, drom wedi'i gorchuddio â defnydd lled feddal megis lledr cosh

cosi *be* [cos•¹]

1 cyffwrdd yn ysgafn â chroen rhywun i'w fwytho neu i beri chwerthin; goglais (~ *rhywun/rhywbeth* â) to tickle

2 teimlo bod arnoch eisiau crafu neu rwbio'ch croen; ysu to itch

cosi gwyllt y crafu; clefyd heintus ar y croen yn cael ei achosi gan widdon sy'n peri cosi llidus a phlorynnod scabies

cosin *eg* (cosinau) MATHEMATEG (ffwythiant ongl lem mewn triongl ongl sgwâr) cymhareb hyd yr ochr gyfagos i'r ongl â hyd yr hypotenws; cos cosine

coslyd *ans* yn cosi itching, tickling

cosmetig *ans*

1 yn harddu neu'n edrych yn dda cosmetic

2 arwynebol, heb fod iddo unrhyw ddyfnder cosmetic

cosmetigau *ell* sylweddau cosmetig, ar gyfer yr wyneb yn bennaf cosmetics

cosmig *ans* yn perthyn i'r bydysawd (yn hytrach na'r Ddaear) cosmic

Sylwch: nid yw'n cael ei gymharu.

cosmoleg *eb*

1 hanes neu theori am darddiad y bydysawd cosmology

2 SERYDDIAETH cangen o astroffiseg, sef yr wyddor yn ymwneud â tharddiad, adeiledd a datblygiad y bydysawd cosmology

cosmolegol *ans* am hanes neu theori yn ymwneud â tharddiad y bydysawd cosmological

cosmopolitaidd *ans*

1 ag arwyddocâd rhyngwladol neu fyd-eang (yn hytrach nag arwyddocâd lleol neu daleithiol) cosmopolitan

2 yn cynnwys pobl neu elfennau sy'n dod o wahanol rannau o'r byd cosmopolitan

3 yn deillio o brofiad eang o wahanol rannau'r byd cosmopolitan

cosmopolitan *eg* (cosmopolitaniaid) dinesydd byd cyfan; unigolyn cosmopolitaidd cosmopolite

cosmopolitanaeth *eg* y cyflwr o fod yn amlgenhedlig neu'n gosmopolitaidd cosmopolitanism

cosmos *eg* y greadigaeth i gyd fel system arbennig; bydysawd cosmos

cost *eb* (costau) yr hyn y mae'n rhaid ei dalu am rywbeth, yn ariannol neu drwy ymdrech neu drwy boen meddwl; pris, traul cost

cost effeithiol yn cynhyrchu mwy nag y mae'n ei gostio cost effective

cost ffiniol ECONOMEG cost atodol cynhyrchu un eitem ychwanegol o gynnyrch marginal cost

cost newidiol ECONOMEG cost sy'n amrywio yn ôl faint a gynhyrchir variable cost

cost sefydlog ECONOMEG cost busnes (e.e. rhent, yswiriant) nad yw'n newid yn ôl faint a gynhyrchir fixed cost

cost ymwad ECONOMEG yr hyn a gollir pan ddewisir un opsiwn yn hytrach na'r opsiwn gorau arall opportunity cost

Costa Ricaidd *ans* yn perthyn i Gosta Rica, nodweddiadol o Gosta Rica Costa Rican

Costa Riciad *eg* (Costa Riciaid) brodor o Gosta Rica Costa Rican

costiad *eg* (costiadau) un o'r is-gostau ariannol, sydd o'u hychwanegu at ei gilydd yn creu swm y gost lawn, *Arhoswn nes cael y costiadau cyn penderfynu pa amcangyfrif i'w dderbyn.* costing

costio *be* [costi•² *3 un. pres.* cyst/costia]
1 bod â swm o arian wedi'i nodi fel pris, *Mae'r got 'na'n costio £100.* to cost
2 cyfrif beth fyddai'n rhaid ei dalu, neu beth y dylid ei dalu am rywbeth, *Rhaid costio pob eitem yn ofalus cyn penderfynu a allwn ei fforddio.* to cost
3 peri traul neu golled, yn ariannol neu drwy ymdrech neu drwy boen meddwl, *Mae'r car 'ma'n costio'n ddrud imi ei gadw ar yr heol.* to cost
costied a gostio rhaid wrth rywbeth faint bynnag y gost cost what it may

costiwm *eb* (costiymau) (yn hanesyddol) gwisg merch neu wraig lle roedd y got a'r sgert o'r un defnydd costume

costog:costowci *eg* (costogion:costowcwn) math o gi gwarchod cryf watchdog
anodd dysgu hen gostog anodd cael rhywun i newid hen arferion you can't teach an old dog new tricks

costrel *eb* (costrelau:costreli)
1 llestr i ddal ac i gario gwin neu ryw ddiod arall; ffiol, potel bottle, flask
2 llestr crwn, hynafol â dwy ddolen a gâi ei ddefnyddio gan y Rhufeiniaid gynt; llestr i ddal olew cysegredig; ampwla ampulla

costreliad *eg* (costreliadau) *hynafol* y broses o gostrelu, canlyniad costrelu bottling

costrelu *be* [costrel•¹] gosod (diod) mewn potel neu gostrel; potelu (~ *rhywbeth i*) to bottle, to preserve

costus *ans* uchel ei bris; drud, hallt, prid costly, dear, expensive

cosyn *eg* (cosynnau) darn crwn, cyfan o gaws cheese
cosyn pen mochyn torth o gig wedi'i gwneud o gig o ben y mochyn wedi'i ferwi, ei falu a'i wasgu i fowld; caws pen mochyn, brôn brawn

cot¹:côt *eb* (cotiau)
1 dilledyn allanol â llewys hirion a wisgir, fel arfer, dros ddillad eraill i gadw rhywun yn gynnes neu'n sych coat
2 blew anifail; gwlân, ffwr coat
3 haen neu orchudd wedi'i daenu dros rywbeth, *cot o baent* coating
cot fawr cot hir, gynnes greatcoat, overcoat
cot gynffon fain cot ffurfiol dyn, yn ymestyn yn hir yn y cefn lle mae wedi'i rhannu'n ddwy gynffon, ond yn fyr iawn fel gwasgod y tu blaen tailcoat
cot law cot hir sy'n gwrthsefyll glaw mackintosh, raincoat
Ymadrodd
torri'r got yn ôl y brethyn creu rhywbeth gan

ddefnyddio'r hyn sydd i'w gael neu y gellir ei fforddio to cut one's coat according to the cloth

cot²:coten *eb* (cotiau) cosfa, crasfa, cweir, *Pan oeddwn i'n fach byddwn yn cael cot gan y prifathro a Mam os oeddwn yn mitsio.* beating

cot³ *eg* (cotiau) gwely bach ar gyfer babi neu blentyn cot, crib

cot⁴ gw. cotangiad

côt gw. cot¹

cota *ans* ffurf fenywaidd **cwta**, *buwch goch gota*

cotangiad *eg* (cotangiadau) MATHEMATEG (ffwythiant ongl lem mewn triongl ongl sgwâr) cymhareb hyd yr ochr gyfagos i'r ongl â hyd yr ochr gyferbyn â hi; cot cotangent

coten *tafodieithol, yn y De* gw. cot²

cotiar gw. cwtiar

cotwm *eg* (cotymau)
1 planhigyn tal a dyfir mewn gwledydd cynnes am y peli gwynion o flew neu ffibrau sy'n gorchuddio'i hadau cotton
2 yr edau a nyddir o'r ffibrau hyn cotton
3 defnydd neu frethyn wedi'i wneud o edafedd cotwm cotton
gwlân cotwm rholyn o gotwm meddal a ddefnyddir i lanhau rhannau o'r corff neu i ddaenu eli ar y corff cotton wool

cotyledon *eb* (cotyledonau) BOTANEG deilen sy'n un o'r pâr neu o'r grŵp o ddail cyntaf sy'n datblygu mewn eginyn; had-ddeilen cotyledon

cotymog *ans*
1 tebyg i gotwm, wedi'i wneud o gotwm cottony
2 (mewn herodraeth) gwyn gyda smotiau duon ermined

coulis *eg* COGINIO *purée* denau o ffrwythau neu lysiau sy'n cael ei ddefnyddio fel saws

coulomb *eg* (coulombau) FFISEG uned fesur safonol o wefr drydanol yn cyfateb i'r hyn a gynhyrchir gan un amper mewn un eiliad coulomb

coup de grâce *eg* (*coups de grâce*) ergyd farwol

coup d'état *eg* (*coups d'état*) dymchweliad sydyn grym llywodraethol drwy ddulliau treisgar neu anghyfreithlon, y weithred o gipio'r awdurdod i lywodraethu; putsch

cowboi *eg* (cowbois) gŵr a gyflogir i ofalu am wartheg (oddi ar gefn ceffyl fel arfer), yn enwedig gŵr felly yng ngorllewin Unol Daleithiau America yn ystod ail hanner y bedwaredd ganrif ar bymtheg a dechrau'r ugeinfed ganrif cowboy

cowlaid gw. coflaid

cowlas *eg* (cowlasau) y gofod rhwng y pyst lle mae gwair neu ŷd yn cael ei gadw mewn sièd wair, ysgubor neu feudy; adran, golau haymow

cowmon *eg* (cowmyn) dyn sy'n gofalu am wartheg cowman, herdsman

cownt *eg*

1 cyfrif, cyfanswm count, reckoning

2 adroddiad; cyfrif, hanes account

3 parch, golwg, bri estimation

ar gownt

1 er mwyn

2 ar fy nghownt, ar dy gownt, ar ei gownt, ar ei chownt, ar ein cownt, ar eich cownt, ar eu cownt; oherwydd, o achos in order to, on account of

cownter *eg* (cownteri) bwrdd hir, cul ar gyfer rhoi nwyddau neu arian arno; mae'r cwsmeriaid (mewn banc, siop, etc.) yn sefyll o'i flaen a'r sawl sy'n eu gwasanaethu yn sefyll y tu ôl iddo counter

cowper *eg* (cowperiaid) un sy'n gwneud ac yn trwsio casgenni pren, saer casgenni; cylchwr cooper

cowt *eg tafodieithol, yn y Gogledd* buarth fferm; beili, clos, cwrt, iard, ffald farmyard

cowtowio *be* [cowtowi•²] ymgrymu'n wasaidd gerbron rhywun; ymgreinio (~ **o flaen**; ~ **ger bron**) to kowtow

cowyll *eg hanesyddol* swm o arian a fyddai'n cael ei dalu gan ŵr i'w wraig am ei morwyndod y bore wedi'r briodas bride price

crabas:crabys *ell* lluosog **crabysyn**, afalau gwyllt, afalau surion bach crab apples

pren crabas y goeden y mae'r afalau hyn yn tyfu arni crab apple tree

crablyd *ans*

1 wedi crebachu, wedi nychu crabbed, stunted

2 cecrus, sarrug, surbwch cantankerous

crabysyn *eg* unigol **crabas**

crac¹ *eg* (craciau)

1 y cyflwr o fod wedi cracio, canlyniad cracio; agen, hollt, rhaniad, toriad crack, split

2 sŵn uchel, sydyn; clec crack

3 toriad neu newid yn ansawdd neu lefel y llais crack

crac² *eg* y cyffur cocên mewn ffurf bur, gryf crack

crac³ *ans* wedi colli'i dymer; blin, cynddeiriog, dig, llidiog angry, mad

cracellog *ans* rhwydwaith o fân graciau ar wyneb llyfn crackled

llestri cracellog crochenwaith â phatrwm o fân graciau yn rhedeg drwy'r haen sgleiniog crackleware

cracio *be* [craci•²]

1 torri'n sydyn â sŵn mawr; clecian, ffrwydro to crack

2 torri neu hollti heb fod y peth yn gwahanu to crack

3 (am y llais) torri neu grynu to crack

4 CEMEG dadelfennu hydrocarbonau (yn enwedig cyfansoddion olew crai) drwy ddefnyddio gwres a gwasgedd, i gynhyrchu hydrocarbonau symlach, e.e. petrol to crack

cracydd *eg* CEMEG peiriant cracio cyfansoddion olew crai i gynhyrchu petrol cracker

crach¹ *ell* lluosog **crachen**

codi hen grach ailgychwyn hen gynnen

crach²:crachach *ell* pobl snobyddlyd; crachfonheddwyr bigwigs, petty snobs

crach- *rhag* gwael, esgus, dirmygus, e.e. *crachawdur*, *crachlenor* pseudo-

crachach gw. **crach²**

crachboer *eg* fflem; y poer sy'n codi wrth garthu'r gwddf; llysnafedd, mwcws phlegm, sputum

crachdardd *eg* impetigo; clefyd cyffwrdd-ymledol y croen a nodweddir gan bothelli a chrach melyn ar y clwyfau impetigo

crachen *eb* (crach)

1 y croen caled sy'n tyfu dros friw neu ddolur; cramen, crawen, crofen, tonnen scab

2 twf tebyg ar goed neu lysiau, e.e. tatws scab

Sylwch: gw. hefyd **crach**.

crachen y môr cragen long barnacle

Ymadrodd

codi crachen gw. **codi**

crachfardd *eg* (crachfeirdd) bardd talcen slip; rhigymwr poetaster

crachfeddyg *eg* (crachfeddygon) un heb gymhwyster sy'n cymryd arno ei fod yn feddyg; coegfeddyg charlatan, quack

crachfonheddwr *eg* (crachfonheddwyr) un snobyddlyd sy'n cymryd arno ei fod yn fonheddwr sydd heb na'r dras na'r boneddigeiddrwydd angenrheidiol; crachach snob, upstart

crachlyd *ans* wedi'i orchuddio â chrach neu ddarddiant ar y croen; clafrllyd, cramennog mangy, scabby

crachysgolheictod *eg* dysg rodresgar; coegysgolheictod pedantry

crachysgolheigaidd *ans* (am rywun neu rywbeth) diddychymyg neu'n gorbwysleisio manylion wrth gyflwyno neu ddefnyddio gwybodaeth pedantic

craen *eg* (craeniau) peiriant arbennig at godi a gostwng pwysau trymion crane

craf:craf y geifr *eg* garlleg gwyllt wild garlic

crafaglach gw. **carfaglach**

crafangog *ans* yn meddu ar grafangau clawed

crafangog o fe'i defnyddir i ddwysáu ystyr ansoddair, *yn grafangog o feirniadol*

crafangu *be* [crafang•³] cydio, gafael a thynnu â'r crafangau neu'r ewinedd; ennill neu feddiannu'n wancus; bachu, crafu, cribddeilio, cribino to claw, to clutch

crafangus *ans* chwannog i grafangu grasping

crafangwr *eg* (crafangwyr) un sy'n crafangu, sy'n cribddeilio; un barus am elw rapacious person

crafanc¹ *eb* (crafangau)
1 un o'r ewinedd cryf, llym ar draed rhai adar ysglyfaethus (a rhai anifeiliaid eraill) ar gyfer gafael yn eu hysglyfaeth a'i lladd claw, talon
2 dyfais fetel gryf sy'n debyg i grafanc ac a ddefnyddir i afael mewn rhywbeth neu i godi rhywbeth claw

crafanc-y-frân planhigyn cyffredin a'i ddail ar ffurf troed brân a chanddo flodau gwyn tebyg i flodau'r blodyn ymenyn crowfoot

crafanc² *eb* (crafangau) dyfais i ddal darn o waith yn dynn mewn turn, neu ebill yn dynn mewn dril, ar ffurf tair neu bedair safn ar yr un echelin sy'n symud i mewn ac allan chuck

crafat *egb* (crafatiau) sgarff fyr, tei llydan cravat

crafell *eb* (crafellau)
1 teclyn neu offeryn crafu, e.e. dyfais crafu caws scraper
2 teclyn a ddefnyddir gan rywun sy'n ysgythru â llaw graver

crafiad *eg* (crafiadau)
1 y weithred o grafu, o ysgythru'r croen (fel arfer) yn ysgafn â'r ewinedd, canlyniad crafu scratch
2 toriad ysgafn y mae ei ôl i'w weld ar wyneb rhywbeth; rhigol, rhych abrasion, scratch

crafion *ell* casgliad o'r darnau mân sydd wedi cael eu crafu ymaith, *crafion tatws*; naddion, pilion, sglodion peelings, scraps

craflech *eb* (craflechau:craflechi) yr uchaf o ddau faen malu mewn melin flawd upper millstone

crafog *ans* fel yn *sylw crafog*, bachog, miniog, pryfoclyd, siarp sarcastic, sharp

crafu *be* [craf•¹]
1 rhwbio neu ysgythru â rhywbeth miniog neu ddanheddog, *crafu'r croen ag ewin, crafu ochr y car â hoelen*; crafangu (~ *rhywbeth* â) to scrape, to scratch
2 cael gwared ar haen o rywbeth drwy dynnu rhywbeth blaenllym drosto, *crafu'r fowlen yn lân* to scrape
3 cael dolur/brifo wrth rwbio'n galed yn erbyn rhywbeth, *crafu pen-glin yn erbyn y wifren bigog* to scratch
4 bod mor isel ag y gellir bod heb fethu'n llwyr (y syniad o grafu'r gwaelod), *crafu i mewn i ddim yr ysgol* to scrape
5 tynnu croen, *crafu tatws*; pilio, plicio to peel
6 bod yn gyfeillgar ac yn glên wrth rywun er mwyn cael rhywbeth ganddo/ganddi neu er mwyn ceisio ennill ei ffafr; gwenieithu to flatter, to scrape
7 prin llwyddo, bod o fewn ond y dim i fethu to scrape

8 ymdrechu i grynhoi neu gasglu to eke, to scrape

y crafu MEDDYGAETH clefyd heintus ar y croen yn cael ei achosi gan widdonyn sy'n peri cosi llidus a llinorod scabies
Ymadroddion
cer i grafu *sarhaus* cer o 'ma push off
crafu pen gw. pen¹

crafwr *eg* (crafwyr)
1 rhywun sy'n glên wrth rywun arall er mwyn ennill ffafr ganddo flatterer, scraper
2 teclyn sy'n cael ei ddefnyddio i grafu, e.e. crafu paent oddi ar bren; rhathell, sgrafell scraper

craff *ans* [craff•]
1 yn meddu crafftter; deallus, effro, sylwgar, treiddgar observant, smart
2 llym, miniog, siarp, *llygaid craff* keen, sharp
3 call, doeth discerning, shrewd

crafftter *eg* deall cyflym; amgyffrediad, callineb, dirnadaeth, treiddgarwch acumen, discernment

craffu *be* [craff•³] syllu'n galed, sylwi'n fanwl; canolbwyntio, edrych, gwylio, llygadu (~ **ar** *rywun/rywbeth*) to observe closely, to scrutinize, scrutiny

craffus *ans* (am feddwl) llym a miniog cutting, keen

cragen *eb* (cregyn) casyn neu orchudd allanol caled sy'n amddiffyn rhai creaduriaid megis y falwoden neu'r gocosen shell

cragen fylchog un o bâr o gregyn cocos mawr ar ffurf gwyntyll â rhychau dyfnion ac ymyl donnog; cylfgragen scallop

cragen las molwsg bwytadwy â chragen ddu-las sy'n rhannu'n ddwy; misglen mussel

cragen long un o gramenogion y môr sy'n glynu yn un haid wrth waelod llongau neu wrth gerrig neu greigiau; crachen y môr barnacle
Ymadroddion
dod allan o'm (o'th, o'i, etc.) cragen peidio â bod mor swil, dechrau siarad a chymysgu â phobl to come out of one's shell
mynd i'w gragen cilio'n swil to go into one's shell

cragennaidd *ans* a chanddo gramen; wedi'i amddiffyn gan gragen allanol testaceous

cragennog gw. cregynnog

crangen *eb* (cranghennau) MEDDYGAETH chwyddiant di-boen ar y corff a achosir pan gaiff chwarren sebwm ar y croen ei blocio a'i llenwi â braster wen

crai *ans* heb ei drin, e.e. olew crai; amrwd, ffres, newydd crude, raw, rude
Sylwch: nid yw'n cael ei gymharu.

craidd *eg* (creiddiau)
1 rhan fewnol neu ganol rhywbeth; bywyn, calon, cnewyllyn centre, crux, essence
2 canol metelig neu greigiog planed core

3 rhan ganolog adweithydd niwclear sy'n cynnwys y defnydd ymholltog core

4 darn o haearn meddal yng nghanol magnet neu goil anwythiad core

craidd crymedd MATHEMATEG (am bwynt ar gromlin) canol cylch â'r un crymedd â'r gromlin yn y pwynt hwnnw centre of curvature

craidd disgyrchiant FFISEG canolbwynt pwysau unrhyw beth; y man lle mae'r pwysau bob ochr iddo yn gytbwys centre of gravity

craig *eb* (creigiau)
1 darn mawr iawn o garreg; llechen, maen boulder, rock
2 defnydd caled a geir o dan y pridd ac sy'n ffurfio rhan o gramen y Ddaear rock
3 man caregog lle mae'r graig yn ymddangos heb bridd drosti; clogfaen, clogwyn, tarren crag
4 DAEAREG unrhyw ddefnydd naturiol, caled neu feddal (e.e. tywod, clai) yn cynnwys un neu fwy o fwynau neu ddefnydd organig; gall craig gael ei dosbarthu yn ôl ei hoed (e.e. craig Ordofigaidd) neu'n ôl y modd y cafodd ei ffurfio (e.e. craig igneaidd) rock

craig o arian rhywun â digon o arian made of money

Craig yr Oesoedd disgrifiad o Iesu Grist Rock of Ages

fel y graig yn dynn, yn sicr, yn gadarn, yn ddisymud rock-solid

y graig y'm (y'th, y'i, etc.) **naddwyd ohoni** magwraeth o fewn cymuned, ardal a gwehelyth arbennig

crair *eg* (creiriau)
1 rhywbeth o eiddo sant neu rywun sanctaidd a fyddai'n cael ei gadw i dyngu llwon arno relic
2 peth sanctaidd neu gysegredig; trysor y mae angen ei gadw'n ofalus treasure

craith *eb* (creithiau) ôl dolur lle mae'r croen wedi cael ei agor; y marc sy'n cael ei adael ar ôl i glwyf wella; nod scar, pockmark

crâl *eg* (cralau) pentref wedi'i amgylchynu â ffens yn perthyn i un o lwythau brodorol Affrica kraal

cramen *eb* (cramennau) math o groen caled sy'n ffurfio ar wyneb rhywbeth gwlyb, e.e. dolur gwaedlyd; crachen, crofen, crwst, tonnen crust, scab

cramen y Ddaear DAEAREG haen allanol, solet y Ddaear Earth's crust

crameniad *eg* (crameniadau) y broses o orchuddio â haen galed, yn enwedig haen addurnedig o feini gwerthfawr encrustation

cramennog[1] *eg* SWOLEG unigol **cramenogion** crustacean

cramennog[2] *ans* a chramen drosto; crachlyd encrusted, crustaceous

cramennol *ans* DAEAREG yn ymwneud â chramen y Ddaear neu gramen y Lleuad crustal

cramenogion *ell* SWOLEG grŵp mawr o arthropodau, yn cynnwys crancod, cimychiaid, berdys, etc. a enwir ar ôl y gramen neu'r argragen sy'n gorchuddio'u cyrff; mae'r mwyafrif ohonynt yn byw naill ai yn nŵr y môr neu mewn dŵr croyw, yr unig eithriad yw mochyn y coed (gwrachen ludw) Crustacea, crustaceans

cramp[1] *eg* (crampiau) offeryn i gydio neu i ddal pethau ynghyd yn dynn; clamp, creffyn cramp

cramp hir dyfais i ddal cydrannau eithaf mawr wrth ei gilydd wrth weithio arnynt neu wrth eu gludio sash cramp

cramp[2] *eg* (crampiau) MEDDYGAETH brathiad sydyn o boen sy'n digwydd wrth i gyhyr dynhau'n sydyn cramp

crampio *be* [crampi•[2]] cydio ynghyd â chramp (~ *rhywbeth* **wrth**) to cramp

crampon *eg* (cramponau) ffrâm o fetel a bachau arni, y gellir ei gwisgo dros esgid er mwyn dringo llethrau o iâ neu eira cywasgedig; haearn dringo crampon

cramwythen *eb* (cramwyth) teisen fach gron o does croyw wedi'i choginio ar y maen (ar radell), fel arfer mae'n cael ei thostio a'i bwyta a menyn arni crumpet, pikelet

cranc[1] *eg* (crancod)
1 creadur sy'n aelod o'r cramenogion; mae iddo gorff fflat cramennog a phum pâr o goesau y mae dwy ohonynt yn grafangau; mae'n cerdded wysg ei ochr ac yn byw fel arfer yn y môr crab
2 y pedwerydd arwydd yng nghylch y Sidydd; Cancr Cancer

cranc[2] *eg* (cranciau) dyfais sy'n newid cyfeiriad symudiad o symud yn ôl ac ymlaen i symud mewn cylch; yn ei ffurf symlaf mae'n cynnwys dolen yn sownd wrth roden; echel, gwerthyd crank

crancsiafft *eg* (crancsiafftiau) siafft sy'n troi cranc neu'n cael ei throi gan granc; crancwerthyd crankshaft

crancwerthyd *eg* (crancwerthydau) crancsiafft; siafft sy'n troi cranc neu'n cael ei throi gan granc crankshaft

crand *ans* [crandi•] *anffurfiol* bonheddig, drud, godidog, uchel-ael, *Maen nhw'n byw mewn tŷ crand yn ymyl y pentref.* grand, smart

crandrwydd *eg* gwychder, harddwch finery, grandness

crannog *eg* (cranogau) *hanesyddol* math o dŷ caerog cynhanesyddol a godwyd ar byst mewn llynnoedd yn Iwerddon, yr Alban, ac yn Llyn Syfaddan yng Nghymru crannog

crap *eg* gwybodaeth arwynebol, *crap ar y Gymraeg*; amcan, clem inkling, smattering

crapach gw. crepach

cras *ans* [cras•] (creision)
  1 wedi'i sychu, wedi'i grasu; caled, hesb, sych aired, dry
  2 wedi'i bobi, wedi'i dostio, *bara cras* baked, toasted
  3 cwrs, garw, gerwin coarse, rough
  4 (am sŵn) aflafar, amhersain, croch harsh, strident
  5 (am dir neu hinsawdd) heb lawer o law, neu heb law o gwbl; rhy sych neu ddiffrwyth ar gyfer llystyfiant arid

crasboeth *ans* mor dwym fel bod popeth yn sychu'n grimp neu'n cael ei ddeifio; chwilboeth parched, scorched

crasfa *eb* (crasfeydd) cosfa, coten, cweir, *Cawson nhw eithaf crasfa ddydd Sadwrn gan dîm oedd llawer yn is na nhw yn y gynghrair.* beating, hiding, thrashing

craslyd *ans* cras, croch, aflafar, garw, aflednais coarse

craster *eg*
  1 y cyflwr o fod yn sych neu'n grin; crinder, sychder aridity, dryness
  2 y cyflwr o fod yn groch neu'n aflafar harshness

crastir *eg* (crastiroedd) tir sych iawn parched ground

crasu *be* [cras•³ 3 *un. pres.* crâs/crasa; 2 *un. gorch.* crâs/crasa]
  1 sychu, yn enwedig mewn odyn to dry
  2 pobi, tostio, *crasu bara* to bake, to toast
  3 gadael (e.e. dillad llaith) i sychu mewn lle cynnes neu yn yr awyr agored; caledu, eirio, tempru to air
  4 crino, deifio, rhuddo to parch, to scorch

craswellt *ell* gwellt wedi'u sychu'n grimp parched grass

crât *eg* (cratiau)
  1 math o flwch o ddellt ar gyfer cludo nwyddau crate
  2 cynhwysydd ag unedau i ddal poteli llaeth crate

crater *eg* (craterau)
  1 twll yn y ddaear ar ôl ffrwydrad crater
  2 DAEAREG twll neu bant mawr lled grwn ag ochrau serth, fel arfer ar gopa llosgfynydd, a grëwyd o ganlyniad i echdoriad neu ffrwydrad folcanig, neu ymsuddiant crater
  3 twll â gwaelod gwastad ac ochrau serth a grëwyd o ganlyniad i ardrawiad meteoryn; maent yn niferus iawn ar wyneb y Lleuad crater

crats:cratsh *eg* (cratsys) preseb, rhesel cratch, manger

crau *eg* (creuau)
  1 ANATOMEG pant mewn asgwrn sy'n derbyn rhan o'r corff neu'n llunio cymal gydag asgwrn arall socket

  2 twll ym mhen bwyell neu forthwyl i ddal y goes, twll ym mhen nodwydd i dderbyn yr edau; soced eye, socket

crau'r llygad ANATOMEG y ceudod yn y benglog sy'n amgáu'r llygad a'i gyhyrau eye socket, orbit

crawc:crawciad *eb* (crawciau) sŵn cras brân neu froga neu sŵn tebyg iddo croak

crawcian *be* [crawci•²] gwneud sŵn crawc (~ ar) to croak

crawen gw. crofen

crawn *eg* MEDDYGAETH yr hylif tew, melyn a geir mewn clwyf sydd heb wella pus

crawni *be* magu crawn, yr hyn sy'n digwydd i ddolur llidus; casglu, gori, madreddu, madru to fester
  Sylwch: nid yw'r ferf hon yn arfer cael ei rhedeg.

crawniad *eg* MEDDYGAETH casgliad o grawn neu o fadredd abscess

crawnllyd *ans* llawn crawn neu fadredd neu'n gollwng crawn; gorllyd festering, purulent

crawnog *ans* yn cynnwys neu'n gollwng crawn purulent

cread *eg* yr holl greadigaeth; bydysawd, creadigaeth, cyfanfyd, hollfyd creation

creadaeth *eb* CREFYDD y gred i'r bydysawd gael ei greu (fel arfer, yn llythrennol, fel yr adroddir yr hanes yn 'Llyfr Genesis' yn y Beibl) creationism

creadigaeth *eb* (creadigaethau)
  1 yr holl fyd, y cyfan sydd wedi cael ei greu the creation
  2 rhywbeth sydd wedi cael ei greu, gan artist neu ddyfeisiwr fel arfer creation
  3 y weithred o greu neu genhedlu, canlyniad creu creation

creadigol *ans* yn meddu ar ddawn i greu, i ddwyn i fodolaeth; artistig, dychmygus, dyfeisgar creative

creadigrwydd *eg* y gallu i greu pethau gwreiddiol (yn syniadau neu'n wrthrychau), yn llawn dychymyg creativity

creadur *eg* (creaduriaid)
  1 peth byw sydd wedi cael ei eni creature
  2 unrhyw fath o anifail (gan gynnwys dyn); mil creature, beast, animal
  3 term o dosturi (weithiau mewn gwawd, weithiau'n anwesol) am rywun sy'n dioddef anffawd, *Bywyd digon caled a gafodd yr hen greadur.*; truan creature
  4 anghenfil, bwystfil, *stori am greaduriaid o'r gofod* creature

creadures *eb* term o dosturi (weithiau mewn gwawd, weithiau'n anwesol) am ferch neu wraig sy'n dioddef anffawd

creadydd *eg* (creadyddion) un sy'n credu mewn creadaeth creationist

creawdwr:creawdur:creawdydd *eg*
(creawdwyr) un sy'n creu neu sydd wedi creu; awdur, crëwr, lluniwr creator
y Creawdwr CREFYDD gwneuthurwr y greadigaeth a'r creaduriaid sydd ynddi the Creator

crebachiad *eg*
1 y weithred o grebachu (a) shrinking, contraction
2 MEDDYGAETH lleihad neu edwiniad meinwe neu organ yn y corff atrophy
3 MEDDYGAETH culhad annormal mewn pibell neu lwybr yn y corff stenosis
4 ECONOMEG cyfnod o ostyngiad mewn cynnyrch sy'n para am ddau chwarter yn olynol ac a nodweddir gan ddiweithdra uchel, gostyngiad mewn cyflogau a chwyddiant isel contraction

crebachlyd *ans* wedi crebachu, wedi crino; crin, crychlyd, gwyw, rhychiog shrivelled, stunted, wizened

crebachu *be* [crebach•¹]
1 cilio neu leihau mewn maint, tynnu ato; crychu, culhau, cyfyngu, teneuo to shrink, to shrivel, to stunt
2 MEDDYGAETH (am feinwe neu organ yn y corff) nychu neu ddihoeni o ganlyniad i ddirywiad celloedd neu wrth i organ droi'n weddilliol yn y broses o esblygu to atrophy
3 ECONOMEG mynd drwy gyfnod o ostyngiad mewn cynnyrch a nodweddir gan ddiweithdra uchel, gostyngiad mewn cyflogau a chwyddiant isel to contract

crebwyll *eg* cynneddf greadigol; athrylith, deallusrwydd, dirnadaeth, dychymyg genius, perception

crech *ans* ffurf fenywaidd **crych**

crechwen *eb* (crechwenau) chwarddiad uchel, croch, bloedd o chwerthin, chwerthin gwawdlyd guffaw

crechwenu *be* [crechwen•¹] chwerthin yn uchel ac yn groch, bloeddio chwerthin, chwerthin yn wawdlyd (~ **ar**) to guffaw

cred *eb* (credau)
1 yr hyn y mae rhywun yn ei gredu, yn ei dderbyn fel y gwirionedd; coel, daliad, hyder, ymddiriedaeth belief, trust
2 fel yn *ers cyn cred*, y cyfnod cyn genedigaeth Iesu Grist
gwledydd Cred gw. **gwledydd**

credadun:crediniwr *eg* (crediniwr) un sy'n credu, yn enwedig un sy'n credu yn y ffydd Gristnogol believer

credadwy *ans* y gellir ei gredu, y gellir ei dderbyn fel y gwirionedd; dibynadwy, dilys credible, plausible

crediniaeth *eb* (crediniaethau) yr hyn a gredir; coel, cred, daliad, ffydd belief

crediniol *ans* yn credu'n gryf, sicr ei gred, *Mae'n hollol grediniol fod yna'r fath beth â thylwyth teg.*; argyhoeddedig convinced

crediniwr gw. **credadun**

crediniwyr *ell* lluosog **credadun**

credo *eb* (credoau) datganiad neu grynodeb ffurfiol o'r hyn y mae rhywun yn credu ynddo, cyffes ffydd; athrawiaeth, cred, dysgeidiaeth, ffydd credo, creed

credu *be* [cred•¹ 3 *un. pres.* cred/creda; 2 *un. gorch.* cred/creda] meddwl o ddifrif fod rhywbeth yn wir, bod â ffydd yn (rhywun neu rywbeth), *Wyt ti'n credu'r stori? Credodd yn Nuw.*; coelio, ymddiried (~ **yn**; ~ **mewn**) to believe

credwr *eg* (credwyr) un sy'n credu; credadun believer

credyd *eg* (credydau)
1 y swm sydd gan rywun wrth ei enw mewn cyfrif banc credit
2 arian y mae banc yn barod i'w fenthyca i rywun, fel arfer ar y ddealltwriaeth y bydd yn cael ei dalu yn ôl â llog; coel credit
3 y cyfnod a ganiateir i dalu am wasanaeth neu nwyddau os na thalwyd ar y pryd credit
4 cofnod mewn cyfrif ariannol ar yr ochr sy'n nodi derbyniadau credit
gwasgfa gredyd CYLLID sefyllfa argyfyngus lle mae'r banciau'n ofni colledion wrth fenthyca ac yn gwrthod benthyca i raddau helaeth iawn credit crunch

credydu *be* [credyd•¹] cyfrif yn gredyd; nodi fel derbyniad, gosod ar ochr gredyd cyfrif to credit

credydwr *eg* (credydwyr) un y mae ar rywun ddyled iddo, yn enwedig un sydd wedi caniatáu credyd neu goel i rywun creditor

cref *ans* ffurf fenywaidd **cryf**, *benyw* **gref**

crefás *eg* (crefasau) hollt dwfn, agored yn wyneb llen iâ neu rewlif crevasse

crefu *be* [cref•¹] ceisio'n daer; apelio, begian, deisyf, erfyn, ymbil (~ **ar** *rywun am rywbeth*) to beg, to entreat, to crave

crefydd *eb* (crefyddau)
1 cred yn Nuw; cred mewn duwiau; credo, ffydd religion
2 y defodau, yr arferion a'r addoliad sy'n cael eu harddel gan gredinwyr yn Nuw (neu mewn duwiau), *y grefydd Gristnogol*; defosiwn religion
3 rhywbeth y mae rhai'n ei gymryd cymaint o ddifrif, eu bod yn barod i drefnu eu bywydau o'i gwmpas, *Mae rygbi yn grefydd i'r Cymry, yn ôl rhai pobl.* religion

crefydda *be* addoli, bod yn grefyddol, gwasanaethu Duw, mynychu addoldy to worship
Sylwch: nid yw'r ferf hon yn arfer cael ei rhedeg.

crefyddol *ans*
1 yn perthyn i grefydd, nodweddiadol o grefydd religious
2 addolgar, duwiol, defosiynol religious

crefyddwr *eg* (crefyddwyr) gŵr sy'n addoli, sy'n arddel neu'n proffesu crefydd religious man

crefyddwraig *eb* merch neu wraig sy'n addoli, sy'n arddel neu'n proffesu crefydd religious woman

crefft *eb* (crefftau)
1 gwaith, yn arbennig gwaith llaw, sy'n gofyn am hyfforddiant a medrusrwydd arbennig i'w gyflawni ond nad yw o raid yn gelfyddyd gain; medr, sgìl craft, craftsmanship
2 busnes neu alwedigaeth gweithiwr megis saer neu grydd; gwaith trade

crefftus *ans* yn dangos ôl crefft; yn meddu ar grefft skilled

crefftwaith *eg* (crefftweithiau)
1 gwaith llaw; saernïaeth handicraft
2 gwaith gan un tra medrus ei grefft, gwaith cywrain craftsmanship

crefftwr *eg* (crefftwyr)
1 un sy'n dilyn crefft, yn arbennig gwaith llaw, un sy'n ennill ei fywoliaeth drwy ymarfer ei grefft craftsman
2 arbenigwr mewn crefft arbennig, un tra medrus ei grefft, un celfydd ei waith craftsman

crefftwraig *eb* merch neu wraig sy'n dilyn crefft, sy'n ennill ei bywoliaeth drwy ymarfer ei chrefft craftswoman

crefftwriaeth *eb* dawn a gallu crefftwr/crefftwraig craftsmanship

creffyn *eg* (creffynnau) clamp; dyfais a ddefnyddir i rwymo neu gydio dau beth yn dynn wrth ei gilydd, neu i gynnal neu gryfhau brace, clamp

creg *ans* ffurf fenywaidd **cryg**

cregyn *ell* lluosog **cragen**

cregynna *be* [cregynn•⁹] casglu cregyn to collect shells, conchology
   Sylwch: dyblwch yr 'n' ym mhob ffurf ac eithrio yn y rhai sy'n cynnwys -as-.

cregynnog:cragennog *ans* tebyg i gragen, wedi'i wneud o gragen neu gregyn, yn cynnwys cregyn shell-like, shelly

cregynnwr *eg* (cregynwyr) arbenigwr ym maes cregyn a physgod cregyn conchologist

crehyrfa *eb* (crehyrfeydd) man lle y caiff crehyrod eu magu heronry

crehyrod *ell* lluosog **crëyr**

creicaen *eb* (creicaenau) DAEAREG (ar wyneb y Ddaear) haen o greigiau chwilfriw, rhydd, ynghyd â dyddodion eraill, sy'n gorchuddio creigiau heb eu dadfeilio regolith, weathered mantle

creiddiau *ell* lluosog **craidd**

creiddiol *ans* yn perthyn i'r craidd; canolog, hanfodol core

creifion *ell* darnau wedi'u crafu oddi ar rywbeth, *creifion tatws*; crafion, pilion peelings, shavings

creigardd *eb* (creigerddi) gardd wedi'i gosod ymhlith creigiau; neu ardd â chreigiau yn addurn ar gyfer mathau arbennig o blanhigion sy'n tyfu mewn mannau creigiog rock garden

creigfa *eb* twmpath o bridd yn frith â cherrig mawrion y tyfir blodau rhyngddynt rockery

creigiau *ell* lluosog **craig**

creigiog *ans*
1 llawn o greigiau neu gerrig; caregog, clogyrnog, ysgithrog craggy, rocky
2 caled fel craig craggy, rocky

creigiwr *eg* (creigwyr) chwarelwr sy'n gweithio ar wyneb y graig er mwyn rhyddhau (drwy ffrwydro) ddarnau o graig i'w hollti quarryman

creiglus *ell* aeron du, di-flas prysgwydden â dail bychain tebyg i rug; llus y brain crowberries

creigrisial *eg* DAEAREG mwyn caled, tryloyw sy'n debyg i ddarn o iâ; cwarts quartz, rock crystal

creirfa *eb* (creirfaoedd) lle i arddangos a chadw creiriau yn ddiogel reliquary, shrine

creiriau *ell* lluosog **crair**

creision¹ *ell* sglodion neu haenau tenau o fwyd wedi'u crasu neu wedi'u ffrio crisps, flakes

creision tatws haenau tenau o datws wedi'u ffrio, yn cael eu gwerthu mewn pacedi potato crisps

creision ŷd ŷd wedi'i grasu a'i baratoi fel bwyd brecwast i'w fwyta â llaeth cornflakes

creision² *ans* ffurf luosog **cras**

creisionllyd *ans* sych, eithaf caled a brau, yn enwedig am fwyd, y gellir ei grensian crunchy

creithiau *ell* lluosog **craith**

creithio *be* [creithi•²]
1 ffurfio craith, gwella neu iacháu'n graith to scar
2 achosi craith neu greithiau (yn enwedig yn ffigurol), *Roedd olion hen weithfeydd yn creithio'r tir.* to scar
3 cyweirio neu drwsio twll mewn dilledyn (e.e. hosan) gyda nodwydd a gwlân neu edafedd to darn

creithiog *ans* a chreithiau drosto scarred

crème brûlée *eb* (*crèmes brûlées*) COGINIO pwdin cwstard a siwgr brown wedi'i garameleiddio ar ei ben

crème de la crème *eg* y gorau, yr hufen

Cremlin *eg* yr adeiladau ym Moskva (Moscow) a fu hyd ddiwedd 1991 yn gartref i bencadlys llywodraeth yr Undeb Sofietaidd Kremlin

crempog *eb* (crempogau) math o deisen denau, fflat wedi'i gwneud drwy ffrio cytew mewn padell neu ar radell; ar ddydd Mawrth crempog (neu ddydd Mawrth Ynyd) y mae pobl yn arfer bwyta crempogau; ffroesen, pancosen pancake

crensian *be* [crensi•²]
1 malu (bwyd) yn swnllyd â'r dannedd to crunch
2 gwneud sŵn malu, *Clywodd y graean yn crensian dan ei draed.* to crunch

crensian dannedd ysgyrnygu dannedd, rhincian dannedd mewn llid neu ing to grind the teeth

Creol *ans*
1 yn ymwneud â'r Creoliaid a'u hiaith a'u traddodiadau Creole
2 (am fwyd) wedi'i baratoi â reis, tomatos, pupur, wynwyn a llawer o sesnin Creole

Creoliad *eg* (Creoliaid)
1 brodor o dras Ewropeaidd o India'r Gorllewin neu Dde America Creole
2 disgynnydd un o drefedigaethwyr cynnar (o Ffrainc neu Sbaen) taleithiau Gwlff México, sy'n dal i arddel eu traddodiadau Creole

creon *eg* (creonau) darn o sialc neu o gŵyr (gwyn neu o liw) a ddefnyddir i ysgrifennu neu i dynnu lluniau crayon

crêp *eg* math o ddefnydd crych, sidan du fel arfer, sy'n cael ei wisgo yn arwydd o alar crêpe

crepach:crapach *eb* diffyg teimlad yn y bysedd oherwydd oerfel numbness

crescendo *eg* (*crescendi*) CERDDORIAETH cyfarwyddyd i gryfhau'r sain yn raddol

Cretaidd *ans* yn perthyn i ynys Creta, nodweddiadol o ynys Creta Cretan

Cretasig *ans* DAEAREG yn perthyn i gyfnod olaf y gorgyfnod Mesosöig (146–65 miliwn o flynyddoedd yn ôl), nodweddiadol o gyfnod olaf y gorgyfnod Mesosöig, sef pryd yr ymddangosodd y planhigion blodeuol cyntaf ac y ffurfiwyd sialc Cretaceous

Cretiad *eg* (Cretiaid) brodor o ynys Creta Cretan

crethyll *ell* lluosog crothell

creu *be* [cre•¹ 2 *un. pres.* crëi; *1 llu. pres.* crëwn; *2 llu. pres.* crëwch; *amh. pres.* crëir; *amh. gorff.* crëwyd; *1 un. amhen.* crëwn; *2 un. amhen.* crëit; *amh. amhen.* crëid; *1 llu. gorch.* crëwn; *2 llu. gorch.* crëwch; *1 un. dib.* crëwyf; *2 un. dib.* crëych;] dwyn i fodolaeth, gwneud allan o ddim, rhoi bod neu ddechreuad i rywbeth; cyfansoddi, gwneud, llunio to create, to make

creuan *eb* (creuanau) ANATOMEG y rhan o'r benglog sy'n gorchuddio'r ymennydd cranium

creuanol *ans* ANATOMEG yn ymwneud â'r greuan neu'r benglog cranial

creuau *ell* lluosog crau

creugarwch *eg* dawn greadigol, y gallu i gynhyrchu pethau a syniadau gwreiddiol sy'n llawn dychymyg creativity

creulon *ans* [creulon•] yn achosi poen a dioddefaint; ciaidd, didostur, didrugaredd, milain (~ **wrth**) brutal, cruel, heartless

creulondeb:creulonder *eg* (creulondebau: creulonderau) y cyflwr o fod yn greulon, natur ddidrugaredd; anhrugaredd, ffyrnigrwydd, mileindra brutality, cruelty

creulys *eb* planhigyn yn perthyn i deulu llygad y dydd y mae ganddo flodau bach melyn sy'n chwyn cyffredin ar dir âr groundsel

creulys Iago planhigyn â blodau melyn sy'n perthyn i deulu llygad y dydd; mae ganddo flodau melyn a dail danheddog ac mae'n wenwynig i geffylau a gwartheg ragwort

crëwr *eg* (crewyr) un sy'n creu; creawdwr, dyfeisiwr, gwneuthurwr, lluniwr creator

crëyr glas *eg* (crehyrod) aderyn hirgoes â gwddf hir ar ffurf S a phig hir; mae'n byw yn ymyl dŵr ac yn bwydo ar bysgod ac anifeiliaid bychain; crychydd heron

cri¹ *eg* (criau) ebychiad, gwaedd, llef, wylofain, *cri am gymorth; cri'r gwylanod* cry

cri² *ans* fel yn *cacen gri* a *bara cri*, toes heb lefain na burum unleavened

criafol¹ *ell* aeron neu rawn y gerddinen neu'r griafolen

criafol y moch yr aeron cochion sy'n ffrwyth y ddraenen wen haws

criafol² *ell* coed â dail ysgafn tebyg i blu ac aeron bach o liw orengoch yn yr hydref, coed criafol; hefyd, yn unigol, pren y coed hyn; cerdin, cerddin mountain ash, rowan

criafolen *eb* unigol criafol; cerdinen, cerddinen mountain ash, rowan (tree)

criaw'r crewyn *be hynafol* dathlu cael y llwyth olaf i'r ydlan adeg y cynhaeaf
Sylwch: nid yw'r ferf hon yn arfer cael ei rhedeg.

crib *egb* (cribau)
1 llafn ac iddo ddannedd wedi'i wneud o fetel, asgwrn neu blastig ar gyfer glanhau a threfnu'r gwallt, neu fel addurn yng ngwallt merch neu wraig comb
2 rhywbeth o'r un ffurf neu ar gyfer yr un math o waith, e.e. teclyn i gardio neu gribo gwlân; ysgrafell scraper, wool card
3 tyfiant coch cnotiog ar ben rhai mathau o adar, yn enwedig y ceiliog comb
4 peth sy'n debyg i grib ceiliog o ran ei siâp ar ben rhywbeth neu mewn man uchel; brig, pen, copa, trum, esgair crest, ridge
5 rhesi o gelloedd bychain ar ffurf hecsagonau rheolaidd sy'n cael eu hadeiladu gan wenyn i gadw eu mêl a'u hwyau; crwybr, dil honeycomb
6 DAEAREG (ar fynydd) cefn cul ag ochrau serth sy'n greigiog neu'n ddanheddog; cefnen, esgair, trum arête

torri crib gw. **torri**

cribad gw. **cribiad**

cribau'r pannwr *ell* planhigion pigog y mae eu blodau wedi'u gorchuddio â bachau bychain; fe'u defnyddid gynt i godi wyneb brethyn (gwaith y pannwr) teasel

cribau Sain Ffraid *ell* planhigion o deulu'r farddanhadlen (marddanhadlen) â phigau coch neu borffor, a ddefnyddid ar gyfer moddion neu fel llifyn betony

cribddail *eg* cribddeiliaeth; y weithred o fygwth neu o ddefnyddio grym yn anghyfreithlon yn erbyn rhywun er mwyn cymryd rhywbeth (e.e. arian) oddi wrthynt; meddiant drwy drais extortion

cribddeiliaeth *eb* CYFRAITH y weithred o fygwth neu o ddefnyddio grym yn anghyfreithlon yn erbyn rhywun er mwyn cymryd rhywbeth (e.e. arian) oddi wrthynt; meddiant drwy drais extortion

cribddeilio *be* [cribddeili•²] cymryd drwy drais; crafangu (~ *rhywbeth* **gan** *rywun*) to extort

cribddeiliwr *eg* (cribddeilwyr) un sy'n cribddeilio; gormeswr, gorthrymwr, ysbeiliwr extortioner

cribell *eb* (cribellau) CERDDORIAETH esgair neu gribyn y ceir nifer ohonynt ar hyd brân neu fwrdd bysedd offeryn llinynnol megis gitâr, fiol, etc. fret

cribell coch gw. melog y cŵn

cribellog *ans* (am offeryn llinynnol) ac arno gribellau fretted

cribiad:cribad *eg* (cribiadau) y weithred o gribo'ch gwallt combing

cribin *eb* (cribin(i)au) *safonol, yn y Gogledd* teclyn gardd tebyg i grib mawr ar ben coes a ddefnyddir i grynhoi gwair, dail, etc., neu i wastatáu pridd chwâl; rhaca rake

cribinio *be* [cribini•⁶] cribo â rhaca, crafu at ei gilydd; chwalu a malu â chribin; crafangu, rhacanu (~ *rhywbeth* **ynghyd**) to rake, to scrape together

cribo *be* [crib•¹] tynnu crib drwy wallt neu wlân i'w lanhau neu ei drefnu, trin gwallt neu wlân â chrib; cardio (~ *rhywbeth* **â**) to card, to comb

cribog *ans*
1 a chanddo grib neu gribau, *aderyn cribog*; pigog, ysgythrog crested
2 serth, *llwybr cribog* steep

cribwr *eg* (cribwyr) peiriant sy'n glanhau, datrys a chasglu ynghyd ddarnau edafedd (gwlân fel arfer) yn barod i'w nyddu carder, carding engine

cric *eg* (criciau) cwlwm gwthi/gwythi sydyn yng nghyhyrau'r gwddf crick

criced *eg* gêm awyr agored lle mae dau dîm ag un ar ddeg o chwaraewyr yr un yn defnyddio bat, pêl galed a wicedi gyda'r naill dîm yn ceisio sgorio mwy o rediadau na'r llall cricket

cricedwr *eg* (cricedwyr) un sy'n chwarae criced cricketer

criciedyn:cricsyn *eg* (criciaid:crics) pryfyn bach llwyd, y mae'r gwryw yn gwneud sŵn drwy rwbio'i adenydd caled yn erbyn ei gilydd cricket
fel cricsyn llawn bywyd lively as a cricket

cril *ell* mân gramenogion tebyg i ferdys bychain o faint plancton; y rhain yw prif fwyd rhai mathau o forfilod krill

crimbil *eg* un o epil trafferthus y Tylwyth Teg a fyddai'n cael ei adael yn lle baban bach heb ei fedyddio y byddent wedi'i gipio o'i grud; carfaglach changeling

crimog *eb* (crimogau) ANATOMEG ymyl blaen asgwrn y goes sydd islaw'r pen-glin; mae'n cynnwys y ffibwla a'r tibia shin
britho crimogau gw. britho

crimp *ans* [crimp•] sych a brau a chaled; mor sych, weithiau, nes dechrau crino; crin crisp, shrivelled

crimpio *be* [crimpi•²] creu crychiadau neu blygiadau yn rhywbeth (~ *rhywbeth* **â**) to crimp

crin *ans* [crin•] yn gwywo, yn frau ac yn sych, wedi crebachu yng ngwres yr haul neu'n sych oherwydd henaint; crebachlyd, crimp, gwyw brittle, withered

crinc *eg* difrïol fel yn *rêl hen grinc*; ionc, lembo, twpsyn, ynfytyn

crinder *eg* y cyflwr o fod yn grin, o fod wedi gwywo; craster, sychder aridity, dryness

cringoch *ans* o liw browngoch neu felyngoch russet

crinllys *ell* planhigion bychain o deulu'r fioled, â blodau glas yn gymysg â rhai porffor golau; fioled violet

crino *be* [crin•¹] crebachu, edwino to become brittle, to wither

crintach:crintachlyd *ans* heb fod yn hael nac yn hawddgar; anhael, caled, cybyddlyd, tyn mean, miserly

crintachrwydd *eg* diffyg haelioni, y cyflwr o fod yn grintachlyd; cybydd-dod niggardliness, stinginess

crio *be* [cri•¹] gollwng dagrau; llefain, nadu, wylo, wylofain (~ **dros**) to cry
crio chwerthin chwerthin cymaint nes colli dagrau to cry with laughter

cripiad *eg* (cripiadau) canlyniad cripio, *cripiad cath*; crafiad scratch

cripian:cripio *be* [cripi•²]
1 cerdded ar eich pedwar gan ddefnyddio dwylo a phengliniau; cropian, ymlusgo to crawl, to creep
2 crafu, *cripian fel cath* to scratch

cripio *be* gw. cripian

cris *eg* (crisiau) (mewn criced) un o dair llinell yn ardal y wicedi sy'n nodi mannau ar y llain ar gyfer y bowliwr a'r batiwr crease

crisial:grisial *eg* (crisialau)
1 darn o fwyn solet ac iddo ffurf geometrig, naturiol o wynebau plân, cymesur crystal
2 darn caboledig o'r mwyn sy'n cael ei wisgo fel tlws neu em crystal
3 gwydr tryloyw, di-liw o ansawdd arbennig a gwerthfawr crystal
4 CEMEG ffurf neu siâp sydd â nifer o wynebau cymesur a chytbwys, ac sy'n cael ei ffurfio'n naturiol wrth i hylif droi'n solid crystal
5 CEMEG unrhyw solid yn cynnwys cydgasgliad cymesur, trefnedig o atomau, iönau neu foleciwlau mewn tri dimensiwn crystal

crisialeiddio *be* ymffurfio'n grisial to crystallize

crisialiad *eg* y broses neu'r weithred o grisialu crystallization

crisialog:crisialaidd *ans*
1 wedi'i wneud o grisial, yn edrych yn debyg i grisial crystalline
2 clir, tryloyw crystalline

crisialograffaeth *eb* CEMEG astudiaeth wyddonol o adeiledd a phriodweddau crisialau crystallography

crisialu *be* [crisial•¹]
1 achosi i droi'n grisialau; caledu to crystallize
2 achosi i droi'n ffurf arbennig, *Mae'n gymorth i grisialu fy meddyliau.*; crynhoi to crystallize

crism *eg* CREFYDD ennaint neu olew eneinio cysegredig a ddefnyddir mewn defodau arbennig yn yr Eglwys Gatholig Rufeinig a'r Eglwys Uniongred chrism

Crist *eg* CREFYDD teitl sy'n perthyn i Iesu o Nasareth ac sy'n golygu 'yr un a eneiniwyd' Christ

Cristion *eg* (Cristnogion:Cristionogion)
1 CREFYDD un sy'n arddel y grefydd Gristnogol Christian
2 un sy'n credu yn Iesu Grist fel mab Duw ac sy'n aelod o Eglwys wedi'i seilio ar y gred hon Christian
3 un sy'n dilyn esiampl Iesu Grist ac yn ymddwyn yn drugarog neu'n llawn cariad Christian

Cristnogaeth *eb* CREFYDD y ffydd neu'r grefydd Gristnogol, yn seiliedig ar y gred mai mab Duw yw Iesu Grist, ynghyd â'r athrawiaethau a'r ordinhadau sydd erbyn hyn ynghlwm wrth y grefydd Christianity

Cristnoges *eb* (Cristnogesau) merch neu wraig o Gristion Christian (female)

Cristnogion *ell* lluosog Cristion; Cristionogion Christians

Cristnogol *ans*
1 yn perthyn i Gristnogaeth, nodweddiadol o Gristnogaeth Christian
2 yn credu yng Nghrist neu'n arddel Cristnogaeth Christian

3 yn dilyn dysgeidiaeth neu esiampl Iesu Grist Christian

Cristoleg *eb* cangen o ddiwinyddiaeth yn ymwneud â natur, cymeriad a swyddogaeth Iesu Grist Christology

critigol *ans*
1 am rywbeth sy'n dyngedfennol bwysig neu'n hanfodol i lwyddiant, methiant neu fodolaeth rywbeth critical
2 (yn wyddonol) am gyflwr pan fydd rhywbeth yn bendant yn newid critical
3 (am adweithydd niwclear) ar gychwyn adwaith cadwynol, hunangynhaliol critical

criw *eg* (criwiau)
1 casgliad o forwyr sy'n gwasanaethu ar long crew
2 nifer o bobl wedi casglu ynghyd; cwmni, grŵp, haid, llu band, gang
Sylwch: mae'n derbyn ffurf unigol neu luosog berf.

crïwr *eg* (criwyr)
1 un sy'n cael ei gyflogi gan gorfforaeth tref i weiddi cyhoeddiadau yn gyhoeddus town crier
2 plentyn sy'n llefain yn aml

criws *eg* fel yn yr ymadrodd *mynd ar y criws*, mynd allan i feddwi carouse, go on the booze

Croataidd *ans* yn perthyn i Croatia neu'n nodweddiadol ohoni Croatian

Croatiad *eg* (Croatiaid) brodor o Croatia, un o dras neu genedligrwydd Croataidd Croatian

crocbren *eg* (crocbrennau:crocbrenni)
1 fframwaith o bren sy'n cynnal rhaff ar gyfer crogi drwgweithredwyr i farwolaeth gallows
2 fframwaith tebyg o bren, ar gyfer crogi corff marw drwgweithredwr fel rhybudd i eraill gibbet
3 croes o bren a ddefnyddid i hoelio person arni fel yn achos Iesu Grist; croesbren cross

crocbris *eg* (crocbrisiau) pris afresymol o uchel exorbitant or extortionate price

crocodil:crocodeil *eg* (crocodiliaid:crocodilod) creadur mawr a chanddo enau mawr cryf, croen gwydn cnotiog a chynffon nerthol; mae'n byw ger afonydd mewn gwledydd trofannol ac yn perthyn i'r ymlusgiaid crocodile

crocws *eg* (crocysau) saffrwm, blodau'r saffrwm crocus

croch *ans* [croch•] yn cadw twrw neu'n bloeddio â'r holl egni, *gweiddi croch y dorf*; (am sŵn) uchel, cras a chyffrous; aflafar, amhersain, cryg, swnllyd cacophonous, raucous, strident

crochan *eg* (crochanau)
1 llestr crwn o fetel ar gyfer berwi pethau ynddo sy'n cael ei hongian neu ei osod i sefyll uwchben tân cauldron, crock
2 llestr mawr tebyg o bridd crock

crochanaid *eg* (crochaneidiau) llond crochan cauldronful

crochendy *eg* (crochendai) gweithdy neu ffatri crochenwaith pottery

crochenwaith *eg*
1 y grefft o lunio llestri pridd drwy drin a thanio clai ceramics, pottery
2 llestri crochenydd neu grochendy arbennig pottery

crochenydd *eg* (crochenwyr) un sy'n gwneud llestri pridd (crochenwaith) potter

crochlefain *be* [crochlef•¹] gweiddi'n groch; bloeddio, nadu, oernadu, ubain to clamour

croen *eg* (crwyn)
1 gorchudd allanol, naturiol corff anifail neu ddyn; mae dwy haen i'r croen, sef yr haenen allanol o gelloedd marw, yr epidermis (glasgroen) ac yna'r haenen o groen byw, y dermis (gwirgroen) lle y ceir chwarennau chwys a gwreiddiau'r blew sy'n tyfu ar y corff skin
2 y gorchudd allanol hwn wedi iddo gael ei dynnu oddi ar gnawd corff anifail (wedi i'r corff gael ei flingo), a'r hyn sy'n cael ei wneud ohono wedi iddo gael ei drin, e.e. lledr, memrwn, etc. hide
3 gorchudd allanol, naturiol rhai ffrwythau neu lysiau; crofen, masgl, pil, rhisgl peel, rind
4 yr haen denau sy'n ffurfio ar wyneb sylwedd hylifol, *croen pwdin reis*; cramen, tonnen film, skin
5 casyn allanol selsig/sosej skin

achub fy (dy, ei, etc.) nghroen ceisio dod allan o drwbl to save one's skin

croen fy (dy, ei, etc.) nhin ar fy (dy, ei, etc.) nhalcen mewn hwyliau drwg

croen fy nannedd (llwyddo) o drwch asgell gwybedyn by the skin of one's teeth

croen gŵydd teimlad o oerfel neu fraw sy'n effeithio (dros dro) ar eich croen goose pimples

dim ond croen ac/am asgwrn disgrifiad o rywun tenau iawn only skin and bone

dim ond croen a dannedd disgrifiad o rywun tenau iawn only skin and bone

drwy eu crwyn fel yn *tatws drwy'u crwyn*, tatws wedi'u coginio heb eu pilo baked (potatoes)

methu byw yn fy (dy, ei, etc.) nghroen methu aros i rywbeth ddigwydd can't wait for

mynd dan fy (dy, ei, etc.) nghroen mynd ar fy nerfau to get up one's nose

tân ar fy (dy, ei, etc.) nghroen rhywbeth sydd yn gas gennyf (*Mae'n dân ar fy nghroen gorfod ymarfer y piano.*)

yn llond fy (dy, ei, etc.) nghroen a golwg dda arnaf, yn borthiannus

croendenau *ans* sensitif iawn, hawdd ei frifo, na

allwch dynnu ei goes; gordeimladwy, hydeiml, sensitif sensitive, thin-skinned, touchy

croendew *ans* heb gymryd sylw o unrhyw feirniadaeth, heb fod yn sensitif; anhydeiml, ansensitif thick-skinned

croenddu *ans* â chroen naturiol ddu black-skinned

croenen *eb* (croenennau) pilen; math o groen tenau, meddal a geir y tu mewn i'r corff yn cysylltu neu'n gorchuddio rhai rhannau ohono; croenyn membrane

croeniach *ans* iach fy (dy, ei, etc.) nghroen, heb anaf; dianaf, diogel, saff with my skin intact

croenlid *eg* ecsema; cyflwr meddygol lle mae darnau o'r croen yn goch ac wedi chwyddo eczema

croenol *ans* ANATOMEG yn ymwneud â'r croen neu'n effeithio ar y croen cutaneous, dermal

croenyn *eg* pilen; math o groen tenau, meddal a geir y tu mewn i'r corff yn cysylltu neu'n gorchuddio rhai rhannau ohono; croenen membrane

croes¹ *eb* (croesau)
1 nod neu ffigur sy'n cael ei greu wrth i un llinell syth groesi un arall, e.e. x + cross
2 postyn tal â darn o bren ar ei draws yn agos i'w ben uchaf; byddai'r Rhufeiniaid yn hoelio troseddwr arno cyn ei godi a gadael i'r troseddwr farw mewn poenau mawr; croesbren cross
3 addurn ar ffurf croes a ddefnyddir fel symbol o Gristnogaeth cross, crucifix
4 enghraifft o ddioddefaint neu dristwch mawr fel prawf o ddaioni neu amynedd rhywun, *Mae gan bawb ei groes i'w chario yn yr hen fyd yma.*; cystudd, dioddefaint cross
5 anifail neu blanhigyn sy'n ganlyniad i groesfridio; anifail neu blanhigyn croesryw cross

croes Geltaidd croes Ladin a chylch am ei chanol Celtic cross

cynghanedd groes gw. cynghanedd

y Groes Goch elusen ryngwladol sy'n gofalu am gleifion a rhai sydd wedi'u niweidio (mewn rhyfeloedd yn enwedig) the Red Cross

Ymadroddion

cris-groes llun neu nod ar ffurf croes criss-cross

y Groes y groes arbennig y cafodd Iesu Grist ei groeshoelio arni the Cross

croes² *ans*
1 tebyg i groes, ar draws, yn croesi rhywbeth arall; croesymgroes, traws cross, intersecting
2 yn gwrthwynebu; gelyniaethus, gwrthwynebus averse, opposed
3 drwg ei dymer; blin, piwis ill-tempered, perverse
4 gwrthwyneb rhywbeth, *Mae 'byr' yn air croes i 'dal'.* opposite

cris-groes gw. **croes¹**

croes i'm (i'th, i'w, etc.**) hewyllys** yn erbyn yr hyn a ddymunwn against one's will

tynnu'n groes anghytuno, gwrthwynebu (weithiau dim ond er mwyn bod yn drafferthus)

croes³ *eb* elfen mewn geiriau fel *croesbren, croesffordd, croesgyfeiriad,* yr un ystyr â **croes²** uchod

croesacen *eb* (croesacenion) CERDDORIAETH amrywiad ar y patrwm rhythmig disgwyliedig cross-accent, cross-rhythm

croesair *eg* (croeseiriau) pos geiriau lle rydych yn ysgrifennu'r atebion i gliwiau arbennig mewn sgwariau wedi'u rhifo; o gwblhau'r cyfan yn gywir mae modd darllen yr atebion ar draws ac i lawr crossword

croesan *eg* (croesaniaid) *hanesyddol* ffŵl llys; digrifwas buffoon, jester

croesawgar *ans* llawn croeso; cyfeillgar, cynnes, lletygar hospitable, welcoming

croesawiad *eg* y weithred o groesawu, canlyniad croesawu

croesawu *be* [croesaw•³ *llu. gorff.* croesawsom etc.] derbyn (rhywun neu rywbeth) yn llawen, rhoi croeso (~ *rhywun* i *rywle*) to welcome

croesawydd *eg* (croesawyddion) un sy'n cael ei gyflogi (mewn swyddfa, meddygfa, deintyddfa, etc.) i groesawu a chynorthwyo ymwelwyr neu gleientau; derbynnydd receptionist

croesbeilliad *eg* y broses o groesbeillio, canlyniad croesbeillio cross-pollination

croesbeillio *be* [croesbeilli•²] ffrwythloni planhigyn â phaill o blanhigyn arall (~ *rhywbeth* â) to cross-pollinate

croesbren *eg* (croesbrennau)
1 croes (fel yn **croes¹** 2); crocbren cross
2 darn o bren a osodir ar draws postyn neu ddarn tebyg, e.e. y darn sy'n cynnal yr hwyl ar fast llong hwyliau yard

croes-ddweud *be* [croesddywed•¹ *3 un. pres.* croesddywed; *2 un. gorch.* croesddywed]
1 datgan bod (rhywun neu rywbeth) yn anghywir neu'n gelwyddog to contradict
2 (am ddatganiad, ffaith, etc.) ymddwyn i'r gwrthwyneb o ran natur neu gymeriad, *Mae ei weithredoedd yn croes-ddweud ei eiriau.*; gwrth-ddweud to contradict

croesddywediad *eg* (croesddywediadau) rhywbeth sy'n croes-ddweud; gwrthddywediad contradiction

croesedig *ans*
1 ar ffurf X crossed
2 BOTANEG (am ddail) yn tyfu'n barau ar ongl sgwâr i'r dail uwchben neu oddi tanynt decussate

croeseiriau *ell* lluosog **croesair**

croeseiriwr *eg* (croeseirwyr) un sy'n hoff o lenwi croeseiriau; un sy'n llunio croeseiriau

croesewi *bf* [croesawu] *ffurfiol* rwyt ti'n croesawu; byddi di'n croesawu

croesfa *eb* (croesfâu) (mewn eglwys ar ffurf croes) y naill neu'r llall o'r breichiau sy'n ymledu ar ongl sgwâr o gorff yr eglwys; adenydd eglwys transept

croesfan *eb* (croesfannau) lle ar gyfer croesi, man diogel i groesi ffordd/heol neu afon neu gledrau rheilffordd crossing

croesfar *eg* (croesfarrau) trawst yn gorwedd ar draws, e.e. y bar sy'n cysylltu pyst rygbi neu byst gôl crossbar

croesfridio *be* [croesfridi•²] cynhyrchu (anifail neu blanhigyn) drwy groesi gwahanol rywogaethau, bridiau, amrywiaethau, etc. to cross-breed, cross-breeding

croesffordd *eb* (croesffyrdd)
1 y man lle mae mwy nag un heol/ffordd yn cyfarfod crossroads, junction
2 *ffigurol* cyfle i rywun benderfynu ynglŷn â rhyw agwedd ar ei fywyd – a yw'n mynd i barhau ymlaen i'r un cyfeiriad neu a yw'n mynd i newid cyfeiriad crossroads

croesffrwythloni *be* [croesffrwythlon•¹] ffrwythloni planhigyn drwy ddefnyddio paill planhigyn arall o'r un rhywogaeth to cross-fertilize, cross-fertilization

croesffurf *ans* ar ffurf croes cruciform

croesgad *eb* (croesgadau) *hanesyddol* yr enw a roddwyd ar nifer o ymgyrchoedd rhwng 1096 a 1270 gan filwyr o wledydd Cristnogol Ewrop i geisio rhyddhau Jerwsalem a gwlad Palesteina o afael y Twrciaid, dilynwyr i'r proffwyd Muhammad; daeth yr enw i fod oherwydd bod pob milwr yn dangos llun y Groes ar ei wisg neu ar ei darian crusade

croesgadwr *eg* (croesgadwyr) *hanesyddol* milwr y Groes, un o'r milwyr a ymladdai mewn croesgad crusader

croesgornel *ans* (am linell syth) yn uno corneli (rhywbeth) diagonal

croesgyfeiriad *eg* (croesgyfeiriadau) cyfeiriad o un rhan o lyfr i ran arall; defnyddir y byrfodd 'gw.' (gweler) yn aml i ddynodi croesgyfeiriad cross reference

croesgyfeirio *be* [croesgyfeiri•²] cyfeirio o'r naill ran o ffynhonnell wybodaeth at ran arall (~ o *rywbeth* at *rywbeth*) to cross-reference

croeshilio *be* cenhedlu rhwng hiliau gwahanol, yn enwedig rhwng rhywun croenwyn a rhywun nad yw'n wyn ei groen; rhyngfridio

croeshoeliad *eg* y weithred o groeshoelio, yn enwedig croeshoeliad Iesu Grist, canlyniad croeshoelio crucifixion

croeshoelio *be* [croeshoeli•²]
1 lladd neu arteithio rhywun drwy ei hoelio ar groes; crogi to crucify

2 ymosod yn ffiaidd ac yn annheg ar rywun yn gyhoeddus to crucify

croesholi *be* [croeshol•¹] CYFRAITH holi yn null cyfreithiwr mewn llys barn er mwyn ceisio profi a yw tystiolaeth rhywun yn wir neu'n gelwyddog; holi a stilio (~ *rhywun* **am**) to cross-examine

croesholiad *eg* (croesholiadau) y weithred o groesholi rhywun, yn enwedig tyst yn cael ei holi gan gyfreithiwr mewn llys barn, canlyniad croesholi cross-examination

croesholwr *eg* (croesholwyr) un sy'n croesholi, yn enwedig cyfreithiwr mewn llys barn cross-examiner

croesi *be* [croes•¹]
1 symud o un ochr i'r llall, mynd neu symud dros rywbeth to cross, to traverse
2 mynd ar draws neu dorri ar draws ei gilydd, *Mae ein llythyron wedi croesi yn y post, mae'n amlwg.* to cross
3 gwneud siâp tebyg i groes drwy osod un peth ar draws ac ar ben y llall, *croesi bysedd* to cross
4 dileu drwy dynnu llinell drwy neu ar draws rhywbeth, *Croesodd ei enw oddi ar y rhestr.*; diddymu (~ *rhywbeth* **oddi ar**) to delete
5 tynnu dwy linell ar draws siec er mwyn dangos bod rhaid talu'r arian i mewn i gyfrif banc to cross
6 gwneud arwydd y Groes â'r llaw fel gweithred grefyddol to cross
7 gwneud neu ddweud yn groes i ddymuniad rhywun arall; anghytuno, gwrthsefyll, gwrthwynebu to thwart
8 cynhyrchu (planhigyn neu anifail) drwy groesffrwythloni dau frid gwahanol; croesbeillio, croesfridio to cross
9 (mewn pêl-droed a hoci) cicio'r bêl ar draws y cae i'r canol wrth ymosod to cross
croesi bysedd rhoi un bys uwchben y llall yn y gobaith y daw lwc yn sgil hynny to cross one's fingers
croesi meddwl dod i feddwl to cross one's mind
croesi'r bar gw. **bar**¹

croesiad *eg* (croesiadau)
1 y weithred o groesi, *croesiad garw o Gymru i Iwerddon*, canlyniad croesi crossing, transit
2 y broses o groesfridio anifeiliaid neu blanhigion cross

croesineb *eg* y cyflwr o fod yn tynnu'n groes, agwedd groes; cyndynrwydd, gwrthwynebiad antagonism, obstinacy

croeslin *eb* (croesliniau)
1 llinell syth ar oleddf diagonal
2 MATHEMATEG llinell syth sy'n uno cornel polygon ag un o'r corneli eraill nad yw'n gyfagos iddi diagonal

croeslinellu *be* [croeslinell•¹] tywyllu llun drwy

ddefnyddio cyfres o linellau cyflin yn croestorri ei gilydd to cross-hatch

croeslinol *ans* (am linell syth) yn uno corneli polygon diagonal

croeso *eg* derbyniad caredig a gwresog; cyfarchiad llawen a chynnes i ymwelydd neu westai welcome, hospitality
croeso haf blodyn glas sy'n tyfu'n wyllt, yn enwedig mewn mannau coediog, ac sydd i'w weld ar ddechrau'r haf yn drwch fel niwlen las ar hyd y ddaear dan y coed; clychau'r gog, bwtsias y gog, clychau glas bluebell
croeso'r gwanwyn planhigyn â blodau persawrus gwyn neu felyn narcissus
Ymadroddion
â chroeso wrth gwrs, yn llawen be my guest, you're welcome
croeso calon croeso cynnes hearty welcome

croesrwyg *eg* (croesrwygiadau) toriad yn ganlyniad i groesrym neu groeswasgu shear

croesryw¹ *eg* anifail neu blanhigyn sy'n ganlyniad i groesfridio; cymysgryw cross-breed, hybrid

croesryw² *ans* yn amlygu croesrywedd; cymysgryw hybrid

croesrywedd *eg* cymysgedd o wahanol elfennau hybridization

croestanio *be* [croestani•⁶] (mewn brwydr) saethu o ddau gyfeiriad fel bod y llinellau saethu yn croesi'i gilydd crossfire

croestorfan *eg* (croestorfannau) MATHEMATEG y pwynt lle mae dau neu ragor o bethau yn cwrdd; pwynt croestorri point of intersection

croestoriad *eg* (croestoriadau) MATHEMATEG yr elfennau sy'n gyffredin i ddwy neu ragor o setiau mathemategol; y pwynt neu'r pwyntiau cyffredin i ddau neu ragor o ffigurau geometrig intersection

croestoriadol *ans* yn croestorri intersecting

croestorri *be* [croestorr•⁹]
1 rhannu neu groesi (rhywbeth) drwy fynd drwyddo neu drosto, *Pe bai llwybr asteroid yn croestorri orbit y Ddaear, gallai'r effaith fod yn drychinebus.* to intersect
2 MATHEMATEG (am linellau, arwynebau neu setiau) croesi ei gilydd, e.e. dwy linell yn croestorri mewn pwynt to intersect
Sylwch: dyblwch yr 'r' ym mhob ffurf ac eithrio yn y rhai sy'n cynnwys -*as*-.

croeswasgu *be* [croeswasg•¹] torri neu wahanu dan effaith croesrym sy'n arwain at groesrwyg to shear

croesymgroes *ans*
1 wedi'u gosod i orwedd ar draws ei gilydd criss-cross
2 gyda'r prif osodiadau blaenorol wedi'u newid i'r gwrthwyneb vice versa

crofen:crawen *eb* (crofennau:crawennau) haenen galed, allanol, e.e. crystyn bara neu rimyn allanol darn o gaws neu ymyl darn o gig moch; cramen, croen, crwst, tonnen crust, rind

crofennu *be* [crofenn•⁹] METELEG defnyddio gwres i ychwanegu carbon at arwyneb dur i'w galedu ond gan adael craidd y dur yn feddalach a hyblyg to case harden
Sylwch: dyblwch yr 'n' ym mhob ffurf ac eithrio yn y rhai sy'n cynnwys -*as*-.

crofft *eg* (crofftydd) tyddyn, fferm fechan ar dir gwael yn yr Alban croft

crofftwr *eg* (crofftwyr) ffermwr crofft, tyddynwr yr Alban crofter

crog¹ *eb* (crogau)
1 peth sydd wedi'i godi ar gyfer crogi rhywun i farwolaeth; crocbren gallows
2 y groes y cafodd Iesu Grist ei hoelio arni; croesbren cross, the Cross

crog² *ans* yn hongian, yn crogi, *pont grog*; yn hongian drosodd, yn bargodi hanging, hung, suspended
Sylwch: nid yw'n cael ei gymharu.

crogen *eb* ffurf ar **cragen**

crogfaen *eg* (crogfeini) DAEAREG maen, yn enwedig maen dyfod, wedi'i adael gan rewlif neu len iâ mewn man ansefydlog ar lethr neu balmant rhewlifol perched block

crogi *be* [crog•¹]
1 hongian (rhywun neu rywbeth) wrth raff ynghlwm wrth y gwddf a'i ladd to hang
2 hongian, gosod i hongian; croeshoelio (~ **wrth** *rywbeth*) to hang
dros fy (dy, ei, etc.) nghrogi am y byd, ar unrhyw gyfrif (yn llythrennol, hyd yn oed os caf fy nghrogi), *Af i ddim gydag ef dros fy nghrogi.* for the life of me, I'll be hanged if I will

crogiant *eg* (crogiannau) dyfais neu ateg a ddefnyddir i hongian rhywbeth suspension

croglith *eb*
1 y llith neu'r darlleniad ar gyfer dydd y croeshoelio mewn gwasanaeth Anglicanaidd the gospel for Good Friday
2 CREFYDD fel yn *Dydd Gwener y Groglith*, Dydd y Croeshoeliad Good Friday

croglofft *eb* (croglofftydd) ystafell fechan yn nho'r tŷ, llofft fechan yn nen y tŷ; atig, goruwchystafell, llofft, nenlofft attic, garret, loft

crognant *eb* (crognentydd) dyffryn sy'n terfynu mewn clogwyn neu lethr serth sy'n disgyn i ddyffryn mwy o faint; dyffryn crog hanging valley

crogrent *eg*
1 rhent sy'n ormesol o uchel rack-rent
2 y rhent uchaf y mae modd ei godi ar eiddo rackrent

crogwr *eg* (crogwyr) torrwr pennau, un sy'n cyflawni'r gosb eithaf; dienyddiwr executioner

cronglwyd *eb* (cronglwydydd) *llenyddol* fframwaith to tŷ, y coed y mae'r llechi neu'r teils yn cael eu hoelio wrthynt i wneud gorchudd diddos i dŷ, neu i'r to ei hun; to roof
dan gronglwyd dan do rhywun under one's roof

crom *ans* ffurf fenywaidd **crwm**, *acen grom*

crôm *eg* rhywbeth, e.e. darnau metel addurnedig ar gar, wedi'i orchuddio â haen loyw o gromiwm chrome

cromatid *eg* (cromatidau) BIOLEG un o'r ddau edefyn unfath a grëir wrth i gromosom ymrannu pan fydd cell yn ymrannu chromatid

cromatig *ans*
1 yn perthyn i liwiau chromatic
2 CERDDORIAETH yn perthyn i'r raddfa gromatig sy'n cynnwys tri ar ddeg o nodau yn symud fesul hanner tôn; yn gwneud defnydd mynych o nodau cerdd y tu allan i'r wythfed cyffredin; hanner-tonol chromatic

cromatograffaeth *eb* CEMEG techneg ar gyfer gwahanu ac adnabod y cyfansoddion mewn cymysgedd drwy hydoddi'r cymysgedd mewn hylif ac yna ei ollwng drwy sylwedd arsugnol, e.e. papur, startsh, silica, fel bod pob cyfansoddyn yn cael ei wahanu chromatography

cromatograffig *ans* CEMEG yn ymwneud â chromatograffaeth, nodweddiadol o gromatograffaeth chromatographic

cromatogram *eg* (cromatogramau) CEMEG cofnod, e.e. graff, sy'n dangos canlyniad gwahanu'r cyfansoddion mewn cymysgedd drwy gyfrwng cromatograffaeth chromatogram

crombil *egb* (crombiliau)
1 stumog aderyn; afu glas, cropa, glasog craw, crop
2 bol, cylla, perfedd (hefyd yn ffigurol, e.e. *yng nghrombil y Ddaear*) stomach

cromen *eb* (cromenni)
1 siâp bwa wedi'i wneud o feini neu gerrig ar gyfer ffenestr neu ddrws, neu i gynnal to adeilad; fowt arch, vault
2 PENSAERNÏAETH to ar ffurf hemisffer, to pengrwn bwaog dome

cromennog *ans* ac iddo gromen; bwaog domed, vaulted

cromennu *be* [cromenn•⁹] chwyddo i fyny ac allan yn debyg i gromen to dome
Sylwch: dyblwch yr 'n' ym mhob ffurf ac eithrio yn y rhai sy'n cynnwys-*as*-.

cromfach *eb* (cromfachau) un o'r bachau crwn, sef ( ), a ddefnyddir i amgáu rhifau neu eiriau sy'n cael eu rhoi mewn brawddeg wrth fynd heibio (fel petai) bracket, parenthesis, (round) bracket

cromfan *eb* (cromfannau) PENSAERNÏAETH talcen crwn adeilad, cilfach hanner crwn neu amlochrog ym mhen bwaog dwyreiniol eglwys apse

cromfannol *ans* PENSAERNÏAETH yn creu cromfan, tebyg i gromfan apsidal

cromgell *eb* (cromgelloedd) PENSAERNÏAETH ystafell neu ofod tanddaearol â nenfwd bwaog, yn enwedig man claddu dan eglwys neu mewn mynwent; beddrod, daeargell, fowt tomb, vault

cromiwm *eg* elfen gemegol rhif 24; metel caled ond brau, llwydwyn sy'n cael ei roi'n haen sgleiniog ar ben metelau eraill neu'n cael ei gymysgu â dur i wneud dur gwrthstaen (Cr) chromium

cromlech *eb* (cromlechi) ARCHAEOLEG beddrod neu siambr gladdu ar ffurf maen neu garreg anferth yn gorwedd ar draws tri neu ragor o feini eraill o'r cyfnod Neolithig (c. 3,500–2,500 CC); cistfaen cromlech, dolmen

cromlin *eb* (cromliniau)
1 llinell sy'n graddol wyro o fod yn syth; camder, tro curve
2 MATHEMATEG llinell syth neu grom sy'n cysylltu dau bwynt curve

cromlinog *ans*
1 wedi'i wneud o linell grom neu linellau crwm, wedi'i amgáu gan linell grom neu linellau crwm curvilinear
2 CELFYDDYD am arddull sy'n rhwyllwaith o linellau curvilinear

cromosffer *eg* (cromosfferau) SERYDDIAETH yr haen yn yr Haul, neu sêr eraill sydd rhwng y ffotosffer a'r corona; mae ei thymheredd yn cynyddu'n sylweddol ar hyd y ffin rhyngddi a'r corona chromosphere

cromosom *eg* (cromosomau) BIOLEG edefyn DNA a geir yn nghnewyllyn cell ac sy'n cynnwys gwybodaeth etifeddol ar ffurf genynnau chromosome

cron *ans* ffurf fenywaidd **crwn**, *bord gron*

cronedig *ans* yn crynhoi, wedi'i grynhoi, wedi'i gronni accumulated

croneddau *ell* lluosog **cronnedd**

cronellau *ell* lluosog **cronnell**

cronfa *eb* (cronfeydd)
1 rhywbeth wedi'i grynhoi neu ei gasglu ynghyd at bwrpas arbennig; casgliad, crynhoad, stôr
2 llyn mawr o ddŵr at ddibenion dyn, wedi'i greu drwy roi clawdd neu argae ar draws nant neu afon; llyn reservoir
3 swm o arian wedi'i neilltuo at ddiben arbennig; cyfalaf, trysorfa fund, reserve

cronfa ddata *eb* (cronfeydd data) CYFRIFIADUREG set strwythuredig o ddata mewn cyfrifiadur, y mae modd eu cydgysylltu a'u hymholi database

croniad *eg* (croniadau) casgliad, crynhoad, pentwr accumulation

croniadur *eg* (croniaduron)
1 FFISEG batri y mae'n bosibl ei ailwefru ar ôl i'w egni gwreiddiol gael ei ddihysbyddu accumulator
2 CYFRIFIADUREG y rhan o brosesydd cyfrifiadur lle mae rhifau'n cael eu cadw accumulator

croniant *eg* (croniannau)
1 y cynnydd sy'n deillio o ychwanegu casgliad o ddarnau at rywbeth accretion
2 y broses o grynhoi gwaddodion, e.e. croniant llaid ar wely llyn accretion

cronicl *eg* (croniclau) llyfr yn cofnodi digwyddiadau hanesyddol yn nhrefn amser; brut, coflyfr, cofrestr chronicle, record

croniclo *be* [cronicl•¹] cofnodi yn null cronicl, cofnodi mewn cronicl, gosod ar gof a chadw; cofnodi, cofrestru to chronicle, to record

croniclydd *eg* (croniclwyr) un sy'n croniclo chronicler

cronig *ans* (am glefyd) yn parhau yn hir neu'n dychwelyd yn aml chronic

cronlyn *eg* (cronlynnoedd) llyn wedi'i gronni drwy godi argae ar draws afon neu nant dammed lake

cronnedd *eg* (croneddau) CYLLID fel yn *cronnedd cyfalaf*, cyfalaf sydd wedi tyfu wrth i ragor o arian gael ei ychwanegu ato'n rheolaidd; croniant capital accumulation

cronnell *eb* (cronellau)
1 pelen gron o sylwedd neu fater; sffêr sphere, ball
2 planhigyn â blodau melyn pelennog o deulu'r blodyn ymenyn globeflower

cronni *be* [cronn•⁹ 3 *un. pres.* crawn/cronna] casglu ynghyd, creu cronfa; argáu, crynhoi, cynnull, pentyrru to collect, to amass, to dam up
  Sylwch: dyblwch yr 'n' ym mhob ffurf ac eithrio yn y rhai sy'n cynnwys -as-.

cronnol *ans* â thuedd neu reddf i gronni, wedi'i fwriadu i'w gronni accumulative

cronnus *ans*
1 wedi'i wneud o bethau wedi'u cronni cumulative
2 yn tyfu drwy ychwanegiadau cyson cumulative

cronoleg *eb*
1 yr astudiaeth o gofnodion hanesyddol er mwyn pennu dyddiadau digwyddiadau'r gorffennol; amseryddiaeth chronology
2 y weithred o osod digwyddiadau, dyddiadau, etc., yn nhrefn amser, canlyniad y weithred chronology

cronolegol *ans* wedi'i osod yn nhrefn amser; amseryddol chronological

cronomedr *eg* (cronomedrau) mesurydd amser, math o gloc cywir iawn chronometer

cropa *eb* (cropaod) cylla aderyn; afu glas, crombil, glasog craw, crop

cropian:cropio *be*
1 cerdded gan ddefnyddio dwylo a phengliniau fel y mae plentyn yn ei wneud cyn dysgu cerdded; symud ar eich pedwar; cripian to crawl
2 ymlusgo, llithro'n llechwraidd; ymgripio to creep
Sylwch: nid yw'r ferf hon yn arfer cael ei rhedeg.
rhaid cropian cyn cerdded er mwyn dysgu'n iawn rhaid dilyn y drefn briodol you must learn to walk before you run

croquette *eb* cwgen fara neu belen o datws neu o friwgig, wedi'i ffrio

crosiet:crosied *eg* (crosietau) CERDDORIAETH nodyn sydd hanner hyd minim; mae pedwar ohonynt i far mewn amser $\frac{4}{4}$ crotchet

crosio *be* [crosi•²] gwau gan ddefnyddio gwaell fachog i dynnu edefyn drwy un pwyth i greu pwyth newydd to crochet

croten:crotes *eb* (crotennod:crotesi:crotesau) *tafodieithol, yn y De* merch ifanc; geneth, hogen, lodes, llances, rhoces girl, lass

crots *ell* lluosog **crwt**

croth *eb* (crothau) ANATOMEG organ yn rhan isaf corff mamolyn benywol lle mae'n beichiogi; yn y groth y mae'r epil, neu'r babi, yn tyfu nes y bydd yn amser iddo gael ei eni; bru uterus, womb
codi'r groth hysterectomi; triniaeth lawfeddygol i dynnu'r groth o'r corff hysterectomy
croth y goes ANATOMEG cefn y goes sy'n cynnwys y cyhyr islaw'r pen-glin; darn cnodiog y goes sydd y tu ôl i'r grimog calf

crothdrychiad *eg* (crothdrychiadau) hysterectomi; triniaeth lawfeddygol i dynnu'r groth o'r corff hysterectomy

crothell *eb* (crothellau:crethyll) pysgodyn bach dŵr croyw â chroen llyfn a dau neu ragor o bigynnau ar ei gefn y tu blaen i asgell y cefn stickleback

crothol *ans* ANATOMEG wedi'i leoli yn y groth, yn effeithio ar y groth uterine

croûton *eg* (*croûtons*) COGINIO ciwb o fara wedi'i ffrio neu ei ridyllu sy'n cael ei weini gyda chawl neu ei ddefnyddio fel garnais

croyw *ans* [croyw•] (croywon)
1 glân a chlir; digymysg, disglair, pur pure, sweet
2 heb fod yn hallt, *dŵr croyw*; ffres, pur fresh
3 hawdd ei weld neu ei ddeall, *Fe'i mynegodd ei hun mewn iaith groyw.*; clir, diamwys, eglur, tryloyw articulate, plain
4 heb furum, heb surdoes, heb lefain, *bara croyw* unleavened

croywder *eg* y cyflwr o fod yn groyw; disgleirdeb, eglurdeb, gloywder, purdeb clarity, purity

croywi *be* [croyw•¹] gwneud yn ffres, troi'n groyw, *croywi dŵr y môr*; dihalwyno, puro to make fresh, to purify

crud *eg* (crud(i)au) gwely bach ar gyfer baban, yn aml ag ochrau uchel a modd i'w siglo o'r naill ochr i'r llall; cawell baban cradle

crudgen *eg* MEDDYGAETH cyflwr cyffredin pan fydd croen pen plentyn bach yn llidus ac yn gennog cradle cap

crug *eg* (crugiau)
1 ARCHAEOLEG tomen gladdu hynafol; carn, carnedd barrow
2 codiad tir; bryncyn, ponc, twmpath, twyn hillock

crugiad *eg* (crugiadau) y weithred o bentyrru; pentwr heap

cruglwyth *eg* (cruglwythi) crugyn, llwyth, *cruglwyth o fric*; pentwr, twmpath pile

crugyn *eg* nifer sylweddol; cruglwyth, pentwr, twmpath, twr pile, heap

crwb *eg* codiad crwm a geir ar gefn camel a rhai anifeiliaid eraill, hefyd annormaledd a geir ar gefn person, cefn crwca; crwbi, crwmp, crymedd hump, hunchback

crwban *eg* (crwbanod) ymlusgiad â chragen fawr yn gorchuddio'i gorff y mae'n gallu tynnu ei ben a'i goesau i mewn iddi; mae ganddo bedair troed, ac mae'n araf iawn ei symudiad tortoise

crwban y môr ymlusgiad morol ac iddo gragen esgyrnog neu o ansawdd lledr ac esgyll nofio turtle

crwbi *eg* (crwbïod)
1 annormaledd a geir ar gefn person, cefn crwca; crwb, crwmp, crymedd hump
2 codiad neu chwydd naturiol ar gefn rhai anifeiliaid megis camel, bual, etc. hump

crwca *ans* wedi gwyro, wedi'i blygu; anunion, cam, gŵyr, gwyrgam crooked, bent, hooked

crwm *ans* [crym• *b* crom] (crymion) crwn fel ymyl cylch neu belen, yn crymu; amgrwm, bwaog curved, bowed, domed

crwman *eg* y cyflwr o fod yn gefngrwm, yn wargam

crwmp *eg* codiad crwm a geir ar gefn camel a rhai anifeiliaid eraill, hefyd annormaledd a geir ar gefn person, cefn crwca; crwb, crwbi, crymedd hump

crwn *ans* [crynn• *b* cron] (crynion)
1 tebyg i gylch neu bêl o ran ei siâp neu ei ffurf; rownd circular, round
2 llond ei groen, fel pêl; tew plump, rotund
3 i gyd, *y byd yn grwn*; cyfan, cyflawn, llawn entire

crwner *eg* (crwneriaid) swyddog cyhoeddus sy'n gyfrifol am gynnal cwest i farwolaeth unigolyn pan nad oes sicrwydd beth oedd achos y farwolaeth coroner

crwper *eg* (crwperau)
  1 pen ôl ceffyl
  2 strapen ledr wedi'i sicrhau wrth gefn cyfrwy a'i phasio dan gynffon ceffyl i rwystro'r cyfrwy rhag llithro ymlaen crupper

crwsâd *eg* (crwsadau) ymgyrch egnïol ag amcanion gwleidyddol, cymdeithasol neu grefyddol crusade

crwsadwr *eg* (crwsadwyr) un sy'n ymladd dros achos gyda brwdfrydedd ac argyhoeddiad crusader

crwsibl *eg* (crwsiblau) llestr sy'n gallu gwrthsefyll gwres mawr a ddefnyddir i doddi neu galchynnu sylweddau ynddo crucible

crwst *eg* (crystiau)
  1 rhan allanol rhywbeth (e.e. torth o fara neu gosyn o gaws) sydd wedi caledu ac sy'n gorchuddio rhywbeth meddalach o'i fewn; cramen, crofen, tonnen crust, rind
  2 COGINIO toes wedi'i wneud o flawd, braster a dŵr sy'n cael ei ddefnyddio fel gwaelod a gorchudd pastai neu darten pastry

crwst brau COGINIO crwst briwsionllyd wedi'i wneud o flawd, braster ac ychydig o ddŵr; fel arfer caiff ei ddefnyddio ar gyfer pasteiod, fflaniau a thartenni shortcrust

crwst haenog COGINIO crwst tebyg i grwst pwff ond yn cynnwys graddfa lai o fraster i flawd flaky pastry

crwst pwff COGINIO crwst haenog ysgafn, a gaiff ei ddefnyddio ar gyfer crwst pastai, canapés a theisennau crwst puff pastry

crwstyn:crystyn *eg* (crystiau)
  1 y darn caled, allanol a geir bob pen i dorth o fara crust
  2 y grofen o gwmpas torth neu dafell o fara crust

crwt *eg* (crytiaid:crots:cryts) *tafodieithol, yn y De* bachgen; còg, gwas, hogyn, mab, rhocyn boy, lad

crwtyn *eg* ffurf arall ar **crwt**

crwth *eg* (crythau)
  1 hen offeryn cerdd a gâi ei ddefnyddio yng Nghymru'r Oesoedd Canol; roedd yn debyg i'r lyra a chanddo dri, pedwar neu chwe thant a byddai'n cael ei ganu â bwa crowd, crwth
  2 gair arall am ffidil neu feiolin fiddle

canu crwth i fyddar gwneud rhywbeth dibwrpas; bugeilio'r brain to carry coals to Newcastle

crwybr *eg* (crwybrau) rhesi o gelloedd bychain ar ffurf hecsagonau rheolaidd sy'n cael eu hadeiladu gan wenyn i gadw eu mêl a'u hwyau; crib, dil honeycomb

crwybro *be* [crwybr•¹] achosi bod yn llawn tyllau fel dil mêl to honeycomb

crwybrog *ans* ar batrwm hecsagonal dil mêl honeycombed

crwydr *eg* (crwydrau) taith heb amcan penodedig, tro o le i le ar fympwy, gwyriad o'r cynefin; crwydrad wandering, straying
  ar grwydr ar daith heb lawer o amcan iddi wandering, roaming

crwydrad *eg* (crwydradau) y weithred o grwydro; amryfusedd, cyfeiliornad, gwyriad wandering

crwydraeth *eb* CYFRAITH cyflwr troseddol lle mae'r ffaith nad oes gan unigolyn, e.e. putain, meddwyn, etc., gyfeiriad sefydlog, a'u bod yn begera neu'n llithio am arian, yn niwsans cyhoeddus vagrancy

crwydriad gw. crwydryn

crwydriaid *ell* lluosog crwydryn

crwydro *be* [crwydr•¹]
  1 teithio neu rodio'n ddiamcan, ar hap a damwain; rhodio, tramwyo (~ **oddi ar** to wander, to roam
  2 mynd ar ddisberod, colli'ch ffordd a mynd ar gyfeiliorn, gwyro o'r llwybr cywir; cyfeiliorni to stray, to digress

crwydrol *ans* yn crwydro, yn symud o le i le yn fympwyol; ansefydlog, digartref, symudol, teithiol itinerant, nomadic, wandering

crwydrwr *eg* (crwydrwyr) un sy'n crwydro wanderer, rambler

crwydryn *eg* (crwydriaid) un sy'n crwydro, un sy'n symud o le i le yn ôl ei fympwy; nomad, sipsi, teithiwr, trempyn drifter, tramp, wanderer

crwyn *ell* lluosog croen

crwynllys *eg* planhigyn â blodau glas amlwg a dail llyfnion gentian

crwynwr *eg* (crwynwyr) un sy'n trin neu gyweirio crwyn er mwyn gwneud lledr skinner

crwys *eb* ac *ell*
  1 hen air am groes cross
  2 lluosog croes
  tan ei grwys
  1 yn dioddef suffering, having to bear one's cross
  2 troi heibio corff wedi i rywun farw, croesi breichiau celain lying in state

crybwyll *be* [crybwyll•¹] sôn am, dwyn i gof neu sylw drwy enwi, *Mi grybwyllais i'r parti wrth fam Siân, ond doedd hi'n gwybod dim amdano.*; awgrymu, cyfeirio at (~ *rhywbeth* wrth *rywun*) to mention, to refer

crybwylliad *eg* (crybwylliadau) cyfeiriad at, sôn am; mynegiad, sylw mention

crych¹ *eg* (crychau)
  1 cynnwrf neu gyffro ar wyneb dŵr, yn enwedig nant neu afon lle mae'r dŵr yn fas; crychdon ripple
  2 ôl plyg, *Mae'r sgert yma'n grychau i gyd.*; rhych crease, fold, wrinkle

crych² *ans* ac ôl plygiadau ynddo, wedi crimpio; crychlyd, cyrliog, modrwyog, rhychiog creased, crumpled, curly, wrinkled

    Sylwch: 'cryched' yw'r unig ffurf gymharol.

crychdon *eb* (crychdonnau) ton fechan neu grychiad sy'n lledu dros wyneb dŵr ripple

crychdonni *be* [crychdonn•⁹] lledu'n grychiadau dros wyneb dŵr, tonni'n fân; crychu (~ **dros**) to ripple

    Sylwch: dyblwch yr 'n' ym mhob ffurf ac eithrio yn y rhai sy'n cynnwys -*as*-.

crychdonnol *ans* yn crychdonni, neu a chrychdonnau drosto rippling

crychdynnu *be* [crychdynn•⁹] GWNIADWAITH tynnu defnydd ynghyd ar hyd un edefyn er mwyn creu cyfres o fân grychiadau to gather together

    Sylwch: dyblwch yr 'n' ym mhob ffurf ac eithrio yn y rhai sy'n cynnwys -*as*-.

crychferwi *be* [crychferw•¹] berwi'n grychias; byrlymu to simmer, to foam

crychguriad *eg* (crychguriadau) MEDDYGAETH cyflwr pan fydd y galon yn curo'n gyflym, yn galed neu'n afreolaidd palpitation

crychiad *eg* (crychiadau)
    1 ôl plygu; plyg, crych crease
    2 crychdon ar wyneb dŵr ripple
    3 GWNIADWAITH crych neu gyfres o grychau mewn defnydd yn ganlyniad i grychdynnu gathering together

crychias *ans* yn berwi, yn byrlymu boiling, seething

crychlamu *be* [crychlam•³] crychlamu, llamu, prancio (~ **dros**) to leap, to prance

crychlyd *ans* llawn crychau neu rychau; crebachlyd, crych, cyrliog, rhychiog crumpled, frizzy, wrinkled

crychnaid *eb* (crychneidiau) naid fywiog, fyrlymus; llam, sbonc bound, caper

crychneidio *be* [crychneidi•²] neidio'n fywiog, llamu'n afieithus; crychlamu, llamu, prancio (~ **dros**) to bound, to caper

crychni *eg* y cyflwr o fod yn grych; crychau, rhychau curliness, wrinkling

crychnod *eg* (crychnodau) DAEAREG patrwm ar ffurf ton sy'n nodweddu wyneb haen o waddodion meddal neu galed, yn enwedig tywodfaen, wedi'i greu gan symudiad tonnau, ceryntau neu wynt ripple mark

crychog *ans* a chrychau drosto; crych, crychlyd, rhychiog wrinkled, rippling, gathered

crychu *be* [crych•¹ 3 un. pres. crych/crycha; 2 un. gorch. crych/crycha]
    1 rhychu, achosi crychau, *Crychodd ei drwyn pan glywodd aroglau drwg yr wy.*; crebachu, crimpio to pucker, to wrinkle
    2 addurno gwisg â chrychwaith; crimpio to smock

    3 cyrlio, modrwyo, *crychu gwallt* to curl
    4 cyffroi dŵr, peri crychau ar ddŵr, *gwynt yn crychu wyneb y llyn*; tonni, ymdonni to ripple, to ruffle

crychu talcen gwgu to knit one's brows

crychwaith *eg* brodwaith addurnedig lle mae darnau o frethyn yn cael eu tynnu ynghyd a'u cadw yn eu lle â phwythau addurniadol; smocwaith smocking

crychydd *eg* crëyr glas; aderyn hirgoes â gwddf hir ar ffurf S a phig hir; mae'n byw yn ymyl dŵr ac yn bwydo ar bysgod ac anifeiliaid bychain heron

cryd *eg* (crydiau) cryndod (fel arfer yn arwydd o glefyd neu dwymyn); rhyndod, twymyn, ysgryd fever, shivering

cryd cymalau gwynegon; un o nifer o glefydau sy'n achosi poen ac anystwythder yn y cymalau neu'r cyhyrau rheumatism

cryd y lwynau lymbego; poen yn rhan isaf y cefn lumbago

y cryd melyn y clefyd melyn; cyflwr lle mae'r croen yn melynu oherwydd bod gormod o bigment y bustl yn y gwaed jaundice

crydd *eg* (cryddion) un sy'n gwneud esgidiau neu'n eu trwsio; cobler cobbler, shoemaker

crydda *be* gwneud a thrwsio esgidiau, dilyn crefft crydd to cobble

    Sylwch: nid yw'r ferf hon yn arfer cael ei rhedeg.

cryddiaeth *eb* crefft y crydd shoemaker's craft

cryf *ans* [cryf• *b* cref] (cryfion)
    1 â chryn dipyn o nerth, grym, cadernid neu egni'n perthyn iddo; abl, cydnerth strong
    2 lysti, praff, *Roedd Dafydd yn ŵr ifanc cryf iawn ei olwg.* brawny, lusty
    3 iach, heini, *Mae'n fabi bach cryf iawn yr olwg.* healthy
    4 (am ddiodydd) yn cynnwys llawer iawn o'r peth sy'n rhoi'r blas ar y ddiod, *Mae'r te yma'n rhy gryf i fi.* strong
    5 (am ddiod feddwol) â llawer o alcohol ynddi, *cwrw cryf* strong
    6 (am aroglau neu flas) fel pe bai ar fin pydru; annymunol ripe
    7 anodd ei dorri, yn gallu cynnal pwysau trwm, *darn cryf o raff*; gwydn tough
    8 (am olau) llachar, *Roedd goleuadau cryf y car yn fy nallu.*; tanbaid powerful
    9 â llawer o gefnogaeth, *Mae Clwb Ffermwyr Ifanc cryf yn ein pentref ni.*; niferus, llewyrchus flourishing
    10 (am sŵn) uchel, hawdd ei glywed, *Mae ganddo lais cryf sy'n cario 'mhell.* loud, powerful
    11 di-syfl, safadwy, solet, *postyn cryf* firm, solid

cryfder *eg* (cryfderau) y cyflwr o fod yn gryf; cadernid, gallu, grym, nerth strength, might, power

cryfhaol *ans* yn gymorth i gryfhau; atgyfnerthol strengthening

cryfhau *be* [cryfha•¹⁴]
1 gwneud yn gryfach; atgyfnerthu, cyfnerthu, nerthu to strengthen, to fortify
2 magu nerth, gwella o ran iechyd to convalesce
3 tyfu'n alluog neu'n rymus; grymuso to grow powerful

cryfion¹ *ans* ffurf luosog **cryf**, *breichiau cryfion*

cryfion² *ell* rhai cryf the strong

cryg:cryglyd *ans* [*b* creg]
1 â llais cras; croch, garw croaking, harsh
2 wedi colli'i lais; bloesg hoarse, husky

crygni *eg* y cyflwr o fod yn gryg; bloesgedd hoarseness, frog

crygu *be* [cryg•¹] mynd yn grug, siarad yn floesg to grow hoarse

crygwst *eg hynafol* (yn achos plant) llid y laryncs a nodweddir gan beswch cryg ac anhawster anadlu; y crŵp croup

cryman *eg* (crymanau) offeryn llaw ar gyfer torri ŷd neu docio clawdd â llafn crwm, miniog ar goes o bren; y cryman ynghyd â'r morthwyl yw symbol comiwnyddiaeth sickle

crymanu *be* [cryman•³]
1 medi â chryman
2 gwyro, *y pêl-droediwr yn crymanu'r bêl heibio i'r gôl-geidwad*; plygu to bend, to swing

crymbl *eg* ffrwythau a briwsion o saim, blawd a siwgr wedi'u coginio yn haen drostynt crumble

crymder *eg* (crymderau)
1 camedd yn codi, e.e. mewn heol, o'r ymylon i'r canol; cambr camber
2 y graddau y mae adain awyren yn crymu i fyny o flaen yr adain ac yna yn crymu yn ôl i lawr i gefn yr adain camber

crymderu *be* codi'n gambr, rhoi cambr i rywbeth to camber
Sylwch: nid yw'r ferf hon yn arfer cael ei rhedeg.

crymedd *eg* (crymeddau)
1 y cyflwr o fod yn gam; siâp neu ffurf fwaog (yn enwedig am gefn unigolyn); crwb, crwbi, crwmp convexity, curvature, stoop
2 MATHEMATEG mesur sy'n dangos pa mor grwm yw cromlin neu arwyneb curvature

crymion¹ *ans* ffurf luosog **crwm**

crymion² *ell* rhai crwm (pethau neu bobl)

crymu *be* [crym•¹]
1 gogwyddo rhan uchaf y corff tuag ymlaen, gwneud y cefn yn grwm, *Crymodd ei ben yn erbyn y gwynt. Crymodd ei gorff gyda threigl y blynyddoedd.*; camu, gwargrymu, plygu to bow, to stoop
2 creu crymedd neu achosi creu crymedd to curve

cryn *ans* gweddol (fach neu fawr, dda neu ddrwg), *Roedd cryn lwyth ar y lorri.*; eithaf, go dda, go lew, tipyn considerable, fair

Sylwch:
1 mae'n dod o flaen enw ac yn achosi'r treiglad meddal;
2 nid yw'n cael ei gymharu.

crŷn *ans* yn crynu; crynedig shivering

cryndafodi *be* [cryndafod•¹] CERDDORIAETH (wrth chwarae offeryn chwyth, e.e. ffliwt) tafodi'n gyflym iawn, achosi i'r tafod symud fel pe bai'n gwneud sain *rrrrr* wrth chwarae nodyn yr un pryd flutter-tonguing

crynder *eg* y cyflwr o fod yn grwn roundness

cryndod *eg* y weithred o grynu; cryd, dirgryniad, ias, ysgryd shivering, trembling

crynedig *ans* yn crynu, yn siglo, yn rhynnu, *Teimlais yn grynedig a nerfus wrth godi i ddarllen o flaen yr ysgol i gyd.*; crŷn, rhynllyd, sigledig shivering, shaky, tremulous

crynhoad *eg* (crynoadau)
1 y weithred o grynhoi, o gasglu ynghyd, canlyniad crynhoi; cyfarfod, cynulliad gathering
2 yr hyn a gasglwyd ynghyd; casgliad, cronfa, cynulliad, stôr assembly, compendium
3 enghraifft o waith wedi'i gywasgu, e.e. rhywbeth wedi'i fyrhau i gynnwys y prif bwyntiau'n unig; crynodeb, cwtogiad, talfyriad summary, abridgement, digest

crynhoes *bf* [crynhoi] *ffurfiol* crynhodd; gwnaeth ef/hi grynhoi

crynhoi¹ *be* [crynho•¹⁸]
1 casglu ynghyd; cyniwair, cywain, ymgasglu, ymgynnull to assemble, to muster
2 (am ddolur neu glwyf) mynd yn ddrwg; casglu, crawni, gori, madru to fester
3 rhestru'r prif bwyntiau; crisialu, cwtogi, cywasgu, talfyrru to summarize, to condense, to abstract
4 cronni, hel (~ ynghyd) to accumulate, to amass
5 CYFRIFIADUREG cyfieithu rhaglen neu fodiwl a ysgrifennwyd mewn iaith lefel uchel i un lefel is, er enghraifft cod peiriant y cyfrifiadur to compile

crynhoi² *bf* [crynhoi] rwyt ti'n crynhoi; byddi di'n crynhoi

crynhoydd *eg* CYFRIFIADUREG meddalwedd sy'n cyfieithu rhaglen neu fodiwl a ysgrifennwyd mewn iaith lefel uchel i un lefel is, er enghraifft cod peiriant y cyfrifiadur compiler

crynion¹ *ans* ffurf luosog **crwn**

crynion² *ell* pethau crwn the round

crynnach:crynnaf:crynned *ans* [crwn] mwy crwn; mwyaf crwn; mor grwn

cryno *ans* wedi'i dynnu ynghyd a'i gywasgu'n dwt ac yn daclus; anghwmpasog, byr, cwta, cymen compact, concise

crynodeb *eg* (crynodebau) adroddiad byr sy'n cyflwyno prif bwyntiau testun; crynhoad, cwtogiad, cywasgiad, talfyriad summary, abstract, résumé

crynodedig *ans* (am sylwedd neu hydoddiant) wedi'i grynodi, e.e. *asid crynodedig* concentrated

crynoder *eg* cyflwr o fod yn defnyddio ychydig o le oherwydd y defnydd effeithiol a wneir ohono compactness

crynodi *be* [crynod•¹]
1 (am hydoddiant neu sylwedd) gwneud yn gryfach naill ai drwy leihau'r sylwedd sydd ynddo neu drwy ychwanegu rhagor o sylwedd ato to concentrate
2 (am fwyd) gwneud yn fwy dwys neu'n gryfach ei flas drwy ei dewhau to concentrate

crynodiad *eg* (crynodiadau)
1 mesur o faint o sylwedd sydd wedi'i gynnwys mewn hylif (hydoddiant fel arfer) neu mewn gofod o gyfaint penodol *Beth yw crynodiad yr halen yn nŵr y môr?* concentration
2 y broses o gryfhau hydoddiant concentration

cryno ddisg *eg* (cryno ddisgiau) disg bach plastig lle y cedwir cerddoriaeth neu wybodaeth ddigidol ar ffurf mân bantiau sy'n gallu cael eu darllen gan ddefnyddio golau laser CD, compact disc

crynswth *eg*
1 cyfanrwydd corff cyflawn, y cyfan gwbl; cyfanswm, cyflawnder entirety, whole
2 ECONOMEG cyfanswm elw neu gynnyrch cyn unrhyw ddidyniad gross

crynu *be* [cryn•¹ *3 un. pres.* crŷn/cryna; *2 un. gorch.* crŷn/cryna]
1 (am gorff neu ran o'r corff) cyffroi neu ysgwyd yn anfwriadol oherwydd oerfel, ofn, emosiwn, etc.; rhynnu to shiver, to shake, to tremble
2 cynhyrfu, siglo, ysgwyd, *Roedd dail y coed yn crynu yn yr awel.* to quiver, to shake
3 (am ddannedd) rhincian; sgrytian to chatter
crynu fel deilen crynu'n gyflym ac yn amlwg to shake like a leaf
crynu yn fy (dy, ei, etc.) sgidiau bod yn ofnus neu'n nerfus iawn to shiver in my shoes

Crynwr *eg* (Crynwyr) CREFYDD llysenw yn wreiddiol ar aelod o gymdeithas grefyddol y Cyfeillion, a sefydlwyd tua 1650 gan George Fox; mae'r Crynwyr yn nodedig am symlrwydd eu gwasanaethau a'u hegwyddorion heddychol; fe'u galwyd yn Grynwyr oherwydd eu bod yn arfer crynu mewn parchedig ofn wrth glywed enw'r Arglwydd Quaker

cryoffilig *ans* (am organeb) yn ffynnu ar dymheredd isel iawn cryophilic

cryogeneg *eb* cangen o ffiseg yn ymwneud â chynhyrchu tymheredd isel iawn; astudiaeth o effeithiau tymheredd isel iawn cryogenics

cryolit *eg* mwyn gwyn neu ddi-liw, fel arfer, sy'n ffynhonnell alwminiwm; fe'i defnyddir wrth wneud math arbennig o wydr cryolite

cryosgopi *eg* CEMEG pennu pwysau moleciwlaidd sylwedd drwy sylwi ar y gostyngiad yn y rhewbwynt pan fydd y sylwedd wedi'i hydoddi mewn hydoddydd priodol cryoscopy

crypt *eg* (cryptau) cell neu ogof danddaearol neu rannol danddaearol, yn enwedig un dan brif lawr eglwys a ddefnyddir yn gapel neu'n storfa eirch; claddgell, daeargell crypt

cryptograffeg *eb*
1 y defnydd o symbolau ac arwyddion i greu ysgrifen ddirgel cryptography
2 y gwaith o lunio codau neu gryptogramau cryptography

cryptogram *eg* (cryptogramau)
1 cyfathrebiaeth mewn cod cryptogram
2 gwrthrych sy'n cyflwyno neges ddirgel neu sydd ag arwyddocâd dirgel cryptogram

crypton *eg* elfen gemegol rhif 36; nwy nobl nad yw'n adweithio'n gemegol sy'n ddi-liw ac y ceir ei olion yn yr atmosffer; fe'i defnyddir yn bennaf mewn fflwroleuadau (Kr) krypton

crys *eg* (crysau)
1 dilledyn ysgafn ac iddo (gan amlaf) lewys, coler a botymau i'w agor a'i gau o'i du blaen; fe'i gwisgir dan got neu siwmper fel arfer shirt
2 yr un dilledyn a wisgir gan chwaraewyr tîm, e.e. pêl-droed, hoci, etc., er mwyn dynodi mewn cystadleuaeth i ba dîm y mae chwaraewr arbennig yn perthyn iddo shirt

crys chwys siwmper lac o gotwm (fel arfer) ar gyfer ymarfer corfforol neu hamddena sweatshirt

crys nos coban nightgown

crys T crys llewys byr, anffurfiol, ar siâp T T shirt

y Crysau Duon tîm rygbi Seland Newydd the All Blacks

Ymadrodd

yn llewys fy (dy, ei, etc.) nghrys wedi tynnu fy nghot; yn barod i weithio in one's shirt sleeves

crysbais:crysbas *eb* (crysbeisiau)
1 yn wreiddiol, siaced neu got fer lac o wlanen neu liain; gwasgod, sircyn jerkin
2 siaced fel cwilt, heb lewys body warmer

crystiau *ell* lluosog crwst neu **crwstyn**

crystyn *gw.* crwstyn

cryts:crytiaid *ell* lluosog crwt

crythau *ell* lluosog crwth

crythor *eg* (crythorion) un sy'n canu crwth neu ffidil fiddler

cu *ans* yn cael ei garu neu ei barchu'n fawr, e.e. mam-gu, tad-cu; annwyl, cariadus, hoff, hoffus beloved, dear

cucumer *gw.* ciwcymber

cuchiau *ell* lluosog **cuwch**

cuchio *be* [cuchi•²] crychu talcen mewn anfodlonrwydd neu fel rhybudd, gwgu'n fygythiol; cilwgu, gwgu (~ **ar**) to frown, to scowl

cuchiog *ans* yn gwgu, yn crychu'r talcen mewn anfodlonrwydd neu'n rhybuddiol; blin, sorllyd, swrth glowering, scowling

cudyll *eg* (cudyllod) aderyn bach ysglyfaethus sy'n perthyn i'r hebog a'r gwalch hawk

cudyll bach hebog bach sy'n dal ei ysglyfaeth drwy hedfan yn isel ac yn gyflym iawn a disgyn arno merlin

cudyll coch hebog bach sy'n hofran uwch ei brae ac yn ei ladd drwy ddisgyn arno fel saeth o'r awyr kestrel

cudyll glas aderyn ysglyfaethus cyffredin a chanddo adenydd byr, blaen crwn, a chynffon hir sparrowhawk

cudyn *eg* (cudynnau)
1 modrwy o wallt; llyweth lock, ringlet
2 dyrnaid o rywbeth sy'n debyg i wallt neu flew, e.e. gwlân neu gotwm; tusw tuft

cudynnog *ans* â chudynnau o flew neu wlân drosto tufted

cudd *ans*
1 o'r golwg, wedi'i guddio, na ellir ei weld; cuddiedig, cyfrin, llechwraidd, ynghudd concealed, hidden
2 yn gweithio yn y dirgel, *heddlu cudd*; cyfrinachol covert, secret

cudd y coed gw. **barf yr hen ŵr**

cuddfa *eb* (cuddfâu:cuddfeydd) rhywle i guddio, lle i lechu ynddo; llechfan, lloches hiding place

cuddfan *eb* (cuddfannau) lle dirgel, cuddfa; encil, llechfan, lloches, noddfa hideaway, hiding place

cudd-gynhyrfwr *eg* gw. *agent provocateur*

cuddiad *eg* (cuddiadau) y weithred o guddio, canlyniad cuddio concealment

cuddiedig *ans* wedi cuddio; anweladwy, anweledig, cudd, ynghudd concealed, hidden

cuddio *be* [cuddi•² 2 *un. gorch.* cudd/cuddia]
1 gosod neu gadw o'r golwg, cadw'n gyfrinachol, *Cuddiodd yr arian dan y gwely. Cuddiodd yn y clawdd.*; celu, llechu to hide
2 gwneud yn anweledig; cwato, gorchuddio (~ *rhywun/rhywbeth* **rhag**) to cover, to obscure
3 celu'n llechwraidd neu'n anonest; celcio, llechu, ymguddio to conceal

cuddliw *eg* (cuddliwiau) dull o ddefnyddio lliw a ffurf er mwyn gwneud rhywbeth yn anodd ei weld, *Mae patrymau a lliwiau arbennig ar lawer o greaduriaid yn rhoi cuddliw naturiol iddynt.*; cuddwedd camouflage

cuddliwio *be* [cuddliwi•²] cuddio drwy ddefnyddio cuddliw (~ *rhywun/rhywbeth* â) to camouflage

cuddni *eg* y cyflwr o allu ymddangos neu weithredu ar fyrder, er nad yw hynny'n amlwg ar y pryd latency

cuddwedd *eb* (cuddweddau) dull o ddefnyddio lliw a ffurf er mwyn gwneud rhywbeth yn anodd ei weld; cuddliw camouflage

cufydd *eg* (cufyddau) hyd y fraich o'r penelin i flaen yr hirfys (rhwng 45 a 56 centimetr); hen fesur a geir yn y Beibl cubit

cul *ans* [cul•] (culion)
1 heb fod yn llydan nac yn eang; cyfyng, main, tenau, tyn narrow
2 heb fod yn eangfrydig; anoddefgar, crintach narrow-minded, insular

cul-de-sac *eg* (cul-de-sacs) lôn bengaead

culdir *eg* (culdiroedd) DAEARYDDIAETH darn cul o dir a môr bob ochr iddo sy'n cysylltu dau ddarn o dir mwy o faint isthmus

culfa *eb* (culfaoedd) culfor sy'n cysylltu dau gorff o ddŵr narrows, strait

culfan *eb* (culfannau) MEDDYGAETH culhad annormal yn un o lwybrau neu ffyrdd mewnol y corff stricture

culfor *eg* (culforoedd) darn cul o fôr â thir bob ochr iddo sy'n cysylltu dau fôr; sianel channel, strait

culffordd *eb* (culffyrdd) llwybr neu ffordd gul; ceunant neu fwlch cul; adwy, agen defile

culhad *eg* y broses o gulhau, canlyniad culhau restriction

culhau *be* [culha•¹⁴] lleihau wrth fynd yn deneuach neu'n gulach; crebachu, cyfyngu, meinhau, teneuo to become narrow, to constrict, to narrow

culion¹ *ans* ffurf luosog **cul**, e.e. *strydoedd culion*

culion² *ell* mannau neu bethau cul the narrow

culni *eg*
1 y cyflwr o fod yn gul, yn denau neu'n fain; diffyg lled narrowness
2 y cyflwr o fod â meddwl crintach, heb fod yn eangfrydig; crintachrwydd, rhagfarn intolerance, meanness

cun *ans* annwyl a dymunol; gwych, hardd beautiful, dear

cunnog *eb* (cunogau) *hen ffasiwn* bwced pren ar gyfer llaeth pail

cunos *eg* y gorchwyl o fynd ag ŷd i'r felin i'w falu

cur *eg* (cur(i)au)
1 poen, *cur pen*; anhwylder, dolur, gloes ache, pain
2 y weithred o guro, canlyniad curo; curfa, curiad, ergyd, trawiad beating, throbbing

cur pen
1 poen yn y pen sy'n parhau, pen tost headache
2 rhywun neu rywbeth sy'n achosi problem headache

curad *eg* (curadiaid) dirprwy neu un sy'n cynorthwyo rheithor neu ficer, offeiriad neu berson plwyf; ciwrad, clerigwr curate

curadiaeth *eb* (curadiaethau) swydd a bywoliaeth curad curacy

curadur *eg* (curaduron) ceidwad amgueddfa neu gasgliad arbenigol arall curator

curadwy *ans* (am fetelau) hydrin; posibl eu gwasgu, eu rholio a'u curo'n ffurfiau arbennig; gorddadwy malleable

curfa *eb* (curfeydd:curfâu)
1 cyfres o ergydion yn dilyn yn gyflym y naill ar ôl y llall; cosfa, crasfa, cweir, stîd battering, hiding
2 gorchfygiad, trechiad beating, defeat
3 CYFRAITH defnydd anghyfreithlon o drais yn erbyn rhywun hyd yn oed os na wneir niwed iddo battery

curiad *eg* (curiadau)
1 y weithred o guro, canlyniad curo; cur, ergyd, trawiad beat, beating, knock, knocking
2 symudiad rheolaidd a rhythmig y gwaed y gallwch ei deimlo dan y glust neu wrth yr arddwrn; symudiad tebyg y galon; cur pulse, heartbeat, throb
3 CERDDORIAETH amser darn o gerddoriaeth yn ôl nifer y trawiadau sydd mewn bar beat
4 (mewn barddoniaeth) sillaf ac acen neu bwysau rheolaidd arni beat, stress

curiad gwag seibiant o hyd penodol sy'n rhan o'r gerddoriaeth rest

curiad herciog CERDDORIAETH curiad nodweddiadol amser cyfansawdd dotted beat

curiad y galon
1 dychlamiad rheolaidd y rhydweliau fel y gyrrir y gwaed drwyddynt pulse
2 symudiad rheolaidd a rhythmig y gwaed y gallwch ei deimlo dan y glust neu wrth yr arddwrn, symudiad tebyg y galon heartbeat, pulse

curiedig *ans* dim ond croen ac esgyrn; gwantan, llwglyd, musgrell, nychlyd gaunt, emaciated

curiwm *eg* elfen gemegol rhif 96; metel ymbelydrol o ddadfeiliad americiwm-241 (Cm) curium

curlaw *eg* glaw trwm yn cael ei yrru gan y gwynt downpour, driving rain

curo *be* [cur•1]
1 taro ag un ergyd ar ôl y llall; cledro, dyrnu, ergydio, ffusto to beat
2 (am y gwaed) symud yn rhythmig drwy'r corff; dychlamu to pulse, to throb
3 cnocio wrth (e.e. drws neu ffenestr) er mwyn ceisio cael rhywun i'w agor (~ **ar/wrth** *rywbeth*) to knock
4 rhagori ar; baeddu, gorchfygu, maeddu, trechu to defeat, to beat

curo amser dynodi amser darn o gerddoriaeth wrth arwain neu wrth daro rhywbeth to beat time

curo dwylo cymeradwyo to clap

curo pren yn erbyn pared methu cael rhywun i ddeall, methu torri drwodd at rywun (yn ffigurol) to beat one's head against a brick wall

curo traed taro'r traed yn galed yn erbyn y llawr to stamp

curwr:curydd *eg* (curwyr)
1 un o nifer o fathau o offer ar gyfer curo neu gorddi, *curwr wyau* beater
2 ffon arbennig ar gyfer taro gong beater

curyll *eg* ffurf arall ar **cudyll**

cusan *eb* (cusanau) cyfarchiad cariadus drwy gyffwrdd wyneb neu law rhywun â'ch gwefusau; sws kiss

cusan adfer ffordd o adfer bywyd rhywun sydd wedi boddi (neu sydd wedi cael trawiad) drwy anadlu i mewn i'w geg kiss of life
Ymadrodd

cusan Jwdas y defnydd o arwydd o barch neu gariad i fradychu cyfaill; defnyddiodd Jwdas gusan i fradychu Iesu Grist Judas kiss

cusanu *be* [cusan•3]
1 cyffwrdd wyneb neu law rhywun â'ch gwefusau fel arwydd o barch neu gariad to kiss
2 mynegi rhywbeth drwy gusan to kiss
3 gwasgu eich gwefusau chi yn dyner neu'n eiddgar yn erbyn gwefusau cariad; lapswchan to kiss

cut *eg* (cutiau) math o sièd neu adeilad ar gyfer cadw moch neu ieir; cwb, cwt, twlc hut, shed, coop

cutiau'r/cytiau'r Gwyddelod llochesau neu adeiladau bach crwn o gerrig a godwyd yng ngogledd-orllewin Cymru yn ystod yr Oes Haearn ac yng nghyfnod y Rhufeiniaid

cut ieir sièd ffowls hen coop

cut moch twlc mochyn pigsty

cuwch *eg* (cuchiau) y weithred o guchio, o grychu talcen fel arwydd o anfodlonrwydd neu anghymeradwyaeth, canlyniad cuchio; cilwg, gwg frown, grimace, scowl

CV *byrfodd curriculum vitae*, braslun gyrfa

cwac *eg* gair yn dynwared sŵn hwyaid quack

cwadrad *eg* (cwadradau)
1 BIOLEG llain sgwâr o dir a ddefnyddir yn enghraifft wrth archwilio ecoleg planhigion neu anifeiliaid ardal quadrat
2 ffrâm o fetel a ddefnyddir i ynysu darn o dir i'w archwilio'n fiolegol quadrat

cwadrant *eg* (cwadrantau) pedrant; un o'r pedwar chwarter y rhennir cylch, plân neu gorff iddo gan ddwy linell neu ddau blân sy'n croesi ei gilydd ar ongl sgwâr quadrant

cwadratig *ans* MATHEMATEG yn defnyddio sgwâr newidyn neu faint (ond nid unrhyw bŵer uwch na 2), e.e. mae $x^2 + 5x + 6 = 0$ yn hafaliad cwadratig quadratic

cwafer *eg* (cwaferau)
1 cryndod mewn llais neu offeryn cerdd tremolo
2 rhywbeth i dynnu sylw; addurn flourish
3 CERDDORIAETH nodyn hanner hyd crosiet; mae pedwar ohonynt gyfwerth â minim a chwech ohonynt mewn bar â'r amsernod ⅜ quaver

cwafrio *be* [cwafri•²]
1 siarad yn grynedig to quaver
2 canu â llais crynedig; ymarfer canu darnau addurnedig to trill

cwango *eg* (cwangos) corff ymreolaethol wedi'i sefydlu gan y llywodraeth a chanddo hawliau statudol mewn meysydd penodol quango

cwanteiddiad *eg* FFISEG y broses o drawsnewid amrediad o werthoedd di-dor yn amrediad o werthoedd arwahanol, gydag un cwantwm rhwng pob un o'r gwerthoedd quantization

cwanteiddiedig *ans* FFISEG yn bodoli ar ffurf cwanta quantized

cwanteiddio *be* [cwanteiddi•²] FFISEG cyfrifo neu fynegi yn nhermau mecaneg cwantwm; cyfyngu maint ffisegol i un o set o werthoedd a nodweddir gan gwanta to quantize

cwantwm *eg* (cwanta) FFISEG uned arwahanol leiaf priodwedd ffisegol fel egni neu fomentwm, *Y ffoton yw cwantwm egni golau.* quantum

cwar *eg* (cwarrau) *tafodieithol, yn y De* man lle mae tywod, graean neu greigiau megis llechfaen yn cael eu cloddio; chwarel, cloddfa quarry

cwarantin *eg*
1 cyfnod y mae pobl neu anifeiliaid sydd wedi cyrraedd o fan arall yn cael eu cadw ar wahân er mwyn llesteirio lledaenu afiechydon neu blâu quarantine
2 y man lle mae'r bobl neu'r anifeiliaid yn cael eu hynysu quarantine
3 cyfnod y mae pobl neu anifeiliaid yn cael eu cadw ar wahân er mwyn llesteirio lledaenu afiechydon neu blâu quarantine

cwarc *eg* (cwarciau) FFISEG gronyn damcaniaethol â gwefr drydanol y tybir iddo fod yn rhan o'r proton a'r niwtron quark

cwarel¹ *eg* (cwarelau) chwarel quarry

cwarel² *eg* (cwarelau:cwareli) darn o wydr ar gyfer ffenestr; paen o wydr pane

cwartig *ans* MATHEMATEG yn defnyddio newidyn neu faint wedi'i godi i'r pŵer 4 (ond nid unrhyw bŵer uwch na 4), e.e. mae $y^4 + y^2 - 4 = 0$ yn hafaliad cwartig quartic

cwarto *eg*
1 maint tudalen wedi'i lunio o chwarter dalen lawn quarto
2 maint llyfr y mae un ddalen wedi'i phlygu ddwywaith yn creu cefn a blaen pedwar tudalen quarto

cwarts *eg* mwyn caled, tryloyw neu wyn fel arfer, sy'n un o ffurfiau crisialog silica; fe'i ceir mewn creigiau gwaddod, igneaidd a metamorffig; creigrisial quartz

cwartsit *eg* (cwartsitau) DAEAREG tywodfaen caled yn cynnwys gronynnau o gwarts wedi'u glynu ynghyd â sment o silica quartzite

Cwaternaidd *ans* DAEAREG yn perthyn i gyfnod diweddaraf y gorgyfnod Cainosöig (1.8 miliwn o flynyddoedd yn ôl hyd heddiw), nodweddiadol o gyfnod diweddaraf y gorgyfnod Cainosöig; mae'n cyfateb yn fras i'r Oes Iâ Fawr ac yn y cyfnod hwn cafwyd degau o gyfnodau rhewlifol am yn ail â chyfnodau rhyngrewlifol Quaternary

cwato *be* [cwat•¹] *tafodieithol, yn y De* cuddio, *Cwatodd yr arian dan y llawr. Cwatodd yn y clawdd.*; celu, llechu to hide
chwarae cwato to play hide and seek

cwb *eg* (cybiau)
1 lle i anifail neu anifeiliaid (fel cŵn neu ieir) gysgodi neu gael eu cadw'n ddiogel; caets, cenel, cwt, twlc hutch, kennel, coop
2 ci neu lwynog ifanc; cenau cub
3 *tafodieithol, yn y Gogledd* plentyn ifanc, *hen gybiau bach*; bychan, pwt little one

cwbl¹ *eg* pob dim, y cyfan; crynswth, popeth everything
wedi'r cwbl wedi'r cyfan after all

cwbl² *ans* (yn rhagflaenu'r ansoddair) hollol, *Nid wyf yn gwbl fodlon â'r penderfyniad hwn.*; cyfan, hollol, llwyr complete, entire, total
Sylwch: mae'r 'cwbl' yma'n achosi'r treiglad meddal.
o gwbl fe'i defnyddir mewn brawddegau gofynnol, negyddol neu mewn brawddegau sy'n awgrymu posibilrwydd, fel yn *A wyt ti'n clywed o gwbl? Ni soniodd am y peth o gwbl. Bydd hi'n hwyr, os daw o gwbl.* (not) at all, (nothing) at all

cwblhad *eg* y weithred o orffen, o gwblhau, canlyniad cwblhau; cyflawniad, diweddiad, darfyddiad, gorffeniad fulfilment

cwblhau *be* [cwblha•¹⁴] ychwanegu'r hyn sydd ei angen i berffeithio neu orffen rhywbeth, tynnu i'w derfyn, dwyn i ben; cwpla, cyflawni, dibennu, diweddu to complete, to finish

cwbwl ffurf lafar ar **cwbl**

cwcer *eg* (cwcers:cwcerau) dyfais goginio sy'n defnyddio nwy, trydan neu danwydd arall, ac sydd fel arfer yn cynnwys ffwrn, platiau poeth i ferwi sosbannau a gril; ffwrn, popty cooker

cwci *eg* (cwcis) CYFRIFIADUREG pecyn neu swp o ddata sy'n cael ei drosglwyddo rhwng cyfrifiaduron neu rhwng gwahanol ddarnau o feddalwedd er mwyn caniatáu mynediad (i'r data) **cookie**

cwcw *eb* (cwcŵod) aderyn mawr llwydlas y mae ei enw yn dynwared ei gân ddau nodyn; daw i Gymru yn y gwanwyn cyn ymfudo i Affrica neu Asia dros y gaeaf; fel arfer, mae'r iâr yn dodwy ei hwyau yn nythod adar eraill; cog **cuckoo**

cwcwallt *eg* (cwcwalltiaid) gŵr y mae ei wraig yn godinebu **cuckold**

cwcwalltu *be* (am wraig) gwneud cwcwallt o'i gŵr **to cuckold**
 Sylwch: nid yw'r ferf hon yn arfer cael ei rhedeg.

cwcwll *eg* (cycyllau) gwisg sy'n gorchuddio'r pen a'r gwddf ond yn gadael yr wyneb yn glir, yn enwedig penwisg mynach neu un o'r brodyr crwydrol; cwfl, penwisg **hood, cowl**

cwch *eg* (cychod)
 1 math o gerbyd ar gyfer cludo pobl neu nwyddau ar draws afon, llyn neu fôr; mae'n llai na llong ac fe'i gyrrir fel arfer â rhwyfau, hwyl neu fodur; bad, iot, ysgraff **boat**
 2 math o focs lle mae haid o wenyn yn nythu ac yn cynhyrchu mêl **hive**
 cwch gwenyn math o flwch arbennig wedi'i wneud i gartrefu gwenyn; cyff gwenyn **beehive**
 Ymadroddion
 (bod) yn yr un cwch â cyd-ddioddef, bod yn yr un sefyllfa â phawb arall **all in the same boat**
 gwthio'r cwch i'r dŵr cychwyn rhywbeth, lansio **to launch**

cwd *eg* (cydau)
 1 bag bach, sach fechan; cwdyn, ffetan, ysgrepan **bag, pouch**
 2 ceillgwd; y bag bach o groen o gwmpas y ceilliau; pwrs **scrotum**
 3 unrhyw geudod neu organ yn y corff sy'n debyg i fag bach **sac**
 cwd melynwy coden o feinwe ynghlwm wrth embryo, yn cynnwys melynwy sy'n bwydo embryo rhai mathau o anifeiliaid (pysgod, amffibiaid, ymlusgiaid, etc.) **yolk sac**
 Ymadroddion
 cwd y mwg rhywun ymffrostgar ond heb unrhyw sylwedd
 gollwng y gath o'r cwd gw. **cath**
 mynd i'r cwd pwdu **to go (withdraw) into one's shell**
 prynu cath mewn cwd gw. **cath**

cwdyn *eg* (cydynnau) cwd bychan, yn enwedig cwd bach papur; bag, pac, pecyn **bag**
 cwdyn y saint (mewn ffair, parti, etc.) atyniad lle, o dalu swm o arian, y gellir chwilio am anrheg fach rad mewn baril o naddion pren **lucky dip**

Cwebeciad *eg* (Cwebeciaid) brodor o dalaith Québec (yng Nghanada) **Québecois**

cwec *eg* y sŵn lleiaf, (na) siw, (na) miw, *dim cwec o'i ben* **squeak**

cweir *eb* cosfa, cot, crasfa, *Cawson nhw eithaf cweir ddydd Sadwrn gan dîm oedd llawer yn is na nhw yn y gynghrair.* **hiding**

cwenc *eb* cynnen, cweryl **squabble**

cwennod *ell* lluosog **cywen**

cweryl *eg* (cwerylau:cwerylon) dadl gas, ffrae; anghydfod, cynnen, ymrafael **quarrel, altercation**

cweryla *be* [cweryl•[1]] cael dadl ffyrnig, anghytuno'n danbaid; cecran, cega, cynhenna, ffraeo (~ â; ~ **gyda**) **to quarrel**

cwerylgar *ans* hoff o gweryla; cecrus, cynhennus, ffraegar, piwis **quarrelsome, belligerent**

cwest *eg* (cwestau) ymholiad cyfreithiol neu swyddogol i ddarganfod achos marwolaeth rhywun sydd wedi marw, gwrandawiad cyfreithiol **inquest**

cwestiwn *eg* (cwestiynau)
 1 ymadrodd sy'n disgwyl ateb gan y sawl sy'n cael ei holi ac sy'n cael ei ddynodi mewn print gan farc cwestiwn (?); holiad **question**
 2 pwnc dadl, mater i'w benderfynu, *Y cwestiwn dan sylw heno fydd . . .*; testun **question**

cwestiynu:cwestiyna *be* [cwestiyn•[1]]
 1 gofyn cwestiynau; holi, stilio (~ *rhywun* **am**) **to question**
 2 anghytuno â, bwrw amheuaeth ar; amau **to question**

cwfaint *eg* (cwfeiniau:cwfennoedd) cartref urdd o leianod; ysgol sy'n cael ei chynnal gan leianod **convent**

cwfeiniad *eg* (cwfeiniaid) aelod o gwfaint neu fynachdy **coenobite, conventual**

cwfeiniau *ell* lluosog **cwfaint**

cwfeiniol *ans* yn perthyn i fywyd mewn mynachlog, nodweddiadol o fywyd mewn mynachlog; mynachlogaidd **conventual**

cwfennoedd *ell* lluosog **cwfaint**

cwfl *eg* (cyflau) gwisg sy'n gorchuddio'r pen a'r gwddf ond yn gadael yr wyneb yn glir; penwisg mynach; cwcwll, penwisg **hood, cowl**

cwffas *eb* y weithred o ymrafael, o ymladd **scrap, tussle**

cwffio *be* [cwffi•[2]] *tafodieithol, yn y Gogledd* colbio, waldio, ymladd, '*Rhaid i'r cwffio yma ar yr iard ddod i ben,' meddai'r prifathro, 'cyn i rywun gael anaf difrifol'.* (~ **am**; ~ **dros**; ~ **yn erbyn**) **to fight**

cwffiwr *eg* (cwffwyr) un sy'n ymladd; ymladdwr, bocsiwr, paffiwr **fighter**

cwgen *eb* (cwgenni:cwgennod) rholyn bara, torth fach o fara **batch, bread roll**

cwgn *eg* (cygnau)
 1 ANATOMEG y cymal rhwng bys a gweddill y llaw; migwrn **knuckle**

2 ANATOMEG chwyddi mewn cymal, e.e. cymal bys, yn dioddef o gryd cymalau node

3 BOTANEG y man ar goesyn planhigyn lle mae'r ddeilen neu'r gangen yn tyfu node

cwhwfan gw. **cyhwfan**

cwicio *be* [cwici•²]
1 crychu ymyl o les (ar gap neu foned) â haearn cwicio to goffer
2 cyrlio gwallt to curl

cwicsotaidd *ans* anymarferol o ddelfrydol, â syniadau sydd dros ben llestri o ramantaidd fel *Don Quixote* quixotic

cwil:cwilsyn *eg* (cwils:cwilsynnau) pluen o adain neu gynffon aderyn a gâi ei defnyddio fel pìn ysgrifennu quill

cwilt *eg* (cwiltiau) cwrlid trwchus, gorchudd gwely cynnes; carthen, gwrthban quilt

cwiltio *be* [cwilti•²]
1 llenwi neu leinio rhywbeth yn yr un ffordd â chwilt to quilt
2 gwnïo neu bwytho defnydd i greu'r un patrwm o sgwariau â chwilt to quilt

cwinin *eg* cemegyn chwerw ei flas o risgl y goeden *cinchona* a ddefnyddir i drin twymynau, yn enwedig malaria quinine

cwins *eg* ffrwyth melyn, sur, caled, tebyg i ellygen a ddefnyddir i wneud jam a chyffaith quince

cwinsi *eg* anffurfiol ysbinagl quinsy

cwinten:cwintyn *eb* (cwintenni) yn wreiddiol, dyfais i alluogi marchogion i ymarfer eu defnydd o'r waywffon; erbyn heddiw, y rhaff sy'n cael ei dal ar draws y ffordd (mewn rhai rhannau o Gymru) i atal ceir hyd nes eu bod wedi talu i gael mynd yn eu blaen quintain

cwirsen *eb* (cwirs) stapl a roddir yn nhrwyn mochyn nose ring

cwis *eg* (cwisiau) ymryson lle mae dau neu ragor o dimau (neu unigolion) yn cystadlu i ateb yn gywir y nifer mwyaf o gwestiynau quiz

cwla *ans* heb fod yn iach iawn; gwael, sâl, tost poorly

cwlac *eg* (cwlaciaid)
1 *hanesyddol* tyddynnwr cefnog yn Rwsia cyn y chwyldro kulak
2 aelod o ddosbarth o dyddynwyr a oedd yn gweithio i wneud elw personol ac a wrthwynebai'r egwyddor o ffermydd cydweithredol kulak

cwlffyn *eg* darn mawr, tamaid braf, *cwlffyn o fara*; clamp, talp chunk, hunk

cwlt *eg* (cyltiau)
1 cyfundrefn addoli sy'n canolbwyntio ar unigolyn neu wrthrych penodol cult
2 grŵp bach o addolwyr sy'n cael eu hystyried yn rhyfedd neu'n dra eithafol gan eraill cult

cwlwm¹ *eg* (clymau)
1 y talpyn a geir pan fydd dau neu ragor o

bethau yn clymu wrth ei gilydd neu'n cael eu plethu'n dynn am ei gilydd knot
2 un o nifer o ffyrdd o sicrhau dau neu ragor o ddarnau o raff neu linyn wrth ei gilydd; cyplad knot
3 dryswch mewn llinyn neu wallt tangle
4 *ffigurol* rhywbeth sy'n rhwymo neu'n clymu pobl wrth ei gilydd, *cwlwm priodas* bond
5 nifer wedi'u casglu'n dynn at ei gilydd, *cwlwm o gnau*; clwstwr, swp, tusw bunch, cluster
6 rhywbeth tebyg i dalpyn o gwlwm, e.e. cnap neu chwydd ar gangen neu gainc mewn pren knot, node

cwlwm gwaed perthynas drwy waed blood tie

cwlwm gwythi:cwlwm chwithig (clymau gwythi:clymau chwithig) cramp; brathiad sydyn o boen sy'n digwydd wrth i gyhyr dynhau'n sydyn cramp

cwlwm y cythraul planhigyn dringo â blodau gwyn neu binc ar ffurf twndis, y mae rhai mathau yn chwyn sy'n lledaenu'n gyflym; taglys bindweed

cwlwm² *eg* fel yn *glo cwlwm*, math o danwydd wedi'i wneud drwy gymysgu glo mân neu lwch glo caled â chlai a dŵr culm

cwlltwr *eg* (cylltyrau) llafn o haearn neu ddur ar flaen aradr i dorri cwys coulter

cwm *eg* (cymoedd) dyffryn hir, cul ac iddo ochrau serth ac, fel arfer, afon neu nant yn rhedeg drwy ei ganol; mae'n gulach ac yn fwy serth ei ochrau na dyffryn; glyn valley, glen, combe

Sylwch: gw. hefyd **cymoedd**

cwman *eg* fel yn *yn ei gwman* am rywun sydd wedi plygu fel bod ei gefn yn grwm; crwbi, crwmp, crymedd hunchback

cwmanog *ans* (am rywun) yn ei gwman; gwargrwm bent, hunchbacked

cwmanu *be* plygu yn ei gwman; gwargrymu to crouch, to stoop

Sylwch: nid yw'r ferf hon yn arfer cael ei rhedeg.

cwmin¹ *eg* had persawrus planhigyn yn perthyn i deulu'r persli a ddefnyddir yn sbeis cumin

cwmin² gw. **comin**

cwmni *eg* (cwmnïau)
1 presenoldeb eraill sydd o gymorth neu o gysur; cwmnïaeth, cwmpeini, cymdeithas companionship
2 (yn derbyn ffurf unigol neu luosog berf) nifer o bobl; cymdogion, cyfeillion companions
3 (yn derbyn ffurf unigol neu luosog berf) grŵp o bobl wedi dod ynghyd i ffurfio busnes neu fasnach arbennig; busnes, masnach company, firm
4 (yn derbyn ffurf unigol neu luosog berf) grŵp o actorion neu ddawnswyr ynghyd â'r

technegwyr a'r gweinyddwyr angenrheidiol
sydd wedi dod at ei gilydd i gynhyrchu drama
neu fale company, troupe
cadw cwmni i bod yn gydymaith i rywun
to keep (someone) company

cwmnïaeth eb y berthnas a geir yng nghwmni
rhywun neu rywrai eraill; cwmpeini, cyfeillach,
cyfeillgarwch companionship

cwmnïwr eg (cwmnïwyr) un da am gadw
cwmni, rhywun difyr i fod yn ei gwmni,
cydymaith; cyd-deithiwr, cymar good company

cwmpas¹ eg
1 cylch a'r hyn a geir o'i fewn, y gymdogaeth
o amgylch rhyw fan arbennig; amgylchedd
compass
2 ffiniau dylanwad rhywun neu rywbeth, *Mae
cwmpas ei ddylanwad ar y dref yn eithaf
cyfyng.*; amrediad, ystod ambit, scope
3 CERDDORIAETH ystod neu gyfwng y llais neu'r
nodau y gellir eu chwarae ar offeryn arbennig
compass, register
mynd o'i chwmpas hi cychwyn ar rywbeth
to set about something
o gwmpas o'm cwmpas, o'th gwmpas, o'i
gwmpas, o'i chwmpas, o'n cwmpas, o'ch
cwmpas, o'u cwmpas; tua, o amgylch about,
around

cwmpas² eg (cwmpasau) offeryn ar siâp V a
ddefnyddir i dynnu cylch neu ran o gylch drwy
sicrhau bod un goes yn llonydd ac yna symud y
llall o'i chwmpas; hefyd, i fesur hydoedd drwy
osod dau big y cwmpas ar y pwyntiau priodol
pair of compasses
cwmpas mesur cwmpas a phen miniog i'r
ddwy goes ar gyfer mesur neu farcio onglau,
hyd llinellau, etc. dividers

cwmpasog ans
1 heb fod yn syth ond yn mynd o amgylch;
anunion, anuniongyrchol circuitous, roundabout
2 yn cwmpasu, yn amgylchynu, yn cael ei
gynnwys y tu mewn i gylch eang encompassing
3 (wrth siarad neu ysgrifennu) yn defnyddio
gormod o eiriau; anghryno, amleiriog,
hirwyntog discursive, verbose

cwmpasu be [cwmpas•³] cynnwys o'i fewn;
amgáu, amgylchynu, cylchynu, rhychwantu
to circumscribe, to encompass

cwmpawd eg (cwmpawdau) offeryn ac ynddo
nodwydd sydd bob amser yn cyfeirio tua'r
gogledd magnetig; gan amlaf mae'n defnyddio
grym magnetig Pegwn y Gogledd, ond erbyn
hyn ceir offeryn mwy cywir a ddefnyddir gan
longwyr ac awyrenwyr, sef cwmpawd gyrosgop
compass

cwmpeini eg y berthynas a geir ymysg cwmni;
cwmni, cwmnïaeth company

cwmplin eg CREFYDD gwasanaeth ola'r dydd yn

yr Eglwys Gatholig Rufeinig; fe'i cenid am naw
o'r gloch y nos yn dilyn y gosber compline

cwmwd eg (cymydau) *hanesyddol* uned weinyddol
yr oedd llys barn yn cael ei gynnal ynddi;
byddai dau neu ragor o gymydau yn gwneud
cantref; (mewn ystyr lac) ardal, bro,
cymdogaeth, parth commote

cwmwl eg (cymylau)
1 casgliad y gellir ei weld o anwedd ar ffurf
dafnau bychain o ddŵr a/neu iâ sy'n symud yn
yr awyr cloud
2 casgliad tebyg o fwg neu lwch neu dywod sy'n
nofio yn yr awyr cloud
3 haid enfawr o adar neu bryfed sy'n tywyllu'r
awyr wrth hedfan cloud
4 *ffigurol* awgrym neu gysgod o dristwch,
drwgdybiaeth, ofn neu ansicrwydd sy'n croesi
meddwl rhywun cloud
y cwmwl CYFRIFIADUREG rhwydwaith o
weinyddion pell sy'n cael eu lletya ar y
Rhyngrwyd ac a ddefnyddir i storio, rheoli a
phrosesu data cloud, the cloud
Ymadroddion
canmol i'r cymylau gw. canmol
tan gwmwl yn cael eich drwgdybio;
anghymeradwy be under suspicion

cwmwlonimbws eg METEOROLEG cwmwl llwyd,
fel rheol, yn codi i uchder mawr ac iddo dop
gwastad, sydd, fel arfer, yn gysylltiedig â
stormydd mellt a tharanau cumulonimbus

cwmwlws eg METEOROLEG cwmwl unigol, fel
rheol, ac iddo waelod gwastad llwyd ei olwg
a phen sy'n gasgliad o bentyrrau crwn gwyn
cumulus

cŵn ell lluosog ci
cŵn Annwn gw. ci
cŵn Bendith y Mamau gw. ci
cyn codi cŵn Caer gw. ci
mynd i'r cŵn gw. ci
(mynd) rhwng y cŵn a'r brain gw. brain

cwndid¹ eg (cwndidau) cerdd foesol neu
grefyddol a genid ar fesurau'r beirdd o'r
bymthegfed ganrif ymlaen, yn enwedig yng
Ngwent a Morgannwg

cwndid² eg (cwndidau)
1 sianel i gludo dŵr neu hylif arall conduit
2 tiwb caled i ddiogelu ceblau neu wifrau
trydan conduit

cwndidwr eg (cwndidwyr) un sy'n cyfansoddi
cwndidau

cwningar eg (cwningaroedd)
1 tir gwyllt lle mae cwningod yn magu warren
2 y rhwydwaith o dyllau sy'n gartref i
gwningod warren

cwningen eb (cwningod) mamolyn sy'n
perthyn i'r cnofilod ac sy'n debyg i ysgyfarnog
fach â chlustiau hirion a chynffon bwt;

mae'n byw, yn aml, gyda nifer o gwningod eraill mewn tyllau wedi'u cloddio yn y ddaear rabbit

cwningen fôr pysgodyn môr â chynffon a thrwyn yn debyg i drwyn cwningen rabbitfish

cwnnu *be tafodieithol, yn y De* codi, *Cwn e lan, fachan!* to lift

Sylwch: ac eithrio'r gorchymyn 'cwn!', nid yw'r ferf hon yn arfer cael ei rhedeg.

cwnsela *be* [cwnsel•¹]
1 siarad yn gyfrinachol am rywbeth; cydymgynghori to take counsel
2 cynnig cyngor; argymell to counsel

cwnsler *eg* (cwnsleriaid) CYFRAITH bargyfreithiwr neu grŵp o fargyfreithwyr wedi'u penodi i gynrychioli a chynghori unigolyn neu gwmni mewn materion cyfreithiol counsel, counsellor

Cwnsler Cyffredinol CYFRAITH cynghorydd cyfreithiol Llywodraeth Cymru Counsel General

cwnstabl *eg* (cwnstabliaid)
1 plismon sydd un cam yn is na rhingyll; heddwas constable
2 *hanesyddol* prif swyddog milwrol castell constable

cworwm *eg* (cworymau) y nifer lleiaf o aelodau (bwrdd, pwyllgor, cynulliad, etc.) sydd yn gorfod bod yn bresennol er mwyn i gorff fedru gwneud penderfyniadau yn unol â'i gyfansoddiad quorum

cwota *eg* (cwotâu) nifer neu swm gosodedig neu gyfyngedig (o bobl neu bethau) a ganiateir yn swyddogol, e.e. *cwota cynhyrchu olew*; cyfraniad gosodedig (unigolyn neu gwmni) tuag at gyfanswm, e.e. (am yr heddlu) *cwota datrys troseddau difrifol*; cyfran, dogn, rhan, siâr quota

cwpan *egb* (cwpanau)
1 llestr yfed ar ffurf bowlen fach â dolen i gydio ynddi; dysgl o grochenwaith ar ffurf hanner pelen ac iddi glust ar gyfer yfed ohoni; ffiol cup
2 (*eg*) y llestr arbennig sy'n dal gwin y Cymun; caregl chalice
3 llestr addurniadol wedi'i wneud o fetel megis aur neu arian sy'n cael ei roi'n wobr mewn cystadleuaeth; tlws cup
4 ANATOMEG meinwe neu goden sy'n amgáu rhan o'r corff capsule

Sylwch: mae'n fenywaidd yn y Gogledd ac yn wrywaidd yn y De.

cwpanaid *egb* (cwpaneidiau) llond cwpan cupful, cup of

Sylwch: mae'n fenywaidd yn y Gogledd ac yn wrywaidd yn y De.

cwpanu *be* [cwpan•¹] gwneud ar ffurf cwpan, *cwpanu eich dwylo* to cup

cwpenyn *eg* (cwpenynnau) BIOLEG rhan o'r corff neu ran o blanhigyn ar ffurf cwpan, e.e. y cwpenyn ar waelod mesen cupule

cwpl¹ *eg* (cyplau)
1 dau gyda'i gilydd couple
2 ychydig, nifer bychan, *Byddaf gyda chi mewn cwpwl o eiliadau.* couple

cwpl² *eg* (cyplau) PENSAERNÏAETH pâr o geibrau neu drawstiau ar ogwydd sy'n cwrdd â'i gilydd yn y nenbren ym mrig adeilad ac sydd wedi'u cysylltu yn y bôn gan drawst neu rwymbren yn gorffwys ar furiau'r adeilad ac sy'n brif gynhaliaeth i'r to couple

cwpla:cwpláu *be* [cwpl•¹] *tafodieithol, yn y De* cwblhau, cyflawni, dibennu, diweddu, gorffen to complete, to finish

cwpled *eg* (cwpledi:cwpledau) LLENYDDIAETH dwy linell olynol o farddoniaeth sy'n dilyn patrwm o odl a mydr, yn enwedig dwy linell o gywydd couplet

cwplws *eg* (cyplysau) llun neu batrwm sy'n cynnwys y ffurf V neu V wyneb i waered chevron

cwpon *eg* (cwponau)
1 darn o bapur, sydd weithiau'n cael ei wahanu oddi wrth ddarn mwy, sy'n caniatáu i'w ddeiliad hawlio swm o arian, cyfran o fwyd, gostyngiad mewn pris nwyddau neu anrheg, etc.; tocyn coupon
2 ffurflen ymgeisio mewn cystadleuaeth coupon

cwpwl gw. cwpl

cwpwrdd *eg* (cypyrddau) set o silffoedd â drws neu ddrysau o'i flaen, weithiau wedi'i hadeiladu mewn wal ond gan amlaf yn gelficyn neu'n ddodrefnyn i gadw bwyd, llestri, dillad, llyfrau, etc. cupboard

cwpwrdd cornel gw. cornel

cwpwrdd dillad cwpwrdd tal ar gyfer hongian neu gadw dillad; cist ddillad wardrobe

cwpwrdd rhew oergell refrigerator

cwr *eg* (cyrrau:cyrion)
1 pen neu ran eithaf rhywbeth sy'n gorffen mewn pwynt neu bigyn; congl, cornel, ongl corner
2 man eithaf; lle diarffordd; ffin, pen, terfyn, ymyl edge, outskirts, extremity

o'i gwr/chwr yn llwyr ac yn drefnus, *Darllenodd y llyfr o'i gwr fesul tudalen.*

cwrcath gw. gwrcath

cwrcatha gw. gwrcatha

cwrci:gwrci *eg* (cwrcïod) cath wryw; gwrcath, cwrcyn tomcat

cwrcwd *eg* (cyrcydau) ystum neu siâp rhywun sy'n eistedd ar ei sodlau neu ar gefn ei goesau; cwman crouching, squatting

yn fy (dy, ei, etc.**) nghwrcwd** yn eistedd ar fy sodlau squatting

cwrcyn:gwrcyn *eg* (cwrcynod) cath wryw; cwrci, gwrcath tomcat

cwrdd¹:cwrddyd *be* [cwrdd•¹ 3 *un. pres.* cwrdd/
cwrdda; 2 *un. gorch.* cwrdd/cwrdda] (ffurf
lafar yn y De)
1 dod ynghyd; cyfarfod, ymgasglu, ymgynnull
(~ â *rhywun/rhywbeth*) to meet
2 cyffwrdd, *Gofala na chwrddi di â'r wifren
drydan 'na.*; trafod to touch
3 dod i adnabod am y tro cyntaf, *Dewch i'r
clwb i gwrdd â rhai o'r aelodau.* to meet
4 ateb cais neu hawl, *Rwy'n gobeithio y bydd
cymaint â hyn o fara yn ddigon i gwrdd â'r
angen.*; bodloni, boddhau to meet
5 bod mewn man arbennig ar adeg y bydd
rhywun neu rywbeth yn cyrraedd to meet

cwrdd² *eg* (cyrddau)
1 CREFYDD gwasanaeth crefyddol mewn capel
Anghydffurfiol, moddion gras; oedfa service
2 grŵp o bobl sy'n dod at ei gilydd (mewn capel
fel arfer) *cwrdd bach cystadleuol*; crynhoad,
cyfarfod, cynulliad meeting
3 y broses o gwrdd, canlyniad cwrdd;
cyfarfyddiad meeting
cwrdd ymddarostyngiad gw.
ymddarostyngiad

cwrel *eg* (cwrelau) defnydd tebyg i galch o liw
pinc neu wyn a gynhyrchir gan anifeiliaid bach
iawn (polypau) ym moroedd trofannol y byd;
dros amser maith, wrth i'r creaduriaid hyn
farw a gadael eu sgerbydau calchaidd ar ôl, mae
ynysoedd a thyfiant creigiog yn cael eu ffurfio
yn y môr coral

cwrelaidd *ans* yn cynnwys cwrel neu'n debyg i
gwrel coralloid

cwrens:cyrans *ell*
1 grawnwin bychain heb eu hadau sydd wedi
cael eu sychu ac a ddefnyddir yn aml mewn
teisennau currants
2 ffrwythau meddal, blasus sy'n tyfu ar
lwyni bychain yn bwysi o aeron cochion,
duon neu wynion yn ôl natur y llwyn; rhyfon
currants
cwrens coch aeron bach coch bwytadwy sy'n
tyfu'n glystyrau red currants
cwrens duon aeron bach duon bwytadwy sy'n
tyfu'n glystyrau black currants
cwrens gwyn math o gwrens coch sydd ag
aeron golau iawn white currants

cwricwlaidd *ans* wedi'i gynnwys mewn
cwricwlwm; yn ymwneud â chwricwlwm
curricular

cwricwlwm *eg* (cwricwla) cwrs rheolaidd o
astudiaeth mewn coleg neu ysgol; maes llafur
curriculum

cwrio *be* cyweirio croen anifail i'w droi'n lledr;
barcio to cure
Sylwch: nid yw'r ferf hon yn arfer cael ei
rhedeg.

cwrl *eg* (cwrls)
1 modrwy o wallt, cudyn bach o wallt wedi'i
droi; cyrlen, llyweth, ton curl
2 rhywbeth sy'n debyg o ran siâp i fodrwy o
wallt curl
3 dull o ymarfer corff sy'n canolbwyntio ar
symud i gryfhau cyhyrau penodol curl

cwrlid *eg* (cwrlidau) y gorchudd neu'r flanced
uchaf ar wely; carthen, gwrthban counterpane,
coverlet
cwrlid plu gorchudd wedi'i lenwi â phlu ysgafn
eiderdown

cwrs¹ *eg* (cyrs(i)au)
1 cyrch neu rediad sydyn i ryw gyfeiriad,
e.e. cic a chwrs, mewn gêm o rygbi chase
2 symudiad ymlaen o bwynt i bwynt, *Dilynodd
gwrs yr afon at y môr.*; gyrfa, hynt, rhawd
course
3 maes llafur, cyfres o wersi neu ddarlithiau
mewn rhyw faes arbennig, *cwrs o wersi gyrru*
course
4 un o gyfres o wahanol fathau o fwyd fel rhan
o bryd bwyd, *Cawsom gawl i ddechrau ac yna
pysgodyn yn ail gwrs.*; saig course
5 lle wedi'i baratoi ar gyfer rhedeg ras neu
chwarae golff; rhedegfa course
cwrs carlam gw. **carlam**
Ymadroddion
cwrs y byd digwyddiadau cyfoes current affairs
wrth gwrs yn sicr of course

cwrs² *ans* amrwd, aflednais, carlamus, garw
coarse, common

cwrsio:cwrso *be* [cwrsi•²] mynd ar ôl; ymlid,
hela (~ **ar ôl**) to chase

cwrt *eg* (cyrtiau)
1 cartref uchelwr, adeilad mawreddog; llys,
neuadd, plas, plasty mansion
2 yr iard agored o flaen tŷ fferm sydd wedi'i
amgylchynu ag adeiladau fferm; beili, buarth,
cowt, ffald courtyard
3 maes chwarae wedi'i amgáu ar gyfer gêmau
fel tennis neu sboncen court
4 llys barn; brawdlys court, courtroom

cwrtais *ans* [cwrteis•] yn ymddwyn yn
foneddigaidd; gweddus, llednais, moesgar
courteous, polite

cwrteisach:cwrteisaf:cwrteised *ans* [cwrtais]
mwy cwrtais; mwyaf cwrtais; mor gwrtais

cwrteisi *eg* ymddygiad boneddigaidd, urddasol;
boneddigeiddrwydd, gwarineb, moesgarwch
courtesy, civility, gallantry

cwrtosis *eg* MATHEMATEG mynegiad o ba mor
amlwg neu bigfain yw brig cromlin dosraniad
amlder kurtosis

cwrw *eg* math o ddiod feddwol sy'n cael ei
macsu mewn bragdy fel arfer ond hefyd gartref,
o frag wedi'i flasu â hopys; bir ale, beer

cwrw bach enw ar gyfarfod i werthu cwrw a phice er mwyn codi arian

cwrw coch cwrw mwy melys na chwrw melyn mild ale

cwrw melyn cwrw chwerw bitter ale

Ymadrodd

yn fy (dy, ei, etc.**) nghwrw** yn feddw in my cups

cwrwgl gw. corwg

cwrwgl gwydrin *eg* glain o grisial ar ffurf wy y credid gynt bod iddo rin arbennig i wella anhwylderau; fe'i crëir ar adeg y bydd cwlwm o nadredd yn ymgordeddu ac fe'i cysylltwyd â'r derwyddon

cwsb *eg* (cysbau)

1 pigyn neu apig, e.e. y naill gorn neu'r llall o leuad gilgant cusp

2 PENSAERNÏAETH pigyn addurniadol lle mae dwy gromlin yn cwrdd, e.e. mewn bwa pensaernïol cusp

3 ANATOMEG plyg yn un o falfiau'r galon cusp

cwsg¹ *eg* (cysgau) cyfnod rheolaidd o orffwys naturiol pan fydd corff dyn neu anifail yn anymwybodol; hun sleep, slumber

cwsg ci bwtsiwr cwsg ffug, rhywun yn ymddangos yn anymwybodol ond eto'n barod i ymateb yn gyflym; cysgu llwynog catnap

cwsg² *ans* yn gorwedd yn dawel dros dro, ond yn gallu dihuno neu fod yn weithredol yn ddirybudd; ynghwsg dormant

cwsg³ *bf* [cysgu] *ffurfiol* mae ef yn cysgu/mae hi'n cysgu; bydd ef yn cysgu/bydd hi'n cysgu

cwsg⁴ *bf* [cysgu] gorchymyn i ti gysgu; cysga

cwsmer *eg* (cwsmeriaid) un sy'n prynu rhywbeth gan fasnachwr neu siopwr; cleient, prynwr customer, client

cwsmereiddio *be* [cwsmereiddi•²] adeiladu neu addasu ar gyfer anghenion unigolyn arbennig to customize, customization

cwstard *eg* saws melyn melys wedi'i wneud drwy dwymo cymysgedd o laeth ac wyau a blawd corn neu drwy gymysgu powdr cwstard a llaeth berwedig custard

cwstard wy cymysgedd o wyau a llaeth wedi'i felysu naill ai wedi'u berwi ynghyd, neu wedi'u coginio mewn ffwrn egg custard

cwstwm *eg* (cystymau) cefnogaeth unigolyn neu bobl yn gyffredinol, i siop neu fusnes lle maent yn prynu pethau custom

cwt¹ *eg* (cytiau) math o sièd neu adeilad ar gyfer cadw moch neu ieir; cut, cwb, pentis, twlc hut, coop, shanty

cwt glo sièd lo coal shed

cwt ieir sièd ffowls hen coop

cwt mochyn twlc mochyn pigsty

cwt² *eg* (cytau)

1 y darn neu'r aelod symudol sy'n tyfu wrth gefn creadur; cloren, cynffon, llosgwrn tail

2 unrhyw beth sy'n debyg i gynffon o ran golwg, siâp neu safle tail

3 rhan olaf neu ran isaf rhai pethau, *cwt crys*; cefn tail

4 blas annymunol ar ôl i chi fwyta rhywbeth (e.e. darn o fenyn drwg); adflas tang

5 *tafodieithol, yn y De* ciw queue

wrth fy (dy, ei, etc.**) nghwt** yn dilyn yn dynn y tu ôl (i rywun)

cwt³ *eg* (cytau) anaf i'r cnawd drwy ei dorri â rhywbeth llym; clwyf, toriad cut, wound

cwta *ans* [cwteu• *b* cota]

1 (yn dilyn yr hyn a oleddfir) yn cael ei dorri'n fyr neu'n swta, *ateb cwta*; byr, cryno, swrth, swta curt, short

2 (yn dilyn yr hyn a oleddfir) â chynffon fer short-tailed

3 (o flaen yr hyn a oleddfir) heb fod yn llawn, *Ni fu yno gwta fis.*; prin barely, scarcely

cwtanu:cwteuo *be* [cwtan•³] byrhau, cwtogi, crebachu, lleihau to shorten, to shrink

cwter *eb* (cwteri)

1 rhigol neu sianel sy'n rhedeg gydag ochr heol/ffordd neu weithiau oddi tani i gludo dŵr neu garthion ymaith; ceuffos, draen, dyfrffos, ffos gutter

2 cafn cul, hir sy'n rhedeg gydag ymyl gwaelod to ac yn cludo dŵr glaw ymaith gutter

cwteuach:cwteuaf:cwteued *ans* [cwta] mwy cwta; mwyaf cwta; mor gwta

cwtiad aur *eg* (cwtiaid aur) aderyn y mynydd-dir â gwawr melyn i'w blu, sy'n heidio ar dir is yn y gaeaf golden plover

cwtiar *eb* (cwtieir) aderyn dŵr a chanddo blu llwyd tywyll a phig fach bwt; cotiar coot

cwtigl *eg* (cwtiglau)

1 croen marw caled a geir wrth ymyl a gwaelod ewin cuticle

2 gorchudd amddiffynnol epidermis (planhigyn neu anifail) cuticle

cwtogi *be* [cwtog•¹]

1 torri'n fyr, gwneud yn fyrrach; byrhau, crynhoi, cywasgu, talfyrru to curtail, to cut, to shorten

2 mynd yn llai; crebachu, lleihau to contract, to shrink

cwtogiad *eg* (cwtogiadau) y broses o gwtogi, canlyniad cwtogi; crynodeb, cywasgiad, lleihad, talfyriad curtailment

cwts¹ gw. cwtsh²

cwts²:cwtsh *bf* [cwtsio] gorchymyn i ti gwtsio

cwtsh¹:cwts *eg* congl fechan, cwt bach, *cwtsh dan staer, cwtsh glo*; cuddfan, cwb recess

cwtsh² *eg* (cwtshys) y weithred o gwtsio, o gofleidio, canlyniad cwtsio cuddle, cwtch, hug

cwtsio *be* [cwtsi•²]

1 tynnu'n agos, agosáu at rywun, e.e. mam

yn cwtsio baban yn ei chôl; closio, swatio
to cuddle, to hug, to snuggle
2 eistedd ar eich sodlau; cyrcydu, swatio
to crouch
3 cuddio, ymguddio, cwato to hide

cwthwm *eg* (cythymau) chwa sydyn o wynt
blast, gust

cwyd *bf* [codi]
1 *ffurfiol* mae ef yn codi/mae hi'n codi; bydd ef
yn codi/bydd hi'n codi
2 gorchymyn i ti godi
Sylwch: mae angen 'ŵ' yn y ffurf 'chŵyd'.

cwymp *eg* (cwymp(i)au)
1 symudiad tuag i lawr (anfwriadol
neu ddamweiniol); codwm, disgyniad,
dymchweliad, syrthiad descent, fall, tumble
2 casgliad o gerrig neu bridd sy'n syrthio
mewn pwll glo neu chwarel neu oddi ar wyneb
clogwyn collapse, fall
3 codwm neu dafliad mewn cystadleuaeth
ymaflyd codwm fall
4 y weithred o dref neu gastell sydd wedi bod
dan warchae yn ildio i'r gelyn; llwyr orchfygiad
gwlad neu genedl gan ei gelynion fall, surrender
5 CREFYDD yr hyn a ddigwyddodd i'r hil ddynol
oherwydd pechod Adda ac Efa yng Ngardd
Eden downfall, (the) fall
6 ECONOMEG gostyngiad, e.e. mewn prisiau,
graddfeydd, etc. fall

cwympo *be* [cwymp•¹ *3 un. pres.* cwymp/
cwympa; *2 un. gorch.* cwymp/cwympa]
1 cael codwm; disgyn, llithro, syrthio to fall,
to tumble
2 syrthio i lefel is o ran gwerth, maint neu
uchder; disgyn to fall
3 newid cyflwr fel yn *cwympo i gysgu*; syrthio
to fall
4 dod i lawr, *llenni'n cwympo ar ddiwedd yr
act gyntaf* to fall
5 syrthio'n farw, yn enwedig mewn brwydr,
*Cwympodd 20,000 o filwyr Prydain ym
mrwydr y Somme yn 1916.* to fall
6 syrthio i ddwylo ymosodwyr, *Cwympodd y
ddinas i'r gelyn.* to fall
7 goleddfu am i lawr, *Mae'r tir yn cwympo
tua'r môr.* to slope down
cwympo ar fy (dy, ei, etc.) mai cydnabod bai
to admit to being at fault
cwympo maes cweryla to fall out
cwympo/syrthio mewn cariad ymserchu
to fall in love

cwympol *ans* BOTANEG (am ran o blanhigyn
fel arfer) yn cwympo, weithiau cyn pryd, e.e.
petalau, dail, etc. caducous

cwyn *eb* (cwynion)
1 mynegiant o gam neu ofid neu alar;
achwyniad, cyhuddiad complaint

2 achos cweryl neu anghydfod, yn enwedig
mewn achos cyfreithiol; achwyniad, cyhuddiad
accusation
Sylwch: mae angen 'ŵ' yn y ffurfiau 'gŵyn',
'chŵyn', 'gŵynion' a 'chŵynion'.

dweud fy (dy, ei, etc.) nghwyn mynegi'r hyn
sy'n fy mhoeni to vent one's grievance

cwynfan¹ *be* [cwynfan•³]
1 mynegi anfodlonrwydd; achwyn, ceintach,
cwyno, grwgnach to complain
2 dolefain, galarnadu, ochneidio, wylofain
to moan

cwynfan² *be* [cwynfann•¹⁰]
Sylwch: yr un ystyr â **cwynfan¹** ond â bôn
gwahanol; dyblwch yr 'n' ym mhob ffurf ac
eithrio yn y rhai sy'n cynnwys -as-.

cwynfanllyd *ans* hoff o gwyno; achwyngar,
ceintachlyd, gwenwynllyd grumbling, querulous

cwynfanus *ans* â thuedd i gwyno, tebyg i
gwyno; cwynfanllyd, dolefus, pruddglwyfus
moaning, querulous

cwyno *be* [cwyn•¹]
1 mynegi cam neu ofid; achwyn, beio, cyhuddo,
grwgnach (~ **wrth** *rywun/rywbeth* **am** *rywun/
rywbeth*) to complain, to grizzle, to carp
2 dioddef anhwylder, bod yn dost neu'n glaf
to complain
cwyno fy (dy, ei, etc.) nghefn/nghoes
achwyn am rywbeth to complain about
something

cwynwr *eg* (cwynwyr)
1 un sy'n cwyno neu'n tuchan; achwynwr,
conyn, grwgnachwr moaner, carper
2 (yn gyfreithiol) achwynwr neu erlynydd
mewn llys barn plaintiff

cwyr *eg* (cwyrau)
1 y defnydd melyn y mae gwenyn yn ei
gynhyrchu i wneud diliau mêl, gwneir
canhwyllau a pholish ohono; gwêr wax
2 defnydd tebyg a geir yng nghlustiau pobl wax
Sylwch: mae angen 'ŵ' yn y ffurf 'gŵyr', e.e.
cannwyll gŵyr.

cwyr coll dull o lunio cerflun o efydd drwy
ddefnyddio model craidd o glai ynghyd â
gorchudd o gŵyr ac yna ffurfio mowld o'i
gwmpas; toddir y cwyr sydd yn y mowld a
llenwir y gofod ag efydd tawdd, gwaredir y
clai mewnol gan adael cerflun cau o efydd
cire perdue, lost wax
Ymadrodd

cwyr cor gwe pryf copyn; gwawn gossamer,
spider's web

cwyraidd *ans* tebyg ei ansawdd i gŵyr wax-like

cwyrdeb *eg* (cwyrdebau) sylwedd sy'n cael ei
ddefnyddio i dewychu llaeth, e.e. er mwyn
gwneud caws rennet

cwyren *eb* (cwyrennau) darn o gŵyr cake of wax

cwyro *be* [cwyr•¹] iro â chwyr; gloywi, sgleinio to wax

cwyrosyn *eg* (cwyros) prysgwydden flodeuog neu goeden fechan â choesynnau cochlyd, melyn, aeron duon a phren caled dogwood

cwys *eb* (cwysi:cwysau) rhych neu rigol a gaiff ei gwneud gan aradr; yr ymyl neu'r rhimyn o dir sy'n cael ei droi drosodd er mwyn gwneud y rhych ar un siwrnai o dalar i dalar furrow
  Sylwch: mae angen 'ŵ' yn y ffurfiau 'gŵys' a 'chŵys'.

agor/torri fy (dy, ei, etc.**) nghwys fy hun** mynd fy ffordd fy hun to plough one's own furrow

torri cwys aredig cwys to plough a furrow

cwysed *eb* (cwysedi)
  1 darn o ddefnydd a roddir wrth wnïad neu sêm, e.e. fforch trowsus, cesail cot, bys maneg, er mwyn ei gryfhau a'i ganiatáu i ymledu gusset
  2 braced neu ddarn o fetel ar gyfer cryfhau adeilad neu bont gusset

cyanid *eg* CEMEG halwyn neu ester anorganig sy'n cynnwys yr ïon CN⁻; mae'n wenwynig iawn cyanide

cybiau *ell* lluosog cwb

cybôl *eg* sothach, dwli ballyhoo, nonsense, twaddle

cybolfa *eb* casgliad di-drefn, cymysglyd; annibendod, blerwch, cymysgfa, llanastr farrago, hotchpotch
  melys gybolfa cymysgedd o deisen neu gacen mewn jeli wedi'i orchuddio â hufen neu gwstard; treiffl trifle

cyboli *be* [cybol•¹] siarad dwli, malu awyr; baldorddi, clebran, rwdlian to talk nonsense

cybydd *eg* (cybyddion) un sy'n or-hoff o gasglu arian, rhywun sy'n byw'n grintachlyd er mwyn casglu arian neu gyfoeth miser

cybydda *be* casglu ynghyd fwy o lawer nag sydd ei angen, cronni'n drachwantus to be miserly, to hoard
  Sylwch: nid yw'r ferf hon yn arfer cael ei rhedeg.

cybydd-dod:cybydd-dra *eg* y cyflwr o fod yn gybyddlyd, natur cybydd; ariangarwch, crintachrwydd miserliness, avarice

cybyddlyd *ans* tebyg i gybydd; ariangar, crintachlyd, llawgaead, mên mean, miserly, niggardly

cycyllau *ell* lluosog cwcwll

cycyllog¹ *ans* wedi'i orchuddio â chwcwll hooded

cycyllog² *eg* planhigyn yn perthyn i'r un teulu â'r farddanhadlen, a chanddo galycs yn debyg i helm neu gwfl yn cynnal y blodyn skullcap

cychod *ell* lluosog cwch

cychwr *eg* (cychwyr) un sy'n gweithio ar gychod, yn enwedig un sy'n llogi cwch neu gychod i bobl; badwr boatman, ferryman

cychwyn¹ *be* [cychwynn•⁹ 3 un. pres. cychwyn/cychwynna; 2 un. gorch. cychwyn/cychwynna]
  1 peri symudiad, rhoi ar fynd, dodi ar waith, **cychwyn car** to start, to commence, to initiate
  2 dechrau (cwrs neu daith, etc.); tarddu (am afon) (~ am *rywle*) to begin, to originate
  3 dechrau defnyddio, *Cychwynnwch ar ail linell pob tudalen.* to start
  4 peri bodolaeth, *cychwyn tîm criced*; sefydlu to start
  Sylwch: dyblwch yr 'n' ym mhob ffurf ac eithrio yn y rhai sy'n cynnwys -as-. Er nad oes gwahaniaeth ystyr pendant, y duedd yw defnyddio 'cychwyn' (yn hytrach na 'dechrau') pan fydd symudiad corfforol ynghlwm wrth weithred, e.e. *cychwyn taith, cychwyn car.*

ar gychwyn
  1 ar fin dechrau
  2 annibendod, llanastr, *Mae'r lle 'ma fel petai ar gychwyn.*

megis cychwyn prin gychwyn just started

o'r cychwyn cyntaf o'r dechrau'n deg from the very beginning

cychwyn² *eg*
  1 dechreuad (o ran lle neu amser); cychwyniad start
  2 yr hen ystyr oedd naid neu lam fel yn yr arwyddair *Y ddraig goch ddyry cychwyn* leap

cychwynfa *eb* (cychwynfâu:cychwynfeydd) man cychwyn starting point

cychwyniad *eg* (cychwyniadau) y weithred o gychwyn, man cychwyn; dechrau, dechreuad, ffynhonnell, tarddiad beginning, start

cychwynnol *ans* yn dechrau; agoriadol, cysefin, dechreuol, rhagarweiniol initial, primary
  Sylwch: nid yw'n cael ei gymharu.

cychwynnwr *eg* (cychwynwyr)
  1 un sy'n gosod rhywbeth ar waith, e.e. un sy'n cychwyn ras; dechreuwr starter
  2 un o'r rhai sy'n cymryd rhan ar ddechrau ras neu gystadleuaeth starter

cychwynnydd *eg* (cychwynyddion)
  1 dyfais i ddechrau rhywbeth, *cychwynnydd car* starter
  2 yr un sy'n gwneud yr un cyntaf, neu sy'n gwneud rhywbeth am y tro cyntaf, *hi oedd cychwynnydd Merched y Wawr*; sefydlydd, sylfaenydd, ysgogydd originator, starter

cyd¹ *eg* y berthynas rhwng dau beth sydd wedi dod ynghyd; cydiad, cyfuniad, cyplad, uniad joining, union
  ar y cyd gyda'i gilydd in common, jointly
  i gyd pob un all, altogether

cyd² gw. cyhyd

cyd- *rhag* yr elfen gyntaf mewn geiriau fel *cydadrodd*, *cydbwyllgor*, sy'n cadw'r ystyr o gyfuno; unedig co-, inter-, joint-, united *Sylwch:* pan fydd 'cyd-' yn golygu *joint, fellow* dylid defnyddio cysylltnod ar ei ôl, e.e. *cyd-weithiwr* ond *cydweithio*; *cyd-wladwr* ond *cydwladol*.

cyda ffurf gysefin **gyda**

cydadfer *be* [cydadfer•¹] (yn fecanyddol) cydbwyso neu niwtraleiddio effaith grym, pwysau neu gyflymder annerbyniol er mwyn creu cydbwysedd to compensate

cydadferol *ans* yn cydbwyso neu'n lleihau effeithiau annerbyniol rhywbeth compensatory

cydadrodd *be* adrodd ar y cyd, e.e. *cydadrodd Gweddi'r Arglwydd*; cydleisio to recite together

cydadwaith *eg* y broses o gydadweithio interplay

cydadweithio *be* [cydadweithio•²] gweithredu ar ei gilydd; adweithio i'w gilydd (~ i) to interact, to interplay

cydaddoli *be* [cydaddol•¹] addoli ar y cyd to worship collectively

cydaddysg *eb* system o ddysgu bechgyn a merched gyda'i gilydd yn yr un sefydliad co-education

cydaddysgol *ans* (am sefydliad) yn dysgu bechgyn a merched gyda'i gilydd co-educational

cydaid *eg* (cydeidiau) llond bag, llond cwdyn bagful

cydamseredig *ans*
1 yn digwydd ar union yr un adeg, yn codi ar union yr un adeg synchronous
2 (am ddull o drin data) lle mae gwahanol weithgareddau (e.e. trosglwyddo data) yn digwydd ar adegau penodedig sy'n cael eu rheoli gan amserydd synchronous

cydamserol *ans* yn cydfodoli neu'n cyd-ddigwydd; amserol, cyfamserol, cyfoed, cyfoes simultaneous

cydamseru *be* [cydamser•¹]
1 sicrhau bod pethau (e.e. watshys) yn gydamseredig to synchronize
2 gwneud i seiniau gyd-fynd yn berffaith â symudiadau (ar ffilm neu ar deledu) to synchronize

cydatebolrwydd *eg* CYFRAITH y cyflwr o fod yn gyfrifol ar y cyd joint liability

cydatebydd *eg* (cydatebyddion) CYFRAITH y cyhuddedig mewn achos o odineb ynghyd â'r atebydd (sef y gŵr neu'r wraig sydd hefyd yn cael ei gyhuddo/chyhuddo) co-respondent

cydau *ell* lluosog **cwd** a **cwdyn**

cydberchennog *eg* (cydberchenogion) un sy'n berchen ar rywbeth ar y cyd â rhywun arall joint owner

cydberchnogaeth *eb* y cyflwr o fod yn berchen ar rywbeth ar y cyd â rhywun arall joint ownership

cydberthyn *be* [cydberthyn•¹ 3 *un. pres.* cydberthyn; 2 *un. gorch.* ni cheir ffurf]
1 dibynnu ar rywbeth arall neu adweithio i rywbeth arall to interrelate
2 MATHEMATEG mesur cyd-ddibyniaeth dau newidyn (~ i *rywbeth*) to correlate

cydberthynas *eg* (cydberthnasau)
1 cyflwr lle mae un peth yn ddibynnol ar rywbeth arall neu'n adweithio iddo interrelationship
2 y sefyllfa sy'n bodoli rhwng rhai a pherthynas rhyngddynt neu sy'n delio â'i gilydd, e.e. gwledydd gwahanol relations

cydberthyniad *eg* (cydberthyniadau) cysylltiad rhwng dau beth lle mae'r naill beth yn newid wrth i'r llall newid, *Mae cydberthyniad rhwng lefelau tlodi a lefelau afiechyd.* correlation

cydberthyniad negatif MATHEMATEG perthynas rhwng dau newidyn lle bydd gwerth un newidyn yn cynyddu wrth i'r llall leihau (ac i'r gwrthwyneb) negative correlation

cydberthyniad positif MATHEMATEG perthynas rhwng dau newidyn lle bydd gwerth y ddau newidyn yn symud gyda'i gilydd, e.e. os bydd un newidyn yn cynyddu bydd y llall hefyd yn cynyddu (ac i'r gwrthwyneb) positive correlation

cydberthynol *ans* (am ddau beth) mewn perthynas gyd-ddibynnol, *Mae ei hymchwil hi'n dangos cysylltiad cydberthynol rhwng y dirwasgiad a lefelau dyled bersonol* correlational, correlative

cydbreswylio *be* [cydbreswyli•²]
1 byw ynghyd; cyd-fyw (~ â) to cohabit
2 cyd-fyw fel gŵr a gwraig to cohabit

cydbriodi *be* [cydbriod•¹] priodi oddi mewn i grŵp arbennig yn ôl gofynion deddf neu arfer to intermarry

cydbwyllgor *eg* (cydbwyllgorau) pwyllgor yn cynnwys cynrychiolwyr o bwyllgorau eraill joint-committee

cydbwysedd *eg* cydraddoldeb rhwng dau bwysau neu ddau rym, cytgord a chyfartaledd rhwng gwahanol rannau neu unedau; ecwilibriwm balance, equilibrium

cydbwyso *be* [cydbwys•¹] bod yn gytbwys, creu cydbwysedd rhwng dau neu ragor o bethau, *cydbwyso hafaliadau* to balance

cydbwysol *ans* yn arwain at gydbwysedd balancing

cyd-daro *be* [cyd-draw•³] digwydd yn yr un lle neu ar yr un adeg; cyd-ddigwydd (~ â) to coincide

cyd-derfynol *ans* yn rhannu'r un terfyn neu ffin; cyffiniol adjoining, coterminous

cyd-destun *eg* (cyd-destunau)
1 y rhannau hynny mewn testun neu lyfr sy'n dod o flaen neu ar ôl dyfyniad ac sy'n rhoi iddo ei ystyr arbennig context

C

2 (hefyd yn fwy cyffredinol) yr amgylchiadau sy'n berthnasol i rywbeth dan ystyriaeth context

cyd-deyrnasiaeth *eg* sefyllfa pan fydd llywodraeth neu dalaith yn cael ei chydreoli; cydlywodraeth condominium, joint rule

cyd-doddi *be* [cyd-dodd•¹] dod ynghyd gan raddol ymuno a cholli'r gwahaniaethau unigol; cydgrynhoi, cyfuno (~ â) to merge

cyd-drafod *be* [cyd-drafod•¹] trafod amodau, yn enwedig gyda gelyn; negodi (~ â) to negotiate, to parley

cyd-drawiad *eg* (cyd-drawiadau) digwyddiad yn union yr un lle neu ar union yr un adeg; cyd-ddigwyddiad coincident

cyd-drechedd *eg* BIOLEG y cyflwr pan fydd cyfraniad dau alel genyn at y ffenoteip yn hafal co-dominance

cyd-drechol *ans* am dyfiant, organeb neu enyn sydd mewn sefyllfa o gyd-drechedd co-dominant

cyd-drefnol *ans* CEMEG fel yn *bond cyd-drefnol*, math o fond rhwng dau atom lle mae un atom yn cyfrannu'r ddau electron sy'n creu'r bond coordinate

cyd-drefnu *be* [cyd-drefn•¹]
1 trefnu rhywbeth ar y cyd to organize jointly
2 CEMEG cyfuno drwy gyfrwng bond cyd-drefnol to coordinate
3 FFISIOLEG (am y brif system nerfol) prosesu gwybodaeth o'r system nerfol berifferol ac ysgogi ymateb to coordinate

cyd-drefnydd *eg* (cyd-drefnyddion)
1 un sy'n gweithio â rhywun neu rywrai eraill er mwyn cydlynu gwahanol elfennau yn effeithiol coordinator
2 FFISIOLEG rhan o'r brif system nerfol sy'n prosesu gwybodaeth o'r system nerfol berifferol ac yn ysgogi ymateb coordinator

cyd-dreiddiad *eg* (cyd-dreiddiadau) y broses o gydymdreiddio; cydymdreiddiad interpenetration

cyd-droseddwr *eg* (cyd-droseddwyr) un sy'n cydweithio â rhywun arall er mwyn cyflawni trosedd accomplice

cyd-dwyllo *be* [cyd-dwyll•¹] cynllwynio gydag eraill i dwyllo to collude

cyd-dynnu *be* [cyd-dynn•⁹] tynnu gyda'ch gilydd, cydweithio neu gydchwarae mewn ffordd gytûn; cydweithredu, cytuno (~ â) to pull together
Sylwch: dyblwch yr 'n' ym mhob ffurf ac eithrio yn y rhai sy'n cynnwys -*as*-.

cyd-dyriad *eg* (cyd-dyriadau) cwmni busnes ag amrywiaeth eang o is-fusnesau yn rhan ohono conglomerate

cyd-dyrru *be* [cyd-dyrr•⁹] tynnu ynghyd amrywiaeth eang o bethau a'u creu yn un (yn enwedig ym myd busnes) to conglomerate

Sylwch: dyblwch yr 'r' ym mhob ffurf ac eithrio yn y rhai sy'n cynnwys -*as*-.

cyd-ddant *eg* system sy'n cydlynu'n llyfn gyflymder y gwahanol olwynion gêr sy'n cydgloi wrth newid gêr synchromesh

cyd-ddibyniaeth *eb* y cyflwr o fod yn dibynnu ar ei gilydd interdependence

cyd-ddibynnol *ans* yn dibynnu ar rywbeth arall er mwyn gallu byw interdependent

cyd-ddigwydd *be* digwydd yr un pryd neu yn yr un man; cydredeg to coincide

cyd-ddigwyddiad *eg* (cyd-ddigwyddiadau) perthynas ryfeddol rhwng dau neu ragor o ddigwyddiadau sydd, yn anfwriadol, yn digwydd yr un pryd; cyd-drawiad, damwain coincidence

cyd-ddinistriol *ans* yn ymwneud ag ymrafael o fewn grŵp; ymddinistriol internecine

cyd-ddyn *eg* (cyd-ddynion) aelod arall o'r hil ddynol fellow-man

cydeidiau *ell* lluosog cydaid

cydenedigol *ans* cynhwynol; (am gyflwr babi neu epil pan fydd ganddo gyflwr annormal) yn bodoli ar adeg ei enedigaeth congenital

cydensym *eg* (cydensymau) BIOCEMEG cyfansoddyn, nad yw'n brotein, sy'n hanfodol i weithrediad ensymau coenzyme

cydenwadol *ans* CREFYDD yn digwydd ar y cyd rhwng dau neu ragor o enwadau interdenominational

cydfan *eg* (cydfannau) y ddolen gyswllt gorfforol sy'n cydio un peth wrth beth arall, e.e. cyhyr wrth asgwrn attachment

cydfargeinio *be* [cydfargeini•²] trafodaethau rhwng cyflogwr a chynrychiolwyr undebau ynglŷn â chyflog, gwyliau, amodau gwaith, etc. (~ â *rhywun* am *rywbeth*) to bargain collectively

cydfodolaeth *eb* y cyflwr o gydfodoli coexistence

cydfodoli *be* [cydfodol•¹] byw'n heddychlon gyda'i gilydd (yn enwedig yn ganlyniad i bolisi) (~ â) to coexist

cydfrawdoliaeth *eb* cymdeithas neu grŵp sy'n ymroi i un achos (crefyddol neu elusennol) confraternity

cydfuddiannol *ans* CYLLID am gynllun lle mae aelodau cymdeithas yn rhannu'r costau a'r elw yn enwedig am gynllun yswiriant lle mae deiliaid y polisïau yswiriant yn aelodau o'r cwmni yswiriant of mutual benefit

cydfwytaol *ans* BIOLEG (am ddwy rywogaeth o blanhigion neu anifeiliaid) yn byw'n agos mewn perthynas sy'n fanteisiol i'r un a heb fod yn niweidiol i'r llall commensal

cyd-fynd *be*
1 cydsynio, cyd-weld, cytuno, *Roedd y*

mwyafrif o'r rhai a oedd yn bresennol yn cyd-fynd â'i syniadau. (~ â) to agree, to concur
2 mynd ynghyd â, mynd gyda, mynd yng nghwmni (~ â) to accompany
Sylwch: nid yw'r ferf hon yn cael ei rhedeg.
cyd-fyw *be*
1 byw gyda'i gilydd ar yr un adeg neu yn yr un lle to coexist
2 byw gyda'i gilydd, yn enwedig byw fel pe baent yn ŵr a gwraig; byw tali (~ â) to cohabit, cohabitation
3 BIOLEG (am ddwy organeb annhebyg) byw'n agos iawn at ei gilydd er lles y ddwy symbiosis
Sylwch: nid yw'r ferf hon yn cael ei rhedeg.
cydfywyd *eg* y cyflwr o fod yn cyd-fyw cohabition, symbiosis
cydffederasiwn *eg* undeb neu gytundeb i gydgynnal neu i weithredu ar y cyd; cynghrair confederation, confederacy
cydffocal *ans*
1 yn rhannu'r un ffocws neu ffocysau confocal
2 (mewn microsgop) yn ymwneud ag agorfa yn y rhan sy'n goleuo'r gwrthrych ac yn cyfyngu'r golau i un man arbennig; hefyd ag agorfa gyfatebol yn y rhan sy'n creu'r llun gan gyfyngu ar y golau o gwmpas y ddelwedd confocal
cydffurf *ans*
1 MATHEMATEG am drawsnewidiad sy'n cadw'r onglau yr un conformal
2 (am fap) yn cynrychioli ardaloedd bychain yn eu ffurf gywir conformal
cydffurfiad *eg* (cydffurfiadau) CEMEG un o amryw drefniadau atomau mewn moleciwl yn enwedig wrth gylchdroi o gwmpas bondiau unigol conformation
cydffurfiadwy *ans* DAEAREG (am ddilyniant o greigiau) yn dilyn ei gilydd heb unrhyw fylchau neu unrhyw fylchau amlwg conformable
cydffurfio *be* [cydffurfi•²] gosod yr un amlinelliad neu batrwm ar rywbeth to conform
cydffurfiol *ans* yn cydffurfio conforming
cydgadwynedd *eg* y weithred o gysylltu pethau mewn cyfres, y cyflwr o fod wedi'u cysylltu â'i gilydd mewn cyfres concatenation
cydgadwyno *be* [cydgadwyn•¹] cydio yn ei gilydd yn gyfres fel cadwyn to concatenate
cydganol *ans* MATHEMATEG am gylchoedd, arcau a siapiau eraill sydd â'r un canolbwynt concentric
cydganu *be* [cydgan•³] canu ynghyd, canu gyda'i gilydd; cydgordio, cydseinio
cydgateniad *eg* (cydgateniadau) y cyflwr o fod wedi'i gysylltu megis cadwyn concatenation
cydgeisiwr *eg* (cydgeiswyr) un sy'n ceisio am yr un peth (â rhywun neu rywrai eraill); cystadleuydd rival

cydgerdded *be* [cydgerdd•¹] cerdded yng nghwmni rhywun, cyd-deithio (~ gyda) to accompany
cydgloi *be* [cydglo•¹⁷] cydio neu gydblethu, y naill yn y llall to interlock
cydglymu *be* [cydglym•¹] clymu rhywbeth ynghyd; dod yn aelod o grŵp neu uned; uno to colligate
cydgnawdio *be* *llenyddol* cyfathrach rywiol; ymrain to copulate
Sylwch: nid yw'n arfer cael ei rhedeg.
cydgordio *be* [cydgordi•²]
1 perthyn i'r un patrwm neu gord; cyd-fynd, cydganu, cydseinio to harmonize
2 bod yn gytûn to agree
cydgrynhoi *be* [cydgrynho•¹⁸ 2 un. gorch. cydgrynho]
1 uno dau neu ragor o gwmnïau drwy ddiddymu'r hen rai a chreu cwmni newydd sbon to consolidate
2 cyfuno dau neu ragor o achosion llys neu ddeddfau seneddol to consolidate
cydgyfeiriant *eg* (cydgyfeiriannau) y weithred o gydgyfeirio, yn enwedig gyda'r bwriad o greu undod neu unoliaeth convergence
cydgyfeirio *be* [cydgyfeiri•²]
1 (am ddau neu ragor o bethau) symud tuag at bwynt cyffredin to converge
2 dod ynghyd ac uno o ran diddordebau neu fudd cyffredin to converge
cydgyfeiriol *ans* am bethau sydd â thuedd i ddod yn nes at ei gilydd neu sydd yn y broses o ddod yn nes at ei gilydd convergent
cydgyfnerthu *be* [cydgyfnerth•¹] gwneud yn gadarn; sicrhau to consolidate
cydgyfrannog *ans* a chanddo ran (gydag eraill) mewn rhywbeth participating
cydgyfranogi *be* [cydgyfranog•¹] cymryd ar y cyd; cymryd rhan gydag eraill (~ o) to participate jointly
cydgyfranogion *ell* rhai a chanddynt ran neu gyfran mewn rhywbeth participants
cydgyffyrddol *ans* yn cyffwrdd â'i gilydd adjoining
cydgylchol *ans* wedi'u lleoli ar gylchedd un cylch concyclic
cydgymeriad *eg* troad ymadrodd lle y defnyddir rhan o rywbeth i gynrychioli'r cyfan, *cyfrifwyd hanner cant o bennau yn y gynulleidfa* (pennau = pobl) synecdoche
cyd-Gymro *eg* (cyd-Gymry) cyd-aelod o'r genedl Gymreig compatriot, fellow Welshman
cydgymysgedd *eg* cymysgedd o fwy nag un peth intermixture
cydgymysgu *be* [cydgymysg•¹] cymysgu ynghyd fwy nag un peth (~ â) to intermingle, to intermix

cydgynllwynio *be* [cydgynllwyni•²] cynllunio'n gyfrinachol i dwyllo neu dorri'r gyfraith (~ **gyda**) to collude, to connive

cydgynllwyniwr *eg* (cydgynllwynwyr) un sy'n rhan o gynllwyn confederate

cydgynnal *be* [cydgynhali•¹³ 3 *un. pres.* cydgynnail/cydgynhalia; 2 *un. gorch.* cydgynnal] cynnal ar y cyd (~ **gyda**)
 Sylwch: ceir 'h' ym mhob ffurf ac eithrio yn y rhai sy'n cynnwys -*as*-, a'r rhai a nodir uchod.

cydgynnull *be* [cydgynnull•¹] cynnull ar y cyd, dod ynghyd to assemble

cydgysylltiol *ans* wedi'u cysylltu ynghyd interconnected, interconnecting

cydgysylltu *be* [cydgysyllt•¹] tynnu at ei gilydd o ran symud neu weithio; asio, cydio, cyfuno, cyplysu (~ **â**) to coordinate, to join together

cydgysylltwr:cydgysylltydd *eg* (cydgysylltwyr) un sy'n cydlynu, sy'n cydgysylltu gweithgareddau unigolion neu gyrff; cydlynydd coordinator

cydhanfodol *ans* o'r un hanfod, o union yr un natur coessential

cydiad *eg* (cydiadau)
 1 y man lle mae dau beth yn ymgysylltu; asiad, cysylltiad, uniad joint
 2 ymgydiad; cyfathrach rywiol copulation

cydiedig *ans* nesaf at ei gilydd ac yn cyffwrdd adjoined

cydio *be* [cydi•²]
 1 cymryd gafael, dal gafael; ymafael (~ **yn** *rhywun/rhywbeth*) to hold, to seize
 2 glynu wrth, gafael yn dynn, *cydio dwylo*, *cydio breichiau*; bachu, crafangu to hold fast
 3 (am bysgodyn) cymryd abwyd, cael ei fachu to bite
 4 asio, clymu, *Bu'r esgyrn yn hir yn cydio ar ôl iddo dorri'i goes.* to join
 5 (am fwyd) llosgi, *Mae'r cig wedi cydio yng ngwaelod y tun.* to burn
 6 ymgydio; cael cyfathrach rywiol to copulate

cydio maes wrth faes dod yn fwy cyfoethog ac awdurdodol drwy berchen tiroedd

cydio wrth gosod yn sownd to attach

cydiwr *eg* (cydwyr) (mewn modur) y peirianwaith sy'n caniatáu i'r rhannau symudol gael eu cysylltu a'u datgysylltu (er mwyn newid gêr, er enghraifft) clutch

cydlais *ans* yn siarad ag un llais, yn unsain, yn unfarn in agreement

cydlawenhau *be* [cydlawenha•¹⁴] llawenhau ar y cyd gyda rhywun arall neu rywrai eraill (~ **â** *rhywun*)

cydleisio *be* [cydleisi•²]
 1 mynegi'n unfarn to speak in unison
 2 canu neu adrodd gyda'i gilydd; cydadrodd, cydganu to sing or declaim as one

cydleoliad *eg* (cydleoliadau) IEITHYDDIAETH cyfosodiad o eiriau neu batrwm o eiriau sy'n digwydd yn amlach nag a ddigwyddai ar hap a damwain collocation

cydletya *be* [cydlety•¹] rhannu llety (~ **gyda**) to share lodgings

cydlif *eg* (cydlifau) nant neu afon sy'n llifo i'r un cyfeiriad â goledd gwreiddiol arwyneb y tir consequent (stream)

cydlifiad *eg* (cydlifiadau) DAEARYDDIAETH y llifeiriant newydd a luniwyd wrth i ddau lif o ddŵr (nentydd, afonydd, etc.) ymuno mewn cymer confluence

cydlyniad *eg*
 1 y weithred o gydlynu, canlyniad cydlynu cohesion
 2 y grym sy'n cadw rhannau solet neu hylif ynghlwm cohesion

cydlynol *ans* am rywbeth sy'n cydlynu; cysylltiol, cysylltiedig cohesive, coherent

cydlynu *be* [cydlyn•¹]
 1 glynu ynghyd yn dynn fel rhannau o'r un gwrthrych neu sylwedd to cohere
 2 tynnu rhannau ynghyd; cael gwahanol bobl (neu bethau) i ddeall ei gilydd a chydweithio (~ **â**) to coordinate

cydlynus *ans* yn cynorthwyo cydlynu, â thuedd i gydlynu coordinative

cydlynydd *eg* (cydlynwyr) un sy'n cydlynu gweithgareddau unigolion neu gyrff; cydgysylltydd coordinator

cydlywodraeth *eb* (cydlywodraethau) llywodraeth ar y cyd, tiriogaeth sy'n cael ei theyrnasu ar y cyd; cyd-deyrnasiaeth condominium

cydnabod¹ *be* [20]
 1 derbyn bod rhywbeth yn wir; addef, arddel, cyfaddef, cyffesu to acknowledge, to recognize
 2 dangos gwerthfawrogiad (drwy dâl neu drwy gymeradwyaeth); saliwtio to show appreciation

cydnabod² *eg* (cydnabyddion) rhywun yr ydych chi'n ei adnabod; cydymaith, cyfaill acquaintance

cydnabyddedig *ans* a gydnabyddir; enwog acknowledged, recognized

cydnabyddiad *eg* (cydnabyddiadau) CYFRAITH derbyniad neu gyfaddefiad fod rhywbeth yn wir neu'n ddilys; addefiad, cyffes acknowledgement

cydnabyddiaeth *eb*
 1 addefiad, cydnabyddiad acknowledgement, recognition
 2 tâl am wasanaeth; diolch, gwerthfawrogiad appreciation
 3 CYFRAITH yr elfen o les neu o golled sy'n gwahaniaethu rhwng contract (a'i rym cyfreithiol) ac addewid (nad oes iddo'r un grym cyfreithiol) consideration

cydnabyddus *ans* cydnabyddedig, a gydnabyddir acknowledged

cydnaws *ans*
1 rhwydd ei dderbyn neu fod yn ei gwmni; cartrefol, cyfeillgar, cyfforddus compatible, congenial
2 yn gweddu i rywbeth arall, mewn cytgord, *Dyw'r llenni coch llachar yna ddim yn gydnaws â gweddill yr ystafell.*; cydweddol compatible

cydnerth *ans*
1 cryf ac chryno; cadarn, grymus, nerthol solid, strong
2 (am rywun) llydan a phraff; cyhyrog burly, strapping, thickset

cydoddef *be* [cydoddef•¹] (am ŵr neu wraig yn enwedig) maddau neu ddiystyru trosedd (e.e. godineb) to condone, to forgive

cydoesi *be* [cydoes•¹] byw ar yr un pryd â, byw yn yr un cyfnod â, bod yn gyfoes (~ â) to be a contemporary

cydoesol *ans* yn byw ar yr un adeg neu yn yr un cyfnod â rhywun neu rywbeth contemporary

cydoeswr *eg* (cydoeswyr) cyfoedwr, cyfoeswr contemporary

cydol *eg* fel yn yr ymadrodd *drwy gydol y dydd*, y cyfan oll, i gyd; crynswth, cwbl, cyfan the whole

cydorwedd *be* [cydorwedd•¹ *3 un. pres.* cydorwedd/cydorwedda; *2 un. gorch.* cydorwedd/cydorwedda] gorwedd ynghyd; cael cyfathrach rywiol; ymgydio (~ â *rhywun/ rhywbeth*; ~ **ar**) to lie side by side, to sleep together

cydorweddol *ans* cydffurfiadwy; (am ddilyniant o greigiau) yn dilyn ei gilydd heb unrhyw fylchau neu unrhyw fylchau amlwg conformable

cydosod *be* [cydosod•¹] gosod ynghyd, ffitio darnau at ei gilydd to assemble

cydosodiad *eg* (cydosodiadau) y broses o gydosod darnau, canlyniad cydosod assembling, assembly

cydradd *ans* (cydraddolion) o'r un radd; cyfartal, cyfwerth, cystal, hafal (~ â) equal
Sylwch: nid yw'n cael ei gymharu.

cydraddoldeb *eg* y cyflwr neu'r stad o fod yn gyfartal, o fod o'r un gwerth neu o gael eich trin yr un fath; cydbwysedd, cyfartaledd equality, parity

cydraddolion *ell* rhai cydradd equals

cydraddolwr *eg* (cydraddolwyr) un sy'n credu mewn cydraddoldeb cymdeithasol, gwleidyddol ac economaidd i bob unigolyn egalitarian

cydran *eb* (cydrannau)
1 un darn sy'n rhan o gyfanwaith (peiriant, system, etc.); elfen component
2 MATHEMATEG un o ddau neu ragor o rymoedd, cyflymderau neu fectorau eraill yn gweithredu mewn cyfeiriadau gwahanol ond sydd, gyda'i gilydd, yn gywerth ag un fector penodol component

cydraniad *eg* (cydraniadau)
1 MATHEMATEG dadansoddiad o fector i ddau (neu ragor) o fectorau y mae'n gyfanswm ohonynt resolution
2 eglurder testun neu graffeg ar sgrin neu ar bapur resolution

cydrannol *ans*
1 am rywbeth sy'n gydran component
2 MATHEMATEG am gydrannau fector resolved

cydrannu *be* [cydrann•¹⁰]
1 CEMEG rhannu cyfansoddyn neu gymysgedd racemig i'w rannau cydrannol to resolve
2 MATHEMATEG dadansoddi fector i ddau (neu ragor) o fectorau y mae'n gyfanswm ohonynt to resolve
3 FFISEG (am ddyfais optegol) gwahaniaethu rhwng dau wrthrych mewn delwedd, e.e. rhwng dwy seren agos a welir drwy delesgop to resolve
Sylwch: dyblwch yr 'n' ym mhob ffurf ac eithrio yn y rhai sy'n cynnwys -as-.

cydrannydd *eg* (cydranyddion) MEDDYGAETH cyffur neu sylwedd sy'n llwyddo i liniaru llid resolvent

cydred gw. cydredol

cydredeg *be* [cydred•¹]
1 digwydd yr un pryd â rhywbeth arall; cyd-ddigwydd (~ *rhywbeth* â) to coincide
2 gorwedd ochr yn ochr â rhywbeth to run alongside

cydredol:cydred *ans* yn digwydd yr un pryd â rhywbeth arall cysylltiedig concurrent, concomitant

cydredwr *eg* (cydredwyr) (mewn criced) chwaraewr sy'n rhedeg yn lle aelod o'i dîm sy'n batio ond yn methu rhedeg oherwydd anaf runner

cydreoli *be* [cydreol•¹] rheoli ar y cyd to rule jointly

cydryw *ans* o'r un rhyw, o'r un natur; homogenaidd homogeneous
Sylwch: nid yw'n cael ei gymharu.

cydrywiaeth *eb* y cyflwr neu'r ansawdd o fod yn gydryw; homogenedd homogeneity

cydsafiad *eg* (cydsafiadau) safiad ar y cyd, yn enwedig ym maes polisi neu egwyddor joint stance

cydsefyll *be* [cydsaf•³] sefyll gyda'i gilydd, yn gorfforol neu'n ffigurol (~ â) to stand together

cydseiniad *eg* (cydseiniadau) y cyflwr o fod yn gydseiniol concord

cydseinio *be* [cydseini•²] seinio ynghyd, bod yn gytgord gyda'i gilydd; cydganu, cydgordio (~ â) to be in harmony

cydseiniol *ans* am rywrai neu bethau yn cydseinio harmonious

cydsgyrsiwr *eg* (cydsgyrswyr) un sy'n cymryd rhan mewn deialog neu ymgom interlocutor

cydsoddi *be* [cydsodd•¹] cyfuno busnesau neu gwmnïau wrth i un lyncu'r llall neu'r lleill (~ *rhywbeth* â) to merge

cydsoddiad *eg* (cydsoddiadau) canlyniad cyfuno gwirfoddol dau fusnes neu gwmni merger

cydsylweddiad *eg* CREFYDD yr athrawiaeth (Anglicanaidd) fod sylwedd y bara a'r gwin, yn dilyn eu cysegriad yng ngwasanaeth yr offeren, yn cydfodoli â sylwedd corff a gwaed Crist (ond heb gael eu traws-sylweddu fel y deil athrawiaeth yr Eglwys Gatholig Rufeinig) consubstantiation

cydsymud *be* [cydsymud•¹] symud neu weithio cytbwys ac effeithiol sy'n deillio o gydweithio llyfn, symud fel un (~ â) to coordinate

cydsymudiad *eg* (cydsymudiadau) y gallu i reoli symudiadau'r corff yn dda coordination

cydsyniad *eg* (cydsyniadau)
1 cytundeb â beth y mae rhywun arall yn ei wneud; caniatâd, cymeradwyaeth agreement, consensus, consent
2 cytundeb gwirfoddol ymhlith pobl i osod trefn ar gymdeithas a chaniatáu awdurdod i lywodraethu; bodlonedb, cytgord consent

cydsynio:cydsynied *be* [cydsyni•⁶]
1 bod yn unfryd, bod o'r un farn; ategu, cyd-fynd, cyd-weld, cytuno (~ â) to agree, to assent
2 rhoi caniatâd i rywbeth ddigwydd to consent

cyduniad *eg* (cyduniadau) anastomosis; uniad dau organ tiwbaidd (neu ddwy ran o'r un organ) yn y corff, e.e. ailgysylltu'r coluddyn ar ôl torri darn clwyfedig i ffwrdd anastomosis

cydwaed¹ *ans* o'r un waedoliaeth, yn perthyn o ran gwaed consanguine

cydwaed² *eg* rhywun o'r un tras neu waedoliaeth kinsman

cydwastad *ans* ar yr un gwastad â (rhywbeth) level, level with

cydwedd *ans* FFISEG (am donffurfiau) yn meddu ar yr un amledd, ac mae brigau a chafnau'r tonnau'n cyfateb yn union in phase

cydweddiad *eg* (cydweddiadau)
1 cyfatebiaeth mewn rhai agweddau rhwng pethau, sydd fel arall yn wahanol i'w gilydd; cyfatebiaeth, cymhariaeth, cytundeb, tebygrwydd analogy
2 GRAMADEG y modd y llunnir geiriau ar sail eu tebygrwydd i eiriau eraill, e.e. *e-byst* ar sail tebygrwydd 'post' yn 'e-bost' i ffurf luosog 'post:postyn' analogy

cydweddol *ans* BIOLEG tebyg o ran swyddogaeth ond â tharddiad esblygol gwahanol, *Mae adenydd aderyn a phryfed yn gydweddol.* analogous

cydweddu *be* [cydwedd•¹] dilyn yr un patrwm;

cydymffurfio, cyfateb, cytuno, ymdebygu (~ â) to conform

cydweithio *be* [cydweithi•²] gweithio gyda rhywun neu rywrai; cyd-dynnu, cydweithredu (~ â/gyda) to collaborate, to cooperate

cyd-weithiwr *eg* (cyd-weithwyr) rhywun yr ydych chi'n gweithio gydag ef neu hi colleague, fellow-worker

cydweithrediad *eg* y broses o weithio gydag eraill tuag at ddiben cyffredin cooperation, collaboration

cydweithredol *ans*
1 yn cydweithredu, yn gweithio gyda'i gilydd, ar y cyd collaborative, cooperative
2 (mewn busnes) am gwmni, busnes, fferm, etc., sy'n eiddo i'r rhai sy'n gweithio i'r cwmni neu i'r rhai sy'n ei gyflenwi, e.e. amaethwyr; cyfrannol cooperative

cydweithredu *be* [cydweithred•¹] (mewn busnes neu gymdeithas) gweithio gydag eraill tuag at ryw ddiben cyffredin; cyd-dynnu, cydweithio (~ â) to collaborate, to cooperate

cydweithredwr *eg* (cydweithredwyr) un sy'n gweithio ar y cyd â rhywun arall cooperator, collaborator

cyd-weld *be* [cydwel•⁴] bod yn unfryd; cyd-fynd, cydsynio, cytuno (~ â *rhywun am rywbeth*) to agree, to see eye to eye

cydwelediad *eg* cytundeb wedi'i gyrraedd yn dilyn trafodaethau (rhwng rhai a fu'n anghytuno) agreement

cydwladol *ans* yn perthyn i nifer o wledydd neu genhedloedd gyda'i gilydd; byd-eang, rhyngwladol international

cyd-wladwr *eg* (cyd-wladwyr) brodor o'r un wlad â chi compatriot, fellow-countryman

cydwybod *eb* teimlad mewnol sy'n dweud wrth rywun a yw'r hyn y mae'n ei wneud yn foesol dda neu'n ddrwg ac sy'n peri, o ganlyniad, i'r unigolyn hwnnw deimlo'n euog neu'n fodlon conscience, compunction

cydwybodol *ans* am rywun sy'n gwrando ar lais ei gydwybod ac o ganlyniad yn gwneud ei orau glas; cyfrifol, diwyd, gofalus, ymroddedig conscientious

gwrthwynebwr cydwybodol un sy'n gwrthwynebu gwasanaethu yn y lluoedd arfog ar sail cydwybod conscientious objector

cydwybodolrwydd *eg* cyflwr un sy'n dra chydwybodol conscientiousness

cydwyr *ell* lluosog **cydiwr**

cydymaith *eg* (cymdeithion)
1 un sy'n cadw cwmni i rywun, sy'n cyd-deithio â rhywun; cwmnïwr, cyd-deithiwr, cyfaill, cymar companion
2 teitl i lawlyfr neu arweinlyfr i faes arbennig guide, companion

cydymdeimlad *eg* tosturi neu drugaredd tuag at rywun arall sympathy, commiseration

cydymdeimlo *be* [cydymdeiml•¹] teimlo tosturi dros rywun arall; datgan eich cydymdeimlad tuag at rywun, *Cofia anfon carden i gydymdeimlo â Mrs Evans.*; tosturio, trugarhau (~ *â rhywun am rywbeth*) to sympathize, to commiserate

cydymdrech *eg* (cydymdrechion) ymdrech unol a chytûn joint effort

cydymdreiddiad *eg* y broses o gydymdreiddio; cyd-dreiddiad interpenetration

cydymdreiddio *be* [cydymdreiddi•²] ymdreiddio i'w gilydd (~ *â*) to interpenetrate

cydymffurfiad *eg* y broses o gymhwyso eich gweithredoedd yn ôl dymuniad rhywun arall, rheolau neu reidrwydd compliance, conformity

cydymffurfiaeth *eb* cydymffurfiad, yn enwedig mewn perthynas â threfn neu sefydliad eglwysig conformity

cydymffurfio *be* [cydymffurfi•²]
1 ymddwyn fel y mae pobl eraill yn disgwyl i chi wneud; cydweddu, ymdebygu (~ *â*) to conform
2 ymffurfio mewn ffordd sy'n cyfateb i rywbeth neu bethau eraill; cydweddu, ymdebygu to conform
3 derbyn a dilyn trefn yr Eglwys Sefydledig to conform

cydymgeisio *be* [cydymgeisi•²] ymgeisio ar y cyd (~ *am*; ~ *i*) to attempt jointly

cydymgeisydd *eg* (cydymgeiswyr) un sy'n ceisio am rywbeth yn erbyn ymgeiswyr eraill; un sy'n ymgeisio ar y cyd ag eraill; cystadleuydd, gwrthwynebydd rival, joint candidate

cydymgynghori *be* [cydymgynghor•¹] dod ynghyd i rannu barn, i gyd-drafod, i ymgynghori (~ *â*) to consult, to confer

cydynnau *ell* lluosog **cwdyn**

cyddwysedig *ans* wedi'i gyddwyso condensed

cyddwysiad *eg*
1 y broses lle mae nwy neu anwedd yn troi'n hylif; y dafnau o wlybaniaeth sy'n cael eu cynhyrchu wrth i nwy droi'n hylif condensation
2 CEMEG adwaith lle mae moleciwlau'n cyfuno ond, wrth wneud hynny, yn aml yn gollwng un moleciwl syml, e.e. dŵr, ac yn creu moleciwl newydd cymhleth condensation

cyddwyso *be* [cyddwys•¹] achosi cyddwysiad, troi'n ddŵr (~ *ar*) to condense

cyddwysydd *eg* (cyddwysyddion) CEMEG offeryn labordy a ddefnyddir i oeri anwedd yn gyflym er mwyn ei droi'n hylif condenser

cyf. *byrfodd*
1 cyfeiriad ref. (reference)
2 cyfrol vol.

Cyf. *byrfodd* cyfyngedig Ltd.

cyfadeilad *eg* (cyfadeiladau) un adeilad neu leoliad wedi'i greu o rannau unigol neu gydrannau wedi'u cydgysylltu building complex

cyfadran *eb* (cyfadrannau)
1 cangen neu faes cyffredinol o wybodaeth neu ddysg (yn enwedig mewn prifysgol), *Cyfadran y Gyfraith, Cyfadran Gwyddoniaeth* faculty
2 cyfuniad o nifer o adrannau faculty

cyfaddas *ans* yn ateb y diben; amserol, cymwys, dyladwy, pwrpasol suitable

cyfaddasiad *eg* (cyfaddasiadau)
1 newid i ateb diben; addasiad adaptation
2 drama neu ffilm wedi'i haddasu o waith ysgrifenedig; addasiad adaptation

cyfaddasrwydd *eg* y graddau y mae rhywbeth yn addas, yn ateb y diben; addasrwydd, gwedduster, priodoldeb suitability

cyfaddasu *be* [cyfaddas•³]
1 newid i ateb diben; adnewid, addasu, cymhwyso to adapt
2 addasu gwaith ysgrifenedig i'w droi'n ffilm neu'n ddrama to adapt

cyfaddawd *eg* (cyfaddawdau) cytundeb sy'n deillio o barodrwydd pob ochr mewn anghydfod i aberthu rhywbeth; cymod, cymrodedd compromise

cyfaddawdu *be* [cyfaddawd•¹] dod i gytundeb drwy beidio â hawlio'r cyfan y byddech yn hoffi ei gael a thrwy ganiatáu i eraill gael rhai o'r pethau y maen nhw'n eu hawlio; cymodi (~ *â*) to compromise

cyfaddef *be* [cyfaddef•¹ 3 *un. pres.* cyfeddyf/ cyfaddef/cyfaddefa; 2 *un. gorch.* cyfaddef/ cyfaddefa] cydnabod neu addef bai neu wendid; cyffesu, derbyn (~ *rhywbeth* **wrth** *rywun*) to admit, to confess, to concede

cyfaddefiad *eg* (cyfaddefiadau)
1 cydnabyddiaeth o fai neu wendid; addefiad, cyffes admission, confession
2 CYFRAITH cydnabyddiaeth ysgrifenedig o euogrwydd gan rywun sydd wedi cael ei gyhuddo o drosedd, ple o euogrwydd; cyffesiad confession

cyfagos *ans* agos o ran amser neu le, heb fod ymhell, yn ffinio neu'n cyffwrdd â'i gilydd, ar bwys, ar gyfyl; ger, gerllaw adjoining, close, contiguous
Sylwch: nid yw'n cael ei gymharu.

ongl gyfagos gw. **ongl**

cyfagosrwydd *eg* y cyflwr o fod yn gyfagos contiguity

cyfangiad *eg* (cyfangiadau) y weithred o gyfangu contraction

cyfangiad y galon systol systole

cyfangol *ans* BIOLEG yn gallu cyfangu, yn gallu peri i (rywbeth) gyfangu, e.e. gwagolyn cyfangol contractile

C

cyfangu *be* [cyfang•¹]

1 mynd yn llai o ran maint, *Mae metel poeth yn cyfangu wrth oeri.* to contract

2 (am gyhyr) mynd yn fyrrach ac yn dynnach er mwyn achosi i ran o'r corff symud to contract

cyfaill *eg* (cyfeillion)

1 rhywun yr ydych yn hoff o'i gwmni ac sy'n rhannu'r un diddordebau a hoff bethau; ffrind friend

2 cymar, cwmni, *Cyfaill gorau dyn, yn ôl rhai, yw ei gi.*; cydymaith, cymwynaswr chum, friend

3 un sy'n cynghori'n ddoeth neu sy'n cydymdeimlo, *Bu'r doctor yn gyfaill da i ni adeg salwch Dad.*; cynorthwywr friend

4 unigolyn neu gynulleidfa sy'n cael ei hannerch, *Gyfeillion, yr ydym wedi dod ynghyd . . .*

5 un nad oes angen ei ofni, un nad yw'n elyn friend

6 rhywun lled gyfarwydd nad ydych yn gwybod ei enw, *Sut gallaf fod o gymorth i chi, gyfaill?*; cydnabod friend

7 dieithryn sy'n tynnu sylw mewn ffordd ddigrif neu ffordd anffodus, *Mae ein cyfaill â'r traed mawr wedi cyrraedd eto.* friend

cyfaill calon bosom buddy

cyfain *ans* ffurf luosog cyfan

cyfaint *eg* (cyfeintiau) MATHEMATEG mesur o faint siâp tri dimensiwn volume

cyfair *gw.* cyfer

cyfalaf *eg*

1 yr arian sydd wrth gefn cwmni masnachol neu unigolyn capital

2 CYLLID cyfoeth wedi'i grynhoi gyda'r bwriad o gynhyrchu rhagor o gyfoeth; cronfa, trysorfa capital

3 CYLLID swm o arian a fenthycwyd neu a fuddsoddwyd ac y telir llog arno capital, principal
Sylwch: 'alaf', hen air am yrr o wartheg.

cyfalafiaeth *eb* cyfundrefn economaidd wedi'i seilio ar gyfoeth neu gyfalaf yn nwylo unigolion neu gwmnïau preifat (o'i chyferbynnu â chyfundrefn lle mae pob cwmni neu fusnes yn eiddo i'r wladwriaeth) capitalism

cyfalafol *ans* yn ymwneud â chyfalafiaeth, nodweddiadol o gyfalafiaeth capitalist

cyfalafwr *eg* (cyfalafwyr) un sy'n credu mewn cyfalafiaeth, perchennog cyfalaf capitalist

cyfalaw *eb* (cyfalawon) CERDDORIAETH (mewn cerdd dant) yr alaw sy'n cael ei chanu gan y llais/lleisiau, yn erbyn yr alaw a genir gan y delyn; desgant countermelody

cyfamod *eg* (cyfamodau)

1 cytundeb dwys, ffurfiol rhwng dau neu ragor o unigolion neu bleidiau, *Cyfamod oedd yr enw ar y cytundeb a luniwyd rhwng Duw a'r Iddewon, yn ôl yr Hen Destament.*; adduned, ymrwymiad covenant, contract

2 CYLLID addewid ysgrifenedig i dalu swm o arian yn flynyddol i eglwys, elusen, etc. covenant

cyfamodi *be* [cyfamod•¹]

1 addo talu swm o arian y flwyddyn am nifer o flynyddoedd i eglwys, elusen, etc. to covenant

2 CYFRAITH gwneud cyfamod â rhywun neu ynglŷn â rhywbeth; addo, addunedu, ymrwymo (~ **i**) to contract

cyfamodwr *eg* (cyfamodwyr)

1 un sy'n cyfamodi covenanter

2 *hanesyddol* cefnogwr Cyfamod yr Ysgotiaid i amddiffyn Eglwys Bresbyteraidd yr Alban rhag cael ei llywodraethu gan esgobion covenanter

cyfamser *eg*

1 y cyfnod neu'r ysbaid rhwng dau bwynt mewn amser meantime

2 cyfnod neu ysbaid penodedig o amser pan fu neu pan fydd rhywbeth arall yn digwydd; egwyl meanwhile

cyfamserol *ans* yn gweithredu neu'n digwydd ar yr un pryd; amserol, cydamserol, cyfoed, cyfoes concurrent

cyfan¹ *eg* yr hyn a gewch ar ôl adio popeth at ei gilydd, bob dim, y cwbl; crynswth, popeth, swm total, whole

ar y cyfan wedi ystyried popeth on the whole
wedi'r cyfan after all

cyfan² *ans* (cyfain) heb ei dorri neu heb ei rannu, *Diflannodd oriel gyfan o luniau yn y terfysg.*; anrhanedig, crwn, cyflawn, difreg complete, whole

cyfan gwbl heb ddim yn eisiau, hollol gyfan, i gyd; llwyr entire

cyfandir *eg* (cyfandiroedd) un o saith prif raniad tiroedd y Ddaear, sef Awstralia, Affrica, De America, Gogledd America, Yr Antarctig, Ewrop ac Asia (nid yw'r Arctig yn gyfandir) continent

y Cyfandir Ewrop o'i chyferbynnu â Phrydain, *Rydym yn mynd i'r Cyfandir ar ein gwyliau eleni.* the Continent

cyfandirol *ans*

1 yn perthyn i gyfandir, nodweddiadol o gyfandir continental

2 Ewropeaidd o'i gyferbynnu â Phrydeinig continental

cyfanfyd *eg* y byd i gyd; bydysawd, cread, creadigaeth, hollfyd the whole world

cyfanheddu *be* [cyfanhedd•¹¹] meddiannu lle anghyfannedd, diffaith er mwyn byw ynddo, gwneud cartref; preswylio, trigo, ymgartrefu, ymsefydlu to inhabit, to settle
Sylwch: cyfanhedd- a geir ym mhob ffurf ac eithrio yn y rhai sy'n cynnwys *-as-*.

cyfanheddwr *eg* (cyfanheddwyr) un sy'n cyfanheddu; anheddwr, gwladychwr, ymsefydlwr settler

cyfaniad *eg* (cyfaniadau) y broses o gyfannu, canlyniad cyfannu integration

cyfannedd *eg* (cyfanheddau)
1 man i breswylio neu i fyw ynddo; anheddfa, annedd, preswylfa dwelling, dwelling place
2 tir wedi'i feddiannu er mwyn byw yno (o'i wrthgyferbynnu â thir diffaith) habitation

cyfannol *ans*
1 angenrheidiol i wneud rhywbeth yn gyfan neu'n gyflawn integral
2 yn cyfannu neu wedi'i gyfannu, *cylched gyfannol* integrated
3 MEDDYGAETH yn ystyried yr unigolyn cyfan, gorff a meddwl, wrth drin afiechyd holistic

cyfannu *be* [cyfann•¹⁰]
1 gwneud yn gyfan neu'n gyflawn; cwblhau, cymathu, integreiddio to make whole
2 tynnu at ei gilydd; asio, uno to join, to unite, to integrate
   Sylwch: dyblwch yr 'n' ym mhob ffurf ac eithrio yn y rhai sy'n cynnwys -*as*-.

cyfanrif *eg* (cyfanrifau) MATHEMATEG rhif cyfan heb ffracsiwn na degolyn dros ben, *Mae 3 yn gyfanrif, nid felly 3¹/₂ na 3.7, mae −2 a 0 hefyd yn gyfanrifau* integer, whole number

cyfanrifol *ans* MATHEMATEG yn ymwneud â chyfanrifau, *gwerthoedd cyfanrifol* integer

cyfanrwydd *eg* y cyflwr neu'r stad o fod yn gyfan heb ddim yn eisiau; crynswth, cyfanswm, cyflawnder totality, wholeness, integrity

cyfansawdd *ans* (cyfansoddion) wedi'i lunio neu ei ffurfio o ddau neu ragor o ddarnau neu o ddefnyddiau unigol; cyfun, cymysg compound, composite
   gair cyfansawdd gair sydd wedi'i lunio o ddwy ran (amlwg), e.e. *blaenllaw, bochgoch, wythnos* compound word

cyfansoddi *be* [cyfansodd•¹] ysgrifennu darn gwreiddiol o lenyddiaeth neu gerddoriaeth; creu, dyfeisio, gwneud to compose

cyfansoddiad *eg* (cyfansoddiadau)
1 rhywbeth sy'n cael, neu sydd wedi cael, ei gyfansoddi, e.e. darn o farddoniaeth, llenyddiaeth neu gerddoriaeth composition
2 y dull neu'r ffordd y mae rhywbeth wedi cael ei gyfansoddi neu ei ffurfio; adeiladwaith, ffurfiad, gwneuthuriad, lluniad composition
3 cyflwr neu gryfder corff dyn constitution
4 yr egwyddorion neu'r rheolau ffurfiol sy'n sail i drefn a chyfraith cymdeithas, talaith, cenedl neu wladwriaeth; deddfau, rheolau constitution

Cyfansoddiadau *ell* LLENYDDIAETH sef *Cyfansoddiadau a Beirniadaethau* Eisteddfod Genedlaethol Cymru, cyfrol flynyddol sy'n cynnwys cyfansoddiadau arobryn y cystadlaethau ysgrifenedig

cyfansoddiadol *ans*
1 yn perthyn i'r ffordd y mae cymdeithas arbennig, neu wlad, yn cael ei rheoli; yn cadw at y rheolau; cyfreithiol constitutional
2 yn ymwneud â'r ffordd y mae rhywbeth wedi cael ei greu compositional

cyfansoddion *ell* lluosog **cyfansoddyn**; ffurf luosog **cyfansawdd**

cyfansoddol *ans* yn cyfrannu at lunio peth cyfan component, constituent

cyfansoddwr *eg* (cyfansoddwyr) un sy'n cyfansoddi, yn enwedig un sy'n cyfansoddi darnau o gerddoriaeth composer

cyfansoddyn *eg* (cyfansoddion) CEMEG sylwedd cemegol wedi'i ffurfio drwy gyfuno dwy neu ragor o elfennau cemegol mewn ffordd reolaidd, *Mae dŵr yn gyfansoddyn wedi'i ffurfio drwy gyfuno hydrogen ac ocsigen.* compound

cyfanswm *eg* (cyfansymiau) MATHEMATEG yr ateb a gewch ar ôl adio nifer o rifau neu werthoedd, *Cyfanswm 1, 2 a 3 yw 6, cyfanswm 5 cm a 3 cm yw 8 cm;* swm sum, total

cyfanwaith *eg* (cyfanweithiau) gwaith cyflawn a gorffenedig sy'n ffurfio uned berffaith allan o'r darnau a gafodd eu defnyddio i'w wneud; undod complete composition

cyfanwerthol *ans* yn ymwneud â chyfanwerthu wholesale

cyfanwerthu *be* [cyfanwerth•¹] gwerthu nwyddau yn eu crynswth, sef gwerthu llawer o'r un peth i siopwr (sef y mân-werthwr neu'r adwerthwr) a fydd yn eu gwerthu fesul un i'r cyhoedd (~ *rhywbeth am*) to sell wholesale

cyfanwerthwr *eg* (cyfanwerthwyr) cwmni sy'n cyflenwi nwyddau i siopau a mân-werthwyr wholesaler

cyfarch¹ *eg* (cyfarchion)
1 y geiriau a'r ystumiau, sydd fel arfer yn mynegi pleser a chroeso, a ddefnyddir wrth gyfarfod â rhywun; croeso, cyfarchiad greeting
2 cyflwyniad llafar i gynulleidfa neu grŵp; anerchiad address

cyfarch² *be* [cyfarch•³ 3 *un. pres.* cyfarch/cyfarcha] siarad neu annerch rhywun wrth ei gyfarfod, fel arfer i fynegi pleser, croeso neu ddymuniadau da; croesawu, saliwtio (~ *rhywun wrth ei enw*) to greet, to address
   cyfarch gwell dymuno'n dda, croesawu to greet

cyfarchiad *eg* (cyfarchiadau:cyfarchion) yr un ystyr â **cyfarch¹** greeting, salutation

cyfarchion *ell* lluosog **cyfarch¹**, dymuniadau da, *cyfarchion y tymor* greetings

cyfarchol *ans*
1 yn cyfarch greeting

2 GRAMADEG yn ymwneud â'r sawl sy'n cael ei gyfarch vocative

Sylwch: treiglir 'plant' yn *Nos da, blant!* am fod 'plant' yn gyfarchol.

cyfaredd *eb* (cyfareddau) atyniad dirgel sy'n hudo'r synhwyrau; dewiniaeth, hudoliaeth, lledrith, swyngyfaredd charisma, charm, enchantment

cyfareddol *ans* yn hudo'r synhwyrau; hudolus, lledrithiol, swynol magical, captivating, enchanting

cyfareddu *be* [cyfaredd•¹] swyngyfareddu'r synhwyrau; hudo, lledrithio, rheibio, swyno (~ *rhywun* â) to charm, to captivate, to enchant

cyfarfod¹ *be* [²⁰ 3 *un.dyfodol* cyferfydd; 2 *un. gorch.* cyferfydd]

1 dod ynghyd, dod wyneb yn wyneb â rhywun, weithiau ar ddamwain, weithiau yn ôl rhyw drefniant; cwrdd, ymgasglu, ymgynnull to meet

2 cyffwrdd â (rhywun neu rywbeth), *Mae'r ddwy linell yn cyfarfod yma.* to touch

3 dod i adnabod am y tro cyntaf, *Dewch i'r clwb i gyfarfod â rhai o'r aelodau.* to meet

4 ateb cais neu hawl, *Rwy'n gobeithio y bydd cymaint â hyn o fara yn ddigon i gyfarfod â'r angen.*; bodloni to meet

5 bod mewn man arbennig ar adeg y bydd rhywun neu rywbeth yn cyrraedd (~ â) to meet

Sylwch: defnyddiwch ffurf gwmpasog y ferf 'Rwy'n cyfarfod', etc., i gyfleu'r amser presennol.

cyfarfod² *eg* (cyfarfodydd)

1 cynulliad o bobl sydd wedi dod ynghyd at ryw ddiben arbennig, e.e. i gydaddoli neu i wrando ar ddarlith; cwrdd, oedfa, pwyllgor, sesiwn meeting

2 dyfodiad ynghyd, *man cyfarfod dwy linell*; cyfarfyddiad meeting

cyfarfyddiad *eg* (cyfarfyddiadau) yr hyn sy'n digwydd wrth i ddau ddod ynghyd neu gyfarfod; aduniad, cwrdd, cyfarfod meeting

cyfarganfod *be* [²⁰] SEICOLEG canfod drwy'r meddwl, deall drwy brofiadau (a brofwyd o'r blaen) to apperceive

cyfarpar *eg* offer angenrheidiol at ryw ddiben neu bwrpas arbennig; adnoddau, celfi, deunyddiau, offer equipment, apparatus

cyfarparu *be* [cyfarpar•³] cyflenwi â nwyddau priodol ac angenrheidiol (~ *rhywun* â) to equip

cyfartal *ans*

1 o'r un rhif neu o'r un nifer neu o'r un maint; cydradd, cyfwerth, cystal, hafal (~ â) equal

2 yn rhannu'r un statws; cyfatebol, cyfurdd equal

3 GRAMADEG am ffurf gymariaethol ansoddair sy'n cyfleu'r tebygrwydd rhwng dau neu ragor (o bethau neu bobl), e.e. *mor ysgafn â phluen, cyn ddued â'r frân* equative

cyfle cyfartal gw. **cyfle**

gêm gyfartal gêm lle mae'r ddau dîm yn cael yr un sgôr drawn game

cyfartaledd *eg* (cyfartaleddau)

1 y cyflwr o fod yn gyfartal; cydraddoldeb equality

2 safon sy'n cael ei derbyn fel un arferol neu gyffredin average

3 MATHEMATEG mesur ystadegol, e.e. canolrif, cymedr neu fodd, sy'n adnabod gwerth unigol sy'n nodweddiadol o ddosraniad cyfan; canolduedd average, central tendency

Sylwch: mae tuedd i gymysgu rhwng y geiriau 'cymedr' a 'cyfartaledd'. Mae'n gywir dweud 'Cymedr 3, 8 a 10 yw 7' ond nid 'Cyfartaledd 3, 8 a 10 yw 7' er mai hynny a glywir yn aml

ar gyfartaledd ar ôl pwyso a mesur, ar y cyfan on average

cyfartaleddu *be* [cyfartaledd•¹] cyrraedd cyfartaledd to average

cyfartalog *ans* hafal i gyfartaledd rhifyddol nifer o rifau (neu feintiau) average

cyfarth¹ *eg* y sŵn a wneir gan gi; cyfarthiad bark

cyfarth² *be* [cyfarth•³ 3 *un. pres.* cyfarth/cyfartha]

1 gwneud sŵn cras (gan amlaf am gi) (~ **ar**) to bark, to yelp

2 gwneud sŵn cras, sydyn, bygythiol yn debyg ei effaith i gyfarthiad ci, gweiddi'n gas to bark

cyfarth gyda'r cŵn a rhedeg gyda'r cadno am rywun sy'n ceisio plesio'r ddwy ochr mewn achos o anghytundeb, a hynny er ei les ei hun, drwy ddweud celwyddau, Sioni bob ochr; how da'r ci a hwi da'r cadno to run with the fox and to hunt with the hounds

cyfarthiad *eg* (cyfarthiadau) un o'r gyfres o gyfarthiadau a geir gan gi; sŵn tebyg i gyfarth ci; cyfarth bark

cyfarwydd¹ *ans*

1 adnabyddus, a adnabyddir yn dda; cynefin, enwog, hysbys (~ â) familiar

2 yn adnabod yn dda, *Rwy'n hen gyfarwydd â gyrru un o'r rhain.*; hyfedr, medrus familiar

cyfarwydd² *eg* (cyfarwyddiaid) LLENYDDIAETH gŵr a fyddai'n ennill ei fywoliaeth drwy adrodd chwedlau a storïau; storïwr proffesiynol storyteller, raconteur, skald

cyfarwydd-deb *eg* y graddau y mae rhywun yn gyfarwydd â rhywun neu rywbeth familiarity

cyfarwyddeb *eb* (cyfarwyddebau) cyfarwyddyd neu orchymyn gan gorff neu swyddog a chanddo awdurdod directive

cyfarwyddiadur *eg* (cyfarwyddiaduron) llyfr ymchwil mewn rhyw faes neu feysydd o wybodaeth, sydd, fel arfer, yn rhestru enwau a chyfeiriadau pobl yn nhrefn yr wyddor; arweinlyfr, cyfeiriadur, cyfeirlyfr directory

cyfarwyddiaeth *eb*
  1 swydd, dyletswyddau a chyfrifoldebau
  cyfarwyddwr, nodweddion a phriodoleddau
  cyfarwyddwr directorship
  2 adran, yn enwedig mewn llywodraeth leol,
  sy'n gyfrifol am faes penodol directorate
cyfarwyddo *be* [cyfarwydd•¹]
  1 cynghori ynglŷn â beth i'w wneud a sut i'w
  wneud, *Roedd ôl cyfarwyddo gofalus ar y
  perfformiad.*; addysgu, arwain, hyfforddi,
  tywys to direct
  2 dangos y ffordd a rheoli, *cyfarwyddo traffig*;
  arolygu, cyfeirio, goruchwylio, llywio
  to direct
  3 dod yn gyfarwydd â (rhywun neu rywbeth);
  arfer, cynefino (~ â) to become accustomed to
cyfarwyddwr *eg* (cyfarwyddwyr)
  1 un sy'n cyfarwyddo neu'n llywio corff neu
  wasanaeth arbennig; arweinydd, pennaeth
  director
  2 un sy'n arwain ac yn hyfforddi grŵp o bobl;
  hyfforddwr director
  3 un o fwrdd neu grŵp sy'n gyfrifol am redeg
  cwmni masnachol; rheolwr director
  4 un sy'n gyfrifol am gyfarwyddo drama neu
  ffilm, yn enwedig yr unigolyn sy'n rheoli'r rhai
  sy'n actio ac yn trin y camerâu director
cyfarwyddwraig *eb* merch neu wraig
  sy'n cyfarwyddo neu'n cyflenwi swydd
  cyfarwyddwr director (female)
cyfarwyddyd *eg* (cyfarwyddiadau)
  1 cyngor ynglŷn â beth i'w wneud a sut
  i'w wneud; arweiniad, briff, canllaw, rheol
  direction, instruction, briefing, rubric
  2 LLENYDDIAETH un o chwedlau'r cyfarwydd;
  chwedl, hanes, stori
  3 corff o wybodaeth draddodiadol;
  chwedloniaeth, hanes, traddodiad guidance
cyfateb *be* [cyfateb•¹ 3 *un. pres.* cyfetyb/
  cyfateba; 2 *un. gorch.* cyfateb/cyfateba] ateb i
  rywbeth arall drwy fod yn gytbwys ag ef neu
  o'r un gwerth ag ef, *Roedd ewro'n cyfateb i 83c
  yn 2014.*; cydweddu, cydymffurfio, ymdebygu
  (~ i) to correspond, to tally
cyfatebiaeth *eb* (cyfatebiaethau) yr hyn
  sy'n gwneud i un peth gyfateb i rywbeth
  arall, y cyflwr o fod yn debyg i rywbeth
  arall; cydweddiad, cymhariaeth, cytundeb,
  tebygrwydd correspondence, analogy,
  equivalence
cyfatebol *ans* yn cyfateb; cyfartal, cyffelyb,
  hafal, tebyg corresponding
  Sylwch: nid yw'n cael ei gymharu.
  ongl gyfatebol gw. ongl
cyfatebolrwydd *eg* y cyflwr o fod yn gyfatebol
  correspondence, analogy
cyfath *ans* MATHEMATEG (am siapiau) union yr

un fath o ran maint a ffurf, *trionglau cyfath*
congruent
  Sylwch: nid yw'n cael ei gymharu.
cyfathiant *eg* (cyfathiannau) MATHEMATEG
  y cyflwr o fod yn gyfath congruence
cyfathrach *eb* (cyfathrachau) cyfnewidiad
  syniadau neu weithredoedd rhwng pobl;
  cyfeillach, cysylltiad, perthynas, ymwneud
  intercourse
  cyfathrach rywiol yr uno corfforol rhwng dyn
  a gwraig sy'n gallu arwain at feichiogrwydd a
  chael baban coitus, sexual intercourse
cyfathrachu *be* [cyfathrach•³]
  1 bod yn gyfeillgar â phobl ac ymwneud â nhw;
  cyfeillachu, cymdeithasu (~ â) to mix
  2 ymgydio; cael cyfathrach rywiol; cydio
  to have sexual intercourse
cyfathrebu *be* [cyfathreb•¹] rhannu newyddion,
  syniadau, gwybodaeth, teimladau, etc., rhwng
  dau berson, e.e. mam yn cyfathrebu â'i babi,
  neu drwy gyfrwng y radio, y teledu, y papurau
  newydd a'r Rhyngrwyd; dweud, gohebu,
  mynegi, ymgomio (~ â) to communicate
cyfbilen *eb* (cyfbilennau) ANATOMEG y bilen
  y tu mewn i amrant y llygad sydd hefyd yn
  gorchuddio tu blaen pelen y llygad conjunctiva
cyfdro *eg* (cyfdroeon) sefyllfa, gweithred
  neu ddatganiad i'r gwrthwyneb i un arall;
  gwrthwyneb converse
cyfddydd *eg* *llenyddol* toriad dydd, glas y dydd, y
  bore bach; gwawr dawn, daybreak
cyfeb *ans* (am gaseg neu ddafad) beichiog
  pregnant (mare, ewe etc.)
  Sylwch: nid yw'n cael ei gymharu.
cyfebron *ell* mwy nag un ddafad, gaseg, etc. ag
  epil ynddi
cyfebru *be* [cyfebr•¹] ffrwythloni'r fenyw gan
  hwrdd, tarw, march, etc. to impregnate
cyfechelog *ans* yn rhannu'r un echelin coaxial
  cebl cyfechelog cebl yn cynnwys tiwb o
  ddefnydd sy'n dargludo trydan yn amgáu
  dargludydd canolog ond wedi'i ynysu rhagddo;
  fe'i defnyddir i drosglwyddo signalau amledd
  uchel coaxial cable
cyfeddach¹ *be* yfed a bwyta'n helaeth;
  gloddesta, gwledda to carouse
  Sylwch: nid yw'r ferf hon yn cael ei rhedeg.
cyfeddach² *eb* (cyfeddachau) parti mawr â
  llawer o ddiod feddwol; gloddest, rhialtwch,
  ysbleddach carousal, party
cyfeddiannaeth *eb* y broses o gyfeddiannu;
  cyfeddiant annexation
cyfeddiannu *be* [cyfeddiann•¹⁰] CYFRAITH
  meddiannu (tiroedd brenhinol) a'u cynnwys yn
  nhiriogaeth y wladwriaeth to annex
  Sylwch: dyblwch yr 'n' ym mhob ffurf ac
  eithrio yn y rhai sy'n cynnwys -as-.

cyfeddiant *eg* (cyfeddiannau) canlyniad cyfeddiannu; cyfeddiannaeth annexation

cyfeddyf *bf* [cyfaddef] *ffurfiol* mae ef yn cyfaddef/mae hi'n cyfaddef; bydd ef yn cyfaddef/bydd hi'n cyfaddef

cyfeiliant *eg* (cyfeiliannau)
1 CERDDORIAETH cerddoriaeth offerynnol i gynnal unawdydd neu grŵp accompaniment
2 cerddoriaeth offerynnol neu leisiol sy'n cefnogi'r prif leisydd neu'r prif unawdydd, yn enwedig yng nghyd-destun cerddoriaeth boblogaidd backing

cyfeilio *be* [cyfeili•²] CERDDORIAETH chwarae cerddoriaeth gynorthwyol i ddawnswyr, cantorion neu offerynwyr (~ i) to accompany

cyfeiliorn *eg* fel yn yr ymadrodd *ar gyfeiliorn*, crwydrad diamcan, troad oddi ar y ffordd iawn straying

cyfeiliornad *eg* (cyfeiliornadau)
1 gwyriad oddi wrth yr hyn sy'n iawn; amryfusedd, camgymeriad, camsyniad error, aberrance
2 RHESYMEG ymresymiad sy'n rhesymegol wallus logical error
3 MATHEMATEG y gwahaniaeth rhwng maint a fesurwyd neu a gyfrifwyd a'i werth cywir error

cyfeiliorni *be* [cyfeiliorn•¹] gwyro neu adael y ffordd iawn, bod dan gamargraff, gwneud camgymeriad; amryfuso, camdybio, camgymryd, crwydro to stray, to err

cyfeiliornus *ans* ar gyfeiliorn neu'n arwain eraill ar gyfeiliorn, yn enwedig yn eu syniadau neu eu cred; anghywir, beius, camarweiniol, twyllodrus deviating, erroneous

cyfeilydd *eg* (cyfeilyddion) un sy'n cyfeilio (fel arfer ar y biano neu organ) accompanist

cyfeilyddes *eb* merch neu wraig sy'n cyfeilio accompanist (female)

cyfeillach *eb* (cyfeillachau:cyfeillachoedd)
1 cymdeithas o gyfeillion fellowship
2 cyfeillgarwch, cwmnïaeth, *Roedd y gyfeillach yn felys yn y dafarn heno.* camaraderie, friendship
3 cwrdd gweddi neu seiat fellowship

cyfeillachu *be* [cyfeillach•³] cadw cwmni; cyfathrachu, cymdeithasu, ymwneud â (~ â) to associate

cyfeilles *eb* (cyfeillesau) merch neu wraig o gyfaill friend

cyfeillgar *ans* parod i fod yn gyfaill neu'n gyfeillion; caredig, cariadus, croesawgar, cymdogol friendly, amicable

cyfeillgarwch *eg*
1 y berthynas o hoffter a chariad sy'n bodoli rhwng cyfeillion; cyfeillach, cwmnïaeth friendship
2 ymddygiad cyfeillgar; hawddgarwch, hynawsedd friendliness

cyfeillion *ell* lluosog cyfaill

cyfeintiau *ell* lluosog cyfaint

cyfeintiol *ans* yn ymwneud â mesur cyfaint volumetric

cyfeiriad *eg* (cyfeiriadau)
1 cwrs a ddilynir tuag at le arbennig, neu'r ffordd y mae'n rhaid mynd i gyrraedd man arbennig; llwybr direction
2 y cyfarwyddyd ar amlen llythyr sy'n dweud at bwy y mae'r llythyr yn cael ei anfon a lle yn union mae'n byw address
3 nodyn wrth ysgrifennu, neu sôn wrth siarad, yn tynnu sylw at rywbeth arall sy'n gysylltiedig â'r testun; crybwylliad reference
4 CYFRAITH yr anerchiad a draddodir mewn llys barn gan y barnwr i'r rheithgor wedi i'r dystiolaeth gael ei chyflwyno direction

cyfeiriadaeth *eb* LLENYDDIAETH defnydd anuniongyrchol artist neu awdur o ddeunydd llenyddol neu hanesyddol adnabyddus er mwyn cyfoethogi neu ddwysáu elfennau o'i waith, e.e. cyfeiriadau ysgrythurol yng ngwaith rhai emynwyr allusion

cyfeiriadedd *eg* cyfeiriad cyffredinol (a pharhaol) meddylfryd, diddordeb neu ogwydd orientation

cyfeiriadedd rhywiol cyfeiriad atyniad rhywiol person un ai at ei ryw ei hun, neu at y rhyw arall, neu at y ddau ryw sexual orientation

cyfeiriadol *ans*
1 yn cyfeirio directional
2 yn amlygu defnydd o gyfeiriadaeth allusive

cyfeiriadur *eg* (cyfeiriaduron) llyfr neu ffeil sy'n rhestru enwau a chyfeiriadau unigolion a chwmnïau, *cyfeiriadur ffôn*; arweinlyfr, cyfarwyddiadur, cyfeirlyfr directory

cyfeiriannu *be* [cyfeiriann•¹⁰] (y gamp o) rasio o'r naill bwynt i'r llall ar draws gwlad gan ddefnyddio map a chwmpawd orienteering
Sylwch: dyblwch yr 'n' ym mhob ffurf ac eithrio yn y rhai sy'n cynnwys -*as*-.

cyfeiriant *eg* (cyfeiriannau) cyfeiriad lleoliad yn ôl cwmpawd; y broses o bennu union leoliad rhywun neu rywbeth bearing

cyfeiriedig *ans* bod (meddylfryd neu deimladau gan amlaf) yn cael eu cyfeirio directed, oriented

cyfeirio *be* [cyfeiri•²]
1 dweud wrth rywun sut mae cyrraedd rhywle; cyfarwyddo to direct
2 ysgrifennu enw a chyfeiriad ar amlen llythyr to address
3 sôn am, tynnu sylw at; crybwyll (~ at) to refer, to allude
4 llywio tuag at, anelu at to make for, to steer

cyfeiriol *ans* yn cyfeirio, *Mae'r prawf norm-gyfeiriol yn adnabod plant sy'n tangyflawni.* referenced, directional

cyfeirlyfr *eg* (cyfeirlyfrau) llyfr, e.e. geiriadur neu wyddoniadur, nad yw wedi'i fwriadu i'w ddarllen o glawr i glawr ond, yn hytrach, un y gallwch gyfeirio ato am wybodaeth benodol; arweinlyfr, cyfarwyddiadur, cyfeiriadur reference book

cyfeirnod *eg* (cyfeirnodau)
1 arwydd neu nod i gyfeirio sylw'r darllenydd at rywbeth, e.e. * reference pointer
2 rhif, gair neu symbol sy'n dangos lleoliad rhywbeth ar fap, neu ym mha le y cewch ddod o hyd i ddarn o wybodaeth; cyfesuryn grid reference, reference

cyfeirnodi *be* defnyddio symbol neu nod i dynnu sylw'r darllenydd at rywbeth to reference
Sylwch: nid yw'r ferf hon yn arfer cael ei rhedeg.

cyfeirydd *eg* (cyfeiryddion)
1 rhywbeth sy'n awgrymu i ba gyfeiriad y mae rhywbeth yn debyg o fynd, e.e. dangosydd economaidd indicator
2 dyfais sy'n rheoli neu'n unioni cyfeiriad rhan o beiriant guide

cyfenw *eg* (cyfenwau) enw teulu sy'n dilyn yr enw(au) bedydd; snâm, steil surname

cyfenwadur *eg* (cyfenwaduron) MATHEMATEG unrhyw gyfanrif y mae modd iddo gael ei rannu heb weddill gan holl enwaduron rhes benodol o ffracsiynau, *Mae 12 a 24 yn gyfenwaduron i'r ffracsiynau* $^3/_4$, $^1/_3$, $^1/_2$ *a* $^5/_6$.; enwadur cyffredin common denominator

cyfer:cyfair *eg* (cyfeiriau) erw; darn o dir sy'n 4840 llathen sgwâr (4047 metr sgwâr); acer, acr acre
ar fy (dy, ei, etc.) nghyfer yn ddiofal, yn ddifeddwl, *siarad ar fy nghyfer* headlong, thoughtless
ar gyfer
1 i'w ddefnyddio (i neu at neu gan neu er mwyn neu ynglŷn â) (*teclyn ar gyfer mesur pwysedd gwaed*) for
2 yn wynebu, *Rydym yn byw ar gyfer y capel.*; cyferbyn opposite
yn fy (dy, ei, etc.) nghyfer yn ddi-hid, yn ddifeddwl headlong

cyferbwynt *eg* (cyferbwyntiau) y man cyferbyn, y gwrthwyneb antipode

cyferbwyntiol *ans*
1 MATHEMATEG am bwyntiau sydd union gyferbyn â'i gilydd ar sffêr neu elipsoid antipodal
2 SERYDDIAETH wedi'i leoli ar ochr gyferbyniol y Ddaear neu wrthrych seryddol arall antipodal

cyferbyn *ans*
1 fel yn yr ymadrodd *gyferbyn â*, wyneb yn wyneb, mewn gwrthgyferbyniad opposite, facing
2 ar gyfer, er mwyn, *Mae gennyf ddeg punt*

yn fy mhoced gyferbyn ag unrhyw gostau ychwanegol. for the purpose of
Sylwch: nid yw'n cael ei gymharu; mae'n magu treiglad parhaol fel ansoddair.
ochr gyferbyn gw. ochr
ongl gyferbyn gw. ongl

cyferbynadwy SWOLEG (am fys bawd primat) yn gallu wynebu a chyffwrdd â'r bysedd eraill ar yr un llaw opposable

cyferbyniad *eg* (cyferbyniadau) gwahaniaeth sy'n cael ei bwysleisio drwy osod un peth yn erbyn rhywbeth arall; annhebygrwydd, gwrthgyferbyniad contrast

cyferbyniol:cyferbynnol *ans* yn gyferbyniad i rywbeth arall; annhebyg, gwahanol, gwrthgyferbyniol opposite, contrasting

cyferbynnu *be* [cyferbynn•⁹] tynnu sylw at wahaniaeth rhwng pethau drwy eu gosod ochr yn ochr; gwrthgyferbynnu (~ â) to contrast, to oppose
Sylwch: dyblwch yr 'n' ym mhob ffurf ac eithrio yn y rhai sy'n cynnwys -*as*-.

cyferfydd *bf* [cyfarfod] *ffurfiol* mae ef yn cyfarfod/mae hi'n cyfarfod; bydd ef yn cyfarfod/bydd hi'n cyfarfod

cyfergyd *eg* MEDDYGAETH ysgytwad corfforol i'r ymennydd sy'n arwain at golli ymwybyddiaeth concussion

cyfernod *eg* (cyfernodau)
1 FFISEG mesur neu radd a ddefnyddir fel arfer i fesur un o briodweddau neu nodweddion dyfais neu broses coefficient
2 MATHEMATEG rhif neu gysonyn ar ddechrau mynegiad algebraidd, e.e. y rhif 3 yn $3x^2$ coefficient

cyfesur *ans* MATHEMATEG (am rifau neu feintiau) mewn cymhareb â'i gilydd sy'n hafal i gymhareb dau gyfanrif commensurable

cyfesuryn *eg* (cyfesurynnau) MATHEMATEG un o gyfuniad o rifau a ddefnyddir i bennu lleoliad pwynt ar blân neu mewn gofod coordinate

cyfesurynnol *ans* MATHEMATEG yn defnyddio cyfesurynnau, nodweddiadol o gyfesurynnau, e.e. geometreg gyfesurynnol coordinate

cyfethol *be* [cyfethol•¹] ethol rhywun ar bwyllgor drwy bleidleisiau aelodau'r pwyllgor (~ *rhywun* i neu ar) to co-opt

cyfetholedig *ans* wedi'i gyfethol, *Mae Mr Lloyd yn aelod cyfetholedig ar y Pwyllgor Archwilio.* co-opted

cyfewin *ans* manwl gywir; cysáct, gofalus, manwl, union exact, precise, scrupulous

cyfiaith *ans* yn siarad yr un iaith (mae'n fwy cyfarwydd yn ei ffurf negyddol *anghyfiaith*)

cyfiawn *ans*
1 (yn dilyn yr hyn a oleddfir) teg, iawn, heb

bechod; cyfreithlon, da, dibechod, gwir just,
righteous
2 (o flaen yr hyn a oleddfir) yn wirioneddol,
y cyfiawn wir; cywir absolute, indubitable
cyfiawnadwy *ans*
1 y gellir ei gyfiawnhau neu ei amddiffyn
justifiable
2 RHESYMEG (am gasgliad) yn dilyn yn
rhesymegol o ragosodiad justifiable
cyfiawnder *eg* (cyfiawnderau)
1 CYFRAITH daioni yn ôl cyfraith neu batrwm
moesol, yr hyn sy'n gwneud rhywun neu
rywbeth yn gyfiawn righteousness
2 tegwch cyfreithiol rhwng dyn a'i gyd-ddyn
justice
cyfiawnhad *eg*
1 y rhesymau, yr amgylchiadau neu'r esgusodion
a ddefnyddir i ddangos bod rhywbeth yn
deg, yn gyfreithlon, yn gyfiawn justification,
vindication
2 CREFYDD fel yn *cyfiawnhad drwy ffydd*,
y gred Gristnogol mai drwy ymddiried yn
nhrugaredd Duw y bydd pechaduriaid yn cael
eu hystyried yn gymeradwy gerbron Duw
justification by faith
cyfiawnhau *be* [cyfiawnha•14]
1 egluro pam mae rhywbeth yn gyfiawn;
cyhoeddi bod rhywun yn ddieuog; cyfreithloni
to justify, to vindicate
2 rhoi rhesymau i ddangos neu i geisio profi
bod rhywbeth yn gyfiawn, dadlau achos;
amddiffyn, esgusodi to justify
3 CREFYDD (yn ddiwinyddol) cymodi rhwng
dyn a Duw wrth i ddyn anghofio am ei
hunangyfiawnder a chredu'n llwyr yn lle hynny
yn Iesu Grist to justify
cyfiawnheir *bf* [cyfiawnhau] *ffurfiol* mae rhywun
neu rywbeth yn cael ei gyfiawnhau; bydd
rhywun neu rywbeth yn cael ei gyfiawnhau
cyfieithiad *eg* (cyfieithiadau) trosiad (gair neu
frawddeg neu ddarn hwy) o un iaith i iaith arall
translation
cyfieithu *be* [cyfieith•1]
1 cyflwyno ystyr a synnwyr rhywbeth sydd
wedi'i fynegi mewn un iaith, mewn iaith arall;
trosi (~ **o** *rywbeth* **i**) to translate
2 trosi rhywbeth o un cyfrwng i gyfrwng arall,
cyfieithu geiriau yn weithredoedd to translate
cyfieithydd *eg* (cyfieithwyr) un sy'n trosi
deunydd o'r naill iaith i'r llall; dehonglwr,
lladmerydd, troswr interpreter, translator
cyflafan *eb* (cyflafanau) lladdfa fawr; anrhaith,
dinistr, distryw, galanas havoc, carnage, massacre
cyflafar *ans* yn cydseinio yn uchel; aflafar,
swnllyd, trystfawr resounding
cyflafar y wawr caniad cyntaf adar mân y
bore; côr y wig dawn chorus

cyflafareddiad *eg* (cyflafareddiadau) y broses o
gyflafareddu; cyfryngiad, cymod, cymrodedd
arbitration
cyflafareddu *be* [cyflafaredd•1] CYFRAITH
gwrando a dyfarnu ar destun y mae anghytuno
yn ei gylch gan rywun wedi'i ddewis gan y rhai
sy'n anghytuno, neu rywun wedi'i benodi'n
statudol i ddyfarnu ar y pwnc; cyfaddawdu,
cyfryngu, cymodi, cymrodeddu (~ **rhwng**)
to mediate, to arbitrate
cyflafareddwr *eg* (cyflafareddwyr) un wedi'i
ddewis i ddatrys anghydfod rhwng dwy ochr;
rhywun ag awdurdod i ddatrys anghydfod
arbitrator, arbiter
cyflaith *eg* math o losin neu dda-da brown
gludiog wedi'i wneud drwy ferwi menyn, siwgr
a dŵr gyda'i gilydd; taffi toffee, confection
cyflaith menyn math o felysyn brown golau
wedi'i wneud o fenyn a siwgr coch butterscotch
cyflanwaf *bf* [cyflenwi] rwy'n cyflenwi; byddaf
yn cyflenwi
cyflasyn *eg* (cyflasynnau) sylwedd sy'n rhoi blas
arbennig i rywbeth flavouring
cyflau *ell* lluosog **cwfl**
cyflawn *ans*
1 wedi'i orffen, wedi dod i ben; crwn, cyfan,
llwyr, perffaith complete, entire
2 fel yn *cyflawn aelodau*, yn ateb yr holl
ofynion, sydd â'r holl briodoleddau; crwn,
llawn full
3 GRAMADEG am ferf nad yw'n gallu cymryd
gwrthrych, nad oes rhaid wrth wrthrych i'w
chwblhau, e.e. 'eistedd', 'syrthio' intransitive
4 (am fwyd) naturiol, heb ychwanegion, heb ei
brosesu wholefood
cyflawnder *eg* (cyflawnderau) cymaint fel nad
oes angen mwy; amlder, digonedd, llawnder,
toreth abundance
cyflawnhad *eg* y broses o wneud priodas yn
gyflawn drwy gyfathrach rywiol consummation
cyflawni *be* [cyflawn•1] llwyddo i wneud,
gyda'r awgrym ei fod yn dipyn o gamp (boed
yn dda neu'n ddrwg), dwyn i ben; cwblhau,
dibennu, gorffen, gwneud to achieve, to fulfil,
to accomplish
cyflawniad *eg* (cyflawniadau) y weithred o
gyflawni, dwyn i ben, canlyniad cyflawni;
cwblhad, darfyddiad, diweddiad, gorffeniad
achievement, accomplishment
cyflawnrwydd *eg* y cyflwr o fod yn gyflawn;
cyfanrwydd completeness
cyfle *eg* (cyfleoedd) amser neu amgylchiad
addas, adeg fanteisiol; agoriad, siawns chance,
opportunity
cyfle cyfartal CYFRAITH yr hawl i gael eich trin
heb wahaniaethu, yn enwedig ar sail eich rhyw,
eich hil neu eich oedran equal opportunity

Ymadrodd
achub cyfle gw. **achub**[1]
cyfleaf *bf* [cyfleu] rwy'n cyfleu; byddaf yn cyfleu
cyfled *ans* [llydan] mor llydan; lleted
cyflegr *eg* (cyflegrau) math o wn nerthol, hen ffasiwn yr oedd yn rhaid ei sicrhau naill ai i'r ddaear neu ar ei gerbyd cyn ei danio; canon cannon
cyflenwad *eg* (cyflenwadau)
1 cymaint ag sydd eisiau i ateb angen; yr hyn sy'n cael ei ddarparu i ddiwallu angen; stoc, stôr supply
2 MATHEMATEG yr hyn sydd ei angen i gwblhau rhywbeth, e.e. y graddau y mae ongl yn brin o gyrraedd 90 gradd, neu'r elfennau sy'n cwblhau set complement
cyflenwi *be* [cyflanw•[3]] diwallu angen, darparu i gwrdd ag angen; arlwyo, darparu (~ *rhywbeth* â) to deliver, to supply
cyflenwol *ans* am liwiau sy'n creu gwyn neu lwyd pan gânt eu cymysgu â'i gilydd complementary
Sylwch: nid yw'n cael ei gymharu.
meddygaeth gyflenwol gw. **meddygaeth**
ongl gyflenwol gw. **ongl**
cyflenwr *eg* (cyflenwyr) un sy'n cyflenwi rhywbeth, e.e. siopwr; arlwywr, darparwr supplier
cyflenwydd *eg* (cyflenwyddion) rhywbeth sy'n cyflenwi rhywbeth, e.e. cyflenwydd trydan supplier
cyfleu *be* [cyfle•[1] 2 *un. pres.* cyflëi; 1 *llu. pres.* cyflëwn; 2 *llu. pres.* cyflëwch; *amh. pres.* cyflëir; *amh. gorff.* cyflëwyd; 1 *un. amhen.* cyflëwn; 2 *un. amhen.* cyflëit; *amh. amhen.* cyflëid; 1 *llu. gorch.* cyflëwn; 2 *llu. gorch.* cyflëwch; 1 *un. dib.* cyflëwyf; 2 *un. dib.* cyflëych;] cyflwyno neu drosglwyddo (yn enwedig teimlad), gyda'r syniad o awgrymu yn hytrach na mynegi'n uniongyrchol; awgrymu, dynodi, meddwl (~ *rhywbeth* i) to convey
cyfleus *ans* rhwydd cael gafael arno; cyfaddas, hwylus, hygyrch, hylaw convenient, handy
cyfleuster *eg* (cyfleusterau) adeilad, gwasanaeth neu ddarn o gyfarpar a ddarperir at ddiben penodol facility
cyfleusterau *ell* lluosog cyfleuster, fel arfer mae'n cyfeirio at y cyflenwad arferol o ddŵr, trydan a systemau trin carthffosiaeth a geir mewn tŷ facilities
cyfleusterau cyhoeddus tai bach/toiledau cyhoeddus public conveniences
cyfleustra *eg* (cyfleusterau) adeg, amser neu le cyfleus neu bwrpasol; hwylustod, rhwyddineb convenience
cyflifiad *eg* gw. **cydlifiad**
cyflin *ans* (cyflinau) am ddwy neu ragor o linellau cyfochrog, neu ddau neu ragor o

blanau cyfochrog sy'n cadw'r un pellter oddi wrth ei gilydd; cyfochrog parallel
cyflinydd *eg* (cyflinyddion) dyfais mewn telesgop (neu offeryn optegol arall) ar gyfer sicrhau bod y pelydrau sy'n cyrraedd y telesgop yn gyflin collimator
cyfliw *ans* o'r un lliw of the same colour
cyflo *ans* (am fuwch) yn disgwyl llo; beichiog in calf, pregnant
Sylwch: nid yw'n cael ei gymharu.
cyflog *eg* (cyflogau)
1 tâl penodol am gyfnod o wasanaeth; enillion, pae pay, salary, wage
2 cytundeb ar amodau cyflogi hire
cyflog net y cyflog sy'n weddill ar ôl tynnu trethi, pob taliad, traul, colled, etc. net pay
Ymadrodd
gwas cyflog un sydd â chytundeb cyflog am gyfnod penodedig ac am dâl penodol; gweithiwr cyflogedig employee
cyflogadwy *ans* y gellir ei gyflogi employable
cyflogaeth *eb* gwaith y ceir cyflog amdano; y gyfundrefn o gyflogi pobl employment
cyflogedig *ans* a gyflogir; hur employed, hired, salaried
cyflogi *be* [cyflog•[1]] penodi rhywun am dâl i roi gwasanaeth arbennig neu i wneud gwaith penodol; hurio, llogi (~ *rhywun* i) to employ, to hire, to engage
cyflogres *eb* gw. **rhestr gyflogau** payroll
cyflogwr:cyflogydd *eg* (cyflogwyr) unigolyn, sefydliad neu gwmni sy'n cyflogi pobl; huriwr employer
cyfludedig *ans* wedi'i gyfludo agglutinated
cyfludiad *eg* (cyfludiadau)
1 y broses o gyfludo neu o lynu ynghyd agglutination
2 y grŵp neu'r cyfuniad sy'n cael ei lunio wrth i bethau gyfludo agglutination
3 BIOCEMEG adwaith lle mae gronynnau mewn daliant, e.e. celloedd coch y gwaed, yn crynhoi'n dalpiau, a hynny'n adwaith i wrthgorff penodol agglutination
cyfludo *be* [cyflud•[1]]
1 glynu neu achosi i lynu fel glud (~ *rhywbeth* wrth) to agglutinate
2 BIOCEMEG achosi i facteria, celloedd coch y gwaed, etc., lynu ynghyd to agglutinate
cyflun *ans* MATHEMATEG am siapiau ag onglau o'r un maint ond bod hyd yr ochrau'n wahanol, *trionglau cyflun* similar
cyflunedd *eg* MATHEMATEG y cyflwr o fod yn gyflun similarity
cyfluniad *eg* (cyfluniadau)
1 gwedd, ffurf neu drefn allanol; ffurfwedd configuration
2 lleoliad neu ymddangosiad (y planedau,

atomau moleciwlau, etc.) mewn perthynas â'i gilydd configuration

cyflwr *eg* (cyflyrau)
1 y stad y mae rhywbeth neu rywun ynddi ar adeg benodol; hynt, natur, sefyllfa condition, state
2 stad ffisegol o ran ffurf neu adeiledd moleciwlaidd, *Iâ yw cyflwr solet dŵr.*; anian state

cyflwynedig *ans* wedi'i gyflwyno dedicated

cyflwyniad *eg* (cyflwyniadau)
1 y weithred o gyflwyno, canlyniad cyflwyno; arddangosfa, perfformiad presentation, performance
2 y ffordd neu'r dull y mae rhywbeth yn cael ei gyflwyno neu ei gynnig presentation
3 rhagair yn cyflwyno llyfr (i rywun amlwg gan amlaf) dedication

cyflwyno *be* [cyflwyn•[1]]
1 estyn, offrymu, rhoi (~ *rywun/rywbeth* i) to present, to confer
2 gosod achos neu gais gerbron (rhywun neu rywrai) er mwyn iddyn nhw ei ystyried, *Cyflwynodd y cyfreithiwr amddiffyniad Dafydd i'r llys.*; cynnig, traddodi to submit, to table
3 dwyn rhywun i sylw neu adnabyddiaeth rhywun arall, *Mae'n bleser gennyf gyflwyno ein gwraig wadd heno.* to introduce
4 gwneud rhywbeth (actio, perfformio, arddangos, etc.) o flaen cynulleidfa to present

cyflwynwr:cyflwynydd *eg* (cyflwynwyr:cyflwynyddion) un sy'n cyflwyno, yn enwedig rhywun sy'n cyflwyno ac yn cynnig sylwadau yn ystod rhaglen deledu neu radio presenter, compère

cyflym *ans* [cyflym• *hefyd* cyflymach/cynt]
1 yn cyflawni rhywbeth mewn ychydig o amser; buan, clau, chwim, sydyn fast, quick, rapid
2 bywiog ei feddwl; craff, deallus, siarp keen, sharp

cyflymder:cyflymdra *eg*
1 pa mor gyflym y mae rhywun neu rywbeth yn symud; chwimder speed, pace, rapidity
2 FFISEG mesur o newid lleoliad mewn perthynas ag amser gan gymryd cyfeiriad i ystyriaeth; mae'r mesur hwn yn fector velocity

cyflymedig *ans* wedi'i gyflymu accelerated

cyflymedd y galon *eg* MEDDYGAETH cyflwr lle mae cyfradd curiad y galon yn annormal o gyflym tachycardia

cyflymiad *eg* y broses o gyflymu, canlyniad cyflymu acceleration

cyflymu *be* [cyflym•[1]]
1 mynd yn gynt, symud yn gyflymach; brysio, hastio, prysuro to accelerate, to hasten
2 FFISEG cynyddu cyflymder (gwrthrych, adwaith, etc.) to accelerate

cyflymydd *eg* (cyflymyddion) FFISEG peiriant sy'n cyflymu gronynnau o fater (a gwefr drydanol arnynt) i fuaneddau uchel iawn accelerator

cyflyrau *ell* lluosog **cyflwr**

cyflyredig *ans* yn cael ei achosi wedi i rywun neu rywbeth gael ei gyflyru conditioned

cyflyru *be* [cyflyr•[1]]
1 dull o hyfforddi sy'n gwneud i rywun ymateb mewn ffordd arbennig o dan amgylchiadau penodol (~ *rhywun* i) to condition
2 SEICOLEG bod dan ddylanwad (rhywun neu rywbeth) sy'n rheoli penderfyniad a gweithredoedd unigolyn to condition

cyflyru meddwl SEICOLEG achosi i rywun gredu rhywbeth yn anfeirniadol drwy broses o adrodd ac ailadrodd to indoctrinate

cyflyrydd *eg*
1 un sy'n cyflyru conditioner
2 sylwedd sy'n cael ei ychwanegu at rywbeth i wella'i ansawdd, *cyflyrydd gwallt* conditioner

cyflyrydd ffabrig sylwedd sy'n cael ei ychwanegu at ddŵr wrth olchi dillad i'w gwneud yn fwy meddal fabric conditioner

cyflythreniad *eg* enghraifft o gyflythrennu alliteration

cyflythrennu *be* creu cyfatebiaeth sain neu seiniau ar ddechrau dau neu ragor o eiriau sy'n dilyn ei gilydd, e.e. *melys moes mwy* to alliterate
Sylwch: nid yw'r ferf hon yn arfer cael ei rhedeg.

cyfnerth *ans* wedi'i gyfnerthu, fel yn *concrit cyfnerth*, concrit yn cynnwys barrau metel neu wifrau er mwyn cynyddu ei gryfder tynnol; cadarn, cryf, praff reinforced

cyfnerthedig *ans* wedi'i gyfnerthu boosted, consolidated

cyfnerthiad *eg* (cyfnerthiadau) FFISEG (am signal electronig) mwyhad boost

cyfnerthu *be* [cyfnerth•[1]]
1 gwneud yn llai hyblyg; cryfhau (~ *rhywbeth* â) to fortify, to stiffen, to strengthen
2 gwneud yn sicr; ategu, cadarnhau, cryfhau, cynnal (~ *rhywbeth* yn erbyn) to consolidate, consolidation
3 FFISEG mwyhau (signal electronig) to boost

cyfnerthydd *eg* (cyfnerthyddion) rhywbeth sy'n cynyddu grym, gwasgedd neu faint peth arall, e.e. dyfais sy'n cryfhau signalau radio gwan booster

cyfnewid *be* [cyfnewidi•[2]]
1 newid am rywbeth arall, cynnig a derbyn y naill beth yn hytrach na'r llall; ffeirio, trwco (~ *rhywbeth* am) to barter, to exchange, to trade
2 troi'n ffurf neu'n gyflwr gwahanol; amnewid, newid to alter, to change

cyfnewid nwyon BIOLEG proses fiolegol sy'n digwydd wrth i nwyon gael eu cyfnewid rhwng organeb a'i hamgylchedd; yn ystod resbiradaeth mae anifeiliaid a phlanhigion yn cymryd ocsigen i mewn ac yn rhyddhau carbon deuocsid, ac mewn ffotosynthesis mae planhigion yn cymryd carbon deuocsid i mewn ac yn rhyddhau ocsigen **gaseous exchange**

cyfnewidfa *eb* (cyfnewidfeydd) adeilad neu fan arbennig ar gyfer cyfnewid arian neu symud sieciau o'r naill fanc i'r llall; man lle mae gwŷr busnes yn ymgynnull i drafod a chynnal busnes ariannol **clearing-house, exchange**

cyfnewidfa stoc CYLLID y man lle mae stociau a chyfrannau'n cael eu prynu a'u gwerthu **stock exchange**

cyfnewidiad *eg* (cyfnewidiadau) newid ond heb droi'n rhywbeth arall; altrad, amnewidiad, trawsnewidiad **alteration**

cyfnewidiadwy *ans* (am nodyn addo talu, etc.) y gellir ei drosglwyddo'n gyfreithiol o un unigolyn i un arall **negotiable**

cyfnewidiol *ans* yn tueddu i newid, na allwch fod yn sicr ohono; anghyson, anwadal, gwamal, oriog **changeable, variable**

cyfnewidiwr *eg* (cyfnewidwyr) un sy'n cyfnewid (arian fel arfer) **exchanger**

cyfnifer *eg* (cyfniferoedd) MATHEMATEG rhif sy'n rhannu'n gyfartal i rif arall heb adael gweddill (ar wahân i 1 a'r rhif ei hun) **aliquot, proper divisor**

cyfnither *eb* (cyfnitheroedd) merch i ewythr neu fodryb **cousin, first cousin (female)**

cyfnod *eg* (cyfnodau)
1 ysbaid penodol o amser ac iddo ddechrau a diwedd; adeg, amser **period, phase, stage, era**
2 DAEAREG uned o amser daearegol sy'n hwy nag epoc ac yn fyrrach na gorgyfnod; oes **period**
3 FFISEG (am donnau) yr amser a gymerir i gyflawni un osgiliad cyfan **period**
4 CEMEG rhes lorweddol o elfennau yn y tabl cyfnodol **period**

cyfnod geni y cyflwr o fod yn paratoi i roi genedigaeth **confinement**
Ymadrodd
cyfnod canolbwyntio y cyfnod y gall person ganolbwyntio ar weithgaredd neu bwnc penodol **attention span**

cyfnodedd *eg* y cyflwr o fod yn ailddigwydd mewn ffordd gyson **periodicity**

cyfnodol *ans*
1 yn ymddangos yn gyson, yn digwydd yn gyson wedi i gyfnod penodedig o amser fynd heibio; cylchol **periodic**
2 CEMEG yn ymwneud â'r elfennau cemegol wedi'u gosod yn nhrefn eu rhifau atomig **periodic**
Sylwch: nid yw'n cael ei gymharu.

ffwythiant cyfnodol gw. **ffwythiant**
tabl cyfnodol CEMEG tabl sy'n gosod yr elfennau cemegol mewn trefn yn ôl eu rhifau atomig, lle mae elfennau tebyg gyda'i gilydd mewn colofnau o'r enw grwpiau ac mewn rhesi llorweddol o'r enw cyfnodau **periodic table**
y ddeddf gyfnodol CEMEG deddf mewn cemeg y mae'r tabl cyfnodol yn seiliedig arni, sef bod yr elfennau cemegol o'u gosod yn nhrefn eu rhifau atomig, yn dangos cyfnewidiadau cyfnodol yn y rhan fwyaf o'u priodweddau **periodic law**

cyfnodoli *be* [cyfnodol•1] rhannu (darn o amser) yn gyfnodau **to periodize**

cyfnodolyn *eg* (cyfnodolion) cyhoeddiad (cylchgrawn neu bapur fel arfer) sy'n ymddangos hyn a hyn o weithiau'r flwyddyn **periodical**

cyfnos *eg* (cyfnosau) *llenyddol* y cyfnod cyn iddi nosi'n llwyr; min nos, brig yr hwyr; yr hwyr **dusk, twilight**

cyfochredd *eg*
1 y cyflwr o fod yn gyfochrog **parallelism**
2 ATHRONIAETH damcaniaeth sy'n hawlio bod gweithredoedd meddyliol a chorfforol yn cydredeg ac nad ydynt mewn perthynas achosol â'i gilydd **parallelism**

cyfochrog *ans*
1 am ddau neu ragor o bethau, e.e. llinellau neu ochrau, sy'n rhedeg ochr yn ochr â'i gilydd ond sy'n cadw'r un pellter oddi wrth ei gilydd; cyflin, paralel **parallel**
2 am bethau sy'n debyg i'w gilydd **parallel**
3 (am warant) yn sicrhau y bydd benthyciad yn cael ei ad-dalu **collateral**
Sylwch: nid yw'n cael ei gymharu.

cyfodi *be* [cyfod•1 3 un. pres. cyfyd/cyfoda; 2 un. gorch. cyfod/cyfoda] *hen ffasiwn* **codi** **to arise**

cyfodiad *eg* (cyfodiadau) y broses o gyfodi, canlyniad cyfodi; dyrchafael, esgyniad **rising**

cyfoed *ans* o'r un oed â (rhywun neu rywbeth); cyfoes **of the same age, peer**
Sylwch: ffurf ansoddeiriol gyfartal o 'oed'.

cyfoedion *ell* rhai sy'n perthyn i'r un cyfnod neu genhedlaeth, sydd yr un oed â'i gilydd; cydoeswyr, cyfoeswyr **contemporaries, peers**

cyfoen *ans* (am ddafad) yn disgwyl oen **in lamb**

cyfoes *ans* (cyfoesion:cyfoedion)
1 yn perthyn i'r un oes neu gyfnod; cydamserol, cyfamserol, cyfoed **contemporary**
2 yn perthyn i'r oes sydd ohoni (gyda'r awgrym o fod yn fodern); cyfredol **contemporary**

cyfoesedd *eg* y graddau y mae rhywbeth yn gyfoes **contemporaneity**

cyfoesi *be* [cyfoes•1] cydoesi, bod yn gyfoes â (~ â) **to be contemporary with**

cyfoeswr *eg* (cyfoeswyr) un sy'n byw yn ystod yr un cyfnod â rhywun neu rywbeth penodol arall, un sy'n cydoesi â rhywun neu rywbeth; cyfoedion contemporary

cyfoeth *eg*
1 eiddo megis tai, tiroedd, nwyddau neu arian; casgliad o bethau sy'n fwy gwerthfawr na'r cyffredin; da, ffortiwn, golud, trysor wealth, affluence, riches
2 casgliad helaeth neu grynhoad o unrhyw beth sy'n cael ei gyfrif yn werthfawr, *Mae ganddi gyfoeth o brofiad yn y maes hwn.*; amlder, cyflawnder, digonedd wealth

cyfoethocach:cyfoethocaf:cyfoethoced *ans* [cyfoethog] mwy cyfoethog; mwyaf cyfoethog; mor gyfoethog

cyfoethog *ans* [cyfoethoc•] (cyfoethogion) â llawer o arian, eiddo, neu bethau gwerthfawr; abl, ariannog, cefnog, goludog rich, wealthy

cyfoethogi *be* [cyfoethog•¹] gwneud yn gyfoethog; cynysgaeddu, gwaddoli (~ â) to enrich, to make rich

cyfoethogion *ell* rhai cyfoethog (the) rich

cyfog *eg* teimlad o fod eisiau chwydu; pwys nausea
  cyfog gwag sŵn a symudiad cyfogi retch
  Ymadrodd
  codi cyfog gw. codi

cyfogi *be* [cyfog•¹] gollwng sylwedd o'r stumog drwy'r geg; taflu i fyny; chwydu to be sick, to vomit
  cyfogi gwag sŵn a symudiad cyfogi to retch

cyfoglyd *ans* yn achosi i rywun gyfogi nauseous, sickening

cyfoglyn *eg* (cyfoglynnau) MEDDYGAETH sylwedd sy'n achosi chwydu emetic

cyforgors *eb* (cyforgorsydd) cors amgrwm a ffurfir pan fydd planhigion mewn tir asid yn gwywo ac ymhen hir a hwyr yn troi'n fawn raised bog

cyforiog *ans* llawn hyd yr ymyl, yn gorlifo, yn heigio; dibrin, gorlawn, toreithiog overflowing, replete, teeming
  Sylwch: nid yw'n cael ei gymharu.

cyfosod *be* [cyfosod•¹]
1 cyfuno syniadau, dulliau gwahanol, etc. i greu cyfanwaith to combine, to synthesize
2 rhoi ochr yn ochr to juxtapose, to place side by side

cyfosodiad *eg* (cyfosodiadau) y weithred o osod dau neu ragor o bethau ochr yn ochr â'i gilydd; cydleoliad, cyfuniad juxtaposition, apposition, collocation

cyfradael *be* [cyfradaw•³] rhoi'r gorau i rywbeth gyda'r bwriad o beidio â dychwelyd ato neu ei adfer byth eto; cefnu ar (rywun neu rywbeth) am byth to abandon

cyfradd *eb* (cyfraddau)
1 MATHEMATEG gwerth wedi'i fesur mewn perthynas â swm arall, *Cyfradd y genedigaethau yw nifer y genedigaethau o'i gymharu â nifer y bobl.* rate
2 CYLLID tâl neu swm o arian wedi'i benderfynu yn ôl graddfa arbennig rate

cyfradd chwyddiant ECONOMEG y cynnydd canrannol mewn prisiau wedi'i gyfrifo'n fisol neu'n flynyddol inflation rate

cyfradd forgais canran swm a fenthycir i brynu (tŷ fel arfer) y mae rhaid ei thalu'n flynyddol (fel arfer) am fenthyg yr arian mortgage interest rate

cyfradd gyfnewid y berthynas rhwng gwerth arian cyfredol un wlad a gwerth arian cyfredol gwlad arall the rate of exchange

cyfradd llog canran swm a fenthycir y mae rhaid ei thalu'n flynyddol (fel arfer) am fenthyg yr arian interest rate

cyfradd sail ECONOMEG y gyfradd llog a bennir gan Fanc Lloegr base lending rate

cyfradd ymadfer mesur o'r amser y mae'n ei gymryd i gyfradd curiad y galon ddychwelyd i'r lefel lle mae'n gorffwys yn dilyn ymarfer aerobig recovery rate

cyfraddiad *eg* (cyfraddiadau) CYLLID amcangyfrif o gredyd unigolyn neu fusnes rating

cyfraith *eb* (cyfreithiau)
1 rheol neu ddeddf sy'n cael ei phenderfynu gan y wladwriaeth ac y mae disgwyl i gymdeithas ufuddhau iddi law
2 corff o reolau neu ddeddfau tebyg sy'n cael eu harddel a'u dilyn gan wlad neu genedl; deddfwriaeth law
3 astudiaeth neu ddehongliad o gorff o ddeddfau law

cyfraith achosion CYFRAITH y corff o gyfraith yn seiliedig ar athrawiaeth cynsail rwymol sy'n ystyried canlyniadau achosion tebyg case law

cyfraith a threfn y cyfuniad o ddeddfau, cyfreithiau a rheoliadau a ddefnyddir i ddiogelu a chadw trefn ar gymdeithas law and order

cyfraith gwlad system gyfreithiol lle mae penderfyniadau'r llysoedd yn ffynhonnell cyfraith, gyda barnwyr yn datgan y gyfraith sy'n gyffredin i bawb common law

cyfraith Hywel CYFRAITH y corff o gyfreithiau a gafodd eu llunio ar orchymyn Hywel Dda yn Hendy-gwyn ar Daf yng nghanol y ddegfed ganrif

cyfraith Loegr:cyfraith Lloegr y gyfundrefn gyfreithiol a weinyddir yn Lloegr a Chymru oddi ar Ddeddfau Uno 1536 ac 1543 English law

cyfraith Rufain:cyfraith Rhufain y gyfundrefn o gyfraith gyhoeddus a weinyddid o OC 202

ymlaen yn y rhannau hynny o Ynys Prydain
dan awdurdod y Rhufeiniaid Roman law

cyfraith sifil y rhan o'r gyfraith sy'n trafod
anghydfod rhwng pobl, neu hawliau'r unigolyn
(yn hytrach na phethau milwrol neu gyfraith
trosedd) civil law

cyfraith trosedd y rhan o'r gyfraith sy'n trafod
troseddau criminal law

Ymadroddion

cyfraith y Mediaid a'r Persiaid ymadrodd
i ddisgrifio rhywbeth anhyblyg, di-droi'n-ôl,
amhosibl ei newid the law of the Medes and
the Persians

mynd i gyfraith dechrau achos cyfreithiol
to go to law, to litigate

yng nghyfraith fel yn *brawd yng nghyfraith,*
teulu'r un yr ydych yn briod ag ef neu hi in-law

yn gyfraith iddynt eu hunain heb
gydymffurfio â rheolau na deddfau gwlad
a law unto themselves

yn wyneb y gyfraith herio'r gyfraith
in defiance of the law

cyfran *eb* (cyfrannau)
1 rhan, *Bydd yn bwrw glaw dros gyfran
helaeth o'r wlad heddiw. Peidiwch â chymryd
mwy na chyfran deg o'r bwyd.;* cwota, darn,
dogn portion, quota
2 *ffigurol* tynged, ffawd, rhan, *Tristwch a
dioddefaint yw fy nghyfran i mewn bywyd.* lot
3 MATHEMATEG rhan benodol o rif neu faint, e.e.
mae 4 yn gyfran o 12, sef traean ohono proportion
4 *hanesyddol* (yn y cyfreithiau Cymreig)
rhaniad tir cyfartal rhwng holl feibion (o fewn
priodas neu beidio) gŵr rhydd; cynhysgaeth,
etifeddiaeth, gwaddol partible inheritance
5 un o rannau cyfartal cyfalaf cwmni
masnachol sy'n rhoi hawl i'r sawl sy'n ei ddal i
ran o elw'r cwmni; cyfranddaliad share

cyfranc *eb hynafol* chwedl; hanes, stori tale

cyfranddaliad *eg* (cyfranddaliadau) un o rannau
cyfartal cyfalaf cwmni masnachol sy'n rhoi
hawl i'r sawl sy'n ei ddal i ran o elw'r cwmni;
cyfran share

cyfranddaliwr *eg* (cyfranddalwyr) un sy'n
berchen cyfranddaliadau cwmni masnachol
shareholder

cyfraneddol *ans* MATHEMATEG yn yr un
cyfrannedd, *Os yw gweithiwr yn cael ei dalu yn
ôl yr awr, mae maint ei gyflog yn gyfraneddol â
nifer yr oriau y mae'n ei weithio.* proportional

cyfraniad *eg* (cyfraniadau) rhodd neu offrwm
i gronfa; yr hyn sy'n cael ei gynnig fel rhan o
gyfanswm mwy contribution

cyfrannedd *eg* (cyfraneddau) MATHEMATEG
y cyswllt rhwng dau fesur neu newidyn os yw'r
berthynas rhyngddynt yn gymhareb gyson,
Os yw gweithiwr yn cael ei dalu yn ôl yr awr,

*mae ei gyflog mewn cyfrannedd (neu mewn
cyfrannedd union) â nifer yr oriau y mae'n ei
weithio.* proportion

cyfrannedd gwrthdro MATHEMATEG
perthynas rhwng dau faint lle mae'r naill faint
yn cynyddu wrth i'r llall leihau, *Os bydd yn
cymryd dwy awr i un peiriant gloddio twll,
yna bydd dau beiriant yn cymryd awr.* inverse
proportion

cyfrannedd union MATHEMATEG perthynas
rhwng dau faint lle mae'r ddau'n cynyddu neu'n
lleihau ar yr un gyfradd, *Os oes angen 200g o
flawd i wneud un deisen, yna bydd angen 400g
i wneud dwy deisen.* direct proportion

cyfrannog *ans* yn rhannu neu'n cyfrannu gyda
rhywun arall participating, partaking

cyfrannol *ans* yn cyfrannu at rywbeth, â rhan yn
rhywbeth contributory

cynrychiolaeth gyfrannol gw. cynrychiolaeth

cyfrannu *be* [cyfrann•[10]] rhoi rhodd tuag at
gronfa gyffredin; bod yn rhan, cymryd rhan
yn rhywbeth; cynorthwyo, helpu, offrymu
(~ at; ~ i) to contribute
Sylwch: dyblwch yr 'n' ym mhob ffurf ac
eithrio yn y rhai sy'n cynnwys -*as*-.

cyfrannwr *eg* (cyfranwyr)
1 un sy'n cyfrannu contributor
2 unigolyn neu grŵp sy'n rhoi rhywbeth yn
rhad ac am ddim i achos da donor

cyfrannydd *eg* (cyfranyddion) CEMEG atom neu
foleciwl sy'n cyfrannu pâr o electronau wrth
ffurfio bond cyd-drefnol donor

cyfranogaeth *eb* y weithred o gyfranogi,
y cyflwr o fod yn gyfrannog; cyfranogiad
participation

cyfranogi *be* [cyfranog•[1]]
1 cymryd rhan yn rhywbeth; cyfrannu
to participate
2 derbyn rhan, cael cyfran (~ o) to partake

cyfranogiad *eg* (cyfranogiadau) y broses
neu'r weithred o gyfranogi; cyfranogaeth
participation

cyfranogwr *eg* (cyfranogwyr) un sydd
(gydag eraill) â rhan yn rhywbeth sharer,
participator

cyfranwyr *ell* lluosog **cyfrannwr**

cyfredol *ans*
1 yn cydredeg â rhywbeth arall, yn digwydd yr
un pryd â rhywbeth arall concurrent
2 diweddaraf, *rhifyn cyfredol y cylchgrawn*
current

cyfreitha *be* mynd ag achos i gyfraith to litigate
Sylwch: nid yw'r ferf hon yn cael ei rhedeg.

cyfreithadwy *ans* yn cynnig digon o reswm i
fynd i gyfraith actionable

cyfreitheg *eb* astudiaeth o wyddor y gyfraith
neu resymu barnwrol; deddfeg jurisprudence

cyfreithgar *ans* am un sy'n hoff o ddwyn achosion o flaen llys neu o gynhenna drwy gyfrwng y gyfraith litigious

cyfreithgarwch *eg* yr arfer o ysgogi a pharhau achosion llys neu ffrae litigiousness

cyfreithiau *ell* lluosog **cyfraith**

cyfreithio *be* [cyfreithi•²] mynd i gyfraith to go to law

cyfreithiol *ans* yn ymwneud â deddfau a statudau a weinyddir gan lysoedd barn; deddfol, statudol legal, judicial

cyfreithiwr *eg* (cyfreithwyr) un sy'n cynghori pobl yn broffesiynol ynglŷn â materion cyfreithiol ac yn dadlau eu hachos mewn llys barn; twrnai lawyer, solicitor

cyfreithlon *ans* yn cydymffurfio â gofynion y gyfraith, boed honno'n gyfraith droseddol, cyfraith eglwysig neu unrhyw fath arall o gyfraith lawful, legitimate

cyfreithlondeb *eg* y briodoledd o fod yn gyfreithus, o fod o fewn y gyfraith legality, legitimacy

cyfreithloni *be* [cyfreithlon•¹]
1 sicrhau bod rhywun neu rywbeth yn gyfreithlon, awdurdodi drwy gyfraith to authorize, to legalize, to legitimize
2 rhyddhau o fai; cyfiawnhau to justify

cyfreithus *ans* CYFRAITH dilys o fewn y gyfraith, yn enwedig am blentyn wedi'i eni o fewn priodas legitimate

cyfres *eb* (cyfresi) nifer o bethau tebyg sy'n dilyn ei gilydd mewn trefn arbennig; dilyniant, olyniaeth, rhes, rhestr list, series, serial

mewn cyfres FFISEG (am gydrannau neu gylchedau trydanol) wedi'u trefnu fel y bydd y cerrynt yn llifo drwy'r naill ar ôl y llall in series

cyfresiaeth *eb* CERDDORIAETH dull o gyfansoddi a gysylltir â'r ugeinfed ganrif, yn seiliedig ar gyfres o nodau wedi'u dewis heb ddilyn unrhyw gyfundrefn draddodiadol ac wedi'u gosod mewn trefn gaeth, sy'n rhoi ffurf i'r darn serialism

cyfresu *be* [cyfres•¹] trefnu neu gyhoeddi ar ffurf cyfres to serialize

cyfresymiad *eg* (cyfresymiadau) RHESYMEG dull o resymu yn defnyddio dau osodiad a chasgliad y gellir ei gyrraedd ar sail y berthynas rhwng y ddau, e.e. *Mae pob dyn yn feidrol: yr wyf i yn ddyn: felly yr wyf i yn feidrol.* syllogism

cyfresymu *be* RHESYMEG rhesymu drwy ddefnyddio cyfresymiad to syllogize
Sylwch: nid yw'r ferf hon yn arfer cael ei rhedeg.

cyfrgoll *ans* wedi'i golli'n llwyr ac yn anadferadwy, cwbl golledig; colledig, damnedig, melltigedig irrecoverable, irretrievably lost

cyfrgolledig *ans* wedi'i ddamnio'n llwyr, wedi'i golli'n llwyr i Gristnogaeth; anadferadwy doomed, totally lost

cyfrif¹ *eg* (cyfrifon)
1 adroddiad ysgrifenedig neu ar lafar yn cofnodi digwyddiad arbennig; cownt, hanes account
2 datganiad gan fanc neu fusnes o'r arian a dderbyniwyd ganddo a'r arian a wariwyd; cownt account
3 adroddiad o'r arian sy'n ddyledus (i rywun neu gan rywun); cownt account
4 swm o arian sy'n cael ei gadw mewn banc ac y gellir tynnu arno neu ychwanegu ato account

bwrw cyfrif llunio cyfrif ariannol to cast an account

cyfrif cadw cyfrif mewn banc neu gymdeithas adeiladu ar gyfer pobl sydd am gynilo arian deposit account

cyfrif cyfredol cyfrif banc y mae modd codi arian ohono â siec neu gerdyn debyd ar unrhyw adeg current account

cyfrif elw a cholled datganiad ariannol sy'n dangos elw neu golled cwmni dros gyfnod penodol o amser profit and loss account
Ymadroddion

ar bob cyfrif wrth gwrs, â phleser by all means

ar fy (dy, ei, etc.) nghyfrif o'm rhan i on account of, on (my, etc.) account

ar unrhyw gyfrif am unrhyw reswm on any account

galw (rhywun) i gyfrif disgwyl i rywun ateb cyhuddiad(au) yn ei erbyn call to account

cyfrif² *be* [cyfrif•¹ 3 un. pres. cyfrif/cyfrifa; 2 un. gorch. cyfrif/cyfrifa]
1 MATHEMATEG adrodd y rhifolion (1, 2, 3, etc.) mewn trefn, er enghraifft er mwyn canfod sawl peth sydd; rhifo to count, to enumerate
2 cyfuno rhifau mewn amryfal ffyrdd er mwyn cael ateb neu ddatrysiad; clandro, cyfrifo to calculate
3 rhoi rheswm dros, *Beth sy'n cyfrif fod cyn lleied o bobl yma heno?*; egluro, esbonio
4 bod o werth, bod o bwys, bod yn deilwng o sylw, *y blas sy'n cyfrif* to be of worth
5 ystyried, *Roedd hi'n cael ei chyfrif yn un o weithwyr gorau'r cwmni.* to consider

cyfrif y gost ystyried y canlyniadau to count the cost

cyfrifadwy *ans*
1 MATHEMATEG y mae modd ei gyfrifo calculable
2 rhifadwy; y gellir eu rhifo countable, enumerable

cyfrifadwyedd *eg*
1 GRAMADEG y cyflwr o fedru llunio ffurf luosog neu fedru cyfrif enw arbennig, e.e. bachgen, 'dau fachgen', ond ni ellir dweud 'dau fara' (oni bai ei fod yn golygu 'dau fath o fara') countability

2 MATHEMATEG y cyflwr o fod yn gyfrifadwy calculability

3 rhifadwyedd; y cyflwr o fod yn gyfrifadwy countability

cyfrifeg *eb* yr wyddor a'r astudiaeth o gofnodi a chrynhoi trafodion ariannol mewn cyfriflyfrau gan ddadansoddi, cadarnhau a chyflwyno'r canlyniadau accountancy

cyfrifiad *eg* (cyfrifiadau)

1 rhifiad neu arolwg swyddogol, yn enwedig un sy'n casglu gwybodaeth am nifer y bobl sy'n byw mewn gwlad a ffeithiau pwysig amdanynt; rhifiad census

2 dull mathemategol o ganfod maint rhywbeth calculation

cyfrifiadur *eg* (cyfrifiaduron) peiriant electronig sy'n gallu cadw, prosesu, cyfrif ac atgynhyrchu gwybodaeth computer

cyfrifiadureg *eb* yr wyddor sy'n ymwneud â phob agwedd ar gyfrifiaduron computer science

cyfrifiaduro *be* [cyfrifiadur•¹] newid i ffurf neu drefn sy'n cael ei chadw, ei rheoli neu ei phrosesu gan gyfrifiadur to computerize, computing

cyfrifiadurol *ans* yn ymwneud â chyfrifiaduron, nodweddiadol o gyfrifiaduron computerized

cyfrifiadurwr *eg* (cyfrifiadurwyr)

1 arbenigwr ym maes cyfrifiaduron computer scientist

2 un sy'n gweithio cyfrifiadur computer operator

cyfrifiannell *eb* (cyfrifiannellau) peiriant cyfrif electronig sy'n debyg i gyfrifiadur bach ond heb fod ganddo'r cof i drin llawer o wybodaeth calculator

cyfrifiannol *ans* MATHEMATEG yn ymwneud â'r broses o gyfrifiannu computational

cyfrifiannu *be* [cyfrifiann•⁹] dod i gasgliad drwy gyfrifo to compute

Sylwch: dyblwch yr 'n' ym mhob ffurf ac eithrio yn y rhai sy'n cynnwys -*as*-.

cyfrifiant *eg* (cyfrifiannau) y broses o gyfrifiannu, cyfrifiad mathemategol computation

cyfriflen *eb* (cyfriflenni) crynodeb o gyflwr cyfrif ariannol mewn banc bank statement

cyfriflyfr *eg* (cyfriflyfrau) CYLLID llyfr cyfrifon, llyfr y mae dyledion a chredydau yn cael eu cofnodi ynddo o'r cyfrifon gwreiddiol ledger

cyfrifo *be* [cyfrif•¹] MATHEMATEG cyfuno rhifau mewn amryfal ffyrdd er mwyn cyrraedd ateb neu ddatrysiad; cyfrif to calculate

cyfrifol *ans*

1 rhwymedig i wneud rhywbeth neu'n rheoli eraill fel rhan o'i swyddogaeth, *Mae'r pennaeth yn gyfrifol am les yr holl staff.*; atebol responsible, accountable, answerable

2 (am rywun neu rywbeth) y gellir ei feio neu

ei gydnabod fel prif achos rhywbeth, *Roedd y storm fawr yn gyfrifol am y cynnydd yng nghostau yswiriant.* responsible, liable

3 (am swydd neu swyddogaeth) yn cynnwys dyletswyddau pwysig, gan gynnwys dod i benderfniadau annibynnol a rheoli eraill, *Roedd gan Llinos swydd gyfrifol gyda'r heddlu.* responsible

cyfrifolaeth *eb*

1 GWLEIDYDDIAETH y gred mai'r unig bethau y dylai awdurdod canolog eu rheoli yw'r pethau hynny nad ydynt yn cael eu rheoli'n well ar lefel is subsidiarity

2 CYFRAITH egwyddor yng Nghyfraith yr Undeb Ewropeaidd sy'n sefydlu bod rhaid i benderfyniadau gael eu gwneud ar y lefel briodol (boed hynny yn lleol, yn rhanbarthol, yn genedlaethol neu ar lefel Ewropeaidd); sybsidiaredd subsidiarity

cyfrifoldeb *eg* (cyfrifoldebau) y cyflwr o fod yn gyfrifol neu o fod yn atebol, rhwymedigaeth foesol; atebolrwydd, dyletswydd, gofal responsibility, onus

cyfrifon *ell* lluosog cyfrif¹

cyfrifydd *eg* (cyfrifwyr:cyfrifyddion) arbenigwr ar gadw, archwilio a pharatoi cyfrifon accountant

cyfrifyddiaeth *eb* cyfrifeg; yr wyddor a'r astudiaeth o gofnodi a chrynhoi trafodion ariannol mewn cyfriflyfrau gan ddadansoddi, cadarnhau a chyflwyno'r canlyniadau accountancy

cyfrin *ans* (cyfrinion) anodd ei ddeall, tywyll ei ystyr; cêl, cudd, cyfrinachol, dirgel mysterious, mystic, esoteric

Cyfrin Gyngor cyngor brenin Lloegr a sefydlwyd ar ddiwedd y bedwaredd ganrif ar ddeg; erbyn hyn mae'n gorff o gynghorwyr a benodir gan y Brenin neu'r Frenhines a chanddynt ddyletswyddau eithaf cyfyngedig Privy Council

cyfrinach *eb* (cyfrinachau)

1 ffaith neu wybodaeth sy'n cael ei chadw gan unigolyn neu nifer cyfyngedig o bobl, ac nad yw pawb i fod i wybod amdani secret

2 esboniad ar rywbeth dyrys, allwedd i ddeall rhywbeth secret

cyfrinachedd *eg* y cyflwr neu'r graddau y mae peth yn gyfrinachol confidentiality

cyfrinachgar *ans* chwannog i gadw cyfrinachau, heb fod yn agored nac yn allblyg secretive

cyfrinachol *ans* na ddylid ei ddatgelu; cêl, cudd, cyfrin, dirgel confidential, secret

cyfrinachu *be* rhannu cyfrinachau â rhywun to confide

Sylwch: nid yw'r ferf hon yn arfer cael ei rhedeg.

cyfrinachwr *eg* (cyfrinachwyr) un yr ymddiriedir cyfrinach iddo confidant

cyfrinair *eg* (cyfrineiriau) gair neu ymadrodd cyfrinachol, sydd, o'i ddefnyddio, yn caniatáu mynediad neu'n dynodi mai chi ydych chi mewn gwirionedd password

cyfrinfa *eb* (cyfrinfeydd)
1 man ar gyfer cyfarfodydd cyfrinachol, man cyfarfod cymdeithas gudd lodge
2 aelodaeth cymdeithas gudd lodge

cyfriniaeth *eb* CREFYDD y gred fod modd cysylltu'n uniongyrchol â Duw drwy weddi, myfyrdod neu ymarferion arbennig, a thrwy hynny dreiddio i ddirgelion y tu hwnt i ddeall dyn mysticism

cyfriniol *ans* yn perthyn i gyfriniaeth, nodweddiadol o gyfriniaeth; cudd, cyfrin, dirgel, ysbrydol mystical

cyfrinion *ans* ffurf luosog **cyfrin**

cyfrinrif *eg* (cyfrinrifau) rhif unigol (cyfrinachol) sy'n caniatáu mynediad neu ddefnydd o rywbeth i'r sawl sydd wedi cael gwybod beth yw'r rhif, e.e. wrth godi arian o fanc neu i gael mynediad i adeilad arbennig, rhif PIN PIN number

cyfrinydd *eg* (cyfrinwyr:cyfrinyddion) un sy'n arddel ac yn ymarfer cyfriniaeth mystic

cyfrodedd *ans* wedi'u cyfrodeddu, wedi'i plethu intertwined
Sylwch: nid yw'n cael ei gymharu.
edau gyfrodedd llinyn o edafedd, megis cotwm neu sidan, wedi'i chyfrodeddu

cyfrodeddu *be* [cyfrodedd•¹] nyddu ynghyd; cordeddu, cydblethu, gwau, troelli to plait, to entwine

cyfrol *eb* (cyfrolau)
1 casgliad o ddudalennau wedi'u hysgrifennu neu eu hargraffu, ac wedi'u rhwymo ynghyd; cyhoeddiad, llyfr volume
2 un llyfr mewn o gyfres, *Cyfrol I 'Cof Cenedl'* volume

cyfrwng *eg* (cyfryngau) y modd neu'r offeryn a ddefnyddir i gyflawni rhywbeth; dull, ffordd medium

cyfrwy *eg* (cyfrwyau) sedd ledr sy'n cael ei chlymu ar gefn ceffyl ar gyfer ei farchogaeth; neu'r rhan o feic yr ydych yn eistedd arni saddle

cyfrwyo *be* [cyfrwy•¹] gosod cyfrwy ar gefn ceffyl, asyn, etc. to saddle

cyfrwys *ans* [cyfrwys•] yn twyllo, llawn triciau; castiog, dichellgar, twyllodrus, ystrywgar crafty, cunning, devious

cyfrwyster:cyfrwystra *eg* (cyfrwysterau) yr hyn sy'n gwneud rhywun yn gyfrwys; craffter neu fedr i dwyllo neu gamarwain; anonestrwydd, dichell, hoced, twyll craftiness, cunning, slyness

cyfrwywr *eg* (cyfrwywyr) un sy'n gwneud neu'n gwerthu cyfrwyau saddler

cyfryngau *ell* lluosog **cyfrwng** media
cyfryngau cymysg CELFYDDYD amrywiaeth o gyfryngau a ddefnyddir mewn adloniant neu waith celf mixed-media

cyfryngau torfol cyfryngau cyfathrebu fel teledu, radio, papurau newydd, etc. mass media

cyfryngiad *eg* (cyfryngiadau) y weithred o gyfryngu rhwng dau unigolyn neu ddau gorff gyda'r bwriad o greu cymod rhyngddynt; cyflafareddiad, cymod, cymrodedd mediation, intercession

cyfryngol *ans*
1 bod yn gyfrwng instrumental
2 yn ymwneud â'r cyfryngau cyfathrebu torfol media

cyfryngu *be* [cyfryng•¹]
1 ymyrryd rhwng rhai sy'n anghytuno gan geisio cymodi rhyngddynt; cyflafareddu, cymodi, cymrodeddu (~ **rhwng**) to mediate, to intervene
2 ailgyflwyno fersiynau o'r byd go iawn mewn dull cyfryngol to mediate

cyfryngwr *eg* (cyfryngwyr)
1 unigolyn diduedd a gaiff ei ddewis i geisio cymodi rhwng dau berson neu ddwy blaid sy'n anghytuno; canolwr, cyflafareddwr, cymodwr, eiriolwr mediator, intermediary
2 rhywun y mae pobl yn mynd ato i'w cysylltu ag ysbrydion y meirw medium
3 CREFYDD Iesu Grist yn cymodi rhwng Duw a dyn intercessor

cyfryw *ans* (ffurf ansoddeiriol gyfartal o 'rhyw') y fath, o'r un rhyw, *y cyfryw rai*; cyffelyb, fel, megis, tebyg such
Sylwch:
1 mae'n dod o flaen enw ac yn achosi'r treiglad meddal;
2 nid yw'n treiglo'n feddal ei hun pan ddaw rhwng y fannod ac enw benywaidd (*y cyfryw ferch*).
fel y cyfryw as such

cyfuchlin *eg* (cyfuchlinau) llinell ar fap sy'n cysylltu mannau sydd ar yr un uchder uwchlaw neu islaw lefel y môr contour line

cyfuchlinedd *eg* (cyfuchlineddau) DAEARYDDIAETH (mewn daearyddiaeth) siâp neu ffurf darn o dir; amlinell contour

cyfuchlinol *ans* yn ymwneud â chyfuchlinau neu'n cael ei ddangos gan gyfuchlinau contour

cyfun *ans*
1 cysylltiol, cytûn, unedig, unfryd united, amalgamated, corporate
2 am ysgol lle mae pob plentyn yn nalgylch yr ysgol yn derbyn ei addysg o 11 oed ymlaen, comprehensive
3 CYLLID (am fudd-daliadau) ar gael i bawb; cyffredinol universal
Sylwch: nid yw'n cael ei gymharu.

cyfundeb *eg* (cyfundebau) corff o bobl a gysylltir gan gredo wleidyddol neu grefyddol,

cyfundebol *ans* yn ymwneud â chyfundeb crefyddol; enwadol denominational

cyfundrefn *eb* (cyfundrefnau)
1 nifer o ddarnau neu unedau cysylltiedig sy'n cydweithio oddi mewn i uned gymhleth system, regime
2 trefn reolaidd i weithio oddi mewn iddi; cynllun, patrwm system
3 cynllun i ddosbarthu a gosod trefn ar bethau, ffeithiau, syniadau, etc.; dosbarthiad system
4 corff o egwyddorion, syniadau, moesau, etc.; system system

cyfundrefniad *eg* (cyfundrefniadau) y broses o gyfundrefnu, canlyniad cyfundrefnu systematization

cyfundrefnol *ans* â thuedd i gyfundrefnu; yn perthyn i gyfundrefn, nodweddiadol o gyfundrefn systematic, structural, codified

cyfundrefnu *be* [cyfundrefn•¹] gosod rhywbeth yn gaeth oddi mewn i gyfundrefn to systematize, to codify

cyfunedig *ans* wedi'i gyfuno, wedi'i wneud yn un amalgamated, conjugated

cyfunedd *eg*
1 BIOLEG ffurf gyntefig ar atgenhedlu rhywiol mewn bacteria ac organebau ungellog; mae gametau gwrywol a benywol yn cyfuno, yn hytrach na'r croesffrwythloni sy'n nodweddu planhigion mwy cymhleth conjugation
2 BIOLEG y ffordd y mae pâr o gromosomau homologaidd yn dod ynghyd yn gynnar yn y broses o feiosis conjugation

cyfuniad *eg* (cyfuniadau) cynnyrch cyfuno dau neu ragor o bethau; canlyniad dod â dau neu ragor o bethau ynghyd; asiad, cyfosodiad, synthesis, undod blend, combination, fusion

cyfuniadol *ans* wedi'i greu drwy gyfuniad combinational

cyfunioni *be* [cyfunion•¹]
1 trefnu tri phwynt (neu ragor) yn un llinell syth; alinio (~ *rhywbeth* â) to align
2 sicrhau bod y cymhwysiad rhwng gwahanol ddarnau trydanol neu fecanyddol yn union ac yn fanwl gywir to align

cyfuno *be* [cyfun•¹] uno, mynd yn un â, dwyn i undeb â'i gilydd; corffori, cyfannu, cymathu, integreiddio (~ *rhywbeth* â) to become one, to combine

cyfunol *ans* wedi'i gyfuno; ffederal combined, collective

cyfunoliaeth *eb* cyfundrefn wleidyddol lle mae'r bobl neu'r llywodraeth yn berchen ar dir, busnesau a diwydiannau'r wlad collectivism

cyfunrif *eg* (cyfunrifau) y cyfuniad unigol o rifau sy'n agor clo cyfunrhif combination, configuration

cyfunrywiaeth:cyfunrywioldeb *eb* y cyflwr o fod yn gyfunrywiol homosexuality, gayness

cyfunrywiol *ans* â diddordeb rhywiol mewn aelodau o'r un rhyw; hoyw homosexual, gay

cyfunrywioldeb gw. **cyfunrywiaeth**

cyfurdd *ans* o'r un statws neu urddas; cyfartal peer

cyfurddion *ell* mwy nag un aelod o grŵp cyfurdd peers

cyfuwch *ans* [uchel] mor uchel, cyn uched
Sylwch:
1 daw fel arfer o flaen yr hyn mae'n ei oleddfu, ond fel gradd gyfartal ansoddair nid yw'n sbarduno'r treiglad meddal;
2 mae'n gwrthsefyll y treiglad meddal ac eithrio yn achos sangiad;
3 nid yw'n cael ei ragflaenu gan 'yn' traethiadol.

cyfwelai *eg* (cyfweleion) un a gyfwelir interviewee

cyfweld *be* [cyfwel•⁴] holi rhywun yn ffurfiol ar lafar, yn enwedig pan fo'n ceisio am swydd neu le mewn coleg, ond hefyd ar y radio neu ar y teledu neu er mwyn ysgrifennu erthygl amdano (~ â) to interview

cyfweleion *ell* lluosog **cyfwelai**

cyfweliad *eg* (cyfweliadau) cyfarfod ffurfiol i holi rhywun ar lafar (ar gyfer swydd, neu ar y radio neu ar y teledu) interview

cyfwelydd *eg* (cyfwelwyr) un sy'n cynnal cyfweliad interviewer

cyfwerth *ans* o'r un gwerth, o werth cyfartal; cydradd, cyfartal, cystal, hafal equal
Sylwch: ffurf ansoddeiriol gyfartal 'gwerth'.

cyfwng *eg* (cyfyngau)
1 pellter (mewn lle neu amser) rhwng y naill beth a'r llall; saib, ysbaid interval
2 CERDDORIAETH y pellter rhwng traw nodau cerddorol gwahanol (yn dilyn y patrwm *ail*, *trydydd*, *pedwerydd*, etc.) interval

cyfwng cyfuchlinol DAEARYDDIAETH y gwahaniaeth uchder rhwng cyfuchlinau olynol contour interval

cyfwng cywasg CERDDORIAETH cyfwng hanner tôn yn is na chyfwng y pumed (perffaith), e.e. C–G♭ diminished interval

cyfwng estynedig CERDDORIAETH cyfwng hanner tôn yn uwch na'r cyfwng mwyaf neu berffaith cyfatebol, e.e. C–G♯ augmented interval

cyfwng lleiaf CERDDORIAETH cyfwng hanner tôn yn llai na'r cyfwng cyfatebol mwyaf, e.e. C–E♭ minor interval

cyfwng mwyaf CERDDORIAETH cyfwng sy'n cyfateb i'r hyn a geir rhwng y tonydd ac unrhyw nodyn arall mewn graddfa fwyaf, e.e. C–E♮ major interval

cyfwng perffaith CERDDORIAETH un o dri chyfwng mewn graddfa ddiatonig: mae un yn cynnwys tri thôn a hanner tôn, e.e. C i G, ac y mae gwrthdro'r cyfwng hwn sef G i C yn cynnwys dau dôn a hanner; wythfed ac unsain perfect interval

cyfwisg *eb* (cyfwisgoedd) rhan(nau) ychwanegol, llai pwysig (o wisg merch gan amlaf, e.e. menig, het, bag llaw, etc.); ategolyn accessory

cyfwyd *eg* (cyfwydydd) COGINIO bwyd sy'n cael ei gynnig i gyd-fynd â'r brif saig, e.e. llysiau a sawsiau accompaniment

cyfwyneb *ans* yn ffurfio arwyneb gwastad flush
  Sylwch: nid yw'n cael ei gymharu.

cyfyd *bf* [codi] *ffurfiol* mae ef yn codi/mae hi'n codi; bydd ef yn codi/bydd hi'n codi

cyfyng[1] *ans* [cyfyng•] (cyfyngion) wedi'i gadw o fewn terfynau, heb ddigon o le; caeedig, caeth, cul, tyn narrow, restricted
  yn gyfyng o'r ddeutu heb ddewis rhwydd on the horns of a dilemma

cyfyng[2] *eg* bwlch neu adwy gul iawn mewn mynydd-dir defile

cyfyngau *ell* lluosog **cyfwng**

cyfyngder:cyfyngdra *eg* (cyfyngderau) cyflwr pan fydd popeth yn gwasgu arnoch chi; adfyd, cystudd, ing, trallod distress, anguish

cyfyngedig *ans* wedi'i gyfyngu, wedi'i wasgu neu ei gadw y tu mewn i derfynau pendant; Cyf. (*byrfodd* 'cyfyngedig') limited, confined, restricted

cyfyng-gyngor *eg* cyflwr o fod heb wybod beth i'w wneud neu ei feddwl, poen meddwl; ansicrwydd, dilema, penbleth, petruster dilemma, quandary

cyfyngiad *eg* (cyfyngiadau) ffin neu derfyn na ddylid ei groesi limit, constraint, restriction

cyfyngiant *eg*
  1 y weithred o gyfyngu containment
  2 y weithred o rwystro ehangiad gwlad neu ddylanwad gelyniaethus containment
  3 FFISEG y broses o atal defnyddiau ymbelydrol rhag cael eu rhyddhau gan adweithydd containment

cyfyngion *ans* ffurf luosog **cyfyng**

cyfyngol *ans* yn cyfyngu limiting

cyfyngu *be* [cyfyng•[1]] gwasgu'n dynnach, gosod terfyn, tynnu ynghyd; caethiwo, crebachu, culhau, tynhau (~ **ar**) to contract, to limit, to restrict

cyfyngydd *eg* (cyfyngyddion) dyfais sy'n cyfyngu mudiant corff mecanyddol i un modd neu wedd constraint

cyfyl *eg* fel yn *ar gyfyl*, cwr, ffin, goror, ymyl proximity, vicinity
  ar fy (dy, ei, etc.) nghyfyl
  1 ar bwys, yn agos, yn ymyl

2 hefyd mewn brawddegau negyddol, *Nid oes neb ar gyfyl y lle*. near

cyfyrder *eg* (cyfyrdryd:cyfyrdyr) mab i gefnder neu gyfnither un o'ch rhieni second cousin (male)

cyfyrderes *eb* (cyfyrderesau) merch i gefnder neu gyfnither un o'ch rhieni second cousin (female)

cyfyrdryd *ell* lluosog **cyfyrder**

cyfyrdyr *ell* lluosog **cyfyrder**

cyfysgwydd *ans* ysgwydd wrth ysgwydd; yr un mor dal shoulder to shoulder, equal in height
  Sylwch: ffurf ansoddeiriol gyfartal o 'ysgwydd'.

cyfystyr *ans* o'r un ystyr, yn cyfleu'r un synnwyr synonymous, tantamount
  Sylwch: ffurf ansoddeiriol gyfartal o 'ystyr'.

cyfystyron *ell* GRAMADEG geiriau sy'n cyfleu'r un synnwyr neu'r un ystyr synonyms

cyff *eg* (cyffion)
  1 bôn coeden; boncyff stump, trunk
  2 coesyn planhigyn stem
  3 ffrâm o bren i ddal traed neu ddwylo a phen drwgweithredwr fel cosb stock
  4 pac o gardiau chwarae (52 fel arfer) pack
  5 hynafiaid teulu; ach, llinach, tras lineage
  6 haniad, tarddiad, hil, cenedl race, extraction
  cyff gwawd testun sbort laughing stock, butt of ridicule
  cyff gwenyn cwch gwenyn beehive

cyffaith *eg* (cyffeithiau) COGINIO y bwyd a geir o gyffeithio ffrwythau neu lysiau jam, preserve, pickle

cyffeithio *be* [cyffeithi•[2]]
  1 COGINIO berwi ffrwythau mewn siwgr i'w cadw heb bydru to jam, to preserve
  2 COGINIO halltu, piclo neu gochi cigoedd neu lysiau i'w cadw rhag pydru to pickle, to preserve

cyffeithiwr *eg* (cyffeithwyr) un sy'n gwneud neu'n gwerthu losin/fferins/da-da confectioner

cyffeithydd *eg* (cyffeithyddion) rhywbeth (cemegyn fel arfer) a ddefnyddir i gadw bwydydd rhag pydru preservative

cyffelyb *ans* tebyg, e.e. 'dynion cyffelyb' neu 'cyffelyb ddynion'; ail, cyfatebol, hafal alike, like, such
  Sylwch:
  1 pan ddaw o flaen yr hyn a oleddfir ganddo mae'n achosi'r treiglad meddal;
  2 nid yw'n treiglo'n feddal ei hun pan ddaw rhwng y fannod ac enw benywaidd.

cyffelybiaeth *eb* (cyffelybiaethau)
  1 (fel ffigur ymadrodd) cymhariaeth rhwng dau beth fel arfer gan ddefnyddio 'mor' neu 'cyn' neu 'fel' (e.e. cyn wynned â chalch; mor dywyll â bola buwch, yn ddu fel y frân) comparison, simile
  2 y cyflwr o fod yn gyffelyb; tebygrwydd similarity

cyffelybu *be* [cyffelyb•¹] gweld tebygrwydd; cyfosod, cymharu, tebygu (~ *rhywun/rhywbeth* i) to compare

cyffen:cyffsen *eb* (cyffs) ymyl dilledyn sy'n cau am yr arddwrn, e.e. ymyl maneg neu lawes crys cuff

cyffes *eb* (cyffesion)
1 cydnabyddiaeth eich bod ar fai; addefiad, cyfaddefiad admission
2 datganiad o ffydd neu gredo profession
3 cyfaddefiad o bechod wrth offeiriad; cyffesiad confession

cyffes ffydd
1 datganiad neu grynodeb ffurfiol o'r hyn y mae rhywun yn credu ynddo
2 un o'r amryw gyffesiadau cyhoeddus yn *Y Llyfr Gweddi Gyffredin*

gwrando cyffesion (gwaith offeiriad) gwrando ar gyflwyniad ffurfiol, preifat lle mae rhywun yn cyffesu ei bechodau to take confession

cyffesgell *eb* (cyffesgelloedd) CREFYDD man wedi'i neilltuo mewn eglwys lle mae offeiriad yn gwrando cyffesion confessional

cyffesiad *eg* (cyffesiadau) cyfaddefiad ffurfiol o fod ar fai, yn enwedig datganiad ysgrifenedig gan un sydd wedi cael ei gyhuddo o fod ar fai; addefiad, cyfaddefiad, cyffes confession

cyffesu *be* [cyffes•¹] cyfaddef, yn enwedig cyfaddef pechodau wrth offeiriad; addef, cydnabod, derbyn (~ *rhywbeth* **wrth** *rywun*) to admit, to confess

cyffeswr *eg* (cyffeswyr)
1 un sy'n addef iddo bechu confessor
2 un sy'n arddel ffydd, naill ai drwy eiriau megis adrodd 'cyffes ffydd' neu drwy weithredoedd da confessor
3 CREFYDD offeiriad sy'n gwrando cyffesion ac yn rhoi gollyngdod confessor

cyffesydd *eg* (cyffesyddion) un sy'n cyffesu confessant

cyffin *eg* unigol cyffiniau

cyffiniau *ell* lluosog cyffin; tir gerllaw rhyw derfynau neu ffiniau, ardal gyfagos; ffiniau, gororau, terfynau, ymylon bounds, vicinity

cyffinio *be* [cyffini•⁶] bod am y ffin â, bod yn nesaf at; ffinio, ymylu (~ â) to adjoin

cyffiniol *ans* yn cyffwrdd â'i gilydd, yn rhannu ffin; cyd-derfynol bordering, adjoining, abutting

cyffiniwr *eg* (cyffinwyr) un sy'n byw ar ffin neu oror borderer

cyffio *be* [cyffi•²] mynd yn stiff a dideimlad oherwydd bod y corff neu gymal o'r corff wedi aros yn rhy hir yn yr un ystum to stiffen

cyffion *ell* lluosog cyff, ffrâm o bren i ddal traed neu ddwylo a phen drwgweithredwr fel cosb stocks

cyfflogiaid:cyfflogod *ell* lluosog cyffylog•

cyffordd *eb* (cyffyrdd) man cyfarfod mwy nag un rheilffordd neu heol junction

cyfforddus:cyffyrddus *ans* esmwyth, heb ofid na phoen; cartrefol, cysurus, diddos, jocôs comfortable

cyffredin *ans*
1 yn perthyn i ddau neu ragor o bobl, a rennir gan ddau neu ragor o bobl; cyffredinol, cyhoeddus common
2 ar gael mewn llawer o fannau; yn digwydd yn aml; aml, cyson common
3 heb fod yn wahanol i'r mwyafrif; arferol, normal ordinary
4 o safon gymharol isel, heb fod yn arbennig; canolig, cymedrol, gweddol, symol mediocre

cyffredinedd *eg* diffyg arbenigrwydd neu ragoriaeth; cyflwr canolig; dinodedd, distadledd mediocrity

cyffredinol *ans*
1 yn perthyn i bawb neu bopeth, cyffredin i'r holl wlad neu i'r holl bobl, cymwys neu addas i bawb; byd-eang, catholig general, overall
2 RHESYMEG (am osodiad) yn hollgynhwysfawr, naill ai ar ffurf bendant, e.e. *Du yw pob brân*, neu ar ffurf negyddol, e.e. *Nid oes un afal ar ôl.*; bras universal

cyffredinolaeth *eb* CREFYDD yr athrawiaeth grefyddol sy'n hawlio y caiff pob un ei achub yn y diwedd universalism

cyffredinoli *be* [cyffredinol•¹] llunio casgliadau ynghylch y cyfan oll ar ôl sylwi ar ychydig yn unig (~ **am**) to generalize

cyffredinoliad *eg* (cyffredinoliadau)
1 y broses neu'r weithred o gyffredinoli generalization
2 gosodiad, deddf, datganiad o egwyddor, etc., nad yw'n rhoi digon o sylw i ffeithiau, *Mae pob cyffredinoliad yn anghywir, gan gynnwys hwn.* generalization

cyffredinolrwydd *eg* y cyflwr o fod yn gyffredinol generality

cyffro:cyffroad *eg* (cyffroadau) symudiad sydyn, cynnwrf emosiynol; aflonyddwch, bwrlwm, cynnwrf, terfysg excitement, stir, commotion

cyffroi *be* [cyffro•¹⁷ 1 *un. pres.* cyffroaf; 3 *un. pres.* cyffry/cyffroa] cynhyrfu, ennyn, gwefreiddio, pryfocio to excite, to agitate, to stir

cyffrous *ans* yn cyffroi, yn peri cynnwrf; cynhyrfus, gwefreiddiol, iasol exciting, agitated, thrilling

cyffröwr *eg* (cyffrowyr) un sy'n cynhyrfu teimladau'r cyhoedd ar faterion dadleugar; cynhyrfwr agitator

cyffrwyth *eg* cyffaith neu gatwad o ffrwythau wedi'u berwi â siwgr ac a ddefnyddir fel jam conserve

cyffry *bf* [**cyffroi**] *hynafol* mae ef yn cyffroi/mae hi'n cyffroi; bydd ef yn cyffroi/bydd hi'n cyffroi

cyffsen gw. **cyffen**

cyffug *eg* darn meddal, blasus, hufennog wedi'i wneud o siwgr, llaeth, menyn a gwahanol gyflasynnau fudge

cyffur *eg* (cyffuriau)
1 unrhyw sylwedd sy'n effeithio ar gyflwr corfforol neu ffisiolegol rhywun drug
2 unrhyw gemegyn neu sylwedd a ddefnyddir i drin y corff; ffisig, meddyginiaeth, moddion drug
cyffur narcotig gw. **narcotig**

cyffuriau *ell* lluosog **cyffur**, yn aml mae'n cyfeirio at sylweddau y mae pobl, unwaith y maent yn gaeth iddynt, yn barod i wneud unrhyw beth i gael rhagor ohonynt, e.e. heroin, nicotin, alcohol, etc. drugs

cyffwrdd *be* [cyffyrdd•[1] 3 *un. pres.* cyffwrdd/ cyffyrdda; *2 un. gorch.* cyffwrdd/cyffyrdda]
1 rhoi llaw, bys neu ryw ran arall o'r corff ar rywbeth er mwyn ei deimlo; clywed, teimlo, trafod (~ â *rhywun/rhywbeth*) to touch
2 deffro neu ennyn ymateb teimladol, *Cefais fy nghyffwrdd gan ei phortread o'r hen wraig.* to touch
3 sôn am ryw destun neu bwnc neu gyfeirio at ryw destun neu bwnc; crybwyll to touch (on)

cyffwrdd-ymledol *ans* MEDDYGAETH (am glefyd neu haint) yn cael ei ledu drwy gyffyrddiad (uniongyrchol neu anuniongyrchol) contagious

cyffylog *eg* (cyfflogod:cyfflogiaid) aderyn helwriaeth y coedydd; mae ganddo big hir a phlu amryliw ac mae'n perthyn i'r un teulu â'r giach woodcock

cyffyn *eg* (cyffion) cangen neu goesyn (planhigyn), yn cynnwys y dail a'r blagur cyn iddynt aeddfedu shoot

cyffyrdd *ell* lluosog **cyffordd**

cyffyrddaf *bf* [cyffwrdd] rwy'n cyffwrdd; byddaf yn cyffwrdd

cyffyrddiad *eg* (cyffyrddiadau)
1 yr hyn sy'n digwydd pan fydd un peth yn cyffwrdd â rhywbeth arall touch
2 y synnwyr o ganfod rhywbeth drwy gyswllt corfforol, yn enwedig drwy ddefnyddio'r bysedd touch

cyffyrddol *ans* yn ymwneud â'r synnwyr o deimlo drwy gyffwrdd; y gellir ei ganfod drwy ei deimlo tactile

cyffyrddus gw. **cyfforddus**

cyngaf *eg* planhigyn y caiff ei hadau eu gwasgaru wrth i'r bachau arnynt lynu yn nillad pobl neu ym mlew anifeiliaid sy'n cyffwrdd â nhw; cacamwci, cedowrach burdock

cynganeddion *ell* lluosog **cynghanedd**

cynganeddol *ans* yn ymwneud â'r gynghanedd, nodweddiadol o'r gynghanedd

cynganeddu *be* [cynganedd•[1]]
1 llunio cynghanedd, cyfansoddi darn o farddoniaeth yn y mesurau caeth
2 gw. **harmoneiddio**

cynganeddwr *eg* (cynganeddwyr) LLENYDDIAETH un sy'n medru llunio cynghanedd, bardd sy'n canu yn y mesurau caeth

cyngerdd *eg* (cyngherddau) cyfarfod adloniadol lle mae cynulleidfa yn gwrando ar nifer o gerddorion (lleisiol neu offerynnol) yn perfformio (fel arfer) amrywiaeth o eitemau concert

cynghanedd *eb* (cynganeddion)
1 crefft sy'n nodweddiadol o farddoniaeth Gymraeg lle mae llinellau cerdd yn dilyn rheolau acennu, odli, cytseinedd a chyseinedd hen draddodiad barddol y canu caeth; cerdd dafod
2 harmoni; cyfuniad o nodau yn cydseinio ar ffurf cordiau harmony

cynghanedd draws cynghanedd lle yr ailadroddir y cytseiniaid a geir yn rhan gyntaf y llinell yn yr ail ran, gan ddilyn yr un drefn, ond lle mae hawl i anwybyddu un neu ragor o'r cytseiniaid ar ddechrau'r ail ran, e.e. *Gan Dduw mae digon i ddyn*.

cynghanedd groes cynghanedd lle yr ailadroddir y cytseiniaid a geir yn rhan gyntaf y llinell (ac eithrio'r rhai sy'n dilyn y brif acen ['d' ac 'ch' yma]) yn yr ail ran, gan ddilyn yr un drefn, e.e. *pantri bwyd y pentre bach*

cynghanedd lusg mewn cynghanedd lusg, mae sillaf olaf rhan gyntaf y llinell yn odli â sillaf acennog yn y goben mewn gair lluosill, e.e. *Mae rhai yn hoff o goffi*.

cynghanedd sain ceir tair rhan mewn llinell o gynghanedd sain; mae ynddi odlau mewnol ynghyd â chyfatebiaeth gytseiniol, e.e. *Segurdod yw clod y cledd*.

cyngherddau *ell* lluosog **cyngerdd**

cynghorau *ell* lluosog **cyngor**[2]

cynghori *be* [cynghor•[1]] cynorthwyo rhywun neu rywrai i ddod i benderfyniad drwy gynnig barn iddynt ynglŷn â beth sydd orau i'w wneud; argymell, cymell, rhybuddio, siarsio (~ *rhywun* i) to advise, to recommend, to counsel

cynghorion *ell* lluosog **cyngor**[1]

cynghorwr *eg* (cynghorwyr) un sy'n cynnig cyngor, un y mae pobl yn gofyn iddo/iddi am gyngor adviser, counsellor

cynghorydd *eg* (cynghorwyr) aelod o gyngor, fel arfer un sydd wedi'i ethol i gynrychioli ardal ar gyngor councillor

cynghorydd bro cynghorydd sy'n aelod o gyngor bro community councillor

cynghorydd sir cynghorydd sy'n aelod o gyngor sir county councillor

cynghrair *eb* (cynghreiriau)
1 yn wreiddiol, cyfamod drwy lw, ond erbyn hyn cytundeb rhwng pleidiau neu wledydd a'i gilydd, neu weithiau rhwng unigolion, i gydweithio tuag at ryw nod ac fel arfer yn erbyn rhywrai eraill; partneriaeth rhwng gwledydd neu bleidiau; clymblaid, undeb alliance, confederation, league
2 grŵp o dimau sy'n cystadlu yn erbyn ei gilydd mewn pencampwriaeth, *cynghrair pêl-droed*; cydffederasiwn league

cynghreiriad *eg* (cynghreiriaid) unigolyn neu gymdeithas neu wlad sydd yn aelod neu wedi bod yn aelod o gynghrair ally, confederate

cynghresol *ans* yn ymwneud â gwaith neu swyddogaeth cyngres congressional

cynghresydd *eg* (cyngreswyr) aelod o gyngres, yn enwedig aelod o Dŷ'r Cynrychiolwyr congressman

cyngor[1] *eg* (cynghorion) barn sy'n cael ei chynnig ynglŷn â'r ffordd orau o ddelio â rhyw broblem neu fater; arweiniad, cyfarwyddyd, rhybudd advice, counsel

cyngor[2] *eg* (cynghorau)
1 grŵp o bobl wedi'u galw ynghyd at bwrpas arbennig, e.e. i gynghori, i lywodraethu, i drafod materion cyhoeddus; cyngres, cymanfa, cynulliad council, senate
2 (ym maes llywodraeth leol) corff wedi'i ethol gan drigolion tref, dinas, bro neu sir i weithredu ar eu rhan er mwyn llunio polisïau a gofalu am eu buddiannau council
   Sylwch: mae'n derbyn ffurf unigol neu luosog berf.

cyngor bwrdeistref sirol uned weinyddol a ddynodir gan enw tref neu ardal, *Cyngor Bwrdeistref Sirol Wrecsam, Cyngor Bwrdeistref Sirol Rhondda Cynon Taf* county borough council

cyngor bro y lefel fwyaf lleol o lywodraeth leol; cyngor cymuned community council

cyngor sir yr awdurdod mwyaf ei faint yng nghyfundrefn llywodraeth leol y Deyrnas Unedig county council

cyngor tref yn cyfateb mewn tref i gyngor bro ardal wledig town council

Cyngor y Gororau *hanesyddol* cyngor brenhinol a sefydlwyd gan Edward IV yn 1471 i reoli Cymru a'r Gororau; fe'i diddymwyd yn derfynol yn 1689 Council of the Marches

cyngres *eb* (cyngresau) cyfarfod ffurfiol gan gynrychiolwyr gwahanol gymdeithasau neu wledydd i gyfnewid syniadau; cymanfa, cynhadledd, cynulliad congress

Y Gyngres GWLEIDYDDIAETH corff etholedig sy'n llunio deddfau neu gyfreithiau gwlad, yn enwedig senedd Unol Daleithiau America Congress

cyngwystl *eg hynafol* bet; cytundeb rhwng dwy ochr y bydd yr un sy'n anghywir (e.e. am ganlyniad ras geffylau neu gêm o ryw fath), yn talu swm penodol i'r un sydd wedi dyfalu'n gywir; bet wager

cyngwystlo *be hynafol* taro cytundeb ar gyngwystl; betio, gamblo to wager
   Sylwch: nid yw'r ferf hon yn arfer cael ei rhedeg.

cyhoedd *eg* pobl yn gyffredinol public
   Sylwch: mae'n derbyn ffurf unigol neu luosog berf.

cyhoeddeb *eb* (cyhoeddebau) gorchymyn cyhoeddus â grym y gyfraith yn gefn iddo edict

cyhoeddedig *ans* wedi'i gyhoeddi published

cyhoeddi *be* [cyhoedd•[1]]
1 gwneud yn hysbys, datgan yn gyhoeddus; adrodd, dadlennu, hysbysebu, traethu (*~ rhywbeth i rywun; ~ rhywun* **yn**) to announce, to declare, to issue
2 dweud pa raglenni sy'n dod nesaf ar y radio neu ar y teledu; hysbysu to announce
3 cynhyrchu copïau o lyfr neu gylchgrawn fel eu bod ar gael i'r cyhoedd; argraffu to publish

cyhoeddi bwrdd gwaith CYFRIFIADUREG argraffu deunydd print o ansawdd da drwy gyfrwng cyfrifiadur pen-bwrdd wedi'i gysylltu ag argraffydd; bwrddgyhoeddi, cyhoeddi pen-bwrdd desktop publishing

cyhoeddiad *eg* (cyhoeddiadau)
1 y broses o gyhoeddi, canlyniad cyhoeddi; datganiad cyhoeddus; adroddiad, datganiad, hysbysiad, mynegiad announcement, declaration
2 apwyntiad i bregethu (yn enwedig mewn capel)
3 cylchgrawn neu lyfr sy'n cael ei baratoi i'w werthu (gan amlaf) i'r cyhoedd; copi publication

cyhoeddus *ans*
1 amlwg i bawb, ar goedd, *siarad cyhoeddus*; agored, gwybyddus, hysbys public
2 at wasanaeth y cyhoedd, â hawl arno gan bawb, *llyfrgell gyhoeddus*; cyffredin public
3 yn gweithredu ar ran y cyhoedd neu er lles y cyhoedd, *Cyfarwyddwr Erlyniadau Cyhoeddus* public

cyhoeddusrwydd *eg*
1 y cyflwr o fod yn gyhoeddus; amlygrwydd, enwogrwydd prominence
2 y broses o ddenu sylw, o hysbysebu, o dynnu sylw at rywun neu rywbeth, yn enwedig er mwyn elw; hysbysrwydd, sylw publicity

cyhoeddwr *eg* (cyhoeddwyr)
1 unigolyn neu gwmni sy'n gyfrifol am gynhyrchu a dosbarthu copïau (argraffedig neu electronig) o lyfrau, cerddoriaeth, cylchgronau, etc., i'w gwerthu i'r cyhoedd; gwasg publisher
2 un sy'n cyhoeddi neu'n hysbysu, yn enwedig yr un sy'n cyhoeddi'r oedfaon neu'r digwyddiadau mewn capel, neu'r unigolyn ar

radio neu deledu sy'n cyflwyno'r rhaglen neu'r rhaglenni sydd i ddod announcer

cyhuddadwy *ans* CYFRAITH yn agored i gael ei gyhuddo chargeable, accusable

cyhuddedig[1]**:cyhuddiedig** *eg* CYFRAITH yr un a gyhuddir (the) accused

cyhuddedig[2]**:cyhuddiedig** *ans* am un sydd wedi'i gyhuddo accused

cyhuddiad *eg* (cyhuddiadau)
 1 honiad o ddrwgweithredu; achwyniad, cwyn accusation
 2 CYFRAITH y drosedd y mae rhywun yn cael ei gyhuddo o'i chyflawni (mewn llys barn fel arfer) charge
 dwyn cyhuddiad yn erbyn CYFRAITH (mewn cyfraith trosedd) cyhuddo'r troseddwr dan amheuaeth yn ffurfiol o'r drosedd to accuse

cyhuddo *be* [cyhudd•[1]] honni bod rhywun wedi gwneud rhywbeth drwg neu anghywir, beio rhywun am drosedd, dwyn cyhuddiad yn erbyn rhywun; achwyn, beio, cwyno, erlyn (~ *rhywun o wneud*) to accuse

cyhuddwr *eg* (cyhuddwyr) un sy'n dwyn cyhuddiad accuser

cyhwfan:cwhwfan *be* hedfan (am rywbeth fel baner y mae un pen iddo'n sownd a'r llall yn rhydd i gael ei chwythu gan y gwynt); chwifio, siglo, ysgwyd to flutter, to fly, to wave
 Sylwch: nid yw'r ferf hon yn arfer cael ei rhedeg.

cyhyd:cyd[2] *ans* mor **hir** (yn enwedig am amser), *Arhosaf yma cyhyd ag y bo angen.*; tra as long as, so long as
 Sylwch: mae'n gwrthsefyll y treiglad meddal, *Arhosodd cyhyd ag y medrai.*

cyhydedd *eg* (ar fapiau) llinell ledred 0°, sef llinell sy'n rhannu'r Ddaear yn ddau hemisffer cyfartal yn union hanner ffordd rhwng Pegwn y De a Phegwn y Gogledd equator
 cyhydedd wybrennol SERYDDIAETH tafluniad o gyhydedd y Ddaear ar y sffêr wybrennol sy'n rhannu'r wybren yn hemisfferau'r gogledd a'r de celestial equator

cyhydeddol *ans*
 1 wedi'i leoli ar y cyhydedd neu'n agos ato equatorial
 2 (am y tywydd) â thymheredd a glawiad uchel yn gyson drwy'r flwyddyn equatorial

cyhydnos *eb* (cyhydnosau) un o'r ddwy adeg yn y flwyddyn pan fydd yr haul yn croesi'r cyhydedd wybrennol ac y bydd dydd a nos yr un hyd equinox
 cyhydnos y gwanwyn tua 21 Mawrth; Alban Eilir vernal equinox
 cyhydnos yr hydref tua 23 Medi; Alban Elfed autumnal equinox

cyhyr *eg* (cyhyrau) ANATOMEG (yng nghyrff bodau dynol ac anifeiliaid) sypyn o feinwe

ffibrog sy'n gallu cyfangu gan achosi i rannau o'r corff symud neu aros yn eu lle muscle

cyhyraeth *eg* sŵn cwynfanllyd y credid gynt ei fod yn darogan marwolaeth, cri arswydus yn y nos; drychiolaeth, ysbryd banshee

cyhyredd *eg* ANATOMEG cyhyrau'r corff neu ran o'r corff musculature

cyhyrog *ans*
 1 â chyhyrau amlwg, *Roedd y gampfa'n llawn athletwyr cyhyrog.* muscular
 2 cryf, cydnerth, praff, *Mae Ifan yn foi mawr, cyhyrog.* brawny, burly
 3 (am iaith, perfformiad, etc.) bywiog, cadarn, cryf, *Cafwyd perfformiad cyhyrog gan y gerddorfa ifanc.* robust

cyhyrol *ans* yn ymwneud â chyhyrau a gwaith y cyhyrau; wedi'i wneud o gyhyr, o natur cyhyr muscular

cyhyryn *eg* (cyhyrynnau) ANATOMEG un cyhyr yn arbennig muscle
 cyhyryn deuben ANATOMEG y cyhyryn gwrthweithiol ar ben uchaf y fraich sy'n plygu'r fraich yn y penelin bicep
 cyhyryn sythu ANATOMEG cyhyryn, yn enwedig un o'r mân gyhyrau yn y croen, sy'n gallu symud rhan o'r corff i safle unionsyth erector muscle
 cyhyryn triphen ANATOMEG y cyhyryn gwrthweithiol ar gefn pen uchaf y fraich sy'n sythu'r fraich yn y penelin tricep

cylch *eg* (cylchoedd)
 1 unrhyw arwyneb crwn, fflat neu'r llinell sy'n ei gynnwys y mae pob pwynt ar ei ymyl yr un pellter o'r canolbwynt circle
 2 y band o haearn o gwmpas ymyl olwyn cert neu drol; band o gwmpas casgen sy'n rhwymo'r ystyllod pren yn dynn hoop
 3 cwmni neu ddosbarth o bobl sy'n rhannu'r un diddordebau neu fuddiannau, *cylch cinio, cylch meithrin*; cymdeithas circle, group
 4 ardal neu dalaith oddi mewn i ffiniau arbennig, *Bu'n hwylio am flynyddoedd yng nghylchoedd y de.*; bro, cymdogaeth, cynefin, parth zone
 5 orbit; taith o gwmpas, tro oddi amgylch, e.e. *cylch yr haul, cylch y lleuad*; rhod cycle, orbit
 6 cyfres o ddigwyddiadau sy'n cael eu hailadrodd yn gyson yn yr un drefn; yr amser mae'n ei gymryd i gwblhau un gyfres cycle
 cylch anfad/cythreulig cylch (o ddigwyddiadau) nad oes modd torri allan ohonynt vicious circle
 cylch dylanwad gwlad neu ardal lle mae gan wlad arall y grym i gael effaith ar ddatblygiadau er nad oes ganddi ddim awdurdod ffurfiol sphere of influence
 cylch gorchwyl y gwaith neu'r maes gweithredu penodol a neilltuir i unigolyn neu gorff arbennig remit, terms of reference

o gylch (am amser) tua, o gwmpas about

yng nghylch ynglŷn â, tua about

cylch- *rhag* o amgylch, o gwmpas, e.e. *cylchredeg, cylchdaith* circum-, cyclo-

cylchbais *eb* (cylchbeisiau) pais nodweddiadol o wisg cyfnod Elisabeth I, yn cynnwys fframwaith i ledu cylch sgert farthingale

cylchdaith *eb* (cylchdeithiau)

  1 taith o gwmpas gan ymweld â nifer o leoedd a gorffen yn y man cychwyn; amdaith tour

  2 CYFRAITH taith barnwr i gynnal llysoedd barn mewn rhanbarth dan ei ofal; amdaith circuit

cylchdro[1] *eg* (cylchdroeon)

  1 symudiad mewn cylch ac mewn trefn lle mae un peth yn dilyn y llall, e.e. *cylchdro'r tymhorau, cylchdro cnydau*; rhod cycle, rotation, revolution

  2 y broses o gylchdroi rhywbeth o amgylch pwynt sefydlog rotation

cylchdro[2] *ans* yn cylchdroi o amgylch pwynt penodol rotating, rotary

cylchdroad *eg* (cylchdroadau) y broses neu'r weithred o gylchdroi rotation

cylchdroadaol *ans* yn cylchdroi revolving

cylchdroi *be* [cylchdro•[17]] symud mewn cylch; troi neu symud (rhywun neu rywbeth) oddi amgylch; amdroi, chwyldroi, troi (~ o amgylch; ~ o gwmpas) to circle, to revolve

cylched *eb* (cylchedau)

  1 system o ddargludyddion a chydrannau sy'n ffurfio llwybr caeedig, cyflawn y gall cerrynt trydanol lifo ar ei hyd circuit

  2 llwybr cylchrediad cerrynt trydan circuit

cylched brintiedig ELECTRONEG cylched electronig lle mae'r cysylltiadau dargludol wedi'u hysgythru neu eu printio ar fwrdd ynysu printed circuit

cylched fer nam mewn cysylltiad trydanol sy'n digwydd pan fydd dwy wifren, nad ydynt i fod i gyffwrdd, yn cyffwrdd â'i gilydd ac yn byrhau'r cylch trydanol; gall hyn fod yn beryglus, ac fel arfer mae'n effeithio ar ffiws sy'n torri a thrwy hynny'n torri'r gylched short circuit

cylched gyfannol ELECTRONEG cylched electronig yn cynnwys sawl cydran gydgysylltiol sydd wedi'u hysgythru neu eu printio ar sglodyn silicon bach iawn integrated circuit

cylchedd *eg* (cylcheddau) MATHEMATEG y pellter o gwmpas ymyl cylch, hyd y cylchyn circumference

cylchfa *eb* (cylchfaoedd:cylchfâu)

  1 rhanbarth neu ardal sydd ar wahân i ardal neu ranbarth arall, *Symudodd o'r naill gylchfa ymarfer i'r llall.* zone

  2 un o bum rhaniad arwynebedd y byd (sef y ddwy Gylchfa Dymherus, y ddwy Gylchfa Rew a'r Gylchfa Drofannol) sydd wedi'u seilio

ar dymheredd ac wedi'u rhannu yn ôl llinellau lledred zone

cylchfa weithredol DAEARYDDIAETH ardal lle mae platiau tectonig yn cyffwrdd â'i gilydd, yn gwthio yn erbyn ei gilydd neu'n symud oddi wrth ei gilydd active zone

cylchfäedd *eg* BIOLEG dosraniad organebau byw i gylchfaoedd neu barthau biolegol zonation

cylchfan *egb* (cylchfannau) cyffordd wedi'i hadeiladu o gwmpas ynys y mae trafnidiaeth yn teithio o'i chwmpas mewn un cyfeiriad yn unig roundabout

cylchfaol *ans*

  1 wedi'i rannu'n gylchfaoedd zonal

  2 DAEARYDDIAETH yn perthyn i ddosbarth o briddoedd ac iddynt nodweddion pendant yn seiliedig ar effaith y tywydd ac organebau arnynt zonal

cylchfordaith *eb* (cylchfordeithiau) taith fôr o amgylch y byd circumnavigation

cylchfordwyo *be* [cylchfordwy•[1]] hwylio o amgylch y byd to circumnavigate

cylchffordd *eb* (cylchffyrdd) ffordd wedi'i hadeiladu i osgoi canol tref a thagfeydd traffig ring road

cylchgan *eb* (cylchganau) cân fach syml â chytgan roundelay

cylchgrawn *eg* (cylchgronau) cyhoeddiad sy'n ymddangos yn rheolaidd (bob wythnos, bob mis, bob chwarter, etc.) ar gyfer grŵp arbennig o ddarllenwyr ac sy'n cynnwys erthyglau amrywiol gan nifer o awduron; cyfnodolyn magazine, journal, periodical

cylchlif *eb* (cylchlifiau) llif fecanyddol â llafn ar ffurf cylch bandsaw

cylchlythyr *eg* (cylchlythyrau:cylchlythyron) llythyr sy'n cael ei ddosbarthu i gylch o bobl, e.e. aelodau o bwyllgor neu aelodau o'r cyhoedd newsletter, circular

cylchoid *eg* (cylchoidau) MATHEMATEG llwybr pwynt sefydlog ar ymyl cylch sy'n rholio ar hyd llinell syth (mae'r llwybr yn edrych yn debyg i gyfres o bontydd) cycloid

cylchol *ans*

  1 yn perthyn i gylch, wedi'i drefnu mewn cylch cyclic

  2 yn digwydd ar adegau gweddol reolaidd recurring, periodic

  3 CEMEG (am adeiledd moleciwlaidd) yn cynnwys un neu ragor o gylchoedd caeedig o atomau cyclic

  4 ECONOMEG yn ymwneud â thoniannau economaidd; yn gysylltiedig â'r cylch masnach neu'n deillio o'r toniannau hyn cyclical

  5 seiclig; am gylchoedd o amser neu ddigwyddiadau biolegol cyclic

cylchotron *eg* (cylchotronau) FFISEG math arbennig o gyflymydd cyclotron

cylchran *eb* (cylchrannau)
1 unrhyw ran y mae rhywbeth cyfan wedi'i wneud ohoni, yn enwedig os oes llinell neu rywbeth arall ar gael sy'n dynodi'r rhaniad; segment segment
2 rhan debyg o'r corff dynol neu adeiledd aelod neu gymal o gorff anifail segment

cylchred *eb* (cylchredau)
1 cyfres o gamau sy'n digwydd yn rheolaidd ac yn yr un drefn cycle
2 BIOLEG symudiad sylweddau syml drwy bridd, creigiau, dŵr, yr atmosffer ac organebau byw y Ddaear cycle

cylchred bywyd BIOLEG hanes datblygiad organeb fyw o'i dechreuad hyd at aeddfedrwydd life-cycle, life history

cylchred ddŵr yr ailgylchu parhaus ar ddŵr rhwng y môr, yr aer, a'r tir; cylchred hydrolegol hydrological cycle, water cycle

cylchred garbon BIOLEG cylchrediad carbon deuocsid drwy ffotosynthesis, resbiradaeth, pydru organebau marw a llosgi tanwyddau ffosil carbon cycle

cylchred nitrogen BIOLEG cylchrediad nitrogen drwy facteria, planhigion ac anifeiliaid nitrogen cycle

cylchred oes cynnyrch y cyfnod o amser sy'n cynnwys datblygu eitem, ei chyflwyno i'r farchnad a'i thynnu oddi ar y farchnad product life cycle

cylchredeg *be* [cylchred•¹]
1 symud neu redeg mewn cylch to circle
2 llifo ar hyd llwybrau neu bibau caeedig, *Mae'r gwaed yn cylchredeg drwy'r corff.* to circulate
3 peri i rywbeth gael ei ddosbarthu neu ei ledaenu (papur newydd, cylchgrawn, etc.) to circulate

cylchrediad *eg* (cylchrediadau)
1 llif nwy neu hylif ar hyd llwybr caeedig circulation
2 symudiad rhywbeth megis newyddion neu arian o le i le neu o unigolyn i unigolyn circulation
3 nifer y copïau o gylchgrawn neu bapur newydd sy'n cael eu gwerthu ar gyfartaledd; dosbarthiad circulation
4 llif y gwaed drwy'r corff circulation

cylchres *eb* (cylchresi) rhestr o bobl sydd i gyflawni rhyw ddyletswydd yn eu tro rota

cylchu *be* [cylch•¹]
1 mynd o gwmpas rhywbeth, symud o gwmpas mewn cylch to circle
2 mynd drwy broses ailadroddol, achosi i (rywbeth) fynd drwy broses ailadroddol to cycle
3 ffurfio cylch o gwmpas rhywbeth, cau mewn cylch; amgylchynu to encircle

4 gosod cylch am olwyn neu gasgen, etc. (~ *rhywbeth* â) to hoop

cylchwr *eg* (cylchwyr) gwneuthurwr barilau a chasgenni, saer casgenni; cowper cooper, hooper

cylchyn *eg* (cylchynnau) y llinell gron sy'n ffurfio cylch circle, circumference, hoop

cylchynol *ans* yn teithio o le i le, yn cael ei drosglwyddo o unigolyn i unigolyn, *ysgolion cylchynol Griffith Jones, Llanddowror*; crwydrol, peripatetig, teithiol circulating, peripatetic
   Sylwch: nid yw'n cael ei gymharu.

cylchynu *be* [cylchyn•¹]
1 cau y tu mewn i gylch, dan warchae; amgáu, amgylchynu, cwmpasu (~ **o gwmpas**) to besiege, to surround
2 teithio o gwmpas, cerdded o amgylch to circulate

cylion *ell* lluosog cylionyn *eg*: cylionen *eb*; clêr, gwybed, pryfed flies

cyltiau *ell* lluosog **cwlt**

cyltig *ans* yn perthyn i gwlt, nodweddiadol o gwlt cultic

cyll¹ *ell* lluosog **collen**; hefyd, yn unigol, pren y coed hyn hazel

cyll² *bf* [colli] *ffurfiol* mae ef yn colli/mae hi'n colli; bydd ef yn colli/bydd hi'n colli

cylla *eg* y rhan o'r tu mewn i'r corff lle mae bwyd yn cael ei dreulio ar ôl cael ei lyncu; bol, crombil, stumog stomach, maw

cyllell *eb* (cyllyll) llafn miniog (ar gyfer torri, cerfio, naddu, etc.) fel arfer ac iddo garn i gydio ynddo, ond gall hefyd fod yn llafn mewn peiriant; twca knife

cyllell boced cyllell fach sydd fel arfer â dau lafn sy'n agor ac yn cau penknife

cyllell llawfeddyg cyllell â llafn bach blaenllym o'r math a ddefnyddir gan lawfeddyg scalpel
   Ymadrodd

cyllell sbaddu malwod gw. ysbaddu

cyllid *eg* (cyllidau) CYLLID arian a ddaw i law yn rheolaidd yn dâl am waith neu o fuddsoddiad neu fel nawdd; arian sydd ar gael i'w wario; derbyniadau, enillion, incwm finance, income, revenue

cyllideb *eb* (cyllidebau)
1 cynllun ar gyfer ennill a gwario hyn a hyn o arian dros gyfnod o amser budget
2 y swm o arian sydd i'w gael o fewn y cynllun budget

y Gyllideb datganiad blynyddol Canghellor y Trysorlys i Dŷ'r Cyffredin, sy'n amcangyfrif beth fydd incwm a gwariant y llywodraeth yn ystod y flwyddyn ddilynol the Budget

cyllidebu *be* [cyllideb•¹] darparu arian ar gyfer rhywbeth mewn cyllideb (~ **ar gyfer**) to budget

cyllido *be* [cyllid•[1]] sicrhau cyllid ar gyfer rhywbeth; ariannu, talu am to finance, to fund

cyllidol *ans*

1 yn ymwneud â chyfrifon ariannol neu gyllid cyhoeddus; ariannol financial

2 ECONOMEG yn ymwneud â gwariant cyhoeddus neu drethu, *polisi cyllidol* fiscal

cyllidwr *eg* (cyllidwyr) ariannwr; un hyddysg mewn cyllid neu mewn buddsoddi arian financier

cyllyll *ell* lluosog **cyllell**

cymaint[1] *ans* [maint] (gradd gyfartal) mor fawr â, mor lluosog â, yr un maint neu fesur â as many, as much, only so much

Sylwch:

1 mae'n treiglo'n llaes ond yn gwrthsefyll y treiglad meddal, ac eithrio yn achos sangiad (*Roedd yno gymaint o fwyd.*);

2 ffurf ansoddeiriol gyfartal **maint** (*cymaint o fara*, ond *cynifer o dorthau*).

cymaint a chymaint (mewn brawddeg negyddol) dim llawer, *Nid oedd cymaint a chymaint yn y gêm.* not as large, not so many, not so much

cymaint arall yr un maint eto as much again

rhyw gymaint peth (ond nid y cyfan) a certain amount

yn gymaint â gan, oherwydd in as much as

cymaint[2] *eg* maint neu swm neu fesur mor fawr, *dau gymaint eto*

Sylwch: mae'r 'cymaint' yma'n treiglo'n feddal.

cymal *eg* (cymalau)

1 ANATOMEG y man lle mae dau asgwrn yn ffitio ynghyd yn y corff, e.e. ffêr, pen-glin, arddwrn joint

2 rhywbeth peirianyddol sy'n gweithio neu'n edrych yn debyg i gymal esgyrn; cyswllt, uniad joint

3 GRAMADEG brawddeg neu ran o frawddeg yn cynnwys goddrych a thraethiad ac, fel arfer, yn gwneud gwaith enw, ansoddair neu adferf, e.e. *Roedd Idwal yn credu* [prif gymal] *ei fod yn gawr* [isgymal enwol]. clause

4 CYFRAITH amod pendant mewn deddf neu mewn gweithred gyfreithiol clause

cymal adferfol cymal sy'n cyflawni swydd adferf, e.e. *Gwelais hi pan oeddwn ar fy ffordd adre.* adverbial clause

cymal bys cwgn; y cymal rhwng bys a gweddill y llaw; migwrn knuckle

cymal enwol cymal sy'n cyflawni swydd enw (fel gwrthrych y ferf), e.e. *Gwelais fod y môr yn arw.* noun clause

cymal perthynol cymal sydd (wrth ysgrifennu) yn cael ei glymu wrth frawddeg gan y geiriau 'a' neu 'y(r)' (neu 'na'/'nad' mewn ffurf negyddol) ac sy'n gweithredu yn lle ansoddair, e.e. *Rhoddodd John y trên coch imi. Rhoddodd John y trên a oedd wedi syrthio ar y llawr*

imi. Yma y mae'r cymal 'a oedd wedi syrthio ar y llawr' yn cymryd lle 'coch' yn y frawddeg gyntaf. Mae iddo swyddogaeth ansoddeiriol. relative clause

Sylwch: mae'r 'a' yn aml yn diflannu ond mae'r treiglad yn aros.

cymalog *ans* aml neu amlwg ei gymalau jointed

lorri gymalog lorri mewn dwy ran, caban yw'r rhan flaen ac mae'r rhan ôl wedi'i chysylltu â chymal arbennig articulated lorry

cymalwst *eb* hynafol gowt; clefyd lle mae crynhoad grisialau asid wrig yn achosi pwl poenus iawn o arthritis, yn enwedig ym mawd y droed neu yn y droed ei hun gout

cymanfa *eb* (cymanfaoedd)

1 cynulliad o bobl, fel arfer ar gyfer math arbennig o wasanaeth crefyddol, *cymanfa ganu*; cwrdd, oedfa assembly, festival

2 cyfarfod i drafod a phenderfynu ar faterion o bwys gan benaethiaid yr enwadau anghydffurfiol neu benaethiaid eglwysig; cyngor, cyngres, cynulliad convocation

cymanwlad *eb*

1 grŵp o wledydd annibynnol a fu unwaith yn rhan o'r Ymerodraeth Brydeinig sy'n ceisio hybu masnach a chyfeillgarwch ymhlith ei aelodau commonwealth

2 grŵp o'r gwledydd hynny, a fu unwaith yn rhan o'r Undeb Sofietaidd, wedi iddynt ennill eu hannibyniaeth

cymar *egb* (cymheiriaid)

1 un tebyg neu gyffelyb, un o'r un radd peer

2 un o gwpwl; cydymaith, cyfaill companion, comrade

3 priod (am ŵr neu wraig); creadur sy'n un o bâr, yn enwedig ar adeg epilio; partner mate

Sylwch: mae cenedl yr enw'n newid yn ôl rhyw yr unigolyn, *y gymar* am wraig, *y cymar* am ŵr.

cymar cydnabyddedig:gŵr cydnabyddedig y dyn, mewn perthynas lle mae dyn a menyw wedi cyd-fyw am gyfnod digon hir i awgrymu ei bod yn berthynas sefydlog common-law husband

cymar gydnabyddedig:gwraig gydnabyddedig y fenyw, mewn perthynas lle mae dyn a menyw wedi cyd-fyw am gyfnod digon hir i awgrymu ei bod yn berthynas sefydlog common-law wife

cymaradwy *ans* y gellir ei gymharu comparable

cymarebau *ell* lluosog **cymhareb**

cymarebol *ans* MATHEMATEG (am rif) y gellir ei fynegi fel cymhareb dau gyfanrif rational

cymaresau *ell* lluosog **cymhares**

cymariaethau *ell* lluosog **cymhariaeth**

cymaroldeb *eg* y cyflwr o fedru cael ei gymharu comparability

cymaryddion *ell* lluosog **cymharydd**

cymathiad *eg* (cymathiadau) y broses o gymathu, canlyniad cymathu assimilation

cymathu *be* [cymath•[1]]
1 dod yn rhan, caniatáu i (rywun neu rywbeth) ddod yn rhan (e.e. o grŵp neu genedl); cyfannu, cyfuno, integreiddio, ymdoddi (~ â) to assimilate
2 gwneud yr un fath â, peri i (rywbeth) fod yn debyg; cydweddu to assimilate

cymdeithas *eb* (cymdeithasau)
1 (*yn derbyn ffurf unigol neu luosog berf*) cwmni neu grŵp o bobl sy'n dod ynghyd er mwyn hyrwyddo rhyw amcan arbennig, neu er mwyn rhannu'r un diddordebau; clwb, cylch, cymrodoriaeth, urdd organization, society
2 y ffordd y mae pobl yn ymwneud â'i gilydd, *Rwy'n mynd yno oherwydd fy mod yn mwynhau'r gymdeithas.*; cwmni, cyfathrach, cyfeillach company
3 cymuned o bobl sy'n cyd-fyw mewn gwlad neu mewn ardal benodol dan gyfundrefn gydnabyddedig o gyfreithiau, arferion, moesau, etc. society

cymdeithas adeiladu sefydliad ariannol Prydeinig sy'n talu llog ar fuddsoddiadau ei aelodau ac sy'n benthyg arian ar gyfer morgeisi building society

cymdeithaseg *eb* astudiaeth wyddonol o gymdeithasau dynol ac o'r ffordd y mae pobl yn ymddwyn tuag at ei gilydd mewn grwpiau sociology

cymdeithasegol *ans* yn ymwneud â chymdeithaseg neu egwyddorion cymdeithaseg sociological

cymdeithasegwr:cymdeithasegydd *eg* (cymdeithasegwyr) arbenigwr mewn cymdeithaseg; un sy'n astudio cymdeithaseg sociologist

cymdeithasfa *eb* (cymdeithasfeydd) CREFYDD cyfarfod chwarterol o swyddogion a gweinidogion gwahanol henaduriaethau'r Presbyteriaid i drafod materion cyfundebol; sasiwn association

cymdeithasgar *ans* yn hoffi cwmni pobl eraill, yn cymysgu'n rhwydd â phobl; cyfeillgar, cymwynasgar, hynaws friendly, gregarious, sociable

cymdeithasgarwch *eg* y cyflwr o fod yn gymdeithasgar gregariousness, sociability

cymdeithasol *ans*
1 parod i gymdeithasu ac yn hoff o wneud hynny; cyfeillgar, hynaws sociable
2 yn ymwneud â chymdeithas neu â pherthynas dyn â'i gyd-ddyn, *gweithiwr cymdeithasol* social

cymdeithasoli *be* [cymdeithasol•[1]] gwneud i rywun ymddwyn mewn ffordd sy'n dderbyniol i'w gymdeithas to make sociable, to socialize

cymdeithasu *be* [cymdeithas•[1]] cadw cwmni; cyfathrachu, cyfeillachu, ymwneud â (~ gyda) to socialize

cymdeithion *ell* lluosog **cydymaith** companions

cymdogaeth *eb* (cymdogaethau) y cylch neu ddarn o wlad o gwmpas y lle mae rhywun yn byw; hefyd y bobl sy'n byw yno, y cymdogion; ardal, bro, cwmwd, parth neighbourhood

cymdogaeth dda perthynas hapus rhwng pobl sy'n byw yn yr un cylch neighbourliness

cymdoges *eb* (cymdogesau) gwraig sy'n byw y drws nesaf neu'n agos i rywun, gwraig sy'n gymydog neighbour

cymdogion *ell* lluosog **cymydog**

cymdogol *ans* yn ymddwyn fel cymydog neu gymdoges dda; caredig, cyfeillgar, cymwynasgar neighbourly

cymdogrwydd *eg* cymdogaeth dda neighbourliness

cymedr *eg* (cymedrau)
1 man canol rhwng dau eithaf mean
2 MATHEMATEG mesur o gyfartaledd set o rifau neu feintiau wrth adio'r rhifau (neu feintiau) at ei gilydd ac yna rhannu'r cyfanswm â nifer y rhifau (neu feintiau), e.e. *Cymedr 3, 8 a 10 yw 7.*; cymedr rhifyddol mean, average, arithmetic mean

cymedrig *ans* MATHEMATEG yn cyfeirio at gymedr set o rifau neu feintiau, *Gwerth cymedrig y rhifau 4, 10 a 25 yw 13.* mean

cymedrol *ans*
1 heb fod yn eithafol nac yn ormodol, yn cadw o fewn ffiniau rhesymol; rhesymol moderate, medium
2 yn ymatal rhag gormod o unrhyw beth, yn enwedig rhag bwyd, diod, pleser, etc. abstemious
3 heb fod yn ddrwg nac yn dda; canolig, cyffredin, gweddol, purion indifferent
4 (am y tywydd) heb fod yn rhy oer nac yn rhy dwym, yn rhy wlyb nac yn rhy sych; tymherus temperate

cymedroldeb *eg* y cyflwr o fod yn gymedrol; pwyll moderation, abstemiousness

cymedroli *be* [cymedrol•[1]]
1 lleihau o ran dwysedd neu eithafiaeth; goleddfu, lliniaru to moderate
2 adolygu (papurau arholiad neu ganlyniadau) er mwyn sicrhau cysondeb wrth farcio; cysoni, safoni to moderate

cymedrolwr *eg* (cymedrolwyr) un sy'n cymedroli; canolwr, cyfryngwr moderator

cymedrolydd *eg* FFISEG sylwedd a ddefnyddir mewn adweithydd niwclear i arafu buanedd niwtronau ac felly rheoli adwaith cadwynol moderator

cymell *be* [cymhell•[1] 3 un. pres. cymell/cymhella; 2 un. gorch. cymell]
1 pwyso'n daer (ar rywun); annog, cynghori,

perswadio, ysgogi (~ *rhywun* i; ~ *rhywbeth* **ar**
rywun) to urge, to encourage, to coax
2 gorfodi, gyrru, hysian, ysbarduno to drive,
to incite
3 CYFRAITH annog, perswadio neu ddylanwadu
ar rywun i ddweud celwyddau mewn llys,
cymell i anudon to suborn
　Sylwch: cymhell- a geir ym mhob ffurf ac
　eithrio yn y rhai sy'n cynnwys *-as-*, a'r rhai a
　nodir uchod.
cymelliadau *ell* lluosog **cymhelliad**
cymen *ans* [cymhenn•] cryno, destlus, taclus,
twt, *Dotiais at lawysgrifen gymen Mam-gu.*
fine, neat, proper
cymer¹ *eg* (cymerau) DAEARYDDIAETH
man cyfarfod neu uniad dwy afon, dwy nant
neu ddau rewlif confluence, junction
cymer² *bf* [cymryd]
1 *ffurfiol* mae ef yn cymryd/mae hi'n cymryd;
bydd ef yn cymryd/bydd hi'n cymryd
2 gorchymyn i ti gymryd
cymêr *eg* unigolyn â phriodoleddau amlwg
a nodweddiadol yn rhan o'i gymeriad case,
character
cymeradwy *ans* am rywbeth a brofwyd yn
dda, gwerth ei dderbyn; boddhaol, clodwiw,
derbyniol, teilwng acceptable, approved,
commendable
cymeradwyaeth *eb* (cymeradwyaethau)
1 y weithred o gymeradwyo neu o fod yn ffafriol
i rywun neu rywbeth, canlyniad cymeradwyo;
clod, geirda approval, commendation
2 y curo dwylo sy'n dangos cefnogaeth neu
foddhad, e.e. mewn cyngerdd applause, ovation
cymeradwyo *be* [cymeradwy•¹]
1 dweud wrth rywun arall pa mor dda yw
rhywbeth neu rywun, mynegi barn ffafriol am
(rywun neu rywbeth); ategu, canmol, cefnogi,
ffafrio (~ *rhywun/rhywbeth* i) to approve,
to endorse, to recommend
2 curo dwylo i ddangos cefnogaeth neu
foddhad to applaud
cymeraf *bf* [cymryd] rwy'n cymryd; byddaf yn
cymryd
cymeriad *eg* (cymeriadau)
1 y cyfuniad o nodweddion a phriodoleddau
sy'n gwahaniaethu un peth neu unigolyn oddi
wrth rywbeth neu rywun arall, *Ar ôl ymweld
â'r tŷ, roedd y ddau'n gytûn fod ganddo
gymeriad arbennig.*; anian, natur, unigoliaeth
character
2 y pethau mewnol sy'n eich gwneud chi
fel person yn wahanol i unrhyw un arall;
personoliaeth character
3 cryfder moesol, gonestrwydd, y rhinweddau
moesol sy'n gwneud i bobl barchu unigolion
eraill character

4 unigolyn mewn drama neu nofel character
5 unigolyn digrif neu un sydd â nodweddion
neu arferion anarferol, *tipyn o gymeriad*;
cymêr, deryn case, character
cymeriad llenyddol dyfais a ddefnyddir gan
fardd neu gan lenor i gryfhau neu i addurno'i
waith, e.e. drwy ddechrau pob llinell o gerdd
â'r un llythyren neu â'r un gair, neu drwy
ailadrodd ar ddechrau pennill newydd eiriau
olaf y pennill blaenorol literary device
cymeriadaeth *eb* y ffordd y mae cymeriadau'n
cael eu creu mewn ffuglen; portread o gymeriad
mewn geiriau neu mewn drama characterization
cymeriadu *be* creu cymeriad dychmygol, e.e. ar
gyfer nofel, ffilm, drama, etc.
　Sylwch: nid yw'r ferf hon yn arfer cael ei rhedeg.
cymeriant *eg*
1 maint neu fesur yr hyn a gymerir i mewn, e.e.
cymeriant maeth, cymeriant egni intake
2 grŵp a gymerir i mewn intake
cymerth *bf* [cymryd] *hynafol* cymerodd ef/hi,
gwnaeth ef/hi gymryd
cymesur *ans*
1 am rywbeth y mae ei rannau yn cyfateb i'w
gilydd yn union, naill ai drwy wynebu ei gilydd
ar draws llinell ganol neu o amgylch pwynt
symmetrical
2 CYFRAITH (am ddeddf) priodol, angenrheidiol
a heb fod yn ormodol o feichus proportionate
cymesuredd *eg*
1 y cyflwr o fod yn gymesur symmetry
2 CYFRAITH (am ddeddf) yr egwyddor na
ddylai cyfraith fynd ymhellach nag sydd raid i
gyflawni ei hamcanion proportionality
cymesuredd adlewyrchiad MATHEMATEG math
o gymesuredd lle mae un hanner yn adlewyrchiad
o'r hanner arall reflective symmetry
cymesuredd cylchdro MATHEMATEG math o
gymesuredd lle y gall siâp gael ei gylchdroi i un
neu ragor o gyfeiriadau gwahanol a pharhau i
edrych yr un fath rotational symmetry
cymh. *byrfodd* cymharer cf.
cymhareb *eb* (cymarebau) MATHEMATEG
y berthynas rhwng dau rif neu faint sy'n
dangos eu gwerth cymharol, *Mae 12 ac 18 yn
y gymhareb 12:18 neu 2:3.* ratio
cymhares *eb* (cymaresau) creadures sy'n un
o bâr, yn enwedig ar adeg epilio; un o gwpl;
gwraig, partner, priod mate, partner
cymhariaeth *eb* (cymariaethau)
1 mynegiant o'r tebygrwydd rhwng dau
(neu ragor) o bethau neu o bobl, a hefyd y
gwahaniaethau sydd rhyngddynt; cydweddiad,
cyfatebiaeth, tebygrwydd comparison
2 (wrth ysgrifennu neu wrth siarad)
pwyslais ar y tebygrwydd rhwng dau beth
er mwyn creu effaith neu i fywiogi disgrifiad

a'i wneud yn fwy trawiadol (gan ddefnyddio *mor . . . â* fel arfer), *Mae ei chroen mor wyn â'r eira.*; cyffelybiaeth, dyfaliad comparison, simile

cymharol *ans*
1 am rywbeth sy'n cael ei ystyried ochr yn ochr â rhywbeth arall neu'n cael ei gymharu â rhywbeth arall comparative, relative
2 (yn rhagflaenu ansoddair) gweddol, cymedrol, *cymharol gynnes* moderate
3 GRAMADEG (am ansoddair neu adferf) ffurf sy'n dynodi newid yn ansawdd yr ansoddair neu'r adferf (yn gynnydd neu'n lleihad), e.e. y ffurfiau *llai* o 'bach', *cryfach* o 'cryf', *mwy tanllyd* o 'tanllyd' comparative
Sylwch: nid yw'n cael ei gymharu.

cymharu *be* [cymhar•¹³]
1 gosod dau neu ragor o bobl neu bethau ochr yn ochr er mwyn tynnu sylw at y tebygrwydd neu'r gwahaniaethau sydd rhyngddynt; pwyso a mesur; cyffelybu, tebygu (~ *rhywun/rhywbeth* â) to compare, to liken
2 GRAMADEG ffurfio gwahanol raddau cymhariaeth ansoddair neu adferf, e.e. cyflym: *ffurf gysefin,* cyflym; *ffurf gyfartal,* cyflymed *neu* mor gyflym; *ffurf gymharol,* cyflymach *neu* mwy cyflym; *ffurf eithaf,* cyflymaf *neu* mwyaf cyflym to compare
Sylwch: ceir 'h' ym mhob ffurf ac eithrio yn y rhai sy'n cynnwys -*as*-.

cymharus *ans* yn cymharu'n ffafriol â'i gilydd, sy'n gweddu i'w gilydd compatible, well matched

cymharydd *eg* (cymaryddion) dyfais ar gyfer cymharu pethau mewn ffordd fanwl gywir, e.e. er mwyn eu hadnabod, neu er mwyn nodi gwyriad o'r safon comparator

cymheiriaid *ell*
1 lluosog **cymar**
2 rhai o'r un oed, yr un statws neu'r un gallu peers

cymhelri *eg* cyffro, terfysg, cynnwrf commotion, tumult

cymhellaf *bf* [cymell] rwy'n cymell; byddaf yn cymell

cymhelldal *eg* (cymelldaliadau) CYLLID cymhelliad ariannol neu gyllidol incentive payment

cymhelliad *eg* (cymelliadau:cymhellion)
1 y weithred o gymell; anogiad incentive, urging
2 yr hyn sy'n cymell; anogaeth, gorfodaeth, symbyliad incitement, motive, compulsion

cymhelliant *eg* ysgogiad, cymhelliad, yn enwedig rhyw rym seicolegol sy'n ysgogi ac yn cyfeirio gweithredoedd rhywun tuag at gyflawni rhyw dasg arbennig motivation

cymhellwr *eg* (cymhellwyr) un sy'n cymell neu sy'n annog; anogwr, symbylydd, ysgogydd exhorter

cymhendod *eg* y cyflwr o fod yn gymen; destlusrwydd, taclusrwydd, trefn tidiness

cymhennach:cymhennaf:cymhenned *ans* [cymen] mwy cymen; mwyaf cymen; mor gymen

cymhennu *be* [cymhenn•¹²] gosod yn dwt ac yn daclus, gwneud yn gymen; cymoni, tacluso, trefnu, twtio to tidy
Sylwch: ceir 'h' a dwy 'n' ym mhob ffurf ac eithrio yn y rhai sy'n cynnwys -*as*-.

cymhercyn¹ *eg difriol* un sy'n pryderu yn aflesol ynglŷn â'i iechyd dan yr argyhoeddiad ei fod yn dioddef o afiechyd, heb fod unrhyw dystiolaeth dros gredu hynny; claf diglefyd hypochondriac

cymhercyn² *ans* yn clunhercian; cloff lame, limping, doddering

cymhlan *ans* MATHEMATEG yn gorwedd ar yr un arwyneb neu blân, yn gweithredu ar yr un arwyneb neu blân coplanar

cymhleth¹ *ans* [cymhleth•] anodd ei ddeall, â llawer o ddarnau wedi'u cydblethu; astrus, dyrys complicated, elaborate, complex

cymhleth² *eg* SEICIATREG casgliad o ddyheadau neu atgofion sy'n ffurfio yn yr isymwybod ac sy'n effeithio'n andwyol ar bersonoliaeth rhywun heb iddo sylweddoli hynny complex

cymhleth israddoldeb SEICIATREG (yn ôl Adler) y teimlad cyffredinol o fod yn israddol i eraill inferiority complex

cymhleth Oedipws SEICIATREG (yn ôl Freud) emosiynau dyrys mewn plentyn ifanc yn deillio o atyniad rhywiol, sy'n codi yn yr anymwybod, tuag at riant o'r rhyw arall Oedipus complex

cymhleth y taeog gw. **cymhleth israddoldeb**

cymhlethdod *eg* (cymhlethdodau) yr hyn sy'n gwneud rhywbeth yn gymhleth; rhywbeth sydd heb fod yn syml nac yn uniongyrchol; astrusi, cymysgwch, dryswch complexity, intricacy

cymhlethu *be* [cymhleth•¹¹] gwneud rhywbeth yn gymhleth, yn ddyrys, yn astrus; troi'n ddyrys ac yn gymhleth; drysu to complicate, to compound
Sylwch: cymhleth- a geir ym mhob ffurf ac eithrio yn y rhai sy'n cynnwys -*as*-.

cymhlyg *ans*
1 wedi'i lunio o nifer o rannau wedi'u cydlynu complex
2 MATHEMATEG yn ymwneud â rhifau cymhlyg complex

rhif cymhlyg MATHEMATEG rhif ar ffurf $a + bi$ lle mae a a b yn rhifau real ac mae $i^2 = -1$ complex number

cymhlygyn *eg* CEMEG sylwedd neu gyfansoddyn lle mae'r cydrannau wedi'u clymu mewn ffordd fwy cymhleth nag mewn cymysgedd syml complex

cymhorthdal *eg* (cymorthdaliadau) swm o arian sy'n cael ei gyfrannu gan y wladwriaeth neu gan gorff cyhoeddus er mwyn cefnogi neu gynorthwyo sefydliad, cwmni neu unigolyn grant, subsidy

cymhorthyn *eg* (cymhorthion) rhywbeth (dyfais, teclyn, etc.) sy'n gymorth, e.e. *cymhorthyn gweledol*; cymorth aid, support

cymhwysedd *eg* (cymhwyseddau)
1 digon o allu i fedru cyflawni rhywbeth competence
2 IEITHYDDIAETH dawn gynhenid bodau dynol i dderbyn, i ddefnyddio ac i ddeall iaith competence
3 CYFRAITH hawl sefydliad neu unigolyn i arfer set o swyddogaethau competence

cymhwysiad *eg* (cymwysiadau)
1 y gwaith o wneud rhywbeth yn fwy addas neu'n fwy pwrpasol drwy ryw fân newid neu addasiad; adnewidiad, cyfaddasiad adjustment
2 y ffordd y mae rhywbeth wedi cael ei ddefnyddio'n ymarferol, yn enwedig y ffordd y mae egwyddorion cyffredinol yn cael eu defnyddio i ddatrys problem benodol application
3 CYFRIFIADUREG rhaglen neu ddarn o feddalwedd a gynlluniwyd i gyflawni diben penodol application

cymhwyso *be* [cymhwys•¹¹] gwneud yn addas ar gyfer rhywbeth, rhoi yn ei le, *Mae angen cymhwyso pellter sêt y car o'r olwyn yrru at daldra'r gyrrwr.*; adnewid, addasu, cyfaddasu (~ *rhywbeth* at *rywbeth*) to adapt, to adjust, to qualify
   Sylwch: cymhwys- a geir ym mhob ffurf ac eithrio yn y rhai sy'n cynnwys -*as*-.

cymhwysol *ans* am un o'r gwyddorau sydd wedi'i chymhwyso ar gyfer gwaith ymarferol applied

cymhwyster *eg* (cymwysterau)
1 y gallu i gyflawni rhyw waith neu ddyletswydd mewn ffordd briodol; abledd, medr competence, suitability
2 dawn neu brofiad sy'n gwneud rhywun yn addas ar gyfer swydd neu waith arbennig; addasrwydd, priodoldeb aptitude, qualification

cymhwysydd *eg* (cymwysyddion) teclyn neu ddyfais a ddefnyddir i wneud cymhwysiad adjuster

cymloedd *eb* hynafol bloedd ynghyd; cynnwrf, terfysg tumult

cymod *eg* yr heddwch neu'r ewyllys da neu'r cytundeb a grëir rhwng dau unigolyn neu ddwy garfan sydd wedi bod yn brwydro yn erbyn ei gilydd; cyfaddawd, cyfamod, cymrodedd reconciliation

cymodi *be* [cymod•¹] trefnu heddwch, gwneud cymod rhwng dau unigolyn neu ddwy blaid sy'n elynion; cyfaddawdu, cyflafareddu, cymrodeddu (~ **rhwng**; ~ *rhywun/rhywrai* â) to conciliate, to reconcile

cymodiad *eg* (cymodiadau) y cytundeb a gyrhaeddir wrth gymodi conciliation

cymodlon:cymodol *ans* parod i gymodi conciliatory, reconciling

cymodwr *eg* (cymodwyr) un sy'n cymodi; canolwr, cyflafareddwr, eiriolwr, heddychwr conciliator, mediator

cymoedd *ell* lluosog **cwm**

cymoedd glo cymoedd maes glo de Cymru (pan oedd y diwydiant glo yn ei anterth) the coal-mining valleys

cymoni *be* [cymon•¹] gosod mewn trefn; cymhennu, tacluso, trefnu, twtio to tidy

cymorth *eg* (cymhorthion) y weithred o helpu, cefnogaeth ymarferol; cymhorthyn, cynhorthwy, swcr, ymgeledd aid, help

cymorth cyntaf yr hyn a gyflawnir ar unwaith ar ôl i rywun gael ei daro'n wael neu wedi iddo gael damwain, e.e. cadw'r claf yn gynnes, atal gwaedu, peidio â symud y claf ond pan fydd raid first aid

cymorthdaliadau *ell* lluosog **cymhorthdal**

cymotrypsin *eg* BIOCEMEG ensym sy'n cael ei secretu o'r pancreas i'r coluddyn bach lle mae'n torri proteinau i lawr chymotrypsin

cymowta *be* [cymowt•¹] mynd o le i le yn chwilio am ddifyrrwch; galifantio to gad, to gad about

Cymraeg¹ *ebg* iaith y Cymry, a ddatblygodd o'r Frythoneg, sef iaith brodorion cynnar Prydain Welsh language
   Sylwch: mae enw'r iaith yn fenywaidd (*Y Gymraeg*), ond os sonnir am fath arbennig o Gymraeg, mae'n wrywaidd (*Cymraeg da yw hwn*; *Cymraeg Byw*; *Cymraeg llafar*).

mewn Cymraeg defnyddir 'mewn' pan oleddfir 'Cymraeg' gan ansoddair, e.e. *mewn Cymraeg diweddar, mewn Cymraeg da, mewn Cymraeg tafodieithol*

yn Gymraeg
1 gellir ei ddefnyddio yn lle 'yn y Gymraeg'
2 pan fo enw'r iaith mewn perthynas enidol ag enw arall, 'yn' a ddefnyddir, *yng Nghymraeg y Gogledd.*
Ymadrodd

dim Cymraeg rhwng dau berson am ddau nad ydynt yn siarad â'i gilydd

Cymraeg² *ans* wedi'i fynegi yn yr iaith Gymraeg neu sy'n ymwneud â'r iaith Welsh

Cymraes *eb* (Cymraësau) merch neu wraig sy'n perthyn i'r genedl Gymreig neu'n ei hystyried ei hun yn aelod ohoni Welshwoman

cymrawd *eg* (cymrodyr, cymrodorion)
1 rhywun â gradd sydd wedi'i ethol yn aelod o goleg, neu sydd wedi ennill cymrodoriaeth er mwyn gwneud gwaith ymchwil fellow
2 cyd-aelod o gymdeithas, clwb neu undeb; cydymaith comrade

Cymreictod *eg* nodweddion a phriodoleddau bod yn Gymreig Welshness

Cymreig *ans* [Cymreic•] yn perthyn i Gymru neu i genedl y Cymry neu'n nodweddiadol ohonynt Welsh

Sylwch: defnyddiwch *Cymraeg* wrth sôn am yr iaith a *Cymreig* i ddisgrifio nodweddion eraill y wlad a'i phobl.

Cymreigaidd *ans* nodweddiadol Gymreig typically Welsh, Welshy

Cymreigio *be* [Cymreigi•²]
1 trosi neu gyfieithu i'r Gymraeg
2 gwneud yn Gymreig neu'n fwy Cymreig

Cymro *eg* (Cymry) gŵr sy'n perthyn i'r genedl Gymreig neu'n ei ystyried ei hun yn aelod ohoni Welshman

Cymro glân gloyw Cymro sy'n arddel ei Gymreictod ac sy'n siarad Cymraeg

cymrodedd *eg* cytundeb wrth i ddwy ochr sy'n anghytuno dderbyn barn annibynnol; cymod arbitration

cymrodeddu *be* [cymrodedd•¹] gwneud cytundeb drwy dorri'r ddadl rhwng dwy ochr sy'n anghytuno; cyfaddawdu, cyflafareddu, cymodi (~ **rhwng**) to arbitrate

cymrodoriaeth *eb* (cymrodoriaethau)
1 swydd, safle ac urddas cymrawd mewn coleg fellowship
2 cwmni o bobl wedi'u cysylltu gan ryw achos neu ddiddordeb cyffredin, yn enwedig cwmni o gymrodyr; brawdoliaeth, cymdeithas, urdd comradeship, fellowship

cymrodyr *ell* lluosog **cymrawd**

cymrwd *eg* cymysgedd o galch a thywod a dŵr a ddefnyddir i glymu brics neu gerrig wrth adeiladu; morter, sment mortar

Cymry *ell* lluosog **Cymro**, pobl Cymru Welsh people

cymryd *be* [cymer•¹ 3 *un. pres.* cymer/cymera; 2 *un. gorch.* cymer/cymera]
1 meddiannu, symud rhywbeth o rywle i'ch meddiant chi; dwyn neu arwain ymaith to take
2 dal â'ch dwylo, *Cymerwch y cwpan hwn.*; gafael to take
3 benthyca neu ddefnyddio heb ganiatâd neu'n ddamweiniol, *Ai ti gymerodd lyfr Dewi o'r ddesg?* to take
4 dal, *Mae'r bocs yma'n cymryd un cilo'n union o afalau.* to hold
5 defnyddio rhywbeth i symud o'r naill fan i'r llall, *cymryd trên* to take
6 derbyn, defnyddio, *Rydym yn cymryd dau beint o laeth y dydd.* to take
7 bwyta, yfed, anadlu, *cymryd anadl, cymryd moddion* to take
8 dewis, dilyn, *Cymerwch yr heol gyntaf ar y dde.* to follow

9 deall, ystyried, tybio, *Wrth ei weld yn gwenu, cymerodd Siân fod popeth yn iawn.* to take
10 astudio cwrs, *Wyt ti'n cymryd Hanes y flwyddyn nesaf?* to take
11 parhau, *Faint o amser fydd hwn yn ei gymryd?* to take
12 costio, *Mae'n cymryd tipyn o arian i gadw ceffyl.* to take
13 derbyn, *Dyw'r gyrrwr ddim yn barod i gymryd mwy na dau yn rhagor ar y bws.* to take
14 cadw, nodi *Mae hi wedi cymryd fy rhif ffôn.* to take
15 dioddef, goddef, *Dydw i ddim yn mynd i gymryd rhagor o'r ffwlbri yma.* to take
16 bod yng ngofal, *Pwy sy'n cymryd y wers yn lle Mrs Evans?* to take

Sylwch: 'cymryd' yw ffurf arferol y berfenw ond 'cymer-' a geir ym môn y ferf.

cymryd arnaf fi (arnat ti, arno ef, etc.**)** esgus, twyllo to pretend

cymryd at
1 cael eich denu, *Mae hi wedi cymryd at yr hen gi bach.* to take a fancy to
2 dechrau gwneud rhywbeth, *Mae hi wedi cymryd at gynhyrchu'r ddrama Nadolig yn y capel.*
3 teimlo'n ddwys, *Roedd hi wedi cymryd ati'n arw fod ei ffrind gorau wedi mynd ar ei gwyliau hebddi.* to take to heart

cymryd drosodd derbyn cyfrifoldeb, rheolaeth neu eiddo oddi wrth rywun neu rywrai eraill to take over

cymryd ei chwrs/gwrs dilyn ei hynt naturiol to take its course

cymryd fy (dy, ei, etc.**) amser** peidio â rhuthro to take one's time

cymryd fy (dy, ei, etc.**) enw yn ofer** siarad yn wag amdanaf to bandy one's name about

cymryd gwraig hefyd *cymryd X yn wraig*; priodi

cymryd lle mynd yn lle rhywun [defnyddiwch 'digwydd' am *'to take place'.*] to take the place of

cymryd llw tyngu llw take an oath

cymryd oddi wrth lleihau to detract

cymryd pwyll cymryd amser, bod yn ofalus to take care, to take time

cymryd rhan bod â rhan yn rhywbeth to participate

cymryd trafferth mynd i drafferth i wneud yn iawn to take pains

cymryd y goes gw. coes¹

cymryd yn erbyn drwgleicio to dislike, to take against

cymryd yn fy (dy, ei, etc.**) mhen** meddwl, credu rhywbeth I've got it into my head

cymryd yn ganiataol gw. **caniataol**

cymryd yn ysgafn heb gymryd rhywbeth o
ddifrif to treat lightly

cymudadur *eg* (cymudaduron) atodyn
trosglwyddo trydan sydd ynghlwm wrth
armatwr peiriant neu ddynamo ac sy'n
sicrhau bod y cerrynt trydan yn gerrynt union
commutator

cymudo *be* [cymud•¹]
1 teithio'n rheolaidd rhwng cartref a gwaith
(ar y trên neu mewn car gan amlaf) (~ **o**, **i**;
~ **rhwng**) to commute
2 CYFRAITH newid dedfryd am un sy'n llai
to commute

cymudol *ans* yn ymwneud â chymudo
commutative

cymudwr *eg* (cymudwyr) un sy'n teithio'n
rheolaidd (ar y trên neu mewn car fel arfer) o'i
gartref i'w waith commuter

Cymun:Cymundeb *eg* (cymundebau) CREFYDD
y sacrament neu'r gwasanaeth arbennig y
mae eglwysi Cristnogol yn ei gynnal er mwyn
cofio am swper olaf Iesu Grist a'i ddisgyblion;
Swper yr Arglwydd; sagrafen Eucharist,
Holy Communion

cymundeb *eg* perthynas agos a chyfeillgar,
yn enwedig mewn cyd-destun crefyddol;
cymdeithas fellowship

cymuned *eb* (cymunedau)
1 y bobl sy'n byw mewn ardal neu fro arbennig;
brodorion, cymdogaeth community
2 corff o bobl â rhywbeth yn gyffredin, e.e.
cymuned grefyddol sy'n rhannu credoau,
gwerthoedd a thraddodiadau tebyg i'w gilydd
community
3 GWLEIDYDDIAETH yr uned leiaf o lywodraeth
leol y mae ei chynghorau yn cyfateb i'r hen
gynghorau plwyf community
4 BIOLEG yr holl boblogaethau o organebau
sy'n byw yn yr un lle ar yr un pryd ac sy'n
rhyngweithio â'i gilydd community

y Gymuned Ewropeaidd grŵp o wledydd
Gorllewin a Dwyrain Ewrop sydd wedi
dod at ei gilydd; y Farchnad Gyffredin EC,
the European Community

cymunedol *ans* yn ymwneud â chymuned,
nodweddiadol o gymuned community

cymuno *be* [cymun•¹]
1 cyfranogi o'r Cymun, derbyn Cymun
to take Holy Communion
2 teimlo perthynas ysbrydol agos to commune

cymunwr *eg* (cymunwyr) un sy'n derbyn Cymun
communicant

cymwynas *eb* (cymwynasau) tro da, gweithred
garedig; caredigrwydd, ffafr favour
y gymwynas olaf presenoldeb unigolyn yn
angladd rhywun last respects

cymwynasgar *ans* parod ei gymwynas; caredig,
cymdogol, ewyllysgar, gwasanaethgar obliging

cymwynasgarwch *eg* natur neu weithgaredd
cymwynasgar; caredigrwydd, dyngarwch,
meddylgarwch benevolence

cymwynaswr *eg* (cymwynaswyr) un sy'n
gwneud cymwynas; cyfaill, cynhaliwr,
cynorthwywr, noddwr benefactor

cymwys *ans*
1 yn gweddu i'r hyn sydd ei angen; addas,
dyladwy, perthnasol, priodol suitable,
appropriate, competent
2 union, syth, diwyro direct
yn gam neu'n gymwys gw. **cam²**
yn gymwys *anffurfiol* (*yn gwmws* ar lafar) yn
union exactly

cymwysadwy *ans* y gellir ei gymhwyso
adjustable

cymwysedig *ans*
1 wedi'i gymhwyso mewn ffordd ymarferol
applied
2 â chymwysterau addas qualified

cymwyseddau *ell* lluosog **cymhwysedd**

cymwysiadau *ell* lluosog **cymhwysiad**

cymwysterau *ell* lluosog **cymhwyster**; yr
arholiadau y mae rhywun wedi'u pasio neu'r
profiad sydd gan rywun sy'n ei wneud yn addas
ar gyfer swydd arbennig qualifications

cymydau *ell* lluosog **cwmwd**

cymydog *eg* (cymdogion) pobl sy'n byw drws
nesaf, a hefyd y bobl sy'n byw yn ymyl ei gilydd
yn yr un gymdogaeth, yn yr un stryd, pentref
neu ardal neighbour

cymylau *ell* lluosog **cwmwl**
canmol i'r cymylau gw. **canmol**

cymyledd *eg* y graddau y mae'r awyr wedi'i
gorchuddio â chymylau cloudiness

cymylog *ans*
1 llawn cymylau cloudy, overcast
2 heb fod yn glir; aneglur, annelwig obscure,
turbid

cymylogrwydd *eg* y cyflwr o fod yn llawn
niwl neu fwg; (am hylif) yn llawn gwaddod
turbidity

cymylu *be* [cymyl•¹] gorchuddio â chymylau;
hefyd yn ffigurol, *Mae Dafydd yn sicr o
gymylu unrhyw ddadl.*; duo, pylu, tywyllu
to become overcast, to cloud, to obscure

cymynnu *be* [cymynn•⁹] CYFRAITH gadael
rhywbeth i rywun mewn ewyllys; ewyllysio
(~ *rhywbeth* **i**) to bequeath
Sylwch: dyblwch yr 'n' ym mhob ffurf ac
eithrio yn y rhai sy'n cynnwys -as-.

cymynnwr *eg* (cymynwyr) rhoddwr drwy
ewyllys testator

cymynrodd *eb* (cymynroddion) rhodd sy'n cael
ei gadael mewn ewyllys bequest, legacy

cymynu *be* [cymyn•¹] torri (coed yn enwedig); cwympo, hollti to fell, to hew

cymynwr *eg* (cymynwyr) un sy'n cymynu, un sy'n ennill ei fywoliaeth drwy dorri coed woodcutter, lumberjack, hewer

cymysg *ans* wedi'i wneud o lawer o bethau gwahanol, yn cynnwys amrywiol ddefnyddiau; brith, cyfansawdd mixed

cymysgadwy *ans* (am hylifau yn enwedig) y gellir eu cymysgu heb iddynt ymrannu oddi wrth ei gilydd miscible

cymysgedd *eg* (cymysgeddau)
1 sylwedd wedi'i gyfansoddi o bethau gwahanol wedi'u cymysgu ynghyd mixture, concoction
2 cyfuniad o nifer o bethau amrywiol lle mae'r rhannau unigol yn cadw eu nodweddion unigol, *Mae cymysgedd o siopau ar y brif ffordd drwy'r dref.*; amrywiaeth assortment, mixture
3 casgliad di-drefn, cymysglyd; cybolfa, cymysgfa hotchpotch
4 camgymeriad neu gamddealltwriaeth sy'n achosi dryswch confusion, mix-up
cymysgedd marchnata ECONOMEG cyfuniad o ffactorau y gall cwmni eu rheoli i ddylanwadu ar ddefnyddwyr i brynu ei gynnyrch marketing mix

cymysgfa *eb* (cymysgfaoedd)
1 casgliad di-drefn, cymysglyd; cybolfa, cymysgedd hotchpotch
2 camgymeriad neu gamddealltwriaeth sy'n achosi dryswch confusion, mix-up

cymysgiad *eg* (cymysgiadau) y weithred o gymysgu, sylwedd a geir o gymysgu admixture, mix

cymysglyd *ans* wedi'i gymysgu, heb fod yn eglur; dryslyd, dyrys, ffwndrus confused, muddled, obscure

cymysgryw *ans* (am anifail neu blanhigyn) wedi'i greu o fridiau cymysg hybrid, mongrel

cymysgu *be* [cymysg•¹]
1 cyfuno dau neu ragor o bethau gwahanol i greu cymysgedd, *Ni ellir cymysgu dŵr ac olew.* (~ *rhywbeth* â *rhywbeth*) to mix, to blend
2 cymdeithasu neu fwynhau bod yng nghwmni eraill to mix
3 cawlio, drysu, ffwndro, mwydro, *Rwy'n cymysgu weithiau rhwng ystyron 'tanseilio' a 'tanlinellu'.* (~ **rhwng** pethau) to confuse

cymysgwch *eg* diffyg trefn, diffyg dealltwriaeth; anhrefn, cybolfa, dryswch, tryblith confusion, hotchpotch

cymysgwr *eg* (cymysgwyr) un sy'n cymysgu; un sy'n gweithio cymysgydd mixer

cymysgydd *eg* (cymysgwyr)
1 cynhwysydd neu beiriant ar gyfer cymysgu pethau, e.e. bwyd, concrit, etc. mixer
2 dyfais ar gyfer cymysgu signalau sain electronig o wahanol ffynonellau, e.e. cerddoriaeth, llais, effeithiau sain, etc. mixer

cyn¹ *ardd* yn gynt, yn blaenori (o ran amser), o flaen (o ran amser), *Roedd hi yn yr ysgol cyn fy nyddiau i.* (~ i *rywun* wneud [h.y. *berfenw*]) before, previous to
Sylwch: nid yw'r 'cyn' hwn yn achosi treiglad.
cyn Crist ffurf lawn CC sy'n cael ei ddefnyddio i ddangos bod rhywbeth wedi digwydd hyn a hyn o flynyddoedd cyn geni Iesu Grist, *yn y flwyddyn 10 CC* BC
Ymadroddion
cyn bo hir gw. hir
cyn hir:cyn pen dim heb fod yn hir before long

cyn² *geiryn adferfol* (geiryn yn cyflwyno ansoddair yn y radd gyfartal) mor, cyfartal â, *cyn gynted ag y bo modd, cyn goched â gwaed* as, so
Sylwch:
1 mae'r 'cyn' hwn yn achosi'r treiglad meddal ac eithrio yn achos 'll' a 'rh';
2 nid yw'n treiglo'n feddal nac yn drwynol ond mae'n treiglo'n llaes (*a chyn gynted byth ag y medri*).

cyn- *rhag* (mae'n cael ei ddefnyddio ar ddechrau gair i olygu) yn perthyn i'r gorffennol, e.e. *cyn-aelod, cyn-brifathro* former, past
Sylwch: mae'r 'cyn' hwn yn achosi'r treiglad meddal.

cŷn *eg* (cynion) erfyn arbennig â llafn hir a blaen sgwâr, llym; fe'i defnyddir i gerfio coed neu naddu carreg; gaing chisel
cŷn ffyrf GWAITH COED cŷn gwaith pren â llafn tenau firmer chisel
cŷn mortais GWAITH COED cŷn gwaith pren â llafn trwchus a ddefnyddir i naddu mortais; gaing mortais mortising chisel

cynadledda *be* cyfarfod mewn cynhadledd; mynd i gynadleddau
Sylwch: nid yw'r ferf hon yn arfer cael ei rhedeg.

cynadleddau *ell* lluosog **cynhadledd**

cynadleddfa *eb* man ar gyfer cynnal cynadleddau conference centre

cynaeafau *ell* lluosog **cynhaeaf**

cynaeafu *be* [cynaeaf•¹] medi a chywain cnydau i ysguboriau adeg y cynhaeaf to harvest

cynaeafwr *eg* (cynaeafwyr) un sy'n cynaeafu; medelwr harvester

cynaliadau *ell* lluosog **cynhaliad**

cynaliadwy *ans*
1 y gellir ei gynnal supportable, sustainable
2 y gellir ei gynnal heb ddihysbyddu defnyddiau naturiol neu achosi difrod amgylcheddol sustainable

cynaliadwyedd *eg*
1 y gwaith o gynnal neu'r gallu i gynnal sustainability

2 ECONOMEG (am ddatblygiadau economaidd, defnydd crai naturiol, etc.) y gallu i gadw ar lefel wastad gyson, heb ddihysbyddu defnyddiau naturiol neu achosi difrod amgylcheddol sustainability

cynalyddion *ell* lluosog **cynhalydd**

cynamseredd *eg* y cyflwr o fod yn gynamserol, o gyrraedd yn gynnar prematurity

cynamserol *ans*
1 cyn ei amser; cynnar early, premature
2 MEDDYGAETH (am enedigaeth baban) cyn diwedd 37 wythnos premature

cynaniad *eg* (cynaniadau)
1 y broses o lefaru neu ynganu geiriau yn glir; mynegiant, ynganiad diction, enunciation
2 eglurder cerddorol wrth gynhyrchu nodau mewn dilyniant articulation, diction

cynanu *be* [cynan•³] llefaru ac ynganu mewn ffordd arbennig, siarad yn glir; lleisio, seinio, swnio to articulate, to enunciate

cyndad:cyndaid *eg* (cyndadau:cyndeidiau) hynafiad, rhagflaenwr ancestor, forebear, forefather

cyndadol:cyndeidiol *ans* yn perthyn i gyndad neu gyndadau ancestral
Sylwch: nid yw'n cael ei gymharu.

cyndaid gw. **cyndad**

cynderfynol *ans* olaf ond un, nesaf at yr olaf; am gam (mewn cystadleuaeth) cyn y cam terfynol penultimate, semi-final
Sylwch: nid yw'n cael ei gymharu.

cyndyn *ans* [cyndynn•] amharod i dderbyn neu wneud rhywbeth, *Roedd yn gyndyn iawn i gydnabod ei fod wedi gwneud camgymeriad.*; pengaled, ystyfnig obstinate, stubborn

cyndynrwydd *eg* amharodrwydd i newid neu i wneud rhywbeth; anhydynrwydd, gwargaledwch, pengaledwch, ystyfnigrwydd obstinacy, stubbornness

cynddaredd *eb* (cynddareddau) dicter eithafol, digofaint aflywodraethus yn ymylu ar wallgofrwydd; dicter, digofaint, ffyrnigrwydd, llid anger, fury, rage
y gynddaredd MEDDYGAETH afiechyd a ddaw o frathiad gan anifeiliaid (yn enwedig cŵn neu ystlumod) sy'n dioddef o'r afiechyd; mae'n achosi gwallgofrwydd, ofn dŵr a marwolaeth rabies, hydrophobia

cynddeiriog *ans* [cynddeirioc•] wedi colli'i dymer yn llwyr, wedi gwylltio'n wallgof, wedi mynd o'i gof, wedi colli'i limpin; blin, dig, ffyrnig, mileinig furious, rabid, raving

cynddeiriogi *be* [cynddeiriog•]
1 colli tymer yn lân, mynd o'i gof; digio, ffyrnigo, gwylltio to be furiously angry
2 achosi i rywun neu i rywrai eraill golli'u tymer, peri i eraill fynd yn wallgof; cythruddo, ynfydu to infuriate, to madden

cynddelw *eb* (cynddelwau) y patrwm cysefin y mae popeth sy'n dilyn wedi'i seilio arno, y ffurf wreiddiol; archdeip blueprint, prototype

cynddrwg *ans* [drwg] mor ddrwg, mor wael
Sylwch:
1 nid yw'n achosi'r treiglad meddal i enw sy'n dilyn, *Nid yw Mair cynddrwg merch â'i chwaer.*;
2 nid yw'n cael ei ragflaenu gan 'yn' traethiadol.

cyneclampsia *eg* MEDDYGAETH anhwylder sy'n digwydd yn ystod tri mis olaf beichiogrwydd ac a nodweddir gan bwysedd gwaed uchel a lefel uchel o brotein yn y troeth pre-eclampsia

cyneddfau *ell* lluosog **cynneddf**

cynefin¹ *eg* (cynefinoedd)
1 yr ardal neu'r amgylchedd lle mae dyn neu anifail neu blanhigyn yn trigo; man y mae planhigion arbennig yn tyfu ynddo'n naturiol, neu drigfan naturiol mathau arbennig o adar neu anifeiliaid; bro, cartref, cylch habitat, haunt
2 darn o fynydd agored lle mae defaid fferm benodol yn pori; libart sheep-walk

cynefin² *ans* wedi hen arfer â; arferol, cyfarwydd (~ â) accustomed, familiar

cynefindra *eg* y cyflwr o fod yn gynefin, o fod yn gyfarwydd â; adnabyddiaeth, profiad familiarity

cynefino *be* [cynefin•¹] dod yn rhan o gynefin, dod yn gyfarwydd â lle neu bobl; arfer, cyfarwyddo (~ â *rhywun/rhywbeth*) to become used to, to familiarize, to habituate

cyneginyn *eg* (cynegin) BOTANEG eginyn neu goesyn dechreuol planhigyn embryonig plumule

cynesgor *ans* cyn-geni; yn dynodi neu'n ymwneud â'r cyfnod cyn geni plentyn pan fydd y fam yn feichiog antenatal

cyneuaf *bf* [cynnau] *ffurfiol* rwy'n cynnau; byddaf yn cynnau

Cynfardd *eg* (Cynfeirdd) un o feirdd Cymraeg y cyfnod cynharaf o'r chweched ganrif hyd yr unfed ganrif ar ddeg, e.e. Aneirin, Taliesin

cynfas¹ *eg* (cynfasau)
1 math o frethyn cryf, garw a ddefnyddid i wneud hwyliau llongau, llenni pebyll, etc. canvas
2 math o len y mae arlunydd (mewn paentiadau olew) yn ei defnyddio i beintio darlun arni canvas

cynfas²:cyfnas *eb* (cynfasau) gorchudd gwely (wedi'i wneud yn wreiddiol o gynfas) a ddaw rhwng corff y cysgwr a'r blancedi neu (erbyn hyn) y gorweddir arno sheet

cynfodol *ans* yn bodoli gynt, yn goroesi o gyfnod cynharach pre-existent

cynfodolaeth *eg* bodolaeth mewn ffurf neu gyflwr arall; bodolaeth yr ysbryd cyn iddo gyfuno â'r corff pre-existence

cynfodoli *be* bodoli o'r blaen; rhagfodoli to pre-exist
Sylwch: nid yw'r ferf hon yn arfer cael ei rhedeg.

cynfrodor *eg* unigol **cynfrodorion** aborigine

cynfrodorion *ell* lluosog **cynfrodor**; trigolion cynharaf gwlad arbennig, preswylwyr cyntaf gwlad, neu bobl o'r un llwyth neu wehelyth â'r trigolion hyn aborigines

cynfrodorol *ans* nodweddiadol o gynfrodorion; wedi trigo mewn gwlad ers cyn cof aboriginal, indigenous

cynfyd *eg* byd neu amser cyn hanes, byd cyntefig, bore'r byd

cynffon *eb* (cynffonnau)
1 rhan ôl anifail, yn arbennig os yw'n ymestyn y tu hwnt i weddill ei gorff; cloren, cwt, llosgwrn tail, appendage
2 unrhyw beth sydd yn llusgo y tu ôl i rywbeth arall neu'n ffurfio atodiad iddo, *cynffon comed*, *cynffon cot* appendage, tail
3 blas cryf, annymunol a glywir ar ôl y blas cyntaf tang
 Sylwch: gw. hefyd **cynffonnau**.
codi cynffon rhedeg i ffwrdd to scoot
tro yn ei gynffon am rywbeth sy'n newid mewn ffordd ddramatig ar y diwedd yn deg, *Stori dda a thro yn ei chynffon.* a twist in the tail

cynffongar *ans* (am rywun) gwasaidd a sebonllyd obsequious, sycophantic

cynffonna *be* [cynffonn•⁹] canlyn yn wasaidd; ymgreinio (~ **i** *rywun*) to fawn, to flatter
 Sylwch: dyblwch yr 'n' ym mhob ffurf ac eithrio yn y rhai sy'n cynnwys -*as*-.

cynffonnau ŵyn bach *ell* blodau'r gollen catkins, hazel catkins

cynffonnog *ans* â chynffon tailed
 uniad cynffonnog gw. **uniad**

cynffonnol *ans* yn gynffon, wedi'i leoli tua phen ôl y corff caudal

cynffonnwr *eg* (cynffonwyr) dilynwr gwasaidd a sebonllyd toady, sycophant, flatterer

cynffonwellt *ell* math o laswellt o deulu'r gweiriau â phigynnau yn debyg i gynffon cadno foxtail

cynffurf *ans*
1 ar ffurf cŷn neu letem cuneiform
2 wedi'i ysgrifennu neu ei ysgythru yn yr ysgrifen ffurf letem a ddefnyddid mewn arysgrifau hynafol a ddarganfuwyd ym Mhersia, Babilon, Asyria, etc. cuneiform

cyn-Gambriaidd *ans* DAEAREG yn perthyn i uned o amser daearegol yn cwmpasu'r tri aeon cynharaf yn hanes y Ddaear (4,600–542 miliwn o flynyddoedd yn ôl), nodweddiadol o dri aeon cynharaf hanes y Ddaear Precambrian

cyn-geni *ans* MEDDYGAETH yn dynodi neu'n ymwneud â'r cyfnod cyn geni plentyn pan fydd y fam yn feichiog antenatal

cyn-glinigol *ans*
1 MEDDYGAETH yn ymwneud â cham theoretig cyntaf addysg feddygol preclinical

2 MEDDYGAETH (am glefyd neu gyflwr) heb fod yn achosi symptomau y gellir eu hadnabod preclinical
3 MEDDYGAETH yn ymwneud â'r cam lle y profir cyffuriau yn y labordy cyn eu rhoi i bobl mewn treialon preclinical

cynhadledd *eb* (cynadleddau) achlysur pan ddaw nifer o bobl ynghyd; cyfarfod arbennig i drafod mater neu faes arbennig conference, colloquium

cynhaeaf *eg* (cynaeafau)
1 y gwaith o gynaeafu, o gasglu'r cnydau ynghyd harvest
2 y cnydau sy'n cael eu casglu; ffrwyth gwaith neu lafur harvest, crop
3 adeg casglu'r cnydau, yr hydref harvest time

cynhaig *ans* (am ast) yn gofyn ci in heat

cynhaliad¹ *eg* (cynaliadau) y gwaith neu'r broses o gynnal; cefnogaeth, cynhaliaeth support, maintenance

cynhaliad² *eg* (cynheiliaid) yr hyn sy'n cynnal rhywbeth; ateg, cynhalydd prop, support

cynhaliaeth *eb*
1 yr hyn sy'n cynnal neu'n cynorthwyo; bywoliaeth, cynhorthwy, gwaith maintenance, support, upkeep
2 bwyd a diod; lluniaeth, maeth, ymborth subsistence, sustenance

cynhaliaf *bf* [cynnal] *ffurfiol* rwy'n cynnal; byddaf yn cynnal

cynhaliol *ans* yn cynnig neu'n rhoi cynhaliaeth; ategol, cynorthwyol supporting, suspensory

cynhaliwr *eg* (cynhalwyr) un sy'n cynnal, un sy'n cadw rhywbeth i fynd; cefnogwr, cynheiliad, cynorthwywr, noddwr supporter, upholder

cynhalydd *eg* (cynalyddion) rhywbeth neu rywun sy'n cynnal, sy'n dal rhywbeth i fyny; ateg, cynhaliad support, supporter

cynhanes¹ *eg*
1 astudiaeth o'r hil ddynol gynhanesyddol prehistory
2 yr hanes sy'n arwain at ryw ddigwyddiad prehistory
3 y cyfnod cynhanesyddol yn esblygiad yr hil ddynol prehistory

cynhanes²:cynhanesyddol *ans* am bethau sydd wedi digwydd cyn i hanes ddechrau cael ei gofnodi prehistoric

cynharach:cynharaf:cynhared *ans* [cynnar] mwy cynnar, hefyd 'cynt' (o ran amser); mwyaf cynnar, hefyd 'cyntaf' (o ran amser); mor gynnar, hefyd 'cynted' o ran amser

cynhebrwng *eg* gorymdaith mewn angladd; angladd, arwyl, claddedigaeth funeral

cynheiliad *eg* (cynheiliaid)
1 un sy'n cynnal a chynorthwyo; cefnogwr,

cynhaliwr, cynorthwywr, noddwr patron, supporter

2 cynhaliaeth, cymorth; ateg maintenance, support

cynheilydd *eg* (cyneilyddion)

1 SWOLEG organ neu ffurfiad sy'n derbyn secretiad, wyau, etc. receptacle

2 BOTANEG pen chwyddedig coesyn blodyn sy'n cynnal y blodyn neu'r fflurben receptacle

cynhelir *bf* [cynnal] *ffurfiol* mae (rhywun neu rywbeth) yn cael ei gynnal; bydd (rhywun neu rywbeth) yn cael ei gynnal

cynhengar *ans* llawn cynnen; cecrus, cwerylgar, cynhennus, piwis contentious

cynhenid *ans* yn perthyn i rywun (neu rywbeth) o'i enedigaeth; anianol, cynhwynol, greddfol, naturiol inherent, innate, inborn

cynhenna:cynhennu *be* [cynhenn•12] anghytuno chwyrn a chas rhwng pobl; cecru, cweryla, ffraeo, ymrafael (~ â) to quarrel

  Sylwch: ceir 'h' a dwy 'n' ym mhob ffurf ac eithrio yn y rhai sy'n cynnwys -*as*-.

cynhennau *ell* lluosog **cynnen**

cynhennus *ans* hoff o gynhenna, llawn cynnen; blin, cecrus, cwerylgar, ffraegar quarrelsome, cantankerous

cynhennwr *eg* (cynhenwyr) rhywun cwerylgar; cecryn curmudgeon

cynhesach:cynhesaf:cynhesed *ans* [cynnes] mwy cynnes; mwyaf cynnes; mor gynnes

cynhesol *ans* yn cynhesu; annwyl, hoffus warming, amiable

cynhesrwydd *eg*

1 gwres cymedrol a chysurus; y cyflwr o fod yn gynnes; tes, twymder warmth

2 teimlad gwresog a chynnes tuag at rywun neu rywbeth; agosatrwydd, anwyldeb, hynawsedd warmth

cynhesu *be* [cynhes•11]

1 mynd yn gynnes, gwneud yn gynnes; gwresogi, poethi, twymo, ymdwymo to heat, to warm

2 cydymdeimlo â, dechrau hoffi to warm (to)

3 ymarfer yn raddol am gyfnod i baratoi ar gyfer gêm neu berfformiad, neu sesiwn ymarfer corff to warm up

  Sylwch: cynhes- a geir ym mhob ffurf ac eithrio yn y rhai sy'n cynnwys -*as*-.

cynhesu byd-eang cynnydd yn nhymheredd cymedrig atmosffer y Ddaear a achosir gan allyriadau cynyddol o nwyon tŷ gwydr, yn enwedig carbon deuocsid, a gynhyrchir gan ddyn global warming

cynhinion *ell* lluosog **cynnin** tatters

cynhorthwy *eg* (cynorthwyon) rhywun neu rywbeth sy'n cynorthwyo, *cynhorthwy cerdded*; cymorth, gwasanaeth, help, iws aid, assistance

cynhwynol *ans* MEDDYGAETH (am gyflwr babi neu epil pan fydd ganddo gyflwr annormal) yn bodoli ar adeg ei enedigaeth congenital

cynhwysaf *bf* [cynnwys] *ffurfiol* rwy'n cynnwys; byddaf yn cynnwys

cynhwysaidd *ans* yn meddu ar gynhwysiant capacitative

cynhwysedd *eg* (cynwyseddau)

1 mesur ar sail faint o le sydd y tu mewn i rywbeth, neu faint (o hylif, sylwedd, etc.) fyddai ei angen i'w lenwi capacity

2 CYFRIFIADUREG (am gyfrifiadur) y cof mwyaf y mae'n bosibl ei ddal capacity

cynhwysfawr *ans* yn cynnwys llawer, yn cwmpasu llawer; amlochrog, cynhwysol comprehensive, capacious, inclusive

cynhwysiad *eg* maint penodol o ddeunydd neu sylwedd sy'n cael ei gynnwys; cyfran content

cynhwysiad dŵr CEMEG y gyfran o ddŵr a gynhwysir mewn sylwedd water content

cynhwysiant *eg* (cynwysiannau)

1 y cyflwr o gynnwys neu o gael eich cynnwys inclusion

2 FFISEG priodwedd sy'n caniatáu i system storio gwefr drydanol capacitance

cynhwysiant cymdeithasol y weithred o gynnwys pobl o bob haen o gymdeithas social inclusion

cynhwysion *ell* lluosog **cynhwysyn**

cynhwysol *ans*

1 yn cwmpasu ystod eang; cynhwysfawr inclusive

2 (am gymdeithas) â lle i bawb, heb eithrio neb; cyfun inclusive

cynhwysydd *eg* (cynwysyddion)

1 rhywbeth a ddefnyddir i gynnwys neu ddal rhywbeth arall container

2 FFISEG dyfais sy'n medru storio gwefr drydanol, fel arfer ar ffurf cyfres o ddargludyddion sy'n cael eu gwahanu gan ynysyddion capacitor

cynhwysyn *eg* (cynhwysion) COGINIO un o'r bwydydd sy'n cael eu cyfuno i wneud saig benodol ingredient

cynhyrchedd *eg* yr hyn y mae diwydiant yn ei gynhyrchu mewn perthynas â'r adnoddau (defnyddiau crai, llafur, etc.) y mae'n eu defnyddio productivity

cynhyrchiad *eg* (cynyrchiadau)

1 y gwaith o gynhyrchu, o wneud nwyddau neu gynnyrch production

2 perfformiad neu nifer o berfformiadau dan gyfarwyddyd arbennig (ar lwyfan, ar ffilm, ar deledu neu radio, neu ar ddisg); sioe production

cynhyrchiant *eg* y broses o gynhyrchu, canlyniad cynhyrchu; swm yr hyn a gynhyrchir production

cynhyrchiol *ans* yn cynhyrchu llawer; epilgar, ffrwythlon, toreithiog productive, prolific

cynhyrchion *ell* lluosog **cynnyrch** produce

cynhyrchu *be* [cynhyrch•¹¹]
 1 dwyn ffrwyth, had, etc.; cenhedlu, epilio, planta to bring forth
 2 tyfu neu beri cnwd neu gyflenwad to yield
 3 peri i rywbeth gael ei greu, *cynhyrchu ager o ddŵr*; gwneud, llunio to generate, to manufacture, to produce
 4 trefnu cyflwyniad o ddrama neu ffilm, neu berfformiad o gerddoriaeth; cyfarwyddo to produce
 Sylwch: cynhyrch- a geir ym mhob ffurf ac eithrio yn y rhai sy'n cynnwys *-as-*.

cynhyrchu mewn union bryd ECONOMEG (am system weithgynhyrchu) trosglwyddo defnyddiau neu gydrannau yn union cyn bod eu hangen er mwyn lleihau costau storio just in time production

cynhyrchydd¹ *eg* (cynyrchyddion)
 1 rhywun neu rywbeth sy'n cynhyrchu generator, producer
 2 BIOLEG organeb (yn enwedig planhigyn gwyrdd neu ficro-organeb ffotosynthetig) sy'n cynhyrchu bwyd o ddefnyddiau crai producer

cynhyrchydd² *eg* (cynhyrchwyr) un sy'n gyfrifol am drefnu cyflwyniad arbennig o ddrama neu berfformiad arbennig o gerddoriaeth lle mae angen trefnu bod nifer o bobl yn cydweithio a chyd-dynnu producer

cynhyrfau *ell* lluosog **cynnwrf**

cynhyrfiad *eg* (cynyrfiadau)
 1 terfysg, cyffro, aflonyddwch, cythrwfl, cynnwrf, *Roedd cynhyrfiad yr anifeiliaid yn rhybudd bod rhywbeth mawr ar ddigwydd.* disturbance, commotion
 2 cyffro yn y meddwl, teimlad brwd; gwylltineb agitation, excitement

cynhyrflyd *ans* nerfus, yn gynnwrf i gyd, ar bigau'r drain agitated, nervous, twitchy

cynhyrfu *be* [cynhyrf•¹¹]
 1 mynd yn aflonydd, cyffroi'n feddyliol, mynd yn gythryblus; anesmwytho to become agitated, to grow uneasy
 2 aflonyddu, cyffroi, ysgwyd, *Cynhyrfodd y glaw tarannau ddyfroedd yr afon.* to disturb, to excite, to rouse
 Sylwch: cynhyrf- a geir ym mhob ffurf ac eithrio yn y rhai sy'n cynnwys *-as-*.

cynhyrfus *ans* yn peri neu'n achosi cynnwrf; bywiog, cyffrous, gwefreiddiol exciting, excited, stirring

cynhyrfwr *eg* (cynhyrfwyr) un sy'n codi cynnwrf; aflonyddwr, cyffröwr, tarfwr agitator, disturber

cynhysgaeth *eb* (cynysgaethau) yr hyn sydd wedi'i etifeddu; cyfran, etifeddiaeth, gwaddol, treftadaeth inheritance, patrimony

cyni *eg* cyflwr o galedi a phrinder; adfyd, caledi, cyfyngder, cystudd hardship, straits

cynifer¹ *eg* am rif sy'n gallu cael ei rannu'n union â 2; eilrif even number
 Sylwch: ffurf ansoddeiriol gyfartal o 'nifer'.

cynifer² *ans* ffurf ansoddeiriol gyfartal **llawer**, *Cytunodd cynifer o bobl ag a oedd yn bresennol.* as many as, so many
 Sylwch:
 1 mae'n treiglo'n llaes ond yn gwrthsefyll y treiglad meddal, ac eithrio yn achos sangiad (*Roedd yno gynifer o wahanol fathau.*);
 2 mae'n ffurf gyfartal **llawer** ond yn cyfeirio at 'nifer' tra bo *cymaint* yn cyfeirio at faint (*cynifer o dorthau*, ond *cymaint o fara*).

cyniferydd *eg* (cyniferyddion) MATHEMATEG yr ateb a gewch wrth rannu un rhif â rhif arall quotient

cyniferydd deallusrwydd SEICOLEG mesur deallusrwydd lle mae 100 yn dynodi'r cyfartaledd cyffredinol intelligence quotient, IQ

cynigiad *eg* (cynigiadau)
 1 y weithred o gynnig proposal
 2 awgrym sy'n cael ei gyflwyno'n ffurfiol i gyfarfod er mwyn iddo gael ei drafod cyn bod yna bleidlais i'w dderbyn neu ei wrthod; cynnig motion, proposal

cynigiaf *bf* [cynnig] rwy'n cynnig; byddaf yn cynnig

cynigion *ell* lluosog **cynnig**

cynigiwr *eg* (cynigwyr) un sy'n cyflwyno cynigiad; cynigydd proposer

cynigydd *eg* (cynigwyr)
 1 rhywun sy'n cyflwyno cynigiad; un sy'n cynnig; cynigiwr offerer, proposer
 2 un sy'n rhoi cynnig ar rywbeth; cystadleuydd, ymgeisydd challenger

cynilach:cynilaf:cyniled *ans* [cynnil] mwy cynnil; mwyaf cynnil; mor gynnil

cynildeb:cynilder *eg* rheolaeth ofalus i arbed gwastraff (e.e. arian, geiriau etc.); darbodaeth thrift, economy

cynilion:cynilon *ell* arian sydd wedi cael ei gynilo; pethau wedi'u cynilo savings

cynilo *be* [cynil•¹] cadw a chasglu, rhoi i gadw, bod yn ddarbodus (am arian); arbed, safio to save, to economize

cynio *be* [cyni•⁶] naddu neu dorri â chŷn to chisel

cyniwair:cyniweirio *be* [cyniweiri•²]
 1 casglu ynghyd; crynhoi, pentyrru, ymgynnull to gather, to amass
 2 ymweld â rhywle yn aml, hwylio'n ôl a blaen to frequent

cynllaeth *eg* colostrwm; y llaeth a gynhyrchir am rai dyddiau yn dilyn genedigaeth, sy'n cynnwys lefel uwch o brotein a gwrthgyrff na llaeth arferol colostrum, first milk

cynllun *eg* (cynlluniau)
1 trefniant ar gyfer rhywbeth sydd i ddigwydd yn y dyfodol; amcan, arfaeth, bwriad plan, scheme
2 llun o sut y bydd rhywbeth yn edrych ar ôl iddo gael ei orffen, *cynllun o'r tŷ*; diagram, dyluniad, lluniad, llunwedd plan, design
3 plot mewn stori plot

cynllun busnes ECONOMEG cynllun i sicrhau bod busnes yn rhedeg yn esmwyth drwy adnabod ffynonellau incwm, cwsmeriaid tebygol, cynhyrchion a manylion ariannu business plan

cynllunio *be* [cynlluni•⁶] darparu cynllun, llunio ymlaen llaw; arfaethu, dyfeisio, ffurfio to design, to plan

cynllunio teulu yr arfer o reoli nifer y plant rydych yn eu cael a faint o amser sydd rhwng pob genedigaeth, yn enwedig drwy ddulliau atal cenhedlu neu ddiffrwythloni gwirfoddol family planning

cynlluniwr:cynllunydd *eg* (cynllunwyr) un sy'n cynllunio, darparwr cynlluniau; dyfeisiwr designer, planner

cynllwyn *eg* (cynllwynion)
1 CYFRAITH cynllun cudd, dichellgar (gan nifer fel arfer) i gyflawni drwg, brad, neu dorcyfraith; brad, dichell, twyll, ystryw conspiracy, intrigue
2 cythraul, coblyn, *beth gynllwyn?* devil

cynllwynio:cynllwyno *be* [cynllwyni•²] CYFRAITH cynllunio drwg neu frad neu dorcyfraith gan ddau neu ragor o gynllwynwyr (~ i wneud) to conspire, to plot, to collude

cynllwynwr *eg* (cynllwynwyr) un sy'n cynllwynio gydag eraill i dorri'r gyfraith neu i wneud rhyw ddrygioni conspirator

cynllyfan *eg* (cynllyfanau) tennyn, llinyn o ledr (neu o ddefnydd cryf arall) i ddal ci leash

cynn *ans* wedi'i gynnau alight, lit
Sylwch: nid yw'n cael ei gymharu. Un 'n' sydd yn 'ynghyn' ond dwy sydd yn 'yng nghynn'

cynnail *bf* [**cynnal**] *hynafol* mae ef yn cynnal/ mae hi'n cynnal; bydd ef yn cynnal/bydd hi'n cynnal

cynnal *be* [cynhali•¹³ *3 un. pres.* cynnail/cynnal/ cynhalia; *2 un. gorch.* cynnal]
1 dal, dal i fyny, *A yw'r golofn hon yn ddigon cryf i gynnal pwysau'r to?* to hold, to support, to sustain
2 rhoi cynhaliaeth i, *Roedd y peiriant yn cynnal bywyd y claf.*; cadw, cefnogi, cyfnerthu, meithrin to maintain, to support

3 achosi i rywbeth ddigwydd, *cynnal cyfarfod*, *cynnal gwledd* to hold
Sylwch: ceir dwy 'n' ac 'h' ym mhob ffurf ac eithrio yn y rhai sy'n cynnwys *-as-*, a'r rhai a nodir uchod.

cynnal a chadw y gwaith cyson sydd ei angen i gadw rhywbeth mewn cyflwr da maintenance
cynnal breichiau bod yn gefn i, bod yn gymorth i to support
cynnal sgwrs cael sgwrs (â rhywun) to have a chat

cynnar *ans* [cynhar• *hefyd* cynted; cynt; cyntaf]
1 yn digwydd yn fuan wedi dechrau ysbaid neu gyfnod o amser; bore, boreol, buan early
2 yn digwydd cyn yr amser penodedig, ynghynt nag y dylai; cynamserol early

cynnau *be* [cyneu•¹ *3 un. pres.* cynnau/cyneua; *2 un. gorch.* cynnau/cyneua]
1 ennyn tân, rhoi ar dân, dechrau llosgi; fflamio, tanio to light, to set on fire
2 achosi i rywbeth oleuo, *cynnau golau trydan*; goleuo to light, to switch on (a light)

cynneddf *eb* (cyneddfau)
1 dawn neu allu cynhenid; anian, natur, priodoledd attribute
2 un o nodweddion y meddwl, e.e. y cof, y deall, etc. faculty
3 dawn hollol anghyffredin; athrylith, hynodrwydd peculiarity

cynnen *eb* (cynhennau) dadl sy'n achosi cynnwrf neu anghydfod; anghytgord, cweryl, ffrae, ymrafael contention, dispute, feud

asgwrn y gynnen gw. asgwrn

cynnes *ans* [cynhes•]
1 cyfforddus o ran gwres, heb fod yn rhy dwym neu'n rhy boeth warm
2 gwresog o ran teimlad neu serch; cariadus, croesawgar, cyfeillgar affectionate, cordial

cynnig¹ *be* [cynigi•² *3 un. pres.* cynnig/cynigia; *2 un. gorch.* cynnig/cynigia]
1 mynegi parodrwydd i wneud rhywbeth neu i roi rhywbeth, *Cynigiais fynd â hi i'r dref yn y car.* to offer
2 estyn rhywbeth er mwyn i rywun ei dderbyn neu ei wrthod, *Roedd mam Siôn yn flin am nad oedd wedi cynnig losin i Dewi.*; cyflwyno (~ *rhywbeth* i *rywun*) to offer, to proffer
3 ceisio, cystadlu, mentro, ymgeisio, *A gynigiaist ti am y swydd wedyn?* (~ **am** *rywbeth*) to apply, to attempt, to try (for)
4 cyflwyno awgrym ffurfiol i'w dderbyn neu ei wrthod gan bwyllgor neu grŵp o bobl, *Cynigiodd y Cadeirydd eu bod yn gohirio'r cyfarfod am fis.*; awgrymu to move, to propose
5 cyflwyno swm o arian yn dâl am rywbeth (i'w dderbyn neu ei wrthod gan y gwerthwr), *Rwy'n cynnig hanner canpunt i chi am y llun.* to offer

6 anelu, bygwth, *Cynigiodd gic at y ci*. to aim, to threaten

   Sylwch: un 'n' sydd yn y ffurfiau berfol ag 'i' yn eu terfyniad, e.e. *cynigiaf*.

cynnig llwncdestun galw ar gwmni i yfed i lwyddiant, iechyd da, llawenydd, etc., rhywun neu rywrai to propose a toast

cynnig² *eg* (cynigion)

1 mynegiant o barodrwydd i wneud rhywbeth neu i roi rhywbeth; cynigiad offer

2 awgrym ffurfiol sy'n cael ei gyflwyno i bwyllgor i'w drafod cyn i'r aelodau bleidleisio o'i blaid neu'n ei erbyn; cynigiad proposal, motion

3 y swm o arian neu'r tâl y mae prynwr yn barod i'w dalu am rywbeth mewn arwerthiant offer

cynnig dros ysgwydd cynnig y mae'r sawl sy'n ei wneud yn gobeithio y caiff ei wrthod, cynnig ffuantus

does gen i gynnig (gennyt ti, ganddo ef, etc.) mae'n gas gen i, cas gennyf I can't stand . . .

rhoi cynnig ar gw. rhoi¹

tri chynnig i Gymro y goel y bydd Cymro yn llwyddo o gael tri chyfle three attempts for a Welshman

cynnil *ans* [cynil•]

1 heb unrhyw wastraff, yn llwyddo gan ddefnyddio cyn lleied ag sy'n bosibl o'r hyn sydd ei angen, gofalus (o safbwynt arian); darbodus, gwyliadwrus frugal, spare, sparing

2 yn awgrymu (mewn ffordd glyfar) mwy na'r hyn a ddywedir, neu sydd i'w weld ar yr wyneb, heb amlhau geiriau, *Roedd beirniadaeth gynnil ei gyfeillion yn gwneud mwy o ddrwg iddo na holl ymosodiadau cas ei elynion*. concise, discreet, subtle

cynnin *eg* (cynhinion) darn rhacs; cerpyn shred

cynnud *eg* coed tân; priciau, tanwydd firewood, kindling

cynnull *be* [cynull•¹]

1 casglu ynghyd, galw ynghyd; clystyru, cronni, crynhoi (~ *rhywrai* **ynghyd**) to collect, to gather together

2 GRAMADEG fel yn *enwau cynnull*, sef enwau nad ydynt yn gallu cael eu cyfrif ac nid oes iddynt ffurf luosog, e.e. arian, bara

cynnwrf *eg* (cynhyrfau)

1 aflonyddwch, bwrlwm, cythrwfl, terfysg commotion, disturbance, stir

2 cyffro yn y meddwl, teimlad brwd; gwylltineb agitation, impulse

cynnwys¹ *be* [cynhwys•¹¹] cadw neu gasglu rhywbeth o fewn ffiniau neu derfynau arbennig; amgáu, corffori, ymgorffori to consist, to contain, to include

   Sylwch: cynhwys- a geir ym mhob ffurf ac eithrio yn y rhai sy'n cynnwys -as-.

cynnwys² *eg* (cynhwysion) yr hyn a geir oddi mewn i rywbeth; cynhwysiad content

cynnydd *eg*

1 y broses o gynyddu, canlyniad cynyddu; amlhad, lluosogiad, twf, ychwanegiad growth, increase

2 twf neu brifiant y lleuad hyd at leuad lawn waxing

3 symudiad ymlaen; datblygiad, esblygiad, ffyniant, gwelliant development, progress, advancement

4 ELECTRONEG cymhareb paramedr allbwn dyfais electronig, e.e. foltedd neu gerrynt, mewn perthynas â pharamedr cyfatebol o ran mewnbwn gain

ar gynnydd yn tyfu, yn cynyddu growing, on the increase

cynnyrch *eg* (cynhyrchion)

1 y ffrwyth a ddaw o ganlyniad i dyfiant naturiol, i weithgarwch celfyddydol neu i feddwl yn ddeallus produce, product, yield

2 yr hyn a gynhyrchir (gan ddiwydiant gan amlaf) er mwyn eu gwerthu a gwneud elw; nwyddau output, production

Cynnyrch Gwladol Crynswth ECONOMEG Cynnyrch Mewnwladol Crynswth plws incwm eiddo net o fuddsoddiadau tramor, CGC Gross National Product (GNP)

Cynnyrch Mewnwladol Crynswth ECONOMEG cyfanswm gwerth y nwyddau sy'n cael eu cynhyrchu a'r gwasanaethau sy'n cael eu darparu gan wlad mewn blwyddyn, CMC Gross Domestic Product (GDP)

cynodiad *eg* (cynodiadau) ATHRONIAETH y briodoledd neu'r priodoleddau sy'n cael eu hawgrymu gan unrhyw gysyniad wrth feddwl amdano connotation

cynoesol *ans* yn perthyn i'r cynfyd, i gynhanes; boreol, cyntefig, dechreuol primeval, primitive

cynol *ans* yn ymwneud â chi neu gŵn; tebyg mewn rhyw ffordd i gi canine

cynorthwyo *be* [cynorthwy•¹] estyn cymorth, rhoi help llaw; cefnogi, helpu (~ *rhywun* **i**) to assist, to help

cynorthwyol *ans* yn helpu, yn estyn cymorth; ategol, cynhaliol auxiliary, supporting

cynorthwyon *ell* lluosog cynhorthwy

cynorthwyydd:cynorthwywr *eg* (cynorthwywyr) un sy'n cynorthwyo; un sy'n helpu (gan amlaf rhywun sy'n cael ei dalu i gynorthwyo mewn siop neu sefydliad); cynhaliwr assistant, helper

cynosod *be* RHESYMEG cyflwyno cynosodiad mewn rhesymeg neu fathemateg to postulate

   Sylwch: nid yw'r ferf hon yn arfer cael ei rhedeg.

cynosodiad *eg* (cynosodiadau) RHESYMEG rhagdybiaeth neu osodiad a gyflwynir yn

sylfaen hanfodol yn y broses o ymresymu, er
nad oes modd ei brofi postulate

cynradd *ans*
 1 am addysg neu ysgol ar gyfer plant 4–11 oed;
 dechreuol, elfennol primary
 2 o'r radd gyntaf, blaenaf primary
 diwydiant cynradd ECONOMEG diwydiant yn
 ymwneud â chyflenwi defnyddiau crai,
 e.e. mwyngloddio neu amaeth primary industry
 planed gynradd gw. planed

cynrychiolaeth *eb* y weithred o gynrychioli, yn
 enwedig o gynrychioli etholwyr mewn corff
 etholedig, canlyniad cynrychioli; dirprwyaeth
 representation
 cynrychiolaeth gyfrannol GWLEIDYDDIAETH
 cynrychiolaeth pleidiau mewn corff etholedig
 yn ôl canran y pleidleisiau a fwriwyd dros bob
 plaid proportional representation

cynrychioli *be* [cynrychiol•¹]
 1 ymddangos neu weithredu yn lle neu ar ran
 rhywun neu rywrai eraill; dirprwyo to represent
 2 bod yn aelod, yn enwedig Aelod Seneddol,
 sydd wedi'i ddewis i siarad neu weithredu dros
 ardal neu grŵp arbennig to represent
 3 disgrifio neu bortreadu mewn ffordd
 arbennig to represent

cynrychioliad *eg*
 1 y gwaith o gynrychioli representation
 2 disgrifiad neu bortread o rywun neu rywbeth
 mewn ffordd arbennig representation

cynrychioliadol *ans* yn cynrychioli;
 arwyddluniol representational, representative

cynrychiolwr gw. cynrychiolydd

cynrychiolydd:cynrychiolwr *eg* (cynrychiolwyr)
 un sydd wedi cael ei awdurdodi i siarad neu
 weithredu dros rywrai eraill; asiant, cennad,
 dirprwy, eiriolwr representative, delegate

cynrheidiol *ans* am rywbeth sydd ei angen fel
 amod (cyn y gall rhywbeth arall ddigwydd)
 prerequisite

cynrhoni *be* magu cynrhon, bod yn llawn
 cynrhon; gwiddoni, pryfedu to breed maggots
 Sylwch: nid yw'r ferf hon yn arfer cael ei rhedeg.

cynrhonllyd *ans* llawn cynrhon maggot-ridden

cynrhonyn *eg* (cynrhon) pryfyn ar ôl iddo ddod
 o'r wy a chyn iddo fagu adenydd, traed, etc.;
 larfa maggot, grub, larva

cynsail *eb* (cynseiliau)
 1 egwyddor sylfaenol; hanfod, sail, sylfaen
 foundation
 2 gosodiad yr adeiledir dadl neu ymresymiad
 arno premise
 3 rhywbeth sydd wedi digwydd neu sydd
 wedi'i benderfynu yn y gorffennol ac sy'n
 cael ei ddefnyddio fel canllaw neu arweiniad
 (yn enwedig mewn llys barn wrth ddedfrydu)
 precedent

cynsail rwymol CYFRAITH yr egwyddor y dylid
 trin achosion tebyg fel ei gilydd, gan lynu wrth
 benderfyniadau achosion blaenorol binding
 precedent

cynt¹ *ans* [cynnar] mwy cynnar (o ran amser);
 mwy **buan** (o ran cyflymder)
 Sylwch: mae'r 'cynt' yma yn treiglo'n feddal ar
 ôl enw benywaidd, *awyren gynt na'r gwynt.*

cynt² *adf* o'r blaen, yn yr amser a aeth heibio,
 Does dim yr un hwyl heddiw ag a fu gynt.;
 gynnau before, formerly
 Sylwch:
 1 'gynt' a ddefnyddir i gyfeirio at gyfnod
 pell yn ôl, e.e. *yr hen amser gynt*; 'cynt'
 (heb ei dreiglo) a ddefnyddir i olygu
 'blaenorol', e.e. *y noson cynt*;
 2 mae'n treiglo'n llaes yn dilyn 'na', e.e. *na
 chynt na chwedyn.*

na chynt na chwedyn/wedyn dim o'r blaen
 nac wedyn neither before nor since

cyntaf *rhifol*
 1 y rhifol (rhif trefnol) sy'n dod o flaen 'ail' first
 2 rhif 1 mewn rhestr o un neu fwy; 1af first first
 3 [cynnar] mwyaf cynnar, o flaen pawb neu
 bopeth, blaenaf, nad oes un arall wedi bod o'i
 flaen; arweiniol, cynharaf, pennaf first
 4 mwyaf **buan**, cyflymaf (defnydd anaml)
 quickest, swiftest
 Sylwch:
 1 eithriad yw defnyddio'r rhifol *cyntaf* o
 flaen enw, mae'n achosi'r treiglad meddal os
 digwydd o flaen enw benywaidd, nid felly yn
 achos enw gwrywaidd, *cyntaf peth*;
 2 fel trefnol, y patrwm yw *Dafydd ddaeth yn
 gyntaf (a Wil yn ail) yn y ras.*;
 3 fel adferf ceir y patrwm *Dafydd ddaeth
 gyntaf (a Wil yn nes ymlaen) i'r parti.*

cyntaf i gyd gorau i gyd gorau po gyntaf
 the sooner the better

cyntaf-anedig *ans* am y plentyn cyntaf i gael ei
 eni, y plentyn hynaf firstborn

cyntaf-anedigaeth *eb* trefn etifeddol yn
 seiliedig ar yr egwyddor bod yr hawliau
 etifeddu teuluol yn eiddo i'r mab hynaf (yr
 etifedd) primogeniture

cynted *ans* [cynnar] mor gynnar (o ran amser);
 mor **fuan** (o ran cyflymder)

cyntedd *eg* (cynteddau)
 1 mynedfa i adeilad neu i'r rhan o'r tŷ yn union
 y tu mewn i'r drws allanol; lobi, porth porch,
 vestibule, concourse
 2 yn yr Oesoedd Canol dyma'r enw ar y rhan
 o'r neuadd y byddai'r brenin yn eistedd ynddi,
 rhan ucha'r neuadd

cyntedd y galon atriwm; y naill a'r llall o ddwy
 siambr uchaf y galon, o'r rhain y mae gwaed yn
 cael ei bwmpio i'r fentriglau; awrigl atrium

cyntedd y glust ANATOMEG agoriad allanol y glust auditory meatus

cyntefig *ans*
1 yn perthyn i gyfnod cynnar, i'r cynfyd; boreol, cynoesol, dechreuol, hen primitive, early
2 braidd yn amrwd; plaen, syml primitive

cyntefigrwydd *eg* y cyflwr neu'r ansawdd o fod yn gyntefig primitiveness, primitivism

cyntun *eg* cwsg bach byr; hun, napyn nap, snooze

cynudo gw. cynuta/cnuta

cynullaf *bf* [cynnull] *ffurfiol* rwy'n cynnull; byddaf yn cynnull

cynulleidfa *eb* (cynulleidfaoedd) casgliad neu gynulliad o bobl wedi dod ynghyd i fod yn bresennol mewn cyngerdd, pregeth, drama, etc.; gwrandawyr, gwylwyr, tystion audience, congregation
  Sylwch: mae'n derbyn ffurf unigol neu luosog berf.

cynulleidfaol *ans* yn perthyn i gynulleidfa, ar gyfer cynulleidfa congregational

Cynulleidfaol *ans* CREFYDD yn perthyn i enwad yr Annibynwyr Congregational

cynulliad *eg* (cynulliadau)
1 dyfodiad ynghyd; casgliad, cynulleidfa gathering, convocation
2 (*yn derbyn ffurf unigol neu luosog berf*) grŵp o bobl wedi dod ynghyd i drafod, deddfwriaethu, addoli, etc.; bwrdd, corff, cyngor, cyngres assembly

Cynulliad Cenedlaethol Cymru sefydliad yn cynnwys 60 o aelodau sy'n cyflawni swyddogaethau a gyflawnwyd gan Ysgrifennydd Gwladol Cymru yn y dyddiau cyn Deddfau Llywodraeth Cymru 1998 a 2006; corff sy'n cael ei ethol yn ddemocrataidd i gynrychioli buddiannau Cymru a'i phobl, i ddeddfu ar gyfer Cymru, ac i ddwyn Llywodraeth Cymru i gyfrif Welsh National Assembly

cynullydd:cynullwr *eg* (cynullwyr) aelod o bwyllgor a benodir i drefnu cyfarfodydd a galw'r aelodau eraill ynghyd convener

cynuta:cnuta *be* [cynut•¹] casglu coed tân; cynudo to gather firewood

cynwreiddyn *eg* (cynwreiddiau) BOTANEG y rhan o embryo planhigol sy'n datblygu i ffurfio'r prif wreiddyn radicle

cynwydd *eg* (cynwyddau) ECONOMEG nwydd economaidd, defnydd crai, e.e. metelau, egni, cnydau, etc. y gellir ei brynu a'i werthu commodity

cynwysedig:cynwysiedig *ans* wedi'i gynnwys, y tu mewn i rywbeth; amgaeedig, ymhlyg included, inclusive

cynwyseddau *ell* lluosog cynhwysedd

cynwysiannau *ell* lluosog cynhwysiant

cynwysiedig gw. cynwysedig

cynwysyddion *ell* lluosog cynhwysydd

cynydd *eg* hanesyddol swyddog y brenin a oedd yn gyfrifol am y cŵn hela huntsman

cynyddol *ans* yn tyfu a thyfu, yn mynd rhagddo, yn cynyddu; ymledol increasing, cumulative, progressive

cynyddu *be* [cynydd•¹]
1 mynd yn fwy; amlhau, helaethu, llwyddo, tyfu to increase, to grow
2 achosi twf, gwneud yn fwy; datblygu, helaethu, ychwanegu at to augment

cynyrchiadau *ell* lluosog cynhyrchiad

cynyrchyddion *ell* lluosog cynhyrchydd

cynyrfiadau *ell* lluosog cynhyrfiad

cynysgaeddu *be* [cynysgaedd•¹]
1 gwaddoli; rhoi swm sylweddol o arian er mwyn i'r sawl sy'n ei dderbyn ddefnyddio'r llog blynyddol at ddiben arbennig; cyfoethogi to endow
2 rhoi cyfoeth o ddoniau; breinio, donio (~ *rhywun â rhywbeth*) to endow

cynysgaethau *ell* lluosog cynhysgaeth

cyplad *eg* (cypladau)
1 y broses o gyplu, canlyniad cyplu; cyfuniad, uniad coupling
2 un o nifer o ffyrdd o sicrhau dau neu ragor o ddarnau o raff neu linyn wrth ei gilydd; cwlwm
3 GRAMADEG ffurf ar *bod* a ddefnyddir i gyplysu dibeniad neu draethiad â'r goddrych, e.e. brenin *oedd* Dafydd, mawr *yw* Duw copula

cyplau *ell* lluosog cwpwl

cypledig *ans* wedi cyplu coupled

cyplu *be* [cypl•¹]
1 cydio ynghyd, *cyplu coets wrth injan* (~ *rhywbeth* wrth) to couple
2 (yn enwedig am anifeiliaid ar gyfer bridio) cael cyfathrach rywiol (~ â) to mate

cyplydd *eg* (cyplyddion) dyfais fecanyddol sy'n caniatáu cydio dau ddarn ynghyd coupling

cyplysau *ell* lluosog cwplws

cyplysnod *eg* (cyplysnodau) cysylltnod; llinell fer (-) a ddefnyddir i wahanu ambell gyfuniad o gytseiniaid, ac i ddangos nad ar y goben yr acennir gair, e.e. Ynys-y-bwl, di-waith; hefyd weithiau i gyplysu dau air, e.e. Mrs Powell-Davies, Heddlu Dyfed-Powys; defnyddir cysylltnod ar ddiwedd llinell i ddangos bod y gair wedi'i hollti a bod yr ail ran ar y llinell nesaf; heiffen hyphen

cyplysu *be* [cyplys•¹] dwyn ynghyd, clymu ynghyd; asio, cysylltu, ieuo, uno (~ *rhywun/rhywbeth* â) to couple, to join, to connect

Cypraidd *ans* yn perthyn i Gyprus, nodweddiadol o Gyprus Cypriot

cypreswydd *ell* conwydd bythwyrdd â dail tywyll a phren caled; hefyd, yn unigol, pren y coed hyn cypress

cypreswydden *eb* unigol cypreswydd cypress (tree)

Cypriad *eg* (Cypriaid) brodor o Gyprus, un o dras neu genedligrwydd Cypraidd Cypriot

cypyrddaid *eg* (cypyrddeidiau) llond cwpwrdd cupboardful

cypyrddau *ell* lluosog cwpwrdd

cyraeddadwy *ans* y gellir ei gyrraedd; posibl, ymarferol attainable, reachable

cyraeddiadau *ell* lluosog cyrhaeddiad

cyrans gw. cwrens

cyrathiad *eg* (cyrathiadau) DAEARYDDIAETH y broses o gyrathu corrasion

cyrathu *be* [cyrath•³] DAEARYDDIAETH erydu arwyneb carreg neu graig a achosir pan fydd defnyddiau sgrafellu yn dod i gyffyrddiad â'r arwyneb wrth iddynt gael eu hysgubo drosto gan afon, rhewlif, tonnau'r môr neu wynt to corrade

cyrbibion *ell* rhywbeth wedi'i racsio neu ei dorri'n yfflon; candryll, rhacs, teilchion, ysgyrion smithereens

cyrc *ell* lluosog corcyn

cyrcydau *ell* lluosog cwrcwd

cyrcydu *be* [cyrcyd•¹] mynd yn eich cwrcwd, eistedd ar eich sodlau; cwtsio, swatio (~ ar) to crouch, to squat

cyrch¹ *eg* (cyrchoedd) ymosodiad, *cyrch bomio;* brwydr, rhuthr attack, foray, raid

gair cyrch y rhan o linell gyntaf englyn unodl union sy'n dilyn y brif odl ac sy'n cynganeddu â dechrau'r ail linell; fel arfer rhoddir hac o flaen y gair cyrch wrth argraffu englyn, e.e.

    Wele rith fel ymyl rhod – *o'n cwmpas*
      Campwaith dewin hynod
      allan o 'Gorwel' gan Dewi Emrys
    Ymadrodd

dwyn cyrch gw. dwyn

cyrch² gw. ceirch

cyrchfa *eb* (cyrchfeydd)
  1 man lle mae pobl neu bethau yn casglu ynghyd, man i gyrchu iddo, lle i ymweld ag ef; cyrchfan rendezvous, destination
  2 cynulliad, tyrfa, casgliad concourse

cyrchfan *eb* (cyrchfannau) man y mae rhywun neu rywbeth yn cyrchu ato neu'n cael ei ddanfon iddo, pen taith; cyrchfa destination, resort

  cyrchfan wyliau man lle mae pobl yn mynd iddo ar eu gwyliau holiday resort

cyrchiad *eg* (cyrchiadau) y gwaith o gael mynediad i ffeil ar gyfrifiadur access

cyrchnod *eg* (cyrchnodau) y diben yr ymdrechir i'w gyflawni neu ei gyrraedd; amcan, nod goal

cyrchu *be* [cyrch•¹ 3 *un. pres.* cyrch/cyrcha; 2 *un. gorch.* cyrch/cyrcha]
  1 anelu at, mynd tuag at, tynnu at, *cyrchu at y nod* (~ **at;** ~ **am** *rywle*) to make for
  2 casglu ynghyd; cywain, ymofyn to access, to fetch, to gather together
  3 CYFRIFIADUREG mynd at neu adalw gwybodaeth a storiwyd yng nghof cyfrifiadur, *cyrchu data* to access

cyrchwr *eg* (cyrchwyr) arwydd symudol (llinell neu saeth fel arfer) sy'n dynodi lleoliad penodol ar sgrin cyfrifiadur cursor

cyrddau *ell* lluosog cwrdd

  cyrddau mawr CREFYDD gŵyl bregethu

cyrff *ell* lluosog corff

cyrhaeddaf *bf* [cyrraedd] rwy'n cyrraedd; byddaf yn cyrraedd

cyrhaeddgar *ans* yn cyrraedd yn bell; pellgyrhaeddol, treiddgar far-reaching

cyrhaeddiad *eg* (cyraeddiadau)
  1 y broses o gyrraedd, canlyniad cyrraedd; dyfodiad, glaniad arrival
  2 yr hyn y mae rhywun yn medru neu wedi medru'i gyflawni (am allu meddyliol yn aml); gallu, medr, talent attainment, reach

cyrïau *ell* lluosog cyrri

cyrion *ell* lluosog cwr outskirts

  ar gyrion yn ymyl, *ar gyrion y dref* on the outskirts

cyrlen *eb* (cwrls:cyrls) gair arall am gwrl curl

cyrlio *be* [cyrli•²]
  1 ymffurfio'n gylch neu'n dorch, e.e. symudiadau ymarfer corff to curl
  2 dolennu rhywbeth i greu cwrl, *cyrlio gwallt* to curl

cyrliog *ans* llawn cwrls; crych, crychlyd, modrwyog, tonnog curly

cyrn *ell* lluosog corn

  cyrn, croen a charnau pob tamaid every last bit

cyrnol *eg* (yn y fyddin) pen-swyddog ar gatrawd colonel

cyrraedd *be* [cyrhaedd•¹² 3 *un. pres.* cyrraedd/cyrhaedda]
  1 mynd neu ddod cyn belled â man arbennig, *Ydyn ni wedi cyrraedd Caerdydd eto? Pryd bydd hi'n cyrraedd;* glanio to arrive, to arrive at, to reach
  2 (am bethau) mynd neu ymestyn mor bell â rhywbeth neu rywle, *Mae'r planhigyn erbyn hyn yn cyrraedd to'r tŷ gwydr.;* ymestyn to reach
  3 cyflawni nod, *Mae hi wedi cyrraedd safle uchel yn y cwmni.;* llwyddo to attain
  Sylwch: ceir 'h' ym mhob ffurf ac eithrio 'cyrraedd ef/hi' ac yn y rhai sy'n cynnwys *-as-.*

  o fewn cyrraedd posibl ei gyrraedd neu ei gyflawni within reach

cyrrau *ell* lluosog cwr

cyrri:cyri *eg* (cyrïau) pryd o gig, llysiau, etc. wedi'i goginio mewn saws sy'n cynnwys sbeisys curry

cyrs *ell* lluosog corsen

cyrs(i)au *ell* lluosog cwrs

cyrten *eg* (cyrtens) un o bâr o lenni (e.e. sy'n cau ar draws ffenestr neu lwyfan); llen curtain

cyrtiau *ell* lluosog cwrt

cyrtsi *eg* (cyrtsïau) arwydd o barch gan ferch neu wraig sy'n golygu plygu glin a gostwng y pen a'r ysgwyddau; moesymgrymiad curtsy

cyrydiad *eg* y broses o gyrydu, canlyniad cyrydu corrosion

cyrydol *ans* am rywbeth sy'n cyrydu corrosive

cyrydu *be* [cyryd•¹] distrywio yn araf drwy adweithiau cemegol; treulio to corrode

cyryglau *ell* lluosog corwgl

cyryglwr *eg* gw. coryglwr

cysáct *ans* manwl gywir; cyfewin, gofalus, manwl, union exact

cysactrwydd *eg* manwl gywirdeb precision

cysawd *eg* (cysodau) SERYDDIAETH un seren neu grŵp o sêr a'r cyrff sy'n troi o'u hamgylch; cytser constellation, system

　cysawd yr Haul SERYDDIAETH yr Haul a'r holl gyrff sy'n troi o'i amgylch solar system

cysb *eb* cyflwr ceffylau neu ddofednod yn deillio o niwed i'r ymennydd neu fadruddyn y cefn sy'n arwain at y bendro a gwegian a symud ansicr staggers

cysbau *ell* lluosog cwsb

cysefin *ans* yn bodoli felly o'r dechrau; cychwynnol, cynhenid, cyntaf, gwreiddiol native, original
　Sylwch: nid yw'n cael ei gymharu.

　ffactor cysefin gw. ffactor¹

　rhif cysefin gw. rhif

cysegr *eg* (cysegrau)
　1 CREFYDD yn wreiddiol, y rhan nesaf at fan mwyaf sanctaidd tabernacl a theml yr Iddewon holy place
　2 eglwys neu adeilad cysegredig lle y gall ffoaduriaid gael noddfa rhag eu gelynion; noddfa sanctuary
　3 erbyn heddiw, lle neu lecyn sanctaidd, neu adeilad megis eglwys neu gapel sydd wedi'i neilltuo ar gyfer addoli Duw; addoldy, teml holy place

　y Cysegr Sancteiddiaf/Sancteiddiolaf
　CREFYDD man mwyaf sanctaidd tabernacl a theml yr Iddewon the Holy of Holies

cysegredig *ans* wedi'i neilltuo i wasanaethu neu addoli Duw na ddylai dim meidrol ei newid; dwyfol, eneiniog, gwynfydedig, sanctaidd holy, sacred, consecrated

cysegredigrwydd *eg* y cyflwr neu'r graddau y mae rhywbeth yn gysegredig; sancteidddrwydd sacredness

cysegrfa *eb* (cysegrfaoedd:cysegrfeydd)
　1 rhan o eglwys sy'n cynnwys yr allor a bwrdd y Cymun sacrarium
　2 (mewn eglwys) ystafell lle mae llestri'r Cymun a'r gwisgoedd yn cael eu cadw

cysegriad *eg* (cysegriadau) y weithred o gysegru neu sancteiddio; cyflwyniad i Dduw; eneiniad, ordeiniad consecration

cysegr-ladrad *eg* y weithred o ddwyn peth crefyddol a'i ddefnyddio at ddibenion seciwlar sacrilege

cysegr-lân *ans* sanctaidd, cysegredig holy, pure and holy

cysegru *be* [cysegr•¹]
　1 CREFYDD neilltuo i wasanaeth Duw; bendigo, eneinio, ordeinio, sancteiddio (~ *rhywbeth* i) to consecrate, to devote
　2 llanw ag ysbryd Duw, e.e. wrth gysegru bara a gwin y Cymun; dwyfoli, sancteiddio to consecrate
　3 offrymu neu gyflwyno (rhywun neu rywbeth) i wasanaeth Duw; eneinio, sancteiddio to dedicate, to ordain

cyseinedd *eg*
　1 LLENYDDIAETH cyfatebiaeth neu ateb cytseiniaid neu lafariaid; cyflythreniad assonance, consonance, alliteration
　2 cytgord; cysondeb sain concord

cyseiniant *eg* (cyseiniannau)
　1 FFISEG cyflwr system pan fydd dirgryniad mawr yn cael ei achosi gan ddirgryniad bach o'r un amledd, e.e. mewn utgorn mae dirgryniadau bach yng ngwefusau'r cerddor yn creu dirgryniadau mawr ym mhen agored y corn resonance
　2 CERDDORIAETH y dwysáu sy'n digwydd i seiniau drwy ychwanegu dirgryniadau resonance

　delweddu cyseiniant magnetig gw. delweddu

cyseinio *be* [cyseini•²] cynhyrchu neu amlygu cyseiniant to resonate

cyseiniol *ans*
　1 (yn gerddorol) yn cyseinio, yn medru creu cyseiniant; harmonïaidd resonant
　2 (am gytseiniaid mewn cynghanedd) yn cydseinio alliterative

cyseinydd *eg* (cyseinyddion)
　1 dyfais sy'n cynyddu cyseiniant offerynnau cerdd resonator
　2 dyfais sy'n ymateb i sain neu i donnau sy'n dirgrynu ar amledd penodol resonator

cysêt *eg*
　1 hunan-dyb, balchder conceit
　2 LLENYDDIAETH trosiad neu gyffelybiaeth estynedig a ffansïol, e.e. mewn cerdd yn disgrifio gwrthrych serch y bardd conceit

cysetlyd *ans* anodd ei fodloni oherwydd mympwy, anodd ei blesio; gorfanwl, misi, mursennaidd, mympwyol fastidious, finicky, fussy

cysgadrwydd *eg* awydd cysgu neu dueddiad i gysgu; syrthni sleepiness

cysgadur *eg* (cysgaduriaid)
1 un sy'n cysgu neu'n hepian; cysgwr sleeper
2 creadur sy'n cysgu drwy'r gaeaf ac yn deffro pan ddaw'r gwanwyn hibernating animal

cysgau *ell* lluosog cwsg

cysgiad *eg* (cysgiadau) y cyflwr o fod ynghwsg megis anifail sy'n gaeafgysgu dormancy

cysglyd *ans* tueddol o fynd i gysgu, heb fod yn effro nac yn fywiog; diegni, marwaidd, swrth dozy, drowsy

cysgod *eg* (cysgodion)
1 yr amlinelliad tywyll a geir pan ddaw rhyw wrthrych rhwng ffynhonnell o olau, e.e. yr Haul, ac arwynebedd gweddol wastad, e.e. llawr neu wal shadow
2 llun a adlewyrchir mewn dŵr reflection
3 llecyn tywyll, e.e. dan goed, nad yw mor boeth â'r mannau agored o'i gwmpas pan fydd yr haul yn tywynnu, cil haul; clydwch, lloches shade, shelter
4 copi gwan iawn; rhith, ôl shadow
5 awyrgylch bygythiol, awgrym o drychineb sy'n agos; diflastod shadow
rhoi (rhywun) yn y cysgod tynnu sylw fel nad oes neb yn sylwi ar yr unigolyn arall to put (someone) in the shade
yng nghysgod oherwydd cysylltiad neu berthynas, *Tyfodd Siôn i fyny yng nghysgod ei frawd.*

cysgodfa *eb* (cysgodfeydd) man i gysgodi, lle diogel; lloches, noddfa shelter

cysgodi *be* [cysgod•¹]
1 bod mewn cysgod, cadw allan o'r tywydd; llochesu, ymochel (~ **dan**; ~ *rhywun/rhywbeth* **rhag** *rhywun/rhywbeth*) to shelter, to take cover
2 taflu cysgod dros, cadw'r golau rhag cyrraedd yn llawn; gorchuddio, tywyllu, to overshadow, to shade
3 dilyn rhywun (e.e. yn y gweithle) er mwyn dysgu'r gwaith to shadow

cysgodlen *eb* (cysgodlenni) llen neu orchudd ffenestr y mae modd ei rolio i fyny neu i lawr; bleind blind, sunshade

cysgodol *ans*
1 am le y ceir cysgod ynddo o'r tywydd; clyd, diddos shady, sheltered
2 unffurf â rhywbeth arall ond heb nac awdurdod na statws y llall, e.e. awdurdodau lleol cysgodol cyn ad-drefnu shadow

cysgotgar *ans* hoff o'r cysgod

cysgu *be* [cysg•¹ 3 *un. pres.* cwsg/cysga; 2 *un. gorch.* cwsg/cysga]
1 gorffwyso'n naturiol a llithro i stad anymwybodol, e.e. ar ôl mynd i'r gwely neu ar ôl blino; hepian, huno, pendwmpian to sleep, to slumber
2 (am aelod o'r corff) bod yn ddiffrwyth neu'n ddideimlad, *Mae fy nhroed wedi mynd i gysgu.*; cyffio
cysgu ar fy nhrwyn bod wedi blino'n lân to be dog tired
cysgu ci bwtsiwr cysgu'n ysgafn, hepian to catnap
cysgu fel mochyn/twrch cysgu'n sownd, cysgu'n drwm to sleep heavily
cysgu llwynog cymryd arnoch eich bod yn cysgu
cysgu'n sownd cysgu'n drwm iawn to sleep heavily

cysgwr *eg* (cysgwyr) un sy'n cysgu; cysgadur sleeper

cysidro *be* [cysidr•¹] pwyso a mesur; ystyried to consider

cysodau *ell* lluosog cysawd

cysodi *be* [cysod•¹] yn wreiddiol, gosod teip yn barod i'w argraffu; erbyn hyn, gosod testun ar y cyfrifiadur yn barod i'w argraffu, *cysodi tudalen o lyfr* to set, to typeset

cysodro *be* METELEG toddi sodr drwy ei wresogi er mwyn creu llif o fetel rhwng dau wyneb sydd i'w hasio ynghyd to sweat
Sylwch: nid yw'r ferf hon yn arfer cael ei rhedeg.

cyson *ans* heb fod yn anwadal; anghyfnewidiol, dibynadwy, digyfnewid, rheolaidd consistent, constant, regular

cysondeb *eg* y cyflwr o fod yn gyson neu yn ddibynadwy, tueddiad i lynu wrth reolau; dibynadwyaeth, rheoleidd-dra, sadrwydd, sefydlogrwydd consistency, regularity

cysoni *be* [cyson•¹] gwneud yn gytûn, gwneud i bethau gytuno â'i gilydd, gwneud yn wastad; cymedroli, safoni (~ *rhywbeth* **â**) to reconcile

cysonyn *eg* (cysonion)
1 MATHEMATEG swm neu baramedr sy'n aros yn ddigyfnewid tra bo'r newidynnau'n amrywio constant
2 FFISEG gwerth digyfnewid, e.e. buanedd golau yw'r cysonyn *c*, cyflymiad disgyrchiant yw'r cysonyn *g* constant

cystadladwy *ans* ECONOMEG (am farchnad neu ddiwydiant) agored i gystadleuaeth o du cwmnïau eraill contestible

cystadleuaeth *eb* (cystadlaethau)
1 ymgais gan rywun neu rywrai i ragori ar ei gilydd; ciprys, ymryson competition, contest
2 prawf o fedr neu sgiliau neu nerth; gornest, talwrn competition, contest
3 y gwrthwynebydd neu'r gwrthwynebwyr yr ydych yn cystadlu yn eu herbyn competition
4 ECONOMEG sefyllfa lle mae pob gwerthwr

C

yn ceisio cael mantais ar bob gwerthwr arall competition

cystadleuaeth berffaith ECONOMEG sefyllfa lle mae cynifer o gwmnïau bach mewn marchnad fel na all unrhyw un ohonynt effeithio ar y farchnad, mae'n wahanol i sefyllfa o fonopoli perfect competition

cystadleuol *ans* nodweddiadol o gystadleuaeth, hoff o gystadlu, hoff o ennill neu o ragori competitive

cystadleuydd:cystadleuwr *eg* (cystadleuwyr) un sy'n cystadlu; ymgeisydd competitor, rival

cystadlu *be* [cystadl•¹] ceisio yn erbyn eraill i ddod yn gyntaf; ymdrechu yn erbyn cystadleuwyr eraill i gael eich dethol; ymgeisio, ymgiprys, ymgodymu, ymryson (~ **yn erbyn**; ~ **â rhywun am rywbeth**) to compete, to contest, to vie

cystal¹ *ans* [da] mor dda; cydradd, cyfartal, cyfwerth, hafal as good as

Sylwch:

1 daw fel arfer o flaen yr hyn mae'n ei oleddfu, ond fel gradd gyfartal ansoddair nid yw'n achosi'r treiglad meddal, *cystal dyn*;

2 mae'n gwrthsefyll y treiglad meddal ac eithrio yn dilyn sangiad (*A fyddech cystal â chau'r drws. Roedd yno gystal gwledd ag a welwyd erioed.*);

3 nid yw'n cael ei ragflaenu gan 'yn' traethiadol.

cystal² *adf* i'r un graddau, man a man, *Cystal i ni aros nes daw John.* equally, may as well

cystradau glo *ell* DAEAREG dilyniant o greigiau gwaddod yn cynnwys gwythiennau glo coal measures

cystrawen *eb* (cystrawennau) GRAMADEG trefn a chysylltiad geiriau mewn brawddeg i ddangos yr ystyr yn y modd mwyaf eglur construction, syntax

cystrawennol *ans* yn ymwneud â chystrawen y frawddeg; strwythurol syntactic, syntactical

cystudd *eg* (cystuddiau) y cyflwr o fod mewn poen, o fod yn dioddef; dioddefaint, gorthrymder, ing, trallod affliction, distress

cystuddiedig *ans* dioddefus, trallodus, gorthrymus afflicted

cystuddio *be* achosi poen neu ddioddefaint, peri gofid neu drallod; cam-drin, cosbi, poeni to afflict, to chastise

Sylwch: nid yw'r ferf hon yn arfer cael ei rhedeg.

cystwyad *eg* (cystwyadau) y weithred o gystwyo, canlyniad cystwyo; cerydd, condemniad, edliwiad chastisement, castigation

cystwyo *be* [cystwy•¹] dweud y drefn a chosbi; ceryddu, chwipio, tantro to chastise, to castigate, to trounce

cysur *eg* (cysuron)

1 esmwythyd neu leihad mewn gofid neu boen i'r rhai hynny sy'n gofidio neu sy'n dioddef; esmwythder, gollyngdod, rhyddhad consolation, solace

2 yr hyn sy'n gwneud rhywun yn gyfforddus yn gorfforol neu'n feddyliol, *Mae'n gysur mawr i mi eich bod yn aros yma i ofalu am y plant.*; clydwch, diddosrwydd, ymgeledd comfort, reassurance

cysurdeb *eg* y cyflwr o fod yn gysurus, *yng nghysurdeb eich tŷ eich hunan* comfort

cysuro *be* [cysur•¹] ceisio lleihau neu liniaru gofid rhywun (sy'n dioddef, e.e. o siom, o brofedigaeth neu o boen meddwl), ceisio codi calon; calonogi, esmwytho, ymgeleddu to comfort, to console

cysurus *ans* yn rhoi cysur (i'r corff gan amlaf), heb ofidiau na phoen (yn feddyliol nac yn gorfforol nac yn ariannol); clyd, cyfforddus, esmwyth comfortable, cosy

cysurwr *eg* (cysurwyr) un sy'n cysuro comforter

cysurwr Job un sy'n honni cysuro ond sydd, mewn gwirionedd, yn creu mwy o ddigalondid Job's comforter

cyswllt *eg* (cysylltau:cysylltiadau) yr hyn sy'n cydio dau beth ynghyd, man cyfarfod dau (neu ragor) o bethau; cymal, cysylltiad, dolen, uniad connection, link, contact

cysylltair *eg* (cysyllteiriau) GRAMADEG geiryn sy'n cysylltu dau gymal, dwy frawddeg neu ddau air, e.e. a, neu, ond conjunction

cysylltedd *eg* (cysyllteddau)

1 y cyflwr o fod yn gysylltiedig neu'n gydgysylltiedig connectivity

2 y broses o gysylltu dau bwnc gwleidyddol fel na ellir symud ar un heb symud ar y llall, *cysylltedd dadgomisiynu arfau a sefydlu ffurf o lywodraeth yng Ngogledd Iwerddon* linkage

3 ELECTRONEG graddfa o gydgysylltiad mewn coil trydanol linkage

4 BIOLEG tuedd lle mae genynnau sydd wedi'u lleoli ar yr un cromosom yn cael eu trosglwyddo gyda'i gilydd i'r gamet ac yna i'r epil linkage

5 CYFRIFIADUREG gallu dyfais i gael ei chysylltu â llwyfannau, systemau a chymwysiadau eraill connectivity

6 FFISEG natur y cyswllt rhwng atomau mewn moleciwl linkage

cysylltiad *eg* (cysylltiadau)

1 y weithred o gysylltu, o ddod â dau beth ynghyd, canlyniad cysylltu; asiad, cyfathrach, uniad liaison, linking

2 yr hyn sy'n cysylltu; cyswllt, dolen, perthynas connection, contact, link

mewn cysylltiad â parthed, ynglŷn â
in connection with, in conjunction with, concerning

cysylltiadol *ans* yn cydgysylltu syniadau neu ddelweddau associative

cysylltiedig *ans* wedi'i gysylltu; cydlynol, cysylltiol, perthnasol connected, linked, coupled
Sylwch: nid yw'n cael ei gymharu.

cysylltiol *ans* yn creu cysylltiad; cydlynol, cyfun, cysylltiedig connected, connective

cysylltnod *eg* (cysylltnodau) llinell fer (-) a ddefnyddir i wahanu ambell gyfuniad o gytseiniaid, ac i ddangos nad ar y goben yr acennir gair, e.e. *Ynys-y-bwl*, *di-waith*; hefyd weithiau i gyplysu dau air, e.e. *Mrs Powell-Davies, Heddlu Dyfed-Powys*; defnyddir cysylltnod ar ddiwedd llinell i ddangos bod y gair wedi'i hollti a bod yr ail ran ar y llinell nesaf hyphen

cysylltu *be* [cysyllt•[1]] clymu ynghyd, dwyn ynghyd; cyplysu, ieuo, uno (~ *rhywun/rhywbeth* â) to connect, to join, to link

cysylltydd *eg* (cysylltwyr) rhywbeth sy'n cydgysylltu dau beth connector

cysyniad *eg* (cysyniadau)
1 dealltwriaeth gyffredinol; syniad concept
2 ATHRONIAETH gwrthrych y deall; y syniad cyffredinol am ddosbarth o bethau; canfodiad, haniaeth concept

cysyniadol *ans* yn perthyn i gysyniad, wedi'i seilio ar gysyniad conceptual

cytau *ell* lluosog cwt[2] a cwt[3]

cytbell *ans* yr un pellter â, *Mae'r pellter rhwng Rhufain ac Oslo yn gytbell â'r pellter rhwng Rhufain a Cairo.* equidistant
Sylwch: nid yw'n cael ei gymharu.

cytbwys *ans*
1 o'r un pwysau; cyfartal, cyfwerth balanced
2 heb ffafrio'r naill ochr na'r llall; diduedd unbiased

cytew *eg* cymysgedd gludiog o flawd, wyau a llaeth a ddefnyddir wrth goginio, e.e. i wneud crempogau/pancws batter

cytgan *eb* (cytganau)
1 CERDDORIAETH geiriau a ailadroddir ar ôl pob pennill mewn cân; byrdwn chorus, refrain
2 CERDDORIAETH darn sy'n cael ei ganu gan gôr neu gan bawb gyda'i gilydd, o'i wrthgyferbynnu â'r darnau y mae unawdwyr yn eu canu chorus

cytgnawd *eg* cyfathrach rywiol, cydiad, cyswllt cnawdol copulation

cytgord *eg* (cytgordiau)
1 cytundeb, cyd-ddealltwriaeth, cynghanedd, harmoni agreement, harmony, understanding
2 CERDDORIAETH cyfuniad o nodau sy'n cynganeddu ac felly'n swnio'n ddymunol concord

cytiau *ell* lluosog cwt[1]
cytiau'r Gwyddelod olion cartrefi hynafol ym Môn ac Arfon a godwyd cyn goresgyniad y Rhufeiniaid ac am rai canrifoedd wedi hynny

cytir *eg* (cytiroedd) tir y mae gan bawb hawl i'w ddefnyddio; comin common, common land

cyto- *rhag* yn ymwneud â chell neu gelloedd, e.e. *cytogeneteg* cyto-

cytogeneteg *eb* BIOLEG cangen o fioleg sy'n astudio etifeddeg ac amrywiaeth drwy ddefnyddio technegau o feysydd geneteg a chytoleg cytogenetics

cytoleg BIOLEG cangen o fioleg sy'n astudio celloedd, eu bywyd a'u gwaith cytology

cytoplasm *eg* BIOLEG cynnwys cell, heblaw am y cnewyllyn cytoplasm

cytosin *eg* BIOCEMEG un o'r pedwar bas yn adeiledd DNA ac 'C' yn y cod genynnol cytosine

cytras *ans*
1 yn perthyn drwy waed consanguineous
2 yn rhannu'r un dras cognate

cytref *eb* (cytrefi)
1 cyfuniad o drefi a fu unwaith yn annibynnol yn creu un gymuned fawr conurbation
2 BIOLEG cymuned o anifeiliaid neu blanhigion o'r un rhywogaeth sy'n byw neu'n tyfu yn agos at ei gilydd fel grŵp annibynnol colony
3 BIOLEG grŵp o ffyngau neu facteria sy'n deillio o un neu ychydig o sborau, yn enwedig rhai wedi'u tyfu mewn cyfrwng meithrin colony

cytrefol *ans* BIOLEG yn ymwneud â chytref, nodweddiadol o gytref, *cwrel cytrefol* colonial

cytrefu *be* [cytref•[1]] (am anifeiliaid a phlanhigion) ymsefydlu mewn cynefin arbennig to colonize

cytsain *eb* (cytseiniaid)
1 sain sy'n cael ei chynhyrchu drwy atal yr anadl (yn llwyr neu'n rhannol) â'r tafod neu â'r gwefusau, o'i gwrthgyferbynnu â llafariad lle na rwystrir yr anadl consonant
2 y llythrennau sy'n cynrychioli'r seiniau hyn, e.e. b, c, ch, d, dd, f, etc. consonant
3 (gyda'r lluosog 'cytseiniau') cytundeb sain; cynghanedd, cytgord consonance

cytseinedd *eg* cyfatebiaeth cytseiniaid, e.e. *Teithiodd Twm trwy'r twyni tywod.* consonance

cytser *eg* (cytserau) SERYDDIAETH un o'r 88 grŵp o sêr sy'n ffurfio patrwm adnabyddus ac sy'n aml yn cael eu henwi ar ôl cymeriadau chwedlonol, e.e. Orion; cysawd constellation

cytûn *ans*
1 unfryd unfarn, o'r un feddwl, mewn cytgord, yn cyd-weld; unedig, unfrydol agreeing, of one mind
2 yn unol (â), yn dilyn yr hyn sydd wedi'i gytuno agreed, in accordance, in agreement

cytundeb *eg* (cytundebau)
1 unfrydedd barn rhwng dau neu ragor o bobl; cydsyniad, cytgord agreement, consensus
2 trefniant ffurfiol rhwng dwy blaid neu ddau neu ragor o unigolion yn cofnodi'r hyn y maent wedi cytuno arno; cyfamod, ymrwymiad contract, settlement, pact
3 trefniant rhwng gwladwriaethau sydd wedi'i gwblhau a'i gadarnhau yn ffurfiol treaty
4 y berthynas rhwng dau neu ragor o bethau sy'n gweddu i'w gilydd; cydweddiad, cyfatebiaeth, cymhariaeth, tebygrwydd correspondence
5 GRAMADEG cyfatebiaeth o ran rhif, person neu genedl, e.e. mae cytundeb person rhwng *cysgod* a *John* yn y frawddeg *Cysgodd John*, ond nid oes cytundeb rhyngddynt yn *Cysgais John* agreement, correspondence
Sylwch: pan geir goddrych lluosog (nad yw'n rhagenw), yr arfer erbyn heddiw yw fod y ferf yn 3ydd person unigol (h.y. nid oes cytundeb rhyngddynt), *aeth y disgyblion; y disgyblion a aeth*.
cytundebol *ans* yn perthyn i gytundeb; wedi'i gytuno mewn cytundeb contractual
cytuno *be* [cytun•¹]
1 bod yn un â, derbyn syniad neu farn; cyd-fynd, cydsynio, cyd-weld, nodio (~ â *rhywun am rywbeth*) to agree, to concur
2 dod i delerau â, gwneud cytundeb â; cyfamodi (~ **i**; ~ **ar**) to strike a bargain
3 bod er lles iechyd person, *Mae awyr iach Aberystwyth yn cytuno â fi.*; cyd-fynd to suit
4 GRAMADEG cyfateb o ran rhif, person neu genedl, e.e. nid yw *dwy* a *bachgen* nac *yr wyf* a *ti* yn cytuno to agree, to correspond
cythlwng *eg* yn yr ymadrodd *ar fy (dy, ei,* etc.*) nghythlwng*, ag angen bwyd yn fawr iawn; newyn hunger
cythraul *eg* (cythreuliaid)
1 un o weision y Diafol, ysbryd drwg neu faleisus; bwgan, diafol, ellyll demon, devil, fiend
2 *ffigurol* rhywun drwg neu ddireidus, *y cythraul bach*; diawl devil
ar y cythraul ofnadwy (ond â grym rheg), *Mae e'n gollwr gwael ar y cythraul.*
cythraul gyrru rhwystredigaethau gyrru cerbyd yn troi'n drais road rage
cythraul o uffach o a hell of a
cythraul (y) canu gw. canu¹
cythraul y môr *eg* (cythreuliaid y môr) pysgodyn y môr â phen gwastad a cheg lydan, gyda thyfiant i lithio pysgod eraill yn tyfu o'i ben a darnau o gnawd o gwmpas y geg i ddenu pysgod bach yn ysglyfaeth iddo angler fish

cythreuldeb *eg* drygioni cythraul; diawledigrwydd, diawlineb devilment, mischief
cythreulig *ans* mor ddrwg â chythraul, cas ofnadwy mewn ffordd gyfrwys; diawledig, dieflig, melltigedig, satanaidd devilish, diabolical, fiendish
cythreulig o fe'i defnyddir i ddwysáu ystyr ansoddair, *yn gythreulig o ddrud*
cythru *be* symud yn sydyn tuag at (rywun neu rywbeth); carlamu, rhuthro (~ **am**) to rush, to scurry
Sylwch: nid yw'r ferf hon yn arfer cael ei rhedeg.
cythruddiad *eg* (cythruddiadau) gweithred neu eiriau (yn enwedig rhai bwriadol) sy'n cythruddo rhywun provocation
cythruddo *be* [cythrudd•¹] cynddeiriogi, digio, gwylltio, llidio, *Cafodd y dorf ei chythruddo gan eu chwarae brwnt*. to provoke, to trouble
cythrwfl *eg* cyffro a chynnwrf ymhlith grŵp (o bobl); affráe, stŵr, terfysg commotion, turmoil, tumult
cythryblu *be* [cythrybl•¹] creu cythrwfl; aflonyddu, cynhyrfu, terfysgu to agitate
cythryblus *ans* yn achosi cythrwfl disturbed, troublesome, turbulent
cythymau *ell* mwy nag un **cwthwm**
cyw *eg* (cywion)
1 aderyn bychan sydd newydd ddeor chick, nestling
2 anifail bach, ifanc, e.e. *cyw ceffyl* am ebol foal, young animal
3 ymadrodd am rywun ifanc neu ddisgybl, *cyw meddyg*; prentis
4 rhywun nad yw wedi aeddfedu, rhywun heb lawer o synnwyr; egin, glas
5 gair anwes, *Sut rwyt, fy nghyw bach i?* love
cyw iâr ffowlyn, iâr yn barod i'w bwyta chicken
Ymadroddion
cywion Alis enw ar y Saeson; Alis Rhonwen oedd merch chwedlonol Horst, arweinydd y Saeson, a briododd Gwrtheyrn a'i berswadio i roi tir i'w thad; plant Alis, plant Rhonwen
cyw melyn olaf y plentyn ifancaf mewn teulu, ffefryn ei fam last of the brood
cywain *be* [cyweini•² 3 un. pres. cywain; 2 un. gorch. cywain]* casglu at ei gilydd, dwyn i mewn (yn enwedig cnwd y cynhaeaf), casglu i ddiddosrwydd, cludo i'r stôr; crynhoi, cynaeafu, cyrchu (~ *rhywbeth* **ynghyd**; ~ *rhywbeth* **i**) to gather in (the harvest), to gather together
cywair *eg* (cyweiriau)
1 naws, teimlad, hwyl, *Trawodd y cywair priodol yn ei araith agoriadol i'r fforwm*. tone
2 CERDDORIAETH y nodyn sylfaenol yn y raddfa y mae darn o gerddoriaeth wedi'i seilio arno, *C fwyaf yw cywair Nawfed Symffoni Schubert*. key

3 math o iaith a nodweddir gan yr eirfa a
ddewisir, pa mor ffurfiol ydyw, ei hynganiad
a'r gystrawen a ddefnyddir register
cywair lleiaf cywair wedi'i seilio ar raddfa lle
mae trydydd nodyn y raddfa wedi'i feddalu; y
cywair lleddf minor key
cywair mwyaf cywair wedi'i seilio ar raddfa
lle mae'r trydydd nodyn yn drydydd mwyaf
neu'n drydydd llon; y cywair llon major key
cywaith *eg* (cyweithiau)
1 gwaith wedi'i baratoi gan fwy nag un yn
gweithio ar y cyd project
2 gwaith y disgwylir i blentyn ei gyflawni
drwy chwilio a defnyddio ffynonellau ar ei
ben ei hun, *Fy ngwaith cartref dros yr haf yw
cwblhau cywaith ar 'Y Môr'.*; project project
cywarch *ell*
1 planhigion tebyg i ddanadl y cynhyrchir edau
ohonynt i wneud pethau fel hwyliau, bagiau, ac
yn enwedig raffau a llinynnau hemp
2 y defnydd (brethyn) a wneir o'r planhigion
hyn, *sachau cywarch* hemp
cywarchen *eb* unigol **cywarch** hemp
cywasg *ans* CERDDORIAETH yn dynodi cyfwng
hanner tôn yn is na'r cyfwng mwyaf/llon neu
berffaith cyfatebol diminished
cywasgadwy *ans* y gellir ei gywasgu compressible
cywasgedig *ans*
1 wedi'i gywasgu compressed, condensed
2 (am ddant) yn methu tyfu yn y lle iawn
oherwydd bod dant arall neu asgwrn yr ên yn y
ffordd impacted
cywasgedd *eg* (cywasgeddau) y broses o
gywasgu'r cymysgedd o danwydd a geir mewn
injan danio megis injan car compression
cywasgiad *eg* (cywasgiadau) y broses gywasgu
yn gyffredinol, canlyniad cywasgu; lleihad
compression, compaction, contraction
cywasgol *ans* yn ymwneud â chywasgu
compressive
cywasgu *be* [cywasg•³] gwasgu ynghyd, gwneud
(rhywbeth) yn llai wrth ei wasgu i lai o le;
lleihau to compress, to compact
cywasgydd *eg* (cywasgyddion) dyfais ar gyfer
cywasgu aer neu nwy compressor
cyweddu *be* bod yn gytûn, mynd gyda'i gilydd;
cytuno (~ â; ~ *rhywbeth* â) to coordinate,
to match
   Sylwch: nid yw'r ferf hon yn arfer cael ei rhedeg.
cyweiniaf *bf* [cywain] *ffurfiol* rwy'n cywain;
byddaf yn cywain
cyweirdeb *eg* llaeth wedi'i geulo o stumog llo
sydd heb ei ddiddyfnu, a ddefnyddir i wneud
caws; ceuled, ceulion rennet
cyweirdy *eg* (cyweirdai) *hanesyddol* sefydliad lle
roedd crwydriaid a mân droseddwyr yn cael eu
caethiwo a'u cosbi house of correction

cyweiredd *eg* (cyweireddau) CERDDORIAETH
perthynas nodau cerddorol â chywair neu
gyweiriau penodol tonality
cyweiriad *eg* (cyweiriadau) ôl gwaith trwsio neu
atgyweirio repair
cyweiriadur *eg* (cyweiriaduron) CERDDORIAETH
siart i gynorthwyo dysgu'r drefn sol-ffa o
ddarllen ac ysgrifennu cerddoriaeth modulator
cyweiriau *ell* lluosog **cywair**
cyweirio *be* [cyweiri•²]
1 atgyweirio, clytio, trwsio, *cyweirio sanau,
cyweirio'r to*; gwnïo, pwytho to patch, to repair
2 gosod yn drefnus, rhoi (rhywbeth) yn y cyflwr
priodol, *cyweirio gwely*; gwneud, tacluso,
trefnu, trin to adjust, to make, to put in order
3 gwneud yn deilwng neu'n briodol, *cyweirio'r
llais*; addasu, cymhwyso to adjust, to modulate
4 tiwnio; sicrhau bod offeryn cerdd mewn tiwn
to tune
5 disbaddu, ysbaddu to castrate
6 trin menyn ar ôl ei gorddi er mwyn cael
gwared ar y dŵr a'r llaeth enwyn ac ychwanegu
halen; gweithio menyn to make butter
cyweirnod *eg* (cyweirnodau) CERDDORIAETH
y cyfuniad o lonodau neu feddalnodau sy'n
dynodi cywair cerddorol (ac eithrio C fwyaf
ac A leiaf nad oes iddynt na llonnod na
meddalnod) key signature
cyweithas *eg* *hynafol* cwmni, cymdeithas,
cwmnïaeth fellowship
cyweithiau *ell* lluosog **cywaith**
cywely *eg* dyn sy'n rhannu gwely â (rhywun)
bedfellow, cohabitee
cywelyes *eb* menyw sy'n rhannu gwely â
(rhywun) cohabitee (female)
cywen *eb* (cywennod:cwennod) cyw benyw
(ond nid cyw bach); hefyd yn gellweirus am
ferch ifanc pullet, slip of a girl
cywerth *ans*
1 cyfnewidiadwy o ran grym, maint,
pwysigrwydd neu werth; cyfwerth equivalent
2 CEMEG yn meddu ar yr un gallu cemegol i
gyfuno equivalent
   Sylwch: ffurf gyfartal 'gwerth'.
cywerthedd *eg*
1 y cyflwr o fod yn gywerth equivalence
2 perthynas rhwng dau osodiad lle mae'r naill
ymhlyg yn y llall equivalence
3 RHESYMEG ffwythiant rhesymegol dau osodiad
sy'n derbyn y gwerth o fod yn wir os yw'r ddau
osodiad yn wir neu os yw'r ddau osodiad yn
anghywir, ond sy'n derbyn y gwerth o fod yn
anwir os nad ydynt yr un fath equivalence
cywilydd *eg*
1 teimlad poenus o euogrwydd neu fethiant,
e.e. pan fydd rhywun wedi gwneud rhywbeth
drwg disgrace, shame

2 achos y teimlad poenus hwn, *Mae'n gywilydd fod y fath beth ar gael yn y pentre.* disgrace
3 gwaradwydd, amarch, gwarth, sarhad, *Mae'r hyn rydych chi wedi'i wneud wedi dod â chywilydd arnom i gyd.* disgrace, humiliation
codi cywilydd ar gwneud i rywun deimlo cywilydd to put to shame, to shame
mae cywilydd arnaf fi (arnat ti, arno ef, etc.**)** I am ashamed
mae gennyf fi (ti, ef, etc.**) gywilydd** rwy'n cywilyddio I am ashamed
rhag fy (dy, ei, etc.**) nghywilydd** dylai fod cywilydd arnaf for shame
cywilydd-dra *eg* teimlad o gywilydd shamefulness
cywilyddio *be* [cywilyddi•²]
1 codi cywilydd ar (rywun), achosi gwarth neu amarch i (rywun) to put to shame, to shame
2 teimlo cywilydd, derbyn y cyfrifoldeb o fod yn euog o ryw gamwedd a phoeni amdano (~ **am**) to be ashamed
cywilyddus *ans* yn codi cywilydd, yn dwyn gwarth; gwaradwyddus, gwarthus disgraceful, shameful, contemptible
cywir *ans* [cywir•]
1 heb wall na chamgymeriad, *ateb cywir*; gwir, iawn correct, right
2 yn cytuno'n llwyr â'r ffeithiau a'r gwirionedd, *darlun cywir*; cyfewin, gonest, union true
3 teyrngar, *hen gyfaill cywir*; diffuant, ffyddlon, gonest faithful, honest
4 agos i'w le, gonest, uwchlaw beirniadaeth, *Roeddwn i'n adnabod eich tad – roedd o'n ddyn cywir iawn.*
yn gywir
1 ffordd gyffredinol o orffen llythyr, *Yn gywir* neu, yn fwy ffurfiol, *Yr eiddoch yn gywir* Yours faithfully
2 ffurf a ddefnyddir i gytuno â gosodiad, yn union exactly
cywirdeb *eg*
1 y cyflwr neu'r stad o fod yn gywir, heb wallau na chamgymeriadau; perffeithrwydd, trylwyredd accuracy, correctness, strictness

2 didwylledd, diffuantrwydd, gonestrwydd, unplygrwydd loyalty
3 gwir, gwirionedd truth
cywiriad *eg* (cywiriadau) newid i wall neu gamgymeriad sy'n ei gywiro; diwygiad, gwelliant correction, emendation, rectification
cywiriadur *eg*
1 llyfr sy'n dangos y prif gamgymeriadau ieithyddol a sut i'w cywiro
2 rhaglen ar gyfrifiadur sy'n mynd drwy destun ac yn tynnu sylw at wallau sillafu posibl; gwirydd sillafu spellchecker
cywiro *be* [cywir•¹] dileu gwallau, gwneud yn gywir; diwygio, golygu, gwella, unioni to correct, to rectify
cywirwr *eg* (cywirwyr) un sy'n cywiro corrector, rectifier
cywirydd *eg* (cywiryddion) rhywbeth sy'n tueddu i gywiro corrective
cywrain *ans* [cywrein•] yn dangos medr neu allu arbennig ym manylrwydd eu gwaith; caboledig, cain, deheuig, manwl skilful, ingenious, adroit
cywreinach:cywreinaf:cywreined *ans* [cywrain] mwy cywrain; mwyaf cywrain; mor gywrain
cywreinbeth *eg* (cywreinbethau) rhywbeth sy'n cael ei ystyried yn brin, yn rhyfedd neu'n unigryw curio
cywreindeb *eg* gallu deheuig; cywirdeb, medr skill
cywreinrwydd *eg* gallu deheuig; ceinder, deheurwydd, medrusrwydd, perffeithrwydd dexterity, perfection, skill, subtlety
cywydd *eg* (cywyddau) cyfres o gwpledi cynganeddol â saith sillaf ym mhob llinell, ac odl acennog a diacen bob yn ail ar ddiwedd llinell ym mhob cwpled. Ni chaniateir y gynghanedd lusg yn ail linell y cwpled
cywyddwr *eg* (cywyddwyr)
1 un sy'n cyfansoddi cywyddau
2 defnyddir y teitl 'y Cywyddwyr' i ddisgrifio beirdd yr uchelwyr a oedd yn eu bri rhwng y bedwaredd ganrif ar ddeg a'r ail ganrif ar bymtheg

Ch

ch:Ch *eb*

1 cytsain a phedwaredd lythyren yr wyddor Gymraeg; ar ddechrau gair, gall fod yn ganlyniad treiglo *c* yn llaes, e.e. *ei chath*; *ni chawsom*

2 fe'i defnyddir weithiau mewn geiriau benthyg i ddynodi'r sain *tsi* fel yn Saesneg, e.e. enw'r wlad *Chile*

'ch *rhagenw dibynnol mewnol*

1 (ail berson lluosog genidol) yn eiddo i chi, yn perthyn i chi, *chi a'ch teulu, colli'ch tymer, mynd hefo'ch tad*; eich your

2 (ail berson lluosog) fe'i defnyddir i gyfleu gwrthrych ymadrodd berfol, *oni'ch gwelodd yno; am na'ch clywodd* ac fel gwrthrych berfenw, *Daethom i'ch llongyfarch.*; chi you

Sylwch:

1 defnyddir ''ch' genidol bob amser ar ôl llafariad, *o'ch llyfr*; *i'ch cartref*;

2 ar lafar ceir ''ch' gwrthrychol mewn ymadrodd berfol yn dilyn llafariad, *Rwyf wedi'ch colli*

Chadaidd gw. Tsiadaidd

Chadiad gw. Tsiadiad

chalet gw. o dan y llythyren 'C'

champlevé gw. o dan y llythyren 'C'

chan *ardd* [chanddo ef (fe/fo), chanddi hi, chanddynt hwy (chanddyn nhw)] gw. **gan**

Sylwch: fel *gan* mae'n cael ei ddilyn gan dreiglad meddal.

chargé d'affaires gw. o dan y llythyren 'C'

chdi *rhagenw annibynnol syml tafodieithol, yn y Gogledd* ti

Chec gw. Tsiecaidd

chi¹:chwi *rhagenw annibynnol syml*

1 yr un neu'r rhai yr ydych yn siarad â nhw; ail berson lluosog, fe'i defnyddir fel dibeniad i'r goddrych, *Chi oedd yr athro.*, ac fel gwrthrych berf gryno, *Gwthiodd y chwaraewr chi i'r llawr*. you, one

2 unrhyw un, pob un; ail berson lluosog you, one

Sylwch: defnyddir 'chi' yn lle 'ti' fel arwydd o barch wrth siarad â rhywun hŷn, â rhywun mewn awdurdod neu â rhywun dieithr.

digon mawr i alw 'chi' arno digon mawr i ennyn parch

chi²:chwi *rhagenw dibynnol ategol syml* e.e. *Sut rydych chi heddiw? Byddwch chi wrth eich bodd. Ble roedd eich allweddi chi?*

Chilead gw. Tsilead

Chileaidd gw. Tsileaidd

Chinead gw. Tsieinead

Chineaidd gw. Tsieineaidd

chithau *rhagenw cysylltiol anffurfiol* ffurf ar **chwithau**

chow mein gw. o dan y llythyren 'C'

chwa *eb* (chwaon) pwff o wynt (mae'n gryfach nag awel ond yn llai na gwth); chwyth breeze, gust

chwa o awel agored:chwa o awyr iach *ffigurol* rhywbeth newydd, ffres, llesol sy'n bywiocáu a breath of fresh air

chwaden *eb* (chwadod) ffurf lafar ar **hwyaden** duck

chwaer *eb* (chwiorydd)

1 merch sydd â'r un rhieni â bachgen neu ferch arall sister

2 teitl a roddir i leian neu wraig sy'n aelod o grŵp crefyddol, *y Chwaer Bosco* sister

3 (am bethau benywaidd) rhywbeth â'r un amcan neu sy'n perthyn i'r un grŵp neu gyfres, *Mae* Wrth y Preseb *yn chwaer gyfrol o garolau Nadolig i* Awn i Fethlem.; cymar, cydymaith, merch companion, sister

chwaer yng nghyfraith gwraig eich brawd neu chwaer eich priod sister-in-law

chwaerfaeth *eb* (chwiorydd maeth) merch sy'n cael ei magu gan rieni fel un o'r teulu (am gyfnod) er nad eu plentyn nhw yw hi foster sister

chwaeriaith *eb* (chwaerieithoedd) iaith yn deillio o'r un famiaith ag iaith neu ieithoedd eraill, *Mae'r Gymraeg yn chwaeriaith i'r Llydaweg a'r Gernyweg.*

chwaerlong *eb* (chwaerlongau) y naill neu'r llall o ddwy long sy'n perthyn i'r un cwmni, neu sydd wedi cael eu hadeiladu yr un pryd neu yn yr un ffordd sister ship

chwaeroliaeth *eb* urdd o wragedd neu gymdeithas grefyddol o wragedd sisterhood

chwaeth *eb* (chwaethau:chwaethoedd)

1 ymwybyddiaeth o'r hyn sy'n addas neu'n briodol ar gyfer achlysur arbennig o ran ymddygiad, bod yn ffasiynol, etc. taste

2 y gallu neu'r ddawn i wybod beth sy'n rhagori ym myd y celfyddydau taste

chwaethach *adf* heb sôn am, llai fyth let alone, much less

chwaethus *ans* yn dangos chwaeth dda; coeth, dillyn, gweddus tasteful

chwain *ell* lluosog **chwannen**

chwain y gof y gwreichion sy'n tasgu (ac yn gallu llosgi'r croen) pan fydd gof wrth ei waith

chwaith:ychwaith *adf* (mewn ymadroddion negyddol) hyd yn oed, yn ogystal, *Does dim sicrwydd chwaith.*; hefyd either, neither

chwâl *ans*

1 wedi chwalu, wedi'i wasgaru; gwasgaredig scattered

2 wedi'i falu'n fân, hawdd ei falu, *Mae pridd*

gwadd yn bridd chwâl.; brau, briwsionllyd,
hyfriw crumbly, friable

  Sylwch: nid yw'n cael ei gymharu.

ar chwâl wedi'i wasgaru i'r pedwar gwynt
disbanded, dispersed

chwaldwf *eg* metastasis; y broses lle mae clefyd
(yn enwedig celloedd canser) yn lledu i fannau
eraill yn y corff drwy'r gwaed neu hylif arall
metastasis

chwalfa *eb* (chwalfeydd)

  1 y weithred o chwalu; drylliad, gwasgariad
break-up, dispersal

  2 y cyflwr o fod ar chwâl, newid sydyn sy'n
achosi anhrefn upheaval, upset

  3 methiant dirybudd ar gyfrifiadur pan fo'r
cyfan yn peidio â gweithio crash

chwaliad *eg* (chwaliadau) y weithred o chwalu
neu o wasgaru, canlyniad chwalu scattering

chwalpen *eb* (chwalpennod) *anffurfiol* menyw o
gryn faint strapping

chwalu *be* [chwal•³ 3 *un. pres.* chwâl/chwala;
2 *un. gorch.* chwâl/chwala]

  1 taflu ar wasgar; gwasgaru, lledaenu, taenu
to scatter

  2 taflu neu dynnu i lawr yn ddarnau; chwilfriwio,
dryllio, malurio to destroy, to demolish

  3 syrthio'n ddarnau; adfeilio, briwsioni,
ymddatod, ymwahanu to crumble,
to disintegrate

  4 (am gyfrifiadur) methu'n ddirybudd to crash

chwalu a chwilio edrych ym mhobman
to rummage

chwalu cartref torri cartref to break up
a home

chwalu meddyliau troi a throsi pethau yn
y meddwl a hynny'n aml yn peri ofn neu
ddigalondid; hel meddyliau to brood

chwalwr *eg* (chwalwyr)

  1 un sy'n chwalu, un sy'n gwasgaru disperser,
scatterer

  2 peiriant chwalu, e.e. peiriant chwalu gwair
spreader

chwalwr chwedlau un sy'n lledaenu straeon
gossip

chwampen gw. chwalpen

chwaneg:ychwaneg *ans* dros ben, sbâr; mwy,
rhagor more

chwannen *eb* (chwain) pryfyn bach heb adenydd
sy'n byw ar waed pobl ac anifeiliaid ac sy'n
gallu neidio'n bell flea

  Sylwch: gw. hefyd **chwain.**

chwannen ddŵr:chwannen y dŵr
cramennog bach, lled dryloyw â theimlyddion
hir sy'n byw mewn dŵr croyw daphnia

chwannog *ans*

  1 â thuedd i (wneud rhywbeth); tueddol
(~ i *wneud*) inclined, prone, susceptible

  2 awchus, awyddus, eiddgar (~ **am** *rywbeth*)
eager

chwant *eg* (chwantau)

  1 dymuniad cryf iawn; awydd, chwenychiad,
dyhead appetite, desire

  2 blys, gorawydd, gwanc, trachwant, *chwant*
rhywiol lust, lechery

chwant bwyd eisiau bwyd hunger

mae chwant arnaf fi (arnat ti, arno ef, etc.)
mae awydd arnaf I wouldn't mind

chwantu *be* bod â chwant; blysio, chwennych,
trachwantu (~ **am**) to desire

  Sylwch: nid yw'r ferf hon yn arfer cael ei
rhedeg.

chwantus *ans* llawn chwant neu flys; anllad
lustful, wanton

chwap *adf* yn syth, ar unwaith, mewn eiliad
abruptly, at once, in a jiffy

chwarae¹ *be* [chwarae•¹ 3 *un. pres.* chwery/
chwaraea; 2 *un. gorch.* chwarae/chwaraea]

  1 treulio amser mewn ffordd adloniadol, cael
sbort (~ â *rhywun/rhywbeth*; ~ **gyda** *rhywun*)
to play

  2 esgus bod, *Gadewch i ni chwarae doctoriaid*
a nyrsys.; actio, dynwared, efelychu to play

  3 cymryd rhan mewn gêm neu ddifyrrwch
cystadleuol, *chwarae rygbi* (~ **dros** dîm, gwlad,
etc.) to play

  4 gwneud campau, *ŵyn yn chwarae yn y cae;*
neidio, prancio to play

  5 cyflawni, gweithredu, *Roedd yn hen dric cas*
i'w chwarae ar ferch ifanc. to play

  6 ymddwyn neu weithredu'n ddifeddwl ac yn
ysgafn, *chwarae'n wirion* to fool around, to play

  7 gamblo, hapchwarae, *chwarae cardiau,*
chwarae dis to play

  8 aflonyddu, poeni, *Mae'r lladrad yn dechrau*
chwarae ar ei meddwl. to play

  9 peri i bysgodyn flino ar ôl ei fachu drwy adael
iddo nofio i ffwrdd ac yna'i dynnu yn ei ôl to play

  10 cymryd rhan, actio cymeriad mewn drama,
chwarae rhan to act, to play

  11 canu offeryn cerdd, *chwarae'r piano* to play

  12 atgynhyrchu seiniau, neu seiniau a lluniau,
sydd wedi'u recordio to play

  13 teimlo â'r bysedd, *chwarae'n nerfus â'i*
gwallt; anwesu, mwytho to play

chwarae triwant gw. triwant

Ymadroddion

chwarae â thân dechrau ymhél â rhywbeth
a all fod yn beryglus neu sy'n achosi niwed
to play with fire

chwarae fy (dy, ei, etc.) rhan gwneud fy siâr
to play my part

chwarae i ddwylo gwneud fel y mae eich
gwrthwynebwyr yn ei ddymuno to play into the
hands of

chwarae mig
1 chwarae cuddio to play hide and seek
2 math o chwarae gyda babi neu blentyn bach iawn lle y bydd rhywun yn cuddio'i wyneb ac yna'n ei ddangos yn sydyn gan weiddi 'pi-po' peep-bo
chwarae'r diawl creu andros o gynnwrf; ceryddu mewn tymer ddrwg ac iaith gref to play merry hell
chwarae'r ffon ddwybig twyllo o ran dweud neu wneud to practise duplicity
rhwng difrif a chwarae gw. difrif
chwarae² *eg* (chwaraeon)
1 unrhyw weithgaredd (yn perthyn i'r corff neu i'r meddwl) y mae rhywun yn ei wneud er mwyn pleser neu ddifyrrwch play
2 gweithgaredd ac elfen gystadleuol ynddo sy'n arwain at enillydd; camp, gêm, gornest game
3 rhywbeth digrif; cellwair, sbort sport
  Sylwch: gw. hefyd **chwaraeon**.
amser chwarae cyfnod i gael hoe rhwng gwersi; egwyl playtime
chwarae'n troi'n chwerw profiad sy'n dechrau'n bleserus ac yn llawn hwyl ond sy'n troi'n annymunol, ac yn aml yn diweddu gyda rhywun yn colli dagrau
chwarae plant
1 ymddygiad plentynnaidd childish behaviour
2 rhywbeth hawdd ei wneud child's play
chwarae teg bod yn gyfiawn neu'n deg fair play
nid ar chwarae bach y mae . . . nid heb drafferth no joke
chwaraefa *eb* (chwaraefeydd) lle chwarae penodol (ar gyfer plant fel arfer) play area
chwaraegar:chwareugar *ans* hoff o chwarae; cellweirus, chwareus playful
chwaraeon *ell* lluosog **chwarae²**
1 pwnc ysgol yn cynnwys gêmau tîm a mabolgampau awyr agored games
2 mabolgampau arbennig, cyfres o gystadlaethau sports
chwaraeon cyfundrefnol chwaraeon wedi'u trefnu organized sport
chwaraewr *eg* (chwaraewyr)
1 un sy'n cymryd rhan mewn gêm neu chwarae player, sportsman
2 un sy'n chwarae rhan cymeriad arbennig; actor actor, player
3 un sy'n canu offeryn; canwr, offerynnwr, perfformiwr player
chwaraewraig *eb* merch neu wraig sy'n cymryd rhan mewn gêm neu chwarae sportswoman
chwaraeydd *eg* peiriant sy'n chwarae rhywbeth, e.e. cryno ddisg player
chwardd *bf* [chwerthin] *ffurfiol* mae ef yn chwerthin/mae hi'n chwerthin; bydd ef yn chwerthin/bydd hi'n chwerthin

chwarddiad *eg* (chwarddiadau) pwff o chwerthin; chwerthiniad laugh
chwarddwr *eg* (chwarddwyr) un sy'n chwerthin; chwerthinwr laugher
chwarel¹ *eb* (chwareli:chwarelydd) man lle mae meini megis llechfaen, neu dywod a/neu raean yn cael eu cloddio; cwar, cloddfa quarry
chwarel² *eg* ffurf ar **cwarel**, paen o wydr pane
chwarela *be* [chwarel•¹] cloddio fel mewn chwarel (~ **am**) to dig, to quarry
chwarelwr *eg* (chwarelwyr) un sy'n gweithio mewn chwarel, yn enwedig gweithiwr sy'n trin a naddu llechi quarryman
chwarelyddiaeth *eb*
1 crefft y chwarelwr quarrying
2 y diwydiant llechi, sef cloddio llechfaen a pharatoi llechi mewn chwarel quarrying
chwarelyddol *ans* yn ymwneud â gwaith chwarel
chwarennau *ell* lluosog **chwarren**
chwarennol *ans* ANATOMEG yn ymwneud â'r chwarennau neu a gynhyrchir ganddynt glandular
chwareugar gw. **chwaraegar**
chwareus *ans* llawn chwarae; cellweirus, direidus, llamsachus, smala jocular, playful
chwarren *eb* (chwarennau) ANATOMEG organ yng nghorff person neu anifail sy'n secretu sylweddau cemegol penodol gland
chwarren adrenal ANATOMEG un o ddwy chwarren endocrin ddiddwythell sy'n secretu adrenalin i'r gwaed ac a leolir uwchben yr aren adrenal gland
chwarren bitwidol ANATOMEG y brif chwarren endocrin sy'n secretu hormonau i'r gwaed; mae iddi goesyn sy'n ei chysylltu â gwaelod yr ymennydd pituitary gland
chwarren chwys ANATOMEG chwarren a geir yn nermis y croen ac sy'n secretu chwys sweat gland
chwarren ddiddwythell ANATOMEG chwarren heb ddwythell ductless gland
chwarren endocrin ANATOMEG chwarren sy'n cynhyrchu secretiad endocrinaidd (llif o'r chwarren sy'n mynd yn syth i lif y gwaed) endocrine gland
chwarren sebwm ANATOMEG chwarren a geir yn nermis y croen ac sy'n secretu sebwm sebaceous gland
chwarren thyroid ANATOMEG chwarren endocrin fawr wrth fôn y gwddf, mae'n dylanwadu ar dwf a datblygiad y corff drwy secretu hormonau sy'n rheoli cyfradd fetabolaidd y corff thyroid gland
chwart *eg* (chwartau:chwartiau) mesur cyfaint sy'n cyfateb i 1.14 litr neu ddau beint quart

chwartel *eg* (chwartelau)
1 MATHEMATEG un o dri o werthoedd sy'n
rhannu dosraniad amlder yn bedair rhan neu'n
bedwar cyfwng yn cynnwys chwarter yr un o'r
cyfan quartile
2 MATHEMATEG unrhyw un o'r pedwar grŵp
hyn quartile
chwarter *eg* (chwarteri)
1 un rhan o bedair, pedwaredd ran, ¼ quarter
2 pymtheng munud cyn neu wedi'r awr,
chwarter wedi pump = 5.15 *am/pm* quarter
3 tri mis o'r flwyddyn, *talu'r rhent bob*
chwarter quarter
4 pedwaredd ran o anifail, *Rydym wedi prynu*
chwarter mochyn i'w gadw yn y rhewgell.
quarter
5 chwarter pwys, pedair owns quarter
6 (o flaen ansoddair) yn llai na, heb fod yn
gyfan, *chwarter call a dwl*
chwarterol *ans* yn digwydd bob tri mis, bob
chwarter quarterly
chwarterolyn *eg* (chwarterolion) cyfnodolyn
sy'n ymddangos unwaith bob chwarter quarterly
chwarteru *be* [chwarter•¹]
1 rhannu'n bedair rhan to quarter
2 (dull o) chwilio'n fanwl ac yn drefnus am
rywbeth drwy rannu'r man y mae angen ei
chwilio yn chwarteri a'u harchwilio'n fanwl
fesul un to quarter
chwe gw. **chwech**
chweban *eg* (chwebannau)
1 pennill chwe llinell o farddoniaeth; chwe
llinell olaf soned sestet, sextain
2 llinell o farddoniaeth sy'n cynnwys chwe
churiad hexameter
chwech *rhifol* (chwechau)
1 y rhif sy'n dilyn pump ac yn dod o flaen
saith six
2 y symbol sy'n cynrychioli'r nifer hwn,
6 neu vi six
chwe ffurf ar **chwech**
Sylwch:
1 yn yr iaith lenyddol yr arfer yw defnyddio
'chwe' o flaen enw neu ansoddair a 'chwech'
pan nad oes enw yn dilyn yn syth, *chwe chath,*
chwe ufudd; chwech o ddynion neu pan geir
y rhifol ar ei ben ei hun, *Sawl un oedd yno?*
Chwech;
2 mae 'chwe' o flaen enw yn achosi'r treiglad
llaes, *chwe chi*;
3 yn y tafodieithoedd defnyddir 'chwech'
pan fydd 'chwe' yn digwydd mewn arddull
ffurfiol, yn enwedig o flaen enw sy'n dechrau â
llafariad *chwech afal, chwech oed*;
4 erbyn hyn clywir a gwelir 'chwe mlynedd'
yn aml, er mai *chwe blynedd* a arferir yn
draddodiadol ac mewn iaith ffurfiol.

Ymadroddion
lle chwech *tafodieithol, yn y Gogledd* tŷ bach
lavatory, toilet
pisyn chwech darn bach o arian gwerth chwe
hen geiniog neu ddwy geiniog a hanner yn
arian degol heddiw sixpenny bit
talu'r hen chwech yn ôl talu'r pwyth yn ôl;
dial to settle old scores
taro chwech (mewn criced) taro ergyd gwerth
chwe rhediad hit a six
chwechawd *eg* (chwechawdau)
1 *ensemble* lleisiol neu offerynnol sy'n cynnwys
chwe pherfformiwr sextet
2 darn o gerddoriaeth wedi'i gyfansoddi ar
gyfer chwe pherfformiwr sextet
3 darn o farddoniaeth yn cynnwys chwe llinell;
ail ran soned sestet
chweched *rhifol*
1 y rhifol (rhif trefnol) nesaf mewn trefn ar ôl
'pumed' sixth
2 rhif 6 mewn rhestr o chwech neu fwy, 6ed
sixth
3 un rhan o chwech ⅙ sixth
Sylwch: mae'n achosi'r treiglad meddal o
flaen enwau benywaidd (nid felly enwau
gwrywaidd) *y chweched wers.*
chwecheiniog *eg* (chwecheiniogau) darn bach
o arian gwerth chwe hen geiniog neu ddwy
geiniog a hanner yn arian degol heddiw; pisyn
chwech sixpence, sixpenny bit
chwe deg *rhifol* (chwedegau) y rhif 60; trigain
sixty
chwedi:chwedyn *adf* ffurf ar **wedyn** mewn
ymadrodd fel *na chynt na chwedi/chwedyn*
chwedl *eb* (chwedlau)
1 stori draddodiadol nad ystyrir ei bod yn wir;
cyfarwyddyd, hanes fable, story, tale
2 yn ôl, fel y dywed, '*Wel y jiw jiw!' chwedl Mr*
Jones drws nesaf.; ebe, medd as . . . says
llawen chwedl i'w ddathlu, hapus iawn
celebratory
chwedleua *be* hel straeon; clebran, cloncan,
ymgomio to chat, to gossip
Sylwch: nid yw'r ferf hon yn arfer cael ei rhedeg.
chwedleugar *ans* hoff o glebran ac o adrodd
straeon garrulous, talkative
chwedleuol *ans* yn cael ei ddathlu mewn
chwedlau neu straeon; chwedlonol legendary
chwedleuwr *eg* (chwedleuwyr) adroddwr
chwedlau; cyfarwydd, storïwr storyteller,
raconteur
chwedloniaeth *eb* corff o chwedlau a mythau
sy'n perthyn i lenyddiaeth a thraddodiadau
cenedl; mytholeg mythology
chwedlonol *ans* yn perthyn i fyd straeon
a chwedlau, byd rhamant a'r dychymyg
legendary, mythical, fabulous

Chwefror *eg* ail fis y flwyddyn, y mis bach
February
  mis Chwefror 'ym mis Chwefror' nid yn
Chwefror February
chwegr *eb* (chwegrau) hen air am **mam yng
nghyfraith**
chwegrwn *eg* (chwegrynau:chwegryniaid)
hen air am **tad yng nghyfraith**
chweil *adf* fel yn yr ymadrodd *gwerth chweil*,
sef gwerth ei wneud, gwerthfawr **(worth)** while
chweinllyd *ans* llawn chwain flea-ridden
chweip *eg* (chweips) (gair tafodieithol) dweud
cas; ensyniad, sen gibe, taunt
chwelais *bf* [chwalu] *ffurfiol* gwnes i chwalu
chweli *bf* [chwalu] *ffurfiol* rwyt ti'n chwalu; byddi
di'n chwalu
chwemisol *ans* bob chwe mis, dwywaith y
flwyddyn biannual
chwennych:chwenychu *be* [chwennych•¹ 3 *un.
pres.* chwennych/chwenycha; 2 *un. gorch.*
chwennych/chwenycha] dymuno'n gryf iawn,
bod yn afiach o awyddus; awchu, blysio,
cenfigennu, trachwantu (~ **am**) to covet, to long,
to lust
chwenychiad *eg* (chwenychiadau) y weithred o
chwennych, canlyniad chwennych, chwant cryf;
awydd, blys, chwant, gwanc craving, lust
chwenychu *gw.* **chwennych**
chweochrog *ans* hecsagonol; a chanddo chwe
ochr hexagonal
chwephled *eg* (chwephledau)
  1 un o chwech o rai bach wedi'u geni ar yr un
adeg i'r un fam sextuplet
  2 CERDDORIAETH grŵp o chwe nodyn cerddorol
sydd, gyda'i gilydd, o'r un gwerth ag un curiad
sextuplet
chwephunt *eb* chwech o bunnau six pounds,
six quid
chwerddais *bf* [chwerthin] *ffurfiol* gwnes i
chwerthin
chwerddi *bf* [chwerthin] *ffurfiol* rwyt ti'n
chwerthin; byddi di'n chwerthin
chwerfan *eb* (chwerfannau) pwli; peirianwaith
(sef olwyn â rhaff neu gadwyn yn rhedeg drosti)
sy'n cael ei ddefnyddio i godi pwysau trwm pulley
chwerthin¹ *be* [chwardd•³ 3 *un. pres.* chwardd/
chwerthina; 2 *un. gorch.* chwardd] mynegi
hapusrwydd, digrifwch, dirmyg, etc. drwy
wneud synau ffrwydrol a gwenu (~ **am**) to laugh
  chwerthin am fy (dy, ei, etc.**) mhen** dilorni,
dirmygu to make fun of
  chwerthin dan fy (dy, ei, etc.**) nannedd/
yn fy nwrn/yn fy llawes** chwerthin yn dawel
bach to laugh up one's sleeve
  chwerthin dros bob man to laugh out loud
  chwerthin yn iach chwerthin yn uchel ac yn
hir to laugh heartily

  yn glana' chwerthin *tafodieithol, yn y Gogledd*
yn gelanedd chwerthin, bron â marw yn
chwerthin
chwerthin²:chwerthiniad *eg* pwff o chwerthin;
chwarddiad laugh, laughter
chwerthinllyd *ans* am rywbeth sy'n peri i rywun
chwerthin am ei ben, sy'n haeddu'i ddirmygu;
dwl, ffarsaidd, gwirion, hurt laughable,
ludicrous, ridiculous
chwerthinwr *eg* (chwerthinwyr) un sy'n
chwerthin; chwarddwr laugher
chwerw *ans* [chwerw•] (chwerwon)
  1 â blas siarp sy'n brathu, megis cwrw neu goffi
du heb siwgr, heb fod yn felys; bustlaidd, egr,
sur acrid, bitter
  2 yn peri poen neu drallod; creulon, garw,
poenus bitter
  3 llawn o deimladau anfodlon; cas, sur
(~ **tuag at:wrth** *rywun*) bitter, embittered
chwerwder:chwerwdod:chwerwedd *eg*
(chwerwderau) y cyflwr o fod yn chwerw;
dicter, egrwch, surni bitterness, rancour
chwerwi *be* [chwerw•¹] mynd yn chwerw neu
wneud yn chwerw; digio, ffromi, suro (~ **wrth**)
to become bitter, to embitter
chwerwon¹ *ans* ffurf luosog **chwerw**
chwerwon² *ell* rhai chwerw the bitter
chwerwyn *eg* (chwerwod) pysgodyn bach gloyw
a geir mewn dyfroedd croyw yng nghanolbarth
Ewrop; mae ei wyau'n deor y tu mewn i gregyn
gleision bitterling
chwery *bf* [chwarae] *hynafol* mae ef yn chwarae/
mae hi'n chwarae; bydd ef yn chwarae/bydd
hi'n chwarae
chweugain *eg* (chweugeiniau)
  1 y rhif 120; cant ac ugain hundred and twenty
  2 chwe ugain (6 × 20 = 120) hen geiniog, deg
hen swllt, hanner hen bunt; 50c, e.e. *Punt a
chweugain am baned o de!* ten shillings
chwi *gw.* **chi**
chwib *eb* offeryn syml sy'n cynhyrchu sain
uchel, main pan gaiff ei chwythu; chwisl
whistle
chwiban *egb* (chwibanau) y sŵn a wneir wrth
chwibanu; chwibaniad whistle
chwibaniad *eb* (chwibaniadau) ebychiad drwy
chwibanu, *chwibaniad o syndod* whistle
chwibanogl *eb* (chwibanoglau) offeryn cerdd ar
ffurf pib â thyllau i'r bysedd ar ei hyd; mae'n
cynhyrchu sain uchel, main wrth iddi gael ei
chwythu; chwisl, ffliwt, pib flute, whistle
  chwibanogl y mynydd gylfinir curlew
chwibanu *be* [chwiban•³]
  1 cynhyrchu synau main, uchel wrth ollwng
anadl drwy'r gwefusau neu drwy gyfuniad
o'r bysedd a'r gwefusau (~ **am** *rywbeth*; ~ **ar**
rywun) to whistle

2 (am aderyn) cynhyrchu synau tebyg drwy ei big; (am wynt) gwneud sŵn tebyg wrth iddo chwythu drwy dwll neu hollt; (am saeth, etc.) gwneud sŵn tebyg wrth hedfan drwy'r awyr; canu, trydar to whistle

chwibanwr:chwibanydd *eg* (chwibanwyr) un sy'n chwibanu whistler

chwifiad *eg* (chwifiadau) y weithred o chwifio, canlyniad chwifio waving

chwifio *be* [chwifi•²]
1 symud yn ôl ac ymlaen neu i fyny ac i lawr yn y gwynt; cyhwfan, siglo to wave
2 codi a gostwng y llaw fel cyfarchiad to wave
3 codi a throi, *chwifio'i gleddyf uwch ei ben*; chwyrlïo, ysgwyd to brandish

chwifiwr *eg* (chwifwyr) un sy'n chwifio waver

chwiff *eb* (chwiffiau) arogl a glywir am ysbaid fer yn unig, awgrym o arogl whiff

chwiffiad *eg* (chwiffiadau) cyfnod byr iawn; chwinciad jiffy

Chwig *eg* (Chwigiaid) *hanesyddol* aelod o blaid wleidyddol neu gefnogwr plaid wleidyddol yn ystod y ddeunawfed ganrif a dechrau'r bedwaredd ganrif ar bymtheg a geisiai gwtogi ar awdurdod y Goron a chynyddu awdurdod y Senedd Whig

Chwigaidd *ans hanesyddol* yn perthyn i'r Chwigiaid, nodweddiadol o'r Chwigiaid Whig

chwil *ans* [chwil•] yn gwegian, am un sydd heb fod yn saff ar ei draed, yn enwedig am ei fod yn feddw, yn dioddef o'r bendro; brwysg, meddw fuddled, reeling, staggering
yn chwil ulw yn feddw iawn blind drunk

chwilair *eg* (chwileiriau) pos ar ffurf grid, sef colofnau o lythrennau sy'n cynnwys geiriau cudd wedi'u hysgrifennu ym mhob cyfeiriad wordsearch

chwilbawa *be* [chwilbaw•¹] gwastraffu amser; segura, tin-droi to dawdle

chwilboeth *ans* poeth iawn, arbennig o dwym, yn rhy boeth i'w gyffwrdd; berwedig, brwd, crasboeth, eirias red-hot, fiery

chwilen *eb* (chwilod)
1 unigol chwilod; trychfilyn beetle
2 syniad od, *Mae ganddo ryw chwilen yn ei ben eto.*; chwiw, ffad, mympwy bee in one's bonnet, fad
chwilen bwm:chwil y bwm chwilen y dom, fawr, ddu, sy'n gwneud sŵn chwyrlïo wrth hedfan dung beetle
chwilen ddŵr/y dŵr chwilen sy'n byw mewn afonydd a llynnoedd water beetle
chwilen glust pryfyn bach hirgul a chanddo bâr o atodion blaen ar ffurf gefel neu binsiwrn; pryf clust earwig
chwilenna *be* chwilio ym mhobman ac o

dan bopeth (fel chwilen); chwilota (~ **am**) to rummage
Sylwch: nid yw'r ferf hon yn arfer cael ei rhedeg.

chwiler *eg* (chwilerod)
1 gorchudd o groen caled y mae cynrhonyn neu lindysyn yn datblygu o'i fewn cyn torri allan ohono yn löyn byw, gwyfyn, chwilen, morgrugyn, gwenynen, etc. chrysalis
2 pwpa; ffurf sy'n gam datblygol ym metamorffosis pryfed megis y gwyfyn a'r glöyn byw pupa

chwilfriw *ans* yn deilchion, wedi'i dorri'n rhacs; drylliedig, yfflon shattered, (smashed to) smithereens

chwilfriwiant *eg* DAEAREG y broses o dorri creigiau neu gerrig yn ddarnau mân o ganlyniad i erydiad neu hindreuliad mecanyddol disintegration

chwilfriwio *be* [chwilfriwi•²] mynd yn yfflon, torri'n deilchion; chwalu, dryllio, malurio to disintegrate, to go to pieces, to shatter

chwilfrydedd *eg* awydd i wybod neu ddarganfod gwybodaeth newydd; diddordeb curiosity

chwilfrydig *ans* yn dangos cryn dipyn o chwilfrydedd; chwilgar, ymchwilgar (~ **am**) curious, inquisitive

chwilgar *ans* am un sy'n hoff o chwilio; chwilfrydig, ymchwilgar inquisitive

chwiliad *eg* (chwiliadau) y broses o chwilio (am wybodaeth ar gyfrifiadur yn enwedig) search

chwiliedydd *eg* (chwiliedyddion)
1 offeryn tenau, hyblyg fel arfer, a ddefnyddir gan feddyg i archwilio clwyfau, gwagleoedd y sinws, etc.; stiliwr probe
2 dyfais a ddefnyddir i fesur, i archwilio neu i brofi rhywbeth probe

chwilio *be* [chwili•²] edrych yn drylwyr ac yn ofalus er mwyn dod o hyd i rywbeth; ceisio, chwilmanta, chwilota, ymorol (~ **am** *rywun/ rywbeth*; ~ **drwy** *rywbeth*) to examine, to search
peiriant chwilio gw. peiriant
Ymadroddion
chwilio am eira llynedd hiraethu am yr hyn a fu
chwilio am nyth cwhwrw chwilio am rywbeth nad yw'n bod a wild goose chase

chwiliwr *eg* (chwilwyr) un sy'n chwilio; chwilotwr, porwr, tyrchwr, ymchwiliwr searcher, seeker

chwilmanta:chwilmantan:chwilmentan *be* [chwilmant•³] chwilio yma ac acw; chwilota, twrio, ymbalfalu (~ **am**) to rummage

chwilod *ell* urdd y chwilod; mae ganddynt bâr o ffugadenydd caled sy'n diogelu pâr o wir adenydd oddi tanynt, pâr o deimlyddion ar eu pen a genau cryf i ddal a chnoi; ar ôl deor o wy bydd y cynrhonyn yn troi'n bwpa cyn cyrraedd ei lawn dwf yn chwilen beetles, Coleoptera

chwilolau *eg* (chwiloleuadau) lamp fawr â phelydryn cryf o olau y gellir ei chyfeirio o fan i fan yn hawdd searchlight

chwilota *be* [chwilot•¹] yn wreiddiol, yr ystyr oedd edrych am chwilod, ac mae peth o'r ystyr honno'n aros yn y syniad o edrych yn ddyfal drwy bethau neu dan lwyth o bethau am rywbeth arbennig, chwilio a chwalu; chwilmanta, ffureta, tyrchu, ymchwilio (~ **am**) to rummage, to search

chwilotwr *eg* (chwilotwyr) un sy'n chwilota; tyrchwr researcher, rummager, searcher

chwilwyr *ell* lluosog **chwiliwr**

Chwilys *eg* (Chwilysoedd) *hanesyddol* llys barn a sefydlwyd gan y Pab yn y drydedd ganrif ar ddeg a chan Sbaen yn 1542 i atal heresïau a chosbi hereticiaid Inquisition

chwim *ans* [chwim•] (chwimion) ar frys; buan, cyflym, gwibiog, gwisgi fleet, nimble, swift

    chwim fel chwannen cyflym iawn

chwimder:chwimdra *eg* cyflymder ynghyd â sicrwydd; buander, sioncrwydd nimbleness, quickness

chwimguriad *eg* cyflymedd y galon; cyflwr lle mae cyfradd curiad y galon yn annormal o gyflym tachycardia

chwimion¹ *ans* ffurf luosog **chwim**

chwimion² *ell* rhai chwim the swift

chwimwth *ans* ar frys; buan, cyflym, chwim, sydyn fleet, quick, speedy

chwimwyfyn *eg* (chwimwyfynod) gwyfyn melynfrown sy'n gwibio hedfan swift moth

chwinciad *eg* (chwinciadau) trawiad llygad; amrantiad jiffy, trice, twinkling

    mewn chwinciad chwannen ar fyr o dro in a trice

chwiorydd *ell* lluosog **chwaer**

chwip *ebg* (chwipiau)

    1 darn hir o raff neu ledr i guro pobl neu anifeiliaid; fflangell whip

    2 (fel enw gwrywaidd) Aelod Seneddol sy'n gyfrifol am ddisgyblaeth ei blaid; disgwylir iddo sicrhau bod aelodau ei blaid yn bresennol yn Nhŷ'r Cyffredin adeg pleidleisio a'u bod yn pleidleisio'r un ffordd â'u plaid whip

    3 bwyd melys o wyau a bwydydd eraill wedi'u cymysgu ynghyd, *chwip chwap* (instant) whip

    chwip din cosfa, crasfa a hiding, a thrashing

    chwip o am rywbeth da iawn neu lwyddiannus iawn

chwipiad *eg* (chwipiadau) y weithred o chwipio, canlyniad chwipio; cosfa, cweir whipping

chwipio *be* [chwipi•²]

    1 curo â chwip; fflangellu to whip, to flog, to lash

    2 gorchfygu, trechu to whip

    3 curo (hufen neu wyau yn enwedig) nes eu bod yn sefyll yn dwmpathau bach to whip

    4 chwyrlïo top â chwip to whip

chwipio'r gath *hanesyddol* arfer teiliwr yn yr hen amser o deithio o dŷ i dŷ i chwilio am waith

chwipio rhewi rhewi'n galed, rhewi'n gorn freezing hard

chwipiwr *eg* (chwipwyr) un sy'n chwipio whipper

chwipyn *adf* fel yn yr ymadrodd *mewn chwipyn*, ar unwaith, ar fyr o dro in a trice

chwirligwgan:chwrligwgan:chwyrligwgan *eg* (chwirligwganod) tegan sy'n troelli'n gyflym whirligig

chwisg *eg* (chwisgiau) teclyn cegin, wedi'i wneud o wifrau fel arfer, a ddefnyddir i gymysgu cynhwysion, e.e. wyau, neu i ychwanegu aer at gymysgedd whisk

chwisgi *eg* gwirod, diod feddwol wedi'i gwneud o rawn wedi'u bragu; whisgi whisky

chwisgio *be* [chwisgi•²] curo sylwedd (hufen neu wyau fel arfer) yn ysgafn ac yn gyflym (~ *rhywbeth* â) to whisk

chwisl *eg* (chwislau)

    1 offeryn syml sy'n cynhyrchu sain uchel, fain pan gaiff ei chwythu; chwib whistle

    2 ebychiad drwy chwibanu; chwibaniad whistle

chwist *eg* un o nifer o gêmau sy'n defnyddio pac o 52 o gardiau lle mae rhai cardiau yn werth mwy na'r lleill ac yn gallu eu trympio whist

    gyrfa chwist cystadleuaeth chwarae cardiau whist drive

chwistlen *eb* (chwistlod) creadur bach tebyg i lygoden fach â chot frown, trwyn hir pigfain a chynffon fer; llyg shrew

chwistrell *eb* (chwistrellau:chwistrelli)

    1 math o diwb arbennig â ffroenell fain ar un pen a phiston neu fwlb hyblyg ar y pen arall, a ddefnyddir i sugno hylif i mewn iddo a'i wthio allan yn ffrwd denau syringe

    2 (mewn meddygaeth) math o nodwydd a ddefnyddir ynghlwm wrth chwistrell (uchod) i wthio cyffuriau dan y croen ac i mewn i wythïen hypodermic, syringe

    3 teclyn sy'n troi hylif (e.e. persawr neu ddiheintydd) yn ddafnau mân iawn aerosol, spray gun

chwistrelliad *eg* (chwistrelliadau) y weithred o chwistrellu, canlyniad chwistrellu injection, spray

chwistrellu *be* [chwistrell•¹] (am hylif) pistyllio o chwistrell, saethu allan (~ i; ~ **dros**) to spray, to squirt

chwit-chwat *ans* am rywun na allwch chi ddibynnu arno; annibynadwy, anwadal, gwamal, oriog fickle

chwitlyn glas *eg* (chwitlyniaid gleision) pysgodyn bwytadwy du neu wyrdd tywyll o deulu'r penfras ac sydd i'w gael yng ngogledd Cefnfor Iwerydd saithe

chwith¹ *ans* [chwith•]

1 yn perthyn i'r un ochr o'r corff dynol â'r galon left

2 anffodus, beius, chwithig, *Rwy'n gobeithio nad oeddech yn gweld yn chwith fy mod i wedi colli'i cyfarfod.* amiss, offended

3 trist, dieithr, rhyfedd, *Mae'n chwith iawn ar ôl Tad-cu.* sad, strange

mae'n chwith gennyf/gen i glywed mae'n ddrwg gennyf glywed; edifar I'm sorry to hear

o chwith yn anghywir back to front, the wrong way

tu chwith allan:tu chwithig allan â'r tu mewn y tu allan inside out

chwith² *eg*

1 (gyda'r gair 'llaw' yn ddealledig) ochr y corff sy'n cynnwys y galon, yr ochr neu'r tu sydd gyferbyn â'r ochr dde left

2 plaid neu bleidiau gwleidyddol sy'n derbyn dysgeidiaeth Farcsaidd neu syniadau Marcsaidd neu sydd â'u polisïau a'u syniadau yn nes at sosialaeth na chyfalafiaeth the left

chwithau¹:chithau *rhagenw annibynnol cysylltiol* chwi hefyd, chwi o ran hynny, chwi ar y llaw arall, *Hi fyddai'n coginio, ond mae'n bryd i chithau gymryd eich tro nawr. Rhybuddiwyd ninnau a rhybuddiwyd chwithau.* even you, you on the other hand, you too

chwithau² *rhagenw dibynnol ategol cysylltiol* e.e. *Tyrd di i'r ddrama – a dewch chwithau os ydych yn rhydd.*

chwithdod *eg*

1 teimlad o golled; hiraeth, tristwch sense of loss

2 teimlad o fod yn chwithig; dieithrwch, lletchwithdod strangeness

chwithig *ans*

1 dieithr, rhyfedd strange

2 lletchwith, trwsgl clumsy, blundering, awkward

chwithigrwydd *eg* y cyflwr o fod yn chwithig ac yn drwsgl; lletchwithdod awkwardness

chwiw *eb* (chwiwiau)

1 syniad od, sydyn; chwilen, ffad, mympwy craze, fad, whim

2 pwl o salwch, *Mae rhyw chwiw arno fe.* bout

chwiwgar *ans* chwit-chwat, mympwyol, oriog capricious

chwiwgi *eg*

1 un sy'n dwyn mân bethau; chwiwleidr pilferer, sneak thief

2 *tafodieithol* math o gryman â llai o dro yn y llafn, yn drymach na chryman arferol, cyffredin ac â choes hir, ar gyfer tocio clawdd uchel slasher

chwiwladrata *be* dwyn mân bethau to pilfer
Sylwch: nid yw'r ferf hon yn arfer cael ei rhedeg.

chwiwleidr *eg* (chwiwladron) un sy'n dwyn mân bethau; chwiwgi, twyllwr petty thief, pilferer

chwrligwgan gw. chwirligwgan

chwrlyn *eg* lwmp ar y pen o ganlyniad i ergyd lump

chwychwi *rhagenw annibynnol dwbl* ffurf ddwbl ar y rhagenw 'chwi' sy'n pwysleisio chwi/chi (a neb arall); chi eich hun, y chi you yourself, you yourselves
Sylwch: ar y *chwi* y mae'r acen wrth ynganu'r gair.

chwŷd *eg* (chwydion) yr hyn a godir o'r stumog wrth chwydu; cyfog, pwys vomit

chwydfa *eb* (chwydfeydd) y broses o chwydu, canlyniad chwydu; pwys vomit, a vomiting

chwydiad *eg* (chwydiadau) y weithred o godi cyfog neu o chwydu spewing, vomiting

chwydu *be* [chwyd•¹] taflu i fyny, taflu lan; cyfogi (~ **dros**) to be sick, to vomit

chwydd *eg* (chwyddiadau) rhan o'r corff sydd wedi chwyddo, sydd dros dro yn fwy o faint nag arfer; chwyddi, lwmp, talpyn swelling

chwydd gwyn oedema; gormodedd o hylif yn casglu rhwng celloedd ym meinwe'r corff oedema

chwydd-dyndra *eg*

1 y cyflwr o fod yn chwydd-dynn turgidity

2 BIOLEG cyflwr anhyblyg celloedd a meinweoedd, yn enwedig oherwydd amsugniad hylif turgidity, turgor

chwydd-dynn *ans* BIOLEG cyflwr arferol cell fyw sy'n cael ei achosi gan chwydd-dyndra turgid

chwyddedig *ans*

1 wedi chwyddo, wedi ymestyn yn fwy o faint nag arfer; boliog bloated, swollen, distended

2 wedi'i lenwi â balchder; ffroenuchel, mawreddog, trahaus, ymffrostgar pompous, puffed up

chwyddhad *eg* (chwyddhadau) y broses o wneud i rywbeth ymddangos yn fwy o faint nag ydyw drwy ddefnyddio gwydrau optegol, e.e. mewn microsgop neu chwyddhwydr; hefyd graddfa'r chwyddhad magnification

chwyddhau *be* [chwyddha•¹⁴] gwneud i rywbeth edrych yn fwy nag ydyw mewn gwirionedd to magnify

chwyddi *eg* rhywbeth wedi chwyddo; chwydd, lwmpyn, talpyn swelling

chwyddiant *eg*

1 cyflwr o fod wedi chwyddo y tu hwnt i'r hyn sy'n arferol (gan bwysau o'r tu mewn) distension

2 ECONOMEG cynnydd cyffredinol a pharhaus mewn prisiau sy'n arwain at ostyngiad yng ngwerth arian y wlad inflation

cyfradd chwyddiant gw. cyfradd

chwyddleisio *be* [chwyddleisi•²] mwyhau; cynyddu maint sain to amplify

chwyddleisydd *eg* dyfais (drydanol fel arfer) i wneud y llais yn uwch megaphone

chwyddo *be* [chwydd•¹]
1 cynyddu neu dyfu o'r tu mewn, mynd yn fwy o faint neu'n uwch o ran sŵn; bolio to swell, to bulge
2 llenwi â balchder, mynd yn falch to become puffed up
3 (am gamera neu sgrin cyfrifiadur) symud yn llyfn o olwg agos iawn ar wrthrych i olwg o bellter (neu fel arall, o bell i agos) to zoom

chwyddwasgiad *eg* (chwyddwasgiadau) ECONOMEG sefyllfa economaidd pan fydd chwyddiant a diweithdra yn cyd-ddigwydd stagflation

chwyddwydr *eg* (chwyddwydrau) gwydr arbennig a ddefnyddir i wneud i bethau edrych yn fwy magnifying glass

chwyldro:chwyldroad *eg* (chwyldroadau) newid cymdeithasol mawr, yn enwedig newid drwy rym, yn y gyfundrefn wleidyddol revolution
y Chwyldro Diwydiannol *hanesyddol* y newid mawr a ddigwyddodd ym Mhrydain rhwng 1750 a 1850 pan sefydlwyd nifer mawr o ddiwydiannau newydd a phan symudodd llawer iawn o weithwyr o ffermydd cefn gwlad i weithio yn y trefi newydd the Industrial Revolution
y Chwyldro Ffrengig *hanesyddol* gwrthwynebiad i'r hen drefn lywodraethol yn Ffrainc a arweiniodd at chwyldro radicalaidd, sefydlu gweriniaeth a dienyddio'r Brenin Louis XVI yn 1793 the French Revolution

chwyldroadol *ans* am rywun neu rywbeth sydd am newid pethau yn llwyr neu sydd yn newid pethau'n llwyr (yn enwedig felly'r gyfundrefn wleidyddol) revolutionary

chwyldroadwr *eg* (chwyldroadwyr) un sy'n cymell chwyldro neu sy'n cymryd rhan mewn chwyldro revolutionary

chwyldroi *be* [chwyldro•¹⁷]
1 cylchdroi; troi mewn cylch; amdroi to revolve
2 peri i rywbeth newid yn llwyr to revolutionize

chwylrod *eb* (chwylrodau) olwyn drom sy'n troi'n gyflym, ac oherwydd ei phwysau yn sicrhau bod y peiriant yn rhedeg ar raddfa gyson flywheel

chwyn *ell* unrhyw blanhigion diangen sy'n rhwystro neu'n cymryd lle planhigion y mae garddwr neu ffermwr yn ceisio'u tyfu; planhigion gwyllt fel arfer, fel ysgall, dant y llew, dail tafol, etc.; efrau weeds

chwynladdwr *eg* (chwynladdwyr) sylwedd gwenwynig a ddefnyddir i ddifa llystyfiant herbicide, weedkiller

chwynleiddiad *eg* (chwynleiddiaid) chwynladdwr; sylwedd gwenwynig a ddefnyddir i ddifa llystyfiant weedkiller

chwynnogl *eb* (chwynoglau) llafn ar ben coes hir ar gyfer chwynnu, math o hof hoe, weeding-hook

chwynnu *be* [chwynn•⁹]
1 codi neu ddadwreiddio chwyn, clirio tir o chwyn to weed
2 mynd drwy rywbeth neu drwy bethau er mwyn cael gwared ar yr hyn nad oes ei angen; cymoni, didoli, gwaredu, tacluso to weed
Sylwch: dyblwch yr 'n' ym mhob ffurf ac eithrio yn y rhai sy'n cynnwys *-as-*.

chwynnyn *eg* un ymhlith nifer o **chwyn** weed

chwyrlïad *eg* (chwyrliadau) tro chwyrn, symudiad sydyn mewn cylch gyration, whirl

chwyrligwgan gw. **chwirligwgan**

chwyrlïo *be* [chwyrlï•⁸] troelli'n gyflym, cylchdroi'n gyflym ac yn chwyrn; gogr-droi to spin, to swirl, to whirl
Sylwch: does dim angen didolnod pan fydd dwy 'i' yn dilyn ei gilydd, *chwyrliir*.

chwyrlwynt *eg* (chwyrlwyntoedd) METEOROLEG colofn o aer yn chwyldroi'n gyflym o amgylch craidd o wasgedd isel whirlwind

chwyrn *ans* [chwyrn•] cyflym a gwyllt; anystywallt, byrbwyll, penboeth heated, vigorous

chwyrnellu *be* [chwyrnell•¹] symud yn chwyrn, yn aml gan droi a gwneud sŵn; chwyrlïo, sgrialu to whirl, to whizz

chwyrniad *eg* (chwyrniadau) y sŵn cras a wneir wrth chwyrnu snore

chwyrnog *ans* MEDDYGAETH yn anadlu'n uchel ac yn llafurus stertorous

chwyrnu *be* [chwyrn•¹]
1 (am bobl) gwneud sŵn yng nghefn y gwddf drwy anadlu'n drwm wrth gysgu; rhochian to snore
2 (am gi) gwneud sŵn bygythiol; rhuo, ysgyrnygu (~ **ar**) to snarl

chwyrnwr *eg* (chwyrnwyr) un sy'n chwyrnu snorer

chwys *eg*
1 y lleithder sy'n diferu o fandyllau'r croen er mwyn ei oeri perspiration, sweat
2 unrhyw leithder sy'n crynhoi ar wyneb rhywbeth, e.e. silwair wedi iddo dwymo perspiration, sweat
chwys diferu/domen/drabŵd yn foddfa o chwys dripping with sweat

chwysfa *eb* (chwysfeydd) boddfa o chwys, cot o chwys muck sweat

chwysiad *eg* (chwysiadau) haenen o chwys, boddfa o chwys muck sweat

chwysigen *eb* (chwysigod)
1 pothell; chwydd poenus ar y croen yn llawn dŵr (neu waed) sy'n cael ei achosi gan losgi, rhwbio, etc. blister
2 swigen; pilen denau o hylif (yn enwedig dŵr sebon) â'i llond o aer; bwrlwm neu gloch ddŵr bubble
3 BOTANEG organ neu ffurfiad cau neu chwyddedig sy'n debyg i bledren, e.e. y rhai a geir ar rai mathau o wymon bladder

chwyslyd *ans*
1 yn chwysu llawer neu'n tueddu i chwysu sweaty
2 ag aroglau chwys arno sweaty

chwysu *be* [chwys•¹]
1 cynhyrchu lleithder drwy fandyllau'r croen, dechrau cael haenen o chwys to perspire, to sweat
2 cynhyrchu lleithder drwy unrhyw broses debyg, e.e. diferion o leithder yn ffurfio ar wal neu ar lawr, neu'r lleithder sy'n ffurfio ar wair wrth iddo dwymo to sweat, to swelter
3 gweithio'n galed; dechrau poeni neu ofidio, *A dim ond tair wythnos tan yr arholiad, mae Jac yn dechrau chwysu!* to sweat

chwysu chwartiau bod mewn boddfa o chwys to sweat conkers

os na chwysi wrth hogi fe chwysi wrth dorri oni pharatoir yn drylwyr bydd y gwaith yn anos o lawer

chwyth *eg* y weithred o chwythu; anadl, awel, chwa breath

ffwrnais chwyth gw. ffwrnais

offeryn chwyth offeryn cerdd sy'n cael ei ganu wrth i'w chwaraewr chwythu drwyddo, e.e. ffliwt wind instrument

chwythad:chwythiad *eg* (chwythadau:chwythiadau)
1 y weithred o chwythu, canlyniad chwythu; anadliad blow, breath
2 gwth o wynt gust
3 ffrwydrad, tanchwa explosion

chwythbant *eg* (chwythbantiau)
DAEARYDDIAETH pant ar ffurf soser neu gafn yng nghanol twyni tywod blowout

chwythbib *eb* (chwythbibau)
1 pibell neu diwb a ddefnyddir i chwythu aer ar fflam er mwyn cynyddu'r gwres mewn un man penodol blowpipe
2 tiwb y gellir saethu rhywbeth drwyddo, e.e. dart, drwy chwythu'n galed blowpipe

3 tiwb hir y mae chwythwr gwydr yn casglu gwydr tawdd ar ei ben er mwyn gosod ffurf arno drwy chwythu aer i mewn iddo blowpipe

chwythbrennau *ell* CERDDORIAETH y teulu hwnnw o offerynnau mewn cerddorfa sy'n cael eu chwythu ac sydd fel arfer wedi'u gwneud o bren; maent yn cynnwys baswn, clarinét, obo, ffliwt, etc. woodwind

chwythdwll *eg* (chwythdyllau) ffroen ar ben pen morfil, llamhidydd neu ddolffin blowhole

chwythell *eb* (chwythelli) llif cryf neu chwistrelliad o hylif neu nwy sy'n saethu allan o dwll neu adwy fach; jet jet

chwythellu *be* [chwythell•¹] anelu chwythiad cryf o aer, e.e. ar ddanwydd mewn ffwrnais to blast

chwythiad gw. chwythad

chwythlamp *eb* (chwythlampau) dyfais gludadwy yn cynhyrchu fflam boeth sy'n cael ei defnyddio'n bennaf i sodro, presyddu neu feddalu hen baent cyn ei dynnu blowlamp

chwythu *be* [chwyth•¹ 3 un. pres. chwyth/chwytha; 2 un. gorch. chwyth/chwytha]
1 symud â phwff neu gerrynt o awel, *Mae'r gwynt wedi chwythu fy het i ffwrdd.* to blow
2 gollwng anadl gref o'r ysgyfaint, *chwythu'r corn* to blow
3 bwrw allan sylwedd sydd y tu mewn i rywbeth â ffrwd o aer o'r gwefusau neu drwy'r trwyn, *chwythu wy, chwythu trwyn* to blow
4 anadlu'n drwm, *Roeddwn yn dechrau chwythu wrth ddringo'r rhiw.* to blow, to breathe heavily
5 (am ffiws trydan) torri'n sydyn to blow
6 achosi chwa o wynt, e.e. â megin to puff
7 dinistrio drwy ffrwydrad, *Mae'r lladron wedi chwythu'r banc i fyny.* to blow up
8 (am bryfed) dodwy wyau ar gig to blow

chwythu bygythion a chelanedd gw. celain

chwythu i fyny:chwythu lan
1 ffrwydro to blow up
2 llenwi ag aer (e.e. teiar car) to inflate
3 gwneud yn fwy to exaggerate

chwythu plwc:chwythu fy (dy, ei, etc.)
mhlwc diffygio a rhoi'r gorau i rywbeth to shoot one's bolt

chwythwr *eg* (chwythwyr) un sy'n chwythu blower

chwythydd *eg* (chwythwyr) peiriant sy'n chwythu, e.e. aer cynnes blower

D

d:D¹ *eb*

1 cytsain a phumed lythyren yr wyddor Gymraeg; ar ddechrau gair, gall dreiglo'n feddal yn *dd* neu dreiglo'n drwynol yn *n*, e.e. *y ddafad, fy nafad*; hefyd ar ddechrau gair, gall fod yn ganlyniad i dreiglo *t* yn feddal, e.e. *dy dad* d, D

2 y rhif Rhufeinig 500

3 CERDDORIAETH enw nodyn mewn hen nodiant, yr ail nodyn yng ngraddfa C fwyaf D

4 CERDDORIAETH y nodyn cyntaf yng ngraddfa nodiant y system sol-ffa, do d, doh

   Sylwch: ar ei phen ei hun, mae'n fenywaidd ond nid yw'n treiglo, *dwy d.*

d' gw. dy

D² *byrfodd*

1 De S, South

2 'dysgwr', arwydd a roddir ar gar i ddynodi mai dysgwr sy'n ei yrru L

da¹ *ans* [cystal; gwell; gorau]

1 yn ateb y diben i'r dim, er budd, yn gwneud lles, *Mae llaeth/llefrith yn dda i chi.* good

2 o safon uchel, *llyfr da* good

3 rhinweddol, moesol, *gweithredoedd da*; canmoladwy, cyfiawn, iawn good

4 (am bobl) caredig, trugarog, cymwynasgar, *cymdogion da* good

5 (am blant) hawdd eu trin; ufudd good

6 (am dir) ffrwythlon good

7 â dawn arbennig, *yn dda mewn ieithoedd* good

8 yn fwy na, o leiaf, *Mae'n awr dda o daith.* good

9 yn gweithio'n effeithiol, *Bydd angen esgidiau da i gerdded yr holl ffordd o Fôn i Fynwy.* good

10 dymunol, boddhaol, hyfryd, *tywydd da* good

11 (am fywoliaeth) â digon o gyfoeth, *Mae byd da arno yn y swydd sydd ganddo.*; cysurus good

12 (am iechyd) iachus, iach, *Doedd hi ddim yn teimlo'n dda.* well

13 â chryn dipyn o fedrusrwydd neu allu, *Chwaraeodd yn dda heddiw.* well

14 trylwyr, *golchi'r poteli'n dda* well

15 yn mynegi teimladau neu ddymuniad llesol, *nos da, blwyddyn newydd dda*

   Sylwch: dim ond y ffurf 'mor' (nid 'mwy' a 'mwyaf') a ddefnyddir gyda 'da', *mor dda.*

da am (am rywun) â dawn i wneud rhywbeth, *Mae hi'n un dda am gadw trefn.* good at

da bo ffarwél goodbye, bye

da boch cyfarchiad wrth ymadael goodbye, good day

da chi/ti rwy'n erfyn arnoch/arnat I beg of you

da gennyf fi (gennyt ti, ganddo ef, etc.) rwy'n falch, braf gennyf I'm glad

da i ddim heb unrhyw werth o gwbl good for nothing

da 'machgen ('merch, 'mhlant) i dyna fachgen (ferch, blant) da that's a good boy

er da neu ddrwg beth bynnag fydd y canlyniad; er gwell neu er gwaeth for better, for worse

i beth dda mae . . .?:i beth mae e'n dda:i be' mae o'n dda? what's it for?

mae'n dda gen i rwy'n falch I'm glad

os gwelwch yn dda plis please

da² *eg* peth, unigolyn neu bobl dda, *y da a'r drwg* the good

da³ *ell*

1 digonedd o bethau'r byd; cyfoeth, eiddo, golud, meddiannau goods, possessions

2 (*yn derbyn ffurf unigol neu luosog berf*) stoc o anifeiliaid, yn enwedig o wartheg (y buchod a'r teirw); gwartheg cattle

da blith gw. blith

da byw stoc o anifeiliaid fferm livestock

da godro gwartheg sy'n cael eu cadw am eu llaeth; da blith milking stock

da gwlanog defaid sheep

da pluog adar fferm poultry

da stôr da i'w pesgi ar gyfer eu lladd; gwartheg stôr store cattle

da⁴ *eg* anwes, fel yn yr ymadrodd *rhoi da i'r gath,* sef canmol, mwytho pat, stroke

'da *talfyriad anffurfiol* gw. **gyda**

dabiad *eg* (dabiadau) y weithred o ddabio, canlyniad dabio; un cyffyrddiad dab

dabio:dabo *be* [dabi•²] taro'n ysgafn gyda'r bwriad o sychu gwlybaniaeth neu ei wasgaru (*~ rhywbeth â*) to dab

dablan *be* [dabl•¹] cymryd diddordeb yn rhywbeth neu ymwneud â rhywbeth mewn ffordd arwynebol (*~ yn*) to dabble

da capo *adf* ac *ans* CERDDORIAETH o'r dechrau, cyfarwyddyd i ailchwarae rhan o'r gerddoriaeth

dacw:'co *adf* wele acw; dyna there, there (he, she, it) is, there they are

   Sylwch: mae'n achosi'r treiglad meddal.

dad:dadi:dat *eg* yr hyn y mae plentyn yn galw'i dad dad

dad-:dat- *rhag* ar ddechrau gair mae'n gwrth-ddweud neu'n negyddu'r hyn sy'n ei ddilyn, e.e. *dadwisgo, datgloi* dis-, un-

da-da *ell tafodieithol, yn y Gogledd* danteithion melys; candis, cisys, fferins, losin, melysion, minceg, pethau da, taffis sweets, goodies

Dada *eg* CELFYDDYD mudiad celfyddydol ar ddechrau'r ugeinfed ganrif a wrthodai werthoedd traddodiadol ac a nodweddid gan anarchiaeth a diffyg parch at hen arferion; defnyddiai'r artistiaid gyfryngau fel *montage* ffotograffig, *collage* a gwrthrychau a gweithiau parod Dada

dadactifadu *be* [dadactifad•[1]] peri i rywbeth beidio â gweithredu drwy ei ddatgysylltu neu ei rwystro to deactivate

dadafael *be* [dadafael•[1]] ildio, neu roi (tir fel arfer) drwy gytundeb to cede

dadafaeliad *eg* y broses o ildio hawl ar ddarn o dir cession

Dadaiaeth *eb* CELFYDDYD athroniaeth neu syniadau mudiad Dada am gelfyddyd Dadaism

dadaminas *eg* BIOCEMEG unrhyw un o'r grŵp o ensymau sy'n catalyddu'r broses o dynnu ymaith y grŵp amino o asid amino neu gyfansoddyn arall deaminase

dadamineiddiad *eg* BIOCEMEG y broses o dynnu ymaith y grŵp amino o asid amino neu gyfansoddyn arall deamination

dadamineiddio *be* [dadamineiddi•[2]] BIOCEMEG tynnu ymaith y grŵp amino o asid amino neu gyfansoddyn cemegol arall to deaminate

dadansoddi *be* [dadansodd•[1]] archwilio'n fanwl drwy dorri rhywbeth i lawr i'w elfennau hanfodol; archwilio, dadelfennu, datgymalu to analyse

dadansoddiad *eg* (dadansoddiadau)
1 rhaniad o rywbeth (megis sylwedd cemegol) i'w elfennau hanfodol; archwiliad, dadelfeniad analysis
2 crynodeb o gynnwys rhywbeth; dosbarthiad o brif elfennau rhywbeth analysis, synopsis

dadansoddiad atchwel gw. atchwel

dadansoddiad budd-gost ECONOMEG proses sy'n asesu'r berthynas rhwng cost menter a gwerth y budd a ddaw ohoni cost-benefit analysis

dadansoddol *ans* yn perthyn i'r broses o ddadansoddi, nodweddiadol o'r broses o ddadansoddi; analytig analytical

dadansoddwr *eg* (dadansoddwyr) un hyddysg yn y gwaith o ddadansoddi analyst

dadbacio *be* [dadbaci•[2]] tynnu allan yr hyn sydd wedi cael ei bacio i mewn i rywbeth to unpack

dadbersonoli *be* cael gwared ar unrhyw amlygrwydd o hunaniaeth unigolyn to depersonalize
Sylwch: nid yw'r ferf hon yn arfer cael ei rhedeg.

dadbolariad *eg* (dadbolariadau) FFISEG y weithred o leihau polareiddiad, y cyflwr o fod wedi colli polareiddiad depolarization

dadbolaru *be* [dadbolar•[1]] FFISEG gwaredu neu leihau polareiddiad to depolarize, depolarization
Sylwch: nid yw'r ferf hon yn arfer cael ei rhedeg.

dadbolarydd *eg* (dadbolaryddion) CEMEG sylwedd a ddefnyddir i atal polareiddiad, e.e. ar electrolyt cell drydanol i waredu'r nwy sy'n cronni wrth yr electrodau depolarizer

dadbwytho *be* [dadbwyth•[1]] datod pwythau (~ *rhywbeth* â) to unpick

dad-drefedigaethu *be* rhyddhau o fod yn drefedigaeth, caniatáu annibyniaeth to decolonize
Sylwch: nid yw'r ferf hon yn arfer cael ei rhedeg.

dad-ddewis *be* [dad-ddewis•[1]] gollwng o dîm neu grŵp; (am blaid wleidyddol leol) gwrthod ailddewis Aelod Seneddol i'w chynrychioli to deselect

dad-ddirwyn *be* tynnu'n un llinyn o rolyn neu belen to unwind
Sylwch: nid yw'r ferf hon yn arfer cael ei rhedeg.

dad-ddiwylliannu *be* tanseilio diwylliant neu gael gwared ar ddiwylliant to deculturize
Sylwch: nid yw'r ferf hon yn arfer cael ei rhedeg.

dad-ddweud *be* [dad-ddywed•[1] *3 un. pres.* dad-ddywed; *2 un. gorch.* dad-ddywed] tynnu rhywbeth a ddywedwyd yn ôl; cydnabod anghywirdeb yr hyn a ddywedwyd to retract

dad-ddyneiddio *be* SEICOLEG cael gwared ar nodweddion dynol neu ar bersonoliaeth unigolyn to dehumanize
Sylwch: nid yw'r ferf hon yn arfer cael ei rhedeg.

dad-ddysgu *be* [dad-ddysg•[1]] ceisio anghofio neu gael gwared ar yr hyn a ddysgwyd to unlearn

dadebriad *eg* y broses o ddadebru, canlyniad dadebru; deffroad awakening

dadebru *be* [dadebr•[1]] adfywio (i ymwybyddiaeth, sobrwydd, etc.), dod atoch eich hun; dadluddedu, dihuno (~ *rhywun* â; ~ *rhywun* o) to revive, to rouse

dadelfeniad *eg*
1 y broses o ddadelfennu neu o bydru decomposition
2 CEMEG adwaith cemegol sy'n torri cyfansoddyn i'w elfennau neu i gyfansoddion symlach decomposition

dadelfennu *be* [dadelfenn•[9]]
1 pydru, dadfeilio to decompose
2 torri rhywbeth i lawr i'w elfennau sylfaenol; dadansoddi, datgymalu, dyrannu to analyse, to break down
Sylwch: dyblwch yr 'n' ym mhob ffurf ac eithrio yn y rhai sy'n cynnwys *-as-*.

dadelfennydd *eg* BIOLEG organeb, e.e. bacteria, ffyngau, sy'n dadelfennu defnydd marw i'w elfennau sylfaenol decomposer

dadeni *eg*
1 y weithred o adnewyddu bywyd; adferiad, adfywiad renaissance, revival
2 adfywiad llên, celfyddyd a dysg; deffroad renaissance

pair dadeni pair hud y sonnir amdano yn ail gainc *Pedair Cainc y Mabinogi*; byddai unrhyw filwr marw a fyddai'n cael ei daflu i mewn iddo yn cael ei adfywio ond byddai'n fud cauldron of rebirth

y Dadeni Dysg *hanesyddol* yr adfywiad mewn llenyddiaeth a chelfyddyd a dysg a ddigwyddodd yng ngwledydd Ewrop ar ddiwedd yr Oesoedd Canol rhwng OC 1300 a 1600 the Renaissance

dadentaelio *be* CYFRAITH rhyddhau ystad o'r cyfyngderau a osodir gan entael to disentail
	Sylwch: nid yw'r ferf hon yn arfer cael ei rhedeg.

dadfachu *be* [dadfach•³]
	1 codi oddi ar fachyn to unhook
	2 rhyddhau bachau (rhywbeth) to uncouple, to unhook

dadfagneteiddio *be* [dadfagneteiddi•²] cael gwared ar y magnetedd neu briodweddau magnet to demagnetize

dadfeddiannu *be* [dadfeddiann•¹⁰] adfer perchenogaeth eiddo oddi ar rywun drwy broses gyfreithiol to evict
	Sylwch: dyblwch yr 'n' ym mhob ffurf ac eithrio yn y rhai sy'n cynnwys *-as-*.

dadfeddiant *eg* (dadfeddiannau) y broses o ddadfeddiannu, canlyniad dadfeddiannu eviction

dadfeiliad *eg* (dadfeiliadau)
	1 y broses o ddadfeilio neu o droi yn adfail; adfeiliad, dirywiad decay
	2 FFISEG lleihad naturiol yn nifer yr atomau ymbelydrol mewn defnydd ymbelydrol decay

dadfeiliedig *ans* wedi dadfeilio; adfeiliedig dilapidated

dadfeilio *be* [dadfeili•²]
	1 syrthio'n ddarnau, troi'n adfail, mynd â'i ben iddo; adfeilio, chwalu, edwino to become dilapidated, to decay, to degenerate
	2 FFISEG lleihau naturiol yn nifer yr atomau ymbelydrol mewn defnydd ymbelydrol to decay

dadfilwrio *be* cael gwared ar y byddinoedd, arfau, amddiffynfeydd, etc. o ardal arbennig to demilitarize
	Sylwch: nid yw'r ferf hon yn arfer cael ei rhedeg.

dadflino *be* [dadflin•¹] adnewyddu nerth, bwrw blinder; atgyfnerthu, gorffwys (~ **drwy**) to rest, to revive

dadflocio *be* [dadfloci•²] symud rhywbeth sy'n achosi tagfa (~ *rhywbeth* â) to unblock

dadfodylu *be* ELECTRONEG casglu gwybodaeth o donfedd sydd wedi'i modylu to demodulate
	Sylwch: nid yw'r ferf hon yn arfer cael ei rhedeg.

dadfyddino *be* [dadfyddin•¹] rhyddhau milwyr o wasanaeth milwrol, fel arfer ar ddiwedd rhyfel to demobilize

dadfygio *be* [dadfygi•²]
	1 dod o hyd i ddyfeisiadau gwrando electronig cudd (mewn ystafell, etc.) a chael gwared arnynt to debug
	2 dod o hyd i nam (ar beiriant, rhaglen gyfrifiadurol, etc.) a chael gwared arno to debug

dadgodio *be* [dadgodi•²] datrys cod a chyflwyno'r hyn a fynegwyd mewn ffordd ddealladwy to decode

dadgryptio *be* [dadgrypti•²] datrys cod heb wybod allwedd y cod ymlaen llaw to decrypt

dadgydsoddi *be* [dadgydsodd•¹] ECONOMEG gwahanu (busnes) oddi wrth un arall, yn enwedig er mwyn dad-wneud cydsoddiad blaenorol to demerge

dadgydsoddiad *eg* (dadgydsoddiadau) y broses o ddadgydsoddi, canlyniad dadgydsoddi demerger

dadhydradedd *eg* canlyniad tynnu'r dŵr i gyd o rywbeth dehydration

dadhydradiad *eg* CEMEG y broses o dynnu dŵr allan o rywbeth, y cyflwr o fod wedi dadhydradu dehydration

dadhydradu *be* [dadhydrad•¹]
	1 colli (gormod o) hylifau neu ddŵr o'r corff to dehydrate
	2 tynnu dŵr o (sylwedd) to dehydrate
	3 CEMEG tynnu elfennau dŵr o gyfansoddyn cemegol to dehydrate

dadhydredig *ans* wedi dadhydradu neu wedi'i ddadhydradu dehydrated

dadhydrogenas *eg* BIOCEMEG ensym sy'n cataleiddu'r broses o ryddhau hydrogen o foleciwl a'i drosglwyddo i sylwedd arall dehydrogenase

dadhydrogeniad *eg* CEMEG y weithred o ddadhydrogenu, canlyniad dadhydrogenu dehydrogenation

dadhydrogenu *be* CEMEG tynnu hydrogen o (sylwedd) to dehydrogenate
	Sylwch: nid yw'r ferf hon yn arfer cael ei rhedeg.

dadi gw. **dad**

dadl *eb* (dadleuon)
	1 anghydfod geiriol lle mae un neu ragor o bobl yn ceisio argyhoeddi pawb arall o wirionedd neu ddilysrwydd eu safbwynt nhw; ymryson geiriol; anghytundeb, argument
	2 trafodaeth ffurfiol ar ryw destun arbennig gydag un neu ragor yn siarad o blaid ac un neu ragor yn siarad yn erbyn, *dadl yn y Cynulliad*; trafodaeth, ymdriniaeth debate
	3 y broses o ymresymu, y rheswm neu'r rhesymau a roddir dros dderbyn neu wrthod rhywbeth, *Mae yna ddadleuon cryf dros dderbyn yr hyn mae'n ei honni.*; ymresymiad argument

torri dadl gw. **torri**

dadlaith *be* (am rywbeth sydd wedi'i rewi) toddi, meirioli, dadmer, ymdoddi to thaw
	Sylwch: nid yw'r ferf hon yn arfer cael ei rhedeg.

dadlapio *be* [dadlapi•²] rhyddhau a thynnu'r hyn sydd wedi'i lapio am rywbeth to unwrap

dadlau *be* [dadleu•[4]]
1 ymresymu'n gryf o blaid rhyw safbwynt, dal pen rheswm; pledio, rhesymu (~ â *rhywun* am *rywbeth*) to argue
2 anghytuno'n eiriol; anghydweld, cecran, cega to argue
3 trafod yn ffurfiol bwyntiau o blaid rhyw safbwynt ac yn ei erbyn (~ **dros**; ~ **yn erbyn**) to debate

dadleniad *eg* (dadleniadau) y broses o ddadlennu, canlyniad dadlennu; amlygiad, dadorchuddiad, datguddiad disclosure, revelation

dadlennol *ans* yn dadlennu; datguddiol revelatory

dadlennu *be* [dadlenn•[9]] dwyn i'r golwg neu i'r amlwg, gwneud yn hysbys; amlygu, cyhoeddi, datgelu, esbonio to disclose, to divulge, to reveal
Sylwch: dyblwch yr 'n' ym mhob ffurf ac eithrio yn y rhai sy'n cynnwys -*as*-.

dadlennwr *eg* (dadlenwyr) un sy'n datgelu neu'n datguddio revealer

dadleoledig *ans* FFISEG (am electronau) wedi'u gwasgaru dros ddau neu fwy o fondiau cemegol delocalized

dadleoli *be* [dadleol•[1]]
1 symud (rhywbeth) o'i leoliad cywir neu arferol to displace
2 (mewn adwaith cemegol) cymryd lle rhywbeth arall to displace

dadleoliad *eg*
1 symudiad maint penodol o ddŵr gan gorff solet o'r un pwysau, e.e. llong displacement
2 CEMEG (mewn adwaith cemegol) y broses o gymryd lle rhywbeth arall displacement
3 FFISEG y gwahaniaeth (pellter) rhwng y man lle y ceir rhywbeth ar amser penodol a'r man lle roedd y peth i ddechrau, e.e. mewn tonnau displacement
4 DAEAREG symudiad cymharol dau bwynt a oedd ar un adeg yn cydgyffwrdd bob ochr i blân ffawt displacement

dadleth ffurf lafar ar **dadlaith**

dadleuaf *bf* [dadlau] rwy'n dadlau; byddaf yn dadlau

dadleugar *ans* hoff o ddadlau ac anghytuno argumentative

dadleuol *ans* yn mynd i achosi dadl contentious, controversial, debatable

dadleuon *ell* lluosog **dadl**

dadleuwr *eg* (dadleuwyr) un sy'n dadlau neu sy'n hoff o ddadlau debater

dadleuwraig *eb* merch neu wraig sy'n dadlau neu sy'n hoff o ddadlau debater (female)

dadluddedu *be* [dadludded•[1]] bwrw ymaith flinder a lludded; dadebru to refresh

dadlwytho *be* [dadlwyth•[1]] tynnu llwyth ymaith, e.e. o long neu lorri neu gar; clirio, gwacáu, gwagio to unload

dadlygru *be* [dadlygr•[1]] cael gwared ar sylweddau gwenwynllyd neu beryglus to decontaminate

dadmer *be* (am rywbeth sydd wedi rhewi) troi'n hylif, ailennyn teimlad neu yw gymaint o wres; dadlaith, meirioli, toddi, ymdoddi to thaw
Sylwch: nid yw'r terf hon yn arfer cael ei rhedeg.

dadmeriad *eg* (dadmeriadau) y broses o ddadmer thaw, thawing

dadnatureiddiad *eg* y broses o ddadnatureiddio, canlyniad dadnatureiddio denaturation

dadnatureiddio *be* [dadnatureiddi•[2]]
1 cael gwared ar y priodweddau naturiol, e.e. gwneud alcohol yn anaddas i'w yfed, heb gael gwared ar ei nodweddion defnyddiol to denature
2 BIOCEMEG cynhyrchu newid ym mhriodweddau sylwedd, e.e. protein, drwy ddefnyddio gwres, asid neu unrhyw ffactor arall sy'n newid adeiledd moleciwlaidd y sylwedd to denature
3 FFISEG trawsnewid sylwedd niwclear ymholltog fel na ellir ei ddefnyddio mewn arf atomig to denature

dadnerfogi *be* [dadnerfog•[1]] MEDDYGAETH diddymu cysylltiad nerfol, e.e. drwy dorri drwy nerf to denervate

dadnitreiddiad *eg* BIOLEG proses facteriol sy'n rhan o'r gylchred nitrogen ac sy'n rhyddhau nitrogen o gyfansoddion nitrogen yn y pridd denitrification

dadnitreiddio *be* [dadnitreiddi•[2]] CEMEG cael gwared ar nitrogen neu gyfansoddyn cemegol sy'n cynnwys nitrogen to denitrify

dadnwyo *be* [dadnwy•[1]] pwmpio nwy o gynhwysydd to evacuate gas

dado *eg*
1 rhan isaf mur mewnol pan fydd wedi'i addurno mewn rhyw ffordd arbennig, e.e. â phren dado
2 PENSAERNÏAETH y rhan rhwng sylfaen pedestal a'r cornis dado

dadorchuddiad *eg* (dadorchuddiadau) y broses o ddadorchuddio, canlyniad dadorchuddio; dadleniad, datguddiad unveiling

dadorchuddio *be* [dadorchuddi•[2]] datgelu neu wneud yn hysbys drwy dynnu gorchudd; dadlennu, datguddio, dinoethi to reveal, to unveil

dadosod *be* [dadosod•[1]] tynnu (peiriant) yn ddarnau to disassemble

dadreibio *be* [dadreibi•[2]] rhyddhau o raib neu swyn to exorcize

dadreolaeth *eb* y broses o ddadreoleiddio, canlyniad dadreoleiddio deregulation

dadreoleiddio *be* [dadreoleiddi•²] symud
(rhywbeth) allan o reolaeth y llywodraeth,
dadreoleiddio'r bysiau to deregulate

dadrewi *be* [dadrew•¹]
  1 dadmer o gyflwr o fod wedi'i rewi neu wedi
rhewi; dadlaith to defrost, to thaw
  2 cael gwared ar rew neu iâ to defrost

dadrewydd *eg* (dadrewyddion) sylwedd neu
beiriant sy'n dadmer iâ, e.e. ar ffenestr car neu
mewn rhewgell defroster

dadrithiad *eg* (dadrithiadau) y broses o
ddadrithio, canlyniad dadrithio; siom
disenchantment, disillusionment

dadrithio *be* [dadrithi•²] chwalu rhith, dangos
y gwir cas i rywun a chwalu'r anwiredd
cyfforddus, agor llygaid; siomi to disillusion,
to disabuse

dadrithiol *ans* yn arwain at ddadrithiad, yn
agoriad llygad disenchanting

dadrolio *be* [dadroli•²] taenu ar led rywbeth
sydd wedi'i rolio to unroll

dadryddfreinio *be* [dadryddfreini•²] CYFRAITH
amddifadu rhywun o ryddfraint, yn enwedig
yr hawl i bleidleisio to disenfranchise,
to disfranchise

dads- gw. hefyd **dats-**

dadsensiteiddio *be* [dadsensiteiddi•²] SEICOLEG
rhyddhau (rhywun) o afael ffobia neu niwrosis
drwy ei gyflwyno'n raddol i'r hyn sy'n peri'r
ofn desensitization, to desensitize

daduniad *eg* CEMEG proses lle mae cyfansoddyn
yn cael ei rannu'n foleciwlau neu'n iönau llai,
e.e. drwy effaith gwres dissociation

daduno *be* [dadun•¹] CEMEG mynd drwy'r broses
o ddaduniad neu ei hachosi to dissociate

dadwaddoli *be* [dadwaddol•¹] CYFRAITH
tynnu gwaddol oddi wrth (eglwys fel arfer)
to disendow

dadwaddoliad *eg* y broses o ddadwaddoli,
canlyniad dadwaddoli disendowment

dadwahanu *be* [dadwahan•¹] diddymu'r
deddfau, arferion neu ddarpariaeth sy'n
gwahanu pobl ar sail hil, cael gwared ar
hiliaeth to desegregate

dadwefriad *eg* FFISEG y broses o ddadwefru
trydanol, canlyniad dadwefru discharge

dadwefru *be* [dadwefr•¹] FFISEG gadael i gerrynt
trydanol lifo rhwng dwy ran o rywbeth, er
enghraifft batri neu gynhwysydd, fel bod gwefr
bositif yn lleihau ar un rhan a gwefr negatif yn
lleihau ar y rhan arall to discharge

dadwefrydd *eg* (dadwefryddion) FFISEG dyfais
sy'n dadwefru dyfais neu offeryn arall discharger

dadwenwyniad *eg* y broses o ddadwenwyno,
canlyniad dadwenwyno detoxification

dadwenwyno *be* [dadwenwyn•¹]
  1 lliniaru effaith gwenwyn drwy ddefnyddio

cemegion i gynhyrchu sylwedd llai niweidiol
to detoxify
  2 cael gwared ar wenwyn, e.e. cael gwared ar
alcohol o'r corff to detoxify

dadwisgo *be* [dadwisg•¹] tynnu dillad i ffwrdd;
dihatru, dinoethi, diosg, ymddihatru to undress

dadwladoli *be* [dadwladol•¹] symud
gwasanaeth(au) allan o feddiant neu o reolaeth
y wladwriaeth; preifateiddio to denationalize

dad-wneud:dadwneuthur *be* tynnu i lawr
neu dynnu'n rhydd rywbeth sydd eisoes wedi'i
gwblhau neu ei gyflawni; diddymu. dinistrio
to undo

  Sylwch: nid yw'r ferf hon yn arfer cael ei rhedeg.

dadwneuthuriad *eg* CYFRAITH y broses o
ddileu neu o ddiddymu deddf, gorchymyn neu
gytundeb, canlyniad dad-wneud rescission

dadwrdd *eg* (dadyrddau) sŵn uchel, aflafar;
dwndwr, mwstwr, trwst, twrw noise

dadwreiddio *be* [dadwreiddi•²] tynnu o'r
gwraidd, codi gwreiddiau; diwreiddio
(~ *rhywbeth/rhywun* o) to uproot

dadymafael *be* (am fyddinoedd) tynnu yn ôl;
ymgilio, ymryddhau to disengage

  Sylwch: nid yw'r ferf hon yn arfer cael ei rhedeg.

dadymochri *be* [dadymochr•¹] GWLEIDYDDIAETH
(am bleidleiswyr) cefnu ar deyrngarwch tymor
hir i blaid wleidyddol to dealign, dealignment

daear *eb* (daearoedd)
  1 wyneb y byd o'i gyferbynnu â'r awyr; tir
earth, land
  2 y pridd y mae planhigion yn tyfu ynddo;
deilbridd, gweryd earth, soil
  3 ffau creadur gwyllt, e.e. llwynog neu
gwningen; gwâl, lloches lair, earth, burrow
  (gweithio) dan ddaear gweithio mewn pwll
glo (to work) underground
  Ymadroddion
  ar y ddaear (fawr):ar wyneb y ddaear
ymadroddion i gryfhau neu ddwysáu'r ystyr,
*Pwy ar wyneb y ddaear fyddai'n gwneud y
fath beth?* on earth
  daear las porfa grassland
  daear lawr y Ddaear (yn hytrach na'r nefoedd)
Earth

Daear *eb* DAEARYDDIAETH y byd yr ydym yn byw
ynddo, y Ddaear; y drydedd blaned o'r Haul Earth

daeareg *eb* astudiaeth wyddonol o'r Ddaear,
gan gynnwys cyfansoddiad, adeiledd a
tharddiad ei chreigiau geology

daearegol *ans* yn perthyn i wyddor daeareg,
nodweddiadol o wyddor daeareg geological

daearegwr:daearegydd *eg* (daearegwyr)
gwyddonydd sy'n arbenigo mewn daeareg
geologist

daearen *eb* (daearennau) arwyneb y Ddaear,
y pridd a'r tir; gweryd earth

daearfochyn *eg* (daearfoch) mochyn daear; broch, pryf llwyd badger

daeargell *eb* (daeargelloedd)
1 carchar tanddaearol dungeon
2 cromgell; claddgell, crypt, fowt vault

daeargi *eg* (daeargwn) math o gi bywiog, bychan, deallus sy'n dilyn ei ysglyfaeth, e.e. llwynog, mochyn daear, i mewn i'w ffau terrier

daeargryd *eg* (daeargrydiau) DAEAREG cynnwrf neu gryndod yng nghramen y Ddaear, daeargryn bach earth tremor

daeargryn *eg* (daeargrynfeydd) cynnwrf neu gryndod yng nghramen y Ddaear sy'n gallu achosi difrod mawr earthquake

daearol *ans*
1 yn perthyn i'r Ddaear (sef y byd), nodweddiadol o'r Ddaear; bydol earthly
2 (am blanhigyn neu anifail) yn tyfu ar dir neu'n byw yn y pridd terrestrial
3 yn cael ei ddarlledu gan orsafoedd ar y Ddaear (yn hytrach na lloeren) terrestrial
Sylwch: nid yw'n cael ei gymharu.

daearolion *ell* pethau'r Ddaear the earthly

daearu *be* [daear•¹]
1 claddu yn y ddaear, gorchuddio â phridd to bury
2 cysylltu darn o beirianwaith trydanol â'r ddaear er mwyn diogelwch to earth

daearyddiaeth *eb* astudiaeth o'r byd fel cartref i'r hil ddynol – ei dirwedd a'i foroedd, ei adnoddau a'i hinsawdd, a'r ffordd y mae'r rhain yn cael effaith ar yr hil ddynol a'r hyn y mae'n ei gynhyrchu geography

daearyddol *ans* yn ymwneud â daearyddiaeth, nodweddiadol o ddaearyddiaeth geographical
Sylwch: nid yw'n cael ei gymharu.

daearyddwr *eg* (daearyddwyr) arbenigwr neu un hyddysg mewn daearyddiaeth neu faes daearyddol geographer

daeth *bf* [dod] gwnaeth ef/hi ddod

dafad *eb* (defaid) un o dda gwlanog fferm, anifail sy'n cael ei fagu er mwyn ei gig a'i wlân; hesbin, mamog sheep
Sylwch: gw. hefyd defaid.

dafad gwedder dafad wryw ddisbaidd ram, wether

dafad hesbin dafad flwydd heb fagu ŵyn yearling ewe

dafad hesbwrn gwryw blwydd oed yearling he-lamb

dafad swci dafad anwes pet sheep

defaid tac/cadw defaid sy'n cael eu cadw ar dir sydd ar rent tack sheep
Ymadrodd
dafad ddu aelod di-werth neu amheus o deulu neu gymdeithas black sheep

dafaden *eb* (dafadennau) MEDDYGAETH tyfiant ar y croen wart

dafaden wyllt MEDDYGAETH tyfiant canseraidd ar y croen cancerous wart, epithelioma

dafadennog *ans* wedi'i orchuddio â dafadennau, *llyffant dafadennog* warty

dafn *eg* (dafnau:defni) diferyn; defnyn, deigryn, gwlithyn drop

dafnu *be* [dafn•¹] llifo'n fain ac yn araf to trickle

daffodil *eg* cenhinen Bedr daffodil

dagr *eg* (dagrau) cyllell arbennig a ddefnyddir fel arf dagger

dagrau *ell*
1 lluosog deigryn
2 lluosog dagr
colli/gollwng/tywallt dagrau llefain to cry
dagrau heilltion llefain sy'n fynegiant o chwerwder bitter tears
dagrau pethau yr hyn sy'n drist the sad part of it
yn fy (dy, ei, etc.) nagrau yn llefain yn hidl in tears

dagreuol *ans*
1 llawn dagrau, yn llefain neu wedi bod yn llefain; wylofus tearful
2 am rywbeth sy'n achosi dagrau tearful, sad
dagreuol o fe'i defnyddir i ddwysáu ystyr ansoddair, *yn ddagreuol o falch*

dangos gw. dan(-)gos

dail *ell* lluosog deilen

dail-ceiniog planhigyn ymgripiol ac iddo ddail crwn pennywort

dail coch cemig (lluosog **camog**), eogiaid gwryw teirblwydd oed pan fyddant yn colli eu lliw ariannaidd, yn troi'n fwy cochlyd ac yn datblygu bach ar flaen yr ên three-year-old salmon

dail tafol un o amryw o fathau o blanhigyn cyffredin sy'n tyfu mewn caeau ac yn ymyl y ffordd; mae ganddo ddail llydan sy'n gallu lleddfu peth ar bigiad danadl poethion dock leaves
Ymadrodd
hel dail gw. hel

Dáil *eg* tŷ isaf Senedd Gweriniaeth Iwerddon

daioni *eg* y cyflwr neu'r ansawdd sy'n peri i rywun neu rywbeth gael ei alw'n dda (yn enwedig o fod yn rhinweddol ac yn foesol); caredigrwydd, rhinwedd goodness

daionus *ans* yn cyflawni daioni, yn gwneud lles; bendithiol, llesol, mad, rhinweddol beneficent, beneficial

dal:dala *be* [dali•² 3 *un. pres.* deil/dalia; 2 *un. gorch.* dal]
1 caethiwo, carcharu, corlannu to capture
2 cael mynediad i fws, trên, etc., cyn iddo gychwyn, *A oeddet ti mewn pryd i ddala'r trên?* to catch
3 gafael yn, cydio'n dynn, atal (rhag cwympo),

dala pêl; cadw, cynnal (*~* **yn** *rywbeth*) to catch, to hold, to support

4 cadw anadl i mewn yn yr ysgyfaint to hold

5 cynnwys, *Faint o ddŵr mae'r jar yma'n ei ddal?* to hold, to contain

6 parhau i deimlo, *Nid yw'n dal dig wrth neb.*; teimlo to bear

7 goddef, gwrthsefyll, *Sut mae'r to newydd yn dal yn y tywydd gwlyb yma?* to hold out

8 honni, haeru, maentumio, *Mae John yn dal mai ti oedd yn gyfrifol am dorri'r ffenestr.* to claim, to maintain

9 sylwi, darllen, *A ddaliaist ti rif y car coch 'na a aeth heibio?* to observe

10 parhau yn ddigyfnewid neu heb roi i mewn, *Wyt ti'n dal i fynd i'r capel ar ddydd Sul?* (*~* **i** wneud) to continue, to persevere

11 bod yn ddigon tyn fel na fydd yn datod; bod yn ddigon cryf fel na fydd yn torri, *Ydy'r rhaff yn mynd i'n dal ni?* to hold

12 twyllo, gwneud ffŵl, *Cefais fy nal gan fy mab ar Ebrill y cyntaf.* to catch

13 cael (am afiechyd) *dal annwyd* to catch

14 bwrw, taro, *Fe ddaliodd yr ergyd ef ar ei dalcen.* to catch

15 cadw rhan o'r corff neu'r corff i gyd heb symud, *Dal dy ben yn llonydd tra bydda i'n torri dy wallt.* to hold

dal allan peidio â rhoi i mewn to persevere

dal ar achub y cyfle, *Rwy'n mynd i ddal ar y cyfle i weld y siopau gan ein bod ni yma.*; manteisio

dal ati parhau i wneud rhywbeth, *Daliwch ati gyda'r gwaith.*; dyfalbarhau to persevere

dal cannwyll gw. **cannwyll**

dal dig bod yn amharod i faddau, aros yn ddig

dal dŵr

1 (yn llythrennol) heb fod yn gollwng, heb fod yn gadael dŵr i mewn nac allan to hold water

2 (yn ffigurol) am ddadl resymegol sy'n argyhoeddi ac/neu sy'n gredadwy, *Nid yw rheswm Mair dros fod yn hwyr yn dal dŵr.* to hold water

dal dwylo cydio yn nwylo to hold hands

dal fy (dy, ei, etc.) ngafael peidio â gollwng gafael to hang on to

dal fy (dy, ei, etc.) ngwynt peidio ag anadlu to hold one's breath

dal fy (dy, ei, etc.) nhafod bod yn dawel to hold one's tongue

dal fy (dy, ei, etc.) nhir gwrthod rhoi i mewn, gwrthod ildio to hold one's ground, to hold one's own

dal fy (dy, ei, etc.) nhrwyn ar y maen gorfodi (rhywun) i weithio'n galed to keep one's nose to the grindstone

dal pen rheswm siarad yn gall; sgwrsio, trafod, ymddiddan to keep up a conversation

dal perthynas â bod mewn perthynas â to have a relationship

dal y ddysgl yn wastad bod yn ddiduedd to be evenhanded

dal y slac yn dynn rhoi'r argraff o fod yn gweithio, esgus gwneud rhywbeth pan nad oes dim i'w wneud

dim dal ar (rywun) (am rywun) ni ellir dibynnu arno/arni; di-ddal can't depend on

fy (dy, ei, etc.) nal i wrthi yn cael fy nal yn gwneud rhywbeth to catch someone at it

wedi'i dal hi *anffurfiol* wedi meddwi to be drunk

Dalai Lama *eg* arweinydd ysbrydol Bwdhaeth Tibet

dal-dal *adf* talcen wrth dalcen head to head

dalen *eb* (dalennau) unrhyw ddarn sgwâr neu betryal o bapur ar gyfer ysgrifennu, tynnu llun, etc.; taflen, tudalen leaf, sheet

dalen deitl tudalen ar ddechrau llyfr sy'n cynnwys y teitl ac enw'r awdur a'r cyhoeddwr; wyneb-ddalen title page

Ymadrodd

troi dalen newydd ceisio byw bywyd gwell to turn over a new leaf

dalfa *eb* (dalfeydd)

1 adeilad lle mae troseddwr yn cael ei gadw'n gaeth; carchar, jêl, rheinws gaol, prison

2 casgliad o'r hyn sydd wedi cael ei ddal (e.e. pysgod); daliad, helfa catch, haul

dalgylch *eg* (dalgylchoedd)

1 yr ardal sy'n bwydo nant, afon neu lyn â dŵr catchment area

2 yr ardal y mae ysgol, ysbyty, etc. yn ei gwasanaethu; bro, cylch catchment area

daliad *eg* (daliadau)

1 peth y mae rhywun yn ei gredu ynddo; barn, coel, cred, tyb belief, opinion

2 cael gafael yn rhywbeth sy'n cael ei daflu, y weithred o ddal, canlyniad dal; dalfa catch

3 fferm fach; bwthyn, tyddyn holding

daliadaeth *eb* y weithred, yr hawl neu'r cyfnod o fod yn dal tir, swydd, etc.; deiliadaeth, prydles, tenantiaeth tenure

daliadwy *ans*

1 y gellir ei ddal catchable

2 yn dal dŵr (am safbwynt neu ddadl); rhesymegol tenable

daliant *eg* (daliannau)

1 CERDDORIAETH arwydd yn dangos bod rhaid aros yn hwy ar nodyn pause

2 CEMEG cyflwr sylwedd pan fydd yn cynnwys gronynnau heb eu hydoddi sydd wedi'u gwasgaru drwy hylif, nwy neu solid suspension

daliedydd *eg* (daliedwyr) un sy'n meddu ar archeb i dalu (siec neu nodyn banc) bearer

daliwr *eg* (dalwyr) dyfais neu declyn sy'n dal rhywbeth arbennig, *daliwr sigarét* holder

dal segno:DS *adf* ac *ans* CERDDORIAETH cyfarwyddyd i ailadrodd y gerddoriaeth o'r man lle mae'r arwydd

dall *ans* [dall•] (deillion) yn methu gweld, wedi colli ei olwg; tywyll blind

  dall i liw yn methu gwahaniaethu rhwng rhai lliwiau, neu'r lliwiau i gyd colour blind
  Ymadrodd
  dall bost cwbl ddall blind as a bat

dallbwynt *eg* (dallbwyntiau)
  1 cyfeiriad lle mae rhywbeth yn y ffordd sy'n rhwystro rhywun rhag gweld y cyfan yn glir blind spot
  2 maes y mae rhywun yn brin ei wybodaeth, ei farn neu ei grebwyll ynddo blind spot
  3 ANATOMEG terfyn y nerf optegol yn retina'r llygad lle nad yw'r llygad yn gallu synhwyro golau blind spot

dallineb *eg* y cyflwr o fod yn ddall blindness
  dallineb lliw y cyflwr o fod yn ddall i liw colour blindness

dallt *be* ffurf lafar ar **deall**
  dallt y dalltings *anffurfiol* deall sut mae pethau i fod, gwybod sut mae'r gwynt yn chwythu

dallu *be* [dall•³]
  1 gwneud niwed i lygaid rhywun gyda'r canlyniad ei fod yn colli'i olwg to blind
  2 peri bod unigolyn neu anifail yn methu gweld dros dro oherwydd gormod o ddisgleirdeb (~ *rhywun/rhywbeth* â) to blind, to dazzle
  3 *ffigurol* peri bod rhywun yn camddeall neu'n methu barnu'n iawn; twyllo to obscure

dam *ebychiad* rheg ysgafn, mynegiant o rwystredigaeth neu dymer ddrwg damn

damcaniaeth *eb* (damcaniaethau) syniad neu theori a ddefnyddir i esbonio'r ffeithiau yr ydym yn eu gwybod am rywbeth; dyfaliad, tybiad conjecture, hypothesis, theory

damcaniaethol *ans* yn perthyn i fyd syniadau ac athroniaeth yn hytrach na byd gweithredoedd ymarferol; honedig, tybiedig hypothetical, theoretical

damcaniaethu:damcanu *be* [damcaniaeth•¹] llunio damcaniaeth neu ddamcaniaethau; athronyddu, dyfalu, tybio (~ am) to conjecture, to hypothesize, to speculate

damcaniaethwr *eg* (damcaniaethwyr) un sy'n arbenigo ar ochr ddamcaniaethol testun theoretician

dameg *eb* (damhegion) stori fach neu hanesyn sy'n dysgu gwers foesol neu grefyddol; eglureb, moeswers parable, fable

damhegol *ans*
  1 ar ddull dameg allegorical, figurative
  2 ag ystyr cudd (am destun crefyddol) allegorical

damhegwr *eg* (damhegwyr) un sy'n dysgu drwy ddamhegion, un sy'n llunio damhegion allegorist

damnedig:damniedig *ans* un wedi'i ddamnio neu wedi'i gollfarnu; colledig, cyfrgoll, melltigedig, ysgymun damned

damnedigaeth *eb* (damnedigaethau) dyfarniad i gosb dragwyddol; condemniad damnation

damnio *be* [damni•²]
  1 condemnio i gosb dragwyddol to damn
  2 melltithio, rhegi, tyngu (~ *rhywun/rhywbeth* am) to curse, to swear

damniol *ans* yn condemnio'n llwyr, yn damnio condemnatory, damning

damo *ebychiad* *tafodieithol, yn y De* rheg ysgafn, mynegiant o rwystredigaeth neu dymer ddrwg damn

damper *eg* (damperi)
  1 falf neu blât sy'n rheoli faint o aer sy'n mynd drwy ffliw neu simnai damper
  2 blocyn a defnydd meddal drosto ar gyfer atal dirgryniad tant piano damper
  3 dyfais sy'n lleihau dirgryniad mecanyddol, e.e. siocladdwr mewn car damper

damsang:damsgen:damsgel *be* [damsang•³] sathru dan draed, troedio'n chwyrn ar ben; bracsan, pystylad, sathru, sengi (~ *rhywun/ rhywbeth* dan) to crush, to trample

damwain *eb* (damweiniau) rhywbeth (yn enwedig rhywbeth cas neu niweidiol) sy'n digwydd yn ddirybudd neu'n ddisymwth, heb ei gynllunio; anffawd, anhap, cyd-ddigwyddiad, lwc accident, mishap
  ar ddamwain ar hap, yn ddirybudd by chance
  ar hap a damwain yn ddamweiniol by accident

damweinio *be* [damweini•²] digwydd taro ar, dod ar draws (rhywun neu rywbeth) yn ddamweiniol (~ ar) to chance upon, to happen

damweiniol *ans* yn digwydd ar hap, yn ddirybudd, heb gael ei drefnu; anfwriadol accidental, inadvertent

dan *ardd* [danaf fi, danat ti, dano ef (fe/fo), dani hi, danom ni, danoch chi, danynt hwy (danyn nhw)] y ffurf fwyaf cyffredin ar **tan**, oddi tan, o dan
  Sylwch:
  1 mae'n achosi'r treiglad meddal;
  2 mewn arddull ffurfiol treiglir y 't' gychwynnol yn llaes hyd yn oed os defnyddiwyd 'dan' gynt (*Edrychais dan y gwely a than y cwpwrdd.*)

danadl:dynad *ell* lluosog **danhadlen**, planhigion gwyllt â dail pigfain o liw gwyrdd tywyll sy'n pigo neu'n llosgi o'u cyffwrdd nettles
  danadl poethion danadl y mae eu dail wedi'u gorchuddio â blew bach sy'n pigo stinging nettles

danadlwst *eg* *hynafol* wrticaria; cyflwr sy'n ganlyniad i alergedd, lle y ceir talpau coch neu wyn sy'n cosi ar y croen urticaria

danaf gw. **dan**

Danaidd *ans* yn perthyn i Ddenmarc, nodweddiadol o Ddenmarc Danish

danas *eg* carw llai o faint na'r carw coch; mae gan y bwch reiddiau (cyrn) arbennig fallow deer

dandi *eg* (dandïaid) gŵr sy'n rhoi gormod o sylw i'w ddillad a'i ymddygiad ei hun; coegyn balch dandy

dandïaidd *ans* nodweddiadol o ddandi foppish

dandwn *be* anwesu, mwytho, maldodi to make a fuss of, to pamper
Sylwch: nid yw'r ferf hon yn cael ei rhedeg.
dandwn y gath plygu breichiau to fold one's arms

danfon *be* [danfon•¹ *3 un. pres.* denfyn/ danfona; *2 un. gorch.* danfon/danfona]
1 gorchymyn i fynd, *Mae e wedi cael ei ddanfon o'r ysgol.*; anfon, gyrru, hela (~ o; ~ i; ~ am) to send
2 sicrhau bod rhywbeth yn mynd neu'n cael ei drosglwyddo, *Danfonais y parsel drwy'r post.*; postio to send
3 cyd-deithio, mynd â *Fe ddof fi i'ch danfon chi adre.*; hebrwng to accompany

danfoniad *eg* (danfoniadau) y broses o ddanfon, canlyniad danfon delivery

dangos *be* [dangos•¹ *3 un. pres.* dengys/ dangosa; *2 un. gorch.* dangos/dangosa]
1 peri i rywbeth ddod i'r golwg, *Dangosodd ei hapusrwydd drwy wenu arnom.*; arddangos (~ *rhywbeth* i *rywun*) to show
2 pwyntio, nodi, *Mae'r cloc yn dangos ei bod hi'n hanner awr wedi saith.* to show
3 teithio gyda, *dangos y ffordd*; arwain to show
4 profi, datgelu, *Roedd ei ddarlith yn dangos cyn lleied oedd ei wybodaeth o'r maes.* to show
5 egluro, arddangos, *Gadewch imi ddangos ichi sut mae'r peiriant yn gweithio.* to demonstrate, to show
6 cynnig fel perfformiad (yn enwedig ffilm), *Maen nhw'n dangos* Casablanca *yn y sinema yr wythnos nesaf.* to show
7 cyflwyno drwy weithredoedd, *dangos trugaredd tuag at eich gelynion* to show
dangos fy (dy, ei, etc.) hun brolio eich hun yn gyhoeddus to show off
dangos fy (dy, ei, etc.) nannedd rhybuddio neu fygwth; ysgyrnygu to bare one's fangs, to bare one's teeth
dangos fy (dy, ei, etc.) ochr dangos gyda phwy y mae'n ochri to show one's colours
dangos fy (dy, ei, etc.) wyneb gw. **wyneb**
dangos parodrwydd bod yn barod i to be prepared to
dangos y drws i rywun cael gwared ar, dangos y ffordd allan, mynnu bod rhywun yn ymadael to show the door to

dangosadwy *ans* y gellir ei brofi yn rhesymegol, amlwg demonstrable

dangosiad *eg* (dangosiadau)
1 y weithred o ddangos rhywbeth, canlyniad dangos showing
2 CERDDORIAETH y rhan gyntaf o dair rhan ffurf y sonata, lle mae'r prif themâu yn cael eu cyflwyno exposition

dangosol *ans*
1 yn dangos demonstrative
2 GRAMADEG yn cyfeirio at un yn benodol ac yn ei wahanu oddi wrth bopeth arall, e.e. y rhagenwau dangosol 'hwn', 'hon' a 'hyn', *y llyfr hwn, y ferch hon, y tai hyn, hyn yw achos y cynnydd* demonstrative

dangoswr *eg* (dangoswyr) un sy'n arddangos sut mae rhywbeth yn gweithio neu sut i'w ddefnyddio demonstrator

dangoswraig *eb* merch neu wraig sy'n arddangos sut mae rhywbeth yn gweithio neu sut i'w ddefnyddio demonstrator

dangosydd *eg* (dangosyddion)
1 teclyn sy'n rhan o beiriant neu ddyfais y gellir darllen mesuriadau arno indicator
2 ystadegyn neu ystadegau a ddefnyddir i fesur cyflwr neu effeithlonrwydd system economaidd indicator
3 CEMEG sylwedd megis litmws sy'n dangos (drwy newid ei liw fel arfer) gyflwr hydoddiant neu bresenoldeb cemegion arbennig ar ddiwedd neu yn ystod adwaith cemegol indicator

danhadlen *eb* unigol **danadl** nettle

danheddiad *eg* y pellter rhwng dannedd llif neu edau sgriw pitch

danheddog *ans*
1 am res o ddannedd, am res o ddarnau miniog a bylchau rhyngddynt, *creigiau danheddog*; cribog, pigog, ysgithrog jagged, serrated
2 yn meddu ar ddannedd toothed

Daniad *eg* (Daniaid) brodor o Ddenmarc, un o dras neu genedligrwydd Danaidd Dane

dannedd *ell* lluosog **dant**
dannedd dodi *tafodieithol, yn y De* plât a dannedd gwneud arno sy'n ffitio yn y geg lle bu dannedd naturiol cyn iddynt gael eu tynnu; dannedd gosod dentures, false teeth
Ymadroddion
â'm (â'th, â'i, etc.) gwallt yn fy nannedd a'm gwallt yn anniben neu'n flêr dishevelled, tousled
bwrw (rhywbeth) i'm (i'th, i'w, etc.) dannedd dannod, edliw to reproach, to tell me to my face
dangos fy (dy, ei, etc.) nannedd gw. **dangos**
dannedd yn nannedd (ymladd) yn ffyrnig tooth and claw

d

dianc â chroen fy (dy, ei, etc.) nannedd dianc o'r braidd; cael dihangfa gyfyng by the skin of one's teeth

drwy groen fy (dy, ei, etc.) nannedd o'r braidd by the skin of one's teeth

dweud dan fy (dy, ei, etc.) nannedd mwmial yn aneglur to mumble

rhoi dannedd i rywbeth rhoi grym neu awdurdod to give something teeth

taflu (rhywbeth) yn fy (dy, ei, etc.) nannedd dannod, edliw to reproach, to tell me to my face

tynnu dannedd gwneud yn aneffeithiol; gwanhau to draw (its) teeth

yn nannedd (rhywun neu rywbeth) (brwydro ymlaen) yn wyneb gwrthwynebiad in the face of opposition

yn tynnu dŵr o'r dannedd am rywbeth y disgwylir yn eiddgar amdano (fel mae rhywun ac eisiau bwyd arno yn edrych ymlaen at bryd da o fwyd)

dannod *be* atgoffa neu wawdio am fai neu fethiant, taflu ar draws dannedd; edliw, gwarafun (~ *rhywbeth* i *rywun*) to reproach
   Sylwch: nid yw'r ferf hon yn cael ei rhedeg.

dannoedd:dannodd *eb* sef 'y ddannoedd: y ddannodd', dolur neu boen yn nerfau'r dannedd toothache

danodiad *eg* (danodiadau) y weithred o ddannod; edliwiad reproach

danodd *adf* oddi tano, odano below, under

dant *eg* (dannedd)
  1 un o'r darnau esgyrnog sy'n tyfu yn rhannau isaf ac uchaf genau'r rhan fwyaf o anifeiliaid tooth, fang
  2 un o'r darnau cul, pigog y ceir nifer ohonynt mewn crib, llif, cocsen, etc. tooth
   Sylwch: gw. hefyd **dannedd.**

dant gofid:dant helbul cilddant ôl; un o'r pedwar cilddant yng nghefn y geg sy'n ymddangos pan fydd rhywun yn tynnu am ei ugeiniau wisdom tooth

dant sugno ANATOMEG un o'r dannedd dros dro mewn plant neu famolion ifanc milk tooth

dant (y) llygad ANATOMEG dant main, pigog ar bwys y dant blaen, sy'n tyfu'n ddant mawr mewn cigysyddion canine tooth, eye tooth
Ymadrodd

at fy (dy, ei, etc.) nant at fy chwaeth to my taste

danteithfwyd *eg* (danteithfwydydd) bwyd blasus sy'n anarferol neu'n amheuthun; blasusfwyd delicacy

danteithiol *ans* a blas da arno, sy'n boddhau yn fawr; amheuthun, blasus, sawrus delicious

danteithion *ell* bwydydd blasus a moethus; blasusfwyd dainties, delicacies, treats

danteithyn *eg* (danteithion) darn o fwyd blasus iawn, blasusfwyd drud, pleserus; blasyn delicacy

danto:dantio *be* [dant•¹] *tafodieithol, yn y De* torri calon; anobeithio, diffygio, digalonni to be discouraged, to daunt, to lose heart

dant y llew *eg* un o nifer o fathau o'r blodyn gwyllt cyffredin o liw melyn llachar sy'n ffurfio pelen wlanog o hadau ar ôl i'r blodyn wywo dandelion

dâr *eb* (deri) coeden fawr gollddail â phren caled y mae mes yn ffrwyth iddi; derwen oak (tree)

darbodaeth *eb* gofal, yn enwedig wrth reoli arian; cynildeb frugality, thrift

darbodion *ell* arbedion ariannol a enillir fel arfer drwy weithredu'n fwy effeithlon economies

darbodion maint ECONOMEG arbedion cymesurol mewn costau a enillir drwy gynnydd yn y lefel gynhyrchu economies of scale

darbodus *ans* cynnil wrth ddefnyddio arian ac adnoddau; carcus, gochelgar, gofalus frugal, prudent, thrifty

darbwyllo *be* [darbwyll•¹] perswadio (rhywun) i gredu rhywbeth; argyhoeddi (~ *rhywun* o) to convince, to persuade

darddullaidd *ans* CELFYDDYD yn perthyn i ddarddulliaeth, nodweddiadol o ddarddulliaeth mannerist

Darddulliaeth *eb* CELFYDDYD arddull arlunio a oedd yn ei anterth yn yr Eidal ar ddiwedd yr unfed ganrif ar bymtheg, lle byddai gwahanol rannau'r corff dynol yn cael eu hystumio a'u peintio mewn lliwiau llachar er mwyn dwysáu'r effaith emosiynol Mannerism

darddullwr *eg* (darddullwyr) CELFYDDYD arlunydd a beintiai yn null Darddulliaeth mannerist

darfath *eg* (darfathau) offeryn a ddefnyddir gan weithiwr metel i roi ffurf i fetel, naill ai drwy daro'r darfath ar y metel, neu'r metel ar y darfath swage

darfathu *be* [darfath•³] defnyddio darfath i osod ffurf ar fetel to swage

darfelydd *eg* dychymyg, ffansi fancy, imagination

darfod *be* [²⁰]
  1 peidio â bod, dod i ben; dibennu, gorffen, marw, trengi to cease, to die, to expire
  2 yn y ffurf **ddaru** mewn rhai tafodieithoedd sy'n cyfleu gweithred yn y gorffennol, *Ddaru chi orffen y gwaith? Ddaru'r dyn brynu'r llyfr wedi'r cyfan.*; digwydd to come to pass, to happen
   Sylwch: nid yw ffurfiau cryno presennol y ferf yn gyffredin heddiw – yn hytrach defnyddir y ffurfiau cwmpasog 'mae'n darfod'.

ar ddarfod ar fin gorffen neu drengi on the point of death

darfod ar (rywun) (wedi) gorffen, dod i ddiwedd to be done for

darfodedig *ans*
1 o natur a fydd yn darfod, dros dro, byr ei oes; byrhoedlog, diflanedig transient
2 yn adfeilio, yn darfod; brau decaying

darfodedigaeth *eb* twbercwlosis; clefyd heintus a achosir gan facteria ac a nodweddir gan y cnepynnau (twbercylau) sy'n tyfu ym meinwe'r corff (yn enwedig yr ysgyfaint) consumption, TB, tuberculosis

darfodiad *eg* y cyflwr o fod yn ddarfodedig, y broses o ddarfod neu o ddirwyn i ben obsolescence

darfodol *ans* ar y ffordd i fod yn anarferedig obsolescent

darfodus *ans* (am fwyd fel arfer) yn debyg o bydru perishable

darfu *bf* [darfod] *ffurfiol* gwnaeth ef/hi ddarfod; bu iddo ef/iddi hi ddarfod

darfudiad *eg* FFISEG symudiad sy'n cael ei achosi gan lifydd cynnes yn codi a llifydd oer yn suddo, gan achosi trosglwyddiad egni gwres convection

darfudo *be* [darfud•¹] FFISEG (am lifyddion) symud egni gwres drwy ddarfudiad to convect

darfudol *ans* yn meddu ar y gallu i ddarfudo convectional

darfyddaf *bf* [darfod] *hynafol* rwy'n darfod; byddaf yn darfod

darfyddiad *eg* (darfyddiadau) y broses o ddarfod; cwblhad, cyflawniad, diweddiad, gorffeniad ending, finishing

dargadw *be* [dargadw•³ 3 un. pres. dargeidw/ dargadwa]
1 MEDDYGAETH cadw hylif (yn groes i'r arfer) mewn ceudod yn y corff, yn enwedig cadw cymaint o droeth nes bydd yn achosi poen to retain
2 y ffordd y mae rhannau o'r corff yn llwyddo i ddal gafael ar sylweddau to retain
3 cadw neu ddal (fel y mae metel yn dargadw gwres) to retain

dargadwedd *eg* FFISIOLEG gallu'r corff a chydrannau'r corff i ddal gafael ar sylweddau, e.e. meinweoedd yn dargadw haearn retention

darganfod *be* [20] dod o hyd i rywbeth, canfod neu sylweddoli rhywbeth nad oedd yn wybyddus o'r blaen; ffeindio to discover, to find
Sylwch: defnyddiwch ffurf gwmpasog y ferf, 'Rwy'n darganfod', etc., i gyfleu'r Amser Presennol.

darganfyddaf *bf* [darganfod] byddaf yn darganfod

darganfyddiad *eg* (darganfyddiadau) y broses o ddarganfod; canlyniad darganfod; canfyddiad discovery, find

darganfyddwr *eg* (darganfyddwyr) un sy'n darganfod discoverer, inventor

dargludedd *eg* FFISEG mesur sy'n dangos pa mor rhwydd y mae rhywbeth yn darglude gwres neu gerrynt trydanol conductivity

dargludedd trydanol mesur o ba mor rhwydd y mae cerrynt trydanol yn gallu llifo drwy sylwedd, e.e. cerrynt trydanol drwy gopr electrical conductivity

dargludedd thermol FFISEG mesur o ba mor rhwydd y mae egni gwres yn gallu symud drwy sylwedd, e.e. egni gwres yn mynd drwy goncrit thermal conductivity

dargludiad *eg* FFISEG taith trydan neu wres drwy wifrau; taith dŵr drwy bibellau conduction

dargludiad trydanol FFISEG y broses lle mae cerrynt trydanol yn llifo drwy wrthrych dan ddylanwad gwahaniaeth foltedd; symudiad electronau sy'n gyfrifol am y llif mewn metelau electrical conduction

dargludiad thermol FFISEG y broses lle mae egni gwres yn llifo drwy wrthrych dan ddylanwad gwahaniaeth tymheredd; symudiadau microsgopig yn egni cinetig atomau a moleciwlau unigol sy'n bennaf cyfrifol am y llif thermal conduction

dargludiant *eg* FFISEG grym darglude conductance

dargludiant trydanol FFISEG mesur o ba mor rhwydd y mae cerrynt trydanol yn gallu mynd drwy ddarn penodol o sylwedd, e.e. cerrynt trydanol yn mynd drwy wifren gopr o hyd, lled a diamedr penodol electrical conductance

dargludiant thermol FFISEG mesur o ba mor rhwydd y mae egni gwres yn gallu mynd drwy ddarn penodol o sylwedd, e.e. egni gwres yn mynd drwy wal goncrit o arwynebedd a dyfnder arbennig thermal conductance

darglude *be* [darglud•¹] FFISEG caniatáu llif rhywbeth drwy wrthrych neu sylwedd, e.e. egni, gwres neu drydan to conduct

dargludol *ans* FFISEG (am sylwedd) yn darglude'n arbennig o dda, *Mae gan rai sosbenni haen o ddefnydd dargludol ar eu gwaelod.* conducting

dargludydd *eg* (dargludyddion) FFISEG sylwedd sy'n gallu trosglwyddo trydan neu wres neu sain conductor

dargopïad *eg* (dargopïadau) llun wedi'i gynhyrchu drwy'r broses o ddargopïo tracing

dargopïo *be* [dargopï•⁸] copïo llun drwy ddilyn amlinelliad y llun gwreiddiol ar ddarn o bapur tryloyw a roddir ar ei ben to trace, tracing
Sylwch: does dim angen didolnod pan fydd dwy 'i' yn dilyn ei gilydd, *dargopiir.*

darguddio *be* [darguddi•²] celu'n llechwraidd neu'n anonest to conceal

dargyfeiriad *eg* (dargyfeiriadau)
1 ffordd neu heol arbennig sy'n mynd â thrafnidiaeth neu gerddwyr y naill ochr

i rywbeth neu sy'n osgoi rhywbeth (dros dro fel arfer); gwyriad detour, diversion

2 FFISEG y broses o newid cyfeiriad llif neu faes fel eu bod yn ymledu, e.e. llif o electronau yn ymledu oherwydd eu nodweddion gwrthyrrol, neu newid yng nghyfeiriad maes magnetig divergence

3 FFISIOLEG y ffordd y mae'r llygaid yn ymledu i ffocysu ar rywbeth pellach nag arfer divergence

dargyfeirio *be* [dargyfeiri•²]
1 symud o un llwybr neu ffordd i un arall; ymwahanu to diverge, to divert
2 MATHEMATEG (am gyfres ddiderfyn) bod heb gyfanswm sy'n rhif meidraidd to diverge

dargyfeiriol *ans*
1 yn dargyfeirio divergent
2 MATHEMATEG am gyfres ddiderfyn nad yw ei chyfanswm yn rhif meidraidd divergent
llawfeddygaeth ddargyfeiriol gw. llawfeddygaeth

darheulad *eg* FFISEG mesur o bŵer yr Haul sy'n disgyn ar arwynebedd sydd ar ongl sgwâr i belydrau'r Haul insolation

dario *ebychiad* ffurf fwy parchus ar y rheg 'damo' damn

darlifo *be* [darlif•¹] MEDDYGAETH cylchredeg hylif (i organ neu feinwe) drwy gyfrwng y pibellau gwaed to perfuse

darlith *eb* (darlithiau:darlithoedd) anerchiad neu wers eithaf hir ar destun arbennig i grŵp o bobl, er mwyn eu haddysgu a/neu eu difyrru, yn enwedig i ddosbarth o fyfyrwyr mewn coleg lecture
darlith sefydlu darlith gyntaf neu agoriadol inaugural lecture

darlithfa *eb* (darlithfeydd) ystafell neu neuadd ddarlithio lecture room

darlithio *be* [darlithi•²] traddodi darlith, cyflwyno gwybodaeth i ddosbarth drwy gyfrwng darlith neu gyfres o ddarlithiau (yn enwedig mewn coleg); addysgu, traethu (~ ar *rywbeth* i *rywun*) to lecture

darlithydd *eg* (darlithwyr)
1 un sy'n traddodi darlith lecturer
2 rhywun sy'n ennill ei fywoliaeth drwy ddarlithio mewn coleg neu brifysgol; addysgwr, tiwtor lecturer

darlosgi *be* [darlosg•¹] llosgi'n ysgafn; rhuddo to scorch, to singe

darlun *eg* (darluniau)
1 ffordd o bortreadu rhywun neu rywbeth drwy dynnu llun ohono â phaent neu bensil; llun, murlun, paentiad, pictiwr illustration, picture
2 delwedd y mae modd ei dychmygu, o'r disgrifiad a roddir ohoni, *Mae'r llyfr hwn yn rhoi darlun clir iawn o fywyd ddwy ganrif yn ôl.* picture, portrait

darluniad *eg* (darluniadau) llun neu ddiagram sy'n egluro neu'n harddu, e.e. llyfr illustration

darluniadol *ans*
1 yn cynnwys nifer o ddarluniau (yn enwedig am luniau yn egluro ystyr testun mewn llyfr); disgrifiadol illustrated, pictorial
2 yn cynnwys nifer o enghreifftiau i ddynodi ystyr; enghreifftiol, eglurhaol descriptive, illustrated

darluniadol o fe'i defnyddir i ddwysáu ystyr ansoddair, *yn ddarluniadol o brydferth*

darlunio *be* [darluni•⁶]
1 gwneud darlun, tynnu llun; arlunio, peintio, portreadu to draw
2 ychwanegu lluniau er mwyn egluro neu addurno testun to illustrate
3 tynnu llun i'r dychymyg â geiriau, *Gyda'i drosiadau byw llwyddodd y bardd i ddarlunio harddwch ei fro.* to depict, to portray, to represent

darluniol *ans* CELFYDDYD wedi'i fynegi mewn lluniau, yn defnyddio darluniau pictorial

darlunydd *eg* (darlunwyr) un sy'n darlunio; un sy'n paratoi lluniau ar gyfer llyfr illustrator

darllaw *be* [darllaw•³] *llenyddol* gwneud cwrw drwy'r broses o drwytho, berwi ac eplesu, gwneud medd; bragu, macsu to brew

darllediad *eg* (darllediadau)
1 cyflwyniad ar y radio neu ar y teledu broadcast
2 y weithred o ddarlledu, canlyniad darlledu broadcast, transmission

darlledu *be* [darlled•¹]
1 lledaenu (newyddion, cerddoriaeth, drama, etc.) drwy gyfrwng y radio neu'r teledu to broadcast
2 actio neu siarad ar y radio neu ar y teledu to broadcast
darlledu digidol darlledu rhaglenni drwy ddefnyddio signalau digidol digital broadcasting
darlledu lloeren darlledu rhaglenni drwy ddefnyddio lloeren satellite broadcasting

darlledwr *eg* (darlledwyr) un sy'n darlledu ar y radio neu ar y teledu; gohebydd, sylwebydd broadcaster

darlledwraig *eb* merch neu wraig sy'n darlledu ar y radio neu ar y teledu broadcaster

darllen *be* [darllen•¹ 3 un. pres. darllen/darllena; 2 un. gorch. darllen/darllena]
1 deall ystyr symbolau (yn llythrennau, ffigurau, nodau cerddorol, etc.) sydd wedi'u gosod mewn print neu wedi'u hysgrifennu to read
2 dweud yn uchel rhywbeth sydd wedi'i osod mewn print neu sy'n ysgrifenedig, *bardd yn darllen ei farddoniaeth i gynulleidfa* (~ *rhywbeth* i) to read

3 cael gwybodaeth o lyfr, papur, cyfrifiadur, etc., *Darllenais am y llofruddiaeth yn y papur lleol.* (~ **am**) to read

darllen a deall y broses o ddeall yr hyn a ddarllenir reading comprehension
Ymadrodd

darllen rhwng y llinellau dyfalu, o'r ffordd y mae rhywbeth yn cael ei fynegi, ystyr wahanol i'r un a ymddengys ar yr wyneb, *Cefais yr argraff, o ddarllen rhwng y llinellau, nad oedd y ddau'n gyfeillion bellach.* to read between the lines

darllenadwy *ans*
1 wedi'i ysgrifennu neu ei argraffu'n eglur, hawdd ei ddarllen; amlwg, clir legible
2 hawdd a difyr i'w ddarllen; diddorol readable

darllenadwyaeth *eb* y cyflwr o fod yn glir ac yn hawdd ei ddarllen legibility

darllenadwyedd *eg* (am destun ysgrifenedig) y graddau y mae testun yn ddealladwy ac yn ddifyr readability

darllenfa *eb* (darllenfeydd) stondin neu fath o ddesg mewn eglwys i ddal y Beibl yn barod i'w ddarllen lectern

darllengar *ans* hoff o ddarllen, yn darllen llawer; diwylliedig well read

darlleniad *eg* (darlleniadau)
1 y broses o ddarllen, canlyniad darllen, *Dim ond ar y trydydd darlleniad y dechreuodd wneud synnwyr imi.* reading
2 achlysur pan fo gwaith (drama, barddoniaeth, etc.) yn cael ei ddarllen i gynulleidfa; cyflwyniad reading
3 un o'r tair gwaith y mae mesur yn cael ei ddarllen yn Senedd San Steffan er mwyn derbyn caniatâd ffurfiol i'w droi'n ddeddf reading
4 gwerth(oedd) neu ddata sy'n cael eu cynhyrchu gan ddyfais mesur, *darlleniad thermomedr* reading
5 darn o'r Beibl a ddarllenir mewn gwasanaeth; gwers, llith reading

darllenwr:darllenydd *eg* (darllenwyr:darllenyddion)
1 un sy'n darllen, e.e. un sy'n benthyca llyfrau o lyfrgell i'w ddarllen, yn enwedig un sy'n hoff o ddarllen neu sy'n darllen llawer, *Roedd y bachgen yn ddarllenwr mawr.* reader
2 un sy'n darllen yn uchel rannau o wasanaeth yr Eglwys reader
3 swydd mewn adran brifysgol sy'n uwch na darlithydd ond yn is nag athro reader
4 un sy'n darllen a chywiro proflenni ar gyfer gwasg argraffu (proof) reader
5 rhywun y mae cyhoeddwyr yn gofyn ei farn ynglŷn â gwerth cyhoeddi llyfr a gynigir iddynt reader

darllenydd *eg* (darllenyddion) peiriant sy'n cynorthwyo rhywun i ddarllen (drwy chwyddo maint y print fel arfer), *darllenydd microffilm* reader

darn *eg* (darnau)
1 rhan sydd wedi'i gwahanu neu wedi'i nodi ar wahân i'r cyfan, *darn o dir*; cyfran, dryll, tamaid part, piece, portion
2 uned sy'n perthyn i grŵp neu ddosbarth arbennig o bethau, *darn o ddodrefn*; eitem piece
3 un o nifer o ddarnau sy'n clymu ynghyd i wneud cyfanwaith, *darn o jigso* piece
4 un o nifer o ffigurau a ddefnyddir mewn gêmau megis gwyddbwyll; gwerin piece
5 gwaith creadigol artist, *darn o gerddoriaeth*; eitem piece
6 erthygl fer ar gyfer papur newydd neu gylchgrawn piece
7 dryll o arian bath, *darn 50 ceiniog* piece

darn- (wedi'i gyfuno â berf fel arfer) hanner, lled, rhannol, e.e. *darn-ladd* (hanner lladd) semi-

darnguddio *be* [darnguddi•²] celu'n llechwraidd neu'n anonest gyfran o ddâl neu ddyled to embezzle

darniad *eg* (darniadau) y broses o ddarnio, canlyniad darnio fragmentation

darnio *be* [darni•⁵]
1 torri neu rwygo'n ddarnau; dryllio, rhacsio to cut up, to dismember
2 beirniadu'n llym, malu'n rhacs to tear apart
3 rhannu neu chwalu cymdeithas neu eglwys, etc. to divide

darniog *ans* yn bodoli mewn darnau; â rhai darnau yn eisiau fragmentary

darn-ladd *be* [darnladd•³] curo'n ddidrugaredd, hanner lladd to thrash

daro *ebychiad tafodieithol, yn y De* ffurf fwy parchus ar y rheg 'damo' damn

darofun:darofyn *be tafodieithol, yn y Gogledd* amcanu, arfaethu, bwriadu, golygu (~ gwneud *rhywbeth*) to intend, to propose
Sylwch: nid yw'r ferf hon yn arfer cael ei rhedeg.

darogan *be* [darogan•³]
1 rhagfynegi'r hyn sydd i ddod; argoeli, proffwydo, rhag-ddweud to predict, to foretell, to augur
2 bwrw rhagolwg dros yr hyn a fyddai'n debyg o ddigwydd pe bodlonid amodau cynrheidiol, e.e. beth fyddai'n digwydd i A pe bai cynnydd yn B, a'r tymheredd yn aros yn ddigyfnewid; rhagweld to predict
3 *llenyddol* llunio cerdd broffwydol mewn iaith dywyll to vaticinate

daroganwr *eg* (daroganwyr) un sy'n darogan; gweledydd, proffwyd soothsayer

darostwng *be* [darostyng•¹]
1 gosod dan awdurdod neu reolaeth, tynnu

i lawr, torri crib; concro, gorchfygu, goresgyn, trechu (~ i) to humble, to subdue, to subjugate

2 talu gwrogaeth neu dreth to pay homage, to submit

darostyngedig *ans*

1 dan awdurdod rhywun, yn gaethwas i rywun; caeth, gwasaidd, ufudd humble, subjugated

2 wedi'i ddarostwng i rywun neu rywbeth arall; diraddiedig subject to

darostyngiad *eg* (darostyngiadau) y broses o ddarostwng, canlyniad darostwng; diraddiad, gorchfygiad, iselhad subjection, subjugation

darostyngol *ans* darostyngedig i (rywun neu rywbeth), yn dibynnu ar gael caniatâd subject

darpar *ans* am rywun neu rywbeth sydd wedi'i baratoi, sydd dan amod i briodi, sydd wedi'i ddewis ar gyfer swydd, *darpar ŵr, darpar brif swyddog* intended, prospective, designate, elect *Sylwch:* nid yw'n cael ei gymharu.

darpariad *eg* (darpariadau) y broses o ddarparu; darpariaeth, paratoad preparation

darpariaeth *eb* (darpariaethau)

1 yr hyn sydd wedi cael ei baratoi; arlwy, paratoad preparation

2 swm neu gyflenwad o bethau angenrheidiol megis nwyddau neu fwyd neu wasanaeth; adnoddau, defnyddiau provision

darparu *be* [darpar•³] gwneud yn barod i, trefnu ymlaen llaw; arlwyo, cyflenwi, hulio, paratoi (~ *rhywbeth* i *rywun*; ~ *rhywbeth* ar *gyfer*) to provide, to prepare, to cater

darparwr:darparydd *eg* (darparwyr) un sy'n darparu; arlwywr, cyflenwr provider

darperi *bf* [darparu] *ffurfiol* rwyt ti'n darparu; byddi di'n darparu

darseinydd *eg* (darseinyddion) uchelseinydd; darn o gyfarpar sy'n newid ysgogiadau trydanol yn sain, ac weithiau'n chwyddo'r sain honno a'i gwneud yn fwy eglur loudspeaker

darsen *eb* (dars) pysgodyn bach dŵr croyw sy'n perthyn i'r carp dace

dart *eg* (dartiau)

1 math o saeth fach bigfain sy'n cael ei thaflu at fwrdd arbennig dart

2 GWNIADWAITH plyg yn culhau o'i ben i'w waelod sy'n cael ei wnïo i ddilledyn er mwyn iddo ddilyn siâp y corff dart

daru *bf* [darfod] *tafodieithol, yn y Gogledd* gwnaeth ef/hi

darwagio *be* [darwagi•⁵] MEDDYGAETH gwagio neu leihau maint yr hylif mewn organ neu ran o'r corff to deplete

darwahanu *be* [darwahan•³] trefnu o ran lleoliad neu amser yn unol ag un o nifer o wahanol ffyrdd o orgyffwrdd to stagger

darwasgedd *eg* MEDDYGAETH teimlad o dyndra yn y frest constriction

darwasgiad *eg* (darwasgiadau) y broses o ddarwasgu, canlyniad darwasgu constriction

darwasgu *be* [darwasg•³] lleihau neu gulhau drwy gyfangu mewn un man to constrict

darwden gw. **tarwden**

Darwiniaeth *eb* damcaniaeth esblygiad yn seiliedig ar y ffaith fod grwpiau tra gwahanol o blanhigion ac anifeiliaid wedi tarddu o gyd-hynafiaid ond bod eu hepil yn datblygu mân newidiadau sy'n eu galluogi i addasu'n well i'w hamgylchfyd, a bod hyn yn rhan o broses o ddethol naturiol sydd wedi'i chynnal dros gyfnod o filiynau o flynyddoedd; esblygiad biolegol Darwinism

dashfwrdd *eg* (dashfyrddau) y panel yn cynnwys yr offer a deialau sy'n wynebu gyrrwr cerbyd dashboard

dat gw. **dad**

dat- gw. **dad-**

data *ell* lluosog **datwm**, cyfres o ffeithiau neu o wybodaeth grai data

gwarchod data gw. **gwarchod**

datblisgo *be* [datblisg•¹] (am risgl, croen, etc.) rhisglo yn haenau neu'n gen; hifio to exfoliate

datblygedig *ans*

1 wedi'i ddatblygu developed

2 ECONOMEG (am wlad) a nodweddir gan lefelau uchel o gynnyrch ac incwm y pen developed

datblygiad *eg* (datblygiadau)

1 y broses o ddatblygu, canlyniad datblygu; cynnydd, esblygiad, prifiant, twf development, elaboration

2 digwyddiad newydd neu ddarn o newyddion development

3 CERDDORIAETH ail ran darn ar ffurf y sonata, lle mae'r prif themâu neu alawon yn cael eu rhannu a'u datblygu development

4 y broses o ddefnyddio darn o dir i wneud elw, e.e. drwy adeiladu arno development

5 darn o dir ac adeiladau newydd arno development

datblygiadol *ans* yn disgrifio'r broses o ddatblygu developmental

datblygol *ans*

1 yn dechrau datblygu developing

2 ECONOMEG (am wlad) a nodweddir gan dlodi a lefelau isel o gynnyrch y pen developing

datblygu *be* [datblyg•¹]

1 gwneud neu dyfu yn fwy, yn gyflawnach, yn fwy bywiog; amlhau, cynyddu, ehangu, helaethu (~ yn *rhywun*) to develop

2 ystyried pob agwedd ar syniad neu ei gyflwyno'n llawn to develop

3 (mewn ffotograffiaeth) trin ffilm â chemegion er mwyn gallu gweld y lluniau to develop

4 dangos neu ddatguddio posibiliadau

economaidd, o ran tir, adeiladau, pobl, etc.
to develop

datblygwr *eg* (datblygwyr) un sy'n datblygu,
yn enwedig un sy'n datblygu tir drwy godi
adeiladau arno developer

datblygydd *eg* cemegyn a ddefnyddir i drin ffilm
er mwyn datblygu'r lluniau developer

datbrisiant *eg* ECONOMEG y weithred o ostwng
cyfradd cyfnewid y wlad, e.e. gostwng gwerth y
bunt yn erbyn y ddoler devaluation

datbrofi *be* [datbrof•¹] dangos bod rhywbeth yn
anghywir; gwrthbrofi to disprove, to refute

datbroffesu *be* [datbroffes•¹] tynnu yn ôl neu
wadu yn gyhoeddus gred grefyddol neu wleidyddol
a arddelwyd gynt; datgyffesu to recant

datchwyddiant *eg*
1 y broses o ddatchwyddo, canlyniad datchwyddo
deflation
2 ECONOMEG gostyngiad cyffredinol a pharhaus
mewn prisiau deflation

datchwyddo *be* [datchwydd•¹]
1 gollwng aer neu nwy (allan o deiar, balŵn,
etc.); datchwythu to deflate
2 cael ei wagio o aer neu nwy, e.e. yn achos yr
ysgyfaint to deflate
3 ECONOMEG cyfyngu ar faint o arian a chredyd
sydd yn yr economi to deflate

datchwyddol *ans* am bolisi ariannol/cyllidol
sy'n gostwng gwariant drwy gyfyngu ar arian a
chredyd deflationary

datchwythu *be* [datchwyth•¹] gollwng aer neu
nwy (allan o deiar, balŵn, etc.) to deflate

datgan *be* [datgan•³] gwneud yn hysbys (yn
ffurfiol fel arfer); adrodd, cyhoeddi, mynegi,
proffesu to announce, to declare, to proclaim

datganiad *eg* (datganiadau)
1 mynegiad ffurfiol; adroddiad, cyhoeddiad,
haeriad, proffes statement, pronouncement
2 perfformiad o gerddoriaeth neu farddoniaeth;
caniad, cyflwyniad recital, rendering

datganoledig *ans* (am bŵer) wedi'i
drosglwyddo neu ei ddirprwyo i lefel is, yn
enwedig o lywodraeth ganolog i lywodraeth
leol neu ranbarthol decentralized, devolved

datganoli *be* [datganol•¹] trosglwyddo neu
ddirprwyo (pŵer) i lefel is, yn enwedig o
lywodraeth ganolog i lywodraeth leol neu
ranbarthol to decentralize, to devolve, devolution

datganoliad *eg* (datganoliadau) y broses o
ddatganoli, canlyniad datganoli devolution

datgarbocsyleiddio *be* [datgarbocsyleiddi•²]
CEMEG dileu grŵp carbocsyl o foleciwlau;
gall olygu rhyddhau carbon deuocsid o asidau
carbocsylig to decarboxylate

datgarbocsyliad *eg* y broses o
ddatgarbocsyleiddio, canlyniad
datgarbocsyleiddio decarboxylation

datgarboneiddio *be* [datgarboneiddi•²] CEMEG
tynnu ymaith garbon, e.e. o beiriant car
to decarbonize

datgeiniad *eg* (datgeiniaid) un sy'n cyflwyno
datganiad (yn ganwr neu'n gantores, yn
adroddwr neu'n adroddreg) singer, narrator

datgeinydd *eg* (datgeinyddion) un sy'n datgan,
ar lafar neu ar gân; adroddwr, caniedydd,
cantor, canwr declaimer

datgeliad *eg* (datgeliadau) y broses o ddatgelu,
canlyniad datgelu; amlygiad, dadleniad disclosure

datgelu *be* [datgel•¹] rhyddhau cyfrinach;
cyhoeddi, dadlennu, datguddio (~ *rhywbeth* i)
to disclose, to divulge, to reveal

datgladdu *be* [datgladd•³] ailagor bedd
to exhume, to disinter

datgload *eg* (datgloadau) y broses o ddatgloi,
canlyniad datgloi unlocking

datgloi *be* [datglo•¹⁷] agor clo neu rywbeth
cloëdig (~ *rhywbeth* â) to unlock

datglöwr *eg* (datglowyr) BIOLEG symbyliad
allanol sy'n sbarduno adwaith penodol yn
ymddygiad organebau, e.e. effaith newidiadau
yn hyd y dydd ar fudo adar releaser

datglymu *be* [datglym•¹] datod rhywbeth
sydd mewn cwlwm (yn llythrennol neu'n
ffigurol); datrys, rhyddhau, ymddatod to untie,
to untangle, to loosen

datglystyriad *eg* CEMEG y broses o ddatglystyru,
canlyniad datglystyru deflocculation

datglystyru *be* [datglystyr•¹] CEMEG
chwalu'n fân ddarnau, *pridd yn datglystyru*
to deflocculate

datgodio *be* [datgodi•²] troi neges mewn cod yn
iaith ddealladwy to decode

datgoedwigo *be* cymynu coed, clirio fforestydd;
difforestu to deforest
Sylwch: nid yw'r ferf hon yn arfer cael ei rhedeg.

datgomisiynu *be*
1 tynnu (llong) allan o wasanaeth
to decommission
2 datgysylltu (adweithydd neu arf niwclear) a'i
wneud yn ddiogel to decommission

datguddiad *eg* (datguddiadau)
1 cyhoeddiad o rywbeth cyfrinachol; dadleniad
disclosure, revelation
2 ffaith annisgwyl sy'n dod i'r golwg revelation
3 CREFYDD datgeliad o wirioneddau na ellid
bod wedi dod o hyd iddynt ac eithrio drwy
ymyrraeth ddwyfol revelation
Datguddiad Ioan CREFYDD llyfr olaf y Beibl
the Book of Revelation

datguddiedig *ans* wedi'i ddatguddio, wedi'i
ddatgelu revealed

datguddio *be* [datguddi•²]
1 gwneud yn hysbys (fel arfer mewn modd
goruwchnaturiol) to reveal

2 dwyn i'r golwg; amlygu, dadorchuddio, dangos, datgelu to reveal, to uncover, to manifest

datguddiwr *eg* (datguddwyr) un sy'n datguddio revealer

datgydosod *be* [datgydosod•¹] tynnu'n ddarnau; dadosod, datgymalu to disassemble

datgyffesu *be* [datgyffes•¹] tynnu yn ôl neu wadu yn gyhoeddus gred grefyddol neu wleidyddol a arddelwyd gynt; datbroffesu to recant

datgyhoeddi *be* [datgyhoedd•¹] fel yn *datgyhoeddi priodas*, diddymu to call off

datgymaliad *eg* (datgymaliadau) y broses o ddatgymalu, canlyniad datgymalu dislocation

datgymalu *be* [datgymal•¹] gwahanu dau neu ragor o bethau sydd ynghlwm wrth ei gilydd, torri'n rhydd, tynnu'n rhydd, dod yn rhydd; dadelfennu, datgysylltu, dyrannu to dismantle, to dislocate

datgyplu *be* [datgypl•¹]
1 lleihau neu atal gwyriad neu osgiliad nad oes ei angen mewn cylched (~ *rhywbeth* **oddi wrth**) to decouple
2 gwahanu, *datgyplu coets wrth injan* to decouple

datgysylltiad *eg* (datgysylltiadau)
1 y broses o ddatgysylltu, canlyniad datgysylltu disconnection, dislocation
2 CREFYDD toriad yn y cyswllt rhwng yr Eglwys a'r wladwriaeth disestablishment
3 BIOLEG y gallu gan facteria i wahanu'n ddwy neu ragor o ffurfiau morffolegol tra gwahanol a pharhaol dissociation
4 SEICOLEG y ffordd y mae un grŵp o syniadau neu weithgareddau yn cael eu gwahanu oddi wrth brif rediad ymwybyddiaeth unigolyn fel rhan o beirianwaith amddiffynnol y meddwl dissociation

datgysylltiedig *ans* wedi'i ddatgysylltu, ar wahân detached

datgysylltiol *ans* y gellir ei ddatgysylltu dissociative
anhwylder datgysylltiol SEICOLEG un o ddosbarth o anhwylderau sy'n cael eu nodweddu gan anallu i integreiddio gwybodaeth bersonol am yr hunan, yn enwedig agweddau ar hunaniaeth, cof, ac ymwybyddiaeth dissociative disorder

datgysylltu *be* [datgysyllt•¹]
1 torri'r cysylltiad rhwng dau (neu ragor) o bethau; datgymalu, datod, gwahanu, rhannu to disconnect, to detach
2 torri'r cysylltiad rhwng yr Eglwys a'r wladwriaeth to disestablish
datgysylltu plwg tynnu plwg to unplug

datgywasgiad *eg*
1 y broses o ddatgywasgu, canlyniad datgywasgu decompression
2 lleihad graddol yng ngwasgedd aer decompression

datgywasgu *be* [datgywasg•³] gollwng cywasgedd (yn gyflym neu'n raddol); rhyddhau o wasgedd aer to decompress

siambr ddatgywasgu siambr lle mae'n bosibl gostwng gwasgedd aer sy'n uwch na'r gwasgedd atmosfferig, yn raddol, nes iddo gyrraedd y lefel honno; mae'n cael ei defnyddio os bydd plymiwr i ddyfnderoedd môr neu lyn wedi codi i'r wyneb yn rhy gyflym decompression chamber

datgyweddu *be* [datgywedd•¹] (mewn cleddyfa) symud eich llafn oddi ar lafn eich gwrthwynebydd er mwyn ymosod arno (~ **oddi wrth**) to disengage

datod *be* [datod•¹ 3 *un. pres.* detyd/datoda; 2 *un. gorch.* datod/datoda]
1 dad-wneud cwlwm neu ddarn o wau; datglymu, datgysylltu, gwahanu to undo, to untie, to unbutton
2 gollwng yn rhydd, *datod clo*; agor, llacio, rhyddhau to undo

datodadwy *ans* y gellir ei ddatod detachable

datodi *be* [datod•¹] ECONOMEG dirwyn cwmni i ben drwy werthu asedau'r cwmni a rhannu'r arian a godir o'r gwerthiant rhwng y credydwyr to liquidate

datodiad *eg* (datodiadau)
1 y broses o ddatod, canlyniad datod untying
2 ECONOMEG y broses o ddirwyn i ben weithredoedd cwmni masnachol drwy droi asedau yn arian i dalu dyledion liquidation

datrys *be* [datrys•¹ 3 *un. pres.* detrys/datrysa; 2 *un. gorch.* datrys/datrysa] cael hyd i ateb i broblem, esboniad arni neu ffordd o ymdrin â hi; ateb, datglymu, datod to solve, to unravel, to untangle
Sylwch: nid yw'r ferf hon yn arfer cael ei rhedeg.

datrysiad *eg* (datrysiadau) y broses o ddatrys problem, canlyniad datrys; ateb, eglurhad, esboniad solution

datsain¹ *eb* (datseiniau) effaith sain a gynhyrchir drwy ddulliau electronig reverb

datsain² *bf* [datseinio] mae ef yn datseinio/mae hi'n datseinio; bydd ef yn datseinio/bydd hi'n datseinio

datseimio *be* [datseimi•²] glanhau drwy gael gwared ar saim ac olew (~ *rhywbeth* **â**) to degrease

datseinedd *eg* y weithred o ddatseinio neu o adlewyrchu sain reverberation

datseinio *be* [datseini•² 3 *un. pres.* datsain/datseinia; 2 *un. gorch.* datsain/datseinia] adleisio drosodd a throsodd; atseinio, diasbedain to reverberate

datseiniol *ans* yn datseinio, yn diasbedain reverberating

datsgriwio *be* [datsgriwi•²] llacio neu dynnu ymaith sgriw neu bethau sydd wedi'u sgriwio ynghyd; dod yn rhydd; datod to unscrew

datwm *eg* unigol **data** datum

datysen *eb* (datys) ffrwyth bach brown, melys â hedyn hir, sy'n tyfu ar fath arbennig o balmwydden mewn gwledydd poeth, sych date

dathliad *eg* (dathliadau) y broses o ddathlu, canlyniad dathlu celebration

dathlu *be* [dathl•³]
1 eich mwynhau eich hunan ar achlysur arbennig to celebrate
2 canmol (rhywun neu rywbeth) mewn erthygl neu anerchiad, etc. to celebrate
3 nodi achlysur arbennig drwy lawenhau (yn gyhoeddus neu'n breifat), *dathlu ugain mlynedd o briodas* to celebrate

dau¹ *rhifol* (deuoedd)
1 y rhif sy'n dilyn un ac yn dod o flaen tri two
2 y symbol sy'n cynrychioli'r nifer hwn, 2 neu ii two
3 (gwrywaidd) y nifer hwn o bobl, pethau, etc., *dau fachgen, dau gar* both
Sylwch:
1 mae'n achosi'r treiglad meddal, *dau lyfr, dau fab*, ond mae 'can' [100] yn eithriad weithiau, e.e. *daucanmlwyddiant;*
2 mae'n treiglo'n feddal ar ôl 'y' neu ''r', *y ddau ŵr, i'r ddau le*, felly hefyd mewn enwau cyfansawdd lle y ceir y ffurf *deu, y ddeuddyn* (gyda rhai eithriadau, e.e. *deuparth; deupen; deutu*).
dwy ffurf fenywaidd **dau** a ddefnyddir gydag enw benywaidd, *dwy ferch* two
Sylwch:
1 mae'n achosi'r treiglad meddal, *dwy gadair, dwy ferch;*
2 mae'n treiglo'n feddal ar ôl 'y' neu ''r' *y ddwy wraig.*
Ymadroddion
does dim dau does dim amheuaeth there's no two ways about it
rhoi dau a dau at ei gilydd cyrraedd casgliad ar sail y dystiolaeth to put two and two together
rhwng dau feddwl gw. rhwng
syrthio rhwng dwy stôl gw. stôl

dau² *eg* (deuoedd)
1 pâr, cwpl, deuawd couple
2 y naill ynghyd â'r llall both

daucanmlwyddiant:deucanmlwyddiant *eg* pen blwydd yn ddau gant oed bicentenary

dauddegau *ell* y blynyddoedd mewn canrif rhwng '20 a '29 (the) twenties

dau-ddwbl *ans* cymaint eto, dwywaith cymaint twofold, double
Sylwch: nid yw'n cael ei gymharu.

dau-ddwbl a phlet
1 wedi'i blygu bron yn ddwy doubled up
2 wedi'i blygu a'i wasgu'n fflat folded and flattened

dauddyblyg *ans* cymaint eto; dwbl twofold

daufaril *ans* (am ddryll) ac iddo ddau faril double-barrelled

daufiniog *ans*
1 (am gleddyf neu fwyell) ag ymyl miniog ar ei ddwy ochr; deufin double-edged
2 *ffigurol* â dwy swyddogaeth wahanol i'w gilydd double-edged
Sylwch: nid yw'n cael ei gymharu.

dauwynebog *ans* (am rywun) yn dweud un peth yn eich wyneb a rhywbeth arall y tu ôl i'ch cefn; annidwyll, ffuantus, rhagrithiol, twyllodrus hypocritical, two-faced

daw¹ *eg* (dofion) *hynafol* mab yng nghyfraith son-in-law

daw² *bf* [dod] mae ef yn dod/mae hi'n dod; bydd ef yn dod/bydd hi'n dod

dawn *eb* (doniau) medrusrwydd cynhenid, gallu naturiol, *dawn dweud*; medr, sgìl, talent talent, flair, knack, aptitude

dawns *eb* (dawnsfeydd:dawnsiau)
1 y weithred o ddawnsio dance
2 yr enw a roddir ar gyfuniad penodol o symudiadau i fath arbennig o gerddoriaeth, e.e. walts, tango, jeif dance
3 cyfarfod, achlysur neu barti ar gyfer dawnsio dance
4 darn o gerddoriaeth y gellir dawnsio iddo dance

dawns werin
1 dawns sy'n nodweddiadol o ardal neu wlad arbennig ac a fyddai'n cael ei dawnsio gan bobl gyffredin yn hytrach na'r crachach/boneddigion folk dance
2 twmpath dawns folk dance

dawnsfa *eb* (dawnsfeydd) neuadd ddawnsio ballroom

dawnsio *be* [dawnsi•²]
1 symud mewn ffordd rythmig i gyfeiliant cerddoriaeth (ar eich pen eich hun neu gyda phartner) (~ **gyda** *rhywun*) to dance
2 perfformio rhyw ddawns arbennig to dance
3 neidio lan a lawr, *tonnau'n dawnsio yn yr haul, athro yn dawnsio yn ei ddicter;* dychlamu, llamu, prancio, ysboncio to dance

dawnsio gwerin dawnsio i alawon gwerin traddodiadol, fel arfer ar achlysuron cymdeithasol, gan bobl sydd heb dderbyn hyfforddiant proffesiynol folk dancing

dawnsiwr *eg* (dawnswyr) un sy'n dawnsio dancer

dawnswraig *eb* merch neu wraig sy'n dawnsio dancer (female)

dawnus *ans* yn meddu ar ddawn; galluog, medrus, talentog gifted, skilful

d

dawr *bf* hynafol fel yn yr ymadrodd *ni'm dawr*, nid yw o ddiddordeb (i mi)

de¹:deau *eg*
1 un o bedwar prif bwynt y cwmpawd a'r un sydd gyferbyn â'r gogledd; y cyfeiriad a wynebir gan rywun sy'n edrych tua'r Haul ganol dydd; D south
2 deheudir Cymru, y siroedd sy'n ymestyn o Sir Fynwy yn y dwyrain i Sir Benfro yn y Gorllewin (y De); deheubarth south Wales

de² *ans* i'w gael yn y de, *De America* south

de³ *eb*
1 (gyda'r gair 'llaw' yn ddealledig) ochr y corff nad yw'n cynnwys y galon, yr ochr sydd gyferbyn â'r chwith right
2 (yn wleidyddol) y pleidiau sy'n derbyn egwyddorion ceidwadol/cyfalafol ac yn tueddu i gefnogi'r cyflogwyr yn hytrach na'r gweithwyr right
Sylwch: oherwydd yr amwysedd, mae 'dde' wedi ymgaregeiddio'n ffurf ddigyfnewid, e.e. llaw dde (*eb*), llygad dde (*egb*), drws dde.

de⁴ *ans* ar y dde, *llaw dde* right

De Affricanaidd *ans* yn perthyn i Weriniaeth De Affrica, nodweddiadol o Weriniaeth De Affrica South African

De Affricanwr *eg* (De Affricanwyr) brodor o Weriniaeth De Affrica South African (man)

De Affricanwraig *eb* merch neu wraig o Weriniaeth De Affrica South African (woman)

deall¹ *be* [deall•³ 2 un. gorch. deall/dealla]
1 canfod ystyr neu arwyddocâd (gair, ymadrodd, darn ysgrifenedig, etc.), dod i wybod to comprehend, to understand
2 dirnad rhyw ddirgelwch, canfod achos oddi wrth yr effeithiau, *A oes unrhyw un yn deall y tywydd, dywedwch?* to understand
3 adnabod neu synhwyro (cymeriad, unigolyn, teimladau, etc.), *Rwy'n deall sut mae John yn teimlo.*, bod yn ymwybodol to understand
4 (mewn llythyr neu'n ffurfiol) cael gwybod, *Rwy'n deall na fyddwch yn dod i'r cyfarfod.*; sylweddoli to understand
cael ar ddeall cael gwybod to understand
rhoi ar ddeall rhoi gwybod to give one to understand

deall² *eg* y gallu neu'r gynneddf i ddefnyddio'r rheswm i ddirnad neu amgyffred rhywbeth; crebwyll, deallusrwydd, dirnadaeth intellect, understanding

dealladwy *ans* y gellir ei ddeall; amgyffredadwy, dirnadwy, eglur intelligible, understandable

deallaeth *eb* y gred bod gwybodaeth yn deillio'n llwyr neu bron yn llwyr o ymarfer y deall neu'r rheswm intellectualism

dealledig *ans*
1 a gymerir yn ganiataol (mewn cytundeb neu

amod), neu a gytunwyd rywbryd o'r blaen implicit, implied, understood, tacit
2 a awgrymir heb ei grybwyll implicit, implied, understood

deallol:deallusol *ans* yn meddu ar y ddawn ac yn meithrin y ddawn i feddwl yn ddeallus ar lefel uchel intellectual

dealltwriaeth *eg* (dealltwriaethau)
1 y gynneddf sy'n defnyddio rheswm i ddeall rhywbeth; deall understanding, comprehension
2 dehongliad ystyr, *yn ôl fy nealltwriaeth i o'r sefyllfa* understanding
3 cytundeb (dealledig), *Mae yna ddealltwriaeth rhwng y ddwy blaid i beidio â chystadlu yn erbyn ei gilydd yn yr etholiad.*; amod agreement, understanding

deallus *ans* yn meddu ar ddeall; goleuedig, peniog intelligent, wise

deallusion *ell* lluosog **deallusyn** intellectuals, intelligentsia

deallusol gw. **deallol**

deallusrwydd *eg* gallu meddyliol, y gallu i ddeall; amgyffred, crebwyll, deall, dirnadaeth intelligence, cleverness

deallusrwydd artiffisial yr wyddor o lunio peiriannau deallus, yn enwedig systemau cyfrifiadurol i gyflawni tasgau a oedd yn y gorffennol yn gofyn am ddeallusrwydd ymenyddol, e.e. cyfieithu o un iaith i iaith arall artificial intelligence

deallusyn *eg* (deallusion) rhywun tra deallus intellectual

deau gw. **de¹**

début *eg* perfformiad cyntaf artist ar lwyfan

debyd *eg* (debydau)
1 cofnod o ddyled ariannol, yn enwedig cofnod mewn cyfriflen yn dangos gwariant debit
2 swm y cofnodion o ddyled a restrir debit
3 tâl allan o gyfrif banc debit

debydu *be* [debyd•¹]
1 cofnodi yn ddebyd (~ *rhywbeth* o) to debit
2 codi fel tâl yn erbyn cyfrif banc to debit

dec *eg* (deciau)
1 bwrdd llong deck
2 peiriant sy'n chwarae recordiau neu gasetiau sain deck

decagon *eg* (decagonau) MATHEMATEG ffigur dau ddimensiwn sydd â deg ochr llinell syth a deg ongl decagon

decathlon *eg* (decathlonau) cystadleuaeth athletaidd i ddynion yn bennaf lle mae pob un yn cystadlu mewn deg cystadleuaeth, sef y rasys 100 metr, 400 metr, 1,500 metr, 110 metr dros y clwydi, taflu'r waywffon, taflu'r ddisgen a'r maen, y naid uchel, y naid hir a'r naid â pholyn decathlon

Deceangliaid *ell hanesyddol* y llwyth Celtaidd a
oedd yn byw yn ardal Tegeingl (y Fflint heddiw)
cyn i'r Rhufeiniaid oresgyn y wlad yn y ganrif
gyntaf OC Deceangli

decilitr *eg* (decilitrau) degfed ran o litr, sef can
mililitr decilitre

decimetr *eg* (decimetrau) degfed ran o fetr, sef
deg centimetr decimetre

decini:deceni *talfyriad tafodieithol* talfyriad o
'mae'n debyg gen i'; gwlei, mwn, sbo I would
suppose

decllath *eb* deg llathen ten yards

décor *eg* y ffordd y mae ystafell wedi'i haddurno
a'i dodrefnu

De-Coreaidd *ans* yn perthyn i Dde-Korea,
nodweddiadol o Dde-Korea South Korean

découpage *eg* dull o addurno rhywbeth drwy
lynu wrtho ddarnau wedi'u torri o bapur

decpunt *eb* (decpunnoedd) deg o bunnau tenner

decretal *eg* (decretalau) CREFYDD llythyr gan
y Pab yn cynnig ateb awdurdodol ar bwynt o
gyfraith ganon; ordinhad decretal

decstros *eg* CEMEG ffurf fwyaf cyffredin glwcos
dextrose

dechau *ans* ffurf arall ar **dethau**

dechrau[1] *eg* (dechreuoedd) man cychwyn, rhan
gyntaf; dechreuad, ffynhonnell, gwraidd,
tarddiad beginning, start
  ar ddechrau yn y dechreuad at the beginning
  o'r dechrau cyntaf o'r cychwyn cyntaf
  from the very beginning
  o'r dechrau un o'r cychwyn cyntaf from the
  very beginning
  o'r dechrau yn deg o'r cychwyn cyntaf
  from the very beginning

dechrau[2] *be* [dechreu•[4]]
  1 cychwyn (taith, mynd ar drywydd, etc.)
  (~ o *rywle*; ~ *gyda rhywbeth*) to begin,
  to commence, to start
  2 peri neu ddwyn i fodolaeth, *Ai dy dad a
  ddechreuodd Aelwyd y pentref?*; sefydlu,
  sylfaenu, to start
  3 cychwyn ar ryw waith neu orchwyl arbennig,
  *Bydd yr adeiladwyr yn dechrau ddydd Llun
  nesaf.* to begin
  4 cychwyn o ryw fan arbennig, *Mae prisiau yn
  dechrau o £5 y cilo.*; tarddu to start
  5 cychwyn defnyddio, *Dechreuwch bob
  tudalen ar yr ail linell.* to start
    Sylwch: er nad oes gwahaniaeth ystyr
    pendant, y duedd yw defnyddio 'cychwyn'
    pan fydd symudiad corfforol ynghlwm wrth
    weithred – *cychwyn taith*; *cychwyn car.*
  ar ddechrau gw. **dechrau**[1]

dechrau ar mynd ati i gychwyn to set about
dim ond megis dechrau heb fod wedi mynd
ymhell only just started

i ddechrau y cyntaf mewn rhestr (o resymau fel
arfer) to start with
o'r dechrau cyntaf gw. dechrau[1]
o'r dechrau yn deg gw. dechrau[1]

dechreuad *eg* (dechreuadau) y broses o
ddechrau, canlyniad dechrau, man dechrau;
cychwyniad, dechrau, ffynhonnell, tarddiad
beginning, commencement, origin

dechreuaf *bf* [dechrau] rwy'n dechrau; byddaf
yn dechrau

dechreuol *ans* yn bod neu'n digwydd ar y
dechrau, i gychwyn; agoriadol, cychwynnol,
gwreiddiol, rhagarweiniol original, initial,
baseline

dechreuwr *eg* (dechreuwyr) rhywun sydd
newydd ddechrau rhywbeth, e.e. dysgu iaith
beginner

dedfryd *eb* (dedfrydau) CYFRAITH penderfyniad
barnwr mewn achos cyfreithiol (ar sail dyfarniad
rheithgor, os oes rheithgor); dyfarniad,
rheithfarn sentence, judgement, verdict

dedfrydu *be* [dedfryd•[1]] CYFRAITH cyhoeddi
cosb gan farnwr ar sail dyfarniad mewn llys
barn; dyfarnu (~ *rhywun* i) to sentence

dedwydd *ans* [dedwydd•] yn profi neu'n mynegi
dedwyddwch, gwyn ei fyd; bodlon, gwynfydedig,
hapus, llon blessed, contented, happy
  dedwydd a diriaid y dedwydd yw'r rheini a
  dynghedir i dderbyn hawddfyd; diriaid yw'r
  rheini a dynghedir i fywyd anodd the haves and
  have nots

dedwyddwch *eg* gwynfyd, hapusrwydd,
llawenydd bliss, happiness

deddf *eb* (deddfau)
  1 fel yn *deddf natur*, datganiad (gwyddonol fel
  arfer) o rywbeth sy'n digwydd yn ddieithriad
  dan amodau penodol, e.e. deddf Boyle neu
  ddeddfau Newton mewn Ffiseg; rheol law
  2 CYFRAITH rheol y mae llywodraeth gwlad
  wedi penderfynu bod yn rhaid i holl bobl
  y wlad ufuddhau iddi neu fod yn euog o
  dorcyfraith (cyfraith yw'r enw ar gorff o
  ddeddfau a'r ffordd y maent yn gweithio);
  gorchymyn, ystatud act, law, statute
  y Deddfau Uno *hanesyddol* (1536 ac 1543)
  deddfau o deyrnasiad Harri VIII yn uno
  Cymru a Lloegr the Acts of Union
  y Deddfau Ŷd *hanesyddol* cyfres o ddeddfau
  a oedd mewn grym rhwng 1815 ac 1846, yn
  cyfyngu ar fewnforio ŷd o wledydd tramor
  Corn Laws
    Ymadroddion
  deddf y Mediaid a'r Persiaid *hanesyddol*
  gorchmynion y cyfeirir atynt yn yr Hen
  Destament (Llyfr Esther 1:19) nad oedd
  unrhyw eithriadau iddynt the law of the Medes
  and Persians

rhoi'r ddeddf i lawr bod yn hollol bendant a digyfaddawd to lay down the law

deddfeg *eb* CYFRAITH gwyddor neu athroniaeth y gyfraith; cyfreitheg jurisprudence

deddfegwr:deddfegydd *eg* (deddfegwyr) un hyddysg yn y gyfraith, yn enwedig rhywun sy'n ysgrifennu am y gyfraith jurist

deddfiad *eg* (deddfiadau) CYFRAITH unrhyw orchymyn neu archddyfarniad awdurdodol ordinance

deddflyfr *eg* (deddflyfrau) CYFRAITH llyfr cyfreithiau gwlad statute book

deddfol *ans*
1 yn ymwneud â deddfau, o natur deddf, yn unol â'r gyfraith; cyfreithiol, statudol legal
2 yn dilyn rheol neu reolau'n gydwybodol, *Mae hi'n ddeddfol ynglŷn â mynd i'r gwely am ddeg o'r gloch.*; rheolaidd

deddfu *be* [deddf•¹]
1 llunio a phasio deddfau (~ dros; ~ yn erbyn) to enact, to legislate
2 pennu neu osod rheolau; gorchymyn to decree

deddfwr *eg* (deddfwyr) gwneuthurwr deddfau, lluniwr cyfreithiau lawmaker, legislator

deddfwriaeth *eb* (deddfwriaethau)
1 CYFRAITH y broses o lunio deddfau legislation
2 corff o ddeddfau neu gyfraith; cyfraith legislation

deddfwriaethol *ans* yn ymwneud â deddfwriaeth, nodweddiadol o ddeddfwriaeth legislative

de-ddwyrain *eg* pwynt ar y cwmpawd sydd hanner ffordd rhwng y de a'r dwyrain south-east

de-ddwyreiniol *ans* i gyfeiriad y de-ddwyrain; (am wynt) o'r de-ddwyrain south-easterly

deellir *bf* [deall] *ffurfiol* mae (rhywbeth) yn cael ei ddeall; bydd (rhywbeth) yn cael ei ddeall

de facto *adf ac ans*
1 *adf* mewn ffaith (pe bai hawl neu beidio)
2 *ans* yn bodoli neu'n cynnal swyddogaeth heb fod hawl gyfreithiol, o raid, i wneud hynny

defaid *ell* lluosog dafad
defaid tac/cadw gw. dafad
Ymadrodd
defaid Dafydd Jôs tonnau'r môr

defeidiog *eb* man lle mae defaid yn cael pori, cynefin defaid sheep walk

defni *ell* lluosog dafn; dafnau, defnynnau, diferion

defnydd *eg* (defnyddiau)
1 unrhyw beth y mae modd gwneud neu greu rhywbeth ohono; mater, sylwedd material, stuff
2 brethyn/ffabrig y mae dillad neu lenni, etc. yn cael eu gwneud ohono material, textile
3 gwybodaeth a ffeithiau y gellir gweithredu arnynt, *Rwy'n casglu defnydd ar gyfer fy llyfr nesaf.*; deunydd material

4 cymorth, *Ydy'r morthwyl yma o unrhyw ddefnydd i chi?*; cynhorthwy, gwasanaeth, help, iws use, usage
5 y weithred o ddefnyddio; iws use
Sylwch: defnyddir 'defnydd' (yn hytrach na 'deunydd') yn y gyfrol hon ar gyfer yr hyn y gwneir pethau ohono (*material*).

defnydd pacio defnydd i lapio ac i amddiffyn cynnyrch a'i hyrwyddo packaging

defnyddio *be* [defnyddi•²]
1 gwneud defnydd o, *Mae o'n defnyddio cynhwysion lleol yn ei gaffi.*; trin, iwsio (~ rhywbeth i; ~ rhywbeth yn) to use, to utilize
2 (mewn ymadroddion yn cynnwys 'wedi defnyddio') gorffen, *Mae'r papur wedi cael ei ddefnyddio i gyd.* to use
3 bod yn ystyriol neu'n garedig at ddibenion hunanol, *Mae'n defnyddio ei fam.* to make use of

defnyddiol *ans* o ddefnydd, o wasanaeth; buddiol, llesol, ymarferol helpful, useful

defnyddioldeb *eg* y cyflwr o fod yn ddefnyddiol; buddioldeb, gwerth, lles, mantais usefulness, utility

defnyddioldebaeth *eb* iwtilitariaeth; y gred mai maen prawf a yw gweithred yn dda neu'n ddrwg yw pa mor ddefnyddiol yw ei chanlyniadau utilitarianism

defnyddiwr *eg* (defnyddwyr) un sy'n defnyddio neu'n prynu rhywbeth, e.e. offer neu wasanaethau user, consumer

defnyn *eg* (defnynnau:dafnau) dafn bach; deigryn, diferyn drip, droplet

defnynnu *be* [defnynn•⁹] gollwng yn ddafnau; diferu (~ ar) to drip
Sylwch: dyblwch yr 'n' ym mhob ffurf ac eithrio yn y rhai sy'n cynnwys -as-.

defod *eb* (defodau) seremoni arbennig sy'n cynnwys gweithrediadau (traddodiadol fel arfer) i ddathlu'n gyhoeddus neu'n breifat ddigwyddiad crefyddol neu gymdeithasol o bwys; hen arfer neu arferiad; arfer, ordinhad, traddodiad ceremony, custom, rite

defodaeth *eb* dibyniaeth (ormodol) ar ddefodau crefyddol ritualism

defodol *ans*
1 yn ymwneud â defodau; seremonïol ritual
2 yn unol â deddf grefyddol neu arfer cymdeithasol; arferol, cyson, rheolaidd ritual

Defonaidd *ans* DAEAREG yn perthyn i bedwerydd cyfnod y gorgyfnod Palaeosöig (416–359 miliwn o flynyddoedd yn ôl), nodweddiadol o bedwerydd cyfnod y gorgyfnod Palaeosöig, sef pryd yr ymddangosodd yr amffibiaid cyntaf Devonian

defosiwn *eg* (defosiynau)
1 ffyddlondeb neu deyrngarwch arbennig i unigolyn neu achos; ymlyniad devotion

2 ffyddlondeb neu deyrngarwch i wasanaeth crefyddol, e.e. mynychu'r capel; duwioldeb, sancteiddrwydd devotion, devoutness

defosiynol *ans* yn dilyn bywyd o ddefosiwn; bucheddol, crefyddol, duwiol, ysbrydol devotional, devout

deffro *be* [deffro•[17] *1 un. pres.* deffroaf; *3 un. pres.* deffry/deffroa; *2 un. gorch.* deffro]
1 dod allan o gwsg; dihuno, dadebru, ystwyrian to awake, to stir
2 dihuno rhywun arall, codi rhywun neu rywbeth o'i gwsg; cyffroi teimlad to arouse, to rouse, to wake

deffroad *eg* (deffroadau)
1 y weithred o ddeffro, canlyniad deffro; dadebriad awakening
2 adfywiad, dadeni awakening, renaissance

deffrônt *bf* [deffro] *ffurfiol* maen nhw'n deffro; byddan nhw'n deffro

deffry *bf* [deffro] *hynafol* mae ef yn deffro/mae hi'n deffro; bydd ef yn deffro/bydd hi'n deffro

deg *rhifol* (degau)
1 y rhif sy'n dilyn naw ac yn dod o flaen un ar ddeg ten
2 y symbol sy'n cynrychioli'r nifer hwn, 10 neu x ten
3 y nifer hwn o bobl, pethau, etc., *deg bachgen, deg wythnos*
Sylwch: defnyddir ffurfiau sy'n cynnwys 'deg' megis un deg pump (15), dau ddeg tri (23), tri chant saith deg chwech (376) wrth enwi rhifau emynau, tudalennau, etc., ond yr arfer yw defnyddio *pymtheg; tri ar hugain* wrth ysgrifennu'r rhifau llai, wrth gyfeirio at amser, *pum munud ar hugain i dri* (nid dau ddeg pum ...), ac ar lafar wrth gyfeirio at oed a rhifau trefnol, *deunaw oed; yr unfed bennod ar hugain.*
deng ffurf ar **deg**
Sylwch:
1 mae 'deg' yn troi yn 'deng' o flaen y geiriau 'blynedd', 'blwydd' a 'diwrnod' ac yn achosi treiglad trwynol, *deng mlynedd*;
2 gall 'deg' droi yn 'deng' o flaen 'm' weithiau, *deng milltir* ac o flaen 'gwaith[2]', *deng ngwaith.*
y Deg Gorchymyn gw. gorchymyn[2]
deg a deugain *rhifol* y rhif 50; hanner cant, pum deg, deugain a deg fifty
degaidd gw. degol
deg a phedwar ugain *rhifol* y rhif 90; naw deg, pedwar ugain a deg ninety
deg ar hugain *rhifol* y rhif 30; tri deg thirty
deg a thrigain *rhifol* y rhif 70; saith deg, trigain a deg seventy
degawd *eg* (degawdau) cyfnod o ddeng mlynedd decade

degfed *rhifol*
1 y rhifol (rhif trefnol) nesaf mewn trefn ar ôl 'nawfed' tenth
2 rhif 10 mewn rhestr o ddeg neu fwy; 10fed tenth
3 un rhan o ddeg ($^1/_{10}$) tenth
Sylwch:
1 mae'n achosi'r treiglad meddal o flaen enwau benywaidd (nid felly enwau gwrywaidd);
2 mae'n treiglo'n feddal pan ddaw ar ôl y fannod ac o flaen enw benywaidd (*y ddegfed ferch*).

degol *ans* MATHEMATEG am gyfundrefn rifo wedi'i seilio ar y rhif 10, e.e. y system fetrig; degaidd decimal
pwynt degol y pwynt sy'n gwahanu rhif cyfan oddi wrth ffracsiwn mewn nodiant degol, e.e. 2.75 decimal point

degoli *be* [degol•[1]] newid i system ddegol to decimalize

degoliad *eg* y broses o newid i system ddegol decimalization

degolyn *eg* (degolion) MATHEMATEG ffracsiwn degol, rhif megis 0.5 neu 0.276 decimal fraction
degolyn cylchol MATHEMATEG degolyn ffracsiynol lle mae rhif neu grŵp o rifau'n cael eu hailadrodd yn ddiderfyn, e.e. 0.333..., 5.7343434... recurring decimal
degolyn terfynus MATHEMATEG degolyn y mae ganddo nifer meidraidd o ddigidau, e.e. 0.25, 26.078 terminating decimal

degradd *eg* (degraddau)
1 MATHEMATEG un o naw o werthoedd sy'n rhannu dosraniad amlder yn ddeg rhan neu gyfwng yn cynnwys bob o ddegfed o'r cyfan decile
2 MATHEMATEG unrhyw un o'r deg grŵp hyn decile

degwm *eg* (degymau)
1 treth a fyddai'n cael ei thalu yn y gorffennol i gynnal yr Eglwys yng ngwledydd Prydain (a rhai gwledydd eraill), yn cynnwys y ddegfed ran o gynnyrch blynyddol tir amaethyddol tithe
2 degfed ran o enillion rhywun a chred Iddewon a rhai Cristnogion mai eiddo Duw yw'r degwm ac y dylid ei gyfrannu i waith Ei deyrnas tithe

degymu *be* [degym•[1]] rhannu'n ddeg (yn barod ar gyfer y degwm)
degymu'r mintys a'r anis gw. mintys
deng gw. deg
dengair *eg* fel yn *Y Dengair Deddf*, y Deg Gorchymyn decalogue
dengmlwydd *eg* deg oed
dengradd gw. degradd
dengwaith *adf* deg gwaith ten times
dengwr *eg* (dengwyr) deg o ddynion ten men

dengwriad *eg* (dengwriaid) *hanesyddol* pennaeth neu gapten ar ddeg o wŷr yn y fyddin Rufeinig decurion

dengys gw. **den(-)gys**

deheubarth *eg* (deheubarthau: deheubarthoedd) rhan ddeheuol (o wlad, etc.) neu barth deheuol; de, deheudir southern part

y Deheubarth *hanesyddol*
1 De Cymru (sef siroedd Mynwy, Blaenau Gwent, Torfaen, Casnewydd, Merthyr Tudful, Caerffili, Caerdydd, Rhondda Cynon Taf, Bro Morgannwg, Pen-y-bont ar Ogwr, Castell-nedd, Port Talbot, Abertawe, Caerfyrddin a Phenfro yn 2016)
2 brenhiniaeth De Cymru yng nghyfnod Hywel Dda yn y ddegfed ganrif OC a oedd yn cynnwys rhai darnau cyfagos o Loegr South Wales

deheudir *eg* (deheudiroedd) rhan ddeheuol tiriogaeth neu wlad; de, deheubarth

deheuig *ans* dawnus mewn ffordd ymarferol; celfydd, dethau, hyfedr, medrus adroit, deft, dexterous

deheulaw *eb hynafol* llaw dde, yr ochr arall i'r llaw chwith right hand

deheuoedd *ell* lluosog de

deheuol *ans* yn perthyn i'r de, yn wynebu'r de neu'n gorwedd i'r de o ryw bwynt southern

deheurwydd *eg* y ddawn i gyflawni rhyw grefft, camp neu gelfyddyd yn ddeheuig; crefft, cywreinrwydd, medrusrwydd adroitness, dexterity

deheuwr *eg* (deheuwyr) un o dde Cymru South Walian

deheuwraig *eb* merch neu wraig o dde Cymru South Walian

deheuwynt *eg* (deheuwyntoedd) gwynt o'r de southerly wind

dehongli *be* [dehongl•¹] datguddio ystyr (breuddwydion, damhegion, etc.); cyfieithu, egluro, esbonio, trosi (~ *rhywbeth* i *rywun*) to interpret, to construe

dehongliad *eg* (deongliadau) datrysiad o ystyr neu o arwyddocâd cudd; ateb, diffiniad, eglurhad, esboniad interpretation

dehonglwr *eg* (dehonglwyr) un sy'n dehongli neu'n egluro; cyfieithydd, esboniwr, lladmerydd, troswr expositor, interpreter

dehonglydd *eg* (dehonglwyr) CYFRIFIADUREG rhaglen sy'n gallu dadansoddi a gweithredu rhaglen fesul llinell interpreter

dei *eg* (deiau) un o nifer o offer neu ddyfeisiadau ar gyfer gosod ffurf ar rywbeth, e.e. bloc metel a phatrwm wedi'i gerfio ynddo er mwyn llunio edau sgriw, mowld y mae metel tawdd yn cael ei arllwys iddo, bloc a thyllau drwyddo y mae plastig neu fetel yn cael ei wthio drwyddo die

deial *eg* (deialau) wyneb dyfais sy'n defnyddio bys i ddynodi pwynt ar raddfa o ffigurau (megis cloc) er mwyn mesur amser, cyflymder, etc. dial

deial Haul offeryn i ddangos yr amser yn ôl lle mae cysgod y bys yn disgyn wrth i'r Haul dywynnu arno sun-dial

deialo:deialu *be* [deial•¹] troi deial ffôn â blaen y bys er mwyn ffonio rhif penodol to dial

deialog *egb* (deialogau)
1 trafodaeth gyda'r nod o gyrraedd cytundeb neu ddatrys problem neu am ddealltwriaeth dialogue
2 darn llenyddol, e.e. mewn nofel, stori, drama, etc. lle mae pobl yn siarad â'i gilydd; ymddiddan, ymgom dialogue

blwch deialog CYFRIFIADUREG ardal fach ar sgrin cyfrifiadur lle bydd y defnyddiwr yn cael ei ysgogi i ddarparu gwybodaeth neu ddethol gorchmynion dialogue box

deic *eg* (deiciau) DAEAREG haen led fertigol o graig igneaidd yn debyg i fur sy'n torri ar draws haenau y creigiau cysefin dyke

deiet *eg* (deietau)
1 y bwydydd y mae rhywun yn arfer eu bwyta, *Mae cig, pysgod, llysiau, ffrwythau a llaeth yn rhannau pwysig o'n deiet.* diet
2 MEDDYGAETH rhestr gyfyngedig o fwydydd wedi'i darparu er mwyn i rywun golli pwysau neu er lles ei iechyd diet

deieteg *eb* y gangen o wyddoniaeth sy'n astudio effaith deiet ar iechyd dietetics

deietegol *ans* yn ymwneud â deiet dietary, dietetic

deietegydd *eg* (dietegwyr) un sy'n arbenigo ym maes deieteg dietician

deif *eb* (deifiau) naid i ddŵr dwfn â'ch pen a'ch breichiau gyntaf dive

deifio¹ *be* [deifi•²]
1 neidio i lawr â'ch pen a'ch breichiau gyntaf (i mewn i ddŵr fel arfer); plymio (~ i *rywbeth*) to dive
2 cyflawni'r gamp o ddeifio i ddŵr oddi ar fwrdd uchel mewn cystadleuaeth to dive
3 nofio neu chwilio o dan y dŵr gan wisgo offer anadlu to dive

deifio² *be* [deifi•²] (am blanhigion neu dyfiant) gwywo dan ormod o wres neu oerfel; cochi, llosgi, rhuddo to scorch

deifiol *ans*
1 creulon o feirniadol (ar lafar neu'n ysgrifenedig); brathog, difaol, llym, ysol caustic, scathing, withering
2 yn peri i bethau wywo (am wynt oer y dwyrain fel arfer) withering

deifiwr *eg* (deifwyr)
1 un sy'n plymio i ddyfnderoedd môr neu lyn mewn gwisg arbennig sy'n caniatáu iddo aros a gweithio dan ddŵr diver
2 un sy'n arbenigwr ar ddeifio diver

deigastio *be* [deigasti•²] gwasgu metel neu blastig tawdd i ddei i ffurfio rhywbeth to die-cast

deigryn *eg* (dagrau) diferyn o ddŵr sy'n deillio o'r llygaid; un o'r diferion a ddaw o'r llygaid pan fydd rhywun yn llefain/crio; dafn, diferyn tear
   Sylwch: gw. hefyd **dagrau.**

deil *bf* [**dal**] *ffurfiol* mae ef yn dal/mae hi'n dal; bydd ef yn dal/bydd hi'n dal

deilbridd *eg* hwmws; (mewn pridd) y rhan ddu neu frown tywyll, ffrwythlon, yn cynnwys defnydd organig (tail, dail, etc.) wedi lled-ddadfeilio neu bydru humus

deilchion gw. **teilchion**

deildy *eg* (deildai) man cysgodol o dan goed, llecyn deiliog, cysgodol neu fan lle mae planhigion yn tyfu dros goed arbour, bower

deilen *eb* (dail) llafn gwyrdd gwastad (fel arfer) sy'n tyfu o fôn neu gangen planhigyn leaf
   Sylwch: gw. hefyd **dail.**

deilen gron planhigyn sy'n tyfu ar gerrig neu waliau â phigynnau hir o flodau gwyn neu binc navelwort
   Ymadrodd

deilen ar y tafod nam ynganiad yn arwain at 's' yn cael ei hynganu fel 'th' lisp

deiliad *eg* (deiliaid)
   1 un sy'n talu rhent am ddefnydd adeilad neu dir, etc.; tenant tenant
   2 un sy'n preswylio neu'n byw mewn tŷ neu adeilad; preswylydd householder, occupier
   3 un sy'n berchen ar eiddo, arian neu deitl arbennig, *deiliad y bencampwriaeth golff* holder
   4 *hanesyddol* un dan wrogaeth neu rwymau ufudd-dod i arglwydd neu frenin subject, vassal

deiliadaeth *eb*
   1 CYFRAITH y cyflwr neu'r gwaith o fod ym meddiant rhywbeth (tŷ neu adeilad fel arfer) ond heb hawlio perchenogaeth; preswyliaeth occupancy
   2 yr amodau neu'r cyfnod y mae gan rywun hawl i ddal meddiant ar (dir neu swydd); daliadaeth, preswyliaeth, tenantiaeth tenancy, tenure

deiliant *eg* (am blanhigyn neu goeden) dail, canghennau a blodau foliage

deilio *be* [deili•²] agor yn ddail; blaguro, glasu to leaf

deiliog *ans* llawn dail leafy

deiliosen *eb* (deilios) BOTANEG un o'r dail bychan sydd gyda'i gilydd yn ffurfio deilen gyfansawdd, e.e. deilen onnen leaflet

deilliad *eg* (deilliaid)
   1 CEMEG sylwedd sy'n perthyn i sylwedd arall, ac mewn theori gallai'r naill ddeillio o'r llall derivative
   2 CEMEG sylwedd y mae modd ei greu o sylwedd arall mewn un neu ragor o gamau cemegol derivative

   3 MATHEMATEG ffwythiant sy'n caniatáu cyfrifo goledd cromlin ar unrhyw bwynt ar y gromlin ac sydd wrth wraidd calcwlws derivative

deilliadol *ans*
   1 yn efelychu gwaith artist, awdur neu gerddor arall derivative
   2 MATHEMATEG (am ffwythiant) wedi'i ddeillio drwy ddifferiad derived

deilliant *eg* (deilliannau) y broses o ddeillio consequence, outcome

deillio *be* [deilli•²]
   1 llifo allan, dilyn fel canlyniad i ryw achos; codi, cychwyn, tarddu (~ o *rywle*) to derive, to stem from
   2 MATHEMATEG canfod ffwythiant neu hafaliad drwy ddifferiad to derive

deillion¹ *ell* rhai **dall** blind people

deillion² *ans* ffurf luosog **dall**

deinam- defnyddiwch **dynam-**

deincod:dincod *eg* ias yn y dannedd ar ôl bwyta rhywbeth sur setting on edge (of teeth)

deinosor gw. **dinosor**

deintbig *eg* (deintbigau) darn bach pigog (o bren neu blastig) ar gyfer disodli bwyd wedi ymgasglu rhwng y dannedd toothpick

deintgig *eg* y cnawd o gwmpas gwreiddiau'r dannedd; cig y dannedd gingiva, gum

deintio *be* [deinti•²] cnoi'n ysgafn to nibble

deintiol *ans* yn ymwneud â'r dannedd dental

deintydd *eg* (deintyddion) un a hyfforddwyd i drin dannedd ac afiechydon y deintgig, meddyg dannedd dentist

deintyddfa *eb* (deintyddfeydd) meddygfa lle y gellir derbyn triniaeth ddeintyddol dental surgery

deintyddiaeth *eb* proffesiwn y deintydd dentistry

deintyddol *ans* yn ymwneud â deintyddiaeth, nodweddiadol o ddeintyddiaeth dental

deir *ans* blinderus a phoenus o araf tedious

deirton *eb* ('y ddeirton') malaria; twymyn neu glefyd trofannol a achosir gan y parasit *Plasmodium* sy'n cael ei gario gan y mosgito malaria

deiseb *eb* (deisebau) cais ffurfiol, wedi'i lofnodi gan lawer o bobl fel arfer, a gyflwynir i senedd neu i rywun mewn awdurdod; apêl, erfyniad petition

deisebu *be* [deiseb•¹] llunio cais dros neu yn erbyn (rhywbeth) drwy lunio deiseb; cyflwyno deiseb; apelio, deisyf, erfyn, ymbil to petition

deisebwr *eg* (deisebwyr) un sy'n deisebu petitioner

deïstiaeth *eb* CREFYDD cred yn Nuw yn seiliedig ar reswm dynol (yn hytrach nag ar ddatguddiad dwyfol); yn enwedig yr athrawiaeth sy'n hawlio bod Duw wedi creu'r byd ond nad oes iddo ran yn ei redeg deism

deisyf:deisyfu *be* [deisyf•¹] taer ddymuno, ymbil am; apelio, crefu, eiriol, erfyn (~ **ar** *rywun*) to beseech, to supplicate

deisyfiad *eg* (deisyfiadau) dymuniad taer, cais ffurfiol; apêl, erfyniad, ple, ymbil entreaty, plea, request, supplication

deisyfwr *eg* (deisyfwyr) un sy'n deisyfu; cymodwr, eiriolwr, erfyniwr, ymbiliwr petitioner, suppliant

déjà-vu *eg* teimlad eich bod wedi bod yn yr un sefyllfa neu drwy'r un profiad o'r blaen

del *ans tafodieithol, yn y Gogledd* pert, tlws, twt; ciwt, ffel, glwys pretty

dêl:delo *bf* [dod] byddo ef yn dod/byddo hi'n dod (braidd yn hen ffasiwn erbyn hyn, ond fe'i defnyddir o hyd mewn ymadroddion fel *doed a ddêl*)

deled gw. deued

delfryd *egb* (delfrydau)
1 enghraifft berffaith o rywbeth ideal
2 safon o berffeithrwydd i anelu ato; nod, uchelgais ideal

delfrydiaeth *eb*
1 y gred afrealistig mewn perffeithrwydd idealism
2 ATHRONIAETH theori sy'n honni mai dodrefn ein deall yw syniadau yn y meddwl ac mai dyma'r unig realiti y gallwn wybod amdano i sicrwydd; idealaeth idealism

delfrydol *ans*
1 a ystyrir yn enghraifft berffaith; di-nam, perffaith ideal
2 heb fod yn bosibl neu'n ymarferol; nad yw'n bod ond fel syniad neu ddamcaniaeth idealistic

delfrydwr *eg* (delfrydwyr)
1 un sy'n glynu wrth yr hyn sy'n ddelfrydol (yn hytrach na'r hyn sy'n ymarferol) idealist
2 idealydd; un sy'n arddel syniadau idealaeth neu sy'n ceisio'r delfrydol idealist

deli *bf* [dal] *ffurfiol* rwyt ti'n dal; byddi di'n dal

delicatesen *eg* siop fwyd sy'n gwerthu cigoedd a chaws a bwydydd tramor anghyffredin delicatessen

delio¹ *be* [deli•²] trafod, trin, ymdrin, ymwneud, *Pwy sy'n mynd i ddelio â'r mater hwn?* (~ â) to deal

delio â
1 prynu nwyddau'n gyson, *delio â siop arbennig* to deal (with)
2 ymddwyn tuag at, *Sut rwyt ti'n mynd i ddelio â'r dosbarth newydd?*; trafod, ymdrin, ymwneud to deal (with)

delio mewn prynu a gwerthu fel busnes to deal (in)

delio² *be* [deli•²] rhannu, *delio cardiau* to deal

deliwr *eg* (delwyr) un sy'n delio (cardiau); un sy'n delio mewn (rhywbeth) dealer

delo gw. dêl

delor y cnau *eg* (delorion y cnau) aderyn cân bach â phig gref a chynffon wedi'i chyfnerthu; dyma'r unig aderyn yng ngwledydd Prydain sy'n medru cerdded i fyny ac i lawr boncyff coeden nuthatch

delta *eg* (deltâu)
1 DAEARYDDIAETH tirffurf a ffurfir gan ddyddodion (tywod, silt a llaid) sy'n cael eu cario gan afon wrth iddi lifo o'r aber a gwahanu'n nifer o allfeydd, e.e. cefnfor, môr, llyn neu gronfa ddŵr delta
2 pedwaredd lythyren yr wyddor Roeg delta

de luxe *ans* o safon uwch na'r cyffredin

delw *eb* (delwau)
1 portread wedi'i lunio o garreg, efydd, plastig, etc.; cerflun, cerflunwaith, model image, statue
2 cerflun sy'n cael ei addoli; cerfddelw, eilun effigy, idol

ar ddelw ar lun, ar batrwm in the shape of

dryllio delwau ymosod ar syniadau neu arferion sy'n cael eu parchu gan y mwyafrif to be iconoclastic

delw-addoliaeth *eb* yr arfer o addoli delwau; eilunaddoliaeth idol worship

delwddrylliad *eg*
1 yn wreiddiol y broses o ddistrywio delwau crefyddol a chwalu unrhyw barch a dalwyd iddynt iconoclasm
2 arfer neu agwedd meddwl un sy'n hoff o ymosod ar sefydliadau a choelion traddodiadol iconoclasm

delwedd *eb* (delweddau)
1 darlun meddyliol (delfrydol yn aml); drych, drychfeddwl, syniad image
2 golwg rhywun fel mae eraill yn ei weld, *Mae angen gwella ei ddelwedd gyhoeddus.*; gwedd image
3 LLENYDDIAETH trosiad neu gymhariaeth neu ymadrodd trawiadol sy'n awgrymu darlun i'r darllenydd image

delweddaeth *eb*
1 *llenyddol* defnydd o iaith sy'n gyforiog o gyffelybiaethau a throsiadau imagery
2 casgliad o ddelweddau neu symbolau gweledol imagery

delweddu *be* [delwedd•¹]
1 creu darlun yn y meddwl; darlunio, disgrifio, portreadu to visualize
2 defnyddio'r dechneg o ddelweddaeth wrth greu darn o lenyddiaeth neu farddoniaeth yn arbennig to picture, to symbolize

delweddu cyseiniant magnetig FFISEG techneg sy'n defnyddio meysydd magnetig cryf a thonnau radio i gynhyrchu delweddau, yn enwedig o organau'r corff magnetic resonance imaging (MRI)

delwi *be* [delw•¹] troi'n ddelw (gan ofn), rhewi'n stond, cael eich parlysu gan ofn to freeze

delysg *eg* gwymon bwytadwy sy'n cynnwys ïodin dulse

dellten *eb* (dellt)
1 un o'r darnau hir, cul o bren neu fetel a ddefnyddir i lunio fframwaith y gellir adeiladu arno, e.e. i osod llechi neu deils neu blastr arno lath
2 un o'r darnau cul o goed neu fetel a osodir ar ffenestr i greu patrwm diemwnt lattice
3 FFISEG cyfres o bwyntiau neu wrthrychau ar ffurf patrwm cyfnodol mewn dau neu dri dimensiwn, e.e. cyfres o atomau mewn crisial lattice

delltwaith *eg* nifer o ddellt yn croesi'i gilydd i lunio patrwm diemwnt (mewn ffenestri yn enwedig ond hefyd fel ffrâm i ddal planhigion) lattice, latticework, trellis

dementia *eg* MEDDYGAETH anhwylder meddwl cronig a nodweddir gan fethu cofio, newidiadau ym mhersonoliaeth y claf a diffygion ymresymu dementia

Demetiaid *ell hanesyddol* y llwyth Celtaidd a oedd yn byw yn ardal Dyfed (Penfro a Chaerfyrddin heddiw) cyn i'r Rhufeiniaid oresgyn y wlad yn y ganrif gyntaf OC Demetae

democrat *eg* (democratiaid)
1 un sy'n arddel democratiaeth democrat
2 (yn Unol Daleithiau America) cefnogydd plaid wleidyddol y Democratiaid Democrat

democrataidd *ans* yn amlygu nodweddion democratiaeth neu'n arfer democratiaeth democratic

diffyg democrataidd gw. diffyg

democrateiddio *be* [democrateiddi•²] GWLEIDYDDIAETH mabwysiadu system ddemocrataidd neu egwyddorion democrataidd to democratize, democratization

democratiaeth *eb*
1 cydraddoldeb cymdeithasol democracy
2 GWLEIDYDDIAETH system wleidyddol lle mae holl drigolion gwladwriaeth neu eu cynrychiolwyr yn llywodraethu democracy
3 gwladwriaeth a lywodraethir gan y bobl neu gan eu cynrychiolwyr democracy

demograffeg *eb* astudiaeth ystadegol o boblogaethau'r hil ddynol yn ymwneud â maint, dwysedd, dosbarthiad a chyfansoddiad y poblogaethau hynny demography

demograffig *ans* yn ymwneud â demograffeg, nodweddiadol o ddemograffeg demographic

demon *eg* (demoniaid) ysbryd drwg; cythraul, ellyll demon

demoniaeth *eb* cred mewn demoniaid a'u dylanwad drwg ar y byd demonism

dendrid:dendrit *eg* (dendridau)
1 patrwm canghennog ar arwyneb calchfaen yn aml iawn, sy'n ymdebygu i redynen neu goeden dendrite
2 CEMEG ffurf ganghennog ar grisial neu bolymer dendrite
3 FFISIOLEG un o'r darnau byr, canghennog sy'n trosglwyddo ysgogiadau nerfol o nerfgelloedd eraill i gorff nerfgell dendrite

dendrocronoleg *eb* BOTANEG yr wyddor o ddyddio digwyddiadau a newidiadau amgylcheddol, drwy astudiaeth gymharol o'r cylchoedd blynyddol a geir mewn coed neu bren; coed-ddyddio dendrochronology

denfyn *bf* [danfon] *hynafol* mae ef yn danfon/ mae hi'n danfon ; bydd ef yn danfon/bydd hi'n danfon

dengar *ans* yn denu; apelgar, atyniadol, deniadol, hudol alluring, attractive, engaging

dengarwch *eg* yr hyn sy'n gwneud rhywun yn ddengar, y cyflwr o fod yn ddeniadol attractiveness

dengys *bf* [dangos] *ffurfiol* mae ef yn dangos/ mae hi'n dangos; bydd ef yn dangos/bydd hi'n dangos

deniadau *ell* nifer o bethau sy'n denu attractions

deniadol *ans* yn denu; apelgar, atyniadol, dengar, hudol alluring, attractive, inviting

denier *eg* uned fesur pwysau sy'n dynodi meinder sidan, neilon, etc.; mae'n gywerth â phwysau 9,000 metr o'r edafedd mewn gramau denier

denim *eg* brethyn cotwm cryf a gâi ei ddefnyddio'n wreiddiol ar gyfer dillad gwaith; câi'r ystof ei wau ag edafedd glas a'r anwe ag edafedd gwyn denim

dénouement *eg* diweddglo nofel, drama, ffilm, etc. sy'n datrys ac yn egluro troeon a dirgelion y plot

dentin *eg* y sylwedd y mae dannedd wedi'i wneud ohono; mae'n cynnwys calch ac yn galetach ac yn ddwysach nag asgwrn dentine

denu *be* [den•¹] creu atyniad tuag at (rywun neu rywbeth), ceisio rhwydo; atynnu, hudo, swyno, temtio (~ *rhywun/rhywbeth* at) to attract, to draw, to entice

denwr *eg* (denwyr) un sy'n denu neu'n atynnu attractor

deocsiribos *eg* BIOCEMEG yr uned siwgr sy'n uno'r basau â'r ffosffad mewn DNA deoxyribose

deon *eg* (deoniaid)
1 swyddog eglwysig â chyfrifoldeb am nifer o offeiriaid neu adrannau o fewn yr Eglwys dean
2 (mewn prifysgol) llywydd cyfadran neu raniad o'r astudiaethau dean

deoniaeth *eb* (deoniaethau)
1 swydd a chyfrifoldebau deon
2 CREFYDD y plwyfi sy'n dod o dan gyfrifoldeb deon gwlad deanery

deor:deori *be*
1 (am wy) torri ar agor gan gynhyrchu anifail ifanc, e.e. aderyn, pysgodyn neu ymlusgiad to hatch
2 dwyn cyw allan o'r wy drwy ori; gori neu eistedd ar wyau to hatch, to incubate
Sylwch: nid yw'r ferf hon yn arfer cael ei rhedeg.

deorfa *eb* (deorfâu:deorfeydd) man ar gyfer deor wyau, e.e. ieir neu bysgod hatchery

de-orllewin *eg* pwynt ar y cwmpawd sydd hanner ffordd rhwng y de a'r gorllewin south-west

de-orllewinol *ans* i gyfeiriad y de-orllewin, neu (am wynt) o'r de-orllewin south-westerly

deorydd *eg* (deoryddion) peiriant ar gyfer cadw wyau'n gynnes nes iddynt ddeor incubator

deponiad *eg* (deponiadau) CYFRAITH datganiad ysgrifenedig a ddefnyddir yn dystiolaeth mewn llys barn deposition

deponio *be* [deponi•⁶] CYFRAITH tystio ar lw to depose

depo(t) *eg* (depos) storfa, canolfan, pencadlys, depot

dera *eb* cyflwr ceffylau neu ddofednod sy'n arwain at y bendro a gwegian a symud ansicr yn deillio o niwed i'r ymennydd neu fadruddyn y cefn; y gysb staggers

derbyn *be* [derbyni•⁶ *3 un. pres.* derbyn/derbynia; *2 un. gorch.* derbyn]
1 cymryd yr hyn a gynigir; cael (~ *rhywbeth gan*) to receive
2 caniatáu aelodaeth i rywun, *derbyn rhywun yn aelod o eglwys*; croesawu i urdd neu fraint, *cael eich derbyn yn aelod o Orsedd y Beirdd*; croesawu, cymeradwyo to admit
3 cydnabod fel ffaith neu wirionedd, *Rwy'n derbyn bod gen ti fwy o brofiad na fi, ond . . .*; addef, cyfaddef to accept, to concede
4 medru clywed darllediad radio neu glywed a gweld darllediad teledu to receive

dosbarth derbyn gw. **dosbarth¹**
Ymadrodd
derbyn wyneb gw. **wyneb**

derbynebau *ell* lluosog **derbynneb**

derbynfa *eb* (derbynfeydd) man, e.e. swyddfa neu ddesg, lle mae ymwelwyr yn cael eu derbyn reception

derbyniad *eg* (derbyniadau)
1 y weithred o dderbyn, yn enwedig derbyn croeso, *Cawsom dderbyniad gwresog.*, canlyniad derbyn; croeso, cymeradwyaeth acceptance, reception
2 parti mawr, ffurfiol, e.e. mewn priodas reception
3 ansawdd derbyn signalau darlledu, *Mae'r derbyniad radio'n wael yn ardal Dinas Mawddwy.* reception

derbyniadau *ell*
1 lluosog **derbyniad**
2 yr arian a dderbynnir, e.e. gan siop; cyllid, enillion, incwm receipts, takings

derbyniadwy *ans*
1 â hawl neu o safon y gellir ei derbyn admissible
2 y gellir ei dderbyn yn dystiolaeth mewn llys barn admissible

derbyniadwyedd *eg* y graddau y mae rhywbeth yn dderbyniadwy acceptability, admissibility

derbyniaf *bf* [derbyn] rwy'n derbyn; byddaf yn derbyn

derbyniol *ans* y gellir ei dderbyn; boddhaol, cymeradwy, iawn acceptable

derbynioldeb *eg* CYFRAITH y cyflwr o fod yn ddilys neu'n dderbyniol, yn enwedig fel tystiolaeth mewn llys barn admissibility

derbyniwr *eg* (derbynwyr) un sy'n derbyn; derbynnydd recipient, accepter

derbynneb *eb* (derbynebau) darn o bapur sy'n dweud bod rhywbeth wedi'i dderbyn, e.e. swm o arian neu nwyddau neu wasanaeth receipt

derbynnedd *eg* FFISEG mesur o ymateb sylwedd i rym trydanol neu rym magnetig susceptibility

derbynnydd *eg* (derbynyddion)
1 y rhan o'r ffôn a roddir wrth y glust receiver
2 dyfais ar gyfer derbyn darllediadau radio neu deledu receiver
3 rhywun sy'n croesawu ymwelwyr ac yn gwneud y trefniadau angenrheidiol ar eu cyfer mewn gwesty, meddygfa, etc. receptionist
4 (mewn gêmau megis tennis) y chwaraewr sy'n derbyn y bêl wedi i'w wrthwynebydd ei serfio receiver
5 rhywun a benodir yn swyddogol i fod yn gyfrifol am fusnes methdalwr receiver
6 FFISIOLEG organ synhwyro, meinwe neu gell arbenigol sy'n canfod symbyliadau penodol o du mewn y corff (e.e. gwres) ac o'r amgylchedd (e.e. golau) receptor
7 BIOCEMEG safle ar gell sy'n gallu rhwymo wrth sylwedd penodol (e.e. hormon, antigen, cyffur) yn unig receptor
8 CYLLID unigolyn (cyfrifydd gan amlaf) neu gwmni a benodir gan lys i reoli materion ariannol busnes neu berson sydd wedi mynd yn fethdalwr receiver

derbynwest *eb* pryd ffurfiol o fwyd ar gyfer derbyn gwesteion reception

derbynwraig *eb* merch neu wraig sy'n croesawu ymwelwyr ac yn gwneud y trefniadau angenrheidiol ar eu cyfer mewn gwesty, meddygfa, etc. receptionist (female)

dere *bf* [dod] *safonol, yn y De* gorchymyn i ti ddod; tyrd:tyred

derfis *eg* (derfisiaid) CREFYDD aelod o urdd o Fwslimiaid sy'n enwog am eu defosiynoldeb a'u defnydd o symudiadau corfforol sy'n debyg i ddawnsio dervish

derfydd *bf* [darfod] *hynafol* mae ef yn darfod/mae hi'n darfod; bydd ef yn darfod/bydd hi'n darfod

deri¹ *ell* lluosog **derwen**; dâr

deri² *eb mewn enwau lleoedd* llwyn neu gelli o goed derw, e.e. *Ysgol y Dderi*

deric *eg* (dericiau)
   1 math o graen â braich symudol a chwerfan (pwli) i godi llwythi, yn arbennig ar long derrick
   2 fframwaith neu dŵr sy'n cynnal peiriannau drilio (e.e. wrth chwilio am olew) derrick

de rigeur *ans* disgwyliedig yn ôl gofynion traddodiad neu ffasiwn

derllys gw. **derwlys**

dermatitis *eg* MEDDYGAETH llid y croen dermatitis

dermatoleg *eb* MEDDYGAETH cangen o feddygaeth sy'n ymwneud â'r croen ac â ffyrdd o drin ei anhwylderau dermatology

dermatolegydd *eg* (dermatolegwyr) arbenigwr dermatoleg dermatologist

dermis *eg* ANATOMEG yr haenen o groen lle y ceir y chwarennau chwys a gwreiddiau'r blew sy'n tyfu ar y corff; mae'n gorwedd o dan yr epidermis; gwirgroen dermis

dernyn *eg* (dernynnau:dernynnach) darn bach; darn, dryll, mymryn, tamaid fragment, particle

derw *ell* coed mawr collddail y mae mes yn ffrwyth iddynt; hefyd, yn unigol, pren caled y coed hyn; deri oak

derwen *eb* unigol derw; dâr oak (tree)

derwlys:derllys *eg* planhigyn â blodau bach pinc, gwyn neu borffor golau gyda rhan o'r blodyn yn debyg i wefus; mae'n perthyn i deulu'r farddanhadlen (marddanhadlen) wall germander

derwreinen *eb* (derwraint) tarwden; clefyd cyffwrdd-ymledol ar ffurf cylchoedd bach coch, coslyd (ar groen y pen neu'r traed fel arfer) a achosir gan fath o ffwng ringworm

derwreinyn *eg* (derwraint) tarwden; clefyd cyffwrdd-ymledol ar ffurf cylchoedd bach coch, coslyd (ar groen y pen neu'r traed fel arfer) a achosir gan fath o ffwng ringworm
   derwreinyn y traed tarwden y traed; clefyd sy'n heintio'r croen rhwng bysedd y traed athlete's foot

derwydd *eg* (derwyddon)
   1 aelod o radd uchaf Gorsedd y Beirdd, un sy'n gwisgo'r wisg wen druid
   2 *hanesyddol* aelod o urdd o offeiriaid neu ddynion doeth yng ngwledydd Prydain a Gâl a weithredai fel athrawon, barnwyr a dewiniaid ymhlith yr hen Geltiaid druid

derwyddiaeth *eb* crefydd, dysg a threfn y derwyddon Celtaidd; efelychiadau diweddar o hyn druidism

derwyddol *ans* yn ymwneud â derwyddiaeth neu'r derwyddon druidic

des *bf* [dod] ffurf lafar ar ddeuthum

desg *eb* (desgiau) bwrdd (yn aml a droriau tano) ar gyfer ysgrifennu a/neu ddarllen desk, bureau
   desg dalu y man lle y telir am nwyddau a brynwyd mewn archfarchnad neu siop debyg checkout
   desg gymysgu dyfais electronig a ddefnyddir i gymysgu synau wrth recordio neu ddarlledu mixing desk

desgant *eg* (desgantau) CERDDORIAETH alaw ychwanegol a genir gan y lleisiau uchaf uwchben yr alaw wreiddiol; cyfalaw descant

desibel *eg* (desibelau) FFISEG y ddegfed ran o 'bel', mesur ar gyfer cymharu arddwysedd seiniau neu gerhyntau trydanol decibel

destlus *ans* trefnus, fel pìn mewn papur; cymen, taclus, trwsiadus, twt neat, tidy, trim

destlusrwydd *eg* y cyflwr o fod yn ddestlus; cymhendod, taclusrwydd, trefn, twtrwydd neatness, tidiness

détente *egb* GWLEIDYDDIAETH gwellhad yn y berthynas rhwng dwy neu fwy o wledydd a fu'n elyniaethus i'w gilydd

determinant *eg* (determinannau) MATHEMATEG canlyniad adio cyfres o luosymiau elfennau matrics sgwâr fel rhan o broses datrys rhai mathau o hafaliadau determinant

detgly *bf* [datgloi] *hynafol* mae ef yn datgloi/ mae hi'n datgloi; bydd ef yn datgloi/bydd hi'n datgloi

detritws *eg*
   1 BIOLEG darnau o ddefnydd organig yn deillio o weddillion organebau sydd yn aml yn ffynhonnell bwysig o faetholion mewn gwe fwydydd detritus
   2 DAEAREG malurion a ffurfiwyd o ganlyniad i hindreuliad ac erydiad ac a gludwyd yn ddiweddarach o'u safle gwreiddiol detritus

detritysydd *eg* (detritysyddion) SWOLEG organeb sy'n bwydo ar ddetritws organig detritivore

detrys *bf* [datrys] *hynafol* mae ef yn datrys/mae hi'n datrys; bydd ef yn datrys/bydd hi'n datrys

detyd *bf* [datod] *hynafol* mae ef yn datod/ mae hi'n datod; bydd ef yn datod/bydd hi'n datod

dethau *ans* dawnus mewn ffordd ymarferol; celfydd, cywrain, deheuig, medrus adroit, deft, skilful

dethol¹ *be* [dethol•¹] dewis y gorau; galw i gyflawni rhyw swydd neu dderbyn rhyw fraint; dewis, ethol, pigo to choose, to select

dethol²:detholedig *ans* (detholion)
   1 a ddewiswyd o grŵp mwy; dewisol select
   2 a ddewiswyd yn ofalus ar sail ansawdd; amheuthun, arbennig, rhagorol choice, select

detholedd *eg* FFISEG y graddau y mae derbynnydd signal, e.e. radio, yn medru ynysu amledd un signal penodol oddi wrth amleddau signalau eraill selectivity

detholiad *eg* (detholiadau)
1 casgliad o ddarnau wedi'u dewis yn arbennig, e.e. cyfrol fechan o emynau wedi'u dewis ar gyfer Cymanfa Ganu; dewis, dewisiad compilation, selection
2 darn byr a ddewiswyd o destun, ffilm neu ddarn o gerddoriaeth extract

detholiad naturiol BIOLEG y broses lle mae organebau sydd wedi ymaddasu'n well i'w hamgylchedd yn fwy tebyg o oroesi a bridio na'r rhai sydd heb ymaddasu cystal natural selection

detholion[1] *ell* rhai dethol

detholion[2] *ans* ffurf luosog **dethol**

detholus *ans*
1 yn dethol, neu â thuedd i ddethol, cyfyngedig i'r hyn sydd wedi'i ddethol *chwynleiddiad detholus, ysgolion detholus* selective
2 (am gyfarpar trydanol) yn medru ynysu amledd un signal penodol ymhlith llawer o signalau eraill selective

detholydd *eg* (detholwyr:detholyddion) rhywun neu rywbeth sy'n dethol selector

detholyn *eg* (detholion) un o nifer o gystadleuwyr cryf mewn pencampwriaeth, wedi'u gosod ar restr mewn trefn a fydd yn sicrhau nad ydynt yn chwarae yn erbyn ei gilydd yn rowndiau cynnar y gystadleuaeth, *Hi yw'r trydydd detholyn yn y byd eleni.* seed

deu- *rhag* dau, e.e. *deuawd, deuddyn*

deuadelffaidd *ans* BOTANEG (am frigerau blodyn) wedi'u huno er mwyn creu dwy set diadelphous

deuaf:dof[2] *bf* [dod] rwy'n dod; byddaf yn dod

deuaidd *ans*
1 MATHEMATEG seiliedig ar system rifo bôn
2 (yn hytrach na bôn 10) gan ddefnyddio'r rhifau 0 ac 1 yn unig, e.e. defnyddir y system ddeuaidd mewn cyfrifiaduron binary
2 SERYDDIAETH wedi'i wneud o ddau beth neu ddwy ran, *Mae dwy seren sy'n cylchu'i gilydd yn ffurfio seren ddeuaidd.* binary

deuamgrwm *ans* yn crymu o'r tu allan (fel cefn llwy) ar y ddwy ochr biconvex

deuatomig *ans* CEMEG (mewn moleciwl) yn cynnwys dau atom y mae modd eu hamnewid diatomic

deuawd *eb* (deuawdau)
1 CERDDORIAETH *ensemble* lleisiol neu offerynnol sy'n cynnwys dau berfformiwr; dau, pâr duet
2 CERDDORIAETH darn o gerddoriaeth, fel arfer, ar gyfer dau berfformiwr (offerynnol neu leisiol) a chyfeiliant duet

deuawdydd *eg* (deuawdwyr) un o ddeuawd, yn enwedig un o berfformwyr deuawd gerddorol duettist

deubarthiad *eg* SERYDDIAETH gwedd ar y Lleuad, neu ar blanedau Mercher a Gwener pan fo hanner yr wyneb yn cael ei oleuo; dwyraniad dichotomy

deubarthol *ans*
1 yn rhannu'n ddwy dichotomous
2 yn ganlyniad i ddeubarthiad dichotomous

deubegwn:deubegynol *ans* yn cynnwys dau begwn, yn defnyddio dau begwn, e.e. de a gogledd, positif a negatif bipolar

deublyg *ans*
1 wedi'i blygu yn ddau neu yn ei hanner; dau-ddwbl, dwbl, dyblyg doubled, folded
2 ac iddo ddwy ran neu ddwy agwedd dual, twofold

deucanmlwyddiant *gw.* daucanmlwyddiant

deudroedolyn *eg* (deudroedolion) anifail sy'n cerdded ar ei ddeudroed biped

deuddarn *ans* fel yn *cwpwrdd deuddarn*, ac iddo ddwy ran

deuddeg:deuddeng *rhifol* y rhif 12; un deg dau, dwsin twelve
Sylwch:
1 mae 'deuddeg' yn troi yn 'deuddeng' o flaen *blynedd, blwydd* a *diwrnod* ac yn achosi'r treiglad trwynol, *deuddeng mlwydd*;
2 gall 'deuddeg' hefyd droi yn *deuddeng* o flaen *m* weithiau *deuddeng mis* ac o flaen *gwaith*[2] *deuddeng waith.*

deuddecplyg maint llyfr y mae ei dudalennau yn deillio o un ddalen wedi'i phlygu deuddeng waith duodecimo

y deuddeg arwydd deuddeg arwydd y sidydd the signs of the zodiac
Ymadrodd

taro deuddeg cael hyd i'r union beth neu wneud rhywbeth yn y fath fodd fel ei bod yn amhosibl gwella arno, *Rwyt ti wedi taro deuddeg gyda'r syniad newydd i wella'r cwmni.*

deuddegfed *rhifol*
1 y rhifol (rhif trefnol) nesaf mewn trefn ar ôl 'unfed ar ddeg' twelfth
2 rhif 12 mewn rhestr o ddeuddeg neu fwy; 12fed twelfth
3 un rhan o ddeuddeg; $1/12$ twelfth
Sylwch:
1 mae'n achosi'r treiglad meddal o flaen enwau benywaidd (nid felly enwau gwrywaidd);
2 mae'n treiglo'n feddal pan ddaw ar ôl y fannod ac o flaen enw benywaidd (*y ddeuddegfed ferch*).

deuddegol *ans* MATHEMATEG seiliedig ar ddull o gyfrif â 12 yn sylfaen iddo duodecimal

deuddeng *gw.* deuddeg

deuddengmlwydd *ans* deuddeg oed twelve
year old

deuddengwaith *adf* deuddeg o weithiau twelve
time(s)

deuddeheuig *ans* yn medru defnyddio'r naill
law neu'r llall at dasgau a fyddai fel arfer yn
cael eu cyflawni gan y llaw gryfaf yn unig
ambidextrous

deuddeheurwydd *eg* y cyflwr o fod yn
ddeuddeheuig ambidexterity

deuddwrn *ans* fel yn *cleddyf deuddwrn*, sef
cleddyf y mae angen dwy law i'w ddefnyddio
double-handed

deuddyn *eg* dau unigolyn (yn enwedig pâr
newydd briodi); pâr couple
Sylwch: y ddeuddyn hyn, a ysgrifennir.

deued:doed:deled *bf* [dod] *ffurfiol* gadewch iddo
ef/iddi hi ddod

deuelectrig *ans* FFISEG yn meddu ar
briodoleddau deuelectryn dielectric

deuelectryn *eg* (deuelectrynnau) FFISEG sylwedd
sy'n ynysydd trydanol y gellir ei bolaru drwy ei
osod mewn maes trydanol dielectric

deufalent *ans*
  1 CEMEG â falens o 2 bivalent
  2 BIOLEG (yn ystod y broses o feiosis) yn
  ymwneud â phâr o gromosomau homologaidd
  bivalent

deufetel *ans* METELEG wedi'i wneud o ddau
fetel gwahanol, yn enwedig dau sy'n ymledu
ar raddfa wahanol wrth gael eu gwresogi
bimetallic
  stribed deufetel gw. stribed

deufin *ans* (am lafn) â min ar y ddwy ochr;
daufiniog double-edged

deufis *eg* dau fis

deufisol *ans* yn digwydd unwaith bob dau fis
bimonthly

deufoleciwlaidd *ans* CEMEG (am gamau mewn
adweithiau cemegol) yn cynnwys dau foleciwl
bimolecular

deufwy *ans* cymaint dwywaith twice as much

deuffocal *ans* (am lens) ag un rhan yn addas
i olwg pell a rhan arall ar gyfer golwg byr
bifocal

deugain *rhifol* (deugeiniau) y rhif 40; pedwar
deg forty
*Sylwch: mae'n achosi'r treiglad trwynol yn
'blynedd', 'blwydd' a 'diwrnod', deugain
niwrnod.*

deugeinfed *rhifol*
  1 y rhifol (rhif trefnol) nesaf mewn trefn ar ôl
  'pedwerydd ar bymtheg ar hugain/pedwaredd
  ar bymtheg ar hugain' fortieth
  2 yr olaf o ddeugain (pedwar deg), 40fed; rhif
  40 mewn rhestr o fwy na deugain fortieth
  3 un rhan o ddeugain $1/40$ fortieth

Sylwch:
  1 mae'n achosi'r treiglad meddal o flaen enwau
  benywaidd (nid felly enwau gwrywaidd);
  2 mae'n treiglo'n feddal pan ddaw ar ôl
  y fannod ac o flaen enw benywaidd
  (*y ddeugeinfed ferch*).

deugeugrwm *ans* wedi crymu fel tu mewn cylch
ar y ddwy ochr biconcave

deugotyledon *eg* BOTANEG planhigyn blodeuol
ac iddo ddau gotelydon dicotyledon

deugraff *eg* (deugraffau) cyfuniad o ddwy
lythyren yn cynrychioli un sain, e.e. *ch*;
llythyren ddwbl digraph

deugywair *ans* CERDDORIAETH yn defnyddio
dau gywair gwahanol ar yr un pryd bitonal

deuhedrol *ans* MATHEMATEG ongl ddeuhedrol
yw'r ongl rhwng dau blân dihedral

deulais *ans* (am ddarn o gerddoriaeth) ar gyfer
dau lais two part

deulawr *ans* (am adeilad) â dau lawr uwchben y
ddaear two storey

deulin *eg* y pengliniau the knees
*Sylwch: mae'n treiglo'n feddal yn dilyn y
fannod, ysgrifennwch 'y ddeulin hyn'.*

deuliw *ans*
  1 yn cynnwys dau liw, yn cynhyrchu dau liw,
  argraffydd deuliw two tone
  2 (mewn barddoniaeth) am ferch sydd
  ddwywaith yn fwy prydferth na (lliw) yr hyn
  y mae'n cael ei chymharu ag ef, '*f'anwylyd,
  Deuliw iâ ar dyle wyd*'

deumer *eg* (deumerau) CEMEG cyfansoddyn
wedi'i wneud o ddau grŵp cemegol unfath neu
o gysylltiad dau foleciwl unfath dimer

deunaw *rhifol* y rhif 18; un deg wyth eighteen
*Sylwch: mae'n achosi'r treiglad trwynol yn
achos 'blynedd', 'blwydd' a 'diwrnod', deunaw
mlynedd.*

deunawfed *rhifol*
  1 y rhifol (rhif trefnol) nesaf mewn trefn ar ôl
  'ail ar bymtheg' eighteenth
  2 rhif 18 mewn rhestr o ddeunaw neu fwy;
  18fed eighteenth
  3 un rhan o ddeunaw; $1/18$ eighteenth
  Sylwch:
  1 mae'n achosi'r treiglad meddal o flaen enwau
  benywaidd (nid felly enwau gwrywaidd);
  2 mae'n treiglo'n feddal pan ddaw ar ôl y fannod
  ac o flaen enw benywaidd (*y ddeunawfed ferch*).

deunitrogen ocsid *eg* CEMEG nwy di-liw, a
ddefnyddir fel anaesthetig yn y ddeintyddfa
dinitrogen oxide, nitrous oxide, laughing gas

deunod *eg* dau nodyn (cerddorol), *deunod
y gwcw*

deunydd *eg* (deunyddiau)
  1 yr hyn y gwneir pethau ohono; defnydd,
  mater, sylwedd material, stuff

2 testun trafodaeth, mater, cwestiwn, cynnwys llyfr neu araith content, matter

Sylwch: defnyddir 'defnydd' yn y gyfrol hon ar gyfer yr hyn y gwneir pethau ohono, 'material'.

deunydd crai unrhyw sylwedd naturiol y mae nwyddau'n cael eu cynhyrchu ohono raw material

deuocsid *eg* CEMEG ocsid yn cynnwys dau atom ocsigen ym mhob moleciwl dioxide

deuod *eg* (deuodau) FFISEG dyfais electronig â dwy derfynell sydd fel arfer yn caniatáu i gerrynt lifo i un cyfeiriad yn unig diode

deuod allyrru golau FFISEG deuod sy'n allyrru golau pan fydd cerrynt trydanol yn llifo drwyddo LED, light emitting diode

deuoecaidd *ans* BIOLEG bod yr organau rhywiol gwryw a benyw ar wahân ac ar unigolion gwahanol (yn anifeiliaid a phlanhigion) dioecious

deuoedd *ell* lluosog **dau**

deuol *ans*
1 wedi'i wneud o ddwy ran; â dwy ran sy'n debyg i'w gilydd, *ffordd ddeuol* dual
2 â chymeriad dwbl dual

deuoliaeth *eb*
1 y gred bod dwy wedd ar fodolaeth neu realiti, sef un faterol ac un feddyliol, a bod pob unigolyn sy'n meddu ar gorff a meddwl yn gyfuniad o'r ddwy wedd; mae'n derm a gysylltir â'r athronydd René Descartes, yn fwy nag unrhyw un arall dualism
2 yr athrawiaeth bod y bydysawd yn cael ei reoli gan ddwy egwyddor sylfaenol, sef y da a'r drwg dualism

deuparth *ans* dwy ran o dair, ²/₃, *Deuparth gwaith ei ddechrau.* two-thirds

deupen *eg* dau ben, dau flaen

Sylwch: y ddeupen hyn a ysgrifennir.

cael y ddeupen ynghyd:cael deupen y llinyn ynghyd cael digon o arian i fyw to make ends meet

deupol *eg* (deupolau) FFISEG y ddau begwn magnetig, neu ddwy wefr drydanol gywerth ond gwrthgyferbyniol; deubegwn dipole

deurudd *eg* *llenyddol* y bochau; cernau, gruddiau cheeks

Sylwch: y ddeurudd hyn a ysgrifennir.

deurywiad *eg* (deurywiaid) SWOLEG anifail neu blanhigyn sy'n meddu ar organau rhywiol y ddau ryw hermaphrodite

deurywiol *ans*
1 â diddordeb rhywiol yn y ddau ryw bisexual
2 BIOLEG yn meddu ar nodweddion y ddau ryw, yn meddu ar organau rhywiol y ddau ryw bisexual, hermaphroditic

deusacarid *eg* (deusacaridau) CEMEG siwgr

y mae pob moleciwl ohono yn cynnwys dwy uned o siwgrau symlach disaccharide

deusad *ans* FFISEG (am gylched drydanol) ac iddi ddau gyflwr sefydlog, e.e. ar waith neu wedi'i diffodd bistable

deusain *eb* (deuseiniaid) GRAMADEG cyfuniad o ddwy lafariad neu lafariad gytseiniol gyda llafariad arall yn ffurfio un sain ac un sillaf diphthong

deusain ddisgynedig yr hyn a geir mewn cyfuniad o lafariaid a'r prif bwyslais ar yr elfen gyntaf, e.e. ai *taith,* ei *ceiliog,* wy *wy,* au *cau,* eu *teulu,* ae *llaeth,* oe *doeth,* aw *cyflawni*

deusain esgynedig yr hyn a geir mewn cyfuniad o lafariaid pan ddaw llafariad gytseiniol yn gyntaf a'r prif bwyslais ar yr ail elfen, e.e. ia *iar,* ie *iechyd,* io *cofio,* we *wedyn,* wi *llenwi,* wy *gwyn*

deus ex machina *eg* digwyddiad cwbl annisgwyl yn arbed sefyllfa sy'n ymddangos yn anobeithiol, yn enwedig felly fel dyfais mewn drama neu nofel

deuswllt *eg* dau swllt neu hen ddarn arian yn werth dau swllt; fflorin florin, two shilling(s) piece

deutu *eg* fel yn *o ddeutu,* o gwmpas, bob ochr, tua about

deuthum *bf* [dod] *ffurfiol* gwnes i ddod; des i

deuwch:dewch:dowch *bf* [dod]
1 rydych chi'n dod ; byddwch yn dod
2 gorchymyn i chi ddod

dewin *eg* (dewiniaid)
1 (mewn storïau yn bennaf) gŵr â doniau hudol sy'n medru swyno; mae'r mwyafrif o ddewiniaid (yn wahanol i wrachod) yn dda; dyn hysbys, hudwr, swyngyfareddwr sorcerer, wizard
2 gŵr o athrylith mewn maes arbennig, *dewiniaid byd y bêl* wizard

dewin dŵr un sydd â dawn arbennig i ddarganfod dŵr (neu rai mwynau) drwy ddefnyddio darn o bren collen neu fetel, ar ffurf Y dowser, water diviner

dewina *be* [dewini•⁶] fel yn *dewina dŵr,* dod o hyd i ddŵr (dan ddaear) drwy ddefnyddio darn o bren collen neu o fetel ar ffurf Y; dewinio to divine

dewindabaeth *eb* hud, lledrith a'r celfyddydau du the black arts

dewines *eb* (dewinesau)
1 merch neu wraig sy'n arfer dewiniaeth; gwiddon, gwrach, hudoles, swynwraig sorceress
2 merch neu wraig sy'n gampwraig mewn maes arbennig, *dewines y ddawns*
3 merch neu wraig hudolus enchantress

dewiniaeth *eb* y gelfyddyd o ddarganfod yr anhysbys drwy ffyrdd goruwchnaturiol; cyfaredd, lledrith, rhaib, swyngyfaredd sorcery, witchcraft

dewinio *be* [dewini•²] fel yn *dewinio dŵr*, darganfod dŵr drwy ddefnyddio dull y dewin dŵr; consurio, dewina to dowse

dewiniol *ans* yn perthyn i ddewin neu ddewiniaeth; mor rhyfedd mae'n debyg i ddewiniaeth; cyfareddol, hudolus, lledrithiol magical

dewis¹ *be* [dewis•¹ *3 un. pres.* dewis/dewisa; *2 un. gorch.* dewis/dewisa]
1 pigo neu ddethol o blith nifer; clustnodi, enwebu, ethol, penodi (~ **rhwng**) to choose, to pick
2 penderfynu, *Mae e wedi dewis peidio â mynd adre.* to choose

dewis² *eg* (dewisiadau)
1 y broses o ddewis, canlyniad dewis; detholiad, dewisiad, etholiad choice, option
2 yr hawl, yr awdurdod neu'r cyfle i ddethol choice
3 rhywun neu rywbeth a ddewiswyd selection, the selected
4 y casgliad neu'r amrywiaeth y mae modd dethol ohono, *Mae dewis da o gardiau yn y siop newydd.*; cymysgedd, detholiad, ystod selection

dewis³ *ans*
1 (yn dilyn yr hyn a oleddfir) y mae modd ei ddewis neu ei ddethol, *Mae tri phryd dewis ar y fwydlen.*; dewisol optional
2 (o flaen yr hyn a oleddfir) wedi'i ddethol (yn enwedig), *Dyma fy newis lyfrau ar gyfer y gwyliau.*; etholedig chosen, selected
Sylwch: ceir y ffurf 'dewisach' ond dim o'r ffurfiau cymharol eraill.

dewisach *ans* mwy dewisol better
Sylwch: ffurf gymharol ar yr enw 'dewis'.

dewisbeth *eg* (dewisbethau) hoff beth; ffefryn favourite

dewisddyn *egb* (dewisddynion) un sy'n cael ei ddewis (yn ŵr neu'n wraig); ffefryn favourite
Sylwch: mae cenedl yr enw'n newid yn ôl rhyw yr unigolyn.

dewisedig:dewisiedig *ans*
1 wedi'i ddewis; detholedig, ethol chosen, selected
2 CREFYDD wedi'i ddewis gan Dduw i gyflawni gwaith Ei deyrnas ac i fwynhau'r rhodd o fywyd tragwyddol; etholedig chosen

dewisiad *eg* (dewisiadau)
1 y broses o ddewis, canlyniad dewis; chwenychiad, dymuniad choice, selection, volition
2 amrediad o ddewis; detholiad choice, selection

dewislen *eb* (dewislenni) CYFRIFIADUREG rhestr o raglenni, ffwythiannau neu orchmynion sy'n ymddangos ar sgrin cyfrifiadur menu

dewisol *ans*
1 wedi'i ddethol yn ofalus; amheuthun, dethol choice, select
2 y gellir ei ddewis, heb fod yn orfodol optional

dewiswr *eg* (dewiswyr) un sy'n dewis (yn enwedig un sy'n dewis pa chwaraewyr sy'n cael chwarae mewn tîm) selector

dewr *ans* [dewr•] (dewrion)
1 parod i wynebu perygl neu i ddioddef poen; arwrol, beiddgar, eofn, gwrol brave, courageous, valiant
2 cryf, grymus, praff brave

dewrder *eg* y gallu i reoli neu lesteirio ofn yn wyneb perygl, caledi, poen, trallod, etc.; arwriaeth, gwrhydri, gwroldeb bravery, courage, pluck

dewrion¹ *ell*
1 rhai **dewr** the brave
2 ymladdwyr ifainc ymhlith llwythau Indiaid Gogledd America braves

dewrion² *ans* ffurf luosog **dewr**

dewyrth *eg* ffurf plentyn ar **ewyrth**; ewa uncle

dharma *eg* (Hindŵaeth)
1 yr egwyddor sy'n rhoi trefn ar y bydysawd
2 daioni cynhenid person

di gw. **ti**

di- *rhag* mae'n cael ei ddefnyddio weithiau ar ddechrau gair i wrth-ddweud yr hyn sy'n ei ddilyn, neu er mwyn dynodi beth yn union sydd yn eisiau neu sy'n brin yn yr hyn sy'n ei ddilyn; heb, heb fod yn, e.e. *di-flas*, *di-asgwrn-cefn* dis-, un-

diabetes *eg* MEDDYGAETH clefyd lle nad yw'r corff yn rheoli lefel y glwcos yn y gwaed yn iawn diabetes

diabetig *ans* MEDDYGAETH yn dioddef o ddiabetes diabetic

diacen *ans* (am air, darn o gerddoriaeth, etc.) heb acen, heb fod yn acennog accentless, unaccented

diacinesis *eg* BIOLEG cam olaf proffas yn ystod ymraniad cyntaf meiosis diakinesis

diacon *eg* (diaconiaid)
1 CREFYDD yn yr Eglwys Fore, un a ofalai am y tlodion a'r rhai amddifaid a berthynai i'r Eglwys deacon
2 (mewn eglwysi esgobol) swyddog ar y radd isaf yn yr offeiriadaeth deacon
3 (mewn eglwysi ymneilltuol) un a ddewiswyd i gynorthwyo'r gweinidog ac i fod yn gyfrifol am agweddau materol ar fywyd capel; blaenor deacon, elder

diacones *eb* (diaconesau) gwraig sy'n ddiacon [diacon]; blaenores

diaconiaeth *eb* (diaconiaethau) swydd a chyfrifoldebau diacon deaconry

diachos *ans* heb achos, heb eisiau needless

diachwyn *ans* heb achwyn; di-gŵyn, dirwgnach, diwarafun uncomplaining

diadell *eb* (diadellau:diadelloedd)
1 nifer o anifeiliaid o'r un rhywogaeth gyda'i gilydd, e.e. praidd o ddefaid neu o eifr, gyr

o wartheg, haid o dda ond *diadell o wyddau*; cenfaint, cnud, gre, gyr flock, herd
2 y bobl sy'n dod o dan ofalaeth gweinidog; praidd flock
Sylwch: mae'n derbyn ffurf unigol neu luosog berf.

diaddurn *ans* heb addurniadau; moel, plaen, syml unadorned

diaddysg *ans* nad yw wedi derbyn addysg, nad yw wedi bod drwy broses addysg uneducated

diaelodi *be* [diaelod•¹] diarddel o gymdeithas neu grŵp (~ *rhywun* o) to debar

diafael *ans*
1 yn osgoi gwaith; diog feckless, shirking
2 nad yw'n rhesymegol o'i ystyried yn fanwl; aneglur, annelwig, disylwedd diffuse, slack

diafol *eg* (diafoliaid)
1 ysbryd drwg neu aflan sy'n temtio dyn; cythraul, ellyll demon, devil
2 dyn diarhebol o ddrwg, cyfrwys a chreulon; cythraul, diawl devil
y Diafol Satan, yr ysbryd drwg gwaethaf Satan, the Devil

diaffram *eg* (diafframau)
1 dyfais yn rheoli faint o olau sy'n cael mynediad i gamera neu ysbienddrych diaphragm
2 disg hyblyg, tenau (mewn ffôn, microffon, etc.) sy'n dirgrynu wrth dderbyn neu wrth gynhyrchu tonnau sain diaphragm
3 BIOLEG rhaniad neu ffin mewn planhigyn neu anifail, e.e. yng nghragen anifail di-asgwrn-cefn diaphragm

diagnosis *eg* y broses o adnabod afiechyd neu broblem fwy cyffredinol drwy archwilio'i symptomau diagnosis

diagnosteg *eb* y grefft o ddadansoddi achos neu natur problem, e.e. problem yn ymwneud â pheiriant car diagnostics

diagnostig *ans*
1 yn ymwneud â diagnosis diagnostic
2 yn ymwneud â diagnosteg diagnostic

diagram *eg* (diagramau) llun neu ddarlun i esbonio neu ddangos rhywbeth; cynllun, plan diagram
diagram bloc diagram sy'n dangos trefn gyffredinol rhannau system neu broses gymhleth block diagram
diagram gwasgariad gw. gwasgariad

diangen *ans* heb fod ei angen; afraid, di-alw-amdano unnecessary, dispensable, extraneous

diangfâu *ell* lluosog dihangfa

dianghenraid *ans* heb fod yn angenrheidiol, di-alw-amdano; afraid, diangen inessential

diangiadau *ell* lluosog dihangiad

diail *bf* [dial] *hynafol* mae ef yn dial/mae hi'n dial; bydd ef yn dial/bydd hi'n dial

di-ail *ans* heb ei debyg; anghymharol, digyffelyb, digymar, dihafal incomparable, matchless

diain *ebychiad* fel yn *myn diain i!*; ffurf fwy derbyniol ar y rheg 'diawl'
Sylwch: mae'n air unsill.

diainc *bf* [dianc] *hynafol* mae ef yn dianc/mae hi'n dianc; bydd ef yn dianc/bydd hi'n dianc

dial¹ *be* [dial•³ 3 *un. pres.* diail/dial/diala; 2 *un. gorch.* dial] talu drwg yn ôl i rywun am ddrwg, mynnu iawn neu gosb am ddrwg, talu'r pwyth; cosbi (~ **ar** *rywun* **am** *rywbeth*) to avenge, to wreak vengeance

dial²:dialedd *eg* (dialon) drwg a delir yn ôl am ddrwg; cosb revenge, vengeance, reprisal

dialcohol *ans* (am ddiod) heb gynnwys alcohol non-alcoholic

dialedd gw. dial¹

dialgar *ans* chwannog i ddial vengeful, vindictive

di-alw-amdano *ans* heb fod ei angen, nad oes raid wrtho; afraid, diangen, dianghenraid gratuitous, uncalled for

dialwr:dialydd *eg* (dialwyr) un sy'n dial, un sy'n talu'r hen bwyth avenger

di-alw-yn-ôl *ans* nad oes modd ei adalw; anghyfnewidiol irrevocable

dialysad *eg* MEDDYGAETH y sylwedd sy'n treiddio drwy'r bilen yn y broses o ddialysis dialysate

dialysis *eg*
1 CEMEG proses lle mae sylweddau mewn hydoddiant yn gallu cael eu gwahanu drwy eu gadael i dreiddio'n araf drwy bilen athraidd ddetholus dialysis
2 MEDDYGAETH pureiddiad y gwaed drwy ddefnyddio dialysis dialysis

diallu *ans* heb allu, yn methu gwneud dim; anabl, di-rym helpless

diamau *ans* heb unrhyw amheuaeth amdano, heb os nac onibai; dibetrus, diymwad, sicr certain, doubtless

diamcan *ans* heb amcan, heb bwrpas; dibwrpas, di-fudd, seithug aimless, purposeless

diamddiffyn *ans* heb amddiffyniad; digymorth, diymadferth, diymgeledd defenceless

diamedr *eg* (diamedrau) MATHEMATEG llinell syth sy'n ymestyn o bwynt ar ymyl siâp (yn enwedig cylch neu sffêr) i bwynt arall gyferbyn ag ef, gan redeg yn union drwy ganol y siâp diameter

diamgyffred *ans* tu hwnt i ddirnadaeth, heb unrhyw syniad, heb ddeall; anghyffwrdd, annealladwy, annirnad clueless

diamheuol *ans* na ellir ei amau, heb os nac oni bai; anwadadwy, di-ddadl, diymwad, sicr undeniable, undisputed, unquestionable

diamlen *ans* BOTANEG (am blanhigyn) heb na phetalau na sepalau, e.e. blodau'r helygen achlamydeous

diamod:diamodol *ans* heb lyffethair amodau na thelerau arbennig; absoliwt, terfynol unconditional, unqualified

diamwys *ans* heb bosibilrwydd fod yna ystyr neu arwyddocâd arall, heb amheuaeth; clir, digamsyniol, eglur, sicr unambiguous, unequivocal

diamynedd *ans* heb amynedd, ar bigau drain; anoddefgar, byrbwyll, difeddwl, gwyllt impatient

dianaf *ans* heb anaf neu nam; croeniach, di-nam, diogel unblemished, unhurt, uninjured

dianc *be* [dihang•[13] 3 *un. pres.* diainc/dihanga; 2 *un. gorch.* dianc/dihanga]
1 ffoi neu redeg ar frys rhag perygl; cymryd y goes, ei gwadnu hi, ei heglu hi (~ **rhag** *rhywun/ rhywbeth*) to escape, to flee
2 dod yn rhydd (o garchar neu ddalfa); ymadael yn ddirgel ac ymguddio rhag derbyn cosb to abscond, to escape
3 pasio heb i neb sylwi arno, e.e. gwall mewn llawysgrif to escape
Sylwch: ac eithrio *diainc* a *dianc*, ceir 'h' ym mhob ffurf ac eithrio yn y rhai sy'n cynnwys *-as-*.

dianc am fy (dy, ei, etc.) **mywyd:einioes** ffoi rhag cael fy lladd to flee for one's life

diannod *ans* CYFRAITH (am achos llys) yn addas i fynd gerbron llys ynadon summary

dianrhydedd *ans* heb anrhydedd without honour

diapason *eg* CERDDORIAETH y prif stop ar organ y mae ei effaith yn rhedeg drwy'r offeryn i gyd

diarbed *ans* heb ball nac atal; di-baid, diymarbed incessant, relentless, unrelenting

diarddel *be* gwrthod cydnabod perthynas â (rhywun); gorfodi rhywun i adael sefydliad, e.e. ysgol, capel, etc., torri allan; diaelodi, diswyddo, gwahardd to disown, to expel, to banish
Sylwch: nid yw'r ferf hon yn arfer cael ei rhedeg.

diarddeliad *eg* (diarddeliadau) y broses o ddiarddel, canlyniad diarddel disqualification, ejection

diarfogi *be* [diarfog•[1]]
1 rhoi'r gorau i arfau, cael gwared ar arfau to disarm
2 lleihau maint a grym y lluoedd arfog to disarm
diarfogi niwclear rhoi'r gorau i arfau niwclear nuclear disarmament

diarfogiad *eg* y broses o ddiarfogi, canlyniad diarfogi disarmament

diarffin *ans* MATHEMATEG heb unrhyw derfan fathemategol unbounded

diarffordd *ans* anodd cyrraedd ato; anghyraeddadwy, anghysbell, anhygyrch, pellennig inaccessible, remote

diarhebion *ell* lluosog **dihareb**

diarhebol *ans*
1 tebyg i ddihareb, nodweddiadol o ddihareb proverbial
2 gwybyddus i bawb, *Mae ei haelioni yn ddiarhebol*. proverbial

diarhebol o fe'i defnyddir i ddwysáu ystyr ansoddair, *yn ddiarhebol o wael*

diarhebu *be* [diarheb•[1]] dweud bod rhywun yn ddiarhebol o wael; achwyn am, gwawdio to revile

diarhebwr *eg* (diarhebwyr)
1 un sy'n diarhebu, sy'n difrïo ac yn diawlio reviler
2 casglwr neu luniwr diarhebion

diarogl *ans* heb arogl odourless

diaroglydd *eg* (diaroglyddion) sylwedd sy'n lladd drewdod ac arogleuon cas (yn enwedig arogleuon y corff) neu yn eu cuddio deodorant

diaros *ans* heb aros, heb golli amser, ar unwaith; di-oed, syth immediate

diarwybod *ans* heb yn wybod i rywun; annisgwyl, dirybudd, disymwth, sydyn sudden, unawares, unexpected

diasbedain *be* atseinio o ganlyniad i floeddio, gweiddi neu unrhyw sŵn mawr, *Roedd y neuadd yn diasbedain wrth i sŵn y drymiau gynyddu*. to resound, to reverberate
Sylwch: nid yw'r ferf hon yn arfer cael ei rhedeg.

di-asgwrn-cefn *ans*
1 (am anifeiliaid) heb asgwrn cefn; infertebrat invertebrate
2 *ffigurol* heb fod yn gallu gwneud penderfyniad; llipa, llwfr spineless

diastole *eg* FFISIOLEG y cyfnod yn ystod curiad normal y galon pan fydd siambrau'r galon yn ymagor ac yn llenwi â gwaed diastole

diastroffedd *eg* DAEAREG holl symudiadau cramen y Ddaear sy'n ganlyniad i brosesau tectonig ac sy'n gyfrifol am lunio cyfandiroedd, basnau cefnforoedd, llwyfandiroedd a chadwyni o fynyddoedd, etc. diastrophism

diatal *ans*
1 heb ball na rhwystr; di-baid, di-ball, diddiwedd, di-stop ceaseless
2 heb unrhyw arwydd o atal dweud fluent

diatbryn *ans*
1 CYLLID (am arian papur) na ellir ei gyfnewid am fetel gwerthfawr gan y banc a'i rhyddhaodd irredeemable
2 CYLLID (am fenthyciad) na ellir ei glirio drwy dalu yn ôl y swm arian a fenthycwyd yn wreiddiol irredeemable

diatom *eg* (diatomau) BIOLEG un o ddosbarth o algâu ungellog microsgopig, â sgerbwd fel cragen a hwnnw wedi'i wneud o silica diatom

diatonig *ans* CERDDORIAETH seiliedig ar raddfa fwyaf a graddfa leiaf (y llon a'r lleddf) cyfundrefn gerddorol gwledydd y Gorllewin diatonic

diatreg *ans hynafol* ar unwaith, yn ddi-oed, rhag blaen

diau *ans* heb unrhyw amheuaeth; cywir, diamheuol, diymwad, sicr (~ **i** *rywun* wneud) certain, sure, undoubted

di-awch *ans*
1 heb fin neu awch; pŵl blunt
2 heb fod yn frwdfrydig; diawydd, swrth listless

diawen *ans* heb ddim sy'n tanio ymateb; anysbrydoledig, anfarddonol, di-fflach, diysbrydoliaeth uninspired

diawl *eg* (diawliaid)
1 diafol; cythraul, ellyll devil
2 rheg gref hell
Sylwch: mae'n air unsill.

angel pen ffordd, diawl pen pentan am (ddyn) sy'n ymddangosiadol foneddigaidd a charedig ond sy'n gas ac yn greulon i'w deulu neu am blentyn sy'n ymddwyn yn berffaith y tu allan i'r cartref, ond yn anodd iawn ei drin gartref

cer i'r diawl rheg gref go to hell

diawl y wasg prentis mewn argraffdy gynt printer's devil

diawledig *ans rheg* nodweddiadol o'r diawl; cythreulig, dieflig, melltigedig, satanaidd diabolical, fiendish

diawledig o *anffurfiol* fe'i defnyddir i ddwysáu ystyr ymadrodd, *Mae'n ddiawledig o ddrwg!*

diawlineb:diawledigrwydd *eg* drygioni direidus, cyflwr o fod yn fwriadol letchwith neu anodd ynglŷn â rhywbeth; cythreuldeb devilment, cussedness

diawlio *be* [diawli•²] dweud y drefn mewn rhegfeydd; fflamio, melltithio, rhegi, tyngu to curse, to swear

diawlio i'r cymylau rhegi'n hir ac yn huawdl

diawydd *ans* heb fod yn awyddus; amharod, cyndyn, llugoer apathetic, unenthusiastic

di-baid *ans* heb orffwys, heb ddiwedd, heb rwystr neu ball; anataliadwy, di-ball, di-rwystr, diymatal ceaseless, continual, non-stop

di-barch *ans* heb barch; amharchus, dilornus, dirmygus disrespectful

dibechod *ans* heb bechod, heb fai; cyfiawn, dilychwin, perffaith, pur sinless, without sin

diben *eg* (dibenion) y rheswm am rywbeth neu am wneud rhywbeth; amcan, nod, perwyl, pwrpas aim, purpose

di-ben-draw *ans* heb ben draw; anorffen, diderfyn, diddiwedd endless, interminable

dibendrawdod *eg* y cyflwr o fod yn ddiddiwedd, yn ddiderfyn endlessness

dibeniad *eg* (dibeniadau) GRAMADEG gair neu gymal a ychwanegir at ferf i gwblhau'i hystyr, yn enwedig yr hyn a ddywedir am y goddrych,

e.e. yn y frawddeg *'John yw'r bachgen gorau'*, 'y bachgen gorau' yw'r dibeniad complement

dibennu *be* [dibenn•⁹] dwyn i ben ('bennu' ar lafar); cwblhau, cyflawni, diweddu, gorffen (~ â) to conclude, to end, to finish
Sylwch: dyblwch yr 'n' ym mhob ffurf ac eithrio yn y rhai sy'n cynnwys -*as*-.

diberfeddu *be* [diberfedd•¹] tynnu neu rwygo allan y perfeddion to disembowel, to gut

diberthynas *ans* heb deulu na pherthnasau without family

diberygl *ans* heb berygl; diogel

dibetrus *ans* heb betruster neu amheuaeth; diamau, ffyddiog, hyderus, sicr assured, unfaltering, unhesitating

di-blant *ans* heb blant; diepil childless

diblisgo *be* [diblisg•¹] tynnu plisgyn neu fasgl; dirisglo, disbeinio, masglo, pilio, plisgo to shell

di-blwm *ans* heb blwm, (am danwydd) heb ychwanegion yn cynnwys plwm unleaded

diboblogaeth *eb* y broses o ddiboblogi, canlyniad diboblogi; lleihad yn y boblogaeth depopulation

diboblogi *be* lleihau'n sylweddol nifer y bobl sy'n byw mewn ardal neu wlad to depopulate
Sylwch: nid yw'r ferf hon yn arfer cael ei rhedeg.

di-boen *ans* heb boen pain free

dibrin *ans* heb brinder; cyforiog, hael, helaeth, toreithiog copious, lavish

dibriod *ans* heb briodi single, unmarried

dibris *ans*
1 dibwys, di-werth, gwael trivial
2 heb falio na phoeni am ddim, *Mae hi'n ddibris iawn o'i dillad.*; byrbwyll, esgeulus, diofal heedless, reckless

dibrisiad *eg* ECONOMEG gostyngiad yng ngwerth cyfnewidiol arian yn erbyn gwerth aur neu arian cyfred gwlad neu wledydd eraill devaluation

dibrisiant *eg* ECONOMEG lleihad yng ngwerth asedau, yn enwedig asedau cyfalaf, o ganlyniad i'r defnydd a wneir ohonynt dros gyfnod o amser neu oherwydd treigl amser depreciation

dibrisio *be* [dibrisi•²]
1 peidio â pharchu; bychanu, dirmygu, diystyru to belittle, to despise, to disparage
2 colli gwerth to depreciate, to devalue

dibristod *eg* y cyflwr o ddifrïo, o fychanu rhywbeth; amarch, dirmyg, gwawd disparagement

dibrofiad *ans* heb brofiad, â diffyg profiad; amhrofiadol, glas, newydd inexperienced, callow

dibryder *ans* heb ofid na phryder; didaro, diofal, diofid, ysgafala carefree, without a care

dibwrpas *ans* heb amcan na phwrpas; diamcan, di-fudd, seithug aimless, purposeless

dibwys *ans* heb fod yn bwysig; ansylweddol, dibris unimportant, trivial

dibyn *eg* (dibynnau)
1 ochr neu wyneb serth a pheryglus clogwyn; craig, clegyr, llethr precipice
2 *ffigurol* y cyflwr o fod yn agos iawn at ddinistr neu o golli rhywbeth gwerthfawr, e.e. yn ymyl y dibyn brink

dibynadwy *ans* y gellir dibynnu arno; credadwy, cyfrifol, dilys dependable, reliable, trustworthy

dibynadwyaeth *eb* y graddau y mae modd dibynnu ar rywun neu rywbeth; dibynadwyedd; cysondeb, rheoleidd-dra, sadrwydd dependability, reliability, trustworthiness

dibynadwyedd gw. dibynadwyaeth

dibyn-dobyn *adf* tin dros ben, wyneb i waered head over heels, topsy-turvy

dibynfentro *be* (mewn ymrafael neu sefyllfa o berygl) mynd hyd yr eithaf (hyd at y dibyn) cyn tynnu'n ôl
Sylwch: nid yw'r ferf hon yn arfer cael ei rhedeg.

dibyniaeth *eb* (dibyniaethau) y cyflwr o fod yn dibynnu ar rywbeth; dibynnedd dependence, reliance

cymhareb dibyniaeth ECONOMEG cyfanswm y plant a'r rheini dros oedran ymddeol fel canran o'r boblogaeth o oedran gwaith dependency ratio

dibynnedd *eg* y cyflwr o fod yn dibynnu ar rywbeth; dibyniaeth dependability, reliability

dibynnol *ans*
1 yn dibynnu ar rywun neu rywbeth arall; amodol dependent, conditional
2 GRAMADEG modd y ferf yn yr Amser Presennol a'r Amser Amhenodol wrth fynegi dymuniad, *Y nefoedd a'i helpo!*, neu os yw'r ferf yn cyfeirio at rywbeth a allai fod neu beidio, neu rywbeth na wyddom yn union pa bryd y mae'n digwydd, e.e. dywed R. Williams Parry am glychau'r gog: 'Dyfod pan *ddêl* y gwcw, myned pan *êl* y maent' subjunctive
3 GRAMADEG term am ddosbarth o ragenwau personol nad ydynt yn digwydd ar eu pennau eu hunain, rhaid eu cydio wrth air arall – rhagenwau blaen – fy, dy, ei, ein, eich, eu (genidol, e.e. *Fy nhad*, *eich cartref*), (gwrthrychol, e.e. *Nid ydych wedi fy nghlywed*); rhagenwau mewnol – 'm, 'th,'i, 'n, 'ch, 'u (genidol, e.e. *fy mrawd a'm chwaer*), (gwrthrychol, e.e. *Fe'i gwelais*); rhagenwau ategol- fi, ti, ef, hi, ni, chi, hwy, e.e. *prynais i*; *ei gar ef* dependent

dibynnu *be* [dibynn•⁹]
1 pwyso ar rywun neu rywbeth am gynhaliaeth a nawdd, *Mae fy mhlant yn dibynnu arnaf.* (~ **ar** *rywun* **am** *rywbeth*) to depend on
2 bod yn ddibynnol ar, pwyso ar, *A allwn ni ddibynnu arnat ti i fod yma bob dydd*

Sadwrn?; hyderu, ymddiried to depend on, to rely upon
3 digwydd fel canlyniad i rywbeth arall, *Mae'r penderfyniad – pa un ai mynd neu aros – yn dibynnu ar y tywydd.* to depend
Sylwch: dyblwch yr 'n' ym mhob ffurf ac eithrio yn y rhai sy'n cynnwys -as-.

dibynnydd *eg* (dibynyddion) un sy'n dibynnu ar rywun arall (am gynhaliaeth neu gymorth ariannol) dependant

dibynwlad *eb* (dibynwledydd) GWLEIDYDDIAETH tiriogaeth dan awdurdodaeth gwlad arall ond heb ei chyfeddiannu ganddi dependency

dicach:dicaf:diced *ans* [dig] mwy dig; mwyaf dig; mor ddig

diciáu:dyciáu *eg* (y diciáu) twbercwlosis; clefyd heintus a achosir gan facteria a nodweddir gan y cnepynnau (twbercylau) sy'n tyfu ym meinwe'r corff (yn enwedig yr ysgyfaint); darfodedigaeth, dicléin TB, tuberculosis

dici-bô *eg anffurfiol* math o dei wedi'i glymu yn fwâu (fel carrai esgid) a wisgir gan ddynion; tei bô bow tie, dicky bow

dicléin *eg* twbercwlosis; clefyd heintus a achosir gan facteria a nodweddir gan y cnepynnau (twbercylau) sy'n tyfu ym meinwe'r corff (yn enwedig yr ysgyfaint); darfodedigaeth, (y) diciâu tuberculosis

dicllon *ans* llawn dicter, yn dal dig; blin, dig, llidiog angry, wrathful

dicllonrwydd *eg* y cyflwr o fod yn ddicllon; dicter, digofaint wrath

dicra *ans* diarchwaeth, difater, claear, digyffro apathetic, indifferent

Dic Siôn Dafydd *eg* enw ar Gymro sy'n gwrthod arddel ei iaith a'i Gymreictod (ar ôl cymeriad mewn cerdd ddychanol gan Jac Glan-y-gors)

dicter *eg* (dicterau) y cyflwr o fod yn ddig neu'n grac; digofaint, ffromder, llid anger, wrath

dichell *eb* (dichellion) cyfrwyster i gynllwynio, twyll wedi'i gynllunio ymlaen llaw, cynllwyn i wneud drwg; brad, ystryw craftiness, duplicity, guile

dichellgar *ans* parod i dwyllo neu gynllwynio; castiog, cyfrwys, lladradaidd, ystrywgar crafty, deceitful, sly

dichon¹ *adf hen ffasiwn* o bosibl; efallai, hwyrach (~ **i** *rywun* wneud) perhaps

dichon² *bf ffurfiol* gall, medr *Pa fodd y dichon y pethau hyn ddigwydd?*

dichonadwy:dichonol *ans* posibl, ymarferol feasible, practicable, viable

dichonoldeb:dichonolrwydd *eg* y gallu i ddatblygu neu ddod i fodolaeth feasibility, potentiality

di-chwaeth *ans* heb chwaeth, yn dioddef o ddiffyg chwaeth; amheus, anchwaethus, coch, sathredig in bad taste, indecorous, tasteless

d

did *eg* (didau) CYFRIFIADUREG yr uned leiaf a ddefnyddir i fesur gwybodaeth gyfrifiadurol, sef y digid deuaidd 0 neu 1 (talfyriad o'r geiriau 'digid deuaidd') binary digit, bit

di-dact *ans* heb y sensitifrwydd neu'r ymwybyddiaeth o'r hyn y mae angen ei ddweud neu ei wneud i osgoi tramgwyddo pobl; anniplomataidd tactless

didactig *ans* wedi'i fwriadu i ddysgu neu gyflwyno gwybodaeth (yn hytrach na difyrru) didactic

di-dâl *ans* heb gael ei dalu, heb dâl unpaid

didalent *ans* heb ddawn na thalent talentless

didaro *ans* heb ystyried digon, heb gymryd digon o ofal; difater, di-hid, diofal, diystyriol blasé, heedless, nonchalant

di-daw *ans* yn siarad neu'n llefain yn ddi-baid, heb dewi clamant

dideimlad *ans*
  1 yn methu teimlo; diffrwyth numb
  2 (am rywun) heb gydymdeimlad; anhydeiml, ansensitif, croendew, didostur callous, inhuman, unfeeling

di-deitl *ans* heb deitl titleless

diden *eb* (didennau) pen blaen bron y mae modd tynnu llaeth ohoni; blaguryn bron, teth nipple

diderfyn *ans* heb ddiwedd, heb derfyn, di-ben-draw; annherfynol, diddarfod, diddiwedd, penagored boundless, endless, infinite

diderfysg *ans* heb gyffro na chynnwrf; digyffro, di-stŵr, llonydd, tawel undisturbed

didfap *eg* (didfapiau) CYFRIFIADUREG cynrychioliad lle mae pob eitem yn cyfateb i un darn o wybodaeth neu ragor, yn enwedig yr wybodaeth sy'n cael ei defnyddio i reoli yr hyn a ddangosir ar sgrin cyfrifiadur bitmap

didol[1] *be* [[1]] fel yn *hel a didol*, casglu a didoli to separate
  Sylwch: nid yw'r ferf hon yn arfer cael ei rhedeg.

didol[2] *ans* CYFRIFIADUREG yn ymwneud â did, *patrymau didol* bit

di-dolc *ans* heb dolc undented

didoli *be* [didol•[1]] fel yn *didoli'r defaid oddi wrth y geifr*; chwynnu, datgysylltu, gwahanu, neilltuo (~ *rhywbeth* oddi wrth) to separate, to sort
  didoli'r defaid oddi wrth y geifr gwahanu'r rhai teilwng oddi wrth yr annheilwng to separate the sheep from the goats

didoliad *eg* (didoliadau) y broses o ddidoli, canlyniad didoli separation

didolnod *eg* (didolnodau) yr arwydd a roddir uwchben un o ddwy lafariad sy'n dilyn ei gilydd er mwyn dangos bod angen eu seinio ar wahân yn hytrach nag yn ddeusain, e.e. *gweddïo*, *crëwr*; bu'n arfer defnyddio didolnod i wahanu dwy lafariad debyg, e.e. *gweddiir*,

dileer, yr arfer bellach yw peidio ag arfer didolnod diaeresis

didolwr *eg* (didolwyr) un sy'n didoli, gwahanwr sorter

di-doll *ans* heb doll, di-dreth tax-free

di-dor *ans*
  1 (o ran gofod neu amser) heb ball, heb doriad; di-baid, di-fwlch, parhaus incessant, unbroken, uninterrupted
  2 CERDDORIAETH (am gyfansoddiad, yn enwedig cân) nad yw'n ailadroddus, yn gosod pob adran o'r testun i gerddoriaeth newydd continuous, through-composed

didoreth *ans* heb wybod sut i wneud y gorau o sefyllfa; anobeithiol, di-drefn, di-glem shiftless, fickle

didoriad *ans* heb fwlch nac egwyl; di-baid, di-fwlch, parhaus uninterrupted

didostur *ans* heb dosturi, heb drugaredd na thrueni; anhrugarog, caled, creulon, didrugaredd relentless, ruthless, uncharitable

didrafferth *ans* heb unrhyw drafferth na phroblem; diffwdan, hawdd, rhugl, rhwydd easy, trouble-free

di-drai *ans* heb drai, di-ben-draw; annherfynol, diderfyn, diddarfod, diddiwedd, unceasing

di-draidd *ans* nad yw'n gadael i olau fynd drwyddo opaque

di-drais *ans* heb ddefnyddio grym neu drais, nad yw'n achosi neu'n bwriadu achosi niwed corfforol non-violent

didramgwydd *ans* heb achosi unrhyw dramgwydd neu betruster; dilestair, dilyffethair, di-rwystr inoffensive, unhindered

di-draul *ans*
  1 heb draul neu ôl traul unworn
  2 rhad ac am ddim, heb gost free, free of charge

di-drefn *ans* heb drefn, blith draphlith; anhrefnus, anniben, blêr, didoreth disorganized

didreiddedd *eg* mesur o faint o olau sy'n mynd drwy sylwedd opacity

di-dreth *ans* heb fod gorfod talu treth tax-free

di-droi'n-ôl *ans* na ellir ei newid; di-ildio, dyfal, penderfynol, unplyg resolute, unyielding

didrugaredd *ans* heb dosturi na thrueni; anhrugarog, creulon, didostur, milain merciless, pitiless, callous

di-drwst *ans* heb lawer o sŵn na stŵr; tawel quiet, soft

diduedd *ans* heb ochri gyda'r naill ochr na'r llall, parod i wrando ar bob dadl cyn penderfynu; amhleidiol, di-dderbyn-wyneb, diragfarn, teg impartial, unbiased

didwyll *ans* [didwyll•] heb dwyll, heb ddichell; cywir, diddichell, diffuant, union sincere, candid, guileless

didwylledd *eg* diffyg twyll neu ddichell; cywirdeb, diffuantrwydd, gonestrwydd sincerity, frankness, candour

didyniad *eg* (didyniadau) MATHEMATEG y weithred o ddidynnu, swm sy'n cael ei ddidynnu, *Nid yw Tom yn rhy hapus am y didyniadau o'i gyflog.* deduction

didynnu *be* [didynn•⁹] MATHEMATEG tynnu swm o gyfanswm (~ *rhywbeth* **oddi wrth**) to deduct *Sylwch:* dyblwch yr 'n' ym mhob ffurf ac eithrio yn y rhai sy'n cynnwys *-as-*.

di-dyst *ans* heb neb i dystio unwitnessed

didda:di-dda *ans* heb unrhyw rinwedd na daioni yn perthyn iddo; diffaith, gwael, pwdr useless

di-ddadl *ans* heb ddadl yn ei gylch, heb os nac oni bai; anatebadwy, anwadadwy, diamheuol, diymwad indisputable

di-ddal *ans* heb fod yn ddibynadwy, na ellir dibynnu arno; annibynadwy, anwadal, gwamal, oriog fickle, unreliable

diddan *ans* [diddan•] (diddanion) yn diddanu, *cwmni diddan*; diddorol, difyr, dymunol, hyfryd amusing, entertaining, pleasant

diddanion[1] *ell* pethau diddan; difyrion pastimes

diddanion[2] *ans* ffurf luosog **diddan**

diddannedd *ans* heb ddannedd, heb rym neu awdurdod i gyflawni rhywbeth toothless

diddanu *be* [diddan•³]
1 creu adloniant, peri i fod yn llawen; adlonni, diddori, difyrru (~ *rhywun* â) to amuse, to entertain
2 cysuro neu ysgafnhau meddwl rhywun trist a galarus; calonogi, esmwytho, ymgeleddu to comfort, to console

diddanwch *eg*
1 adloniant pleserus; difyrrwch, hwyl, hyfrydwch, mwynhad entertainment
2 cysur corff a meddwl; bodlondeb, esmwythder consolation, solace

diddanwr *eg* (diddanwyr) un sy'n diddanu neu ddifyrru; difyrrwr entertainer

diddanydd *eg* un sy'n cysuro comforter

diddarbod *ans* heb fod wedi paratoi, heb fod yn ddarbodus; diofal improvident, heedless

diddarfod *ans* nad yw'n darfod; di-ball, diderfyn, diddiwedd, parhaol ceaseless

di-ddawn *ans* heb ddawn untalented, unaccomplished

diddeall *ans* heb fod yn deall; anneallus, anwybodus, twp lacks understanding

diddefnydd *ans* heb ddefnydd, da i ddim useless

di-dderbyn-wyneb *ans* yn ymddwyn tuag at bawb yn yr un ffordd, heb weniaith; amhleidiol, diduedd, diragfarn, teg impartial, outspoken

diddiben *ans* heb nod neu amcan; diamcan, dibwrpas, seithug aimless, pointless

diddichell *ans* heb ddichell; annichellgar, didwyll, diffuant guileless

diddiffyg *ans* heb ball na diffyg boundless

diddig *ans* bodlon, digynnwrf, llonydd, tawel contented, placid

diddim:di-ddim *ans* da i ddim, heb werth; di-fudd, di-werth useless

diddiolch *ans* heb dderbyn diolch, heb fod yn debyg o dderbyn diolch; ofer, seithug thankless

diddirdro *ans* (am gydran peiriant) heb ddiriant grymoedd trorym torsion free

diddiwedd *ans* heb ddiwedd, di-ben-draw; annherfynol, anorffen, di-baid, diderfyn ceaseless, endless, interminable

diddordeb *eg* (diddordebau)
1 parodrwydd i dalu sylw, *Does gennyf ddim diddordeb mewn gwleidyddiaeth.* interest
2 testun y mae rhywun yn barod i ganolbwyntio arno, *Pysgota yw ei unig ddiddordeb mewn bywyd.*; difyrrwch, diléit, hobi interest, hobby, pursuit
3 chwilfrydedd ynghylch rhywun, rhywbeth, rhyw achos, etc., *Rwyt ti'n cymryd tipyn o ddiddordeb yn y ferch newydd.* interest

diddori *be* [diddor•¹]
1 achosi chwilfrydedd, cyffroi awydd i wybod a deall (~ *rhywun* â) to interest
2 peri diddordeb; adlonni, diddanu, difyrru to entertain, to interest

diddorol *ans*
1 yn codi awydd i weld, i glywed neu i ddeall mwy interesting
2 yn dal y sylw; adloniadol, diddan, difyr interesting

diddos *ans* nad yw'n gollwng dŵr neu leithder; clyd, cysgodol, cysurus weatherproof, snug

diddosi *be* [diddos•¹] gwneud (rhywle) yn ddiddos to make weatherproof *Sylwch:* nid yw'r ferf hon yn arfer cael ei rhedeg.

diddosrwydd *eg* cyflwr diddos, diogelwch rhag gwlybaniaeth a'r tywydd; clydwch, cysur, ymgeledd shelter

diddrwg:di-ddrwg *ans* heb fod yn gwneud drwg; diniwed harmless, innocuous
diddrwg didda heb wneud unrhyw argraff ddofn indifferent, insipid

di-dduw *ans* heb gredu yn Nuw, heb barchu Duw; anghrefyddol, di-gred, digrefydd godless

di-ddweud *ans*
1 heb fod yn barod i siarad; dywedwst, tawedog stubborn, taciturn
2 (am blentyn) ystyfnig, heb fod yn barod i wrando; penstiff; ystyfnig stubborn

diddwythell *ans* ANATOMEG yn dynodi chwarren sy'n secretu sylwedd yn syth i'r gwaed ductless

diddwythiad *eg* (diddwythiadau) RHESYMEG
y broses o ddiddwytho, canlyniad diddwytho
deduction

diddwytho *be* [diddwyth•¹] RHESYMEG cyrraedd
casgliad ar ôl mynd drwy'r broses o resymu,
e.e. *Os yw Cymru'n rhan o ynys Prydain ac
ynys Prydain yn rhan o gyfandir Ewrop, yna y
mae Cymru'n rhan o Ewrop.* (~ *rhywbeth* **oddi
wrth**) to deduce

diddwythol *ans* RHESYMEG yn ymwneud â
diddwytho, yn deillio o ddiddwytho deductive

diddychymyg *ans* heb ddangos unrhyw
ddychymyg unimaginative

diddyddiad *ans* (am lythyr neu ffeil) heb
ddyddiad yn dynodi pryd y cafodd ei
hysgrifennu neu ei chreu undated

diddyfniad *eg* y broses o ddiddyfnu, canlyniad
diddyfnu weaning

diddyfnu *be* [diddyfn•¹] tynnu plentyn neu
anifail ifanc oddi ar laeth y fron er mwyn
iddo gynefino â bwyd mwy solet (~ *rhywun/
rhywbeth* **oddi ar**) to wean

diddymiad *eg* (diddymiadau) y weithred o
ddiddymu, o gael gwared ar rywbeth neu
ei wneud yn ddi-rym, canlyniad diddymu;
difodiad, dilead abolition, dissolution

diddymu *be* [diddym•¹] cael gwared ar rywbeth
neu ei wneud yn ddi-rym, *diddymu deddf*;
dad-wneud, difodi, dileu, terfynu to abolish,
to annul, to repeal, to rescind

di-ddysg *ans* heb ddysg; anhyddysg, annysgedig,
anwybodus ignorant

diedifar *ans* heb fod yn barod i ddweud ei
bod hi'n ddrwg ganddo/ganddi am rywbeth,
nac i ofyn am faddeuant am ryw ddrygioni
unrepentant, inveterate

dieflig *ans* y byddai'r diafol yn falch ohono;
cythreulig, diawledig, melltigedig, satanaidd
devilish, diabolical, fiendish

dieffaith *ans* heb effaith, heb rym; aneffeithiol
ineffectual

diegni *ans* heb egni na bywiogrwydd; cysglyd,
di-fynd, di-ffrwt, swrth listless

diegwyddor *ans* heb boeni am onestrwydd,
tegwch, cyfiawnder, etc. unscrupulous

diengyd *be* ffurf lafar ar **dianc**

dieisiau *ans* afraid, diangen needless

dieithr:dierth *ans* [dieithr•]
1 yn perthyn i wlad neu ddiwylliant arall;
anghyffredin, anghynefin, anarferol, estron
alien, foreign, uncommon
2 heb ei adnabod; anghyfarwydd, anghyffredin,
anadnabyddus, rhyfedd strange, unknown

dieithriad *ans* heb eithriad, yn ddiwahân; pawb,
popeth without exception

dieithriaid *ell* lluosog **dieithryn**

dieithrio *be* [dieithri•²] gwneud yn ddieithr

neu'n estron, troi'n ddieithr, colli cysylltiad;
pellhau, ymbellhau (~ **rhag**) to alienate,
to estrange

dieithrwch *eg* rhywbeth gwahanol neu anarferol,
teimlad chwithig; anghynefindra, chwithdod,
hynodrwydd, odrwydd peculiarity, strangeness

dieithryn *eg* (dieithriaid) rhywun dieithr, rhywun
nad ydych yn ei adnabod; estron stranger

dielw *ans*
1 heb wneud elw; amhroffidiol, anfuddiol,
di-fudd profitless
2 heb fwriadu gwneud elw; amhroffidiol
non-profit-making

diemwnt *eg* (diemwntau)
1 mwyn gwerthfawr wedi'i ffurfio o garbon pur
sy'n hynod am ei ddisgleirdeb a'i galedwch (y
defnydd naturiol caletaf y gwyddom amdano)
diamond
2 siâp â phedair ochr syth o'r un hyd, sy'n sefyll
ar un o'i bedwar pigyn diamond

dienaid *ans*
1 cas, creulon, dideimlad, digydwybod, *Roedd
yn gwbl ddienaid yn y ffordd yr oedd yn trin ei
gŵn.* callous, heartless
2 heb boeni am neb na dim, *Mae'n gyrru'r
car yn ddienaid.*; difeddwl, digydwybod, ffôl
reckless

dieneiniad *ans* heb eneiniad; sych uninspiring

dienw *ans*
1 (am awdur) anadnabyddus, anhysbys; (am
lythyr) heb enw wrtho anonymous
2 heb enw arno nameless, unnamed

dienwaededig *ans* heb fod wedi'i enwaedu,
(hefyd enw cyffredinol ar genedl-ddynion, rhai
nad ydynt yn Iddewon) uncircumcised

dienyddiad *eg* (dienyddiadau) y broses o
ddienyddio, canlyniad dienyddio; y gosb eithaf
execution

dienyddio *be* [dienyddi•²] CYFRAITH rhoi i
farwolaeth drwy ddedfryd barnwr, lladd fel
cosb gyfreithiol to execute, to put to death

dienyddiwr *eg* (dienyddwyr) un sy'n
gweinyddu'r gosb eithaf (drwy grogi neu dorri
pen, etc.) executioner

diepil *ans* heb blant neu ddisgynyddion; di-blant
childless

dierth *ans tafodieithol, yn y De* gw. **dieithr**

diesel *eg*
1 yr olew trwm a ddefnyddir yn danwydd
mewn peiriant diesel derv, diesel
2 (sef peiriant diesel) math o injan neu beiriant
tanio mewnol yn rhedeg ar olew trwm sy'n
cael ei ffrwydro gan aer poeth cywasgedig;
fe'i henwyd ar ôl yr Almaenwr a'i dyfeisiodd,
Rudolf Diesel (1858–1913) diesel

diesgus *ans* heb esgus, heb reswm dros (wneud
rhywbeth drwg fel arfer) inexcusable

dietifedd *ans* heb aer heirless

dietifeddu *be* [dietifedd•¹] atal rhywun rhag etifeddu, diddymu neu ddifeddiannu rhywun o'i dreftadaeth to disinherit

dieuog *ans* CYFRAITH heb fod yn gyfrifol am gyflawni trosedd; nad yw, yn ôl rheithgor neu farnwr, wedi troseddu; difai, diniwed innocent

dieurbrofion *ell* lluosog diheurbrawf

diewyllysedd *eg* CYFRAITH y cyflwr o fod wedi marw heb adael ewyllys intestacy

difa *be* dinistrio (drwy dân, rhyfel, etc.), rhoi diwedd ar, *adeilad hardd wedi cael ei ddifa gan dân*; anrheithio, difrodi, distrywio to consume, to destroy, to ravage
  Sylwch: nid yw'r ferf hon yn arfer cael ei rhedeg.

difa bomiau diffiwsio bomiau neu eu ffrwydro mewn ffordd reoledig bomb disposal

difai:di-fai *ans* heb feiau; dieuog, dilychwin, perffaith, pur blameless, faultless

difalio *ans* heb boeni dim; difater, di-hid insouciant

difancoll *eg* colledigaeth lwyr, diflaniad am byth; angof, distryw, ebargofiant oblivion, perdition
  ar ddifancoll yn llwyr ar goll completely and utterly lost

difandwll *ans* (am sylwedd) nad yw'n caniatáu i hylif neu aer dreiddio drwyddo; nad yw'n fandyllog non-porous

difaners *ans* anghwrtais, anfoesgar impolite

difaol *ans* yn difa; deifiol, dinistriol, ysol destructive, devastating, ravaging

di-farf *ans* heb farf beardless, clean-shaven

difaru (anffurfiol) *gw.* edifarhau

difater *ans* heb falio dim; anystyriol, didaro, di-hid, diystyriol apathetic, indifferent, uninterested

difaterwch *eg* cyflwr o beidio â phoeni neu ofalu, heb deimlo dros neu yn erbyn rhywbeth; anystyriaeth, difrawder, dihidrwydd, llacrwydd apathy, indifference, nonchalance

difäwr *eg* (difawyr) un sy'n difa; dinistriwr, distrywiwr, difodwr destroyer

di-fedr *ans* heb ddawn neu fedr; heb y ddawn angenrheidiol incompetent, clueless

difeddiannu *be* [difeddiann•¹⁰] cymryd i ffwrdd meddiant, hawliau perchenogaeth neu ddeiliadaeth (~ *rhywun* o) to expropriate
  Sylwch: dyblwch yr 'n' ym mhob ffurf ac eithrio yn y rhai sy'n cynnwys -as-.

difeddwl *ans* heb ystyried; annoeth, byrbwyll, dihidio, diofal heedless, inconsiderate, thoughtless

difeddwl-drwg *ans* heb amau dim, heb ddrwgdybio dim, yn meddwl y gorau o rywbeth neu rywun thinking no evil, unsuspecting

di-fefl *ans* heb nam na bai arno; anghyhuddadwy, difrycheulyd, dilychwin, pur flawless, faultless

di-feind *ans* heb feddwl nac ystyried; di-hid, diofal, esgeulus heedless

difeio *be* clirio rhywun o unrhyw fai neu euogrwydd honedig (~ *rhywun* o) to exculpate
  Sylwch: nid yw'r ferf hon yn arfer cael ei rhedeg.

difeius *ans* dieuog, di-fai blameless

difenwad *eg* CYFRAITH gosodiad yn lladd ar enw da rhywun drwy ddweud yn ddrwg amdano defamation

difenwi *be* [difenw•¹] lladd ar gymeriad rhywun drwy ddweud yn ddrwg amdano; athrodi, pardduo to defame, to traduce

difenwol *ans* yn difenwi; absennus, athrodus defamatory, derogatory

difenwr *eg* (difenwyr) athrodwr; un sy'n difenwi slanderer

diferiad *eg* y gwaith o ddiferu dripping

diferion *ell* lluosog diferyn

diferol *ans* yn diferu; gwlyb dripping

diferticwlitis *eg* llid y diferticwlwm, yn enwedig yn y colon; mae'n achosi poen ac yn tarfu ar weithrediad y perfedd diverticulitis

diferu *be* [difer•¹]
  1 disgyn neu ollwng yn ddafnau neu'n ddiferion, *dŵr yn diferu o'r tap*; dihidlo, dripian (~ *dros*) to drip
  2 gorlifo, *brechdan yn diferu o jam* to drip
  3 llifo'n dawel ac yn araf, *dŵr yn diferu i lawr y wal* to trickle
  4 fel *chwys diferu* neu *gwlyb diferu*, mor chwyslyd neu mor wlyb nes bod y gwlybaniaeth yn rhedeg yn ddafnau

diferwr *eg* (diferwyr) MEDDYGAETH dyfais sy'n araf ollwng cyffur neu faeth ar ffurf hylif i gorff claf drip

diferwst *eg* hynafol catâr; llid meinwe'r trwyn a'r ceudodau anadlu catarrh

diferydd *eg* tiwb o wydr â phelen rwber neu blastig ar un pen iddo, sy'n cael ei ddefnyddio i fesur hylifau fesul diferyn dropper

diferyn *eg* (diferion:diferynnau) dafn bychan; defnyn, deigryn, ychydig drop

difesur *ans* am rywbeth sydd mor fawr neu helaeth fel na ellir ei fesur; aneirif, anfesuradwy, dirifedi immeasurable, incalculable

di-feth *ans* byth yn methu, *Paid â phoeni, byddaf yno yfory yn ddi-feth.*; anffaeledig, di-ffael, sicr infallible, unerring, unfailing, without fail

difetha *be* [difeth•¹]
  1 andwyo, dinistrio, distrywio, *Mae'r melinau gwynt wedi difetha'r olygfa.* to destroy, to ruin, to spoil

2 gwneud (plentyn neu anifail) yn hunanol ac yn anodd ei drin drwy roi gormod o sylw a chanmoliaeth iddo; afradu to spoil

difethwr *eg* (difethwyr) un sy'n distrywio, sy'n difetha; dinistriwr, difrodwr, distrywiwr destroyer

Difiau *eg* dydd Iau, y pumed dydd o'r wythnos Thursday

Difiau Cablyd CREFYDD y dydd Iau cyn y Pasg pan fyddai rhai tlodion yn Lloegr yn derbyn rhodd draddodiadol o arian arbennig gan y Brenin neu'r Frenhines Maundy Thursday

Difiau Dyrchafael CREFYDD y dydd Iau 40 niwrnod ar ôl y Pasg pryd y dethlir esgyniad Iesu Grist i'r nefoedd Ascension Day

difidend *eg* (difidendau) buddran; yr arian (fel arfer) a ddaw i gyfranddalwyr cwmni cyfyngedig wrth i elw neu ran o elw y cwmni gael ei rannu yn ôl nifer y cyfranddaliadau sydd gan bob deiliad dividend

diflanbwynt *eg* (diflanbwyntiau) CELFYDDYD y man lle mae llinellau cyflin sy'n cael eu dangos yn ymestyn i'r pellter, yn cyfarfod â'i gilydd mewn persbectif unllin vanishing point

diflanedig *ans*
1 nad yw'n para'n hir; byrhoedlog, darfodedig fleeting, transient
2 wedi diflannu, wedi mynd o'r golwg vanished, faded
3 (am rywogaethau) heb aelodau byw extinct

diflaniad *eg* (diflaniadau) y weithred o ddiflannu neu o fynd o'r golwg disappearance

diflannol *ans* yn tueddu i ddiflannu; byrhoedlog, darfodedig evanescent, transient

diflannu *be* [diflann•¹⁰] mynd o'r golwg yn sydyn, peidio â bod, cilio ymaith, *Diflannodd y dewin mewn cwmwl o fwg.*; dianc (~ o; ~ **oddi ar**) to disappear, to vanish
Sylwch: dyblwch yr 'n' ym mhob ffurf ac eithrio yn y rhai sy'n cynnwys -as-.

diflas *ans* [diflas•] heb fod yn flasus neu'n ddiddorol; anniddorol, difywyd, merfaidd, sych boring, depressing, distasteful, dull

diflas o fe'i defnyddir i ddwysáu ystyr ansoddair, *yn ddiflas o hir*

di-flas *ans* heb flas arno bland, tasteless

diflastod *eg* anhyfrydwch, atgasedd, blinder, *Mae'r cweryl rhwng y ddau deulu wedi peri diflastod i'r pentref i gyd.* misery, unpleasantness

diflasu *be* [diflas•¹]
1 colli blas, mynd yn ddiflas; alaru, syrffedu (~ **ar**) to bore, to weary
2 gwneud yn ddiflas, peri diflastod i to bore, to embitter

diflewio *be* [diflewi•²] tynnu neu blicio blew oddi ar rywbeth to depilate

diflewyn-ar-dafod *ans* yn dweud yn blwmp ac yn blaen, heb wenieithio na cheisio lleddfu'r neges outspoken, plain-speaking

diflino *ans* heb flino; diwyd, diymarbed, dyfal, dygn indefatigable, untiring

difloesgni *ans* heb flewyn ar dafod; clir, croyw, diamwys candid, outspoken

difodi *be* [difod•¹] peri i (rywun neu rywbeth) beidio â bod, llwyr ddileu; diddymu, dinistrio, distrywio to annihilate, to destroy, to exterminate

difodiad:difodiant *eg* dilead llwyr, llwyr ddistrywiad; diddymiad extermination, extinction, annihilation

difodwr *eg* (difodwyr) un sy'n difodi; difäwr, dinistriwr, distrywiwr annihilator, destroyer

di-foes *ans* anghwrtais, anfoesgar, anfoneddigaidd, hyf rude

difraster *ans* heb fraster non-fat

difraw:di-fraw *ans* heb fraw nac ofn; dewr, diofn, eofn, glew fearless

difrawder *eg* y stad o beidio â phoeni na gofalu am rywun neu rywbeth, *Yn ôl rhai, gwrthwyneb cariad yw difrawder, nid casineb.*; anystyriaeth, difaterwch, dihidrwydd, esgeulustod apathy, indifference, unconcern

difreg:di-freg *ans* heb ei dorri, di-dor; anrhanedig, crwn, cyfan unbroken

difreiniad *eg* (difreiniadau) y broses o ddifreinio, canlyniad difreinio disenfranchisement

difreinio *be* [difreini•²]
1 mynd â swydd neu awdurdod oddi ar rywun, tynnu braint, *difreinio offeiriad*; amddifadu, diraddio (~ *rhywun* **o**) to deprive
2 CYFRAITH tynnu'r hawl i bleidleisio oddi ar rywun neu rywrai to disenfranchise, to disfranchise

difreintiedig *ans* (am bobl) heb rai hawliau neu gyfleoedd a ystyrir yn hanfodol mewn cymdeithas wâr, a hynny fel arfer oherwydd amgylchiadau cymdeithasol neu economaidd; amddifadus underprivileged

difrif:difri *ans* dwys, sobr, angerddol; gan amlaf mewn ymadroddion megis *o ddifrif, mewn difrif* earnest, grave, serious

rhwng difrif a chwarae am rywbeth nad yw'n hollol o ddifrif semi-seriously

difrifddwys *ans* difrifol o ddwys solemn

difrifol *ans*
1 (yn dilyn yr hyn a oleddfir) difrif, dwys, sobr *sefyllfa ddifrifol* earnest, grave, serious
2 (o flaen yr hyn a oleddfir) dychrynllyd, gwirioneddol, ofnadwy, *yn ddifrifol wael* grave, serious

difrifol o fe'i defnyddir i ddwysáu ystyr ansoddair, *yn ddifrifol o wael*

difrifoldeb:difrifwch *eg* y cyflwr neu'r stad o
fod o ddifrif neu'n ddwys; difrifwch, dwyster,
pwysigrwydd, sobrwydd earnestness, seriousness

difrifoli *be* [difrifol•¹] dod neu droi'n ddifrifol;
callio, dwysáu, sadio, sobri to become serious

difrifwch *eg* y cyflwr o fod o ddifrif; difrifoldeb,
dwyster, sobrwydd seriousness, gravity

difrïo *be* [difrï•⁸] gwneud yn fach o (rywun neu
rywbeth); bychanu, dilorni, gwaradwyddo,
sarhau to abuse, to disparage, to revile
Sylwch: does dim angen didolnod pan fydd
dwy 'i' yn dilyn ei gilydd, *difriir.*

difrïol *ans* yn difrïo neu'n dilorni, heb ddangos
parch; amharchus, dilornus, dirmygus, sarhaus
abusive, defamatory, derogatory

difrod *eg* (difrodiau) drwg i gorff rhywbeth
sy'n amharu ar ei werth neu'r ffordd y mae'n
gweithredu; dinistr, distryw, llanastr, niwed
damage, depredation, devastation

difrod troseddol CYFRAITH trosedd a
gyflawnir pan fydd rhywun, heb reswm
cyfreithiol, yn distrywio neu'n difrodi eiddo
rhywun arall, yn bwriadu distrywio neu
ddifrodi eiddo o'r fath, neu'n gweithredu'n
fyrbwyll heb ystyried a fyddai eiddo rhywun
arall yn cael ei ddistrywio neu ei ddifrodi
criminal damage

difrodi *be* [difrod•¹] gwneud difrod; anrheithio,
difa, dinistrio, distrywio to destroy, to devastate

difrodol *ans* yn difrodi, yn achosi dinistr; difaol,
dinistriol, distrywiol, ysol destructive

difrodwr *eg* (difrodwyr) un sy'n distrywio ac
yn difa; anrheithiwr, difethwr, dinistriwr,
distrywiwr destroyer

difrycheulyd *ans* rhydd o feiau a ffaeleddau;
diledryw, dilychwin, perffaith, pur immaculate,
impeccable, spotless

di-fudd *ans* da i ddim, heb werth; di-les, di-
werth, ofer, seithug futile, unprofitable, useless

di-fwlch *ans* heb fwlch, heb dor; di-dor, parhaol,
parhaus continuous

difwyniad *eg*
1 y broses o wneud yn amhûr drwy ychwanegu
sylwedd estron; halogiad adulteration
2 y broses o lygru neu amhuro; amhuriad,
llygriad pollution, contamination

difwyniant *eg* y weithred o wneud yn amhûr,
yn enwedig yn yr ystyr grefyddol; halogiad
defilement

difwyno *be* [difwyn•¹] gwneud yn frwnt neu'n
fudr; baeddu, hagru, llygru, trochi to soil,
to dirty, to defile

difwynwr *eg* (difwynwyr) un sy'n difwyno;
halogwr, llygrwr defiler

difwynydd *eg* (difwynwyr) peth neu sylwedd
sy'n difwyno, sy'n llygru, sy'n halogi; halogydd
contaminant, pollutant

di-fydr *ans* (am farddoniaeth) heb fydr
metreless

difyfyr *ans* heb baratoi ymlaen llaw, o'r frest;
byrfyfyr impromptu

di-fynd *ans* diegni, di-ffrwt, disymud, llesg,
llonydd inert

difynegiant *ans* heb fynegi dim; digyffro,
digynnwrf expressionless

difyr:difyrrus *ans* [difyrr•] (difyrion) diddan,
dymunol, llawen, llon agreeable, entertaining,
pleasant

difyrion *ell* pethau difyr; diddanion amusements,
pastimes

difyrrach:difyrraf:difyrred *ans* [difyr] mwy
difyr; mwyaf difyr; mor ddifyr

difyrru *be* [difyrr•⁹] peri difyrrwch; adlonni,
diddanu, diddori (~ *rhywun* â) to amuse,
to entertain
Sylwch: dyblwch yr 'r' ym mhob ffurf ac
eithrio yn y rhai sy'n cynnwys -*as-*.

difyrru'r amser treulio amser mewn ffordd
bleserus, adloniadol to while away the time

difyrrus gw. **difyr**

difyrrwch *eg* rhywbeth sy'n difyrru;
adloniant, digrifwch, diléit, hwyl amusement,
entertainment, recreation

difyrrwr *eg* (difyrwyr) un sy'n difyrru; diddanwr
entertainer

difyrwraig *eb* merch neu wraig sy'n difyrru
entertainer

difywyd *ans* heb fywyd; di-ffrwt, digalon,
dioglyd, marwaidd inanimate, lifeless

di-ffael *ans* byth yn ffaelu; anffaeledig, di-feth,
sicr without fail

diffaith *ans* [diffeith•]
1 heb dai na phobl; anghyfannedd, anial, moel
barren, desert, desolate
2 da i ddim; didda, gwael, pwdr rotten, wicked,
worthless
3 (am aelod o'r corff) wedi'i barlysu, wedi
gwywo; diffrwyth paralysed

dyn diffaith dyn drwg neu rywun nad yw'n
dda i ddim wastrel

diffeithach:diffeithaf:diffeithed *ans* [diffaith]
mwy diffaith; mwyaf diffaith; mor ddiffaith

diffeithder *eg*
1 y dadfeilio sy'n ganlyniad i esgeulustod
bwriadol dereliction
2 y cyflwr o fod yn ddiffaith (da i ddim);
diffeithdra depravity

diffeithdir *eg* (diffeithdiroedd) ardal nad
yw'n cael fawr ddim glaw, tir anial nad yw'n
medru cynnal ond ychydig o fywyd a lle mae'r
llystyfiant yn brin neu'n absennol; anialdir,
anialwch, diffeithwch desert

diffeithdiro *eg* DAEARYDDIAETH y broses lle mae
tir ffrwythlon yn troi'n ddiffeithdir, fel arfer

o ganlyniad i sychder, datgoedwigo, neu ddulliau amaethyddiaeth amhriodol desertification

diffeithdra *eg*
1 y cyflwr o fod yn ddiffaith (da i ddim); drygioni, oferedd depravity
2 y dadfeilio sy'n ganlyniad i esgeulustod bwriadol; diffeithder dereliction

diffeithwch *eg* rhan o wlad neu ddarn o dir heb fawr o fywyd a heb unrhyw arwyddion o bresenoldeb pobl; anghyfanhedd-dra, anial, anialwch, desert, desolation, wilderness

differadwy *ans* MATHEMATEG (am ffwythiant) y gellir ei ddifferu differentiable

differiad *eg* (differiadau) MATHEMATEG proses i ddarganfod deilliad ffwythiant mewn calcwlws differentiation

differol *ans* MATHEMATEG yn ymwneud â differiad mathemategol, yn enwedig calcwlws differol differential

differu *be* [differ•¹] MATHEMATEG dod o hyd i ddeilliad ffwythiant to differentiate

differyn *eg* (differynnau)
1 maint y gwahaniaeth rhwng pethau, e.e. y gwahaniaeth rhwng y cyflogau sy'n cael eu talu am wahanol swyddi differential
2 gêr ar echel yrru cerbyd sy'n caniatáu i un olwyn droi yn gynt na'r llall wrth i'r cerbyd droi cornel differential
3 MATHEMATEG (mewn calcwlws) differyn dx y newidyn annibynnol x yw newid tra bychan yng ngwerth x differential

diffibrilio *be* MEDDYGAETH atal ffibriliad y galon drwy ddefnyddio sioc drydan fesuredig i adfer curiad normal y galon to defibrillate

diffiniad *eg* (diffiniadau) canlyniad diffinio rhywbeth, disgrifiad manwl-gywir ynglŷn â hanfod neu natur rhywbeth, dehongliad cryno o ystyr gair neu derm (yn enwedig mewn geiriadur); dehongliad, eglurhad, esboniad, ystyr definition

diffiniedig *ans* wedi'i ddiffinio defined

diffinio *be* [diffini•⁶]
1 disgrifio neu egluro yn gryno ac yn ddiamwys to define
2 nodi ffiniau neu osod terfynau pendant to define

diffinnir *bf* [diffinio] *ffurfiol* mae rhywun neu rywbeth yn cael ei ddiffinio; bydd rhywun neu rywbeth yn cael ei ddiffinio

diffiwsio *be* [diffiwsi•²]
1 tynnu'r ffiws (o fom neu ffrwydryn) to defuse
2 gwneud rhywbeth yn llai peryglus neu ddifrifol ddwys to defuse

di-fflach *ans* heb ddim i danio ymateb; anysbrydoledig, diawen, diysbrydoliaeth uninspired, uninspiring

diffodd *be* [diffodd•¹ 3 *un. pres.* diffydd/ diffodda; 2 *un. gorch.* diffodd/diffodda]

1 darfod, peidio â bod, *Mae'r tân wedi diffodd eto.* to go out
2 peri i (wres, golau, etc.) ddarfod to extinguish, to put out, to turn off
Sylwch: diffodd trydan, teledu etc. a wneir yn Gymraeg, nid eu '*troi nhw i ffwrdd*'.

diffoddiad *eg* y weithred o ddiffodd neu'r canlyniad iddi extinguishing

diffoddwr tân *eg* (diffoddwyr tân) un sy'n cael ei gyflogi i ddiffodd tanau; dyn tân fireman

diffoddydd *eg* (diffoddyddion) teclyn yn cynnwys sylwedd cemegol sy'n mygu neu'n diffodd tân extinguisher

difforestu *be* [difforest•¹] clirio neu waredu coed neu fforestydd; datgoedwigo to deforest

diffreithiant *eg* FFISEG y broses o ddiffreithio, canlyniad diffreithio diffraction

diffreithio *be* [diffreithi•²] FFISEG yr hyn sy'n digwydd i gyfundrefn o donnau (e.e. golau) sy'n cael eu lledaenu wrth deithio drwy hollt gul neu dros ymyl; yn achos golau, bod y pelydrau fel petaent yn cael eu gwyro i gynhyrchu bandiau lliw neu fandiau cyflin tywyll a golau to diffract

di-ffrind *ans* heb ffrind, heb gyfaill friendless

di-ffrwt *ans* heb ddim 'mynd' ynddo; difywyd, dioglyd, marwaidd listless

diffrwyth *ans*
1 di-fudd, di-werth, ofer, seithug futile, useless
2 heb gynhyrchu ffrwyth; anghynhyrchiol, anffrwythlon, hesb barren, childless, unfruitful
3 (am rywun) wedi'i barlysu, neu sydd ag aelod o'i gorff heb fod yn gweithredu'n iawn; dideimlad, diffaith, gwyw paralysed

diffrwythder:diffrwythdra *eg* y cyflwr o fod yn ddiffrwyth; merwindod, fferdod barrenness, fruitlessness

diffrwythloni *be* [diffrwythlon•¹] amddifadu o'r gallu i genhedlu to sterilize

difftheria *eg* MEDDYGAETH clefyd difrifol nad yw'n para'n hir ond sy'n achosi llid i'r galon a'r system nerfol, anawsterau anadlu a thwymyn diphtheria

diffuant *ans* [diffuant•] heb dwyll na rhagrith; cywir, didwyll, gonest, pur genuine, sincere
yn ddiffuant ffurf a ddefnyddir wrth dorri enw ar waelod llythyr ar ôl cyfarch rhywun wrth ei enw ar ben y llythyr; yn bur sincerely

diffuantrwydd *eg* y cyflwr o fod yn ddiffuant; cywirdeb, didwylledd, gonestrwydd genuineness, sincerity

di-ffurf *ans* heb siâp clir a phendant; amorffaidd, di-lun amorphous

diffwdan *ans* heb ffwdan, di-ffws; didrafferth, di-lol, syml without fuss

diffydd *bf* [diffodd] *hynafol* mae ef yn diffodd/mae hi'n diffodd; bydd ef yn diffodd/bydd hi'n diffodd

di-ffydd *ans*
1 heb ffydd yn rhywun neu rywbeth; amheus doubting
2 heb ffydd grefyddol, yn amau; anghrediniol doubting, faithless
diffyg *eg* (diffygion)
1 absenoldeb rhywbeth angenrheidiol, *diffyg hyder*; annigonedd, eisiau, prinder deficiency, lack, shortfall
2 gwendid (yn deillio o absenoldeb rhywbeth fel arfer); amryfusedd, bai, gwall, mefl defect, error, malfunction
3 gwendid neu nam mewn cymeriad shortcoming
4 SERYDDIAETH yr hyn sy'n digwydd pan ddaw'r Lleuad rhwng yr Haul a'r Ddaear neu pan ddaw'r Ddaear rhwng yr Haul a'r Lleuad gan darfu ar olau'r Lleuad eclipse
5 CYLLID y bwlch rhwng gwariant ac incwm, e.e. diffyg masnach – y bwlch rhwng mewnforion ac allforion deficit
diffyg democrataidd GWLEIDYDDIAETH sefyllfa lle na fydd sefydliadau (yn enwedig llywodraethau) sy'n honni eu bod yn ddemocrataidd yn cyflawni egwyddorion democratiaeth wrth weithredu democratic deficit
diffyg gwaed anaemia; cyflwr sy'n cael ei achosi gan brinder celloedd (neu gorffilod) coch yn y gwaed, neu pan fo'r corff yn brin o waed anaemia
diffyg maeth diffyg ymborth digonol oherwydd prinder bwyd, oherwydd peidio â bwyta'r pethau angenrheidiol neu oherwydd bod y corff yn methu defnyddio'r hyn sy'n cael ei fwyta malnutrition
diffyg traul cyflwr y corff pan fydd asid o'r stumog yn ennyn llid ar yr oesoffagws, ar y stumog neu ar y dwodenwm; camdreuliad, indigestion
Ymadroddion
o ddiffyg oherwydd eisiau rhywbeth due to the lack of
yn niffyg yn wyneb prinder if there is no
diffygdaliad (diffygdaliadau) canlyniad diffygdalu default (payment)
diffygdalu *be* CYLLID methu anrhydeddu ymrwymiad ariannol, yn enwedig i ad-dalu dyledion ariannol to default
Sylwch: nid yw'r ferf hon yn arfer cael ei rhedeg.
diffygdalwr *eg* (diffygdalwyr) CYLLID methdalwr; un sy'n methu anrhydeddu ymrwymiad ariannol defaulter
diffygiad *eg* (diffygiadau) yr hyn sydd yn eisiau; ffaeledd, pall, prinder deficiency, shortcoming
diffygiedig *ans* â diffyg, â rhywbeth yn eisiau; annigonol, yn syrthio'n fyr inadequate
Diffyg Imiwnedd Caffaeledig (DIC) gw.
  Afiechyd Imiwnedd Diffygiol

diffygio *be* [diffygi•²] blino'n lân, *Bu bron i'r cerddwyr ddiffygio yng ngwres llethol yr haul.*; gwanhau, llesgáu, methu, pallu to fail, to lose heart, to tire
diffygiol *ans* a nam arno, â rhywbeth sy'n angenrheidiol i'w gyfansoddiad yn eisiau; anfoddhaol, beius, ffaeleddus, gwallus defective, deficient, imperfect
diffyndoll *eb* (diffyndollau) ECONOMEG toll a osodir gan lywodraeth ar nwyddau sy'n cael eu mewnforio i'r wlad; tariff protective duty
diffyndollaeth *eb* yr egwyddor a'r arfer o amddiffyn diwydiannau brodorol gwlad drwy godi toll neu dreth ar fewnforion cystadleuol o wledydd tramor protectionism
diffyniad *eg* (diffyniadau) y gwaith o amddiffyn, o warchod; amddiffyniad, yn enwedig am ddadl neu ateb defence
diffyniadaeth *eb* CREFYDD cyfundrefn yn amddiffyn safbwyntiau crefyddol arbennig apologetics
diffynnaeth *eb* ECONOMEG y broses o weithredu polisi o ddiffynnu protectionism
diffynnu *be* [diffynn•⁹] ECONOMEG gwarchod neu amddiffyn diwydiannau brodorol gwlad (e.e. drwy godi toll neu dreth ar fewnforion) rhag cystadleuaeth gan gynhyrchwyr tramor to defend, to protect
  Sylwch: dyblwch yr 'n' ym mhob ffurf ac eithrio yn y rhai sy'n cynnwys *-as-*.
diffynnwr *eg* (diffynwyr) un sy'n amddiffyn neu'n gwarchod, e.e. y ffydd Gristnogol defender
diffynnydd *eg* (diffynyddion) CYFRAITH (mewn llys barn) yr un y dygir achos troseddol yn ei erbyn defendant
dig¹ *eg* fel yn yr ymadrodd *dal dig*; atgasedd, digofaint, llid (~ **wrth**) anger, indignation
dig² *ans* [dic•] wedi colli tymer; blin, cas, crac angry, indignant, irate
digaffein *ans* (am de neu goffi) heb gaffein decaffeinated
digalon *ans* trist (gan anobaith), isel ei ysbryd; diobaith, gwangalon, prudd, trist depressed, despondent, disheartened
digalon o fe'i defnyddir i ddwysáu ystyr ansoddair, *yn ddigalon o drist*
digalondid *eg* y cyflwr o fod mewn anobaith, iselder ysbryd; melan, prudd-der, tristwch dejection, depression
digalonni *be* [digalonn•⁹]
1 mynd yn ddigalon, torri ei galon; anobeithio, danto, gwangalonni to become faint-hearted, to lose heart
2 gwneud yn ddigalon, peri digalondid; danto to daunt, to deter, to dishearten
  Sylwch: dyblwch yr 'n' ym mhob ffurf ac eithrio yn y rhai sy'n cynnwys *-as-*.

d

digamsyniol *ans* na ellir ei gamgymryd neu ei amau; amlwg, clir, eglur, plaen unmistakable

di-gâr *ans* heb gyfaill na chariad forlorn

digaregu *be* [digareg•¹] cael gwared ar y cerrig, e.e. am gae

digartref *ans*
1 heb gartref, heb lety; crwydrol homeless
2 heb do uwch ei ben; amddifad homeless

digartrefedd *eg* y cyflwr neu'r stad o fod heb gartref homelessness

digellwair *ans* o ddifrif; difrifol, dihiwmor, sych stern

digenfigen *ans* heb genfigen

digeniad *eg* y broses o ddigennu desquamation

digennu *be* [digenn•⁹] (am groen) pilio i ffwrdd, syrthio'n gen; digroeni to desquamate, to peel
Sylwch: dyblwch yr 'n' ym mhob ffurf ac eithrio yn y rhai sy'n cynnwys *-as-*.

digerydd *ans* heb gerydd unadmonished

digid *eg* (digidau) MATHEMATEG unrhyw rifolyn o 0 i 9 digit

digideiddio gw. digido

digido *be* [digid•¹] CYFRIFIADUREG creu fersiwn digidol o eitem analog (ar gyfer cyfrifiadur fel arfer); digideiddio to digitize

digidol *ans*
1 MATHEMATEG seiliedig ar ddefnyddio'r rhifolion 0 i 9 digital
2 CYFRIFIADUREG (am ddyfais electronig) yn defnyddio system o dderbyn ac anfon gwybodaeth fel cyfres o rifau un a sero digital
3 CYFRIFIADUREG yn ymwneud â defnyddio technoleg gyfrifiadurol digital

digio *be* [digi•²]
1 bod yn ddig, gweld yn chwith; cynddeiriogi, ffromi, gwylltio, sorri (~ **wrth** *rywun* **am** *rywbeth*) to offend, to take offence
2 gwneud yn flin; cythruddo, ffyrnigo, pechu to displease, to offend

diglefyd *ans* heb haint na chlefyd; iach disease-free, healthy

di-glem *ans* tafodieithol, yn y De heb syniad sut i wneud rhywbeth; anfedrus, anobeithiol, di-sut clueless, inept

di-glod *ans* heb glod, heb ei ganmol unpraised

digoes *ans*
1 BIOLEG wedi'i glymu'n barhaol wrth rywbeth, *Mae cerrig gleision a chregyn llong yn enghreifftiau o anifeiliaid digoes.* sessile
2 BOTANEG (am rai dail neu flodau) heb betiolau ac felly wedi'u clymu'n uniongyrchol wrth y coesyn sessile

digofaint *eg* dicter sy'n cael ei achosi oherwydd anghyfiawnder neu sarhad; cynddaredd, dig, llid anger, indignation, wrath

digolled *ans* CYFRIFIADUREG (am gywasgu data) heb golli unrhyw wybodaeth, heb effeithio ar yr ansawdd lossless

digollediad *eg* (digollediadau) CYFRAITH sicrhau mechni neu ddiogelu yn erbyn niwed, colled, nam, etc.; ad-daliad, iawndal compensation

digolledu *be* [digolled•¹] talu iawn am golled, *digolledu rhywun am roi amser tuag at rywbeth*; ad-dalu (~ *rhywun* **am**) to compensate, to recompense

digon¹ *eg*
1 maint yr hyn sydd eisiau i ddiwallu angen (~ **o**) enough
2 digonedd, gwala, helaethrwydd, toreth, *Roedd digon i'w gael i bawb.* plenty
ar ben/uwchben fy (dy, ei, etc.) nigon heb eisiau dim in clover
cael digon ar cael llond bol, blino ar to have enough of
digon o waith go brin, mae'n annhebyg hardly likely
hen ddigon mwy na digon; gormod more than enough
o ddigon o lawer, o bell ffordd by far

digon² *adf* (gall ragflaenu neu weithiau ddilyn ansoddair) braidd, eithaf, lled, *Arhosodd yn ddigon hir.*, *Mae hynny'n hen ddigon.* enough
Sylwch: nid yw'r *digon* hwn yn achosi treiglad (*digon da; digon gwir*).

digonedd *eg*
1 llawn digon; amlder, helaethrwydd, toreth abundance, plenty
2 y cyflwr o fod yn oludog; cyfoeth affluence

digoni *be* [digon•¹]
1 diwallu angen, bod yn ddigon; bodloni, cyflenwi, darparu to satiate, to satisfy
2 coginio neu rostio'n llwyr; crasu, pobi to cook, to roast thoroughly

digonol *ans* am rywbeth sydd, o ran maint neu amlder, yn diwallu angen neu sy'n addas i'w bwrpas; digon adequate, ample, sufficient

digonolrwydd *eg*
1 y cyflwr neu'r ansawdd o fod yn ddigonol sufficiency
2 digonedd, yn enwedig o rywbeth angenrheidiol sufficiency

digornio *be* [digorni•²] tynnu neu dorri cyrn (gwartheg) to dehorn

di-gosb *ans* heb gosb unpunished, with impunity

di-gost *ans* heb gost, yn rhad cost-free

digramennu *eg* MEDDYGAETH llawfeddygaeth i drychu neu dorri ymaith feinwe marw o glwyf rhag iddo droi'n heintus debridement

di-gred *ans* heb ffydd grefyddol; anghrefyddol, di-dduw, digrefydd faithless

digrefydd *ans* heb grefydd; anghrefyddol, di-dduw, di-gred religion-free

di-grefft *ans* heb grefft; anfedrus, anhyfedr unskilled

digrif *ans* [digrif•] (digrifion) yn peri chwerthin; comig, doniol, smala amusing, funny, humorous

digrifion[1] *ell* pethau digrif amusements

digrifion[2] *ans* ffurf luosog digrif

digriflun *eg* (digrifluniau) cartŵn; darlun dychanol, yn gwneud materion y dydd neu wleidyddiaeth yn destun sbort cartoon

digrifwas *eg* (digrifweision) un sy'n cymryd arno fod yn hurt neu'n ddwl er mwyn difyrru pobl; clown, croesan buffoon

digrifwch *eg* y cyflwr o fod yn ddigrif; donioldeb, hwyl, miri, smaldod amusement, fun, humour

digrifwr *eg* (digrifwyr) un sy'n gwneud i bobl chwerthin, yn enwedig un sy'n actio'n ddoniol neu'n dweud jôcs comedian

di-griw *ans* heb griw i'w redeg, *gwennol ofod ddi-griw* unmanned

digroeni *be* [digroen•[1]] tynnu croen oddi ar; digennu, blingo, pilio (~ *rhywbeth* â) to flay, to skin

digroeso *ans* heb groeso; anghroesawgar, oeraidd unwelcoming, inhospitable

diguro *ans* heb ei drechu, na ellir gwella arno, *Mae cacen siocled Siân yn ddiguro.*; anhrechadwy, anorchfygedig, anorthrech, penigamp unbeatable, unbeaten

digwmwl *ans* heb gwmwl; braf, clir, ffein cloudless, unclouded

di-gwsg *ans* heb gwsg; di-hun, effro sleepless

digwydd[1] *be* [digwydd•[1] 3 *un. pres.* digwydd/digwydda; 2 *un. gorch.* ni cheir ffurf]
1 cael ei gyflawni, *Beth sydd wedi digwydd?* (~ **i**) to happen
2 bod yn ddigon lwcus neu anlwcus, *Digwyddais ei chyfarfod hi yn y farchnad.* to happen
3 bod yn wir drwy ddamwain neu gyd-ddigwyddiad, *Fel mae'n digwydd, byddaf yn galw heibio i'r lle yfory.* to happen

digwydd[2] *adf tafodieithol, yn y De* mewn ymadrodd megis *digwydd iddo ddod ragor,* go brin, siawns hardly

digwydd[3] *eg* cyfres o ddigwyddiadau, *stori lawn digwydd;* cyffro action

digwyddiad *eg* (digwyddiadau)
1 rhywbeth sydd yn digwydd neu wedi digwydd; achlysur, hap, siawns, tro event, happening, occurrence
2 rhywbeth sy'n digwydd sydd yn aml ag elfen o drais neu dorcyfraith yn gysylltiedig ag ef incident

digwyddiadur *eg* rhestr o ddigwyddiadau yn cofnodi beth, pwy, pryd a lle y byddant yn digwydd

di-gŵyn *ans* heb gŵyn; diachwyn, dirwgnach, diwarafun uncomplaining

digychwyn *ans* araf, difywyd, swrth, hwyrfrydig lacking initiative, listless

digydwybod *ans* heb gydwybod; dienaid callous

digydymdeimlad *ans* heb gydymdeimlad unsympathetic

digyfaddawd *ans* am rywun sy'n credu'n gryf iawn mewn rhywbeth, nad yw'n barod i newid yr hyn y mae'n ei gredu; anghymodlon, digymrodedd, unplyg uncompromising
digyfaddawd o fe'i defnyddir i ddwysáu ystyr ansoddair, *yn ddigyfaddawd o onest*

digyfeiliant *ans* CERDDORIAETH yn perfformio heb gyfeiliant offeryn unaccompanied

digyfnewid *ans* yn aros yn union yr un peth heb newid o gwbl; anghyfnewidiol, sefydlog immutable, unaltered, unchanging

digyfnod *ans* FFISEG (am gyflwr dyfais neu system wyddonol) heb osgiliadau cyson aperiodic

digyfraith *ans* heb gyfraith lawless

digyffelyb *ans* heb ddim i gymharu ag ef, heb ddim yn debyg iddo; anghymharol, di-ail, digymar, dihafal matchless, peerless, unparalleled

digyffro *ans* heb sbonc, symudiad neu adwaith; digynnwrf, di-stŵr, hunanfeddiannol, llonydd impassive, imperturbable, tranquil

digynghanedd *ans* (am farddoniaeth) heb gynghanedd

digymar *ans* dihafal, digyffelyb, *'digymar yw fy mro'*; anghymharol, anefelychadwy, di-ail incomparable, unequalled

digymell *ans* heb orfod, heb straen, heb anogaeth, o ddewis; gwirfoddol spontaneous, unprompted, voluntary

digymeriad *ans* heb gymeriad, heb bersonoliaeth; di-liw, undonog characterless

digymhellrwydd *eg* y cyflwr o ymateb yn fyrfyfyr i rywbeth yn union fel yr ydych yn teimlo ar y pryd (heb ystyried, heb baratoi) spontaneousness

digymorth *ans* heb gymorth, heb neb i gynorthwyo; digynhorthwy unaided

di-Gymraeg *ans* heb fedru'r Gymraeg non-Welsh-speaking

digymrodedd *ans* amharod i gymodi; anghymodlon, digyfaddawd, unplyg uncompromising

digymysg *ans* heb fod ag unrhyw beth amhûr neu ddrwg wedi'i gymysgu ag ef; croyw, didwyll, gwirioneddol, pur pure, unadulterated, unalloyed
Sylwch: nid yw'n arfer cael ei gymharu.

digynhorthwy *ans* heb gynhorthwy, heb gymorth; digymorth unsupported

digynnig *ans* heb ei ail, *llyfr da digynnig*; eithriadol, ofnadwy exceptional

digynnwrf *ans* heb gynnwrf; digyffro, llonydd, tawel undisturbed

digynnyrch *ans* heb gynhyrchu dim fruitless, unproductive

digysur *ans* heb gysur; anghynnes, anghysurus, annifyr, diflas cheerless, comfortless, disconsolate

digyswllt *ans* heb unrhyw beth yn eu cysylltu; anghyswllt, anghysylltiedig, anghysylltus, gwasgarog disjointed, unconnected

digytundeb *ans* heb gytundeb contractless, out of contract

digywair *ans* CERDDORIAETH yn osgoi cyweiriau traddodiadol ac yn defnyddio deuddeg nodyn y raddfa gromatig atonal

digywilydd *ans*
1 heb gywilydd; eofn, haerllug, hy, rhyfygus barefaced, brazen, impudent
2 heb ofn, heb gywilydd; beiddgar, hyderus unashamed
digywilydd o fe'i defnyddir i ddwysáu ystyr ansoddair, *yn ddigywilydd o eofn*

digywilydd-dra *eg* y cyflwr o fod yn ddigywilydd; haerllugrwydd, hyfdra, rhyfyg, wyneb effrontery, presumption, shamelessness

di-had *ans* heb hadau seedless

dihafal *ans* heb ei debyg, heb ei ail; anghymharol, di-ail, digyffelyb, unigryw incomparable, unique, unrivalled

dihangaf *bf* [dianc] rwy'n dianc; byddaf yn dianc

dihangfa *eb* (diangfâu)
1 y weithred o ddianc; ymwared escape
2 ffordd neu fodd i ddianc; ystryw i osgoi neu ddianc; allanfa escape, loophole
dihangfa dân ffordd arbennig (grisiau fel arfer) i ddianc rhag tân mewn adeilad fire escape

dihangiad *eg* (diangiadau) y weithred o ddianc; enciliad, ffoëdigaeth, ymwared escape

dihangol *ans* wedi dianc i ddiogelwch neu'n cynnig ffordd o ddianc i ddiogelwch escaped, safe
bwch dihangol gw. bwch

dihangu ffurf ar dianc

dihangwr *eg* (dihangwyr) un sydd wedi dianc; ffoadur, enciliwr, gwrthgiliwr absconder, escaper

di-haint *ans* heb unrhyw facteria arno neu ynddo sterile

dihalog *ans* heb ei ddifwyno, tra chysegredig; anhalogedig, anllygredig, diwair, pur immaculate, pure, sacrosanct

dihalwyno *be* [dihalwyn•¹] tynnu'r halwyn neu'r halwynau o (sylwedd); troi dŵr hallt y môr yn ddŵr croyw; croywi, puro to desalinate

dihareb *eb* (diarhebion) dywediad byr, adnabyddus, yn cyflwyno doethineb mewn ffordd gwta, gofiadwy, e.e. *Nid aur yw popeth melyn. Tri chynnig i Gymro.*; dywediad, gwireb adage, proverb

dihatru *be* [dihatr•³] tynnu ymaith ddillad; dadwisgo, dinoethi, diosg, ymddihatru to divest, to strip

dihefelydd *ans* di-ail, digyffelyb, dihafal incomparable, peerless

dihengi *bf* [dianc] *ffurfiol* rwyt ti'n dianc; byddi di'n dianc

dihengu:dihengyd ffurf ar dianc

diheigiannu *be* [diheigiann•¹⁰] cael gwared ar bryfetach neu fân anifeiliaid, e.e. pla o lygod (~ *rhywle* o) to disinfest
Sylwch: dyblwch yr 'n' ym mhob ffurf ac eithrio yn y rhai sy'n cynnwys -*as*-.

diheintiad *eg* (diheintiadau) y broses o ddiheintio, canlyniad diheintio disinfection

diheintiedig *ans* wedi'i ddiheintio disinfected

diheintio *be* [diheinti•²] glanhau mewn ffordd sy'n cael gwared ar facteria to disinfect, to sterilize

diheintiol *ans* yn diheintio disinfectant

diheintydd *eg* (diheintyddion) sylwedd ar gyfer diogelu rhag trosglwyddo haint disinfectant

dihenydd *eg* angau, diwedd, marwolaeth, tranc death, destruction
cosb ddihenydd y gosb eithaf capital punishment
Ymadroddion
dinas ddihenydd *ffigurol* marwolaeth
yr Hen Ddihenydd hen iawn, iawn the Ancient of Days

diheurbrawf *eg* (dieurbrofion) *hanesyddol* prawf drwy ddioddefaint, lle y gorfodid un a gyhuddwyd i ddal haearn poeth, rhoi llaw mewn dŵr berwedig neu ymladd gornest er mwyn i fod goruwchnaturiol ddyfarnu a yw'n euog neu beidio trial by ordeal

di-hid:dihidio *ans* heb hidio dim; didaro, difater, diofal, diystyriol carefree, heedless, unheeding

dihidlo *be* [dihidl•¹] gollwng yn ddafnau; diferu, llifo to drip, to drop

dihidrwydd *eg* diffyg cyfrifoldeb a gofal; anystyriaeth, difaterwch, difrawder, llacrwydd carelessness, heedlessness, indifference

dihiryn *eg* (dihirod) dyn drwg; adyn, cenau, cnaf, gwalch hooligan, rascal, scoundrel, villain

dihoeni *be* [dihoen•¹] colli egni a diddordeb mewn byw, mynd yn ddifywyd; cilio, clafychu, gwanychu, llesgáu (~ *am*) to languish, to pine

di-hun *ans* fel yn *ar ddi-hun*, heb fod yn cysgu; di-gwsg, effro awake

dihuno *be* [dihun•¹]
1 deffro o gwsg; dadebru, ystwyrian (~ o) to awake

2 gwneud yn effro neu'n ymwybodol to arouse, to awake, to wake

di-hwb *ans* di-fynd, di-fflach, difywyd listless, unenterprising

di-hwyl *ans* heb fod yn teimlo'n dda, nad yw mewn hwyliau da, isel ei ysbryd, a'i ben yn ei blu; anhwylus, digalon, diysbryd, pruddglwyfus depressed, out-of-sorts

dihyfforddiant *ans* heb hyfforddiant untrained

dihysbydd *ans* na ellir ei wacáu, heb ball; diderfyn, diddarfod, diddiwedd inexhaustible, unlimited

dihysbyddu:disbyddu *be* [dihysbydd•[1]] defnyddio nes bod dim ar ôl; gwacáu, gwagio (~ *rhywbeth* o) to deplete, to drain, to exhaust

dihysbyddwr *eg* (dihysbyddwyr) un sy'n dihysbyddu emptier

di-ildio *ans* heb fod yn barod i ildio; cadarn, cyndyn, gwydn, ystyfnig unyielding, unrelenting

di-ïonig *ans* CEMEG heb fod yn ïonig nonionic

dil *eg* (diliau) rhesi o gelloedd bychain ar ffurf hecsagonau rheolaidd sy'n cael eu hadeiladu gan wenyn i gadw eu mêl a'u hwyau; crib, crwybr honeycomb

di-lais *ans*
1 heb lais; mud voiceless
2 heb ei leisio voiceless

dilawes *ans* heb lewys sleeveless

dilead *eg* (dileadau) y weithred o ddileu neu ddiddymu, canlyniad dileu, torri allan neu sychu i ffwrdd (yn enwedig rywbeth sydd wedi cael ei ysgrifennu); diddymiad, difodiad abolition, deletion, obliteration

dileadwy *ans* y gellir ei ddileu, ei ddiddymu, ei ddinistrio

dilechdid *eg* RHESYMEG yr arfer o brofi dilysrwydd damcaniaeth neu farn drwy ddadl resymegol dialectics

dilechdidol *ans* yn ymwneud â dilechdid neu'n deillio ohoni dialectical

dilediaith *ans* (am iaith) heb eiriau neu acen estron; diledryw accent free, pure

diledryw *ans* heb gymysgu gwaed, o'r iawn ryw, o dras uchel; heb bechod; digymysg, dilychwin, pur, rhonc pure, thoroughbred

dilefelaeth:dilyfelaeth *ans* heb unrhyw syniad nac amcan clueless

diléit *eg* diddordeb byw a mwynhad mewn rhywbeth, *Mae ganddo ddiléit mewn ceir cyflym.* delight

dilema *eg* dewis anodd; penbleth, cyfyng-gyngor dilemma

di-les *ans* heb fod o les; di-fudd, di-werth of no benefit

dilesâd *ans* heb lesâd, di-werth useless

dilestair *ans* heb lestair; agored unhindered

diletant *eg* (diletantiaid) rhywun â diddordeb arwynebol yn y celfyddydau neu ryw gangen o wybodaeth dilettante

diletantaidd *ans* heb fod o ddifrif, arwynebol, ffuantus dilettante

dileu *be* [dile•[1] *2 un. pres.* dilëi; *1 llu. pres.* dilëwn; *2 llu. pres.* dilëwch; *amh. pres.* dilëir; *amh. gorff.* dilëwyd; *1 un. amhen.* dilëwn; *2 un. amhen.* dilëit; *amh. amhen.* dilëid; *1 llu. gorch.* dilëwn; *2 llu. gorch.* dilëwch; *1 un. dib.* dilëwyf; *2 un. dib.* dilëych] cael gwared ar (rywbeth ysgrifenedig fel arfer); diddymu, difodi, dirymu (~ *rhywbeth* o) to abolish, to delete
Sylwch: nid oes angen 'ë' yn y ffurfiau sy'n cynnwys 'ee', e.e. *dileer.*

dilëwr *eg* (dilewyr)
1 rhywbeth sy'n dileu, e.e. rwber i ddileu ysgrifen eraser
2 bysell ar gyfrifiadur sy'n dileu rhywbeth o sgrin a chof y cyfrifiadur delete key

dilewyrch *ans*
1 nad yw'n llewyrchu; afloyw, anllathraidd, pŵl, tywyll dark, gloomy
2 heb lewyrch, heb fod yn llewyrchus yr olwg; anffyniannus, di-raen lacklustre

dilewys *ans* heb un llawes sleeveless

dilin *ans* fel yn *aur dilin*, coeth, diledryw, disglair, gloyw, pur fine, pure

di-liw *ans* heb liw; digymeriad, llwydaidd, plaen, undonog colourless, drab

di-log *ans* heb log interest-free
Sylwch: nid yw'n arfer cael ei gymharu.

di-lol *ans* heb lol, heb rodres na ffug-falchder; diffwdan, dirodres, plaen, syml plain, simple, unaffected

dilorni *be* [dilorn•[1]] gwneud yn fach o (rywun neu rywbeth), lladd ar (rywun neu rywbeth); bychanu, difenwi, difrïo, gwawdio, to disparage, to revile

dilornus *ans* yn difrïo neu'n difenwi neu'n gwawdio; amharchus, di-barch, difrïol, dirmygus abusive

dilornwr *eg* (dilornwyr) un sy'n dilorni; bychanwr, dychanwr, gwatwarwr, gwawdiwr disparager

diludded *ans* heb flinder na llesgedd; diflino indefatigable

di-lun *ans* heb unrhyw siâp na threfn; amorffaidd, blêr, di-ffurf, di-siâp formless, shapeless, slovenly

di-lwgr *ans* heb fod yn llwgr; anhalogedig, anllygredig, difrycheulyd, dihalog, dilychwin, diwair, pur incorruptible, uncorrupted

di-lwybr *ans* heb lwybr, heb ffordd trackless

dilychwin *ans* heb nam nac amhuredd; dibechod, difrycheulyd, diledryw, perffaith immaculate, spotless

dilyfelaeth gw. **dilefelaeth**

dilyffethair *ans* heb rwystr, heb lyffethair; di-ffrwyn, dilestair, di-rwystr, rhydd unchecked, unfettered

dilyn *be* [dilyn•[1] *3 un. pres.* dilyn/dilyna; *2 un. gorch.* dilyn/dilyna]
1 dod neu fynd ar ôl (rhywun neu rywbeth) i'r un cyfeiriad to follow, to pursue
2 dod ar ôl mewn trefn neu amser, *Mis Mawrth sy'n dilyn mis Chwefror.*; canlyn, olynu to follow, to succeed
3 mynd i'r un cyfeiriad â, *Dilynwch yr arwyddion.* to follow
4 gwneud math arbennig o waith, *dilyn galwedigaeth* to follow, to practise
5 deall, amgyffred, *Rwy'n ceisio dilyn y bregeth bob dydd Sul, ond mae'n anodd.* to follow, to grasp
6 bod â diddordeb mawr yn rhywbeth, *Mae'n dilyn hynt a helynt tîm rygbi Cymru er ei fod yn byw yn Ffrainc.* to follow
7 derbyn a gweithredu yn sgil y derbyn, *A wnei di ddilyn fy nghyngor i?* to follow, to take
8 digwydd fel canlyniad anochel, *Mae dydd yn siŵr o ddilyn nos.* to follow, to result
9 cymryd fel esiampl, *Mae'n dilyn ei fam o ran ei ddiddordeb mewn cerddoriaeth.*; dynwared, efelychu to follow, to imitate
10 astudio (yn enwedig mewn coleg), *Pa gwrs rwyt ti'n ei ddilyn eleni?* to pursue, to study
11 byw, arwain, *dilyn bywyd crefyddol* to follow, to lead

dilyn march yr hen arfer o deithio'r wlad â march gan alw ar ffermydd i gyfebru cesig; canlyn march

dilyn yng nghamre:dilyn yn ôl traed dilyn esiampl rhywun arall to follow in the footsteps

dilyniad *eg* (dilyniadau)
1 y weithred o ddilyn, y cyflwr o fod yn dilyn following, pursuit
2 CERDDORIAETH trefn arbennig cordiau cerddorol progression

dilyniannol *ans*
1 MATHEMATEG wedi'i osod mewn trefn ddilynol sequential
2 seiliedig ar ddull o brofi damcaniaeth sy'n defnyddio cyfres o samplau y mae pob un yn arwain at benderfyniad i dderbyn neu wrthod y ddamcaniaeth, neu i symud ymlaen at y sampl nesaf sequential

dilyniannu *be* [dilyniann•[10]]
1 gosod mewn trefn olynol to sequence
2 chwarae neu recordio (cerddoriaeth) gan ddefnyddio dilyniannydd to sequence
Sylwch: dyblwch yr 'n' ym mhob ffurf ac eithrio yn y rhai sy'n cynnwys -as-.

dilyniannydd *eg* (dilynianyddion) dyfais electronig y gellir ei rhaglennu sy'n storio dilyniannau o nodau, cordiau neu rythmau cerddorol ac yn eu trawsyrru i offeryn cerdd electronig sequencer

dilyniant *eg* (dilyniannau)
1 casgliad o bethau wedi'u trefnu fel bod y naill yn dilyn y llall; cadwyn, cyfres, parhad sequence, progression
2 y drefn y mae pethau'n ei dilyn sequence
3 y weithred o barhau neu ailadrodd rhywbeth sydd wedi'i ddechrau neu wedi'i wneud follow-up
4 LLENYDDIAETH cyfres o gerddi â llinyn cyswllt, e.e. thema, cyd-destun, yn rhedeg drwyddynt; cadwyn, cwlwm sequence
5 CERDDORIAETH patrwm o nodau sy'n cael ei ailadrodd mewn cywair gwahanol neu gan gychwyn ar nodyn gwahanol sequence
6 rhan o ffilm neu ddrama deledu sy'n delio ag un digwyddiad neu bwnc penodol sequence
7 MATHEMATEG set o rifau a geir wrth ddilyn rheol arbennig, e.e. *dilyniant Fibonacci* 1, 1, 2, 3, 5, 8, 13 . . . lle mae pob rhif yn swm y ddau rif o'i flaen progression, sequence
8 BIOLEG cyfres naturiol o gymunedau ecolegol sy'n dilyn ei gilydd mewn olyniaeth sere

dilyniant geometrig MATHEMATEG dilyniant o rifau lle mae pob rhif wedi'i luosi â'r un lluosrif (y gymhareb gyffredin) er mwyn cyfrifo'r rhif nesaf, *Yn y dilyniant geometrig 1, 3, 9, 27, 81 . . . y gymhareb gyffredin yw 3.* geometrical progression

dilynol *ans* yn dilyn mewn trefn, y naill un ar ôl y llall; yn dilyn fel effaith; canlynol, nesaf, olynol ensuing, following, subsequent
Sylwch: nid yw'n arfer cael ei gymharu.

dilynwr:dilynydd *eg* (dilynwyr) un sy'n dilyn; un sy'n ceisio bod yn debyg i rywun arall; acolit, cefnogwr, disgybl, ymlynwr follower

dilys *ans* [dilys•]
1 mewn gwirionedd; cywir, dibynadwy, gwir, gonest authentic, genuine
2 cymeradwy, cyfreithlon, *A yw hon yn dystysgrif ddilys?* valid, rightful

dilysiad:dilysiant *eg* (dilysiadau) y broses o ddilysu, canlyniad dilysu; ardystiad, prawf authentication, validation

dilysnod *eb* (dilysnodau) CYLLID stamp neu farc swyddogol yn nodi pa mor goeth neu bur yw'r aur neu'r arian a ddefnyddiwyd wrth lunio gwrthrych arbennig, nod gwarant hallmark

dilysrwydd *eg*
1 cywirdeb, diffuantrwydd, gwirionedd, *'Rwy'n amau dilysrwydd y llythyr absenoldeb hwn. Wyt ti'n siŵr mai dy fam 'sgrifennodd e?'* genuineness
2 y nodwedd o fod yn ffeithiol neu'n rhesymegol gywir validity

3 grym cyfreithiol, pa mor dderbyniol yw rhywbeth yng ngolwg y gyfraith, *Ymdrinnir â'r iaith Gymraeg ar sylfaen o ddilysrwydd cyfartal â'r Saesneg mewn llysoedd barn yng Nghymru.* validity

dilysu *be* [dilys•¹] gwneud yn ddilys, profi'n ddilys; ardystio, cadarnhau, cymeradwyo, gwarantu to authenticate, to validate

dilysydd *eg* (dilyswyr) un sy'n gwirio bod rhywbeth yn ddilys validator, verifier

di-lyth *ans* di-feth, di-ffael, di-ball, dihysbydd unfailing

dilyw *eg* (dilywiau) llifeiriant dinistriol o ddŵr; y llifeiriant hwnnw yn oes Noa y sonnir amdano yn y Beibl; cenllif, ffrydlif, llifogydd, rhyferthwy deluge, flood, the Biblical flood

dillad *ell* lluosog **dilledyn** yr hyn rydych yn ei wisgo am eich corff er mwyn cadw'n gynnes neu'n sych, neu er mwyn edrych yn dda; gwisg clothes, garments

dillad gwaith y dillad mae person yn eu gwisgo ar gyfer ei waith work clothes

dillad gwely cynfasau a blancedi ar wely bedclothes

dillad isaf y dillad sy'n cael eu gwisgo nesaf at y croen o dan ffrog, sgert, trowsus, etc. underclothes, underwear

dillad parch dillad gorau, dillad dydd Sul Sunday best

dilladaeth *eb* busnes sy'n delio mewn brethyn – brethyn celfi, ac weithiau ddillad neu gyfarpar gwneud dillad drapery

dilladu *be* [dillad•³] rhoi dillad am; gwisgo (~ *rhywun* â) to clothe, to dress

dilledydd *eg* (dilledyddion) un sy'n delio mewn brethyn – brethyn celfi, dillad neu gyfarpar gwneud dillad; perchennog siop ddillad yn aml clothier, draper

dilledyn *eg* unigol **dillad**; cerpyn, pilyn garment

dillyn *ans hen ffasiwn* coeth, hardd, yn enwedig am waith manwl gywir; cain, gwych, prydferth, telaid refined

dillynder *eg hynafol* y cyflwr o fod yn ddillyn; ceinder, coethder, gwychder, mireinder refinement

dim *eg*
1 rhywbeth, unrhyw beth (mewn brawddegau negyddol yn unig), *Ni welais ddim.* anything, something
2 rhywbeth nad yw'n bod, *Faint o arian sydd gen i? Dim.* none, nothing
3 y symbol 0, sero nil, nought, zero
Sylwch: wrth ysgrifennu, fel arfer mae'n rhaid defnyddio ffurfiau negyddol gyda dim, e.e. *Dydy hi ddim yn hapus* yn hytrach na *Mae hi ddim yn hapus.*
am ddim heb orfod talu dim free

dim byd dim o gwbl nothing, nothing at all
dim o ffurf sy'n gwahaniaethu, er enghraifft, rhwng *dim dŵr* yn gyffredinol a *dim o'r dŵr* sy'n sôn am ddŵr arbennig yn rhywle; mae 'dim o' wedi troi'n *mo* a 'dim ohono' yn *mohono* neu *mono* ar lafar ac mewn iaith ysgrifenedig, e.e. *Welais i mohono.*
dim ots does dim gwahaniaeth it doesn't matter
dim yw dim dim byd o gwbl nothing at all
does dim amdani does dim dewis there's nothing for it
er dim nid ar unrhyw gyfrif, *Ni fyddwn yn mynd i mewn nawr er dim.* on no account
i'r dim yn union exactly, to perfection
o fewn dim:ond y dim yn agos iawn, iawn, *Roedd hi o fewn dim i ennill y ras.* within an ace
pob dim popeth everything
y nesaf peth i ddim ychydig iawn, iawn, ail i ddim next to nothing

dimai *eb* (dimeiau) darn o arian a fyddai'n cael ei ddefnyddio cyn yr arian degol, ac a oedd yn werth hanner hen geiniog neu ddwy ffyrling halfpenny

dimai goch (mewn brawddeg negyddol yn unig), e.e. *Does gennyf yr un ddimai goch.* (not a) penny, (not a) sausage

dwy a dimai (dwy geiniog a dimai) rhywbeth o safon isel; ceiniog a dimai tupenny ha'penny

dimeiwerth *eb* cymaint o rywbeth, e.e. losin/fferins, ag y medrech chi ei brynu am ddimai halfpennyworth

dimensiwn *eg* (dimensiynau)
1 MATHEMATEG (am ofod) y nifer o baramedrau sydd eu hangen i leoli pwynt penodol, e.e. *Mae gan linell un dimensiwn, sgwâr ddau ddimensiwn, a chiwb dri dimensiwn.* dimension
2 maint mesuradwy (e.e. lled, dyfnder, hyd, uchder) gwrthrych, *Mae dimensiynau cist y car yn awgrymu y bydd lle i'r holl fagiau pan fyddwn yn mynd ar ein gwyliau.* dimension
3 agwedd ar sefyllfa, *Mae'r dimensiwn Cymreig yn rhan ganolog o'r cwriwlwm yng Nghymru.* dimension

dimensiynol *ans* yn ymwneud â dimensiynau, yn meddu ar ddimensiynau dimensional

diminuendo *adf ac ans* CERDDORIAETH yn tawelu'r sain yn raddol

dim ond *adf* heb ddim neu neb arall, *Pwy sydd 'na? Dim ond fi.*; heb fod mwy o amser, *Dim ond pum munud i fynd.* only

dim sum *eg* COGINIO darnau bach melys neu flasus/sawrus wedi'u stemio neu eu ffrio'n ddwfn a weinir cyn cinio canol dydd Tsieineaidd

din *eg* hen air am amddiffynfa neu gaer fort

dinacâd *ans* heb warafun neu wrthod dim unstinting

dinam:di-nam *ans* heb nam na bai; difai,
difrycheulyd, dilychwin, perffaith blameless,
immaculate
dinas *eb* (dinasoedd)
  1 tref wedi'i dynodi'n ddinas drwy freinlen neu
  siartr, ac ynddi eglwys gadeiriol fel arfer city
  2 *mewn enwau lleoedd* amddiffynfa, caer, noddfa,
  e.e. *Dinas Mawddwy, Dinas Dinlle*
  dinas fewnol ardal agos i ganol dinas, yn
  enwedig un sydd â phroblemau cymdeithasol
  neu economaidd inner city
  Ymadroddion
  dinas ddihenydd gw. dihenydd
  dinas noddfa lloches refuge
dinasfraint *eb*
  1 rhyddfraint; hawl, a gyflwynir fel anrhydedd,
  i ddinasyddiaeth lawn dinas freedom of the city
  2 dinasyddiaeth; y statws neu'r fraint o fod yn
  ddinesydd mewn gwlad arbennig citizenship
dinasol gw. dinesig
dinasu *be* preswylio fel dinesydd (~ **yn**)
  Sylwch: nid yw'r ferf hon yn arfer cael ei rhedeg.
dinasyddiaeth *eb* y statws neu'r fraint o fod yn
  ddinesydd mewn gwlad arbennig; dinasfraint
  citizenship
dincod gw. deincod
dinerth *ans* heb nerth na grym; egwan, eiddil,
  gwan, llesg enervated
dinerthedd *eg* y cyflwr o fod yn ddinerth, diffyg
  nerth; gwendid enervation
dinerthu *be* [dinerth•¹] gwneud yn ddinerth;
  gwanhau, gwanychu (~ *rhywun/rhywbeth*
  drwy) to enervate
dinesig:dinasol *ans*
  1 yn perthyn i ddinas, nodweddiadol o ddinas
  civic
  2 yn perthyn i drefi ac ardaloedd poblog (â
  nifer mawr o dai ac adeiladau), nodweddiadol
  o drefi ac ardaloedd poblog; gwladol, sifil,
  trefol municipal, urban
dinesydd *eg* (dinasyddion)
  1 rhywun sy'n byw mewn dinas neu dref a
  chanddo, fel arfer, hawl i bleidleisio ynddi
  citizen
  2 rhywun sy'n perthyn i wlad arbennig naill ai
  oherwydd ei fod wedi'i eni yno neu oherwydd
  ei fod wedi mabwysiadu'r wlad ac yn gallu
  disgwyl nodded gan y wlad honno; brodor,
  preswylydd citizen, inhabitant
dinistr *eg* chwalfa lwyr; anrhaith, cyflafan,
  distryw, galanas destruction, devastation,
  havoc
dinistrio *be* [dinistri•²] difetha'n llwyr, tynnu
  i lawr a chwalu; anrheithio, difa, difrodi,
  distrywio (~ *rhywbeth* â; ~ *rhywbeth* **drwy**)
  to annihilate, to destroy, to ruin
dinistriol *ans* yn peri dinistr, yn achosi dinistr,

yn malu a chwalu; difaol, difrodol, distrywiol,
ysol destructive, ruinous
dinistriwr *eg* (dinistrwyr) un sy'n dinistrio;
  anrheithiwr, difrodwr, distrywiwr destroyer,
  shatterer
diniwed *ans* [diniweiti•]
  1 heb wneud drwg na niwed; diddichell,
  diddrwg harmless, innocuous
  2 am rywun syml, hawdd ei dwyllo gullible,
  naive/naïve, simple
  3 heb gael cam na niwed; dianaf, diogel unhurt,
  unscathed
  4 heb fod yn euog o gyflawni rhywbeth; dieuog,
  di-fai blameless, innocent
  diniwed o fe'i defnyddir i ddwysáu ystyr
  ansoddair, *yn ddiniwed o onest*
diniweidrwydd *eg* yr ansawdd neu'r cyflwr
  o fod yn ddiniwed; gwiriondeb, naïfrwydd,
  symledd innocence, naivity, simplicity
diniweitiach:diniweitiaf:diniweitied *ans*
  [diniwed] mwy diniwed; mwyaf diniwed; mor
  ddiniwed
diniweityn *eg* rhywun diniwed innocent, dupe
di-nod:dinod *ans* [dinot•] heb nod, heb farc;
  anenwog, anhynod, distadl, disylw insignificant,
  obscure, undistinguished
dinodedd *eg* y cyflwr o fod yn ddi-nod, o fod yn
  ddistadl, diffyg enwogrwydd; amhwysigrwydd,
  anhynodrwydd, cyffredinedd, distadledd
  insignificance, obscurity
dinoethi *be* [dinoeth•¹]
  1 tynnu dillad, *dinoethi'r croen er mwyn i'r
  haul ei gyrraedd*; dadwisgo, dihatru, diosg,
  ymddihatru to expose
  2 datguddio, datgelu, *dinoethi'r twyll gan
  reolwyr y cwmni* to expose
  3 tynnu i ffwrdd haen o orchudd, gwneud
  yn foel, *y glaw yn dinoethi'r tir o'i bridd*
  (~ *rhywbeth* o) to denude
  4 dadorchuddio ffilm i effaith golau wrth
  dynnu llun to expose
dinoethiad *eg* (dinoethiadau) y broses o
  ddinoethi, canlyniad dinoethi exposure
dinoethiant *eg* y broses o glirio fforestydd, o
  ddatgoedwigo deforestation, denudation
dinosor:deinosor *eg* (dinosoriaid:deinosoriaid)
  unrhyw un o nifer o wahanol fathau o
  ymlusgiaid cynffonnog a oedd yn byw ar
  y Ddaear rhwng tua 250 a 65 miliwn o
  flynyddoedd yn ôl; 'ymlusgiad dychrynllyd'
  yw ystyr y gair dinosaur
dinotach:dinotaf:dinoted *ans* [di-nod] mwy
  di-nod; mwyaf di-nod; mor ddi-nod
diobaith *ans* heb obaith, heb ffydd; anobeithiol,
  di-ffydd, digalon hopeless, without hope
diocach:diocaf:dioced *ans* [diog] mwy diog;
  mwyaf diog; mor ddiog

diod *eb* (diodydd) peth i'w yfed, fe'i defnyddir hefyd i olygu diod feddwol, *rhywun yn ei ddiod*; joch, llymaid drink, tipple
  diod fain diod wedi'i gwneud o lysiau small beer
  diod feddwol diod ac alcohol ynddi intoxicating drink
  diod gadarn diod feddwol alcoholic drink, liquor
  diod ysgafn diod ddialcohol, yn enwedig un garbonedig soft drink
  Ymadrodd
  yn fy (dy, ei, etc.**) niod** yn feddw drunk
diodlen *eb* (diodlenni) rhestr o bethau i'w hyfed (mewn caffi); rhestr win drinks list, wine list
diodlestr *eg* (diodlestri) llestr yfed beaker, drinking vessel
diod-offrwm *eg* (diod-offrymau) CREFYDD diod (gwin fel arfer) a fyddai'n cael ei hoffrymu i dduw libation
dioddef *be* [dioddef•¹ 3 *un. pres.* dioddef/ dioddefa; 2 *un. gorch.* dioddef/dioddefa]
  1 teimlo neu brofi poen neu ofid; derbyn poen neu gosb (~ o) to suffer
  2 dygymod â rhywbeth, dysgu byw gyda rhywbeth, *Allaf i ddim dioddef mathemateg.*; goddef, ymaros to endure, to tolerate
dioddefaint *eg* y cyflwr neu'r stad o fod yn dioddef; profiad o boen neu ofid (dros gyfnod o amser fel arfer); cystudd, gwewyr, ing, trallod suffering
  y Dioddefaint CREFYDD cyfnod dioddef Iesu Grist ar y Groes the Passion
dioddefgar *ans* amharod i gwyno neu golli'i dymer, yn barod i oddef; amyneddgar, goddefgar, stoïcaidd, ymarhous long-suffering
dioddefgarwch *eg* y cyflwr o fod yn ddioddefgar, o fod yn hirymarhous, yn hwyrfrydig i lid; amynedd, goddefgarwch, hirymaros forebearance
dioddefol *ans* y gellir ei ddioddef tolerable
dioddefus *ans* yn dioddef suffering
dioddefwr *eg* (dioddefwyr) un sy'n dioddef; claf sufferer, victim
di-oed:dioed *ans* ar unwaith, heb oediad, rhag blaen; diaros, syth, uniongyrchol immediate, speedy
diofal *ans*
  1 heb unrhyw bryderon na gofidiau, '*Diofal yw'r aderyn*'; dibryder, didaro, di-hid carefree, merry
  2 heb gymryd gofal na chyfrifoldeb; anghyfrifol, dihidio, esgeulus, ysgafala negligent, careless, lax
diofalwch *eg* diffyg gofal; difaterwch, difrawder, dihidrwydd, esgeulustod carelessness, negligence, laxity
di-ofn:diofn *ans* heb ofn; dewr, difraw, eofn, glew fearless, unafraid

diofryd *eg* (diofrydau)
  1 adduned drwy lw vow
  2 llw i ymwrthod; ymataliad, ymwadiad, ymwrthodiad abjuration
  rhoi diofryd ar diofrydu, ymddiofrydu to abjure
diofrydu *be* [diofryd•¹] ymwadu ar lw, rhoi heibio; tynghedu to abjure, to foreswear
diofrydwr *eg* (diofrydwyr) un sydd wedi diofrydu, sydd wedi gwneud adduned grefyddol sy'n ei ymrwymo devotee, votary
diofyn *ans* (mewn cyfrifiadur) yn ymddangos neu'n digwydd bob tro, oni bai eich bod yn dewis ei newid default
diog *ans* [dioc•] anfodlon gweithio neu ymdrechu; segur, swrth idle, lazy
diogel *ans*
  1 yn cynnig amddiffyniad rhag perygl, rhydd rhag perygl; croeniach, dianaf, saff safe
  2 diamau, di-feth, sicr, siŵr, *Mae gan y gôl-geidwad newydd bâr o ddwylo diogel.* certain, sure
  3 nid dibwys, *Mae ganddi swm diogel o arian yn y banc.*; sylweddol, mawr, eithaf sizeable, substantial
diogeledd *eg* y cyflwr o fod yn ddiogel, yn enwedig gweithredoedd diogelwch rhag ysbïo, neu ddifrodi bwriadol gan elynion neu droseddwyr security
diogelu *be* [diogel•¹]
  1 gwneud yn ddiogel neu'n saff, *Gwell inni gael barn yr heddlu ynglŷn â'r ffordd orau i ddiogelu'r siop.* (~ rhywun/rhywbeth rhag) to protect
  2 sicrhau, *Wrth fuddsoddi'ch arian gyda ni, byddwch yn diogelu incwm i chi'ch hunan am oes.*; gwarantu to assure, to ensure
  3 cadw'n ddiogel, *Mae'n rhaid diogelu ein blodau gwyllt.*; amddiffyn, gwarchod, llochesu to preserve, to protect
diogelwch *eg* rhyddid oddi wrth berygl, sicrwydd o fod yn ddiogel; clydwch, cysgod, lloches, nodded safety, security
  lluoedd diogelwch heddlu neu filwyr sy'n gyfrifol am sicrhau diogelwch security forces
diogi¹ *eg* y cyflwr o fod yn ddiog, amharodrwydd i weithio, anfodlonrwydd i wneud dim; anegni, segurdod, syrthni indolence, laziness, sloth
diogi² *be* [diog•¹] peidio â gwneud dim; segura, llaesu dwylo to laze, to loaf, to loll
dioglyd *ans*
  1 chwannog i ddiogi neu'n teimlo fel bod yn ddiog; di-ffrwt, difywyd, swrth indolent, lazy
  2 yn peri diogi, *Roedd yn brynhawn trymaidd, dioglyd.* lazy

diogyn *eg* rhywun diog; oferwr, pwdryn, seguryn idler, lazy-bones, shirker

diolch¹ *eg* (diolchiadau)
1 gair o gydnabyddiaeth a gwerthfawrogiad am rywbeth (cymwynas, anrheg, tâl, etc.); gwerthfawrogiad thanks
2 teimlad o fod yn werthfawrogol, *Roedd ei galon yn llawn diolch ar ôl derbyn y fath gymwynas.*; diolchgarwch gratitude
diolch byth! diolch i'r nefoedd! thank goodness!

diolch² *be* [diolch•¹ 3 *un. pres.* diylch/diolcha; 2 *un. gorch.* diolch/diolcha]
1 datgan gwerthfawrogiad ar ôl derbyn rhywbeth; dweud gair sy'n cydnabod rhyw gymwynas neu fudd (~ **i** *rywun* **am** (wneud) *rywbeth*) to thank
2 talu diolchiadau yn ffurfiol to thank
diolch yn fawr thank you very much

diolchgar *ans* yn cofio ac yn gwerthfawrogi rhodd neu gymwynas, llawn diolch; gwerthfawrogol grateful, thankful

diolchgarwch *eg*
1 y cyflwr o fod yn ddiolchgar; gwerthfawrogiad gratitude
2 mynegiant o ddiolch i Dduw, yn enwedig yn y gwasanaethau diolchgarwch a gynhelir adeg y cynhaeaf thanksgiving

diolchiadau *ell*
1 lluosog diolch
2 y gydnabyddiaeth a'r diolch ffurfiol a gynigir ar ddiwedd cyfarfod thanks

diolchwr *eg* (diolchwyr) un sy'n diolch, un sy'n talu'r diolchiadau

diolwg *ans* plaen yr olwg; amhrydferth, anhardd, anolygus plain, ugly

diorama *eg* (dioramâu)
1 darlun tri dimensiwn yn defnyddio modelau bychain yn erbyn cefndir wedi'i beintio diorama
2 arddangosfa mewn amgueddfa yn defnyddio sbesimenau wedi'u gosod mewn cyd-destun naturiol gyda chefndir wedi'i beintio diorama

diorchwyl *ans* heb orchwyl i'w gyflawni taskless

diorffwys *ans* heb orffwys; aflonydd, anesmwyth, rhwyfus ceaseless, restless

diorseddiad *eg* y broses o ddiorseddu, canlyniad diorseddu deposition

diorseddu *be* [diorsedd•¹] diswyddo teyrn, amddifadu brenin o'i awdurdod (ei orsedd) to depose

di-os *ans* heb os nac oni bai, heb amheuaeth; diamheuol, pendant, sicr definite, undoubted
Sylwch: nid yw'n arfer cael ei gymharu.

diosg *be* tynnu dillad neu wisg, *diosg esgidiau, diosg fy het*; dadwisgo, dihatru, dinoethi, ymddihatru (matryd) (~ *rhywbeth* **oddi am**) to strip, to take off (clothing)
Sylwch: nid yw'r ferf hon yn arfer cael ei rhedeg.

diosgoi *ans* na ellir ei osgoi unavoidable

diota *be* [diot•¹] yfed diod feddwol yn gyson ac yn aml, codi'r bys bach; llymeitian, potio, slotian to drink, to tipple

diotwr:diotyn *eg* (diotwyr) un sy'n yfed gormod o ddiod feddwol yn aml; llymeitiwr, meddwyn, potiwr, slotiwr drunkard, sot

dioty *eg* (diotai) tŷ tafarn, tŷ â thrwydded i werthu diod feddwol alehouse

dip *eg* (dipiau)
1 saws neu gymysgedd blasus y gellir dipio darn o fwyd ynddo cyn ei fwyta dip
2 hylif ar gyfer trochi rhywbeth ynddo er mwyn ei lanhau neu ei liwio dip

dipio:dipo *be* [dipi•²]
1 gostwng neu osod yn is am ychydig iawn o amser, *dipio golau'r car* to dip
2 gollwng anifail (dafad fel arfer) i hylif sy'n lladd cynrhon; trochi (~ *rhywbeth* **yn**) to dip

diploid¹ *eg* (diploidiau) BIOLEG cell ddiploid diploid

diploid² *ans* BIOLEG (am gell neu gnewyllyn) yn cynnwys dwy set o gromosomau, un o bob rhiant diploid

diploma *egb* (diplomâu) cymhwyster sydd naill ai yn fwy cyfyngedig na gradd neu sydd ar lefel is na gradd; tystysgrif diploma

diplomataidd:diplomyddol *ans*
1 yn ymwneud â swydd diplomydd diplomatic
2 yn defnyddio tact neu sensitifrwydd wrth ymwneud â phobl neu sefyllfaoedd, *Rhoddais ateb diplomataidd iddo rhag brifo'i deimladau.* diplomatic, tactful

diplomydd *eg* (diplomyddion)
1 swyddog (y llywodraeth gan amlaf) sy'n trin materion cydwladol ac sy'n gofalu am y berthynas rhwng ei wlad ef a gwledydd eraill; cennad, llysgennad diplomat
2 un sy'n medru trin a thrafod pobl mewn ffordd synhwyrol a doeth diplomat

diplomyddiaeth *eb* y grefft neu'r deheurwydd angenrheidiol mewn cynnal cysylltiadau rhyngwladol, yn enwedig wrth gynnal trafodaethau rhwng cenhedloedd a gwladwriaethau; llysgenhadaeth diplomacy

diplomyddol gw. diplomataidd

dipo gw. dipio

diptych *eg* (diptychau) CELFYDDYD pâr o baentiadau ar baneli wedi'u cysylltu â cholfach a ddefnyddir gan amlaf ar allor diptych

diraddiad *eg* (diraddiadau) y broses o ddiraddio, canlyniad diraddio; darostyngiad, iselhad, ymostyngiad degradation

diraddiedig *ans* wedi'i ddiraddio; darostyngedig degraded

diraddio *be* [diraddi•²]
1 iselhau o ran swydd neu anrhydedd; bychanu, darostwng, difrïo, sarhau (~ *rhywun/rhywbeth* o) to debase, to degrade
2 CEMEG (am gyfansoddyn) mynd neu droi'n llai cymhleth to degrade
diraddiol *ans* yn diraddio degrading, demeaning
di-raen:diraen *ans* heb raen; brwnt, dilewyrch, gwael lacklustre, poor
diragfarn *ans* heb ragfarn; amhleidiol, diduedd impartial, unprejudiced
diragrith *ans* heb ragrith, heb dwyll; didwyll, diffuant, diweniaith sincere
diramant *ans* heb ramant unromantic
dirboen *eg* (dirboenau) poen ddirdynnol; artaith agony, torture
dirboeni *be* [dirboen•¹] arteithio, dirdynnu, poenydio to agonize, to torture
dirdro *eg* (dirdroeon) FFISEG cyflwr cydran mewn peiriant pan fydd diriant grymoedd trorym yn effeithio arni torsion
dirdroi *be* [dirdro•¹⁷] troi un pen i wrthrych i gyfeiriad gwahanol i'r pen arall to twist
dirdyndra *eg hynafol* tetanedd; cyflwr corfforol a nodweddir gan sbasmau ysbeidiol yn y cyhyrau ac a achosir gan ddiffyg calsiwm yn y gwaed tetany
dirdyniad *eg* (dirdyniadau) confylsiwn; cyfangiad neu gyfres o gyfangiadau diarwybod, grymus, annormal o gyhyrau'r corff convulsion
dirdynnol *ans* poenus ofnadwy; arteithiol, ingol agonizing, excruciating, harrowing
dirdynnol o fe'i defnyddir i ddwysáu ystyr ansoddair, *yn ddirdynnol o onest*
dirdynnu *be* peri poen ofnadwy yn fwriadol, er enghraifft fel cosb neu er mwyn gorfodi rhywun i ddatgelu cyfrinach; arteithio, poenydio to torment, to torture
Sylwch: nid yw'r ferf hon yn arfer cael ei rhedeg.
direidi *eg* drygioni chwareus; digrifwch, doniolwch, hwyl, smaldod mischievousness, mischief, naughtiness
direidus *ans* llawn castiau, llawn drygioni; cellweirus, chwareus, drygionus, smala impish, mischievous, naughty
direol *ans* heb reol, heb ddisgyblaeth; afreolus, anhydrin, annisgybledig, diwahardd disorderly
direswm *ans* croes i reswm, heb reswm; afresymol, disynnwyr gratuitous, without reason
dirfawr *ans* mawr iawn (ond gan amlaf am syniadau neu rywbeth haniaethol yn hytrach na phethau y gellir eu gweld a'u teimlo); anferth, aruthrol, enfawr enormous, immense
dirfawr angen angen mawr iawn dire need
dirfodaeth *eb* ATHRONIAETH mudiad a ddatblygodd yn yr ugeinfed ganrif yn archwilio i brofiadau pobl mewn perthynas â'r byd o'u cwmpas, yn enwedig y profiadau o ryddid, cyfrifoldeb ac unigedd sy'n cael eu datgelu drwy gyfrwng pryder ac anobaith existentialism
dirfodol *ans* yn perthyn i ddirfodaeth, yn deillio o ddirfodaeth existentialist
dirfodwr *eg* (dirfodwyr) un sy'n arddel dirfodaeth existentialist
dirgel¹ *ans* [dirgel•] (dirgelion)
1 llawn dirgelwch; cêl, cuddiedig, cyfrin, cyfrinachol secret, covert
2 anodd iawn ei ddeall; astrus, cyfrin mysterious
dirgel² *eg* fel yn yr ymadrodd *yn y dirgel*, lle cudd neu rywbeth wedi'i guddio secret, mystery
dirgeledigaeth *eb* (dirgeledigaethau)
1 CREFYDD gwirionedd crefyddol nad yw'n gwbl ddealladwy a ddatgelir drwy ddatguddiad; dirgelwch mystery
2 CREFYDD defod gyfrinachol y credid (mewn rhai hen grefyddau) y byddai'n arwain at ddedwyddwch parhaus mystery
dirgelion *ell* pethau dirgel; cyfrinachau secrets
dirgelwch *eg* (dirgelion)
1 rhywbeth cuddiedig neu anodd ei esbonio a'i ddeall; cyfrinach, enigma mystery
2 organau cenhedlu gŵr neu wraig genitals, private parts
dirgroes *ans* FFISEG croes i'w gilydd, *Yn ôl Syr Isaac Newton, mae grymoedd yn digwydd mewn parau sy'n hafal a dirgroes.* diametrically opposed, opposite
dirgryniad *eg* (dirgryniadau)
1 cryniad cyson, ysgafn; cryndod, ysgrytiad vibration
2 DAEAREG ysgydwad daeargryn; siglad convulsion, quake, tremor
dirgrynol *ans* yn dirgrynu vibrating, vibrant
dirgrynu *be* [dirgryn•¹]
1 crynu neu ysgwyd yn ysgafn ond yn gyson; siglo to vibrate
2 crynu neu ysgwyd yn galed neu mewn ffordd eithafol (fel yn ystod daeargryn); dychlamu to convulse, to quake
dirhau *be* [dirha•¹⁴] dod yn real, troi yn ffaith; ymgnawdoli, ymrithio to become real, to materialize
diriaethol *ans* yn bodoli mewn ffurf faterol, rhywbeth y gellir ei weld, ei gyffwrdd (neu weithiau ei brofi ag un o'r synhwyrau eraill); dirweddol, real concrete, tangible
diriaid *ans*
1 *hynafol* drwg, erchyll, ofnadwy dire
2 fel yn *dedwydd a diriaid*, y dedwydd yw'r rheini a dynghedir i hawddfyd a'r diriaid yw'r rheini a dynghedir i fywyd anodd; anffodus, anffortunus

diriant *eg* (diriannau) FFISEG grym neu bwysau ar uned o arwynebedd sy'n tueddu i achosi gwyro neu anffurfiad stress

dirifedi:di-rif *ans* am bethau y mae cynifer ohonynt fel nad oes modd eu cyfrif, *Roedd morgrug dirifedi ar lawr y gegin.*; afrifed, aneirif, anfesuradwy, difesur countless, innumerable

   Sylwch: nid yw'n arfer cael ei gymharu.

dirisglo *be* [dirisgl•¹] tynnu'r rhisgl oddi ar bren; digroeni, plisgo, pilio to bark

dirlawn *ans*

   1 gorlawn, yn enwedig y tu hwnt i bwynt a ystyrir yn angenrheidiol neu'n ddymunol saturated

   2 BIOCEMEG (am frasterau) yn cynnwys cyfran uchel o asidau brasterog heb fondiau dwbl saturated

   3 CEMEG am hydoddiant na ellir hydoddi rhagor o'r hydoddyn ynddo ar dymheredd penodol saturated

dirlawnder *eg* y cyflwr o fod yn ddirlawn saturation

dirlenwi *be* [dirlanw•³] CEMEG achosi i gyfuno at y pwynt lle nad oes tuedd i gyfuno rhagor to saturate

dirmyg *eg* (dirmygion) teimlad dilornus at rywun neu rywbeth a ystyrir yn isel ei safon neu'n ddi-werth, *edrych yn llawn dirmyg*; amarch, gwarth, gwatwar, gwawd contempt, disdain, scorn

dirmyg llys CYFRAITH y drosedd o amharu'n fwriadol ar achos cyfreithiol drwy gamymddwyn yn y llys neu drwy ymyrryd yn gyffredinol yn y broses o weinyddu cyfiawnder contempt of court

dirmygadwy *ans* yn haeddu ei ddirmygu despicable

dirmygedig *ans* a ddirmygir despised, scorned

dirmygol gw. dirmygus

dirmygu *be* [dirmyg•¹] ystyried rhywbeth yn ddi-werth, edrych i lawr ar rywbeth; difrïo, dilorni, gwatwar, gwawdio (~ *rhywun* am) to despise, to disparage, to spurn

dirmygus:dirmygol *ans*

   1 llawn dirmyg; bychanol, difenwol, dilornus, gwawdlyd contemptuous, scornful

   2 yn haeddu cael ei ddirmygu contemptible, shameful

dirmygwr *eg* (dirmygwyr) un sy'n dirmygu; gwawdiwr, gwatwarwr despiser, disparager

dirnad *be* deall yn iawn ac yn drylwyr, *Er eu holl wybodaeth, nid yw gwyddonwyr eto wedi dirnad holl ddirgelion yr atom.*; amgyffred, canfod, deall, gwybod to comprehend, to fathom, to understand

   Sylwch: nid yw'r ferf hon yn cael ei rhedeg.

dirnadaeth *eb*

   1 dealltwriaeth gyflawn; amgyffrediad, canfyddiad, doethineb, gwybyddiaeth comprehension, understanding, insight, ken

   2 syniad, amcan intuition, notion

dirnadwy *ans* y gellir ei ddeall; amgyffredadwy, dealladwy, dychmygadwy comprehensible, discernible

dirodres *ans* heb rwysg na balchder; diymffrost, diymhongar, gwylaidd, syml artless, unassuming, unpretentious

dirprwy¹ *eg* (dirprwyon)

   1 un sydd wedi'i benodi i weithredu yn absenoldeb rhywun arall deputy, adjutant

   2 mewn rhai gwledydd, e.e. Ffrainc, Aelod Seneddol deputy

   3 (yn Unol Daleithiau America) un sydd wedi'i benodi i gynorthwyo siryf deputy

   4 CYFRAITH awdurdod i weithredu neu i bleidleisio ar ran rhywun arall, yn enwedig yr hawl benodol i un person bleidleisio ar ran nifer o gyfranddalwyr nad ydynt yn bresennol mewn cyfarfod o gwmni masnachol proxy

dirprwy² *ans* (am rywun) yn cymryd lle rhywun arall, yn gweithredu ar ran rhywun arall, *dirprwy brif weinidog* deputy

   Sylwch: mae *dirprwy* yn dod o flaen enw ac yn achosi treiglad meddal. Nid yw'n cael ei gymharu.

dirprwyad *eg* y broses o amnewid neu gyfnewid rhywun am rywun arall; amnewidiad substitution

dirprwyaeth *eb* (dirprwyaethau)

   1 grŵp o bobl sydd wedi'u dewis i gynrychioli eraill; cenhadaeth, cynrychiolaeth deputation

   2 swydd neu safle dirprwy deputyship

dirprwyedig *ans* wedi'i ddirprwyo, a osodwyd yn lle (rhywun) arall delegated, deputized

dirprwyo *be* [dirprwy•¹]

   1 gweithredu fel dirprwy (yn lle rhywun arall) (~ **dros** *rywun*) to deputize, to substitute

   2 penodi rhywun i gymryd lle rhywun arall, neu i dderbyn cyfrifoldeb yn lle rhywun arall to depute

   3 trosglwyddo cyfrifoldeb i ddirprwy (~ *rhywbeth* **i** *rywun*) to delegate, to depute

   4 ymddiried neges swyddogol i (rywun); rhoi comisiwn i to commission

dirprwyol *ans*

   1 yn gweithredu ar ran rhywun neu rywbeth, yn gweithredu yn lle rhywun neu rywbeth arall vicarious

   2 yn cael ei brofi drwy ddychmygu profiadau rhywun arall vicarious

dirprwywr *eg* (dirprwywyr) un sy'n dirprwyo (ar ran rhywun arall) deputy

dirwasgedig *ans* ECONOMEG (am ardal)
a nodweddir gan ostyngiad mewn cynnyrch
a lefel uchel o ddiweithdra depressed

dirwasgiad *eg* (dirwasgiadau)
1 ECONOMEG cyfnod estynedig (yn hwy na
chrebachiad) o ddirywiad economaidd a
nodweddir gan ostyngiad o 10% neu fwy
mewn cynnyrch gwladol depression
2 *hanesyddol* gostyngiad mewn diwydiant,
masnach a safonau byw; cyfnod o gyni
a diweithdra mawr fel yr un a gafwyd ym
Mhrydain yn ystod y 1930au slump, depression

dirwedd *eg* ATHRONIAETH rhywbeth sy'n bod
yn ei hanfod heb ddibynnu yn achosol nac yn
rhesymegol ar ddim arall; realiti reality

dirweddol *ans* yn perthyn i ddirwedd,
nodweddiadol o ddirwedd; diriaethol, real real

dirwest *eg*
1 *hanesyddol* ymataliad rhag bwyd a diod yn
gyffredinol; ympryd abstinence
2 ymataliad llwyr rhag yfed diod feddwol;
llwyrymwrthodiad, sobrwydd temperance,
teetotalism

dirwestol *ans* yn perthyn i ddirwest, nodweddiadol
o ddirwest abstinent, teetotal, teetotalism

dirwestwr *eg* (dirwestwyr) un sy'n llwyr
ymwrthod â diod feddwol; llwyrymwrthodwr,
ymatalwr teetotaller

dirwgnach *ans* heb rwgnach, heb gwyno;
diachwyn, di-gŵyn, diwarafun uncomplaining

dirwy *eb* (dirwyon) CYFRAITH swm o arian
a bennir yn gosb am gyflawni trosedd fine

dirwymedi *ans* CYFRAITH na ellir ei wella neu ei
adfer; anadferadwy, cyfrgolledig irremediable

dirwyn *be* crynhoi yn gylch neu'n bellen
(e.e. cortyn, edafedd, gwifren) to coil,
to wind up
  Sylwch: nid yw'r ferf hon yn cael ei rhedeg.
dirwyn angor codi angor to weigh anchor
dirwyn cloc weindio cloc (watsh, etc.) to wind
a clock
dirwyn i ben dwyn i ben, gorffen neu dynnu
i derfyn yn raddol ac yn sicr to come to a close,
to wind up

dirwyo *be* [dirwy•¹] CYFRAITH pennu tâl yn gosb
am dorri cyfraith neu reol (~ *rhywun* am) to fine

di-rwystr *ans* heb rwystr, *Pasiwid y ddeddf
yn ddi-rwystr.*; dilyffethair, diwrthwynebiad,
diymatal unhindered

dirybudd *ans* heb rybudd; annisgwyl,
diarwybod, disymwth, sydyn sudden

di-rym:dirym *ans* heb rym, heb awdurdod;
annilys, diallu, diymadferth powerless, annulled

dirymedd *eg* CYFRAITH (am ddogfen fel arfer)
y cyflwr o fod heb rym cyfreithiol nullity

dirymiad *eg* y broses o ddirymu, canlyniad
dirymu annulment, revocation

dirymiadwy *ans* y gellir ei ddirymu revocable

dirymu *be* [dirym•¹] CYFRAITH tynnu ymaith
y grym cyfreithiol a oedd gan (rywun neu
rywbeth); annilysu, diddymu to annul, to revoke

diryw *ans* GRAMADEG cenedl geiriau nad ydynt
yn wrywaidd nac yn fenywaidd neuter

dirywiad *eg* (dirywiadau)
1 y cyflwr o fod yn gwaethygu neu wedi
gwaethygu, yn disgyn yn is na'r safon a
ddisgwylir; adfeiliad, dadfeiliad decline,
deterioration
2 gostyngiad neu waethygiad mewn cymeriad
ac ymddygiad; cwymp, trai decadence,
degeneration

dirywiaeth *eb*
1 dirywiad moesol a diwylliannol decadence,
decline
2 CELFYDDYD mudiad ymhlith grŵp o lenorion
o Ffrainc yn bennaf ond hefyd o Loegr tua
diwedd y bedwaredd ganrif ar bymtheg y
nodweddir eu gwaith gan arddull a chynnwys
ffuantus ac aneglur Decadent movement

dirywiedig *ans*
1 wedi dirywio degenerate, degraded
2 FFISEG am ddau neu ragor o gyflyrau
cwantwm o'r un egni degenerate

dirywio *be* [dirywi•²]
1 gwaethygu o ran cymeriad neu ansawdd,
mynd â'i ben iddo; dadfeilio, edwino, gwanhau
to deteriorate
2 gwneud rhywbeth yn waeth o ran cymeriad
neu ansawdd; difwyno, llygru to degrade

dirywiol *ans* yn dirywio degenerative

dis *eg* (disiau) ciwb bychan a phob un o'i chwe
ochr wedi'i marcio ag un i chwech o smotiau;
mae'n cael ei ddefnyddio mewn rhai gêmau
bwrdd fel *Ludo* a rhai gêmau hapchwarae
dice, die

di-sail *ans* heb unrhyw sylfaen neu sail iddo (gan
amlaf am stori neu newyddion nad ydynt yn
wir); cyfeiliornus, disylfaen, di-wraidd baseless,
groundless, unfounded

disbaddu *be* [disbadd•³]
1 torri ymaith neu gael gwared (yn gemegol)
ar geilliau anifail neu ddyn; sbaddu, ysbaddu
to castrate
2 tynnu ymaith wygelloedd anifail neu fenyw
to spay

disbaddwr *eg* (disbaddwyr) un sy'n disbaddu
anifeiliaid; ysbaddwr gelder, castrator

disbaidd *ans* wedi'i ddisbaddu, wedi'i dorri
gelded
ceiliog disbaidd ceiliog wedi'i ddisbaddu sy'n
cael ei dewhau ar gyfer y bwrdd capon
march disbaidd march wedi'i ddisbaddu gelding

disbeinio *be* [disbeini•²] tynnu plisg; plisgo,
masglu to shell

disberod *eg* fel yn yr ymadrodd *ar ddisberod*, ar chwâl, ar wasgar, ar gyfeiliorn astray

disbyddedig *ans* wedi'i ddefnyddio i gyd, wedi'i wagio, *haenau disbyddedig o lo* exhausted

disbyddu gw. dihysbyddu

disco gw. disgo

diserch *ans* anhynaws, digroeso, oer, pell, *Roedd golwg ddigon diserch ar wyneb y lletywraig pan gyrhaeddon ni.* distant, unwelcoming

disg *egb* (disgiau)
  1 cylch gwastad o ddefnydd tenau megis darn o arian neu blât crwn disc
  2 record gramoffon disc, record
  3 cylch gwastad o ddefnydd tenau ar gyfer cadw cyfresi o signalau electronig neu fagnetig yn barod i'w hatgynhyrchu disk
  4 ANATOMEG haen o gartilag sy'n gwahanu fertebrâu'r asgwrn cefn disc

disg fideo yr un math o ddisg ag uchod, ond lluniau a sain i'w chwarae yn ôl ar y teledu yw'r signalau arno video disc

disg hyblyg CYFRIFIADUREG disg plastig, tenau ar gyfer cadw gwybodaeth mewn ffordd y mae'r cyfrifiadur yn gallu'i defnyddio floppy disc

disgen *eb* (disgenni) disg solet ac iddo ddiamedr rhwng 180 mm a 290 mm; mae'r ddisgen yn fwy trwchus yn ei chanol ac mewn cystadleuaeth arbennig mae athletwyr yn cystadlu i'w thaflu am y pellaf discus

disglair *ans* [disgleiri•]
  1 yn tywynnu'n gryf, mor llathraidd neu lachar nes ei fod yn dallu; gloyw iawn; croyw, llachar, llathraidd bright, dazzling, shining
  2 galluog iawn, yn meddu ar ddoniau anghyffredin, da dros ben; campus, penigamp, rhagorol brilliant

disgled:dished *eb* (disgleidiau:disheidiau) *tafodieithol, yn y De* llond cwpan; cwpanaid, dysglaid, paned cup of

disgleirdeb:disgleirder *eg*
  1 yr ansawdd neu'r cyflwr o fod yn ddisglair; gloywder, llacharedd, llewyrch, tanbeidrwydd brightness, brilliance, luminosity
  2 godidowgrwydd, ysblander brilliance

disgleiriach:disgleiriaf:disgleiried *ans* [disglair] mwy disglair; mwyaf disglair; mor ddisglair

disgleirio *be* [disgleiri•²] cynhyrchu golau llachar; llathru, llewyrchu, pefrio, serennu (~ **ar**) to shine, to sparkle

disgo:disco *eg* (disgos) parti neu achlysur (fel dawns) lle mae pobl yn dawnsio i gyfeiliant recordiau pop disco

disgownt *eg* (disgowntiau) gostyngiad mewn pris, neu leihad yn y swm o arian a godir yn ddâl am rywbeth discount

disgresiwn *eg*
  1 yr hawl i ofalu am eich bywyd eich hun a gweithredu yn ôl eich penderfyniadau eich hun, fel y gwelwch yn dda discretion
  2 modd o ymddwyn gan osgoi codi gwrychyn neu ddatgelu cyfrinach discretion

disgrifiad *eg* (disgrifiadau) darlun mewn geiriau, portread mewn geiriau description, account

disgrifiadol *ans* yn darlunio mewn geiriau; darluniadol descriptive

disgrifio *be* [disgrifi•²] rhoi disgrifiad o (rywun neu rywbeth), darlunio mewn geiriau; portreadu to describe, to portray

di-sgwrs *ans* heb fod yn barod i sgwrsio; dywedwst, tawedog taciturn

disgwyl *be* [disgwyli•² 3 *un. pres.* disgwyl/disgwylia; 2 *un. gorch.* disgwyl/disgwylia]
  1 meddwl bod rhywbeth yn mynd i ddigwydd, *Rydyn ni'n disgwyl y bydd cyfraddau llog yn codi y flwyddyn nesaf.*; rhagweld (~ **am** *rywun/rywbeth*) to expect
  2 aros am (rywun neu rywbeth), *Rwy'n disgwyl y trên.* (~ **i** *rywbeth* ddigwydd) to await, to expect, to wait
  3 meddwl bod rhywbeth yn ddyledus neu'n briodol dan yr amgylchiadau, *Roedd Carl yn disgwyl canlyniadau da ar ôl ei holl waith.*; gobeithio am to expect
  4 *anffurfiol* (am wraig) bod yn feichiog, *disgwyl plentyn* to expect
  5 *tafodieithol, yn y De* edrych ar rywbeth, *Disgwyl beth mae'n ei ddweud amdanat ti yn y papur.* to look
  6 *tafodieithol, yn y De* edrych am (rywun neu rywbeth), *Dw i wedi disgwyl am y llyfr 'na ym mhobman.*; chwilio, ceisio (~ **am**) to look for, to search
  7 *tafodieithol, yn y De* ymddangos, *Mae'n disgwyl yn ddigon diniwed.* to appear, to look

disgwyl mawr cred gadarn bod rhywbeth (da) yn mynd i ddigwydd great expectations

disgwylfa *eb* (disgwylfeydd) lle i wylio, twr gwylio look-out, watchtower

disgwylgar *ans* yn edrych ymlaen yn obeithiol anticipatory, expectant, waiting

disgwyliad *eg* (disgwyliadau) y weithred o ddisgwyl neu o edrych ymlaen, cyflwr disgwylgar; dyhead, dymuniad anticipation, expectation

  disgwyliad oes y cyfnod ar gyfartaledd y gall person ddisgwyl byw life expectancy

disgwyliaf *bf* [disgwyl] rwy'n disgwyl; byddaf yn disgwyl

disgwyliedig *ans* yn cael ei ddisgwyl, yr edrychir ymlaen ato anticipated, expected

disgybl *eg* (disgyblion)
  1 un sy'n cael ei ddysgu neu'n derbyn addysg gan athro, plentyn ysgol; dysgwr pupil

2 un sy'n derbyn hyfforddiant (mewn crefft neu alwedigaeth neu ar offeryn cerdd); hyfforddai, prentis pupil, apprentice
3 un sy'n derbyn athroniaeth neu ddysgeidiaeth athro neu ysgol arbennig; acolit, dilynwr, nofis disciple
y Disgyblion CREFYDD deuddeg disgybl Iesu Grist, sef Simon Pedr ac Andreas ei frawd, Iago ac Ioan meibion Sebedeus, Philip, Bartholomeus, Thomas a Mathew, Iago fab Alffeus, Simon y Selot a Jwdas Iscariot, a Jwdas fab Iago a elwid hefyd yn Thadeus the disciples
disgyblaeth *eb* (disgyblaethau)
1 hyfforddiant y meddwl neu'r corff, fel arfer drwy ddilyn rheolau arbennig discipline
2 ufudd-dod i reolau neu i rywun mewn awdurdod, *disgyblaeth yn y dosbarth*; rheolaeth, trefn discipline
3 maes astudiaeth, *Ei phrif ddisgyblaeth yw hanes.* discipline
disgyblaethol *ans* yn ymwneud â disgyblu, yn mynd i'r afael â diffyg disgyblaeth disciplinary
disgybledig *ans* ag ôl rheolaeth a threfn arno, a hynny, gan amlaf, o ganlyniad i hyfforddiant ac ymarfer disciplined
disgybledig o fe'i defnyddir i ddwysáu ystyr ansoddair, *yn ddisgybledig o drefnus*
disgyblu *be* [disgybl•¹]
1 hyfforddi drwy ddwyn dan ufudd-dod neu ddisgyblaeth; rheoli to discipline
2 cosbi am beidio ag ufuddhau; ceryddu, cystwyo (~ *rhywun* **am**) to discipline
disgyblwr *eg* (disgyblwyr) un sy'n arfer neu'n gorfodi disgyblaeth lem disciplinarian
disgyddiaeth *eb* (disgyddiaethau)
1 catalog recordiau, yn enwedig rhestr gynhwysfawr o waith un perfformiwr neu grŵp discography
2 hanes recordio a recordiadau o gerddoriaeth discography
disgyn *be* [disgynn•⁹ 3 un. pres. disgyn/ disgynna; 2 un. gorch. disgyn/disgynna]
1 dod i lawr o uchder; cwympo, syrthio (~ **oddi ar**) to fall
2 dod i lawr ar, glanio ar, *aderyn yn disgyn yn ysgafn ar gangen* to alight, to land
3 (am afon) llifo i lawr, *y dŵr yn disgyn i lawr y gored* to flow down
4 dod i lawr oddi ar gefn ceffyl, beic, etc. neu allan o gerbyd to alight, to dismount
5 bod yn rhan o linach neu deulu, bod yn ddisgynnydd i; deillio, hanu, tarddu to decend from, to stem from
6 (am safon) llithro, dirywio, cwympo, *Mae safon y chwarae wedi disgyn oddi ar i ni fod yma ddiwethaf.* to fall, to lapse
  Sylwch: ac eithrio 'disgyn ef/hi', a 'disgyn di',

dyblwch yr 'n' ym mhob ffurf ac eithrio yn y rhai sy'n cynnwys -*as*-.
disgyn ar ymosod ar, syrthio ar, *Disgynnodd y dyrfa arno fel anifeiliaid rheibus.* to attack, to swoop
disgyn ar fy (dy, ei, etc.) mai cyfaddef cyfrifoldeb am gam to admit (to one's failings)
disgynedig *ans*
1 yn tarddu o, yn deillio o descended (from)
2 (am acen) yn dynodi bod llafariad yn fyrrach nag arfer, e.e. jòb, clòs grave accent
disgynfa *eb* (disgynfeydd) man disgyn, man aros ar daith; glanfa landing-place
disgyniad *eg* (disgyniadau) y broses o ddisgyn; codwm, cwymp, dymchweliad descent, fall, landing
disgynnaf *bf* [disgyn] rwy'n disgyn; byddaf yn disgyn
disgynneb *eb* (disgynebau)
1 diwedd siomedig i gyfres o ddigwyddiadau cyffrous neu addawol anticlimax
2 (mewn rhethreg) disgyniad neu newid sydyn o arddull goeth i iaith gyffredin neu hurt; affwysedd bathos
disgynnol *ans* yn symud o lefel uwch i lefel is descending
disgynnydd *eg* (disgynyddion)
1 un sy'n disgyn o hiliogaeth neu o deulu arbennig; brid, epil, etifedd, olynydd descendant
2 (mewn llythrennau) y strôc ddisgynnol sy'n ymestyn o dan gorff llythyren, neu o dan y llinell fel y *p* a'r *y* yn y rhestr *abpy* descender
disgynradd *ans* ECONOMEG (am dreth neu system drethi) yn cymryd canran is o incwm trethdalwyr wrth i incwm gynyddu regressive
disgynyddion *ell* ffurf luosog disgynnydd; epil
disgyrchedd *eg* FFISEG symudiad, neu duedd i symud, tuag at graidd disgyrchiant, e.e. pan fydd gwrthrychau'n syrthio tuag at y ddaear gravitation
disgyrchiant *eg* FFISEG y grym atynnu naturiol a grëir gan wrthrych ffisegol oherwydd ei fàs; dyma'r grym rhwng y Ddaear a'r gwrthrychau sydd ar wyneb y Ddaear, y grym sy'n peri i bethau symud neu dueddu i symud tuag at ganol y Ddaear gravity
disgyrchol *ans* FFISEG yn perthyn i ddisgyrchiant gravitational
disgyrnu *be* [disgyrn•¹] fel yn yr ymadrodd *disgyrnu dannedd*, ysgyrnygu dannedd to gnash
disgyrrwr *eg* (disgyrwyr) CYFRIFIADUREG dyfais sy'n cylchdroi disg er mwyn cofnodi data arno neu er mwyn ei ddarllen disk drive
dished gw. disgled
di-siâp *ans*
1 heb ffurf arferol neu naturiol; amorffaidd, di-ffurf, di-lun amorphous, misshapen, shapeless

2 heb ddangos unrhyw drefn; aflêr, anhrefnus, anniben untidy

di-sigl *ans* na ellir ei symud na'i siglo; ansigladwy, di-syfl, sad, sefydlog firm, steadfast

disiog *ans* ar ffurf dis, wedi'i dorri'n giwbiau diced

di-siwgr *ans* nad yw'n cynnwys siwgr sugarless

disodli *be* [disodl•¹] cymryd lle (rhywun neu rywbeth) arall, symud rhywun neu rywbeth o'i le (yn annheg) to displace, to supplant, to usurp

disodliad *eg* (disodliadau) y broses o ddisodli, canlyniad disodli displacement, supplanting

disodlwr *eg* (disodlwyr) un sy'n disodli, un sy'n cymryd lle rhywun arall (yn annheg) usurper

di-sôn *ans* fel yn yr ymadrodd *di-sôn-amdano*, na chlywyd amdano unheard of

dist *eg* (distiau) un o'r trawstiau sy'n ymestyn o un wal i'r llall mewn ystafell neu adeilad ac sy'n cynnal llawr neu nenfwd; nenbren, trawst, tulath beam, joist, rafter

distadl *ans* [distatl•] heb dynnu sylw; anenwog, anhynod, dibwys, di-nod contemptible, insignificant, trivial

distadledd *eg* y cyflwr o fod yn ddistadl; amhwysigrwydd, anhynodrwydd, dinodedd insignificance

di-staen *ans* heb staen; dilychwin stainless, unstained

distain *eg* (disteiniaid) *hanesyddol* prif stiward llys seneschal

distal *ans* pell o'r canol neu o'r man cychwyn distal

distatlach:distatlaf:distatled *ans* [distadl] mwy distadl; mwyaf distadl; mor ddistadl

distaw *ans* [distaw•]
1 heb siarad neu lefaru; tawedog quiet
2 heb unrhyw sŵn na stŵr silent
3 (am lais) isel neu wan, fel yn y *'llef ddistaw fain'* pan glywodd Elias lais Duw, yn ôl yr Hen Destament soft
4 (am gerddediad) araf ac ysgafn light, soft
5 digyffro, digynnwrf, llonydd, tawel, *Roedd pobman yn ddistaw wedi i'r storm gilio.* calm, peaceful

yn ddistaw bach
1 yn dawel iawn very quietly
2 yn gyfrinachol in confidence, on the quiet

distawaf *bf* [distewi] gwnaf ddistewi, byddaf yn distewi

distawrwydd *eg* absenoldeb sŵn; gosteg, hedd, llonyddwch, tawelwch silence, stillness

distewi *be* [distaw•³ *llu. gorff.* distawsom etc.]
1 (am sŵn) lleihau yn ei faint nes bod tawelwch, gostwng y llais, mynd yn fud; ymdawelu to become silent
2 newid o fod yn gynhyrfus i fod yn llonydd; llonyddu to become calm
3 peri i (rywun neu rywbeth) fod yn ddistaw;

rhoi taw ar; gostegu, llonyddu, tawelu, tewi to hush, to quieten, to silence

distewydd *eg* (distewyddion) rhywbeth sy'n atal sŵn; gostegwr silencer

di-stop *ans* diatal, di-baid, di-ball, diddiwedd ceaseless

distrych *eg* fel yn *distrych y don*, trochion dŵr terfysglyd; ewyn foam, spume

distryw *eg* dymchweliad llwyr, a'r llanastr a'r annibendod (a'r tristwch) sy'n ei ddilyn; anrhaith, cyflafan, dinistr, galanas desolation, destruction, ruin

distrywgar *gw.* distrywiol

distrywio *be* [distrywi•²] llwyr ddymchwelyd, bwrw neu dynnu i lawr; anrheithio, difa, difrodi, dinistrio to destroy, to devastate, to ruin

distrywiol:distrywgar *ans* yn distrywio, yn difa; difaol, difrodol, dinistriol, ysol destructive, devastating

distrywiwr *eg* (distrywwyr) un sy'n dinistrio; anrheithiwr, difethwr, difrodwr, dinistriwr destroyer, devastator

di-stŵr *ans* heb stŵr; digyffro, distaw, llonydd, tawel silent, without fuss

distyll¹ *eg* y man pellaf y mae'r môr yn ei gyrraedd cyn dychwelyd am y tir; terfyn isaf trai ebb tide, low tide

distyll² *ans* am hylif sydd wedi cael ei ddistyllu distilled
Sylwch: nid yw'n arfer cael ei gymharu.

distyllfa *eb* (distyllfeydd) yr adeilad neu'r safle lle y distyllir gwirodydd distillery

distylliad *eg* (distylliadau)
1 CEMEG y broses o ddistyllu, canlyniad distyllu distillation
2 llifiad neu rediad môr neu afon ar drai ebbing

distylliedig *ans* wedi'i ddistyllu distilled

distyllu *be* [distyll•¹]
1 CEMEG troi hylif yn nwy ac yna troi'r nwy yn ôl yn hylif (er mwyn ei buro gan amlaf) to distil
2 CEMEG gwahanu pethau drwy ddefnyddio'r dechneg hon, *distyllu alcohol o gwrw* to distil

distyllwr *eg* (distyllwyr) un sy'n distyllu, yn enwedig un sy'n distyllu gwirodydd a diodydd meddwol distiller

di-sut *ans* heb fedr nac amgyffred; anobeithiol, di-glem, di-drefn inept, incompetent

diswta *ans* heb rybudd; dirybudd, disyfyd, disymwth, sydyn abrupt

di-swydd *ans* heb swydd jobless, unemployed

diswyddiad *eg* (diswyddiadau) y broses o ddiswyddo, canlyniad diswyddo dismissal, sacking

diswyddo *be* [diswydd•¹] terfynu swydd rhywun, gwneud rhywun yn ddi-waith, cael gwared ar rywun o swydd arbennig to dismiss, to sack

di-swyn *ans* heb swyn unenchanting

disychedu *be* [disyched•¹] rhoi dŵr neu hylif tebyg i (rywun neu rywbeth) sy'n sychedig; torri syched to quench, to slake

di-syfl:disyflyd *ans* heb fod yn simsan nac yn gwegian; ansigledig, cadarn, diysgog, safadwy immovable, steadfast, unflinching

disyfyd *ans* heb rybudd; dirybudd, diswta, disymwth, sydyn sudden, unexpected

disylfaen *ans* heb sylfaen; cyfeiliornus, di-sail, di-wraidd baseless, without foundation

di-sylw:disylw *ans*
1 (am rywun) nad yw'n gallu neu'n dymuno sylwi neu dalu sylw, heb fod yn graff inattentive, unobservant
2 heb dynnu sylw nac yn haeddu sylw; anhynod, di-nod, distadl insignificant, unheeded

disylwedd *ans* heb sylwedd, heb bwys; ansylweddol, diafael, dibwys insubstantial

disymud *ans* heb fod yn symud neu'n llifo; ansymudol, llonydd, safadwy immobile, motionless, stationary

disymudedd *eg* FFISEG cyflwr disymud; llonyddwch non-movement

disymwth *ans* heb rybudd; annisgwyl, dirybudd, disyfyd, sydyn abrupt, sudden

disynnwyr *ans*
1 heb wneud synnwyr, croes i reswm; absŵrd senseless
2 heb lawer o synnwyr cyffredin; dwl, ffôl, gwirion, hurt senseless

ditectif *eg* (ditectifs) swyddog yn yr heddlu (er bod rhai preifat i'w cael) sy'n arbenigo mewn ceisio datrys dirgelion troseddau megis llofruddiaeth, lladrad, herwgipio, etc. detective

ditiad *eg* CYFRAITH cyhuddiad ffurfiol (ar bapur fel arfer) o fod wedi cyflawni trosedd sydd yn cael ei gyflwyno mewn achosion gerbron Llys y Goron indictment

ditiadwy *ans* CYFRAITH yn gadael rhywun yn agored i gael ei gyhuddo o drosedd ddifrifol a brofir gan farnwr a rheithgor yn Llys y Goron indictable

ditio *be* [diti•²] CYFRAITH cyhuddo rhywun o drosedd (yn ysgrifenedig fel arfer) (~ *rhywun* o) to indict

dithau *rhagenw cysylltiol* gw. **tithau**

diurddas *ans* heb urddas undignified

diurddo *be* [diurdd•¹] diswyddo offeiriad neu swyddog o'i urddau (~ *rhywun* o) to unfrock, to cashier

Divali:Diwali CREFYDD (Hindŵaeth) gŵyl â goleuadau sy'n cael ei chynnal rywbryd rhwng mis Hydref a mis Tachwedd

di-wad *ans* na ellir ei wadu; anwadadwy undeniable

diwaelod *ans* heb waelod bottomless

diwahân *ans*
1 na ellir ei rannu; anwahanadwy, cyfan, di-dor inseparable, undivided
2 diwahaniaeth, yn perthyn i bawb, *Cynigiwyd brecwast i bawb yn ddiwahân.*; cyffredin indiscriminate
Sylwch: nid yw'n arfer cael ei gymharu.

diwahaniaeth *ans* heb gael ei adnabod yn wahanol; heb droi'n wahanol wrth dyfu neu ddatblygu undifferentiated

diwahardd:di-wardd *ans* (am blentyn fel arfer) yn mynd dros ben llestri; afreolus, anhydrin, annisgybledig, anystywallt unruly

diwahoddiad *ans* heb wahoddiad uninvited

diwair *ans* [diweir•] (am rywun) heb ei lygru (yn rhywiol yn bennaf) o ran gair, meddwl na gweithred; anhalogedig, anllygredig, dihalog, pur chaste, uncorrupted

di-waith¹ *ans*
1 heb waith; segur unemployed, jobless, redundant
2 ECONOMEG heb waith ond yn chwilio am swydd ac ar gael i ddechrau gweithio unemployed

di-waith² *ell* yr holl bobl sydd heb waith ac sy'n methu cael gwaith, *Mae nifer y di-waith wedi cynyddu bump y cant yn ystod y misoedd diwethaf.* the unemployed

diwala *ans* anniwall, gwancus, trachwantus insatiable

Diwali gw. **Divali**

diwallu *be* [diwall•³] gwneud yn siŵr fod digon o rywbeth ar gael i fodloni (rhywun neu rywbeth) neu fod rhywbeth yn ddigonol at yr angen; cyflenwi, digoni to satisfy

diwarafun *ans*
1 heb gael ei ddannod wrth ei ganiatáu neu ei roddi; di-gŵyn, dirwgnach ungrudging
2 nad yw wedi cael ei wrthwynebu neu ei lesteirio mewn unrhyw ffordd unhindered

di-wardd gw. **diwahardd**

diwasgedd *eg* (diwasgeddau) METEOROLEG man lle mae'r gwasgedd aer yn isel yn y canol ac yn uwch ar yr ymyl, *Gan amlaf y mae diwasgedd yn dod â thywydd stormus gydag ef.* depression

di-wast:diwastraff *ans* heb wastraffu, heb gynnig neu ddefnyddio mwy nag sydd raid neu fwy nag sydd ei angen; cynnil sparing

diwedydd:diwetydd *eg* *llenyddol* diwedd y prynhawn, min nos, diwedd dydd; cyfnos, yr hwyr eventide

diwedd *eg* (diweddau)
1 y pwynt(iau) lle mae rhywbeth yn gorffen neu'n dod i ben, pen eithaf; terfyn, terfyniad end, conclusion

2 rhan olaf peth, e.e. blwyddyn, taith, cyngerdd, etc.; pen close
3 *ffigurol* angau, dihenydd, marwolaeth, tranc death, end
ar ddiwedd ar derfyn at the end
diwedd y gân yw'r geiniog gw. cân[1]
gwneud diwedd ar dirwyn i ben; gorffen to put an end to
hyd y diwedd nes gorffen, hyd y terfyn to the end
o'r diwedd wedi hir ddisgwyl at last
rhoi diwedd ar lladd, terfynu to finish, to kill
yn y diwedd ar ôl ystyried y cyfan at the end of the day

diweddar *ans*
1 (yn dilyn yr hyn a oleddfir) yn digwydd tua diwedd cyfnod arbennig o amser, *tatws diweddar* late
2 (yn dilyn yr hyn a oleddfir) newydd ddigwydd neu orffen, *Darllenais amdano mewn rhifyn diweddar o'r papur bro.* recent
3 *tafodieithol, yn y De* (yn dilyn yr hyn a oleddfir) yn cyrraedd, yn datblygu neu'n digwydd ar ôl yr amser penodedig, hwyr *'Rydych chi'n ddiweddar bob bore,' meddai'r athro wrth y plant a gyrhaeddai wedi i'r gloch ganu.* late, tardy
4 (o flaen yr hyn a oleddfir) nad yw bellach yn fyw, sydd wedi marw, *y diweddar Barchedig John Jones;* ymadawedig deceased, late
   Sylwch: ceir y ffurfiau *diweddarach* a *diweddaraf* ond nid 'diweddared'.
yn ddiweddar
1 yn hwyr, ar ôl amser late, tardy
2 heb fod ymhell yn ôl o ran amser lately, recently

diweddarach *ans* [diweddar] mwy diweddar later

diweddaraf *ans* yr agosaf (o safbwynt y gorffennol) i'r presennol, *Y newyddion diweddaraf.* latest

diweddaredd *eg* y cyflwr o fod yn perthyn i gyfnod diweddar sydd heb fod ymhell i ffwrdd recency

diweddariad *eg* (diweddariadau) y broses o ddiweddaru, canlyniad diweddaru revision, update

diweddaru *be* [diweddar•[1]]
1 newid er mwyn cydymffurfio â gofynion yr oes sydd ohoni neu (yn enwedig am hen destun) ei wneud yn ddealladwy i ddarllenwyr heddiw; moderneiddio to modernize
2 newid rhywbeth er mwyn cynnwys y ffeithiau, y newyddion neu'r fersiwn diweddaraf, *Mae'r Adran Technoleg Gwybodaeth wedi diweddaru'r meddalwedd gwrthfirysau heddiw.* to update

diweddeb *eb* (diweddebau) CERDDORIAETH cyfres benodol o gordiau sy'n gorffen cymal o gerddoriaeth ac sy'n cadarnhau'r cywair cadence

diweddeb amen CERDDORIAETH diweddeb lle mae cord IV (yr islywydd) yn cael ei ddilyn gan gord I (y tonydd) amen cadence, plagal cadence

diweddeb amherffaith CERDDORIAETH diweddeb lle mae cord I (y tonydd), neu unrhyw gord arall, yn cael ei ddilyn gan gord V (y llywydd) imperfect cadence

diweddeb annisgwyl CERDDORIAETH diweddeb lle mae cord V (y llywydd) yn cael ei ddilyn gan gord VI (yr isfeidon) interrupted cadence

diweddeb berffaith CERDDORIAETH diweddeb lle mae cord V (y llywydd) yn cael ei ddilyn gan gord I (y tonydd) perfect cadence

diweddglo *eg* (diweddgloeon) y rhan o bregeth (ysgrif, anerchiad, cerdd, etc.) sy'n ei dirwyn i ben ac yn cloi'r cyfan; casgliad, pen, terfyn conclusion, ending, finale

diweddiad *eg* (diweddiadau) y ffordd y mae rhywbeth yn gorffen; cwblhad, cyflawniad, darfyddiad, terfyniad conclusion, ending

diweddu *be* [d•] dwyn i ben, rhoi terfyn ar; cwblhau, darfod, gorffen, terfynu to complete, to end, to finish
   Sylwch: nid yw'r ferf hon yn arfer cael ei rhedeg.

diweirach:diweiraf:diweired *ans* [diwair] mwy diwair; mwyaf diwair; mor ddiwair

diweirdeb *eg* y cyflwr (rhinweddol) o fod yn ddiwair; y penderfyniad i ymatal rhag cael cyfathrach rywiol; gwyryfdod, morwyndod, purdeb chastity

diweithdra *eg*
1 diffyg gwaith, y cyflwr o fod yn ddi-waith, *Mae diweithdra wedi gostwng eto.*; anghyflogaeth unemployment
2 ECONOMEG nifer y rhai sy'n ddi-waith unemployment

cyfradd ddiweithdra ECONOMEG nifer y di-waith fel canran o'r gweithlu unemployment rate

diwel *be* tafodieithol, yn y De arllwys, pistyllio, tywallt, *Mae'n diwel y glaw.* to pour
   Sylwch: nid yw'r ferf hon yn cael ei rhedeg.
diwel y glaw bwrw glaw yn drwm iawn to pour

diweniaith *ans* heb weniaith, heb organmol; didwyll, diffuant, diragrith sincere

diwenwyn *ans* heb wenwyn na'r gallu i wenwyno; heb gasineb non-toxic, inoffensive

di-werth:diwerth *ans* heb werth, da i ddim; di-fudd, ffrit, ofer, tila useless, worthless

diwetydd gw. diwedydd

diwethaf *ans* am rywbeth terfynol mewn cyfres a allai barhau, yr un cyn yr un presennol, y mwyaf diweddar, *Mae cofnodion y cyfarfod diwethaf yn nodi mai'r cyfarfod nesaf fydd y cyfarfod olaf. Aethom i'r dref nos Sadwrn diwethaf* last
  Sylwch:
  1 ffurf eithaf yr enw 'diwedd';
  2 *wythnos diwethaf* a ddefnyddir fel arfer yn hytrach nag 'wythnos ddiwethaf';
  3 yn achos 'diwethaf', mae'n bosibl y bydd un arall yn cyrraedd neu'n digwydd, yn achos 'olaf' ni fydd un arall ar ôl hwn.

di-wg *ans* heb wg without a frown

di-wifr *ans* (am ddyfais drydanol) yn defnyddio ffynhonnell fewnol o drydan (e.e. radio, cysylltiad di-wifr â'r Rhyngrwyd etc.) wireless

diwinydd *eg* (diwinyddion) un sy'n arbenigo mewn diwinyddiaeth theologian

diwinyddiaeth *eb* CREFYDD astudiaeth sy'n ymwneud â natur Duw a'i berthynas â dynion a'r cread theology

diwinyddol *ans* yn ymwneud â diwinyddiaeth theological

di-wobr *ans* heb wobr prizeless

di-wraidd *ans*
  1 heb wraidd neu wreiddiau rootless
  2 *ffigurol* cyfeiliornus, di-sail, disylfaen groundless

diwreiddio *be* [diwreiddi•²]
  1 tynnu o'r gwraidd; dadwreiddio, difa, dinistrio (~ *rhywbeth* o) to uproot
  2 (am bobl) codi o'u cynefin, amddifadu o'u diwylliant, caethgludo o'u gwlad to uproot

diwretig¹ *eg* (diwretigion) MEDDYGAETH triniaeth neu gyffur sy'n gweithio i gynyddu llif troeth o'r corff diuretic

diwretig² *ans* MEDDYGAETH (am driniaeth, cyffur, etc.) yn achosi cynnydd yng nghynhyrchiad troeth diuretic

diwrnod *eg* (diwrnodau) ysbaid o bedair awr ar hugain, dydd (fel cyfnod o amser ac nid fel y rhan honno a gyferbynnir â'r nos) day

diwrnod du diwrnod o newyddion drwg black day

diwrnod i'r brenin gw. brenin

y diwrnod a'r diwrnod such and such a day

diwrthbrawf *ans* nad oes modd ei wrthbrofi irrefutable

diwrthdro *ans* na ellir ei droi yn ôl, na ellir ei osgoi; anghildroadwy, anochel, anorfod, anwrthdroadwy irreversible

diws *eg* (mewn gêm o dennis) sgôr o 40 gan y ddwy ochr; mae'n rhaid i un o'r chwaraewyr ennill dau bwynt yn olynol er mwyn ennill y gêm deuce

diwteriwm *eg* isotop o hydrogen ac iddo fàs 2 a niwclews yn cynnwys un proton ac un niwtron duterium

diwyd *ans* yn dal ati'n ddyfal; cydwybodol, dygn, gweithgar, prysur assiduous, diligent

diwydianeiddio *be* [diwydianeiddi•²] dod â diwydiant i mewn, *diwydianeiddio cefn gwlad* to industrialize

diwydiannaeth *eb* cyfundrefn gymdeithasol ac economaidd sy'n dibynnu ar ddiwydiant, yn enwedig diwydiannau mawr wedi'u mecaneiddio industrialism

diwydiannol *ans* yn perthyn i ddiwydiant, nodweddiadol o ddiwydiant; gweithfaol industrial

diwydiannwr *eg* (diwydianwyr) perchennog neu reolwr diwydiant industrialist

diwydiant *eg* (diwydiannau)
  1 y broses o gynhyrchu nwyddau mewn ffatrïoedd industry
  2 ffurf neu gangen benodol o weithgaredd diwydiannol neu fasnachol, e.e. *y diwydiant ceir* industry

diwydiant cynradd gw. cynradd

diwydiant ysgafn y broses o gynhyrchu nwyddau bach neu ysgafn light industry

diwydro *be* [diwydr•¹] newid gwydr o fod yn dryloyw i fod yn grisialog ac afloyw neu ddi-draidd to devitrify

diwydrwydd *eg* y cyflwr o fod yn ddiwyd, gweithgarwch dyfal; dyfalbarhad, prysurdeb, ymroddiad diligence

diwyg *eg* ffurf a gwedd, *diwyg llyfr*; golwg, llunwedd, ymddangosiad appearance, format

diwygiad *eg* (diwygiadau)
  1 y broses o ddiwygio, canlyniad diwygio; gwelliant mewn stad neu gyflwr; cywiriad reform
  2 CREFYDD adfywiad crefyddol revival

y Diwygiad Methodistaidd CREFYDD (yng Nghymru) yr adfywiad crefyddol yn y ddeunawfed ganrif a gysylltir ag enwau Howel Harris, Daniel Rowland a William Williams ac a arweiniodd at Fethodistiaeth fel sail i enwad ar wahân erbyn y bedwaredd ganrif ar bymtheg the Methodist Revival

y Diwygiad Protestannaidd CREFYDD mudiad crefyddol yn yr unfed ganrif ar bymtheg yn gysylltiedig ag enw Martin Luther, a fwriadwyd i ddiwygio'r Eglwys Gatholig Rufeinig ond a arweiniodd at sefydlu eglwysi Protestannaidd Reformation

diwygiadol *ans* yn ymwneud â diwygiad, yn achosi diwygiad revivalist, revivalistic

diwygiedig *ans*
  1 wedi'i ddiwygio, wedi'i wella (yn enwedig am lyfr neu destun); newydd amended, revised

2 wedi'i addasu, *Mae Iddewiaeth Ddiwygiedig yn tynnu ar draddodiadau Iddewig, ond yn ceisio addasu i fywyd heddiw.* reformed
argraffiad diwygiedig gw. **argraffiad**
diwygio *be* [diwygi•²] newid pethau er gwell (am wellhad cymdeithasol, crefyddol a hefyd am gywiro testunau); addasu, cywiro, golygu, gwella to amend, to reform, to revise
diwygiol *ans* â thuedd i ddiwygio, i wella corrective, reformative
diwygiwr *eg* (diwygwyr) CREFYDD un sy'n diwygio; arweinydd diwygiad, un o arweinwyr y Diwygiad Protestannaidd reformer
diwylliadol *ans* yn ymwneud â diwylliant (yn enwedig am gyfarfod neu gymdeithas); diwylliannol cultural
diwylliannol *ans* yn perthyn i ddiwylliant, nodweddiadol o ddiwylliant; diwylliadol cultural
diwylliant *eg* (diwylliannau)
1 celfyddyd (llenyddiaeth, cerddoriaeth, celf); y Pethe culture
2 safon uchel o gelfyddyd a meddwl mewn cymdeithas culture
3 arfer, cred a meddwl pobl arbennig, mewn man arbennig ar adeg arbennig; traddodiad, treftadaeth culture
 Sylwch: yng Nghymru, mae i'r gair gysylltiad llawer nes â'r syniad o werin a chrefftau a chymunedau cefn gwlad nag sydd gan y gair cyfatebol yn Saesneg
diwylliant prynu diddordeb mwy na'r cyffredin mewn caffael nwyddau; prynwriaeth consumerism
diwylliedig *ans* yn amlygu nodweddion diwylliant, wedi'i ddiwyllio; darllengar, gwâr, gwareiddiedig, llengar cultured
diwyllio *be* [diwylli•²] yn wreiddiol, clirio tir, paratoi tir yn barod i amaethu; erbyn heddiw, gwneud yn ymwybodol o ddiwylliant, meithrin gwerthfawrogiad o ddiwylliant to cultivate
diwyro *ans* heb wyro i'r naill ochr na'r llall; diysgog, syth, union, unplyg direct, undeviating, unswerving
diymadferth *ans* yn methu ei helpu ei hun, heb egni; di-rym, egwan helpless, impotent
diymadferthedd *eg* y cyflwr neu'r stad o fod yn ddiymadferth; anabledd, anallu helplessness, impotence
diymarbed *ans* heb ymarbed, heb ball nac ymatal; di-baid, diflino, diwyd, dyfal indefatigable, unstinting
diymatal *ans* heb ddim i'w atal; anataliadwy, di-baid, dilyffethair, di-rwystr unremitting
diymdrech *ans* heb unrhyw fath o ymdrech; didrafferth, hawdd, rhwydd effortless
diymdroi *ans* yn union, ar unwaith, heb oedi;

diaros, di-oed, syth immediate, instantaneous, without delay
 Sylwch: nid yw'n arfer cael ei gymharu.
diymestyn *ans* (am ddefnydd fel arfer) nad yw'n ymestyn (a cholli'i siâp) non-stretch
diymffrost *ans* heb fod yn ymffrostgar, nad yw'n brolio; anymwthiol, dirodres, diymhongar, gwylaidd unassuming, unpretentious
diymgais *ans*
1 heb ymgais, heb ymdrech; diymdrech effortless
2 heb uchelgais unambitious
diymgeledd *ans* heb neb i'w ymgeleddu, i ofalu amdano; anghenus, amddifad, diamddiffyn, digymorth forlorn, helpless, uncared for
diymhongar *ans* heb ymffrostio na brolio; anymwthiol, dirodres, diymffrost, gwylaidd humble, unostentatious, unpretentious
diymod *ans* di-ildio, disyflyd, diysgog, di-droi immovable, steadfast
diymwad:diymwâd *ans* na ellir ei wadu na'i wrthbrofi; anwadadwy, diamheuol, di-ddadl conclusive, indubitable, undeniable
 Sylwch: nid yw'n arfer cael ei gymharu.
diymwybod *ans* am rywbeth nad ydych yn ei sylweddoli, nad ydych yn ymwybodol ohono; anhysbys, diarwybod unaware, unconscious
diynni *ans* diegni, di-ffrwt, llesg listless
diysbryd *ans* heb fywyd nac afiaith, *O'i gymharu â'u perfformiad neithiwr yr oedd perfformiad heno yn eithaf diysbryd.*; dieneiniad, digalon, gwangalon spiritless
diysbrydoliaeth *ans* heb ysbrydoliaeth; anysbrydoledig, diawen, di-fflach uninspired
diysgog *ans* wedi'i wreiddio'n gadarn, nad yw'n siglo'n hawdd; ansigledig, cadarn, di-syfl, safadwy immovable, steadfast, unmoved
diystyr *ans* heb ystyr, heb reswm na synnwyr; anystyrlon, disynnwyr meaningless, pointless, senseless
diystyriol *ans* nad yw'n rhoi ystyriaeth i bobl neu bethau eraill, neu sy'n eu dirmygu'n fwriadol; anystyriol, didaro, difater, di-hid contemptuous, inconsiderate
diystyrllyd *ans*
1 yn dirmygu; dirmygus, sarhaus, trahaus contemptuous, disdainful
2 yn haeddu'i ddirmygu contemptible, despicable
diystyru *be* [diystyr•¹] peidio ag ystyried, cyfrif islaw ystyriaeth; anwybyddu, esgeuluso to discount, to disregard, to ignore
diystyrwch *eg* methiant i ystyried lles neu deimladau pobl eraill; dibrisiad disdain, disregard
Djibwtaidd *ans* yn perthyn i Djibouti, nodweddiadol o Djibouti Djiboutian

Djibwtiad *eg* (Djibwtiaid) brodor o Djibouti
Djiboutian

Dn *byrfodd* Dwyrain E, East

DNA *eg* BIOCEMEG (asid deocsiriboniwcleig)
cemegyn a geir mewn cromosomau; mae'n
cynnwys gwybodaeth etifeddol sy'n pennu
patrwm datblygiad organeb DNA

do¹ *adf*
1 ateb cadarnhaol i gwestiwn ynglŷn â
rhywbeth a ddigwyddodd yn y gorffennol,
A welaist ti pwy daflodd y garreg? Do. yes
2 mae'n cael ei ddefnyddio hefyd i gadarnhau'r
ferf flaenorol, *Fe ganodd hi'n dda neithiwr.
Wel do, on'd do fe?*
on(i)d do fe? oni wnaeth ef/hi, etc.? didn't he
(she, it, etc.)?
os do fe os gwnaeth ef/hi, etc. (fel bygythiad)
if he (she, it etc.) did

do² *eg* CERDDORIAETH y nodyn cyntaf yng
ngraddfa nodiant y system sol-ffa, d doh, d

dobio *be* [dobi•²] pwnio, taro, *dobio hoelion i
bren â morthwyl* to hit, to strike

doc *eg* (dociau)
1 basn artiffisial o ddŵr mewn harbwr lle mae
llongau'n cael eu dadlwytho, eu llwytho neu eu
hatgyweirio; cei, porthladd dock
2 y rhan amgaeedig mewn llys barn y mae
carcharor yn sefyll neu yn eistedd ynddi dock

docfa *eb* (docfâu:docfeydd) man penodol ar
gyfer llong wrth angor mewn harbwr neu wrth
lanfa; angorfa berth

docio *be* [doci•²] angori mewn docfa to berth

dociwr *eg* (docwyr) un sy'n cael ei gyflogi mewn
porthladd i lwytho a dadlwytho llongau docker

doctor *eg* (doctoriaid)
1 un sy'n trin cleifion; meddyg doctor, physician
2 un sydd wedi ennill gradd uchaf prifysgol;
doethur doctor
doctor bôn clawdd ffug ddoctor quack

doctora *be* [doctor•¹]
1 ymhél â rhywbeth gan geisio'i newid mewn
ffordd anonest neu amhriodol, *doctora
canlyniadau'r etholiad* to doctor, to tamper with
2 atal atgenhedlu drwy lawdriniaeth, *doctora'r
gath*; disbaddu, ysbaddu to doctor, to castrate,
to spay
3 bod yn feddyg i (rywun) to doctor
Sylwch: nid yw'r ferf hon yn arfer cael ei
rhedeg.

dod¹:dyfod *be* [¹⁹]
1 symud tuag at rywun neu i ryw le (yn hytrach
nag oddi wrthynt) to approach, to come
2 cyrraedd rhywle neu rywun (ar neges, ar
ymweliad, etc.), *Rwyf wedi dod i'ch rhybuddio.*
to come
3 cyrraedd o ran amser neu hanes, *Mae'r amser
wedi dod inni fynd.* to come

4 (am fab darogan neu gyflawnwr
proffwydoliaeth) dychwelyd neu ymddangos yn
gyhoeddus, *Pa bryd y daw'r Brenin Arthur o'i
gwsg hir?* to come, to return
5 hanfod, deillio, tarddu, *Mae'r dŵr yn dod o'r
ffynnon ar waelod yr ardd.* to come
6 tyfu, cynyddu, gwella, *Mae'r goeden 'ma yn
dechrau dod.* (~ yn *rhywun/rhywbeth*) to come,
to grow
7 canlyn fel effaith, *Dyna beth sy'n dod o
chwarae â thân.*; dilyn to come, to result
8 ffurfio swm neu gyfanswm, *Gyda'r cig a'r
nwyddau eraill, mae'r cyfan yn dod yn ugain punt
a hanner can ceiniog.* to amount, to come (to)
9 digwydd, *Mae dydd Llun yn dod ar ôl
dydd Sul.* to come, to occur
10 dechrau, *Fe ddaeth, ymhen amser, i'w
charu'n fawr.* to come
11 bod, *Fe gadwn ni hwn; efallai y daw e'n
ddefnyddiol.* to become
ar ddod bron dod about to come, forthcoming,
imminent

dod â
1 dod yng nghwmni, *Rwyf wedi dod â rhywun
i dy weld di.*; arwain, dwyn, hebrwng to bring
2 (yn gyfreithiol) dwyn achos, *Mae'n bwriadu
dod ag achos yn erbyn y cyngor lleol* to bring
3 geni, *dod â chathod bach* to give birth

dod allan/maes
1 bod yn eglur, *Mae Siân wedi dod allan yn
dda yn y llun.* to come out
2 cael ei gyhoeddi, *Pryd mae dy lyfr newydd yn
dod allan?*; ymddangos to appear
3 gwrthod gweithio, *Ar ôl cyfarfod o'r undeb
penderfynodd y gweithwyr ddod allan fel un
dyn.*; streicio to come out

dod ar draws/ar warthaf darganfod
to come across

dod ataf (atat, ato, etc.) fy (dy, ei etc.) hun
dadebru, adfeddiannu ymwybyddiaeth to come
to oneself

dod ataf fi (atat ti, ato ef, etc.) agosáu at
Dewch ataf fi. to come to

dod at ei goed callio to come to one's senses

dod dan bod dan (awdurdod neu ddylanwad)
to come under

dod dros
1 gwella, *dod dros annwyd* to get over
2 goresgyn, *dod dros broblem* to overcome

dod drosodd creu argraff (*Sut daeth y
perfformiad drosodd?*) to come across

dod drwyddi mynd drwy brofiad a dod allan
ohono'n iawn; goroesi to survive

dod i ben
1 llwyddo, gorffen, *Wyt ti wedi dod i ben â
sgrifennu'r llyfr 'na eto?* to finish, to manage
2 aeddfedu (fel cornwyd) to come to a head

d

dod i ddim methu to come to nought

dod i fwcl gw. bwcl

dod i glustiau dod i ddeall; clywed to come to the ears of

dod i gof cofio to come to mind

dod i law cyrraedd, ymddangos to come to hand

dod i lawr disgyn to come down, to fall

dod i'r amlwg dod i'r golwg, dod yn adnabyddus to come to light, to come to the fore

dod i'r fei dod i'r golwg to come to light

dod i'r glaw dechrau bwrw glaw to start to rain

dod lan dringo, esgyn to come up

dod o hyd i darganfod to come across, to discover, to find

dod ymlaen datblygu, llwyddo to get on

dod yn fel yn *Mae wedi penderfynu dod yn athro.* to become

dod ynghyd ymgynnull to come together

doed a ddêl/ddelo beth bynnag sy'n mynd i ddigwydd come what may

ddaw hi ddim mae'n aflwyddiannus come to nothing

dod² *bf* [dodi] *tafodieithol, yn y De* gorchymyn i ti ddodi

dodecaffonig *ans* CERDDORIAETH yn defnyddio graddfa gerddorol sy'n cynnwys deuddeg nodyn dodecaphonic

dodecahedron *eg* (dodecahedronau) MATHEMATEG siâp tri dimensiwn ac iddo ddeuddeg wyneb pentagon dodecahedron

dodi *be* [dod•¹ 3 *un. pres.* dyd/doda; *2 un. gorch.* dod/doda]

1 rhoi (rhywun neu rywbeth) mewn man arbennig neu symud (rhywun neu rywbeth) i fan arbennig neu osod (rhywun neu rywbeth) ar neu mewn man arbennig; fe'i defnyddir yn aml yn y De yn lle 'rhoi', *dodi llestri ar y ford*; gosod (~ *rhywbeth* **ar**) to put

2 gosod (had) yn y ddaear, *dodi tato*; plannu to plant

dannedd dodi gw. dannedd

Ymadroddion

dodi ar ddeall gwneud i rywun ddeall to give one to understand

dodi ar waith peri i (rywun neu rywbeth) gychwyn to set to work

dodi bai ar beio to blame

dodi bys ar cael hyd i'r union ateb to put one's finger on (something)

dodi dwylo ar bendithio neu wella'n ysbrydol to lay one's hands on (someone)

dodi enw ar enwi, bedyddio to name, to christen

dodi i lawr gosod i lawr, gostwng to set down

dodi meddwl ar canolbwyntio to set one's mind on (something)

dodi ymaith rhoi i gadw to put away

dodi yn lle rhoi yn lle to put instead of

rhoi/dodi fy (dy, ei, etc.) mryd ar gw. bryd

dodiad *eg* y broses o ddodi, canlyniad dodi; gosodiad placing

dodo *eg* aderyn mawr nad oedd yn gallu hedfan, nad yw'n bod erbyn hyn dodo

dodrefn *ell* lluosog dodrefnyn, byrddau, cadeiriau, gwelyau, cypyrddau a phethau symudol eraill y mae eu hangen mewn tŷ, swyddfa, ysgol neu unrhyw adeilad arall; celfi, moddion tŷ furniture

dodrefnu *be* [dodrefn•¹] gosod dodrefn mewn tŷ neu ystafell to furnish

dodrefnwr *eg* (dodrefnwyr) un sy'n gwneud dodrefn, saer dodrefn; un sy'n gwerthu dodrefn tŷ; un sy'n dodrefnu furnisher

dodrefnyn *eg* unigol dodrefn; celficyn piece of furniture

dodwy *be* [dodwy•¹] (am adar yn enwedig, ond hefyd am rai anifeiliaid a physgod) cynhyrchu wy neu wyau to lay

dodwyol *ans* SWOLEG yn dodwy wyau sy'n deor y tu allan i gorff y fam oviparous

doe:ddoe *eg ac adf* (yn ystod) y diwrnod cyn heddiw ac yn dilyn echdoe, *Ni ddaw doe yn ôl.* yesterday

> *Sylwch:* 'ddoe' yw ffurf adferfol 'doe', *Aeth y myfyrwyr i fowlio ddoe.*

doed gw. deued

doeth *ans* [doeth•] (doethion) synhwyrol, deallus, craff a galluog, sy'n gallu cyfuno'r rhinweddau hyn wrth wneud penderfyniadau; call, goleuedig, hyddysg, pwyllog wise, discreet

doethair *eg* (doetheiriau) ymadrodd byr a chryno yn cynnwys gwirionedd pwysig, e.e. *A fo ben, bid bont* apophthegm

doethineb *eg* y cyfuniad o allu, deallusrwydd, synnwyr a chraffter sy'n gwneud rhywun yn ddoeth; y cyflwr o fod yn ddoeth; callineb, crebwyll, dirnadaeth, pwyll wisdom, sagacity, discretion

doethinebau *ell* dywediadau doeth

doethinebu *be* [doethineb•¹] dweud pethau doeth a phwysig neu bethau sy'n swnio'n ddoeth a phwysig (~ **am**) to pontificate

doethion¹ *ans* ffurf luosog doeth

doethion² *ell*

1 rhai doeth the wise

2 Y Doethion (yn ôl y Beibl) gwŷr doeth o'r dwyrain a ddilynodd seren er mwyn addoli'r baban Iesu a chyflwyno iddo anrhegion o aur, thus a myrr the Magi, the Three Wise Men

doethur *eg* (doethuriaid) un sydd wedi derbyn gradd uchaf prifysgol ac sydd â'r hawl i ddefnyddio llythrennau megis Ph.D., D.Phil., D.D., etc., ar ôl ei enw a chael ei gyfarch yn Ddoctor er nad yw'n feddyg doctor

doethuriaeth *eb* (doethuriaethau) gradd doethur doctorate

doethyn *eg* (doethion) un doeth, hefyd un doeth yn ei dyb ei hun savant, wiseacre

dof[1] *ans*
1 (am anifail) wedi'i ddwyn dan reolaeth dyn, neu wedi cael ei ddysgu i gyd-fyw â dyn; hywedd, llywaeth, swci tame
2 heb fod yn fywiog nac yn siarp; anniddorol, marwaidd tame

dof[2] gw. **deuaf**

dofednod *ell* yr adar dof hynny, e.e. ieir, hwyaid, tyrcwn, etc., sy'n cael eu cadw ar gyfer eu cig a'u hwyau, da pluog poultry

dofi *be* [dof•[1]] gwneud i (rywun neu rywbeth) ufuddhau; troi o fod yn wyllt i fod yn ddof; gwastrodi, hyweddu, tawelu to tame, to domesticate

dofion *ell* lluosog **daw**

dofn *ans* ffurf fenywaidd **dwfn**, *afon ddofn*

dofrwydd *eg* y cyflwr o fod yn ddof, parodrwydd i ufuddhau tameness

dofwr *eg* (dofwyr) un sy'n dofi, yn gwastrodi tamer

dogfen *eb* (dogfennau) peth ysgrifenedig, e.e. llawysgrif, gweithred, ffeil cyfrifiadurol, etc., sy'n cynnwys tystiolaeth neu wybodaeth am ryw bwnc arbennig document

dogfennaeth *eb*
1 set o ddogfennau yn ymwneud ag achos neu destun arbennig documentation
2 y ddarpariaeth o droednodiadau ac atodiadau sy'n cynnwys tystiolaeth ddogfennol documentation

dogfennol *ans*
1 yn perthyn i ddogfen neu ddogfennau, yn seiliedig ar ddogfen neu ddogfennau documentary
2 am gyflwyniad ffeithiol drwy gyfrwng dramatig, yn enwedig rhaglen radio neu deledu neu ffilm documentary

dogfennu *be* [dogfenn•[9]]
1 darparu neu gyflwyno tystiolaeth ddogfennol to document
2 llunio rhestr fanwl gywir o dystiolaeth ddogfennol sy'n cefnogi safbwynt neu osodiad, e.e. mewn traethawd ymchwil to document
Sylwch: dyblwch yr 'n' ym mhob ffurf ac eithrio yn y rhai sy'n cynnwys *-as-*.

dogma *eg* (dogmâu)
1 egwyddor neu set o egwyddorion a ystyrir yn awdurdodol a phendant dogma
2 CREFYDD datganiad ffurfiol, awdurdodol eglwys ar athrawiaeth neu gorff o athrawiaethau yn ymwneud â chred neu foesoldeb dogma

dogmataidd:dogmatig *ans* yn cyflwyno barn mewn ffordd dra awdurdodol, drahaus, fel pe bai'n ffaith ddiymwad dogmatic

dogn *eg* (dognau) cyfran o ryw faint arbennig (e.e. o fwyd pan fydd hwnnw'n brin); mesur penodol o foddion; cwota, rhan, siâr dose, ration, share

dogni *be* [dogn•[1]]
1 rhannu hyn a hyn ar y tro, mesur dognau, rhoi siâr to apportion, to ration, to share
2 dyrannu nwydd neu nwyddau drwy ddarparu maint (dogn) penodol i bob unigolyn neu deulu to ration

doili *eg* mat tenau addurnedig o bapur neu blastig a roddir dan fwyd (teisennau fel arfer) doily

dol *eb* (doliau) tegan plentyn ar ffurf ffigur neu fodel bach o berson, doli doll

dôl[1] *eb* (dolydd:dolau) tir gwastad ar lan afon neu lyn (yn wreiddiol, y tir a fyddai bron wedi'i ynysu gan dro afon), tir pori; cae, doldir, maes meadow, dale, lea

dôl[2] *eg* anffurfiol budd-dal y mae'r wladwriaeth yn ei dalu i rywun di-waith dole
ar y dôl yn hawlio budd-dal diweithdra on the dole

dolbridd *eg* (dolbriddoedd) pridd ffrwythlon sy'n nodweddu doldiroedd alluvium, meadow soil

doldir *eg* (doldiroedd) tir ffrwythlon ar lawr dyffryn, tir pori; dôl, maes, parc meadowland, pasture

doldrymau *ell* rhanbarth o Gefnfor Iwerydd ger y cyhydedd lle mae gwyntoedd ysgafn ac anwadal, a thymheredd a lleithder uchel yn gyffredin the doldrums

dolef *eb* (dolefau) cri cwynfanllyd, torcalonnus; nâd, oernad, udiad bleat, plaintive cry

dolefain *be* bloeddio'n gwynfanllyd neu'n dorcalonnus; cwynfan, llefain, oernadu, wylofain to bleat, to cry plaintively
Sylwch: nid yw'r ferf hon yn arfer cael ei rhedeg.

dolefus *ans* (am gri neu sŵn) cwynfanus, pruddglwyfus, trist, wylofus doleful, plaintive

dolen *eb* (dolennau:dolenni)
1 un o'r cylchoedd neu'r modrwyau a geir mewn cadwyn link
2 rhywbeth sy'n cysylltu dau neu ragor o bethau eraill; cyswllt, cysylltiad connection, link
3 y siâp a wneir wrth blygu darn o raff, cortyn, gwifren, etc. yn ôl amdano'i hun loop
4 y rhan (ar ffurf hanner cylch) o rywbeth megis bwced neu fasged yr ydych yn cydio ynddi i'w cario handle
5 clust cwpan, dyfais debyg ond mwy o faint a geir dan glicied ar ddrws; trontol handle
6 CYFRIFIADUREG cyfres o orchmynion mewn rhaglen gyfrifiadurol sy'n cael ei hadnabod a'i hailadrodd nes i amod neu amodau penodol gael eu boddhau loop

7 CERDDORIAETH darn o gerddoriaeth lle mae'r diwedd yn cysylltu â'r dechrau loop

dolen agored (am system reoli) nad yw'n cynnwys adborth i ddangos a yw'r mewnbwn i'r system wedi llwyddo i roi'r allbwn a fwriadwyd open loop

dolen gaeedig (am system reoli) yn gallu cymhwyso proses, drwy gyfrwng adborth o synhwyrydd, i sicrhau bod y mewnbwn i'r system yn llwyddo i roi'r allbwn a fwriadwyd closed loop

dolen gydiol/gyswllt rhywbeth neu rywun sy'n cysylltu dau neu ragor o bobl neu bethau eraill connecting link

doleniad *eg* y broses o ddolennu, canlyniad dolennu meandering

dolennedd *eb* y cyflwr o fod yn dolennu, o ymdroelli sinuosity

dolennog *ans*
1 llawn dolennau neu droeon, yn symud yn igam-ogam, *afon ddolennog*; troellog meandering, sinuous, winding
2 wedi'i weindio, wedi'i droelli'n gylchoedd coiled

dolennu *be* [dolenn•⁹]
1 (am afon) crwydro'n igam-ogam; amdroi, ymdroelli to meander, to wind
2 (am neidr) llithro'n igam-ogam; gwingo to snake, to wriggle
3 (am raff, cebl etc.) plygu'n ddolenni to coil
Sylwch: dyblwch yr 'n' ym mhob ffurf ac eithrio yn y rhai sy'n cynnwys -*as*-.

doler *eb* (doleri) uned ariannol gwerth 100 sent a gysylltir yn bennaf ag Unol Daleithiau America, ond a ddefnyddir hefyd mewn gwledydd eraill megis Canada, Awstralia a Seland Newydd; caiff ei dynodi gan yr arwydd \$ dollar

dolffin *eg* (dolffiniaid) creadur y môr tua 2–3 metr o hyd sy'n perthyn i deulu'r morfil; mae ganddo drwyn hir, symudiadau gosgeiddig a lefel uchel o ddeallusrwydd; morwch dolphin

doli *eb* (doliau:dolis) tegan plentyn ar ffurf model bach o berson; dol doll, dolly

doli glwt doli feddal wedi'i gwneud o ddarnau o ddefnydd wedi'u gwnïo ynghyd ac wedi'u stwffio rag doll

dolin *eg* (dolinau) DAEAREG pant neu fasn crwn neu led grwn mewn tirwedd garstig doline

dolman *ans* GWNIADWAITH (am lawes) llydan iawn wrth y ceseiliau ond yn dynn am yr arddyrnau dolman

dolur *eg* (doluriau)
1 anaf, briw, clwyf, niwed, *Mae gan Nain ddolur cas ar ei choes.* hurt, sore, wound
2 poen neu flinder meddwl, *Mae'n ddolur imi orfod cyfaddef.*; gloes, tristwch anguish, sorrow

dolur gwddf/gwddw *safonol, yn y Gogledd* gwddf tost sore throat

dolur llygad rhywbeth hyll iawn (adeilad fel arfer) eyesore

dolur rhydd MEDDYGAETH cyflwr lle mae bwyd yn cael ei waredu o'r corff yn rhy gyflym ac mewn modd dyfrllyd drwy'r ymysgaroedd diarrhoea

dolurio *be* [doluri•²]
1 bod yn boenus neu'n dost; brifo, gwynegu, gwynio to ache
2 achosi neu beri poen; niweidio to hurt, to wound

dolurus *ans* yn brifo, yn gwynio, yn gwneud dolur; anafus, clwyfus, poenus, tost painful, sore

dom gw. **tom**

domestig *ans*
1 yn ymwneud â'r cartref neu faterion teuluol domestic
2 i'w ddefnyddio yn y cartref domestic

Dominicaidd *ans*
1 yn perthyn i Weriniaeth Dominica, nodweddiadol o Weriniaeth Dominica Dominican
2 CREFYDD yn perthyn i Urdd y Dominiciaid (Urdd y Brodyr Duon), nodweddiadol o Urdd y Dominiciaid Dominican

Dominiciad *eg* (Dominiciaid)
1 brodor o Weriniaeth Dominica, un o dras neu genedligrwydd Dominicaidd Dominican
2 CREFYDD aelod o urdd o fynachod crwydrol a ffurfiwyd gan Sant Dominic yn 1215 a roddai bwys ar bregethu'r Gair; Brawd Du Dominican

dominiwn *eg* (dominiynau) un o genhedloedd y Gymanwlad sydd â'i llywodraeth ei hun ond sy'n dewis cydnabod Brenin neu Frenhines Lloegr yn bennaeth y wladwriaeth dominion

domino *eg* (dominos) un o 28 o ddarnau petryal (o bren, ifori, plastig, etc.) ac un wyneb iddo wedi'i rannu'n ddau hanner a phob hanner naill ai'n wag neu'n cynnwys rhwng un a chwe smotyn (hyd nes cynrychioli pob cyfuniad posibl); mae'r darnau'n cael eu defnyddio i chwarae dominos domino

mae'n ddominô arnaf fi (arnat ti, arno ef, etc.) mae wedi canu arnaf I'm finished, I'm sunk

dominos *ell* enw'r gêm a chwaraeir â darnau domino dominoes

dominyddiaeth *eb* rheolaeth neu bŵer dros rywun neu rywrai; gormes, tra-arglwyddiaeth domination

dominyddu *be* [dominydd•¹] bod â goruchafiaeth ar; arglwyddiaethu, goruchafu, tra-arglwyddiaethu to dominate

domisil *eg* (domisiliau) CYFRAITH (ar gyfer materion cyfreithiol) prif gartref parhaol rhywun domicile

doniau *ell* lluosog **dawn**

donio *be* [doni•⁶] bendithio â dawn neu allu; cynysgaeddu (~ â) to endow

doniog *ans* dawnus, talentog gifted

doniol *ans* [doniol•] yn gwneud i bobl wenu neu chwerthin; cellweirus, comig, digrif, gogleisiol amusing, funny, humorous

doniolwch:donioldeb *eg* y ddawn i wneud i bobl chwerthin; digrifwch, direidi, hiwmor, smaldod humour

doppelgänger *eg* drychiolaeth o rywun byw

dôr *eb* (dorau) *tafodieithol* drws pren allanol (mewn adwy neu fwlch); drws door

Dorcas *enw* teilwres yn y Testament Newydd yr enwyd *cwrdd Dorcas* ar ei hôl, sef cymdeithas o chwiorydd eglwys yn gwnïo dillad ar gyfer yr anghenus

Dorig *ans* PENSAERNÏAETH un o dri dosbarth pensaernïaeth glasurol gwlad Groeg (Ïonig, Corinthaidd a Dorig) a nodweddir gan ei symlrwydd Doric

dormer *eb* (dormerau) adeiladwaith ar gyfer creu mwy o ofod defnyddiol drwy godi uchder to a chaniatáu ychwanegu ffenestri; ffenestr unionsyth mewn to ar oleddf a'i tho bach ei hun drosti dormer

dorsal *ans* BIOLEG wedi'i leoli ar, neu'n perthyn i, wyneb uchaf neu gefn anifail, planhigyn neu organ dorsal

dortur *eg* (dorturiau) *hynafol* ystafell gysgu mewn mynachlog dormitory

dos¹ *bf* [mynd] *safonol, yn y Gogledd* gorchymyn i ti fynd; cer
  dos yn fy ôl i, Satan! gw. Satan

dos² *eb* (dosys:dosau)
  1 MEDDYGAETH mesur penodol (o foddion fel arfer) i'w gymryd ar amser penodol dose
  2 FFISEG swm o belydriad ïoneiddio a roddir neu a dderbynnir ar adeg penodol neu dros gyfnod penodol dose
  3 unrhyw beth (cas fel arfer) y mae'n rhaid ei wneud neu ei ddioddef, *dos o annwyd* dose
  dos ormodol gormod o ddos o foddion neu gyffur overdose

dosbarth¹ *eg* (dosbarthau:dosbarthiadau)
  1 (*yn derbyn ffurf unigol neu luosog berf*) cwmni neu grŵp o blant ysgol sy'n cael eu dysgu gyda'i gilydd class, form
  2 rhaniad cymdeithas yn grwpiau yn ôl statws cymdeithasol neu wleidyddol, *Dywedir nad yw problemau dosbarth cynddrwg yng Nghymru ag yn Lloegr.* class, caste
  3 rhaniad o bobl neu bethau yn ôl llwyddiant, gradd, safon, ansawdd, etc., *gradd dosbarth cyntaf, tocyn ail ddosbarth* class
  4 rhan o'r wlad o fewn sir a weinyddir gan ei chyngor ei hun, e.e. arferai Sir Benfro gael ei

rhannu'n ddau ddosbarth, Preseli a De Penfro district
  5 un o'r rhaniadau a geir mewn system sy'n ceisio gosod trefn ar yr holl wybodaeth sy'n eiddo i ddyn, *Mae Gwyddoniaeth, Technoleg, Llenyddiaeth, etc., yn ddosbarthiadau o wybodaeth sy'n gyffredin i nifer o systemau dosbarthu.*; cangen, categori category, division
  dosbarth allanol dosbarth wedi'i drefnu dan nawdd Adran Addysg Gydol Oes (Adran Efrydiau Allanol gynt) prifysgol extra-mural class
  dosbarth beiblaidd grŵp sy'n cyfarfod i astudio'r Beibl Bible class
  dosbarth canol nodweddiadol o werthoedd grŵp cymdeithasol rhwng y dosbarth gweithiol a'r dosbarth uwch, gan gynnwys pobl broffesiynol a phobl busnes a'u teuluoedd middle class
  dosbarth derbyn dosbarth ar gyfer plant pedair a phum mlwydd oed sy'n dechrau yn yr ysgol gynradd reception class
  dosbarth gweithiol pobl sy'n cael eu cyflogi i weithio, yn enwedig gweithwyr llaw neu mewn diwydiant working class
  dosbarth uwch dosbarth cymdeithasol sy'n cynnwys aelodau cyfoethocaf cymdeithas a'r rhai sydd â'r awdurdod gwleidyddol uchaf upper class

dosbarth² *eg* (dosbarthau) BIOLEG un o brif gategorïau dosbarthiad tacsonomaidd sydd yn is na ffylwm neu raniad ac yn uwch nag urdd class

dosbarthiad *eg* (dosbarthiadau)
  1 y broses o ddosbarthu, canlyniad dosbarthu, *dosbarthiad papurau newydd i siopau ar hyd y wlad* distribution
  2 yr egwyddor y tu ôl i'r ffordd y mae rhywbeth wedi cael ei rannu neu ei ddosbarthu, *dosbarthiad llyfrau ar silffoedd llyfrgell*; cyfundrefn classification
  3 darlun neu batrwm o'r ffordd y mae rhywbeth wedi'i ledaenu neu ei wasgaru, *dosbarthiad ieir bach yr haf yng Nghymru*; dosraniad distribution
  4 BIOLEG y broses o drefnu organebau mewn grwpiau tacsonomaidd yn ôl priodweddau tebyg, e.e. *teulu* classification

dosbarthol *ans* yn ymwneud â dosbarthu pethau (nwyddau fel arfer) distributive

dosbarthu *be* [dosbarth•¹]
  1 rhannu neu drefnu (anifeiliaid, planhigion, llyfrau, etc.) yn ddosbarthiadau drwy ddod â phethau tebyg at ei gilydd a'u gwahanu oddi wrth bethau sy'n annhebyg; categoreiddio, gwahaniaethu to arrange, to categorize, to classify

2 rhannu ymhlith nifer, *dosbarthu llyfrau emynau i'r gynulleidfa* to distribute
3 cyflenwi nwyddau (i siopau fel arfer), *Mae ei faniau yn dosbarthu bara a theisennau i siopau bach cefn gwlad.* to deliver, to distribute

dosbarthus *ans* (am gymeriad neu allu meddyliol) yn medru tynnu pethau tebyg ynghyd a'u gwahanu oddi wrth bethau annhebyg; call, doeth, trefnus orderly, discerning

dosbarthwr:dosbarthydd *eg* (dosbarthwyr) rhywun neu rywbeth sy'n dosbarthu deliverer, distributor

dosio *be* [dosi•²] rhoi dos (o foddion) (~ *rhywun/ rhywbeth* â) to dose

dosraniad *eg* (dosraniadau)
1 y weithred o ddosrannu neu ddosbarthu classification, distribution
2 y ffordd y mae rhywbeth yn cael ei rannu, rhaniad yn isbenawdau oddi mewn i gyfanwaith; dadansoddiad, dosbarthiad analysis, breakdown
3 CYLLID y weithred o drosglwyddo elw cwmni i'w gyfranddalwyr, canlyniad dosrannu distribution, apportionment

dosraniad amlder MATHEMATEG dadansoddiad ystadegol, yn aml ar ffurf tabl neu graff, yn dangos patrwm gwerthoedd newidyn frequency distribution

dosrannu *be* [dosrann•¹⁰]
1 rhannu'n isbenawdau; dadansoddi, dosbarthu to analyse, to break down
2 CYLLID rhannu swm o arian mewn amcangyfrif dan nifer o benawdau to distribute
3 GRAMADEG dadelfennu brawddeg i'w rhannau ymadrodd a'u disgrifio'n ramadegol; dadansoddi cystrawen to parse
  Sylwch: dyblwch yr 'n' ym mhob ffurf ac eithrio yn y rhai sy'n cynnwys -*as*-.

dot¹:dotyn *eg* (dotiau)
1 smotyn fel yr un a geir uwchben 'i', neu fel atalnod llawn ar ddiwedd brawddeg dot, spot
2 CERDDORIAETH y smotyn tebyg sy'n dilyn nodyn ysgrifenedig ac sy'n ei estyn gyfwerth â'i hanner eto dot

dot² *eb* ('y ddot') y bendro; teimlad o fod yn sigledig ac ar fin cwympo sy'n cael ei achosi gan edrych i lawr o uchder neu gan glefyd sy'n effeithio ar y glust fewnol vertigo

dotio¹ *be* [doti•²]
1 nodi neu farcio â dot, *Cofiwch ddotio'ch 'i'.* to dot
2 britho â mân smotiau to spot

dotio² *be* [doti•²] ymserchu yn ormodol neu'n eithafol yn (rhywun neu rywbeth), *Mae e wedi dotio ar y ferch newydd yn y dosbarth.*; dwlu, ffoli, gwirioni, mopio, mwydro (~ *ar rywun*; ~ *am/ at rywbeth*) to be infatuated, to dote

dotwaith *eg* CELFYDDYD dull o beintio sy'n defnyddio pwyntiau bach, dotiau neu stribedi i gyflwyno graddau o gysgod a golau stipple

dotweithio *be*
1 gosod paent fesul dot neu ddotiau ar draws wyneb; britho to stipple
2 CELFYDDYD peintio, ysgythru neu dynnu llun drwy ddefnyddio dotiau bach sydd gyda'i gilydd yn creu cysgod llyfn esmwyth o liw to stipple
  Sylwch: nid yw'r ferf hon yn arfer cael ei rhedeg.

dotyn gw. dot¹.

dowcio *be* [dowci•²] gwthio yn sydyn dan ddŵr neu blymio'n sydyn am ychydig amser to duck

dowciwr *eg* (dowcwyr) plymiwr, deifiwr diver

dowch *safonol, yn y Gogledd* gw. **deuwch**

dow-dow *adf* wrth ei bwysau; hamddenol, ling-di-long leisurely

drabŵd gw. trabŵd

drach gw. trach

dracht:tracht *eg* (drachtiau) cymaint o ddiod ag y mae'n bosibl ei yfed ar un llwnc; cegaid, joch, llwnc, llymaid swig, draught

drachtio *be* [drachti•²] yfed yn ddwfn; llyncu to swig, to quaff

draen *eb* (draeniau:dreiniau)
1 cyfrwng (pibell fel arfer) i ddraenio hylif; ceuffos, cwter, ffos drain
2 ELECTRONEG rhigol uwchben cylched drydanol sy'n gweithredu fel llwybr ar gyfer signal drain

draenen:draen *eb* (drain)
1 pen bach llym, bachog sy'n tyfu ar rai mathau o blanhigion megis drain a rhosod; pigyn thorn
2 planhigyn arbennig a phigau blaenllym yn tyfu arno thorntree

draenen ddu coeden â drain blaenllym (sy'n gallu bod yn wenwynig) yn perthyn i deulu'r rhosyn; mae ganddi flodau bach gwyn ac aeron duon yn yr hydref blackthorn

draenen wen coeden bigog yn perthyn i deulu'r rhosyn; mae ganddi flodau bach gwyn neu goch ac aeron cochion yn yr hydref; pren y goeden hon hawthorn

Ymadroddion

bod yn ddraen(en) yn ystlys (rhywun) blino rhywun neu fod yn boendod parhaus i rywun to be a thorn in the flesh of

draenen i gau adwy gw. adwy¹

draeniad *eg*
1 y broses neu'r weithred o ddraenio rhywbeth drainage
2 system o ddraeniau drainage

draenio:traenio *be* [draeni•²]
1 sychu tir drwy dorri ffosydd ynddo er mwyn cludo dŵr ymaith to drain
2 gollwng hylif o gynhwysydd, *draenio rheiddiadur y car*; gwagio'n araf to drain

draenog *eg* (draenogod) mamolyn bach sy'n hela pryfed yn ystod y nos; mae ganddo orchudd o bigau ac mae'n ei rolio'i hun yn belen bigog amddiffynnol pan fydd unrhyw awgrym o berygl hedgehog

draenogyn dŵr croyw *eg* (draenogiaid dŵr croyw) pysgodyn dŵr croyw ac iddo asgell ddorsal bigog ac esgyll is o liw oren perch

draenogyn môr *eg* (draenogiaid môr) pysgodyn y môr ac iddo asgell ddorsal bigog yn debyg i'r draenogyn dŵr croyw sea bass

drafft[1] *eg* (drafftiau) copi cyntaf o ddarn ysgrifenedig; amlinelliad, braslun draft

drafft[2] *eg* chwa o awel (oer fel arfer) draught

drafftio *be* [drafffi•[2]] llunio amlinelliad cyntaf llun, cynllun neu waith ysgrifenedig; amlinellu, braslunio to draft

drafftiog *ans* (am dŷ neu ystafell) â gwynt oer yn chwythu drwyddo; gwyntog draughty

draffts *ell* gêm i ddau berson sy'n chwarae â deuddeg darn crwn yr un ar fwrdd wedi'i rannu'n sgwariau du a gwyn (tawlbwrdd); mae'r chwaraewyr yn symud y darnau ar letraws gyda'r naill chwaraewr yn ceisio neidio dros ddarnau ei wrthwynebydd er mwyn eu dwyn oddi arno draughts

drafftsmon *eg* (drafftsmyn) un sy'n tynnu lluniadau (o beiriannau neu adeiladau fel arfer) draughtsman

drafftsmonaeth *eb* y grefft o ddylunio a thynnu lluniad manwl a chywir (o beiriant, adeilad, etc.) draughtsmanship

dragŵn *eg* (dragwniaid) milwr a berthynai i uned o wŷr traed ond a farchogai geffylau ac a ddefnyddiai ddrylliau dragoon

draig *eb* (dreigiau) creadur chwedlonol sydd â chrafangau llym ac adenydd fel arfer, ac sy'n chwythu tân dragon

y Ddraig Goch
1 mewn hen chwedl am y proffwyd Myrddin adroddir am ymladd parhaol rhwng draig wen yn cynrychioli Lloegr/y Saeson a draig goch, sef Cymru/y Cymry. Yn ôl y ddarogan y ddraig goch a fyddai'n ennill y dydd yn y pen draw. Daeth y ddraig goch maes o law yn symbol am bethau Cymraeg/Cymreig the Red Dragon
2 baner Cymru

drain *ell* lluosog draenen neu draen; drysi, mieri thorns

ar bigau'r drain yn boenus neu'n anghyfforddus o awyddus, *Roedd Siôn ar bigau'r drain eisiau gwybod pwy oedd wedi ennill y gêm.* edgy, on tenterhooks

wedi'i dynnu drwy'r drain am rywun â golwg wyllt neu aflêr arno dragged through a hedge backwards

dram *eg* (dramiau) tryc arbennig a redai ar gledrau ac a ddefnyddid mewn pyllau glo a gweithfeydd mwyn i gludo glo neu fwyn tram

drama *eb* (dramâu)
1 cyfansoddiad llenyddol (mewn rhyddiaith neu farddoniaeth neu gyfuniad o'r ddau) ar gyfer ei actio, neu ei berfformio neu ei chwarae (ar lwyfan, ar y radio neu ar y teledu) drama, play
2 cyfres o ddigwyddiadau peryglus neu gyffrous, *drama'r herwgipiad yn y Dwyrain Canol* drama

dramateiddiad:dramodiad *eg* fersiwn wedi'i ddramateiddio dramatization

dramateiddio *be* [dramateiddi•[2]]
1 troi rhywbeth megis stori neu hanes yn ddrama to dramatize
2 disgrifio rhywbeth mewn ffordd fywiog, gyffrous to dramatize, to sensationalize

dramatig *ans*
1 yn perthyn i fyd drama, nodweddiadol o ddrama dramatic
2 cyffrous, *Yr oedd defnydd dramatig y cyfansoddwr o drwmpedau yn y symudiad araf yn hynod o effeithiol.* dramatic
3 am rywbeth sy'n tynnu'n sylw drwy olwg neu effaith annisgwyl, *saib dramatig* dramatic

dramodydd:dramodwr *eg* (dramodwyr) un sy'n ysgrifennu dramâu dramatist, playwright

drannoeth *adf* ar neu yn ystod y diwrnod wedyn, *Drannoeth y cweryl, fe ddaeth i'r tŷ ac ymddiheuro.* the next day
Sylwch: 'trannoeth' yw ffurf enwol 'drannoeth'.

drannoeth y ffair anhwylder y bore ar ôl noson o gyfeddach a mwynhad gormodol the morning after the night before

drâr:drôr *eg* (drârs:drôrs:dreiriau:droriau) cynhwysydd ar ffurf bocs heb glawr sydd wedi'i wneud i lithro i mewn ac allan o gelficyn megis cwpwrdd, bwrdd neu ddesg drawer

draw *adf* nid yma, yn y lle yna; acw, tu draw there, yonder
Sylwch: mae'r ffurf *traw* ar gael fel yn *yma a thraw.*

pen draw ffin, eithaf, terfyn, *Cofiwch fod pen draw i beth allaf fi ei wneud i'ch helpu.* limit

yma a thraw hwnt ac yma here and there

dreng *ans*
1 blwng, chwerw, piwis, sarrug, e.e. llinell Hedd Wyn *'Gwae fi fy myw mewn oes mor ddreng . . .'* bitter, churlish, perverse, surly
2 am blentyn blin, cwynfanllyd peevish, surly

dreif *eb* (dreifiau) trawiad caled, hir ac ymosodol mewn rhai gêmau pêl drive

dreifio *be* [dreifi•[2]]
1 gyrru (car, etc.) to drive
2 taro neu yrru pêl yn galed, yn hir ac yn ymosodol to drive

dreigiau *ell* lluosog **draig**

dreigio *be* melltennu heb daranau
Sylwch: nid yw'r ferf hon yn arfer cael ei rhedeg.

dreiniau *ell* lluosog **draen**

dreiniog *ans* llawn drain; pigog prickly, thorny

dreiriau *ell* lluosog **drâr**

drelyn:drel *eg tafodieithol* llanc mawr dwl; llabwst oaf, numbskull

drennydd gw. **trennydd**

drensio *be*
1 gorfodi dos o foddion ar anifail to drench
2 gwlychu'n wlyb domen to drench
Sylwch: nid yw'r ferf hon yn arfer cael ei rhedeg.

dresel:dreser *eb* (dreselau) celficyn arbennig â silffoedd i ddal llestri, a chypyrddau oddi tanynt; seld dresser

dresin *eg* cymysgedd o olew a finegr ac ychwanegiadau eraill a weinir fel arfer gyda saladau; enllyn dressing

drewdod *eg* gwynt cas iawn, aroglau cryf ac annymunol; drycsawr stink, stench

drewgi *eg* (drewgwn) anifail bach Americanaidd â blew sy'n streipiau du a gwyn ac sy'n medru chwistrellu hylif drewllyd o chwarren wrth ei ben ôl; sgync skunk

drewi *be* [drew•⁴] arogleuo'n ddrwg, gwynto'n gas, gwasgaru aroglau cryf, cas, *Rwyt ti'n drewi o gwrw.* (~ o) to reek, to stink
drewi fel ffwlbart drewi'n gas to stink to high heaven

drewllyd *ans* yn drewi; drycsawrus smelly, stinking, fetid

driblan:driblo *be*
1 llifo neu ollwng (hylif) ychydig ar y tro, *Mae'r babi'n driblo ar hyd cot ei fam.*; diferu, driflan to dribble
2 gwthio pêl ymlaen yn gyflym ac yn gelfydd drwy ei tharo yn ysgafn ac yn aml gan osgoi ymgeisiadau'r tîm arall i ennill y bêl to dribble
Sylwch: nid yw'r ferf hon yn arfer cael ei rhedeg.

driblwr *eg* (driblwyr) un deheuig am ddriblan pêl dribbler

driflan *be* [drifl•¹] llifo neu ollwng (poer gan amlaf) ychydig ar y tro; ewynnu, glafoeri, slobran to drivel, to slaver

drifft *eg* (drifftiau)
1 twnnel llorweddol neu ar oleddf mewn mwynglawdd yn dilyn gwythïen o fwyn neu lo, neu'n arwain at wythïen felly drift
2 cerrynt araf mewn cefnfor drift
3 DAEAREG unrhyw ddyddodion a gludwyd gan rewlifau ac a ddyddodwyd yn uniongyrchol gan yr iâ neu drwy gyfrwng dŵr tawdd drift
drifft cyfandirol DAEAREG y cysyniad, a ddisodlwyd gan ddamcaniaeth tectoneg platiau, fod cyfandiroedd y Ddaear yn symud mewn perthynas â'i gilydd ar raddfa amser daearegol continental drift
drifft y glannau DAEARYDDIAETH proses sy'n cludo defnyddiau traeth ar hyd yr arfordir dan ddylanwad tonnau sy'n cyrraedd y traeth ar ongl longshore drift

dringhedydd:dringiedydd *eg* (dringedyddion) planhigyn dringo muriau neu sy'n dringo ar hyd planhigion eraill climber, creeper

dringo *be* [dring•¹ *3 un. pres.* dring/dringa; *2 un. gorch.* dring/dringa]
1 mynd i fyny rhywbeth, dros rywbeth neu drwy rywbeth, yn enwedig drwy ddefnyddio'r coesau a'r dwylo; esgyn (~ i fyny) to climb, to scale
2 esgyn (mynyddoedd yn enwedig) fel camp gorfforol to climb, to ascend
3 codi i fan uwch, *Mae'r tir yn dringo o hyn ymlaen.* to climb, to rise
4 (am blanhigyn) tyfu i fyny ar hyd rhywbeth sy'n ei gynnal to climb

dringwr *eg* (dringwyr) un sy'n dringo neu sy'n esgyn; esgynnydd climber
dringwr bach aderyn bach brown sy'n dringo coed ac yn chwilio am bryfed a'u hwyau yn y rhisgl tree creeper

dril¹ *eg* (driliau) erfyn neu beiriant ar gyfer gwneud tyllau drill
dril dirdro dril â rhigolau heligol ar ei hyd sy'n edrych fel petai wedi'i wneud o ddur wedi'i ddirdroi twist drill
dril llaw dril a ddefnyddir â llaw ac a gaiff ei weithio â nerth llaw hand drill
dril piler dril trydan sy'n sefyll ar biler sy'n sownd wrth lawr y gweithdy pillar drill

dril² *eb* (driliau) peiriant ffermio a ddefnyddir i greu rhigol ac i hau had yr un pryd drill

drilio¹ *be* [drili•²] ymarfer rhywbeth drosodd a throsodd fel y gellir ei wneud heb orfod meddwl amdano to drill

drilio² *be* [drili•²] defnyddio ebill i wneud twll (mewn pren neu wrth edrych am olew, etc.); tyllu (~ drwy) to drill, to bore

dripian *be* [dripi•²] disgyn yn ddafnau; diferu to drip

dripsych *ans* (am ddilledyn) wedi'i wneud o ddefnydd sy'n sychu heb grychau, drwy ddripian, ar ôl iddo gael ei olchi drip-dry

dripsychu *be* [dripsych•¹] (am ddilledyn) sychu heb grychau drwy ddripian ar ôl iddo gael ei olchi to drip-dry

dripyn:dripin *eg* toddion saim, braster cig rhost (cig eidion gan amlaf) dripping

driphlith draphlith *adf* heb unrhyw drefn higgledy-piggledy

dromedari *eg* camel un crwb sy'n byw yn y gwledydd Arabaidd dromedary

drôn *eg*
1 awyren, bad, neu daflegryn a reolir gan signalau radio o bell yn hytrach na chan rywun o'i fewn yn ei yrru drone
2 CERDDORIAETH un o'r tair pib ar facbib sy'n cynhyrchu'r nodau hir di-dor yn grwnan dan yr alaw drone

drôr gw. **drâr**

dros *ardd* [drosof fi, drosot ti, drosto ef (fe/fo), drosti hi, drosom ni, drosoch chi, drostynt hwy (drostyn nhw)]
1 ar draws, *pont dros yr afon*; uwchben over, across
2 yn aelod o, ar ran, *Mae e'n chwarae dros Gymru ddydd Sadwrn nesaf.* for
3 i lawr dros ymyl rhywbeth, *syrthio dros y clogwyn i'r môr* over
4 mwy na, *Mae ganddo dros gant o lyfrau i'w darllen.* over
5 yn ystod, *dros y blynyddoedd* over
6 ar ran, yn lle, *Rwyf wedi dod yma dros fy ngwraig.* for, on behalf of
7 o blaid, *Siaradaf i drosot ti yn y llys.* for
8 drwy, am, *Meddylia dros y peth cyn ateb.* over my dead body
Sylwch:
1 mae *dros* yn dod o'r ffurf gysefin *tros* ac felly'n treiglo ar ôl y cysylltair *a, drosodd a throsodd*;
2 mae'n achosi treiglad meddal.

dros ben gw. **pen**[1]
dros ben llestri gw. **llestri**
dros byth gw. **byth**
dros dro gw. **tro**
dros fy nghrogi ymadrodd yn pwysleisio'r gwrthwynebiad eithaf (i rywbeth) over my dead body
drosodd a thro gw. **drosodd**

drosodd:trosodd *adf*
1 i fyny, allan ac i lawr dros ymyl rhywbeth, *Mae'r llaeth yn berwi drosodd.* over
2 fel bod modd gweld yr ochr arall, *troi'r tudalen drosodd* over
3 ar draws pellter, *Rydym ni'n mynd drosodd i Ffrainc yr haf yma.* across, over
4 yn gyfnewid, *Mae angen newid y ddau yma drosodd.* over
5 yn fwy, *plant 14 oed a throsodd* over
6 ar ben, *Mae'r parti drosodd.* over
drosodd a thro dro ar ôl tro, drachefn a thrachefn time and again
drosodd a throsodd (mynd dros rywbeth) nifer mawr o weithiau over and over

drud *ans* [drut•] (drudion) yn costio llawer, uchel ei bris; costus, gwerthfawr, moethus valuable, costly, dear
drudaniaeth *eb* pa mor ddrud yw rhywbeth, pris uchel dearness

drudfawr *ans* drud iawn costly, expensive

drudwen *eb* aderyn brith â phlu glas, gwyrdd a phorffor yn gymysg â phlu tywyll sy'n medru dynwared caneuon adar eraill a chwibanu dynol; fe'i gelwir hefyd yn aderyn yr eira ar sail y gred fod yr adar hyn yn heidio ar adeg o eira; drudwy starling

drudwy:drudw *eg* (drudwyod) aderyn brith â phlu glas, gwyrdd a phorffor yn gymysg â phlu tywyll sy'n medru dynwared caneuon adar eraill a chwibanu dynol; fe'i gelwir hefyd yn aderyn yr eira ar sail y gred fod yr adar hyn yn heidio ar adeg o eira; drudwen starling

drudwy Branwen y ddrudwen a anfonwyd gan Franwen at ei brawd Brân â'r hanes am ei charchariad yn Iwerddon; adroddir yr hanes yn *Ail Gainc y Mabinogi*

drutach:drutaf:druted *ans* [drud] mwy drud; mwyaf drud; mor ddrud

drwg[1] *ans* [cynddrwg; gwaeth; gwaethaf]
1 heb fod yn dda bad, wicked
2 yn pechu; yn torri'r gyfraith; anfoesol, annuwiol, pechadurus bad, evil
3 pwdr, *afal drwg*; llygredig rotten
4 yn peri pryder, *newyddion drwg*; blin, trist bad
5 cas, *Mae blas drwg ar y caws.*; annymunol nasty
6 sy'n rhegi, *geiriau drwg*; anweddus indecent
7 sarrug, *mewn hwyliau drwg*; blin, cas bad
8 (am y tywydd) gwael; stormus, gwlyb bad, severe
9 drygionus, yn gwrthod gwrando nac ufuddhau, *Rwyt ti wedi bod yn gi drwg.* bad
10 nad yw o safon dderbyniol, *Roedd y canu yn mynd o ddrwg i waeth.*; gwael bad
11 niweidiol, *Mae ysmygu yn ddrwg i chi.* bad, detrimental
12 (am arian) ffug counterfeit
bod/mynd yn ddrwg rhwng (am berthynas) yn dirywio, (am rai sy'n) troi yn elynion
drwg ei hwyl (am rywun) byr ei amynedd, mewn hwyliau drwg in a bad mood
drwg gennyf fi (gennyt ti, ganddo ef, etc.) rwy'n ymddiheuro; mae gennyf newyddion drwg I regret
mae'n ddrwg arnaf fi (arnat ti, arno ef, etc.) mae'n galed arnaf it's hard on me
o ddrwg i waeth yn gwaethygu from bad to worse

drwg[2] *eg* (drygau) peth drwg, drygioni; adwyth evil, harm
cael drwg derbyn cerydd to be told off, to have a row
y drwg yn y caws gw. **caws**

drwgarfer *eg* (drwgarferion) arfer gwael, enghraifft o gamymddygiad cyson; camarfer bad habit

drwgdeimlad *eg* (drwgdeimladau) diffyg ewyllys
da; casineb, gelyniaeth friction, ill feeling

drwgdybiaeth *eb* (drwgdybiaethau) anhawster
ymddiried yn rhywun, ansicrwydd ynglŷn â
dilysrwydd; amheuaeth, petruster suspicion,
distrust, mistrust

drwgdybio:drwgdybied *be* [drwgdybi•²]
bod yn amheus neu'n ansicr o ddilysrwydd
neu wirionedd (rhywun neu rywbeth), methu
ymddiried yn rhywun neu rywbeth; amau
(~ *rhywun* o) to distrust, to mistrust, to suspect

drwgdybus *ans*
1 yn drwgdybio neu'n dueddol o fod yn amheus;
agnostig, amheugar, ansicr, gochelgar suspicious
2 yn peri drwgdybiaeth; amheus dubious,
suspicious

drwghoffi *be anffurfiol* peidio â hoffi, *Nid wyf
yn ei ddrwghoffi.*; drwgleicio to dislike
Sylwch: nid yw'r ferf hon yn arfer cael ei rhedeg.

drwgleicio *be anffurfiol* peidio â leicio, *Nid wyf
yn ei ddrwgleicio.*; drwghoffi to dislike
Sylwch: nid yw'r ferf hon yn arfer cael ei rhedeg.

drwgweithred *eb* (drwgweithredoedd) ymddygiad
anonest neu anghyfreithlon; camwedd, camwri,
trosedd, ysgelerder wrongdoing

drwgweithredu *be* [drwgweithred•¹] ymddwyn
yn anonest neu'n anghyfreithlon; troseddu
to behave dishonestly, to behave illegally

drwgweithredwr *eg* (drwgweithredwyr) un sy'n
gwneud drwg, un sy'n troseddu; ffelon, herwr,
tramgwyddwr, troseddwr offender, evil-doer

drwm *eg* (drymiau)
1 offeryn cerdd a chylch tyn o ddefnydd tebyg
i groen neu blastig amdano sy'n cael ei daro
â'r dwylo neu â ffyn arbennig; tabwrdd drum
2 darn o beiriant ar ffurf silindr neu ddrwm
caeedig (yn enwedig un y mae rhaff neu
gadwyn yn cael ei dirwyn amdano) drum
3 can mawr metel i ddal olew neu betrol drum

drwm bas drwm mawr â nodyn isel bass drum

drwm bongo drwm sy'n cael ei ddal rhwng y
penliniau a'i daro â'r dwylo bongo drum
Ymadrodd

drwm bach drwm y mae modd ei gario wrth
eich ochr ac a ddefnyddir i guro amser wrth
orymdeithio side drum

drwodd gw. trwodd

drwof gw. drwy

drwp *eg* math o ffrwyth, e.e. ceirios neu eirin,
sydd ag un hedyn (fel arfer) y tu mewn i garreg;
o gwmpas y garreg mae cnawd meddal, llawn
sudd, a haen denau o groen yn ei orchuddio
drupe

drws *eg* (drysau)
1 rhwystr symudol sy'n agor a chau ac yn
caniatáu mynediad i adeilad, ystafell neu
gelficyn; dôr door

2 ffordd i mewn i adeilad; cyntedd, mynedfa,
porth doorway

3 cyfrwng mynediad, *Addysg yw'r drws i ddod
ymlaen yn y byd.*; cyfle opening

4 mewn ymadroddion megis *o ddrws i ddrws*,
(yn symud) o un tŷ neu adeilad i un arall
door to door

5 *mewn enwau lleoedd* bwlch, adwy, e.e.
Drws-y-coed gap

ateb y drws gw. ateb¹

dangos y drws i rywun gw. dangos

drws nesaf y tŷ nesaf at eich tŷ chi, neu'r bobl
sy'n byw ynddo next door

drws ymwared ffordd allan o drybini,
anhawster neu broblem escape route

drwy ddrws y cefn yn gyfrinachol neu drwy
dwyll by the back door

wrth y drws ar fin digwydd, ar y trothwy,
Mae'r Nadolig wrth y drws. at the door

drwy:trwy *ardd* [drwof fi, drwot ti, drwyddo
ef (fe/fo), drwyddi hi, drwom ni, drwoch chi,
drwyddynt hwy (drwyddyn nhw)]
1 i mewn (i rywbeth) yn un pen, ymyl neu
ochr ac allan yn y pen, ymyl neu ochr arall,
Cerddais drwy'r twnnel. through
2 gan, drwy law, gyda chymorth, *Cefais y llyfr
drwy'r llyfrgell.* by means of
3 fel canlyniad i, *Collwyd y rhyfel drwy ddiffyg
paratoi.* through
4 o'r dechrau hyd y diwedd, *Eisteddais
drwy'r perfformiad a mwynhau pob munud.*
through
5 o'r naill ben i'r llall, o'r naill eithaf i'r llall,
tro drwy'r Eidal through
6 rhwng, *rhedeg drwy'r coed* through
7 yn llawn, yn gyfan, *tatws drwy'u crwyn,
coffi drwy laeth*
8 oherwydd, gan, *Rwy'n gwybod hyn drwy
fy mod yno ar y pryd.* because, as
Sylwch: mae'n achosi'r treiglad meddal.

drwyddo/drwyddi draw yn gyfan gwbl
through and through

trwy/drwy gydol yn ystod y cyfan throughout

trwy/drwy wybod i mi (ti, ef, etc.**)** i mi
wybod to my knowledge

drycin *eb* (drycinoedd) storm o wynt a glaw,
tywydd drwg, tywydd garw; rhyferthwy, storm,
tymestl stormy weather

drycinog *ans* fel drycin; garw, stormus,
tymhestlog stormy

drycsawr *eg* aroglau annymunol, gwynt drwg;
drewdod stink, stench

drycsawrus *ans* yn drewi; drewllyd stinking

drych *eg* (drychau)
1 wyneb disglair (o wydr fel arfer, neu fetel
caboledig) sy'n adlewyrchu llun pethau
looking-glass, mirror

2 delw, delwedd, llun, *Mae Mair yn ddrych o'i mam pan oedd hi'r un oedran.* image

drychddelwedd *eb* (drychddelweddau) adlewyrchiad union, ond o chwith, o wrthrych mirror image

drychfeddwl *eg* (drychfeddyliau) darlun sy'n cael ei greu yn y meddwl; delwedd, syniad idea

drychiolaeth *eb* (drychiolaethau) ymddangosiad goruwchnaturiol; bwci, bwgan, ellyll, rhith apparition, phantom, spectre

drych-ysgrifennu *eg* llawysgrifen o chwith sy'n edrych fel ysgrifen arferol wedi'i hadlewyrchu mewn drych mirror writing

drỳg *eg* (drygiau)
1 cyffur meddygol neu sylwedd ar gyfer gwneud moddion drug
2 cyffur; sylwedd y mae'n anodd gwneud hebddo unwaith y dechreuir ei gymryd ac sy'n gwneud rhywun yn gaeth iddo drug

drygair *eg* (drygeiriau) enw drwg sy'n cael ei roi ar rywun; pethau drwg sy'n cael eu dweud am rywun calumny

dryganadl *eg* halitosis; anadl drwg, anadl sy'n drewi halitosis

drygau *ell* lluosog **drwg**[1]

drygioni *eg*
1 yr hyn sy'n ddrwg, llygredd moesol; anfadwaith, camwedd, cythreuldeb, ysgelerder evil, wickedness
2 yr hyn y mae plentyn bach sy'n camymddwyn yn ei wneud, anufudd-dod diniwed sy'n gallu bod yn ddireidus; direidi mischief, naughtiness, devilment

drygionus *ans* yn gwrthod gwrando neu ufuddhau; yn chwareus neu'n ddireidus mischievous, rascally

drygnaws *ans* am un drwg ei natur; gwenwynllyd, maleisus, milain malevolent

drygu *be* peri drwg, gwneud drwg, achosi niwed, *Fel y dywed y Salmydd am elynion, 'y mae eu holl fwriadau i'm drygu'.* to harm, to wrong
Sylwch: nid yw'r ferf hon yn arfer cael ei rhedeg.

dryll[1] *eg* (drylliau) arf sy'n saethu bwledi drwy faril; gwn, llawddryll, reiffl, rifolfer gun, shotgun

dryll[2] *eg* (drylliau) un ymhlith nifer mawr o deilchion; darn bach (o rywbeth sydd wedi torri fel arfer); gronyn, tamaid fragment

drylliad *eg* (drylliadau) fel yn *llongddrylliad*, y broses o ddryllio, canlyniad dryllio; adfeiliad, chwalfa, dinistr wreck

drylliedig:drylliog *ans*
1 yn deilchion, yn dipiau, yn yfflon; chwilfriw shattered
2 (am long neu gwch) wedi dryllio, wedi mynd yn llongddrylliad wrecked
3 yn dioddef yn emosiynol neu'n deimladol shattered

dryllio *be* [drylli•[2]]
1 torri'n deilchion, malu'n ddarnau mân, *Syrthiodd y gwydr a dryllio'n chwilfriw.*; byrstio, chwalu, chwilfriwio to shatter, to wreck
2 mynd yn llongddrylliad, torri'n ddarnau to be wrecked, to break in pieces

dryllio delwau gw. delw

drylliog gw. drylliedig

drylliwr *eg* (dryllwyr) un sy'n dryllio; chwalwr shatterer

drymiau *ell* lluosog **drwm**

drymio *be* [drymi•[2]]
1 chwarae'r drymiau to drum
2 taro neu guro rhythmig, e.e. glaw yn erbyn y ffenestr to drum

drymiwr *eg* (drymwyr) chwaraewr drwm neu ddrymiau drummer

drymlin *eb* (drymlinau) DAEAREG bryn hirgrwn wedi'i lunio gan ddyddodion (clog-glai fel arfer) wedi'u gadael ar ôl gan rewlif drumlin

dryntol *eb* (dryntolau) dolen neu glust cwpan; y ddolen dan glicied drws; trontol handle

drysau *ell* lluosog **drws**

drysfa *eb* (drysfeydd) trefniant cymhleth o linellau neu lwybrau (mewn un neu ddau ddimensiwn) ac iddo fan canol nad yw'n rhwydd ei gyrraedd na dod ohono maze

drysgoed *ell* llwyn trwchus o goed a phrysgwydd; prysglwyn thicket

drysi *eg* ac *ell* lluosog **drysïen** llwyni pigog o ddrain a mieri neu rosynnau gwyllt; prysglwyni, prysgwydd brambles, briars, thorn bushes

drysïen *eb* unigol **drysi**; draen, miaren briar

dryslwyn *eg* (dryslwyni) llwyni neu goed bychain yn tyfu'n drwch ymhlith ei gilydd; prysglwyn thicket

dryslyd *ans* heb fod yn eglur, wedi drysu, wedi mwydro; cymysglyd, ffrwcslyd, ffwndrus confused, muddled, tangled

drysni *eg*
1 y cyflwr o fod yn ddyrys; cymhlethdod, dryswch, penbleth intricacy, tangle
2 prysglwyn pigog, llwyn drain; drysi thicket

drysor *eg* (drysorion) un sy'n gwisgo lifrai ac yn sefyll wrth ddrws gwesty neu neuadd er mwyn cynorthwyo pobl, ceidwad drws; porthor doorman

drysu *be* [drys•[1]]
1 peri penbleth; cymhlethu, cymysgu, mwydro (~ *rhywun* â) to bewilder, to turn upside down
2 gwneud anhrefn, *Mae hyn wedi drysu'n holl gynlluniau ar gyfer y gwyliau.*; cawlio to frustrate, to confound, to mess up
3 bod mewn cyflwr o gymysgwch meddyliol neu emosiynol, *Rwyf wedi drysu'n lân ar ôl ceisio deall yr holl ffigurau hyn.*; ffwndro, hurtio to be confused

4 (am wallt, cortyn, lein bysgota, etc.) mynd yn glymau to become knotted, to entangle

dryswch *eg* y cyflwr o fod wedi drysu; afreolaeth, anhrefn, cymysgwch, tryblith confusion, bewilderment, muddle, perplexity

dryw *eg* (drywod) aderyn bach iawn a'r lleiaf ond un o adar yr ardd (y dryw eurben yw'r lleiaf oll) wren

   dryw eurben telor bach ag ymyl du i'r crib o blu melyn neu oren ar ei ben goldcrest

DS¹ *byrfodd* Dalier Sylw, sylwch ar hyn NB

DS² gw. dal segno

du¹ *eg* y lliw tywyllaf posibl, lliw glo, yr un lliw â'r nos heb unrhyw olau, heb liw black

du² *ans* [du•] (duon)

   1 o'r lliw tywyllaf posibl, lliw glo, yr un lliw â'r nos heb unrhyw olau, heb liw black, dark

   2 *ffigurol* trist neu anobeithiol black, gloomy

   3 (am goffi) heb laeth black

   4 am bobl â chroen tywyll iawn, yn enwedig rhai o dras Affricanaidd neu o gynfrodorion Awstralia black

   5 brwnt/budr iawn, *Mae dy ddwylo di'n ddu.* dirty

   6 am hiwmor cas neu beryglus black

   ar ddu a gwyn/mewn du a gwyn yn ysgrifenedig in black and white, in writing

   du bitsh gw. pitsh

DU *byrfodd* Y Deyrnas Unedig UK

ducpwyd *bf* [dwyn] *hynafol* cafodd ei ddwyn; dygwyd

dudew *ans* du iawn, yn drwchus ac yn ddu, fel bol buwch pitch black

dueg *eb* (duegau) ANATOMEG organ ger y stumog sy'n ymwneud â chynhyrchu a gwaredu celloedd gwaed ac sy'n rhan o'r system imiwnedd spleen

dug¹ *eg* (dugiaid)

   1 y radd uchaf a roddir i ŵr yn system pendefigaeth Lloegr duke

   2 yn Ewrop gynt, tywysog a lywodraethai ar dalaith arbennig, sef dugiaeth duke

dug² *bf* [dwyn] *ffurfiol* gwnaeth ef/hi ddwyn; dygodd

duges *eb* (dugesau) gwraig dug duchess

dugiaeth *eb* (dugiaethau)

   1 gradd, statws neu swydd dug dukedom

   2 tir neu dalaith a lywodraethir gan ddug duchy

dugoch *ans* coch tywyll, porffor neu liw rhwd purple, rust coloured

dulas:du-las *ans* (duleision) glas tywyll, lliw cleisiau dark blue, violet

dulasedd *eg* MEDDYGAETH lliw glas tywyll ar y croen neu ar y gwefusau yn deillio o brinder ocsigen yn y gwaed cyanosis

duloyw *ans* du a llachar

   lledr duloyw lledr disglair wedi'i farneisio, a ddefnyddir yn bennaf ar gyfer esgidiau, bagiau llaw a gwregysau patent leather

dulys *eb* planhigyn â blodau o liw gwyrdd/melyn a hadau duon, o deulu'r foronen alexanders

dull *eg* (dulliau)

   1 y ffordd arbennig y mae rhywbeth yn digwydd neu'n cael ei wneud, *Pa ddull o bysgota y byddwch chi'n ei ddefnyddio – plu neu fwydyn?*; cyfrwng, modd method, manner, approach

   2 ffordd neu arddull arbennig (am ysgrifennu, peintio, gwisgo, adeiladu, etc.), *Mae'n ysgrifennu barddoniaeth yn null yr hen gywyddwyr.*; arfer, ffasiwn style, manner

   dull degol MATHEMATEG dull o gyfrif y mae 10 yn sylfaen iddo. Mabwysiadwyd y dull yn sail i'r system Brydeinig o gofnodi arian ar 15 Chwefror 1971; cyn hynny roedd 240 ceiniog mewn punt ond oddi ar hynny 100 ceiniog sydd mewn punt. decimal system

   dull deuaidd MATHEMATEG ffordd o gyfrif yn defnyddio'r rhifau 0 ac 1 yn unig, e.e. defnyddir systemau yn seiliedig ar y dull deuaidd mewn cyfrifiaduron binary system

   dull metrig system ddegol o fesur yn seiliedig ar y metr, y litr a'r gram fel unedau o hyd, cynhwysedd, pwysau a màs metric system

   Ymadrodd

   ym mhob dull a modd ym mhob ffordd bosibl by every means possible

duo *be* [du•¹ *1 llu. pres.* düwn; *2 llu. pres.* düwch; *1 un. amhen.* düwn; *1 llu. gorch.* düwn; *2 llu. gorch.* düwch;]

   1 troi'n ddu, mynd yn ddu, *Mae'r awyr yn dechrau duo cyn y storm.*; cymylu, tywyllu to blacken, to darken

   2 gwneud yn ddu; tywyllu to blacken, to make dark

   3 dweud yn ddrwg am rywun; enllibio, pardduo to darken, to slander

duon¹ *ans* ffurf luosog du

duon² *ell* pobl neu bethau du the black

dur¹ *eg* (duroedd) math o fetel a wneir wrth goethi haearn drwy ei doddi ac ychwanegu carbon ato i'w galedu; po fwyaf o garbon sy'n cael ei ychwanegu, po galetaf y dur steel

   dur cyflym METELEG dur caled iawn nad yw'n meddalu ar dymheredd uchel ac a ddefnyddir i wneud offer drilio a thorri sy'n gweithio ar fuanedd uchel high-speed steel

   dur gwrthstaen METELEG aloi o ddur sy'n cael ei ffurfio drwy gymysgu dur a chromiwm er mwyn cynhyrchu metel nad yw'n rhydu'n rhwydd stainless steel

   dur meddal METELEG dur sy'n cynnwys canran fach o garbon ac sy'n gryf ac yn hawdd ei weithio, yn hydrin ac yn hydwyth mild steel

dur ucheldynnol METELEG dur cryf iawn y mae'n bosibl ei estyn heb iddo dorri high-tensile steel

Ymadrodd

fel y dur cywir, digyfnewid, '*Ond cariad pur sydd fel y dur/Yn para tra bo dau.*' solid as a rock

dur² *ans*

1 wedi'i wneud o ddur steel

2 caled iawn hard, steel

duraidd *ans* tebyg i ddur o ran caledwch, cryfder neu liw steely

durio *be* [duri•²] gorchuddio â haen o ddur to steel

duw *eg* (duwiau)

1 bod goruwchddynol sy'n cael ei addoli fel creawdwr y byd a'i reolwr ac sy'n cael ei gynrychioli weithiau ar ffurf delw god

2 unrhyw unigolyn neu beth a gyfrifir mor bwysig nes bod rhywun yn ei addoli a'i wasanaethu god

3 unrhyw beth y rhoddir gormod o bwysigrwydd iddo god

Duw *eg* CREFYDD yn ôl crefyddau'r Cristion, yr Iddew a'r Mwslim, Duw yw'r Bod Mawr a addolir fel Creawdwr y Byd a'i Reolwr; y Brenin Mawr, yr Hollalluog, yr Anfeidrol, y Tragwyddol; Iôn, Iôr God

   Sylwch: byddwn yn cyfarch Duw fel 'Ti'.

Duw a'm (a'th, a'i, etc.) catwo:Duw cato(n) pawb God help me

Duw a'n gwaredo gw. gwared¹

Duw a ŵyr *anffurfiol* does gennyf ddim syniad God knows

düwch *eg* y cyflwr o fod yn ddu, lliw du; tywyllwch blackness, gloom

duwdod *eg* natur hanfodol duw; dwyfoldeb deity

duwies *eb* (duwiesau)

1 un o'r duwiau benywaidd goddess

2 merch neu wraig a addolir neu a edmygir yn fawr iawn goddess, idol

duwiol *ans* yn ofni Duw, yn cadw deddfau Duw ac yn ei addoli; addolgar, crefyddol, defosiynol godly, devout, pious

duwioldeb *eg* parch, ufudd-dod ac ymroddiad i addoli a dyletswyddau crefyddol; cysegredigrwydd, defosiwn, sancteiddrwydd godliness, piety

duwiolion *ell* rhai duwiol the godly

DV *byrfodd* talfyriad o *Deo volente*, a Duw yn dymuno hynny; a bod dim yn amharu ar hynny

dŵad *tafodieithol, yn y Gogledd* gw. dod, dyfod, gw. dod

   dyn dŵad newydd-ddyfodiad newcomer

dwb *eg* defnydd meddal gludiog a ddefnyddir i ddwbio welydd daub

dwbio *be* [dwbi•²] gorchuddio â defnydd meddal gludiog (~ *rhywbeth* â) to daub

dwbl¹:dwbwl *ans* cymaint ddwywaith, *gwely dwbl, drysau dwbl*; deublyg, dyblyg double

dau-ddwbwl a phlet wedi'i blygu a'i wasgu'n fflat folded and flattened

dwbl²:dwbwl *eg* (dyblau) rhywbeth sydd ddwywaith cymaint o ran maint, cryfder, gwerth, etc. â rhywbeth arall double

yn fy (dy, ei, etc.) nwbwl/nyblau wedi'i blygu yn ei hanner doubled up

dwbled *eb* (dwbledau) math o got dynn i ddynion (weithiau â llewys) a wisgid yn Ewrop rhwng y bymthegfed ganrif a'r ail ganrif ar bymtheg doublet

dwdlan *be* [dwdl•¹] tynnu llun mewn ffordd ddiamcan, ddibwrpas (~ **ar**) to doodle

dweud *be* [dywed•¹ 3 *un. pres.* dywed; 2 *un. gorch.* dywed]

1 amlygu ar lafar (meddwl, bwriad, barn, cwestiwn, etc.), *Dywed beth sydd ar dy feddwl yn blaen, ddyn!*; adrodd, datgan, mynegi (~ *wrth rywun am rywbeth*) to say

2 cynanu neu ynganu gair neu sain, *Dywedwch 'Machynlleth' ar fy ôl i.*; llefaru to say, to pronounce

3 dangos, *Beth mae cloc y gegin yn ei ddweud?* to say

4 a bwrw, *Dywed dy fod ti'n colli'r bws, beth wedyn?* to say, to suppose

5 honni, *Mae e'n dweud ei fod wedi cael te gyda'r frenhines.* to claim

6 adrodd, *dweud stori, dweud ei phader* (~ *wrth rywun*) to recite, to tell

7 sôn, crybwyll, *Fel y dywedais o'r blaen, ddaw dim daioni o hyn.* to say, to tell

   Sylwch: rydych chi'n *dweud wrth* rywun ac eithrio'r ymadrodd *dywedwch i mi.*

dweud a dweud dweud drosodd a throsodd; pregethu

dweud ar

1 effeithio (mewn ffordd niweidiol), *Mae gweithio'r holl flynyddoedd dan ddaear wedi dweud ar ei iechyd.* to affect

2 tybio, dyfalu oddi wrth rywbeth, *Ni fyddai neb yn dweud ar ei golwg ei bod yn drigain oed.* to tell from

dweud celwydd(au) gw. celwydd

dweud dan fy (dy, ei, etc.) nannedd mwmial, siarad yn aneglur â'ch hunan to mutter under one's breath

dweud fy (dy, ei, etc.) nghwyn gw. cwyn

dweud fy (dy, ei, etc.) meddwl rhoi fy marn yn glir to speak one's mind

dweud fy (dy, ei, etc.) nweud dweud yr hyn yr wyf i am ei ddweud to have my say

dweud ffarwél ffarwelio, gadael to bid farewell

dweud ffortiwn darogan, proffwydo to tell one's fortune

dweud mawr gosodiad ysgubol a all fod yn wir, *Mae honni bod cael gwared ar y taflegrau hyn yn mynd i arwain at heddwch yn ddweud mawr, cofiwch.* great claim

dweud pader wrth berson (am rywun llai profiadol yn) egluro i rywun mwy profiadol sut i gyflawni rhyw waith to teach your grandmother to suck eggs

dweud y drefn rhoi cerydd neu bryd o dafod chastise, berate

dweud y gwir bod yn onest to tell the truth

dweud y lleiaf bod y lleiaf beirniadol posibl to say the least

dweud yn dda am canmol to speak well of

dweud yn fach am bychanu to belittle

dywed imi dywed wrthyf tell me

ei dweud hi rhoi pryd o dafod; pregethu to lay down the law

haws dweud na gwneud llawer haws siarad am rywbeth na'i gyflawni easier said than done

peidiwch â dweud! cerwch o 'na! you don't say!

dwfn¹ *ans* [dyfn• *b* dofn] (dyfnion)
 1 i lawr ymhell dan yr wyneb; heb fod yn fas neu'n arwynebol deep
 2 anodd ei ddeall a'i ddirnad, *Mae ei bregethau'n rhai dwfn iawn.*; dwys difficult to understand, profound
 3 anodd ei adnabod, *Un dwfn yw ef.* deep
 4 am lais isel gŵr neu wraig deep

dwfn² *eg hen ffasiwn* dyfnderoedd y môr; dyfnder (daear, gofod, môr, etc.), *Plymiodd i'r dwfn.* depths

dwfr gw. dŵr

dwg *bf* [dwyn] *ffurfiol* mae ef yn dwyn/mae hi'n dwyn; bydd ef yn dwyn/bydd hi'n dwyn

dwgu:dwgyd *be* [dyg•¹] *tafodieithol, yn y De* dwyn, lladrata to steal

dwl *ans anffurfiol* ffôl, gwirion, hurt, twp silly, daft, dull

dwli:dyli *eg* enghraifft o fod yn ddwl; ffolineb, lol, twpdra, ynfydrwydd nonsense, drivel

dwlu *be* [dwl•¹] hoffi yn fawr iawn, *Rwy'n dwlu ar deisen siocled.*; dotio, ffoli, gwirioni, mopio (~ *ar rywun/rywbeth*) to love, to adore, to dote

dwma *eb* senedd Rwsia duma

dwmbwr-dambar *adf tafodieithol, yn y De* yn swnllyd brysur helter-skelter

dwndwr *eg* sŵn mawr; dadwrdd, mwstwr, stŵr, twrw clamour, din, hubbub

dwned *eg* (dwnedau) llyfr gramadeg (llygriad enw Donatus, gramadegydd Lladin o'r 4edd ganrif OC) grammar book

dwnsiwn *eg* (dwnsiynau) carchar tywyll, tanddaearol mewn castell fel arfer dungeon

dwodenwm *eg* ANATOMEG y rhan gyntaf o'r coluddyn bach sy'n estyn o'r stumog i'r jejwnwm duodenum

dwplecs *ans* CELFYDDYD (am bapur neu fwrdd) â dwy haen neu ochr o liw gwahanol duplex

dŵr:dwfr *eg* (dyfroedd)
 1 yr hylif mwyaf cyffredin, heb flas na lliw; mae'n disgyn o'r cymylau fel glaw, yn cronni mewn llynnoedd a moroedd, ac yn cael ei yfed gan bobl ac anifeiliaid; mae'n gyfuniad cemegol o hydrogen ac ocsigen (H_2O) water
 2 dagrau, *Mae'n tynnu dŵr i'n llygaid.* tears
 3 hylif tebyg i ddŵr sy'n cael ei gynhyrchu gan y corff water

dŵr caled (dyfroedd caled) dŵr yn cynnwys iônau calsiwm neu fagnesiwm sy'n amharu ar allu sebon i ewynnu hard water

dŵr daear DAEARYDDIAETH dŵr sy'n cael ei ddal o dan y ddaear yn y pridd neu mewn mandyllau a holltau mewn craig groundwater

dŵr hallt dŵr y môr; heli briny, seawater

dŵr llwyd y dŵr a geir mewn afon ar ôl glaw neu lifogydd floodwater, spate

dŵr pisio:dŵr piso *anffurfiol* troeth pee, piss

dŵr y môr dŵr hallt briny, seawater

Ymadroddion

cyrchu dŵr dros afon cyflawni gwaith ofer, dibwrpas to carry coals to Newcastle

dal dŵr gw. dal

dŵr poeth
 1 trybini, trwbl hot water
 2 llosg cylla; teimlad poenus yn y stumog a'r frest sy'n cael ei achosi gan ormod o asid yn y stumog ac sy'n arwydd o ddiffyg traul heartburn

fel dŵr
 1 heb ball na rhwystr, *y gwin yn llifo fel dŵr* like water
 2 gwan iawn, *Mae'r te yma fel dŵr.* like water

fel dŵr ar gefn hwyaden gw. hwyad

gwneud dŵr pis[i]o to pass water, to urinate

taflu dŵr oer ar (rywbeth) lladd brwdfrydedd to throw cold water on an idea or action

tynnu dŵr o ddannedd (rhywun) (yn ffigurol am rywbeth danteithiol) achosi glafoerio

dwralwmin *eg* METELEG aloi o alwminiwm, copr, manganîs a magnesiwm sydd yr un mor galed a chryf â dur meddal duralumin

dwrdio *be* [dwrdi•²] dweud y drefn, rhoi pryd o dafod i (rywun), ei dweud hi; ceryddu, pregethu, tantro, termo (~ *rhywun am*) to scold, to chasten, to chide

dwrdiwr *eg* (dwrdwyr) un sy'n dwrdio neu'n ceryddu; ceryddwr chider, rebuker

dwrgi gw. dyfrgi

dwrglos *ans* am rywbeth na all dŵr dreiddio iddo neu drwyddo waterproof, watertight

dwrlawn *ans* mor llawn o ddŵr nes ei fod yn rhy drwm, yn rhy anodd ei drin neu'n dda i ddim waterlogged, saturated

dwrn *eg* (dyrnau)
  1 llaw wedi'i chau'n dynn fist
  2 bwlyn drws knob, handle
  3 carn cleddyf, sef y rhan y gafaelir ynddi, nid y
  llafn hilt
  a'm hanadl yn fy (dy, ei, etc.**) nwrn** gw. anadl
dwsin *eg* (dwsinau:dwsenni) grŵp neu gasgliad
  o ddeuddeg, 12, *dwsin o wyau* dozen
  (siarad) pymtheg yn y dwsin gw. pymtheg[1]
dwsmel *eg* offeryn cerdd â thannau o hyd
  amrywiol yn ymestyn dros seinfwrdd sy'n
  cael eu taro â dau forthwyl bychan yn nwylo'r
  chwaraewr dulcimer
dwst *eg* llwch, powdr dust
dwster *eg* (dwsters:dwsteri) cadach neu glwtyn
  tynnu llwch duster
dwthwn *eg hen ffasiwn* amser neu gyfnod
  arbennig, 'Ac ni fu dwthwn fel y dwthwn
  hwn.'; adeg, dydd, tymor day, (particular) time
dwy gw. dau
dwybig *ans* ac iddo ddwy big two-pronged
  chwarae'r ffon ddwybig gw. chwarae[1]
dwybleidiol *ans* yn cynnwys dwy blaid neu'n
  gyfyngedig i aelodau dwy blaid bipartisan
dwyflwydd *ans* dwy flwydd oed; dyflwydd
  two year old
dwyfol *ans* (dwyfolion) yn perthyn i Dduw
  neu'n deillio oddi wrth Dduw; cysegredig,
  gwynfydedig, sanctaidd divine, godlike, sacred
dwyfoldeb *eg* y cyflwr dwyfol, y natur ddwyfol;
  duwdod divinity
dwyfoli *be*
  1 gwneud duw o rywun neu rywbeth,
  dyrchafu'n dduw to deify
  2 CREFYDD cyflwyno i wasanaeth Duw;
  cysegru, sancteiddio to consecrate, to sanctify
  Sylwch: nid yw'r ferf hon yn arfer cael ei rhedeg.
dwyfoliad *eg* y broses o ddwyfoli, canlyniad
  dwyfoli; sancteiddiad apotheosis, deification
dwyfolion *ans* rhai dwyfol the divine
dwyfron *eb*
  1 *llenyddol* brest, bron, mynwes bust, bosom
  2 *llenyddol* calon (fel cartref yr emosiynau)
  heart
dwyfronneg *eb* (dwyfronegau) darn o arfogaeth
  i amddiffyn mynwes ymladdwr; bronneg, llurig
  breastplate, cuirass
dwyffordd *ans*
  1 fel yn yr ymadrodd *tocyn dwyffordd*, yn ôl ac
  ymlaen; yn caniatáu mynd y naill ffordd a'r llall
  two-way
  2 (am frethyn) â dwy ochr sy'n wahanol ond
  yr un mor ddefnyddiol; (am ddilledyn) y gellir
  ei wisgo a'r naill ochr neu'r llall y tu allan
  reversible
dwygragennog *ans* SWOLEG (am folwsg) ac iddo
  ddwy gragen golfachog bivalve

dwyieithedd *eg* y cyflwr o fedru siarad dwy
  iaith yn naturiol ac yn gyson bilingualism
dwyieitheg *eb* astudiaeth o ddwyieithrwydd
dwyieithog *ans*
  1 yn medru dwy iaith, yn enwedig am rywun
  sy'n siarad y ddwy iaith yn gyson bilingual
  2 am sefyllfa neu gymdeithas lle y defnyddir
  dwy iaith bilingual
  3 mewn dwy iaith bilingual
dwyieithrwydd *eg* y gallu i siarad dwy iaith
  yn rhugl bilingualism
dwylan *eb* dwy lan afon neu fôr
dwylo *ell*
  1 lluosog **llaw** hands
  2 criw, gweithwyr crew, hands
  Sylwch: nid yw'n treiglo'n feddal yn dilyn
  y fannod.
  ar fy (dy, ei, etc.**) nwylo** gormod o rywbeth
  sy'n fwrn on my hands
  dwylo blewog:llaw flewog â thuedd i ladrata
  light-fingered
  hen ddwylo hen bobl (annwyl) old folk
  rhwng fy (dy, ei, etc.**) nwylo** (llithro) i
  ffwrdd, *Dihangodd y gath rhwng fy nwylo.*;
  dianc from between my hands
dwyn *be* [dyg•[1] 3 *un. pres.* dwg/dyga; 2 *un.*
  gorch. dwg/dyga]
  1 cipio eiddo rhywun arall gyda'r bwriad
  o beidio â'i ddychwelyd, cymryd heb
  ganiatâd, *Mae'r lladron wedi dwyn y cyfan.*;
  camfeddiannu, lladrata, pocedu, twgu
  (~ *rhywbeth* **oddi ar** *rywun*) to steal
  2 dod â, hebrwng (rhywun neu rywbeth),
  gorfodi neu ddenu rhywun i ddod, *Mae angen
  i rywun ddwyn y brotest i ben.*; arwain
  to bring, to lead
  3 symud llwyth o un man i'r llall, *Mae'r dramiau
  dan ddaear yn dwyn llwythi o lo i wyneb y pwll
  bob dydd.*; cario, cludo to bear, to convey
  4 cario rhywbeth fel ei fod yn weladwy, *dwyn
  arfau, dwyn baneri mewn protest*; arddangos
  to display
  5 bod â theitl neu enw arbennig, *llyfr o garolau
  yn dwyn y teitl* Awn i Fethlem to bear, to carry
  6 cynhyrchu (ffrwyth neu gnwd), yn ffigurol
  hefyd, *Rwy'n gobeithio y bydd yr holl
  gynllunio yma yn dwyn ffrwyth.* to bear (fruit)
  7 rhoi genedigaeth i, esgor ar, *Ar ôl cael
  ein dwyn i'r byd, dim ond gofid a gawn –
  a thamaid bach o sbri!*; geni to give birth to
  8 CYFRAITH cyflwyno neu osod gerbron ustus
  neu lys barn, *dwyn achos, dwyn tystiolaeth*
  to bring
  dwyn achau olrhain tras neu achau to trace
  a pedigree
  dwyn adref dod â rhywun neu rywbeth adref
  to bring home

dwyn anfri peri neu achosi sarhad neu gerydd to bring into disrepute

dwyn ar gof gw. cof

dwyn cost:dwyn y gost talu to bear the cost

dwyn cyrch ymosod yn ddirybudd to assault, to raid

dwyn i ben gorffen, cyflawni to bring to an end

dwyn i fyny magu, codi to bring up (children)

dwyn perswâd perswadio to persuade

dwyn swydd llenwi swydd to bear office

dwyochredd *eg* CYFRAITH cydnabyddiaeth gan y naill o ddwy wlad neu ddau sefydliad o ddilysrwydd trwyddedau neu hawliau a gynigir gan y llall reciprocity

dwyochrog *ans* yn cael ei rannu gan y naill ochr a'r llall, o'r ddau du reciprocal

dwyochrol *ans* ac iddo ddwy ochr bilateral

dwyrain *eg*
1 y cyfeiriad y mae'r Haul yn codi east
2 un o bedwar prif bwynt y cwmpawd, ar law dde rhywun sy'n wynebu'r gogledd, ar law chwith rhywun sy'n wynebu'r de a gyferbyn â'r gorllewin; Dn east
3 rhan ddwyreiniol gwlad east

Dwyrain rhan ddwyreiniol y byd, Asia yn arbennig East, Orient, the Orient

Dwyrain Canol gwledydd Asia i'r gorllewin o India megis Iran, Iraq, Syria, etc. Middle East

Dwyrain Pell gwledydd Asia i'r dwyrain o India megis China, Japan, etc. Far East

gwynt y dwyrain gwynt sy'n chwythu o'r dwyrain, gwynt traed y meirw east wind

dwyran *ans*
1 mewn dwy ran bipartite
2 CERDDORIAETH am ffordd o gyfansoddi sy'n cynnwys dwy adran wahanol (AB) binary

dwyraniad *eg* SERYDDIAETH gwedd ar y Lleuad neu ar blanedau Mercher a Gwener pan fydd hanner yr wyneb yn cael ei oleuo; deubarthiad dichotomy

dwyrannu *be* [dwyrann•[10]] rhannu'n ddwy ran to bisect

dwyrannydd defnyddiwch hanerydd

dwyreiniad *eg* y pellter i'r dwyrain yn nhermau hydred o'r man mesur blaenorol easting

dwyreiniol *ans*
1 yn perthyn i'r dwyrain, nodweddiadol o wledydd y dwyrain eastern
2 yn dod o'r dwyrain eastern, oriental
3 yn gorwedd i'r dwyrain o ryw fan arbennig easterly, eastern

dwyreiniwr *eg* (dwyreinwyr) brodor un o wledydd y Dwyrain oriental

dwyreinwynt *eg* (dwyreinwyntoedd) gwynt oer a deifiol sy'n chwythu o'r dwyrain; gwynt traed y meirw east wind

dwys *ans* [dwys•] (dwysion)
1 difrifol, *Mae golwg ddwys arni.*; angerddol, eirias serious, profound
2 trwm neu drist o ran teimlad, '*yn y dwys ddistawrwydd*'; dwfn intense, solemn
3 (am fwyd) yn tynnu'r dŵr ohono i'w wneud yn gryfach concentrated
4 yn defnyddio mwy o arian neu o lafur i gynyddu cynnyrch (yn hytrach na chynyddu maint y tir a ddefnyddir neu'r defnyddiau crai), e.e. ffermio dwys intensive

dwysâd *eg* y broses o ddwysáu, canlyniad dwysáu intensification

dwysáu *be* [dwysa•[15]] gwneud yn fwy dwys, mynd yn fwy dwys; difrifoli to intensify, to deepen

dwysbigo *be* [dwysbig•[1]] clwyfo i'r byw, brathu'r gydwybod to prick, to prick (the conscience)

dwysedd *eg* (dwyseddau)
1 y cyflwr o fod yn ddwys; y mesur o ddwyster intensity
2 nifer y bobl neu'r pethau a geir mewn gofod neu arwynebedd penodol, *dwysedd poblogaeth* density
3 FFISEG y berthynas rhwng màs a chyfaint density

dwysedd cymharol cymhareb dwysedd sylwedd â dwysedd safon, fel arfer dŵr (ar gyfer hylif neu solid) ac aer (ar gyfer nwy) relative density

dwysfwyd *eg* (dwysfwydydd) bwyd arbennig, llawn maeth, i anifeiliaid concentrate

dwysion *ans* ffurf luosog **dwys**

dwyster:dwystra *eg* dyfnder teimlad; angerdd, difrifoldeb, difrifwch, sobrwydd depth of feeling, intensity, seriousness

dwystroc *ans* yn cael ei yrru gan beiriant tanio mewnol lle mae piston yn symud i fyny unwaith ac i lawr unwaith (dwy strôc) ym mhob cylchred pŵer two-stroke

dwythell *eb* (dwythellau)
1 tiwb neu beipen sy'n cario dŵr, nwy, aer, ceblau, etc. drwy adeilad neu beiriant duct
2 ANATOMEG pibell yn y corff sy'n cludo lymff neu secretiadau chwarennol duct

dwywaith *adf*
1 ar ddau dro twice
2 dwbl, *Mae ganddi hi ddwywaith gymaint â mi.* double, twice

nid oes dim dwywaith nad nid oes unrhyw amheuaeth no two ways

Sylwch: mae angen yr ail negydd 'nad' sy'n ei ddilyn.

dy *rhagenw dibynnol blaen*
1 (ail berson unigol genidol) yn eiddo i ti, yn perthyn i ti, *dy dŷ du di* your, thine

2 (ail berson unigol) fe'i defnyddir i gyfleu gwrthrych ymadrodd berfol, *Rwyf am dy weld cyn i ti fynd i'r ysgol.*, *Ceisiodd y cyfarwyddwr dy gyfweld ddoe.*; ti you, thee
Sylwch:
1 mae'n achosi'r treiglad meddal, *dy gyfrifiadur*; *Gallaf dy glywed di.*;
2 fe'i dilynir yn aml gan 'ti/di', *Ble mae dy gar di?*;
3 defnyddir ''th' genidol ar ôl *a, â, gyda, tua, na, i, o, mo, gyda'th ganiatâd*;
4 defnyddir ''th' gwrthrychol ar ôl y rhagenwau perthynol *a* a *na*, y geiryn 'y' ac ar ôl y geirynnau a arferir o flaen berfau, *Pwy a'th welodd neithiwr?*; *Ni'th welwyd yno.*;
5 mae 'dy' genidol yn troi'n 'd'' o flaen llafariad, *d'enw, d'annwyl frawd*;
6 mewn rhestr y mae angen ailadrodd y rhagenw, *dy chwaer a'th frawd*.

Dy Duw Thy

dybio *be* [dybi•²]
1 creu trac sain i ffilm mewn iaith wahanol i'r iaith wreiddiol; ychwanegu effeithiau sain neu gerddoriaeth i ffilm neu recordiad to dub
2 trosglwyddo recordiad o un cyfrwng i gyfrwng arall to dub
3 cyfuno nifer o recordiadau o draciau sain ar un trac sain to dub

dybiwn *bf* [tybio] fel yn *dybiwn i*, sef byddwn i'n tybio

dyblau *ell*
1 lluosog dwbl
2 gêm i dimau yn cynnwys dau chwaraewr doubles
yn fy (dy, ei, etc.) nyblau wedi chwerthin cymaint fel bod rhywun yn plygu yn ei hanner to be in stitches

dyblu *be* [dybl•¹]
1 gwneud yn ddau cymaint eto, lluosi'n ddwbl to double
2 CERDDORIAETH ailganu rhan olaf cân neu emyn; ailadrodd, dyblygu to repeat

dyblyg *ans*
1 wedi'i blygu yn ddau neu yn ei hanner; dau-ddwbl, deublyg, dwbl doubled, folded
2 CERDDORIAETH (am amser) yn seiliedig ar ddau brif guriad yn y bar duple

dyblygion *ell* pethau y mae gennych fwy nag un copi ohonynt duplicates

dyblygu *be* [dyblyg•¹] gwneud copi neu gopïau o rywbeth, yn enwedig drwy ddefnyddio dyblygydd; ailadrodd, dyblu to duplicate, duplication, to replicate

dyblygydd *eg* (dyblygwyr) peiriant sy'n gwneud copïau o rywbeth ysgrifenedig, argraffedig neu o luniau neu luniadau duplicator, photocopier

dybryd *ans* enbyd o ddrwg; arswydus, dychrynllyd, echrydus atrocious, dire, monstrous
camgymeriad/camsyniad dybryd camsyniad mawr, difrifol a grave error
yn ddybryd o fe'i defnyddir i ddwysáu ystyr ansoddair, *yn ddybryd o wael*

dyciáu gw. diciâu

dycnach:dycnaf:dycned *ans* [dygn] mwy dygn; mwyaf dygn; mor ddygn

dycnwch gw. dygnwch

dychangerdd *eb* (dychangerddi) cerdd sy'n gwawdio a dychanu satire

dychan *eb* (dychanau)
1 darn o lenyddiaeth lle mae bardd, llenor neu ddramodydd yn darlunio ffolineb neu ffaeleddau dynion neu sefydliad mewn ffordd ffraeth a digrif; coegni, gogan satire
2 llenyddiaeth sy'n beirniadu rhywbeth drwy chwerthin am ei ben; gwatwar, gwawd satire

dychanol *ans* am ddarn o lenyddiaeth sy'n cynnwys dychan, neu lenor sy'n defnyddio dychan; gwatwarus, gwawdlyd satirical

dychanu *be* [dychan•¹] ysgrifennu gan wneud sbort am ben (rhywun neu rywbeth); dilorni, goganu, gwatwar, gwawdio to lampoon, to satirize

dychanwr *eg* (dychanwyr) un sy'n dychanu, ar lafar neu'n ysgrifenedig; bychanwr, dilornwr, gwatwarwr, gwawdiwr satirist, lampooner

dychlamiad *eg* (dychlamiadau) MEDDYGAETH crychguriad; cyflwr pan fydd y galon yn curo'n gyflym, yn galed neu'n afreolaidd palpitation

dychlamu *be* [dychlam•³ 3 *un. pres.* dychleim/ dychlama]
1 neidio i fyny; dawnsio, llamu, prancio, sboncio to leap, to skip
2 curo'n gyffrous, *calon yn dychlamu*; dirgrynu to flutter, to throb

dychmygadwy *ans* y gellir ei ddychmygu; dirnadwy imaginable, conceivable

dychmygion *ell* lluosog dychymyg

dychmygol *ans* wedi'i ddychmygu, wedi'i ddyfeisio; ffansïol, ffug, tybiedig imaginary, fictitious

dychmygu *be* [dychmyg•¹]
1 creu yn y meddwl neu'r dychymyg, *Gallwch ddychmygu sut le oedd yno.*; breuddwydio, dyfalu, syniad, tybio to imagine, to picture
2 meddwl heb sail, *Mae hi'n dychmygu fod pawb yn ei herbyn.* to fancy, to imagine

dychmygus *ans* llawn dychymyg; creadigol, dyfeisgar imaginative, inventive

dychmygwr *eg* (dychmygwyr) un sy'n dychmygu; breuddwydiwr

d

dychryn¹:dychrynu *be* [dychryn•¹ *3 un. pres.*
dychryn/dychryna; *2 un. gorch.* dychryn/
dychryna]
  1 cael ofn, cael braw; arswydo, ofni
to be frightened, to dread
  2 codi neu beri ofn, gyrru braw neu arswyd;
arswydo, brawychu to frighten, to terrify
dychryn² *eg* (dychryniadau) ofn mawr; arswyd,
braw fright, scare, terror
dychrynllyd¹ *ans* yn peri dychryn; arswydus,
brawychus, dybryd, echrydus terrible, dreadful,
frightful
  dychrynllyd o fe'i defnyddir i ddwysáu ystyr
ansoddair, *Mae'n ddychrynllyd o anodd.*
dychrynllyd² *adf anffurfiol* (yn dilyn ansoddair)
dros ben, *Mae'n anodd ddychrynllyd.*;
eithriadol awfully, terribly, very
dychrynu gw. dychryn¹
dychwel¹ *eg* troad yn ôl, mynediad yn ôl,
dyfodiad yn ôl; dychweliad return
dychwel² *bf* [dychwelyd] *ffurfiol* bydd ef yn
dychwelyd/bydd hi'n dychwelyd
dychwel³ *bf* [dychwelyd] *ffurfiol* gorchymyn i ti
ddychwelyd
dychwel⁴ gw. dychwelyd
dychweledig *ans* wedi'i ddychwelyd, yn enwedig
am garcharor rhyfel sy'n cael dychwelyd i'w
famwlad repatriated
dychweledigion *ell* rhai sydd wedi dychwelyd
returnees
dychweliad *eg* (dychweliadau)
  1 y weithred o ddychwelyd; dychwel return
  2 CYFRAITH y broses o ddychwelyd eiddo i'r
perchennog ar derfyn prydles neu pan fydd
hawl deiliad wedi dod i ben neu pan fydd
deiliad yn marw reversion
dychwelyd:dychwel⁴ *be* [dychwel•⁴ *3 un.
pres.* dychwel/dychwela; *2 un. gorch.*
dychwel]
  1 troi yn ôl, mynd neu ddod yn ôl (~ **at** berson;
~ **i** le) to return, to revert
  2 anfon yn ôl, rhoi yn ôl, *dychwelyd y llyfr i'r
llyfrgell* to return
dychwelydd *eg* (dychwelyddion) un sydd wedi
dychwelyd returnee
dychymyg *eg* (dychmygion)
  1 y gynneddf feddyliol sy'n galluogi dyn i
greu darluniau yn y meddwl; awen, crebwyll,
darfelydd imagination
  2 y darluniau (dychmygol) a grëir yn y meddwl;
ffansi, ffugiad, rhith fancy
dyd *bf* [dodi] *hynafol* mae ef yn dodi/mae hi'n
dodi; bydd ef yn dodi/bydd hi'n dodi
dydd *eg* (dyddiau)
  1 cyfnod o oleuni (o'i gyferbynnu â nos) day
  2 cyfnod o 24 awr o un hanner nos i'r nesaf,
yr amser y mae'n ei gymryd i'r Ddaear

droi unwaith ar ei hechelin; y gair a
ddefnyddir gydag enwau dyddiau'r wythnos;
diwrnod day
  3 diwrnod penodol, diwrnod wedi'i neilltuo i
ryw bwrpas arbennig, *dydd gwaith* day
  4 oes neu ran o oes rhywun, *Roedd y cwmni'n
cael ei redeg yn wahanol iawn yn nyddiau ei
dad-cu.*; adeg, cyfnod, dwthwn day
  5 y cyfnod pan oedd rhywun yn ei anterth, ym
mlodau'i ddyddiau, *Doedd neb i'w gymharu ag
ef yn ei ddydd.* day
  Sylwch: gw. hefyd **dyddiau**.
dydd Calan gw. calan
Ymadroddion
canol dydd gw. canol¹
cario'r dydd gw. cario
colli'r dydd gw. colli
dydd da cyfarchiad fel *bore/nos da* good day
dydd o lawen chwedl diwrnod dathlu ar ôl
derbyn newyddion da Oh happy day!
dydd Sul y pys diwrnod na ddaw byth
the twelfth of never
Dydd y Farn gw. barn
dydd yr Arglwydd gw. arglwydd
ennill y dydd bod yn fuddugol, cario'r dydd
to win the day
ers llawer dydd:slawer dydd ers amser, amser
maith yn ôl, flynyddoedd yn ôl once upon a
time, this long time
gyda'r dydd gyda thoriad y wawr at break of day
liw dydd gw. liw
y dydd heddiw nawr, yr amser yma
the present day
dyddgwaith *eg* rhyw ddydd a certain day
dyddhau *be* [dyddha•¹⁴] dyddio, goleuo,
gwawrio to dawn, to grow light
dyddiad *eg* (dyddiadau) y dydd o'r mis (a geir fel
arfer ar ddogfen neu lythyr i nodi pryd
y cafodd ei ysgrifennu) date
dyddiadur *eg* (dyddiaduron)
  1 cofnod dyddiol o fywyd rhywun diary
  2 llyfr ac ynddo le i gadw cofnodion ar gyfer
pob dydd o'r flwyddyn diary
dyddiadurwr *eg* (dyddiadurwyr)
awdur dyddiadur diarist
dyddiau *ell* lluosog dydd
dyddiau blin dyddiau trallod neu adfyd
hard times
dyddiau cŵn y dyddiau rhwng canol
Gorffennaf a chanol Awst, dyddiau yr oedd y
Rhufeiniaid yn eu cysylltu â Sirius ('Seren y Ci')
dog days
dyddiau duon bach dyddiau byrraf y gaeaf
o gwmpas 21 Rhagfyr
dyddiau gorau fel arfer yn yr ystyr eu bod
wedi mynd heibio, *Mae'r llyfr hwn wedi gweld
ei ddyddiau gorau.* past (its) best

hen ddyddiau
1 cyfnod henaint (rhywun) old age
2 (yr hen ddyddiau) amser a fu days of yore
llawn dyddiau mewn gwth o oedran getting
on in years
(wedi gweld) dyddiau gwell wedi mynd i
gyflwr gwael seen better days
dyddiedig *ans* a dyddiad arno dated
Sylwch: nid yw'n cael ei gymharu.
dyddio *be* [dyddi•²]
1 dyddhau, goleuo, gwawrio to dawn
2 rhoi dyddiad ar rywbeth (ar lythyr neu
ddogfen fel arfer, ond gall rhywbeth fel gwisg
neu ymadrodd hefyd ddangos fod rhywun yn
perthyn i gyfnod arbennig); amseru to date
3 ceisio dyfalu pryd yr ysgrifennwyd rhywbeth,
neu i ba gyfnod y mae rhywbeth yn perthyn
to date
4 mynd allan o ffasiwn, *Mae'r het yma'n
dechrau dyddio yn barod.* to date
dyddio carbon FFISEG y weithred o bennu
oedran peth organig ar sail cymharu
cyfrannau'r isotopau carbon-12 a charbon-14
sydd ynddo carbon dating
dyddiol *ans* yn ymwneud â diwrnod (arbennig),
e.e. papur dyddiol, yn adrodd ar ddigwyddiadau
diwrnod (cymharer â *beunyddiol*, sef dydd ar ôl
dydd); beunydd, beunyddiol daily
Sylwch: nid yw'n cael ei gymharu.
dyddlyfr *eg* (dyddlyfrau) *hen ffasiwn* dyddiadur,
lòg diary, logbook
dyddodi *be* [dyddod•¹] DAEAREG caniatáu i
rywbeth suddo neu ollwng gan adael haen
o sylwedd ar ôl, *Bu'n rhaid i'r awdurdodau
glirio'r tywod a'r llaid a gafodd eu dyddodi
gan lifogydd diweddar.* to deposit
dyddodiad *eg* (dyddodiadau) DAEAREG y broses
o ollwng defnydd gwaddodol ar y dirwedd;
mae'n digwydd pan fydd y grym sy'n cludo'r
gwaddod yn lleihau deposition
dyddodol *ans* DAEAREG (am leoliadau) lle mae
gwaddod yn dueddol o gronni depositional
dyddodyn *eg* (dyddodion) DAEAREG haen o
sylwedd sy'n cael ei dyddodi o ganlyniad i
broses ddaearegol neu gemegol deposit
Dydd y Farn *eg* CREFYDD diwedd y byd pan fydd
Duw yn cyhoeddi'r farn ar ddynion Judgement
Day, the Day of Judgement
dyfais *eb* (dyfeisiau:dyfeisiadau)
1 rhywbeth wedi'i greu gan ddyfeisiwr, *Mae
fforc yn ddyfais dda iawn i godi bwyd poeth
i'r geg heb losgi bysedd neu faeddu dwylo.*; arf,
erfyn, offeryn, teclyn gadget, device, invention
2 cynllun, cynllwyn, ystryw, *Pa ddyfais fydd
gan yr awdur i gael ei arwr allan o'r twll yma,
tybed?* device, stratagem
3 (mewn herodraeth) darlun a ddefnyddir gan

deulu bonedd fel ei arwydd arbennig, pais arfau
(heraldic) device
dyfal *ans* yn dyfalbarhau; diwyd, dygn,
gweithgar, prysur persistent, painstaking,
diligent
dyfal donc a dyrr y garreg persistence pays
dyfalbarhad *eg* ymroddiad diflino a chyson,
*Dyfalbarhad y crwban, nid ei gyflymder,
a enillodd iddo'r ras yn erbyn yr ysgyfarnog.*;
diwydrwydd, dygnwch, ymroddiad
perseverance, persistence, application
dyfalbarhaus *ans* yn dyfalbarhau; di-ildio, taer
persistent, diligent
dyfalbarhau *be* [dyfalbarha•¹⁴] dal ati yn gyson,
yn ymroddgar ac yn ddi-ildio, dygnu arni (~ i)
to persevere
dyfaliad *eg* (dyfaliadau)
1 casgliad neu benderfyniad ar sail gwybodaeth
anghyflawn, *Mae rhywbeth yn dweud wrthyf
mai Jones yw'r lleidr, ond dim ond dyfaliad
yw hyn.* guess, speculation, supposition
2 mewn darn o farddoniaeth (cywydd yn
enwedig) disgrifiad llawn drwy gyfrwng cyfres
o drosiadau neu gymariaethau, e.e. disgrifiad
Dafydd ap Gwilym o'r ceiliog bronfraith:
*Pregethwr maith pob ieithoedd, Pendefig ar
goedwig oedd; Ustus gwiw ar flaen gwiail,
Ystiwart llys dyrys dail; Athro maith fy
nghyweithas, Ieithydd ar frig planwydd plas.*;
cyffelybiaeth, cymhariaeth
dyfalu *be* [dyfal•¹]
1 ceisio datrys neu gael hyd i ateb, *Mae pawb
yn ceisio dyfalu beth mae e'n ei wneud yma.*;
damcaniaethu, dychmygu, synied, tybio
to guess, to conjecture, to work out
2 (mewn barddoniaeth gaeth) disgrifio
rhywbeth drwy gyfres o drosiadau neu
gymariaethau (dyfaliadau)
dyfarndal *eg* (dyfarndaliadau) CYFRAITH
dyfarniad neu benderfyniad i dalu iawndal
mewn achos llys sifil award
dyfarniad *eg* (dyfarniadau)
1 penderfyniad gan feirniad ynglŷn â phwy
sydd wedi ennill cystadleuaeth; beirniadaeth,
canlyniad, casgliad adjudication, verdict,
award
2 CYFRAITH penderfyniad, e.e. a yw rhywun yn
euog neu'n ddieuog, mewn llys barn; dedfryd,
rheithfarn verdict
dyfarnu *be* [dyfarn•³]
1 penderfynu a chyhoeddi (gan feirniad/
feirniaid) pwy sy'n ennill cystadleuaeth;
barnu, gwobrwyo to adjudicate, to award,
to pronounce
2 rheoli, dehongli a dedfrydu (gêm fel arfer)
yn ôl corff penodol o reolau; barnu to referee,
to umpire

d

3 CYFRAITH penderfynu (e.e. ai gwir ai gau) ar ôl clywed tystiolaeth mewn llys barn, rhoi dyfarniad; barnu to give a verdict

corff dyfarnu corff sy'n darparu ac yn dyfarnu cymwysterau awarding body

dyfarnwr *eg* (dyfarnwyr) un sy'n gyfrifol am reoli gêm gystadleuol yn ôl rheolau arbennig y gêm honno, *dyfarnwr pêl-droed* referee, umpire, adjudicator

dyfarnwraig *eb* merch neu wraig sy'n gyfrifol am reoli gêm gystadleuol yn ôl rheolau arbennig y gêm honno

dyfeisgar *ans* hoff o ddyfeisio, da am ddyfeisio, llawn syniadau; creadigol, dychmygus, gwreiddiol inventive, ingenious, resourceful

dyfeisgarwch *eg* y ddawn neu'r gallu i ddyfeisio ingenuity, inventiveness

dyfeisiadau:dyfeisiau *ell* lluosog **dyfais**

dyfeisio *be* [dyfeisi•²]
1 creu rhywbeth yn y meddwl (mewn ffordd fedrus); cynllunio, llunio to devise, to design
2 creu rhywbeth o'r newydd; cyfansoddi, dylunio, gwneud to invent, to concoct

dyfeisiwr *eg* (dyfeiswyr) un sy'n creu rhywbeth o'r newydd, *Alexander Graham Bell oedd enw dyfeisiwr y ffôn.*; crëwr, gwneuthurwr, lluniwr inventor

dyflwydd *ans* ffurf lafar ar **dwyflwydd**

dyfn *ans* ffurf ar **dwfn**

dyfnach:dyfnaf:dyfned *ans* [dwfn] mwy dwfn; mwyaf dwfn; mor ddwfn

dyfnant *eg* (dyfnentydd) dyffryn hir a chul sy'n gulach na cheunant; mae iddo ochrau serth ac mae'n cael ei ffurfio gan amlaf gan nant; agendor, hafn ravine

dyfnder *eg* (dyfnderoedd:dyfnderau)
1 y mesur neu'r pellter tuag i lawr, *Mae nofwyr tanddwr yn plymio i ddyfnder o 30 metr.*; gagendor depth, deepness
2 y mesur neu'r pellter tuag i mewn neu tuag yn ôl, *dyfnder ogof* depth
3 gallu meddyliol, *dyfnder meddwl*; craffter profundity
4 (am deimladau neu emosiwn) angerdd, difrifwch, dwyster, *Roedd dyfnder teimlad y gynulleidfa i'w weld yn eu hwynebau.* intensity, seriousness

allan o'm (o'th, o'i, etc.) dyfnder gw. allan¹

dyfnder gaeaf adeg oeraf a thywyllaf y gaeaf depths of winter

dyfnder nos adeg dywyllaf y nos the dead of night

o ddyfnder calon â diffuantrwydd a chydymdeimlad from the bottom of the heart

dyfnfor *eg* (dyfnforoedd) y môr mawr; cefnfor, eigion, gweilgi main, ocean

dyfnhad *eg* y broses neu'r weithred o ddyfnhau, canlyniad dyfnhau deepening

dyfnhau *be* [dyfnha•¹⁴]
1 gwneud yn fwy dwfn, *Mae angen dyfnhau'r ffynnon er mwyn cael rhagor o ddŵr.* to deepen
2 mynd yn fwy dwfn, dwysáu, *Mae angen i mi ddyfnhau fy nealltwriaeth o'r pwnc cyn y gallaf lwyddo yn yr arholiad.*; gwaethygu to get deeper, to intensify

dyfnion *ans* ffurf luosog **dwfn**, *dyfroedd dyfnion*

dyfod gw. dod

dyfodiad *eg* (dyfodiadau) y weithred o ddod, o gyrraedd; cyrhaeddiad, dynesiad, glaniad, nesâd arrival, coming

dyfodol *eg*
1 yr amser sydd i ddod sy'n dilyn y presennol future
2 yr hyn sydd o flaen rhywun, yr hyn fydd yn digwydd, *Hoffwn ddymuno dyfodol hapus i chi.* future
3 tebygolrwydd o lwyddiant, *Does dim dyfodol i'r cwmni yma.* future
4 GRAMADEG ffurf ar y ferf sydd yn sôn am rywbeth a fydd yn digwydd, *Byddaf yn galw eto., Bydd yn bwrw eira cyn nos.* future

dyfodolaidd *ans* yn perthyn i'r dyfodol; heb unrhyw gysylltiad â ffurfiau clasurol neu draddodiadol futuristic

dyfodoliaeth *eb* CELFYDDYD mudiad celfyddydol yn yr Eidal ar ddechrau'r ugeinfed ganrif a geisiai ddisodli ffurfiau traddodiadol a chyfleu yn eu lle rym ac egni technoleg fodern futurism

dyfodolwr *eg* (dyfodolwyr) un sy'n arddel syniadau dyfodoliaeth futurist

dyfradwy *ans*
1 wedi'i ddyfrhau, *gardd ddyfradwy* watered
2 y gellir ei ddyfrhau irrigable

dyfrast *eb* (dyfreist) dyfrgi/dwrgi benyw (female) otter

dyfrchwydd *eg* oedema; gormodedd o hylif yn casglu rhwng celloedd ym meinwe'r corff oedema

dyfredig *ans* (am dir) wedi'i ddyfrhau drwy ddulliau artiffisial irrigated

dyfrfarch *eg* (dyfrfeirch) *hynafol* hipopotamws, afonfarch hippopotamus

dyfrffordd *eb* (dyfrffyrdd) afon, camlas neu lifeiriant o ddŵr y mae'n bosibl mordwyo arno waterway

dyfrffos *eb* (dyfrffosydd) sianel (naturiol neu wedi'i llunio gan ddyn) y mae dŵr yn llifo drwyddi; cwter, draen watercourse

dyfrgi:dwrgi *eg* (dyfrgwn) anifail â blew hir, brown sy'n aelod o'r un teulu â'r wenci; mae'n defnyddio'i gynffon lydan, gref a'i draed gweog i nofio'n gyflym ac yn ystwyth otter

dyfrhad *eg* y broses o gludo dŵr (drwy bibellau neu gamlesi) i diroedd sych i hybu tyfiant, canlyniad dyfrhau irrigation

dyfrhaen *eb* (dyfrhaenau) DAEAREG gwely o
graig athraidd sy'n medru dal dŵr a chaniatáu
iddo lifo drwy'r graig yn ddirwystr aquifer
dyfrhau:dyfrio *be* [dyfrha•¹⁴]
1 rhoi dŵr i (rywbeth), *Gofala ddyfrhau'r
tomatos cyn i'r haul eu cyrraedd*. to water
2 troi dŵr i dir er mwyn hybu tyfiant cnydau
to irrigate
3 (am y llygaid) llenwi â dagrau to water
dyfrio *be* [dyfri•²] gw. **dyfrhau**
dyfrlliw:dyfrliw *eg* (dyfrlliwiau)
1 paent a gymysgir â dŵr yn hytrach nag ag
olew watercolour
2 darlun wedi'i beintio â phaent dyfrlliw
watercolour
dyfrllyd *ans*
1 a llawer o ddŵr ynddo, *cawl dyfrllyd*; gwan,
gwlyb, tenau watery
2 wedi'i hydoddi mewn dŵr aqueous
dyfrllys *eg* planhigyn y dŵr â phigynnau o
flodau bach gwyrdd y mae ei ddail yn tyfu dan
y dŵr neu'n nofio ar ei wyneb pondweed
dyfrnod *eg* (dyfrnodau) marc nodweddiadol neu
nod (annelwig braidd) sy'n cael ei gynnwys yng
ngwead papur gan y gwneuthurwr; gellir ei
weld yn well os rhoddir golau y tu ôl i'r papur
watermark
dyfroedd *eg* lluosog **dŵr**
   dyfroedd dyfnion helbulon bywyd deep waters
   mewn dyfroedd dyfnion mewn trafferth
   in trouble
dyfrol *ans* BIOLEG yn byw, yn digwydd neu'n
tyfu mewn dŵr neu ar wyneb y dŵr aquatic
dyfrsail *ans* yn cynnwys dŵr yn gyfrwng neu'n
brif gynhwysyn water-based
dyfrwr *eg* gair a ddefnyddir am Ddewi Sant
sy'n cyfeirio naill ai at y ffaith mai dim ond
dŵr y byddai'n ei yfed neu ei fod yn un o'r
saint hynny a fyddai'n ymdrochi mewn dŵr oer
fel penyd neu'n wers hunanddisgyblaeth
i'w ddisgyblion
dyfynbris *eg* (dyfynbrisiau) amcangyfrif gan
gontractwr i ddarpar brynwr; datganiad o
bris cyfredol cyfranddaliadau neu nwyddau
arbennig quotation
dyfyniad *eg* (dyfyniadau) ailadrodd darn,
ymadrodd, brawddeg neu bennill a ysgrifennwyd
neu a lefarwyd yn wreiddiol gan rywun arall,
e.e. *Mae 'Gorwedd llwch holl saint yr oesoedd/
A'r merthyron yn dy gôl'* yn ddyfyniad o *waith
D. Gwenallt Jones* extract, quotation
dyfynnod *eg* (dyfynodau) y naill neu'r llall o
bâr o farciau (" ") neu (' ') yn dynodi dechrau
a diwedd ymadrodd a fynegwyd neu a
ysgrifennwyd gan rywun arall quotation mark
dyfynnu *be* [dyfynn•⁹] ailadrodd neu ysgrifennu
geiriau (brawddeg, paragraff, pennill, etc.)

a ysgrifennwyd neu a lefarwyd yn wreiddiol gan
rywun arall (er mwyn cadarnhau safbwynt fel
arfer), *Mae'n hoff iawn o ddyfynnu barddoniaeth
T. H. Parry-Williams*. (~ **o**) to quote, to cite
   Sylwch: dyblwch yr 'n' ym mhob ffurf ac
   eithrio yn y rhai sy'n cynnwys *-as-*.
dyffl *eg* brethyn trwchus o wlân, *cot ddyffl*
duffel, duffle
dyffryn *eg* (dyffrynnoedd) llain o dir, sydd
weithiau'n wastad, yn gorwedd rhwng bryniau
neu fynyddoedd ac afon neu nant yn rhedeg
drwyddo (mae'n lletach na glyn neu gwm)
vale, valley
   dyffryn crog crognant hanging valley
   dyffryn hollt DAEAREG dyffryn ag ochrau serth
   sy'n cael ei ffurfio wrth i gramen y Ddaear gael
   ei hollti pan fydd platiau'n symud rift valley
dygaf *bf* [**dwyn**] *ffurfiol* rwy'n dwyn; byddaf yn
dwyn
dygiedydd *eg* (dygiedyddion) un sy'n cludo,
yn cario, neu'n dwyn (llythyr, etc.); cariwr,
cludwr, cludydd bearer
dygn *ans* [dycn•]
1 yn gweithio'n galed ac yn gydwybodol; diflino,
diwyd, dyfal, llafurus diligent, persevering
2 poenus neu ddolurus iawn, tost ofnadwy,
eithriadol o lym a gofidus, *Bu'n byw mewn
angen dygn.*; llym severe, acute
dygnu *be* [dygn•¹] dal ati, parhau i ymdrechu;
dyfalbarhau, ymlafnio (~ **arni**) to persevere,
to persist
dygnwch:dycnwch *eg* y cyflwr o fod yn
ddygn; diwydrwydd, dyfalbarhad, ymroddiad
perseverance, endurance, tenacity
dygwr *eg* (dygwyr) un sy'n dwyn taker
dygwyl *egb* (dygwyliau) CREFYDD dydd gŵyl,
diwrnod arbennig i ddathlu digwyddiad
(crefyddol) pwysig neu i goffáu sant feast day,
festival, holy day
   Sylwch: yr arfer erbyn heddiw yw defnyddio
   'gŵyl' ac enw'r sant
dygwyl Andr(e)as 30 Tachwedd, dydd
gŵyl nawddsant yr Alban; gŵyl Andras
St Andrew's Day
dygwyl Badrig 17 Mawrth, dydd gŵyl
nawddsant Iwerddon; gŵyl Badrig St Patrick's Day
dygwyl Ddewi 1 Mawrth, dydd gŵyl
nawddsant Cymru; dydd gŵyl Dewi
St David's Day
dygwyl Gewydd 15 Gorffennaf; 'Cewydd
y glaw' yw'r sant Cymreig sy'n cyfateb i San
Swithin, a chredid gynt y byddai'n parhau i
lawio am 40 niwrnod arall pe bai'n digwydd
bwrw ar ddygwyl Gewydd; gŵyl Gewydd
St Swithin's Day
dygwyl Ifan 24 Mehefin, canol haf,
achlysur a gâi ei ddathlu â choelcerthi

d

a dawnsio o gwmpas y fedwen haf; gŵyl Ifan
Midsummer Day

dygwyl sain Siôr 23 Ebrill, dydd gŵyl
nawddsant Lloegr; gŵyl (sain) Siôr/Siors
St George's Day

dygwyl y meirw 2 Tachwedd, gŵyl pan gâi
gweddïau eu hoffrymu ar ran y meirwon ym
mhurdan All Souls' Day

dygwyl yr holl saint 1 Tachwedd, gŵyl
Gristnogol er anrhydedd yr holl saint
All Saints' Day

dygyfor *eg* ymchwydd (y môr), symudiad y môr
a'i donnau; rhyferthwy swell, surge

dygymod *be* dod i delerau â, dod i dderbyn;
bodloni, cytuno, goddef (~ â) to accept,
to be reconciled to, to come to terms with,
to put up with
Sylwch: nid yw'r ferf hon yn cael ei rhedeg.

dyhead *eg* (dyheadau)
1 awydd cryf neu ddymuniad angerddol
i gyrraedd rhyw nod; deisyfiad, ewyllys,
uchelgais aspiration
2 awydd cryf, cariadus ond trist; hiraeth y
galon, *Ei dyhead pennaf hi oedd cael ei weld
ef eto.* longing, yearning

dyhefiad *eg* (dyhefiadau) anadliad cyflym neu
lafurus pant

dyhefod *be* anadlu'n gyflym neu mewn ffordd
lafurus, e.e. ar ôl bod yn rhedeg yn gyflym
to pant
Sylwch: nid yw'r ferf hon yn cael ei rhedeg.

dyheu *be* [dyhe•[1] 2 un. pres. dyhëi; 1 llu. pres.*
dyhëwn; *2 llu. pres.* dyhëwch; *amh. pres.* dyhëir;
amh. gorff. dyhëyd; *1 un. amhen.* dyhëwn;
2 un. amhen. dyhëit; *amh. amhen.* dyhëid;
1 llu. gorch. dyhëwn; *2 llu. gorch.* dyhëwch;
1 un. dib. dyhëwyf; *2 un. dib.* dyhëych]
1 bod ag awydd cryf neu ddymuniad angerddol
i gyrraedd rhyw nod; awchu, chwennych,
deisyfu, ysu (~ **am**) to crave, to aspire
2 hiraethu'n angerddol, dymuno'n ddwys,
Roedd hi'n dyheu am ei weld eto.; awchu,
chwantu to long, to yearn

dyhuddgloch *eb hanesyddol* cloch a fyddai'n cael
ei chanu am wyth o'r gloch y nos i rybuddio
trigolion tref i ddiffodd y goleuadau ac
anhuddo'r tân curfew

dyhuddiad *eg* y weithred neu'r broses o
ddhuddo appeasement

dyhuddo *be* [dyhudd•[1]] ildio i hawliadau
ymosodwr (gan fradychu egwyddorion wrth
wneud hyn) (~ *rhywbeth* i) to appease

dyladwy *ans* yn cael ei wneud yn y ffordd briodol
neu ar yr adeg iawn, *Talwyd iddi deyrnged
ddyladwy gan ei chyd-weithwyr.*; cyfaddas,
cymwys, priodol, teilwng due, fitting, suitable

dylai *bf* [dylu[2]] mae arno ef/arni hi ddyletswydd

dylanwad *eg* (dylanwadau)
1 y gallu (neu rywun sydd â'r gallu) i gael
effaith ar feddwl rhywun arall neu i berswadio
rhywun arall, *Mae hi'n ddylanwad drwg ar y
plant.*; grym influence
2 y gallu i gael pethau wedi'u gwneud drwy
gyfoeth, awdurdod, swydd, etc.; awdurdod,
grym influence, sway

cylch dylanwad gw. cylch

dan ddylanwad â dylanwad (rhywun neu
rywbeth) arno under the influence of

dylanwadol *ans* yn meddu ar ddylanwad, yn
cael dylanwad; blaenllaw, pwysig influential

dylanwadu *be* [dylanwad•[1]] cael dylanwad,
effeithio ar; lliwio (~ **ar**) to hold sway,
to influence

dylaswn *bf* [dylu[2]] *ffurfiol* mae neu roedd arnaf fi
ddyletswydd

dyled *eb* (dyledion)
1 yr hyn sy'n ddyledus i rywun arall, yr hyn
y mae gan rywun hawl iddo; rheidrwydd,
rhwymedigaeth debt
2 y cyflwr o fod yn ddyledus i rywun, *Rwyf
mewn dyled i'r cwmni.* debt
3 cyfanswm yr arian y mae unigolyn neu
sefydliad wedi'i fenthyg debt

dyledeb *eb* (dyledebau) CYLLID benthyciad ar
sail asedau cwmni y mae'n rhaid i'r cwmni
dalu llog sefydlog arno cyn talu buddran i'w
gyfranddalwyr debenture

dyledion *ell* lluosog **dyled**; hefyd fel yn *maddau
i ni ein dyledion*, pechodau debts, sins, trespasses

dyledogaeth *eb hanesyddol* (o dan y gyfundrefn
ffiwdal) teyrngarwch dyledus deiliad i'w
arglwydd allegiance

dyledus *ans*
1 heb ei dalu, mewn dyled, *Mae yna swm o
£50 yn ddyledus o hyd.*; taladwy outstanding,
owing, payable
2 yn ddiolchgar iawn i rywun arall, *Rwy'n
ddyledus i'm rhieni am unrhyw lwyddiant
yn y maes hwn.* indebted
3 y dylid ei roi, ei wneud etc., *Chafodd hi
erioed y clod dyledus am ei rhan hi yn y
gwaith.*; haeddiannol, teilwng due

dyledus barch parch haeddiannol due respect

dyledwr *eg* (dyledwyr) unigolyn neu gorff
sydd mewn dyled i unigolyn neu gorff arall
debtor

dyletswydd *eb* (dyletswyddau)
1 rhywbeth y mae rhywun yn ei wneud am ei
fod yn teimlo mai dyna beth sy'n iawn; galwad,
rheidrwydd, rhwymedigaeth duty
2 yr hyn y mae disgwyl i rywun ei wneud fel
rhan o'i swydd; gorchwyl, gwaith, tasg duty
3 gwasanaeth crefyddol byr i'r teulu naill ai yn
y bore neu cyn mynd i'r gwely devotion

dyletswydd gofal CYFRAITH perthynas o gyfrifoldeb cyfreithiol sydd gan rywun tuag at rywun arall y mae ei dorri'n esgeulus yn medru esgor ar atebolrwydd mewn cyfraith camwedd duty of care
Ymadrodd
ar ddyletswydd yn gyfrifol am gynnig gwasanaeth, yn gweithio on duty

dyli gw. **dwli**

dylif *eg* (dylifau) GWNIADWAITH yr edafedd sy'n rhedeg o un pen i'r llall mewn darn o ddefnydd; ystof warp

dylifiad *eg* (dylifiadau) llif neu lifiad (o ddyfroedd, pobl, etc.), *dylifiad o fewnfudwyr i ardaloedd cefn gwlad*; dilyw, ffrydlif, llanw, llifeiriant deluge, flowing

dylifo *be* [dylif•¹] llifo allan yn ddi-rwystr ac yn helaeth, *pobl yn dylifo allan o'r maes chwarae ar ôl y gêm*; arllwys, ffrydio, gorlifo, llifo to flood, to flow, to stream

dylni *eg*
1 hurtrwydd, twpdra, arafwch dullness
2 pylni'r synhwyrau dullness

dylu¹ gw. **dwlu**

dylu² *be* [1 *un. amhen.* dylwn; 2 *un. amhen.* dylit; 3 *un. amhen.* dylai; 1 *llu. amhen.* dylem; 2 *llu. amhen.* dylech; 3 *llu. amhen.* dylent; *amh. amhen.* dylid; 2 *un. amhen. anff.* dylet; 3 *llu. amhen. anff.* dylen; 1 *un. gorb.* dylaswn; 2 *un. gorb.* dylasit; 3 *un. gorb.* dylasai; 1 *llu. gorb.* dylasem; 2 *llu. gorb.* dylasech; 3 *llu. gorb.* dylasent; *amh. gorb.* dylasid; 1 *un. gorb. anff.* dylswn; 2 *un. gorb. anff.* dylsit/dylset; 3 *un. gorb. anff.* dylsai; 1 *llu. gorb. anff.* dylsem; 2 *llu. gorb. anff.* dylsech; 3 *llu. gorb. anff.* dylasen/dylsen; *amh. gorb. anff.* dylsid;] berfenw nad yw'n cael ei ddefnyddio yn awr ond sydd wrth wraidd y ffurfiau sydd wedi goroesi, sef yr Amser Amhenodol a'r Amser Gorberffaith. Fel y Saesneg *ought*, presennol yw *dylwn* o ran ystyr – bod â dyletswydd, bod yn rhwymedig i wneud rhywbeth, e.e. *Dylwn fynd i weld beth sy'n bod ar Siân druan.*

dyluniad *eg* (dyluniadau)
1 patrwm o sut i wneud rhywbeth; cynllun, darlun, lluniad design
2 y ffordd y mae rhannau wedi cael eu trefnu mewn cyfanwaith, *Mae dyluniad gwael i'r peiriant hwn.* design

dylunio *be* [dyluni•⁶] paratoi patrwm; cynllunio, dyfeisio, llunio to design

dylunydd *eg* (dylunwyr) un sy'n dylunio designer
dylunydd mewnol rhywun sy'n dewis y paent, papur wal, carpedi, celfi, etc. wrth addurno'r tu mewn i adeilad interior designer

dylwn *bf* [dylu²] mae arnaf ddyletswydd
Sylwch: erbyn hyn collwyd y gwahaniaeth rhwng *dylwn* a *dylaswn*.

dylyfu gên *be* [dylyf•¹] agor y geg yn reddfol pan fo rhywun wedi blino neu wedi syrffedu ar rywbeth; ymagor, safnrhythu to yawn

dyma *adf* gwelwch yma, hwn/hon/y rhain yw, *dyma'r dyn* (mae 'dyma' yn awgrymu llai o bellter, o ran amser neu le, na 'dyna') here is, this is (these are)
Sylwch: mae'n achosi'r treiglad meddal ac eithrio yn achos *pryd, pan, pwy, lle*, etc. (cysyllteiriau) *Dyma lyfr da; Dyma pwy oedd yn y tŷ.*

dymchwel:dymchwelyd *be* [dymchwel•⁴ 3 *un. pres.* dymchwel/dymchwela; 2 *un. gorch.* dymchwel/dymchwela]
1 troi wyneb i waered, troi rhywbeth drosodd, taflu neu fwrw i lawr (yn ffigurol ac yn gorfforol); moelyd to demolish, to overthrow, to overturn
2 troi drosodd; cwympo, disgyn, syrthio to fall, to turn upside down

dymchweliad *eg* (dymchweliadau) y weithred o ddymchwel, o dynnu i lawr, o orchfygu, o ddistrywio; cwymp, disgyniad, syrthiad demolition, overthrow

dymchwelyd gw. **dymchwel**

dympio *be* [dympi•²]
1 gollwng yn un domen (~ *rhywbeth* ar) to dump
2 cael gwared ar rywbeth yn sydyn ac mewn ffordd anghyfrifol to dump

dymuniad *eg* (dymuniadau)
1 mynegiant o awydd i wneud rhywbeth, awydd bod rhywbeth yn digwydd; deisyfiad, ewyllys desire, wish
2 cais i rywbeth gael ei gyflawni drwy hud a lledrith, *Cafodd dri dymuniad gan y dewin.* wish
dymuniadau da (gorau) sêl bendith a gobeithio am bob lles i'r dyfodol best wishes

dymuno *be* [dymun•¹]
1 mynegi dymuniad y bydd rhywun yn cael hapusrwydd, iechyd da, etc., *Rwy'n dymuno pob lwc i ti yn y cyfweliad.*; deisyfu, dyheu, ewyllysio (~ *rhywbeth* i *rywun*; ~ i *rywun* wneud) to desire, to wish
2 bod ag awydd, *Wyt ti'n dymuno dod gyda ni?*; eisiau, hoffi to like, to wish

dymunol *ans* derbyniol a phleserus; braf, hyfryd, hynaws pleasant, agreeable, delightful

dyn *eg* (dynion)
1 unigolyn gwryw yn ei lawn dwf, aelod gwryw o'r hil ddynol; gŵr man
2 yr hil ddynol yn gyffredinol, *Ni all dyn fyw ar fara'n unig.* man, one
3 gŵr sy'n gweithio, neu filwr, *Mae deg o ddynion oddi tano yn y gwaith.* man

4 gŵr dewr â barn aeddfed, *Bydd cyfnod yn y fyddin yn dy wneud yn ddyn.* man

5 darn symudol ar fwrdd chwarae; gwerinwr man, piece

6 fel yn *Beth sydd arnat ti, ddyn?*, cyfarchiad yn awgrymu cerydd

7 meidrolyn, unigolyn mortal

dyn bara dyn gwerthu bara sy'n dod heibio i'r tŷ fel arfer baker

dyn busnes

1 dyn sy'n ennill ei fywoliaeth mewn busnes businessman

2 rhywun effeithiol, sy'n dda am wneud arian businessman

dyn cyfunrywiol gŵr sy'n cael ei ddenu'n rhywiol gan wryw arall gay, homosexual man

dyn dieithr rhywun nad ydych yn ei adnabod stranger

dyn dŵad gw. dŵad

dyn eira dyn wedi'i wneud o eira snowman

dyn glo dyn gwerthu glo sy'n dod heibio i'r tŷ fel arfer coalman

dyn hysbys un yr oedd pobl gynt yn credu'i fod yn gallu rhagweld y dyfodol a hefyd wella neu reibio anifeiliaid; hudwr, swyngyfareddwr, swynwr wizard, soothsayer

dyn llaeth/llefrith dyn gwerthu llaeth sy'n dod heibio i'r tŷ fel arfer milkman

dyn tân diffoddwr tân, rhywun sy'n cael ei gyflogi i ddiffodd tanau fireman

dyn yr hewl dyn sy'n gweithio ar yr hewl (heol) roadman

Ymadroddion

dyn a'm (a'th, a'i, etc.) helpo ffurf ar 'Duw a'm helpo' heb gablu drwy ddefnyddio enw Duw God help

dyn a ŵyr does neb yn gwybod goodness knows

dyn mawr ffefryn, dyn pwysig, *Mae e'n ddyn mawr yn y capel.* bigwig

dyn mewn oed oedolyn adult

dyna *adf* hwn/hon/y rhain yw (mae 'dyna' yn awgrymu mwy o bellter, o ran amser neu le, na 'dyma'); wele, dacw, 'co that is (those are), there *Sylwch:* mae'n achosi'r treiglad meddal ac eithrio yn achos *pryd, pan, pwy, lle,* etc. (cysyllteiriau) *Dyna gymeriad diddorol.*

dyna ddigon dim rhagor that's enough

dynad gw. danadl

dynameg *eb*

1 FFISEG cangen o ffiseg sy'n astudio grymoedd a'u dylanwad ar fudiant cyrff dynamics

2 CERDDORIAETH graddiadau o gryfder a thawelwch mewn darn cyhoeddedig o gerddoriaeth neu mewn perfformiad cerddorol dynamics

dynameit *eg*

1 defnydd ffrwydrol grymus wedi'i wneud yn bennaf o nitroglyserin dynamite

2 newyddion neu wybodaeth a fydd yn creu sioc neu syndod dynamite

dynamig *ans*

1 llawn egni; egnïol, grymus dynamic

2 FFISEG yn ymwneud â dynameg dynamic

dynamo *eg* (dynamoau:dynamos) peiriant sy'n newid egni mecanyddol yn egni trydanol dynamo

dynamometr *eg* (dynamometrau) FFISEG dyfais i fesur y grym a gynhyrchir (gan beiriant, anifail, etc.) dynamometer

dynan *eg* dyn bach iawn; corrach gnome, manikin

dyndod *eg*

1 y cyflwr o fod yn ddyn manhood

2 y natur ddynol, y cyflwr o fod yn rhywun byw human nature

dyneddon *ell* dynion sy'n nodweddiadol am eu bychander

dyneiddiaeth *eb*

1 ffordd o feddwl a gysylltir â'r Dadeni Dysg â'i phwyslais ar astudio llenyddiaeth glasurol Groeg a Rhufain humanism

2 ATHRONIAETH dysgeidiaeth neu ffordd o fyw sy'n seiliedig ar werthoedd dynol, yn enwedig athroniaeth sy'n hawlio gwerth sylfaenol dynolryw a'i gallu i hunangyflawni drwy ddefnyddio grym rheswm (yn hytrach na chrefydd) humanism

dyneiddiol *ans* yn perthyn i ddyneiddiaeth, nodweddiadol o ddyneiddiaeth humanistic

dyneiddiwr *eg* (dyneiddwyr)

1 *hanesyddol* un a fu'n rhan o'r Dadeni Dysg neu a ddaeth o dan ei ddylanwad humanist

2 un sy'n credu yn nysgeidiaeth dyneiddiaeth humanist

dynes *eb* safonol, yn y Gogledd gwraig, menyw, merch female, woman

dynesfa *eb* (dynesfeydd) ffordd neu gyfeiriad i gael mynediad (i fan neu le) approach

dynesiad *eg* y weithred o ddynesu; dyfodiad, nesâd approach

dynesu *be* [dynes•¹] dod yn nes at; agosáu, closio, nesáu (~ at *rywle*) to approach, to draw near

dynfarch *eg* (dynfeirch) creadur chwedlonol a chanddo gorff a choesau ceffyl a phen a rhan uchaf corff dyn centaur

dyngar *ans* yn amlygu trugaredd a chydymdeimlad; gwâr, tirion, trugarog humane

dyngarîs *ell* dilledyn gwaith wedi'i wneud yn wreiddiol o frethyn cotwm bras, cryf (o liw glas fel arfer) lle mae'r trowsus yn ymestyn i fyny o flaen y frest a strapiau dros yr ysgwydd yn cydio yng nghefn y trowsus dungarees

dyngarol *ans* caredig mewn ffordd ymarferol, yn ymdrechu i helpu trueiniaid, yn caru'i gyd-ddyn; brawdgarol, cymwynasgar, elusengar, gwasanaethgar humane, humanitarian, philanthropic

dyngarwch *eg* cariad ymarferol at gyd-ddyn; elusengarwch, gwarineb, tiriondeb, trugaredd humanitarianism, philanthropy

dyngarwr *eg* (dyngarwyr) un sy'n ymarfer dyngarwch philanthropist

dyngasäwr *eg* (dyngasawyr) un sy'n casáu pobl neu'r ddynoliaeth yn gyffredinol misanthrope, misanthropist

dyngasedd *eg* casineb at bobl neu ddrwgdybiaeth ddybryd o'r ddynoliaeth misanthropy

dyniaethau *ell* canghennau diwylliannol byd dysg humanities

dyniawed *eg* (dyniewaid) bustach neu eidion ifanc o flwydd i ddwyflwydd oed steer, yearling

dynion *ell*
   1 lluosog **dyn** men
   2 pobl yn gyffredinol, *Ond beth fydd dynion yn ei ddweud?* people, folk

dynladdiad *eg* (dynladdiadau) CYFRAITH digwyddiad lle mae rhywun wedi cael ei ladd yn anfwriadol gan rywun arall (o'i gyferbynnu â llofruddiaeth lle mae'r lladd yn fwriadol) homicide, manslaughter
   dynladdiad corfforaethol CYFRAITH lladdiad a achosir gan gorff sy'n methu'n ddifrifol yn ei ddyletswydd gofal, a hynny drwy drefniadaeth neu reolaeth uwchreolwyr corporate manslaughter

dynn ffurf wedi'i threiglo o **tyn**

dynodedig *ans* wedi'i nodi'n benodol designated

dynodi *be* [dynod•¹] sefyll yn arwydd yn lle rhywbeth; arwyddocáu, cyfleu, dangos, pennu to indicate, to denote, to designate

dynodiad *eg* (dynodiadau) y broses o ddynodi, canlyniad dynodi; arddangosiad, mynegiant indication, denotation

dynol *ans*
   1 nodweddiadol o ddynoliaeth neu natur orau dyn; caredig, meidrol, seciwlar human, mortal, secular
   2 nodweddiadol o ŵr (o'i gyferbynnu â gwraig neu fachgen); gwrol manly
   hawliau dynol gw. **hawliau**

dynoliaeth *eb*
   1 yr hil ddynol (yn wŷr ac yn wragedd); dynolryw humanity, mankind
   2 y natur ddynol, caredigrwydd dynol humaneness, humanity

dynolryw:dynol-ryw *eb* yr hil ddynol (yn wŷr ac yn wragedd); dynoliaeth mankind

dynwared *be* [dynwared•¹]
   1 cymryd (rhywun neu rywbeth) yn batrwm i'w ddilyn; actio, copïo, efelychu to copy, to imitate
   2 efelychu (symudiadau neu ffordd o siarad)

rhywun o ran hwyl neu wawd; actio, gwatwar, gwawdio to mimic, to imitate, to impersonate

dynwarededd *eg* BIOLEG y ffordd y mae rhai anifeiliaid neu blanhigion yn ymdebygu i anifail arall neu rywbeth arall yn yr amgylchedd, e.e. er mwyn eu hamddiffyn rhag gelynion mimicry

dynwarediad *eg* (dynwarediadau)
   1 y weithred o ddynwared, o gopïo rhywun, canlyniad dynwared; efelychiad impersonation, imitation
   2 rhywbeth sy'n gopi; efelychiad slafaidd o rywbeth arall copy, imitation

dynwaredol *ans* yn dynwared, yn efelychu imitative

dynwaredwr *eg* (dynwaredwyr) un sydd â dawn dynwared; actor/actores sy'n arbenigo ar ddynwared golwg, symudiad neu lais pobl eraill mimic, impersonator

dyodiad *eg* METEOROLEG glaw, glaw mân, eirlaw, eira neu genllysg (cesair) sy'n cwympo i'r ddaear; defnyddir medrydd i fesur dyodiad safle penodol precipitation

dyranedig *ans* wedi'i ddyrannu apportioned, dissected

dyraniad *eg* (dyraniadau)
   1 cyfran (o arian, cyfrifoldebau, etc.) allocation
   2 BIOLEG y broses o dorri (anifail, planhigyn, etc.) yn ddarnau er mwyn ei astudio dissection

dyrannu *be* [dyrann•¹⁰]
   1 rhannu; dosrannu (~ *rhywbeth* **rhwng**) to share out
   2 rhannu arian neu gyfrifoldebau to allocate
   3 clustnodi pethau nad oes digon ohonynt ar gael, *Dyrannwyd deg tocyn i bob clwb.* to allocate
   4 BIOLEG torri (anifail, planhigyn, etc.) yn ddarnau er mwyn ei astudio to dissect
   Sylwch: dyblwch yr 'n' ym mhob ffurf ac eithrio yn y rhai sy'n cynnwys -*as*-.

dyrchafael *eg* fel yn *Difiau Dyrchafael* neu *Dydd Iau Dyrchafael*, esgyniad (yn enwedig esgyniad Iesu Grist i'r nefoedd ar ôl ei groeshoeliad); cyfodiad, esgyniad ascension

dyrchafedig *ans* wedi'i ddyrchafu; aruchel, gogoneddus, goruchel elevated, exalted

dyrchafiad *eg* (dyrchafiadau) gwelliant mewn safle, swydd, etc., canlyniad uwchraddio; codiad promotion, advancement, preferment

dyrchafol *ans* yn dyrchafu, yn codi (yn foesol neu'n ysbrydol) uplifting, edifying

dyrchafu *be* [dyrchaf•³ 3 *un. pres.* dyrchaif/ dyrchafa]
   1 codi rhywbeth o'r llawr neu i safle uwch nag o'r blaen, mynd i fyny, '*Dyrchafaf fy llygaid i'r mynyddoedd.*'; cyfodi, esgyn, ymgodi (~ *rhywbeth* **i**) to lift, to elevate, to lift up

d

2 gosod rhywun mewn safle neu swydd uwch; anrhydeddu, breinio, gogoneddu, urddo to promote, to raise

dyrchaif *bf* [dyrchafu] *hynafol* mae ef yn dyrchafu/mae hi'n dyrchafu; bydd ef yn dyrchafu/bydd hi'n dyrchafu

dyrchefais *bf* [dyrchafu] *ffurfiol* gwnes i ddyrchafu

dyre *eg* chwant rhywiol ceffyl (caseg neu farch) heat

  caseg ddyre caseg yn ymofyn march a mare in heat

dyri *eb* (dyrïau) cerdd gynganeddol ar fesur rhydd lay, lyric

dyrnaid *eg* (dyrneidiau) llond dwrn, llond llaw, nifer bach; ychydig bunch, handful

dyrnau *ell* lluosog **dwrn**

dyrnfedd *eb* (dyrnfeddi) mesur tua 0.1 metr (deg centimetr neu bedair modfedd) a ddefnyddir i gyfrif taldra ceffyl; lled llaw hand

dyrnfol *eb* (dyrnfolau) fel yn *dyrnfol cleddyf*, math o darian am garn y cleddyf i amddiffyn llaw'r cleddyfwr sword guard

dyrnod *egb* (dyrnodau)
  1 ergyd dwrn; clowten, pwniad cuff, punch
  2 trawiad arf megis cleddyf neu fwyall stroke
  3 *ffigurol* anffawd sy'n eich taro'n galed; ergyd, loes blow
  Sylwch: mae'n fenywaidd yn y Gogledd ac yn wrywaidd yn y De.

dyrnu *be* [dyrn•¹]
  1 gwahanu'r grawn oddi wrth y gwellt drwy guro'r ŷd (â ffust yn y gorffennol neu â pheiriant heddiw); ffusto to thresh
  2 taro â'r dyrnau; bwrw, cledro, curo, pwno to beat, to thrash
  injan ddyrnu peiriant (hen ffasiwn) i ddyrnu ŷd; dyrnwr threshing machine
  Ymadrodd
  dyrnu gwellt gwneud rhywbeth di-fudd to flog a dead horse

dyrnwr *eg* (dyrnwyr)
  1 yn wreiddiol, gŵr a fyddai'n cael ei gyflogi i ddyrnu ŷd â ffust thresher
  2 peiriant arbennig i ddyrnu ŷd; combein, injan ddyrnu threshing machine
  dyrnwr medi peiriant sy'n medru medi, dyrnu a nithio ŷd; combein combine harvester

dyro *bf* [rhoi] *ffurfiol* gorchymyn i ti roi neu roddi; rho

dyroddi *be* [dyrodd•¹] darparu neu ddosbarthu (rhywbeth) i'w ddefnyddio neu ei werthu to issue

dyroddiad *eg* (dyroddiadau) nifer neu set o eitemau sy'n cael eu rhyddhau ar yr un pryd issue

dyry *bf* [rhoi] *hynafol* mae ef yn rhoi/mae hi'n rhoi; bydd ef yn rhoi/bydd hi'n rhoi *Y ddraig goch a ddyry gychwyn.*

dyrys *ans*
  1 am rywbeth anodd ei ddatrys neu ei ddirnad e.e. problem neu gwlwm; astrus, cymhleth, cymysglyd complicated, perplexing, intricate
  2 (am dir neu dyfiant) heb ei drin, llawn drysni, drain a choed mân; gwyllt wild, entangled, thorny

dysentri *eg* MEDDYGAETH haint y coluddion lle mae'r claf yn dioddef o fath eithafol o'r dolur rhydd dysentery

dysffasia *eg* SEICIATREG cyflwr lle y collir y ddawn i drin neu ddeall iaith yn ganlyniad i niwed i'r ymennydd (yn sgil damwain neu afiechyd) dysphasia

dysg *eb* gwybodaeth a drosglwyddir gan athro i'w ddisgybl, gwybodaeth arbenigol a ddaw yn sgil astudio'n galed; dysgeidiaeth learning

dysgawdwr *eg* (dysgawdwyr) dyn doeth sy'n addysgu eraill instructor

dysgedicach:dysgedicaf:dysgediced *ans* [dysgedig] mwy dysgedig; mwyaf dysgedig; mor ddysgedig

dysgedig *ans* [dysgedic•] wedi dysgu llawer, yn meddu ar lawer o wybodaeth neu ddysg; gwybodus, hyddysg, llengar, ysgolheigaidd learned, erudite

dysgedigion *ell* rhai dysgedig; ysgolheigion, gwybodusion intelligentsia

dysgeidiaeth *eb* (dysgeidiaethau) yr hyn a ddysgir gan athro neu gan ysgol o feddylwyr; athrawiaeth, credo, dysg teaching, doctrine

dysgl *eb* (dysglau) llestr crwn neu hirgrwn â gwaelod gwastad a ddefnyddir i ddal bwyd; basn, bowlen, llestr, plât dish, platter, receptacle
  cadw'r ddysgl yn wastad cadw cydbwysedd, osgoi cythruddo neb to keep everyone happy, to strike a balance
  dal y ddysgl yn wastad gw. dal

dysglaid *eb* (dysgleidiau)
  1 llond dysgl neu blât; bowlennaid plateful
  2 pryd arbennig o fwyd dish
  3 *tafodieithol, yn y De* cwpanaid, *dysglaid o de*; disgled cup of

dysgu *be* [dysg•¹ *3 un. pres.* dysg/dysga; *2 un. gorch.* dysg/dysga]
  1 (am iaith, cangen o ddysg) dod i wybod a deall, dod yn fedrus to learn
  2 gwybod rhywbeth ar y cof, *dysgu darn o farddoniaeth*; cofio to learn, to memorize
  3 addysgu; trosglwyddo gwybodaeth, cynnig gwersi neu hyfforddiant (~ *rhywbeth i rywun*; ~ *rhywun/rhywbeth i wneud*; ~ *rhywun am rywbeth*) to teach, to educate, to provide tuition
  dysgu drwy brofiadau dysgu drwy arbrofi ac arsylwi experiential learning
  dysgu o bell dull gohebol o astudio sy'n galluogi'r

myfyriwr i ddysgu heb iddo orfod mynychu darlithiau mewn ysgol neu goleg distance learning
Ymadroddion

dysgu gwers
1 dioddef yn sgil rhywbeth a wnaethoch, gyda'r canlyniad na fyddech yn gwneud yr un peth eto to learn a lesson
2 gwneud i rywun ddioddef fel na wna'r un peth eto to learn a lesson, to teach a lesson
dysgu pader i berson ceisio dysgu rhywbeth i rywun sy'n gwybod yn well na chi to teach your grandmother to suck eggs

dysgub *eb* (dysgubau) llond llaw; ysgubiad, brwsiad sweepings

dysgwr *eg* (dysgwyr)
1 un sy'n derbyn dysg (yn enwedig un sy'n dysgu iaith); un sy'n dysgu Cymraeg; disgybl, efrydydd, prentis learner
2 un sy'n dysgu gyrru car, beic, etc. ond sydd heb eto ennill cymhwyster ffurfiol i yrru ar ei ben ei hun (dangosir 'D' ar blatiau dysgu'r cerbyd) learner

dysgwraig *eb* merch neu wraig sy'n derbyn dysg (yn enwedig un sy'n dysgu iaith); un sy'n dysgu Cymraeg learner

dyslecsia *eg* anhwylder niwrolegol sy'n achosi anhawster darllen mewn plant/pobl sydd fel arall heb nam ar eu deallusrwydd dyslexia

dyslecsig *ans* yn dioddef o ddyslecsia dyslexic

dyspepsia *eg* MEDDYGAETH diffyg traul dyspepsia

dyspeptig *ans* MEDDYGAETH yn dioddef o ddyspepsia dyspeptic

dysprosiwm *eg* elfen gemegol rhif 66; metel meddal, ariannaidd (Dy) dysprosium

dysychedig *ans* â'r dŵr neu â'r gwlybaniaeth wedi'u tynnu ymaith desiccated

dysychiad *eg* y broses o ddysychu, canlyniad dysychu desiccation

dysychu *be* [dysych•[1]] COGINIO cadw bwyd rhag pydru drwy waredu'r dŵr neu unrhyw hylif; sychu, dadhydradu to desiccate

dywaid *bf* [dweud] *hynafol* mae ef yn dweud/ mae hi'n dweud; bydd ef yn dweud/bydd hi'n dweud; dywed

dywed *bf* [dweud]
1 mae ef yn dweud/mae hi'n dweud; bydd ef yn dweud/bydd hi'n dweud; dywaid
2 gorchymyn i ti ddweud

dywedaf *bf* [dweud] rwy'n dweud; byddaf yn dweud

dywededig *ans* y soniwyd amdano eisoes; rhagddywededig aforementioned, aforesaid

dywediad *eg* (dywediadau) ymadrodd cofiadwy ac adnabyddus ar lafar gwlad; dihareb, gwireb, priod-ddull expression, saying

dywedwst *ans* heb fawr ddim i'w ddweud; di-ddweud, di-sgwrs, tawedog reserved, taciturn

dywedyd *llenyddol* gw. **dweud**

dyweddi *egb* (dyweddïon) merch neu lanc sydd wedi cytuno i briodi; darpar ŵr, darpar wraig fiancé, fiancée
Sylwch: mae cenedl yr enw'n amrywio yn ôl rhyw yr unigolyn.

dyweddïad *eg* (dyweddiadau) ymrwymiad neu addewid i briodi, cytundeb priodasol engagement

dyweddïo *be* [dyweddï•[8]] ymrwymo i briodi, cytuno i briodi (~ â) to become engaged, to betroth
Sylwch: does dim angen didolnod pan fydd dwy 'i' yn dilyn ei gilydd, *dyweddiir.*

dywyddu *be* (am fuwch) dangos arwyddion ei bod ar fin bwrw llo
Sylwch: nid yw'r ferf hon yn cael ei rhedeg.

dd:Dd *eb* cytsain a chweched lythyren yr wyddor Gymraeg; ar ddechrau gair, mae'n ganlyniad treiglo *d* yn feddal, e.e. yn ddrwg

ddoe *adf* yn ystod y diwrnod cyn heddiw ac yn dilyn echdoe, *Es i i'r ysbyty ddoe.* yesterday
Sylwch: 'doe' yw ffurf enwol 'ddoe', *Ni ddaw doe yn ôl.*

bore ddoe bore'r diwrnod cyn heddiw yesterday morning

prynhawn ddoe prynhawn y diwrnod cyn heddiw yesterday afternoon

d

E

e¹:E *eb*
1 llafariad a seithfed lythyren yr wyddor
Gymraeg; ar ddechrau gair, gall fod yn
ganlyniad treiglo *g* yn feddal, e.e. yr efail e, E
2 CERDDORIAETH enw nodyn mewn hen nodiant,
y trydydd nodyn yng ngraddfa C fwyaf E
3 gyda rhifau yn ei dilyn mae'n cael ei
defnyddio mewn cyfundrefn Ewropeaidd i nodi
ychwanegion (lliw neu flas) at fwyd E
e² gw. ef
e- *rhag* CYFRIFIADUREG talfyriad o 'electronig',
yn dynodi defnydd o ddulliau rhwydweithio
cyfrifiadurol, e.e. *e-asesu, e-bostio, e-hebu* e-
eang *ans* [ehang•]
1 heb ei gyfyngu (tra bo *llydan* yn cyfeirio at
bellter o un ochr i'r llall, mae *eang* yn cyfeirio
at faint mwy cyffredinol), *gwybodaeth eang;*
helaeth, llydan, maith broad, extensive, wide
2 yn gweithredu ar draws ffeil gyfan, rhaglen
gyfan, etc., *newidyn eang* global
eangderau *ell* lluosog **ehangder**
eangdiroedd *ell* lluosog **ehangdir**
eangfrydedd *eg* y cyflwr o fod yn eangfrydig;
haelfrydedd, mawrfrydedd, mawrfrydigrwydd
magnanimity
eangfrydig *ans* parod i gadw meddwl
agored, heb fod yn gul ei feddwl; haelfrydig,
mawrfrydig, rhyddfrydig magnanimous,
open-minded
eang-grededd *eg* parodrwydd i dderbyn
neu i oddef amrediad eang o gredoau a
gweithgareddau, yn enwedig felly ymhlith rhai
aelodau o'r Eglwys Anglicanaidd sy'n arddel
rhyddid athrawiaethol a gweithgareddol o fewn
yr Eglwys latitudinarianism
eau de cologne *eg* (*eaux de cologne*) persawr
ar ffurf hylif
eb¹ gw. ebe
eb² *byrfodd* enw benywaidd, gw. enw
ebargofiant *eg* y cyflwr o fod wedi'i anghofio,
*Mae llawer o bobl a fu'n eithaf pwysig yn eu
dydd wedi mynd i ebargofiant erbyn heddiw.;*
anghofrwydd, angof, difancoll oblivion
ebe:eb:ebr *bf* ffurf ddiamser a diberson a all olygu
'meddai', 'medd', 'meddaf', etc., ffurf sy'n cael
ei chyfyngu erbyn hyn i gyfeirio at ddyfyniad
gan rywun (neu rywrai), '*Nawr edrychwch
yma,*' *ebe'r* naill wrth y llall.; chwedl, meddai
(~ *rhywun* **wrth** *rywun*) said, quoth
ebg *byrfodd* GRAMADEG gair sy'n gallu bod
yn wrywaidd neu'n fenywaidd, ond sy'n fwy
tebygol o fod yn fenywaidd (cymharer *egb*)

Sylwch: ystyr hyn yw fod y gair yn fenywaidd
mewn rhannau o Gymru ac yn wrywaidd
mewn mannau eraill; nid yw'n golygu y gellir
newid cenedl yn fympwyol.
ebilon *eb* diod gynnes a wneid o sudd grawn
yr ysgawen
ebill *eg* (ebillion)
1 erfyn â blaen miniog ar ffurf sgriw fras a
ddefnyddir i wneud twll mewn pren drwy ei
sgriwio i mewn i'r coed ac yna'i ddadsgriwio;
gimbill, mynawyd auger, bradawl, gimlet
2 erfyn tebyg a osodir ar flaen dril (trydan
neu law) ac a ddefnyddir i dyllu pren neu wal;
tyllwr bit
ebill Forstner GWAITH COED ebill silindrog
a ddefnyddir i ddrilio tyllau dwfn, gwastad
mewn pren, yn arbennig wrth wneud celfi/
dodrefn Forstner bit
ebill gwastad GWAITH COED ebill â min
gwastad a phwynt canol ymwthiol sy'n lleoli'r
ebill wrth i'r min dorri'r pren flat bit
ebill gwrthsodd GWAITH COED ebill a
ddefnyddir i dorri twll conigol mewn
arwyneb pren i dderbyn pen sgriw wrthsodd
countersink drill bit
ebillio *be* [ebilli•²] defnyddio ebill i wneud twll
yn rhywbeth neu drwy rywbeth to bore
ebol *eg* (ebolion) ceffyl ifanc iawn, cyw ceffyl;
cnyw, swclyn foal, colt
ebol asyn/asen asyn (neu asen) ifanc
Ymadrodd
fel ebol (am rywun hŷn fel arfer) yn sionc fel
ceffyl ifanc
eboles *eb* (ebolesau) ebol benyw; swclen
filly, foal
ebonaidd *ans* o liw eboni ebony
eboneiddio *be* [eboneiddi•²] lliwio'n ddu fel
eboni to ebonize
eboni *eg* pren du, caled, trwm, gwerthfawr
ebony
e-bost:ebost *eg* (e-byst:ebyst) proses o
gofnodi ac anfon gwybodaeth at unigolion
drwy rwydwaith telegyfathrebu i leoliad neu
leoliadau penodol lle mae'n cael ei chadw'n
barod i'w chasglu (adennill); hefyd negeseuon
a anfonir yn y ffurf yma; gohebiaeth electronig,
neges e-bost e-mail, email, electronic mail
e-bostio:ebostio *be* [e-bosti•²] anfon neges
drwy gyfrwng e-bost; cyfathrebu, llythyru
(~ *rhywbeth* **at** *rywun*) to e-mail, to email
ebr gw. ebe
ebran *eg* (ebrannau) bwyd ceffylau, bwyd
anifeiliaid, porthiant fodder
Ebrill *eg* pedwerydd mis y flwyddyn April
ffŵl Ebrill rhywun sy'n cael ei dwyllo cyn
deuddeg o'r gloch ar fore 1 Ebrill April fool
mis Ebrill 'ym mis Ebrill' nid *yn Ebrill* April

ebrwydd *ans* [ebrwydd•]
  1 *hynafol* yn bodoli neu'n cael ei fesur ar ennyd penodol instantaneous
  2 *hen ffasiwn* heb oedi cyflym, sydyn; cyflym, sydyn quick

ebychiad *eg* (ebychiadau:ebychiaid) mynegiant byr o syndod a theimladau cryfion, *Myn brain! Ych a fi! Aw!*; cri, gwaedd, llef exclamation, interjection

ebychiadol *ans* yn ebychu exclamatory

ebychnod *eg* (ebychnodau) yr atalnod [!] a ddefnyddir i ddynodi ebychiad neu weithiau orchymyn swta, *'Brysia, Mair!' meddai'i thad.* exclamation mark

ebychu *be* [ebych•¹] lleisio neu ddweud rhywbeth yn sydyn fel arwydd o deimlad dwfn neu syndod; bloeddio, gweiddi, llefain to exclaim, to interject

ebyrth *ell* lluosog aberth

e-byst:ebyst *ell* ar lafar, lluosog 'e-bost:ebost' (ar sail cydweddiad â 'post:postyn')

ecdysaidd *ans* SWOLEG yn bwrw haen allanol o groen, cwtigl neu flew, e.e. neidr ecdysial

ecdysis *eg* SWOLEG y broses o fwrw haen allanol o groen, cwtigl neu flew ecdysis, moulting

eciwmenaidd *ans*
  1 CREFYDD yn perthyn i eciwmeniaeth, yn hybu a hyrwyddo eciwmeniaeth; byd-eang ecumenical
  2 CREFYDD yn cynrychioli nifer o wahanol eglwysi Cristnogol ecumenical

eciwmeniaeth *eb* CREFYDD y gred y dylai fod undod (a dim rhwyg) ymhlith eglwysi Cristnogol y byd ecumenism

eciwmenydd *eg* (eciwmenyddion) CREFYDD un sy'n credu mewn eciwmeniaeth ecumenist

eclair *eb* (eclairs) teisen a haen o siocled ar ei phen y mae ei chrwst ysgafn wedi'i lenwi â hufen neu gwstard éclair

eclectiaeth *eb* ATHRONIAETH cyfundrefn o syniadau ac athrawiaethau wedi'u dethol o wahanol ffynonellau heb gadw'n gaeth at yr un ohonynt eclecticism

eclectig *ans*
  1 yn defnyddio'r syniadau a'r athrawiaethau a ystyrir y gorau o wahanol ffynonellau, heb gadw'n gaeth at un gyfundrefn eclectic
  2 wedi'u casglu o amrywiaeth eang o ffynonellau eclectic

eclips *eg* anffurfiol diffyg ar yr Haul neu'r Lleuad eclipse

ecliptig *eg* SERYDDIAETH llwybr ymddangosiadol yr Haul ymhlith y sêr dros gyfnod o flwyddyn ecliptic

eclog *eg* (eclogau) cerdd fer ar batrwm deialog rhwng dau fugail; bugeilgerdd eclogue

eco *eg* adlais, atsain echo

ecodwristiaeth *eb* gwyliau sydd wedi'u cynllunio i sicrhau bod yr ymwelwyr yn tarfu cyn lleied â phosibl ar yr amgylchedd; eu bwriad yw cefnogi ymdrechion cadwraeth a gwylio bywyd gwyllt ecotourism

ecolalia *eg* SEICIATREG cyflwr o ailadrodd awtomatig, ac yn aml yn anwirfoddol, eiriau neu gymalau sgyrsiol diystyr a ddywedwyd gan rywun arall; mae hyn yn aml yn arwydd o anhwylder meddwl echolalia

ecoleg *eb* astudiaeth wyddonol o berthynas organebau byw â'i gilydd ac â'u hamgylchedd ecology

ecolegol *ans* yn ymwneud â'r holl berthynas rhwng pethau byw a'u hamgylchedd ecological

ecolegwr:ecolegydd *eg* (ecolegwyr) un sy'n astudio ecoleg ecologist

economaidd *ans*
  1 yn ymwneud ag economeg neu â'r economi economic
  2 â'r bwriad o wneud elw, *Mae lleoliad y siop yn ganolog i'w llwyddiant economaidd.*; proffidiol economic

economeg *eb* gwyddor sy'n astudio sut mae cyfoeth yn cael ei greu a'i ddosbarthu mewn cymdeithas economics

economegydd *eg* (economegwyr) un sy'n arbenigo ym maes economeg economist

econometreg *eb* ECONOMEG cangen o economeg sy'n defnyddio dulliau ystadegol i werthuso a phrofi dilysrwydd damcaniaethau economaidd econometrics

economi *eg* (economïau) y berthynas rhwng cynhyrchwyr, dosbarthwyr a defnyddwyr nwyddau a gwasanaethau a chyflenwad arian mewn ardal ddaearyddol, benodol, *economi Ewrop, yr economi lleol* economy

economi cymysg economi sy'n cynnwys elfennau cyfalafol a gwladwriaethol mixed economy

economi du economi o'r golwg nad oes unrhyw fesur o'i faint, e.e. gweithiwr sy'n derbyn arian parod am ei waith a heb ddatgelu hynny i'r awdurdodau treth incwm black economy

ecorywogaeth *eb* BIOLEG poblogaeth o fewn rhywogaeth a gysylltir â chynefin ecolegol arbennig, ond sy'n gallu rhyngfridio â phoblogaethau eraill o'r un rhywogaeth mewn cynefinoedd eraill cyfagos ecospecies

ecosystem *eb* (ecosystemau) BIOLEG system ecolegol, e.e. llyn, lle mae cymuned o organebau amrywiol yn rhyngweithio â'i gilydd a'u hamgylchedd i greu uned sydd fwy neu lai'n hunangynhaliol ecosystem

ecotôn *eg* (ecotonau) BIOLEG ffin rhwng dwy gymuned ecolegol ecotone

ecsbloetio *be* [ecsbloeti•²]
1 cymryd mantais lawn o rywbeth (i wneud arian fel arfer) to exploit
2 manteisio yn annheg ar (rywun neu rywrai) to exploit

ecsbloetiwr *eg* (ecsbloetwyr) un sy'n cymryd mantais exploiter

ecséis *eg* treth a godir ar nwyddau penodol a gynhyrchir neu a werthir mewn gwlad; toll excise

ecseismon *eg* (ecseismyn) *hanesyddol* swyddog y llywodraeth a oedd yn casglu ecséis ac yn sicrhau bod y deddfau ynglŷn ag ecséis yn cael eu gweinyddu, swyddog tollau exciseman

ecsema *eg* MEDDYGAETH cyflwr meddygol lle mae darnau o'r croen yn goch ac wedi chwyddo eczema

ecsentrig *ans* am rywun sy'n ymddwyn yn rhyfedd neu'n od, neu un sydd â daliadau anarferol; anghyffredin, hynod, od, rhyfedd eccentric

ecsocrin *ans* FFISIOLEG yn dynodi chwarennau sy'n secretu drwy ddwythellau sy'n agor ar epitheliwm; yn perthyn i'r chwarennau hyn exocrine

ecsodus *eg* CREFYDD ymadawiad pobl Israel o Wlad yr Aifft; adroddir yr hanes yn 'Llyfr Exodus' yn y Beibl; ymadawiad exodus

ecsotig *ans* trawiadol neu'n gyffrous o wahanol; estron exotic

ecsothermig *ans* CEMEG (am adwaith neu broses) yn rhyddhau gwres i'r amgylchedd exothermic

ecstasi *eg*
1 cyflwr o deimladau dwys iawn lle mae rhywun bron â cholli gafael arno'i hun; perlewyg, llesmair ecstasy
2 cyffur synthetig o deulu'r amffetaminau sy'n symbylu'r system nerfol ganolog ecstasy

ecstatig *ans* tu hwnt o hapus; llesmeiriol ecstatic

ecstra *eg* (ecstras) un sy'n cael ei gyflogi dros dro i fod yn rhan o dyrfa yn y cefndir mewn ffilm neu ddrama extra

ecstro *eg* (ecstroeon) carntro axle tree, wheelbrace

ectoderm *eg* SWOLEG haen allanol y tair haen a geir mewn embryo anifail y mae'r gwallt, yr ewinedd, haen allanol y croen a meinwe'r nerfau yn datblygu ohono ectoderm

ectomorff *eg* (ectomorffiaid) FFISIOLEG dosbarthiad o'r corff dynol sy'n dynodi unigolyn â chorff main, ysgafn ectomorph

ectoparasit *eg* (ectoparasitiaid) BIOLEG parasit, e.e. chwannen, sy'n byw ar ochr allanol organeb arall ectoparasite

ectoplasm *eg*
1 math o ymgnawdoliad o'r ysbrydol a gysylltir â chyfryngwyr seicig ectoplasm
2 BIOLEG haen allanol cytoplasm cell ectoplasm

Ecwadoraidd *ans* yn perthyn i Ecuador, nodweddiadol o Ecuador Ecuadorian

Ecwadoriad *eg* (Ecwadoriaid) brodor o Ecuador Ecuadorian

ecwilibreiddio *be* [ecwilibreiddi•²] FFISEG dod â rhywbeth i ecwilibriwm, cadw rhywbeth mewn ecwilibriwm to equilibrate

ecwilibriwm *eg*
1 FFISEG cydbwysedd rhwng grymoedd neu weithredoedd gwrthgyferbyniol mewn system, sy'n arwain at gyflwr o orffwys, e.e. pan fydd dau rym dirgroes yn gweithredu ar gorff ac yn arwain at rym cyfansawdd o sero neu o fudiant unffurf, e.e. pan fydd adwaith cemegol a'i wrthadwaith yn digwydd ar yr un cyflymder; cydbwysedd equilibrium
2 ECONOMEG cydbwysedd mewn marchnad benodol rhwng maint y galw am nwydd a maint y cyflenwad equilibrium

ecwiti *eg*
1 CYFRAITH system gyfreithiol sy'n seiliedig ar degwch naturiol a'r gydwybod; credir ei fod yn fwy hyblyg na chyfundrefn gaeth cyfraith gwlad equity
2 CYLLID gwerth y cyfranddaliadau sy'n cael eu rhyddhau gan gwmni equity
3 CYLLID gwerth eiddo a forgeisiwyd ar ôl i'r holl ddaliadau a dyledion sy'n gysylltiedig ag ef gael eu talu equity

ecwiti negyddol CYLLID sefyllfa pan fydd morgais ar dŷ yn uwch na gwerth y tŷ oherwydd cwymp ym mhrisiau tai negative equity

echblyg *ans* wedi'i fynegi'n eglur a phendant yn hytrach na thrwy awgrym explicit

ffwythiant echblyg *gw.* ffwythiant

echdoe *eg ac adf* y diwrnod cyn ddoe; yn ystod y diwrnod cyn ddoe the day before yesterday

echdoriad *eg* (echdoriadau) (am losgfynydd) ffrwydrad folcanig sy'n achosi i lafa a/neu lwch a lludw folcanig gael eu taflu allan o agorfa neu agen eruption

echdorri *be* [echdorr•⁹]
1 (am losgfynydd) ffrwydro ac o ganlyniad achosi i lafa a/neu lwch a lludw folcanig gael eu taflu allan o agorfa neu agen to erupt
2 MEDDYGAETH torri ymaith (meinwe neu ran o organ neu asgwrn) to resect
Sylwch: dyblwch yr 'r' ym mhob ffurf ac eithrio yn y rhai sy'n cynnwys -as-.

echdroad *eg* (echdroadau) MEDDYGAETH y broses o echdroi un o organau'r corff, canlyniad echdroi eversion

echdroi *be* MEDDYGAETH troi un o organau'r corff y tu chwith allan to evert
Sylwch: nid yw'r ferf hon yn arfer cael ei rhedeg.

echdyniad *eg* (echdyniadau) CEMEG y broses o echdynnu, canlyniad echdynnu extraction

echdynnol *ans* CEMEG yn ymwneud ag echdynnu extractive

echdynnu *be* [echdynn•⁹] CEMEG defnyddio peiriant neu ddull cemegol i dynnu un peth allan o rywbeth arall, e.e. echdynnu halen o ddŵr y môr (~ *rhywbeth* o) to extract
Sylwch: dyblwch yr 'n' ym mhob ffurf ac eithrio yn y rhai sy'n cynnwys -*as*-.

echdynnydd *eg* (echdynwyr) ELECTRONEG peiriant neu ddyfais a ddefnyddir i echdynnu rhywbeth, e.e. peiriant awyru sy'n cael gwared ar fygdarth neu ddrewdod extractor

echdynnyn *eg* (echdynion) CEMEG cymysgedd sy'n cynnwys cynhwysyn actif sylwedd ar ffurf grynodedig extract

echddygol *ans*
1 FFISIOLEG yn ymwneud â'r cyhyrau neu symudiad y cyhyrau efferent, motor
2 FFISIOLEG am nerf sy'n trosglwyddo negeseuon o'r brif system nerfol i gyhyryn neu chwarren er mwyn ysgogi ymateb ffisiolegol, e.e. cyfangu neu secretu motor, efferent

echel *eb* (echelau:echelydd) y rhoden sy'n mynd drwy ganol olwyn, y bar y mae olwyn yn troi arno; gwerthyd axle, spindle
bwrw/taflu (rhywun) oddi ar ei echel tarfu ar rediad llyfn, drysu rhywun to put someone off (balance)

echelin *eb* (echelinau)
1 llinell ddychmygol sy'n rhedeg drwy ganol corff sy'n troelli, *Mae'r byd yn troi ar ei echelin.* axis
2 MATHEMATEG llinell syth sy'n rhannu siâp yn ddwy ran hafal, e.e. *echelin cymesuredd* axis
3 MATHEMATEG un o'r llinellau syth a ddefnyddir i fesur cyfesurynnau, e.e. *Mewn dau ddimensiwn mae'n arferol i graff gynnwys dwy echelin, yr echelin-x (llorweddol) a'r echelin-y (fertigol).* axis

echelinol *ans*
1 yn gweithredu fel echelin axial
2 wedi'i leoli am, ar, neu o gwmpas echelin axial

echlifiant *eg* y broses lle mae sylweddau sydd wedi'u hydoddi neu mewn daliant yn haenau uchaf y pridd yn cael eu cludo i lawr gan ddŵr glaw a'u dyddodi'n rhannol yn yr haenau isaf eluviation

echlifol *ans* DAEAREG yn ymwneud ag echlifiant, wedi'i greu gan echlifiant eluvial

echludiad *eg* (echludiadau) CEMEG y broses o echludo, canlyniad echludo elution

echludo *be* CEMEG cael gwared ar (sylwedd wedi'i arsugno) drwy olchi â hydoddydd, yn enwedig mewn cromatograffaeth to elute
Sylwch: nid yw'r ferf hon yn arfer cael ei rhedeg.

echludydd *eg* CEMEG hylif a ddefnyddir i gael gwared ar sylwedd eluent

echnos *eb* ac *adf* y noswaith cyn neithiwr; yn ystod y noswaith cyn neithiwr the night before last

echreiddiad *eg* (echreiddiadau) MATHEMATEG mesur a ddefnyddir i ddisgrifio cromliniau conig yr elips, yr hyperbola a'r parabola eccentricity

echreiddig *ans* MATHEMATEG yn perthyn i echreiddiad, nodweddiadol o echreiddiad eccentric

echrydu *be* ofni'n fawr; arswydo (~ **rhag**)
Sylwch: nid yw'r ferf hon yn arfer cael ei rhedeg.

echrydus *ans* arswydus, brawychus, dychrynllyd, erchyll, *Roedd safon y gwaith yn echrydus.* awful, dreadful, shocking
echrydus o fe'i defnyddir i ddwysáu ystyr ansoddair, *yn echrydus o wael*

echryslon *ans* arswydus, dychrynllyd, erchyll atrocious, dreadful

edafedd *ell*
1 lluosog edau
2 y gwlân a ddefnyddir i wau wool, yarn
Sylwch: 'edafedd' gwlân, ond 'edau' cotwm.

edafeddog *ans* llawn edafedd neu ffibrau, tebyg i edafedd filamentous, fringed

edafeddog y mynydd *eb* planhigyn â blodau gwyn neu binc a dail blewog o deulu llygad y dydd mountain everlasting

edafeddu *be* [edafedd•¹] COGINIO (am syryp berwedig) yn llunio edefyn wrth gael ei arllwys o lwy to thread

edafog *ans* tebyg i edau, yn fân linynnau fibrous

edafu *be* [edaf•³] y broses o ddefnyddio dei i dorri edau sgriw mewn defnyddiau solid, e.e. i lunio bollt metel to thread

edaffig *ans* BIOLEG yn cael ei ddylanwadu gan gyflwr y pridd (yn hytrach na'r hinsawdd) edaphic

edau *eb* (edafedd)
1 (*yn derbyn ffurf unigol neu luosog berf*) llinyn neu linynnau main, tenau o ddefnydd megis cotwm neu sidan wedi'i droelli; edefyn cotton, thread, yarn
2 rhan droellog, finiog sgriw thread
3 *ffigurol* unrhyw beth sy'n cael ei ystyried yn debyg i edefyn, e.e. llinyn cyswllt, hyd einioes dyn, '*Duw biau edau bywyd,/A'r hawl i fesur ei hyd.*' thread

edau gyfrodedd gw. cyfrodedd

edefyn *eg* (edefynnau)
1 un llinyn main, tenau o ddefnydd megis cotwm neu sidan neu wlân wedi'i droelli; edau thread, yarn
2 unrhyw beth sy'n debyg i edau, megis gwifren denau neu linyn o we pry copyn, etc.; blewyn fibre, filament, thread
3 rhan droellog, finiog sgriw thread

4 elfen sy'n rhan o gyfanwaith cymhlyg, *edefyn DNA* strand

Sylwch: 'edafedd' gwlân, ond 'edau' cotwm.

edefynnog *ans* tebyg i edefyn, nodweddiadol o edefyn filamentous

edema gw. oedema

edeuffurf *ans* BIOLEG ar ffurf edefyn, e.e. papilâu filiform

edfryd *bf* [adfer] *hynafol* mae ef yn adfer/mae hi'n adfer; bydd ef yn adfer/bydd hi'n adfer

edifar *ans* fel yn yr ymadrodd *bod yn edifar gan,* bod yn ddrwg gan, yn edifarhau; bod yn flin gan sorry, repentant, contrite

edifarhau *be* [edifarha•¹⁴] bod yn ddrwg gan rywun am rywbeth (gweithred ddrwg neu fywyd ofer, etc.); edifaru, gresynu (~ *am wneud rhywbeth*) to regret, to repent

edifarhaus *ans* yn edifarhau; edifeiriol contrite

edifaru *be* [edifar•³] bod yn ddrwg gan rywun am rywbeth (gweithred ddrwg neu fywyd ofer, etc.); edifarhau, gresynu to regret

edifeiriol *ans* am un sy'n edifar ganddo, sy'n edifarhau; edifarhaus, gresynus repentant, contrite, penitential

edifeirwch *eg* y cyflwr o edifarhau, o fod yn ddrwg gennych am ryw ddrygioni neu dro sâl a wnaethoch; atgno remorse, repentance

edling *eg* (edlingod) *hanesyddol* etifedd brenin, fel rheol y mab hynaf; aer, etifedd heir apparent

edliw *be* [edliwi•²] taflu rhywbeth yn nannedd rhywun, atgoffa rhywun am hen fai; dannod, gwrthgyhuddo (~ *rhywbeth i rywun*) to reproach, to reprove, to upbraid

edliwgar *ans* â thuedd i edliw reproachful

edliwiad *eg* (edliwiadau) y weithred o edliw, o ddannod; cerydd, condemniad, cystwyad upbraiding

edliwiwr *eg* (edliwyr) un sy'n dannod, sy'n edliw upbraider

edlych *eg* dyn neu greadur gwan, tila, egwan; llipryn weakling

edmygedd *eg* teimlad o hoffter a pharch tuag at (rywun neu rywbeth), meddwl uchel; gwerthfawrogiad, parch admiration

edmygol *ans* yn edmygu admiring

edmygu *be* [edmyg•¹] teimlo hoffter a pharch tuag at (rywun neu rywbeth), meddwl yn uchel o (rywun neu rywbeth); gwerthfawrogi, mawrygu, parchu to admire, to esteem

edmygwr:edmygydd *eg* (edmygwyr) un sy'n edmygu, yn enwedig mab sy'n cael ei ddenu gan ferch arbennig admirer, fan

edn *eg* hen air am aderyn bird

edrych *be* [edrych•¹ *3 un. pres.* edrych/edrycha; *2 un. gorch.* edrych/edrycha]

1 gweld a rhoi sylw â'r llygaid, bwrw golwg ar, sylwi ar; craffu, gwylio, llygadu, syllu to look

2 ymddangos, *Dydy e/o ddim yn edrych yn dda iawn i mi.* to look, to appear

edrych allan/maes gwylio, edrych yn enwedig, *Mi fydda i'n edrych allan/ma's amdanoch chi ar y teledu.* to look out for

edrych am

1 chwilio am, *Rwyf wedi bod yn edrych amdanoch chi ym mhob man.* to look for

2 ymweld â, rhoi tro am, *Cofiwch ddod i edrych amdana i yn yr ysbyty.* to visit, to see

edrych ar

1 sylwi ar, *Edrychwch ar yr annibendod.*; sbio to look at

2 ystyried, meddwl, *Rwy'n edrych arni fel mam.* to look on, to regard

edrych ar ôl gofalu am, cadw golwg ar to look after

edrych draw troi llygaid i ffwrdd to avert one's gaze

edrych dros

1 bod â golwg neu olygfa dros, *Mae'r tŷ yn edrych dros Fae Ceredigion ac i'r gogledd.*

2 bwrw golwg ar, *Gwell imi edrych dros fy llinellau unwaith eto cyn yr ymarfer.*; darllen to look over, to overlook

edrych i fyny/lan (ar) edmygu to look up (to)

edrych i lawr bod yn ddirmygus o, dilorni to look down on

edrych i mewn i archwilio to look into

edrych maes cadw golwg (am rywbeth neu rywun) to look out (for something or someone)

edrych ymlaen at rhagdybio eich bod yn mynd i fwynhau (rhywbeth) to look forward to

edrych ym myw llygad (rhywun) gw. byw³

edrych yn gam (ar) gwgu, dangos eich anfodlonrwydd yn y ffordd yr ydych yn edrych to frown upon

edrych yn llygad y geiniog gw. llygad

edrychiad *eg* (edrychiadau)

1 y weithred o edrych; cipolwg, golwg, gwedd, trem glance, look

2 golwg yn y llygaid, *edrychiad cas* look

edrydd *bf* [adrodd] *hynafol* mae ef yn adrodd/mae hi'n adrodd; bydd ef yn adrodd/bydd hi'n adrodd

Edwardaidd *ans* *hanesyddol* yn perthyn i oes y Brenin Edward VII, nodweddiadol o'r oes honno (sef difrawder cyfnod eithaf moethus a chwalwyd gan y Rhyfel Mawr 1914–18) Edwardian

edwino *be* [edwin•¹]

1 dirywio, gwanhau, gwywo, *Mae poblogrwydd y blaid wedi edwino ers yr etholiad diwethaf.* to decline, to wither, to languish

2 MEDDYGAETH (am organau'r corff) crebachu o ran maint, yn aml oherwydd y broses o heneiddio to atrophy

edwyn *bf* [adnabod] *hynafol* mae ef yn adnabod/ mae hi'n adnabod; adwaen

edwythiad *eg*
  1 RHESYMEG y broses o edwytho eduction
  2 (mewn injan ager neu beiriant tanio mewnol) y strôc sy'n dihysbyddu'r ager neu'r nwyon llosg eduction

edwytho *be* [edwyth•¹] tynnu allan neu ddatblygu'r hyn sy'n gudd neu sydd â photensial (~ *rhywbeth* o) to educe

eddi¹ *ell* blaen neu bennau edafedd, godre addurniadol o edafedd; rhidens fringe, thrums

eddi² *eg* (eddïau) FFISEG y bandiau golau a thywyll sy'n ganlyniad i ddiffreithiant neu ymyriant golau fringe

eddyf *bf* [addef] mae ef yn addef/mae hi'n addef; bydd ef yn addef/bydd hi'n addef

e-ddysgu *eg* dysgu drwy ddefnyddio dulliau o rwydweithio cyfrifiadurol e-learning

e.e. *byrfodd* er enghraifft e.g.

ef¹:fe¹:e:fo:o³ *rhagenw annibynnol syml* yr un gwrywaidd (gŵr, bachgen, etc.) neu rywbeth gwrywaidd yr ydych chi neu rywun arall yn cyfeirio ato; trydydd person unigol gwrywaidd, fe'i defnyddir fel dibeniad i'r goddrych, *Fe yw'r capten.*; efe he, him, it

ef²:fe:e:fo:o³ *rhagenw dibynnol ategol syml* e.e. *Ei lyfr e yw hwn. Amdano ef yr oedd yr heddlu'n chwilio.*

efail gw. gefail

efallai *adf* gall fod (neu beidio), o bosibl; dichon, hwyrach maybe, perhaps, possibly
  Sylwch: mae'n achosi i 'bod' dreiglo'n feddal, os yw'n cyflwyno cymal enwol, *efallai fod popeth yn iawn.*

e-fasnach *eb* trafodion masnachol a gyflawnir drwy ddulliau electronig yn defnyddio'r Rhyngrwyd e-commerce

efe¹:efô *rhagenw annibynnol dwbl* ffurf ddwbl ar y rhagenw 'ef' sy'n pwysleisio ef (a neb arall); ef ei hun, y fe, y fo he himself, it itself

efe² *geiryn gofynnol tafodieithol, yn y De* ffurf lafar yn cyfateb i 'ai', e.e. *Efe ti weles i neithiwr?*

efengyl *eb* (efengylau)
  1 CREFYDD y newyddion da am deyrnas Dduw a bregethwyd gan Iesu Grist a'r Apostolion Gospel
  2 y gwirionedd, *Mae'r stori amdano yn efengyl, wir iti.* gospel truth
  Efengyl CREFYDD un o'r pedwar fersiwn o fywyd Crist gan Mathew, Marc, Luc ac Ioan yn y Testament Newydd Gospel

efengylaidd *ans* CREFYDD yn perthyn i fudiad Protestannaidd sy'n gosod pwyslais arbennig ar y Beibl ac ar adnabyddiaeth bersonol o Iesu Grist fel Gwaredwr evangelical

efengylu *be* [efengyl•¹] pregethu'r Efengyl; cenhadu to evangelize, to preach

efengylwr:efengylydd *eg* (efengylwyr)
  1 CREFYDD un o bedwar awdur yr Efengylau (Mathew, Marc, Luc ac Ioan) evangelist
  2 CREFYDD un sy'n bleidiol i'r mudiad efengylaidd evangelical
  3 CREFYDD pregethwr teithiol, cenhadwr Cristnogol; cennad evangelist

efeilliaid gw. gefeilliaid

efelychiad *eg* (efelychiadau) rhywbeth sydd wedi'i lunio ar ffurf a llun rhywbeth arall; copi, dynwarediad imitation, simulation

efelychol *ans* yn efelychu; dynwaredol imitative

efelychu *be* [efelych•¹] llunio ar lun a phatrwm rhywbeth arall; copïo, dilyn, dynwared to imitate, to emulate

efelychwr *eg* (efelychwyr) rhywun sy'n efelychu, sy'n dynwared imitator

efelychydd *eg* (efelychwyr) dyfais sy'n efelychu neu'n dynwared gwahanol sefyllfaoedd neu'r mecanweithiau y mae angen eu rheoli i weithredu system, er mwyn hyfforddi gweithwyr neu er mwyn cynnal ymchwil simulator

efell gw. gefell

eferwad *eg* CEMEG y weithred o fyrlymu effervescence

eferwi *be* [eferw•¹] CEMEG (am hylif) yn byrlymu ac yn ewynnu wrth i nwy gael ei ollwng to effervesce

eferwol *ans* CEMEG yn byrlymu, yn ewynnu effervescent

efo *ardd tafodieithol, yn y Gogledd* ynghyd â, gyda, â together with, with
  Sylwch: nid yw'n achosi treiglad.

efô *tafodieithol, yn y Gogledd* efe

efoliwt *eg* (efoliwtiau) MATHEMATEG locws creiddiau crymedd pwyntiau ar gromlin evolute

efrau *ell* lluosog efryn, math o chwyn sy'n tyfu yng nghanol cnydau fel ŷd; chwyn darnel, tares

efrydiau *ell*
  1 astudiaethau (yn gysylltiedig ag ysgolheictod a'r brifysgol fel arfer); myfyrdodau studies
  2 cyfansoddiadau ar gyfer ymarfer a gwella sgiliau arbennig, *efrydiau piano* studies

efrydydd *eg* (efrydwyr) *hen ffasiwn* myfyriwr sy'n astudio mewn coleg neu brifysgol; disgybl, dysgwr student

efrydd *eg* (efryddion) *hynafol* rhywun cloff, methedig lame person

efryn *eg* unigol efrau

efwr *eg* planhigyn tal â blodau gwyn o deulu'r foronen sy'n tyfu ar gloddiau a thir wast hogweed

efydd¹ *eg* METELEG metel o liw brown sy'n gymysgedd o gopr ac alcam bronze

efydd² *ans* wedi'i wneud o efydd, o liw efydd bronze

effaith *eb* (effeithiau)
1 canlyniad uniongyrchol i achos; ffrwyth effect
2 canlyniad a fynegir drwy'r teimladau neu ym meddyliau rhywun, *Cafodd ei farwolaeth effaith fawr arni.*; argraff, marc, ôl effect
effaith Doppler FFISEG effaith a geir pan fydd ffynhonnell tonfeddi yn symud tuag at sylwebydd neu oddi wrtho, gan achosi newid ymddangosiadol yn amledd y tonfeddi (sain, golau, etc.) Doppler effect
effaith tŷ gwydr y ffordd y mae gwres yr Haul yn cael ei gaethiwo yn atmosffer y Ddaear oherwydd fod presenoldeb nwyon tŷ gwydr, megis carbon deuocsid yn bennaf, yn caniatáu i belydriad tonfedd fer yr Haul gyrraedd wyneb y Ddaear ond yn rhwystro cyfran o'r pelydriad tonfedd hir, a ryddheir o wyneb y blaned, rhag dianc i'r gofod greenhouse effect
effeithio *be* [effeithi•²]
1 achosi canlyniad neu newid, cael effaith (~ **ar** *rywun/rywbeth*) to effect, to have an effect
2 achosi newid mewn teimladau; dylanwadu to affect
effeithiol *ans*
1 yn cyflawni'r amcan, yn creu'r effaith angenrheidiol, yn dwyn ffrwyth effective
2 yn gweithredu'n llyfn heb wastraff; effeithlon efficient
effeithiolrwydd *eg* y graddau y mae rhywun neu rywbeth yn llwyddo i gyflawni amcanion neu ddwyn ffrwyth; deheurwydd, medrusrwydd effectiveness, efficacy
effeithlon *ans* yn sicrhau y cynnyrch uchaf posibl neu'r budd gorau posibl o'r adnoddau hynny sydd ar gael i'w defnyddio; yn gweithredu'n llyfn, heb unrhyw wastraff efficient
effeithlonrwydd *eg* y graddau y mae rhywun neu rywbeth yn effeithlon, yn gweithredu heb wastraff na straen; deheurwydd, medrusrwydd efficiency
effeithydd *eg* (effeithyddion) BIOLEG organ neu gell sy'n gweithredu mewn ymateb i ysgogiadau nerfol, e.e. cyhyr yn cyfangu neu chwarren yn secretu effector
effemera *ell* pethau byrhoedlog, gan gynnwys ysgrifau byrhoedlog eu hapêl (yn hytrach na llyfrau neu ddogfennau o bwys) ephemera
effemeris *eg* (effemerisau) SERYDDIAETH tabl yn dangos lle y bydd cyrff wybrennol ar adegau penodol; almanac seryddol ephemeris
efferol *ans*
1 echddygol; yn ymwneud â'r cyhyrau neu symudiad y cyhyrau efferent, motor
2 echddygol; am nerf sy'n trosglwyddo negeseuon o'r brif system nerfol i gyhyryn neu chwarren er mwyn ysgogi ymateb ffisiolegol, e.e. cyfangu neu secretu motor, efferent
effro *ans*
1 heb gysgu, ar ddihun awake
2 nad yw'n rhwydd ei dwyllo, bywiog ei feddwl; craff, gochelgar, gwyliadwrus alert, active, vigilant
effros *eg* planhigyn bach â blodau gwyn neu borffor a fyddai'n cael eu defnyddio at anhwylderau'r llygaid eyebright
eg *byrfodd* enw gwrywaidd, gw. enw
egalitaraidd *ans* yn credu mewn egalitariaeth, nodweddiadol o egalitariaeth egalitarian
egalitariaeth *eb* y gred y dylai pob un gael ei drin ar sail cydraddoldeb gwleidyddol, cymdeithasol ac economaidd egalitarianism
egb *byrfodd* GRAMADEG gair sy'n gallu bod yn wrywaidd neu'n fenywaidd, ond sy'n fwy tebygol o fod yn wrywaidd (cymharer *ebg*)
Sylwch: ystyr hyn yw fod y gair yn wrywaidd mewn rhannau o Gymru ac yn fenywaidd mewn mannau eraill; nid yw'n golygu y gellir newid cenedl yn fympwyol.
eger¹ ffurf lafar ar egr
eger² *eg* (egerau) ton uchel o ddŵr sy'n symud yn groes i lif afon, a achosir gan lanw'r môr yn llifo i fyny moryd fas a nodweddir gan amrediad llanw mawr, e.e. eger Hafren bore
e-gerdyn *eg* (e-gardiau) cyfarchiad ar ffurf cerdyn addurnedig a anfonir drwy ddefnyddio dulliau o rwydweithio cyfrifiadurol e-card
egin *ell*
1 lluosog **eginyn**; blaenffrwyth, blagur, impiau
2 rhan gyntaf geiriau fel *egin-fardd*, *eginbregethwr*, am rywun dibrofiad sydd newydd ddechrau ar y gwaith
egin grawn ŷd neu lafur ifanc blades of corn
eginblanhigyn *eg* (eginblanhigion)
1 planhigyn wedi'i dyfu o hedyn seedling
2 planhigyn o feithrinfa neu blanhigfa cyn iddo gael ei drawsblannu seedling
eginbregethwr *eg* (eginbregethwyr) pregethwr dibrofiad ar gychwyn ei weinidogaeth
egin-fardd *eg* (egin-feirdd) bardd dibrofiad yn cychwyn ar feistroli ei grefft
eginiad:eginhad *eg* (eginiadau) y broses o egino sprouting, germination
egino *be* [egin•¹]
1 dechrau tyfu, torri drwy blisgyn yr had; blaendarddu, blaguro, glasu, impio to bud, to sprout, to germinate
2 *ffigurol* dechrau tyfu neu ddatblygu to emerge
eginyn *eg* (egin) tyfiant newydd ar blanhigyn; blaguryn, impyn bud, shoot, sprout
Sylwch: gw. hefyd **egin**.
eglur *ans* [eglur•] hawdd ei weld neu ei ddeall; amlwg, clir, plaen, tryloyw clear, distinct, plain

eglurder:eglurdeb *eg* y cyflwr o fod yn eglur, yr ansawdd o fod yn glir; croywder clarity, clearness

eglureb *eb* (eglurebau:eglurebion) darlun neu enghraifft mewn geiriau i egluro rhywbeth; dameg, eglurhad, esboniad explanation, illustration

eglurhad *eg* (eglurhadau) rhywbeth sy'n egluro; ateb, diffiniad, eglureb, esboniad explanation

eglurhaol *ans* yn egluro; enghreifftiol, esboniadol explanatory

egluro *be* [eglur•¹] gwneud (rhywbeth) yn hawdd ei ddeall, gwneud yn glir; dangos, dehongli, diffinio, esbonio (~ *rhywbeth i rywun*) to explain, to clarify, to enlighten

eglwys *eb* (eglwysi)
1 adeilad i gynnal gwasanaethau Cristnogol cyhoeddus ynddo church
2 addoldy Eglwyswyr (sydd fel arfer yn gysylltiedig â phlwyf) o'i gyferbynnu â chapel yr Anghydffurfwyr; llan church
3 grym crefydd (o'i gyferbynnu â grym y wladwriaeth) the Church
4 Cristnogion ym mhob man wedi'u hystyried yn un corff the Church
Sylwch: yr hen drefn oedd bod enwau'n dilyn enw benywaidd mewn perthynas enidol, yn treiglo'n feddal ond nid dyma'r drefn heddiw. Dilyn yr hen drefn y mae *Eglwys Rufain* ac *Eglwys Loegr.*

eglwys gadeiriol prif eglwys esgobaeth, yr eglwys lle y cewch gadair neu orsedd yr esgob sy'n gyfrifol am eglwysi'r rhan honno o'r wlad; yng Nghymru mae eglwysi cadeiriol gan yr Eglwys ym Mangor, Llanelwy, Tyddewi, Aberhonddu, Llandaf a Chasnewydd, a chan yr Eglwys Gatholig Rufeinig yng Nghaerdydd, Abertawe a Wrecsam; cadeirlan cathedral

Eglwys Gatholig Rufeinig sef yr Eglwys Gatholig Rufeinig, y gangen fwyaf o'r Eglwys Gristnogol; mae'r Pab yn ben arni Roman Catholic Church

Eglwys Loegr CREFYDD eglwys swyddogol y wladwriaeth yn Lloegr sydd wedi'i sefydlu'n gyfreithiol â Brenin neu Frenhines Lloegr yn bennaeth arni the Church of England

Eglwys Rufain CREFYDD yr hen enw ar yr Eglwys Gatholig Rufeinig the Roman Catholic Church

eglwys wladol CREFYDD *hanesyddol* eglwys a sefydlwyd gan y Wladwriaeth ac a oedd yn cael ei rheoli ganddi; fe'i cyferbynnir â'r eglwysi ymneilltuol

Eglwys yr Alban CREFYDD yr Eglwys Bresbyteraidd yw eglwys swyddogol yr Alban the Church of Scotland

yr Eglwys Fore CREFYDD y grwpiau cyntaf o Gristnogion a ddaeth ynghyd yn dilyn marwolaeth Iesu Grist yr adroddir peth o'u hanes yn llyfrau olaf y Beibl the Early Church

yr Eglwys Uniongred CREFYDD un o nifer o eglwysi yn enwedig yng ngwledydd y dwyrain, e.e. Eglwys Uniongred Gwlad Groeg a Rwsia the Orthodox Church

yr Eglwys yng Nghymru CREFYDD datgysylltwyd yr Eglwys yng Nghymru oddi wrth Eglwys Loegr drwy ddeddf a basiwyd yn 1919 ac a ddaeth i rym ym mis Mehefin 1920 the Church in Wales

eglwyseg:eglwysoleg *eb*
1 astudiaeth o bensaernïaeth ac addurniadau eglwysig ecclesiology
2 CREFYDD astudiaeth o ddiwinyddiaeth, athroniaeth, etc. eglwysi ecclesiology

eglwysig *ans* yn perthyn i eglwys, nodweddiadol o eglwys ecclesiastical

eglwysoleg gw. eglwyseg

eglwyswr *eg* (eglwyswyr) un sy'n mynychu gwasanaethau'r eglwys (o'i gyferbynnu â chapelwr) churchgoer

eglwyswraig:eglwysreg *eb* merch neu wraig sy'n mynychu gwasanaethau'r eglwys churchgoer (female)

eglwysyddiaeth *eb* CREFYDD ymlyniad gormodol at ddulliau ac arferion eglwysig ecclesiasticism

egni *eg* (egnïon)
1 y grym, nerth, ymdrech, ymroddiad, etc. a ddefnyddir wrth weithio, *bwrw ati â'i holl egni* energy, might
2 (am bobl) y cyflwr o fod yn llawn bywyd ac ynni, *Mae gan bobl ifanc lawer mwy o egni na hen bobl.*; afiaith, asbri, bywiogrwydd, nwyf energy
3 FFISEG y gallu i wneud gwaith, *Mae gwres yn un ffurf ar egni, ac egni trydanol ac egni niwclear yn ffurfiau eraill.*; ynni energy
Sylwch: yn dechnegol 'egni' yw'r term a ddefnyddir ac eithrio yn achos 'niwclear' lle mai 'egni niwclear' ac 'ynni niwclear' yn cael eu defnyddio.

egni actifadu CEMEG yr egni lleiaf sydd ei angen er mwyn i adwaith cemegol ddigwydd activation energy

egni daduno bond CEMEG yr egni sydd ei angen i dorri bond cemegol mewn cyfansoddyn bond dissociation energy

egni dellt mesur o sefydlogrwydd dellt mewn crisial lattice energy

egni ïoneiddiad CEMEG yr egni lleiaf sydd ei angen i dynnu ymaith electron o atom neu foleciwl ionization energy

egnïeg *eb*
1 cangen o fecaneg sy'n trafod egni a'i drawsffurfiadau energetics
2 cyfanswm yr egni a ddefnyddir neu

a drawsffurfir mewn system, e.e. adwaith cemegol; cymuned ecolegol, etc. energetics

egnïol *ans*
1 llawn egni, llawn ynni; bywiog, lysti, nerthol, ymdrechgar energetic, strenuous, vigorous
2 FFISEG yn perthyn i egni, nodweddiadol o egni energetic

egnioledig *ans* FFISEG wedi'i egnioli energized

egnioli *be* [egniol•¹] FFISEG cyflenwi egni, yn enwedig egni cinetig neu egni trydanol, i (rywbeth) to energize

ego *eg* SEICOLEG yr 'hunan' sy'n rheoli personoliaeth ac yn gwneud penderfyniadau ynglŷn â phleserau'r id ac egwyddorion yr uwch-ego ego

egoistaidd *ans* am rywun sy'n siarad neu'n ysgrifennu amdano neu amdani ei hun yn ormodol, yn gorddefnyddio *fi* a *fy*; myfïol, hunanbwysig egoistic, egotistic

egoistiaeth *eb* athrawiaeth sy'n honni mai lles yr unigolyn sy'n symbylu pob gweithred gan unigolyn a dyma, yn wir, amcan gorau unrhyw weithred ymwybodol egoism

egosentrig *ans*
1 yn deillio o fodolaeth neu bersbectif yr unigolyn ei hunan egocentric
2 am rywun nad yw'n poeni am neb na dim ond ei hun; myfïol, hunanol egocentric

egr *ans* [egr•]
1 chwyrn, diamynedd, ffyrnig harsh
2 beiddgar, digywilydd, eofn, haerllug cheeky, forward, impudent
3 (am y tywydd) caled, gerwin, gwyntog, stormus rough, stormy
4 â blas neu aroglau sy'n brathu; chwerw, siarp, sur pungent, sour, tart

egroes *ell* lluosog egroesen neu egroesyn, yr aeron coch sy'n ffrwyth y rhosyn gwyllt; ogfaen hips

egroesen *eb* unigol egroes hip

egroesyn *eg* unigol egroes hip

egrwch *eg* y cyflwr neu'r ansawdd o fod yn egr; chwerwder, llymder, surni acerbity, sharpness

egwan *ans* heb nerth, heb egni; eiddil, gwan, llesg, llipa feeble, infirm, puny, weak

egwyd *eb* (egwydydd) y chwydd yn union uwchben y carn ar gefn coes ceffyl lle mae twffyn o flew yn tyfu; swrn pastern, fetlock

egwyddor *eb* (egwyddorion)
1 gwirionedd neu gred gyffredinol sy'n sail i weithrediadau neu ffordd o feddwl, *egwyddor rhyddid barn*; moes principle
2 *technegol* deddf naturiol neu wyddonol sy'n sail i'r ffordd y mae peiriant neu ddyfais yn gweithio, *Mae polau piniwn yn defnyddio egwyddorion ystadegaeth i ddarganfod barn trwch y boblogaeth drwy holi sampl bach iawn o bobl.*; craidd, cynsail, hanfod principle

3 gweithredoedd teilwng, anrhydeddus, *Mae'n ŵr o egwyddor.* principle
4 (yn enwedig yn y lluosog) cred mewn gwneud yr hyn sy'n iawn, *Does gan rai pobl ddim egwyddorion o gwbl; maen nhw'n barod i wneud unrhyw beth i gael rhagor o arian.* principle
5 (yn y lluosog) yr elfennau hanfodol, sylfaenol mewn maes arbennig; y pethau cyntaf y mae'n rhaid i rywun eu dysgu a'u deall rudiments
mewn egwyddor yn ddamcaniaethol, o ran syniad (o'i gyferbynnu â gweithredu) in principle

egwyddorol *ans* yn cydymffurfio neu'n dilyn egwyddorion moesol da; bucheddol, moesol, rhinweddol principled

egwyl *eb* (egwyliau:egwylion) cyfnod byr o orffwys rhwng digwyddiadau neu wersi; saib, seibiant, toriad, ysbaid break, intermission, interval

egwyriant *eg* (egwyriannau)
1 FFISEG nam mewn drych neu lens sy'n ystumio delwedd neu'n creu ymyl o liwiau oherwydd gwahaniaethau ym mhlygiant y lliwiau aberration
2 SERYDDIAETH newid bach cyfnodol yn lleoliad rhai cyrff wybrennol sy'n cael ei achosi gan gyfuniad o fuanedd golau a mudiant y sylwebydd aberration

egyr *bf* [agor] *ffurfiol* mae ef yn agor/mae hi'n agor; bydd ef yn agor/bydd hi'n agor

engan ffurf lafar ar eingion

enghraifft *eb* (enghreifftiau)
1 un peth, o blith nifer o rai tebyg, sy'n cael ei ddewis i ddarlunio neu esbonio rhywbeth sy'n gyffredin iddynt i gyd; esiampl, sampl example
2 rhywun neu rywbeth sy'n cynnig patrwm i'w efelychu model, exemplar
er enghraifft (mae'n cael ei dalfyrru yn e.e.) e.g., for example

enghreifftio *be* [enghreiffti•²] rhoi enghraifft to exemplify, to illustrate

enghreifftiol *ans*
1 yn gwasanaethu fel enghraifft; darluniadol, disgrifiadol, esboniadol illustrative
2 yn cynnig patrwm i'w efelychu, *deunyddiau enghreifftiol, gwers enghreifftiol* model

englyn *eg* (englynion) pennill byr ar fesur arbennig; englyn unodl union, pennill cynganeddol o bedair llinell sy'n odli â'i gilydd ac yn cynnwys 30 o sillafau yw'r math mwyaf cyffredin, e.e.

Hen hosan a'i choes yn eisie, – ei brig *(10)*
Heb erioed ei ddechre, *(6)*
A'i throed heb bwyth o'r ede – *(7)*
Hynny yw dim, onid e? *(7)*
– '*Dim*' gan *Gwydderig* (gw. hefyd 'esgyll', 'paladr')

englyna *be* [englyn•¹] cyfansoddi englyn neu englynion

englynol *ans* yn perthyn i englyn, nodweddiadol o englyn

englynwr *eg* (englynwyr) un sy'n cyfansoddi englynion

engyl *ell* lluosog angel

ehangach:ehangaf:ehanged *ans* [eang] mwy eang; mwyaf eang; mor eang

ehangder *eg* (eangderau) pa mor eang yw rhywle (neu rywbeth); helaethrwydd, lled, rhychwant breadth, expanse, stretch

ehangdir *eg* (eangdiroedd) cyfandir neu gorff eang o dir landmass

ehangedig *ans* (am ddefnyddiau) wedi'u helaethu; bydd y rhan fwyaf o ddefnyddiau'n ehangu wrth gael eu gwresogi expanded

ehangiad *eg* (ehangiadau) y broses o ehangu, canlyniad ehangu, e.e. y rhan o adeilad sydd wedi cael ei ehangu; estyniad extension

ehangol *ans* (am bolisi gwleidyddol neu economegol) â'r nod o achosi ehangu expansionist

ehangu *be* [ehang•¹¹] gwneud neu dyfu'n fwy eang; helaethu, lledu, ymledu (~ **ar**) to broaden, to expand

    Sylwch: ehang- a geir yn ffurfiau'r ferf ac eithrio yn y rhai sy'n cynnwys -as-, e.e. eangasom

ehangu gorwelion cael profiadau newydd neu ddysgu pethau newydd, ehangu gwybodaeth to broaden one's horizons

e-hebu:ehebu *be* [eheb•¹] cyfathrebu drwy ddefnyddio dulliau o rwydweithio cyfrifiadurol (~ â)

ehedeg *be* [ehed•¹ 3 un. pres. ehed/eheda; 2 un. gorch. ehed/eheda]

  1 hwylio drwy'r awyr ar adenydd neu â chymorth peiriant; hedfan to fly

  2 gwibio neu deithio'n gyflym drwy'r awyr to fly

  3 codi i'r awyr ar ben llinyn, *ehedeg barcud* to fly

  4 mynd heibio'n gyflym, *Mae amser yn ehedeg.* to fly

  5 (am lysiau neu blanhigion) troi'n hadau; blodeuo, hadu to run to seed

ehediad *eg* (ehediaid)

  1 *hynafol* aderyn bird

  2 y broses o ehedeg, e.e. taith mewn awyren; hediad flight

ehedlam *eg* naid neu lam hedegog flying leap

ehedog *ans*

  1 yn medru hedfan; adeiniog, asgellog, hedegog flying

  2 chwannog i hadu going to seed

ehedwr *eg* (ehedwyr) un sy'n medru ehedeg; un sy'n llywio awyren flyer

ehedydd *eg* (ehedyddion) aderyn bach brown sy'n nythu mewn cae gwair neu weundir; fe'i nodweddir gan uchder ei ehediad a'i ganu swynol lark, skylark

ehofnder:ehofndra *eg* y cyflwr o fod yn eofn; hyfdra, beiddgarwch, rhyfyg, mentrusrwydd, hefyd gormodedd o'r rhain audacity, boldness

ehud *ans* *hynafol* ffôl, byrbwyll rash

ei¹ *rhagenw dibynnol blaen*

  1 (trydydd person unigol genidol) yn eiddo iddo ef neu'n eiddo iddi hi, yn perthyn iddo ef/hi, *ei gap ef, ei chap hi, ei drwyn ef, ei thrwyn hi* her, his, its

  2 (trydydd person unigol) fe'i defnyddir i gyfleu gwrthrych ymadrodd berfol, *Rwyf am ei gweld hi nawr, ac rwyf am ei weld ef bore fory.*; ef, hi her, him, it

    Sylwch:

    1 mae 'ei' gwrywaidd yn achosi'r treiglad meddal, *ei gap ef; Rhaid ei ganmol ef.*;

    2 mae 'ei' benywaidd yn achosi'r treiglad llaes, *ei chap hi; Byddaf yn ei chyfarch hi*; a dilynir 'ei' (benywaidd) gan 'h' o flaen llafariad, *ei harian hi*;

    3 pan fydd ''i'' (ef neu hi) yn rhagenw mewnol sy'n wrthrych i'r ferf, does dim treiglad ar ôl 'i' gwrywaidd na benywaidd ond mae'r ddwy ffurf yn achosi 'h' o flaen llafariad, *Fe'i gwelais [ef] ac fe'i clywais [hi]; fe'i hachubwyd [ef] ac fe'i hachubwyd [hithau].*

    4 ynganer 'i';

    5 fel rheol, fe'i talfyrrir yn ''i'' yn dilyn *a, â, fe, gyda, tua, na, o, mo* a geiriau eraill sy'n gorffen â llafariad neu ddeusain, *ei thad a'i mam*, ac i ''w'' yn dilyn *i, Aeth i'w gragen.*

    6 ni thalfyrrir 'ei' yn ''i'' ar ôl enw neu ferfenw sy'n gorffen yn *–i, –u,* neu *–y,* na chwaith ar ôl *neu, mai* na *wedi*;

    7 mewn rhestr, mae angen ailadrodd y rhagenw, *ei mam, ei thad a'i brawd*;

    8 'ei gilydd' nid 'eu gilydd'.

ei gilydd y naill a'r llall, *Fe gerddon nhw i lawr i'r orsaf gyda'i gilydd.* each other, one another

ei hun:ei hunan yr unigolyn ei hun, ef ei hun, hi ei hun himself, herself, itself

ei² *bf* [mynd] rwyt ti'n mynd; byddi di'n mynd

eicon *eg* (eiconau)

  1 rhywun neu rywbeth sy'n cael ei fawrygu a'i foliannu icon

  2 llun neu symbol sy'n ymddangos ar sgrin cyfrifiadur yn dynodi rhaglen neu gyfleusterau sydd ar gael i ddefnyddiwr icon

  3 darlun crefyddol traddodiadol wedi'i beintio fel arfer ar sgwaryn o bren ac a ddefnyddir yn gymorth i addoli yn Eglwys Uniongred y Dwyrain icon

eiconig *ans* nodweddiadol o rywun neu rywbeth a ystyrir yn eicon iconic

e

eiconograffeg *eb*
1 cofnod darluniadol o destun neu genre arbennig iconography
2 y symbolau neu luniau traddodiadol a gysylltir â thestun, yn enwedig testun crefyddol iconography
3 CELFYDDYD y delweddau a'r symbolau a gysylltir â darn o arlunwaith neu gorff o arlunwaith iconography

eich *rhagenw dibynnol blaen*
1 (ail berson lluosog genidol, ond mae'n cael ei ddefnyddio ag ystyr unigol i ddynodi parch, neu os nad ydych yn adnabod rhywun yn dda) yn eiddo i chi, yn perthyn i chi, *eich llyfr chi* your
2 (ail berson lluosog, ond mae'n cael ei ddefnyddio ag ystyr unigol i ddynodi parch, neu os nad ydych yn adnabod rhywun yn dda) fe'i defnyddir i gyfleu gwrthrych ymadrodd berfol, *Nid wyf yn eich adnabod.*; chi you
Sylwch:
1 nid yw'n achosi 'h' o flaen llafariad;
2 fe'i dilynir yn aml gan 'chi', *Roedd eich cais chi ar y radio.*;
3 mae'n talfyrru'n ''ch' yn dilyn llafariad, *Ewch â'ch bag gyda chi.*;
4 mewn rhestr, mae angen ailadrodd y rhagenw, *eich mam, eich tad a'ch brawd.*
eich dau y ddau ohonoch both of you
eich hun chi eich hun yourself
eich hunain chi eich hunain yourselves

eid *bf* [mynd] *hynafol* gellid mynd, byddid yn mynd
Eidalaidd *ans* yn perthyn i'r Eidal, nodweddiadol o'r Eidal Italian
Eidales *eb* merch neu wraig o'r Eidal, un o dras neu genedligrwydd Eidalaidd Italian
Eidalwr *eg* (Eidalwyr) brodor o'r Eidal, un o dras neu genedligrwydd Eidalaidd Italian
eidion *eg* (eidionnau) tarw ifanc wedi'i ysbaddu; bustach, dyniawed, ych bullock
cig eidion gw. cig
eidionyn *eg* (eidionynnau) cylch trwchus o gig sy'n gymysgedd o gig eidion wedi'i falu a rhai bwydydd eraill; wedi'i goginio y mae'n aml yn cael ei fwyta mewn cwgen (rholyn bara) beefburger
eidral *eg* planhigyn isel, ymledol o deulu'r farddanhadlen sydd â blodau glas/porffor ground ivy
Eid-ul-Fitr CREFYDD (Islam) gŵyl bwysig i ddynodi diwedd
eiddew *eg* planhigyn sy'n dringo â dail bythwyrdd gloyw ac iddynt dri neu bump o bigau, mae gan rai mathau aeron cochion ac eraill aeron duon; iorwg ivy
eiddgar *ans* [eiddgar•] awyddus iawn; brwdfrydig, pybyr, selog, uchelgeisiol (~ am rywbeth) enthusiastic, ardent, zealous

eiddgarwch *eg* y cyflwr o fod yn eiddgar; angerdd, brwdfrydedd, sêl, taerineb fervour, zeal, avidity
eiddi *rhagenw meddiannol* yn eiddo iddi hi hers
eiddigedd *eg* (eiddigeddau)
1 teimlad cryf yn erbyn rhywun sydd wedi llwyddo neu sy'n berchen ar rywbeth yr hoffech chi ei gael; cenfigen envy, jealousy
2 amharodrwydd i dderbyn anffyddlondeb, parodrwydd eithafol i amddiffyn yr hyn sy'n eiddo i chi jealousy
eiddigeddu *be* [eiddigedd•¹] bod yn llawn eiddigedd tuag at rywun; cenfigennu (~ at; ~ wrth) to be jealous, to envy
eiddigeddus *ans*
1 llawn eiddigedd; cenfigennus jealous, envious
2 amharod i dderbyn cystadleuaeth neu anffyddlondeb jealous
Sylwch: yn fanwl gywir, yr ydych yn eiddigeddus (*jealous*) o'ch eiddo eich hun; yr ydych yn genfigennus (*envious*) o eiddo rhywun arall.
eiddil *ans* [eiddil•] heb fod yn gryf nac yn gadarn; brau, dinerth, gwan, llesg weak, frail, feeble
eiddilwch *eg* y cyflwr o fod yn eiddil; breuder, gwendid, llesgedd weakness, fragility, frailty
eiddo¹ *eg* yr hyn y mae rhywun yn berchen arno; cyfoeth, meddiannau possessions, property
eiddo² *rhagenw meddiannol* [eiddof fi; eiddot ti; eiddo ef; eiddi hi; eiddom ni; eiddoch chi; eiddynt hwy (eiddyn nhw)] yn perthyn i, pia, '*eiddynt hwy yw teyrnas nefoedd.*'
Sylwch: ni ddefnyddir ffurfiau rhediadol 'eiddo' ond mewn iaith ysgrifenedig dra ffurfiol, e.e. ar ddiwedd llythyr, *Yr eiddoch yn gywir.*
Eifftaidd *ans* yn perthyn i'r Aifft, nodweddiadol o'r Aifft Egyptian
Eifftes *eb* merch neu wraig o'r Aifft Egyptian (female)
Eifftiad:Eifftiwr *eg* (Eifftiaid:Eifftwyr) brodor o'r Aifft neu o dras Eifftaidd Egyptian
Eifftoleg *eb* astudiaeth o hynafiaethau'r Aifft Egyptology
Eifftolegydd *eg* (Eifftolegwyr) arbenigwr mewn Eifftoleg Egyptologist
eigion *eg* (eigionau)
1 dyfnder y môr; dyfnderoedd y Ddaear; cefnfor, dyfnfor, gweilgi depths, ocean, the deep
2 *ffigurol* gwaelod, dyfnder, *teimlo rhywbeth o eigion calon* bottom, depths
eigioneg *eb* astudiaeth wyddonol o'r cefnforoedd, eu tarddiad, eu cyfansoddiad, eu hanes a'u hecoleg oceanography
eigionegydd *eg* (eigionegwyr) gwyddonydd sy'n arbenigo mewn eigioneg oceanographer

eigionol *ans*
   1 yn perthyn i'r eigion pelagic
   2 BIOLEG (am bysgod) yn byw neu'n digwydd
   (heb fod yn ddwfn iawn) yn y môr agored;
   (am adar) yn trigo yn y môr agored ond yn
   dychwelyd i'r lan i fridio pelagic

eingion:einion *eb* (eingionau) darn trwm o ddur
   sy'n cael ei ddefnyddio gan y gof i guro metelau
   gwynias arno; engan anvil

Eingl *ell hanesyddol* llwyth Almaenaidd a ddaeth
   i Ynys Prydain yn y bumed ganrif OC ac a
   sefydlodd deyrnasoedd i'r Saeson yn yr hyn
   sy'n ddwyrain Lloegr heddiw Angles

Eingl-Gymreig *ans* (am lenor neu lenyddiaeth)
   yn sôn am y traddodiad a'r diwylliant Cymreig
   yn Saesneg; fel arfer ganed y llenor yng Nghymru
   neu mae ganddo gysylltiad agos â'r wlad
   Anglo-Welsh

Eingl-Norman *eg* (Eingl-Normaniaid)
   hanesyddol Norman a oedd yn byw yn Lloegr
   yn dilyn ei gorchfygiad gan y Normaniaid
   Anglo-Norman

Eingl-Sacsoniad *eg* (Eingl-Sacsoniaid) *hanesyddol*
   aelod o un o'r llwythau Germanaidd a
   orchfygodd, yn y bumed ganrif OC, y tir lle
   mae Lloegr heddiw Anglo-Saxon

eil¹ *eb* (eiliau) llwybr sy'n arwain o'r cefn i flaen
   sinema, awyren, eglwys, etc., rhwng rhesi o
   gorau neu seddau; ystlys aisle

eil² *eb* (eilion) cwt neu sièd wrth ochr tŷ, *Rho dy
   feic yn yr eil*. shed

eil- gw. ail-

eilaidd *ans*
   1 yn deillio o rywbeth sylfaenol neu
   gychwynnol, yn dilyn, llai pwysig secondary
   2 MEDDYGAETH yn cael ei achosi gan gyflwr
   neu glefyd blaenorol, yn dibynnu ar gyflwr neu
   glefyd blaenorol secondary
   3 BOTANEG yn cael ei gynhyrchu gan dwf
   meinwe meristematig mewn man arall heblaw'r
   tyfbwynt secondary

eilbeth *eg* rhywbeth nad yw o'r pwys mwyaf,
   peth eilradd

eilchwyl *adf* unwaith eto; eilwaith, eilwers, eto,
   trachefn again

eildro *eg* yr ail waith second time

eildwym *ans* wedi'i dwymo am yr ail waith
   reheated, rehashed
   Sylwch: nid yw'n cael ei gymharu.

eilddydd *eg* fel yn *bob yn eilddydd*, bob yn ail
   ddiwrnod second day

eilededd *eg* BIOLEG fel yn *eilededd cenedlaethau*,
   ymddangosiad dwy ffurf yng nghylch bywyd
   planhigyn (e.e. rhedynen), neu anifail (e.e. slefren
   fôr), lle mae un genhedlaeth yn cael ei
   chenhedlu drwy ddull rhywiol a'r genhedlaeth
   nesaf drwy ddull anrhywiol alternation

eiledol *ans* (am gerrynt trydanol) yn newid ei
   gyfeiriad yn gyson ac yn aml alternating
   ongl eiledol gw. ongl

eiledu *be* [eiled•¹] gwneud (rhywbeth) am yn ail;
   aryneilio, amyneilio (~ â) to alternate

eilfed¹ *eg* (eilfedau) CERDDORIAETH cyfwng
   rhwng un nodyn a'r nodyn nesaf ato second

eilfed² *ans* ffurf ar **ail** sy'n cael ei defnyddio
   mewn ffurfiau megis *un deg eilfed, saith deg
   eilfed*, etc. second
   Sylwch: mae'n achosi'r treiglad meddal.

eilflwydd *ans*
   1 bob dwy flynedd biennial
   2 (am blanhigion) yn tyfu am flwyddyn ac
   yn blodeuo, hadu a gwywo yn ystod yr ail
   flwyddyn biennial

eilflwyddiad *eg* (eilflwyddiaid) planhigyn
   eilflwydd biennial

eiliad *eb* (eiliadau)
   1 cyfnod o amser sy'n cyfateb i ¹⁄₆₀ o funud
   second
   2 ysbaid byr o amser; amrantiad, chwinciad
   moment, second
   3 MATHEMATEG mesur ongl cywerth ag ¹⁄₆₀
   o funud, *Mae 60 eiliad [60"] mewn munud.*
   second

eiliadur *eg* (eiliaduron) math o ddynamo sy'n
   cynhyrchu trydan eiledol alternator

eilio¹ *be* [eili•²] cefnogi cynnig ffurfiol mewn
   cyfarfod; siarad o blaid rhywbeth ar ôl rhywun
   arall; ategu, cefnogi, cymeradwyo to second,
   to support

eilio² *be* [eili•²] *hynafol* llunio (darn o
   farddoniaeth neu gân); cyfansoddi, plethu
   to compose, to fashion

eiliw *eg* llun, gwedd, lliw, golwg, '*Eiliw haul
   ar loywa heli.*' appearance

eiliwr *eg* (eilwyr) un sy'n eilio (cynnig) seconder

eilradd *ans*
   1 ail o ran safon, pwysigrwydd neu deilyngdod;
   heb fod o'r safon uchaf, o radd is; gwaelach,
   israddol, salach second-rate
   2 yn perthyn i'r ail radd o ran amser neu'r ail
   ris (o addysg), *ysgol eilradd* secondary

eilrif *eg* (eilrifau) MATHEMATEG rhif cyfan
   y mae modd ei haneru'n union, rhif cyfan
   nad yw'n odrif, *Mae 2, 4, 6, 8, 10 yn eilrifau.*
   even number

Eil-ul-Adah CREFYDD (Islam) gŵyl bwysig i
   ddynodi diwedd Hajj

eilun *eg* (eilunod)
   1 delw sy'n cael ei haddoli fel duw; cerflun idol
   2 rhywun neu rywbeth sy'n cael ei garu neu ei
   edmygu'n ormodol, *eilunod o'r byd canu pop*;
   arwr idol

eilunaddolgar *ans* yn addoli eilunod,
   yn ymwneud ag addoli eilunod idolatrous

eilunaddoli *be* [eilunaddol•¹] addoli delwau neu eilunod; yn ffigurol, parchu (rhywun neu rywbeth) yn ormodol to idolize

eilunaddoliaeth *eb* y weithred neu'r arfer o addoli eilunod; delw-addoliaeth idolatry

eilunaddolwr *eg* (eilunaddolwyr) un sy'n addoli eilunod idolator

eilwaith *adf* unwaith eto, am yr ail dro; eilchwyl, eto, trachefn again, second time

yn awr ac eilwaith yn ysbeidiol now and again, now and then

eilwers *adf* eilchwyl, eto, trachefn again, second time

bob yn eilwers bob yn ail alternately

eilydd *eg* (eilyddion)

1 un sy'n eilio (cynnig ffurfiol mewn cyfarfod) seconder

2 un (chwaraewr fel arfer) sydd wrth gefn, yn barod i gymryd lle rhywun arall reserve, substitute

eilyddio *be* [eilyddi•²] (mewn gêmau) defnyddio eilydd neu eilyddion (~ *rhywun* â) to substitute

eilliad *eg* (eilliadau) y broses o eillio, canlyniad eillio; siafiad shaving

eillio *be* [eilli•²] crafu neu dorri blew yn agos iawn at y croen; siafo, siafio (~ *rhywun/ rhywbeth* â) to shave

eilliwr *eg* (eillwyr) un sy'n eillio, sy'n siafio barber, shaver

eillt:eilltion *ell* lluosog aillt

ein *rhagenw dibynnol blaen*

1 (person cyntaf lluosog genidol) yn eiddo i ni, yn perthyn i ni, '*Ein Tad, yr hwn wyt yn y nefoedd . . .*' our

2 (person cyntaf lluosog) fe'i defnyddir i gyfleu gwrthrych ymadrodd berfol, *Mae'r prifathro am ein gweld yn ei ystafell.*; ni us
Sylwch:
1 fe'i dilynir gan 'h' o flaen llafariad, *ein hysgol ni*;
2 fe'i dilynir yn aml gan 'ni', *Sylwodd ar ein gardd ni.*;
3 fe'i talfyrrir i ''n' yn dilyn llafariad, *wedi'n gweld ni*; *colli'n gafael*;
4 mewn rhestr, mae angen ailadrodd y rhagenw, *ein mamau, ein tadau a'n brodyr.*

einioes *eb* y cyfnod o amser rhwng geni a marw rhywun; bywyd, oes life, lifetime

einion gw. eingion

einsteiniwm *eg* elfen gemegol rhif 99; metel ymbelydrol wedi'i lunio gan ddyn (Es) einsteinium

eir *bf* [mynd] *ffurfiol* gellir mynd

eira *eg*

1 dŵr neu anwedd yn yr awyr wedi rhewi'n grisialau hecsagonal ac yn disgyn ar adegau oer iawn yn orchudd gwyn dros bopeth snow

2 cwymp neu orchuddio eira snow

chwilio am eira llynedd gw. chwilio

eira mân, eira mawr (ymadrodd tywydd) plu bychain sy'n dueddol o ragflaenu storm o eira

eirafordio *be* [eirafordi•²] llithro i lawr rhiw ar fwrdd eira (dyfais yn debyg i sgi fer, lydan); eirafyrddio to snowboard, snowboarding

eirafyrddio *be* [eirafyrddi•²] llithro i lawr rhiw ar fwrdd eira (dyfais yn debyg i sgi fer, lydan); eirafordio to snowboard, snowboarding

eirch¹ *ell* lluosog arch¹

eirch² *bf* [erchi] *hynafol* mae ef yn erchi/mae hi'n erchi; bydd ef yn erchi/bydd hi'n erchi

eirchiad *eg* (eirchiaid) un sy'n deisyfu rhodd; (yn hanesyddol) bardd neu gerddor a oedd o radd gymwys i ofyn am roddion suppliant

eirias *ans* [eirias•]

1 (am fetel fel arfer) wedi'i dwymo nes ei fod yn loyw; chwilboeth, gwynias white-hot

2 (am deimladau) cryfion; angerddol, brwd, tanbaid, ymfflamychol burning, white-hot

eiriasboeth *ans* eirias, gloyw boeth white-hot

eiriasedd *eg* y cyflwr o fod yn eirias; gwyniasedd incandescence

eiriasol *ans* angerddol o frwd neu deimladol; brwd, tanbaid, ymfflamychol ardent, fervent

eiriasu *be* [eirias•¹] llosgi'n danbaid to glow, to incandesce

eirin *ell* lluosog eirinen, ffrwythau bwytadwy sydd â chroen glasddu, porffor, coch tywyll neu felyn a chnawd melys llawn sudd o gwmpas carreg yn eu canol plums

eirin duon ffrwythau porffor-ddu yn debyg i eirin bychain damsons

eirin duon bach ffrwythau bach sur y ddraenen ddu; eirin tagu, eirin perthi sloes

eirin gwlanog ffrwythau crwn â chroen gwlanog melyn, cnawd suddlon a charreg galed yn eu canol peaches

eirin gwyrdd ffrwythau gwyrdd, melys yn debyg i eirin bychain greengages

eirin Mair aeron suddlon ac yn llawn hadau â chroen melyn neu goch tryloyw, blewog gooseberries

eirin perthi eirin duon bach sloes

eirin sych eirin sydd â chrwyn du, crychlyd wedi iddynt gael eu sychu a'u cyffeithio prunes

eirin tagu eirin duon bach sloes

eirin ysgaw aeron bach du y goeden ysgaw elderberries

eirinen *eb* unigol eirin; plymsen plum

eirinllys *eg* planhigyn neu brysgwydden â blodau mawr melyn pum petal hypericum, Saint John's wort

eirio *be* [eiri•²] *tafodieithol, yn y Gogledd* gadael (e.e. dillad llaith) i sychu mewn lle cynnes neu yn yr awyr agored; caledu, crasu, tempru to air

eiriog:eiraog *ans* dan orchudd o eira; yn debyg i eira snowy

eiriol *be* [eiriol•¹] pledio dros (rywun neu rywbeth), gofyn yn daer, ceisio perswadio ar ran rhywun arall (yn enwedig yng nghyd-destun gofyn maddeuant am bechodau dros rywun arall); apelio, cyfryngu, deisyf, ymbil (~ **dros** *rywun*) to plead, to beseech, to entreat

eiriolaeth *eb* y broses o eiriol advocacy, intercession

eiriolwr *eg* (eiriolwyr)
　1 un sy'n eiriol, un sy'n dadlau dros rywun arall; cymodwr, deisyfwr, erfyniwr, ymbiliwr mediator, pleader, champion
　2 un sy'n pledio achos rhywun mewn llys barn neu dribiwnlys; adfocad advocate

eirlaw *eg* cymysgedd o law ac eira (a chenllysg) sleet

eirlin *eg* (eirlinau) uchder mewn man penodol lle mae rhywfaint o eira ar y ddaear drwy gydol y flwyddyn snow line

eirlithriad *eg* (eirlithriadau) cwymp sydyn a chyflym tunelli o eira neu gerrig i lawr llethr ardal fynyddig; afalans avalanche

eirlys *eg* (eirlysiau) blodyn bach gwyn sy'n blodeuo'n gynnar iawn yn y gwanwyn (weithiau pan fo eira ar y ddaear); lili wen fach snowdrop

eironi *eg*
　1 defnydd o eiriau lle yr ydych yn dweud un peth ond yn golygu'r gwrthwyneb, fel arfer mewn ffordd wawdlyd, e.e. pan ddywedir 'Dyna un da i siarad' am rywun hollol anaddas; coegni irony
　2 sefyllfa neu ddigwyddiad sydd â chanlyniad hollol wahanol i'r hyn y byddech chi'n ei ddisgwyl irony
　3 mewn drama, sefyllfa lle mae'r gynulleidfa yn ymwybodol o rywbeth nad yw'r cymeriadau ar y llwyfan yn gwybod amdano irony

eironig *ans* llawn eironi ironic

eirth *ell* lluosog arth

eirthio *be* [eirthi•²] *hanesyddol* gosod cŵn ar arth wedi'i chlymu wrth stanc to bear-bait

eisbilen *eb* (eisbilennau) ANATOMEG un o'r pâr o bilenni serws sy'n gorchuddio'r ysgyfaint a thu mewn y thoracs; pilen yr ysgyfaint pleura

eisbilennol *ans* ANATOMEG yn perthyn i'r eisbilennau pleural

eisglwyf *eg* pliwrisi; llid eisbilennau'r ysgyfaint a nodweddir gan boen sy'n gwaethygu wrth besychu neu wrth anadlu'n rhy ddwfn pleurisy

eisiau *eg*
　1 absenoldeb, angen, diffyg, prinder, *Bu'r blodau farw o eisiau dŵr.* lack, want
　2 y cyflwr o fod heb rywbeth, *Mae'r mwyafrif o bobloedd y byd yn byw mewn eisiau.*; tlodi mawr need, destitution

　3 y cyflwr o fod â hiraeth ar ôl rhywun, *Rwy'n gweld ei eisiau yn ystod nosweithiau hir y gaeaf.*
　Sylwch: wrth ysgrifennu Cymraeg ffurfiol dylid defnyddio 'ar' bob amser gydag 'eisiau', *mae eisiau bwyd arnaf* neu *mae arnaf eisiau bwyd*, er bod ffurfiau megis *dw i eisiau bwyd* ac *mae e eisiau mynd* yn gyffredin ar lafar.

eisiau bwyd prinder bwyd, newyn hunger

yn eisiau yn brin, ar goll wanted, missing

eisin¹ *ell*
　1 ffurf luosog eisinyn, plisg allanol, caled, grawn ŷd y mae gofyn cael gwared arnynt cyn malu'r ŷd yn flawd; cibau, rhuddion chaff, husks
　2 croen mewnol gwenith, haidd neu geirch, wedi'u gwahanu oddi wrth y grawn a'i falu'n flawd bras; bran bran

eisin² *eg* cymysgedd o siwgr a gwynnwy neu hylif, sy'n caledu'n haen wen, felys a ddefnyddir i orchuddio teisennau icing

eisinglas *eg* math o gelatin pur iawn sy'n cael ei baratoi o chwysigod aer rhai mathau o bysgod dŵr croyw ac a ddefnyddir mewn jeli, glud ac i gyffeithio wyau isinglass

eisinyn *eg* unigol eisin¹ husk

eisio *be* [eisi•²] taenu eisin ar deisen to ice

eisoes *adf* yn barod, cyn hyn already

eistedd¹ *be* [eistedd•¹ *3 un. pres.* eistedd/eistedda; *2 un. gorch.* eistedd/eistedda]
　1 gosod neu eisoes bod â phen ôl ar y llawr neu mewn sedd a'r cefn i fyny; cymryd sedd (~ **ar** *rywbeth*; ~ **wrth** *rywbeth*) to sit
　2 (am anifail) pwyso pen ôl y corff ar y llawr to sit
　3 (am gorff cyhoeddus) cynnal un neu ragor o gyfarfodydd, *Bydd y llys yn eistedd drwy'r dydd yfory.* to sit
　4 (am aderyn) eistedd ar wyau nes eu bod yn deor; gori to sit
　5 (am ddarn o ddillad) gorwedd yn esmwyth, *Nid yw coler y got yma'n eistedd yn iawn.* to lie, to sit
　6 (am neuadd neu adeilad) bod â lle i ddal hyn a hyn o bobl, *Mae'r capel yn gallu eistedd cynulleidfa o 250.* to seat
　7 cael eich llun wedi'i dynnu gan arlunydd to sit
　8 bod yn aelod o fwrdd, pwyllgor, etc., *Mae'n eistedd ar sawl bwrdd rheoli.* to sit

eistedd² *eg* y weithred o fod yn eistedd fel yn *ar ei eistedd* sitting

eisteddfa *eb* (eisteddfeydd)
　1 cynulliad penodol o grŵp arbennig; cyfarfod sitting
　2 adeilad sy'n cynnwys rhesi o seddau ar gyfer gwylio gêmau; eisteddle stand, grandstand

eisteddfod *eb* (eisteddfodau) cyfarfod neu gyfres o gyfarfodydd lle y cynhelir cystadlaethau ac y cynigir, weithiau, wobrau ariannol i enillwyr am ganu, adrodd, barddoni, cyfansoddi, ysgrifennu, dawnsio, gwaith llaw a chelfyddyd

Eisteddfod Genedlaethol Cymru gŵyl fawr sy'n cael ei chynnal yn flynyddol ar ddechrau mis Awst am yn ail yn y De a'r Gogledd; mae seremonïau y Gadair, y Goron a'r Fedal Ryddiaith sy'n cael eu trefnu gan Orsedd y Beirdd yn dri o'i huchafbwyntiau the National Eisteddfod of Wales

Eisteddfod Gydwladol Llangollen er 1947 y mae tref Llangollen wedi denu cantorion a dawnswyr gwerin o bedwar ban byd i gystadlu mewn eisteddfod gerddorol ryngwladol Llangollen International Eisteddfod

eisteddfodol *ans* yn ymwneud ag eisteddfod, nodweddiadol o eisteddfod

eisteddfodreg:eisteddfodwraig *eb* merch neu wraig sy'n mynychu eisteddfod

eisteddfodwr *eg* (eisteddfodwyr) mynychwr (brwd) eisteddfodau

eisteddfota *be* cystadlu mewn eisteddfodau; mynychu eisteddfodau

Sylwch: nid yw'r ferf hon yn cael ei rhedeg.

eisteddiad *eg* (eisteddiadau)
1 cyfnod o amser sy'n cael ei dreulio yn eistedd (ar gadair) sitting
2 sesiwn cyfarfod swyddogol o gorff neu sefydliad sitting
3 darpariaeth o bryd o fwyd i nifer o bobl ar yr un pryd sitting

eisteddle *eg* (eisteddleoedd) man eistedd, yn enwedig lle i dyrfa eistedd i wylio gêmau fel criced neu bêl-droed; eisteddfa, sedd stand, grandstand

eisteddog:eisteddol *ans* yn eistedd, e.e. am gerflun neu am natur gwaith rhywun sedentary

eitem *eb* (eitemau)
1 un o nifer o bethau mewn rhestr; gwrthrych, mater, pwnc, pwynt item
2 un o'r cyfraniadau neu berfformiadau ar raglen cyngerdd; darn item
3 darn o newyddion neu erthygl mewn papur neu gylchgrawn; hanesyn, stori item

eithaf¹ *ans*
1 (yn dilyn yr hyn a oleddfir) pellaf o'r canol, sydd naill ai ar y dechrau'n deg neu ar y diwedd yn deg, *Pen eithaf y maes.* extreme, utmost
2 (yn dilyn yr hyn a oleddfir) mwyaf posibl, yr uchaf neu'r pennaf o ran gradd neu fesur, *Yr ymroddiad eithaf.* highest, supreme, ultimate
3 (yn dilyn yr hyn a oleddfir) terfynol, olaf, e.e. y gosb eithaf, sef dienyddio ultimate

4 GRAMADEG (am ansoddair neu adferf) yn dynodi gradd uchaf ansawdd, e.e. 'gorau' yw gradd eithaf 'da' a 'tawelaf' yw gradd eithaf 'tawel' superlative
5 (o flaen yr hyn a oleddfir) iawn, eithriadol, *eithaf gwir* quite, fair
6 (o flaen yr hyn a oleddfir) heb fod yn ddrwg, *Sut beth oedd y ffilm? O, roedd yn eithaf da.*; cymedrol, gweddol, purion quite
Sylwch: nid yw'n achosi'r treiglad meddal; nid yw'n cael ei gymharu.

eithaf gwaith â fo *tafodieithol, yn y Gogledd* dyna beth mae'n ei haeddu serves him right

eithaf gwir perffaith wir quite right

eithaf peth peth dymunol iawn just the thing

eithaf² *eg* (eithafoedd:eithafion) terfyn neu ffin bellaf; y pwynt uchaf neu isaf extreme, extremity, limit

eithafoedd y Ddaear pen draw'r byd the ends of the Earth

eithafbwynt *eg* (eithafbwyntiau) y man pellaf (o'r canol), terfyn eithaf extremity

eithafiaeth *eb* y cyflwr o fod yn eithafol, yn enwedig arddeliad daliadau gwleidyddol eithafol extremism

eithafion *ell* y mannau eithaf

eithafol *ans* yn mynd y tu hwnt i'r hyn sy'n cael ei ystyried yn dderbyniol, dros ben llestri; anghymedrol, gormodol excessive, extreme, fanatical

eithafwr *eg* (eithafwyr) un sy'n mynd i eithafion; ffanatig, penboethyn extremist, fanatic

eithafwraig *eb* merch neu wraig sy'n mynd i eithafion

eithin *ell* llwyni bythwyrdd, trwchus a chanddynt ganghennau pigog a blodau melyn llachar gorse, furze, whin

eithinen *eb* unigol eithin

eithinog *ans* wedi'i orchuddio ag eithin; yn debyg i eithin, pigog prickly, furzy

eithr *cysylltair hen ffasiwn* ond but, save that

eithriad *eb* (eithriadau) un sy'n cael ei adael allan, un gwahanol exception

eithriadol *ans* anghyffredin (o dda neu wael, etc.), *Mae'n sych eithriadol.* exceptional, extraordinary, outstanding

eithriadol o fe'i defnyddir i ddwysáu ystyr ansoddair, *Mae'n eithriadol o wlyb.*

eithrio *be* [eithri•²] cyfrif yn eithriad, gadael allan, peidio â chyfrif; hepgor, gwrthod (~ *rhywun/rhywbeth* o) to exclude, to exempt, to except, to opt out
Sylwch: 'ag eithrio' yw'r ynganiad ond *ac eithrio* yw'r sillafiad cywir.

eithrio cymdeithasol cadw allan o hawliau a breintiau trefn gymdeithasol y dydd, yn aml o ganlyniad i dlodi neu aelodaeth o grŵp cymdeithasol lleiafrifol social exclusion *Ymadrodd*

ac eithrio ar wahân, *Mae pawb yn dod ac eithrio'r bobl drws nesaf.* except, excluding

êl *bf* [**mynd**] *ffurfiol* ('pan' neu 'pe') byddo ef yn mynd/byddo hi'n mynd

elain *eb* (elanedd) carw ifanc fawn

elastig[1] *eg* defnydd naturiol neu synthetig sy'n ymestyn wrth gael ei dynnu ac yna'n mynd yn ôl i'w faint gwreiddiol o'i ryddhau elastic

elastig[2] *ans* (am sylwedd) yn dychwelyd i'w ffurf wreiddiol ar ôl cael ei blygu, ei wasgu, ei ymestyn neu ei anffurfio; adlamol, hydwyth elastic

elastigedd *eg*
1 priodwedd corff sy'n caniatáu iddo adfer ei ffurf wreiddiol yn ddi-oed wedi iddo gael ei gywasgu, ei ymestyn neu ei anffurfio elasticity
2 ECONOMEG mesur o'r graddau y mae galw neu gyflenwad (am nwydd neu wasanaeth) yn sensitif i newidiadau yn ei bris neu yn incwm yr unigolyn elasticity

elastin *eg* BIOCEMEG protein ffibrog, elastig a geir ym meinwe cyswllt, muriau rhydwelïau, etc. elastin(e)

elastomer *eg* (elastomerau) CEMEG sylwedd naturiol neu synthetig ac iddo briodweddau elastig, e.e. rwber elastomer

elastomerig *ans* CEMEG â nodweddion elastomer elastomeric

elc *eg* (elciaid) anifail mawr sy'n perthyn i deulu'r carw coch ac a geir yn Ewrop, Asia a Gogledd America elk

electrocemeg *eb* gwyddor sy'n astudio'r berthynas rhwng trydan a newidiadau cemegol, e.e. mewn hydoddiant sy'n dargludo cerrynt trydanol, a'r cydgyfnewid rhwng egni trydanol ac egni cemegol electrochemistry

electrocemegol *ans* yn ymwneud ag electrocemeg, nodweddiadol o electrocemeg electrochemical

electrod *eg* (electrodau) dargludydd trydanol sy'n creu cysylltiad â rhannau anfetelaidd cylched, e.e. y naill ben neu'r llall o fatri, neu'r plât sy'n allyrru electronau mewn tiwb teledu electrode

electrofalens *eg* CEMEG priodwedd atom sy'n gallu ennill neu ollwng un neu ragor o electronau i ffurfio ïon y mae modd ei glymu wrth un arall drwy fond electrofalent electrovalency

electrofalent *ans* CEMEG yn deillio o'r atyniad rhwng ïonau positif a negatif electrovalent

electroffil *eg* CEMEG ïon neu foleciwl sy'n brin o electronau ac yn medru derbyn electronau electrophile

electroffilig *ans* CEMEG (am gyfansoddyn cemegol) yn tueddu i atynnu electronau electrophilic

electrofforesis *eg* CEMEG y broses o wahanu ac adnabod cyfansoddion drwy symudiad gronynnau mewn arsugnydd lle mae gronynnau'n cael eu gwahanu drwy rym foltedd yn llifo drwy electrodau electrophoresis

electroleiddio *be* [electroleiddi•[2]] CEMEG (am gyfansoddyn cemegol) dadelfennu drwy electrolysis to electrolyse

electrolysis *eg*
1 CEMEG y broses o gynhyrchu newidiadau cemegol drwy ollwng llif o gerrynt trydanol drwy electrolyt gan achosi i ïonau fudo at yr electrod sydd â gwefr ddirgroes, e.e. dŵr yn dadelfennu yn hydrogen ac ocsigen electrolysis
2 distrywio gwreiddiau blew, dafaden, man geni, etc. â cherrynt trydanol electrolysis

electrolyt *eg* (electrolytau) CEMEG hylif sy'n dargludo trydan drwy fudiad ïonau yn hytrach na mudiad electronau; sylwedd sy'n troi'n electrolyt ar ôl iddo gael ei electroleiddio electrolyte

electrolytig *ans* yn ymwneud ag electrolysis neu electrolyt electrolytic

electromagnet *eg* (electromagnetau) FFISEG craidd o haearn neu ddur meddal wedi'i amgylchynu gan goil gwifren, ac sy'n gweithredu fel magnet pan fydd cerrynt trydanol yn llifo drwy'r wifren electromagnet

electromagnetedd *eg* magnetedd sy'n cael ei gynhyrchu gan drydan electromagnetism

electromagneteg *eb* cangen o ffiseg sy'n astudio'r berthynas a'r adweithiau sy'n digwydd rhwng trydan a magnetedd electromagnetism

electromagnetig *ans*
1 (am donnau neu belydriad) â nodweddion trydanol a magnetig, e.e. pelydrau X, golau, tonnau radio, etc. electromagnetic
2 yn ymwneud â'r gydberthynas rhwng meysydd trydanol a meysydd magnetig electromagnetic

electromedr *eg* (electromedrau) FFISEG dyfais i fesur foltedd neu gerrynt trydanol eithriadol o fach electrometer

electromotif *gw.* grym electromotif

electron *eg* (electronau) FFISEG gronyn sylfaenol ac iddo wefr negatif; mae atomau yn cynnwys niwclews ac un neu ragor o electronau yn ei amgylchynu electron

electroneg *eb*
1 y gangen o wyddoniaeth a thechnoleg sy'n ymwneud â datblygiad, ymddygiad a chymwysiadau dyfeisiau a chylchedau electronig electronics
2 y gangen honno o ddiwydiant sy'n cynhyrchu pethau megis setiau radio, teledu, etc. electronics

electronegatif *ans*
1 FFISEG â gwefr drydanol negatif electronegative
2 FFISEG (mewn cell drydanol) yn medru gweithredu fel electrod yn rhyddhau electronau sy'n trawsnewid egni cemegol yn egni trydanol electronegative
3 CEMEG yn tueddu i ennill electronau i wneud iönau negatif electronegative

electronegatifedd *eg*
1 FFISEG y cyflwr o fod yn electronegatif electronegativity
2 CEMEG (am atom, moleciwl, etc.) tuedd i ennill neu atynnu electronau electronegativity

electronig *ans*
1 (am ddyfais) yn cynnwys neu'n defnyddio cydrannau, e.e. microsglodion a thransistorau, sy'n rheoli ac yn cyfeirio ceryntau trydan electronic
2 yn cael ei weithredu neu ei gyrchu drwy gyfrifiadur neu ddyfais electronig arall, yn enwedig dros rwydwaith, *Mae fersiwn electronig o Golwg ar gael ar y we.* electronic
3 yn ymwneud ag electronau electronic

electronol *ans* yn ymwneud ag electron neu electronau electronic

electroplatio *be* [electroplati•²] gorchuddio â haen o fetel drwy ddefnyddio electrolysis to electroplate

electropositif *ans*
1 FFISEG â gwefr drydanol bositif electropositive
2 FFISEG (mewn cell drydanol) yn medru gweithredu fel electrod yn atynnu electronau sy'n trawsnewid egni cemegol yn egni trydanol electropositive
3 CEMEG yn tueddu i golli electronau i wneud iönau positif mewn adweithiau cemegol

electropositifedd *eg*
1 FFISEG y cyflwr o fod yn electropositif electropositivity
2 CEMEG (am atom, moleciwl, etc.) tuedd i golli neu ryddhau electronau electropositivity

electrosgop *eg* (electrosgopau) FFISEG dyfais ar gyfer canfod gwefr drydanol a pha un ai gwefr bositif neu negatif ydyw electroscope

electrostateg *eb* FFISEG cangen o ffiseg sy'n astudio gwefrau statig, yn enwedig y grym atynnol rhwng gwefrau dirgroes a'r grym gwrthyrrol rhwng gwefrau unfath electrostatics

electrostatig *ans*
1 FFISEG yn cynhyrchu trydan statig electrostatic
2 FFISEG yn ymwneud ag electrostateg electrostatic

electrwm *eg* METELEG aloi naturiol sy'n gymysgedd o aur ac arian electrum

elegeiog *ans* yn mynegi tristwch am rywbeth a fu ond nad yw'n bod bellach; hiraethus, marwnadol elegiac

eleni *eb* ac *adf* y flwyddyn hon; yn ystod y flwyddyn bresennol this year

elfen *eb* (elfennau)
1 unrhyw un o dros gant o sylweddau sy'n cynnwys un math o atom yn unig; yr elfennau hyn, wedi'u cyfuno i greu cyfansoddion gwahanol, yw sylfaen mater, *Mae ocsigen a hydrogen yn elfennau ond nid elfen yw dŵr, mae hwnnw'n gyfuniad o'r ddwy.* element
2 rhan fechan o rywbeth, ond mae'n ddigon mawr i fod â dylanwad ar y cyfan, *Mae'r elfen o hiwmor yn y stori yn ei hysgafnhau.*; darn, ffactor, ychydig element, factor, ingredient
3 (yn ôl syniadau'r Oesoedd Canol) un o bedwar defnydd sylfaenol y Greadigaeth, sef daear, awyr, dŵr a thân element
4 dawn gynhenid, tuedd naturiol, *Mae ganddo elfen at y gwaith.* aptitude

elfen drosiannol CEMEG unrhyw un o'r elfennau metelaidd yng ngrwpiau 3–12 yn y tabl cyfnodol. Mae ganddynt ymdoddbwyntiau uchel ac maent yn ffurfio aloion yn hawdd transition element

elfen hybrin CEMEG elfen nad oes angen ond ychydig iawn ohoni neu elfen lle nad oes ond ychydig iawn ohoni'n bresennol trace element

elfen o wirionedd ychydig o wirionedd, heb fod yn gwbl wir an element of truth
Ymadrodd

yn fy (dy, ei, etc.) **elfen** wrth fy modd in my element

elfennaidd *ans*
1 yn elfen neu â nodweddion elfen elemental
2 yn hanfod sylwedd neu system; hanfodol, sylfaenol elemental

elfennau *ell* lluosog **elfen**
1 y pethau symlaf, y pethau cychwynnol, *elfennau gwybodaeth* rudiments
2 tywydd garw, gwynt, glaw, niwl, etc., *brwydro yn erbyn yr elfennau* elements
3 CREFYDD y bara a'r gwin sy'n cael eu rhannu mewn gwasanaeth Cymun elements

elfennol *ans* yn ymwneud â mannau cychwyn addysg neu astudio; yn ymwneud ag egwyddorion sylfaenol (testun); cychwynnol, dechreuol, hanfodol, syml elementary, rudimentary

eli *eg* (eli̇au) math o feddyginiaeth wedi'i chynnwys mewn braster i'w rhwbio ar y croen neu ar friw i leddfu poen neu i iro'r croen; balm, ennaint, iraid, olew ointment, lotion, balm

eli amser y syniad y gall amser wella pob dolur time is a great healer

eli at bob briw am rywun sydd â ffordd o gysuro unrhyw un sydd â phroblem

eli penelin gwaith caled (wrth gaboli, glanhau, etc.) elbow grease

eli'r galon rhywbeth y mae rhywun yn arbennig o hoff ohono, e.e. llyfr da, cwpanaid o de heart's delight

elicsir *eg*
1 sylwedd a fyddai, yn ôl yr alcemyddion, yn newid metel cyffredin yn aur elixir
2 sylwedd a fyddai'n gallu troi bywyd meidrol yn fywyd tragwyddol elixir

elifiant *eg*
1 y weithred o ddylifo effluence
2 sylwedd sy'n dylifo o rywbeth effluence

elifyn *eg* (elifion) gwastraff hylifol neu garthion sy'n cael eu gollwng i afon neu i'r môr effluent

eliffant *eg* (eliffantod) yr anifail mwyaf ei faint sy'n byw ar dir sych; mae ganddo drwnc hir y mae'n ei ddefnyddio i godi pethau, a dau ysgithr o ifori; mae dau fath yn y byd – eliffant Affrica yw'r mwyaf a gellir ei adnabod wrth ei glustiau sy'n llawer mwy na chlustiau eliffant India elephant

eliffantaidd *ans* tebyg i eliffant o ran maint neu symudiad; anferth, afrosgo elephantine
eliffantaidd o fe'i defnyddir i ddwysáu ystyr ansoddair, *yn eliffantaidd o fawr*

elin *eb* (elinau:elinoedd)
1 penelin; cymal canol y fraich rhwng yr arddwrn a'r ysgwydd elbow
2 rhan flaen y fraich rhwng y penelin a'r arddwrn forearm

elino *be* [elin•[1]]
1 gwthio â'r penelinoedd (~ **drwy**) to elbow
2 mynd mewn ffordd gwmpasog neu anuniongyrchol

elinog *eb* planhigyn yn perthyn i deulu'r codwarth ac iddo flodau porffor â brigerau melyn amlwg, ac aeron cochion gwenwynig bittersweet

elips *eg* (elipsau) MATHEMATEG cylch sydd wedi'i estyn i un cyfeiriad gan ffurfio siâp hirgrwn; cromlin gonig y mae ei hechreiddiad yn llai nag 1 ellipse

elipsoid *eg* (elipsoidau) MATHEMATEG siâp tri dimensiwn a ffurfir wrth estyn siâp sffêr ar hyd ei dair echelin, e.e. mae sfferoid yn fath arbennig o elipsoid ellipsoid

elipsoidol *ans* MATHEMATEG yr un siâp ag elipsoid ellipsoidal

eliptig:eliptigol *ans*
1 ar siâp elips; hirgrwn elliptic
2 (am siarad neu ysgrifennu) gorgryno, neu'n fwriadol dywyll neu amwys elliptic, elliptical

elît *eg* (elitau) grŵp bychan (academaidd, cymdeithasol neu broffesiynol) dethol ac iddo lawer mwy o awdurdod nag y byddai ei faint yn ei deilyngu; rhan fach ddethol o grŵp llawer mwy; y goreuon, goreugwyr elite, élite

elitaidd *ans* yn perthyn i grŵp elît, nodweddiadol o grŵp elît elite

elitiaeth *eb*
1 (bod o blaid) arweinyddiaeth gan grŵp bach dethol elitism
2 ymwybyddiaeth o fod yn aelod ymhlith y goreuon (yr elît) elitism

elitydd *eg* (elityddion) un sy'n credu mewn elitiaeth elitist

elor *eb* (elorau) y ffrâm a ddefnyddir i gario arch arni at lan y bedd bier

elorlen *eb* (elorlenni) gorchudd (du neu borffor fel arfer) a daenir dros arch; brethyn elor pall

elusen *eb* (elusennau)
1 y weithred o roi (arian neu angenrheidiau) i'r tlawd a'r anghenus; nawdd charity, alms
2 corff neu gymdeithas sy'n helpu'r tlawd a'r anghenus, e.e. drwy roi arian iddynt charity
3 CYFRAITH corff sy'n cyfarfod â'r gofynion cyfreithiol ac wedi'i gofrestru'n elusen, mudiad elusennol charity

elusendy *eg* (elusendai) *hanesyddol* tŷ wedi'i sefydlu a'i gynnal gan elusen lle y gall pobl oedrannus neu dlawd fyw am ddim almshouse

elusengar *ans* parod ei elusen; cymwynasgar, dyngarol, hael charitable

elusengarwch *eg* haelioni tuag at y tlodion a'r anghenus; dyngarwch, trugaredd benevolence, charity

elusennol *ans*
1 yn ymwneud â gwasanaethau'r anghenus a'r tlawd charitable
2 CYFRAITH yn cydymffurfio â'r gyfraith sy'n caniatáu i gorff gael ei gofrestru'n elusen charitable

elusennwr *eg* (elusenwyr) swyddog (yn llys brenin, esgob, etc.) sy'n gyfrifol am rannu elusennau almoner

elw *eg* (elwau) CYLLID enillion ariannol pan fydd y swm a dderbynnir am rywbeth yn fwy na'r hyn a gostiodd; budd, mantais profit, gain
Sylwch: ar y ffurf ansoddeiriol 'elwach'.

elw crynswth ECONOMEG yr elw sy'n weddill ar ôl tynnu cost cynhyrchu'r nwyddau neu'r gwasanaeth a werthwyd gross profit

elw net ECONOMEG yr elw ar ôl talu'r holl dreuliau na chawsant eu cynnwys wrth gyfrifo'r elw crynswth net profit
Ymadroddion
ar fy (dy, ei, etc.) elw yn eiddo i mi, yn perthyn i mi, *Rwy'n byw yma ar fy mhen fy hun heb ddim ar fy elw.* to my name
bod ar fy (dy, ei, etc.) elw elwa to gain, to profit

elwa *be* [elw•[1]]
1 gwneud elw o rywbeth (~ **o**) to profit
2 derbyn budd neu gymorth; manteisio to benefit, to profit

elwa ar (rywun neu rywbeth) gwneud elw ar draul (rhywun neu rywbeth), cymryd mantais

elwach *ans* ar fy (dy, ei, etc.) ennill, *Nid wyf damaid elwach ar ôl bod yn y cyfarfod.*; callach, gwell better off, wiser
   Sylwch: ffurf gymharol o'r enw 'elw'.

elwlen *eb* (elwlod)
   1 aren; un o'r ddau organ yn y ceudod abdomenol sy'n hidlo'r ysgarthion o'r gwaed; fe'u gwaredir wedyn fel troeth kidney
   2 aren dafad, ych neu fochyn a ddefnyddir fel bwyd kidney

elyrch *ell* lluosog alarch

ell *byrfodd* enw lluosog gw. **enw**

Ellmyn *ell* (hen air) Almaenwyr, Saeson Germans, the English

elltydd *ell* lluosog allt

ellyll *eg* (ellyllon) un o'r tylwyth teg; ysbryd drwg; bwgan, cythraul, drychiolaeth, rhith demon, fiend

ellylles *eb* (ellyllesau) ellyll benywaidd; gwrach, gwiddon witch, hag

ellyn *eg* (ellynnau:ellynnod) offeryn miniog i eillio blew ar groen; llafn, rasel razor

embaras *eg* cyflwr o amheuaeth, chwithdod ac ansicrwydd; annifyrrwch embarrassment, awkwardness

embargo *eg* CYFRAITH gwaharddiad swyddogol rhag cyflawni rhyw weithred, yn enwedig ynglŷn â symudiad llongau neu fasnach embargo

embeslad *eg* (embesladau) y drosedd o embeslo neu'r gwaith o embeslo embezzlement

embeslo *be* [embesl•[1]] CYFRAITH cymryd meddiant, mewn ffordd dwyllodrus, o eiddo a ymddiriedwyd i'ch gofal (~ *rhywun* o) to embezzle, embezzlement

embeslwr *eg* (embeslwyr) un sy'n embeslo neu sydd wedi embeslo embezzler

emboledd *eg* (emboleddau) MEDDYGAETH rhwystr sydyn mewn pibell waed a achosir gan embolws embolism

embolws *eg* (embolysau) MEDDYGAETH tolchen waed neu swigen aer yn y gwaed a all gael ei ddal mewn pibell waed ac atal llif y gwaed embolus

embryo *eg* (embryonau)
   1 SWOLEG babi neu gyw unrhyw greadur cyn ei eni neu cyn iddo ddeor o'r wy; am dri mis cyntaf ei ddatblygiad gelwir wy dynol wedi'i ffrwythloni yn embryo; wedi hynny, pan fydd yn dechrau edrych fel babi, fe'i gelwir yn ffoetws embryo
   2 BOTANEG y rhan o hedyn sy'n datblygu'n blanhigyn embryo

embryoleg *eb* cangen o fioleg a meddygaeth yn ymwneud ag astudio embryonau embryology

embryonig *ans*
   1 yn perthyn i embryo embryonic

2 (am syniad, system, etc.) mewn cyflwr dechreuol ond â'r potensial i'w ddatblygu embryonic

emeri *eg* mwyn tywyll, gronynnog a ddefnyddir i lifanu neu i lathru arwynebau caled a garw emery

emffysema *eg* MEDDYGAETH cyflwr meddygol lle mae alfeoli'r ysgyfaint wedi'u difrodi gan achosi anawsterau anadlu emphysema

émigré *eg* rhywun sydd wedi ymadael â'i wlad ei hun (am resymau gwleidyddol fel arfer)

éminence grise *eg* (*éminences grises*) un cudd sy'n dylanwadu ar benderfyniadau o bwys heb fod ganddo swydd o awdurdod

emosiwn *eg* (emosiynau)
   1 teimlad cryf, greddfol, *Mae cariad, casineb a galar yn emosiynau.* emotion
   2 dwyster neu gryfder teimlad, *Roedd ei araith yn llawn emosiwn.*; teimlad emotion

emosiynol *ans* yn ymwneud â'r emosiynau, llawn emosiwn; rhamantus, teimladol emotional

empathi *eg*
   1 y ddawn i rannu teimladau neu syniadau rhywun arall empathy
   2 dull o werthfawrogi darn o gelfyddyd drwy ail-greu'r cyflwr emosiynol neu'r teimladau a ysgogir gan y gwaith er mwyn ceisio ei ddeall yn well empathy

empiriaeth:empeiraeth *eb*
   1 ffordd o weithio mewn dull empirig empiricism
   2 ATHRONIAETH athrawiaeth sy'n hawlio bod pob gwybodaeth yn seiliedig ar brofiad y synhwyrau empiricism

empirig:empeirig *ans* wedi'i sylfaenu ar arsylwi neu arbrofi (yn hytrach na theori) empirical

emrallt[1] *eg* gem werthfawr o liw gwyrdd gloyw o'r mwyn beryl emerald

emrallt[2] *ans* o liw gwyrdd gloyw (yn debyg i'r em) emerald green

emwlsio:emwlseiddio *be* [emwlseiddi•[2]] troi'n emwlsiwn to emulsify

emwlsiwn *eg* (emylsiynau) CEMEG cymysgedd o ddau hylif (neu ragor) nad ydynt yn ffurfio hydoddiant; mae defnynnau o'r naill wedi'u gwasgaru'n gyson drwy'r llall i wneud hylif trwchus tebyg i hufen, e.e. mayonnaise emulsion

emwlsydd *eg* (emwlsyddion) CEMEG sylwedd sy'n gweithredu ar hylifau fel eu bod yn ffurfio emwlsiwn, e.e. lecithin a ddefnyddir yn y diwydiant bwyd i atal sawsiau neu fwydydd proses rhag gwahanu emulsifier

emyn *eg* (emynau) mawlgan i Dduw; darn o farddoniaeth grefyddol sy'n moli Duw ar ffurf penillion addas i'w canu hymn
   Sylwch: er ei fod yn enw gwrywaidd, sonnir am *emyn fawr; emyn gyntaf*, etc.

llyfr emynau casgliad enwadol neu gydenwadol o emynau hymnal

emyn-dôn *eb* (emyn-donau) tôn y mae geiriau emyn yn cael eu canu arni; gan amlaf y mae wedi'i chynganeddu ar gyfer pedwar llais hymn tune

emyniadur *eg* catalog neu lyfryddiaeth o emynau; weithiau casgliad o emynau cynulleidfaol hymnary

emynydd *eg* (emynwyr) gŵr sy'n cyfansoddi (geiriau) emynau hymn writer

emynyddes *eb* (emynyddesau) merch neu wraig sy'n cyfansoddi (geiriau) emynau hymn writer

emynyddiaeth *eb* astudiaeth o emynau a'u cyfansoddwyr hymnology

emynyddol *ans* yn ymwneud ag emyn neu emynau, o natur emyn hymnic

enaid *eg* (eneidiau)
1 rhan ysbrydol, anfarwol bod dynol soul
2 rhywun; bod dynol, person, unigolyn soul, being
dim enaid byw neb, *Welais i'r un enaid byw.* not a soul
enaid hoff, cytûn cyfaill mynwesol boon companion, soulmate
poeni fy (dy, ei, etc.) enaid (am) poeni'n fawr iawn (am)

enamel *eg* (enamelau)
1 sylwedd tebyg i wydr a ddefnyddir i addurno neu ddiogelu wyneb metel neu lestr pridd; owmal enamel
2 yr wyneb llyfn, caled sy'n gorchuddio rhan weladwy dannedd enamel

enamlo *be* [enaml•¹] gorchuddio â haen o enamel neu addurno ag enamel to enamel

enantiomorff *eg* (enantiomorffau) CEMEG pâr o gyfansoddion cemegol neu grisialog y mae eu hadeileddau moleciwlaidd yn ddrychddelwedd y naill o'r llall enantiomorph

en bloc *adf* i gyd gyda'i gilydd

en brosse *ans* (am wallt) wedi'i dorri'n fyr iawn

enbyd:enbydus *ans* [enbyt•] eithriadol o beryglus neu lym, *'Antur enbyd' oedd taith Madog ar draws y môr i America, yn ôl y bardd Ceiriog.*; argyfyngol, arswydus, dybryd, peryglus dire, perilous

enbydrwydd *eg* y cyflwr o fod yn enbyd; arswyd, dychryn, llymder, perygl seriousness, grievousness, peril

enbydu *be* [enbyd•¹] rhoi mewn perygl; peryglu to endanger

enbydus gw. enbyd

enbytach:enbytaf:enbyted *ans* [enbyd] mwy enbyd; mwyaf enbyd; mor enbyd

encil *eg* (encilion)
1 lle diogel y gellir dianc iddo neu sydd wedi'i neilltuo fel lle diogel; cuddfan, hafan, lloches, noddfa retreat

2 y broses o encilio, o dynnu'n ôl; enciliad withdrawal

caru'r encilion gw. caru

encilfa *eb* (encilfaoedd:encilfeydd) rhywle preifat, diogel; noddfa, lloches retreat

encilgar *ans* hoff o encilio, â thuedd i encilio; anymwthgar, swil unobtrusive, withdrawn

enciliad *eg* (enciliadau)
1 y weithred o encilio, o dynnu'n ôl; gwrthgiliad, ymneilltuad withdrawal, retreat, desertion
2 ECONOMEG cyfnod dros dro o ostyngiad economaidd neu grebachiad ym meysydd masnach a diwydiant recession

encilio *be* [encili•²] cilio'n ôl, tynnu'n ôl, mynd ymaith, *Ar ôl holl bwysau gwaith yr wythnos roedd yn falch o gael encilio i'r wlad dros y Sul.*; cefnu, cilio, ffoi, ymadael (~ i; ~ rhag) to retreat, to withdraw

enciliol *ans*
1 yn encilio recessive
2 BIOLEG fel yn *alel enciliol*, yn dynodi nodweddion etifeddol nad ydynt yn cael eu dangos mewn unigolyn oni bai iddo etifeddu copi o'r un alel gan y ddau riant recessive

encilwr *eg* (encilwyr) un sy'n gadael swydd neu wasanaeth heb rybudd na chaniatâd a heb unrhyw fwriad o ddychwelyd; dihangwr, gwrthgiliwr deserter

encôr *eg*
1 darn adrodd neu ddarn o gerddoriaeth a berfformir mewn ymateb i gymeradwyaeth gan gynulleidfa yn dyheu am glywed rhagor encore
2 bloedd o gymeradwyaeth 'eto!' encore

en croûte *adf ac ans* COGINIO wedi'i goginio mewn crwst

enchwythedig *ans* wedi chwyddo â nwy neu aer inflated

enchwythu *be* [enchwyth•¹] llenwi a chwyddo â nwy neu aer to inflate

endemig *ans*
1 brodorol i wlad neu bobl; nad yw wedi dod o'r tu allan endemic
2 yn gysylltiedig â thestun arbennig neu â maes o weithgareddau, yn digwydd yn rheolaidd mewn perthynas â thestun arbennig neu â maes o weithgareddau endemic
3 (am rywogaethau a chlefydau) cyfyngedig i ardal neu amgylchfyd neilltuol endemic

endid *eg* (endidau) rhywbeth â bodolaeth annibynnol, benodol entity

endif *eb* planhigyn yn perthyn i deulu llygad y dydd a chanddo ddail chwerw bwytadwy sy'n debyg i letysen endive

endocarditis *eg* MEDDYGAETH llid y bilen lyfn sy'n gorchuddio'r siambrau y tu mewn i'r galon a'i falfiau endocarditis

endocarp *eg* (endocarpau) BOTANEG haen fewnol y pericarp sy'n amgáu'r hadau mewn ffrwythau endocarp

endocrin:endocrinaidd *ans* FFISIOLEG yn dynodi chwarennau sy'n secretu hormonau yn uniongyrchol i'r gwaed endocrine

endocrinoleg *eb* FFISIOLEG cangen o ffisioleg a meddygaeth yn ymwneud â chwarennau endocrin a hormonau endocrinology

endomorff *eg* (endomorffiaid) FFISIOLEG dosbarthiad o'r corff dynol yn dynodi unigolyn â chorff trwm, crwn â thuedd i fod yn dew endomorph

endorffin *eg* (endorffinau) BIOCEMEG unrhyw un o grŵp o beptidau sydd i'w cael yn naturiol yn yr ymennydd ac sy'n cynhyrchu effaith boenleddfol endorphin

endoriad *eg* (endoriadau) y weithred o endorri, toriad i mewn i rywbeth â llafn miniog incision

endorri *be* [endorr•⁹] torri i mewn i rywbeth â llafn miniog, e.e. llawfeddyg yn torri i mewn i'r corff neu grefftwr yn torri i mewn i ddarn o bren neu garreg to incise
Sylwch: dyblwch yr 'r' ym mhob ffurf ac eithrio yn y rhai sy'n cynnwys -as-.

endosberm *eg* (endosbermau) BOTANEG y rhan o'r hedyn sy'n rhoi maeth i'r embryo wrth iddo ddatblygu endosperm

endosgop *eg* (endosgopau) MEDDYGAETH dyfais a ddefnyddir i edrych i mewn i'r corff er mwyn archwilio rhannau mewnol, e.e. y perfedd endoscope

endothermig *ans*
1 CEMEG (am adwaith neu broses) yn amsugno gwres o'r amgylchedd endothermic
2 BIOLEG (am organeb) yn cynhyrchu gwres i gynnal tymheredd ei chorff endothermic

eneidiau *ell* lluosog enaid

Eid-ul-Fitr CREFYDD (Islam) gŵyl bwysig i ddynodi diwedd Ramadan

eneiniad *eg* (eneiniadau)
1 fel yn yr ymadrodd *ag eneiniad*, sef ag arddeliad ac ysbrydoliaeth arbennig; angerdd, argyhoeddiad, sêl, taerineb inspiration
2 y broses o eneinio, canlyniad eneinio; cysegriad, iriad, ordeiniad, tywalltiad anointing

eneiniad olaf CREFYDD defod o weddïo dros rywun sydd ar fin marw a'i eneinio, yn perthyn i'r Eglwys Gatholig Rufeinig a'r Eglwys Uniongred yn bennaf extreme unction

eneiniau:eneintiau *ell* lluosog ennaint

eneiniedig *ans* ag eneiniad; ysbrydoledig inspirational

eneinio *be* [eneini•²] CREFYDD iro ag ennaint, taenu ennaint dros rywun, yn enwedig fel defod grefyddol (~ *rhywun/rhywbeth* â) to anoint

eneiniog *ans* CREFYDD am rywun sydd wedi'i eneinio yn ôl defod i fod yn frenin, esgob, etc., teitl a ddefnyddir am Grist; cysegredig, gwynfydedig, sanctaidd anointed

eneiniwr *eg* (eneinwyr) un sy'n eneinio anointer

eneintiau gw. eneiniau

enema *eg* (enemâu)
1 chwistrelliad o hylif i'r coluddyn drwy'r anws enema
2 y sylwedd a chwistrellir enema

enfant terrible *eg* (*enfants terribles*) un sy'n codi cywilydd drwy ei ymddygiad afreolus neu anghonfensiynol

enfawr *ans* mawr iawn, iawn; anferth, aruthrol, dirfawr enormous, immense, colossal

enfyn *bf* [anfon] *hynafol* mae ef yn anfon/mae hi'n anfon; bydd ef yn anfon/bydd hi'n anfon

enfys *eb* (enfysau) bwa o liwiau gwahanol sy'n ymddangos weithiau yn yr awyr, yn enwedig yn ystod cawod o law, pan fydd y gwahanol liwiau a geir yng ngolau gwyn yr Haul yn cael eu gwahanu'n fioled, indigo, glas, gwyrdd, melyn, oren a choch; bwa'r arch, bwa'r cyfamod, bwa'r Drindod, bwa'r glaw, bwa'r hin rainbow

enfys y llygad iris; y darn lliw o gwmpas cannwyll y llygad; mae'n cynnwys cylch o ffibrau cyhyrol sy'n rheoli maint cannwyll y llygad ac felly faint o olau sy'n cyrraedd y retina; glas y llygad iris

enffeodaeth *eb* hanesyddol y weithred o enffeodu, canlyniad enffeodu enfeoffment

enffeodu *be* hanesyddol (o dan y gyfundrefn ffiwdal) cael darn o dir rhydd-ddaliadol yn gyfnewid am wasanaethu arglwydd to enfeoff
Sylwch: nid yw'r ferf hon yn arfer cael ei rhedeg.

engrafiad *eg* (engrafiadau) darlun wedi'i argraffu o lun (neu destun) lle y defnyddiwyd erfyn miniog i dorri'r llun i mewn i bren, carreg neu fetel engraving

engrafu *be* [engraf•¹]
1 endorri llythrennau neu batrwm mewn darn o ddefnydd caled, e.e. metel, gwydr, etc.; ysgythru (~ *rhywbeth* ar) to engrave
2 argraffu o blât arbennig wedi'i ysgythru to engrave

engrafwr *eg* (engrafwyr) un sy'n engrafu engraver

enharmonig *ans* CERDDORIAETH am nodyn sy'n gallu cael ei ysgrifennu mewn gwahanol ffyrdd ond sy'n cael ei gynhyrchu drwy wasgu'r un nodyn ar y piano, e.e. G llonnod ac A meddalnod enharmonic

enhuddo gw. anhuddo

enigma *eb* (enigmâu) rhywun neu rywbeth anodd ei egluro neu ei ddeall; pos, dirgelwch enigma

enigmatig:enigmataidd *ans* o natur enigma; dyrys, dirgel enigmatic

enillaf *bf* [ennill] rwy'n ennill; byddaf yn ennill

enillion *ell*

  1 arian neu eiddo sydd wedi cael ei ennill; elw winnings, spoils

  2 yr incwm a enillir gan weithwyr neu gan berchnogion busnes; arian, cyflog, derbyniadau, incwm earnings

  enillion cyfalaf ECONOMEG cynnydd yng ngwerth buddsoddiadau neu asedau capital gains

enillwr:enillydd *eg* (enillwyr) un sydd wedi ennill neu sy'n debyg o ennill; buddugwr, pencampwr winner

enllib *eg* (enllibion) CYFRAITH y drosedd o enllibio rhywun libel

enllibio *be* [enllibi•²] gosod ar ffurf barhaol hanes neu adroddiad sydd yn fwriadol ac yn gelwyddog, yn pardduo cymeriad neu'n ceisio tanseilio enw da rhywun to libel

enllibiwr *eg* (enllibwyr) un sy'n enllibio libeller

enllibus *ans* yn enllibio, llawn enllib libellous, slanderous, defamatory

  enllibus o fe'i defnyddir i ddwysáu ystyr ansoddair, *yn enllibus o sarhaus*

enllyn *eg* rhywbeth blasus sy'n cael ei daenu ar dafell o fara; gair am fenyn weithiau; blaslyn relish

en masse *adf* yn un llu

ennaint *eg* (eneiniau:eneintiau) math o feddyginiaeth wedi'i chynnwys mewn braster i'w rhwbio ar y croen; balm, eli, iraid, olew ointment, cream, salve

ennill¹ *be* [ennill•¹ 3 un. pres. ennill/enilla; 2 un. gorch. ennill/enilla]

  1 bod yn gyntaf neu'n orau (mewn ras, cystadleuaeth, gornest, etc.) neu lwyddo drwy ymdrech to win

  2 perchenogi o ganlyniad i lwyddiant (mewn ras, cystadleuaeth, etc.), *Enillodd daith i ddau i'r Almaen yn y raffl.* to win

  3 cario'r dydd mewn brwydr, *Pwy enillodd y Rhyfel Byd Cyntaf?* to win, to triumph

  4 (am gloc neu watsh) cyflymu, *Mae fy watsh yn ennill pum munud bob dydd.* to gain

  5 derbyn (arian) drwy weithio, *Mae'n ennill cyflog eithaf da.* to earn

  6 cael neu sicrhau rhywbeth sydd o fantais ichi, *ennill gradd prifysgol* to gain, to obtain

  7 cynyddu mewn nerth neu brofiad; magu to gain, to acquire

  8 llwyddo i ddenu serch neu i berswadio rhywun i dderbyn cred neu safbwynt arbennig; darbwyllo, argyhoeddi, *Wedi inni ennill calonnau'r gynulleidfa, rhaid inni geisio ennill eu meddyliau yn ogystal.* to win, to gain

  ennill ar y menyn a cholli ar y caws darlun

o'r ffordd y mae manteision ac anfanteision yn cydbwyso'i gilydd mewn bywyd swings and roundabouts, what you gain on the swings you lose on the roundabouts

  ennill fy (dy, ei, etc.) mara ennill fy mywoliaeth to earn one's living

  ennill fy (dy, ei, etc.) mhlwyf gw. plwyf

  ennill fy (dy, ei, etc.) nhamaid ennill fy mywoliaeth to earn one's living

  ennill tir symud ymlaen, llwyddo'n raddol to gain ground

  ennill y dydd gw. dydd

ennill² *eg* fel yn *ar fy ennill*, budd, lles benefit, (to my) advantage

ennyd *eg* (enydau) ysbaid o amser, talm o amser instant, while

  ennyd awr ysbaid o awr

ennyn *be* [enynn•⁹ 3 un. pres. ennyn/enynna; 2 un. gorch. ennyn/enynna]

  1 cychwyn tân, rhoi ar dân; cynnau, tanio to light, to ignite, to kindle

  2 achosi (teimladau cryf), *ennyn serch, ennyn chwilfrydedd*; cyffroi, cynhyrfu, ysgogi to awaken, to evoke, to kindle

  Sylwch: ac eithrio 'ennyn ef/hi' ac 'ennyn di', nid oes angen dyblu'r 'n' ar ddechrau bôn y ferf, ond dyblwch yr 'n' ar ddiwedd y bôn ym mhob ffurf arall ac eithrio yn y rhai sy'n cynnwys -as-.

en route *adf* ar y ffordd

enrhifiad *eg* (enrhifiadau) MATHEMATEG cyfrifiad o werth penodol mynegiad mathemategol evaluation

enrhifo *be* [enrhif•¹] MATHEMATEG cyfrifo gwerth penodol mynegiad mathemategol to evaluate

  Sylwch: defnyddiwch 'enrhifo' yn y cyd-destun hwn yn hytrach na 'cloriannu' na 'gwerthuso'.

ensemble *eg* grŵp o gerddorion, dawnswyr neu actorion sy'n perfformio ar y cyd

en suite *adf* ac *ans* mewn un uned (am ystafell ymolchi ynghlwm wrth ystafell wely)

ensym *eg* (ensymau) BIOCEMEG un o nifer o broteinau sy'n cataLyddu adweithiau metabolaidd penodol heb gael eu newid eu hunain yn y broses; gall rhai ensymau weithio y tu allan i'r corff ac ar dymheredd gwahanol i'r corff, e.e. mewn prosesau diwydiannol enzyme

ensyniad *eg* (ensyniadau) awgrym anuniongyrchol, drwy gwestiwn neu weithred, fod rhywbeth o'i le neu fod rhywbeth yn bod; lledawgrym innuendo, insinuation

ensyniadol *ans* yn ensynnu; awgrymiadol, awgrymog insinuating

ensynio *be* [ensyni•⁶] awgrymu'n anuniongyrchol (rywbeth cas neu annymunol am rywun neu rywbeth fel arfer) to insinuate

entael *eg* CYFRAITH rhywbeth, e.e. stad, sydd wedi'i entaelio entail

entaelio *be* [entaeli•²] CYFRAITH rhwymo etifeddiaeth fel nad oes modd ei gwerthu neu ei chymunroddi a'i chyfyngu i gategori arbennig o etifeddion posibl to entail

entente *eb* cytundeb rhyngwladol anffurfiol, cyd-ddealltwriaeth

entente cordiale *hanesyddol* cytundeb heddychlon rhwng Prydain a Ffrainc yn 1904 neu rhwng Prydain, Ffrainc a Rwsia yn 1908

enterig *ans* MEDDYGAETH (am foddion) wedi'i lunio i fynd drwy'r stumog yn ddigyfnewid a chwalu yn y coluddion enteric

enteritis *eg* MEDDYGAETH llid y coluddion a nodweddir gan y dolur rhydd enteritis

entomoleg *eb* cangen o swoleg sy'n astudio pryfed entomology

entomolegwr:entomolegydd *eg* (entomolegwyr) gwyddonydd sy'n arbenigo mewn entomoleg entomologist

entr'acte *eg*
  1 egwyl rhwng dwy act mewn drama
  2 CERDDORIAETH darn o gerddoriaeth neu ddawns a berfformir mewn egwyl rhwng dwy act mewn drama neu opera entr'acte

entrée *eb* COGINIO yn draddodiadol, saig rhwng y cwrs pysgod a'r cwrs cig; erbyn heddiw gall olygu'r prif gwrs mewn pryd o fwyd

entrepreneur *eg* (entrepreneuriaid) un sy'n sefydlu ac yn rhedeg busnes neu fusnesau ac sy'n barod i gymryd risg ariannol gyda golwg ar wneud elw entrepreneur

entrepreneuriaeth *eb* cyfundrefn neu athroniaeth fusnes sy'n seiliedig ar weithredoedd entrepreneuriaid i greu cyfoeth entrepreneurship

entropi *eg*
  1 FFISEG mesur thermodynamig yn ymwneud â'r gyfran o egni sydd ar gael mewn system ar gyfer gwneud gwaith mecanyddol entropy
  2 FFISEG mesur o'r anhrefn a geir mewn system entropy

entrych *eg* (entrychion) uchder y nen (yn y ffurf luosog fel arfer), cromen yr wybren heavens, zenith
  codi i'r entrychion codi'n uchel iawn raise to the heavens

enthalpi *eg* (enthalpïau) FFISEG cyfanswm egni thermodynamig system sy'n cyfateb i gyfanswm ei hegni mewnol a lluoswm ei chyfaint a'i gwasgedd enthalpy

enw *eg* (enwau)
  1 y gair (neu'r geiriau) y mae rhywun neu rywbeth yn cael ei adnabod wrtho name
  2 cymeriad dyn neu'r farn gyffredinol am

unigolyn neu gwmni, etc., *Mae ganddo enw da fel crydd.* reputation
  3 GRAMADEG gair sy'n enwi rhywun, peth, ansawdd, digwyddiad, etc., ac sy'n gallu bod yn oddrych neu'n wrthrych i'r ferf; yn y Gymraeg mae pob enw unigol naill ai'n fenywaidd neu'n wrywaidd, ac yn y geiriadur hwn mae enw'n cael ei ddilyn gan *eg, eb, egb, ebg* neu *ell* noun
  Sylwch: mae 'yn enw' yn troi'n 'neno' ar lafar mewn ebychiadau neu regfeydd, e.e. *neno'r Tad.*

enw anghyfrifadwy enw haniaethol neu enw ar sylwedd neu hylif gan amlaf na ellir ei gyfrif, e.e. *bara, prydferthwch,* mae enwau cynnull yn enwau anghyfrifadwy non-count noun

enw barddol enw a ddefnyddir gan rywun pan fydd yn ysgrifennu cerdd ac sydd fel arfer yn fwy cofiadwy na'i enw iawn, *'Gwenallt' oedd enw barddol David James Jones*; ffugenw nom de plume

enw bedydd gw. bedydd

enw benywaidd enw sy'n cael ei ddilyn gan 'hon' yn Gymraeg; *eb* feminine noun

enw cyfrifadwy GRAMADEG enw y mae ganddo ffurf luosog ac y mae modd ei gyfrif, *Nid yw 'bara' yn enw cyfrifadwy.* count noun

enw cynnull enw am rywbeth na ellir ei gyfrif (sylwedd neu gasgliad aneirif, e.e. caws, llaeth, glo; nid oes gan enw cynnull ffurf luosog mewn defnydd o ddydd i ddydd mass noun

enw gwrywaidd enw sy'n cael ei ddilyn gan 'hwn' yn Gymraeg; *eg* masculine noun

enw lle enw ar leoliad daearyddol megis tref, mynydd neu lyn place name

enw lluosog enw sy'n cael ei ddilyn gan 'hyn' yn Gymraeg; *ell* plural noun

enw priod enw ar le neu unigolyn sy'n cael ei ysgrifennu gan gychwyn â phriflythyren, *Mae 'Elen' a 'Caerdydd' yn enwau priod.* proper noun

enw torfol (yn ei ffurf unigol) enw sy'n cyfeirio at gasgliad o bobl, creaduriaid neu bethau unigol, e.e. *pwyllgor, praidd, tîm* collective noun
  Sylwch: er ei bod yn bosibl defnyddio berf unigol wrth gyfeirio'n ôl at enw torfol, e.e. *Roedd y tîm yn llwyddiannus – aeth i'r rownd derfynol.*, mae'n fwy arferol defnyddio berf luosog wrth gyfeirio'n ôl, *Roedd y tîm yn llwyddiannus – aethant i'r rownd derfynol.*
  Ymadroddion
  enw da barn gyffredinol ffafriol ar gymeriad rhywun neu safon gwaith rhywun neu rywbeth good name, reputation
  enw drwg barn gyffredinol isel ar gymeriad rhywun neu safon gwaith rhywun neu rywbeth (bad) reputation
  mewn enw (am rywun neu rywbeth) nad yw'n gweithredu nac yn cyflawni dim, *Dim ond*

mewn enw y mae'n aelod o'r capel, fydd e byth yn mynd yno. in name

yn enw drwy awdurdod, *yn enw'r Tad a'r Mab a'r Ysbryd Glân* in the name of

enwad *eg* (enwadau) CREFYDD grŵp crefyddol (Ymneilltuwyr fel arfer) sy'n arddel yr un credoau neu ddaliadau, e.e. *Methodistiaid, Bedyddwyr, Annibynwyr*; sect denomination

enwadaeth *eb* teyrngarwch (gormodol) i enwad denominationalism, sectarianism

enwadol *ans* yn perthyn i enwadau, nodweddiadol o enwadau; cyfundebol denominational

enwadur *eg* (enwaduron) MATHEMATEG y rhif dan y llinell mewn ffracsiwn, e.e. 8 yn ⅜ denominator

enwaededig *ans* wedi'i enwaedu circumcised

enwaediad *eg* (enwaediadau) y broses neu'r ddefod o enwaedu, canlyniad enwaedu circumcision

enwaedu *be* [enwaed•¹] torri ymaith y croen ar flaen y pidyn (~ ar) to circumcise, circumcision

enwebedig *ans* wedi'i enwebu nominated

enwebiad *eg* (enwebiadau) y broses o enwebu, canlyniad enwebu nomination

enwebu *be* [enweb•¹] cynnig enw rhywun yn ymgeisydd, e.e. am swydd neu ar gyfer etholiad; dethol, enwi (~ *rhywun* **am/ar gyfer/yn**) to nominate

enwebwr:enwebydd *eg* (enwebwyr) un sy'n enwebu rhywun nominator

enwedig *ans* fel rheol yn y ffurf *yn enwedig*, yn arbennig, yn neilltuol, yn fwy na'r cyffredin especially, particular

enwi *be* [enw•¹]
1 rhoi enw i (rywun neu rywbeth) neu ar (rywun neu rywbeth); cyhoeddi enw neu enwau (~ *rhywun* **yn**) to name, to call, to specify
2 gwybod enwau; adnabod to name

enwocach:enwocaf:enwoced *ans* [enwog] mwy enwog; mwyaf enwog; mor enwog

enwog *ans* [enwoc•] (enwogion) adnabyddus iawn, y mae llawer o sôn amdano; cofiadwy (am ddrygioni yn ogystal â daioni); cydnabyddedig, cyfarwydd, hyglod, hysbys (~ **am** *rywbeth*) famous, celebrated, noted

enwogi *be* [enwog•¹] dwyn i glod, gwneud yn enwog, *Enwogodd ei hun ar y maes rygbi.* to make a name for

enwogion *ell* rhai enwog, *'gwlad beirdd a chantorion, enwogion o fri'* celebrities

enwogrwydd *eg* y cyflwr o fod yn enwog, o fod yn adnabyddus iawn, o fod â llawer o sôn amdanoch; amlygrwydd, hysbysrwydd fame, renown

enwol *ans* am y cyflwr sy'n dangos bod gair neu gymal yn oddrych berf nominative

enwolaeth *eb* ATHRONIAETH athroniaeth sy'n dysgu mai enwau yn unig yw dosbarthiad

o wrthrychau, e.e. anifail, cenedl, etc., heb unrhyw wir realiti o fewn yr ymennydd na'r tu allan iddo (mewn gwrthgyferbyniad â *realaeth*, sy'n gred bod geiriau'n cyfeirio at bethau real) nominalism

enwolwr *eg* (enwolwyr) un sy'n arddel enwolaeth nominalist

enwresis *eg* MEDDYGAETH y weithred o wlychu'r gwely'n ddigymell, yn enwedig gan blentyn yn y nos enuresis

enwyn *eg* fel yn *llaeth enwyn*, yr hylif sy'n weddill ar ôl gwneud menyn allan o laeth/ llefrith buttermilk

enydaidd *ans* yn ymwneud ag ennyd penodol, yn digwydd ar ennyd penodol instantaneous

enydol *ans* yn parhau am ennyd momentary

enyniad *eg* (enyniadau) y broses o ennyn, canlyniad ennyn ignition, kindling

enynnaf *bf* [ennyn] rwy'n ennyn; byddaf yn ennyn

enynnol *ans* yn ennyn, e.e. brwdfrydedd neu argyhoeddiad; angerddol impassioned

eofn *ans* [eofn•]
1 beiddgar a dewr; di-ofn, mentrus bold, daring, dauntless
2 hyf i fanteisio ar adnabyddiaeth neu gyfeillgarwch; digywilydd, haerllug, rhyfygus cheeky, forward, presumptuous
Sylwch: yn aml yn y ffurf 'ewn'.

eog *eg* (eogiaid)
1 pysgodyn mawr â chen ariannaidd a chnawd pinc blasus; mae'n treulio'r rhan fwyaf o'i oes ym moroedd y Gogledd ond yn dychwelyd i afonydd i fwrw grawn neu sil; gleisiad, samwn salmon
2 cnawd bwytadwy y pysgodyn hwn salmon

eolith *eg* (eolithau) ARCHAEOLEG callestr wedi'i naddu mewn ffordd amrwd iawn; credir mai dyma'r ffurf hynaf ar offer cerrig eolith

eolithig *ans* yn perthyn i gyfnod cynharaf Oes y Cerrig neu'r cyfnod Palaeolithig, pan gâi eolithau eu defnyddio eolithic

eon gw. **eofn**

eos *eb* (eosiaid)
1 aderyn bychan (prin iawn yng Nghymru) sy'n perthyn i deulu'r mwyeilch ac sy'n ymweld â Phrydain o wledydd trofannol Affrica ym mis Ebrill; mae'n enwog am ei gân bersain sydd ar ei gorau fin nos nightingale
2 enw a fyddai'n cael ei ddefnyddio yn aml fel enw barddol gan fardd neu gerddor, *'Eos y Pentan'* yw teitl y stori gyntaf yn Storïau'r Henllys Fawr.

eos bren canwr neu gantores wael (someone with a) tin ear

epa *eg* (epaod) mwnci mawr digynffon, e.e. gorila neu tsimpansî; dyma berthynas agosaf dyn o holl anifeiliaid y byd ape

epée *eb* (*epées*) (mewn ffensio) cleddyf â blaen miniog wedi'i bylu

epeirogenesis *eg* DAEAREG ymgodiad ac ymsuddiant darnau cyfandirol neu gefnforol mawr o gramen y Ddaear sydd wedi arwain at lunio nodweddion topograffig fel basnau a llwyfandiroedd yn hytrach na mynyddoedd epeirogenesis

Epicuraidd *ans* yn perthyn i Epicuriaeth, nodweddiadol o Epicuriaeth Epicurean

Epicuriaeth *eb* ATHRONIAETH dysgeidiaeth athronyddol Epicurus a ystyriai lonyddwch meddyliol yn gyflwr y dylid anelu ato, ac a ystyriai bleserau'r meddwl yn uwch na dim gan argymell disodli pleserau dros dro gan bleserau mwy parhaol (y meddwl) Epicureanism

epidemig *eg* MEDDYGAETH afiechyd sy'n effeithio ar lawer o bobl ar yr un adeg epidemic

epidermaidd *ans* yn ymwneud â'r epidermis epidermal

epidermis *eg*
1 SWOLEG yr haen allanol o gelloedd a geir ar wyneb croen anifail uwchben y dermis epidermis
2 BOTANEG yr haen allanol o gelloedd a geir ar blanhigyn epidermis

epidwral *ans* MEDDYGAETH wedi'i leoli y tu allan i feinwe gwydn y gorchudd allanol sy'n amddiffyn yr ymennydd a madruddyn y cefn epidural

epiffyt *eg* (epiffytau) BOTANEG planhigyn, e.e. mwsogl, sy'n tyfu ar blanhigyn arall ond sy'n derbyn ei ddŵr a'i faeth o'r aer a'r glaw epiphyte

epig¹ *eb* hanes campau arwr neu arwyr (mewn stori, cerdd, drama, ffilm, etc.); arwrgerdd epic

epig² *ans* (am straeon, digwyddiadau, ffilmiau, etc.) yn llawn cyffro a dewrder; arwrol epic, heroic

epigeal *ans*
1 BIOLEG yn tyfu neu'n bodoli ar wyneb y ddaear neu'n agos at y ddaear; arddaearol epigeal
2 BOTANEG am y cotyledon sy'n ymddangos uwchben wyneb y ddaear epigeal

epiglotis *eg* (epiglotisau) ANATOMEG llabed neu glawr tenau o gartilag sy'n cau pen y laryncs wrth ichi lyncu er mwyn atal bwyd rhag mynd i'r bibell wynt epiglottis

epigram *eg* (epigramau) pennill, cwpled neu ymadrodd cryno, ffraeth a doeth, e.e. '*Buan y denir annoeth./Yna ara' deg y daw'r doeth*', T. Llew Jones epigram

epigynol *ans* BOTANEG (am betalau neu sepalau) ynghlwm wrth wyneb uchaf ofari planhigyn, e.e. cenhinen Pedr epigynous

epil *eg* rhai ifainc neu rai bach; disgynyddion, hil, plant brood, offspring, progeny

epilepsi *eg* MEDDYGAETH afiechyd nerfol sy'n achosi llewygu ac yn gwneud i'r corff symud yn ddirdynnol epilepsy

epileptig *ans* MEDDYGAETH yn dioddef o epilepsi, a achosir gan epilepsi epileptic

epilgar *ans* yn cynhyrchu llawer o epil; cynhyrchiol, ffrwythlon, toreithiog fecund, prolific

epilgell *eb* (epilgelloedd) BIOLEG cell sy'n deillio o gellraniad daughter cell

epilio *be* [epili•²] atgynhyrchu creaduriaid byw, dod â rhai bach; cenhedlu, cynhyrchu, planta to breed, to beget, to procreate

epiliog *ans* aml ei epil; ffrwythlon, toreithiog, epilgar fecund, prolific

epilog *eg*
1 diweddglo neu ran olaf drama neu ddarn o lenyddiaeth epilogue
2 CREFYDD gwasanaeth byr ar ddiwedd y dydd epilogue

epimer *eg* (epimerau) CEMEG ffurf ar foleciwl yn cynnwys atomau cirol sy'n rhoi ciroledd neu lawdueddiad i'r moleciwl, e.e. siwgr epimer

epimeru *be* CEMEG newid moleciwl yn epimer to epimerize
Sylwch: nid yw'r ferf hon yn arfer cael ei rhedeg.

episeicl *eg* (episeiclau)
1 MATHEMATEG cylch bychan y mae ei ganol yn symud ar hyd cylchyn cylch mwy; argylch epicycle
2 SERYDDIAETH yng nghosmoleg Daear-ganolog Ptolemaios (Ptolemy) yn yr ail ganrif OC, ymgais i esbonio symudiadau'r planedau drwy eu gosod ar gylchoedd bychain, lle mae canol y cylch yn dilyn llwybr o amgylch y Ddaear ac mae plân y cylch bychan yn berpendiciwlar i'r arsyllydd epicycle

episeiclig *ans* yn symud megis episeicl epicyclic

episod *eg* (episodau) (yn nrama Roeg gynt) rhan rhwng dwy gân gan y corws episode

episodaidd *ans*
1 wedi'i wneud o ddarnau heb fawr o gyswllt rhyngddynt episodic
2 bob hyn a hyn; ysbeidiol episodic

epistemoleg *eb* ATHRONIAETH astudiaeth neu theori yn ymwneud â natur, sail, dulliau a ffiniau gwybodaeth epistemology

epistemolegol *ans* ATHRONIAETH yn ymwneud ag epistemoleg epistemological

epistol *eg* (epistolau) CREFYDD gair a ddefnyddir am 'llythyr' yn y Testament Newydd; llith, llythyr, ysgrif epistle

epistolaidd *ans* yn perthyn i epistol, nodweddiadol o epistol epistolary

epithelaidd *ans* ANATOMEG o natur epitheliwm epithelial

epitheliwm *eg* (epithelia) ANATOMEG meinwe tenau sy'n ffurfio gorchudd mewnol ac allanol i arwynebau'r corff a'i organau epithelium

eples *eg* sylwedd sy'n cael ei gymysgu â thoes er mwyn gwneud i fara godi; burum, lefain, surdoes leaven

eplesiad *eg* (eplesiadau)
1 CEMEG y broses eplesu sy'n digwydd wrth wneud cwrw, gwinoedd a gwirod a lle mae siwgrau'n cael eu troi'n ethanol a charbon deuocsid fermentation
2 CEMEG dadelfeniad cemegol sylwedd gan facteria, burumau neu ficro-organebau eraill, fel arfer yn cynnwys rhyddhau gwres a chynhyrchu byrlymau o nwy fermentation

eplesol *ans* yn ymwneud ag eplesiad, yn eplesu fermentative

eplesu *be* [eples•¹] CEMEG cyffroi gan adwaith cemegol sy'n cynhyrchu byrlymau o nwy, megis effaith burum mewn toes to ferment

eplesydd *eg* (eplesyddion)
1 organeb sy'n achosi eplesiad fermenter
2 cynhwysydd y mae eplesiad yn digwydd ynddo fermenter

epoc *eg* (epocau) DAEAREG uned o amser daearegol sy'n llai na chyfnod ac yn hwy nag oes epoch

epocsi *ans* yn perthyn i epocsid, nodweddiadol o epocsid epoxy

epocsid *eg* (epocsidau) CEMEG cyfansoddyn yn cynnwys cylch tri-aelod o atomau (un atom ocsigen a dau atom carbon); fe'i defnyddir mewn sylweddau sy'n caledu yn ddirfawr wrth gael eu cynhesu, e.e. glud, farnais epoxide

er *ardd* [erof fi; erot ti; erddo ef; erddi hi; erom ni; eroch chi; erddynt hwy (erddyn nhw)]
1 oherwydd, er mwyn, i'r diben o, *Adeiladwyd y neuadd er cof am y rhai a gafodd eu lladd yn y rhyfel.* for, in order
2 mae'n cyflwyno'r syniad o lwyddo yn wyneb anawsterau, *er gwaethaf, Er chwilio'n ddyfal ni lwyddais.* despite
3 o gyfnod penodol yn y gorffennol hyd at nawr, oddi ar, *Rwyf yma er nos Sadwrn.* since
4 mae 'er y', 'er i', 'er mai', 'er taw', 'er bod' ac 'er nad' yn cael eu defnyddio fel cysyllteiriau (o flaen cymal adferol gan amlaf), *Cawsom i gyd ein cosbi er mai chi oedd ar fai.* although, though
5 *hen ffasiwn* yn lle, am, *Ni wnâi ef hynny er dim.* for, in exchange for
Sylwch:
1 mewn arddull ffurfiol iawn, defnyddir 'er' i ddynodi adeg glir benodol a defnyddir 'ers' am gyfnod bras, sydd heb fod yn benodol,

Rwy'n byw yma er Hydref 1980. Rwy'n byw yma ers dwy flynedd; ond yn y tafodieithoedd ceir defnydd helaethach o 'ers' (ac 'oddi ar'); 2 ceir y ffurf *er fod* ar lafar ond nid yw'n achosi treiglad mewn arddull ffurfiol.

er coffa gw. coffa

er gwell, er gwaeth gan gymryd siawns for better or for worse

er mwyn
1 (er fy mwyn; er dy fwyn; er ei fwyn; er ei mwyn; er ein mwyn; er eich mwyn; er eu mwyn) er lles, er mantais, *Os na wnei di hyn er dy fwyn dy hun, gwna fe er mwyn dy fam.*
2 fel bod modd, *A wnewch chi symud y car er mwyn imi fynd allan?*
3 oherwydd, o achos, *Er mwyn ei enw, Amen.* for the sake of, in order, sake

er mwyn dyn *ebychiad* ffurf fwy parchus ar yr ymadrodd *er mwyn Duw* for goodness' sake

er/serch hynny gw. hynny¹

er y byd gw. byd

eraill *ans* ffurf luosog **arall**

erbin *eg* planhigyn â blodau persawrus o liw porffor neu binc o deulu'r farddanhadlen (marddanhadlen) common calamint

erbiwm *eg* elfen gemegol rhif 68; metel meddal, ariannaidd (Er) erbium

erbyn¹ *ardd*
1 yn pwyso ar (rywun neu rywbeth), *Safodd a'i gefn yn erbyn y wal.* against
2 mewn pryd i, yn barod ar gyfer, cyn, *Dewch draw erbyn amser cinio.* by, in time for
3 wrth, tra, wedi, *Erbyn meddwl, efallai y byddai'n well pe bait ti'n dod dydd Sadwrn yn lle hynny.* come to
4 yn wrthwyneb i, yn gwrthwynebu, *Rwyf yn erbyn y syniad o godi rhagor o dai yn y pentref.* against, opposed to, versus
Sylwch: nid yw'n achosi treiglad.

erbyn hyn/hynny by now/by then

yn erbyn (yn fy erbyn; yn dy erbyn; yn ei erbyn; yn ei herbyn; yn ein herbyn; yn eich erbyn; yn eu herbyn) yn wrthwyneb i against

yn erbyn fy (dy, ei, etc.) ewyllys yn groes i'm dymuniad against one's will

erbyn² *cysylltair* yn hynny o amser sydd ar ôl, *Erbyn inni gyrraedd, fe fydd yn amser te.* (~ i rywun wneud [berfenw]) by the time

erbyn meddwl yn dilyn cyfnod i gael ystyried rhywbeth come to think of it

erch *ans* [erch•] ofnadwy, dychrynllyd, arswydus, erchyll, anaele frightful, lurid

erchi *be* [arch•³ 3 un. pres. eirch/archa; 2 un. gorch. arch] *hynafol* gofyn yn daer; ceisio, deisyf, erfyn (~ i rywun wneud) to ask, to seek

erchwyn *eg* (erchwynion) ochr (gwely fel arfer); ymyl bedside, edge
  llyfr erchwyn gwely cyfrol yn cynnwys detholiad o bethau addas i'w darllen cyn mynd i gysgu bedside book
erchyll *ans* yn peri arswyd a dychryn; arswydus, dychrynllyd, echrydus, ofnadwy dreadful, hideous, horrible
erchyllter:erchylltod:erchylltra *eg* (erchyllterau) creulondeb neu ddrygioni mawr, gweithred erchyll atrocity, dreadfulness
erddais *bf* [aredig] *hynafol* gwnes i aredig
erddi¹ *gw.* er
erddi² *bf* [aredig] *hynafol* rwyt ti'n aredig; byddi di'n aredig
erddigan *eb* (erddiganau) hen air am gerddoriaeth, cynghanedd, mydryddiaeth, etc. (yn enwedig fel teitl cân neu gasgliad o gerddoriaeth) euphony, minstrelsy
erfinen *eb* (erfin)
  1 planhigyn sy'n cael ei dyfu am ei wreiddyn mawr gwyn, bwytadwy turnip
  2 llysieuyn o'r un math ond â gwreiddyn bwytadwy llawer melynach neu oren ei liw; meipen, rwden swede
erfyn¹ *eg* (arfau) offeryn a ddefnyddir (gan grefftwr) i wneud gwaith llaw; arf, dyfais, offeryn, teclyn tool, implement, instrument
erfyn² *be* [erfyni•⁶ 3 *un. pres.* erfyn/erfynia; 2 *un. gorch.* erfyn]
  1 gofyn yn daer, *Rwy'n erfyn arnoch i newid eich meddwl.*; apelio, begian, crefu, deisyf, ymbil (~ **ar** *rywun*; ~ **dros** *rywun*) to beg, to entreat, to implore
  2 *tafodieithol, yn y De* disgwyl, *Rwy'n erfyn cwrdd â hi yn y dre heno.* to expect
erfyniad *eg* (erfyniadau) cais taer; apêl, deisyfiad, ple, ymbiliad entreaty, supplication
erfyniaf *bf* [erfyn] rwy'n erfyn; byddaf yn erfyn
erfyniwr:erfynnydd *eg* (erfynwyr) un sy'n erfyn; deisyfwr, ymbiliwr suppliant
erfynnir *bf* [erfyn] *ffurfiol* mae (rhywbeth) yn cael ei erfyn; bydd (rhywbeth) yn cael ei erfyn
erfynnydd *gw.* erfyniwr
erg *eg* (ergau) uned fesur o waith neu egni yn cyfateb i 10⁻⁷ joule erg
erglyw *bf hynafol* gwranda hark
ergonomaidd:ergonomig *ans* yn ymwneud ag ergonomeg, nodweddiadol o ergonomeg ergonomic
ergonomeg *eb* gwyddor sy'n astudio'r berthynas rhwng pobl a'r peiriannau maent yn eu defnyddio yn y gweithle; mae'r wyddor yn defnyddio gwybodaeth ffisiolegol, anatomegol a seicolegol i lunio systemau gwaith effeithlon ergonomics
ergonomegydd *eg* (ergonomegwyr) gwyddonydd sy'n arbenigo mewn ergonomeg ergonomist

ergonomig *gw.* ergonomaidd
ergyd *ebg* (ergydion)
  1 y weithred o ergydio, trawiad caled â llaw neu ag arf, canlyniad ergydio; clatsien, cur, curiad blow
  2 y sŵn sy'n cael ei greu wrth guro neu danio rhywbeth, *Roedd sŵn ei ben yn taro'r drws fel ergyd gwn.* blast, shot
  3 yr hyn sy'n cael ei saethu neu'r pellter y mae rhywbeth yn cael ei saethu neu ei daflu, *ergyd o wn, o fewn ergyd carreg*; saethiad shot, throw
  4 sioc, trychineb, ysgytiad annymunol, *Roedd colli ei wraig yn fwy o ergyd iddo nag yr oedd yn barod i'w gyfaddef.* blow
  5 pwynt bachog, swm a sylwedd (stori, dadl, etc.), *Er bod pob un yn chwerthin ar y diwedd, chollodd neb ergyd y stori.*; amcan dig, point
  6 *mewn enwau lleoedd* darn o dir o fewn ergyd (taflad) bwyall a gâi ei hawlio wrth godi tŷ unnos, e.e. *Ergyd Isaf*
ergyd farwol trawiad (corfforol neu yn ffigurol) angheuol a fatal blow
ergyd flaenllaw *gw.* blaenllaw
ergyd wrthlaw *gw.* gwrthlaw
Ymadroddion
ergyd carreg (o fewn) tafliad carreg within a stone's throw
fel ergyd o wn yn syth, yn sydyn, yn annisgwyl ynghyd ag awgrym, weithiau, o fwrw rhyw darged ffigurol like a shot
ergydio *be* [ergydi•²]
  1 bwrw'n galed ac yn gryf; cledro, curo, ffusto, taro to shoot, to strike, to batter
  2 cyfeirio at, *At bwy roedd e'n ergydio yn ei erthygl ddiweddaraf, tybed?*; anelu (~ **at**) to aim, to allude
ergydiol *ans* yn cael ei achosi gan ergyd(ion) neu'n ymwneud ag ergydion percussive
ergydiwr *eg* (ergydwyr) un sy'n ergydio striker
erial *eb* (erialau) rhoden neu ffrâm o wifrau neu ddysgl, sy'n cael ei gosod mewn mannau uchel ar dai neu ar gorff car, etc. i dderbyn darllediadau radio neu deledu aerial
erioed *adf* o'r dechrau, o gwbl, unrhyw amser, hyd at yr amser presennol, *Ef oedd yr actor gorau a fu erioed.*, *Ni welais i ef erioed o'r blaen.*, *Rwy'n byw yma erioed.*; byth always, ever, never, (not) at all
  Sylwch: fel arfer, 'erioed' a ddefnyddir gyda'r Amser Gorffennol, ond pan fo awgrym o'r Dyfodol defnyddir 'byth', e.e. *Ni welais mohono byth wedyn*; 'byth' a ddefnyddir gyda'r Amser Amhenodol, yr Amser Presennol a'r Amser Dyfodol.
Eritread *eg* (Eritreaid) brodor o Eritrea Eritrean
Eritreaidd *ans* yn perthyn i Eritrea, nodweddiadol o Eritrea Eritrean

erledigaeth *eb* (erledigaethau) y weithred o erlid, canlyniad erlid persecution

erlid *be* [erlidi•²] ceisio dal rhywun neu rywrai gyda'r bwriad o'u cam-drin, eu cosbi, eu carcharu neu eu lladd (oherwydd eu daliadau crefyddol neu wleidyddol); erlyn, gormesu, ymlid (~ *rhywun* **am**) to persecute, to hound, to harry

erlidiwr *eg* (erlidwyr) un sy'n erlid; erlynydd, gormeswr, ymlidiwr persecutor

erlyn *be* [erlyni•⁶] CYFRAITH gosod y gyfraith ar rywun, dwyn achos cyfreithiol yn erbyn rhywun; cyhuddo (~ *rhywun* **am**) to prosecute, to sue

erlyniad *eg* (erlyniadau)
1 CYFRAITH y weithred o ddwyn achos cyfreithiol yn erbyn rhywun, canlyniad erlyn; erlyniaeth prosecution
2 CYFRAITH y rhai sy'n dwyn y cwyn (yr achwynydd a'i gyfreithwyr) prosecution

erlyniaeth *eb* y broses neu'r weithred o erlyn, canlyniad erlyn; erlyniad prosecution

erlynydd *eg* (erlynwyr) rhywun (cyfreithiwr fel arfer) sy'n erlyn rhywun arall prosecutor

erlynydd cyhoeddus CYFRAITH cyfreithiwr y llywodraeth sy'n dwyn achosion cyfreithiol yn erbyn troseddwyr ar ran y wladwriaeth public prosecutor

ermin *eg* (erminau) gwyfyn tew ag adenydd gwyn â smotiau duon ermine (moth)

ernes *eb* (ernesau)
1 blaendal; swm o arian, sef rhan o'r cyfanswm, sy'n cael ei dalu er mwyn sicrhau na fydd rhywbeth yn cael ei werthu i neb arall deposit, down payment
2 prawf sy'n cael ei gynnig o ddilysrwydd neu wirionedd yr hyn sydd i ddilyn; gwarant guarantee, pledge
3 swm o arian sy'n cael ei dalu gan ymgeisydd seneddol i Senedd y Deyrnas Unedig yn arwydd o'i ddiffuantrwydd a'i ddifrifoldeb; mae'n colli'r ernes os nad yw'n ennill pump y cant o'r holl bleidleisiau deposit

erobeg gw. aerobeg

erobig gw. aerobeg

erodynameg gw. aerodynameg

erodynamig gw. aerodynamig

erof gw. er

erogenaidd *ans* ANATOMEG (am rannau o'r corff) sensitif i ysgogiad rhywiol erogenous

erosol gw. aerosol

erotig *ans* yn ymwneud â chwant rhywiol, yn ysgogi chwant rhywiol, yn dwyn boddhad rhywiol erotic

ers *ardd* o gyfnod bras amhenodol yn y gorffennol sy'n parhau i'r presennol, oddi ar since
Sylwch: nid yw'n achosi treiglad.

ers amser/tro byd am rywbeth sydd wedi bod yn digwydd am gyfnod maith for ages, this long time

ers cetyn gw. cetyn

ers llawer dydd gw. dydd

ers meitin ers ysbaid o amser yn y gorffennol agos for some time

ers talwm amser maith yn ôl, slawer dydd, yn y gorffennol pell long time ago

erthygl *eb* (erthyglau) ysgrif mewn papur newydd neu gylchgrawn; adroddiad, hanes article

erthyglau *ell*
1 lluosog erthygl
2 cyfnod hyfforddiant rhywun sy'n dysgu proffesiwn neu'n bwrw prentisiaeth a'r cytundeb ysgrifenedig rhyngddo a'i gyflogwr (yn enwedig darpar gyfreithiwr) articles

erthyl *eg* (erthylod) creadur wedi'i eni o flaen ei amser; hefyd yn ffigurol am rywbeth afluniaidd nad oes digon o amser (neu feddwl) wedi'i roi iddo, *rhyw erthyl o beth* abortion

erthyliad *eg* (erthyliadau)
1 y weithred o esgor ar ffoetws yn rhy gynnar fel na all fyw (o fewn yr 20 wythnos gyntaf yn achos merch neu wraig), canlyniad erthylu abortion, miscarriage
2 y weithred o beri bod baban yn cael ei eni'n rhy gynnar i fedru byw abortion

erthylu *be* [erthyl•¹] esgor neu eni cyn pryd to abort, to miscarry

erthylu'r gaeaf (coel tywydd) am effaith cawod gynnar o eira (sy'n awgrymu na fydd y tywydd am weddill y gaeaf yn oer iawn)

erthylydd *eg*
1 un sy'n cyflawni erthyliadau abortionist
2 MEDDYGAETH sylwedd sy'n achosi erthyliad abortifacient

erw *eb* (erwau) darn o dir sy'n 4840 llathen sgwâr (4047 metr sgwâr); acer, acr, cyfer acre

erwain *ell* planhigyn yn perthyn i deulu'r rhosyn; mae'n tyfu mewn mannau gwlyb ac mae ganddo flodau bach o liw hufen meadowsweet

erwydd *eg* (erwyddi) CERDDORIAETH y gyfres o bum llinell ar gyfer ysgrifennu cerddoriaeth staff, stave

papur erwydd taflen â chyfresi o erwyddi wedi'u hargraffu arni ar gyfer ysgrifennu cerddoriaeth score paper

ery *bf* [aros] *hynafol* mae ef yn aros/mae hi'n aros; bydd ef yn aros/bydd hi'n aros

erydiad *eg* y broses o erydu, canlyniad erydu; traul, treuliad erosion

erydol *ans* â thuedd i achosi erydu erosive

erydr *ell* lluosog aradr

erydu *be* [eryd•¹] DAEAREG treulio tir a chreigiau yn raddol gan rymoedd naturiol fel rhewlifau, afonydd, tonnau a cheryntau'r môr, a'r gwynt to erode

erydydd *eg* (erydyddion) rhywbeth sy'n achosi erydu, cyfrwng erydol erosive agent

eryr[1] *eg* (eryrod)
1 un o nifer o fathau o adar ysglyfaethus mawr nerthol; mae ganddo big a chrafangau cryf a bachog a'r eryr euraid yw'r unig eryr sy'n byw'n wyllt ym Mhrydain eagle
2 (mewn golff) llwyddiant i fwrw'r bêl i dwll â dau ergyd yn llai na'r hyn a ddisgwylir eagle
3 arwyddlun y llengoedd Rhufeinig eagle
eryrod Eryri
1 adar chwedlonol a fyddai, o hedfan yn isel, yn darogan rhyfel, o hedfan yn uchel, yn darogan buddugoliaeth
eryr y môr gwalch y pysgod osprey

eryr[2] *eg* (eryrod) MEDDYGAETH 'yr eryr', clefyd llidus, poenus sy'n cael ei achosi gan haint i rai nerfau ac sy'n codi'n wrymiau cochion ar y croen (yn gylch o gwmpas y canol yn aml) shingles, herpes

eryraidd *ans* tebyg i eryr, o natur eryr aquiline

erys *bf* [aros] *ffurfiol* mae ef yn aros/mae hi'n aros; bydd ef yn aros/bydd hi'n aros

es *bf* [mynd] *tafodieithol, yn y De* euthum, gwnes i fynd

esblygiad *eg* (esblygiadau)
1 BIOLEG proses sy'n golygu bod anifeiliaid a phlanhigion wedi datblygu dros filiynau o flynyddoedd o ffurfiau syml iawn i fod yr hyn ydynt heddiw, a'u bod yn parhau i esblygu evolution
2 datblygiad graddol rhywbeth evolution

esblygiadol *ans* unol â theori esblygiad evolutionary

esblygol *ans* yn datblygu yn unol ag egwyddorion esblygiad evolutionary

esblygu *be* [esblyg•[1]] BIOLEG newid drwy gyfrwng proses esblygiad (~ o) to evolve

esboniad *eg* (esboniadau)
1 cyflwyniad o ystyr neu arwyddocâd rhywbeth; ateb, datrysiad, diffiniad, eglurhad explanation
2 llyfr o sylwadau ac eglurhad ar destun (o'r Beibl fel arfer) commentary, exegesis

esboniadaeth *eb* astudiaeth o'r egwyddorion a'r dulliau o esbonio, yn enwedig esboniadau beiblaidd; hermeniwteg hermeneutics

esboniadol *ans* yn esbonio, yn egluro; eglurhaol explanatory

esboniadwy *ans* y gellir ei esbonio explicable

esbonio *be* [esboni•[6]] gwneud ystyr rhywbeth yn glir, dweud sut yn union y mae gwneud rhywbeth neu sut i fynd i rywle; dadlennu, dehongli, egluro (~ rhywbeth i) to explain

esboniwr *eg* (esbonwyr) un sy'n esbonio neu'n egluro; dehonglwr, lladmerydd elucidator, expositor

esbonnir *bf* [esbonio] *ffurfiol* mae (rhywbeth) yn cael ei esbonio; bydd (rhywbeth) yn cael ei esbonio

esbonydd *eg* (esbonyddion) MATHEMATEG symbol a ysgrifennir uwchben ac ychydig i'r dde o fynegiad mathemategol i ddynodi pa sawl gwaith y dylid ei luosi ag ef ei hun, e.e. ^{3} yn 4^3 (= $4 \times 4 \times 4$) exponent

esbonyddol *ans*
1 (am gynnydd) yn tyfu'n fwyfwy cyflym exponential
2 MATHEMATEG (am ffwythiant) yn cynnwys newidyn mewn esbonydd, e.e. $y = 4x$; cyfeirir yn gyffredinol at y ffwythiant esbonyddol i olygu'r ffwythiant $y = e^x$, gydag e yn cynrychioli'r cysonyn 2.71828... exponential

escargots *ell* COGINIO malwod bwytadwy (poblogaidd yn Ffrainc)

eschatoleg:esgatoleg *eb* CREFYDD cangen o ddiwinyddiaeth yn ymwneud â thynged derfynol dynolryw neu'r bydysawd, yn enwedig yr athrawiaeth Gristnogol yn ymwneud â marwolaeth, dydd y Farn, nefoedd ac uffern eschatology

eschatolegol *ans* yn ymwneud ag eschatoleg neu ddiwedd y Byd eschatological

esgair *eb* (esgeiriau)
1 hen air am goes, ond hefyd ffurf a ddefnyddir mewn enwau lleoedd neu ffermydd, e.e. *Esgairdawe, Yr Esgair*, yn golygu cefn hir o fynydd; crib, hopgefn, trum ridge
2 DAEAREG cefnen droellog, fel rheol, o dywod a graean a ddyddodwyd gan nant neu afon yn llifo dan rewlif neu'n union o flaen trwyn rhewlif enciliol esker

esgaladur *eg* (esgaladuron) grisiau symudol ar ffurf cludfelt diderfyn yn symud i fyny neu i lawr escalator

esgatoleg gw. **eschatoleg**

esgeirlwm *ans* (am dir uchel) agored, heb gysgod rhag eithafion y tywydd bleak

esgeulus *ans* [esgeulus•]
1 (am rywun) heb gymryd digon o ofal (ynghylch ei waith, etc.); dibris, didaro, di-hid careless, negligent, slipshod
2 CYFRAITH yn methu cymryd y gofal rhesymol y gellid ei ddisgwyl gan rywun cyfrifol; diofal, llac negligent
esgeulus o fe'i defnyddir i ddwysáu ystyr ansoddair, *yn esgeulus o ddi-hid*

esgeulusedig *ans* wedi'i esgeuluso neglected

esgeuluso *be* [esgeulus•[1]] peidio â chymryd digon o ofal, peidio â gwneud, bod yn esgeulus; anwybyddu, diystyru to disregard, to neglect, to shirk

esgeulustod:esgeulustra *eg* y weithred o esgeuluso neu o fod yn esgeulus, canlyniad esgeuluso; anystyriaeth, difrawder, dihidrwydd, llacrwydd carelessness, negligence

esgeuluswr *eg* (esgeuluswyr) un sy'n esgeuluso, un sy'n diystyru neglecter

esgid *eb* (esgidiau)
1 gwisg i'r droed (o ledr neu ddefnydd gwydn, hyblyg) y mae modd ei sicrhau am y droed, e.e. drwy glymu ei charrai; y mae iddi waelod neu wadn sy'n rhannu'n sawdl a blaen shoe, boot
2 gwisg am y droed sydd wedi'i chreu ar gyfer rhyw swyddogaeth arbennig, e.e. rhedeg, dringo, marchogaeth, cicio pêl, etc. boot, shoe
esgid Fair tegeirian y mae gan ei flodyn wefl yn debyg i esgid ysgafn lady's-slipper
Ymadroddion
â'm ('th, 'i, etc.**) calon yn fy esgidiau** yn isel fy ysbryd, yn bruddglwyfus with one's heart in one's boots
bod yn esgidiau (rhywun) bod yn sefyllfa rhywun arall, *Fyddwn i ddim yn hoffi bod yn ei esgidiau fe fore dydd Llun.* to be in someone else's shoes
crynu yn fy (dy, ei, etc.**) esgidiau** bod yn nerfus iawn; ofni quaking in my shoes
mynd yn rhy fawr i'w sgidiau mynd yn (rhy) hunanbwysig
yr esgid yn gwasgu bywyd yn galed ac amgylchiadau'n anodd

Esgimo *eg* Inuit; un o'r bobl sy'n byw yn y gwledydd sy'n ffinio â Chylch yr Arctig megis Grønland, Canada, Alaska Eskimo, Inuit

esgob *eg* (esgobion)
1 CREFYDD offeiriad eglwysig sy'n is ei safle nag archesgob; mae'n gyfrifol am dalaith o'r wlad (esgobaeth) ac am yr offeiriaid sy'n gwasanaethu yn y dalaith honno bishop
2 darn gwyddbwyll bishop

esgobaeth *eb* (esgobaethau) uned eglwysig, y dalaith neu'r ardal y mae esgob yn gyfrifol amdani diocese, bishopric, episcopate

esgobaethol *ans* yn perthyn i esgobaeth diocesan

esgobol:esgobaidd *ans* yn ymwneud ag esgob, nodweddiadol o esgob episcopal

esgobwr *eg* (esgobwyr) un sy'n arddel trefn eglwysig yn cynnwys esgobion episcopalian

esgor *be* [esgor•¹] rhoi genedigaeth i, dwyn i'r byd, hefyd yn ffigurol, rhoi bod i; geni (~ **ar** *rywun/rywbeth*) to give birth to, to give rise to

esgoriad *eg* (esgoriadau) y broses o esgor; genedigaeth plentyn childbirth, parturition

esgoriad ffolennol MEDDYGAETH esgoriad baban lle mae'r traed neu'r ffolennau yn ymddangos gyntaf oherwydd lleoliad y baban yn y groth breech birth, breech delivery

esgud *ans* bywiog, cyflym, heini nimble, swift

esgus *eg* (esgusodion:esgusion)
1 rheswm sy'n cael ei gynnig am beidio â gwneud rhywbeth neu am wneud rhywbeth na ddylid bod wedi'i wneud (rheswm annilys neu gelwyddog yn aml); honiad (~ **dros**) excuse, pretext
2 mewn ymadroddion berfol megis *esgus cysgu, esgus llefain,* cymryd arno; cogio, ffugio, smalio (~ **o**) pretend
hel(a) esgusodion/esgusion chwilio am esgusion neu ddatgan esgusodion to make excuses

esgusadwy *ans* y gellir ei esgusodi; ag esgus dilys excusable

esgusodi *be* [esgusod•¹]
1 maddau rhyw fai bach, *Rwy'n gobeithio y gwnewch chi esgusodi'r ysgrifen aflêr.* (~ *rhywun* **am**) to excuse
2 rhyddhau rhag gwneud rhywbeth (dyletswydd fel arfer), *Rwy'n cael fy esgusodi rhag nofio oherwydd 'mod i'n mynd at y deintydd.* (~ *rhywun* **rhag**) to excuse
3 gwneud i rywbeth gwael ymddangos yn well, *Does dim byd a all esgusodi ymddygiad y dorf yn y gêm neithiwr.*; cyfiawnhau to condone, to excuse

esgusodiad *eg* (esgusodiadau) rhyddhad o ryw atebolrwydd neu gyfrifoldeb y mae pawb arall yn rhwym iddo exemption

esgusodol *ans* o natur esgus, wedi'i esgusodi; yn ymddiheuro apologetic, excused

esgusodwr *eg* (esgusodwyr) un sy'n cyflwyno esgusodion ar ran arall apologist

esgyll *ell*
1 lluosog asgell
2 gair technegol am ddwy linell olaf englyn unodl union (gw. hefyd 'paladr')
yn yr esgyll (am rywun neu rywrai) yn barod i wneud rhywbeth neu i fod o wasanaeth ar yr adeg gywir in the wings

esgymun gw. ysgymun

esgyn *be* [esgynn•² 3 *un. pres.* esgyn/esgynna; 2 *un. gorch.* esgyn/esgynna]
1 codi, mynd i fyny, *Gwelodd golofn o fwg yn esgyn i'r awyr. Esgynnodd yr awyren yn ddiogel.* (~ **i**) to rise, to ascend
2 dringo ar gefn ceffyl to mount
3 ymddyrchafu i fod yn frenin neu frenhines, *esgyn i'r orsedd;* codi to ascend
4 CREFYDD mynd i'r nefoedd, mynd at Dduw, *Yn ôl y Beibl, bu Iesu Grist ar y ddaear am ddeugain niwrnod ar ôl ei atgyfodiad cyn esgyn i'r nefoedd.* to ascend
Sylwch: ac eithrio 'esgyn ef/hi' ac 'esgyn di', dyblwch yr 'n' ym mhob ffurf ac eithrio yn y rhai sy'n cynnwys -*as*-.

esgynbren *eg* (esgynbrennau) pren neu drawst arbennig i adar (ieir yn enwedig) glwydo arno; clwyd perch

esgynedig *ans* dyrchafedig, yn codi rising, ascending

esgynfaen *eg* (esgynfeini) *hynafol* darn o garreg neu fath o lwyfan bach i rywun sefyll arno er mwyn esgyn ar gefn ceffyl neu farch horse-block, mounting-block

esgyniad *eg* (esgyniadau)
1 y broses o esgyn; cyfodiad ascent
2 dyrchafiad neu ddyfodiad brenin i'w orsedd accession
3 CREFYDD dyrchafiad Crist i'r nefoedd; dyrchafael ascension

esgynlawr *eg* (esgynloriau) llwyfan isel ar un pen i ystafell platform, dais

esgynnaf *bf* [esgyn] rwy'n esgyn; byddaf yn esgyn

esgynneb *eb* (esgynebau) troad ymadrodd yn cynnwys cyfres o ymadroddion lle mae pob un yn fwy dwys neu'n rhagori ar ei ragflaenydd climax

esgynnol *ans* yn esgyn, *Mae'r trefniad esgynnol yn trefnu'r data o A i Z.* ascending

esgynnwr *eg* (esgynwyr) rhywun neu rywbeth sy'n esgyn; dringwr ascender

esgynnydd *eg* (esgynyddion)
1 rhywun neu rywbeth sy'n esgyn; dyfais sy'n clipio ar raff i gynnal troed neu law ascender
2 (mewn astroleg) y rhan o'r Sidydd sydd uwchben y gorwel ar adeg benodol, e.e. ar adeg geni plentyn ascendant
3 rhan o lythyren sy'n ymestyn uwchben lefel brig llythyren fel *a*, e.e. *h* ac *l* ascender

esgynradd *ans* ECONOMEG (am dreth neu system drethi) yn cymryd canran uwch o incwm trethdalwyr wrth i incwm gynyddu progressive

esgyrn *ell* lluosog **asgwrn**

esgyrn, croen a blew am rywun neu rywbeth tenau iawn skin and bone

Ymadroddion

esgyrn Dafydd *ebychiad* mynegiant o syndod yn ymylu ar reg goodness gracious (me), heavens above

esgyrn eira olion eira yn sefyll ar y tir

esgyrnog *ans* ag esgyrn amlwg, tenau (fel arfer) â ffurf yr esgyrn i'w gweld yn glir dan y croen skinny, bony

esgyrnyn *eg* (esgyrnynnau) ANATOMEG asgwrn bychan ossicle

esgyrnyn y glust ANATOMEG asgwrn bach iawn yn rhan ganol y glust ossicle

esgytsiwn *eg* (esgytsiynau) cylch addurnedig amddiffynnol, e.e. o amgylch twll clo escutcheon

esiampl *eb* (esiamplau)
1 enghraifft, sampl example
2 rhywun neu rywbeth sy'n werth ei efelychu example

esmwyth *ans* [esmwyth•]
1 heb gynnwrf na chrych; llyfn, tawel smooth

2 heb waith na gofid yn gysylltiedig ag ef; clyd, cyffyrddus, cysurus easy
3 ag atebion parod (gyda'r awgrym o fod yn ormodol felly), *Mae ganddo dafod esmwyth.*; rhwydd glib, smooth

esmwythâd *eg* y broses o esmwytháu, canlyniad esmwytháu; teimlad o boen yn cael ei liniaru neu o orffwys; cysur, esmwythder, gollyngdod, rhyddhad relief, soothing

esmwytháu:esmwytho *be* [esmwytha•[15]] gwneud yn esmwyth neu ddod yn esmwyth; lleddfu, lliniaru, llonyddu, ymgeleddu (~ **ar**) to ease, to smooth

esmwythder *eg* y cyflwr o fod yn esmwyth; bodlondeb, clydwch, meddalwch ease, smoothness

esmwytho gw. **esmwytháu**

esmwythyd *eg* bywyd esmwyth, pleserus; hawddfyd, seguryd ease

esoffagws gw. **oesoffagws**

esoterig *ans* cyfyngedig i ychydig (nid i bawb); cyfrinachol, dirgel esoteric

esparto *eg* math o weirydd neu borfa o Sbaen a ddefnyddir i wneud papur, rhaffau ac esgidiau esparto

Esperanto *ebg* iaith wneud (a luniwyd yn 1887 gan L.L. Zamenhoff) yn seiliedig ar eirfa a chystrawen sy'n gyffredin i brif ieithoedd Ewrop Esperanto

esprit de corps *eg* teyrngarwch ei aelodau i gorff arbennig

esteilch *ell* lluosog **astalch**

ester *eg* (esterau) CEMEG cyfansoddyn cemegol persawrus a ffurfir mewn adwaith rhwng asid ac alcohol pan waredir dŵr ester

esteru *be* [ester•[1]] CEMEG troi'n ester to esterify

Estonaidd *ans* yn perthyn i Estonia, nodweddiadol o Estonia Estonian

Estoniad *eg* (Estoniaid) brodor o Estonia, un o dras neu genedligrwydd Estonaidd Estonian

estopel *eg* CYFRAITH yr egwyddor sy'n atal person rhag datgan rhywbeth sy'n wahanol i'r hyn a awgrymir gan weithred neu ddatganiad blaenorol gan y person hwnnw, neu gan ddyfarniad cyfreithiol perthnasol blaenorol, lle mae person arall wedi dibynnu ar y weithred neu ddatganiad blaenorol er anfantais iddo ei hun estoppel

estraddodi *be* [estraddod•[1]] CYFRAITH anfon un a gyhuddir o drosedd (ac sydd wedi dianc dramor) yn ôl i sefyll ei brawf neu i gael ei gosbi yn y wlad lle y cyflawnodd y drosedd (~ *rhywun* o) to extradite

estraddodiad *eg* (estraddodiadau) CYFRAITH y broses o estraddodi, canlyniad estraddodi extradition

estrogen gw. **oestrogen**

estron¹:estronol *ans* yn perthyn i wlad, cenedl
neu hil arall; anghyfiaith, dieithr, ecsotig
foreign, alien

estron² *eg* (estroniaid) rhywun sy'n perthyn
i wlad, cenedl neu hil arall; aliwn, alltud,
tramorwr foreigner, alien

estrones *eb* merch neu wraig o wlad neu genedl
estron; aliwn

estrws gw. oestrws

estrys *egb* (estrysiaid) aderyn mawr iawn o
Affrica yn wreiddiol, sy'n medru rhedeg yn
gyflym ond sy'n methu hedfan ostrich

estyll *ell* lluosog **astell**

estyllen *eb* (estyll) darn gwastad o bren sy'n llai
nag astell lath

estyllu *be* [estyll•¹] cryfhau neu sicrhau drwy
ddefnyddio estyll to batten

estyn *be* [estynn•⁹ 3 un. pres. estyn/estynna;
2 un. gorch. estyn/estynna]
1 ychwanegu at hyd, gwneud yn hwy, *Rwy'n
gobeithio estyn yr ardd i lawr at yr afon.*
to extend
2 dal allan, cynnig aelod o'r corff, *Estynnodd
ei llaw gan ddisgwyl iddo ei chusanu.* (~ at;
~ am; ~ rhywbeth i) to extend
3 rhoddi, cynnig, *Estynnwyd croeso cynnes
i bawb a oedd yno.*; cyflwyno to extend
4 (am amser, gofod, tir) parhau, hwyhau,
ehangu, *Gofynnais i'r llyfrgellydd estyn y
cyfnod benthyca gan y gwyddwn na fyddwn
wedi gorffen y llyfr ymhen pythefnos.*
to extend, to stretch
Sylwch: ac eithrio 'estyn ef/hi' ac 'estyn di',
dyblwch yr 'n' ym mhob ffurf ac eithrio yn y
rhai sy'n cynnwys -*as*-.

estyn bys pwyntio bys, cyhuddo to point a finger

estyn cic anelu cic neu ergyd to aim a kick

estyn cortynnau dod yn fwy grymus neu
ddylanwadol to extend (the bounds of) one's
influence

estyn croeso cynnig croeso to welcome

estyn dwylo cynnig dwylo to reach out

estynadwy *ans* y gellir ei ymestyn extensible

estynadwyedd *eg* y cyflwr o fod yn estynadwy
extensibility

estynedig *ans*
1 wedi'i estyn extended
2 CERDDORIAETH yn dynodi cyfwng hanner
tôn yn uwch na'r cyfwng mwyaf neu berffaith
cyfatebol augmented

estyniad *eg* (estyniadau)
1 y weithred o estyn, canlyniad estyn; parhad
extension
2 ychwanegiad, *Adeiladwyd estyniad i'r gegin
yn ystod gwyliau'r haf.*; ehangiad, hwyhad,
ymestyniad extension

estynnaf *bf* [estyn] rwy'n estyn; byddaf yn estyn

estynnwr *eg* (estynwyr) dyfais ar gyfer ymestyn
neu dynhau rhywbeth stretcher

estynnydd *eg* (estynyddion) sylwedd sy'n
glastwreiddio neu'n adnewid, a ychwanegir at
rywbeth i'w wneud yn fwy o ran maint neu i
wella'r ffordd y mae'n edrych extender

estheteg *eb*
1 ATHRONIAETH astudiaeth o resymeg y
cysyniad 'prydferthwch' yn ei holl amrywiaeth
aesthetics
2 y defnydd o wyddorau neu ddisgyblaethau
eraill, e.e. seicoleg, cymdeithaseg, hanes, etc.,
i ddisgrifio ac egluro ceinder crefyddol neu
brofiadau esthetig aesthetics

esthetig *ans* yn ymwneud ag estheteg neu
werthfawrogiad o brydferthwch aesthetic

et al. *byrfodd* talfyriad o *et alii* (*aliae*, *alia*)
ac arall, ac eraill

etc. *byrfodd* talfyriad o *et cetera* (ac yn y blaen)
a.y.b.

eteil *bf* [atal] *hynafol* mae ef yn atal/mae hi'n atal;
bydd ef yn atal/bydd hi'n atal

etifedd *eg* (etifeddion) yr un sydd â'r hawl
gyfreithiol ar eiddo neu deitl aelod hŷn o'r teulu
ar ôl iddo ef neu hi farw, e.e. mab hynaf ar ôl
tad; aer heir, inheritor

etifeddadwy *ans*
1 y gellir ei etifeddu; etifeddol inheritable
2 CYFRAITH (am eiddo) y gellir ei etifeddu gan
etifedd cyfreithiol; etifeddol heritable

etifeddeg *eb* BIOLEG y gallu neu'r briodwedd
sy'n perthyn i bethau byw i drosglwyddo
cyneddfau a nodweddion o'r rhieni i'r plant
drwy gyfrwng celloedd y corff; geneteg
heredity

etifeddes *eb* merch neu wraig sy'n etifedd; aeres
heiress

etifeddiad *eg* (etifeddiadau) BIOLEG y broses o
drosglwyddo priodweddau genetig o rieni i'w
hepil inheritance

etifeddiaeth *eb* yr hyn a etifeddir, yr hyn sy'n
cael ei dderbyn ar ôl rhywun sydd wedi marw;
cynhysgaeth, gwaddol, treftadaeth inheritance,
heritage, legacy

etifeddol *ans*
1 y gellir ei etifeddu; etifeddadwy hereditary,
inherited
2 BIOLEG (am nodwedd neu glefyd) y gellir
ei throsglwyddo o riant i'w epil hereditary,
inherited

etifeddu *be* [etifedd•¹]
1 cael neu dderbyn dawn neu gynneddf rhieni
neu hynafiaid drwy etifeddeg, *Etifeddodd ei
ddawn gerddorol o ochr ei dad.* to inherit
2 CYFRAITH meddiannu (tir, eiddo, teitl, etc.)
mewn olyniaeth gyfreithlon ar ôl i'r perchennog
farw; derbyn treftadaeth to inherit

eto¹ *cysylltair* drachefn, er hynny, *Rwyf wedi clywed beth sydd ganddo i'w ddweud, eto nid wyf yn hapus ei fod yn dweud y gwir.* still, yet

ac eto ffurf fwy arferol ar 'eto' yet

eto² *adf*

1 unwaith yn rhagor, *Dywedwch hynny eto.*; eilchwyl, eilwaith, trachefn again, ditto

2 rhywbryd yn y dyfodol, *Fe wela i di eto.* again

3 mwy fyth, *Does dim digon o sŵn – mae arna i eisiau mwy eto.* again

4 hyd yn hyn *Dyma'u halbwm gorau eto.* yet
Sylwch: gyda berfau yn yr Amser Presennol a'r Dyfodol (fel uchod) '*again*' yw ystyr 'eto', ond wrth gyfeirio'n ôl i'r Gorffennol, e.e. *Nid wyf wedi dala dim byd eto,* '*yet*' yw ei ystyr; defnyddiwch *drachefn* neu *unwaith eto* gyda berfau yn yr Amser Gorffennol i olygu '*again*', e.e. *Euthum yno drachefn i weld y lle.*

eto fyth unwaith eto yet again

eto i gyd serch hynny nevertheless

Etrusgaidd *ans* yn perthyn i wlad neu ddiwylliant hynafol Etruria, nodweddiadol o Etruria Etrurian

étude *eb* CERDDORIAETH darn cerddorol i offeryn penodol ar gyfer cryfhau agwedd ar dechneg canu'r offeryn

etyb *bf* [ateb] *hynafol* mae ef yn ateb/mae hi'n ateb; bydd ef yn ateb/bydd hi'n ateb

etyl *bf* [atal] *hynafol* mae ef yn atal/mae hi'n atal; bydd ef yn atal/bydd hi'n atal

etymoleg *eb* astudiaeth sy'n olrhain ac yn egluro tarddiad a datblygiad geiriau a'u hystyron; geirdarddiad etymology

etymolegol *ans* yn perthyn i etymoleg, nodweddiadol o etymoleg; geirdarddiadol etymological

etymolegydd *eg* (etymolegwyr) arbenigwr mewn etymoleg, un sy'n geirdarddu; geirdarddwr etymologist

ethan *eg* CEMEG nwy di-liw, di-sawr a geir o betroliwm; nwy naturiol a ddefnyddir yn danwydd ethane

ethanöig *ans* CEMEG term systematig am grŵp cemegol 'asetig', e.e. asid ethanöig mewn finegr ethanoic

ethanol *eg* yr alcohol mewn cwrw, gwin, etc., hylif tryloyw sy'n anweddu'n rhwydd ethanol

ethen *eg* CEMEG enw systematig ar nwy ethylen ethene

ether *eg*

1 ar un adeg dyma'r elfen y credid ei bod yn llenwi'r gofod ether

2 CEMEG hylif ysgafn, tryloyw sy'n anweddu'n rhwydd a ddefnyddir yn hydoddydd â phriodweddau anaesthetig ether

etheraidd *ans* heb gorff na sylwedd, mor ysgafn fel nad yw'n ymddangos yn rhan o'r byd hwn ethereal

Ethiopaidd *ans* yn perthyn i Ethiopia, nodweddiadol o Ethiopia Ethiopian

Ethiopes *eb* merch neu wraig o Ethiopia, un o dras neu genedligrwydd Ethiopaidd Ethiopian

Ethiopiad *eg* (Ethiopiaid) brodor o Ethiopia, un o dras neu genedligrwydd Ethiopaidd Ethiopian

ethnig *ans* yn perthyn i hil, cenedl neu lwyth arbennig, nodweddiadol o hil, cenedl neu lwyth; cenhedlig ethnic

ethnigedd *eg* cyflwr o berthyn i grŵp cymdeithasol â thraddodiad cenedlaethol neu ddiwylliannol yn gyffredin; ethnigrwydd ethnicity

ethnigrwydd *eg* eg y cyflwr o berthyn i grŵp cymdeithasol â thraddodiad cenedlaethol neu ddiwylliannol yn gyffredin; ethnigedd ethnicity

ethnogerddoreg *eb* CERDDORIAETH yr astudiaeth o gerddoriaeth yn ei chyd-destun diwylliannol a chymdeithasol ethnomusicology

ethnogerddoregwr *eg* (ethnogerddoregwyr) CERDDORIAETH un sy'n astudio cerddoriaeth yn ei chyd-destun diwylliannol a chymdeithasol ethnomusicologist

ethnograffeg *eb* ANTHROPOLEG cangen o anthropoleg sy'n disgrifio mewn ffordd wyddonol, bobloedd a chymdeithasau ynghyd â'u harferion a'u diwylliannau ethnography

ethnograffig *ans* yn ymwneud ag ethnograffeg, nodweddiadol o ethnograffeg ethnographic

ethnoleg *eb* ANTHROPOLEG cangen o anthropoleg sy'n astudio pobloedd a diwylliannau mewn cyd-destun cymharol a hanesyddol ethnology

ethnolegol *ans* ANTHROPOLEG yn perthyn i ethnoleg, nodweddiadol o ethnoleg ethnological

ethnolegwr:ethnolegydd *eg* (ethnolegwyr) un sy'n astudio ethnoleg ethnologist

ethol *be* [ethol•¹] dewis (rhywun) drwy bleidlais; dethol, dewis, penodi, pigo (~ *rhywun* **i/yn**) to elect

etholadwy *ans* agored i'w ethol neu (am swydd) i'w llenwi drwy etholiad elective

etholaeth *eb* (etholaethau)

1 yr ardal y mae Aelod Seneddol, Aelod Cynulliad neu gynghorydd yn ei chynrychioli constituency, ward

2 corff o bleidleiswyr mewn tref, ardal neu sir arbennig sy'n ethol aelod i'w gynrychioli yn y senedd neu ar gyngor lleol electorate

etholedig *ans*

1 wedi'i ethol; dethol, detholedig, dewisedig chosen, elected, select

2 CREFYDD wedi'i ddewis gan Dduw i gyflawni gwaith Ei deyrnas ac i fwynhau'r rhodd o fywyd tragwyddol; detholedig elect

etholedigaeth *eb* CREFYDD y gred fod rhai wedi'u dewis gan Dduw i gyflawni gwaith Ei deyrnas ac i fwynhau y rhodd o fywyd tragwyddol election

etholedigion *ell* CREFYDD y rhai etholedig the elect

etholeg *eb*
1 ANTHROPOLEG ymddygiad bodau dynol a threfniadaeth gymdeithasol o bersbectif biolegol ethology
2 BIOLEG astudiaeth wyddonol o ymddygiad anifeiliaid yn eu cynefin ethology

etholfraint *eb* (etholfreiniau:etholfreintiau) yr hawl i bleidleisio mewn etholiad (seneddol) franchise

etholiad *eg* (etholiadau) y weithred o ddewis cynrychiolydd neu gynrychiolwyr drwy bleidlais, yn enwedig Aelod Seneddol, Aelod Cynulliad, cynghorydd lleol neu aelod o gorff neu fwrdd cyhoeddus, canlyniad ethol election
  etholiad cyffredinol etholiad y mae'n rhaid ei gynnal unwaith bob pum mlynedd (neu lai) ym Mhrydain, i ethol Aelodau Seneddol general election

etholiadol *ans* yn ymwneud ag etholiad electoral

etholwr *eg* (etholwyr)
1 un sydd â hawl i bleidleisio mewn etholiad voter, elector
2 un sy'n byw mewn etholaeth arbennig constituent

Etholydd *eg* (Etholyddion) *hanesyddol* tywysog Almaenaidd a oedd â'r hawl i bleidleisio wrth ethol yr Ymerawdwr Glân Rhufeinig Elector

ethos *eg* natur, ysbryd neu naws foesol sy'n nodweddiadol o gymdeithas neu grŵp arbennig ethos

ethylen *eg* CEMEG ethen; nwy ethelyn ethylene

ethyn *eg* CEMEG enw systematig ar nwy asetylen ethyne

eu *rhagenw dibynnol blaen*
1 (trydydd person lluosog genidol) yn eiddo iddynt hwy, yn perthyn iddyn nhw (iddynt hwy), *eu cotiau, eu hesgidiau* their
2 (trydydd person lluosog) fe'i defnyddir i gyfleu gwrthrych ymadrodd berfol, *Rwyf am eu gweld nhw i gyd fory yn f'ystafell.*; nhw, hwy them
  Sylwch:
  1 fe'i dilynir gan 'h' o flaen llafariad, *eu harian nhw; Ceisiodd eu hanfon i ffwrdd;*
  2 fe'i dilynir yn aml gan 'nhw', *eu ffôn nhw;*
  3 fel rheol, fe'i talfyrrir yn ''u' yn dilyn *a, â, fe, gyda, tua, na, o, mo* a geiriau eraill sy'n gorffen â llafariad neu ddeusain;
  4 ni thalfyrrir 'eu' yn ''u' ar ôl enw neu ferfenw sy'n gorffen yn *–i, –u,* neu *–y;*
  5 mewn rhestr, mae angen ailadrodd y rhagenw, *eu mamau, eu tadau a'u brodyr;*
  6 'ei gilydd' nid 'eu gilydd'.
  eu hunain nhw/hwy eu hunain themselves

euddonyn *eg* (euddon)
1 gwiddonyn; un o nifer o fathau o fân greaduriaid yn perthyn i'r corryn a'r trogod sy'n gallu trosglwyddo heintiau wrth heigio ar anifeiliaid mite
2 mân gynrhonyn maggot, weevil

eunuch *eg* (eunuchiaid) dyn wedi'i ddisbaddu, yn enwedig un a weithiai mewn harîm yn y dwyrain eunuch

euocach:euocaf:euoced *ans* euog mwy euog; mwyaf euog; mor euog

euod *ell* llyngyr sy'n magu yn afu'r ddafad liver fluke
  clefyd yr euod liver-fluke disease

euodyn *eg* unigol euod

euog *ans* [euoc•] (euogion)
1 wedi troseddu neu bechu, wedi torri cyfraith neu reol foesol, ar fai; beius (~ o wneud) guilty, culpable
2 yn teimlo euogrwydd, yn amlygu euogrwydd, yn teimlo'i fod wedi troseddu neu bechu guilty

euogfarn *eb* (euogfarnau) CYFRAITH rheithfarn yn dyfarnu troseddwr yn euog; collfarn, condemniad conviction

euogfarnu *be* [euogfarn•³] CYFRAITH dyfarnu'n euog; collfarnu (~ *rhywun* o) to convict

euogion *ell* rhai euog the guilty

euogrwydd *eg*
1 cyfrifoldeb am gyflawni trosedd guilt
2 gwybodaeth neu deimlad eich bod wedi troseddu neu bechu guilt

euraid *ans*
1 wedi'i addurno ag aur, wedi'i wneud o aur golden
2 yr un lliw ag aur golden
3 gwerthfawr iawn, *Yr oedd hanner cyntaf yr ugeinfed ganrif yn gyfnod euraid yn hanes llenyddiaeth Gymraeg.*; coeth golden

euraidd *ans* o natur neu werth aur, wedi'i wneud o aur; tra choeth golden

eurbinc *eb* (eurbincod) nico, asgell aur, teiliwr Llundain goldfinch

eureka *ebychiad* mynegiant o lawenydd wrth ddarganfod yr ateb i rywbeth

eurfrown *ans* o liw sy'n gymysgedd o aur a brown auburn

eurgrawn *eg* trysorfa o aur, ond yn fwy enwog fel teitl ar gylchgrawn golden treasury

eurgylch *eg* (eurgylchau) (mewn darlun) y cylch o oleuni a geir o gylch pen rhywun yn dynodi ei sancteiddrwydd halo

eurinllys *eg* planhigyn neu brysgwydden â blodau mawr melyn pum petal St John's wort

euro *be* [eur•¹] gorchuddio neu addurno ag aur; goreuro to gild

eurof *eg* (eurofaint) gof aur; eurych goldsmith

euron *eb* coeden ardd â chudynnau hir o flodau melyn sy'n cynhyrchu hadau gwenwynig; tresi aur laburnum

eurwe *eb* gwaith addurnedig cain yn debyg i sideru sy'n defnyddio gwifrau main o aur; ffiligri filigree

eurych *eg* (eurychiaid:eurychod) un sy'n gweithio â metelau gwerthfawr i lunio tlysau; gof aur neu arian; eurof goldsmith

euthum *bf* [mynd] *ffurfiol* gwnes i fynd

ewa *eg* enw anwes ar ewythr, yn cyfateb i *bopa* am fodryb; dewyrth uncle

ewach *eg* (ewachod) *difriol* dyn neu lanc gwanllyd weakling

ewcaryot *eg* (ewcaryotau) BIOLEG unrhyw organeb y mae ei chell neu ei chelloedd yn cynnwys cnewyllyn amlwg wedi'i amgylchynu â philen eukaryote

ewcaryotig *ans* BIOLEG (am gelloedd organebau) yn cynnwys cnewyllyn amlwg wedi'i amgylchynu â philen eukaryotic

ewch *bf* [mynd] gorchymyn i chi fynd

ewffoniwm *eg* (ewffoniymau) offeryn pres yn debyg ei olwg i diwba ond yn llai ei faint euphonium

ewgeneg *eb* gwyddor o wella ansawdd dynolryw drwy ddethol rhieni y dyfodol yn ofalus eugenics

ewig *eb* (ewigod) carw benyw, yn enwedig un dros dair blwydd oed; iyrches doe, hind

ewin *egb* (ewinedd)
1 y darn caled o gorn ar ran flaen allanol bysedd y llaw a'r droed y mae angen ei dorri bob hyn a hyn rhag iddo fynd yn rhy hir nail
2 rhan finiog troed anifail neu aderyn rheibus; crafanc claw, talon
3 rhywbeth sy'n debyg o ran ffurf i ddarn o ewin neu grafanc, *ewinedd fforch* prong
4 darn neu raniad naturiol rhai mathau o ffrwythau neu lysiau, *ewin oren, ewin garlleg* segment, clove
Sylwch: 'gewin' yw'r ffurf a glywir amlaf ar lafar.
â'm (â'th, â'i, etc.) deg ewin hyd eithaf fy (dy, ei, etc.) ymdrechion with might and main
tynnu'r ewinedd o'r blew eich paratoi eich hunan o ddifrif i fynd at ryw orchwyl neu'i gilydd

ewinfedd *eb* (ewinfeddi) mesur lled ewin, y mesur lleiaf; mymryn little bit, touch

ewino *be* [ewin•¹] crafu gyda'r ewinedd (yn enwedig am anifail) to claw

ewinor *eb* *tafodieithol, yn y Gogledd* ffelwm; chwydd llidus, poenus ar flaen bys, rhwng y bys a'r ewin whitlow

ewinrhew *eg* MEDDYGAETH niwed difrifol i aelodau corff rhywun a achosir gan rew caled neu oerfel llym frostbite

ewn ffurf lafar ar **eofn**

ewro *eg* (ewros) yr arian cyfred Ewropeaidd sengl a ddisodlodd arian cyfred cenedlaethol deuddeg o aelod-wladwriaethau'r Undeb Ewropeaidd yn 2002 euro

Ewrodir *eg* ECONOMEG yr ardal economaidd a ffurfiwyd gan aelod-wladwriaethau'r Undeb Ewropeaidd sydd wedi mabwysiadu'r ewro Eurozone

Ewropead *eg* (Ewropeaid)
1 rhywun sy'n byw yn un o wledydd Ewrop European
2 un sy'n bleidiol i'r syniad o Ewrop unedig European

Ewropeaidd *ans* yn perthyn i Ewrop, nodweddiadol o Ewrop European

ewropiwm *eg* elfen gemegol rhif 63; metel meddal, ariannaidd (Eu) europium

ewrhythmeg *eb* dull o ymarfer corff sy'n golygu symud yn rhythmig i gyfeiliant cerddoriaeth eurhythmics

ewstasi *eg* newidiadau byd-eang yn lefel y môr eustasy

ewstatig *ans* yn ymwneud â newidiadau byd-eang yn lefel y môr eustatic

ewtectig *ans* CEMEG (am gymysgedd o sylweddau, yn enwedig aloi) â'r rhewbwynt isaf o bob cymysgedd posibl o'r sylweddau eutectic

ewtroffig *ans* BIOLEG (am bwll neu lyn) â llawer o faetholion wedi'u hydoddi ynddo ond yn fas ac yn brin o ocsigen ar adegau eutrophic

ewtroffigedd *eg* BIOLEG cyflwr corff o ddŵr â chrynodiadau uchel o faetholion yn hybu twf algâu a phlanhigion sydd, wrth ddadelfennu, yn darwagio'r ocsigen yn y dŵr ac yn lladd pysgod ac anifeiliaid sy'n byw yn y dŵr eutrophication

ewthanasia *eg* yr arfer o ladd yn drugarog rywun sy'n dioddef clefyd marwol neu niwed anadferadwy euthanasia

ewtheraidd *ans* SWOLEG yn perthyn i ddosbarth o famolion sy'n rhoi maeth i'r ffoetws drwy'r brych cyn iddo gael ei eni, e.e. bodau dynol eutherian

ewyllys¹ *eg*
1 y gallu neu'r gynneddf feddyliol sy'n caniatáu i rywun ddewis yr hyn y mae am ei wneud a phenderfynu drosto'i hun, *Ewyllys rhydd sy'n caniatáu inni ddewis ein ffordd o fyw.*; bodd, dyhead, dymuniad free will, will
2 y bwriad neu'r penderfyniad i wneud i rywbeth ddigwydd, *Roedd ei ewyllys i fyw yn gryf.*; bwriad, penderfyniad will
3 rhywbeth sy'n cael ei ddymuno, *Dy ewyllys Di a wneler.*; dymuniad will

ewyllys rhydd y gred bod gan rywun ddewis rhydd yn ei fywyd i ymddwyn heb gael ei

gyfyngu gan reidrwydd neu ffawd; gallu person i ymddwyn yn unol â'i ewyllys ei hun free will
Ymadroddion

ewyllys da

1 teimladau caredig, dymuniadau da a pharodrwydd i helpu a hybu buddiannau rhywun neu rywrai goodwill

2 gwerth ariannol poblogrwydd busnes wrth iddo gael ei werthu goodwill

yn erbyn fy (dy, ei, etc.) ewyllys gw. erbyn¹

ewyllys² *eb* (ewyllysiau)

1 CYFRAITH dymuniad person ynglŷn â'r ffordd y dylai ei eiddo gael ei rannu ar ôl iddo farw, wedi'i gofnodi mewn dogfen gyfreithiol will

2 y ddogfen ei hun last will and testament

ewyllysgar *ans* parod ei gymwynas, yn barod iawn (i gynorthwyo, etc.); cymwynasgar, gwasanaethgar, parod willing, desirous

ewyllysgarwch *eg* parodrwydd i fod o gymorth, ewyllys da; caredigrwydd, cymwynasgarwch, rhadlonrwydd good will

ewyllysiad *eg* y weithred o ewyllysio, canlyniad ewyllysio; penderfyniad volition, conation

ewyllysio *be* [ewyllysi•²]

1 CYFRAITH gadael mewn ewyllys; cymynnu (~ *rhywbeth* i) to bequeath, to will

2 *hen ffasiwn* bwriadu, dymuno, mynnu (yn ddigymell neu'n wirfoddol) to wish

ewyllysiwr *eg* (ewyllyswyr) un sy'n gadael ewyllys ddilys ar adeg ei farw/marw testator

ewyn *eg* (ewynnau)

1 y casgliad o fyrlymau neu glychau dŵr a geir ar wyneb dŵr terfysglyd megis ar frig tonnau'r môr, *ewyn blaen lli*; distrych foam

2 unrhyw beth tebyg, megis y pen gwyn ar wydraid o gwrw neu bop, neu'r poer neu'r glafoerion yn ymyl y geg sy'n cael eu hachosi gan afiechyd neu gyffro; laddar foam, froth, lather, scum

ewynnog *ans* â phen gwyn o ewyn, yn cynhyrchu llawer o ewyn frothy, foaming

ewynnu *be* [ewynn•⁹] berwi neu godi'n ewyn; brochi, glafoeri (~ **dros**) to froth, to foam
  Sylwch: dyblwch yr 'n' ym mhob ffurf ac eithrio yn y rhai sy'n cynnwys -*as*-.

ewythr:ewyrth *eg* (ewythredd:ewythrod)

1 brawd eich tad neu eich mam, neu frawd eich taid/tad-cu neu eich nain/mam-gu; dewyrth, ewa uncle

2 gŵr i fodryb; dyn neu fachgen y mae ei frawd neu ei chwaer wedi cael plentyn uncle

3 gŵr sy'n gyfaill i blentyn bach neu i rieni'r plentyn bach uncle

ex cathedra *adf* ac *ans* gydag awdurdod llawn (y Pab)

ex gratia *adf* ac *ans* o wirfodd (heb raid cyfreithiol)

ex officio *adf* ac *ans* yn rhinwedd (eich) swydd

F

f¹:F *eb* cytsain ac wythfed lythyren yr wyddor Gymraeg; ar ddechrau gair, gall fod yn ganlyniad treiglo *b* yn feddal, neu *m* yn feddal, *dau fachgen, dwy ferch* f, F

f²

1 CERDDORIAETH enw nodyn mewn hen nodiant, y pedwerydd nodyn yng ngraddfa C fwyaf F

2 y pedwerydd nodyn yng ngraddfa nodiant y system sol-ffa, fa f, fah

3 talfyriad o *forte*

f' *rhagenw blaen* ffurf ar *fy* o flaen llafariad, *f'anwylyd, f'amser* my

fa *eg* y pedwerydd nodyn yng ngraddfa nodiant y system sol-ffa, f fah, f
  Sylwch: er mai 'sol-ffa' yw enw'r system, 'fa' yw enw'r nodyn.

faciwî *egb* (faciwîs) *hanesyddol* un a symudwyd i gefn gwlad o ardal boblog a oedd yn cael ei bomio adeg yr Ail Ryfel Byd evacuee
  Sylwch: mae'n newid cenedl yn ôl rhyw'r unigolyn.

fafasor *eg* (fafasoriaid) *hanesyddol* deiliad ffiwdal un radd yn is na barwn vavasour

fagddu *eb* fel yn yr ymadrodd *yn dywyll fel y fagddu*, tywyllwch llwyr, düwch eithaf; uffern blackness, hell
  Sylwch: Afagddu oedd llysenw mab hyll y wrach Ceridwen yn *Chwedl Taliesin*, a droes ymhen amser i *Y fagddu*.

fagina gwain; y llwybr ar ffurf tiwb sy'n arwain o'r groth i agoriad allanol organau rhywiol benywaidd

Fahrenheit *ans* am raddfa dymheredd lle mae dŵr yn rhewi ar 32 gradd (32°F) ac yn berwi ar 212°F Fahrenheit

faint *rhagenw gofynnol* ffurf arferol *pa faint* gw. maint, pa nifer, sawl how many?, how much?

fait accompli *eg* rhywbeth sydd wedi'i gyflawni nad oes dadlau rhagor amdano

falens *eg* (falensau) CEMEG mesur o allu elfen i gyfuno ag elfennau eraill; mae'r mesur ar ffurf rhif sy'n nodi'r nifer o atomau hydrogen y gall elfen eu dadleoli neu gyfuno â nhw valency

falf *eb* (falfiau)

1 dyfais sy'n rheoli llif hylif neu nwy drwy bibellau a dwythellau drwy agor a chau'r llwybrau drwyddynt, e.e. falf sy'n atal y llif o foeler pan fydd y dŵr yn ddigon poeth valve

2 CERDDORIAETH (mewn offeryn pres) dyfais sy'n galluogi'r defnyddiwr i estyn cwmpas y nodau drwy adael i aer fynd i wahanol rannau o'r tiwb pan fydd y ddyfais yn cael ei gwasgu neu ei throi valve

3 ANATOMEG ffurfiad pilennog mewn organ cau neu bibell, e.e. y galon, sy'n rheoli llif hylif drwyddo, *Mae'r falf aortig yn rhwystro'r gwaed sy'n cael ei bwmpio o'r fentrigl chwith i'r aorta rhag llifo'n ôl i'r galon.* valve

falin *eg* BIOCEMEG asid amino sy'n bresennol yn y rhan fwyaf o broteinau; mae'n faetholyn hanfodol yn neiet fertebratau valine

y Fall gw. **mall**

famp *eb* (fampiau) merch neu wraig hudolus ddiegwyddor; hudoles vamp

fampio *be* [fampi•²] cyfeilio'n fyrfyfyr (~ **ar**) to vamp

fampir *egb* (fampirod:fampiriaid) un o'r meirwon y credir eu bod yn codi o'r bedd gyda'r nos er mwyn sugno gwaed y rhai sy'n cysgu vampire

fan *eb* (faniau) cerbyd a tho drosto ar gyfer cludo pobl neu nwyddau van

fan bost fan cludo llythyron a pharseli ar ran y swyddfa bost mail van

fan lyfrau llyfrgell deithiol mobile library

fanadiwm *eg* elfen gemegol rhif 23; metel caled, llwyd a ddefnyddir i wneud aloion dur (V) vanadium

fandal *eg* (fandaliaid) yn wreiddiol, aelod o'r llwyth Almaenaidd a ymsefydlodd yn Sbaen ac a oresgynnodd Ewrop yn y bedwaredd a'r bumed ganrif ond, erbyn hyn, rhywun sy'n fwriadol yn gwneud niwed neu'n distrywio rhywbeth prydferth neu ddefnyddiol vandal

fandaleiddio *be* [fandaleiddi•²] distrywio neu wneud niwed i eiddo yn fwriadol to vandalize

fandaliaeth *eb* distryw a difwyno a achosir gan fandaliaid vandalism

fanila *eg* sylwedd wedi'i wneud o hadau planhigion sy'n tyfu yn y trofannau; mae'n cael ei ddefnyddio i roi blas ar fwydydd a siocled fel arfer vanilla

fannod gw. **bannod**

Fanwatwad *eg* (Fanwatwaid) brodor o Vanuatu (Fanwatw) Vanuatuan

Fanwatwaidd *ans* yn perthyn i Vanuatu (Fanwatw), nodweddiadol o Vanuatu Vanuatuan

farf *eg* (farfau) DAEAREG pâr o haenau tenau o waddodion, y naill yn fân ac yn dywyll a'r llall yn fras ac yn olau, sy'n cael eu dyddodi dros gyfnod o flwyddyn ar lawr llynnoedd dŵr croyw oer varve

farnais *eg* (farneisiau) un o nifer o fathau o hylifau tryloyw sydd yn caledu'n haen ddisglair ar ôl iddynt gael eu peintio ar rywbeth varnish

farneisio *be* [farneisi•²] peintio (rhywbeth) â haen o farnais er mwyn ei ddiogelu neu ei harddu to varnish

fâs *eb* (fasys) cynhwysydd i ddal blodau vase

fasdoriad *eg* (fasdoriadau) MEDDYGAETH llawfeddygaeth i ddynion (fel dull o atal cenhedlu) sy'n torri darn o'r ddwythell sy'n cludo had i bibell y bledren ymaith cyn ei selio vasectomy

fasgwlar *ans*
1 ANATOMEG yn perthyn i bibell neu rwydwaith o bibellau, yn enwedig rhai sy'n cludo gwaed vascular
2 BOTANEG yn perthyn i feinweoedd sy'n cludo dŵr, nodd neu faetholion mewn planhigion blodeuol a rhedyn vascular

fasgwlwm *eg* (fasgwla) blwch i ddal y planhigion y bydd botanegydd yn eu casglu vasculum

fasogyfyngiad *eg* MEDDYGAETH y cyfyngu ar ddiamedr pibell waed sy'n ganlyniad adwaith nerfol fel arfer vasoconstriction

fasogyfyngydd *eg* (fasogyfyngyddion) MEDDYGAETH rhywbeth, e.e. nerf neu gyffur, sy'n achosi fasogyfyngiad vasoconstrictor

fasoymlediad *eg* MEDDYGAETH y lledu sy'n digwydd i ddiamedr pibell waed, o ganlyniad i adwaith nerfol fel arfer vasodilation

fasoymledydd *eg* (fasoymledyddion) MEDDYGAETH rhywbeth, e.e. nerf neu gyffur, sy'n achosi fasoymlediad vasodilator

faux pas *eg* cam gwag; camgymeriad

fawr *ans* pan fydd 'mawr' yn negyddol ei ystyr ac yn cyfeirio at ddiffyg neu absenoldeb maint neu radd, mae'n treiglo'n feddal, *Ni chawn wybod fawr ddim ganddo.* [*Nid yw*] *fawr o beth, fawr o werth*
Sylwch: mae'n achosi'r treiglad meddal ac eithrio o flaen gradd cymharol ansoddair (*fawr gwell; fawr gwaeth*)

fe¹ *rhagenw annibynnol syml tafodieithol, yn y De* ef, e, fo, o, *A welaist ti fe?* he, him, it

fe² *geiryn rhagferfol*
1 mae'n cynnal rhagenwau mewnol gwrthrychol mewn brawddegau fel *Fe'i gwelais., Fe'm dewiswyd.* etc.
2 mae'n cael ei ddefnyddio'n aml (fel *mi*) o flaen berfau ar lafar, ac weithiau i gryfhau'r hyn sy'n ei ddilyn, *Fe ddaeth., Fe redodd.*
Sylwch:
1 peidier â'i ddefnyddio o flaen ffurfiau Presennol neu Amherffaith 'bod' – *yr oedd (roedd)* ac *yr wyf (rwyf)* yw'r ffurfiau cydnabyddedig;
2 mae'n achosi'r treiglad meddal;
3 *ac fe* (nid *a fe*) sy'n gywir.

fe allai *adf* ffurf ar **efallai**, a 'gallai ef'

fector *eg* (fectorau) MATHEMATEG mesur sydd â maint a chyfeiriad, ac a gynrychiolir yn aml gan saeth; mae hyd y saeth yn cynrychioli maint y fector ac mae gogwydd y saeth yn dangos ei gyfeiriad vector

lluoswm fector gw. **lluoswm**

fectoraidd *ans* MATHEMATEG yn perthyn i fector, nodweddiadol o fector vectorial

fectoreiddio *be* [fectoreiddi•²] MATHEMATEG creu fector neu fectorau to vectorize

fedayeen *ell* herwfilwyr Arabaidd sy'n gweithredu yn erbyn Israel, yn enwedig

fegan:figan *egb* (feganiaid:figaniaid) un sy'n arfer feganiaeth vegan
  Sylwch: mae'n newid cenedl yn ôl rhyw'r unigolyn.

feganiaeth:figaniaeth *eb* yr arfer o beidio â bwyta na defnyddio dim sy'n deillio o anifail, e.e. llaeth, wyau na chrwyn anifail, a hynny am resymau moesegol yn aml veganism

fei *eg* fel yn yr ymadrodd *dod i'r fei,* dod i'r golwg, dod i law come to light

feiol *eb* (feiolau) aelod o deulu o offerynnau llinynnol o'r unfed ganrif ar bymtheg a'r ail ganrif ar bymtheg; mae'n cael ei dal rhwng y coesau a defnyddir bwa i'w chwarae viol

feiolin *eb* (feiolinau) offeryn cerdd ac iddo bedwar llinyn; mae'n cael ei ddal rhwng gên a phont ysgwydd y chwaraewr; ac mae'r sŵn yn cael ei gynhyrchu drwy dynnu bwa ar draws y llinynnau neu weithiau drwy eu plycio, ac mae'r nodau yn cael eu newid drwy bwyso bysedd y llaw chwith ar y llinynnau (gan fyrhau hyd y llinyn); ffidil violin

feiolinydd *eg* (feiolinwyr:feiolinyddion) cerddor sy'n chwarae'r ffidil violinist

feis *eb* (feisiau) teclyn sydd â safn y mae modd ei thynhau a'i llacio i afael yn dynn yn rhywbeth; fe'i defnyddir gan saer neu of fel arfer vice

feis beiriant feis fach i ddal defnyddiau wrth eu trin machine vice

feis gweithiwr coed GWAITH COED feis o haearn neu ddur â safn o bren i ddal pren yn dynn wrth ei drin carpenter's vice, woodworker's vice

feis law feis i'w dal yn y llaw i ddal eitemau cymharol fach yn dynn hand vice

feis peiriannydd feis wedi'i chydio wrth fainc, â safn ddur gryf, i drin metelau yn bennaf engineer's vice

fel¹ *ardd* yn debyg i, yn gyffelyb i, *'Paid â sefyll fan 'na fel llo, dere i mewn.';* megis as, like, similar

fel arall
1 ffordd wahanol, i'r gwrthwyneb, *Er iddo ddweud wrthi am wneud fel hyn, fel arall y gwnaeth hi.*
2 heblaw, oni bai, *Dyw Dad ddim yn dda iawn, ond fel arall mae pawb yn iawn.* otherwise

fel² *cysylltair* megis, *Nid yw popeth yn barod eto, fel y gweli di.* as
  Sylwch: ac fel (nid *a fel*) sy'n gywir.

fel³ *adf* anffurfiol sut, *Rwy'n edrych ymlaen at weld fel bydd e'n datrys y broblem 'ma.* how

fel a'r fel *Dywedodd yr athro wrthi am wneud fel a'r fel, ond fel arall y gwnaeth hi.* so and so, such and such

fel⁴ *adf* er mwyn *Cychwynnais yn gynnar fel y gallwn gyrraedd mewn pryd.* so that

fêl *eb* (feliau) darn o ddefnydd tenau neu rwyllog (ynghlwm wrth het merch neu wraig fel arfer) sy'n addurn, yn cuddio peth o'r wyneb neu sy'n amddiffyniad, e.e. rhag clêr veil

felan gw. melan

felcro *eg* defnydd clymu wedi'i wneud o ddau stribed, y naill a bachau bach drosto sy'n cydio yn y dolenni bach sy'n gorchuddio'r llall velcro

felfed gw. melfed

felin gw. melin

fel'ma:fel'na:fel'ny *adf* cywasgiadau o *fel yma, fel yna, fel hynny* like that, like this

felwm *eg* memrwn arbennig wedi'i wneud o groen llo vellum

felly *adf*
1 fel hyn, yn yr un modd, *Gwnewch chwithau felly hefyd.* so, likewise, thus
2 am hynny, gan hynny, *Mae'n addo glaw, felly awn ni ddim i lawr i'r traeth heddiw.* therefore, so, consequently
3 o'r fath, y cyfryw, *Mae'n gas gennyf bobl felly.* such
  Sylwch:
  1 pan fydd 'felly' yn torri ar rediad arferol brawddeg (a thrwy hynny yn creu sangiad) mae'n sbarduno treiglad meddal, *Yr oedd y niwl yn drwchus, ni welwyd felly long yn gadael yr harbwr.;*
  2 ac felly sy'n gywir nid '*a felly*'.

ac felly ymlaen/yn y blaen et cetera and so on, etc.

felly y mae hi dyna'r ffordd y mae pethau that's the way it is

femme fatale *eb* (*femmes fatales*) merch neu wraig beryglus o bert; hudoles

fena cafa *eb* (fena cafau) ANATOMEG y brif wythïen sy'n cludo gwaed deocsigenedig o bob rhan o'r corff, ac eithrio'r ysgyfaint, yn ôl i'r galon vena cava

fendeta *egb* (fendetâu) ymrafael hyd at angau rhwng teuluoedd lle mae aelod o un teulu wedi'i ladd neu wedi cael niwed gan aelod o'r teulu arall, a hynny'n arwain at ddial cynyddol gan y naill ochr a'r llall; y weithred o dalu'r hen bwyth yn ôl vendetta

Fenedotiaid *ell* hanesyddol y llwyth Celtaidd a oedd yn byw yn ardal Gwynedd (heddiw) cyn i'r Rhufeiniaid oresgyn y wlad yn y ganrif gyntaf OC Venedotae

Feneswelaidd *ans* yn perthyn i Venezuela, nodweddiadol o Venezuela Venezuelan

Fenesweliad *eg* (Fenesweliaid) brodor o Venezuela Venezuelan

Fenisaidd *ans* yn perthyn i ddinas Fenis (Venezia), nodweddiadol o ddinas Fenis Venetian

Fenisiad *eg* (Fenisiaid) dinesydd o ddinas Fenis (Venezia) Venetian

fent *eb* (fentiau) twll awyr, agorfa vent

fentrigl *eg* (fentriglau) ANATOMEG ceudod y tu mewn i organ neu ran arall o'r corff ventricle

fentrol *ans* BIOLEG wedi'i leoli ar ochr isaf anifail neu blanhigyn ventral

Fenws *eb* Gwener; yr ail blaned o'r Haul a'r nesaf at y Ddaear sy'n ymddangos inni weithiau fel y seren fore ac weithiau fel seren yr hwyr; cafodd ei henwi ar ôl duwies cariad a phrydferthwch y Rhufeiniaid Venus

feranda *eb* math o lwyfan â tho yn rhedeg ar hyd un neu ragor o ochrau tŷ neu adeilad veranda

ferdigris *eg* rhwd gwyrdd a geir ar gopr neu bres verdigris

fermiliwn *eg* lliw coch llachar vermilion

fermin *ell* anifeiliaid bychan a allai fod yn bla, e.e. llau, llygod Ffrengig, etc. vermin

fernier *eg* graddfa fer sy'n llithro ar hyd y brif raddfa gan ganiatáu mesur tra manwl vernier

fersiwn *egb* (fersiynau)
1 ffordd un person o groniclo hanes rhywbeth (o'i chymharu â ffordd rhywun arall) version
2 cyfieithiad, *fersiwn Cymraeg o'r Beibl* version
3 un o blith dau neu ragor o drefniannau neu addasiadau o waith gwreiddiol (cerddorol neu lenyddol fel arfer) a baratowyd at ddiben arbennig version

fertebra *eg* (fertebrâu) ANATOMEG un o ddarnau'r asgwrn cefn sy'n amgáu ac yn amddiffyn madruddyn y cefn vertebra

fertebraidd *ans* SWOLEG yn dynodi neu'n perthyn i grŵp y fertebratau vertebrate

fertebrat *eg* (fertebratau:fertebratiaid) SWOLEG anifail yn perthyn i ddosbarthiad tacsonomaidd sy'n cynnwys anifeiliaid ag asgwrn cefn vertebrate

fertebrol *ans* ANATOMEG yn perthyn i fertebrâu, wedi'i wneud o fertebrâu vertebral

fertig *eg* (fertigau)
1 uchafbwynt neu binacl siâp tri dimensiwn sy'n sefyll ar sylfaen vertex
2 MATHEMATEG cornel siâp tri dimensiwn, sef pwynt cyfarfod tri neu fwy o wynebau'r siâp vertex

fertigol *ans* MATHEMATEG yn ffurfio ongl o 90° â'r llawr; plwm, unionsyth vertical

fesigl *eg* (fesiglau)
1 ANATOMEG pledren neu goden fach o fewn y corff a'i llond o hylif vesicle
2 MEDDYGAETH pothell fach llawn hylif vesicle

3 BOTANEG (mewn planhigion) chwysigen a'i llond o aer, e.e. gwymon vesicle

fest *eb* (festiau) crys isaf dilewys vest

festri *eb* (festrïoedd:festrïau)
1 ystafell mewn eglwys lle mae'r gwisgoedd eglwysig yn cael eu cadw ynghyd â llestri'r Cymun a'r cofrestri bedyddiadau, priodasau a chladdedigaethau vestry
2 adeilad yn gysylltiedig â chapel lle mae gwasanaethau crefyddol a chyfarfodydd eraill yn cael eu cynnal; ysgoldy vestry

fesul:mesul *adf* maint grwpiau sy'n dilyn ei gilydd, *Ewch i mewn fesul un.* by
Sylwch: nid yw'n achosi treiglad.

fesul tipyn tipyn bach ar y tro, bob yn dipyn bit by bit

fet *eg* (fetiaid) *anffurfiol* milfeddyg vet

feto *eb* (fetoau) CYFRAITH hawl ffurfiol gan unigolyn neu gorff cyfansoddiadol i ddatgan nad oes hawl gweithredu penderfyniadau a wnaed gan eraill, yn enwedig hawl Arlywydd Unol Daleithiau America i rwystro mesurau wedi'u llunio gan gorff deddfwriaethol veto

fi¹:mi² *rhagenw annibynnol syml* yr un sy'n siarad; person cyntaf unigol, fe'i defnyddir fel dibeniad i'r goddrych, *Fi yw'r arweinydd heno.*, ac fel gwrthrych berf gryno, *Atebodd y plant fi.* I, me

y fi fawr y cyflwr o feddwl am neb arall ond chi'ch hunan egotism

fi²:i² *rhagenw dibynnol ategol syml* e.e. *yr wyf fi, gennyf fi*
Sylwch: defnyddiwch 'fi' neu 'i' os bydd '-f' yn niwedd y terfyniad ond 'i' bob tro arall. (Mae '*beic fi*' neu '*bag fi*' yn anghywir – *fy meic i, fy mag i* sy'n gywir.)

ficer *eg* (ficeriaid) CREFYDD offeiriad sy'n gyfrifol am eglwys a'i phlwyf; yn y gorffennol dim ond rhan (os hynny) o ddegwm y plwyf y byddai ficer yn ei derbyn (tra byddai rheithor yn derbyn y cyfan) vicar

ficerdy *eg* (ficerdai) tŷ ficer; persondy vicarage

ficeriaeth *eb* (ficeriaethau) swydd ac awdurdod ficer vicariate

Fictoraidd:Fictoriaidd *ans*
1 nodweddiadol o deyrnasiad y Frenhines Fictoria neu o lenyddiaeth, celfyddyd a chwaeth yr oes Victorian
2 (yn feirniadol) nodweddiadol o foesau Oes Fictoria, sef yn rhagrithiol a mursennaidd Victorian

fideo¹ *eg* (fideos) y peiriant fideo neu'r tâp fideo, *Ga' i fenthyg dy fideo di o'r cyngerdd?* video

fideo² *ans*
1 cysylltiedig â dangos lluniau ar y teledu, *peiriant fideo* video
2 yn ymwneud â thâp arbennig sy'n gallu

recordio ac ailchwarae rhaglenni teledu neu
luniau a dynnwyd gan gamera arbennig video

fideo-gynadledda *be* defnyddio llinellau ffôn
a sgriniau er mwyn i grŵp o bobl gyfathrebu
â'i gilydd, o bell, drwy gyfrwng sain a llun
to videoconference

Sylwch: nid yw'r ferf hon yn arfer cael ei rhedeg.

Fietnamaidd *ans* yn perthyn i Viet Nam,
nodweddiadol o Viet Nam Vietnamese

Fietnamiad *eg* (Fietnamiaid) brodor o Viet Nam,
un o dras neu genedligrwydd Fietnamaidd
Vietnamese

figan gw. **fegan**

figaniaeth gw. **feganiaeth**

fila *eb* (filâu) plasty'r Rhufeiniaid gynt a'r
tiroedd amaethyddol o'i gwmpas villa

filws *eg* (fili:filysau)
  1 ANATOMEG un o'r ffurfiadau niferus sy'n
  debyg i fysedd mân ac a geir ar bilen fwcaidd
  y coluddyn bach; maen nhw'n cynyddu'r
  arwynebedd sydd ar gael ar gyfer amsugno
  bwyd sydd eisoes wedi'i dreulio i lif y gwaed
  villus
  2 ANATOMEG rhan debyg yn llawn gwaed sy'n
  rhan o'r brych ac a geir yn y corion o gwmpas
  embryo mamolion villus

fin de siécle *ans* nodweddiadol o ddiwedd y
bedwaredd ganrif ar bymtheg

finegr *eg* hylif asid wedi'i wneud o win neu seidr
sur fel arfer; mae'n cael ei ddefnyddio i roi blas
ar fwyd neu ar gyfer piclo bwydydd vinegar

finnau[1] gw. **minnau**

finnau[2]:**innau** *rhagenw dibynnol ategol cysylltiol*
e.e. *Ewch chi i'r sinema ac fe af finnau i'r theatr.;
Rwyf finnau'n hoffi dawnsio.*

Sylwch: defnyddiwch 'finnau' pan fydd '-f'
yn niwedd terfyniad y ferf, *Ni chanaf finnau
chwaith.*, ac 'innau' os nad oes '-f' yn y terfyniad,
Gwelodd e gath a gwelais innau lygoden.

finyl *eg*
  1 grŵp cemegol yn perthyn i ethen ond ag un
  atom hydrogen yn llai vinyl
  2 defnydd plastig wedi'i wneud o bolymer o
  finyl, e.e. recordiau, etc. vinyl

fiola *eb* (fiolâu) offeryn cerdd sy'n debyg iawn
i feiolin ond ei fod ychydig yn fwy ac wedi'i
diwnio bum nodyn yn is viola

fioled[1] *eb* lliw porffor golau y fioled gyffredin
violet

fioled[2] *ans* o liw porffor golau y fioled gyffredin;
indigo, piws, porffor violet

fioled gyffredin *eb* (fioledau cyffredin) blodyn
gwyllt o liw porffor golau neu wyn violet

fiolydd *eg* (fiolyddion) un sy'n chwarae'r fiola
viola player

firaol:firol *ans* yn perthyn i firws, a achosir gan
firws viral

firgat *eg* (firgatau) *hanesyddol* hen fesur tir Seisnig
yn cyfateb i tua 30 erw (0.12 cilometr sgwâr)
virgate

firidian *eg* lliw gwyrddlas, gwyrdd crôm
viridian

firol gw. **firaol**

firoleg *eb* astudiaeth wyddonol o firysau a'r
clefydau a achosir ganddynt virology

firws *eg* (firysau)
  1 BIOLEG organeb sy'n llai na bacteriwm, sy'n
  goroesi drwy ddefnyddio adnoddau cell letyol,
  ac sy'n achosi heintiau mewn anifeiliaid,
  planhigion a phobl virus
  2 CYFRIFIADUREG rhaglen gyfrifiadurol (faleisus
  fel arfer) wedi'i llunio'n fwriadol i ymosod
  ar feddalwedd gan ddistrywio ffeiliau a dileu
  disgiau a hefyd i'w chopïo'i hun i leoliadau
  newydd ar gyfrifiaduron eraill virus

fisa *eb* (fisâu) arnodiad pasbort yn dynodi fod
gan y deiliad hawl mynediad i wlad a chaniatâd
i aros ynddi am gyfnod penodol visa

fiscos CEMEG defnydd y gwneir reion ohono
ac sy'n deillio o drin cellwlos yn gemegol
viscose

Fisigoth *eg* (Fisigothiaid) *hanesyddol* un o lwythau
Germanaidd y gorllewin a oresgynnodd yr
Ymerodraeth Rufeinig rhwng y drydedd a'r
bumed ganrif OC Visigoth

fitamin *eg* (fitaminau) BIOCEMEG un o nifer
o sylweddau cemegol (wedi'u henwi yn ôl
llythrennau'r wyddor) a geir mewn rhai
bwydydd ac y mae prinder ohonynt yn achosi
afiechydon i'r corff vitamin

fitriol *eg* hen enw am asid sylffwrig vitriol

fiw fel yn *fiw imi wrthod* gw. **gwiw**

fl. *byrfodd* talfyriad o *floruit*, ym mlodau ei
(d)dyddiau

flambé *ans* COGINIO (am fwyd) wedi'i orchuddio
â gwirod (fel arfer chwisgi, brandi neu rym) a'i
goginio â fflam drwy 'losgi' yr alcohol i ffwrdd

y Fns *byrfodd* y Foneddiges Miss, Mrs, Ms

fo *rhagenw annibynnol syml tafodieithol, yn y
Gogledd* ef, fe; o he, him, it

fodca *eg* diod feddwol gadarn, ddi-liw, a ddaw
yn wreiddiol o Rwsia a Gwlad Pwyl vodka

folant:ffolant *eb* (folantau) fel yn *cerdyn
folant*, cerdyn sy'n cael ei ddanfon yn ddienw
i gyrraedd ar 14 Chwefror, sef dydd gŵyl
Valentine, nawddsant cariadon valentine

folcanig:folcanaidd *ans* yn deillio o losgfynydd,
a grëir gan losgfynydd volcanic

folcano *eg* (folcanoau) llosgfynydd; unrhyw
agorfa neu agen naturiol ar wyneb y Ddaear y
daw lafa, lludw a nwyon folcanig allan ohoni
yn ystod echdoriad volcano

foli *eb* (folïau) (tennis, pêl-droed, etc.) ergyd neu
gic i bêl cyn iddi gyffwrdd â'r llawr volley

folïo *be* [folï•⁸] taro pêl cyn iddi gyffwrdd â'r
llawr to volley
Sylwch: does dim angen didolnod pan fydd
dwy 'i' yn dilyn ei gilydd, foliir.
folt *eg* (folt(i)au) FFISEG mesur trydanol sy'n
ymwneud â'r newid yn egni (potensial) gwefr,
pan symudir y wefr o un man i fan arall; V volt
foltedd *eg* cryfder trydanol wedi'i fesur mewn
foltau voltage
foltmedr *eg* (foltmedrau) dyfais i fesur
gwahaniaeth foltedd, e.e. y gwahaniaeth rhwng
y foltedd ar un wifren a'r foltedd ar wifren arall
voltmeter
force majeure *eg* digwyddiad(au) annisgwyl
sy'n rhwystro rhywun rhag cyflawni cytundeb
foregwaith *adf* rhyw fore, un bore
forte *adf ac ans* CERDDORIAETH (yn) uchel
fortecs *eg* (fortecsau) llifydd yn chwyldroi'n
chwyrn ac yn creu ceudod neu wactod yn y
canol, e.e. trobwll, troellwynt vortex
fory *gw.* yfory
fotio *be* [foti•²] *anffurfiol* pleidleisio; dynodi
dewis yn ffurfiol drwy nodi darn o bapur yn
gyfrinachol, neu godi llaw neu weiddi o blaid
neu yn erbyn mewn cyfarfod to vote
fotiwr *eg* (fotwyr) *anffurfiol* pleidleisiwr; un sy'n
fotio voter
foty *eg* ffurf ar **hafoty**
fowt *eb* (fowtiau)
1 ystafell neu ofod tanddaearol â nenfwd
bwaog, yn enwedig man claddu dan eglwys neu
mewn mynwent; daeargell vault
2 PENSAERNÏAETH nenfwd ar ffurf cromen
wedi'i adeiladu o feini; cromgell vault
fricassée *eb* COGINIO saig o gig a/neu lysiau
mewn saws *velouté*
frisson *eg* gwefr, ysgryd
fry *adf* i fyny, yn uchel; lan, uchod, uwchben
above, aloft
führer *eg* arweinydd gormesol
fwdw *eg* casgliad o gredoau mewn dewiniaeth,
swynion a defodau crefyddol sy'n cael eu
hymarfer ar Ynysoedd y Caribî a rhannau
deheuol Unol Daleithiau America yn seiliedig ar
gyfathrebu â duwiau mewn cyflwr o swyngwsg
voodoo
fwlcaneiddio *be* [fwlcaneiddi•²] trin rwber â
sylffwr neu gemegion yn cynnwys sylffwr i'w
wneud yn fwy gwydn to vulcanize

fwlcanoleg *eb* DAEAREG astudiaeth wyddonol
o losgfynyddoedd volcanology, vulcanology
fwlfa *eg* (fwlfâu) ANATOMEG yr agoriad allanol
ar gorff mamolyn benywol sy'n arwain at yr
organau rhywiol vulva
fwlgareiddio *be* [fwlgareiddi•²] troi'n israddol
neu'n gyffredin; diraddio to vulgarize
fwlgariaeth *eb* canlyniad i fwlgareiddio,
enghraifft o afledneisrwydd, o fod yn gwrs
vulgarity
Fwlgat *eg* cyfieithiad Lladin o'r ysgrythurau gan
Jerôm tua diwedd y bedwaredd ganrif Vulgate
fwltur *eg* (fwlturiaid) aderyn ysglyfaethus heb
blu ar ei ben na'i wddf hir, sy'n byw ar gyrff
creaduriaid marw vulture
fwyfwy *gw.* mwyfwy
fy *rhagenw dibynnol blaen*
1 (person cyntaf unigol genidol) yn eiddo i mi,
yn perthyn i mi, *fy nhŷ i, fy llong i* my
2 (person cyntaf unigol) fe'i defnyddir i gyfleu
gwrthrych ymadrodd berfol, *Mae am fy
ngweld i'r peth cyntaf bore fory.*; fi, i me
Sylwch:
1 mae'n achosi'r treiglad trwynol, *fy nghath*;
Mae eisiau fy ngweld.;
2 fe'i dilynir yn aml gan 'i', *fy nhad i; Mae
wedi fy ateb i.*;
3 defnyddir ''m' genidol ar ôl *a, â, gyda, tua,
efo, na, i, o, mo*, e.e. *fy mrawd a'm chwaer*;
gyda'm tad;
4 mewn arddull ffurfiol, defnyddir ''m'
gwrthrychol ar ôl *a, na*, (perthynol), y geiryn
y ac ar ôl y geirynnau a arferir o flaen berfau,
*Pwy a'm gwelodd neithiwr? Ni'm gwelwyd
yno.*;
5 mae 'fy' genidol yn troi'n 'f' o flaen
llafariad, *f'anwylyd*;
6 mewn rhestr, mae angen ailadrodd
y rhagenw, *fy mam a'm tad/a 'nhad*;
7 'fyn' oedd yr hen ffurf ar 'fy' ac fe'i cedwir
yn y ffurfiau ''yng nghap i' a 'yn afal i'.
fyny *adf* fel yn *i fyny* i le neu safle uwch, *Ewch i
fyny i'r trydydd llawr a holwch wrth y ddesg.*;
fry, lan up, upwards
ar i fyny
1 yn gwella; yn fwy gobeithiol looking up
2 cyfarwyddyd ynglŷn â diwyg deunydd
argraffedig sy'n dynodi bod ei uchder yn fwy
na'i led portrait

Ff

ff:Ff *eb* cytsain a nawfed lythyren yr wyddor Gymraeg

ffa¹ *ell* lluosog **ffeuen:ffäen**

1 planhigion gardd y mae eu hadau bwytadwy, sydd yr un siâp ag arennau, yn tyfu mewn codau hir beans

2 hadau un o'r planhigion hyn sy'n cael eu berwi cyn eu bwyta broad beans

ffa coffi hadau'r goeden goffi sy'n cael eu rhostio a'u malu'n bowdr coffi coffee beans

ffa dringo planhigyn dringo y mae ei blisg hir gwyrdd yn fwytadwy kidney beans, runner beans

ffa pob ffa wedi'u coginio mewn saws ac wedi'u dodi mewn caniau i'w gwerthu baked beans

ffa'r gors planhigion â blodau pinc neu wyn blewog sy'n tyfu mewn corsydd a thir gwlyb bogbean, buckbean

ffa soia hadau planhigyn sy'n cael ei dyfu yn Asia; maent yn gyfoethog mewn protein ac fe'u defnyddir yn lle protein anifail mewn rhai bwydydd soya beans

ffa² gw. fa

ffabrig *eg* (ffabrigau) GWNIADWAITH defnydd tebyg i frethyn sy'n cael ei wau o ffibrau tecstil, e.e. ffabrig neilon, ffabrig reion fabric

ffacbys *ell* lluosog **ffacbysen**, hadau bychain sy'n cael eu sychu a'u defnyddio yn fwyd o blanhigyn tebyg i blanhigyn pys vetches, lentils, pulses

ffacbysen *eb* unigol **ffacbys** lentil

ffacir *eg* (ffaciriaid) CREFYDD pregethwr neu ŵr duwiol crwydrol ymhlith yr Hindŵiaid a'r Mwslimiaid fakir

ffacs *eg* y defnydd o linell ffôn neu radio i drawsyrru llun neu ysgrifen fax

ffacsimili *eg* (ffacsimilïau) copi union o ddeunydd printiedig; atgynhyrchiad facsimile

ffacsio *be* [ffacsi•²] anfon ffacs to fax

ffactor¹ *eg* (ffactorau) MATHEMATEG rhif (neu fynegiad) sy'n rhannu'n union i rif (neu fynegiad) penodol, e.e. mae 1, 2, 3, 4, 6 a 12 i gyd yn ffactorau o 12 factor

Ffactor Cyffredin Mwyaf MATHEMATEG y rhif mwyaf sy'n rhannu'n union i mewn i ddau neu ragor o rifau eraill, e.e. *1, 2, 3, 4, 6 a 12 yw'r ffactorau sy'n gyffredin i 36 a 48, ac felly 12 yw Ffactor Cyffredin Mwyaf 36 a 48.*; FfCM HCF, Highest Common Factor

ffactor cysefin MATHEMATEG ffactorau cysefin rhif yw ffactorau'r rhif hwnnw sydd hefyd yn rifau cysefin, e.e. *Ffactorau cysefin 12 yw 2 a 3.* prime factor

ffactor² *eb* (ffactorau) un o'r elfennau, dylanwadau, amgylchiadau, etc. sydd, ynghyd â rhai eraill, yn achosi rhywbeth; elfen, rhan factor

ffactoriad *eg* MATHEMATEG y broses o ffactorio, canlyniad ffactorio factorization

ffactorio *be* [ffactori•²] MATHEMATEG gosod rhif neu fynegiad mathemategol yn nhermau dau neu ragor o'i ffactorau to factorize

ffad *eb* (ffadiau) casbeth neu hoffbeth mympwyol; chwilen, chwiw, mympwy fad

ffaden *eb* fel yn yr ymadrodd *hidio 'run ffaden*, rhywbeth dibwys

ffael *eg* fel elfen yn *ddi-ffael*, pall, methiant, diffyg failure

ffaeledig *ans*

1 yn methu symud neu wneud pethau fel cynt; llesg, methedig, musgrell feeble

2 yn gallu bod yn anghywir, â thuedd i fethu neu i fynd o'i le; beius, diffygiol, methiannus fallible

ffaeledigrwydd *eg* y gallu i wneud camgymeriad fallibility

ffaeledd *eg* (ffaeleddau) bai, diffyg, gwendid, methiant failing

ffaeleddus *ans* yn dioddef o ffaeleddau; beius, diffygiol, ffaeledig, methiannus defective

ffaelu *be* [ffael•¹] diffygio, methu, pallu, torri to fail

ffäen gw. ffeuen

ffafr *eb* (ffafrau)

1 tro da; caredigrwydd, cymwynas favour

2 bendith Duw; gras blessing

ffafriaeth:ffafraeth *eb* cefnogaeth neu haelioni (annheg weithiau) tuag at un o'i gymharu â phawb arall, cydymdeimlad; blaenoriaeth, rhagfarn favouritism, preference, favour

ffafrio *be* [ffafri•⁵] rhoi sylw neu garedigrwydd (yn ormodol felly) i un ar draul eraill; cefnogi, cymeradwyo, gwahaniaethu (*~ rhywun* â) to favour, to prefer

ffafriol *ans*

1 (am neges, ateb, etc.) yn dweud yr hyn yr ydych chi am ei glywed; calonogol, cefnogol favourable

2 (am amgylchiadau) o blaid rhywbeth, sy'n caniatáu, *Awn i hwylio yfory os bydd y tywydd yn ffafriol.*; addawol, buddiol, manteisiol, pleidiol favourable

ffagl *eb* (ffaglau) casgliad o danwydd wedi'i glymu ynghyd i'w gario ac i daflu golau pan fydd ynghyn; fflam, golau, llusern torch

ffaglu *be* [ffagl•¹]

1 rhoi ar dân; fflamio, tanio to blaze

2 achosi i losgi â llawer o wres a golau, llosgi'n wenfflam; tanbeidio to deflagrate

ffagocyt *eg* (ffagocytau) FFISIOLEG un o nifer o gelloedd (e.e. celloedd gwyn y gwaed)

ff

sy'n amlyncu sylweddau niweidiol, e.e. bacteria neu rywbeth yn deillio o niwed i feinwe, ac yn eu treulio phagocyte

ffagocytig *ans* FFISIOLEG yn gallu gweithredu fel ffagocyt phagocytig

ffagocytosis *eg* FFISIOLEG y broses lle mae rhai celloedd, e.e. ffagocytau, yn amlyncu bacteria a defnyddiau eraill phagocytosis

ffagod *eb* (ffagodau) sypyn o goed tanwydd, bwndel o goed faggot

ffagodwaith *eg* GWNIADWAITH math o frodwaith addurnedig yn defnyddio patrwm ar ffurf rhesi o awrwydrau faggoting

ffagotsen *eb* (ffagots) pelen o fwyd wedi'i gwneud o afu/iau mochyn wedi'i friwio a'i goginio gydag amrywiaeth o ychwanegiadau blasus faggot

ffair *eb* (ffeiriau)
1 marchnad awyr agored sy'n cael ei chynnal mewn lle arbennig ac ar adeg arbennig o'r flwyddyn, yn wreiddiol er mwyn gwerthu anifeiliaid a chynnyrch fferm neu er mwyn cyflogi gweision a morynion, ond erbyn hyn er mwyn gwerthu pob math o nwyddau; mart fair, market
2 sioe awyr agored lachar, swnllyd, sydd gan amlaf yn teithio o gwmpas, lle y gellwch wario'ch arian ar wahanol fathau o ddifyrrwch; miri, rhialtwch fair
3 arddangosfa fawr o nwyddau, hysbysebion, etc., e.e. *Ffair Llyfrau Plant Ryngwladol Bologna* fair
Sylwch: yr hen drefn oedd bod enwau yn dilyn enw benywaidd mewn perthynas enidol yn treiglo'n feddal ond nid dyma'r drefn heddiw. Dilyn yr hen drefn mae ffurfiau fel *ffair Fangor; ffair Fedi*, etc.
ffair foes a phryn ffordd o godi arian at achos da lle mae pobl yn dod â phethau i'w gwerthu at yr achos ac yn prynu pethau gan bobl eraill sydd wedi gwneud yr un peth; basâr bring-and-buy sale
ffair sborion achlysur i werthu nwyddau aill-law er mwyn codi arian at achos da jumble sale
Ymadroddion
drannoeth y ffair gw. drannoeth
fel ffair yn brysur ofnadwy
ffaith *eb* (ffeithiau) rhywbeth sy'n bod, rhywbeth y mae rhywun yn gwybod ei fod yn wir; y gwirionedd neu rywbeth sy'n cael ei gyfri'n wir fact
y ffaith amdani mewn gwirionedd in fact
y Ffalang *eg hanesyddol* mudiad Ffasgaidd Sbaen a sefydlwyd yn 1933; hon oedd yr unig blaid wleidyddol yn Sbaen yn ystod llywodraeth y Cadfridog Franco, hyd at ei farwolaeth yn 1975 Falange/Phalange

ffald *eb* (ffaldau)
1 corlan; cornel gysgodol o gae lle mae anifeiliaid (defaid yn enwedig) wedi'u hamgylchynu â wal neu glawdd; lloc fold, pen, enclosure
2 yr iard agored o flaen tŷ fferm sydd wedi'i amgylchynu ag adeiladau fferm; beili, buarth, clos, cowt, cwrt farmyard
ffaldio *be* [ffaldi•²] casglu mewn ffald; corlannu, llocio to impound, to pen
ffaldirál *eg* lol, nonsens, sothach frill
ffalig *ans*
1 tebyg i ffalws, yn ymwneud â'r ffalws phallic
2 yn ymwneud â chwlt yn addoli gallu adfywiol a gynrychiolir gan symbol y ffalws phallic
ffals *ans* [ffals•] (ffeilsion)
1 heb fod yn wir neu'n iawn; anwir, gau false
2 heb fod yn deyrngar; rhagrithiol false
ffalseto *eg* CERDDORIAETH llais wedi'i gynhyrchu ar donfedd anarferol o uchel (drwy gyfangu tannau'r llais), e.e. dyn yn canu â llais menyw; meinlais falsetto
ffalsio *be* [ffalsi•²]
1 bod yn ffals; rhagrithio, twyllo to cheat
2 seboni, gwenieithu to flatter, to ingratiate
ffalsiwr *eg* (ffalswyr) cynffonnwr, twyllwr, sebonwr deceiver, flatterer
ffalster:ffalstra *eg* y cyflwr o fod yn ffals; brad, celwydd, rhagrith, twyll deceit, duplicity
ffalws *eg* (ffalysau) symbol neu lun yn cynrychioli'r pidyn neu'r gal phallus
ffan¹ *eb* (ffaniau) gwyntyll; teclyn i awyru ystafell, adeilad, peiriant, mwynglawdd, etc. fan
ffan² *eg* (ffans)
1 *anffurfiol* cefnogwr neu ddilynwr brwd iawn (rhyw chwarae neu gelfyddyd fel arfer) fan
2 edmygydd brwd (o actor, actores neu rywun enwog) fan
ffanaticiaeth *eb* meddylfryd neu ddull o weithredu ffanatic fanaticism
ffanatig:ffanatic *eg* (ffanaticiaid) un sy'n eithriadol o frwdfrydig dros rywun neu rywbeth ond heb fod wedi pwyso a mesur y rhesymau dros y brwdfrydedd; eithafwr, penboethyn fanatic
ffanbelt *eg* (ffanbeltiau) belt sy'n defnyddio egni siafft yrru peiriant cerbyd i droi ffan oeri'r peiriant a'r dynamo neu eiliadur fanbelt
Ffanerosöig *ans* DAEAREG yn perthyn i'r aeon diweddaraf sy'n cwmpasu'r tri gorgyfnod diweddaraf yn hanes y Ddaear (542 miliwn o flynyddoedd yn ôl hyd heddiw), nodweddiadol o dri gorgyfnod diweddaraf hanes y Ddaear Phanerozoic
ffanffer *eb* (ffanfferau) CERDDORIAETH darn byr cerddorol, ar gyfer offerynnau pres fel arfer, a ddefnyddir i dynnu sylw cynulleidfa fanfare

ffanio *be* [ffani•⁶] *anffurfiol* defnyddio ffan i oeri rhywun neu rywbeth to fan

ffansi *eb* (ffansïau)
1 dychymyg dilyffethair, ffantasi fancy
2 awydd, blys, mympwy, *Oes ffansi mynd i'r dre arnat ti?* fancy

ffansïo *be* [ffansï•⁸] bod ag awydd; dyheu, dymuno, eisiau to fancy
Sylwch: does dim angen didolnod pan fydd dwy 'i' yn dilyn ei gilydd, *ffansiir.*

ffansïol *ans* dan ddylanwad ffansi neu ddychymyg pur (yn hytrach na rheswm neu brofiad); dychmygol, ffug, tybiedig fanciful

ffansïwr *eg* (ffansiwyr) un sy'n codi planhigion arbennig neu sy'n magu anifeiliaid arbennig ar gyfer eu harddangos, *ffansïwr colomennod* fancier

ffantasi *eb* (ffantasïau) rhywbeth sydd wedi cael ei greu gan ddychymyg rhywun, rhywbeth nad yw'n bod mewn gwirionedd fantasy

ffantasïol *ans* yn perthyn i fyd ffantasi; dychmygol fanciful

ffantastig *ans*
1 fel pe bai wedi'i greu mewn ffantasi, dychmygus tu hwnt; dychmygol fantastic
2 anhygoel, rhyfeddol (o dda) fantastic
ffantastig o fe'i defnyddir i ddwysáu ystyr ansoddair, *yn ffantastig o wych*

ffarad *eg* (ffaradau) FFISEG uned o gynhwysiant yn mesur y gallu i storio gwefr drydanol farad

ffarier:ffariar *eg* (ffariers:ffariars)
1 doctor anifeiliaid; milfeddyg farrier, veterinary surgeon
2 un sy'n pedoli ceffylau; gof farrier

ffarm gw. **fferm**

ffarmacoleg *eb*
1 astudiaeth wyddonol o gyffuriau, eu nodweddion a'r ffordd y gellir eu defnyddio i drin afiechydon pharmacology
2 astudiaeth o nodweddion ac effeithiau cyffur unigol pharmacology

ffarmio gw. **ffermio**

ffarmocolegol *ans* yn perthyn i ffarmacoleg, nodweddiadol o ffarmacoleg pharmacological

ffarmocolegydd *eg* (ffarmacolegwyr) gwyddonydd yn arbenigo mewn ffarmacoleg pharmacologist

ffarmwr gw. **ffermwr**

ffars *eb* (ffarsau)
1 drama ysgafn, ddoniol yn llawn o ddigwyddiadau dwl farce
2 sefyllfa neu gyfres o ddigwyddiadau chwerthinllyd a dibwrpas farce

ffarsaidd *ans* tebyg i ffars; chwerthinllyd farcical

ffarsi *eg* clefyd heintus ymhlith ceffylau a nodweddir gan chwyddi chwarennau'r ên a gollwng llysnafedd o'r ffroenau; y clefri mawr farcy

ffárwel:ffarwél *egb* cyfarchiad wrth ymadael; da boch, yn iach farewell

ffárwel haf blodyn o Ogledd America â blodau gwyn neu liw lelog yn debyg i lygad y dydd mawr sy'n blodeuo adeg Gŵyl Fihangel Michaelmas daisy

ffarwelio *be* [ffarweli•²] canu'n iach; gadael, ymadael (~ â) to bid farewell

ffaryncs *eg* ANATOMEG rhan o'r bibell fwyd rhwng y geg a'r oesoffagws pharynx

ffaryngeal *ans* ANATOMEG yn ymwneud â'r ffaryncs pharyngeal

ffas *eb* (mewn pwll glo) wyneb yr wythïen y mae'r glo yn cael ei gloddio ohoni dan ddaear; talcen glo coalface, face

ffasâd *eg* (ffasadau) wyneb neu ben blaen adeilad, neu unrhyw wyneb i adeilad sy'n derbyn triniaeth bensaernïol arbennig facade

ffased *eg* (ffasedau)
1 un o wynebau neu ochrau llathredig maen gwerthfawr facet
2 wyneb tryloyw, allanol un o'r unedau sy'n ffurfio llygad cyfansawdd pryfyn, cimwch, etc. facet

ffasedaidd *ans* yn cynnwys llawer o ffasedau faceted

Ffasgaeth:Ffasgiaeth *eb* system wleidyddol lle mae'r wladwriaeth yn rheoli diwydiant, lle na chaniateir unrhyw wrthwynebiad i'r wladwriaeth a lle y gwrthwynebir sosialaeth yn chwyrn Fascism

Ffasgaidd *ans*
1 yn perthyn i Ffasgaeth, nodweddiadol o Ffasgaeth Fascist
2 *hanesyddol* yn perthyn i'r Blaid Ffasgaidd, nodweddiadol o'r Blaid Ffasgaidd, *Y Blaid Ffasgaidd oedd honno a ddaeth i rym yn yr Eidal yn 1922 dan arweiniad Benito Mussolini.* Facist

ffasgedd *eg* BOTANEG y lledu a'r gwastatáu annormal sy'n digwydd i goesynnau neu ganghennau planhigyn wrth i nifer o goesynnau annibynnol neu ganghennau dyfu ynghyd fasciation

ffasgell *eb* (ffasgellau) ANATOMEG sypyn neu gwlwm o nerfau neu ffibrau fascicle

ffasgellol *ans* ANATOMEG yn perthyn i ffasgell, yn ffurfio ffasgell fascicular

ffasgol *ans* BOTANEG (am ganghennau neu goesynnau planhigion) wedi'u gwastatáu oherwydd cywasgiad a chyfuniad nifer sy'n tyfu gyda'i gilydd fasciated

ffasgwe *eb* (ffasgweoedd) ANATOMEG gorchudd tenau o feinwe ffibrog sy'n amgáu cyhyr neu organ arall fascia

Ffasgydd *eg* (Ffasgwyr) un sy'n arddel daliadau Ffasgaidd neu aelod o Blaid Ffasgaidd Fascist

ff

ffasiwn¹ *eb* (ffasiynau) yr hyn sydd mewn bri (dull o wisgo, siarad, ymddwyn, etc.) ar unrhyw adeg arbennig neu mewn unrhyw fan arbennig; arfer, arferiad, dull fashion, vogue

ffasiwn² *ans* mewn ymadroddion fel *y ffasiwn beth; ffasiwn un yw e?* sut beth, pa fath, cyfryw (ag awgrym o feirniadaeth) sort, such
 Sylwch: mae 'ffasiwn' yn cael ei ddefnyddio o flaen enw ac yn achosi'r treiglad meddal.

ffasiynol *ans*
1 (yn dilyn yr hyn a oleddfir) yn dilyn y ffasiwn neu'r ffasiynau mwyaf diweddar; (am le) yn cael ei fynychu gan bobl o ffasiwn fashionable, chic
2 (o flaen yr hyn a oleddfir) yn dilyn y ffasiwn neu'n enghraifft ohoni, *yn ffasiynol gyfoes* fashionable

ffasno *be* [ffasn•¹] clymu, sicrhau (~ *rhywbeth* â; ~ *rhywbeth* **wrth**) to fasten

ffasnydd *eg* (ffasnyddion) dyfais (mae rhai yn debyg i fotwm) sy'n cau pethau fastener

ffast *ans* sownd, tyn fast

ffastio *be* [ffasti•²] *tafodieithol, yn y De* (am gloc neu watsh) ennill amser; cyflymu to gain

ffat:ffaten *eb* (ffatiau) ergyd, trawiad, pelten, slapen flip, slap

ffatri *eb* (ffatrïoedd) adeilad neu gasgliad o adeiladau lle mae nwyddau'n cael eu cynhyrchu (yn enwedig nifer mawr o nwyddau yn cael eu cynhyrchu gan beiriannau) factory

ffatri laeth man lle mae menyn, caws, iogwrt, etc. yn cael eu cynhyrchu ar raddfa fasnachol; hufenfa creamery

ffatri wlân yn wreiddiol, man lle roedd gwlân yn cyrraedd ar ffurf cnu defaid ac yna'n cael ei drin a'i wau i wneud brethyn; erbyn heddiw, ffatri sy'n gwau brethynnau a gwlanenni yn unig woollen mill

ffau *eb* (ffeuau) cartref anifail gwyllt; cuddfan, daear, gwâl, lloches den, lair

ffau'r llewod *ffigurol* sefyllfa anodd, fygythiol the lion's den

ffawd *eb* (ffodion) rhyw achos neu allu y tu hwnt i'n rheolaeth sydd, yn ôl rhai, yn trefnu cwrs ein bywyd; damwain, hap, siawns, tynged destiny, fate, fortune

ffawdelw *eg* (mewn busnes fel arfer) elw mawr annisgwyl oherwydd rhyw ddigwyddiad unigryw windfall

ffawdheglu *be* [ffawdhegl•¹] teithio drwy dderbyn lifftiau am ddim gan bobl; bodio (~ **i**) to hitch-hike

ffawdheglwr *eg* (ffawdheglwyr) un sy'n ffawdheglu; bodiwr hitch-hiker

ffawna *ell* SWOLEG anifeiliaid yn gyffredinol, neu'r anifeiliaid sy'n perthyn i ardal benodol neu gyfnod hanesyddol arbennig fauna

ffawt *eg* (ffawtiau) DAEAREG toriad mewn dilyniant o greigiau neu waddodion y mae symudiad wedi digwydd o'i amgylch fault

ffawydd *ell* coed sy'n perthyn i'r un teulu â'r castanwydd a'r derw; mae ganddynt fonyn gwyrdd golau a dail llydan sy'n troi'n frown yn yr hydref, pan fydd mes neu gnau trionglog yn tyfu arni; hefyd yn unigol fel pren y coed hyn beech

ffawydden *eb* unigol **ffawydden** beech (tree)

FfCM *byrfodd* MATHEMATEG Ffactor Cyffredin Mwyaf HCF

ffederal *ans* am grŵp o daleithiau neu sefydliadau sydd wedi penderfynu gweithredu fel un wlad neu fel un sefydliad ar rai materion, ond sy'n eu rheoli eu hunain ar faterion mewnol; cyfunol federal

ffederaleiddio:ffedereiddio *be* [ffederaleiddi•²] uno dan system ffederal to federalize

ffederaliaeth *eb* cred yn y gyfundrefn ffederal federalism

ffederasiwn *eg* grŵp o wladwriaethau, clybiau, undebau, etc. annibynnol sy'n dod at ei gilydd i weithio ar y cyd ar rai materion pwysig federation

ffedog *eb* (ffedogau)
1 dilledyn syml a wisgir dros ddillad eraill i'w harbed rhag dwyno neu faeddu, yn enwedig wrth goginio; barclod, brat, piner apron
2 yr haen denau neu bilen o groen a geir o gwmpas perfeddion mochyn ac oen (a ddefnyddir wrth wneud ffagots)
bod yn dynn/yn rhwym/yn sownd wrth linyn ffedog fy (dy, ei, etc.) mam/ngwraig dibynnu yn ormodol ar (rywun), bod dan fawd neu reolaeth tied to (her) apron strings

ffefryn *eg* (ffefrynnau:ffefrynnod)
1 hoff beth neu unigolyn allan o nifer favourite
2 rhywun sy'n derbyn gormod o sylw neu ganmoliaeth, *Ni ddylai athro fod â ffefryn yn ei ddosbarth.* favourite, pet
3 (mewn rasio ceffylau neu gystadlaethau) yr un y mae disgwyl iddo ennill favourite

ffeg *eg* porfa fras neu wair hir wedi'i adael i wywo ar ei draed coarse grass

ffeil¹ *eb* (ffeiliau) teclyn neu offeryn o ddur a chanddo wyneb garw, rhychiog a ddefnyddir i lyfnhau rhywbeth garw neu dorri drwy bethau caled; rhathell file

ffeil² *eb* (ffeiliau)
1 cas neu fath o amlen o gerdyn i gadw papurau mewn swyddfa, yn aml mewn set o ddroriau arbennig file
2 casgliad o bapurau yn ymwneud ag un testun wedi'u cadw yn un o'r systemau hyn file
3 casgliad o ddata ar gyfrifiadur sydd wedi'i enwi ac wedi'i gadw fel uned file

ffeilio¹ *be* [ffeili•²] llyfnhau neu dorri â **ffeil¹** (~ *rhywbeth* â) to file

ffeilio² *be* [ffeili•²] gosod papurau neu ddogfennau mewn trefn neu mewn **ffeil²** (~ *rhywbeth* **yn**) to file

ffeilsion *ans* ffurf luosog **ffals**

ffein *ans* [ffein•] *tafodieithol, yn y De*
1 caredig, clên, ffeind, hynaws *Hen ŵr ffein iawn oedd Wncwl Sam.* agreeable, kind
2 (am y tywydd) braf, clir, digwmwl, *Rwy'n gobeithio y cawn ni ddiwrnod ffein ddydd Sadwrn.* fine
3 (am fwyd) blasus, *Mae blas ffein ar y cig yma.*; amheuthun, danteithiol, sawrus delicious

ffeind *ans tafodieithol, yn y Gogledd* caredig, clên, hynaws; ffein agreeable, kind

ffeindio *be* [ffeindi•²] dod o hyd i; canfod, darganfod to find

ffeindrwydd *eg tafodieithol, yn y Gogledd* caredigrwydd kindness

ffeinhau *be* [ffeinha•¹⁴] *tafodieithol, yn y De* (am y tywydd) codi'n braf; gwella to clear
   Sylwch: ac eithrio ffurfiau'r 3ydd unigol, nid yw'r ferf hon yn arfer cael ei rhedeg.

ffeiriau *ell* lluosog **ffair**

ffeirio *be* [ffeiri•²] *safonol, yn y Gogledd* cyfnewid rhywbeth o'ch eiddo chi am rywbeth sydd gan rywun arall; trwco (~ *rhywbeth* **am**) to barter, to exchange, to swap

ffeithiol *ans* yn ymwneud â ffeithiau; gwirioneddol factual, non-fiction

ffel *ans*
1 *tafodieithol, yn y De* annwyl, hoffus, cariadus, ffein; ciwt cute, dear
2 *tafodieithol, yn y Gogledd* deallus, call, siarp canny, knowing, sagacious

ffeld *eg* glaswelltir tymherus yn Ne Affrica a ddosberthir ar sail ei natur, e.e. ffeld glaswelltog, ffeld prysglwyni veld

ffelon:ffelwn *eg* (ffeloniaid:ffelwniaid) un sy'n cyflawni ffeloniaeth; drwgweithredwr, tramgwyddwr, troseddwr felon

ffeloniaeth *eb* CYFRAITH trosedd ddifrifol, e.e. llofruddiaeth neu losgi bwriadol, a ystyrid yn dra difrifol dan y Gyfraith Gyffredin hyd 1867 felony

ffelsbar *eg* DAEAREG aelod o'r grŵp pwysicaf o fwynau silicad gwyn neu binc sydd gyda'r mwynau mwyaf niferus yng nghreigiau cramen y Ddaear feldspar

ffelt *eg* defnydd trwchus wedi'i wneud o wlân, ffwr neu flew wedi'i wasgu'n dynn at ei gilydd (sef wedi'i bannu) felt

ffeltio *be* [ffelti•²] gwneud ffelt neu orchuddio â ffelt to felt

ffelwm *eg tafodieithol, yn y De* chwydd llidus, poenus ar flaen bys, rhwng y bys a'r ewin; ewinor, gwlithen whitlow

ffelwn gw. **ffelon**

ffeminist:ffeminydd *eb* (ffeminyddesau) un sy'n credu mewn ffeministiaeth feminist

ffeministaidd *ans* yn ymwneud â ffeministiaeth, yn cefnogi ffeministiaeth feminist

ffeministiaeth:ffeminyddiaeth *eb*
1 yr egwyddor y dylai menywod rannu'r un hawliau â dynion feminism
2 mudiad yn mynnu hawliau cyfartal i fenywod, yn enwedig mewn meysydd gwleidyddol, economaidd a chymdeithasol feminism

ffemwr *eg* (ffemyrau)
1 asgwrn y forddwyd; asgwrn pen uchaf y goes (neu goes ôl anifail) femur
2 SWOLEG trydydd segment coes pryfyn a rhai arthropodau femur

ffen:ffendir *eg* (ffeniau:ffendiroedd) math o dir gwlyb sy'n gadael tir amaethyddol cynhyrchiol iawn ar ôl ei ddraenio, e.e. yn nwyrain Lloegr, siglen; cors fen

ffender:ffendar *eb* ffrâm fetel a roddir o flaen tân i gadw marwor rhag disgyn ar y llawr fender

ffenestr *eb* (ffenestri)
1 twll neu agoriad mewn wal neu yn nho adeilad i oleuo ystafell neu i adael i awyr iach ddod i mewn iddi; mae ffenestr fel arfer yn cynnwys darn neu ddarnau o wydr mewn ffrâm bwrpasol y mae modd ei hagor a'i chau yn ôl y galw window
2 CYFRIFIADUREG ardal wedi'i hagor ar sgrin sy'n arddangos gwybodaeth window
   Sylwch: 'ffenest' yw'r ynganiad.

ffenestr do ffenestr wedi'i gosod yn nho adeilad ar yr un ongl â'r to skylight

ffenestr fae ffenestr wedi'i hadeiladu i wthio allan ymhellach na'r wal sy'n ei chynnal bay window

ffenestr fwa ffenestr fae fwaog bow window

ffenestriad *eg*
1 trefn neu batrwm ffenestri mewn adeilad fenestration
2 MEDDYGAETH triniaeth lawfeddygol sy'n trin byddardod drwy dorri twll yn y glust fewnol fenestration

ffenestrwr *eg* (ffenestrwyr)
1 un sy'n gwneud ffenestri neu'n gosod gwydr mewn ffenestr glazier
2 un sy'n trefnu arddangosfa ffenestr siop window dresser

Ffeniad *eg* (Ffeniaid) *hanesyddol* (yn y bedwaredd ganrif ar bymtheg) aelod o gymdeithas ddirgel Americanaidd a gefnogai ddymchwel teyrnasiad Lloegr dros Iwerddon Fenian

ffenics *eg* aderyn chwedlonol prydferth y credai pobl ei fod yn byw am bum can mlynedd ac yna'n ei losgi ei hun yn goelcerth er mwyn cael ei aileni o'r llwch yn ifanc a phrydferth drachefn phoenix

ffenigl *eg* planhigyn â blodau melyn o deulu'r foronen a dyfir er mwyn ei wreiddiau, ei ddail a'i hadau bwytadwy fennel

ffenol *eg* CEMEG cyfansoddyn asidig, gwenwynig, ysol; pan fydd wedi'i wanedu i greu asid carbolig, fe'i defnyddir yn ddiheintydd phenol

ffenoleg *eb* BIOLEG astudiaeth wyddonol o ddigwyddiadau biolegol cyfnodol, megis effaith newidiadau hinsoddol ar fudo adar, planhigion yn blodeuo, etc. phenology

ffenomen *eb* (ffenomenau)
1 ffaith neu ddigwyddiad gweladwy phenomenon
2 digwyddiad neu brofiad a ganfyddir â'r synhwyrau phenomenon
3 digwyddiad rhyfedd neu anarferol ac iddo (gan amlaf) arwyddocâd gwyddonol phenomenon

ffenomenoleg *eb*
1 ATHRONIAETH gwyddor ffenomenau, yn hytrach na natur bodolaeth phenomenology
2 cred nad ydym mewn gwir gysylltiad â realiti, ond mai ymddangosiad ohono yn unig sydd gennym phenomenology

ffenoteip *eg* (ffenoteipiau) BIOLEG nodweddion gweladwy organeb yn deillio o ryngweithio rhwng genynnau'r organeb a'i hamgylchfyd phenotype

ffens *eb* (ffensys:ffensiau) math o wal gul o bren neu res o bolion a gwifrau rhyngddynt sy'n gwahanu dau ddarn o dir; gwrych fence

ffensio¹ *be* [ffensi•²] codi ffens (o amgylch rhywbeth fel arfer) to fence

ffensio² *be* [ffensi•²] ymladd â chleddyf (erbyn hyn fel camp neu sbort); cleddyfa to fence

ffensiwr *eg* (ffenswyr) un sy'n ymladd â chleddyf fencer

ffenylalanin *eg* BIOCEMEG asid amino a geir mewn llawer o broteinau ac sy'n angenrheidiol ar gyfer twf a datblygiad plant a metabolaeth proteinau mewn plant ac oedolion; fel rheol mae'n cael ei drawsnewid yn dyrosin yn y corff dynol phenylalanine

ffenylcetonwria *eg* MEDDYGAETH clefyd metabolaidd sy'n cael ei etifeddu ac sy'n digwydd pan nad yw'r ensym sy'n troi ffenylalanin yn dyrosin yn gwneud ei waith; mae'n arwain at nam meddyliol os nad yw'n cael ei drin yn gynnar phenylketonuria

ffeodaeth *eb* hanesyddol (yn Ewrop yn yr Oesoedd Canol) cyflwyniad o dir (maenor) gan arglwydd i un o'i ddeiliaid feoffment

ffêr *eb* (fferau) ANATOMEG y cymal yn y corff sy'n cysylltu'r troed wrth y goes ankle

fferdod *eg* diffyg teimlad oherwydd oerfel; diffrwythdra, merwindod numbness

fferen *eb* unigol **fferins** sweet

fferf *ans* ffurf fenywaidd **ffyrf**

fferi *eb* (fferïau) cwch neu long arbennig sy'n cludo nwyddau neu bobl yn rheolaidd ar draws afon, llyn neu fôr ferry

fferiad *eg* y broses o fferru, canlyniad fferru; ceulad coagulation

fferins *ell* lluosog **fferen**, danteithion melys; candis, cisys, da-da, losins, melysion, minceg, pethau da, taffis sweets

fferitin *eg* protein sy'n storio haearn yng nghorff mamolion ferritin

fferllyd *ans*
1 iasoer, oerllyd, rhewllyd, rhynllyd chilly
2 dideimlad oherwydd oerfel; diffrwyth numb

fferm:ffarm *eb* (ffermydd) y tir a'r adeiladau sy'n gysylltiedig â thyfu cnydau neu fagu anifeiliaid; tir ac adeiladau amaethwr neu ffermwr farm

ffermdy *eg* (ffermdai) cartref amaethwr neu ffermwr, tŷ fferm farmhouse

ffermio:ffarmio *be* [ffermi•²] defnyddio tir er mwyn tyfu cnydau neu fagu anifeiliaid; amaethu to farm

ffermio batri dull o ffermio dwys lle mae anifeiliaid fferm, yn enwedig ieir, yn cael eu cadw a'u magu mewn cewyll bach battery farming

ffermio dwys dull o ffermio lle mae gwrteithiau, plaleiddiaid a ffermio batri yn cael eu defnyddio i gynyddu cynnyrch intensive farming

ffermio organig dull o ffermio nad yw'n defnyddio gwrteithiau neu blaleiddiaid artiffisial organic farming

ffermiwm *eg* elfen gemegol rhif 100; metel ymbelydrol wedi'i lunio gan ddyn (Fm) fermium

ffermwr:ffarmwr *eg* (ffermwyr)
1 perchennog neu ddeiliad fferm farmer
2 un sy'n ffermio; amaethwr, hwsmon farmer

Clwb Ffermwyr Ifanc cangen o fudiad cefn gwlad ar gyfer pobl ifanc sydd â diddordeb mewn ffermio neu sy'n gweithio ar fferm; yn ogystal â meithrin medrau ymarferol ffermio, mae'r mudiad yn cynnal eisteddfodau, gweithgareddau drama a chystadlaethau siarad cyhoeddus Young Farmers' Club

ffermwraig *eb* merch neu wraig sy'n ffermio

fferoconcrit *eg* concrit wedi'i atgyfnerthu â dur ferroconcrete

fferomagnetedd *eg* FFISEG priodwedd sylwedd (e.e. haearn) sy'n cael ei fagneteiddio dan effaith maes magnetig ac sy'n gallu cadw ei fagnetedd pan fydd y maes magnetig yn cael ei ddiddymu ferromagnetism

fferomagnetig *ans* FFISEG am sylwedd â phriodwedd fferomagnetedd ferromagnetic

fferomon *eg* (fferomonau) SWOLEG sylwedd
cemegol sy'n cael ei secretu gan anifail er
mwyn sbarduno ymateb gan unigolion o'r un
rhywogaeth, e.e. fel rhybudd o berygl neu er
mwyn denu aelod o'r rhyw arall pheromone

fferrig *ans* CEMEG am haearn a chanddo
falens 3 ferric

fferrit *eg* METELEG un o nifer o sylweddau yn
cynnwys haearn ac ocsigen ynghlwm wrth un
neu ragor o fetelau, e.e. sinc neu nicel; mae'r
sylweddau'n ddefnyddiau seramig ac fe'u
defnyddir mewn creiddiau magnetig ferrite

fferru *be* [fferr•⁹] dioddef oddi wrth oerfel;
merwino, rhewi, rhynnu, sythu to freeze
Sylwch: dyblwch yr 'r' ym mhob ffurf ac
eithrio yn y rhai sy'n cynnwys -*as*-.

fferrus *ans*
1 CEMEG am haearn a chanddo falens 2 ferrous
2 METELEG (am fetel) yn cynnwys haearn, e.e.
haearn bwrw, dur meddal, dur carbon canolig,
dur carbon uchel, dur gwrthstaen a dur cyflym
ferrous

fferyllfa *eb* (fferyllfeydd) man lle mae
moddion yn cael eu paratoi a'u rhannu yn
ôl presgripsiwn gan feddyg; siop fferyllydd
dispensary, pharmacy

fferylliaeth *eb* y gwaith o baratoi a gweinyddu
cyffuriau meddygol pharmacy

fferyllol *ans* yn perthyn i fferylliaeth, yn deillio
o fferylliaeth pharmaceutical

fferyllydd *eg* (fferyllwyr)
1 un hyddysg yn y gwaith o gymysgu moddion
neu gyffuriau i wella anhwylderau pobl
pharmacist
2 un sy'n gwerthu moddion chemist, dispenser

ffesant *eg* (ffesantod:ffesants) aderyn sy'n cael
ei fagu i'w hela a'i saethu (rhwng mis Hydref a
mis Chwefror) am ei gig blasus; mae'r ceiliog
ffesant yn aderyn lliwgar â chynffon hir, gul
pheasant

ffest *eb* (ffestau) gwledd, gŵyl feast, fête

ffeta *eg* caws gwyn, lled feddal o wlad Groeg
wedi'i wneud o laeth buwch, dafad neu afr ac
wedi'i gyffeithio mewn heli feta, fetta

ffetan *eb* (ffetanau) bag mawr wedi'i wneud o
ddefnydd bras, garw; cwd, sach, ysgrepan sack

ffetis *eg* (ffetisiau)
1 rhywbeth a addolir (oherwydd y tybir bod
lledrith yn perthyn iddo) fetish
2 math o drachwant rhywiol sy'n gysylltiedig
mewn ffordd annormal â gwrthrych arbennig
neu â rhan benodol o'r corff fetish

ffetisiaeth *eb* SEICOLEG trosglwyddo diddordeb
a boddhad rhywiol i ffetis fetishism

ffetisiwr *eg* (ffetiswyr) un sy'n addoli neu'n cael
ei ddenu gan ffetish fetishist

ffetws gw. ffoetws

ffeuau *ell* lluosog ffau

ffeuen:ffäen *eb* unigol ffa
hidio/malio'r un ffeuen yn poeni dim
don't give a fig

ffi *eb* (ffioedd) swm o arian sy'n cael ei dalu
am wasanaethau proffesiynol, e.e. i gyfreithiwr,
meddyg, ysgol breswyl, etc.; tâl, taliad fee

ffiaidd *ans* [ffieiddi•] cas iawn; atgas, brwnt,
creulon, milain abominable, despicable, vile
ffiaidd o fe'i defnyddir i ddwysáu ystyr
ansoddair, *yn ffiaidd o gas*

ffiars *ebychiad tafodieithol, yn y Gogledd* fel yn *dim
ffiars o berygl* no fear

ffibr:ffeibr *eg* (ffibrau:ffeibrau)
1 un o nifer o rannau o anifeiliaid neu
blanhigion, e.e. gwlân, coed, cyhyr, etc.,
sy'n debyg i edafedd fibre
2 y defnydd garw, bras mewn bwydydd sy'n
cynorthwyo'r coluddion yn eu gwaith fibre,
roughage

ffibr carbon defnydd o ffilamentau
grisialog cryf, tenau o garbon a ddefnyddir
i atgyfnerthu, yn arbennig mewn resinau a
defnyddiau ceramig carbon fibre

ffibr optegol FFISEG ffibr gwydr tenau y gellir
trawsyrru golau drwyddo optical fibre

ffibriliad *eg* (ffibriliadau) MEDDYGAETH
y weithred o ffibrilio, canlyniad ffibrilio
fibrillation

ffibrilio *be* MEDDYGAETH (am ffibrolion y galon)
cyfangu'n gyflym ac yn afreolaidd sy'n golygu
nad oes perthynas rhwng cyfangiad y galon a
churiad y galon to fibrillate

ffibrin *eg* BIOCEMEG protein ffibrog sy'n
gysylltiedig â cheulo gwaed fibrin

ffibroblast *eg* (ffibroblastau) FFISIOLEG math o
gell sy'n cynhyrchu'r ffibrau ar gyfer meinwe
cyswllt y corff fibroblast

ffibrocyt *eg* (ffibrocytau) FFISIOLEG cell ar ffurf
gwerthyd wedi'i ffurfio o ffibroblast fibrocyte

ffibrog *ans* yn cynnwys edafedd neu ffibrau
fibrous

ffibrolyn *eg* (ffibrolion) darn byr neu denau o
ffibr fibril

ffibr optig *ans* FFISEG yn ymwneud ag
opteg ffibr. yn defnyddio opteg ffibr, *Mae
systemau ffibr optig wedi gweddnewid y byd
telegyfathrebu*. fibre-optic

ffibrosis *eg* MEDDYGAETH y tewychu a'r creithio
sy'n digwydd i feinwe cyswllt (gan amlaf yn
ganlyniad i anaf) fibrosis

ffibrosis cystig MEDDYGAETH clefyd etifeddol
sy'n effeithio ar y celloedd epithelaidd
sy'n leinio rhai llwybrau yn y corff (e.e. y
dwythellau pancreatig, y coluddion a'r bronci)
ac yn peri iddynt gynhyrchu mwcws tew iawn
sy'n eu tagu cystic fibrosis

ffibwla *eg* (ffibwlâu) ANATOMEG asgwrn allanol (lleiaf) y ddau asgwrn rhwng y pen-glin a'r ffêr fibula

Ffichtiad *eg* (Ffichtiaid) *hanesyddol* Pict; aelod o lwyth nad oedd yn Geltaidd a oedd yn byw yng ngogledd yr Alban yng nghyfnod y Rhufeiniaid; Brithwr Pict

ffidil *eb* (ffidlau) offeryn cerdd ac iddo bedwar llinyn (neu dant), sy'n cael ei ddal rhwng gên a phont ysgwydd y chwaraewr; mae'r sain yn cael ei chynhyrchu drwy dynnu bwa ar draws y tannau (y llinynnau) neu weithiau eu plycio, a'r nodau'n cael eu newid drwy bwyso bysedd y llaw chwith ar y tannau (gan fyrhau hyd y tant); crwth, feiolin fiddle, violin

rhoi'r ffidil yn y to rhoi'r gorau i, gorffen to call it a day, to give up

ffidlan *be* [ffidl•¹] chwarae â rhywbeth; poitsio, ymhél â to fiddle

ffidler:ffidlwr *eg* (ffidleriaid:ffidlwyr) un sy'n canu'r ffidil; feiolinydd fiddler

ffieiddbeth *eg* (ffieiddbethau) gwrthrych casineb ac atgasedd; casbeth abomination

ffieidd-dra:ffieidd-dod *eg* casineb ac atgasedd; atgasedd, digasedd abhorrence, disgust, repulsion

ffieiddiach:ffieiddiaf:ffieiddied *ans* [ffiaidd] mwy ffiaidd; mwyaf ffiaidd; mor ffiaidd

ffieiddiad *eg* y broses o ffieiddio, canlyniad ffieiddio abhorrence

ffieiddio *be* [ffieiddi•²] ystyried yn ffiaidd, casáu â chas perffaith, bod yn atgas gennych (~ *rhywun* am) to abhor, to detest, to hate

ffiff *eg* (ffiffiau) *hanesyddol* stad ffiwdalaidd; maenor fief

ffigur:ffigwr *eg* (ffigurau:ffigyrau)
1 ffurf neu lun y corff dynol figure
2 (pa mor lluniaidd neu siapus yw) ffurf y corff dynol figure
3 rhywun pwysig, *Mae'n ffigur cenedlaethol.* figure
4 rhif neu symbol rhifiadol rhwng 0 a 9 figure
5 rhif, yn enwedig un sy'n rhan o ystadegau ffurfiol neu sy'n cyfeirio at berfformiad ariannol figure
6 llun syml megis cylch, sgwâr neu ddiagram sy'n cael ei ddefnyddio i egluro rhywbeth figure
7 symudiad neu gyfres o symudiadau yn dilyn patrwm, e.e. wrth sglefrio neu fel rhan o ddawns figure
8 MATHEMATEG siâp a ffurfir gan un neu ragor o linellau mewn dau ddimensiwn neu un neu ragor o arwynebau mewn tri dimensiwn figure

ffigur wyth gwrthrych neu symudiad ar ffurf rhif wyth figure of eight

ffigur ymadrodd ffordd o ddefnyddio geiriau yn wahanol i'r arfer er mwyn creu darlun neu gymhariaeth; priod-ddull, e.e. *darlith sych* figure of speech

ffigur ystyrlon MATHEMATEG pob un o'r digidau sydd eu hangen er mwyn dynodi rhif i'r cywirdeb priodol, *Poblogaeth Cymru yn 2011 oedd 3,063,000 i bedwar ffigur ystyrlon (sef i'r fil agosaf).* significant figure

ffigurol *ans* am air neu eiriau sy'n cael eu defnyddio i olygu rhywbeth gwahanol i'w hystyr arferol er mwyn creu darlun neu gymhariaeth, e.e. *gloywi iaith, carthu gwddf* figurative

ffiguryn *eg* (ffigurynnau) cerflun neu fodel bychan figurine

ffigys *ell* lluosog ffigysen, ffrwythau ac iddynt gnawd meddal, melys â'i lond o hadau bychain; maent yn tyfu mewn gwledydd poeth figs

ffigysbren *eg* (ffigysbrennau) coeden ffigys; pren y goeden hon fig

ffigysen *eb* unigol ffigys fig

Ffijïad *eg* (Ffijïaid) brodor o ynys Fiji, un o dras neu genedligrwydd Ffijïaidd Fijian

Ffijïaidd *ans* yn perthyn i ynys Fiji, nodweddiadol o ynys Fiji Fijian

ffilament *eg* (ffilamentau)
1 edefyn tenau iawn filament
2 (mewn bwlb golau) gwifren denau iawn sy'n goleuo wrth i drydan lifo drwyddi filament
3 BOTANEG y rhan o'r briger sy'n cynnal yr anther filament

ffiled *eb* (ffiledau)
1 darn trwchus o gig (eidion, porc, oen, etc.) heb asgwrn ynddo o ben ucha'r goes ôl fillet
2 tafell hir o gig pysgodyn heb esgyrn fillet

ffiledu *be* [ffiled•¹] torri cig yn ffiledau neu dynnu'r esgyrn o bysgodyn (~ *rhywbeth* â) to fillet

ffilharmonig *ans* yn dynodi grŵp neu gymdeithas gerddorol (cerddorfa fel arfer) philharmonic

ffiligri *eg*
1 gwaith addurnedig cain tebyg i sideru ond yn defnyddio gwifrau main o aur, arian neu gopr; arianwe, eurwe filigree
2 patrwm main tra chywrain, *ffiligri o rew ar ffenestr* filigree

ffilm *eb* (ffilmiau)
1 rholyn o bapur neu blastig neu ddefnydd tebyg a haen o gemegyn arno ar gyfer tynnu llun llonydd â chamera film
2 rholyn o ddefnydd arbennig (seliwloid) y gwneid lluniau symudol arno ar gyfer y sinema film
3 hanes neu destun sydd wedi cael ei droi'n lluniau symudol (ar gyfer y sinema fel arfer), *Rwy'n hoff iawn o hen ffilmiau du a gwyn Charlie Chaplin a'r Brodyr Marx.* film, movie

ffilm ddi-sain ffilm gynnar heb drac sain sy'n adrodd stori drwy luniau silent movie

ffilm sain ffilm gynnar sy'n cynnwys sain yn ogystal â lluniau talkie

ffilmio *be* [ffilmi•²] gwneud lluniau symudol (ar gyfer y sinema neu'r teledu) to film

ffiloleg *eb* ieitheg; astudiaeth o ddatblygiad hanesyddol iaith neu gymhariaeth o wahanol ieithoedd philology

ffiloreg *eb* ffwlbri, ffregod, truth, baldordd, gwag-siarad balderdash, nonsense

ffin *eb* (ffiniau)
1 llinell sy'n gwahanu dau neu ragor o arwynebeddau neu ardaloedd, hefyd yn ffigurol; goror, terfyn, ymyl border, frontier, boundary
2 terfyn cae criced boundary

ffindir *eg* (ffindiroedd) tir sydd ar ffin; goror borderland

Ffiniad *eg* (Ffiniaid) brodor o'r Ffindir, un o dras neu genedligrwydd Ffinnaidd Finn

ffiniedig *ans* wedi'i ffinio gan (rywbeth) bounded

ffinihadi *eg tafodieithol, yn y Gogledd* corbenfras (hadog) wedi'i gochi mewn mwg mawn (fel arfer) finnan haddock

ffinio *be* [ffini•⁶] bod ar y ffin, bod am y ffin; cyffinio, ymylu (~ â; ~ ar) to abut, to border on, to verge

ffiniol *ans* ar y ffin, yn ffinio; ymylol bordering, borderline

Ffinnaidd *ans* yn perthyn i'r Ffindir, nodweddiadol o'r Ffindir Finnish

ffiol *eb* (ffiolau) cwpan, *'Fy ffiol sydd lawn,' meddai'r Salmydd.*; gobled, greal bowl, cup, goblet

ffion *eg* (ffionau) un o flodau bysedd y cŵn; bys coch foxglove

ffiord *eg* (ffiordau) cilfach ddofn yn y morlin rhwng clogwyni serth ac uchel iawn (yn Norwy yn enwedig) a grëwyd gan erydiad rhewlifol wrth i'r môr foddi dyffryn fiord, fjord

ffircyn *eg* (ffircynnau) casgen dderw fechan yn dal wyth galwyn a thri chwarter (sef mesur ffircyn) o ddiod firkin

ffirn *eg* (ffirniau) eira crisialog, gronynnog sydd wedi goroesi dros fisoedd yr haf ac sydd yn y broses o droi'n iâ firn

ffiseg *eb* gwyddor neu astudiaeth o fater a grymoedd naturiol, ynghyd ag effeithiau cysylltiedig fel mudiant, egni, tonnau, amser, etc. physics

ffisegol *ans* yn ymwneud â ffiseg physical

ffisegydd *eg* (ffisegwyr) gwyddonydd yn arbenigo mewn ffiseg physicist

ffisig *eg tafodieithol, yn y Gogledd* moddion; cyffur, meddyginiaeth, tonig medicine

ffisigwr *eg* (ffisigwyr) *hynafol* meddyg, doctor physician

ffisioleg *eb*
1 cangen o fioleg yn ymwneud â sut mae organebau byw a'r gwahanol rannau o'u cyrff yn gweithio physiology
2 y system sy'n cadw pethau byw yn fyw physiology

ffisiolegol *ans*
1 yn ymwneud â gwyddor ffisioleg physiological
2 yn cydymffurfio â gweithrediad normal organebau byw physiological

ffisiolegydd *eg* (ffisiolegwyr) gwyddonydd sy'n arbenigo mewn ffisioleg physiologist

ffisiotherapi *eg* y broses o drin cyflyrau meddygol drwy ddulliau corfforol a mecanyddol, e.e. drwy ymarfer corfforol neu dylino'r corff physiotherapy

ffisiotherapydd *eg* (ffisiotherapyddion) un sy'n defnyddio ffisiotherapi i drin cleifion physiotherapist

ffistwla *eg* (ffistwlâu) MEDDYGAETH llwybr neu diwb (annormal neu wedi'i greu drwy lawfeddygaeth) yn arwain o geudod neu gornwyd yn y corff i wyneb y corff neu i geudod arall fistula

ffit¹ *ans* [ffit•]
1 addas, cymwys, gweddaidd fit
2 iach o ran corff; cryf, heini fit
3 *tafodieithol, yn y De* haerllug a chegog; digywilydd, eofn cheeky

ffit² *eb* (ffitiau)
1 ymosodiad sydyn o salwch sy'n peri i'r corff ddirgrynu neu golli ymwybyddiaeth; gwasgfa, pwl fit
2 cyfnod byr, sydyn, *ffit o beswch*; pwl fit

ffit³ *eb* y maint a'r siâp cywir, *ffit dynn* fit

ffit-ffatio *be* [ffit-ffati•²] segura a cherdded o gwmpas mewn sandalau neu sgidiau rhydd; fflewtian to slop about

ffitiach *ans* mwy cymwys; rheitiach better, more fitting

ffitiad *eg* (ffitiadau)
1 y broses o ffitio, canlyniad ffitio fit
2 y gwaith o wisgo dillad er mwyn iddynt gael eu newid ychydig i ffitio'n well fitting
3 darn bach safonol sy'n ffitio ar rywbeth neu mewn rhywbeth, *ffitiadau goleuo* fitting

ffitiad datgysylltiol ffitiad a ddefnyddir i uno cydrannau, yn aml ar gyfer celfi/dodrefn y mae angen eu cydosod KDF, knock-down fitting

ffitio *be* [ffiti•²] bod y maint iawn neu'r ffurf iawn ar gyfer rhywbeth, *Nid yw'r het yma'n ffitio.* (~ i; ~ am) to fit

os yw'r cap yn ffitio (am gyhuddiad yn eich erbyn fel arfer) os yw'r hyn a ddywedir yn wir, rhaid ei dderbyn if the cap fits

ffitiwr *eg* (ffitwyr) un sy'n gosod peiriannau neu offer eraill at ei gilydd neu'n eu cyweirio fitter

ffitrwydd *eg*
  1 y cyflwr o fod yn gorfforol ffit fitness
  2 cymhwyster (i gyflawni rhywbeth); addaster
fitness, suitability
ffiwdal:ffiwdalaidd *ans hanesyddol* yn perthyn
i gyfundrefn (ffiwdaliaeth) a oedd yn caniatáu i
bobl ddal tir a chael eu diogelu, ar yr amod
eu bod yn gwasanaethu ym myddin yr
arglwydd a oedd yn berchen ar y tir;
cyfundrefn a oedd yn bod drwy Ewrop yn
ystod yr Oesoedd Canol (rhwng y nawfed a'r
bymthegfed ganrif) feudal
ffiwdaliaeth *eb hanesyddol* y gyfundrefn
o dalu gwrogaeth i arglwydd a oedd yn bod
drwy Ewrop yn ystod yr Oesoedd Canol
feudalism
ffiwg *eb* (ffiwgiau) CERDDORIAETH darn o
gerddoriaeth lle yr ailadroddir un neu ragor
o alawon (gan leisiau neu offerynnau) y naill ar
ôl y llall, gan gynnwys rhai mân newidiadau,
nes llunio darn cyflawn boddhaol fugue
ffiws *eg* (ffiwsys) dyfais diogelwch sy'n cynnwys
darn byr o wifren denau; os bydd gormod o
gerrynt yn llifo drwyddo bydd yn gorboethi ac
yn ymdoddi gan dorri'r gylched fuse
  chwythu ffiws yr hyn sy'n digwydd pan fydd
y wifren denau mewn ffiws yn toddi a chylched
y trydan yn cael ei thorri to blow a fuse
ffiwsia *eb* prysgwydden â blodau coch, pinc neu
biws trawiadol fuchsia
ffiwsilwr:ffiwsiliwr *eg* (ffiwsilwyr) milwr a
saethai fath o ddryll hen ffasiwn (ffiwsil) a
gedwir yn enw rhai catrawdau o'r fyddin,
e.e. *Y Ffiwsilwyr Brenhinol Cymreig* fusilier
ffiwsio *be* [ffiwsi•²] (am ddyfais drydanol)
peidio â gweithio ar ôl i ffiws ymdoddi, peri i
ddyfais drydanol beidio â gweithio ar ôl i ffiws
ymdoddi; chwythu ffiws to fuse
fflach *eb* (fflachiau:fflachiadau)
  1 golau byr sydyn, *fflach mellten*; llygedyn,
pelydryn flash
  2 (mewn ffotograffiaeth) y dull neu'r cyfarpar
ar gyfer tynnu lluniau yn y tywyllwch neu pan
nad oes digon o olau naturiol flash
  3 cyfnod byr iawn o amser, *Aethom heibio i'r
car arall mewn fflach.*; amrantiad flash
  4 darn byr, main o ddefnydd llosgadwy (pren
fel arfer) â phen o gemegion sy'n tanio pan
fydd yn cael ei daro yn erbyn rhywbeth garw;
matshen match
  5 pelydryn sydyn o hiwmor flash, glint, spark
fflachbwynt *eg* (fflachbwyntiau)
  1 y tymheredd isaf sydd ei angen er mwyn i
anwedd uwchben sylwedd sy'n anweddu'n
rhwydd danio mewn aer flashpoint
  2 man neu adeg pryd y mae rhywun neu
rywbeth yn ffrwydro i fodolaeth flashpoint

fflachiad *eg* (fflachiadau)
  1 fflach o fellten flash
  2 dadwefriad (trydanol) anarferol, e.e. o gwmwl
taranau i'r ddaear flashover
  3 llediad sydyn fflamau wrth i'r anwedd
uwchben hylif gyrraedd ei fflachbwynt flashover
fflachio *be* [fflachi•²]
  1 goleuo neu belydru'n sydyn am gyfnod byr
iawn; tanbeidio to flash, to flare, to blink
  2 (am lygaid) melltennu to flare, to flash
  3 taro golau i le tywyll am ysbaid (~ **ar**) to flash
fflachiog *ans* yn fflachio flashing
fflachlamp *eb* (fflachlampau) lamp fach drydan
y mae modd ei chario yn eich llaw flashlamp,
torch
fflachod *ell* sgidiau rhacs neu sliperi carpiog
fflag¹ *eb* (fflagiau) *anffurfiol* baner, lluman flag,
banner
fflag² *eb* (fflagiau) un o'r cerrig gwastad sy'n
ffurfio palmant; llorlech flagstone
fflagelwm *eg* (fflagela) BIOLEG estyniad (neu
gynffon) cell yn debyg i chwip a ddefnyddir
fel cymorth nofio gan nifer o ficro-organebau
flagellum
fflagio¹ *be* [fflagi•²] chwifio baner neu luman
er mwyn tynnu sylw; symud y breichiau mewn
ffordd debyg (~ **ar**) to flag
fflagio² *be* [fflagi•²] teimlo'r pwysau yn ormod;
arafu, blino to flag
fflangell *eb* (fflangellau) chwip a darnau miniog
yn rhan ohoni; ffrewyll scourge, whip
fflangelliad *eg* (fflangelliadau) y gosb neu'r
weithred o fflangellu flogging
fflangellu *be* [fflangell•¹] curo â chwip arbennig
(fflangell) a oedd yn gwneud niwed mawr
i'r corff; chwipio, llachio to flog, to scourge,
to whip
fflaim *eb* (ffleimiau) cyllell fain a ddefnyddir gan
lawfeddyg lancet
fflam *eb* (fflamau:fflamiau) tafod (coch neu
felyn) o dân; ffagl flame
  go fflamia *anffurfiol* damo! damn it all
  mynd fel fflamia mynd fel cath i gythraul
to go hell for leather
fflamadwy *ans* y gellir ei gynnau'n rhwydd ac
sy'n llosgi'n gyflym; hyfflam, hylosg, llosgadwy
flammable, inflammable
fflamadwyedd *eg* y cyflwr o fod yn fflamadwy
flammability
fflam-arafol *ans* (am ffabrig synthetig neu un
sydd wedi'i drin) â thuedd i beidio â llosgi'n
rhwydd flame retardant
fflamboeth *ans* yn fflamio; gwenfflam, tanllyd,
ynghyn fiery, flaming
fflamenco *eb* CERDDORIAETH dull Sbaenaidd
o ddawnsio i gyfeiliant math arbennig o
chwarae'r gitâr flamenco

fflamgoch *ans* coch disglair fel fflamau tân

fflamingo *eg* (fflamingos) aderyn dŵr tal â choesau main, hir, gwddf hir, plu pinc neu goch a phig fel cryman; mae ei gynefin naturiol yn y trofannau flamingo

fflamio *be* [fflami•²]
1 llosgi'n fflamau, bod ar dân; ffaglu, tanio to blaze
2 dweud y drefn mewn rhegfeydd; diawlio, melltithio, rhegi, tyngu to curse

fflamllyd *ans* yn fflamio flaming

fflamwydden *eb* MEDDYGAETH *safonol, yn y De* clefyd a nodweddir gan lid coch ar y croen ac a achosir gan facteriwm; iddwf erysipelas

fflan *eb* (fflaniau) tarten agored yn cynnwys ffrwythau neu gynhwysion sawrus flan

Fflandrysaidd gw. **Ffleminaidd**

Fflandrysiad gw. **Ffleminiad**

fflans *egb* (fflansiau) ymyl neu asgell ymestynnol sydd yn cryfhau, yn gymorth i leoli darn, neu gydio darn yn ei le; coler flange

fflap *eg* (fflapiau)
1 darn llydan, gwastad, tenau sy'n hongian yn rhydd ac yn gallu symud yn ôl ac ymlaen neu i fyny ac i lawr yn rhwydd flap
2 sefyllfa o gyffro neu anhrefn neu'r ddau flap

fflapio *be* [fflapi•²] ysgwyd fel adenydd aderyn to flap

fflasg *eb* (fflasgiau)
1 potel â gwddf hir, main a ddefnyddir gan wyddonwyr mewn labordy flask
2 potel fflat i gario diod (gadarn) yn eich poced flask
3 potel wedi'i gwneud o ddwy haen denau o wydr a gwactod rhyngddynt sy'n cadw gwres neu oerni yr hyn a roddir ynddi; fel arfer mae'r gwydr yn cael ei gadw mewn casyn hirgrwn o fetel neu blastig (vacuum) flask

fflasgaid *eg* (fflasgeidiau) llond fflasg flaskful

fflat¹ *ans* [fflat•]
1 gwastad, llorwedd, llyfn, *Roedd y tir o'n cwmpas yn hollol fflat.* flat, level
2 ag wyneb eang, llyfn ond heb fawr o drwch flat
3 (am gwrw neu ddiod â swigod nwy ynddi) wedi colli'r bwrlwm nwy flat
4 anniddorol, difywyd, *Ar ôl i ti adael, fe aeth y parti'n fflat iawn.* dull, flat
5 pendant, diamwys, *Maen nhw wedi gwrthod yn fflat wneud dim byd i helpu.* flat
6 (am deiar) heb ddigon o wynt ynddo flat
7 (am fatri) y mae angen ei gysylltu â ffynhonnell o drydan oherwydd ei fod yn ddi-wefr flat
8 CERDDORIAETH (wrth ganu â'r llais neu ag offeryn) allan o diwn, o dan y traw neu'r nodyn cywir flat

fflat² *eg* (fflatiau)
1 cyfres o ystafelloedd mewn adeilad (ar yr un llawr fel arfer) sy'n uned annibynnol ar gyfer unigolyn neu deulu, ac sydd fel arfer yn un o nifer o unedau tebyg yn yr un adeilad apartment, flat
2 darn o dir isel, gwastad flat
3 llong ac iddi waelod gwastad, *'Fflat Huw Puw'* flat
4 *tafodieithol, yn y Gogledd* haearn smwddio iron
5 (mewn theatr) darn o set llwyfan unionsyth ar ffrâm symudol flat
6 meddalnod, a ddynodir gan yr arwydd ♭ flat

fflatio *be* [fflati•²]
1 gwneud neu droi'n fflat¹ (1, 3, 4, 6, 7, 8 uchod); gwastatáu, lefelu, llyfnhau
2 (am y tywydd) troi'n gymylog ac yn oerach

fflatpac *ans* (am ddarn o ddodrefn/celfi neu offer) yn cael ei werthu ar ffurf cydrannau wedi'u pacio'n fflat mewn bocs i'w gludo'n rhwydd yn barod i'w cydosod flat-pack

fflatrwydd *eg* y cyflwr o fod yn fflat o ran gwastadrwydd neu siom flatness

fflat-wadn *ans* â thraed fflat flat-footed

fflatws *eg* nwy sy'n cael ei gynhyrchu yn y bol neu'r perfedd flatus

fflaw *eg* (fflawiau) haenen fach denau wedi torri neu dasgu i ffwrdd o ddarn mwy; ysglodyn flake

fflawen *eb* (fflawiau) fflaw bach, darn bach tenau, pigog o bren, plastig, etc. wedi'i dorri o ddarn mwy flake, splinter

fflawiog *ans* wedi'i wneud o fflawiau neu wedi'i orchuddio â fflawiau; haenog, tafellog flaky

fflebitis *eg* MEDDYGAETH llid ym muriau'r gwythiennau phlebitis

fflecs *eg* darn ystwyth o gebl trydan wedi'i inswleiddio a ddefnyddir i gydio dyfais drydanol wrth blwg flex

ffleimio *be* [ffleimi•²] agor neu dorri (cornwyd, dolur, etc.) â fflaim to lance

fflem *eb* llysnafedd sy'n crynhoi yn y gwddf neu geudodau'r trwyn phlegm

Ffleminaidd:Fflandrysaidd *ans* yn perthyn i Fflandrys, nodweddiadol o Fflandrys Flemish

Ffleminiad:Fflandrysiad *eg* (Ffleminiaid: Fflandrysiaid) brodor o Fflandrys, un o siaradwyr Fflemineg sy'n byw yng ngogledd a gorllewin Gwlad Belg Fleming

fflêr *eg* llediad allan (yn enwedig am waelod dilledyn) flare

fflewtian *be* segura a cherdded o gwmpas mewn sandalau neu sgidiau rhydd; ffit-ffatio to slop about
  Sylwch: nid yw'r ferf hon yn arfer cael ei rhedeg.

ff

fflicio *be* [fflici•²]
 1 gwneud symudiad cyflym (fel petai yn mynd) i daro rhywbeth yn ysgafn, *cath yn fflicio'i chynffon* to flick
 2 taro rhywbeth â blaen y bys, *fflicio pisyn o bapur at gefn yr athro* (~ *rhywbeth* **at**) to flick
ffling *eb* fel yn *rhoi ffling i*, tafliad i'r naill ochr fling
 cael ffling cael cyfnod byr o berthynas rywiol have a fling
fflint *eg* (fflintiau) callestr; carreg silica galed iawn sy'n cynhyrchu gwreichion i greu tân os caiff ei tharo â dur neu haearn flint
fflipen *eb* trawiad sydyn â chledr y llaw, ergyd ysgafn flip, slap
fflip-fflop *ans*
 1 am gylched switsio sy'n gweithio drwy newid rhwng dau gyflwr flip-flop
 2 enw ar sandal ysgafn â stribed sy'n ffitio rhwng y bys bawd a'r bys nesaf ato flip-flop
ffliw¹ *eg* ('y ffliw') haint firaol, cyffwrdd-ymledol sy'n effeithio ar y llwybrau resbiradol ac yn achosi twymyn flu, influenza
ffliw² *eb* (ffliwiau) llwybr y mae mwg neu wres yn ei ddilyn, yn enwedig y tu mewn i simnai flue
ffliwc:ffliwcen *eb* (ffliwciau) digwyddiad lwcus, hap a damwain fluke
ffliwt *eb* (ffliwtiau) offeryn cerdd tebyg i bib neu diwb wedi'i wneud o bren neu fetel; mae'n cael ei ganu drwy chwythu ar draws twll ar ochr un pen iddo a gwasgu bysellau sy'n cau ac yn agor rhes o dyllau sy'n rhedeg ar ei hyd; chwibanogl, pib flute
 mynd yn ffliwt arnaf fi (arnat ti, arno ef, etc.) wedi canu arnaf I'm sunk
ffliwtydd *eg* (ffliwtyddion) un sy'n canu'r ffliwt flautist
ffloc *eg* twffyn o wlân neu gotwm, neu wastraff gwlân neu gotwm a ddefnyddid i stwffio celfi neu fatresi flock
ffloch *eg* (fflochau) llen fawr o iâ arnofiol (llai ei maint na mynydd iâ) floe
fflodiart *eb* (fflodiartau) drws mawr neu lidiart sy'n cael ei agor a'i gau er mwyn rheoli llif neu uchder dŵr; llifddor floodgate
ffloem *eg* BOTANEG y meinwe sy'n cludo swcros ac asidau amino mewn planhigion phloem
fflons:fflonsh *ans* llawn bywyd; bywiog, heini, siriol joyful, lively
fflonsio *be* [fflonsi•²] (am rywun sâl) bywiogi, sirioli drwyddo to cheer up
fflora *ell* llystyfiant (blodau a phlanhigion) ardal, cyfnod neu amgylchedd penodol (gw. hefyd 'ffawna') flora
fflorin:ffloring *eb* un o nifer o ddarnau o arian bath yn seiliedig ar ddarn aur o Fflorens;

hen ddarn arian Prydeinig gwerth dau swllt; deuswllt florin
fflownsio:fflownso *be* [fflownsi•²]
 1 addurno dilledyn drwy ychwanegu fflowns to flounce
 2 brasgamu'n dalog er mwyn tynnu sylw a dangos dicter neu ddiffyg amynedd; tindaflu to flounce
fflur *ell* (hen air) blodau flowers
fflurben *eg* (fflurbennau) tusw neu gasgliad o bennau blodau di-goes wedi'u cywasgu i edrych fel un blodyn flower head
fflurgainc *eb* (fflurgeinciau)
 1 BOTANEG y ffordd y mae'r blodau wedi'u trefnu ar blanhigyn inflorescence
 2 BOTANEG fflurben cyflawn planhigyn yn cynnwys coesynnau, bractau a blodau inflorescence
fflurol *ans* yn ymwneud â blodau neu fflora floral
fflurwain *eb* (fflurweiniau) BOTANEG bract mawr sy'n amgáu pen blodyn rhai planhigion spathe
ffluwch *eb* fel yn *ffluwch o wallt*, sef llond pen o wallt, gwallt hir cudynnog, mwng o wallt mop, mop of hair
ffluwchan *be* [ffluwch•¹] bwrw eira mân; dechrau bwrw eira
 Sylwch: ac eithrio ffurfiau'r 3ydd unigol, nid yw'r ferf hon yn arfer cael ei rhedeg.
fflwcs¹ *eg* (fflycsau) sylwedd, e.e. math o resin, a daenir dros wynebau metel sydd i'w sodro neu eu weldio ynghyd; mae'n glanhau'r wyneb ac yn cryfhau'r asiad flux
fflwcs² *eg* (fflycsau)
 1 FFISEG cyfradd llif llifydd, gronynnau neu egni pelydrol ar draws arwyneb penodol flux
 2 FFISEG effaith neu gryfder maes magnetig neu drydanol drwy arwyneb penodol flux
fflwff *eg* casgliad o ddarnau bach o ddefnydd gwastraff, e.e. blewiach, edafedd, sy'n glynu wrth ddillad, celfi, etc. fluff
fflworeiddiad *eg* y broses o fflworeiddio, canlyniad fflworeiddio fluoridation
fflworeiddio *be* [fflworeiddi•²] ychwanegu fflworid at rywbeth, e.e. dŵr, past dannedd to fluoridate
fflworid *eg* CEMEG un o nifer o gyfansoddion yn cynnwys fflworin, e.e. y math a ychwanegir at bast dannedd i atal dannedd rhag pydru fluoride
fflworimedr *eg* (fflworimedrau) dyfais i fesur priodweddau pelydrol fflwroleuedd fluorimeter
fflworin *eg* elfen gemegol anfetelaidd rhif 9; halogen a geir fel arfer ar ffurf nwy melynwyrdd gwenwynig (F) fluorine
fflworosis *eg* MEDDYGAETH cyflwr anarferol lle mae'r dannedd yn britho o ganlyniad i fwyta

gormod o bethau â chyfansoddion yn cynnwys fflworid fluorosis

fflŵr *eg* blawd, can, paill flour

fflŵr-de-lis *eg* llun o'r blodyn iris neu'r lili fel y mae'n cael ei ddefnyddio ar arfbeisiau herodrol fleur-de-lis

fflwrolau *eg* (fflwroleuadau) golau wedi'i gynhyrchu gan lamp neu diwb lle mae trydan yn cael ei ddefnyddio i gynhyrchu pelydriad uwchfioled mewn anwedd o fercwri; amsugnir y pelydriad gan ddeunydd fflwroleuol sy'n ei droi yn olau fluorescent light

fflwroleuedd *eg* (fflwroleueddau) FFISEG priodwedd sydd gan rai sylweddau i allyrru pelydriad electromagnetig ar donfedd arbennig yn dilyn amsugno pelydriad electromagnetig ar donfedd arall; yn aml mae'r pelydriad sy'n cael ei amsugno yn y donfedd uwchfioled a thonfedd yr allyriad yn olau fluorescence

fflwroleuo *be* [fflwroleu•¹] FFISEG tywynnu'n ddisglair o ganlyniad i fflwroleuedd to fluoresce

fflwroleuol *ans* yn ymwneud â fflwroleuedd fluorescent

fflyd *eb* (fflydoedd) twr (llynges yn wreiddiol); ciwed, criw, gang, haid fleet, gang

fflyrten *eb* merch sy'n fflyrtian; coegen, hoeden, mursen flirt

fflyrtio:fflyrtian *be* [fflyrti•²] ceisio denu sylw aelod o'r rhyw arall, chwarae neu gellwair caru, esgus caru (~ â) to flirt

fflyrtiwr *eg* un sy'n fflyrtian flirt

ffo *eg* fel yn *ar ffo*, y weithred o ffoi, o ddianc, o redeg ymaith; dihangiad, enciliad, fföedigaeth escape, flight

ffoadur *eg* (ffoaduriaid)
1 un sy'n dianc rhag peryglon, y gyfraith, etc.; dihangwr fugitive
2 un sydd wedi gadael ei wlad ar adeg o ryfel am resymau gwleidyddol; enciliwr refugee

ffoadures *eb* (ffoaduresau) merch neu wraig sy'n ffoadur

ffobia *eg* ofn afresymol (bach neu fawr) o wrthrych, dosbarth o bethau neu sefyllfaoedd, e.e. trychfilod, gofod bychan, hedfan, etc. phobia

ffocal:ffocol *ans* â ffocws neu wedi'i leoli drwy ffocysu focal

ffocsl *eg* pen blaen llong o dan y dec lle mae'r morwyr yn byw forecastle

ffocws *eg* (ffocysau)
1 y pwynt lle mae pelydrau golau (neu donnau eraill) yn dod at ei gilydd ar ôl i'w cyfeiriad gael ei newid, e.e. gan lens neu ddrych focus
2 canolbwynt sylw neu ddiddordeb focus

ffocysu *be* [ffocys•¹]
1 achosi i belydrau golau ddod ynghyd drwy greu pwynt ffocws to focus

2 symud i fod mewn ffocws neu gymhwyso er mwyn cael darlun clir to focus
3 achosi canolbwyntio ar (rywun neu rywbeth) (~ **ar**) to focus

ffodion *ell* lluosog **ffawd**

ffodus *ans* (am rywun neu rywbeth) y mae ffawd o'i blaid, gwyn ei fyd; dedwydd, ffortunus, lwcus fortunate, lucky

ffodusion *ell* rhai ffodus the fortunate

fföedigaeth *eb* y weithred o ffoi (rhag niwed neu berygl fel arfer); dihangiad, ffo, ymwared flight

ffoetws:ffetws *eg* (ffoetysau:ffetysau)
ANATOMEG yr enw gwyddonol ar greadur bychan y tu mewn i'r fam, yn enwedig baban o leiaf wyth wythnos ar ôl iddo gael ei genhedlu foetus

ffofea *eg* ANATOMEG pant bach yn retina'r llygad lle mae crafftter y llygad ar ei lefel uchaf fovea

ffoi *be* [ffo•¹⁶ 1 *un. pres.* ffoaf; 3 *un. pres.* ffy] rhedeg ymaith, ei heglu hi, ei gwân hi; cefnu, dianc, diflannu, ymadael (~ **rhag**) to flee, to run away

ffoil *eg*
1 metel hydrin wedi'i guro yn ddalen denau megis papur foil
2 papur a haen o'r metel yma drosto foil

ffoilflocio *be* [ffoilfloci•²] (am broses orffen fasnachol) stampio patrwm neu lythrennu ffoil (arian neu aur fel arfer) i fireinio darn o waith sydd wedi'i argraffu foil blocking

ffôl *ans* [ffol•] prin o synnwyr cyffredin; annoeth, disynnwyr, gwirion, twp foolish, silly
dyw e ddim yn ffôl nid yw'n ddrwg it's not bad

ffolant gw. folant

ffolder *eb* (ffolderi)
1 plygell, math o amlen agored i gadw papurau ynddi folder
2 CYFRIFIADUREG cyfeiriadur sy'n cynnwys ffeiliau neu ddogfennau sy'n perthyn i'w gilydd folder

ffolen *eb* (ffolennau) ANATOMEG y naill neu'r llall o rannau crwn pen-ôl y corff dynol; boch tin buttock, rump

ffolennog *ans* â ffolennau mawr, tindrwm big bottomed

ffoli¹ *be* [ffol•¹] mynd yn ddwl am (rywun neu rywbeth); dotio, dwlu, gwirioni, mopio, mwydro (~ **ar** *rywbeth*) to dote, to adore, to be infatuated

ffoli² *eb* (ffolïau) ffug adeilad, math o adeilad addurnol ar ffurf tŵr neu gastell yn aml folly

ffoligl *eg* (ffoliglau) ANATOMEG ceudod dwfn cul yn y corff follicle

ffoligl blewyn ANATOMEG math o wain o gwmpas blewyn; ceir gwreiddyn bach wrth ei waelod sy'n tynnu maeth i fwydo'r blewyn hair follicle

ff

ffoliglaidd *ans* ANATOMEG yn perthyn i ffoligl neu ffoliglau, yn cynnwys ffoligl neu ffoliglau folicular

ffolineb *eg* (ffolinebau) y cyflwr o fod yn ffôl, diffyg synnwyr; anghallineb, annoethineb, gwiriondeb, lol, twpdra folly, foolishness, silliness

ffolio *eb*
1 dalen o lyfr neu lawysgrif yn cynnwys dwy ochr y tudalen folio
2 tudalen wedi'i blygu unwaith i greu dwy ddalen; hefyd maint dalen wedi'i chreu yn y dull hwn folio
3 cas dal papurau unigol folio

ffolog *eb* (ffologod) *anffurfiol* gwraig ffôl; ffolcen foolish woman

ffon *eb* (ffyn)
1 darn syth, praff o bren ac iddo ddwrn, sy'n gymorth i gerdded stick, walking stick
2 un o'r barrau traws sy'n ffurfio grisiau ysgol rung

ffon dafl gw. tafl

ffon fagl ffon arbennig sy'n ffitio tan gesail rhywun cloff; bagl crutch

ffon fugail ffon hir a thro yn ei phen crook, shepherd's crook

ffon gyfnewid baton; ffon fer ysgafn a ddefnyddir gan athletwyr mewn rasys cyfnewid baton

ffon lud adlyn solet hwylus sy'n ymwthio o ddiwb plastig sy'n golygu bod y defnyddiwr yn gallu cadw ei fysedd yn lân glue stick

ffon reoli MECANEG lifer bach y mae modd ei symud i wahanol gyfeiriadau er mwyn rheoli symudiad delwedd ar sgrin; offer rheoli symudiad awyren joystick

ffon wen gwialen o gollen heb risgl a anfonid gan gyn-gariad mab neu ferch (at fab neu ferch a oedd erbyn hyn yn priodi rhywun arall) ar ddydd y briodas
Ymadroddion
chwarae'r ffon ddwybig gw. chwarae¹
ffon fara bara beunyddiol the staff of life

ffôn *eg* (ffonau) y ddyfais sy'n derbyn neu'n trosglwyddo'ch llais dros bellteroedd mawr drwy ddulliau electronig phone, telephone

ffôn clust dyfais a roddir wrth y glust er mwyn gwella'r clyw neu er mwyn derbyn gwybodaeth neu gerddoriaeth mewn ffurf electronig earphone

ffôn clyfar ffôn symudol sy'n debyg i gyfrifiadur; mae ganddo sgrin gyffwrdd, mynediad i'r Rhyngrwyd a system weithredu sy'n gallu lawrlwytho a rhedeg apiau smartphone

ffôn symudol ffôn cludadwy sy'n defnyddio system radio; ffôn ar lôn mobile phone

ffondant *eg* (ffondantau) math o hufen wedi'i wneud o siwgr o flasau gwahanol a dŵr fondant

ffoneg *eb* dull o ddysgu darllen sy'n addysgu sut i ynganu sain fesul llythyren ac yna fesul grwpiau o lythrennau a sillau phonics

ffoneteg *eb* seineg; astudiaeth o brosesau cynhyrchu seiniau llafar phonetics

ffonetig *ans*
1 yn perthyn i seiniau llafar; seinegol phonetic
2 (am wyddor) â pherthynas agos rhwng seiniau iaith a'r symbolau a ddefnyddir i'w cynrychioli, *Mae'r Gymraeg yn iaith lawer mwy ffonetig na'r Saesneg.* phonetic

ffon gof *eb* (ffyn cof) CYFRIFIADUREG dyfais fach electronig, symudol, i gadw a throsglwyddo data o'r naill ddyfais electronig i'r llall; co' bach, cofbin memory stick

ffoniad *eg* (ffoniadau) ergyd â ffon whack

ffonig *ans* yn ymwneud â ffoneg neu seiniau iaith phonic

ffonio *be* [ffoni•⁶] siarad â rhywun neu roi neges i rywun, neu geisio gwneud hynny, ar y ffôn to phone, to telephone

ffonnod *eb* (ffonodiau) ergyd â ffon whack

ffonodio *be* [ffonodi•²] curo â ffon; cledro, hemo, pastynu to beat with a stick, to cane

ffonoleg *eb* IEITHYDDIAETH astudiaeth wyddonol o seiniau llafar iaith neu ieithoedd; seinyddiaeth phonology

ffonolegol *ans* IEITHYDDIAETH yn ymwneud â ffonoleg phonological

ffont *eg* (ffontiau) set gyfan o ffurfdeip o'r un maint a'r un pwyslais font, fount

ffontanél *eg* (ffontanelau) ANATOMEG meinwe sy'n gorchuddio'r bwlch rhwng esgyrn pen ffoetws nad ydynt wedi tyfu'n llawn a chlymu ynghyd fontanelle

fforamen *eg* (fforamina) ANATOMEG twll neu agoriad bach, yn enwedig mewn asgwrn foramen

fforc *eb* (ffyrc) teclyn o fetel neu blastig ac iddo ddwy neu ragor o bigau ar gyfer codi bwyd i'r geg fork

fforch *eb* (fforchau:ffyrch)
1 offeryn gardd neu fferm sydd â choes bren â phedwar neu ragor o bigau metel ar ei flaen ar gyfer rhyddhau'r pridd, cario tail, etc.; picwarch fork
2 y man lle mae rhywbeth yn ymrannu'n ddwy gan ffurfio 'V', *fforch yn yr afon* fork
3 un o'r ddau ddarn o fetel y mae olwyn flaen beic wedi'i sicrhau wrthynt fork

fforchaid *eb* (fforcheidiau) llond fforch forkful

fforchiad *eg* (fforchiadau)
1 y broses o rannu'n ddau neu ganlyniad y broses honno forking
2 y gwaith o fforchio (palu â fforch), canlyniad fforchio forking

fforchio:fforchi *be* [fforchi•²]
1 ymrannu'n ddau (am afon, heol, etc.) to fork

2 trin tir â fforch, trywanu â fforc, codi â fforc to fork

fforchog *ans* am rywbeth y mae un pen iddo yn ymrannu'n ddau neu ragor, e.e. *tafod fforchog neidr* forked

ffordd *eb* (ffyrdd)

1 heol, lôn, priffordd, trafford, e.e. *y ffordd fawr* road, way

2 y cyfeiriad cywir i'w ddilyn, *Ai dyma'r ffordd allan?* route, way

3 y pellter y mae'n rhaid ei deithio i gyrraedd lle arbennig, *Mae gennym ffordd bell i fynd cyn cyrraedd adref.* distance, way

4 dull, modd, *Ai dyma'r ffordd iawn i glymu'r cwlwm?* method, way

ar fy (dy, ei, etc.) ffordd rwy'n dod on my way
ar y ffordd yn dod, bron â chyrraedd on the way

bod ar ffordd (rhywun) bod yn rhwystr i rywun fynd ymlaen to hinder

ffordd bengaead lôn a dim ond un ffordd i mewn ac allan ohoni; lôn bengaead cul-de-sac

ffordd gefn ffordd ddidramwy, ffordd nad yw'n cael ei defnyddio'n aml byway

ffordd osgoi gw. osgoi

ffordd o siarad awgrymu yn anuniongyrchol in a manner of speaking

mynd allan o'm (o'th, o'i, etc.) ffordd mynd i drafferth, gwneud ymdrech arbennig, *Fe aeth allan o'i ffordd i fod yn gyfeillgar.* to go out of my way

mynd ffordd yr holl fyd darfod, dirwyn i ben the way of all flesh

o bell ffordd gw. pell

rhoi rhywun ar ben ffordd hyfforddi neu roi cyfarwyddyd i rywun to show someone the ropes

rhyw ffordd rhywsut somehow

talu fy (dy, ei, etc.) ffordd gw. talu

fforddfraint *eb* CYFRAITH hawl a roddir gan dirfeddiannwr, am dâl, i rywun gael mynediad i ddarn o dir, e.e. adeiladwr i safle adeiladu wayleave

fforddiadwy *ans* y gellir ei fforddio affordable

fforddio *be* [fforddi•²]

1 bod â digon o arian i brynu rhywbeth heb fynd i ddyled, bod â modd i brynu, *A allwn ni fforddio car newydd?*; afforddio to afford

2 treulio heb golled annerbyniol, *Allaf i ddim fforddio'r amser i fynd i'r dosbarth bob nos Fawrth.*; sbario to afford

Sylwch: fel arfer, defnyddir y ffurfiau 'gallu' neu 'medru' fforddio.

fforddolyn *eg* (fforddolion) un sy'n teithio'r ffyrdd yn gyson – ar droed, ar gefn ceffyl, mewn carafán, lorri, etc.; teithiwr traveller, wayfarer

fforensig *ans*

1 yn archwilio troseddau drwy ddefnyddio dulliau gwyddonol forensic

2 CYFRAITH yn ymwneud â llys barn, a ddefnyddir mewn llys barn forensic

fforest *eb* (fforestydd) coedwig; coetir, gwig, gwŷdd forest

fforestiad *eg* (fforestiadau) y broses o fforestu, canlyniad fforestu; coedwigaeth afforestation

fforestu *be* [fforest•¹] plannu â fforestydd to afforest, to forest

fforestwr *eg* (fforestwyr) coedwigwr forester

fforffed *eg* (fforffedion)

1 (mewn gêm) cosb, lle mae'n rhaid cynnig rhywbeth am wneud camgymeriad, ac yna cyflawni tasg (ddwl fel arfer) er mwyn ei ennill yn ôl forfeit

2 cosb am droseddu, torri cytundeb, methu cyflawni dyletswydd, etc. forfeit

fforffedu *be* [fforffed•¹] colli neu gael rhywbeth wedi'i gymryd oddi arnoch oherwydd torri cytundeb neu reol neu ddeddf, neu fel cosb to forfeit

fforiad *eg* (fforiadau) taith ddarganfod, taith fforiwr exploration

fforio *be* [ffori•²] teithio er mwyn gwneud darganfyddiadau daearyddol (~ **i**) to explore

fforiwr *eg* (fforwyr) un sy'n teithio i leoedd neu drwyddynt er mwyn darganfod pethau newydd; un sy'n ceisio tiroedd anhysbys explorer

fformaldehyd *eg* CEMEG methanal formaldehyde

fforman:fformon *eg* (fformyn) un sydd â phrofiad arbennig neu sydd wedi derbyn hyfforddiant ar gyfer goruchwylio gwaith grŵp o weithwyr foreman

fformat *eg* (fformatau)

1 maint a siâp llyfr (neu gyhoeddiad arall) sy'n cael eu penderfynu yn ôl sawl gwaith y plygir y ddalen (cymharer ffolio) format

2 cynllun cyffredinol o drefniant, trefniadaeth neu ddiwyg (rhaglen deledu, data cyfrifiadurol, etc.) format

fformatio *be* [fformati•²]

1 trefnu data ar ddisg mewn ffordd sy'n cydymffurfio â gofynion cyfrifiadur to format

2 gosod trefn benodedig newydd ar ddisgyrrwr sydd fel arfer yn golygu dileu'r holl ddata to format

fformiwla *eb* (fformiwlâu)

1 *technegol* rheol gyffredinol neu ffaith wedi'i mynegi'n fyr drwy gyfrwng grŵp o lythrennau, rhifau, etc. formula

2 rhestr o'r sylweddau sydd eu hangen i greu rhywbeth megis moddion, tanwydd, cemegyn, etc. (ynghyd â chyfarwyddiadau weithiau ynglŷn â sut i'w cymysgu) formula

fformon gw. **fforman**

ffortiwn *eb* (ffortiynau) swm mawr o arian neu eiddo gwerthfawr; cyfoeth, golud, trysor fortune

dweud ffortiwn gw. **dweud**

ffortunus *ans* dedwydd, ffodus, lwcus fortunate

fforwm *eg* (fforymau)
1 yn wreiddiol, lle agored yn Rhufain gynt i drafod materion cyhoeddus forum
2 erbyn heddiw, unrhyw le neu gyfarfod lle mae'n bosibl trafod yn gyhoeddus forum

fforwyr *ell* lluosog **fforiwr**

ffos *eb* (ffosydd) sianel gul wedi'i chloddio yn y ddaear:
1 er mwyn cludo dŵr; cwter, draen, dyfrffos culvert, ditch, trench
2 (a'i llenwi â dŵr gan amlaf) o gwmpas mur castell neu gaer i'w hamddiffyn moat
3 er mwyn diogelu milwyr (yn enwedig yn ystod y Rhyfel Byd Cyntaf) trench

ffos gefnforol DAEARYDDIAETH ceunant hir, cul a dwfn yng ngwely'r môr sy'n digwydd o gwmpas rhai cefnforoedd, gan gynnwys y Cefnfor Tawel ocean trench

ffosffad *eg* (ffosffadau)
1 CEMEG halwyn asid ffosfforig phosphate
2 CEMEG un o nifer o gyfansoddion yn cynnwys ffosffad a ddefnyddir fel gwrtaith phosphate

ffosffolipid *eg* (ffosffolipidau) BIOCEMEG lipid yn cynnwys grŵp ffosffad wedi'i gysylltu ag un neu fwy o asidau brasterog phospholipid

ffosffor *eg* sylwedd sy'n allyrru golau wrth gael ei arbelydru â gronynnau neu belydriad electromagnetig phosphor

ffosfforedd *eg* FFISEG yr un broses â 'fflwroleuedd' ond bod oedi rhwng yr amsugno a'r allyrru phosphorescence

ffosfforegol *ans* yn disgleirio yn y tywyllwch phosphorescent

ffosfforig *ans* yn cynnwys ffosfforws, yn perthyn i ffosfforws phosphoric

ffosfforws *eg* elfen gemegol rhif 15; anfetel gwenwynig sy'n disgleirio yn y tywyllwch ac yn llosgi'n rhwydd iawn (P) phosphorous

ffosfforylas *eg* BIOCEMEG ensym sy'n catalyddu'r broses o ychwanegu grŵp ffosffad at foleciwl organig phosphorylase

ffosil *eg* (ffosiliau) DAEAREG olion neu weddillion planhigyn neu anifail sy'n hŷn na 10,000 o flynyddoedd oed ac yn aml yn gannoedd o filiynau o flynyddoedd oed, wedi'u cadw mewn gwaddodion meddal, fel tywod neu laid, neu mewn craig fel tywodfaen neu garreg laid fossil

ffosilaidd *ans* yn meddu ar nodweddion ffosil, e.e. a fu fyw unwaith fossil

ffosileiddio *be* [ffosileiddi•²]
1 gwneud neu droi'n ffosil; caregu to fossilize

2 *ffigurol* troi'n anhyblyg a marwaidd dros gyfnod hir o amser; ymgaregu to fossilize

ffoto-allyriant *eg* (ffoto-allyriannau) FFISEG allyriant electronau oddi ar arwyneb sylwedd oherwydd effaith pelydriad electromagnetig (e.e. golau) photoemission

ffotocromig *ans* CEMEG (am sylwedd) yn mynd drwy newid cildroadwy mewn lliw neu arlliw pan gaiff ei roi mewn golau o amledd neu ddwyster penodol, e.e. rhai lensiau mewn sbectol haul photochromic

ffotodrydan *eg* FFISEG trydan sy'n cael ei gynhyrchu gan olau neu'n cael ei effeithio gan olau photoelectricity

ffotodrydanol *ans* FFISEG yn defnyddio un o nifer o effeithiau trydanol yn deillio o ryngweithiad rhwng pelydriad (e.e. golau) a mater, yn enwedig y broses o ryddhau electronau o ganlyniad i amsugno pelydriad electromagnetig photoelectric

ffotofoltaidd *ans* yn ymwneud â'r broses o gynhyrchu trydan o egni solar gan led-ddargludyddion ar ffurf celloedd neu baneli photovoltaic

ffotogell *eb* (ffotogelloedd) dyfais yn defnyddio effaith golau yn tywynnu ar gell drydanol i gynhyrchu neu reoli cerrynt trydanol a thrwy hynny ganfod a mesur dwysedd y golau photoelectric cell

ffotograff *eg* (ffotograffau) llun a dynnir â chamera photograph

ffotograffaidd *ans* tebyg i ffotograff, o'r un ansawdd â ffotograff photographic

ffotograffiaeth *eb* y gelfyddyd neu'r broses o dynnu lluniau â chamera photography

ffotograffig *ans* yn ymwneud â ffotograffiaeth photographic

ffotograffydd *eg* (ffotograffwyr) un sy'n tynnu lluniau â chamera, yn enwedig un sy'n ennill ei fywoliaeth drwy dynnu lluniau photographer

ffotogrametreg *eb* y defnydd o ffotograffau i gael mesuriadau cywir, e.e. wrth lunio mapiau photogrammetry

ffotomedr *eg* (ffotomedrau) FFISEG dyfais i fesur tanbeidrwydd golau photometer

ffotometreg *eb* cangen o wyddoniaeth sy'n mesur gwahanol agweddau ar olau yn ôl yr effaith ar lygaid dynol photometry

ffotometrig *ans* FFISEG yn ymwneud â ffotometreg photometric

ffotomicrograff *eg* (ffotomicrograffau) ffotograff o wrthrych microsgopig a dynnir â chymorth microsgop photomicrograph

ffoton *eg* (ffotonau) FFISEG gronyn o belydriad electromagnetig; mae egni ffoton mewn cyfrannedd â thonfedd y pelydriad, ac felly mae gan ffoton o olau glas fwy o egni na ffoton o olau coch photon

ffotonewyddiaduraeth *eb* yr arfer o ddangos newyddion drwy ffotograffau, yn arbennig mewn cylchgronau photojournalism

ffotosensitif *ans* goleusensitif; sensitif i egni pelydrol, yn enwedig golau photosensitive

ffotosensitifedd *eg* y cyflwr o fod yn orsensitif i olau'r haul, e.e. fel bod llid yn codi ar y croen photosensitization

ffotosynthesis *eg* BIOLEG newid cemegol sy'n digwydd yn nail planhigion gwyrddd; mae'r cloroplastau'n defnyddio egni golau i wneud glwcos o ddŵr a charbon deuocsid ac yn cynhyrchu ocsigen fel gwastraff photosynthesis

ffotosynthetig *ans* BIOLEG yn perthyn i ffotosynthesis, wedi'i ffurfio gan ffotosynthesis photosynthetic

ffototropedd *eg* BOTANEG y ffordd y mae planhigyn neu ran o blanhigyn yn tyfu naill ai tuag at ffynhonnell golau (ffototropedd positif) neu oddi wrth y golau (ffototropedd negatif) phototropism

ffototropig *ans* BOTANEG (am blanhigyn) yn tyfu tuag at y golau neu oddi wrth y golau phototropic

ffowl *eg* (ffowliau) trosedd mewn gêm, yn enwedig os oes cyffyrddiad corfforol anghyfreithiol rhwng chwaraewyr foul

ffowlio *be* [ffowli•²]

1 cyflawni ffowl mewn gêm to foul
2 (am raff) cydio'n glymau; drysu (~ **yn erbyn**) to foul

ffowls *ell*

1 lluosog **ffowlyn**
2 da pluog fferm (ieir, ceiliogod, cywion, etc.); dofednod, ieir poultry

ffowlyn *eg* (ffowls) cyw iâr, yn enwedig un sy'n barod i'w goginio, *Mae gennym ffowlyn i ginio heddiw.* chicken, fowl

ffowndri *eb* (ffowndrïau) METELEG gweithdy lle mae metelau yn cael eu toddi a'u harllwys i fowldiau i lunio rhannau o beiriannau, etc. foundry

ffracsiwn *eg* (ffracsiynau)

1 MATHEMATEG rhif nad yw'n gyfanrif ond y gellir ei fynegi fel cymhareb dau gyfanrif, e.e. $^7/_8$ [saith wythfed], $^9/_{16}$ [naw rhan o un deg chwech], 7.86 [saith pwynt wyth chwech] a 3.004 [tri pwynt dim dim pedwar] fraction
2 CEMEG un o'r gwahanol gyfrannau a gynhyrchir pan fydd cymysgedd yn cael ei wahanu yn ôl un o'i briodweddau ffisegol, e.e. berwbwynt neu hydoddedd, *Mae gasolin yn un o'r ffracsiynau a gynhyrchir wrth wahanu olew crai.* fraction

ffracsiwn bondrwm MATHEMATEG ffracsiwn cyffredin lle mae'r rhifiadur yn llai na'r enwadur, e.e. $^1/_2$, $^3/_4$ proper fraction

ffracsiwn cyffredin MATHEMATEG ffracsiwn sy'n cael ei fynegi gan rif uwchben y llinell (y rhifiadur) a rhif o dan y llinell (yr enwadur), e.e. $^3/_4$, $^{17}/_{15}$ (nid fel ffracsiwn degol) common fraction, vulgar fraction

ffracsiwn degol MATHEMATEG ffracsiwn sy'n cael ei fynegi yn y dull degol, e.e. 7.86, 3.004 *0.5 yw 'hanner' fel ffracsiwn degol, a ½ yw 'hanner' fel ffracsiwn cyffredin.*; degolyn decimal fraction

ffracsiwn pendrwm MATHEMATEG ffracsiwn cyffredin lle mae'r rhifiadur yn fwy na'r enwadur, e.e. $^3/_2$, $^{17}/_{15}$ improper fraction

ffracsiynol *ans*

1 MATHEMATEG nodweddiadol o ffracsiwn, wedi'i fynegi fel ffracsiwn fractional
2 CEMEG yn perthyn i ffracsiynu cemegol, yn deillio o ffracsiynu cemegol fractional

ffracsiynu *be* [ffracsiyn•¹] CEMEG rhannu'n ffracsiynau neu'n gydrannau to fractionate

ffractal *eg* (ffractalau) MATHEMATEG cromlin neu ffigur geometregol y mae pob rhan ohono'n ymdebygu'n ystadegol i'r cyfan fractal

ffradach *eg* rhywbeth wedi'i ddifetha; blerwch, llanastr, methiant, smonach mess, shambles

ffrae *eb* (ffraeau:ffraeon) anghydfod, cweryl, cynnen, ymrafael, *Achos y ffrae oedd pwy oedd i fod i dalu am y tocynnau.* quarrel, squabble

ffraegar *ans* hoff o ffraeo; cecrus, cwerylgar, cynhennus, piwis quarrelsome

ffraeo *be* [ffrae•¹] dadlau'n gynhengar, anghytuno'n chwyrn; cecran, cega, cweryla, cynhenna (~ **â** *rhywun* **am** *rywbeth*) to quarrel, to squabble

ffraeth *ans* [ffraeth•] (ffraethion) yn gallu dweud pethau sy'n graff ac yn ddoniol yr un pryd, parod ei ateb, â dawn dweud; arabus, cellweirus, huawdl witty

ffraetheb *eb* (ffraethebion) dywediad smala, jôc joke, witticism

ffraethineb *eg* (ffraethinebau)

1 y ddawn i ddweud pethau mewn ffordd bert sy'n ddoniol ac yn graff yr un pryd; arabedd wit
2 clyfrwch geiriol (yn enwedig wrth fod yn feirniadol); rhethreg fluency

ffraethinebau *ell* lluosog **ffraethineb**, yn enwedig am ddywediadau neu sylwadau ffraeth witticisms

ffraethion¹ *ans* ffurf luosog **ffraeth**

ffraethion² *ell* rhai ffraeth the witty

ffrâm *eb* (fframiau)

1 ymyl arbennig y mae rhywbeth yn cael ei osod o'i fewn, *ffrâm llun* frame

ff

2 y sgerbwd y mae rhywbeth yn cael ei dynnu'n dynn o'i amgylch neu ei adeiladu arno, *Mae corwgl wedi'i wneud o ddarnau o gynfas, neu grwyn yn wreiddiol, wedi'u sicrhau'n dynn wrth ffrâm o bren.* frame
3 y rhannau cryf, caled sy'n cael eu hasio at ei gilydd i wneud rhywbeth, *ffrâm beic* frame
4 ffurf neu siâp y corff dynol, *Edrychodd ar ei ffrâm eiddil â thosturi.* frame
5 casyn neu ymyl cryf a chadarn sy'n dal rhywbeth yn ei le, *ffrâm ffenestr* frame
6 cefndir, amgylchfyd, *Mae'r coed tywyll yn ffrâm effeithiol i'r gerddi lliwgar.* frame
7 blwch mawr wedi'i osod yn y pridd a chanddo do gwydr ar oleddf y mae modd ei agor a'i gau; gellir tyfu planhigion ynddo a'u cadw rhag y rhew frame
8 llun unigol sy'n rhan o'r gyfres o luniau sy'n cyfuno i greu ffilm frame
9 adran gyfan o gystadlu mewn gêmau megis snwcer neu fowlio, etc. frame

fframin *eg anffurfiol* ffrâm frame
fframio *be* [fframi•²] gosod rhywbeth o fewn ffrâm to frame
fframwaith *eg* (fframweithiau)
1 y ffrâm sy'n cynnal rhywbeth; sgerbwd frame, framework
2 adeiladwaith, adeiledd, cynllun, system framework, structure
Ffrances *eb* merch neu wraig o Ffrainc neu o dras Ffrengig Frenchwoman
ffranciwm *eg* elfen gemegol rhif 87; metel alcalïaidd, ymbelydrol, ansefydlog (Fr) francium
Ffrancod *ell* pobl Ffrainc French people
Ffrancwr *eg* (Ffrancwyr) brodor o Ffrainc neu o dras Ffrengig Frenchman
Ffransisgaidd *ans* yn perthyn i Urdd y Ffransisgiaid, nodweddiadol o Urdd y Ffransisgiaid Franciscan
Ffransisgan *eg* (Ffransisgiaid) CREFYDD aelod o urdd o fynaich a sefydlwyd gan Fransis o Assissi yn 1209 a rydd bwyslais ar bregethu, cenhadu a bod yn elusengar; Brawd Llwyd Franciscan
ffrasil *eg* (ffrasilau) pentwr o grisialau o iâ, wedi'u creu mewn dŵr aflonydd sy'n cronni ar lan afon, llyn neu gefnfor frazil
ffregod *eb* (ffregodau) rhyw wag siarad; baldordd, brygawthan, truth prattle, tale
Ffrengig *ans* yn perthyn i Ffrainc, nodweddiadol o Ffrainc French
ffrenig *ans* ANATOMEG yn ymwneud â'r llengig (sy'n gwahanu'r frest a'r bol) phrenic
ffrenoleg *eb* yr wyddor o ddarllen pennau; astudiaeth o gyfluniad (ffurf a gwedd) y benglog a'r berthynas honedig rhyngddo a chymeriad a gallu ymenyddol (person) phrenology

ffres *ans* [ffresi•]
1 mewn cyflwr da, nad yw wedi cael ei ddifetha wrth gael ei gadw'n rhy hir fresh
2 (am ddŵr) nad yw'n hallt, y mae modd ei yfed; croyw, peraidd, pur fresh
3 (am fwyd) heb gyffeithyddion megis halen a finegr; bwyd nad yw wedi cael ei gadw mewn tuniau na photeli nac wedi'i rewi fresh
4 newydd ei baratoi, newydd ei goginio fresh
5 heb fod wedi blino; cryf, heini fresh
6 yn edrych yn lân fresh
7 (am aer) iachus, pur, fel awyr agored fresh
8 (am y tywydd) â gwynt oer eithaf cryf fresh
9 yn aros yn y cof, heb ddechrau diflannu fresh
10 (am agwedd) newydd, fywiog fresh
ffresgo *eg* (ffresgoau) CELFYDDYD darlun wedi'i beintio ar wal neu nenfwd cyn i'r plastr orffen sychu; y grefft o beintio fel hyn fresco
ffresni *eg* y cyflwr o fod yn ffres, yn newydd; croywder, glendid, irder freshness
ffretlif *gw.* **llif ffret**
ffretwaith *eg* gwaith pren tyllog, addurnedig wedi'i greu gan lif ffret fretwork
ffreutur *eg* (ffreuturau) yn wreiddiol, neuadd fwyta mewn mynachlog neu leiandy ond erbyn hyn neuadd o'r fath mewn ysgol neu goleg; cantîn canteen, refectory
ffrewyll *eb* (ffrewyllau) chwip, fflangell scourge, whip
ffridd *eb* (ffriddoedd) tir amgaeedig ar y mynydd, yn aml wedi'i wella drwy hadu; cynefin defaid; gwaun, rhos mountain pasture
ffrigad *eb* (ffrigadau)
1 llong ryfel sy'n cynnwys arfau amrywiol ac sy'n ysgafnach na llong ddistryw frigate
2 llong ryfel ysgafn â thri hwylbren frigate
ffril *eg* (ffriliau:ffrils)
1 darn hirgul o ddefnydd wedi'i grychu a'i osod ar wisg neu lenni fel addurn frill
2 rhywbeth ymylol nad yw'n bwysig nac yn hanfodol frill
ffrimpan *eb* (ffrimpanau) padell ffrio frying pan
ffrind *egb* (ffrindiau) cydymaith, cyfaill, cymar, mêt friend, chum
ffrindiau pennaf cyfeillion gorau best of friends
ffrio *be* [ffri•¹ 2 *un. pres.* ffrii; *amh. pres.* ffriir; 2 *un. amhen.* ffriit; *amh. amhen.* ffriid]
1 COGINIO coginio mewn saim neu olew poeth to fry
2 *ffigurol* llosgi to fry
ffris *eb* (ffrisiau)
1 bandyn addurnedig (o bapur wal yn aml) o gwmpas ystafell neu adeilad frieze
2 darlun ar ddarn hir o bapur frieze
Ffrisaidd *ans*
1 yn perthyn i Friesland, nodweddiadol o Friesland Friesian

2 am Ffrisiaid, y brid o wartheg godro du a gwyn o'r Iseldiroedd a Friesland Friesian

Ffrisiad *eg* (Ffrisiaid)

1 brodor o Friesland Frieslander

2 buwch odro ddu a gwyn, o'r Iseldiroedd a Friesland, â llai o fraster yn ei llaeth nag sy'n arferol Friesian

ffrit *ans* da i ddim, *Hen beth ffrit yw e.*; di-werth, ofer, tila useless, worthless

ffriter *eb* (ffriterau) darn o gig, ffrwyth neu lysieuyn wedi'i gaenu â chytew a'i ffrio fritter

ffrithiannol *ans* FFISEG a gynhyrchir gan ffrithiant frictional

ffrithiant *eg* FFISEG y grym sy'n gwrthwynebu symudiad un arwyneb dros arwyneb arall friction

ffrochus *ans llenyddol* gwyllt, ffyrnig, terfysglyd turbulent, wild

ffroen *eb* (ffroenau)

1 y naill a'r llall o'r ddau agoriad yn y trwyn; drwyddynt mae aer yn mynd i'r ysgyfaint ac mae arogleuon yn mynd i'r nerfau arogleuol nostril

2 y twll ar flaen baril gwn muzzle

ffroendenau *ans* yn adnabod aroglau'n gyflym

ffroenell *eb* (ffroenellau) piben fach sy'n cyfyngu, yn cyfeirio neu'n cyflymu llif nwy neu hylif nozzle

ffroeni *be* [ffroen•¹]

1 tynnu anadl i mewn i'r trwyn mewn ffordd swnllyd; arogli, sniffian to sniff

2 sniffian er mwyn clywed arogl; arogli to sniff

3 gollwng aer allan o'r trwyn yn ffrwydrad bychan er mwyn dynodi anfodlonrwydd, dicter, dirmyg, etc. to sniff, to snort

4 (am geffyl) gweryru to sniff, to snort

ffroenuchel *ans* (am rywun) yn edrych i lawr ei drwyn ar bethau; balch, dirmygus, mawreddog, trahaus haughty, snobbish, supercilious

ffroesen:ffroisen *eb* (ffroes:ffrois) math o deisen denau, fflat wedi'i gwneud drwy ffrio cytew mewn padell neu ar radell; crempog, pancosen pancake

ffrog *eb* (ffrogiau) dilledyn sy'n cyrraedd o'r ysgwyddau at y pengliniau (neu'n is) a wisgir gan ferch neu wraig dress, frock

ffroga *eg* (ffrogaid) darn trionglog, elastig, corniog, sy'n tyfu yng nghanol carn ceffyl, buwch, etc.; bywyn carn ceffyl, gwennol, llyffant frog

ffroisen gw. **ffroesen**

ffrom *ans* gwyllt a blin; dig, ffyrnig, pigog angry, touchy

ffromder *eg* y cyflwr o fod wedi ffromi; cynddaredd, digofaint indignation

ffromi *be* [ffrom•¹] mynd yn grac; cynddeiriogi, digio, gwylltio (~ at) to bluster, to fume, to rage

ffromlys *eg* un o deulu o blanhigion gardd â choesau dyfrllyd, tryloyw, e.e. Betsan Brysur balsam

ffromllyd *ans* chwannog i ffromi, gwyllt ei dymer peevish, testy

ffrond *eg* (ffrondau) deilen palmwydden neu redynen frond

ffrotais *eg* y dechneg o godi patrwm neu batrymau drwy rwbio (pensil fel arfer) dros rywbeth wedi'i osod o dan ddarn o bapur frottage

ffrothio *be* [ffrothi•²] ewynnu; berwi neu godi'n ewyn (~ **dros**) to froth

ffrothlyd:ffrothog *ans* ewynnog; yn ffrothio frothing, frothy

ffrwcs *ell* pethau di-werth; sbwriel, sothach garbage, junk

ffrwcslyd *ans* wedi drysu; cymysglyd, dryslyd, ffwndrus bewildered, confused

ffrwctos *eg* (ffrwctosau) CEMEG un o dair ffurf ar siwgr, yn enwedig y ffurf felys a geir mewn sudd ffrwythau a mêl fructose

ffrwd *eb* (ffrydiau)

1 nant sy'n rhedeg yn gyflym; afonig, cornant, gofer, pistyll brook, rill, stream

2 (mewn ysgol) un o nifer o grwpiau o blant o'r un oedran wedi'u rhannu yn ôl eu gallu stream

ffrwgwd *eg* (ffrygydau) ymladd gan grŵp sy'n aflonyddu ar yr heddwch mewn lle cyhoeddus; cynnwrf, ffrae, terfysg, ymrafael brawl, fracas, fray

ffrwmpen *eb* (ffrwmpennod) merch neu wraig falch, fursennaidd, hunangyfiawn prig

ffrwmpyn *eg* (ffrwmpynnod) un balch, un mursennaidd, hunangyfiawn prig

ffrwst *eg* brys byrbwyll; ffwdan, hast, rhuthr bustle, hurry, rush

ar ffrwst ar frys in a hurry

ffrwstwm *eg* (ffrwstymau) MATHEMATEG y rhan o gôn (neu byramid) sy'n weddill ar ôl torri'i frig ymaith ar hyd plân sy'n baralel i'w sail frustum

ffrwt *eg* bwrlwm o fywyd; egni, nerth energy, vitality

ffrwtian *be* gwneud sŵn wrth ferwi; ffwt-ffwtian, mudferwi, poeri, tasgu to splutter, to sputter

Sylwch: nid yw'r ferf hon yn arfer cael ei rhedeg.

ffrwydrad:ffrwydriad *eg* (ffrwydradau:ffrwydriadau) y weithred o ffrwydro; ergyd, tanchwa blast, explosion, outburst

ffrwydro *be* [ffrwydr•¹] chwythu'n ddarnau, chwalu â sŵn mawr; byrstio to blast, to detonate, to explode

ffrwydrol *ans* â thuedd i ffrwydro neu achosi ffrwydrad explosive

ffrwydron:ffrwydrolion *ell* pethau ffrwydrol explosives

ffrwydryn *eg* (ffrwydron) sylwedd sy'n ffrwydro neu sy'n achosi i bethau eraill ffrwydro detonator, explosive

ffrwyn *eb* (ffrwynau) y strapiau lledr (yn cynnwys genfa ac awenau) sy'n cael eu gosod am ben ceffyl i'w reoli wrth farchogaeth bridle
rhoi ffrwyn ar ffrwyno, atal, cadw dan reolaeth to rein in
rhoi ffrwyn i rhyddhau, gollwng yn rhydd; y gwrthwyneb i 'rhoi ffrwyn ar' to give a free rein to

ffrwyno *be* [ffrwyn•¹]
1 rhoi ffrwyn am ben ceffyl to bridle
2 dal yn ôl (fel wrth dynnu ar awenau ceffyl); atal, llesteirio, rhwystro to curb, to restrain

ffrwyth *eg* (ffrwythau)
1 cynnyrch bwytadwy, llawn sudd sy'n tyfu ar goed a llwyni, e.e. afal, oren, etc. fruit
2 *technegol* y rhan o unrhyw blanhigyn sy'n cynnwys yr hadau, e.e. pys, pelen wlanog dant y llew neu beli bach pigog cyngaf fruit
3 cynnyrch da neu ddrwg, *Roedd y llyfr yn ffrwyth blynyddoedd o waith caled.*; canlyniad, effaith fruit, product
4 fel yn yr ymadrodd am de yn *bwrw ei ffrwyth*, ar ôl ei gymysgu â dŵr poeth a'i adael i drwytho; nodd, rhin essence
5 cynnyrch y ddaear; cnwd fruit
6 *ffigurol* (yn y lluosog) gweithredoedd, '*Wrth eu ffrwythau yr adnabyddwch hwynt.*'

ffrwythlon *ans*
1 yn dwyn llawer o ffrwyth; cynhyrchiol, toreithiog fertile, fruitful, lush
2 yn gallu cenhedlu plentyn; epilgar, epiliog fertile

ffrwythlondeb:ffrwythlonder *eg* y gallu i gynhyrchu ffrwyth neu epil; y cyflwr o fod yn ffrwythlon fertility, fruitfulness

ffrwythlonedd *eg* nifer yr wyau neu epil a gynhyrchir gan y fenyw yn ystod ei hoes fecundity

ffrwythloni *be* [ffrwythlon•¹]
1 achosi ffrwythloniad (~ *rhywbeth* â) to fertilize
2 gwneud yn ffrwythlon neu'n fwy cynhyrchiol to fertilize

ffrwythloniad *eg* BIOLEG y broses o gychwyn datblygiad epil mewn planhigyn neu greadur benyw fertilization

ffrwytho *be* [ffrwyth•¹] dwyn ffrwyth to bear fruit

ffrwythyn *eg* (ffrwythau) un ffrwyth piece of fruit

ffrydiad *eg* (ffrydiadau) alldafliad; y weithred o ffrydio, yn enwedig ffrydio had ejaculation

ffrydiau *ell* lluosog ffrwd

ffrydio *be* [ffrydi•²]
1 llifo'n gryf, arllwys allan; byrlymu, dylifo, goferu, pistyllio to flow, to gush, to stream
2 gosod disgyblion ysgol mewn ffrydiau to stream
3 CYFRIFIADUREG derbyn llif di-dor o ddata neu wybodaeth (e.e. cerddoriaeth, lluniau fideo, etc.) i gyfrifiadur neu ddyfais nad oes modd eu cadw ar y disg caled to stream
ffrydio had alldaflu to ejaculate

ffrydlif *eg* (ffrydlifoedd) llif gwyllt; cenllif, cerrynt, dylifiad, llifeiriant torrent

ffrygydau *ell* lluosog ffrwgwd

ffrynt *eg* (ffryntiau)
1 tu blaen (adeilad, ystafell, etc.) front
2 yr wyneb neu'r rhan sy'n wynebu ymlaen, allan neu i fyny front
3 ochr bwysicaf adeilad, yr ochr sy'n wynebu'r ffordd neu'r ochr lle mae'r brif fynedfa front
4 ffordd neu heol sy'n rhedeg gydag ymyl wal amddiffynnol ar lan y môr, *Welwch chi ddim llawer o bobl ar y ffrynt yn Aberystwyth yn ystod y gaeaf.* front
5 y llinell lle mae dwy fyddin yn brwydro yn erbyn ei gilydd ar adeg o ryfel ynghyd â'r tir sy'n arwain ati front
6 ymgais ar y cyd yn erbyn gwrthwynebwyr, *Ar adeg o ryfel ffurfiodd y pleidiau gwleidyddol ffrynt unedig yn erbyn y gelyn.* front
7 mudiad gwleidyddol front
8 METEOROLEG y ffin rhwng dau aergorff sy'n meddu ar briodweddau meteorolegol gwahanol, e.e. ffrynt cynnes a ffrynt oer front
ffrynt cartref y boblogaeth gyffredinol a gweithgareddau cenedl y mae ei lluoedd arfog mewn rhyfel dramor home front
glawiad ffrynt gw. glawiad

ffryntdarddiad *eg* METEOROLEG y ffordd y mae dau aergorff gwahanol yn dod ynghyd i ffurfio ffrynt frontogenesis

ffryntio *be* [ffrynti•²] ymddangos ar y blaen, e.e. wrth gyflwyno rhaglen neu arwain mudiad to front

ffryntwasgariad *eg* METEOROLEG y broses sy'n arwain at wasgaru neu wanhau ffrynt frontolysis

ffrystio *be* [ffrysti•²] mynd ar frys; brysio, cyflymu, hastio, prysuro to hurry

ffuantrwydd *eg* y cyflwr o fod yn ffuantus; mursendod, twyll disingenuousness

ffuantu *be* [ffuant•¹] cymryd arno, ceisio twyllo, esgus bod; ffugio to pretend

ffuantus *ans* dauwynebog, ffals, ffug, gwenieithus, rhagrithiol insincere, sham, contrived

ffug *ans* (ffugion) twyllodrus, ffuantus, ffals, dychmygol, gau, annilys, gwneud, artiffisial counterfeit, fake, false

ffug- *rhag* twyllodrus, ffals, dychmygol,
e.e. *ffugenw*, *ffuglen* pseudo-

ffugarholiad *eg* (ffugarholiadau)
ateb cwestiynau o dan amodau arholiad er nad
arholiad iawn mohono mock examination

ffugbasio *be* [ffugbasi•²] (yn enwedig mewn
pêl-droed a rygbi) esgus pasio pêl er
mwyn twyllo gwrthwynebydd to dummy,
to sell someone a dummy

ffugbeth *eg* (ffugbethau) dynwarediad (di-
werth, fel arfer), peth ffug fake, sham

ffugdduwioldeb *eg* y cyflwr o ffugio bod yn
dduwiol neu'n grefyddol false piety

ffugenw *eg* (ffugenwau) enw a ddefnyddir mewn
cystadleuaeth rhag i'r beirniaid wybod pwy
sy'n cystadlu, neu gan awdur nad yw am i bobl
wybod ei enw iawn; arallenw, glasenw, llysenw
nom de plume, pseudonym

ffug-honiad *eg* (ffughoniadau) honiad di-sail;
esgus, ymhoniad false assertion, pretence

ffugiad *eg* (ffugiadau) y weithred o ffugio,
canlyniad ffugio; dychymyg, rhith fabrication,
feint, forgery

ffugio *be* [ffugi•²] cymryd arno, dynwared (er
mwyn twyllo), esgus bod; cogio, smalio, twyllo
to fake, to feign, to pretend

ffugion¹ *ell* pethau ffug fakes

ffugion² *ans* ffurf luosog ffug

ffugiwr *eg* (ffugwyr) un sy'n ffugio faker, forger

ffuglen *eb* stori neu nofel am bethau nad ydynt
wedi digwydd mewn gwirionedd, neu hanes
dychmygol am ddigwyddiadau neu bobl go
iawn fiction

ffugostyngedig *ans* yn amlygu
ffugostyngeiddrwydd condescending

ffugostyngeiddrwydd *eg* gwyleidd-dra
ffuantus, esgus neu smalio bod yn ostyngedig
false modesty

ffugwaith *eg* (ffugweithiau) dynwarediad
(di-werth, fel arfer), peth ffug fake, sham

ffunen *eb* (ffunennau:ffunenni) cadach poced,
hances, macyn, neisied handkerchief

ffunud *eg* fel yn *yr un ffunud â*, gan amlaf
mae'n cyfeirio at rywun sy'n debyg o ran pryd
a gwedd i rywun arall; ffurf, gwedd, math
the spitting image

ffured *eb* (ffuredau) anifail bach ffyrnig o'r
un teulu â'r wenci, y ffwlbart a'r dyfrgi; fe'i
defnyddir i hela cwningod a llygod mawr drwy
ei ollwng i'r tyllau lle mae'r rheini'n byw ferret

ffureta *be*
1 hela cwningod a llygod mawr â ffured (~ am)
to ferret
2 chwilio'n brysur (fel ffured), chwilio a
chwalu; chwilota, stilio, tyrchu to ferret
Sylwch: nid yw'r ferf hon yn arfer cael ei
rhedeg.

ffurf *eb* (ffurfiau)
1 ymddangosiad allanol, *Cafodd brawd bach
Meirion gacen pen blwydd ar ffurf injan drên.*;
delw, golwg, gwedd, llun, siâp shape, form,
figure
2 amrywiaeth yn y ffordd o ysgrifennu neu
ynganu gair yn ôl rheol neu reolau arbennig,
*Mae dwy ffurf ar drydydd person unigol
gorffennol 'rhoddi' – yr hen ffurf 'rhoes' a'r
ffurf fwy adnabyddus 'rhoddodd'.* form
ar ffurf yr un siâp â, yn dilyn patrwm in the
form of

ffurfafen *eb* (ffurfafennau) *llenyddol* yr awyr;
entrych, nefoedd, nen, wybren firmament

ffurfdeip *eg* (ffurfdeipiau) ffurf neu gynllun
penodol teip typeface

ffurfdroad:ffurfdro *eg* (ffurfdroadau)
GRAMADEG ychwanegiad ar ffurf ôl-ddodiad at
fôn gair, e.e. terfyniad berfol i ddangos person,
amser a modd declension, inflection

ffurfdroi *be* [ffurfdro•¹⁷] newid gair drwy
ffurfdroad, e.e. *gwelaf* o 'gweld', *ohonof* o 'o'
to conjugate, to inflect

ffurfiad *eg* (ffurfiadau) y ffordd y mae rhywbeth
wedi cael ei ffurfio neu ei adeiladu; gwead,
gwneuthuriad, lluniad, saernïaeth formation,
structure

ffurfiannol *ans* yn ymwneud â datblygiad
person, *asesiad ffurfiannol* formative

ffurfiant *eg* (ffurfiannau)
1 y broses neu'r weithred o ffurfio, canlyniad
ffurfio formation
2 DAEAREG uned ddaearegol sy'n cynnwys corff
neu gyfres o greigiau â'r un nodweddion neu
briodweddau formation

ffurfio *be* [ffurfi•²]
1 ymddangos, datblygu to form
2 cymryd siâp, *Mae adeiladau'r coleg yn ffurfio
sgwâr a lle gwag yn ei ganol.*; llunio to form
3 gwneud, creu, llunio, *Gwyliais y crochenydd
yn ffurfio llestr ar ei olwyn.* (~ rhywbeth **o/yn**)
to form
4 casglu ynghyd, *Rwy'n bwriadu ffurfio clwb
i bobl sy'n rhy brysur i hamddena – pan gaf
amser!*; sefydlu to form

ffurfiol *ans*
1 yn dilyn patrwm arferol, yn dilyn y drefn
draddodiadol; confensiynol, rheolaidd,
seremonïol formal
2 yn gofalu bod yn hollol gywir formal
3 swyddogol, yn ôl y rheolau; anhyblyg,
anystwyth formal

ffurfiolaeth *eb* athrawiaeth o lynu'n gaeth wrth
ffurfiau allanol adeileddau neu dechnegau
(mewn crefydd, arlunwaith, mathemateg, celf,
etc.), yn aml heb roi sylw digonol i gynnwys
neu arwyddocâd formalism

ff

ffurfioldeb *eg* y cyflwr o fod yn ffurfiol neu o ymddwyn yn ffurfiol formality

ffurflen *eb* (ffurflenni) dalen o bapur neu daflen brintiedig ac arni nifer o gwestiynau i'w hateb mewn blychau priodol form, pro forma

ffurflen gais ffurflen arbennig y disgwylir i rywun ei llenwi wrth geisio am swydd, grant, etc. application form

ffurflen ymaelodi ffurflen y disgwylir i rywun ei llenwi cyn dod yn aelod o gymdeithas, clwb, etc. enrolment form

ffurfwedd *eb* (ffurfweddau)
1 gwedd, ffurf neu drefn allanol; cyfluniad configuration
2 FFISEG adeiledd atom neu foleciwl yn ôl trefn ei electronau configuration

ffurfweddiad *eg* (ffurfweddiadau)
1 CYFRIFIADUREG y dewis o galedwedd a'r ffordd y mae'r cyfan yn cael ei gysylltu sy'n nodweddiadol o system gyfrifiadurol benodol configuration
2 rhestr o ddiffiniadau paramedrau meddalwedd format

ffurfydd *eg* (ffurfyddion)
1 fframwaith sy'n gosod gwifren drydanol ar ffurf arbennig former
2 rhan o adeiledd awyren sy'n cynnal ffurf corff yr awyren, cramen y peiriannau, etc. former

ffurfyn *eg* (ffurfynnau) IEITHYDDIAETH y rhan o sain lleferydd, neu ansawdd sain lleferydd, sy'n ei gwneud yn wahanol i bob sain arall formant

ffust *eb* (ffustiau) pastwn yn hongian gerfydd carrai o ledr ystwyth, wrth goes o bren; câi ei ddefnyddio ar ffermydd ers talwm i ddyrnu ŷd â llaw flail

ffustiad *eg* (ffustiadau) y gwaith o fwrw neu o daro; pwniad beating

ffustio:ffusto *be* [ffusti•²]
1 yn wreiddiol, dyrnu ŷd â llaw gan ddefnyddio ffust to flail
2 curo drosodd a throsodd, *ffusto ar y drws*; bwrw, curo, dyrnu, ergydio to bang, to beat, to hammer

ffustiwr *eg* (ffustwyr) un sy'n dyrnu â ffust flailer, thresher

ffwc¹ *ebychiad aflednais* rheg gref iawn fuck

ffwc² *eb*
1 *aflednais* cyfathrach rywiol fuck
2 *aflednais* y tamaid bach lleiaf, fel yn *hidio'r ffwc* fuck

ffwdan *eb*
1 trafferth neu ofid; helynt, strach, trwbl bother
2 cyffro diangen, prysurdeb dianghenraid; brys, ffrwst, trybestod fuss

ffwdanllyd *ans* yn golygu llawer o ffwdan, yn achosi llawer o ffwdan fiddly, fussy

ffwdanu *be* [ffwdan•¹] gweithredu mewn ffordd nerfus, brysur ynglŷn â phethau bychain; ffysio, trafferthu (~ **am**) to bother, to fuss

ffwdanus *ans* yn poeni'n ormodol ynglŷn â manion, llawn ffwdan; trafferthus fussy

ffwng *eg* (ffyngau:ffyngoedd) un o nifer o organebau ewcaryotig sy'n bwydo'n saproffytig neu'n barasitig; ceir rhai mathau mawr fel caws llyffant a madarch ac eraill yn fân fel llwydni a burum fungus

ffwngaidd *ans* tebyg i ffwng, wedi'i achosi gan ffwng fungous

ffwngleiddiad *eg* (ffwngleiddiaid) sylwedd sy'n lladd ffwng fungicide

ffŵl *eg* (ffyliaid)
1 *anffurfiol* rhywun a ystyrir yn dwp neu'n ffôl, rhywun heb synnwyr cyffredin; hurtyn, twpsyn fool, dolt, buffoon
2 *hanesyddol* gwas yn llys y brenin neu lys uchelwr, a oedd i ddifyrru ei feistr; croesan, digrifwas fool, jester

gwneud ffŵl o (rywun) gwneud i rywun edrych yn dwp to make a fool of
Ymadrodd

ffŵl Ebrill gw. Ebrill

ffwlbart *eg* (ffwlbartiaid:ffwlbartod)
1 anifail bach a chanddo flew tywyll sy'n perthyn i'r un teulu ysglyfaethus â'r wenci a'r ffured ac sy'n enwog am ei ddrewdod polecat
2 enw dirmygus ar rywun

diog fel ffwlbart bone idle

drewi fel ffwlbart gw. drewi

ffwlbri *eg* rhywbeth ffôl; anghallineb, ffolineb, lol, ynfydrwydd folly, nonsense, tomfoolery

ffwlcen *eb anffurfiol* merch neu wraig sy'n ffŵl; twpsen fool (female)

ffwlcrwm *eg* (ffwlcrymau) FFISEG y pwynt y mae trosol (neu lifer) yn troi arno neu'n cael ei gynnal arno wrth godi neu symud rhywbeth fulcrum

ffwlcyn *eg* (ffwlcynnod) *anffurfiol* ffŵl bach; penbwl, twpsyn nincompoop

ffwlffachu:ffwlffachan *be* ymgiprys yn chwareus ac yn nwyfus to play about
Sylwch: nid yw'r ferf hon yn arfer cael ei rhedeg.

ffwlsgap *eg* dalen o bapur (432 × 343 mm) yr arferid rhoi dilysnod o gap ffŵl wedi'i wau ynddi ers talwm foolscap

ffwndamentalaidd *ans* yn perthyn i ffwndamentaliaeth, nodweddiadol o ffwndamentaliaeth fundamental

ffwndamentaliaeth *eb*
1 (mewn Cristnogaeth) y gred y dylid darllen y Beibl fel gair Duw a bod ei holl gynnwys yn ffeithiol wir fundamentalism
2 (Islam) mudiad sy'n glynu'n gaeth wrth

athrawiaeth y Qur'an a deddfau Islam
fundamentalism

ffwndamentalydd *eg* (ffwndamentalwyr)
un sy'n arddel ffwndamentaliaeth fundamentalist

ffwndro *be* cymysgu, drysu, mwydro to become
confused, to bewilder
 Sylwch: nid yw'r ferf hon yn arfer cael ei rhedeg.

ffwndrus *ans* wedi drysu, wedi'i fwydro,
mewn penbleth; cymysglyd, dryslyd, ffrwcslyd
confused, perplexed

ffwndwr *eg* anhrefn, bwrlwm, dryswch,
dwndwr, trwst bustle, hustle
 ffwndwr ffair hurly-burly of the fair

ffwndws *eg* (ffwndi) ANATOMEG pen isaf organ
cau gyferbyn â'r agoriad mewnol, e.e. rhan
uchaf y stumog o dan y galon, rhan isaf y
bledren, pen uchaf y groth, y rhan o'r llygad
sydd gyferbyn â channwyll y llygad fundus

ffwr *eg* (ffyrrau)
 1 y blew mân, meddal sy'n gorchuddio corff
y rhan fwyaf o anifeiliaid, e.e. eirth, cathod,
cwningod, etc. fur
 2 croen a blew rhai o'r anifeiliaid hyn, e.e.
cadno, llewpart, etc., wedi'i drin i wneud dillad
ohono fur
 3 dilledyn wedi'i wneud o un neu ragor o
grwyn anifeiliaid fur
 4 haen o sylwedd llwyd ar y tafod pan fo
rhywun yn sâl fur
 5 crachen galed sy'n casglu'r tu mewn i lestri
o fetel, e.e. tegell, o ganlyniad i wresogi dŵr
a llawer o galch ynddo (dŵr caled) yn y llestri
hyn fur

ffwr-bwt *adf ac ans* disymwth, swta, sydyn
abrupt, brusque, sudden

ffwrch *eb* (ffyrch)
 1 y rhan o'r corff lle mae'r ddwy goes (dwy goes
ôl anifeiliaid) yn cysylltu â gweddill y corff;
gafl crutch, fork, haunch
 2 *aflednais* cyfathrach rywiol fuck

ffwrdd *adf* fel yn yr ymadroddion *i ffwrdd* ac
o ffwrdd bant, ymaith away

ffwrdd-â-hi *ans* rhywsut rywsut; diofal slapdash

ffwrn *eb* (ffyrnau) math o flwch a drws iddo y
mae modd ei wresogi ar gyfer coginio, crasu
clai, etc.; ffwrnais, popty cooker, oven

ffwrnais *eb* (ffwrneisi:ffwrneisiau) llestr
neu adeiladwaith o frics neu o fetel a geir
mewn ffatri neu waith dur; mae'n cael ei
gwresogi hyd at dymheredd uchel iawn a'i
defnyddio i doddi a phuro metelau, mwynau,
etc.; ffwrn furnace
 ffwrnais chwyth ffwrnais fwyndoddi (haearn
yn bennaf) ar ffurf tŵr y mae modd chwythu
aer poeth cywasgedig iddi blast furnace

ffwrndanio *be* caledu clai mewn ffwrn to fire
 Sylwch: nid yw'r ferf hon yn arfer cael ei rhedeg.

ffwrwm *eb* (ffwrymau)
 1 sedd hir i ddau neu ragor o bobl; mainc
bench, form
 2 bwrdd gwaith hir, neu'r coesau i ddal bwrdd
bench, trestle

ffwt-ffwtian gw. ffrwtian

ffwyl *eg* (ffwyliau) cleddyf ysgafn ar gyfer
ffensio; mae ganddo lafn sy'n culhau o'r
ddyrnfol gron i'w flaen pŵl foil

ffwyliwr *eg* (ffwylwyr) un sy'n ymladd â ffwyl
foilist

ffwythiannol *ans* nodweddiadol o ffwythiant
mathemategol, yn rhan o ffwythiant
mathemategol functional

ffwythiant *eg* (ffwythiannau)
 1 MATHEMATEG y berthynas pan fydd pob aelod
o un set wedi'i gysylltu ag un aelod, ac un yn
unig, o set arall function
 2 MATHEMATEG perthynas rhwng newidynnau
wedi'i mynegi'n aml ar ffurf fformiwla, e.e.
mae'r fformiwla $y = 2x$ yn mynegi'r newidyn y
fel ffwythiant o'r newidyn x function
 3 CYFRIFIADUREG fformiwla 'barod' mewn
rhaglen daenlen at ddiben penodol, e.e. cyfrifo
cymedr neu werth mathemategol arbennig
function

ffwythiant cyfnodol MATHEMATEG ffwythiant
y mae ei werth yn cael ei ailadrodd yn dilyn
cyfwng cyson periodic function

ffwythiant echblyg MATHEMATEG ffwythiant
sy'n cael ei ddiffinio gan newidynnau
annibynnol yn unig, e.e. yn $y = 2x + 3$, mae y
yn ffwythiant echblyg o x explicit function

ffwythiant ymhlyg MATHEMATEG ffwythiant
nad yw ar y ffurf $y = f(x)$ e.e. yn $y3x + x^2 +
3y = 0$, mae y yn ffwythiant ymhlyg o x implicit
function

ffy *bf* [**ffoi**] *hynafol* mae ef yn ffoi/mae hi'n ffoi;
bydd ef yn ffoi/bydd hi'n ffoi

ffydd *eb*
 1 cred gref, ymddiriedaeth sy'n mynd y tu
hwnt i reswm neu brawf; crediniaeth, hyder,
optimistiaeth (~ **yn**) confidence, faith
 2 cred ac ymddiriedaeth yn Nuw; credo faith
 3 crefydd, *y ffydd Gristnogol*; athrawiaeth,
credo, dysgeidiaeth faith
 Pum Piler Ffydd (Islam) y pum dyletswydd
y mae disgwyl i bob Mwslim eu cyflawni
Five Pillars of Islam

ffyddiog *ans* llawn ffydd (ond nid yn yr ystyr
grefyddol), yn credu'n sicr, yn ymddiried;
dibetrus, hyderus, sicr confident

ffyddlon *ans* [ffyddlon•]
 1 llawn teyrngarwch, yn mynegi ffyddlondeb
a theyrngarwch, y gellir dibynnu arno; cywir
faithful, loyal, true
 2 yn credu'n gryf mewn crefydd benodol

ac yn mynychu oedfaon a gwasanaethau yn rheolaidd; selog faithful, zealous

3 teyrngar i briod devoted, faithful, true

ffyddlondeb *eg* y cyflwr o fod yn ffyddlon; cywirdeb, teyrngarwch faithfulness, fidelity, loyalty

ffyddloniaid *ell* rhai ffyddlon regulars, the faithful

ffyngaidd gw. **ffwngaidd**

ffyngau:ffyngoedd *ell* lluosog **ffwng**

ffyliaid *ell* lluosog **ffŵl**

ffylwm *eg* (ffyla) BIOLEG un o brif gategorïau dosbarthiad tacsonomaidd; mae'n is na theyrnas ond yn uwch na dosbarth, ac yn cyfateb i 'rhaniad' ym maes botaneg, e.e. *Arthropoda* phylum

ffyll *ans* gwyllt ei dyfiant overgrown, wild

ffyn *ell* lluosog **ffon**

ffynhonnau *ell* lluosog **ffynnon**

ffynhonnell *eb* (ffynonellau)

1 y man lle mae rhywbeth yn tarddu neu'n cychwyn; dechreuad, tarddiad fount, source

2 tarddle nant neu ffrwd; gwreiddyn source, spring

3 rhywun neu rywbeth sy'n rhoi gwybodaeth source

ffyniannus *ans* yn ffynnu; llewyrchus, llwyddiannus, porthiannus flourishing, prosperous, successful

ffyniant *eg*

1 llwyddiant (materol fel arfer); cynnydd, graen, llewyrch, prifiant prosperity, success

2 cyfnod llewyrchus neu dwf economaidd cyflym boom

ffynidwydd *ell* conwydd tal, syth ac iddynt nodwyddau byr yn tyfu'n rhes sengl ar y brigau; hefyd, yn unigol, pren y coed hyn fir

ffynidwydden *eb* unigol **ffynidwydd** fir tree

ffynnon *eb* (ffynhonnau)

1 man y mae dŵr sy'n codi o dan y ddaear yn crynhoi ynddo; ffynhonnell well

2 man tebyg sydd â waliau yn arwain i lawr at y dŵr; pydew well

3 twll ar gyfer codi olew o'r ddaear (weithiau ar dir sych, weithiau dan y môr) well

4 ffynhonnell nant neu ffrwd; pistyll fount, spring

ffynnon artesiaidd DAEARYDDIAETH ffynnon wedi'i chloddio yn y ddaear mewn man lle mae dŵr yn byrlymu i'r wyneb heb orfod cael

ei bwmpio, sy'n dynodi dyfrhaen dan wasgedd artesian well

ffynnu *be* [ffynn•[9]] llwyddo, datblygu'n dda a thyfu'n iach; amlhau, blodeuo, cynyddu to flourish, to prosper, to succeed, to thrive

Sylwch: dyblwch yr 'n' ym mhob ffurf ac eithrio yn y rhai sy'n cynnwys -*as*-.

ffynonellau *ell* lluosog **ffynhonnell**

ffyrc *ell* lluosog **fforc**

ffyrch *ell* lluosog **fforch**

ffyrdd *ell* lluosog **ffordd**

ffyrf *ans* braisg, cadarn, praff, sad firm, sturdy

ffyrfder *eg*

1 praffter, sadrwydd, cadernid solidity

2 tyndra arferol cyhyr pan nad yw'n cael ei ddefnyddio; cryfder meinwe a gweithredu arferol organau mewn corff iach tone

ffyrfhau *be* [ffyrfha•[14]] adfer ffyrfder cyhyrau neu organau'r corff to regain (body) tone

ffyrling *eb* (ffyrlingau:ffyrlingod) darn bach o arian bath a oedd yn werth hanner hen ddimai neu chwarter hen geiniog farthing

ffyrm *eb* (ffyrmiau) cwmni masnachol, busnes firm

ffyrnaid *eb* (ffyrneidiau) llond ffwrn (o fara, crochenwaith, etc.) ovenful, batch

ffyrnau *ell* lluosog **ffwrn**

ffyrnicach:ffyrnicaf:ffyrniced *ans* [ffyrnig] mwy ffyrnig; mwyaf ffyrnig; mor ffyrnig

ffyrnig *ans* [ffyrnic•] cynddeiriog a chreulon; cas, ffrom, gwyllt ferocious, fierce, rabid

ffyrnigo *be* [ffyrnig•[1]] mynd yn ffyrnig, troi'n gas, mynd yn fwy cas; cynddeiriogi, digio, gwylltio to enrage

ffyrnigrwydd *eg* y cyflwr o fod yn ffyrnig; cynddaredd, digofaint, gwylltineb, llid ferocity, fury, rage

ffyrrau *ell* lluosog **ffwr**

ffys *eb* stŵr, helynt, ffwdan fuss

ffys a ffwdan llawer o ffys

ffysio:ffysian *be* [ffysi•[2]]

1 ymddwyn mewn ffordd aflonydd; rhoi gormod o sylw i bethau dibwys; ffwdanu (~ am) to fuss

2 rhoi sylw er mwyn canmol neu wenieithu to make a fuss of

ffyslyd *ans* yn tueddu i ffysio fussy

ffytoplancton *eg* BIOLEG plancton sy'n cynnwys planhigion microsgopig phytoplankton

G

g¹:G *eb*
  1 cytsain a degfed lythyren yr wyddor
  Gymraeg; fel arfer, mae'n diflannu pan dreiglir
  yn feddal, e.e. *dwy ardd*, ond mae llawer o
  eiriau benthyg yn gwrthsefyll y treiglad, e.e.
  dwy gini am gêm o golff; mae'n troi'n *ng* pan
  dreiglir yn drwynol, e.e. *fy ngardd*; hefyd ar
  ddechrau gair, gall fod yn ganlyniad treiglo *c*
  yn feddal, e.e. *dy gath* g, G
  2 CERDDORIAETH enw nodyn mewn hen nodiant,
  y pumed nodyn yng ngraddfa C fwyaf G
    Sylwch: ar ei phen ei hun mae'n fenywaidd
    ond nid yw'n treiglo, *dwy g.*

G² *byrfodd* Gogledd N, north

gabardîn:gaberdîn *eg* brethyn cryf (o wlân neu
  reion) â gwead lletraws, a ddefnyddir yn aml
  ar gyfer cotiau glaw gaberdine
    Sylwch: nid yw'n treiglo'n feddal.

gabis *eg* *hynafol* crisial a geir mewn craig crystal
    Sylwch: nid yw'n treiglo'n feddal.

Gabonaidd *ans* yn perthyn i Gabon,
  nodweddiadol o Gabon Gabonese

Gaboniad *eg* (Gaboniaid) brodor o Gabon
  Gabonese

gabro *eg* DAEAREG craig igneaidd fasig a
  ffurfiwyd wrth i graig dawdd (magma) oeri a
  chrisialu'n araf yng nghrombil y Ddaear gabbro
    Sylwch: nid yw'n treiglo'n feddal.

gad *bf* [gadael] gorchymyn i ti adael
    Sylwch: âd yw ffurf dreigledig 'gad'.

gadael *be* [gadaw•³ 3 *un. pres.* gedy/gadawa;
  llu. gorff. gadawsom etc. 2 *un. gorch.* gad]
  1 mynd i ffwrdd heb (rywbeth neu rywun);
  mynd oddi wrth, *Maen nhw'n dweud ei fod
  wedi gadael ei wraig.*; ffarwelio, ymadael
  to leave
  2 rhedeg o flaen neu fod yn well nag eraill
  mewn ras neu gystadleuaeth, *Mae e mor
  gyflym nes ei fod yn gadael pawb arall ar ôl.*
  to leave (behind)
  3 ymddiried rhywbeth i rywun, *Rwy'n mynd
  i adael i ti ofalu am hwn.* (~ **i** *rywun wneud*)
  to entrust
  4 caniatáu, bod yn barod i rywun wneud
  rhywbeth, *Mae'r ffermwr wedi gadael inni
  chwarae ar y cae.* (~ **i** *rywun*) to allow, to let
  5 caniatáu i barhau, *Mae rhywun wedi gadael
  y golau ynghyn.* to leave
  6 caniatáu i rywbeth fod heb ei orffen neu ei
  gwblhau, *Gadewch y palu am funud a dewch i
  wrando ar hyn.* to leave, to quit
  7 ewyllysio rhywbeth i rywun ar ôl i chi

farw, *Gadawodd ei hewythr £1,000 iddi.*
  (~ *rhywbeth* **i**) to bequeath, to leave
  8 bod yn weddill, *Mae tynnu 6 o 8 yn gadael 2.*
  to leave
  9 rhoi rhywbeth mewn man arbennig er mwyn
  i rywun ei gasglu, *Gadawodd y siwt yn y siop i
  John ei chasglu.*, gadael neges to leave
    Sylwch: âd yw ffurf dreigledig 'gad'.

gadael allan peidio â chynnwys to leave out,
  to omit

gadael ar ôl mynd heb, peidio â bwyta neu
  ddefnyddio'r cyfan to leave behind

gadael dros gof anghofio to slip the mind

gadael iddo/iddi (fod) peidio â gwneud dim
  to leave it alone

gadael llonydd (i) peidio â gwneud dim,
  peidio ag aflonyddu ar (rywun) to leave alone

gadawaf *bf* [gadael] rwy'n gadael; byddaf yn
  gadael

gadawedig *ans* wedi'i adael abandoned

gadawiad *eg* (gadawiadau) y broses o adael,
  o roi'r gorau i rywbeth neu adael rhywun
  neu rywle heb unrhyw fwriad o'i adfer
  neu ddychwelyd yno, canlyniad gadael
  abandonment

gadoliniwm *eg* elfen gemegol rhif 64; metel
  magnetig y defnyddir ei gyfansoddion mewn
  cydrannau electronig (Gd) gadolinium
    Sylwch: nid yw'n treiglo'n feddal.

gaddo *be* ffurf lafar ar **addo**

gaeaf *eg* (gaeafau) un o bedwar tymor
  y flwyddyn; y tymor oeraf (yn hemisffer
  y Gogledd), yn cynnwys Rhagfyr, Ionawr
  a Chwefror winter

byrhau'r gaeaf am ryw weithgarwch undonog
  neu heb fawr o fudd

gaeaf glas gw. **glas²**

gaeafaidd *ans* yn perthyn i'r gaeaf,
  nodweddiadol o'r gaeaf winterly, wintry

gaeafgwsg *eg* cyflwr rhai anifeiliaid o fedru
  treulio misoedd y gaeaf yn cysgu, gan osgoi
  gorfod chwilio am fwyd pan fo hwnnw'n brin
  hibernation

gaeafgysgu *be* [gaeafgysg•¹] SWOLEG (am rai
  anifeiliaid) bwrw'r gaeaf mewn cyflwr tebyg i
  gwsg to hibernate

gaeafnos *eb* noson o aeaf

gaeafol *ans* oer neu arw fel tywydd y gaeaf;
  gerwin, oer, rhewllyd wintry

gaeafol o fe'i defnyddir i ddwysáu ystyr
  ansoddair, *yn aeafol o oer*

gaeafu *be* [gaeaf•¹] bwrw neu dreulio'r gaeaf,
  e.e. symud defaid o'r mynyddoedd i aeafu ar dir
  isel; hendrefa to hibernate, to winter

gaeafwisg *eb* y blew trwchus a dyfir gan rai
  anifeiliaid yn arbennig ar gyfer y gaeaf winter
  coat

g

gaeafwynt *eg* (gaeafwyntoedd) gwynt y gaeaf winter wind

Gaeleg *ebg* iaith Geltaidd ucheldiroedd ac ynysoedd yr Alban a chwaeriaith i'r Wyddeleg a'r Fanaweg Gaelic
Sylwch: mae enw'r iaith yn fenywaidd, *Yr Aeleg*, ond os sonnir am fath arbennig o Aeleg, mae'n wrywaidd, *Gaeleg graenus.*

gafael[1] *be* [gafael•[1] 3 *un. pres.* gafael/gafaela; 2 *un. gorch.* gafael/gafaela]
1 dal yn dynn â'r llaw, gwasgu mewn dwrn; crafangu, cydio (~ **yn/mewn**) to grasp, to grip, to hold tight
2 (am lyfr neu berfformiad, etc.) cydio yn y dychymyg, cadw'r sylw; glynu to grip
3 (am y tywydd) bod yn llym neu'n finiog, bod yn oer iawn, *Mae'r gwynt yma'n gafael.* to bite

gafael[2] *eb*
1 y weithred o gydio neu afael yn rhywbeth grip, hold
2 dealltwriaeth, *Mae Iwan wedi cael gafael ar y ffordd o ddatrys y problemau mathemateg o'r diwedd.*; crap grasp
3 *hanesyddol* darn o dir wedi'i etifeddu o dan y gyfundrefn Gymreig o gyfreithiau lle y byddai tir yn cael ei rannu'n gyfartal rhwng holl feibion gŵr rhydd holding
cael gafael cael hyd i, deall, dirnad to grasp
mynd i'r afael â gw. **mynd**[1]
pob gafael pob cyfle every opportunity

gafaelfach *eg* (gafaelfachau) dyfais â nifer o grafangau haearn a rhaff ynghlwm wrthi a deflir dros rywbeth, e.e. mur, ochr llong gelyn, er mwyn i'r crafangau gydio a chaniatáu i rywun ddringo'r rhaff grapnel, hook

gafaelgar *ans*
1 yn gafael yn dynn, yn cydio gripping, tenacious
2 yn cydio yn y dychymyg neu'r teimladau; bachog, cofiadwy, trawiadol gripping, riveting

gafaeliad *eg* (gafaeliadau) y weithred o afael neu o gydio grasp, grip

gafaelydd *eg* (gafaelyddion) dyfais i ddal neu gynnal rhywbeth yn dynn, *gafaelydd bwlb* holder

gafl *eb* (gaflau) y rhan o'r corff lle mae'r ddwy goes (dwy goes ôl anifeiliaid) yn cysylltu â gweddill y corff; ffwrch crotch, crutch
hollti'r afl eich gollwng eich hun i'r llawr a'ch coesau ar led yn ffurfio llinell syth ar ongl sgwâr i'r corff to do the splits

gaflog *ans* (sefyll neu eistedd) a'r coesau ar led straddling

gafr *eb* (geifr) anifail â phedair coes sy'n perthyn i'r un teulu â'r ddafad; mae'n dda am ddringo ac yn gallu bwyta unrhyw beth, bron; mae gan y gwryw (y bwch) gyrn, barf ac aroglau cryf,

ac mae'r fenyw'n cael ei chadw'n ddof er mwyn ei llaeth goat, nanny goat

gafrewig *eb* (gafrewigod)
1 un o nifer o fathau o anifeiliaid tebyg i afr neu ewig sy'n byw yng ngogledd Affrica; maent yn symud yn osgeiddig ac mae ganddynt lygaid mawr, disglair; antelop antelope
2 anifail tebyg ond sy'n debycach i afr a geir yn ardaloedd mynyddig de Ewrop chamois

gaffer:giaffer *eg* y goruchwyliwr, yr un sy'n gyfrifol boss, gaffer
Sylwch: nid yw'n treiglo'n feddal.

gagendor gw. **agendor**

gagio *be* [gagi•[2]]
1 gosod darn o ddefnydd dros y geg i atal rhywun rhag dweud dim to gag
2 ceisio rhwystro rhyddid mynegiant to gag

gang:giang *eb* (gangiau)
1 criw neu grŵp o bobl; ciwed, criw, fflyd, haid gang
2 criw sydd wedi dod ynghyd i dorri'r gyfraith neu i greu helynt, e.e. grŵp o bobl ifanc gang
Sylwch:
1 nid yw'n treiglo'n feddal;
2 mae'n derbyn ffurf unigol neu luosog berf.

gangio *be* [gangi•[2]] fel yn *gangio i fyny*, troi'n haid neu'n giwed yn erbyn rhywun to gang up

Gaia *eb* cysyniad sy'n ystyried y Ddaear a phopeth arni yn undod organig y mae gwahanol rannau ohoni yn gweithio ar y cyd er mwyn sicrhau ei goroesiad a'i sefydlogrwydd Gaia
Sylwch: nid yw'n treiglo'n feddal.

Gaianaidd *ans* yn perthyn i Guyana, nodweddiadol o Guyana French Guyanese

Gaianiad *eg* (Gaianiaid) brodor o Guyana French Guyanese

gaing *eb* (geingiau)
1 erfyn neu offeryn saer ac iddo lafn o ddur â blaen llym, sgwâr ar gyfer naddu pren neu garreg; cŷn (mewn rhai ardaloedd cyfyngir 'gaing' i'r erfyn trin pren a 'cŷn' i erfyn trin carreg) chisel
2 darn o ddur â'i flaen ar ffurf V ar gyfer hollti coed, neu ddarn o bren ar yr un ffurf ar gyfer llenwi bwlch; lletem wedge
gaing gau cŷn arbennig sy'n tyllu a chodi pren neu garreg fel y mae llwy yn tyllu a chodi hufen iâ gouge

gair *eg* (geiriau)
1 sain neu gyfuniad o seiniau sy'n gwneud synnwyr ac a ddefnyddir i enwi rhywbeth neu i gyflwyno syniad word
2 ffurf ysgrifenedig y sain neu'r seiniau hyn word
3 anerchiad byr difyfyr, *A fyddech chi, Mr Jones, yn barod i ddweud gair?* word
4 dywediad, dihareb, *'Nid aur popeth melyn' yn ôl yr hen air.* saying

5 sôn, hanes, gwybodaeth (ar lafar neu'n ysgrifenedig), *Nid wyf wedi clywed na derbyn gair gan Gareth ers wythnosau.* word

6 addewid, ymrwymiad, *Ni allaf newid fy meddwl yn awr – rwyf wedi rhoi fy ngair iddo ar y mater.*; adduned, llw promise, word

7 sgwrs fer, ymgom fer, *Cefais air ag ef cyn y cyfarfod.*; ymddiddan word

Sylwch: gw. hefyd **geiriau**.

gair croes

1 anghytundeb, cweryl, *Ni fu erioed air croes rhyngom.* cross word

2 gair sy'n cyfleu'r gwrthwyneb i air arall, *Mae 'tal' yn air croes i 'byr'.* opposite

gair cyfansawdd gw. **cyfansawdd**

gair cyrch gw. **cyrch**[1]

gair llanw gw. **llanw**[3]

gair mwys gair sy'n swnio'n debyg i air arall ond sydd ag ystyr wahanol ac a ddefnyddir mewn ffordd chwareus, *Mae'n debyg i law.* (*'glaw' neu 'llaw'*) pun

Ymadroddion

ar y gair ar unwaith at that very moment

cael y gair o fod cael yr enw o fod reputedly

gair am air rhywbeth sy'n cael ei ailadrodd (ar lafar neu'n ysgrifenedig) gan ddefnyddio yr un geiriau yn union â'r gwreiddiol verbatim, word for word

gair bach sgwrs sydyn, sgwrs gyflym (gydag awgrym bygythiol weithiau) a quick word

gair ciprys gw. **ciprys**

gair da canmoliaeth, clod praise

gair dros ysgwydd dweud ffuantus empty promise

gair i gall rhybudd bach distaw a word to the wise

gair teg gair neu ymadrodd sy'n meddalu ergyd annifyr neu gas, *Hunodd y plentyn yn naw mlwydd oed.* euphemism

gair yn ei bryd yr union air ar gyfer achlysur *le mot juste*

hanner gair awgrym (*Dim ond hanner gair oedd eisiau ac roedd yn barod i fynd.*)

mewn gair yn fyr in a word

(ni) wnaeth un gair na chant dyna ddigon that's an end to it

torri gair

1 siarad, *Nid yw wedi torri gair â'i gymydog ers blynyddoedd.*

2 torri addewid to break one's word

y Gair

1 yr ysgrythur, y Beibl the word

2 Iesu Grist, *y 'Gair' a wnaethpwyd yn gnawd*

gala *eb* (galâu)

1 gŵyl i ddathlu achlysur arbennig; uchel ŵyl gala

2 gŵyl campau neu chwaraeon, *gala nofio* gala

Sylwch: nid yw'n treiglo'n feddal.

galactos *eg* CEMEG ffurf ar siwgr a geir mewn lactos (sef y siwgr a geir mewn llaeth) sydd yn llai melys a llai hydawdd na glwcos galactose

Sylwch: nid yw'n treiglo'n feddal.

galaeth *eb* (galaethau)

1 SERYDDIAETH casgliad o filiynau o sêr, nwyon a mater arall sy'n ymestyn drwy'r gofod; mae miliynau o alaethau yn ein bydysawd galaxy

2 SERYDDIAETH y casgliad o sêr y mae ein Haul ni yn rhan ohono, sef y Llwybr Llaethog galaxy

galaethog *ans* SERYDDIAETH yn perthyn i alaeth (yn enwedig y Llwybr Llaethog, sef yr alaeth y mae'r Haul yn rhan ohoni) galactic

galanas *eb* (galanasau)

1 trychineb yn gysylltiedig â llawer o ladd neu farwolaeth drwy drais; anrhaith, cyflafan, dinistr, lladdfa massacre, slaughter

2 *hanesyddol* (yn y cyfreithiau Cymreig) dirwy y byddai teulu'r llofrudd yn ei thalu i deulu'r un a lofruddiwyd; gwerth bywyd dyn yn ôl ei fraint vendetta, wergild

galanastra *eg* distryw yn cynnwys lladd a llofruddio; anrhaith, cyflafan, galanas holocaust, massacre, slaughter

galar *eg* hiraeth am un a fu farw, gofid ar ôl colli rhywun; ing, trallod, tristwch grief, mourning, sorrow

galargan *eb* (galarganau) cân drist i'r meirw; galarnad, marwnad dirge, lament

galarnad *eb* (galarnadau) cerdd neu gân sy'n mynegi hiraeth am un sydd wedi marw elegy, lament

galarnadu *be* [galarnad•[1]] mynegi tristwch mawr; cwynfan, cwyno, galaru, wylofain (~ **am**; ~ **uwchben**) to lament, to keen

galaru *be* [galar•[1]] hiraethu am un sydd wedi marw; tristáu (~ **am**) to grieve, to mourn

galarus *ans* yn galaru; athrist, prudd, torcalonnus, trist grieving

galarwr *eg* (galarwyr) un sy'n galaru (yn enwedig mewn angladd) mourner

galena *eg* mwyn glaslwyd â gwawr fetelig, sy'n cynnwys sylffid plwm galena

Sylwch: nid yw'n treiglo'n feddal.

galeri *eg* (galerïau)

1 llofft capel neu theatr; balconi, oriel, taflod gallery

2 llwybr neu dramwyfa wedi'i thorri i'r graig mewn chwarel neu mewn gwaith mwyn gallery

Sylwch: nid yw'n treiglo'n feddal.

galfanedig *ans* wedi'i galfanu galvanized

Sylwch: nid yw'n treiglo'n feddal.

galfaneiddio *be* [galfaneiddi•[2]]

1 ysgogi (rhywun neu rywbeth) i weithredu to galvanize

2 galfanu; gosod haen o fetel (sinc fel arfer) yn orchudd dros fetel arall (yn enwedig

haearn) drwy ddefnyddio proses electrolytig
to galvanize

galfanomedr *eg* (galfanomedrau) FFISEG dyfais
i ganfod neu i fesur cerrynt trydanol sy'n
defnyddio coil yn troi mewn maes magnetig
galvanometer
Sylwch: nid yw'n treiglo'n feddal.

galfanu *be* [galfan•³]
1 METELEG gosod haen o fetel (sinc fel arfer yn
orchudd dros fetel arall (yn enwedig haearn)
drwy ddefnyddio proses electrolytig to galvanize
2 cael sioc sy'n eich symbylu i weithredu
to galvanize

gali *eg* (galïau)
1 *hanesyddol* llong fawr, isel a gâi ei defnyddio
gynt yn y Môr Canoldir yn bennaf; cyfuniad o
hwyliau a rhwyfwyr a fyddai'n ei gyrru galley
2 cegin (hir a chul, fel arfer) galley
3 math o hambwrdd ag ymylon uchel i ddal
darnau teip wedi'u cysodi yn barod i'w
hargraffu galley
Sylwch: nid yw'n treiglo'n feddal.

Galiad *eg* (Galiaid) brodor o wlad Gâl Gaul

galiard *eb* (galiardau) CERDDORIAETH
dawns fywiog o'r bymthegfed ganrif â thri
churiad i'r bar galliard
Sylwch: nid yw'n treiglo'n feddal.

Galicaniaeth *eb* CREFYDD syniadaeth mudiad
â'i wreiddiau yn Ffrainc a ddadleuai y dylai
Eglwysi Catholig y gwahanol genhedloedd
fod yn annibynnol yn weinyddol ar y Pab a'r
Fatican Gallicanism
Sylwch: nid yw'n treiglo'n feddal.

galifantio:galifantian *be* [galifanti•²] mynd o
le i le yn chwilio am ddifyrrwch; cymowta
to gallivant

galifantiwr *eg* (galifantwyr) *tafodieithol* un sy'n
hoff o galifantio gallivanter

galilea *eg* cyntedd neu gapel bach wrth fynedfa
rhai o eglwysi'r Oesoedd Canol galilee chapel
Sylwch: nid yw'n treiglo'n feddal.

Galilead *eg* (Galileaid) brodor o dalaith Galilea
(yn y Beibl) Galilean

galiwm *eg* elfen gemegol rhif 31; metel meddal,
ariannaidd sy'n ymdoddi ar dymheredd o 30°C
(Ga) gallium

galiwn *eb* (galiynau) llong bren, fawr, drom
â hwyliau sgwâr a gâi ei defnyddio, gan y
Sbaenwyr yn bennaf, fel llong ryfel a llong
fasnach rhwng y bymthegfed ganrif a'r
ddeunawfed ganrif galleon
Sylwch: nid yw'n treiglo'n feddal.

galon *ell hynafol* gelynion, *llidus alon* enemies

galw[1] *be* [galw•³ 3 un. pres.* geilw/galwa; 2 un.
gorch.* galw]
1 llefain i dynnu sylw, *Galwodd am gymorth.*;
gweiddi (~ **am** *rywbeth*) to call, to cry, to hail

2 talu ymweliad byr, *Mae dyn y bara yn galw
bob dydd.*; picio, ymweld to call, to visit
3 ffonio, *Pwy sy'n galw, os gwelwch yn dda?*
to call, to telephone
4 ceisio achosi drwy orchymyn neu weiddi,
Mae'r Prif Weinidog ar fin galw etholiad.;
gofyn to call
5 enwi, *Beth wyt ti'n mynd i alw'r babi?* to call,
to name
6 (mewn gêm o gardiau) penderfynu beth yw'r
trympiau to call
7 teimlo rhaid i ddilyn galwedigaeth neilltuol
(yn enwedig y weinidogaeth), *Teimlai John ei
fod wedi cael ei alw i wasanaethu trueiniaid
Ethiopia.* to be called
8 gwahodd gweinidog i wasanaethu eglwys
arbennig to call
9 (mewn chwaraeon neu gêmau) dyfarnu
neu benderfynu gan ddyfarnwr, *Pallodd
y pencampwr tennis dderbyn dyfarniad y
dyfarnwr pan alwodd y bêl allan.* to call
10 gweiddi cyfarwyddiadau i'r dawnswyr
mewn twmpath dawns to call

galw ar mynnu bod rhywun yn gwrando ac
yn gwneud rhywbeth to demand, to invoke

galw enwau difenwi, dilorni, dirmygu to call
(someone) names

galw heibio ymweld â to call by

galw i gof gw. cof

galw i gyfrif gofyn i rywun ei esbonio ei
hunan to call to account

galw[2] *eg* angen, *Does fawr o alw am goed tân y
dyddiau hyn.* call, demand

at alw at wasanaeth, er mwyn cynorthwyo
at hand

yn ôl y galw fel y bydd angen as the need arises

galwad *eb* (galwadau)
1 y weithred o alw; bloedd, cyfarchiad,
gwaedd call
2 gwŷs, gorchymyn, *Rwy'n credu fy mod
wedi cael fy newis ac rwy'n disgwyl yr alwad.*
call, summons
3 penderfyniad dyfarnwr mewn gêm neu
chwaraeon call, decision
4 y weithred o ffonio rhywun, sgwrs ar y ffôn;
caniad call
5 gwahoddiad i weinidog wasanaethu eglwys
neu eglwysi arbennig call, calling, invitation

galwad frys galwad 999 ar y ffôn i alw'r heddlu,
yr ambiwlans neu'r frigâd dân emergency call

galwadau *ell*
1 lluosog galwad
2 pethau y mae pobl yn eu disgwyl gan rywun,
neu'r pethau y mae rhywun yn teimlo bod rhaid
iddo'u cyflawni; dyletswyddau

galwedigaeth *eb* (galwedigaethau)
1 swydd neu waith y mae rhywun yn ei wneud

oherwydd ei fod ef neu ei bod hi yn credu bod
ganddo/ganddi ddawn i wasanaethu eraill;
crefft, proffesiwn calling, vocation
2 galwad Duw ar rywun i ddilyn bywyd
crefyddol calling, vocation
3 y swydd neu'r grefft y mae rhywun yn ennill
ei fywoliaeth drwy ei chyflawni; gwaith, gyrfa
occupation, profession

galwedigaethol *ans* yn perthyn i alwedigaeth
arbennig, nodweddiadol o alwedigaeth
occupational, vocational

galwr *eg* (galwyr)
1 un sy'n galw (ar y ffôn neu heibio'r tŷ) caller
2 un sy'n rhoi cyfarwyddiadau llafar (e.e. mewn
dawns) neu wybodaeth i gynulliad; geilwad caller

galwyn *eg* (galwyni) mesur cyfaint sy'n cyfateb
i wyth peint neu 4.55 litr ym Mhrydain neu
3.79 litr yn Unol Daleithiau America gallon

gallt gw. **allt**

gallu¹ *be* [gall•³ 3 *un. pres.* geill/gall]
1 gwybod sut, *Rwy'n gallu nofio.* to be able
2 bod yn abl, *A elli di fynd i'r siop i brynu
torth i de?*; medru to be able
3 bod â'r hawl, *A all unrhyw un chwarae?*; cael
Sylwch: ni cheir ffurfiau unigol gorchmynnol.

gallu wrth bod â, *Ni allwn wrth safle brafiach.*

gallu² *eg* (galluoedd)
1 dawn, *gallu cerddorol*; medr, meistrolaeth,
talent ability
2 awdurdod, cryfder, grym, nerth, *galluoedd
y tywyllwch* force, power

galluocach:galluocaf:galluoced *ans* [galluog]
mwy galluog; mwyaf galluog; mor alluog

galluog *ans* [galluoc•] â chryn dipyn o allu;
dawnus, medrus, talentog able, clever, gifted

galluogi *be* [galluog•¹] rhoi gallu, awdurdodi,
gwneud yn abl; hwyluso, rhwyddhau
(~ *rhywun* i wneud *rhywbeth*) to enable

galluogwr *eg* (galluogwyr) un sy'n gwneud
rhywbeth yn bosibl, sy'n peri i rywbeth
ddigwydd (heb fod yn gwneud y peth ei hun)
enabler

Gambiad *eg* (Gambiaid) brodor o Gambia Gambian

Gambiaidd *ans* yn perthyn i Gambia,
nodweddiadol o Gambia Gambian

gamblo *be* [gambl•¹]
1 chwarae cardiau neu gêmau eraill am
arian, yn y gobaith o ennill mwy nag a gollir;
hapchwarae to gamble
2 betio ar geffylau mewn rasys (~ **ar**) to gamble
3 gwneud rhywbeth y mae ei lwyddiant yn
dibynnu ar bethau na ellir bod yn sicr ohonynt;
mentro to gamble
Sylwch: nid yw'n treiglo'n feddal.

gamblwr *eg* (gamblwyr) un sy'n gamblo;
hapchwaraewr gambler
Sylwch: nid yw'n treiglo'n feddal.

gambo *eg* (gambos:gamboau) cerbyd dwy
olwyn, a dynnir gan geffyl, ar gyfer cario
llwyth o ŷd neu wair; cart gambo, cart

gamet *eg* (gametau) BIOLEG cell atgenhedlu
aeddfed, naill ai'n wrywol (cell sberm)
neu'n fenywol (cell wy), sydd â set haploid o
gromosomau ac sy'n medru cyfuno â gamet
o'r rhyw arall i greu sygot gamete
Sylwch: nid yw'n treiglo'n feddal.

gametocyt *eg* (gametocytau) BIOLEG cell
sy'n rhannu er mwyn cynhyrchu gametau
gametocyte
Sylwch: nid yw'n treiglo'n feddal.

gametoffyt *eg* (gametoffytau) BOTANEG cyfnod
haploid planhigyn sy'n arddangos eilededd
cenedlaethau; mae'n datblygu o sborau
anrhywiol ond yn amlygu organau rhyw
sy'n cynhyrchu'r gametau a fydd yn ffurfio
sboroffytau ar ôl cael eu ffrwythloni
gametophyte
Sylwch: nid yw'n treiglo'n feddal.

gamocs gw. **giamocs**

gamopetalog *ans* BOTANEG (am flodyn) â'i
betalau yn cyfuno ar ffurf tiwb, e.e. briallen
gamopetalous
Sylwch: nid yw'n treiglo'n feddal.

gamosepalog *ans* BOTANEG (am flodyn) â'i
sepalau yn unedig gamosepalous
Sylwch: nid yw'n treiglo'n feddal.

gamstar:giamstar *eg* un da iawn am gyflawni
rhywbeth arbennig expert
Sylwch: nid yw'n treiglo'n feddal.

gamwn *eg* ysgwydd o gig mochyn wedi'i halltu
gammon
Sylwch: nid yw'n treiglo'n feddal.

gamwt *eg* CERDDORIAETH holl ystod y nodau
cerddorol y mae llais neu offeryn yn medru eu
canu; rhychwant gamut
Sylwch: nid yw'n treiglo'n feddal.

gan¹ *ardd* [gennyf fi/gen i, gennyt ti, ganddo
ef (fe/fo), ganddi hi, gennym ni, gennych chi,
ganddynt hwy (ganddyn nhw)]
1 mae'n dangos pwy neu beth sy'n
gyfrifol am wneud rhywbeth, *Mae'r llenni
wedi cael eu difetha gan yr haul. Rhoddwyd
chwe phunt i'r apêl gan yr ymwelwyr.*
by, from, of
2 pan fydd yn dilyn ffurfiau *bod* mae'n dynodi
pwy biau rhywbeth, *Mae gennyf het dri
chornel.* have, with
3 yn dilyn ansoddair (neu weithiau enw), mae'n
dynodi teimlad, barn neu gyflwr meddyliol,
*Mae'n dda gennyf gwrdd â chi. Bydd yn flin
gan Mair eich colli.*
4 mae'n dynodi bod dau beth yn cael eu
gwneud yr un pryd, *Diffoddodd John y golau
gan adael pawb yn y tywyllwch.*

g

5 (yn dilyn berfenwau megis *cael, ceisio, clywed, cymryd, disgwyl, prynu,* etc.) oddi wrth, *Rwy'n disgwyl llythyr gan Enid unrhyw ddiwrnod nawr.* from
6 mae'n dynodi gweithredydd berf amhersonol neu oddefol, *Rhwyfwyd y cwch gan ddau lanc. Cafodd y cyngerdd ei ddifetha gan sŵn y siarad.* by
7 mewn ymadroddion megis *y cythraul ganddo,* yn cysylltu unigolyn ag enw difrïol
Sylwch:
1 mae'n achosi'r treiglad meddal;
2 mae *gan* yn dod o'r ffurf hŷn *can* ac felly'n treiglo ar ôl y cysylltair *a* (*Yr oedd yna ŵr a chanddo ddau fab.*).
gan amlaf fel arfer mostly
gan bwyll yn ofalus carefully
gan bwyll bach yn araf neu'n ofalus iawn gently
gan mwyaf yn amlach na pheidio for the most part
gan² *cysylltair* am y rheswm, *Gan ein bod yn mynd i'r dref ddydd Llun, fe ddown ni â phapur yn ôl iti.*; am, canys, oblegid, oherwydd because, since
Sylwch: defnyddir 'am' a 'gan' pan nad yw'r rheswm mor bwysig neu arwyddocaol ag 'oherwydd' neu 'oblegid'. Mae *gan* yn dod o'r ffurf hŷn *can* ac felly'n treiglo ar ôl y cysylltair *a, a chan ein bod yn mynd i'r dref ddydd Llun, fe ddown ni â phapur yn ôl iti.*
gan hynny felly therefore
ganed:ganwyd *bf* [geni] *ffurfiol* cefais i (cefaist ti, cafodd ef/hi, cawsom ni, cawsoch chi, cawson nhw) fy (dy, ei, etc.) ngeni
ganedig *ans* wedi'i eni born
ailanedig cael eich aileni (yn yr ystyr grefyddol) reborn
cyntaf-anedig yr un a aned gyntaf firstborn
Ymadrodd
unig-anedig unig blentyn
ganglion *eg* (ganglia)
1 ANATOMEG cwlwm o nerfgelloedd sy'n gallu codi'n chwydd ar edefyn nerf; talp o freithell yn y brif system nerfol ganglion
2 MEDDYGAETH chwydd annormal ond diniwed ar wain tendon ganglion
ganwyd gw. ganed
gar *eb* (garrau)
1 morddwyd; pen uchaf y goes fel yn *llinyn yr ar* ham, thigh
2 y rhan o goes ceffyl sydd rhwng y pen-glin a'r egwyd hock, shank
garan¹ *eb* (garanod) aderyn hirgoes â gwddf hir a chynffon a phlu llwyd neu wyn; gwledydd gogledd a chanolbarth Ewrop yn bennaf yw cynefin yr aderyn crane

garan² *eb* (garanau) y rhan o ebill y mae'r carntro neu'r dril yn cydio ynddi shank
gard:giard *eg* (gardiau)
1 un (neu rai) sy'n gwylio, sy'n gwarchod rhywun neu rywbeth, e.e. carchar guard
2 swyddog sy'n gyfrifol am drên neu sy'n gofalu am drên guard
3 teclyn neu ddyfais sy'n gwarchod neu'n amddiffyn, *gard olwyn* guard
4 cadwyn watsh (hen ffasiwn) sy'n cael ei gario mewn poced guard chain
gard/giard tân fframwaith o fetel a osodir o gwmpas neu o flaen lle tân rhag i rywun neu rywbeth gael ei losgi fireguard
gardys:gardas *eb* (gardyson)
1 rhwymyn i ddal hosan i fyny am y goes garter
2 bathodyn Urdd y Gardas Aur, sef y fwyaf anrhydeddus o urddau'r marchogion ym Mhrydain garter
Sylwch: nid yw'n treiglo'n feddal.
gardd *eb* (gerddi) darn o dir (yn ymyl tŷ, fel arfer) a ddefnyddir i dyfu blodau, llysiau, ffrwythau, etc. garden
garddio *be* [garddi•²] trin yr ardd, gweithio mewn gardd to garden
garddlysiau *ell* llysiau gardd salads, vegetables
garddwest *eb* (garddwestau) parti mawr awyr agored (er mwyn casglu arian at ryw achos, gan amlaf) fête
garddwr *eg* (garddwyr) un sy'n gweithio mewn gardd; un sy'n cael ei dalu i ofalu am ardd gardener
garddwriaeth *eb* yr wyddor o dyfu blodau, ffrwythau a llysiau horticulture
garddwriaethol *ans* yn ymwneud â garddwriaeth horticultural
garddwrn *eg* (garddyrnau) arddwrn; y cymal sy'n cysylltu'r llaw â'r fraich wrist
garej *eb* (garejys)
1 adeilad lle mae car neu fodur yn cael ei gadw garage
2 man trwsio ceir a gwerthu petrol garage
Sylwch: nid yw'n treiglo'n feddal.
gargam *ans* â choesau cam; coesgam, glingam bandy-legged, knock-kneed
garged *eg* ('y garged') mastitis; llid chwarren laeth bron menyw neu gadair buwch sy'n cael ei achosi gan facteria mastitis
garglo *be* [gargl•¹] chwythu aer o'r ysgyfaint drwy hylif sydd wedi casglu yn y gwddf (er mwyn diheintio'r gwddf neu'r geg, fel arfer) to gargle
Sylwch: nid yw'n treiglo'n feddal.
gargoil:gargoel *eg* (gargoils:gargoels) PENSAERNÏAETH cerflun ar ffurf anifail neu unigolyn (hyll, fel arfer) ar wal neu do eglwys;

mae dŵr glaw yn llifo drwy'i geg ac yn cael ei
sianelu ymaith o furiau'r adeilad gargoyle
Sylwch: nid yw'n treiglo'n feddal.

garlant *eg* (garlantau) torch o flodau a wisgir ar
y pen neu am y gwddf garland
Sylwch: nid yw'n treiglo'n feddal.

garlleg *ell* planhigion tebyg i wynwyn y mae
gan eu gwreiddiau flas arbennig sy'n cael ei
ddefnyddio wrth goginio garlic

garllegen *eb* unigol **garlleg** garlic

garnais *eg* darn bwytadwy, blasus a ychwanegir
at saig o fwyd garnish
Sylwch: nid yw'n treiglo'n feddal.

garneisio *be* [garneisi•²] ychwanegu mân
bethau blasus neu addurniadol (at saig o fwyd)
to garnish
Sylwch: nid yw'n treiglo'n feddal.

garrau *ell* lluosog **gar**
ar fy (dy, ei, etc.**) ngarrau** yn fy nghwrcwd
on one's haunches

garsiwn *eg* (garsiynau)
1 llu o filwyr sy'n byw mewn tref neu gaer ac
sy'n ei hamddiffyn garrison
2 y dref neu'r rhan o'r dref y mae'r milwyr hyn
yn byw ynddi garrison
3 crugyn, gwehilion, haid, pentwr, horde, rabble

gartref *adf* yn y tŷ, yn y cartref, *Rwy'n byw
gartref yn ystod y gwyliau.* at home
Sylwch: y gwahaniaeth rhwng *gartref* (yma) ac
adref, sy'n golygu 'tua thref', 'ar y ffordd i'r tŷ'.

garth *eg mewn enwau lleoedd* bryn neu fynydd,
cefnen, gallt, pentir, e.e. *Gwaelod-y-garth*

garw¹ *ans* [garw•] (geirw:geirwon)
1 heb fod yn llyfn ac yn feddal; anwastad,
caregog rough, rugged
2 (am y tywydd) stormus, gwyntog rough, stormy
3 heb ei gaboli, heb unrhyw sglein; amrwd,
anfoesgar, caled, cras coarse, harsh, rough
4 *tafodieithol, yn y Gogledd* am rywun sy'n gweld ei
gyfle, *Mae o'n un garw am arian.* keen
5 *tafodieithol, yn y Gogledd* mawr, *piti garw* bitter,
great
6 *tafodieithol, yn y Gogledd* am rywun sy'n dipyn
o gymeriad, *Un garw ydi o!*
garw o beth trueni a sad thing
torri'r garw
1 dechrau siarad â rhywun dieithr
2 paratoi'r ffordd i dorri newyddion drwg
to break bad news, to break the ice

garw² *eg* brych; yr hyn sy'n cael ei fwrw allan o
groth buwch neu gaseg ar ôl geni llo neu ebol
afterbirth

garwder:garwedd *eg* y cyflwr o fod yn arw
harshness, roughness

garwdiroedd *ell* (yn Unol Daleithiau America,
yn arbennig) tir anial lle mae'r creigiau wedi'u
herydu gan greu tirwedd arw, letgras badlands

garwedd gw. **garwder**

garwhau *be* [garwha•¹⁴]
1 gwneud yn fwy garw, *croen wedi garwhau yn
y tywydd* to roughen
2 troi'n fwy garw neu'n fwy creulon to become
rougher

gasged *eg* (gasgedi) darn arbennig (o rwber,
plastig, asbestos, etc.) a ddefnyddir i sicrhau
nad yw uniad rhwng dau ddarn (o fetel, gan
amlaf) mewn peiriant neu biblin yn gollwng
nwy neu hylif gasket
Sylwch: nid yw'n treiglo'n feddal.

gast *eb* (geist)
1 ci benyw bitch
2 benyw nifer o anifeiliaid eraill heblaw cŵn,
e.e. *bleiddast, dyfrast*
3 *difrïol* enw ar ferch neu wraig; cnawes, sguthan
bitch

gastrig *ans* yn ymwneud â'r stumog gastric
Sylwch: nid yw'n treiglo'n feddal.

gastroberfeddol *ans* ANATOMEG yn ymwneud
â'r stumog a'r coluddion gastrointestinal

gastroenteritis *eg* MEDDYGAETH llid y stumog
a'r coluddion sy'n gallu achosi chwydu a dolur
rhydd poenus gastroenteritis
Sylwch: nid yw'n treiglo'n feddal.

gastroenteroleg *eb* MEDDYGAETH cangen
o feddygaeth sy'n astudio anhwylderau
ac afiechydon y stumog a'r coluddion
gastroenterology
Sylwch: nid yw'n treiglo'n feddal.

gastronomeg *eb* gwyddor dewis, coginio
a bwyta bwyd da gastronomy

gastronomegol *ans* yn perthyn i fyd
gastronomeg, nodweddiadol o fyd gastronomeg
gastronomic

gastrwla *eg* (gastrwlâu) BIOLEG embryo yn y
cyfnod yn dilyn y blastwla pan fydd ar ffurf
cwpan ac yn cynnwys tair haen o gelloedd
gastrula

gasympio *be* [gasympi•²] gwneud cynnig am dŷ
sy'n uwch na'r cynnig y mae'r gwerthwr wedi'i
dderbyn yn barod gan rywun arall, a llwyddo
i brynu'r tŷ drwy wneud hynny to gazump
Sylwch: nid yw'n treiglo'n feddal.

gât:giât *eb* (gatiau:giatiau) math o ddrws
ac iddo ffrâm symudol a barrau sy'n cael ei
ddefnyddio i gau bwlch mewn clawdd neu fur;
clwyd, iet, llidiart gate
Sylwch: nid yw *gât* na *giât* yn treiglo'n feddal,
dwy gât.

giât fochyn math o giât sy'n gadael i un person
fynd drwyddi ar y tro kissing gate

gau *ans* [geu•]
1 (erbyn heddiw mae'n tueddu i ddod o flaen yr
hyn a oleddfir) anwir, *gau broffwydi;* anonest,
ffug false, spurious

g

2 (yn dilyn yr hyn a oleddfir) celwyddog, cyfeiliornus, twyllodrus, *hanes gau* false, untrue
Sylwch: gwyliwch rhag ei gymysgu â ffurf dreigledig **cau**.

y gwir a'r gau popeth, yr hyn sy'n wir a'r hyn nad yw'n wir; y gwych a'r gwachul

gau friger *ell* BOTANEG briger diffrwyth, briger nad ydynt yn datblygu staminodes

gavotte *eg* CERDDORIAETH dawns Ffrengig gymedrol ei chyflymder a oedd yn boblogaidd yn y ddeunawfed ganrif; fe'i cysylltir â llys Louis XIV

gawr *eb* (gewri) *hynafol* bloedd ryfel, gwaedd battle cry

Gb *byrfodd* gigabeit Gb

gedy *bf* [gadael] *hynafol* mae ef yn gadael/mae hi'n gadael; bydd ef yn gadael/bydd hi'n gadael

gefail *eb* (gefeiliau)
1 gweithdy gof, siop y gof smithy
2 ystafell neu adeilad lle y ceir tân mawr ar gyfer gwresogi a ffurfio darnau o fetel forge

gefaill *eg* ffurf gyffredin ar lafar ar **gefell**

gefeiliau *ell*
1 lluosog **gefail**
2 lluosog **gefel** a **gefelen**

gefeilldref *eb* (gefeilldrefi) y naill neu'r llall o ddwy dref mewn dwy wlad wahanol sydd wedi creu perthynas arbennig ac agos rhyngddynt a'i gilydd twin town

gefeilles *eb* (gefeillesau) gefell fenyw twin

gefeilliaid *ell* lluosog **gefell**
Sylwch: 'yr efeilliaid' sy'n gywir, ond nid ffurf fenywaidd mohoni; felly, *yr efeilliaid diwethaf.*

gefeilliaid unfath dau blentyn (neu anifail) sy'n cael eu geni o'r un wy ac sydd, fel arfer, yn edrych yn debyg iawn i'w gilydd identical twins

gefeillio *be* [gefeilli•²] creu cysylltiad agos ac arbennig, e.e. rhwng dwy dref o wledydd gwahanol (~ â) to twin

gefel *eb* (gefelau:gefeiliau) teclyn, ac iddo ddwy fraich symudol wedi'u cysylltu yn un pen neu yn y canol, a ddefnyddir i gael gafael yn rhywbeth neu i ddal rhywbeth forceps, pincers, tongs

gefel dân teclyn i godi talpau o lo, pedolau ceffyl, etc. tongs

gefel fach teclyn i dynnu blew mân o aeliau merch neu wraig, neu i godi pethau brau tweezers

gefel gnau gefel arbennig ar gyfer hollti cnau nutcracker

gefelen *eb* (gefelau:gefeiliau) erfyn â'i ddwy goes yn croesi (fel siswrn) ac sydd â phennau hir, gwastad ar gyfer dal pethau mân pliers

gefell *ebg* (gefeilliaid)
1 y naill neu'r llall o ddau blentyn a anwyd ar yr un adeg i'r un fam twin

2 un o ddau unigolyn neu beth sydd yr un ffunud â'i gilydd twin
Sylwch: mae'n fenywaidd yn dilyn y fannod ond yn newid yn ôl rhyw y sawl y sonnir amdano fel arall, e.e. *dau efell* neu *ddwy efell*; gw. hefyd **gefeilliaid**.

gefyn *eg* (gefynnau) cadwyn neu lyffethair i glymu traed neu ddwylo rhag i unigolyn neu anifail ddianc; cloffrwym, hual fetter, handcuff, shackle

gefynnu *be* [gefynn•⁹] clymu mewn gefynnau; llyffetheirio (~ *rhywun/rhywbeth* **wrth**) to fetter, to shackle
Sylwch: dyblwch yr 'n' ym mhob ffurf ac eithrio yn y rhai sy'n cynnwys -*as*-.

genglo gw. **gen(-)glo**

geid *eb* (geidiau) aelod o fudiad y Geidiau, mudiad i ferched sy'n cyfateb i fudiad y Sgowtiaid i fechgyn Girl Guide
Sylwch: nid yw'n treiglo'n feddal.

geifr *ell* lluosog **gafr**

geingiau *ell* lluosog **gaing**

geingio *be* [geingi•²] torri neu naddu â gaing to chisel, to gouge

geilw *bf* [galw] *ffurfiol* mae ef yn galw/mae hi'n galw; bydd ef yn galw/bydd hi'n galw

geilwad *eg* (geilwaid) un sy'n rhoi cyfarwyddiadau llafar, e.e. ynglŷn â'r camau priodol mewn dawns werin; galwr caller

geill *bf* [gallu] *hynafol* mae ef yn gallu/mae hi'n gallu; bydd ef yn gallu/bydd hi'n gallu

geirbrin *ans* prin ei eiriau; tawedog taciturn

geirda *eg*
1 enw da; canmoliaeth, clod credit, praise, recommendation
2 llythyr yn tystio i gymeriad neu ddawn rhywun (sy'n cynnig am swydd, fel arfer); cymeradwyaeth, tysteb, tystlythyr reference, testimonial

geirdarddiad *eg* astudiaeth sy'n olrhain ac yn egluro tarddiad a datblygiad geiriau a'u hystyron; etymoleg etymology

geirdarddiadol *ans* yn perthyn i eirdarddiad etymological

geirdarddu *be* [geirdardd•¹] olrhain ac egluro tarddiad geiriau a'u hystyron

geirdarddwr *eg* (geirdarddwyr) un sy'n geirdarddu neu'n astudio geirdarddiad, tarddwr geiriau; etymolegydd etymologist

geirfa *eb* (geirfaoedd)
1 yr holl eiriau y mae rhywun yn gyfarwydd â nhw vocabulary
2 y geiriau arbennig sy'n perthyn i faes arbennig, *geirfa'r glöwr*; termau vocabulary
3 rhestr o eiriau, ynghyd â'u hystyron, wedi'u gosod yn nhrefn yr wyddor glossary, vocabulary

geiriad *eg*
  1 trefn geiriau mewn brawddeg wording
  2 yr arddull sy'n cael ei chreu drwy ddewis geiriau arbennig, e.e. y gwahaniaeth rhwng *rwyt ti'n gelwyddgi a rwy'n credu dy fod yn anghywir*; mynegiant wording

geiriadur *eg* (geiriaduron)
  1 llyfr sy'n rhestru geiriau yn nhrefn yr wyddor ac yn rhoi ystyron y geiriau hynny dictionary, lexicon
  2 llyfr o'r un math sy'n rhoi ystyron rhestr o eiriau mewn un neu ragor o ieithoedd eraill, *Geiriadur Lladin–Cymraeg* dictionary

geiriadura:geiriaduro *be* [geiriadur•[1]] llunio geiriaduron

geiriaduraeth *eb* yr egwyddorion a'r gwaith o lunio geiriaduron lexicography

geiriadurol *ans* yn ymwneud â geiriadura neu eiriaduraeth lexicographical

geiriadurwr *eg* (geiriadurwyr) un sy'n llunio geiriadur lexicographer

geiriau *ell* lluosog **gair**
  ar fyr o eiriau (dweud) yn fyr, yn gryno briefly

geirio *be* [geiri•[2]]
  1 rhoi neu fynegi mewn geiriau, trefnu geiriau i gyflwyno ystyr arbennig, *Bydd yn rhaid geirio'r llythyr yma'n ofalus rhag ofn inni gael ein cyhuddo o enllib*. to phrase, to word
  2 ynganu geiriau'n glir ac yn glywadwy; llefaru to articulate

geiriog *ans* llawn geiriau, yn defnyddio gormod o eiriau verbose

geiriogrwydd *eg* y cyflwr o fod yn eiriog, enghraifft o fod yn eiriog verbosity

geiriol *ans* yn perthyn i eiriau, nodweddiadol o eiriau neu wedi'i fynegi drwy gyfrwng geiriau oral, verbal

geiriolaeth *eb* gorbwyslais ar y defnydd o eiriau yn hytrach na'u hystyron verbalism

geirw *ans* ffurf luosog **garw**; geirwon

geirwir *ans* yn dweud y gwir, yn cadw at ei air truthful

geirwiredd *eg* ymlyniad wrth y gwir, y cyflwr o fod yn eirwir; cywirdeb, gonestrwydd, gwir, gwirionedd truthfulness, veracity

geirwon[1] *ans* ffurf luosog **garw**, *creigiau geirwon*; geirw

geirwon[2] *ell*
  1 rhai garw
  2 DAEARYDDIAETH rhan o wely afon lle mae cyflymder y llif yn cynyddu oherwydd graddiant serth; fe'u nodweddir gan lif tyrfol, rhaeadrau bach a mannau creigiog rapids

geiryn *eg* (geirynnau) GRAMADEG gair bach, byr neu ran ymadrodd fel *a, fe, nid,* etc. nad yw'n cael ei ddefnyddio ar ei ben ei hun ac nad yw'n cael ei dreiglo particle

geiryn adferfol mae'n debyg iawn i 'yn' traethiadol ond mae'r ansoddair dilynol yn goleddfu (neu'n disgrifio) berf (yn hytrach nag enw), e.e. *rhedodd yn dda, maen nhw'n eistedd yn dawel*

geiryn berfenwol dyma'r 'yn' a geir yn *byddaf yn mynd, mae Elwyn yn eistedd, rwy'n nofio*

geiryn gofynnol
  1 yr 'a' sy'n cyflwyno cwestiwn, e.e. *A welaist ti ef?*
  2 yr 'ai' sy'n cyflwyno cwestiwn, e.e. *Ai ti dorrodd y ffenestr?*
  3 yr 'oni' sy'n cyflwyno cwestiwn, e.e. *Oni welaist ti fe'n gadael?*

geiryn negyddol
  1 y gosodiad negyddol 'ni(d)', e.e. *Nid atebodd.*
  2 yr ateb negyddol 'na(c)', e.e. *Nac oes.*
  3 y gorchymyn negyddol 'na(c)', e.e. *Na ladd!*

geiryn perthynol y geiryn 'y(r)' a ddefnyddir
  (1) yn lle 'a' fel rhagenw perthynol genidol, e.e. *Dacw'r arlunydd y prynais ei waith ddoe.*
  (2) pan fo'r perthynol dan reolaeth arddodiad, e.e. *Dyma'r pethau y soniais amdanynt.*

geiryn rhagferfol
  1 y geirynnau rhagferfol cadarnhaol, sef 'y(r)' e.e. *yr wyf i,* dywedodd *y byddai'n mynd*; 'fe' a 'mi', *paid â phoeni, fe/mi ddaw*
  2 y geirynnau rhagferfol negyddol, sef 'ni(d)' a 'na(d)', e.e. *nid yw hi'n mynd, dywedais nad oeddwn am fynd* preverbial particle

geiryn traethiadol dyma'r 'yn' a geir yn *Mae Siân yn dda. Mae Siân yn wraig.*

geiser *eg* (geiserau) DAEAREG ffynnon naturiol o ddŵr berwedig mewn ardal folcanig, lle mae dŵr ac ager weithiau'n saethu i fyny i'r awyr geyser
  Sylwch: nid yw'n treiglo'n feddal.

geisha *eb* merch neu wraig o Japan sydd wedi'i hyfforddi i ddiddanu dynion drwy ymgom, dawns a chanu
  Sylwch: nid yw'n treiglo'n feddal.

geist *ell* lluosog **gast**

gel *eg* (geliau)
  1 sylwedd cosmetig neu feddygol sy'n debyg i jeli gel
  2 coloid tebyg i jeli wedi'i lunio gan hylif wedi'i wasgaru'n gytbwys drwy solid gel
  Sylwch: nid yw'n treiglo'n feddal.

gelaidd:gelatinaidd *ans* yn deillio o gelatin, tebyg i gelatin gelatinous
  Sylwch: nid yw'n treiglo'n feddal.

gelatin *eg* y glud trwchus a geir wrth ferwi meinwe anifeiliaid, yn enwedig y protein a ddefnyddir wrth wneud jeli, mewn prosesau ffotograffig ac yn feddygol gelatin
  Sylwch: nid yw'n treiglo'n feddal.

gelatinaidd gw. **gelaidd**

g

gelen:gele *eb* (gelenod:gelod) parasit tebyg i fwydyn sy'n byw ar greaduriaid eraill drwy lynu wrthyn nhw a sugno'r gwaed, *glynu fel gelen* leech

geliad *eg* y broses o ymffurfio'n gel gelation
Sylwch: nid yw'n treiglo'n feddal.

gelio gw. jelio

gelwi *bf* [galw] *ffurfiol* rwyt ti'n galw; byddi di'n galw

gelyn *eg* (gelynion)
1 un sy'n casáu rhywun arall neu'n dymuno'n ddrwg iddo; casäwr enemy
2 byddin neu blaid neu genedl sy'n ymladd yn erbyn un arall; gwrthwynebydd enemy, foe

gelyniaeth *eb* (gelyniaethau) y cyflwr neu'r stad o fod yn elyn, gwrthwynebiad llwyr a chas; atgasedd, casineb, ffieidd-dra animosity, enmity

gelyniaethol *ans* yn elyn i rywbeth, yn gwrthwynebu rhywun neu rywbeth yn ffyrnig; gelyniaethus hostile, inimical

gelyniaethu *be* [gelyniaeth•¹] gwneud gelyn o rywun (~ *rhywun* **drwy**) to alienate

gelyniaethus *ans* yn elyn i rywbeth, yn gwrthwynebu rhywun neu rywbeth yn ffyrnig; croes, gelyniaethol, gwrthwynebus, ymosodol hostile, inimical

gellesg *ell* planhigion â blodau trawiadol o liw porffor neu felyn a dail cul, siâp gwaywffon irises

gellesgen *eb* unigol gellesg iris

gelli¹ gw. celli

gelli² *bf* [gallu] *ffurfiol* rwyt ti'n gallu; byddi di'n gallu

gelltydd *ell* lluosog gallt

gellyg *ell* ffrwythau melys, llawn sudd ac iddynt waelod crwn, llydan ac yn culhau tua'r pen pears

gellygen *eb* unigol gellyg; peren pear

gem *eb* (gemau)
1 maen gwerthfawr, e.e. diemwnt neu ruddem, yn enwedig un sydd wedi'i naddu a'i gaboli; tlws gem, jewel
2 *ffigurol* rhywun neu rywbeth gwerthfawr, prin a disglair, *Mae'r englyn yma'n em.* gem

gêm *eb* (gemau:gêmau)
1 math o chwarae, sbort neu ymryson sy'n dilyn rheolau arbennig, neu un enghraifft o hyn, *Gêm yw pêl-droed. A wyt ti'n mynd i'r gêm rhwng Cymru a Lloegr?*; gornest game, match
2 casgliad o'r darnau angenrheidiol i chwarae rhai mathau o gêmau, e.e. bwrdd, dis, cardiau, gwerin, *y gêm* Monopoly game
3 chwarae, ymryson na ddylid ei gymryd ormod o ddifrif, *Gêm yw gwleidyddiaeth.*; difyrrwch game
4 rhywbeth sy'n diddanu ac yn diddori, *gêm gyfrifiadurol*; diddanwch, hwyl game

5 un rhan o set, e.e. mewn gornest dennis game
Sylwch: nid yw'n treiglo'n feddal.

y Gêmau Olympaidd cyfres o fabolgampau a gynhelir bob pedair blynedd pan fydd athletwyr gorau gwahanol wledydd y byd yn cystadlu yn erbyn ei gilydd Olympic Games

y Gêmau Paralympaidd gêmau rhyngwaldol yn cynnwys cyfres o gystadlaethau athletaidd, a chwaraeon eraill, ar gyfer cystadleuwyr anabl Paralympic Games

gemog *ans* wedi'i addurno â gemau bejewelled

gemwaith *eg* crefftwaith yn defnyddio mwynau neu gerrig gwerthfawr jewellery

gemwl *eg* (gemylau) SWOLEG clwstwr o gelloedd embryonig a geir mewn rhai sbyngau; mae'r celloedd hyn yn aros ynghwsg drwy'r gaeaf gan ddatblygu'n unigolyn newydd pan fydd yr amodau'n gwella gemmule
Sylwch: nid yw'n treiglo'n feddal.

gemydd *eg* (gemyddion)
1 un sy'n prynu a gwerthu gemau jeweller
2 un sy'n trin, naddu a llathru gemau; lapidari jeweller
Sylwch: nid yw'n treiglo'n feddal.

gen gw. gan

gên *eb* (genau)
1 y naill neu'r llall o esgyrn yr wyneb sy'n cynnal y dannedd ac sy'n ffurfio'r geg jaw
2 rhan isaf yr wyneb sy'n ymestyn allan o dan y geg chin

genau *eg* (geneuau)
1 *llenyddol* ceg, pen, safn, *genau afon, genau'r sach* mouth
2 ceg dyffryn neu afon, *genau'r glyn* (valley) entrance

genau-goeg *eg* (genau-goegion) un o nifer o fathau o ymlusgiaid â chynffon hir, pedair coes a chroen talpiog; madfall lizard

genedigaeth *eb* (genedigaethau) dyfodiad baban neu fychan arall o gorff ei fam gan ddechrau bywyd fel bod annibynnol; esgoriad birth, parturition

genedigaeth-fraint *eb* braint, hawl, treftadaeth, etc. a roddir (i'r cyntaf-anedig, fel arfer) ar adeg geni plentyn birthright

genedigol *ans* yn perthyn i'r lle y cafodd rhywun ei eni ynddo, neu yn perthyn i rywun oddi ar ei enedigaeth, e.e. iaith, *Rwy'n enedigol o Ynys-y-bwl.*; cynhenid, naturiol native

generadur *eg* (generaduron) peiriant cynhyrchu trydan sy'n newid egni mecanyddol yn egni trydanol generator
Sylwch: nid yw'n treiglo'n feddal.

generig *ans*
1 (am nwyddau, moddion neu gyffur yn enwedig) heb nod masnach generic

2 BIOLEG yn perthyn i rywogaeth neu genws arbennig; tylwythol generic
Sylwch: nid yw'n treiglo'n feddal.

geneteg *eb* yr astudiaeth o etifeddiad; etifeddeg genetics

genetegydd *eg* (genetegwyr) gwyddonydd sy'n arbenigo mewn geneteg geneticist

genetig *ans* yn ymwneud â geneteg, yn deillio o eneteg genetic

geneth *eb* (genethod) *tafodieithol, yn y Gogledd* merch ifanc; croten, hogen, rhocen, rhoces girl, lass

genethaidd *ans* nodweddiadol o eneth, o ferch ifanc girlish

genethdod *eg* y cyfnod o fod yn eneth neu'r cyflwr o fod yn eneth girlhood

genethig *eb* geneth fach neu eneth ifanc young girl

geneuau *ell* lluosog **genau**

geneufor *eg* (geneuforoedd) bae arfordirol agored, cyfandirol ei faint, e.e. Geneufor Mawr Awstralia bight

geneuol *ans* ANATOMEG yn ymwneud â'r geg neu'r genau oral

genfa *eb* (genfâu) y rhan o'r ffrwyn – weithiau'n far o ddur, weithiau'n ddau ddarn wedi'u cydglymu – a roddir yng ngheg ceffyl ac y cysylltir yr awenau â'r modrwyau ar bob pen iddi; bit bit

genglo *eg* clefyd heintus lle mae gwenwyn wedi'i ollwng gan facteria sydd wedi mynd i mewn i'r corff drwy friw heb ei drin (fel arfer), gan achosi i gyhyr (yr ên, gan amlaf) gloi yn dynn lockjaw

geni *be* [*amh. pres.* genir; *amh. gorff.* ganed/ ganwyd; *amh. amhen.* genid; *amh. gorb.* ganesid; *amh. gorch.* ganer; *amh. dib.* ganer] esgor ar, rhoi genedigaeth i; cenhedlu, dechrau (~ *rhywun* **yn**) birth, to give birth to
Sylwch: yr unig ffurfiau heblaw'r berfenw yw'r ffurfiau amhersonol.

cyfnod geni gw. **cyfnod**

genidol *ans* GRAMADEG am y berthynas rhwng geiriau yn dynodi meddiant, e.e. *cap bachgen, dinas Dafydd, fy nhad* genitive

gennod *ell tafodieithol, yn y Gogledd* lluosog **hogen**

gennyf gw. **gan**

genogl *eg* (genoglau) ANATOMEG un o esgyrn yr ên, yn enwedig yr asgwrn isaf jawbone

genom *eg* (genomau) BIOLEG set haploid o gromosomau mewn gamet neu ficrob; set gyflawn o gromosomau mewn organeb neu gell unigol genome
Sylwch: nid yw'n treiglo'n feddal.

genoteip *eg* (genoteipiau) BIOLEG cyfansoddiad genetig unigolyn genotype
Sylwch: nid yw'n treiglo'n feddal.

genre *eg* arddull neu fath arbennig o waith celf neu o lenyddiaeth sydd â rhai nodweddion y gellir eu rhagweld

genwair *eb* (genweiriau) gwialen bysgota fishing rod

genweirio *be* [genweiri•²] defnyddio genwair â bachyn ac abwyd i bysgota to angle, to fish

genweiriwr *eg* (genweirwyr) pysgotwr sy'n defnyddio gwialen bysgota angler, fisherman

genws *eg* (genera) BIOLEG un o brif gategorïau dosbarthiad tacsonomaidd; mae'n is na theulu ac yn uwch na rhywogaeth ac fe'i dynodir gan enw Lladin sy'n dechrau â phriflythyren, e.e. *Felix* (cath) genus
Sylwch: nid yw'n treiglo'n feddal.

genyn *eg* (genynnau) BIOLEG (yng nghnewyllyn cell) darn byr o gromosom wedi'i wneud o DNA; dyma'r uned etifeddol sy'n rheoli nodweddion y gell yn ogystal â nodweddion yr organeb gyfan gene

genynnol *ans* yn ymwneud â genynnau, nodweddiadol o enynnau genetic

geo- *rhag* â pherthynas â'r Ddaear geo-
Sylwch: nid yw 'geo' + cyfaddasiad o air Saesneg yn achosi treiglad yn yr ail elfen, e.e. *geocemeg.*

geocemeg *eb* astudiaeth wyddonol o gyfansoddiad cemegol cramen y Ddaear a'r newidiadau sy'n digwydd iddi geochemistry
Sylwch: nid yw'n treiglo'n feddal.

geocemegol *ans* yn perthyn i geocemeg, nodweddiadol o geocemeg geochemical

geocronoleg *eb* ffordd o fesur amser daearegol gan ddefnyddio naill ai dull dyddio radiometrig absoliwt neu ddull dyddio cymharol drwy gymorth dilyniannau o greigiau geochronology
Sylwch: nid yw'n treiglo'n feddal.

geocronometreg *eb* ffordd o fesur amser daearegol drwy ddulliau geocronoleg geochronometry
Sylwch: nid yw'n treiglo'n feddal.

geodedd *eg* MATHEMATEG cangen o fathemateg gymhwysol yn ymwneud â siâp ac arwynebedd y Ddaear geodesy
Sylwch: nid yw'n treiglo'n feddal.

geodesig *ans*
1 MATHEMATEG yn ymwneud â geometreg llinellau geodesig geodesic
2 MATHEMATEG am siâp tri dimensiwn (e.e. cromen) wedi'i lunio o ddarnau syth, ysgafn, dan dyniant sy'n ffurfio patrwm o drionglau neu bolygonau geodesic
Sylwch: nid yw'n treiglo'n feddal.

llinell geodesig MATHEMATEG y llinell fyrraf rhwng dau bwynt ar arwyneb sffêr neu siâp crwm arall geodesic line

geodetig *ans* MATHEMATEG yn ymwneud â geodedd, yn enwedig wrth fesur tir geodetic
Sylwch: nid yw'n treiglo'n feddal.

g

geoffiseg *eb* astudiaeth wyddonol o'r holl ffenomenau ffisegol sy'n ymwneud ag adeiledd, grymoedd ffisegol a hanes esblygiad y Ddaear, gan gynnwys meysydd meteoroleg, hydroleg, eigioneg, seismoleg, fwlcanoleg, magneteg, ymbelydredd a geodedd geophysics
Sylwch: nid yw'n treiglo'n feddal.

geoffisegol *ans* yn ymwneud â geoffiseg, nodweddiadol o geoffiseg geophysical

geoffyt *eg* (geoffytau) BOTANEG planhigyn lluosflwydd y mae ei flagur yn tyfu dan ddaear i ddechrau er mwyn goroesi tywydd oer y gaeaf geophyte
Sylwch: nid yw'n treiglo'n feddal.

geoid *eg* (geoidau) siâp wyneb y Ddaear pe bai'r tir i gyd o'r un uchder ag uchder lefel moroedd y byd geoid
Sylwch: nid yw'n treiglo'n feddal.

geometreg *eb* MATHEMATEG cangen o fathemateg sy'n ymwneud â nodweddion pwyntiau, llinellau, arwynebau, solidau a gwrthrychau cyfatebol mewn dimensiynau uwch, a'r cysylltiad rhyngddynt geometry
Sylwch: nid yw'n treiglo'n feddal.

geometregol *ans* MATHEMATEG yn ymwneud â geometreg, yn dilyn rheolau geometreg geometrical
Sylwch: nid yw'n treiglo'n feddal.

geometrig *ans* (am batrwm) wedi'i lunio o siapiau rheolaidd geometric
Sylwch: nid yw'n treiglo'n feddal.

dilyniant geometrig gw. **dilyniant**

geomorffoleg *eb* DAEAREG astudiaeth wyddonol o dirffurfiau'r Ddaear a'r prosesau sy'n eu llunio geomorphology
Sylwch: nid yw'n treiglo'n feddal.

geomorffolegol *ans* DAEAREG yn ymwneud â geomorffoleg, nodweddiadol o geomorffoleg geomorphological

Georgiad *eg* (Georgiaid) brodor o wlad Georgia, un o dras neu genedligrwydd Georgiaidd Georgian

Georgiaidd *ans* yn perthyn i Georgia, nodweddiadol o Georgia Georgian

geostroffig *ans* METEOROLEG wedi'i achosi gan gylchdro'r Ddaear geostrophic
Sylwch: nid yw'n treiglo'n feddal.

geosynclin *eg* (geosynclinau) term daearegol, nad yw'n cael ei ddefnyddio bellach, yn disgrifio basn hirgul wedi'i lenwi â thrwch mawr o waddodion geosyncline
Sylwch: nid yw'n treiglo'n feddal.

geotacsis *eg* BIOLEG symudiad organeb dan ddylanwad grym disgyrchiant geotaxis
Sylwch: nid yw'n treiglo'n feddal.

geotecstil *eg* (geotecstil(i)au) defnydd synthetig cryf sy'n cael ei ddefnyddio mewn peirianneg sifil, e.e. i gynnal darn o dir geotextile

geotropedd *eg* defnyddiwch **grafitropedd**

geothermol *ans* yn ymwneud â llif y gwres o grombil y Ddaear tua'r arwyneb geothermal
Sylwch: nid yw'n treiglo'n feddal.

ger *ardd* yn ymyl, yn agos i, ar bwys, nid nepell o, *Fe'm ganed mewn pentre bach ger tref Aberteifi.*; cyfagos, gerllaw, wrth by, close to, near
Sylwch: mae 'ger' yn dod o'r ffurf 'cer' sy'n cael ei threiglo weithiau (*Ger fy mron i a cher ei bron hithau.*).

gêr¹ *egb* casgliad o bethau wedi'u crynhoi ar gyfer rhyw waith arbennig, e.e. offer gwaith chwarelwyr, gwisg ceffyl at weithio; celfi, cyfarpar, offer, taclau equipment, gear, kit
Sylwch: nid yw'n treiglo'n feddal.

gêr² *egb* (gerau:gêrs) (mewn peiriant) cyfres o olwynion â dannedd (cocs) sy'n cydweithio ag olwynion danheddog eraill i drosglwyddo egni o un rhan o beiriant i ran arall, e.e. o injan car i'w olwynion, gan ganiatáu rheoli pŵer, cyflymder neu gyfeiriad y peiriant gear
Sylwch: nid yw'n treiglo'n feddal.

allan o gêr heb fod wedi'i gysylltu â'r peiriant out of gear

gêr befel gêr sy'n gweithio gêr arall ar ongl iddo drwy gyfrwng olwynion befel bevel gear

mewn gêr wedi'i gysylltu â'r peiriant in gear

gerbil *eg* (gerbilod) math o lygoden fach yn perthyn i urdd y cnofilod; mae'n byw yn niffeithdiroedd Affrica ac Asia ac hefyd yn cael ei gadw fel anifail anwes gerbil

gerbocs *eg* (gerbocsys) set o gerau car neu gerbyd ynghyd â'r casyn o fetel sy'n eu hamgáu gearbox

gerbron *ardd* [ger fy mron, ger dy fron, ger ei fron, ger ei bron, ger ein bron, ger eich bron, ger eu bron] yng ngŵydd, o flaen, *Bydd yn rhaid iddo ymddangos gerbron y barnwr am 9.30 bore fory.* before, in the presence of

gercyn:gercin *eg* (gercinau) COGINIO math bychan o giwcymber pigog a gedwir mewn dŵr hallt a finegr gherkin
Sylwch: nid yw'n treiglo'n feddal.

gerddi *ell*
1 lluosog **gardd**
2 parc cyhoeddus yn cynnwys blodau, coed a lawntiau gardens, park

gerfydd *ardd* wrth, gan, erbyn (gan afael yn) *Cafodd ei lusgo o'r ystafell gerfydd ei draed.* by
Sylwch: mae 'gerfydd' yn dod o'r ffurf 'cer' sy'n cael ei threiglo weithiau (*a cherfydd*).

geri *eg* ('y geri' fel yn *y geri marwol*) colera; clefyd heintus y coluddyn bach a all fod yn farwol, a achosir gan facteria ac a nodweddir gan gyfogi difrifol a'r dolur rhydd cholera

geriach *ell* darnau di-werth o **gêr**[1], mân offer
  ofer; manion, petheuach, taclau, trugareddau
  bits and pieces, kit, paraphernalia

geriatreg *eb* MEDDYGAETH cangen o feddygaeth
  sy'n delio â phroblemau ac afiechydon henaint
  a gofal yr henoed **geriatrics**
  Sylwch: nid yw'n treiglo'n feddal.

geriatregydd *eg* (geriatregyddion) meddyg sy'n
  arbenigo mewn geriatreg **geriatrician**
  Sylwch: nid yw'n treiglo'n feddal.

geriatrig *ans*
  1 MEDDYGAETH yn ymwneud â geriatreg neu
  henaint **geriatric**
  2 *anffurfiol* hen a musgrell **geriatric**
  Sylwch: nid yw'n treiglo'n feddal.

gerllaw[1] *ardd* [ger fy llaw, ger dy law, ger ei law,
  ger ei llaw, ger ein llaw, ger eich llaw, ger eu
  llaw] yn ymyl, yn agos i, ar bwys, nid nepell
  o, *'Efe a'm tywys gerllaw y dyfroedd tawel.'*;
  wrth **adjacent to, beside, close to**
  Sylwch: mae 'gerllaw' yn dod o'r ffurf 'cer'
  sy'n cael ei threiglo weithiau (*ger fy llaw i
  a cher ei llaw hi*).

gerllaw[2] *adf* yn ymyl, ar bwys, nid nepell o, yn
  agos, *Mae diwedd y byd gerllaw!* **at hand, nigh**

germ *eg* (germau) gair cyffredin am ficro-organeb,
  yn enwedig un sy'n achosi afiechyd **germ**
  Sylwch: nid yw'n treiglo'n feddal.

germaniwm *eg* elfen gemegol rhif 32;
  lled-fetel llwyd, disglair, caled a brau, sy'n
  lled-ddargludydd (Ge) **germanium**
  Sylwch: nid yw'n treiglo'n feddal.

germladdwr *eg* (germladdwyr) sylwedd i ladd
  germau **germicide**
  Sylwch: nid yw'n treiglo'n feddal.

gerontoleg *eb* astudiaeth amlddisgyblaethol
  o'r prosesau sydd ynghlwm wrth heneiddio ac
  ac o'r problemau sy'n deillio o'r prosesau hyn
  gerontology
  Sylwch: nid yw'n treiglo'n feddal.

gerontolegol *ans* yn ymwneud â gerontoleg
  gerontological
  Sylwch: nid yw'n treiglo'n feddal.

gerontolegydd *eg* (gerontolegwyr) arbenigwr
  ym maes gerontoleg **gerontologist**
  Sylwch: nid yw'n treiglo'n feddal.

gerwin *ans* [gerwin•] garw (yn enwedig am y
  tywydd); caled, drycinog, gaeafol, tymhestlog
  harsh, inclement, rough, severe

gerwindeb:gerwinder *eg* y cyflwr o fod yn
  arw neu'n llym; caledi, craster (llais), garwedd
  (tywydd) **harshness, roughness, severity**

gerwino *be* mynd yn erwin, troi'n erwin (yn
  enwedig am y tywydd) **to become rough**
  Sylwch: nid yw'r ferf hon yn arfer cael ei rhedeg.

gesio *be* [gesi•[2]] *anffurfiol* dyfalu, bwrw amcan
  to guess

geso *eg* plastr Paris yn gymysg â glud a
  ddefnyddir mewn cerflunwaith neu er mwyn
  creu cerfwedd isel **gesso**
  Sylwch: nid yw'n treiglo'n feddal.

gestalt *eg* SEICOLEG cyfanwaith trefnus sy'n cael
  ei ystyried yn fwy na chyfanswm ei elfennau
  seicoleg gestalt gw. **seicoleg**

Gestapo *eg* *hanesyddol* heddlu cudd yr Almaen
  dan arweiniad Hitler a'r Natsïaid **Gestapo**
  Sylwch: nid yw'n treiglo'n feddal.

gesyd *bf* [gosod] *ffurfiol* mae ef yn gosod/mae
  hi'n gosod; bydd ef yn gosod/bydd hi'n gosod

geto *eg* (getos)
  1 ardal o ddinas y disgwylid i'r Iddewon fyw
  ynddi **ghetto**
  2 ardal dlawd ar wahân mewn dinas lle mae
  grwpiau lleiafrifol yn byw oherwydd pwysau
  economaidd, gwleidyddol neu gymdeithasol
  ghetto
  Sylwch: nid yw'n treiglo'n feddal.

geudeb gw. **geuedd**

geudy *eg* (geudai) *hynafol* tŷ bach, lle chwech
  latrine

geuedd:geudeb *eg* y cyflwr o fod yn au (gau);
  anwiredd (am ddysgeidiaeth neu ddatganiad
  rhesymegol) **falseness, falsity**

gewin *eg* ffurf lafar ar **ewin**

gewri *ell* lluosog **gawr**

gewyn:giewyn *eg* (gewynnau:gïau) ANATOMEG
  un o'r llinynnau gwydn sy'n dal cyhyrau wrth
  yr esgyrn ligament, sinew
  rhoi pob gewyn ar waith ymdrechu hyd yr
  eithaf

gewynnog *ans* ANATOMEG llawn gewynnau
  sinewy

gewynnol *ans* ANATOMEG yn ymwneud â'r
  gewynnau, yn perthyn i'r gewynnau **ligamentous**

Ghanaiad *eg* (Ghanaiaid) brodor o wlad Ghana
  Ghanaian

Ghanaidd *ans* yn perthyn i Ghana,
  nodweddiadol o Ghana **Ghanaian**

gïach *eg* (giächod) aderyn hirgoes â phig fain,
  hir sy'n byw ar diroedd corsiog **snipe**

giaffer gw. **gaffer**

giang gw. **gang**

giamocs:gamocs *ell* campau dwl, ymddygiad twp,
  ystumiau; camocs, ciamocs **pranks, tomfoolery**

giamstar gw. **gamstar**

giamster *eg* gw. **gamstar**

giard gw. **gard**

giât gw. **gât**

gïau *ell* lluosog **gewyn**

Gibeliniad *eg* (Gibeliniaid) *hanesyddol* aelod o
  blaid weinyddol, aristocrataidd, yn yr Eidal yn
  yr Oesoedd Canol a oedd yn cefnogi awdurdod
  yr Ymerawdwr Rhufeinig Sanctaidd yn erbyn
  y Pab **Ghibelline**

g

giewyn gw. gewyn

GIG *byrfodd* (yn y DU) Gwasanaeth Iechyd Gwladol NHS

gìg *eg* (gigiau) cyfnod penodol o berfformio gan gerddor (am dâl, gan amlaf) gig
Sylwch: nid yw'n treiglo'n feddal.

gigabeit *eg* (gigabeitiau) CYFRIFIADUREG uned o ddata cyfrifiadurol sy'n cyfateb i fil o filiynau (2^{30} yn fanwl gywir) o feitiau; Gb gigabyte
Sylwch: nid yw'n treiglo'n feddal.

gigio *be* cymryd rhan mewn gìg to gig
Sylwch: nid yw'r ferf hon yn arfer cael ei rhedeg ac nid yw'n treiglo'n feddal.

gingham *eg* brethyn cotwm a phatrwm o sgwariau drosto gingham
Sylwch: nid yw'n treiglo'n feddal.

gìl *eg* (giliau) mesur o hylif yn cyfateb i chwarter peint gill
Sylwch: nid yw'n treiglo'n feddal.

gild *eg* (gildiau) urdd o grefftwyr guild
Sylwch: nid yw'n treiglo'n feddal.

gilotîn *eg* (gilotinau)
1 peiriant o Ffrainc, ac iddo lafn trwm yn llithro rhwng dau bostyn, a fyddai'n cael ei ddefnyddio i ddienyddio drwgweithredwyr guillotine
2 peiriant ar gyfer torri papur guillotine
3 y weithred o bennu amser i bleidleisio ar fesur yn San Steffan, er mwyn cwtogi ar hyd y drafodaeth guillotine
Sylwch: nid yw'n treiglo'n feddal.

gilydd *rhagenw* fel yn *ei gilydd*, arall, arall o'r un fath, *Cerddon nhw i'r ysgol gyda'i gilydd. Cerddom ni i'r ysgol gyda'n gilydd. A gerddoch chi gyda'ch gilydd?* together
Sylwch: mae *eu gilydd* yn anghywir.

at ei gilydd gw. at
o ben bwygilydd o un pen i'r llall from one end to another
rhywbryd neu'i gilydd sometime or other
rhywun neu'i gilydd rhywun ond heb fod yn sicr pwy someone or other

gimbill gw. gwimbill

gimic:gimig *eg* (gimics:gimigau) dull o dynnu sylw gimmick
Sylwch: nid yw'n treiglo'n feddal.

gini *eb* (giniau)
1 swm o arian a oedd yn werth un swllt ar hugain neu bunt a swllt yn yr hen arian (punt a phum ceiniog) guinea
2 darn o arian a fathwyd gyntaf yn 1663 o aur trefedigaeth Guinea guinea
Sylwch: nid yw *gini* yn treiglo'n feddal.

Ginïad:Guinead *eg* (Ginïaid:Guineaid) brodor o wlad Guinée, un o dras neu genedligrwydd Ginïaidd Guinean

Ginïaidd *ans* yn perthyn i Guinée, nodweddiadol o Guinée Guinean

giro *eg* CYLLID system gyfrifiadurol o fancio a throsglwyddo arian a ddefnyddir gan swyddfeydd post drwy Ewrop giro
Sylwch: nid yw'n treiglo'n feddal.

gitâr *eb* (gitarau)
1 offeryn cerdd â chwech neu ddeuddeg o dannau sy'n cael eu chwarae â'r bysedd; mae ganddo wddf hir a chorff sy'n debyg i ffidil ond ei fod yn fwy o faint guitar
2 unrhyw un o nifer o offerynnau tebyg, *gitâr drydan* guitar
Sylwch: nid yw'n treiglo'n feddal.

gitarydd *eg* (gitaryddion) un sy'n chwarae'r gitâr guitarist
Sylwch: nid yw'n treiglo'n feddal.

giwana:giwano *eg* gwrtaith o dom adar y môr; hefyd gwrtaith tebyg wedi'i wneud o wastraff ffatri bysgod, yn cynnwys llawer o ffosffad a nitrogen guano

giwga *eb* offeryn cerdd bychan ar ffurf telyn a osodir rhwng y dannedd; cynhyrchir y sain drwy dynnu tafod o fetel â'r bysedd; biwba, sturmant Jew's harp
Sylwch: nid yw'n treiglo'n feddal.

gladiator *eg* (gladiatoriaid) *hanesyddol* un (naill ai ymladdwr proffesiynol neu gaethwas) oedd wedi ei hyfforddi i ymladd mewn arena gyhoeddus i ddifyrru'r Rhufeiniaid gynt gladiator
Sylwch: nid yw'n treiglo'n feddal.

glaer *eg* *hanesyddol* hylif trwchus, gludiog, wedi'i wneud o wynnwy a ddefnyddid i lenwi bylchau glair
Sylwch: nid yw'n treiglo'n feddal.

glafoerio:glafoeri *be* [glafoeri•²] diferu poer; driflan, ewynnu, slobran (~ **dros**) to drivel, to salivate, to slobber

glafoerion *ell* poer sy'n rhedeg o'r geg ac o gwmpas y genau dribble, spittle

glaif *eg* (gleifiau) hen air am lafn, gwaywffon neu gleddyf lance, sword

glain *eg* (gleiniau) darn bach neu belen o bren, gwydr neu weithiau faen gwerthfawr megis perl bead

glais *eg* *mewn enwau lleoedd* nant, ffrwd, e.e. *Dulais, Dowlais* rivulet, stream

glan *eb* (glannau:glennydd) min, ochr, ymyl, *glan yr afon* bank, side
ar lan y bedd yn ymyl y bedd graveside
dod i'r lan cyrraedd y lan yn ddiogel (heb foddi) to come ashore
glan y môr man yn ymyl y môr, e.e. traeth neu gyrchfan gwyliau seaside, shore
i lan/lan (yn y De) i fyny up

glân *ans* [glan•]
1 (yn dilyn yr hyn a oleddfir) heb unrhyw faw
na bryntni arno; difrycheulyd, dilychwin, pur
clean, spotless
2 teg, pert, tlws, golygus, glandeg, *yr eneth
lân* fair
3 sanctaidd, *Yr Ysbryd Glân* holy
4 cyfan, llwyr, *wedi drysu'n lân* clean, complete,
utter
5 annwyl, hoff, *Fy machgen glân i* dear
6 (o flaen yr hyn a oleddfir) cysegredig,
sanctaidd, *glân briodas*
glân gloyw pur, o'r math gorau, *Cymro glân
gloyw*
glandeg *ans* hardd, golygus, mirain,
prydweddol fair, handsome
glandir *eg* (glandiroedd) tir am y ffin margin
glanedol *ans* yn glanhau detergent
glanedydd *eg* (glanedyddion) sylwedd
arbennig a ddefnyddir i lanhau; mae llawer
o lanedyddion yn gyfansoddion cemegol sy'n
gweithio fel sebon detergent
glanfa *eb* (glanfeydd) lle i lanio, cei ar gyfer
llongau, maes glanio ar gyfer awyrennau;
angorfa, disgynfa, porth jetty, landingplace,
airstrip
Glangaea(f) gw. calan
glanhad:glanheuad *eg* y weithred o lanhau,
y weithred o gael gwared ar faw neu
lygredigaeth, canlyniad glanhau; carthiad,
golchiad clean
glanhâi *bf* [glanhau] *ffurfiol* byddai ef yn
glanhau/byddai hi'n glanhau
glanhaol *ans* yn glanhau cleansing
glanhau *be* [glanha•¹⁴]
1 gwneud yn lân; carthu, golchi, puro to clean
2 gwneud anifail neu ffrwythau neu lysiau yn
addas i'w bwyta drwy waredu darnau ohonynt,
glanhau pysgodyn; diberfeddu, pilo, plicio,
to clean
glanhawr *eg* (glanhawyr)
1 dyn sy'n glanhau, un sy'n gwneud bywoliaeth
o lanhau pethau cleaner
2 peiriant neu sylwedd ar gyfer glanhau
cleaner
glanhawraig *eb* *ffurfiol* merch neu wraig sy'n
ennill ei bywoliaeth drwy lanhau (adeilad neu
ystafelloedd) cleaner, cleaning lady
glanheais *bf* [glanhau] gwnes i lanhau
glanheuad gw. glanhad
glaniad *eg* (glaniadau) y broses o lanio neu
o gyrraedd y tir yn dilyn taith mewn llong
neu awyren, canlyniad glanio; cyrhaeddiad,
dyfodiad landing, touchdown
glanio *be* [glani•⁷] dod i'r lan, cyrraedd y tir
(am long neu awyren); tirio (~ **ar** *rywbeth*)
to dock, to land

glannau *ell* lluosog glan
glanwaith *ans*
1 glân a threfnus, heb fudreddi clean
2 wedi'i lunio'n grefftus a chywrain neat, well
wrought
glanweithdra *eg* gofal am lendid, diffyg baw;
glendid cleanliness
glanweithydd *eg* (glanweithyddion)
un sy'n arbenigo yn y gwaith o hyrwyddo
glanweithdra; hylenydd hygienist
glas¹ *eg*
1 lliw'r awyr ar ddiwrnod clir, digwmwl, neu
liw'r môr ar yr un math o ddiwrnod blue
2 gwawr, toriad dydd, glesni'r awyr, *yng nglas
y dydd* break (of day)
glas y dorlan aderyn bach a chanddo blu glas
llachar ac sy'n byw ar bysgod kingfisher
glas y gors planhigyn isel a chanddo flodau
bach glas; nâd-fi'n-angof forget-me-not
Ymadrodd
glas y llygad iris; y darn lliw o gwmpas
cannwyll y llygad; mae'n cynnwys cylch o
ffibrau cyhyrol sy'n rheoli maint cannwyll
y llygad ac felly faint o olau sy'n cyrraedd y
retina; enfys y llygad iris
glas² *ans* [glas•] (gleision)
1 o liw'r awyr ar ddiwrnod clir, digwmwl,
neu am liw'r môr ar yr un math o ddiwrnod
azure, blue
2 gwyrdd, yn enwedig am borfa neu ddail,
glaswellt; gwelltog green
3 am liw llechen; dulas, llwydlas slate grey
4 (am geffyl) llwyd, *y gaseg las* grey
5 fel yn *arian gleision*, o liw arian silver
6 ifanc, anaeddfed, dibrofiad, *glaslanc* raw
7 llwyr, trwyadl, cyfan gwbl, glân, *gorau glas*,
hwyr glas complete, utmost
8 fel yn *glaswenu*, gwenu'n wawdlyd, gwenu'n
ddirmygus; hanner
gaeaf glas gaeaf heb eira, fel yn yr ymadrodd
gaeaf glas, mynwent fras
glasaid *ans* gw. glasiaid
glasbaill *eg* y powdr lliw glas a geir ar groen
eirin aeddfed a ffrwythau tebyg bloom
glasbren *eg* (glasbrennau) coeden ifanc iawn
sapling
glasbrint *eg* (glasbrintiau) math o brint
ffotograffig gwyn ar gefndir glas llachar
a ddefnyddid ar gyfer mapiau, cynlluniau
pensaernïol a lluniadau technegol blueprint
glasenw *eg* (glasenwau) enw anffurfiol sy'n
cael ei ddefnyddio yn lle enw iawn rhywun,
e.e. *Moc* yn lle Morgan, *cochyn* am rywun
â gwallt coch; blasenw, ffugenw, llysenw
nickname
glasfaran *eg* eog ifanc (tua 8 cm i 10 cm o hyd)
rhwng sildyn a gwyniad y gog parr

g

glasferwi *be* [glasferw•¹] COGINIO berwi (bwyd) nes ei fod wedi'i goginio'n rhannol; goferwi, lled-ferwi to parboil

glasfyfyriwr *eg* (glasfyfyrwyr) myfyriwr yn ei flwyddyn gyntaf yn y coleg fresher

glasfyfyrwraig *eb* myfyrwraig yn ei blwyddyn gyntaf yn y coleg student (female)

glasfysedd *eg* MEDDYGAETH dulasedd parhaus ym mysedd y dwylo a'r traed sy'n cael ei achosi gan gylchrediad gwael y gwaed acrocyanosis

glasganmol *be* [glasganmol•¹] canmol dros ysgwydd to offer faint praise

glasgoch *ans* am liw sy'n gymysgedd o las a choch puce

glasgoluddyn *eg* ilewm; y rhan olaf a'r lleiaf o'r coluddyn bach ileum

glasgroen *eg* epidermis; yr haen allanol o gelloedd a geir ar wyneb croen anifail uwchben y dermis epidermis

glasgroeso *eg* croeso llugoer lukewarm reception

glasiad *eg*
1 y broses o lasu greening
2 fel yn *ar lasiad y wawr* daybreak

glasiaid:glasaid *eg* (glasieidiau) *anffurfiol* gwydraid glassful

glasier *eg* (glasierau) rhewlif; afon o iâ daearol amrywiol iawn ei ffurf sy'n llifo ar i waered dan ddylanwad disgyrchiant glacier

glaslain *eb* (glasleiniau) bencyn o bridd ar ymyl teras ochr bryn lle bu aredig yn ystod y cyfnod cynhanesyddol lynchet

glaslanc *eg* (glaslanciau) gŵr ifanc, bachgen wedi gadael ei blentyndod; adolesent, llefnyn adolescent, teenager, youngster

glaslances *eb* (glaslancesi) merch yn ei harddegau, merch ifanc; adolesent adolescent (female), teenager (female), youngster (female)

glaslencyndod *eg* y cyfnod o fod yn laslanc neu'n laslances, y cyfnod rhwng bod yn blentyn ac yn oedolyn adolescence

glasoed *eg* y cyfnod o dyfu a datblygu rhwng bod yn blentyn a bod yn oedolyn, cyfnod yr arddegau; arddegau, llencyndod, mabolaeth, mebyd adolescence, puberty, teens

glasog *eb* (glasogau) ail stumog aderyn lle mae bwyd yn cael ei chwalu'n fân; afu glas, crombil, cropa crop, gizzard

glasrew *eg* haenen denau o law wedi rhewi; plymen, stania freezing rain, verglas

glasrewi *be* [glasrew•¹] rhewi wedi iddi fwrw glaw, rhewi'n ysgafn
Sylwch: ac eithrio ffurfiau'r 3ydd unigol, nid yw'r ferf hon yn arfer cael ei rhedeg.

glaston *eg* tir glas greensward

glastwr *eg* llaeth/llefrith heb hufen ac wedi'i deneuo â dŵr; diod sy'n hanner llaeth/llefrith a hanner dŵr a ystyrir yn dda i dorri syched

glastwraidd *ans* [glastwreiddi•] tebyg i lastwr, prin o flas; claear, diflas, gwan, merfaidd insipid

glastwreiddiach:glastwreiddiaf: glastwreiddied *ans* [glastwraidd] mwy glastwraidd; mwyaf glastwraidd; mor lastwraidd

glastwreiddio *be* [glastwreiddi•²] teneuo â dŵr, gwanhau, gwanychu (~ *rhywbeth* â) to dilute, to weaken

glasu *be* [glas•¹]
1 troi'n las to turn blue
2 gwawrio'n ddydd to dawn
3 troi'n wyrdd to become green
4 (am borfa neu ddail) dechrau tyfu; blaendarddu, blaguro, egino, impio to grow, to sprout, to bud
5 troi'n llwyd neu'n welw; gwelwi, llwydo to grow pale
6 (am gosyn, sef darn cyfan o gaws) aeddfedu to ripen

glaswelw *ans* gwelw â gwawr las pale blue

glaswelwi *be* [glaswelw•¹] troi'n laswelw to blanch, to turn pale

glaswellt *eg* porfa las, yn enwedig y borfa y mae defaid neu wartheg yn pori arni; gwelltglas grass, pasture

glaswelltir *eg* (glaswelltiroedd) tir lle mae porfeydd yn tyfu grassland

glaswelltyn *eg* (glaswellt) llafn o borfa neu laswellt, blewyn glas; gweiryn blade of grass

glaswelltyn undydd planhigyn arbennig â blodyn mawr fflamgoch sy'n agor, blodeuo a gwywo mewn diwrnod tiger flower

glaswenu *be* [glaswen•¹] hanner gwenu, gwenu'n ddirmygus; cilwenu, crechwenu (~ *ar*) to simper, to smirk, to sneer, to snigger

Glasynysol *ans* yn perthyn i'r Lasynys, nodweddiadol o'r Lasynys Greenlandic

Glasynyswr *eg* (Glasynyswyr) brodor o'r Lasynys Greenlander

Glasynyswraig *eb* merch neu wraig o'r Lasynys Greenlander

glas yr ŷd *eg* blodau glas llachar o deulu llygad y dydd sy'n chwyn amlwg mewn caeau ŷd cornflower

glaw *eg* (glawogydd) dŵr sy'n disgyn yn ddafnau o'r cymylau; cawod rain, shower
Sylwch: er bod *glaw* yn wrywaidd, benywaidd yw pob cyfeiriad at y tywydd (*Mae hi'n bwrw/ glawio*).

glaw mân drizzle
Ymadroddion

bwrw glaw glawio to rain

glaw gogr sidan glaw tyner y gwanwyn

glawcoma *eg* MEDDYGAETH cyflwr y llygad lle mae pwysedd cynyddol y tu mewn i belen y llygad yn gwneud drwg ac yn gallu achosi dallineb glaucoma
Sylwch: nid yw'n treiglo'n feddal.

glawfesurydd *eg* (glawfesuryddion) dyfais i fesur faint o law sy'n disgyn rain gauge

glawiad *eg* (glawiadau) swm y glaw sy'n disgyn mewn ardal mewn amser penodedig rainfall

glawiad ffrynt METEOROLEG glawiad sy'n digwydd wrth i aergorff cynnes a llaith ac aergorff oer a sych gyfarfod, gan greu ffrynt; yn y pen draw bydd y glaw yn disgyn, a hynny dros ardal eang, *Glawiad ffrynt yw'r math mwyaf cyffredin o lawiad yn y DU.* frontal rainfall

glawiad tirwedd METEOROLEG glawiad sy'n digwydd pan fydd aer cynnes o'r môr yn cael ei orfodi i oeri wrth godi dros fryn neu fynydd cyn cyddwyso relief rainfall

glawio *be* [glawi•²] bwrw glaw (~ ar) to rain
Sylwch: ac eithrio ffurfiau'r 3ydd unigol, nid yw'r ferf hon yn arfer cael ei rhedeg.

glawlin *eg* (glawliniau) llinell ar fap yn cysylltu mannau sy'n cofnodi'r un glawiad mewn cyfnod penodol isohyet

glawog *ans* yn bwrw glaw; gwlyb rainy

glawogydd *ell* lluosog glaw

glei¹ *eg* math o bridd, sy'n wlyb dan draed, a nodweddir gan isbridd llwydaidd sy'n dynodi ei fod yn ddwrlawn am y rhan fwyaf o'r flwyddyn gley
Sylwch: nid yw'n treiglo'n feddal.

glei² gw. **gwlei**

gleider *eg* (gleiderau) awyren heb beiriant sy'n hedfan drwy gael ei chynnal ar gerrynt o aer glider
Sylwch: nid yw'n treiglo'n feddal.

gleidio *be* [gleidi•²]
1 symud yn wastad ac yn llyfn fel sglefriwr ar iâ (~ ar) to glide
2 hedfan gleider to glide
3 disgyn o'r awyr yn llyfn heb ddefnyddio peiriant, *Mae awyren yn gallu gleidio milltir am bob mil o droedfeddi y mae hi uwchben y ddaear.* to glide

gleifiau *ell* lluosog glaif

gleiniau *ell* lluosog glain

gleinwaith *eg*
1 darn o ddefnydd fel brethyn wedi'i wneud o leiniau (peli bychain) neu wedi'i addurno â gleiniau beading, beadwork
2 darn o addurn cul, crwn, tebyg i res o leiniau, a ddefnyddir ar ddodrefn neu ar waliau beading

gleisiad *eg* (gleisiaid) eog yn ei flwyddyn gyntaf grilse, salmon

gleision¹ *ans* ffurf luosog glas, *llygaid gleision*

gleision² *ell*
1 rhai glas
2 yr hylif clir a ffurfir pan fo llaeth yn suro ac yn gwahanu'n hylif a cheulion; maidd whey

glendid *eg*
1 y cyflwr neu'r stad o fod yn lân; ffresni, glanweithdra, purdeb cleanliness
2 harddwch, mireinder, pertrwydd, prydferthwch beauty, comeliness

glennydd *ell* lluosog glan

glesni *eg*
1 y cyflwr neu'r stad o fod yn las, *glesni'r môr yn yr haul* blueness
2 tyfiant gwyrdd (coed, planhigion, llwyni, etc.); irder greenery, greenness

glesyn y coed *eg* planhigyn yn perthyn i'r un teulu â'r farddanhadlen (marddanhadlen) â sbigau o flodau glas, fel arfer (ond gwyn neu binc weithiau); golchenid bugle

gleuad *eb* (gleuod) tom da neu dail gwartheg wedi'i sychu cow pat

glew *ans* [glew•] (glewion) fel yn '*I arwr glew erwau'r glo*'; dewr, di-ofn, eofn, gwrol bold, courageous, dauntless, valiant

go lew
1 eithaf da fairly good
2 da iawn, *Go lew ti!* well done

glewder *eg* arwriaeth, dewrder, gwrhydri, gwroldeb bravery, courage

glewion¹ *ell* rhai glew the bold

glewion² *ans* ffurf luosog glew

glin *eg* (gliniau)
1 pen-glin; cymal canol y goes, y man lle mae'r goes yn plygu knee
2 y rhan o ddilledyn, e.e. trowsus sy'n gorchuddio'r gliniau, *Mae'r crwt 'na allan drwy liniau'i drowsus eto.* knee
3 rhan flaen y corff o'r wasg i'r gliniau pan fo rhywun ar ei eistedd, *eistedd ar lin mam*; arffed, côl lap

glingam *ans* â'r gliniau yn bwrw yn erbyn ei gilydd; coesgam, gargam knock-kneed

gliniadur *eg* (gliniaduron) cyfrifiadur bach symudol sy'n addas i'w ddefnyddio ar eich glin laptop

glinio *be* [glini•⁶] penlinio; pwyso ar y pengliniau to kneel

glissando *eg* (*glissandi*) CERDDORIAETH y sain a gynhyrchir wrth lithro o un nodyn i nodyn arall

glo *eg* craig waddod ddu yn llawn carbon sydd i'w chael mewn gwythiennau o dan y ddaear ac yn cael ei losgi'n danwydd a'i defnyddio i gynhyrchu nwy, tar, etc. coal

glo brig gw. **brig¹**

glo caled/carreg math o lo sy'n galed iawn, yn ddisglair ac ynddo gyfran uchel o garbon anthracite

glo mân
1 darnau bychain o lo, llwch glo small coal
2 manion nad oes cytundeb arnynt, *Nawr mae'n rhaid inni drafod y glo mân.* nitty gritty

glo meddal glo du sy'n llosgi'n rhwydd ac sydd â fflam ddisglair a mwy o fwg na glo

g

caled oherwydd lefel uwch o hydrocarbonau bituminous coal

glo rhydd glo hawdd ei gynnau, yn cynhyrchu gwres uchel â llai o farwor a mwg; fe'i defnyddid ar un adeg gan lyngesau drwy'r byd; glo ager steam coal

glôb *eg* (globau) pelen â llun y Ddaear neu'r sêr wedi'i beintio arni y mae modd ei throi ar ei hechelin (fel y Ddaear) globe
Sylwch: nid yw'n treiglo'n feddal.

globaleiddio *be* [globaleiddi•²] (am fusnesau neu sefydliadau eraill) dechrau gweithredu ar raddfa fyd-eang to globalize, globalization

globwl *eg* (globylau) pelen fach iawn neu ddafn mawr o hylif neu solid tawdd, e.e. mercwri, braster, etc. globule
Sylwch: nid yw'n treiglo'n feddal.

globwlin *eg* BIOCEMEG un o grŵp o broteinau syml, hydawdd mewn hydoddiant o halwynau, sy'n rhan bwysig o brotein serwm y gwaed globulin
Sylwch: nid yw'n treiglo'n feddal.

gloddest *eg* (gloddestau) gwledd a nodweddir gan ormodedd o fwyd a diod a rhialtwch; cyfeddach, ysbleddach carousal, orgy

gloddesta *be* [gloddest•¹] bwyta ac yfed i ormodedd; cyfeddach, gwledda to carouse, to feast, to revel

gloddestwr *eg* (gloddestwyr) un sy'n gloddesta reveller

gloes:loes *eb tafodieithol, yn y De* cur, dolur, gwewyr, poen, *Gest ti loes wrth gwympo oddi ar dy feic?* hurt, pain, wound

glofa *eb* (glofeydd) pwll glo ynghyd â'i adeiladau a'i beiriannau, gwaith glo coal mine, colliery

glofaol *ans* yn ymwneud â glofa neu byllau glo mining (coal)

glomerwlws *eg* (glomerwlysau) ANATOMEG cwlwm bach o bibellau gwaed, edafedd nerf, etc., yn enwedig y cwlwm wrth wraidd pob neffron glomerulus
Sylwch: nid yw'n treiglo'n feddal.

glos *eg* (glosau)
1 gair neu sylw wedi'i ysgrifennu ar ymyl dalen o destun neu rhwng llinellau i egluro ystyr gair neu ymadrodd neu eu cyfieithu glos
2 gair o eglurhad; dehongliad, sylw gloss
Sylwch: nid yw'n treiglo'n feddal.

glotis *eg* (glotisau) ANATOMEG y rhan o'r laryncs sy'n cynnwys tannau'r llais a'r gofod hir, cul rhwng tannau'r llais glottis
Sylwch: nid yw'n treiglo'n feddal.

glotol *ans* yn perthyn i'r glotis, wedi'i gynhyrchu gan y glotis glottal

glöwr *eg* (glowyr) un sy'n gweithio mewn pwll glo, un sy'n gweithio dan ddaear yn cloddio am lo; colier coalminer, collier

glowty *eg* (glowtai) *tafodieithol, yn y De* beudy; tŷ gwartheg cowshed

glöyn *eg* (gloynnod)
1 darn eirias o lo; colsyn, marworyn, pentewyn ember
2 glöyn byw; iâr fach yr haf, pilipala butterfly

glöyn byw math o bryfyn ac iddo deimlyddion a nobyn ar eu blaenau ar flaen ei ben ynghyd â dau bâr o adenydd (lliwgar fel rheol)

glöyn cynffon wennol glöyn byw mawr a lliwgar y mae ganddo ddarnau tebyg i gynffonnau ar ei adenydd ôl swallowtail (butterfly)

glöyn gwyn mawr glöyn byw sy'n dodwy ei wyau ar blanhigion bresych large cabbage white

gloyw *ans* [gloyw•] (gloywon) clir, croyw, disglair, llathraidd bright, shining, sparkling

glân gloyw gw. **glân**

gloywder *eg* y cyflwr o fod yn loyw; disgleirdeb, eglurder, llacharedd, llewyrch brightness

gloywddu *ans* du a gloyw jet black

gloywedd *eg* ansawdd mwyn wedi'i fesur yn ôl maint a dwysedd y golau y mae'n ei adlewyrchu lustre

gloywgoch *ans* fflamgoch, tanbaid, ysgarlad scarlet

gloywi *be* [gloyw•¹]
1 gwneud yn ddisglair, mynd yn ddisglair; caboli, coethi, cwyro, llathru to brighten, to burnish, to polish
2 *ffigurol* gwneud yn fwy rhugl neu lithrig, e.e. gloywi iaith; gwella, mireinio, perffeithio to improve
3 gwneud hylif yn glir ac yn loyw (drwy waredu sylwedd mewn daliant, fel arfer) to clarify
4 disgleirio, pefrio, tywynnu, *Gloywodd ei llygaid pan welodd pwy oedd wrth y drws.* to sparkle

ei gloywi hi ei heglu hi, mynd i ffwrdd yn gyflym to scoot

gloywlas *ans* o liw glas disglair pellucid

gloywon¹ *ans* ffurf luosog **gloyw**, *llygaid gloywon*

gloywon² *ell* pethau gloyw the bright

gloywydd *eg* sylwedd a ddefnyddir i loywi (hylif) clearing agent

glud *eg* (gludion) sylwedd a ddefnyddir i lynu pethau wrth ei gilydd; adlyn, gludydd, gwm glue, adhesive

gludedd *eg* priodwedd sylwedd megis nwy, hylif neu led-hylif sy'n caniatáu iddo ddatblygu gwrthiant cyson i lif neu fudiant corff drwy'r sylwedd hwnnw viscosity

gludio:gludo *be* [gludi•²] glynu ynghyd â glud, gosod yn sownd wrth ei gilydd â glud; pastio (~ *rhywbeth* i; ~ *rhywbeth* wrth) to glue, to paste

gludiog *ans*
 1 yn glynu, yn cydio; adlynol, glynol sticky, tacky
 2 (am hylif) trwchus ac yn glynu; gymog glutinous, viscous

gludiogrwydd *eg* (am sylwedd) y cyflwr o fod yn ludiog ac yn drwchus viscosity

gludlun *eg* (gludluniau) collage; darlun sydd wedi'i greu drwy ludio gwahanol ddefnyddiau neu wrthrychau ar gefnlen collage

gludlys *eg* planhigyn yn perthyn i deulu'r penigan a chanddo flew gludiog i ddal mân bryfed campion

gludo gw. gludio

gludydd *eg* (gludyddion) math o lud a ddefnyddir i ludio pethau ynghyd; adlyn, glud adhesive

 gludydd cyswllt glud cryf a roddir ar ddau arwyneb a gadael iddo sychu cyn gwasgu'r arwynebau at ei gilydd contact adhesive

glwcagon *eg* BIOCEMEG hormon yn deillio o brotein a gynhyrchir yn y pancreas mewn ymateb i lefelau isel o glwcos yn y gwaed; mae'n codi lefel y glwcos drwy gyflymu'r broses lle mae glycogen o'r afu yn ymddatod yn glwcos glucagon
 Sylwch: nid yw'n treiglo'n feddal.

glwcos *eg*
 1 siwgr syml a geir mewn llawer o garbohydradau ac sy'n ffynhonnell egni bwysig mewn organebau byw glucose
 2 syryp yn cynnwys glwcos a siwgrau eraill a ddefnyddir yn y diwydiant bwydydd glucose
 Sylwch: nid yw'n treiglo'n feddal.

glwten *eg* protein gludiog a geir mewn blawd gwenith ac sy'n gyfrifol am nodweddion gwydn, gludiog toes gluten
 Sylwch: nid yw'n treiglo'n feddal.

glwth *eg* (glython) un barus, gwancus, bwytäwr anghymedrol; bolgi, sglaffiwr glutton

glwys *ans* [glwys•] (glwysion) glandeg, hardd, prydferth, teg beautiful, fair

glwysion¹ *ans* ffurf luosog **glwys**

glwysion² *ell* rhai glwys the fair

glwyster *eg* hyfrydwch, tegwch, glendid beauty

glwysty gw. clwysty

glycogen *eg* BIOCEMEG stôr o garbohydrad ym meinweoedd y corff; polysacarid sy'n bolymer o glwcos glycogen
 Sylwch: nid yw'n treiglo'n feddal.

glycolysis *eg* BIOCEMEG adwaith biocemegol lle mae glwcos yn cael ei dorri i lawr i gynhyrchu egni i'r corff glycolysis

glycoprotein *eg* (glycoproteinau) BIOCEMEG un o ddosbarth o broteinau cymhlyg sy'n cynnwys carbohydrad ac sy'n bwysig i system imiwnedd y corff glycoprotein

glycosid *eg* (glycosidau) BIOCEMEG un o grŵp o gyfansoddion lle mae siwgr syml wedi'i fondio â moleciwl nad yw'n siwgr glycoside

glyn *eg* (glynnoedd)
 1 cwm hir, cul ac iddo ochrau serth ac, fel arfer, afon neu nant yn rhedeg drwy ei ganol; mae'n gulach ac yn fwy serth ei ochrau na dyffryn; cwm glen, valley
 2 *ffigurol* man cyfyng a thywyll ym mhrofiad dyn

 glyn cysgod angau yr anobaith a'r gofid a ddaw wrth wynebu marwolaeth the valley of the shadow of death

glŷn *bf* [glynu] *hynafol* mae ef yn glynu/mae hi'n glynu; bydd ef yn glynu/bydd hi'n glynu

glyniad *eg* (glyniadau) y broses neu'r weithred o lynu, canlyniad glynu adherence

glynol *ans* yn glynu wrth; adlynol, gludiog adhesive, clinging

glynu *be* [glyn•¹ *3 un. pres.* glŷn/glyna; *2 un. gorch.* glŷn/glyna]
 1 cydio'n dynn, dal ynghyd fel gan lud; adlynu, asio (~ *rhywbeth* **wrth**) to stick, to adhere
 2 parhau'n ffyddlon ac yn deyrngar (i gyfaill, syniad, etc.) (~ **wrth**) to stick (to)

glynyn *eg* (glynion) poster, taflen, label, etc. â glud ar eu cefnau sy'n barod i'w glynu wrth rywbeth sticker

glyserin *eg* hen enw am **glyserol** glycerine

glyserol *eg* hylif gludiog, melys, di-liw sy'n cael ei wneud o frasterau ac sy'n cael ei ddefnyddio i wneud sebon, moddion a ffrwydron glycerol
 Sylwch: nid yw'n treiglo'n feddal.

glythineb *eg* trachwant am fwyd a diod; bolgarwch, gwanc, trachwant gluttony

Gn *byrfodd* Gorllewin W, West

Gnostic:Gnostig *eg* (Gnosticiaid:Gnostigiaid) un a fu'n arddel Gnosticiaeth Gnostic
 Sylwch: nid yw'n treiglo'n feddal.

Gnosticiaeth:Gnostigiaeth *eb* CREFYDD camgred sectau o Gristnogion cynnar a gredai fod ganddynt wybodaeth gyfriniol fwy cyflawn na Christnogion eraill ynghyd â'u dehongliad o'r ysgrythurau yng ngoleuni'r wybodaeth honno Gnosticism
 Sylwch: nid yw'n treiglo'n feddal.

go¹ *adf* i raddau, *Mae'n o agos i'w le.*; cymharol, eithaf, gweddol, lled partly, quite, rather
 Sylwch: mae'n achosi'r treiglad meddal, ac eithrio 'll', ar ôl 'yn o'.

 go iawn iawn, gwirioneddol, nid esgus
 (*Cafodd bryd o dafod go iawn gan ei mam.*)
 proper, real

 go lew gw. glew

go² *ebychiad* fel yn **go** drapia, **go** drat lle mae'n golygu Duw god

gobaith *eg* (gobeithion) disgwyliad y bydd rhywbeth yn digwydd fel yr ydych yn ei

ddymuno, hyder y bydd yn digwydd felly;
optimistiaeth hope, optimism

dim gobaith caneri dim gobaith o gwbl
snowball's chance (in hell)

gobaith mul yn y Grand National dim
gobaith o gwbl not a hope in hell

gobeithio be [gobeithi•²] dymuno er gwaethaf
amheuon, bod ag eisiau; disgwyl, dyheu,
hyderu (~ **am**) to hope

gobeithiol ans llawn gobaith, yn cynnig
gobaith; addawol, calonnog, ffyddiog, hyderus
hopeful, optimistic

Gobeithlu eg (Gobeithluoedd) cymdeithas o
blant a phobl ifanc wedi'i sefydlu er mwyn
dylanwadu arnynt i ymwrthod â'r ddiod
feddwol Band of Hope

goben eg GRAMADEG y sillaf olaf ond un mewn
gair, y sillaf y mae'r acen yn arfer disgyn arni
mewn geiriau Cymraeg penult

gobennydd eg (gobenyddion) casyn petryal wedi'i
lenwi â defnydd meddal ar gyfer gorffwys y pen
arno yn y gwely, clustog gwely bolster, pillow

gobi eg (gobïod) pysgodyn bach ag esgyll miniog
sy'n gallu glynu wrth greigiau; y mae rhai
mathau yn byw mewn dŵr croyw ac eraill yn y
môr goby
Sylwch: nid yw'n treiglo'n feddal.

gobled eg (gobledi) llestr yfed o wydr, metel neu
grochenwaith ar ffurf bowlen ddofn a choes
iddi; ffiol goblet
Sylwch: nid yw'n treiglo'n feddal.

goblygiad eg (goblygiadau)
1 ystyr neu arwyddocâd nad yw'n cael ei fynegi
yn uniongyrchol implication, ramification
2 canlyniad penderfyniad neu weithgarwch
arbennig, *Un o oblygiadau derbyn y swydd
fydd gorfod symud o'r pentref.* consequence

go-cart eg (go-cartiau) car rasio bychan â
sgerbwd o gorff go-kart

go-cartio be gwib-gartio; gyrru neu rasio
go-cartiau to go-kart
Sylwch: nid yw'n treiglo'n feddal.

gochel be [gochel•¹] gwylio rhag, cilio rhag;
gofalu, osgoi, ymwrthod â (~ **rhag**) to avoid,
to beware of

gocheladwy ans y gellir gochel rhagddo, y dylid
ei osgoi avoidable

gochelgar ans darbodus, drwgdybus, gofalus,
gwyliadwrus cautious, wary

gochelyd gw. gochel

godet eg GWNIADWAITH darn trionglog o
ddefnydd sy'n cael ei wnïo i mewn i ddilledyn
i greu mwy o fflêr neu o led, e.e. mewn menig
neu sgert godet
Sylwch: nid yw'n treiglo'n feddal.

godidocach:godidocaf:godidoced
mwy **godidog**; mwyaf **godidog**; mor odidog

godidog ans [godidoc•] anarferol o dda,
eithriadol o dda; gwych, penigamp, rhagorol,
rhyfeddol glorious, magnificent, wonderful

godidowgrwydd eg *llenyddol* y cyflwr o fod yn
ardderchog neu o fod yn wych; gogoniant,
gwychder, rhwysg, ysblander magnificence,
opulence, splendour

godineb eg (godinebau) cyfathrach rywiol
wirfoddol rhwng gŵr a gwraig pan fydd un
ohonynt (neu'r ddau) yn briod â rhywun arall;
anffyddlondeb adultery

godinebu be [godineb•¹] cyflawni'r weithred o
odineb to commit adultery

godinebus ans yn godinebu, chwannog i
odinebu; anffyddlon, anniwair adulterous

godinebwr eg (godinebwyr) un sy'n cyflawni
godineb; twyllwr adulterer

godinebwraig eb merch neu wraig sy'n cyflawni
godineb adulteress

godre eg (godreon:godreuon) ymyl gwaelod,
rhan isaf gwisg; troed (mynydd), ymyl isaf
(tref), gwaelod (tudalen); cwr, cyffiniau, goror,
ymyl bottom, edge, foot, outskirts

godriad eg (godriadau) y broses o odro,
canlyniad godro milking

godro be [godr•¹]
1 tynnu llaeth o bwrs neu gadair buwch, gafr,
etc. to milk
2 tynnu gwybodaeth, arian neu gyfrinach gan
rywun mewn ffordd dwyllodrus neu anonest
neu eithafol to milk, to wheedle

goduth eg cerddediad ceffyl rhwng tuthio a
rhygyngu jog-trot

goddaith eb (goddeithiau) tân mawr, yn
enwedig tân a gyneuir ym misoedd Chwefror
a Mawrth i losgi grug a rhedyn; coelcerth,
tanllwyth bonfire, conflagration

goddef be [goddef•¹ 3 un. pres. goddef/goddefa;
2 un. gorch. goddef/goddefa]
1 teimlo poen; dioddef to endure, to suffer
2 dygymod â, *Alla i ddim goddef y dyn.*;
dioddef to put up with, to stand, to tolerate
3 *hynafol* caniatáu, cydsynio to allow, to suffer

goddefadwy ans y gellir ei oddef admissible,
tolerable

goddefedd eg y graddau y mae'r corff yn gallu
gwrthsefyll effeithiau, e.e. cyffur neu oerfel neu
wres eithafol, heb adweithio'n chwyrn yn erbyn
y pethau hyn tolerance

goddefgar ans yn ymatal rhag erlid, cosbi, dial,
etc., yn barod i gydnabod syniadau, cred neu
farn sy'n wahanol; amyneddgar, dioddefgar,
hirymarhous, stoïcaidd tolerant, long-suffering,
indulgent

goddefgarwch eg y cyflwr o fod yn oddefgar;
amynedd, hirymaros forbearance, tolerance,
toleration

goddefiant *eg* (goddefiannau) maint yr amrywiad y mae modd ei ganiatáu, yn arbennig yn achos prosesau a chydrannau mecanyddol a gweithgynhyrchu tolerance

goddefol *ans* GRAMADEG yn disgrifio'r ferf pan fydd yn dynodi rhywbeth sy'n cael ei wneud neu'n digwydd i oddrych brawddeg; yn y frawddeg *Taflwyd John gan y ceffyl*, mae'r ferf *taflwyd* yn oddefol passive

goddeithio *be* llosgi grug a rhedyn ym misoedd Chwefror a Mawrth
  Sylwch: nid yw'r ferf hon yn arfer cael ei rhedeg.

goddiweddyd *be* [goddiwedd•¹] cyrraedd (rhywun neu rywbeth) ar ôl bod y tu ôl iddo, a mynd heibio iddo; pasio to overtake

goddrych *eg* (goddrychau) GRAMADEG yr enw neu'r rhagenw y mae datganiad neu gwestiwn yn cyfeirio ato; y person neu'r peth sy'n gweithredu neu'n cyflawni gweithred y ferf; yn *A welaist ti John?*, 'ti' yw'r goddrych, ond yn *A welodd John y gath?*, 'John' yw'r goddrych subject

goddrychedd *eg* y cyflwr o fod yn oddrychol subjectivity

goddrychiaeth *eb* ATHRONIAETH damcaniaeth sy'n cyfyngu'r hyn yr ydym yn gallu ei wybod i'r hyn sy'n hysbys i'r meddwl unigol, *Fy myd i yw'r byd, am mai dyma sut y'i canfyddaf.* subjectivism

goddrychol *ans* yn ymwneud ag ymateb y synhwyrau a'r teimladau i rywbeth; heb fod yn wrthrychol; personol subjective

Goedeleg *eb* mamiaith Gwyddeleg, Gaeleg yr Alban a'r Fanaweg Goedelic

goelia i *bf* [coelio] *tafodieithol, yn y Gogledd* ffurf wedi'i threiglo ar 'coeliaf i'

gof *eg* (gofaint) crefftwr mewn metel, yn enwedig haearn; gweithiwr metel blacksmith, smith
  gof arian un sy'n llunio pethau allan o arian silversmith
  gof aur un sy'n llunio pethau allan o aur goldsmith

gofal *eg* (gofalon)
  1 poen meddwl, *Mae gofalon y byd ar ei ysgwyddau.*; cyfrifoldeb, gofid, pryder care, trouble
  2 y weithred o edrych ar ôl neu o ofalu am, *Mae hi dan ofal y doctor.*; gwarchodaeth, gwyliadwriaeth, swcr, ymgeledd (~ **am**) care
  3 cais i osgoi niwed neu ddamwain, *A ddywedaist wrthi am gymryd gofal wrth groesi'r heol?* care, caution
  4 gosodiad y meddwl ar osgoi camgymeriadau, *Cymerwch ofal gyda'ch gwaith cartref heno.*; trylwyredd care
  gofal dwys MEDDYGAETH triniaeth arbennig i glaf sy'n beryglus o wael intensive care

gofal maeth gofal dros dro i blentyn nad yw'n bosibl i'w rieni ofalu amdano foster care
  Ymadroddion
  cymryd gofal gosod y meddwl ar osgoi camgymeriadau, *Cymerwch ofal gyda'ch gwaith cartref heno.* to take care
  dan ofal yng ngofal in the care of
  tan ofal (t/o:d/o) mae'n cael ei ddefnyddio wrth gyfeirio llythyr i olygu 'yn byw neu'n gweithio yn yr un cyfeiriad â rhywun arall', *John Jones t/o William Williams, 14 Heol y Frenhines, Caerdydd* care of, c/o

gofalaeth *eb* (gofalaethau) capel neu gylch o gapeli dan ofal bugeiliol gweinidog pastorate

gofalu *be* [gofal•¹]
  1 edrych ar ôl, bod â gofal am, *Pwy sy'n gofalu am y siop pan nad ydych chi yno?*; coleddu, gwarchod, ymgeleddu, ymorol (~ **am**) to care, to look after, to take care
  2 bod yn ofalus, cymryd gofal, *Gofala di y byddi gartref erbyn deg o'r gloch.*; gochel, gwylio to take care, to watch

gofalus *ans*
  1 yn gwneud ei orau i osgoi peryglon, yn cymryd gofal; gochelgar, gwyliadwrus, pwyllog careful, cautious, vigilant
  2 yn rhoi sylw i fanylion; cydwybodol, cyfewin, manwl careful, painstaking
  3 yn meddwl am eraill; meddylgar, ystyriol heedful, mindful
  4 carcus, cynnil, darbodus, *Mae'n ofalus iawn o'i arian.* careful

gofalwr *eg* (gofalwyr) rhywun sy'n edrych ar ôl adeilad cyhoeddus (fel ysgol neu eglwys, etc.) ac sy'n ei lanhau a'i drwsio; ceidwad, gwarchodwr, porthor caretaker, janitor

gofalwraig *eb* merch neu wraig sy'n ofalydd carer

gofalydd *eg* (gofalwyr) un sy'n gofalu am glaf neu rywun oedrannus (perthynas yn aml) gartref carer

gofaniad *eg* (gofaniadau) darn o waith gofannu forging

gofaniaeth:gofannaeth *eb* crefft y gof, gwaith gof smithcraft

gofannu *be* [gofann•¹⁰] gweithio metel drwy ei boethi a'i guro â morthwyl to forge
  Sylwch: dyblwch yr 'n' ym mhob ffurf ac eithrio yn y rhai sy'n cynnwys *-as-*.

gofer *eg* (goferydd) nant neu ffrwd, yn enwedig un yn gorlifo o ffynnon; all-lif overflow, rill, rivulet

goferu *be* [gofer•¹]
  1 rhedeg mewn ffrwd lifeiriol; arllwys, ffrydio, pistyllio, tywallt (~ **dros**) to gush, to overflow, to pour, to stream
  2 LLENYDDIAETH (mewn darn o farddoniaeth)

rhedeg ystyr un llinell ymlaen i'r llinell nesaf yn
ddi-dor, e.e. Draw dros y don mae bro dirion
nad ery/Cwyn yn ei thir . . .

goferwi *be* [goferw•¹]
1 COGINIO berwi (bwyd) nes ei fod wedi'i
goginio'n rhannol; glasferwi to parboil
2 coginio (wyau, pysgod, etc.) drwy eu
mudferwi mewn dŵr, llaeth, isgell, etc.; potsio
to poach

gofid *eg* (gofidiau) poen meddwl, teimlad o
bryder; blinder, gorthrymder, pryder, trallod
distress, trouble, worry
mynd o flaen gofid gofidio heb reswm
to go to meet trouble

gofidio *be* [gofidi•²] pryderu (mae *gofidio*
yn fwy dwys ac yn awgrymu mwy o bryder
na *poeni*); becso, gresynu, poeni (~ **am**)
to be anxious, to worry

gofidus *ans* llawn gofid a thrallod; adfydus,
blinderus, pryderus, truenus harassed,
sorrowful, troubled

gofod *eg* (gofodau)
1 rhywbeth gwag y mae modd ei fesur o ran
hyd, lled neu ddyfnder, pellter arwynebedd
cyfaint gwag; gwagle space
2 lle gwag at bwrpas arbennig, *Bu'n rhaid gadael
llun mabolgampau'r ysgol allan o'r papur bro
oherwydd diffyg gofod.*; gwagle space
3 y bwlch neu'r pellter rhwng dau neu ragor
o bethau; adwy space
4 cyfnod neu ysbaid o amser space
5 y pellter rhwng darnau o brint, geiriau neu
linellau space
6 SERYDDIAETH yr ehangder mawr y tu hwnt i
atmosffer y Ddaear lle mae'r planedau a'r sêr,
etc. space

gofod-amser *eg* FFISEG cyfundrefn bedwar
dimensiwn, sef un dimensiwn amserol a thri
dimensiwn gofodol, a ddefnyddir i leoli pob
gwrthrych neu ddigwyddiad space-time

gofodol *ans* yn perthyn i ofod, yn digwydd
mewn gofod, yn cymryd gofod, o natur gofod
spatial

gofodwr *eg* (gofodwyr) peilot neu aelod o
griw llong ofod, teithiwr yn y gofod; astronot
astronaut, cosmonaut, spaceman

gofron *eb* (gofronnydd) *llenyddol* allt, goleddf,
llethr slope

gofyn¹ *be* [gofynn•⁹ 3 un. pres. gofyn/gofynna;
2 un. gorch. gofyn/gofynna]
1 ceisio (gwybodaeth), *Cer i ofyn faint o'r
gloch yw hi.*; holi (~ **i** *rywun* **am** *rywbeth*)
to ask
2 gwneud cais, *Mae e wedi gofyn am dy weld
di.*; deisyf, erfyn (~ **am** *rywbeth* **oddi wrth**/
gan *rywun*; ~ **i** *rywun* **am** *rywbeth*) to ask,
to request

3 hawlio, disgwyl, '*Gofynnwch ac fe roddir
ichwi*' to ask, to claim, to require
4 gwahodd, *Maen nhw wedi gofyn imi ganu
yn y gwasanaeth.* (~ **i** *rywun* wneud) to ask,
to invite
5 (am rai anifeiliaid benyw megis buwch, caseg,
gast, etc.) profi cyfnod o gyffro rhywiol, *buwch
yn gofyn tarw* to be in heat
Sylwch: dyblwch yr 'n' ym mhob ffurf ac
eithrio yn y rhai sy'n cynnwys *-as-*.
gofyn bendith gw. bendith

gofyn² *eg* (gofynion) angen, cais, galw, ymholiad
call, demand, request
ar ofyn gofyn i, erfyn, *Mae'n gas gennyf fynd
ar ei ofyn eto.*
mae gofyn (am) mae galw am, *Does dim
cymaint o ofyn am bobl â gradd y dyddiau
hyn.* it's necessary, there's a demand (for)
yn ôl y gofyn yn ôl y galw, i ateb yr angen
as the need arises

gofyniad *eg* (gofyniadau) rhywbeth y mae ar
rywun ei angen, rhywbeth sydd ei angen neu
sydd i'w ddisgwyl gan rywun; angen, galw
requirement

gofynion *ell*
1 lluosog gofyn
2 pethau y mae gofyn amdanynt, *Mae'r
ymgeisydd hwn yn ateb y gofynion i gyd.*;
anghenion requirements

gofynnaf *bf* [gofyn] rwy'n gofyn; byddaf yn
gofyn

gofynnod *eg* (gofynnodau) atalnod (?) a
ddefnyddir ar ddiwedd brawddeg i ddangos
bod cwestiwn uniongyrchol yn cael ei ofyn,
'*I ble rwyt ti'n mynd, Ann?*' gofynnodd Dai.
question mark

gofynnol *ans*
1 angenrheidiol, anhepgorol, gorfodol,
hanfodol, *Mae'n ofynnol iti fod yn yr orsaf am
chwech o'r gloch ar ei ben.* necessary, required,
requisite
2 GRAMADEG yn gofyn cwestiwn, e.e. y geiryn
gofynnol '*a*' yn '*A oes heddwch?*' interrogative

gofynnwr:gofynnydd *eg* (gofynwyr) un
sy'n gofyn neu'n holi am rywbeth enquirer,
inquirer

Gog *eg* (Gogs) *anffurfiol* enw ysgafn am frodor
o ogledd Cymru; Northyn, cymharer *Hwntw*
North Walian
Sylwch: nid yw'n treiglo'n feddal.

gogan *eg* (goganau) *hynafol* gwaith llenyddol
yn gwawdio ffaeledd a ffwlbri dynol; coegni,
dychan satire

goganu *be* [gogan•³] dychanu ffaeledd
a ffwlbri dynol; gwatwar, gwawdio (~ *rhywun*/
rhywbeth **am**) to caricature, to lampoon,
to satirize

goganwr *eg* (goganwyr) un sy'n llunio goganau neu sy'n goganu lampooner, satirist

goglais:gogleisio *be* [gogleisi•² 3 *un. pres.* goglais/gogleisia; 2 *un. gorch.* goglais/gogleisia]
1 cyffwrdd rhywun yn ysgafn gan beri pleser a/neu chwerthin (~ *rhywun/rhywbeth* â) to tickle, to titillate
2 peri diddordeb, gan gyffroi'r dychymyg neu'r teimladau; cosi, cyffroi to tickle

gogledd *eg*
1 un o bedwar pwynt y cwmpawd (neu bedwar ban byd), sydd ar yr ochr chwith i rywun sy'n wynebu codiad yr haul (y dwyrain), ac sydd yn syth gyferbyn â'r de; G north
2 y rhan ogleddol o Gymru (y Gogledd) north Wales
Yr Hen Ogledd *hanesyddol* y rhan ogleddol o Loegr a rhannau deheuol yr Alban lle bu cyndeidiau'r Cymry'n byw cyn y chweched ganrif OC

gogledd-ddwyrain *eg* pwynt ar y cwmpawd sydd hanner ffordd rhwng y gogledd a'r dwyrain north-east

gogleddiad *eg* pellter lledredol i'r gogledd o'r pwynt mesur blaenorol northing

gogleddol *ans* yn perthyn i'r gogledd, nodweddiadol o'r gogledd neu sydd yn y gogledd northerly, northern

gogledd-orllewin *eg* pwynt ar y cwmpawd sydd hanner ffordd rhwng y gogledd a'r gorllewin north-west

gogleddwr *eg* (gogleddwyr) gŵr o ogledd gwlad, yn enwedig gŵr o ogledd Cymru northerner, North Walian

gogleddwraig *eb* merch neu wraig o ogledd gwlad, yn enwedig merch neu wraig o ogledd Cymru North Walian

gogleddwynt *eg* (gogleddwyntoedd) gwynt sy'n chwythu o gyfeiriad y gogledd north wind

gogleisio gw. **goglais**

gogleisiol *ans* yn goglais, yn cyffwrdd yn ysgafn gan beri pleser a/neu chwerthin; crafog, doniol, smala tickling, titillating

gogoneddiad *eg* (gogoneddiadau)
1 y broses o ogoneddu, canlyniad gogoneddu glorification
2 y cyflwr o fod wedi'i ogoneddu sanctification

gogoneddu *be* [gogonedd•¹] rhoi gogoniant i, clodfori (Duw neu frenin mawr); dyrchafu, mawrygu, moli to glorify, to praise in the highest

gogoneddus *ans* llawn gogoniant, tra godidog; bendigedig, dyrchafedig, nefolaidd exalted, glorious, resplendent

gogoniant¹ *eg* (gogoniannau)
1 ardderchogrwydd, arucheledd, godidowgrwydd, ysblander, *gweld yr Wyddfa ar ddiwrnod clir, braf, yn ei holl ogoniant* splendour
2 clod i Dduw glory

gogoniant² *ebychiad* mynegiant o syndod good heavens

gogr:gogor *eg* (gograu) math o rwyd fetel neu blastig mewn ffrâm, ar gyfer gwahanu talpiau mawr oddi wrth dalpiau bach neu lwch, neu ar gyfer hidlo talpiau mewn hylif; hidl, rhidyll sieve, strainer

gogrdroi *be* [gogrdro•¹⁷] mae â'r un ystyr â **gogr-droi** ond â bôn gwahanol

gogr-droi *be* [gogr-dro•¹⁶]
1 troi o gwmpas yn gyflym yn yr unfan, troi fel top; chwyrlïo, troelli to spin
2 troi yn yr unfan; loetran, sefyllian to dawdle

gogrwn:gogru *be* [gogryn•¹] ysgwyd defnydd drwy ogr er mwyn gwahanu'r talpiau bras oddi wrth y talpiau llai, *gogrwn blawd*; peillio, rhidyllu to riddle, to sieve, to sift

gogrynaf *bf* [gogrwn] *ffurfiol* rwy'n gogrwn; byddaf yn gogrwn

gogryniad *eg* (gogryniadau) y broses o ogrwn, canlyniad gogrwn sifting

gogwydd *eg* (gogwyddion)
1 tuedd i symud neu ddatblygu i ryw gyfeiriad arbennig; tuedd meddwl; anian, meddylfryd, tueddfryd, ymarweddiad bias, tendency, trend
2 (am dir neu graff, etc.) disgyniad neu gwymp graddol; goleddf downward trend
ar ogwydd yn gwyro i un ochr; ar oleddf slanting

gogwyddiad *eg* (gogwyddiadau)
1 tuedd i gyfeiriad arbennig, goleddfiad, disgyniad graddol tuag i lawr inclination
2 FFISEG yr ongl rhwng Pegwn y Gogledd a gogledd magnetig y Ddaear; mae'r ongl yn dibynnu ar y lle y mae'n cael ei mesur ac mae'n newid yn araf o flwyddyn i flwyddyn declination
3 SERYDDIAETH y pellter onglog i'r de neu i'r gogledd o'r cyhydedd wybrennol wedi'i fesur ar hyd cylch sy'n cynnwys y pegynau wybrennol declination

gogwyddo *be* [gogwydd•¹]
1 tueddu i symud neu ddatblygu i ryw gyfeiriad arbennig; gwyro (~ i) to tend, to veer
2 plygu i lawr, pwyso i un ochr; goleddfu to incline, to lean, to list
3 (am dir neu graff, etc.) dechrau syrthio, cwympo'n raddol to slope downwards
4 tueddu i fod o blaid rhyw syniad neu safbwynt arbennig (~ **at/tuag at**) to tend

gogyfer *ans*
1 yn wynebu, yr ochr arall i; gyferbyn (~ â) facing, opposite
2 ar gyfer, er mwyn, *moddion gogyfer â pheswch* (~ â) for, for the purpose of

gogyfuwch *ans* cyfuwch equal, even

gogyhyd *ans* cyhyd, cymesur commensurate, equal

gogymaint *ans* cymaint as much, equal

g

gogynderfynol *ans* yn dod o flaen yr olaf ond un, *rownd ogynderfynol* quarter-final

Gogynfardd *eg* (Gogynfeirdd) un o feirdd Cymraeg y cyfnod o tua dechrau'r ddeuddegfed ganrif hyd tua chanol y bedwaredd ganrif ar ddeg; roeddynt yn perthyn i gyfnod diweddarach na'r Cynfeirdd ac fe'u dilynwyd gan Feirdd yr Uchelwyr; un o Feirdd y Tywysogion

gong *eb* (gongiau) offeryn taro ar ffurf disg o fetel a drewir â thrawydd (math o forthwyl arbennig) gong
  Sylwch: nid yw'n treiglo'n feddal.

gohebiaeth *eb* (gohebiaethau) y llythyrau neu'r negeseuon e-bost gan ddau neu ragor o ysgrifenwyr at ei gilydd; llythyr, post correspondence

gohebol *ans* yn ymwneud â gohebiaeth a gohebu corresponding
  cwrs gohebol cwrs addysg lle mae'r athro a'r disgybl yn cyfnewid gwaith a gwybodaeth drwy'r post neu e-bost correspondence course

gohebu *be* [goheb•¹]
  1 ysgrifennu llythyr (neu lythyrau) a derbyn ateb ar ffurf llythyr(au); cyfnewid llythyrau neu negeseuon; cyfathrebu, e-bostio, llythyru (~ â) to correspond
  2 ysgrifennu ar gyfer y wasg to report

gohebydd *eg* (gohebwyr)
  1 un sy'n ysgrifennu llythyr; llythyrwr correspondent
  2 un sy'n ysgrifennu adroddiad neu stori ar gyfer cylchgrawn neu bapur newydd; newyddiadurwr, sylwebydd journalist, reporter
  3 un sy'n paratoi adroddiad neu stori ar gyfer y radio neu'r teledu; darlledwr, sylwebydd correspondent, reporter

gohiriad *eg* (gohiriadau) y broses o ohirio, canlyniad gohirio, tafliad ymlaen i ryw amser yn y dyfodol; oediad postponement, deferment

gohiriant *eg* (gohiriannau) CERDDORIAETH gwneud i nodyn barhau o un cord ymlaen i'r cord nesaf, gan greu tyndra harmonig, cyn adfer yr anghytgord suspension

gohirio *be* [gohiri•²] oedi, symud i ryw amser yn y dyfodol to adjourn, to defer, to postpone

goitr *eg* gwen; chwydd annormal chwarren y thyroid, yn arwain at chwydd ar flaen y gwddf goitre
  Sylwch: nid yw'n treiglo'n feddal.

gol. *byrfodd* golygydd ed.

gôl *eb* (goliau)
  1 y pyst y mae'r bêl yn cael ei chicio neu ei tharo rhyngddynt mewn gêmau megis pêl-droed neu hoci goal
  2 canlyniad cicio'r bêl i mewn i'r gôl, *Sgoriodd e gôl.* goal

3 y sgôr a geir wrth gicio'r bêl rhwng y pyst mewn pêl-droed neu dros y pyst mewn rygbi goal
  Sylwch: nid yw gôl yn treiglo'n feddal, e.e. *dwy gôl.*

gôl adlam (mewn rygbi) gôl pan fydd chwaraewr yn llwyddo i gicio'r bêl dros y trawst a rhwng y pyst â chic adlam drop goal

gôl gosb (mewn chwaraeon) gôl sy'n cael ei sgorio o gic gosb penalty goal

golau¹ *eg* (goleuadau)
  1 math o egni electromagnetig sy'n deillio gan amlaf o bethau poeth iawn; mae'r golau gwyn arferol a welwn yn gymysgedd o liwiau'r enfys – fioled, indigo, glas, gwyrdd, melyn, oren a choch light
  2 disgleirdeb, goleuni, gwawl, *Mae'r lliw'n edrych yn wahanol yng ngolau dydd.* light
  3 rhywbeth sy'n cynhyrchu golau megis lamp neu gannwyll, *Dewch â'r golau draw i'r gornel.*; ffagl, llusern light
  4 (mewn sièd wair) y lle sydd rhwng un postyn a'r nesaf; uned o wair neu'r swm o wair sy'n cael ei gadw yma
  Sylwch: yn dechnegol, defnyddir 'golau' am yr hyn sy'n deillio o ffynhonnell sy'n 'goleuo' (e.e. lamp) a 'goleuni' am ffenomen byd natur (e.e. Goleuni'r Gogledd).
  rhwng dau olau gwyll, cyfnos

golau² *ans* [goleu•]
  1 yn tueddu at liw gwyn, *gwallt golau* fair, light
  2 wedi'i oleuo, *ar noson olau yn yr haf*; clir, eglur bright, light

golch *eg* (golchion)
  1 y weithred neu'r broses o olchi neu lanhau â dŵr neu hylif arall (yn enwedig o olchi dillad brwnt/budr) (the) wash
  2 casgliad o ddillad sy'n barod i'w golchi, sy'n cael eu golchi, neu sydd wedi'u golchi laundry, washing
  3 hylif sy'n cael ei roi'n haen denau ar rywbeth, e.e. cot denau o baent i roi arlliw ar lun coating, wash

golchad *gw.* golchiad

golchadwy *ans* y gellir ei olchi heb achosi difrod iddo washable

golchbren *eg* (golchbrennau) pren praff a ddefnyddid i guro dillad budron wrth eu golchi dolly

golchdrwyth *eg* (golchdrwythau) hylif ar gyfer coluro neu at ddefnydd meddygol lotion

golchdy *eg* (golchdai)
  1 adeilad a ddefnyddir i olchi dillad launderette, wash house
  2 man lle y golchir dillad a'u smwddio; golchfa laundry

golchenid *eb* planhigyn yn perthyn i'r un teulu â'r farddanhadlen (marddanhadlen) â sbigau

o flodau glas (gwyn neu binc hefyd weithiau);
glesyn y coed bugle

golchfa *eb* (golchfeydd) golchdy masnachol â
pheiriannau arbennig at ddefnydd cwsmeriaid
sy'n talu launderette

golchi *be* [golch•[1] *3 un. pres.* gylch/golcha; *2 un.*
gorch. golch/golcha]
1 glanhau â dŵr, *golchi dillad* to wash
2 llifo'n barhaus yn erbyn rhywbeth, *tonnau'n*
golchi'r traeth (~ **yn erbyn**) to wash
3 peri i (rywbeth) gael ei gludo ymaith gan
lifeiriant, *Roedd y tywod wedi cael ei olchi i*
ffwrdd gan rym y llif. to wash
golchi dannedd brwsio dannedd to clean
one's teeth
golchi defaid gollwng defaid i mewn i hylif
lladd cynrhon, trochi defaid to dip sheep
golchi dwylo *ffigurol* gwrthod derbyn
cyfrifoldeb am (rywbeth) to wash one's hands of
golchi traed yr alarch (yn wyn) ceisio gwneud
rhywbeth amhosibl to boondoggle

golchiad:golchad *eg* (golchiadau)
1 y broses o olchi, neu swm y golch; glanhad
washing
2 dillad brwnt/budr sy'n barod i'w golchi neu
sydd newydd gael eu golchi washing

golchion *ell* lluosog **golch**
1 bwyd moch; gweddillion pigswill, swill
2 dŵr y cafodd llestri eu golchi ynddo
dishwater, slops

golchwr:golchydd *eg* (golchwyr)
1 un sy'n golchi (rhywbeth) washer
2 darn petryal o bren ac iddo wyneb rhychiog
(o sinc neu wydr) yr arferid rhwbio dillad arno
wrth eu golchi washboard

golchwraig:golchreg *eb* (yn hanesyddol) merch
neu wraig a oedd yn ennill ei bywoliaeth drwy
olchi dillad laundress, washerwoman

gold Mair *eg* un o nifer o wahanol fathau o
flodau â phen euraid marigold

gold y gors *eg* planhigyn sy'n perthyn i deulu'r
blodyn ymenyn ac sy'n tyfu ar dir corsiog; mae
ganddo goesyn canghennog a blodau o liw aur
disglair marsh marigold

goledd *eg* goleddfiad neu ogwydd arwyneb,
e.e. haen o graig neu blân ffawt dip, incline

goleddf *eg* (goleddfau) wyneb sydd ar ogwydd;
llechwedd, llethr, rhiw incline, slope
ar oleddf ar ogwydd, yn gwyro i un ochr,
ar sgiw, ar ŵyr aslant

goleddfiad *eg* (goleddfiadau) tuedd i gyfeiriad
arbennig, disgyniad graddol tuag i lawr
inclination

goleddfu *be*
1 pwyso i un ochr, bod ar sgiw; gogwyddo,
gwyro (~ **i**) to slant, to slope
2 GRAMADEG ychwanegu at, cynnig priodoledd,

e.e. *dyn da*, lle y ceir ansoddair yn goleddfu
enw; *rhedodd yn gyflym*, lle y ceir adferf yn
goleddfu berf; cymedroli to modify, to qualify
Sylwch: nid yw'r ferf hon yn arfer cael ei rhedeg.

goleddu *be* gogwyddo, e.e. am haen o graig
neu blân ffawt sy'n gwyro i gyfeiriad arbennig
to dip
Sylwch: nid yw'r ferf hon yn arfer cael ei rhedeg.

goleuach:goleuaf:goleued *ans* [golau] mwy
golau; mwyaf golau; mor olau

goleuad *eg* goleuni yn ffocysu ar faterion
ysbrydol neu ddeallusol illumination

goleuadau *ell* lluosog **golau**[1] illuminations,
lights
goleuadau traffig cyfres o oleuadau coch,
oren a gwyrdd ar gyfer rheoli symudiad a
chyfeiriad ceir, lorïau, bysiau, etc. traffic lights

goleuaeth gw. **ilwminiaeth**

goleubwyntio *be* [goleubwynti•[2]] rhoi pwyslais
ar (rywun neu rywbeth) mewn darlun drwy ei
osod mewn lliwiau mwy golau to highlight

goleudy *eg* (goleudai) tŵr uchel fel arfer a
chanddo olau sy'n rhybuddio llongau yn y nos
neu mewn tywydd niwlog fod creigiau gerllaw
lighthouse

goleudderbynnydd *eg* (goleudderbynyddion)
BIOLEG cell neu organ sy'n ymateb i olau
photoreceptor

goleuddydd *eg* golau dydd, dydd golau daylight

goleuedig *ans* yn deall (rhywbeth) yn
wirioneddol dda, doeth; call, deallus, dysgedig
enlightened

goleuedigaeth *eb* HANES mudiad newydd
ymhlith athronwyr Ffrengig ac eraill yn y
ddeunawfed ganrif (Oes y Goleuo) a roddai
bwyslais ar resymoliaeth, unigolyddiaeth
ac ar ymchwil empirig yn y gwyddorau ac a
fu'n ddirmygus o awdurdod a thraddodiad
enlightenment

goleuedd *eg* (goleueddau)
1 disgleirdeb cynhenid gwrthrych (yn hytrach
na'i ddisgleirdeb ymddangosol) luminosity
2 SERYDDIAETH cyfanswm yr egni a allyrrir gan
seren neu alaeth bob uned o amser luminosity

goleulong *eb* (goleulongau) llong ac arni olau
llachar wedi'i hangori mewn man arbennig i
rybuddio neu dywys llongau eraill lightship

goleuni *eg*
1 golau; math o egni electromagnetig sy'n
deillio gan amlaf o bethau poeth iawn; mae'r
golau gwyn arferol a welwn yn gymysgedd
o liwiau'r enfys (fioled, indigo, glas, gwyrdd,
melyn, oren a choch) light
2 disgleirdeb, golau, gwawl, *goleuni'r dydd a*
thywyllwch y nos brightness, light
3 ystyr neu arwyddocâd rhywbeth yn gwawrio
ar rywun, *Rwy'n credu fy mod yn dechrau*

gweld llygedyn o oleuni ynglŷn â'r broblem hon.; dealltwriaeth, eglurhad enlightenment, light
Sylwch: yn dechnegol, defnyddir 'golau' am yr hyn sy'n deillio o ffynhonnell sy'n 'goleuo' (e.e. lamp), a 'goleuni' am ffenomen byd natur (e.e. Goleuni'r Gogledd).

Goleuni'r De METEOROLEG rhubanau a phelydrau llydan o olau coch a gwyrdd naturiol a welir weithiau yn hemisffer y De ac sy'n deillio o'r rhyngweithio rhwng atomau a moleciwlau yn yr uwch-atmosffer a gronynnau wedi'u gwefru yn ffrydio o'r Haul dan ddylanwad pegwn magnetig y de aurora australis

Goleuni'r Gogledd METEOROLEG rhubanau a phelydrau llydan o olau coch a gwyrdd naturiol a welir weithiau yn hemisffer y Gogledd ac sy'n deillio o'r rhyngweithio rhwng atomau a moleciwlau yn yr uwch-atmosffer a gronynnau wedi'u gwefru yn ffrydio o'r Haul dan ddylanwad pegwn magnetig y gogledd aurora borealis

goleuo *be* [goleu•¹]
1 gwneud yn olau, *Penderfynodd ychwanegu ychydig o baent gwyn at y paent glas tywyll er mwyn ei oleuo.* to lighten
2 llenwi â golau, *Roedd yr ystafell yn cael ei goleuo gan ddwy lamp olew fawr.* to illuminate, to light
3 creu effeithiau arbennig â golau, *Pwy sy'n gyfrifol am oleuo'r llwyfan?* to light, to light up
4 cynnau, ennyn, tanio, *goleuo'r gannwyll* to light
5 mynd yn olau, *Mae hi'n dechrau goleuo o'r diwedd, mae'r wawr ar dorri.*; dyddio, gwawrio to lighten
6 dehongli, egluro, *Wnei di fy ngoleuo i?* (~ *rhywun* **ynglŷn** â) to enlighten
ei gleuo (goleuo) hi rhedeg i ffwrdd to scamper
goleuol *ans* yn goleuo, llawn goleuni luminous
goleusensitif *ans* sensitif i egni pelydrol, yn enwedig golau photosensitive
goleusensitifedd *eg* y cyflwr o fod yn sensitif i egni pelydrol, yn enwedig goleuni photosensitivity
golfan y mynydd *eb* (golfanod y mynydd) aderyn bach sy'n perthyn i aderyn y to a llwyd y gwrych ond sy'n hoffi lleoedd mwy diarffordd na'r rheini tree sparrow
golff *eg* gêm a chwaraeir drwy daro pelen fach galed i gyfres o 9 neu 18 o dyllau wedi'u gwasgaru dros faes eang; y nod yw defnyddio'r nifer lleiaf posibl o ergydion golf
Sylwch: nid yw'n treiglo'n feddal.
golffiwr *eg* (golffwyr) un sy'n chwarae golff golfer
Sylwch: nid yw'n treiglo'n feddal.
golffwraig *eb* merch neu wraig sy'n chwarae golff golfer (female)
Sylwch: nid yw'n treiglo'n feddal.
gôl-geidwad *eg* (gôl-geidwaid) chwaraewr â

swyddogaeth benodol o sicrhau nad yw'r bêl yn cael ei tharo i mewn i'w gôl; golwr goalkeeper
Sylwch: nid yw'n treiglo'n feddal.

goliwiad *eg* (goliwiadau) y broses o oliwio, canlyniad goliwio illumination
goliwiedig *ans* wedi'i oliwio illuminated
goliwio *be* [goliwi•²] addurno llythrennau cychwynnol llawysgrif yn gywrain (yn ystod yr Oesoedd Canol yn bennaf) drwy ddefnyddio aur neu arian a lliwiau llachar (~ *rhywbeth* â) to illuminate
goliwog *eg* (goliwogiaid) *sarhaus, annerbyniol* doli plentyn ac iddi wyneb du a gwallt du, pigog golliwog
Sylwch: nid yw'n treiglo'n feddal.
golosg *eg* (golosgion)
1 glo wedi'i losgi'n rhannol i gael gwared ar y nwy a oedd ynddo er mwyn gadael tanwydd ysgafn sy'n taflu gwres heb lawer o fwg; côc, marwor, marwydos coke
2 y carbon sy'n weddill ar ôl i goed fudlosgi heb ddigon o aer i'w llosgi'n llwyr; siarcol charcoal
golud *eg* (goludoedd) amlder neu ddigonedd o arian neu eiddo; cyfoeth, da, ffortiwn, trysor affluence, riches, wealth
goludog *ans* yn berchen ar lawer o arian neu eiddo; abl, ariannog, cefnog, cyfoethog rich, wealthy
golwg¹ *eg* (golygon)
1 y gallu i weld; y synnwyr sy'n cyrraedd drwy'r llygaid, *Mae'n dechrau colli'i olwg.* eyesight, sight, vision
2 yr hyn sydd i'w weld, *golwg cyflawn* view
3 cipolwg, edrychiad, trem, *A wnei di fwrw golwg dros hwn imi?* look
4 parch, edmygedd, bri, *Er nad oedd yn un o'i fyfyrwyr, roedd ganddo dipyn o olwg ar John.* (~ **ar**) admiration, regard, respect
golwg byr myopia myopia, short-sightedness
o fewn golwg yn ddigon agos i'w weld in sight
o'r golwg wedi diflannu out of sight
Ymadroddion
bwrw golwg gw. **bwrw**
cadw golwg ar gwylio, cadw dan sylw to keep an eye on
gyda golwg ar ynglŷn â as to
mewn golwg bwriad, *Beth sydd gennyt mewn golwg?* in view
yn fy (dy, ei, etc.**) ngolwg i** yn fy marn i in my view
golwg² *eb* (golygon)
1 ymddangosiad allanol, y ffordd y mae rhywbeth neu rywun yn edrych; diwyg, gwedd, llunwedd, ymddangosiad appearance, look, mien
2 rhywbeth sy'n edrych yn wael neu'n chwerthinllyd, *Dyna olwg ar ferch!* sight

ar yr olwg gyntaf cyn edrych yn fanwl at first sight

golwg bell â'i feddwl yn bell faraway look

golwg ddrwg/wael heb fod yn edrych yn dda, yn edrych yn sâl unhealthy look

i bob golwg:yn ôl pob golwg yn ymddangosiadol to all appearances

golwr *eg* (golwyr) gôl-geidwad; chwaraewr â swyddogaeth benodol o sicrhau nad yw'r bêl yn cael ei tharo i mewn i'w gôl goalkeeper

   Sylwch: nid yw'n treiglo'n feddal.

golwyth *eg* (golwython)

   1 tafell eithaf trwchus o gig ac asgwrn ynddi, *golwython cig oen* chop, joint

   2 tafell drwchus o gig eidion steak

golwytho *be* COGINIO torri golwython, tafellu cig

golwythyn *eg* golwyth bach cutlet

golygfa *eb* (golygfeydd)

   1 yr hyn a welwch o le neu safle arbennig, *Mae golygfa anhygoel o'r ddinas o ben y tŵr.* view, sight, vista

   2 y cefndir a geir ar y llwyfan ar gyfer drama scenery

   3 (mewn drama) unrhyw un o'r rhaniadau (rhan o act, fel arfer) lle nad oes newid lleoliad scene

   4 (mewn ffilm neu ddarllediad) un gyfres o ddigwyddiadau mewn un man scene

golygiad *eg* (golygiadau) y broses o olygu, canlyniad golygu editing, edition

golygon *ell*

   1 lluosog **golwg**

   2 *llenyddol* llygaid eyes

golygu *be* [golyg•[1]]

   1 amcanu, bwriadu, darfun, *Os wyt ti'n golygu mynd y ffordd honno, bydd yn golygu llawer iawn mwy o waith.* to intend, to mean

   2 meddwl *Beth roeddet ti'n ei olygu wrth ddweud ei fod yn 'ateb diddorol'?* to mean

   3 bwrw golwg manwl dros waith llenyddol neu newyddiadurol a'i newid, ei gywiro, ei gwtogi, etc.; adolygu, diwygio to edit

golygus *ans* teg yr olwg; glandeg, hardd, lluniaidd handsome, fair, personable

golygydd *eg* (golygyddion)

   1 un sy'n dewis a dethol deunydd i'w gyhoeddi mewn llyfr, cylchgrawn, papur newydd, etc. editor

   2 un sy'n cywiro a chwynnu gwaith rhywun arall i'w wneud yn addas i'w gyhoeddi editor

   3 un sy'n dewis a dethol deunydd ar gyfer radio, teledu neu ffilm ac yn ei osod mewn trefn editor

golygyddiaeth *eb* swydd a dyletswydd golygydd editorship

golygyddol[1] *ans* yn perthyn i waith golygydd, nodweddiadol o waith golygydd editorial

golygyddol[2] *eg* y sylwadau personol a ysgrifennir gan olygydd cylchgrawn neu bapur newydd; erthygl gan olygydd editorial

gollwng *be* [gollyng•[1] 3 *un. pres.* gollwng/gollynga; 2 *un. gorch.* gollwng/gollynga]

   1 llacio gafael ar, *Gwnaeth ei orau glas i beidio â gollwng y rhaff pan lithrodd ei droed.* to let go of

   2 caniatáu i ddisgyn, *gollwng bom* to drop

   3 fel yn *gollwng dagrau*, caniatáu i hylif lifo; colli, tywallt to shed

   4 caniatáu i ddŵr neu wlybaniaeth dreiddio drwy rywbeth pan na ddylai, *Mae'r hen sgidiau'n gollwng.* to leak

   5 saethu bwled neu saeth o fwa to fire, to shoot

   6 gadael yn rhydd, *gollwng y cŵn yn rhydd*; rhyddhau to release

   7 (am wasanaeth crefyddol) caniatáu i ymadael, *A wnewch chi ein gollwng ni â gweddi, Mr Jones?* to release

gollwng dros gof gw. cof

gollwng gafael rhyddhau eich gafael to slacken one's grip

gollwng y gath o'r cwd gw. cath

gollyngaf *bf* [gollwng] rwy'n gollwng; byddaf yn gollwng

gollyngdod *eg* (gollyngdodau) gwaredigaeth oddi wrth ofid neu boen meddwl, rhyddhad o gaethiwed; esmwythder, rhyddhad release, relief

gollyngiad *eg* (gollyngiadau)

   1 y broses o adael yn rhydd neu o ollwng yn rhydd release

   2 CYFRAITH rhyddhad rhag gorfod ufuddhau i orchymyn neu lynu wrth lw dispensation

gonad *eg* (gonadau) SWOLEG un o'r organau rhyw sylfaenol sy'n cynhyrchu gametau; caill neu ofari gonad

   Sylwch: nid yw'n treiglo'n feddal.

gondola *eb* (gondolas) cwch hir, cul â gwaelod fflat a phig tal ar bob pen iddo a ddefnyddir ar gamlesi Venezia (Fenis) yn yr Eidal gondola

   Sylwch: nid yw'n treiglo'n feddal.

gonest:onest *ans*

   1 heb dwyll nac anwiredd na chelwydd, y gellir ymddiried yn llwyr ynddo; cywir, didwyll, gwir, union honest, true, frank

   2 wedi'i ennill yn gyfreithlon, heb dwyll nac amheuaeth honest

gonestrwydd:onestrwydd *eg* yr ansawdd o fod yn onest, yr hyn sy'n gwneud rhywun yn onest, diffyg twyll neu gelwydd neu anwiredd; cywirdeb, didwylledd, diffuantrwydd, geirwiredd honesty

gonorea *eg* MEDDYGAETH clefyd gwenerol sy'n achosi llid y meinwe yn y dwythellau atgenhedlol gonorrhoea

g

gor- *rhag* mae'n cael ei ddefnyddio ar ddechrau'r gair i olygu rhy, gormodol, yn fwy na'r cyffredin, eithafol, dros ben, e.e. *gorfwyta* over-, hyper-

gôr *eg* crawn; yr hylif tew, melyn a geir mewn clwyf sydd heb wella pus

goractio *be* [goracti•²] gorliwio rhan sy'n cael ei hactio to overact

goradweithio *be* [goradweithi•²] ymateb mewn ffordd eithafol, ormodol; gorymateb (~ i) to overreact

goraeddfed *ans* rhy aeddfed overripe

goralw *eg* mwy o alw am rywbeth nag y mae'n bosibl ei gyflenwi excess demand

goramcangyfrif *be* (goramcangyfrif•¹) amcan bod mwy o ran maint neu nifer nag a geir mewn gwirionedd to overestimate

goramlder *eg* gormod o rif neu nifer superfluity

goramlwg *ans* rhy amlwg, yn amlwg mewn ffordd sy'n amharu neu'n tarfu ar rywun neu rywbeth obtrusive

goramser *eg* (gweithio am) amser yn fwy na'r hyn a ddisgwylir mewn wythnos neu ddiwrnod arferol o waith; hefyd yr arian sy'n cael ei dalu i weithiwr am yr amser ychwanegol hwn overtime

goranadlu *be* [goranadl•³] MEDDYGAETH anadlu'n rhy gyflym ac yn rhy ddwfn sy'n arwain at golli gormod o garbon deuocsid o'r corff (ac yn achosi'r bendro) to hyperventilate

gorau¹ *ans* gradd eithaf da
   1 rhagoraf, mwyaf cymeradwy, uchaf ei werth, gwell nag unrhyw beth arall, *Mae hwn yn dda, mae hwn yn well ond dyma'r gorau.*; mwyaf, pennaf, prif, pwysicaf best, prime
   2 buddugol, *Ym marn y beirniad, Siân oedd y cystadleuydd gorau o'r tri.* best
   Sylwch: mae'n achosi'r treiglad meddal pan ddaw o flaen enw benywaidd ond nid felly o flaen unrhyw air arall, e.e. *gorau ferch; gorau gŵr; gorau glas.*
   am y gorau (cystadlwch, neu ymdrechwch) gorau y gallwch chi! as best you can

gorau² *eg* (goreuon)
   1 rhywbeth neu rywun sy'n well na dim arall o'i fath, *Dim ond y gorau sy'n ddigon da i'n tŷ ni.* best
   2 y cyntaf, y blaenaf, *Nawr 'te, am y gorau i gyrraedd y gât!*
   3 yr ymdrech galetaf, yr ymroddiad mwyaf, *Gwna dy orau yn yr arholiad – ni all neb wneud mwy na hynny.* best
   am y gorau gw. gorau¹
   ar fy (dy, ei, etc.) ngorau ar frig fy ngallu at my best
   ar y gorau gw. ar
   cael y gorau (ar) trechu to get the better of
   gorau glas mor dda ag sy'n bosibl level best

gorau i gyd/oll gwell byth all the better

gorau po gyntaf mor gyflym ag sy'n bosibl the sooner the better

o'r gorau iawn, cytunaf very well

rhoi'r gorau (i) rhoi'r ffidil yn y to to give up

gorawydd *eg* brwdfrydedd afresymol a gormodol mania

gorawyddus *ans* rhy frwdfrydig neu awyddus; goreiddgar overeager

gorbarhad *eg* SEICOLEG tuedd i syniad, teimlad, argraff, etc. lynu, beidio â diflannu, ac ailymddangos mewn profiadau newydd, e.e. methiant i newid ffordd o weithio wrth symud o un math o waith i fath arall perseveration

gorbenion *ell* CYLLID costau cyffredinol rhedeg busnes, e.e. costau rhentu, goleuo a gwresogi adeilad, nad ydynt yn uniongyrchol gysylltiedig â maint neu natur y cynnyrch neu'r gwasanaeth a gynigir overheads

gorberffaith *ans* GRAMADEG am un o amserau'r ferf sy'n cyfeirio at rywbeth a oedd wedi digwydd cyn rhyw amser arbennig yn y gorffennol, e.e. mae *Roedd ef wedi mynd cyn imi gyrraedd* ac *Aethai cyn imi gyrraedd* yn yr amser gorberffaith pluperfect

gorboblogaeth *eb* cyflwr ardal neu wlad lle mae gormod o bobl neu anifeiliaid yn byw gan effeithio ar yr amgylchedd a pheri bod ansawdd bywyd yn dirywio overpopulation

gorboblogi *be* [gorboblog•¹] (am ardal neu wlad) bod â gormod o bobl neu anifeiliaid yn byw ynddi to overpopulate

gorboethi *be* [gorboeth•¹] poethi yn ormodol to overheat

gorbori *be* (am laswelltir) pori nes bod y llystyfiant yn cael ei ddifetha a'r tir mewn perygl o erydu to overgraze

gorbrisio *be* [gorbrisi•²] prisio'n rhy uchel to overprice, to overvalue

gorbryder SEICIATREG anhwylder nerfol a nodweddir gan anniddigrwydd neu bryder gormodol anxiety state

gorbryderus *ans* yn pryderu'n ormodol overanxious

gorbwysau *eg* (yn enwedig am bobl) y cyflwr o fod yn cario gormod o bwysau neu o fod yn rhy drwm; gorbwysedd overweight

gorbwysedd *eg*
   1 (yn enwedig am bobl) y cyflwr o fod yn cario gormod o bwysau neu o fod yn rhy drwm; gorbwysau obesity, overweight
   2 MEDDYGAETH pwysedd gwaed anarferol o uchel hypertension

gorbwysleisio *be* [gorbwysleisi•²] pwysleisio yn ormodol; gor-ddweud, gorliwio, gor-wneud to overemphasize

gorbysgota *be* [gorbysgot•¹] achosi prinder o bysgod drwy ddal gormod ohonynt to overfish

gorchaifn *eg* (gorcheifnaint) pedwerydd cefnder fourth cousin

gorchaw *eg* (gorchawon) pumed cefnder fifth cousin

gorchest *eb* (gorchestion)
1 camp ragorol, gweithred anghyffredin o fedrus a beiddgar; campwaith, gwrhydri, rhagoriaeth, strôc achievement, exploit, feat
2 *tafodieithol, yn y Gogledd* ymffrost, bost boast

gorchestol *ans* anghyffredin o fedrus neu feiddgar; campus, penigamp, rhagorol, rhyfeddol masterly, outstanding

gorchestwaith *eg* (gorchestweithiau) gwaith gorchestol; campwaith masterpiece, masterwork

gorchfan *eg* (gorchfanau) ANATOMEG asgwrn yr ên uchaf upper jaw

gorchfygiad *eg* (gorchfygiadau) y weithred o orchfygu neu oresgyn; concwest, darostyngiad, goresgyniad, goruchafiaeth conquest, defeat, overthrow

gorchfygol *ans* yn gorchfygu neu'n trechu; arobryn, buddugol, buddugoliaethus, trechaf victorious, triumphant

gorchfygu *be* [gorchfyg•¹] ennill buddugoliaeth ar (rywun neu rywbeth); curo, goresgyn, maeddu, trechu to conquer, to defeat, to overcome

gorchfygwr *eg* (gorchfygwyr) un sydd wedi gorchfygu; buddugwr, enillydd, pencampwr, trechwr conqueror, victor

gorchmynion *ell* lluosog **gorchymyn**

gorchmynnaf *bf* [gorchymyn] rwy'n gorchymyn; byddaf yn gorchymyn

gorchmynnol *ans*
1 GRAMADEG (Modd berf) yn rhoi gorchymyn, *Eisteddwch!* imperative
2 GRAMADEG (Modd berf) yn rhoi cyfarwyddyd, *Trowch i'r dde.* imperative
3 GRAMADEG (Modd berf) yn mynegi dymuniad, '*Sancteiddier Dy enw.*' imperative

gorchudd *eg* (gorchuddion)
1 peth sy'n cuddio, sy'n gorwedd uwchben neu o flaen rhywbeth arall ac yn ei gelu neu'n ei warchod; caead, canopi, clawr, gortho cover, covering, lid
2 un o'r dillad a daenir dros wely; blanced, cwilt, gwrthban bedspread, cover
3 darn o ddefnydd, weithiau'n rhwyllog ac weithiau'n drwchus, sy'n cael ei ddefnyddio i guddio wyneb merch (priodferch, lleian, gwraig Arabaidd, etc.); llen veil
4 haen warchodol, darn gwarchodol o ddefnydd a osodir ar glwyf; rhwymyn dressing

gorchuddiedig *ans* wedi'i orchuddio covered

gorchuddio *be* [gorchuddi•²] taenu gorchudd dros (rywbeth); amdoi, cuddio, gordoi, lapio (~ *rhywbeth* â) to cover, to coat, to envelop

gorchwyddedig *ans* wedi ymchwyddo; mawreddog inflated, pompous

gorchwyddiant *eg* CYLLID cyfradd uchel iawn o chwyddiant hyperinflation

gorchwyddo *be* [gorchwydd•¹] chwyddo'n ormodol (yn enwedig am friw neu glwyf)

gorchwyl *eg* (gorchwylion) darn o waith y mae'n rhaid ei gyflawni, yn enwedig rhywbeth anodd, caled neu annymunol; gwaith, gweithgaredd, tasg task, chore, job

gorchymyn¹ *be* [gorchmynn•⁹ 2 un. gorch. gorchymyn] rhoi gorchymyn; gwysio, mynnu, siarsio (~ *i rywun* wneud rhywbeth) to command, to order
Sylwch: dyblwch yr 'n' ym mhob ffurf ac eithrio yn y rhai sy'n cynnwys -*as*-.

gorchymyn² *eg* (gorchmynion) siars bendant i wneud neu i beidio â gwneud rhywbeth; deddf, gwŷs, rheol (~ *i rywun* wneud) order, command, decree

gorchymyn llys CYFRAITH cyfarwyddyd gan lys neu farnwr ynglŷn â gwneud rhywbeth neu beidio â gwneud rhywbeth court order

y Deg Gorchymyn CREFYDD gorchmynion moesegol Iddewiaeth a Christnogaeth a roddwyd gan Dduw i Moses ar fynydd Sinai yn ôl yr hanes yn y Beibl: **Y Deg Gorchymyn** 1. Paid ag addoli duwiau eraill. 2. Na wna i ti dy hunan ddelwau cerfiedig. 3. Na chymer enw'r Arglwydd dy Dduw'n ysgafn. 4. Cofia ddydd y Saboth a'i gadw'n sanctaidd. 5. Parcha dy dad a'th fam. 6. Paid â lladd neb. 7. Paid â chyflawni anlladrwydd. 8. Paid â lladrata. 9. Paid â chyhuddo dy gymydog ar gam. 10. Paid â bod yn eiddigeddus o'th gymydog. The Ten Commandments

gordal *eg* (gordaliadau)
1 treth neu gost ychwanegol surcharge
2 CYLLID (mewn polisi yswiriant) y gyfran o unrhyw golled y mae unigolyn neu sefydliad sydd wedi codi polisi yswiriant yn erbyn y golled honno yn gorfod ei thalu ei hunan (e.e. y can punt cyntaf) excess

gordalu *be* [gordal•³] talu gormod am rywbeth to overpay, to pay through the nose

gordanysgrifio *be* [gordanysgrifi•²] caniatáu i fwy o bobl dalu am rywbeth nag sydd o'r peth y tanysgrifir iddo (~ i) to oversubscribe

gordeimladwy *ans* rhy sensitif; croendenau, hydeiml hypersensitive

gordew *ans* yn cario gormod o bwysau, rhy dew obese

gordewdra *eg* y cyflwr o fod yn hynod o dew neu'n pwyso llawer mwy na'r hyn sy'n cael ei ystyried yn bwysau normal obesity

g

gordoi *be* [gordo•[17] *1 un. pres.* gordoaf]
taenu rhywbeth dros rywbeth; gorchuddio, toi
(~ *rhywbeth* â) to cover

gordwf *eg twf* gormodol overgrowth

gordyfiant *eg*
1 tyfiant gwyllt, mawr; brastyfiant overgrowth
2 BIOLEG cynnydd gormodol yn nifer y celloedd
a geir mewn rhan o'r corff; cynnydd ym maint
organ neu feinwe'r corff yn cael ei achosi gan
gynnydd yn nifer y celloedd hyperplasia

gordyrru *be* [gordyrr•[9]] casglu ynghyd i greu
tagfa (yn enwedig am draffig) to congest
Sylwch: dyblwch yr 'r' ym mhob ffurf ac
eithrio yn y rhai sy'n cynnwys -*as*-.

gordd *eb* (gyrdd) mwrthwl/morthwyl mawr
trwm y mae'n rhaid wrth ddwy law i'w godi
ac a ddefnyddir i dorri cerrig neu fwrw pyst
i'r ddaear sledgehammer
gordd bren mwrthwl/morthwyl pren a
ddefnyddir i fwrw cŷn neu i fwrw pegiau pabell
i'r ddaear mallet
Ymadrodd
bod dan yr ordd
1 bod o dan feirniadaeth to be criticized
2 bod ar werth to come under the hammer

gorddadwy *ans* METELEG hawdd ei fowldio
â gordd, y gellir ei guro neu ei bwyo i'r siâp
angenrheidiol; curadwy, hydrin malleable

gorddargludedd *eg* METELEG priodwedd rhai
metelau sydd â gwrthiant trydanol o sero pan
gyrhaeddant bwynt o dan dymheredd penodol
superconductivity

gorddefnydd *eg* defnydd gormodol (sy'n
niweidiol) overuse

gorddefnyddio *be* [gorddefnyddi•[2]] defnyddio
yn ormodol to overuse

gordderch *eb* (gordderchadon)
1 (mewn cymdeithas sy'n caniatáu i ŵr gael
mwy nag un wraig) merch neu wraig sy'n byw
gyda gŵr yn ogystal â'i wraig neu wragedd
cyfreithiol concubine
2 merch sy'n byw gyda gŵr nad yw hi'n
wraig iddo; cariadferch, meistres concubine,
mistress
plentyn/plant gordderch plentyn
anghyfreithlon a aned y tu allan i briodas
illegitimate child

gorddibyniaeth *eb* y cyflwr o fod yn
gorddibynnu ar rywbeth; caethineb addiction,
overdependence

gorddibynnu *be* [gorddibynn•[9]] dibynnu
yn ormodol ar (rywun neu rywbeth), bod
yn gaeth i (rywbeth), methu peidio â bod
heb (rywun neu rywbeth) (~ *ar*)
to be overdependent
Sylwch: dyblwch yr 'n' ym mhob ffurf
ac eithrio yn y rhai sy'n cynnwys -*as*-.

gorddirlawn *ans*
1 CEMEG (am hydoddiant) yn cynnwys mwy o
hydoddyn nag a geir mewn hydoddiant dirlawn
supersaturated
2 CEMEG (am anwedd) yn cynnwys mwy o
foleciwlau nag anwedd dirlawn supersaturated

gorddrafft *eg* (gorddrafftiau) diffyg mewn cyfrif
banc pan fydd mwy o arian wedi'i dynnu allan
nag sydd yn y cyfrif overdraft

gorddryswch *eg* dementia; anhwylder meddwl
cronig a nodweddir gan fethu cofio, newidiadau
ym mhersonoliaeth y claf a diffygion ymresymu
dementia

gor-ddweud *be* gwneud i rywbeth swnio'n
fwy, neu'n well neu'n waeth, nag yw mewn
gwirionedd; gorliwio to exaggerate, to overstate
Sylwch: nid yw'r ferf hon yn arfer cael ei
rhedeg.

gorddyledus *ans* heb ei ad-dalu'n brydlon
overdue

goregnïol *ans* rhy egnïol, rhy fywiog
overstrenuous

goreiddgar *ans* rhy eiddgar, rhy frwdfrydig;
gorawyddus overkeen

goreiriog *ans* yn defnyddio gormod o eiriau
verbose

gorelwa *be* [gorelw•[1]] budrelwa; gwneud elw
gormodol (~ *ar*) to profiteer

goresgyn *be* [goresgynn•[9] *3 un. pres.* goresgyn/
goresgynna] ennill buddugoliaeth ar (rywun
neu rywbeth), cael y llaw uchaf ar (rywun neu
rywbeth), gorchfygu a chymryd meddiant o
dir y gelyn; concro, darostwng, gorchfygu
to conquer, to defeat, to invade, to vanquish
Sylwch: (ac eithrio *goresgyn ef/hi*) dyblwch
yr 'n' ym mhob ffurf ac eithrio yn y rhai sy'n
cynnwys -*as*-.
goresgyn anawsterau bod yn drech na'r
anawsterau to overcome difficulties

goresgyniad *eg* (goresgyniadau) y broses o
oresgyn, canlyniad goresgyn; buddugoliaeth,
concwest, gorchfygiad, goruchafiaeth conquest,
invasion

goresgynnaf *bf* [goresgyn] rwy'n goresgyn;
byddaf yn goresgyn

goresgynnwr *eg* (goresgynwyr) un sy'n
goresgyn; concwerwr, gorchfygwr conqueror,
invader

y Goresgynwyr *hanesyddol* y Rhufeiniaid a
orchfygodd Brydain yn derfynol yn OC 43
a'r Normaniaid yn OC 1066 the conquerors

gorest *eg* tir diffaith neu wyllt; anialdir
wasteland

gorestyn *be* [gorestynn•[9] *3 un. pres.* gorestyn/
gorestynna]
1 estyn yn rhy bell; estyn dros neu'r tu hwnt
(i rywun neu rywbeth) to overstretch

2 estyn aelod neu gymal o'r corff y tu hwnt i'w ystod symudiadau normal gan achosi anaf to hyperextend

Sylwch: (ac eithrio *gorestyn ef/hi*) dyblwch yr 'n' ym mhob ffurf ac eithrio yn y rhai sy'n cynnwys *-as-*.

goreugwyr *ell* pendefigion, uchelwyr aristocracy

goreuon *ell* lluosog **gorau**

goreuro *be* [goreur•¹] gorchuddio rhywbeth â haen denau o aur neu ei beintio â phaent lliw aur; euro to gild

goreurog *ans* wedi'i oreuro gilded

gorfanhadlen *eb* planhigyn heb ddail, melynllwyd ei liw ac iddo wythiennau porffor, sy'n tyfu'n barasit ar wreiddiau planhigion eraill broomrape

gorfannol *ans*
1 IEITHYDDIAETH (am sain) yn cael ei gynhyrchu â blaen neu lafn y tafod, e.e. y seiniau 't' neu 'd' alveolar
2 ANATOMEG yn perthyn i'r gorfant alveolar

gorfant *eg* (gorfannau) ANATOMEG un o'r tyllau yn y genogl sy'n dal gwreiddyn dant alveolus

gorfanwl *ans* rhy fanwl; cysetlyd, misi overelaborate, too detailed, too fussy

gorfentrus *ans* rhy fentrus, yn mentro'n ormodol overconfident

gorferwi *be* [gorferw•¹] berwi drosodd (~ **dros**) to boil over

gorflinder *eg* blinder eithafol, y cyflwr o fod wedi ymlâdd exhaustion

gorflino *be* [gorflin•¹] blino gormod to be overtired, to overtire

gorfod¹ *eg* (gorfodau) gorchymyn na ellir ei wrthod na'i osgoi, *Nid oedd Hywel am ddod i'r cyngerdd – dod dan orfod a wnaeth.*; gorfodaeth, rheidrwydd compulsion, constraint

gorfod² *be* [3 *un. gorff.* gorfu]
1 bod yn rhaid, bod dan orfodaeth, *gorfu i bawb ymadael* (~ **i**) must, to be compelled to, to have to
2 *hynafol* (hen ystyr yn y ffurf 'gorfu'), *Tîm Cymru a orfu.*; ennill, gorchfygu, trechu to prevail, to triumph

Sylwch: nid yw'r ferf hon yn arfer cael ei rhedeg, ond erys y ffurf hynafol 'gorfu'.

gorfodaeth *eb* (gorfodaethau)
1 y broses o orfodi, canlyniad gorfodi; rhaid, rheidrwydd, rhwymedigaeth coercion, compulsion, imposition
2 CYFRAITH cyfyngiad anghyfreithlon er mwyn gorfodi rhywun i gyflawni gweithred duress
3 y broses o weithredu ffynonellau cyfraith sy'n gyfreithiol-rwym enforcement

gorfodaf *bf* [gorfodi] rwy'n gorfodi; byddaf yn gorfodi

gorfodeb *eb* (gorfodebau) CYFRAITH gorchymyn llys yn gorfodi rhywun i wneud rhywbeth penodol mandatory injunction

gorfodi *be* [gorfod•¹] gwneud i (rywun neu rywbeth) wneud rhywbeth; mynnu (~ *rhywun* **i** wneud; ~ *rhywbeth* **ar** *rywun*) to compel, to force, to make

gorfodol *ans* a orfodir ar (rywun neu rywbeth), heb ddewis yn ei gylch; anwirfoddol, gofynnol, rheidiol binding, compulsory, mandatory, obligatory

gorfoledd *eg* (gorfoleddau) balchder a llawenydd mawr (ar ôl llwyddo mewn rhywbeth anodd neu ar ôl buddugoliaeth); hapusrwydd exaltation, jubilation, rejoicing

gorfoleddu *be* [gorfoledd•¹]
1 teimlo'n llawn balchder a llawenydd (wedi llwyddo mewn rhywbeth neu ennill buddugoliaeth); ymhyfrydu (~ **yn** *rhywbeth*) to rejoice, to delight in
2 moli ac addoli Duw mewn ffordd afieithus to exalt, to rejoice

gorfoleddus *ans* yn gorfoleddu, yn achosi gorfoledd; balch, llawen jubilant, rapturous, triumphant

gorfu *bf* [gorfod] *ffurfiol* bu raid iddo/iddi orfod, mi ddaru iddo/iddi orfod

gorfwyta *be* [gorfwyta•¹⁵ 3 *un. pres.* gorfwyty] bwyta yn ormodol to overeat

gorfychan *ans* MATHEMATEG am werth sy'n lleihau'n ddiderfyn gan agosáu at sero infinitesimal

gorfychanyn *eg* (gorfychanion) MATHEMATEG maint neu newidyn gorfychan infinitesimal

gorfydd *bf* [gorfod] *hynafol* bydd ef yn gorfod/ bydd hi'n gorfod

gorfywiog *ans* tu hwnt o fywiog, annormal o fywiog hyperactive

gorfywiogrwydd *eg* y cyflwr o fod yn orfywiog hyperactivity

gorffen *be* [gorffenn•⁹ 3 *un. pres.* gorffen/ gorffenna; 2 *un. gorch.* gorffen/gorffenna] dod i ddiwedd, tynnu at derfyn, *Gorffennodd y bwyd*, hynny yw, ''does dim bwyd ar ôl' neu 'Mae (John) wedi gorffen y bwyd'; cwblhau, dibennu, diweddu, terfynu (~ **â**) to end, to finish, to conclude

Sylwch: dyblwch yr 'n' ym mhob ffurf ac eithrio yn y rhai sy'n cynnwys *-as-*.

gorffenedig *ans* wedi'i orffen, wedi'i gwblhau (gyda'r awgrym ei fod yn raenus neu wedi'i gaboli, yn enwedig am waith celf) completed, finished, perfected

gorffeniad *eg* (gorffeniadau)
1 y broses o orffen, canlyniad gorffen; cwblhad, darfyddiad, diwedd, terfyniad finish
2 (mewn adeilad) yr addurniadau a nodweddion gwaith coed nad ydynt yn hanfodol i gynnal yr adeiladwaith finish
3 gwead neu gyflwr rhywbeth ar ôl ei orchuddio â haen o baent, farnais, etc. finish

g

gorffennaf¹ *bf* [gorffen] rwy'n gorffen; byddaf yn gorffen

Gorffennaf² *eg* seithfed mis y flwyddyn July
  mis Gorffennaf 'ym mis Gorffennaf' nid *yng Ngorffennaf* July

gorffennol *eg*
  1 y dyddiau a fu, yr holl amser a'r digwyddiadau sydd eisoes wedi bod past
  2 GRAMADEG Amser y ferf sy'n cyfeirio at rywbeth sydd wedi digwydd ac wedi gorffen past tense

gorffennu *be* cwblhau drwy lathru (wyneb darn o waith) neu drwy gymhennu, e.e. edafedd rhydd mewn gwaith llaw to finish
  Sylwch: nid yw'r ferf hon yn arfer cael ei rhedeg.

gorffwyll *ans* wedi colli ei synnwyr, heb fod yn ei iawn bwyll insane, mad, mentally ill

gorffwylledd:gorffwylltra *eg*
  1 cyflwr meddyliol tra dryslyd nad yw'n ganlyniad i unrhyw nam meddyliol; gorffwylltra insanity
  2 CYFRAITH diffyg callineb sydd mor ddifrifol fel na ellir cyfrif bod rhywun yn gyfrifol am ei weithredoedd nac yn ddigon call i ddwyn achos cyfreithiol; gwallgofrwydd, ynfydrwydd insanity

gorffwys:gorffwyso *be* [gorffwys•¹ 3 un. pres. gorffwys/gorffwysa; 2 un. gorch. gorffwys/gorffwysa]
  1 cymryd seibiant, cael hoe, bod yn llonydd; dadflino, llonyddu, ymlacio (~ **rhag**) to rest
  2 gorwedd er mwyn cysgu; hefyd am orwedd yn farw; ymdawelu to repose, to rest
  3 pwyso ar, *gorffwys yn erbyn y postyn* (~ **ar**; ~ **yn erbyn**) to rest (on)

gorffwysfa *eb* (gorffwysfeydd)
  1 man aros, man i orffwys resting place
  2 rhaniad naturiol mewn llinell o farddoniaeth; gwant, saib caesura

gorffwysiad *eg* cyfnod o orffwys pause, rest

gorganmol *be* [gorganmol•¹] canmol yn ormodol; ffug-foli, gwenieithu, seboni to overpraise, to flatter

gorglawdd *eg* (gorgloddiau) clawdd isel o dyweirch yn culhau tuag at y brig ynghyd â ffos bob ochr iddo bank, dyke, embankment

gorgors *eb* (gorgorsydd) cors sy'n gorchuddio holl nodweddion y tir gwastad neu led wastad y mae'n gorwedd arno lle mae mawn yn ymffurfio dan ddylanwad glawiad a lleithder uchel blanket bog

gorgyflogaeth *eb* canlyniad gorgyflogi overmanning

gorgyflogi *be* [gorgyflog•¹] cyflogi gormod o weithwyr to overman

gorgyfnod *eg* (gorgyfnodau) DAEAREG uned o amser daearegol, e.e. *Palaeosöig*, sy'n fyrrach nag aeon ond yn hwy na chyfnod era

gorgyffro *eg* gormod o gynnwrf emosiynol overexcitement

gorgyffwrdd *be* [gorgyffyrdd•¹ 3 un. pres. gorgyffwrdd/gorgyffyrdda; 2 un. gorch. gorgyffwrdd/gorgyffyrdda]
  1 cuddio neu orchuddio rhan o rywbeth ac ymestyn y tu hwnt iddo (~ â) to overlap
  2 (am siaradwyr neu syniadau) mynd yn rhannol dros yr un testun neu'r un maes to overlap

gorgyffyrddiad *eg* (gorgyffyrddiadau) estyniad dros rywbeth a'i orchuddio overlap

gorgymhleth *ans* rhy gymhleth overcomplicated

gorgymhlethu *be* [gorgymhleth•¹¹] gwneud yn rhy gymhleth; troi yn rhy ddyrys neu'n rhy gymhleth (~ *rhywbeth* â; ~ *rhywbeth* **drwy**) to overcomplicate
  Sylwch: gorgymhleth- a geir yn ffurfiau'r ferf ac eithrio'r rhai sy'n cynnwys -*as*-.

gorhendad *eg* (gorhendadau) tad eich taid/ tad-cu neu eich nain/mam-gu; taid/tad-cu eich mam neu eich tad; hen dad-cu, hen-daid great-grandfather

gorhendaid *eg* (gorhendeidiau) tad hen dad-cu, gorhendad taid neu nain, gorhendad tad-cu neu fam-gu great-great-grandfather

gorhenfam *eb* (gorhenfamau) mam eich taid/ tad-cu neu eich nain/mam-gu; nain/mam-gu eich mam neu eich tad; hen fam-gu, hen-nain great-grandmother

gorhengaw *eg* tad gorhendad neu orhenfam great-great-great-grandfather

gorhoffedd *eg* LLENYDDIAETH math o farddoniaeth a gysylltir â chyfnod y Gogynfeirdd ac sy'n ymdrin â phynciau fel natur a serch mewn dull ymffrostgar ynghyd ag elfen gref o gellwair

gorhoffter *eg* *hynafol* hoffter mawr; serch, cariad love

gorhyder *eg* sicrwydd, ond heb seiliau digonol, am lwyddiant rhywbeth; beiddgarwch overconfidence

gori *be*
  1 (am adar) eistedd ar wyau to incubate, to brood, to sit
  2 *ffigurol* meddwl yn hir ac yn galed am rywbeth to brood
  3 (am glwyf neu ddolur) casglu crawn; braenu, crawni, madru, pydru to fester, to suppurate
  Sylwch: nid yw'r ferf hon yn arfer cael ei rhedeg.

gorifyny *eg* codiad tir; esgyniad, rhiw ascent, hill

gorila *eg* (gorilas) yr aelod mwyaf o deulu'r epa; mae'n byw yng Nghanolbarth Affrica ac mae'n gryf iawn gorilla

goris *ardd* dan, o dan, oddi tan, islaw below, under

goriwaered *eg* tir sy'n disgyn, y gwrthwyneb i 'gorifyny'; disgyniad, gwaered, llechwedd, llethr descent, downhill slope

mynd ar y goriwaered dirywio, gwaethygu to go downhill

gorlanw:gorllanw *eg* penllanw, llanw mawr high tide

gorlawn *ans* rhy lawn, dan ei sang; cyforiog overflowing, brimful

gorlawnder *eg* y cyflwr o fod yn orlawn congestion

gorlenwad *eg* MEDDYGAETH cyflwr a geir pan fydd pibell gwaed, dwythell neu ran arall o'r corff yn cael ei blocio gan hylif, mwcws, etc. congestion

gorlenwi *be* [gorlanw•³ 3 *un. pres.* gorleinw/ gorlanwa] llenwi yn ormodol (~ *rhywbeth* â) to overfill

gorlethu *be* [gorleth•¹] llethu'n lân, trechu'n llwyr (~ *rhywun/rhywbeth* â) to overcome

gorlif *eg* (gorlifoedd) llif gormodol, y cyflwr o fod yn gorlifo; ffrydlif, llifeiriant, llifogydd flood, overflow, overspill

gorlifdir *eg* (gorlifdiroedd) tir gwastad ar lannau sianel afon sy'n cael ei foddi o bryd i'w gilydd ac sy'n codi o'r gwaddodion sydd wedi'u gadael gan lifogydd floodplain

gorlifo *be* [gorlif•¹] llifo drosodd, arllwys dros ymyl; arllwys, dylifo, ffrydio, tywallt (~ **dros**) to flood, to overflow, to inundate

gorliwio *be* [gorliwi•²] gwneud i rywbeth ymddangos yn well, yn waeth, yn fwy neu'n llai nag oedd mewn gwirionedd, gwneud môr a mynydd; gorbwysleisio, gor-ddweud, ymestyn to exaggerate, to overembellish

gorlwytho *be* [gorlwyth•¹] llwytho yn ormodol (~ *rhywun/rhywbeth* â) to overburden, to overload

gorllanw gw. gorlanw

gorllewin *eg* un o bedwar prif bwynt y cwmpawd (neu bedwar ban byd) sydd ar y chwith i rywun sy'n wynebu'r gogledd; Gn west **y Gorllewin** gwledydd gorllewinol y byd, yn enwedig gwledydd gorllewin Ewrop ac Unol Daleithiau America the West
Ymadrodd
y Gorllewin Gwyllt *hanesyddol* y rhan o Unol Daleithiau America sydd ar ochr orllewinol afon Mississippi ac a gysylltir â hanes y cowbois a'r Indiaid brodorol ar ddiwedd y bedwaredd ganrif ar bymtheg a dechrau'r ugeinfed ganrif the Wild West

gorllewino:gorllewineiddio *be* [gorllewin•¹] newid i adlewyrchu gwerthoedd neu briodoleddau gwledydd y Gorllewin to westernize

gorllewinol *ans* yn dod o'r gorllewin, nodweddiadol o'r gorllewin western, westerly

gorllewinwr *eg* (gorllewinwyr) un sy'n byw yn un o wledydd y Gorllewin Westerner

gorllyd *ans*
1 llawn crawn; crawnllyd, pwdr festering
2 (am wy) clwc, clonc, drwg addled, rotten
3 am iâr sydd eisiau eistedd ar ei hwyau broody

gormes:gormesiad *egb* (gormesiadau) gorthrwm a thrais gan estroniaid neu goncwerwyr; teyrnasiad caled a chreulon; dominyddiaeth, tra-arglwyddiaeth oppression, repression, tyranny

gormesol *ans* yn bygwth gormes, llawn gormes; beichus, gorthrymus, llethol oppressive, repressive, tyrannical

gormesu *be* [gormes•¹] teyrnasu'n galed ac yn greulon, rheoli gwlad neu bobl sydd wedi cael eu trechu yn ddidostur ac yn llym; gorthrechu, gorthrymu, tra-arglwyddiaethu to domineer, to oppress, to tyrannize

gormeswr:gormesydd *eg* (gormeswyr) un sy'n gormesu; bwli, erlidiwr, gorthrymwr, treisiwr oppressor, tyrant

gormod¹ *eg* (gormodion) nifer neu gyflenwad sy'n fwy na digon, mwy nag y mae ei angen, mwy nag y mae'n bosibl gwneud dim ag ef (~ **o**) excess, too many

gormod² *ans* mwy na digon, mwy nag y mae'n bosibl gwneud dim â nhw excessive, too much

gormodedd *eg* mwy na digon, nifer eithafol; anghymedroldeb, rhemp, syrffed excess, glut, superabundance

gormodiaith *eb* ymadrodd eithafol lle mae rhywun yn gor-ddweud er mwyn creu effaith, *Rwyf bron â marw o eisiau bwyd*. exaggeration, hyperbole

gormodol *ans* mwy na digon, mwy na'r hyn sy'n rhesymol; anghymedrol, eithafol excessive, fulsome

gornest:ornest *eb* (gornestau:ornestau)
1 brwydr gystadleuol rhwng dau neu ragor i ddarganfod pwy yw'r gorau neu'r cryfaf, etc., *gornest baffio*; camp, gêm, ymladdfa bout, contest
2 cystadleuaeth, ymryson, *gornest y beirdd*; ciprys, talwrn contest

goroeri *be* [goroer•¹] CEMEG oeri (hylif) i dymheredd is na'i rewbwynt heb iddo galedu na chrisialu to supercool

goroesi *be* [goroes•¹]
1 parhau yn fyw er gwaethaf damwain neu brofiadau erchyll, byw yn hwy na (rhywun) to survive
2 byw dros amser neu'n rhy hir to outlast, to outlive

goroesiad *eg* y broses o oroesi, canlyniad goroesi survival

goroesiad yr addasaf parhad y trechaf survival of the fittest

goroeswr *eg* (goroeswyr) un sydd wedi llwyddo i aros yn fyw survivor

gorofalus *ans* rhy ofalus overcareful
  Sylwch: nid yw'n arfer cael ei gymharu.

goror *eg* (gororau) y man lle mae tiroedd perchenogion gwahanol neu wledydd gwahanol yn cwrdd; ffindir, godre, rhanbarth, terfyn border, frontier

arglwyddiaethau'r Goror *hanesyddol* arglwyddiaethau Normanaidd a sefydlwyd ar y ffin rhwng Cymru a Lloegr o ddiwedd yr unfed ganrif ar ddeg ymlaen ac a ymestynnai i Benfro yn y de-orllewin; diddymwyd yr arglwyddiaethau gan y Ddeddf Uno (1536); arglwyddiaethau'r Mers Marcher lordships

y Gororau *hanesyddol* y Mers Marches, Welsh border country

gor-redeg *be* [gor-red•¹] rhedeg yn rhy bell neu'n rhy gyflym, rhedeg heibio neu y tu hwnt (i'r hyn a ddisgwylir) to overrun

gorsaf *eb* (gorsafoedd)
  1 adeilad pwrpasol lle mae trenau neu fysiau yn aros i godi neu ollwng teithwyr neu nwyddau; stesion station, depot
  2 adeilad sy'n ganolfan i fath arbennig o wasanaeth cyhoeddus, *gorsaf yr heddlu* station
  3 cwmni neu beiriannau sy'n darlledu rhaglenni radio neu deledu, *gorsaf radio* station
  4 man arbennig neu adeilad ar gyfer gwaith gwyddonol penodol, *gorsaf drydan* station

gorsaf-feistr *eg* (gorsaf-feistri) swyddog sy'n gyfrifol am orsaf drenau stationmaster

gorsafu *be* [gorsaf•³] gosod mewn gorsaf (am aelodau o'r lluoedd arfog) to station

gorsedd:gorseddfainc *eb* (gorseddau:gorsedd-feinciau) sedd arbennig brenin neu ymerawdwr neu esgob sy'n arwydd o'u hurddas a'u hawdurdod throne

Gorsedd Beirdd Ynys Prydain cylch o feirdd a phobl yn caru llên a sefydlwyd gan Iolo Morganwg yn 1792 ac a wnaed yn rhan o'r Eisteddfod Genedlaethol yn 1819; erbyn hyn yr Orsedd sy'n gyfrifol am drefnu defodau a seremonïau'r Eisteddfod; mae pob aelod o'r Orsedd yn perthyn i un o dair Urdd, Urdd Ofydd (y wisg werdd), Urdd Bardd, Cerddor neu Lenor (y wisg las), Urdd Derwydd (y wisg wen); erbyn hyn, cyfyngir y Wisg Wen i enillwyr prif wobrau llwyfan yr Eisteddfod Genedlaethol, y Wisg Werdd ar gyfer pobl am eu cyfraniad i'r Celfyddydau a'r Wisg Las ar gyfer pobl sy'n derbyn aelodaeth drwy anrhydedd i'r Orsedd

gorseddu *be* [gorsedd•¹] gosod (brenin, ymerawdwr, esgob) ar ei orsedd, a thrwy hynny, gydnabod ei awdurdod i deyrnasu; arwisgo, coroni, urddo to enthrone

gorsensitif *ans* rhy sensitif oversensitive

gorsensitifrwydd *eg*
  1 y cyflwr o fod â theimladau emosiynol gorsensitif hypersensitivity
  2 MEDDYGAETH cyflwr lle mae'r corff yn goradweithio i gyffur, moddion neu driniaeth hypersensitivity

gorstocio *be* [gorstoci•²] cadw gormod o stoc (o rywbeth) to overstock

gorsyml *ans* rhy syml overly simple

gorsymleiddio *be* [gorsymleiddi•²] symleiddio i'r graddau bod yna gamddealltwriaeth neu gamgymeriad to oversimplify

gortho *eg* llen yn ffurfio to; canopi, gorchudd canopy

gorthrech *eg* (gorthrechion)
  1 gormes, trais, gorthrwm oppression
  2 y broses o orthrechu, canlyniad gorthrechu coercion

gorthrechu *be* [gorthrech•¹]
  1 gormesu, gorthrymu, llethu to oppress
  2 gorfodi rhywun drwy rym neu awdurdod heb ystyried ei ddymuniadau personol; tra-arglwyddiaethu to coerce

gorthrwm *eg* (gorthrymau) gormes, gorthrymder, trais, *y wlad dan orthrwm y gelyn* oppression, repression

gorthrymder *eg* (gorthrymderau)
  1 rhywbeth sy'n blino neu'n poeni neu'n peri gofid; adfyd, cystudd, trallod tribulation, worry
  2 gorthrwm, gormes, trais oppression

gorthrymedig¹ *ans* wedi'i orthrymu oppressed, downtrodden

gorthrymedig² *eg* y rhai gorthrymedig the oppressed

gorthrymu *be* [gorthrym•¹] camddefnyddio grym neu awdurdod i wasgu ar bobl i dra-awdurdodi arnynt; gormesu, gorthrechu, tra-arglwyddiaethu to oppress, to repress

gorthrymus *ans* yn gorthrymu, yn gwasgu ar (bobl); gormesol, llethol oppressive

gorthrymwr *eg* (gorthrymwyr) un sy'n gorthrymu; gormeswr, teyrn, treisiwr oppressor

gorthwr *eg* (gorthyrau) PENSAERNÏAETH y tŵr amddiffynnol cadarnaf, canolog fel arfer, mewn castell canoloesol keep

gorthyfail *eg* planhigyn persawrus o deulu'r foronen a ddefnyddir fel llysieuyn i roi blas ar fwyd chervil

goruchaf *ans* mwyaf **goruchel**; hollalluog highest, sovereign, supreme

y Goruchaf CREFYDD yr un nad oes neb yn fwy nag ef, Yr Hollalluog, Duw The Almighty, God

y Goruchaf Lys CYFRAITH
  1 y llys uchaf mewn cyfundrefn gyfreithiol gwladwriaeth ac sydd, gan amlaf, â rôl gyfansoddiadol o bwys

2 y llys apêl uchaf a gymerodd le Tŷ'r
Arglwyddi fel llys apêl uchaf Cymru, Lloegr
a Gogledd Iwerddon yn 2009; ni fydd apêl
yn digwydd yma oni bai bod y mater o
bwysigrwydd cyhoeddus the Supreme Court

goruchafiaeth *eb* (goruchafiaethau) y cyflwr
o fod y goruchaf; buddugoliaeth, concwest,
goresgyniad, rhagoriaeth dominance,
supremacy, victory

goruchafu *be* [goruchaf•³] cael goruchafiaeth ar
(rywun neu rywbeth); dominyddu,
tra-arglwyddiaethu (~ **ar**) to predominate

goruchel *ans* [goruched; goruwch; goruchaf]
yn uchel iawn ei statws fel y mae brenin neu
dywysog; aruchel, dyrchafedig, pendefigaidd,
tywysogaidd eminent, supreme

goruchwyliaeth *eb* (goruchwyliaethau)
y gwaith o oruchwylio, canlyniad goruchwylio;
arolygiaeth, llywyddiaeth, stiwardiaeth
stewardship, supervision, charge

goruchwylio *be* [goruchwyli•²] bod â gofal
am rywbeth; arolygu, cyfarwyddo, stiwardio
to oversee, to supervise

goruchwyliwr *eg* (goruchwylwyr) un sydd
wedi'i benodi i oruchwylio neu i arolygu gwaith
pobl eraill; arolygwr, arolygydd, stiward
supervisor, overseer, invigilator

goruchwylwraig *eb* merch neu wraig sydd wedi'i
phenodi i oruchwylio gwaith eraill; arolygwraig
invigilator (female), supervisor (female)

goruniad *eg* (goruniadau) yr uniad a ffurfir
drwy osod pen un darn ar ben darn arall a'u
cydio ynghyd lap joint

goruwch *ardd* gradd gymharol **goruchel**
(a ddefnyddir fel arddodiad), yn uwch na, uwchben,
uwchlaw, i raddau helaethach na above, over

goruwch- *rhag* fe'i defnyddir ar ddechrau
gair i olygu uwchben, uwchlaw, tu hwnt, e.e.
goruwchnaturiol hyper-, super-

goruwchadail *eb*
1 adeiladwaith wedi'i godi fel estyniad fertigol
o rywbeth sydd eisoes yn bod superstructure
2 y rhan o adeiledd llong uwchben dec y llong
superstructure
3 PENSAERNÏAETH rhan uchaf adeilad clasurol
sy'n cael ei chynnal gan golofnau neu rodfa
golofnog entablature
4 ATHRONIAETH cysyniad neu endid sy'n cael
ei godi ar rywbeth mwy sylfaenol, yn enwedig
sefydliadau cymdeithasol, e.e. y gyfraith
neu wleidyddiaeth sydd (yn ôl Marcsaeth)
wedi'u codi ar sylfaen economaidd; aradeiledd
superstructure

goruwchnaturiol¹ *ans* yn perthyn i fyd hud a
lledrith, ysbrydion neu dduwiau, nad oes modd
ei egluro drwy ddeddfau naturiol supernatural,
occult, paranormal

goruwchnaturiol² *eg* byd hud a lledrith a
grymoedd nad ydym yn gwybod dim amdanynt
supernatural, occult, paranormal

goruwchnaturiolaeth *eb* cred yn y
goruwchnaturiol supernaturalism

goruwchystafell *eb* (goruwchystafelloedd) ystafell
uwchben; croglofft, llofft loft, upper room

gorwario *be* [gorwari•²] gwario gormod
to overspend

gorwedd *be* [gorwedd•¹ 3 *un. pres.* gorwedd/
gorwedda; 2 *un. gorch.* gorwedd/gorwedda]
1 gorffwys yn wastad fel ar wely neu ar y llawr,
Mae Dad wedi mynd lan llofft i orwedd. (~ **ar**)
to lie
2 bod ar ei hyd ar y llawr, *Mae'r brws yn
gorwedd yng nghanol y buarth.* to lie
3 (am le) wedi'i leoli, *Mae'r man yr ydych chi'n
chwilio amdano yn gorwedd tua phum milltir
y tu allan i'r ddinas.* to lie
4 parhau mewn cyflwr arbennig (ar ôl bod yn
angof neu'n segur, etc.), *Mae'r car wedi bod
yn gorwedd yn segur yn y garej ers chwe mis.*
to lie, to remain
5 pwyso ar, *Mae pwysau'r byd yn gorwedd
ar ei ysgwyddau.* to lie, to rest
6 (am rywun sydd wedi marw) gorffwys yn y
bedd to lie, to rest
7 (am ddilledyn) eistedd yn drwsiadus to lie,
to hang
ar fy (dy, ei, etc.**) ngorwedd** yn gorwedd
i lawr lying down

gorweddfan *eb* (gorweddfannau) man gorffwys,
yn enwedig y man lle mae rhywun wedi marw
(last) resting-place

gorweddiad *eg*
1 y ffordd, osgo neu gyfeiriad y mae rhywbeth
yn gorwedd lie
2 y ffordd y mae defnydd neu ddilledyn yn
hongian drape

gorweddian *be* hanner eistedd a hanner
gorwedd mewn ffordd ddioglyd; lolian,
lled-orwedd (~ **ar**) to lounge, to recline, to sprawl
Sylwch: nid yw'r ferf hon yn cael ei rhedeg.

gorweddol *ans* yn gorwedd yn lled wastad;
gwastad, llorwedd recumbent

gorweiddiog *ans* sâl/tost yn y gwely bedridden

gorweithio *be* [gorweithi•²] gweithio yn ormodol
to overwork

gorwel *eg* (gorwelion)
1 y man pellaf y gallwch ei weld lle mae'r
ddaear a'r awyr fel petaent yn cyffwrdd â'i
gilydd horizon
2 ffin neu derfyn gwybodaeth, diddordebau
neu brofiad rhywun; terfyn horizon

gor-wneud *be* gwneud gormod, gwneud mwy
nag y mae ei angen neu sy'n briodol to overdo
Sylwch: nid yw'r ferf hon yn arfer cael ei rhedeg.

gorwych *ans* tra rhagorol; godidog, ysblennydd magnificent, superb

gorwychder *eg* y cyflwr o fod yn orwych splendour

gorwyr *eg* (gorwyrion) mab i ŵyr neu wyres great-grandson

gorwyres *eb* (gorwyresau) merch i ŵyr neu wyres great-granddaughter

goryfed *be* [goryf•¹] yfed gormod (o alcohol fel arfer) to overindulge

gorymadrodd *eg* (gorymadroddion) GRAMADEG ymadrodd yn defnyddio mwy o eiriau nag sydd eu hangen, e.e. *dyma'r gŵr yr hwn a ddywedodd* pleonasm

gorymasiad *eg* MEDDYGAETH anystwythder neu ansymudoledd annormal mewn cymal wrth i esgyrn ddechrau ymasio ankylosis

gorymateb *be* [gorymateb•¹] adweithio mewn ffordd eithafol, ormodol; goradweithio (~ i) to overreact

gorymdaith *eb* (gorymdeithiau) llinell neu dwr o bobl neu gerbydau sy'n symud yn drefnus i ryw fan arbennig fel rhan o seremoni neu er mwyn tynnu sylw at ryw achos arbennig march, parade, procession

gorymdeithio *be* [gorymdeithi•²]
1 cerdded â chamau cyson megis grŵp o filwyr to march
2 cerdded (neu yrru cerbydau) yn un grŵp trefnus ar ryw achlysur arbennig neu er mwyn tynnu sylw at rywbeth to march, to parade

gorymdeithiol *ans* o natur gorymdaith, yn perthyn i orymdaith processional

gorymdeithiwr *eg* (gorymdeithwyr) un sy'n gorymdeithio marcher

gorymdeithwraig *eb* merch neu wraig sy'n gorymdeithio

gorynys *eb* (gorynysoedd) darn cul o dir yn ymestyn i ganol môr neu lyn peninsula

goryrru *be* [goryrr•⁹] gyrru'n rhy gyflym to speed
Sylwch: dyblwch yr 'r' ym mhob ffurf ac eithrio yn y rhai sy'n cynnwys -as-.

gosber *eg* (gosberau) CREFYDD y cyfnod rhwng 3 o'r gloch a 6 o'r gloch y prynhawn, a'r gwasanaeth gweddi a gynhelir (mewn mynachlog neu eglwys) yn y prynhawn neu'r hwyr; hwyrol weddi evensong, vespers

gosgeiddig *ans* lluniaidd, prydferth (am ymddygiad neu am y ffordd y mae rhywun yn symud); telaid comely, graceful

gosgeiddrwydd *eg* y cyflwr o fod yn osgeiddig; osgo sy'n gyfuniad o brydferthwch a syberwyd grace

gosgordd *eb* (gosgorddion)
1 yn wreiddiol, corff o filwyr yng ngwasanaeth brenin ond, yn awr, grŵp o ddilynwyr, mintai o hebryngwyr, *Bydd gosgordd yn cyrchu'r*

bardd buddugol i'r llwyfan yn yr Eisteddfod Genedlaethol.; mintai, gosgorddlu, gwarchodlu bodyguard, escort, retinue
2 (mewn pac o gardiau) un o'r pedwar 'teulu' gwahanol a ddynodir gan arwydd arbennig – calon, diemwnt, pastwn, rhaw suit

gosgorddlu *eg* (gosgorddluoedd) corff o filwyr; gosgordd, mintai retinue

goslef *eb* (goslefau) y patrwm o godi a gostwng y llais wrth i rywun siarad; hefyd yn ffigurol, megis *goslef drist y gwynt yn y coed* cadence, intonation, tone

goslefu *be* CERDDORIAETH mynegi gan amrywio cryfder, tôn neu draw (y llais); corganu, llafarganu, siantio to intone

gosod¹ *be* [gosod•¹ *3 un. pres.* gesyd/gosoda; *2 un. gorch.* gosod/gosoda]
1 dodi neu roi rhywbeth (mewn lle arbennig), *Gosodwch y llyfr ar y bwrdd!* (~ rhywbeth **ar**) to put, to place
2 pennu, penderfynu ar, *gosod teitl ar y gyfrol* to set
3 rhoi darn o waith i rywun i'w wneud, *Ni fydd yr un athro yn gosod gwaith cartref yr wythnos nesaf.* (~ rhywbeth **i** *rywun*) to set, to impose
4 trefnu, *Mae o wedi gosod y bom i ffrwydro am dri o'r gloch.* to set
5 (am dai neu diroedd) bod yn barod i rentu; gwahodd tenantiaid to let
6 (am asgwrn) rhoi at ei gilydd yn barod i asio to set
7 (am fwrdd/ford) darparu ar gyfer pryd o fwyd; hulio to lay
8 (am gerdd dant) trefnu cyfalaw ar gyfer y geiriau sy'n plethu'n gymen ag alaw'r cyfeiliant to set
9 (am ddarn o ysgrifen) cyhoeddi drwy ei argraffu, *gosod mewn print* to set
10 trefnu'n gelfydd neu'n gain, *gosod blodau* to arrange
11 (am ddrama neu ffilm neu lyfr) bod â chefndir penodol, *Mae'r stori'n cael ei gosod yng Nghymru'r ddeunawfed ganrif.* to set
12 plannu, hau, *gosod yr ardd* to plant
13 annog i ymosod; hysian, hysio, *gosod y ci ar ddieithryn* to set
14 (am babell) codi to pitch
ar osod i'w rentu to let
gosod allan cyflwyno'n glir to set out
gosod ar droed cychwyn to set afoot
gosod ar waith cychwyn gweithio to set to work
gosod i fyny codi, cychwyn to set up
gosod o flaen/gerbron rhoi o flaen to present, to set before

gosod² *ans*
1 rhaid ei ddysgu neu ei astudio ar gyfer arholiad neu gystadleuaeth, *llyfr gosod* set
2 ffug, dodi, *dannedd gosod* false

gosodedig *ans* wedi'i osod set

gosodiad *eg* (gosodiadau)

1 mynegiad o farn; datganiad, haeriad, honiad statement, proposition, assertion

2 y weithred o roi neu ddodi yn ei le, canlyniad gosod; dodiad, trefniad installation, placing, setting

3 CERDDORIAETH y weithred o osod geiriau i alaw, canlyniad gosod; (mewn cerdd dant) y gyfalaw, sef y dôn y mae'r llais neu'r lleisiau'n ei chanu o'i chyferbynnu â'r alaw y mae'r delyn yn ei chanu; trefniant setting

4 CERDDORIAETH ymddangosiad y brif thema am y tro cyntaf mewn darn o gerddoriaeth statement

5 elfennau (cyflymder, uchder, tymheredd) y gellir eu newid i weithredu peiriant neu ddyfais setting

6 ATHRONIAETH term mewn rhesymeg i gyfleu'r hyn a ddywedir drwy gyfrwng brawddegau, e.e. mae *Mae'n bwrw glaw* ac *It's raining* yn ddwy frawddeg wahanol sy'n dweud yr un peth, a'r peth hwnnw yw'r 'gosodiad' proposition

gosodiad y tudalen y ffordd y mae testun neu luniau'n cael eu gosod ar dudalen layout

gosodwaith *eg* (gosodweithiau) CELFYDDYD darn o waith celf a grëwyd mewn oriel neu ofod arddangos penodol installation

gosodwr *eg* (gosodwyr) un sy'n gosod arranger, setter

gosodydd *eg* (gosodyddion) dyfais i osod rhywbeth yn ei le, e.e. gwyriad dannedd llif

gosodyn *eg* (gosodion) rhywbeth sy'n rhan annatod o adeilad neu wedi'i osod yn sefydlog ynghlwm wrth adeilad, *gosodion trydanol* fixture

gosteg *eg* (gostegion)

1 *hen ffasiwn* distawrwydd, llonyddwch, saib, tawelwch hush, lull, silence

2 CERDDORIAETH (mewn cerdd dant) cyfres o alawon telyn; hefyd cyfres gysylltiedig o englynion

3 CERDDORIAETH alaw ar gyfer y delyn sy'n dilyn ffurf a phatrwm penodol; fe'i cysylltir â *Llawysgrif Robert ap Huw* o'r ail ganrif ar bymtheg, e.e. *Gosteg yr Halen*

gostegion *ell* datganiad cyhoeddus yn cyhoeddi bwriad dau unigolyn i briodi, mewn eglwys fel arfer banns

gostegu *be* [gosteg•¹ 3 *un. pres.* gosteg/gostega; 2 *un. gorch.* gosteg/gostega]

1 mynd yn fwy tawel; gostwng, ymdawelu to become calm, to become silent

2 rhoi taw ar; llonyddu, tawelu, tewi to silence, to calm, to subdue

gostegydd *eg* (gostegyddion) *hanesyddol* swyddog yn llys y brenin a oedd yn gyfrifol am sicrhau distawrwydd yn y llys pan fyddai ei angen silentiary

gostwng *be* [gostyng•¹ 3 *un. pres.* gostwng/gostynga; 2 *un. gorch.* gostwng/gostynga]

1 mynd i lawr, mynd yn is, *Mae'r gwynt wedi gostwng.*; gostegu, iselhau, lleihau, prinhau to lower, to reduce

2 plygu pen neu lin mewn parch neu ufudd-dod (ag awgrym o oresgyniad neu gydnabyddiaeth o gyflwr is); darostwng, iselhau, moesymgrymu to bow, to curtsy

gostwng traw CERDDORIAETH (am nodyn) symud ei draw yn is to flatten

gostyngaf *bf* [gostwng] rwy'n gostwng; byddaf yn gostwng

gostyngedig *ans*

1 yn amlygu parch at rywun neu rywbeth, heb fod â meddwl rhy uchel ohono'i hun, llawn gostyngeiddrwydd; dirodres, diymhongar, gwylaidd meek, humble, lowly

2 wedi'i ostwng, wedi dod i lawr, wedi disgyn, *pris gostyngedig*; darostyngedig reduced

gostyngeiddrwydd *eg* y cyflwr neu'r nodwedd sy'n gwneud rhywun yn wylaidd, yn ddarostyngedig, yn ddiymhongar; gwyleidd-dra, lledneisrwydd, ufudd-dod humility, meekness

gostyngiad *eg* (gostyngiadau)

1 cwymp, disgyniad, lleihad, trai slump, fall, reduction

2 cydnabyddiaeth o ufudd-dod i rywun neu rywbeth; moesymgrymiad obeisance, subjugation

gostyngol *ans* wedi gostwng, wedi dod i lawr, *prisiau gostyngol*; gostyngedig reduced, decreasing

gostyngydd *eg* (gostyngwyr:gostyngyddion)

1 ANATOMEG cyhyr sy'n tynnu rhan o'r corff i lawr depressor

2 FFISIOLEG unrhyw nerf sy'n lleihau gweithgarwch y rhan o'r corff y mae'n ei hysgogi depressor

Gothig *ans*

1 tebyg i ddosbarth o nofelau diwedd y ddeunawfed ganrif a dechrau'r bedwaredd ganrif ar bymtheg, yn ymwneud â digwyddiadau arswydus ac erchyll mewn ardaloedd anial, diarffordd Gothic

2 tebyg i'r teip argraffu du a oedd yn arfer cael ei ddefnyddio wrth argraffu Almaeneg Gothic

3 PENSAERNÏAETH am arddull a oedd mewn bri yng ngorllewin Ewrop o'r ddeuddegfed ganrif hyd at yr unfed ganrif ar bymtheg ac a nodweddir gan bileri cul, bwtresi a chromenni a bwâu yn cyrraedd pig, e.e. mewn ffenestri eglwysig Gothic

Sylwch: nid yw'n treiglo'n feddal.

gouache *eg* CELFYDDYD dull o beintio sy'n
defnyddio lliwiau wedi'u cymysgu â glud

gowt *eg* MEDDYGAETH clefyd lle mae crynhoad
grisialau asid wrig yn achosi pwl poenus iawn
o arthritis, yn enwedig ym mawd y droed neu
yn y droed ei hun gout
  Sylwch: nid yw'n treiglo'n feddal.

gradell *eb* (gredyll) COGINIO plât crwn o haearn
bwrw (llechen yn wreiddiol) a dolen ar un pen,
ar gyfer crasu bara a theisennau uwchben tân
agored neu ar bentan; llechfaen, maen, planc
bakestone

gradd *eb* (graddau)
  1 teitl a roddir gan brifysgol i rywun sydd wedi
  cyrraedd y safon a ddisgwylir ganddi naill ai
  mewn arholiad, drwy draethawd arbennig neu
  er anrhydedd; mae gan y sawl sydd wedi ennill
  gradd yr hawl i ddefnyddio llythrennau megis
  B.A., M.Sc., Ph.D. etc., ar ôl ei enw degree
  2 FFISEG uned i fesur tymheredd, *Mae dŵr
  yn rhewi pan fydd y tymheredd yn 0 gradd
  Celsius.* degree
  3 DAEARYDDIAETH llinell ledred neu hydred ar
  fap sy'n cael ei defnyddio i leoli rhywle'n fanwl
  degree (of latitude or longitude)
  4 cam, gris mewn cyfres sy'n cychwyn o'r
  gwaelod ac yn dringo i fyny, *Mae Nerys wedi
  bod yn llwyddiannus yn Arholiad Gradd IV
  ar y piano.*; rheng, safon grade, stage
  5 safle cymdeithasol, dosbarth, statws mewn
  grŵp neu gymdeithas, *Yn India, y 'Dalit'
  yw'r radd isaf yn y dosbarthiad cast.* class,
  order, rank
  6 MATHEMATEG uned i fesur onglau, *Mae 360
  gradd* [360°] *mewn cylch.* degree
  7 GRAMADEG un o'r pedair ffordd o gymharu
  ansoddair (gair megis *da* neu *coch*): cysefin, *da,
  coch*; cyfartal, *cystal, coched*; cymharol, *gwell,
  cochach*; eithaf, *gorau, cochaf* degree

gradd gydanrhydedd cwrs gradd sy'n galluogi
myfyriwr i astudio dau bwnc joint honours degree

graddau *ell* lluosog **gradd**, ond mewn
ymadroddion megis *i ba raddau, i'r fath
raddau, i raddau helaeth, i ryw raddau,* mae'n
ceisio mesur maint y llwyddiant, cytundeb, etc.
degree, extent

graddedig *ans*
  1 am rywun sydd wedi ennill gradd graduated
  2 wedi'i farcio (megis thermomedr neu lestr
  arbennig) er mwyn ei ddefnyddio i fesur o radd
  i radd graduated
  3 wedi'u trefnu yn ôl rhyw raddfa arbennig
  graded

graddedigion *ell* rhai sydd wedi ennill gradd
prifysgol graduates

gradden *eb* (graddennau) uned neu raniad
mewn graddfa division

graddfa *eb* (graddfeydd)
  1 maint o'i gymharu â phethau eraill neu
  â'r hyn sy'n arferol, *Mae camddefnyddio
  cyffuriau'n broblem sy'n bodoli ar raddfa
  fyd-eang.* scale
  2 MATHEMATEG cyfres o rifau neu safonau
  sydd wedi'u trefnu fesul gris ar gyfer mesur neu
  gymharu, *Mae grym y gwynt yn cael ei fesur ar
  raddfa rhwng 0 ac 12, sef graddfa Beaufort.* scale
  3 cyfres o fesuriadau sy'n cymharu maint
  map neu fodel â gwir faint yr hyn sy'n cael ei
  ddangos, *Mae graddfa 1:5 yn golygu mai* $^1/_5$
  o'r maint llawn yw'r model neu'r map. scale
  4 system o bennu cyflogau, pensiynau, etc.
  yn ôl graddau ariannol, *Bydd dy gyflog di'n
  cychwyn ar bwynt 3 Graddfa II, sef £20,000
  y flwyddyn.* scale
  5 CERDDORIAETH cyfres benodol o nodau â
  phatrwm cyson i'r cyfyngau sydd rhwng pob
  nodyn scale

graddfa Beaufort graddfa buanedd gwynt
o 0 (gosteg) i 12 (corwynt) Beaufort scale
  Ymadrodd

wrth raddfa yn unol â chyfraneddau graddfa
fesur gydnabyddedig (*Tynnwyd cynlluniau'r
to wrth raddfa 1:100.*) to scale

graddiad *eg* (graddiadau)
  1 cyfres o gamau olynol; graddoliad gradation
  2 cam neu radd ar raddfa gradation

graddiant *eg* (graddiannau)
  1 gradd goledd neu lechwedd, e.e. heol, *Mae
  graddiant 1 mewn 4 yn golygu bod codiad
  o 1 metr am bob 4 metr ymlaen.* gradient
  2 FFISEG cynnydd neu leihad ym maint priodwedd
  (e.e. tymheredd, cyddwysiad, etc.) wrth iddi
  symud o un pwynt neu foment i un arall gradient
  3 MATHEMATEG mesur o serthrwydd cromlin,
  yn enwedig un sy'n ffurfio graff gradient

graddio *be* [graddi•²]
  1 ennill gradd prifysgol to graduate
  2 rhoi gradd i ddarn o waith, trefnu fesul
  gradd, dosbarthu yn ôl graddfa arbennig;
  categoreiddio, safoni to grade, to graduate
  3 lleihau (neu gynyddu) rhywbeth o ran maint
  neu nifer to scale

graddliwio *be* [graddliwi•²] (mewn lluniad)
defnyddio marciau y tu mewn i amlinelliad
i greu argraff o gysgod, o oleuni a thywyllwch,
neu o dri dimensiwn; tywyllu to shade

graddnod *eg* (graddnodau) un o gyfres o
raddfeydd neu farciau sy'n dynodi gwerthoedd
neu leoliadau calibration mark

graddnodi *be* [graddnod•¹]
  1 pennu diamedr mewnol tiwb neu faril gwn;
  calibro to calibrate
  2 pennu cywirdeb graddfa o fesuriadau drwy
  eu cymharu â'r mesur safonol to calibrate

graddnodiad *eg* (graddnodiadau) y broses o raddnodi, canlyniad graddnodi calibration

graddol *ans* yn digwydd gam wrth gam, yn araf ac yn gyson, fesul gradd, bob yn dipyn; araf gradual

graddoli *be* [graddol•¹] newid rhywbeth yn raddol, e.e. lliw neu haen to grade

graddoliad *eg* y gwaith neu'r broses o raddio gradation

graddoliaeth *eb* GWLEIDYDDIAETH polisi neu theori sy'n arddel newid graddol yn hytrach na newid sydyn gradualism

graean *eg* DAEAREG cerrig mân (yn enwedig ar draeth neu wely afon) ac iddynt ddiamedrau rhwng 2 mm a 4 mm gravel, shingle

graeanaidd:graeanog *ans* yn cynnwys graean neu wedi'i orchuddio â graean gravelly

graeanen *eb* un gronyn o raean grain of gravel

graeanu *be* [graean•¹] taenu graean dros, e.e. dros heolydd wedi'u rhewi to grit

graeanwst *eb* hynafol gwaddod o lwch neu gerrig mân sy'n casglu yn y bledren neu yn yr arennau gravel

graen *eg*
1 golwg dda, cyflwr da, gwedd lewyrchus, *Mae graen ar y gath ar ôl i ti ddechrau gofalu amdani*. sleekness
2 ôl medr neu allu, *Mae graen ar gynhyrchiad drama'r ysgol eleni*.; llewyrch, safon, sglein polish, finish
3 trefn neu wead y ffibrau mewn coed, lledr, cig, etc. a'r patrwm sy'n cael ei greu ganddynt grain

croes i'r graen/yn erbyn y graen yn erbyn y ffordd naturiol neu yn erbyn yr ewyllys against the grain

graenio:graenu *be* [graeni•²]
1 dod i edrych yn fwy llewyrchus, gwella o ran golwg; tyfu, tewhau
2 lliwio neu beintio er mwyn dynwared patrwm graen pren, marmor, etc. to grain

graenus *ans* a graen arno; caboledig, llewyrchus, mirain polished

grafitropedd *eg* BOTANEG y ffordd y mae rhan o blanhigyn yn troi i gyfeiriad grym disgyrchiant y Ddaear neu'n troi i'r gwrthwyneb, *Mae gwreiddiau planhigyn yn tyfu at i lawr (grafitropedd positif) ac mae'r coesynnau'n tyfu at i fyny (grafitropedd negatif)* geotropism, gravitropism

graff *eg* (graffiau) MATHEMATEG diagram yn dangos y berthynas rhwng dau newidyn, yn arferol gyda dwy echelin sy'n berpendicwlar i'w gilydd graph
Sylwch: nid yw'n treiglo'n feddal.

graffeg *eb*
1 y grefft o dynnu llun gwrthrych ar wyneb dau ddimensiwn, e.e. papur, gan barchu rheolau mathemategol ynglŷn â thafluniadau graphics
2 y grefft neu'r dechneg o ddylunio pethau (posteri, cloriau llyfrau, etc.) sy'n cynnwys patrymau, lluniau, rhifau, etc. yn ogystal â llythrennau graphics
Sylwch: nid yw'n treiglo'n feddal.

graffig *ans*
1 yn rhoi manylion clir a chyflawn, yn enwedig wrth gyfeirio at rywbeth annymunol graphic
2 CELFYDDYD yn ymwneud â chelfyddyd weledol neu graffigwaith cyfrifiadurol graphical

graffigol *ans* MATHEMATEG yn perthyn i graff, ar ffurf graff graphical

graffigwaith *eg* (graffigweithiau) gwaith yn cynnwys graffeg graphics
Sylwch: nid yw'n treiglo'n feddal.

graffigyn *eg* (graffigau) CYFRIFIADUREG eitem graffigol sy'n cael ei harddangos ar sgrin neu ei storio fel data graphic

graffio *be* MATHEMATEG llunio graff to graph
Sylwch: nid yw'r ferf hon yn arfer cael ei rhedeg.

graffit *eg* math arbennig o garbon sy'n ddu ei liw ac yn feddal iawn ac sy'n cael ei ddefnyddio mewn pensiliau, i iro rhannau symudol peiriannau, ac fel dargludydd gwres a thrydan graphite
Sylwch: nid yw'n treiglo'n feddal.

graffiti *ell*
1 llun neu ymadrodd wedi'i ysgrifennu mewn lle cyhoeddus, e.e. ar wal, (yn aml) â neges ddoniol wreiddiol, neu aflednais graffiti
2 lluniau neu ddyluniadau wedi'u chwistrellu ar furiau cyhoeddus neu ar ochr trafnidiaeth gyhoeddus graffiti
Sylwch: nid yw'n treiglo'n feddal.

graffito *eg* (graffiti) ARCHAEOLEG marc wedi'i grafu ar wyneb rhywbeth, e.e. wal, sydd weithiau'n ffurfio llun neu ysgrifen graffito

gram *eg* (gramau) màs centimetr ciwb o ddŵr pan fo'r tymheredd yn 4°C, ac uned fetrig i fesur pwysau; $^1/_{1,000}$ o gilogram; ceir tua 28 gram mewn owns gram, gramme
Sylwch: nid yw'n treiglo'n feddal.

gramadeg *eg* (gramadegau)
1 astudiaeth (neu wyddor) o'r rheolau sy'n penderfynu ym mha ffordd y mae geiriau yn newid eu ffurf ac ym mha ffyrdd y maent yn cysylltu â'i gilydd er mwyn llunio brawddegau grammar
2 llyfr sy'n cyflwyno'r rheolau hyn grammar

ysgol ramadeg gw. ysgol¹

gramadegol *ans*
1 yn ymwneud â gramadeg grammatical
2 yn cydymffurfio â rheolau gramadeg grammatical

g

gramadegwr:gramadegydd *eg* (gramadegwyr) un hyddysg mewn gramadeg grammarian

gramoffon *eb* (gramoffonau) peiriant sy'n atgynhyrchu sain oddi ar record; mae'r record yn cael ei chylchdroi ar fuanedd cyson ac mae nodwydd yn rhedeg ar hyd rhigol y record gan godi'r sain gramophone
 Sylwch: nid yw'n treiglo'n feddal.

granar *eg* llofft i gadw ŷd uwchben beudy; taflod granary
 Sylwch: nid yw'n treiglo'n feddal.

grant *eg* (grantiau) swm o arian sy'n cael ei dalu (gan y wladwriaeth fel arfer) i unigolyn neu gorff ar gyfer rhyw bwrpas penodol grant
 Sylwch: nid yw'n treiglo'n feddal.

granwlocyt *eg* (granwlocytau) FFISIOLEG math o gell wen y gwaed sy'n llawn gronigion microsgopig sy'n treulio microbau estron ac sy'n rhan bwysig o system imiwn y corff granulocyte
 Sylwch: nid yw'n treiglo'n feddal.

graptolit *eg* (graptolitau) DAEAREG un o nifer o fathau o anifeiliaid cytrefol, bychain o'r cyfnod Palaeosöig, nad ydynt yn bod rhagor, a fu'n arnofio yn heidiau yn y môr ac a geir ar ffurf ffosiliau graptolite
 Sylwch: nid yw'n treiglo'n feddal.

gras[1] *eg* (grasusau)
 1 CREFYDD (am Dduw) trugaredd Duw tuag at ddynion, ffafr Duw tuag at annheilwng ddyn, *Gras ein Harglwydd Iesu Grist*; bendith, ffafr grace
 2 gohiriad, seibiant, caniatâd i ohirio rhywbeth, *Rwyt ti'n lwcus ein bod wedi cael diwrnod o ras cyn gorfod rhoi ein traethodau i'r athro.* grace
 3 modd ffurfiol o gyfarch dug neu dduges neu archesgob, *Ei Ras Dug Caeredin* grace

gras[2] *eg* (grasau) CREFYDD gweddi fer o ddiolch naill ai cyn neu ar ôl pryd o fwyd grace

graslon:grasol:grasusol *ans*
 1 caredig a hawddgar (yn enwedig am rywun bonheddig sy'n ymddwyn yn foesgar tuag at rywun iselradd); boneddigaidd, haelfrydig, hynaws, rhadlon gracious
 2 llawn o ras Duw gracious

graslonrwydd *eg* y cyflwr o fod yn raslon, o fod yn foneddigaidd, yn garedig ac yn hawddgar; eangfrydedd, hynawsedd, mawrfrydedd, rhadlonrwydd graciousness

grasusau *ell*
 1 lluosog **gras**
 2 ffafrau, cymwynasau, haelioni favours

grât *eg* (gratiau)
 1 y ffrâm a'r barrau haearn sy'n dal y coed neu'r glo i'w llosgi mewn lle tân grate

 2 ffrâm o ddur neu o haearn â barrau ar ei thraws (e.e. o flaen ffenestr neu uwchben twll) grating, grid

graticiwl *eg*
 1 graddfa neu rwydwaith ar ffurf petryal a welir wrth ddefnyddio math arbennig o delesgop neu ficrosgop ac a ddefnyddir i leoli gwrthrych neu ei fesur graticule
 2 y rhwydwaith o linellau hydred a lledred a geir ar fap graticule
 Sylwch: nid yw'n treiglo'n feddal.

gratin *eg* ffrâm o ddur neu o haearn a barrau ar ei thraws grating
 Sylwch: nid yw'n treiglo'n feddal.

gratio *be* [grati•[2]] malu neu friwsioni bwyd drwy ei rwbio ar gratiwr to grate

gratiwr *eg* (gratwyr) teclyn ag arwyneb llawn tyllau ag ymylon llym, ar gyfer gratio bwyd grater

grawn *eg* ac *ell*
 1 casgliad o hadau ŷd cereal, grain
 2 ffrwyth y winwydden; grawnwin grapes
 3 ffrwythau bychain rhai mathau o goed, *grawn criafol*; aeron berries
 4 casgliad o wyau mân pysgodyn; grifft, gronell fish spawn, roe
 5 casgliad o ddarnau neu dameidiau bach grain
 Sylwch:
 1 mae'n derbyn ffurf unigol neu luosog berf;
 2 *gronynnau* a ddefnyddir am fwy nag un *gronyn* nad ydynt yn gasgliad.

grawn unnos madarch mushrooms

grawnfwyd *eg* (grawnfwydydd) un o nifer o wahanol fathau o fwyd sydd wedi cael eu gwneud o rawn, yn enwedig y math sy'n cael ei fwyta gyda llaeth/llefrith fel arfer i frecwast cereal

grawnffrwyth *eg* (grawnffrwythau) ffrwyth sitrws melyn â blas siarp grapefruit

grawnswp *eg* (grawnsypiau) clwstwr o rawnwin bunch of grapes

grawnwin *ell* ffrwythau gwyrdd neu goch y winwydden sy'n cael eu bwyta neu eu defnyddio i wneud gwin grapes

grawnwinen *eb* unigol **grawnwin** grape

Grawys *eg* CREFYDD y deugain (40) niwrnod cyn y Pasg; yn ystod y cyfnod hwn bydd rhai Cristnogion yn gwneud heb rai pethau er mwyn coffáu ympryd a themtiad Crist a'i farwolaeth Lent

gre *eb* (greoedd) casgliad o anifeiliaid, yn enwedig ceffylau, *gre o feirch*, *gre o gesig magu*; cenfaint, cnud, diadell, gyr, haid, praidd stud, herd
 Sylwch: mae'n derbyn ffurf unigol neu luosog berf.

caseg re/march gre caseg neu farch sy'n cael ei chadw/gadw i fagu mare/stallion at stud

Greal *eg* yn ôl y chwedl, y *Greal Sanctaidd* neu'r *Saint Greal* oedd y ddysgl a ddefnyddiodd Crist yn y Swper Olaf ac y bu marchogion Bord Gron y Brenin Arthur yn ei cheisio Grail, the Holy Grail

gredyll *ell* lluosog **gradell**

greddf *eb* (greddfau) cymhelliad naturiol (mewn anifeiliaid yn enwedig) i ymddwyn mewn ffordd benodol nad yw'r anifail wedi'i ddysgu instinct
wrth reddf yn reddfol, *Mae'r wennol yn gwybod wrth reddf pryd i adael Cymru am wlad gynhesach a sut i fynd yno.* instinctively

greddfol *ans* (am adwaith) yn digwydd cyn bod cyfle i feddwl nac ystyried; anianol, awtomatig, cynhenid instinctive, intuitive

grefi *eg* y sudd a'r crafion a ddaw o ddarn o gig wrth iddo gael ei goginio, wedi'i dewhau a'i flasu i wneud saws i arllwys dros y cig a'r llysiau; gwlych, isgell gravy
Sylwch: nid yw'n treiglo'n feddal.

Gregoraidd *ans*
1 CERDDORIAETH am y Pab Gregori I a'r gerddoriaeth eglwysig (llafarganu, moddau, graddfeydd, etc.) a enwir ar ei ôl Gregorian
2 am y Pab Gregori XIII a'i ddiwygiadau i'r calendr Gregorian
Sylwch: nid yw'n treiglo'n feddal.

greic *eg* (greiciau) DAEAREG agen sy'n nodweddu arwyneb calchbalmant ac sy'n cael ei lledu gan hindreuliad grike
Sylwch: nid yw'n treiglo'n feddal.

grenâd *eg* (grenadau) taflegryn bach yn cynnwys ffrwydron wedi'i fwriadu i'w daflu neu ei saethu o ddryll; bom llaw grenade
Sylwch: nid yw'n treiglo'n feddal.

gresyn *eg* piti garw; pechod, trueni pity, shame
gresynu *be* [gresyn•¹] teimlo'n flin dros (rywun) neu ynghylch (rhywbeth), tosturio wrth, cydymdeimlo â; trugarhau (~ **at/wrth** *rywun/rywbeth*) to be sorry for, to deplore, to pity
gresynus *ans* yn peri tristwch; gofidus, trallodus, truenus wretched, lamentable, pitiable

grid *eg* (gridiau)
1 rhwydwaith o wifrau trydan sy'n cysylltu pwerdai cynhyrchu trydan â thai, swyddfeydd, ffatrïoedd, etc. ar hyd a lled y wlad grid
2 rhwydwaith tebyg o bibellau tanddaearol sy'n cludo nwy ledled y wlad grid
3 patrwm o sgwariau wedi'u hargraffu ar fapiau er mwyn gallu lleoli'n fanwl unrhyw fan ar y map grid
4 ffrâm o ddur neu o haearn a barrau ar ei thraws; gratin grid

gridyll *eg* (gridyllau)
1 COGINIO rhan o ffwrn drydan neu nwy lle mae modd coginio bwyd yn uniongyrchol o dan y gwres grill

2 COGINIO rhes o farrau uwchben tân agored ar gyfer rhoi bwyd arnynt i goginio yng ngwres uniongyrchol y tân grill
3 COGINIO ffrâm haearn betryal a choes fer iddi a ddefnyddid yn arbennig i rostio pysgod neu gig uwchben tân agored griddle

gridyllu *be* [gridyll•¹] COGINIO coginio bwyd dan ridyll; grilio to grill
Sylwch: nid yw'n treiglo'n feddal.

griddfan¹ *eg* (griddfannau: griddfanau) sŵn eithaf uchel, bloesg a dolefus sy'n arwydd o boen neu ofid mawr; cwyn, ocheneaid groan, moan

griddfan² *be* [griddfan•³] ochneidio yn uchel ac yn ddwys, gwneud sŵn bloesg a dolefus sy'n arwydd o boen neu ofid mawr; ochain, ubain, wylofain to groan, to moan

griddfan³ *be* [griddfann•¹⁰] mae ganddo'r un ystyr â **griddfan²** ond â bôn gwahanol
Sylwch: dyblwch yr 'n' ym mhob ffurf ac eithrio yn y rhai sy'n cynnwys -as-.

griddfanus *ans* yn griddfan; cwynfanus, ochneidiol moaning

grifft *eg* (yn enwedig grifft llyffant) yr wyau bychain mewn jeli tryloyw sy'n deor yn benbyliaid ac yna'n llyffaint dafadennog neu frogaod frogspawn

gril *eg* (griliau) gridyll; rhan o ffwrn drydan neu nwy lle mae modd coginio bwyd yn uniongyrchol o flaen y gwres neu oddi tano grill

grilio *be* [grili•²]
1 coginio bwyd dan y gril; gridyllu to grill
2 holi rhywun yn ddyfal ac yn ddwys to grill
Sylwch: nid yw'n treiglo'n feddal.

grillian *be* [grilli•²] gwneud sŵn rhincian neu grensian drwy rwbio dau ddarn o'r corff yn erbyn ei gilydd, e.e. fel sioncyn y gwair to chirp
Sylwch: nid yw'n treiglo'n feddal.

grin *eb* lawnt neu ddarn o dir glas at ddefnydd y cyhoedd mewn pentref green
Sylwch: nid yw'n treiglo'n feddal.

gris *eg* (grisiau)
1 math o silff neu wyneb gwastad mewn cyfres a ddefnyddir i ddringo neu ddisgyn o un cam i'r llall; step stair, step
2 *ffigurol* unrhyw gam sy'n arwain i fyny neu i lawr o ryw bwynt arbennig rung, step

grisffordd *eb* (grisffyrdd) un neu ragor o setiau o risiau a llawr neu landin rhyngddynt stairway

grisial gw. **crisial**

grisiau *ell*
1 lluosog **gris** steps
2 nifer penodol o staerau neu stepiau sy'n cysylltu dau lawr mewn adeilad; staer staircase, stairs
lawr grisiau gw. **lawr¹**

griwel:gruel *eg* blawd ceirch neu wenith wedi'i ferwi mewn dŵr neu laeth; uwd, llymru, bwdram gruel
 Sylwch: nid yw'n treiglo'n feddal.

gro *eg ac ell*
 1 graean gravel, shingle
 2 *ffigurol* y bedd earth

Groeg *ebg* iaith Indo-Ewropeaidd y Groegwyr a siaredir ers cyfnod cynhanesyddol Greek
 Sylwch: er mai benywaidd yw enw iaith, wrth sôn am ddarn arbennig, neu fath o iaith, ceir enw gwrywaidd, e.e. Groeg cywir.

Groegaidd *ans* yn perthyn i Wlad Groeg, nodweddiadol o Wlad Groeg Grecian, Greek
 Sylwch: yng Ngroeg/Ngwlad Groeg; i Roeg/Wlad Groeg.

Groeges *eb* merch neu wraig o Wlad Groeg, un o dras neu genedligrwydd Groegaidd

Groegiad *eg* (Groegiaid) brodor o Wlad Groeg, un o dras neu genedligrwydd Groegaidd Greek

Groegwr *eg* (Groegwyr) brodor o Wlad Groeg, un o dras neu genedligrwydd Groegaidd Greek

groffft *eb* (groffftau) cae bach yn ymyl tŷ

grog *eg*
 1 gwirod wedi'i lastwreiddio (rŷm yn fwyaf arbennig) grog
 2 defnydd sy'n gwrthsefyll effeithiau gwres, e.e. crochenwaith wedi'i falu, a ychwanegir at blaster neu glai; fe'i defnyddir i leihau effaith y crebachu sy'n digwydd wrth danio crochenwaith grog
 Sylwch: nid yw'n treiglo'n feddal.

gromed *eb* (gromedau)
 1 cylch o raff wedi'i chyfrodeddu, sy'n cynnal neu'n dal rhywbeth yn ei le ar long grommet
 2 coler o ddefnydd cryf i gryfhau ymyl twll ac arbed rhaff, cebl neu bibell sy'n mynd drwy'r twll rhag difrod grommet
 3 tiwb bach a roddir drwy dympan y glust (drwy lawdriniaeth) i ddraenio hylif o'r glust ganol ac i adael aer i mewn grommet
 Sylwch: nid yw'n treiglo'n feddal.

gronell *eb* (gronellau) casgliad o wyau mân pysgodyn; grawn fish spawn, roe

gronigyn *eg* (gronigion) gronyn bach granule
 Sylwch: nid yw'n treiglo'n feddal.

gronyngell *eb* granwlocyt; math o gell wen y gwaed sy'n llawn gronigion microsgopig sy'n treulio microbau estron ac sy'n rhan bwysig o system imiwn y corff granulocyte

gronyn *eg* (gronynnau:grawn)
 1 hedyn ŷd grain, seed of corn
 2 darn neu damaid bach caled, e.e. o dywod neu raean; bribsyn, cetyn, dryll, mymryn grain, granule

3 FFISEG dernyn bach o fater, e.e. mewn atom particle

gronyn bach ysbaid fer; ychydig short while

gronyniad *eg* MEDDYGAETH y broses lle mae meinwe gronynnog yn ffurfio ar glwyf granulation

gronynnog *ans*
 1 ar ffurf mân ronynnau; garw granulated
 2 (am siwgr) wedi'i grisialu yn ronynnau granulated
 3 yn cynnwys gronynnau o fwynau granular
 meinwe gronynnog meinwe yn cynnwys mân-wythiennau sy'n ffurfio ar wyneb clwyf sy'n gwella granulation tissue

gronynnol *ans* (am sylwedd) wedi'i wneud o fân ronynnau particulate

gros¹ *eg* deuddeg dwsin gross
 Sylwch: nid yw'n treiglo'n feddal

gros² *ans*
 1 (am arian, elw, llog) heb dynnu treth neu gyfraniadau eraill; crynswth gross
 2 (am bwysau) yr hyn a gynhwysir ynghyd ag eitemau amrywiol eraill, e.e. deunydd lapio gross
 Sylwch: nid yw'n treiglo'n feddal.

groser *eg* (groseriaid) siopwr sy'n gwerthu bwydydd cadw (tuniau, pacedi, etc.) a nwyddau eraill megis sebon a matshys, etc. ar gyfer y tŷ grocer
 Sylwch: nid yw'n treiglo'n feddal.

grôt:gròt *eg* hen ddarn o arian gwerth pedair hen geiniog groat

grotésg *ans*
 1 ffantastig, hynod, afluniaidd grotesque
 2 CELFYDDYD am arddull sy'n ddychmygus, ffantastig, gyda ffurfiau dynol ac anifeiliaid yn cydblethu â phlanhigion a ffrwythau grotesque
 Sylwch: nid yw'n treiglo'n feddal.

groto *eg* naill ai ogof naturiol â nodweddion arbennig megis stalactidau, etc. neu ogof wedi'i chreu a'i haddurno fel man cysgodol rhag yr haul grotto
 Sylwch: nid yw'n treiglo'n feddal.

growt *eg* math o forter tenau a ddefnyddir i lenwi bylchau, e.e. rhwng teils, neu i'w osod yn haen denau ar wyneb rhywbeth grout
 Sylwch: nid yw'n treiglo'n feddal.

growtio *be* [growti•²] llenwi uniadau â growt neu daenu haen denau o growt dros wyneb rhywbeth to grout
 Sylwch: nid yw'n treiglo'n feddal.

gröyn *eg* (gro) darn o ro, carreg fân gravel

grudd *eb* (gruddiau) y darn cnodiog y naill ochr a'r llall i'r wyneb dan y llygaid a rhwng y trwyn a'r glust; boch cheek

gruel gw. griwel

grug¹ *eg* (grugoedd) planhigyn sy'n tyfu'n llwyni bychain ar rostir a thir uchel agored; mae ganddo flodau porffor, pinc neu wyn heather, ling

grug²:grugos *eb mewn enwau lleoedd* man lle mae grug yn tyfu, e.e. Y Rug, Y Rugos

grugiar *eb* (grugieir) un o nifer o fathau o adar bach boliog sy'n cael eu hela a'u saethu i'w bwyta neu er mwyn difyrrwch grouse

grugos *eb* gw. **grug²**

grut *eg* tywod bras; graean, gro, grafel grit
   Sylwch: nid yw'n treiglo'n feddal.

grutaidd:grutiog *ans* llawn grut, tebyg i grut gritty
   Sylwch: nid yw'n treiglo'n feddal.

grwgnach *be* mynegi anfodlonrwydd mewn ffordd gwynfanllyd; achwyn, ceintach, cwyno, tuchan (~ **am**) to grumble, to grouse
   Sylwch: nid yw'r ferf hon yn arfer cael ei rhedeg.

grwgnachlyd *ans* chwannog i rwgnach; achwyngar, ceintachlyd, cwynfanllyd grumbling, querulous

grwgnachwr *eg* (grwgnachwyr) un sy'n grwgnach; achwynwr, conyn, cwynwr moaner

grwn *eg* (grynnau) darn o dir neu nifer o gwysi mewn cae wedi'i aredig ridge

grŵn:grwnan *eg* y sŵn a wneir gan gath yn canu grwndi purr, purring

grwnan *be* gwneud sŵn isel fel mwmian sy'n parhau am amser to croon, to drone
   Sylwch: nid yw'r ferf hon yn cael ei rhedeg.

grwnd *eg*
1 CELFYDDYD arwyneb wedi'i baratoi y mae gwaith celf yn cael ei greu arno ground
2 CELFYDDYD sylwedd a ddefnyddir i baratoi arwyneb ar gyfer ei beintio ground
   Sylwch: nid yw'n treiglo'n feddal.

grwndfas *eg* CERDDORIAETH thema fer a ailadroddir yn y bas tra bo'r rhannau cerddorol eraill (uwch ei phen) yn amrywio ground bass

grwndi *eg* fel yn yr ymadrodd *canu grwndi*, y sŵn y mae cath yn ei wneud pan fydd wrth ei bodd purr, purring

grwndwal *eg* (grwndwal(i)au) sylfaen, sail foundation (groundwall)

grŵp *eg* (grwpiau) (*yn derbyn ffurf unigol neu luosog berf*)
1 nifer bychan o bobl neu bethau wedi'u casglu ynghyd; cwmni, parti group
2 casgliad o bobl o'r un oedran, o'r un cefndir neu â'r un diddordebau, etc.; corff, cymdeithas group
3 nifer bychan o offerynwyr a/neu gantorion sy'n perfformio cerddoriaeth boblogaidd, *grŵp pop* group
4 CEMEG set o elfennau sy'n llenwi colofn fertigol yn y tabl cyfnodol ac sy'n rhannu'n gyffredinol briodweddau tebyg yn sgil eu hadeiledd electronol tebyg group

Sylwch:
1 nid yw'n treiglo'n feddal;
2 mae'n derbyn ffurf unigol neu luosog berf.

grwpio *be* [grwpi•²] trefnu yn grwpiau neu gasglu yn grwpiau; categoreiddio, clystyru, dosbarthu, graddoli (~ **ynghyd**; ~ *rhywbeth* **gyda**) to group
   Sylwch: nid yw'n treiglo'n feddal.

grwyn *eg* (grwynau) math o fur o gerrig, o bren neu o ddur wedi'i adeiladu o'r lan tua'r môr i amddiffyn y glannau, i gronni tywod (i wneud traeth) neu i gyfeirio cerrynt o ddŵr y môr groyne
   Sylwch: nid yw'n treiglo'n feddal.

grym *eg* (grymoedd)
1 nerth neu gryfder corfforol, cryfder ar waith, *grym y lli, grym y gwynt*; cadernid, gallu force, strength, vigour
2 rhywun neu rywbeth (cred, gweithred, etc.) sy'n gallu dylanwadu a newid ffordd o fyw, neu sydd ag awdurdod na ellir ei reoli dros bethau byw, *grym natur*; awdurdod, dylanwad, force
3 yr hawl neu'r awdurdod sydd gan unigolyn neu gorff, *grym y llys, grym y gyfraith* power
4 FFISEG yr hyn sy'n gallu cychwyn symudiad, atal neu stopio symudiad neu newid cyflymder gwrthrych, e.e. pan fydd pêl yn cael ei thaflu i'r awyr, bydd grym disgyrchiant yn newid symudiad y bêl a'i gorfodi i ddod yn ôl i lawr i'r ddaear force

grym allgyrchol gw. **allgyrchol**

grym electromotif FFISEG y foltedd a gynhyrchir gan ddyfais, e.e. batri neu ddynamo, sy'n trawsnewid math gwahanol o egni yn egni trydanol electromotive force
Ymadrodd

mewn grym (am gyfraith, rheol, awdurdod) yn ddilys, yn cael ei gweithredu in force, in power

grymus *ans* [grymus•] (grymusion) cadarn, cryf, egnïol, nerthol mighty, powerful, strong

grymuso *be* [grymus•¹] gwneud yn fwy grymus; atgyfnerthu, cryfhau, cyfnerthu, nerthu (~ *rhywbeth* **drwy/wrth**) to strengthen, to fortify, to empower

grymuster *eg* (grymusterau) grym corfforol; cadernid, grym, nerth might, power

grynnau *ell* lluosog **grwn**

Guinead gw. **Ginïad**

Guineaidd gw. **Ginïaidd**

gulag gwersyll cosb i garcharorion yn yr Undeb Sofietaidd gynt (1930–55)

gw. *byrfodd* gweler v.

gwacach:gwacaf:gwaced *ans* [gwag] mwy gwag; mwyaf gwag; mor wag

gwacâd *eg* y broses o wacáu, canlyniad gwacáu emptying

gwacáu *be* [gwaca•¹⁵]

1 gwneud yn wag (yn enwedig am le neu adeilad wrth i bobl adael neu wrth i'r cynnwys gael ei symud i fan arall), *Fuon ni ddim yn hir yn gwacáu'r tŷ unwaith y cyrhaeddodd y fan.*; arllwys, clirio, gwagio to empty, to evacuate

2 gwagio neu ddihysbyddu (nwy neu ager) o beiriant to exhaust

gwacäwr *eg* (gwacäwyr) rhywbeth neu rywun sy'n gwacáu emptier

gwacsaw *ans* anwadal, penchwiban, di-ddal frivolous, fickle

gwacter *eg* (gwacterau) y cyflwr o fod yn wag, gofod heb ddim ynddo; bwlch, gofod, gwagle emptiness, vacuum, void

gwactod *eg* (gwactodau) gofod nad oes dim (neu'r nesaf peth i ddim) nwyon ynddo; gwagle vacuum

gwachul *ans* (yn enwedig mewn gwrthgyferbyniad megis *y gwych a'r gwachul*) eiddil, nychlyd, llesg, tenau, tila feeble

gwadadwy *ans* y gellir ei wadu deniable, refutable

gwadiad *eg* (gwadiadau)

1 y weithred o wadu; gwrthodiad, nacâd denial

2 datganiad sy'n gwadu rhywbeth denial

gwadn *egb* (gwadnau)

1 gwaelod y droed, y rhan sy'n cyffwrdd â'r llawr sole

2 gwaelod esgid, rhan isaf esgid sole

3 darn o ddefnydd a roddir y tu mewn i esgid er mwyn cynhesrwydd neu er mwyn iddi ffitio'n well insole

llunio'r gwadn/wadn fel bo'r troed gwneud yr hyn mae modd ei wneud gyda'r adnoddau (arian) sydd ar gael to cut your coat according to the cloth

gwadnu *be* [gwadn•¹]

1 rhoi gwadn ar esgid; tapo to sole

2 rhedeg i ffwrdd, ei heglu hi, cymryd y goes; dianc, ffoi to run away, to take to one's heels

gwadu *be* [gwad•³ *3 un. pres.* gwad/gwada]

1 datgan nad gwirionedd yw rhywbeth y mae rhywun arall yn honni ei fod yn wir; dweud nad yw rhywbeth yn wir; nacáu to deny

2 gwrthod derbyn neu wrthod cydnabod eich bod yn adnabod rhywun, *Gwadodd Pedr Iesu Grist dair gwaith.*; ymwadu, ymwrthod â to deny, to disown, to disclaim

gwadwr *eg* (gwadwyr) un sy'n gwadu denier

gwadd¹:gwadden:gwahadden *eb* (gwaddod:gwahaddod) anifail bach â llygaid bach, trwyn hir a chot o ffwr tywyll, melfedaidd; mae'n cloddio twnelau tanddaearol â'i goesau cryfion ac yn byw ar bryfed a chynrhon; twrch daear mole

pridd y wadd y twmpath o bridd mân sy'n dangos bod gwadd/twrch daear wedi bod yn cloddio oddi tano mole cast, molehill

gwadd² *ans* wedi'i wahodd, *gŵr gwadd* guest

gwaddod *eg* (gwaddodion)

1 y sylwedd sy'n casglu ar waelod rhai mathau o hylif, e.e. gwin, ar ôl iddynt sefyll am gyfnod, neu ddefnydd megis clai, silt, tywod a graean sy'n ymgasglu ar wyneb y tir neu wely'r môr; gwaelodion, gweddillion, sorod deposit, dregs, sediment

2 lluosog gwadd

gwaddodeg *eb* DAEAREG astudiaeth wyddonol o waddodion a chreigiau gwaddod sedimentology

gwaddodi *be* [gwaddod•¹] CEMEG ffurfio solid o hydoddiant to precipitate, to deposit

gwaddodiad *eg* DAEAREG y broses o ollwng gwaddod, canlyniad gollwng gwaddod sedimentation

gwaddodol *ans*

1 wedi'i lunio o waddod, yn cynnwys gwaddod sedimentary

2 DAEAREG (am graig waddod) wedi'i ffurfio o waddodion, e.e. clai, silt a thywod, a/neu ddefnydd organig, fel gweddillion anifeiliaid a phlanhigion, ac sydd wedi ymgasglu fesul haen ar wely'r môr neu ar wyneb y tir sedimentary

gwaddol *eg* (gwaddolion)

1 CYFRAITH arian neu eiddo sy'n cael ei adael (mewn ewyllys fel arfer) yn incwm parhaol i unigolion neu sefydliad; cymynrodd, cynhysgaeth, etifeddiaeth endowment

2 hefyd yn ffigurol, e.e. Glo yw gwaddol fforestydd trofannol y cyfnod Carbonifferaidd. legacy

3 yr arian neu eiddo y daw gwraig i'w gŵr adeg eu priodas dowry

gwaddoledig *ans* wedi'i waddoli endowed

gwaddoli *be* [gwaddol•¹] CYLLID rhoi swm mawr o arian (i rywun neu rywbeth) sy'n sicrhau incwm blynyddol rheolaidd, *gwaddoli ysbyty* to endow

gwaddoliad *eg* (gwaddoliadau) y weithred o waddoli, canlyniad gwaddoli endowment

gwaddotwr *eg* (gwaddotwyr) gŵr dal gwaddod mole-catcher

gwae *eg* (gwaeau) trueni mawr; cystudd, gofid, ing, trallod woe

gwae fi druan ohonof woe is me

gwaed *eg* yr hylif sy'n cludo ocsigen a sylweddau eraill i bob rhan o'r corff, sy'n dwyn gwastraff fel carbon deuocsid ac wrea o'r corff, ac sy'n cylchredeg mewn system fasgwlar blood

gwaed oer am anifeiliaid y mae gwres eu cyrff yn amrywio yn ôl y tymheredd o'u cwmpas, e.e. ymlusgiaid cold-blooded

Ymadroddion

bod am fy (dy, ei, etc.) ngwaed am ddial arnaf neu fy nghosbi to be out for my blood

gwaed cynnes am anifeiliaid, e.e. mamolion, y mae gwres eu cyrff yn aros yn gymharol sefydlog (rhwng 37°C a 44°C) beth bynnag yw'r tymheredd o'u cwmpas, o'u cyferbynnu ag anifeiliaid gwaed oer *warm-blooded*

gwaed ifanc pobl ifanc *young blood*

gwaed y Groes gwaed Iesu Grist

mewn gwaed oer yn annynol a dideimlad *in cold blood*

o waed o enedigaeth *by birth*

o waed coch cyfan o dras ddiledryw *pure-bred*

yn y gwaed yn nodweddiadol o'r teulu *in the blood*

gwaedboer *eg* MEDDYGAETH y weithred o besychu gwaed *haemoptysis*

gwaedfaen *eg* (gwaedfeini) haematit; mwyn o liw coch tywyll neu ddu, sy'n ocsid o haearn ac yn ffynhonnell haearn bwysig *haematite*

gwaedlif *eg* (gwaedlifau) MEDDYGAETH llif o waed, yn enwedig colled hir neu annisgwyl o waed *haemorrhage*

gwaedlyd *ans*
1 a gwaed drosto, wedi'i staenio â gwaed *bloody*
2 yn gysylltiedig â niweidio a lladd, *brwydr waedlyd bloody*

gwaedlyn *eg* lymff; hylif tryloyw sy'n cynnwys celloedd gwyn y gwaed ac sy'n llifo drwy'r system lymffatig cyn ymuno â llif y gwaed *lymph*

gwaedoliaeth *eb* perthynas drwy waed; gwehelyth, hil *consanguinity*

gwaedu *be* [gwaed•¹]
1 colli gwaed o'r corff o ganlyniad i niwed neu afiechyd *to bleed*
2 (am y galon) teimlo eich bod wedi cael eich clwyfo gan dristwch, *Mae fy nghalon yn gwaedu dros y plant bach. to bleed*
3 tynnu gwaed (fel y byddai doctoriaid yn arfer ei wneud er mwyn ceisio gwella pobl) *to bleed, to let blood*

gwaedd¹ *eb* (gwaeddau) galwad uchel, sgrech groch; banllef, bloedd, llef *shout, yell, cry*

gwaedd ac ymlid *hanesyddol* (yn yr Oesoedd Canol) cymorth a gâi ei drefnu gan gwnstabl neu ddioddefwyr trosedd i ymlid troseddwr neu droseddwyr *hue and cry*
Ymadrodd

gwaedd uwch adwaedd ymadrodd a ddefnyddir yn seremonïau Gorsedd y Beirdd cry above resounding cry

gwaedd² *bf* [gweiddi] *hynafol* mae ef yn gweiddi/ mae hi'n gweiddi; bydd ef yn gweiddi/bydd hi'n gweiddi

gwaedda *bf* [gweiddi] gorchymyn i ti weiddi

gwäeg *eb* (gwäegau) cylch neu sgwaryn o fetel a phigyn yn ei ganol ar gyfer cydio dau ben strapen ynghyd drwy wthio'r pigyn i dyllau priodol yn un o bennau'r strapen; bwcl *buckle, clasp*

gwael¹ *ans* [gwael•]
1 o safon isel, o ansawdd siomedig, *cymeriad gwael*; brith, coch, di-raen, di-werth *poor*
2 yn ymddwyn mewn ffordd annheilwng, nad yw cystal ag y dylai fod, *Hen gollwr gwael yw Alun.*; didda, pwdr *poor*
3 o safon isel, *Mae'n dod o gartref gwael.*; distadl, gresynus *poor*
4 llai na'r hyn y mae ei angen, llai na'r disgwyl *poor*

tro gwael gweithred sy'n twyllo neu'n camarwain rhywun *dirty trick*

gwael² *ans* [gwael•] (gwaelion) (am iechyd) heb fod yn dda, wedi'i effeithio gan afiechyd corfforol neu feddyliol; sâl, tost *ill, poorly, sick*

gwaelder:gwaeldra *eg* (gwaelderau) y cyflwr o fod yn wael; tlodi *wretchedness*

gwaeledd *eg* (gwaeleddau) achos o salwch neu gyfnod o salwch, *Bu hi'n ofalus iawn ohono yn ystod ei waeledd olaf.*; afiechyd, tostrwydd *illness*

gwaelion *ell* rhai gwael *the poor, the unwell*

gwaelod *eg* (gwaelodion)
1 y sylfaen y mae rhywbeth yn sefyll arno, y rhan isaf (y tu mewn neu'r tu allan), *gwaelod y grisiau*; bôn, bonyn, sail *bed, bottom*
2 y tir sydd o dan y dŵr (mewn llyn, afon, môr, etc.) *bottom, depths*
3 y man isaf o ran safle, *John oedd ar waelod y dosbarth eleni eto.* *bed, bottom*
4 y pen pellaf, *gwaelod yr ardd bottom*

gwaelodfa *eb* (gwaelodfeydd) DAEARYDDIAETH y lefel isaf y mae darn o dir yn gallu cael ei erydu gan ddŵr rhedegog *base level*

gwaelodi *be* [gwaelod•¹] cyrraedd y gwaelod, taro'r gwaelod *to bottom*

gwaelodion *ell*
1 lluosog **gwaelod**
2 gwaddod, y sylwedd sy'n ffurfio ar waelod hylif sy'n cael ei adael i sefyll am amser; gwaddod, gweddillion, sorod *sediment, dregs*

bod yn y gwaelodion bod yn isel eich ysbryd *to be down in the dumps*

gwaelodlin *eb* (gwaelodliniau)
1 llinell wastad neu safon ar gyfer cymariaethau, neu fel man cychwyn mesur pethau *baseline*
2 (yn y broses o fesur tir) llinell y mae ei hyd a'i lleoliad wedi'u mesur yn fanwl gywir ac a ddefnyddir i leoli mannau pellennig *baseline*

gwaelodol *ans* wedi'i leoli ar y gwaelod neu'n ffurfio sylfaen *underlying, basal*

gwaelu *be* [gwael•¹] mynd yn wael, yn sâl neu'n dost; clafychu, dihoeni, gwanychu, llesgáu *to sicken*

g

gwäell *eb* (gweill)
  1 rhoden hir, denau â phen pigfain sy'n cael ei defnyddio i wau (gwlân), nodwydd wau knitting needle
  2 sgiwer; rhoden ar gyfer trywanu a dal cig i'w rostio skewer
  gwäell y fraich radiws; y tewaf a'r byrraf o'r ddau asgwrn sy'n ymestyn o'r penelin i'r arddwrn radius
  gwäell y ffêr ANATOMEG tendon sy'n cysylltu cyhyrau croth y goes â'r ffêr Achilles tendon
gwaered *eg* fel yn *i waered*, llethr sy'n rhedeg ar i lawr; disgyniad, goriwaered, llechwedd descent, downward slope
  ar i waered
  1 (mynd neu symud) ar i lawr to go downhill
  2 dirywio, mynd yn waeth to worsen
gwaeth *ans* mwy **drwg**; mwy **gwael** worse
  Sylwch: gall 'gwaeth' ymddangos o flaen yr hyn a oleddfir ganddo; fel ffurf gymharol nid yw'n achosi'r treiglad meddal, *gwaeth canu.*
  er gwaeth er drwg adversely, for worse
  er gwell er gwaeth beth bynnag a ddaw for better or for worse
  mynd ar ei waeth gwaethygu to deteriorate
  ni waeth gen i does dim gwahaniaeth gennyf I don't mind
  Sylwch: mae'r treiglad yn aros hyd yn oed os collir y 'ni', *waeth gen i.*
  ta waeth pa mor wael bynnag anyway
  waeth befo *tafodieithol, yn y Gogledd* does dim gwahaniaeth
  waeth i mi (i ti, iddo ef, etc.) man a man i mi I might as well
  waeth i mi (i ti, iddo ef, etc.) **heb** man a man i mi beidio, yr un man i mi beidio there's no point in
gwaethaf *ans* mwyaf **drwg**; mwyaf **gwael**; arch-, carn-, pennaf worst
  ar waethaf/er gwaethaf [er fy ngwaethaf, er dy waethaf, er ei waethaf, er ei gwaethaf, er ein gwaethaf, er eich gwaethaf, er eu gwaethaf] er y cyfan y gallwn ei wneud, *Er gwaethaf ei holl ymdrechion dihangodd y pysgodyn.* in spite of
  gwaetha'r modd yn anffodus, ysywaeth unfortunately, worse luck
gwaethafwr:gwaethafydd *eg* (gwaethafwyr) un sy'n tueddu i gredu'r gwaethaf, i edrych ar ochr dywyll pethau; pesimist pessimist
gwaethygiad *eg* (gwaethygiadau) y broses o waethygu deterioration
gwaethygu *be* [gwaethyg•¹] mynd yn waeth; dadfeilio, dirywio, edwino, gwanhau to deteriorate, to worsen, to decay
gwag *ans* [gwac•] (gweigion)
  1 heb neb neu ddim ynddo neu arno; cau empty, vacant, blank

2 disynnwyr, di-fudd, diystyr, ofer, *siarad gwag* frivolous, senseless
  cam gwag gw. **cam**¹
gwagedd *eg* cyflwr o fod yn gwastraffu amser ar bethau di-fudd; afradlondeb, oferedd vanity, frivolity
gwagen *eb* (gwageni)
  1 math o gerbyd â phedair olwyn ar gyfer cludo nwyddau trymion; byddai dau neu ragor o geffylau'n tynnu gwagen fel arfer; men, trol wagon
  2 cerbyd cludo nwyddau sy'n cael ei dynnu gan drên wagon
  3 injan neu lorri gref neu beiriant tebyg; wagen truck, wagon
gwagio:gwagu *be* [gwagi•²]
  1 cael gwared ar gynnwys rhywbeth a'i adael yn wag; arllwys, clirio, gwacáu to empty, to evacuate
  2 mynd yn wag, *Pan glywodd y gynulleidfa nad oedd y canwr wedi gallu dod, fe wagiodd y neuadd yn gyflym.* to become empty
gwaglaw *ans* heb ddod â dim, heb ddim yn ei law, *Cyrhaeddodd yn ôl o'i daith bysgota yn waglaw.* empty-handed
gwagle *eg* (gwagleoedd) lle gwag; bwlch, ceudod, gofod, gwacter space, void
gwagleol *ans* am gyfansoddyn crisialog lle mae atomau neu iönau anfetel yn llenwi tyllau rhwng elfennau metelig mwy, yn adeiledd y crisial interstitial
gwagnod *eg* (gwagnodau) MATHEMATEG y symbol 0 wrth iddo gael ei ddefnyddio i ddynodi gwagle, *Mae'r symbol 0 yn dangos nad oes unrhyw ddegau yn y rhif 507.*; sero nought
gwagolyn *eg* (gwagolynnau) BIOLEG (yng nghytoplasm celloedd) lle gwag sy'n cynnwys aer, hylif neu ronynnau o fwyd vacuole
gwag-siarad¹ *be* siarad yn ofer neu'n ddisynnwyr; clebran to chatter, to prattle
  Sylwch: nid yw'r ferf hon yn arfer cael ei rhedeg.
gwag-siarad² *eg* siarad ofer, disynnwyr; cleber, lol gobbledygook, tittle-tattle
gwag-swmera:gwag-symera *be* [gwagsymer•¹] gwastraffu amser; segura, tin-droi, ymdroi to dawdle
  Sylwch: nid yw'r ferf hon yn arfer cael ei rhedeg.
gwagu gw. **gwagio**
gwangen *eb* (gwangod) pysgodyn bwytadwy o deulu'r pennog; mae ganddo gorff praff ac mae'n dychwelyd o'r môr i afon i fwrw ei sil shad
gwahadden gw. **gwadd**¹
gwahân *eg* (gwahanion) y cyflwr o fod yn wahanol neu wedi'i wahanu difference, separation

gwahanadwy *ans* y gellir ei ddatgysylltu oddi wrth rywun neu rywbeth arall, yn bosibl ei wahanu distinguishable, separable

gwahanbwynt *eg* (gwahanbwyntiau) ffin ar raddfa gyflog na ellir ei chroesi heb ganiatâd yn deillio o gymhwyster arbennig neu brofiad bar

gwahanedig *ans* wedi'i wahanu; rhanedig, ysgar separated

gwahanfa ddŵr *eb* (gwahanfeydd dŵr) DAEARYDDIAETH y tir uchel neu gymharol uchel sy'n gwahanu dalgylch dwy neu ragor o afonydd cyfagos a'u rhwydweithiau o nentydd a llednentydd watershed

gwahanfur *eg* (gwahanfuriau)
1 wal sy'n gwahanu; palis, pared partition, barrier
2 ANATOMEG parwyden yn gwahanu dau geudod yn y corff, e.e. rhwng y ffroenau neu rhwng siambrau'r galon septum

gwahangleifion *ell* rhai sy'n dioddef o'r gwahanglwyf lepers

gwahanglwyf *eg* MEDDYGAETH clefyd cyffwrddymledol brawychus a achosir gan facteria, sy'n effeithio ar y croen a'r nerfau gan raddol fwyta'r corff leprosy

gwahanglwyfus *ans* MEDDYGAETH yn dioddef o'r gwahanglwyf, nodweddiadol o'r gwahanglwyf leprous

gwahaniad *eg* (gwahaniadau) y weithred o wahanu, canlyniad gwahanu; bwlch, hollt, rhaniad, rhwyg separation, severing, split

gwahaniaeth *eg* (gwahaniaethau)
1 y cyflwr o fod yn wahanol; ffordd o fod yn annhebyg; annhebygrwydd, arwahanrwydd difference, distinction
2 maint neu fesur o annhebygrwydd, *Y gwahaniaeth rhwng 5 a 12 yw 7.* difference
3 amrywiaeth barn, *Mae'r gwahaniaeth rhwng y ddwy ochr yn sylweddol.*; anghytundeb, ots disagreement

gwahaniaeth potensial FFISEG y gwahaniaeth mewn potensial trydanol rhwng dau bwynt potential difference
Ymadrodd
does dim gwahaniaeth (does) dim ots it makes no difference

gwahaniaethiad *eg* (gwahaniaethiadau)
1 y weithred neu'r broses o wahaniaethu rhwng dau neu ragor o bethau differentiation
2 DAEAREG y broses sy'n gyfrifol am ffurfio gwahanol fathau o greigiau igneaidd o'r un graig dawdd (magma) differentiation
3 BIOLEG datblygiad mathau arbenigol o gelloedd, etc. i gyflawni swyddogaethau penodol differentiation

gwahaniaethol *ans*
1 yn gwahaniaethu rhwng dau berson neu ddau beth; gwahanredol distinctive, distinguishing

2 CYFRAITH yn gwahaniaethu mewn ffordd anghyfreithlon discriminatory

gwahaniaethu *be* [gwahaniaeth•[1]]
1 dosbarthu a gwahanu yn y meddwl, *Mae'n anodd weithiau gwahaniaethu rhwng sain picolo a sain ffliwt mewn cerddorfa.* (~ **rhwng**) to distinguish
2 trin pobl yn wahanol ac yn annheg ar sail anabledd, hil, rhyw, cyfeiriadedd rhywiol, crefydd neu ddosbarth to discriminate, discrimination
3 bod neu fynd yn wahanol neu'n annhebyg, *Ym mha ffordd yr oedd yr ail berfformiad yn gwahaniaethu oddi wrth y perfformiad cyntaf?*; amrywio (~ **oddi wrth**) to differ
4 paratoi gwaith o natur wahanol ar gyfer dysgwyr i adlewyrchu eu hanghenion gwahanol to differentiate
5 CYFRAITH trin unigolion yn anghyfartal neu'n annheg heb gyfiawnhad priodol; ffafrio (~ **yn erbyn** *rhywun*) to discriminate
6 BIOLEG newid o ffurfiau syml i ffurfiau mwy cymhleth wrth i organau, celloedd a meinweoedd ddatblygu i gyflawni swyddogaethau mwy arbenigol a phenodol to differentiate

gwahaniaethu prisiau ECONOMEG y weithred o werthu'r un nwydd i brynwyr gwahanol am bris gwahanol yn ôl elastigedd y galw yn y marchnadoedd, e.e. tocynnau drutach i deithwyr dosbarth cyntaf ar drenau price discrimination

gwahaniaethydd *eg* (gwahaniaethyddion) rhywun neu rywbeth sy'n gwahaniaethu differentiator

gwahanion *ell* pethau ar wahân separates

gwahannod *eg* (gwahanodau) hanner colon [;] semicolon

gwahanol *ans*
1 (yn dilyn yr hyn a oleddfir) annhebyg, heb fod yn debyg, heb fod o'r un math; anghyffelyb, anghyffredin, cyferbyniol different
2 (yn dilyn yr hyn a oleddfir) arall, ar wahân, *Maen nhw'n mynd i ysgolion gwahanol.* different
3 (o flaen yr hyn a oleddfir) amrywiol, *Bydd y gwahanol adrannau i gyd yn dod at ei gilydd cyn y diwedd.*; amryfal, amryfath various
Sylwch: mae'n achosi'r treiglad meddal pan ddaw o flaen yr hyn a oleddfir.
bod yn wahanol bod yn annhebyg to differ

gwahanolyn *eg* (gwahanolion) MATHEMATEG mynegiad y mae ei werth yn gwahaniaethu rhwng canlyniadau amrywiol, *y gwahanolyn ar gyfer yr hafaliad* $ax^2 + bx + c = 0$ *yw* $b^2 - 4ac$; os yw gwerth y gwahanolyn hwn yn bositif mae gan yr hafaliad ddau wreiddyn real, os yw'r gwerth yn negatif mae'r ddau wreiddyn yn rhifau dychmygol ac os yw'r gwerth yn ddim mae'r ddau wreiddyn yn hafal i'w gilydd discriminant

gwahanredol *ans* yn fodd i wahaniaethu; gwahaniaethol distinctive

gwahanu *be* [gwahan•³]

1 ymadael, ymrannu, *Dyna drueni fod rhieni Alun wedi gwahanu.* to separate, to part, to split up

2 gosod ar wahân, *Cyn medru argraffu llun lliw rhaid yn gyntaf ei wahanu i'w bedwar lliw sylfaenol, coch, melyn, glas a du.*; didoli, hollti, neilltuo, rhannu to separate

3 dod yn rhydd, dod ar wahân; dadfeilio, datgysylltu, datod to come apart

gwahardd *be* [gwahardd•³ *3 un. pres.* gwaheirdd/gwahardda; *2 un. gorch.* gwahardd]

1 gorchymyn i beidio â gwneud rhywbeth, gwrthod caniatáu, *Mae gwahardd ysmygu mewn mannau cyhoeddus wedi bod yn llwyddiannus.*; atal, nacáu, ysgymuno (~ *rhywun* **rhag**) to ban, to forbid, to prohibit

2 gwrthod caniatâd i rywun fynd i rywle, *Weithiau bydd angen gwahardd disgybl o'r ysgol.* to exclude

gwahardd dros dro gwrthod caniatâd i rywun fynd i rywle am gyfnod, *Roedd yn anodd i'r disgybl ddychwelyd i'r ysgol ar ôl cael ei wahardd dros dro.* to suspend

gwaharddeb *eb* (gwaharddebau) CYFRAITH gorchymyn llys yn gwahardd rhywun rhag gwneud rhywbeth injunction

gwaharddedig *ans* wedi'i wahardd; ysgymun banned, forbidden, prohibited

gwaharddiad *eg* (gwaharddiadau) gorchymyn i beidio â gwneud rhywbeth, rhwystr drwy gyfraith, *Mae gwaharddiad ar bysgota yn y llyn arbennig hwnnw.*; ataliad, llestair ban, prohibition

gwaherddais *bf* [gwahardd] *ffurfiol* gwnes i wahardd

gwahodd *be* [gwahodd•¹]

1 gofyn (yn gwrtais) i rywun fynychu rhyw ddigwyddiad cymdeithasol, *Gwahoddwyd dros gant o bobl i'r briodas.* (~ *rhywun* **i**) to invite

2 gofyn (yn gwrtais) am (rywbeth), *Gwahoddodd y cadeirydd gwestiynau gan y gynulleidfa.* to invite

gwahoddedigion *ell* pobl sydd wedi'u gwahodd guests

gwahoddiad *eg* (gwahoddiadau) cais cwrtais ar i rywun fod yn bresennol, neu wneud rhywbeth invitation

ar/drwy wahoddiad drwy gael eich gwahodd by invitation

gwahoddwr *eg* (gwahoddwyr)

1 un sy'n gwahodd host

2 *hanesyddol* un a fyddai'n ei addurno ei hun a theithio cymdogaeth yn gwahodd cyfeillion pâr oedd ar fin priodi i'r neithior, pan ddisgwylid iddynt ddod ag anrheg (pwyth) bidder

gwain *eb* (gweiniau)

1 casyn y mae cleddyf (neu gyllell) yn ffitio'n dynn iddo er mwyn iddo allu cael ei gario'n gyfleus ac yn ddiogel scabbard, sheath

2 gorchudd (tebyg i wain cleddyf) sy'n amgáu neu'n amddiffyn sheath

3 ANATOMEG y llwybr ar ffurf tiwb sy'n arwain o'r groth i agoriad allanol organau rhywiol benyw vagina

pilen y wain gw. pilen

gwair *eg* (gweiriau:gweirydd) math o borfa sy'n cael ei dyfu er mwyn ei gynaeafu a'i sychu a'i ddefnyddio yn fwyd anifeiliaid dros y gaeaf; glaswellt grass, hay

gwaith¹ *eg* (gweithiau)

1 gorchwyl neu weithred sy'n gofyn am egni arbennig, nad yw ar gyfer difyrrwch; llafur, *Mae codi'r wal yma yn waith caled.*; gorchwyl, tasg, ymdrech task, work

2 yr hyn y mae rhywun yn ei wneud er mwyn ennill bywoliaeth, *Beth yw eich gwaith?*; bywoliaeth, jòb, swydd work, job, occupation

3 cynnyrch, gorchwyl, *Fy ngwaith i a 'nhad yw'r wal 'ma.* work

4 cyfansoddiad neu gyfansoddiadau llenyddol, cerddorol, celfyddydol, etc., *gwaith Dafydd ap Gwilym* work, opus

5 FFISEG grym wedi'i luosi â phellter, *Pan fo grym 1 newton yn symud pellter o 1 metr, cynhyrchir 1 joule o waith.* work

gwaith cartref

1 astudiaethau i'w gwneud gartref sy'n ychwanegu at yr hyn sy'n cael ei ddysgu yn yr ysgol neu'n paratoi ar gyfer hynny homework

2 unrhyw waith paratoi cyn cyfarfod pwysig homework

gwaith coed crefft a gwaith y saer coed carpentry, woodwork

gwaith cwrs gwaith ysgrifenedig neu ymarferol sy'n cael ei wneud gan fyfyriwr yn ystod ei gwrs astudiaethau coursework

gwaith llaw

1 unrhyw beth sydd wedi'i gynhyrchu lle mae ôl yr unigolyn yn hytrach na'r peiriant arno handiwork

2 gwaith lle y defnyddir y dwylo manual work

gwaith maen y darnau hynny o adeilad sydd wedi'u gwneud o feini neu gerrig stonework

gwaith tŷ y gwaith o ofalu am y tŷ, yn enwedig y glanhau housework

rhoi ar waith gw. rhoi¹

Ymadroddion

ar waith wrthi'n gweithio at work

cael gwaith cael anhawster, *Mae'n cael gwaith anadlu yn ystod y tywydd oer.* to find difficulty

gwaith (+ amser penodol) cymaint o waith ag y gellir ei orffen mewn cyfnod penodol, e.e. *gwaith awr*

gwaith caib a rhaw gw. caib

gwaith² *eb* (gweithiau) amser, achlysur, adeg, tro, *unwaith, llawer gwaith* time, occasion

ambell waith gw. ambell

cynifer gwaith cymaint o weithiau as many times, as often

gwaith³ *eg* (gweithfeydd) lle i weithio, casgliad o adeiladau ar gyfer y broses o gynhyrchu diwydiannol, *gwaith glo, gwaith dur* works, plant

gwâl *eb* (gwalau) man lle mae anifail (gwyllt, fel arfer) yn mynd i orwedd neu guddio; daear, ffau, lloches burrow, den, lair

gwâl ysgyfarnog ffau neu nyth ysgyfarnog form

Ymadrodd

codi newyn o'i wâl mynd i chwilio am drafferth (heb angen yn aml) to ask for trouble

gwala *eb* cyflawnder, digonedd, helaethrwydd, llawnder enough, plenty, sufficiency

gwala a gweddill digon a rhagor enough and to spare

gwir i wala *tafodieithol, yn y De* wir yr right enough

gwalbant *eb* (gwalbentydd) pen wal sy'n cynnal y trawstiau neu'r lle gwag rhwng pen y wal a'r to (e.e. mewn beudy)

gwalcio *be* [gwalci•²] fel yn *gwalcio het*, troi i fyny, sythu to cock, to turn up

gwalch *eg* (gweilch)

1 aderyn ysglyfaethus â phig cryf a chrafangau blaenllym y byddai dynion yn ei hyfforddi i hela drostynt; cudyll, curyll, hebog hawk, falcon

2 (am grwt neu hogyn drygionus, fel arfer) cenau, cnaf, cono, dihiryn, *y gwalch bach* rascal, rogue, scamp

3 (mewn pac o gardiau) y cerdyn brith isaf ei werth jack, knave

gwalch y pysgod aderyn mawr ysglyfaethus sy'n hela a bwyta pysgod; mae ganddo adenydd hir cul, tor wen a chorun o blu gwyn; eryr y môr osprey

gwalches *eb* (gwalchesau)

1 hebog benyw, heboges hawk

2 (enw ar) merch nwyfus, haden; hefyd ar wraig gas

gwalchlys *eg* planhigyn â blodau melyn, euraid, bychain yn debyg i ddant y llew a chylch o flew mân yn cylchynu'i ffrwythau hawksbeard

gwalch-wyfyn *eg* (gweilch-wyfynod) enw ar wyfyn arbennig sy'n hedfan yn debyg i walch neu hebog hawkmoth

gwald:gwaltas *eb* (gwaldasau) stribyn o ledr rhwng sawdl a rhan uchaf esgid a ddefnyddir wrth wnïo neu lynu'r naill wrth y llall welt

gwaldu:gwaldio *be* [gwaldi•²] gosod a gwnïo darn o ledr rhwng rhan uchaf esgid a'r sawdl to welt

Gwalia *eb* enw (barddonol) ar Gymru yn dyddio o'r Oesoedd Canol

gwaltas gw. gwald

gwall *eg* (gwallau) camgymeriad neu gamsyniad, *Mae'r gwaith cartref hwn yn wallau i gyd!*; amryfusedd, bai, diffyg, mefl error, mistake

gwallgof *ans*

1 am rywun sy'n dioddef o afiechyd meddwl eithafol, sydd heb fod yn ei iawn bwyll; gorffwyll insane, mad, mentally ill

2 hurt, disynnwyr, peryglus neu'n hollol anymarferol; lloerig, ynfyd foolish, irrational, nuts

gwallgofdy *eg* (gwallgofdai) *hanesyddol* man lle byddai pobl a oedd yn dioddef o salwch meddwl yn cael eu cadw dan glo ers talwm lunatic asylum, madhouse

gwallgofddyn *eg* (gwallgofddynion) *anffurfiol* gŵr sydd wedi colli ei bwyll, sy'n lloerig, sy'n orffwyll lunatic, madman, maniac

gwallgofi *be* [gwallgof•¹] colli pwyll, mynd yn ynfyd; cynddeiriogi, gorffwyllo, ynfydu to go mad, to rave

gwallgofrwydd *eg*

1 y cyflwr o fod yn wallgof, o fod yn orffwyll; gorffwylledd insanity, madness

2 gweithredoedd neu ymddygiad sy'n ymddangos yn wallgof; cynddaredd, gwiriondeb, ynfydrwydd insanity, madness

gwallog *ans* gw. gwallus

gwallt *eg* (gwalltiau) y cnwd o flew sy'n tyfu ar y pen dynol (ond nid ar yr wyneb nac ar unrhyw ran arall o'r corff) hair

gwallt y forwyn

1 cymylau gwyn, cyrliog; cymylau blew gafr; traeth awyr mackerel sky, cirrocumulus

2 math o redynen â choesynnau main, ysgafn maidenhair (fern)

Ymadroddion

â'm gwallt am ben fy (dy, ei, etc.**) nannedd** am wallt sy'n flêr neu'n anniben a thros bob man dishevelled, tousled

digon i godi gwallt eich pen arswydus, digon i'ch dychryn yn fawr

gwallt gosod gwallt ffug wedi'i drefnu i guddio rhan foel o'r pen neu i guddio gwallt naturiol; wig wig

gwalltfelyn *ans* â gwallt euraidd, *y ferch walltfelyn* flaxen-haired, yellow-haired

gwalltog *ans* â chnwd trwchus o wallt; blewog hairy

pob copa walltog gw. copa¹

g

gwallus *ans*
1 â gwall neu wallau yn perthyn iddo; anghywir, amherffaith, beius, diffygiol incorrect, defective
2 esgeulus, diofal careless

gwallusrwydd *eg* y cyflwr o fod yn wallus; diffyg cywirdeb defectiveness

gwamal *ans* [gwamal•] yn siarad yn ysgafn, cellweirus ond braidd yn ddisylwedd; anghyson, anwadal, chwit-chwat, oriog frivolous, fickle, wavering

gwamalrwydd:gwamalder *eg* y cyflwr o fod yn wamal, diffyg sicrwydd neu ddifrifoldeb; anwadalwch capriciousness, facetiousness

gwamalu *be* [gwamal•¹] bod yn anghyson, yn chwit-chwat; siarad yn ysgafn, yn ffraeth neu'n gellwirus, chwarae'r ffŵl; anwadalu, bwhwman to be frivolous

gwan *ans* [gwann•] (gweinion:gweiniaid)
1 heb fod yn ddigon cryf i weithio'n iawn neu barhau'n hir; egwan, eiddil weak, debilitated
2 heb fod â chymeriad cryf, yn hawdd ei arwain ar gyfeiliorn, nad yw'n benderfynol; gwantan weak
3 heb fod yn holliach, yn glaf neu'n fregus ei iechyd; curiedig, musgrell, nychlyd weak
4 o ansawdd gwael neu o safon isel, *llais gwan, lliw gwan*; cloff, dyfrllyd, llesg, llipa weak

gwân:gwanu *be* [gwan•³ 3 *un. pres.* gwân/ gwana; 2 *un. gorch.* gwân] fel yn *ei gwân hi*, dianc, ei gwadnu hi, rhedeg i ffwrdd to skedaddle

gwanaduron *ell* lluosog **gwanhadur**

gwanaf *eb* (gwanafau:gwaneifiau) hynny o wair neu ŷd sy'n cael ei dorri â phladur ar un toriad; erbyn hyn, y lle gwag sy'n cael ei adael ar ôl i beiriant lladd gwair dorri un llain neu stribyn swath, swathe

gwanas *eb* (gwanasau)
1 rhywbeth (offer) a ddefnyddir i gynnal neu ddal rhywbeth ar ei draed, e.e. darn allanol sy'n cynnal adeilad; ateg, cynhaliad buttress
2 bach i hongian pethau arno; bachyn peg

gwanc *eg* awydd neu ddymuniad afresymol o gryf, chwant cryf am fwyd; blys, chwant, glythineb, trachwant lust, greed, craving

gwancus *ans* llawn gwanc; anniwall, barus, blysgar, trachwantus greedy, ravenous, voracious

gwanediad *eg* (gwanediadau) y broses o wanedu, canlyniad gwanedu dilution

gwanedig *ans* (am hylif) wedi'i wanedu, wedi'i wneud yn wannach diluted

gwanedu *be* [gwaned•¹] CEMEG gwneud hylif yn wannach, *gwanedu asid drwy ychwanegu dŵr ato* (~ *rhywbeth* â) to dilute

gwanedydd *eg* (gwanedyddion) sylwedd a ddefnyddir i wanedu rhywbeth arall diluent

gwaneg *eb* (gwanegau:gwenyg) *llenyddol* ymchwydd y môr; ton billow, breaker, wave

gwaneifiau *ell* lluosog **gwanaf**

gwangalon *ans* heb lawer o hyder na gobaith; digalon, llwfr, ofnus, dispirited, faint-hearted, timid

gwangalondid *eg* y cyflwr o fod yn wangalon, parodrwydd i ildio; anobaith, digalondid dejection, defeatism

gwangalonni *be* [gwangalonn•⁹] colli ffydd neu ymddiriedaeth; anobeithio, danto, digalonni to become faint-hearted, to despair
   Sylwch: dyblwch yr 'n' ym mhob ffurf ac eithrio yn y rhai sy'n cynnwys -*as*-.

gwangalonnwr *eg* (gwangalonwyr) un sydd â thuedd i wangalonni, sy'n (rhy) barod i ildio defeatist

gwanhad *eg*
1 y broses o wanhau, canlyniad gwanhau; gwanychiad, llesgâd enfeeblement, weakening
2 FFISEG gostyngiad yn amledd signal neu donnau, e.e. tonnau seismig yn y ddaear neu olau mewn cebl attenuation

gwanhadur *eg* (gwanaduron) FFISEG dyfais ar gyfer lleihau arddwysedd signal neu donnau, e.e. dyfais sy'n lleihau osgled signal trydanol attenuator

gwanhaol *ans* yn tueddu i wanhau neu i achosi gwendid debilitating, enervating

gwanhau *be* [gwanha•¹⁴] gwneud yn wan, mynd yn wan; diffygio, dinerthu, gwanychu, llesgáu to weaken

gwaniad *eg* (gwaniadau) trawiad cleddyf; brathiad, ergyd, trywaniad thrust

gwanin *eg* BIOCEMEG un o'r pedwar bas yn adeiledd DNA ac (G) yn y cod genynnol guanine

gwanllyd:gwannaidd *ans* gwan o ran iechyd; bregus, eiddil, llesg, musgrell feeble, frail, sickly

gwannach:gwannaf:gwanned *ans* [gwan] mwy gwan; mwyaf gwan; mor wan

gwant *eg*
1 LLENYDDIAETH saib naturiol mewn llinell o farddoniaeth; gorffwysfa, rhaniad, toriad caesura
2 LLENYDDIAETH diwedd rhan gyntaf llinell gyntaf englyn, lle y ceir y brifodl

gwantan *ans*
1 llesg ac egwan, *Mae golwg wantan arno ers pan gafodd y ffliw*.; curiedig, musgrell, nychlyd feeble, frail
2 anwadal, gwamal, chwit-chwat, di-ddal *Un digon gwantan yw Dafydd, wn i ddim a ddaw neu beidio*. fickle, unstable

gwanu [gwan¹] gw. **gwân**

gwanwyn *eg* (gwanwynau) un o bedwar tymor y flwyddyn sy'n digwydd yn ystod misoedd

Mawrth, Ebrill a Mai pan fydd y tywydd yn cynhesu ar ôl y gaeaf a phlanhigion yn dechrau tyfu spring

gwanwynaidd:gwanwynol *ans* nodweddiadol o'r gwanwyn, yn digwydd yn y gwanwyn spring like, vernal

gwanwyneiddiad *eg* y broses o wanwyneiddio vernalization

gwanwyneiddio *be* prysuro cyfnod blodeuo neu ffrwytho planhigyn drwy oeri'r hadau, bylbiau neu flagur to vernalize
Sylwch: nid yw'r ferf hon yn arfer cael ei rhedeg.

gwanwynol *ans* gw. **gwanwynaidd**

gwanychiad *eg* (gwanychiadau) FFISEG lleihad mewn dirgryniad neu osgiliadau (e.e. dwysedd sain) drwy amsugno rhan o'r egni damping

gwanychol *ans* (am sain) wedi'i wanychu damped

gwanychu *be* [gwanych•¹]
1 mynd yn wannach a mwy musgrell; clafychu, dihoeni, edwino, llesgáu to weaken, to languish
2 FFISEG lleihau dirgryniadau neu osgiliadau, e.e. tonfedd sain to damp

gwanydd *eg* (gwanyddion) teclyn a ddefnyddir i drywanu, gwthio i mewn ac yna allan yr ochr arall megis arf miniog piercer

gwar *egb* (gwarrau) rhan uchaf y cefn yn cynnwys y rhan sy'n cydio'r pen wrth yr ysgwyddau, cefn y gwddf; gwegil scruff, nape
Sylwch: mae'n fenywaidd yn y De ac yn wrywaidd yn y Gogledd.
bod ar war (rhywun) bod ar ôl rhywun, yn ei boeni heb roi llonydd iddo on (my) back

gwâr *ans* [gwar•] heb fod yn wyllt; boneddigaidd, diwylliedig, gwaraidd, hynaws civilized, courteous, cultured

gwaradwydd *eg* teimlad poenus o euogrwydd, o fethiant neu o gam; cywilydd, gwarth, sarhad, sen disgrace, humiliation, shame

gwaradwyddo *be* dwyn cywilydd ar; amharchu, difrïo, gwarthruddo, sarhau to disgrace, to put to shame, to shame
Sylwch: nid yw'r ferf hon yn arfer cael ei rhedeg.

gwaradwyddus *ans* llawn gwaradwydd, yn achosi gwaradwydd; cywilyddus, gwarthus, sarhaus disgraceful, ignominious, contemptible

gwarafun *be*
1 gwrthod caniatáu, dal yn ôl, *Does neb yn gwarafun i ti fynd allan yn y nos ond iti ddod adref ar amser rhesymol.*; atal, gwahardd, nadu, rhwystro (~ i *rywun* wneud) to forbid, to prevent, to prohibit
2 rhoi (rhywbeth) yn anfoddog, *Mae'n gwarafun £1 yr wythnos inni brynu losin.* to begrudge
Sylwch: nid yw'r ferf hon yn arfer cael ei rhedeg.

gwaraidd *ans* wedi'i wareiddio; boneddigaidd, diwylliedig, gwâr, hynaws civilized, urbane

gwarant *eb* (gwarantau)
1 CYFRAITH gorchymyn ffurfiol dan enw swyddog cyfreithiol; gwŷs warrant
2 datganiad gan wneuthurwr teclyn neu gyfarpar yn addo ei atgyweirio neu roi un arall yn ei le os bydd yn torri neu'n peidio â gweithio'n iawn o fewn cyfnod penodedig, *Mae gwarant blwyddyn ar y tegell a brynais ddoe.*; addewid, sicrwydd guarantee
3 cytundeb i fod yn gyfrifol am addewid rhywun arall (i dalu dyled, gan amlaf); iawn, mechnïaeth, meichiau guarantee
4 CYLLID (gwarannoedd *ell*) asedau ariannol, e.e. bondiau y mae'r llywodraeth yn eu gwerthu i godi arian; telir incwm rheolaidd i'w deiliaid, a gellir eu prynu neu eu gwerthu ar y farchnad stoc; fel arfer, yn achos bondiau'r llywodraeth, mae'r llywodraeth yn ymrwymo i'w prynu'n ôl am bris penodol ar ryw ddyddiad penodol security
5 CYLLID (gwarannoedd *ell*) bondiau nad oes iddynt ddyddiad ad-dalu/aeddfedu perpetuity
6 CYLLID (mewn cytundeb yswiriant) ymrwymiad gan y sawl a yswirir bod datganiadau a wneir ganddo yn wir ac y bydd amodau penodol yn cael eu cyflawni; bydd torri'r ymrwymiad yn dirymu'r cytundeb warranty

gwarantedig *ans* dan warant, wedi'i warantu guaranteed, warranted

gwarantu *be* [gwarant•¹] bod yn atebol am (rywbeth), *Gallaf warantu y cewch chi amser da.*; addo, dilysu, mechnïo, sicrhau (~ *rhywbeth* i) to guarantee, to underwrite

gwarantwr:gwarantydd *eg* (gwarantwyr)
1 unigolyn neu fanc sy'n cynnig gwarant guarantor
2 un sy'n gwarantu guarantor

gwarchae¹ *eg* (gwarchaeau) y weithred o warchae, amgylchyniad gan wŷr arfog er mwyn darostwng (tref, castell, etc.), canlyniad gwarchae; blocâd siege, blockade

gwarchae² *be* amgylchynu lle, e.e. tref neu gastell, â gwŷr arfog er mwyn rhwystro bwyd a diod rhag mynd i mewn a thrwy hynny ei ddarostwng, cynnal cyrch to besiege, to lay siege to
Sylwch: nid yw'r ferf hon yn arfer cael ei rhedeg.

gwarchaeedig *ans* dan warchae besieged

gwarcheidiaeth *eb* (gwarcheidiaethau)
CYFRAITH hawl i ofalu am rywun arall neu am eiddo rhywun arall nad yw'n medru gofalu amdano'i hunan, e.e. plentyn amddifad, gwallgofddyn, etc. guardianship

gwarcheidiol *ans* yn gwarchod, yn gofalu dros (rywun neu rywbeth), *angel gwarcheidiol*; amddiffynnol, gwarchodol guardian, protective, tutelary

g

gwarcheidwad *eg* (gwarcheidwaid)
1 un sy'n gyfrifol am warcheidwadaeth rhywun; ceidwad, gwarchodwr, warden guardian
2 gwarchodwr carcharorion warder

gwarcheidwadaeth *eg* CYFRAITH y sefyllfa o fod yn gyfreithiol gyfrifol am rywun sy'n methu gofalu am ei fuddiannau ei hun, yn enwedig felly am blentyn y mae ei rieni wedi marw guardianship

gwarchod *be* [gwarchod•¹ 3 *un. pres.* gwarchod/gwarchoda; 2 *un. gorch.* gwarchod/gwarchoda]
1 gofalu am, cadw gwyliadwriaeth ar, cadw llygad ar; amddiffyn, bugeilio, diogelu, gwylio (~ *rhywun/rhywbeth* **rhag**) to guard, to look after, to protect
2 gofalu am blentyn neu blant rhywun arall tra bo'r rhieni wedi mynd i rywle (am y noson, fel arfer) to babysit

gwarchod data dull cyfreithiol o sicrhau bod data personol ar gyfrifiadur yn ddiogel drwy reoli pwy all eu darllen a'u defnyddio data protection

Ymadrodd
gwarchod pawb *ebychiad* mawredd, a'n helpo good gracious

gwarchodaeth *eb* (gwarchodaethau)
1 y gwaith o ddiogelu, *gwarchodaeth natur*; gofal, gwyliadwriaeth conservation, protection, conservancy
2 CYFRAITH gofal am blentyn (nad yw'n blentyn i chi) ac iddo sail gyfreithiol; cyfrifoldeb custodianship

gwarchodfa *eb* (gwarchodfeydd)
1 darn o dir sydd wedi'i osod o'r neilltu ar gyfer gwarchod rhywbeth arbennig, *gwarchodfa natur, gwarchodfa Indiaid Gogledd America*; hafan, lloches, noddfa reserve, reservation
2 man neu ddarn o dir lle mae anifeiliaid ac adar yn ddiogel rhag cael eu hela a'u lladd gan ddynion; hafan, lloches, noddfa, seintwar sanctuary

gwarchodfilwr *eg* (gwarchodfilwyr) milwr sy'n aelod o warchodlu guardsman

gwarchodlu *eg* (gwarchodluoedd) corff o filwyr sy'n amddiffyn rhywun neu rywle arbennig (y brenin neu'r frenhines yn wreiddiol); gosgorddlu, gwarchodwyr, mintai guards
y Gwarchodlu Cymreig catrawd o filwyr Cymreig a ffurfiwyd yn 1915, yn ystod y Rhyfel Mawr the Welsh Guards

gwarchodol *ans* yn gwarchod; amddiffynnol, gwarcheidiol

gwarchodwr *eg* (gwarchodwyr) un sy'n gwarchod; ceidwad, gofalwr defender, guardian, babysitter

gwarchodwraig *eb* merch neu wraig sy'n gwarchod defender, guardian, babysitter

gward *eg* CYFRAITH un nad yw'n medru gofalu am ei fuddiannau cyfreithiol ei hun (oherwydd ei fod yn rhy ifanc, gan amlaf) ac sy'n cael ei roi yng ngofal llys neu warcheidwad ward

gwardrob *eb* cwpwrdd dillad wardrobe

gware:gwarae hen ffurf ar **chwarae**

gwared¹:gwaredu *be* [gwared•¹ 3 *un. pres.* gweryd/gwareda; 2 *un. gorch.* gwared/gwareda]
1 helpu i amddiffyn, rhyddhau o berygl, *Gwared ni rhag drwg.*; achub, arbed, sbario (~ *rhywun/rhywbeth* **rhag**) to save, to deliver
2 rhyddhau (eich hunan) oddi wrth, symud neu daflu ymaith, bwrw ymaith to get rid of, to rid
3 mynegi syndod mewn ffordd feirniadol, *Roedd Nia'n gwaredu bod Mair yn gwario cymaint ar ddillad.*; edliw to be shocked
Duw a'n gwaredo *ebychiad* mynegiant sy'n deisyf bod rhywbeth ddim yn digwydd God forbid
gwared y gwirion *tafodieithol, yn y Gogledd ebychiad* mynegiant sy'n deisyf bod rhywbeth ddim yn digwydd save us

gwared² *eg* yn yr ymadrodd *cael gwared [ar]*, sef gwaredu, bwrw ymaith get rid of

gwaredigaeth *eb* (gwaredigaethau) rhyddhad o gaethiwed; achubiaeth, iachawdwriaeth, prynedigaeth, rhyddhad deliverance, liberation, salvation

gwaredigol:gwaredigaethol *ans* yn gwaredu, yn rhoi gwaredigaeth; achubol redemptive

gwaredu *gw.* **gwared**

gwaredwr *eg* (gwaredwyr) un sy'n gwaredu, un sy'n achub; iachawdwr deliverer, saver, redeemer
y Gwaredwr CREFYDD Iesu Grist; Ceidwad, Iachawdwr, Prynwr Redeemer, Saviour

gwaredd *eg hynafol* addfwynder, tynerwch, trugaredd, cariad, mwyneidd-dra gentleness, tenderness

gwareiddiad *eg* (gwareiddiadau)
1 stad neu gyflwr uchel o ddatblygiad dynol a chymdeithasol civilization
2 y pethau sy'n nodweddiadol o ddiwylliant a bywyd cenedl neu gymdeithas mewn lle arbennig neu ar adeg arbennig, *gwareiddiad China yn y ddeuddegfed ganrif* civilization

gwareiddiedig *ans* wedi cyrraedd stad neu gyflwr uchel o ddatblygiad dynol a chymdeithasol, neu'n perthyn i wareiddiad arbennig, y gwrthwyneb i 'gwyllt' neu 'anwar'; diwylliedig, gwâr, moesgar civilized

gwareiddio *be* [gwareiddi•²] codi o stad is i stad uwch o ddatblygiad dynol a chymdeithasol, troi (rhywun neu rywbeth) o farbareiddiwch a'i wneud yn waraidd to civilize

gwargaled *ans* ystyfnig, penstiff, cyndyn, gwrthnysig, gwarsyth obstinate

gwargaledwch *eg* y cyflwr o fod yn wargaled; anhydynrwydd, cyndynrwydd, ystyfnigrwydd obstinacy, obduracy

gwargam *ans* â'r cefn yn crymu; cefngrwm, gwargrwm stooping, humpbacked

gwargamu *be* plygu neu ollwng yr ysgwyddau; crymu gwar; gwargrymu to become round-shouldered, to stoop

Sylwch: nid yw'r ferf hon yn arfer cael ei rhedeg.

gwarged *eg* (gwargedion) CYLLID yr incwm sydd dros ben mewn cyfnod penodol (e.e. blwyddyn ariannol), ar ôl cyfrif gwariant a rhwymedigaethau'r cyfnod hwnnw; gweddill surplus, remainder

gwargrwm *ans*
1 ag ysgwyddau crwm neu fwaog; gwargam round-shouldered, stooped, stooping
2 a chrwmp neu grwbi ar ei gefn; cefngrwm humpbacked, hunchbacked

gwargrymu *be* [gwargrym•¹]
1 bod â'r gwar neu'r ysgwyddau'n grwm neu'n fwaog, crymu gwar; camu, gwargamu (~ **dros**) to stoop
2 plygu ysgwyddau to stoop

gwariant *eg* (gwariannau) swm yr arian sy'n cael ei wario expenditure, outlay

gwarineb *eg* y cyflwr o fod yn wâr; addfwynder, cwrteisi civility

gwario *be* [gwari•²] rhoi arian i dalu am rywbeth sy'n cael ei brynu (~ **ar**) to spend

Sylwch: *gwario* arian ond *treulio* amser.

gwariwr *eg* (gwarwyr) un sy'n gwario (arian) spender

gwarlingo *be* yn wreiddiol, rhybuddio rhywun i ymadael ond, yn dafodieithol (am gloc hen ffasiwn), gwneud sŵn sy'n rhybudd ei fod ar daro

Sylwch: nid yw'r ferf hon yn arfer cael ei rhedeg.

gwarrau *ell* lluosog **gwar**

gwarsyth *ans* ystyfnig, penstiff, cyndyn, gwrthnysig, gwargaled obstinate

gwarsythu *be* [gwarsyth•¹] mynd yn benstiff ac yn gyndyn; ystyfnigo to become obstinate

gwarth *eg* (gwarthau) teimlad poenus o euogrwydd, o gam neu o fethiant, *Mae'r ffaith iddo gael ei anwybyddu am gymaint o amser yn warth cenedlaethol.*; cywilydd, gwaradwydd, sarhad shame, scandal, disgrace

gwarthaf *eg* fel yn yr ymadrodd *ar fy (dy, ei, etc.) ngwarthaf*, ar ben, uwch (fy) mhen; brig, copa, pen peak, top
dod ar warthaf ar fy ngwarthaf, ar dy warthaf, ar ei warthaf, ar ei gwarthaf (hi), ar ein gwarthaf, ar eich gwarthaf, ar eu gwarthaf; dod ar draws to come upon

gwarthafl gw. **gwarthol**

gwartheg *ell* da byw neu anifeiliaid fferm corniog sy'n cynnwys buchod, bustych, lloi a theirw (o'u cyferbynnu â moch, defaid, ceffylau, etc.) ac sy'n cael eu cadw am eu llaeth, eu cig a'u crwyn; da³ cattle

gwartheg godro gwartheg sy'n cael eu cadw am eu llaeth cows, milking stock

gwartheg stôr gwartheg i'w pesgi ar gyfer eu lladd; da stôr store cattle

gwarthnod *eg* (gwarthnodau) marc neu nod o waradwydd brand, stigma

gwarthnodi *be* [gwarthnod•¹] sôn am rywbeth mewn geiriau amharchus, dilornus neu ei ddisgrifio fel rhywbeth gwaradwyddus to stigmatize

gwarthol:gwarthafl *eb* (gwartholion: gwarthaflau)
1 un o ddwy ddolen fetel sy'n hongian bob ochr i gyfrwy i farchog bwyso'i droed ynddi stirrup
2 ANATOMEG y pellaf i mewn o dri asgwrn bach clust ganol mamolyn stapes

gwarthruddo *be* achosi cywilydd; amharchu, difrïo, gwaradwyddo, sarhau to disgrace, to shame

Sylwch: nid yw'r ferf hon yn arfer cael ei rhedeg.

gwarthus *ans* yn achosi cywilydd neu warth; cywilyddus, gwaradwyddus, gwrthun disgraceful, shameful, contemptible

gwas *eg* (gweision)
1 bachgen neu ŵr sy'n cyflawni dyletswyddau neilltuol dros eraill, yn enwedig mewn tŷ neu ar fferm, *gwas ffarm* servant, manservant, farmhand
2 bachgen, gŵr ifanc (yn enwedig wrth gyfarch bachgen naill ai'n gyfeillgar neu'n fygythiol), *Gofala di, was! Gest di ddolur, 'ngwas i?*; còg, crwt, hogyn, llanc, mab, rhocyn boy, lad, son

gwas priodas cyfaill a chynorthwywydd y priodfab mewn priodas best man

gwas sifil swyddog yn un o adrannau'r llywodraeth (ac eithrio'r lluoedd arfog, y llysoedd barn a'r Eglwys) civil servant

gwas y neidr un o nifer o fathau o bryfed ysglyfaethus sydd â chorff hir main a phedair adain sydd mor ysgafn eu golwg â gwawn neu bapur sidan dragonfly

Ymadroddion

gwas bach yr ifancaf ymhlith y gweision ar fferm a'r un sy'n rhedeg dros bawb arall lackey, minion

gwas bach y mwnci un sy'n cael ei ddefnyddio gan rywun arall i gyflawni gwaith annifyr neu beryglus cat's paw

gwas cyflog gw. **cyflog**

gwasael *eb*
1 y ddiod o afalau a siwgr a chwrw yr oedd yn arfer i fynd â ffiol ohoni o dŷ i dŷ i yfed iechyd da wassail

2 CERDDORIAETH y gân a fyddai'n cael ei chanu wrth wasaela wassail

gwasaela:gwaseilio *be* [gwaseili•²] arfer gwerin gynt rhwng y Nadolig a Gŵyl Ystwyll lle y byddai criw, weithiau yng nghwmni'r Fari Lwyd, yn mynd o ddrws i ddrws yn canu cân y wasael ac yn yfed o'r ffiol wasael to wassail

gwasaidd *ans* yn ymddwyn fel **gwas**¹, yn rhy ufudd, yn ymgreinio neu'n cynffonna; caeth, taeogaidd, iswasanaethgar, ufudd servile, fawning, slavish

gwasanaeth *eg* (gwasanaethau)
1 y gwaith sy'n cael ei wneud dros rywun (gan was, swyddog neu beiriant), *Mae 'na flynyddoedd o wasanaeth ar ôl yn yr hen gar.* service
2 un o nifer o adrannau llywodraeth (genedlaethol neu leol) sy'n gweithredu er lles y cyhoedd neu er budd cymdeithasol, *gwasanaeth iechyd, gwasanaethau cymdeithasol* service
3 y sylw a roddir i brynwyr mewn siop neu westeion mewn gwesty, *Mae'r gwasanaeth yn y caffi 'ma yn warthus.* service
4 trefniant i ddarparu rhywbeth a fydd o ddefnydd i'r gymdeithas, *gwasanaeth y post, gwasanaeth llyfrgell* service
5 cymorth, cynhorthwy, help, iws, *bod o wasanaeth i eraill* service
6 CREFYDD seremoni grefyddol, ffurf benodol ar addoliad cyhoeddus, *Bydd gwasanaeth bedydd yn dilyn y cwrdd fore Sul nesaf.* service
Gwasanaeth Erlyn y Goron CYFRAITH gwasanaeth sy'n darparu asesiad gwrthrychol o ganlyniadau ymchwiliadau'r heddlu ac yn penderfynu dwyn achos neu beidio ar sail tystiolaeth a budd cyhoeddus Crown Prosecution Service
gwasanaeth milwrol cyfnod o fod yn aelod o un o'r lluoedd arfog military service
gwasanaeth sifil gw. sifil
Gwasaneth Iechyd Gwladol system iechyd wladol sy'n darparu gofal meddygol ac sy'n cael ei hariannu drwy drethi National Health Service
Ymadrodd
at wasanaeth i'w ddefnyddio gan (rywun) for the use of
gwasanaethferch *eb* merch neu wraig sy'n gweini; morwyn maid, maidservant
gwasanaethgar *ans* parod ei wasanaeth; cymwynasgar, ewyllysgar obliging
gwasanaethgarwch *eg* parodrwydd i gynnig gwasanaeth; cymwynasgarwch obligingness
gwasanaethu *be* [gwasanaeth•¹]
1 gweithio dros, gwneud gwaith buddiol er lles, *Mae e wedi gwasanaethu'r clwb ers dros ugain mlynedd yn ddi-dor.*; gweinyddu to serve

2 gweini ar rywun arall (am gyflog neu gynhaliaeth, fel arfer), *Mae John yn gwasanaethu yn y Plas fel ei dad o'i flaen.* (~ **ar** *rywun*) to serve
3 cyflawni swydd gweinidog neu offeiriad mewn gwasanaeth crefyddol, *Pwy sy'n gwasanaethu nos Sul nesaf?*; gweinyddu to officiate

gwasarn *eg* (gwasarnau) gwellt, brwyn, etc. sy'n cael eu taenu ar lawr o dan anifeiliaid; llaesodr litter, bedding

gwaseidd-dra *eg* y cyflwr o fod yn wasaidd, o fod yn daeogaidd; gostyngeiddrwydd, taeogrwydd, ufudd-dod servility

gwaseilio gw. gwasaela

gwasg¹ *eb* (gweisg)
1 un o nifer o wahanol fathau o beiriannau neu daclau ar gyfer gwasgu rhywbeth, e.e. *gwasg gaws, gwasg ddillad, gwasg argraffu* press
2 papurau newydd a chylchgronau yn gyffredinol (gan gynnwys yn aml adrannau newyddion y radio a'r teledu), *grym y wasg* press
3 gohebyddion papurau newydd yn gyffredinol, *Gadawodd y cyfarfod er mwyn siarad â'r wasg.* press
4 busnes neu gwmni argraffu, cyhoeddi ac weithiau gwerthu llyfrau a chylchgronau, *Gwasg Gomer*; cyhoeddwr press

gwasg² *ebg* (gwasgau)
1 rhan ganol y corff rhwng y cluniau a'r asennau waist
2 y rhan o wisg sy'n mynd o gwmpas canol y corff waist

gwasgar gw. gwasgaru

gwasgaredig *ans* ar chwâl, wedi'u gwasgaru; digyswllt, gwasgarog scattered, dispersed, diffuse

gwasgariad *eg* (gwasgariadau)
1 y broses o wasgaru, canlyniad gwasgaru; chwalfa, haead, taenelliad dispersal, scattering
2 FFISEG y ffordd y mae golau gwyn yn cael ei rannu yn sbectrwm; gwneir hyn gan brism lle mae'r tonfeddi sydd o hydoedd gwahanol yn cael eu plygu drwy onglau gwahanol ac yn ymddangos yn fand o liwiau (sbectrwm) dispersion
diagram gwasgariad MATHEMATEG diagram (e.e. graff) a ddefnyddir i gynrychioli a chymharu dwy set o ddata ac sy'n dangos a oes perthynas neu gydberthyniad rhwng y ddau fath o ddata, e.e. rhwng oedran a chlefyd y galon scatter diagram

gwasgarog *ans* wedi'u gwasgaru; anghyswllt, digyswllt, gwasgaredig dispersed, sprawling

gwasgarol *ans* â thuedd i wasgaru, yn chwalu, yn gwasgaru dispersive

gwasgaru:gwasgar *be* [gwasgar•³ 3 *un. pres.*
gwesgyr/gwasgara] chwalu ar led, hau yma a
thraw, *Ar ddiwrnod gwyntog yn yr hydref fe
welwch y dail yn cael eu gwasgaru ar hyd
y caeau.*; lledaenu, taenu, ysgeintio to disperse,
to scatter

gwasgaru tail/dom *tafodieithol, yn y De* (*sgwaru*)
lledaenu gwrtaith (ar hyd caeau) to spread manure
Ymadrodd

ar wasgar fel yn yr ymadrodd *Cymry ar
wasgar*, wedi'u gwasgaru, ar chwâl scattered

gwasgbwynt *eg* (gwasgbwyntiau) MEDDYGAETH
man lle mae pibell waed yn agos at asgwrn a bod
modd ei chywasgu (er mwyn atal gwaedu) drwy
ei gwasgu yn erbyn yr asgwrn pressure point

gwasgedig *ans* wedi'i wasgu; cywasgedig
compressed, pressed

gwasgedd *eg* (gwasgeddau)
1 y grym parhaus sy'n cael ei gynhyrchu pan
fydd un peth yn pwyso yn erbyn rhywbeth arall
pressure
2 FFISEG grym pob uned o arwynebedd wedi'i
roi ar ongl sgwâr i arwyneb (e.e. *mae gwasgedd
yr atmosffer tua 10^5 newton i bob metr sgwâr*)
pressure
Sylwch: 'pwysedd' gwaed sy'n cael ei ddefnyddio.

gwasgedd aer METEOROLEG pwysau parhaus
yr atmosffer ar arwyneb y Ddaear; y gwasgedd
aer cymedrig ar lefel y môr yw 1013.25 milibar
air pressure

gwasgeddu *be* [gwasgedd•¹] cynnal gwasgedd
normal aer, e.e. mewn awyren to pressurize

gwasgerais *bf* [**gwasgaru**] *ffurfiol* gwnes i
wasgaru

gwasgfa *eb* (gwasgfeydd)
1 pwysau anghyffforddus y tu mewn i'r corff
sy'n achosi poen neu lewygu; ffit, gloes, pwl,
pang pang
2 amgylchiadau anodd sy'n achosi caledi neu
dlodi distress, squeeze

gwasgfa gredyd gw. credyd

gwasgfowldio *be* [gwasgfowldi•²] dull o
fowldio plastig drwy gau mowld amdano
a ffurfio'r defnydd drwy wres a gwasgedd
to press-mould

gwasgiad *eg* (gwasgiadau) y weithred o wasgu,
canlyniad gwasgu; cofleidiad squeezing, hug

gwasgnod *eg* (gwasgnodau) (am gyhoeddiad)
enw, cyfeiriad a dyddiad cyhoeddi wedi'u
hargraffu ar gefn dalen deitl; hefyd arwydd neu
symbol a ddefnyddir gan gyhoeddwr imprint

gwasgod *eb* (gwasgodau) dilledyn tebyg i got
neu siaced fer heb lewys sy'n cael ei wisgo dan
siaced; crysbais, sircyn waistcoat

gwasgu *be* [gwasg•³]
1 gwthio'n galed ac yn gyson, pwyso'n drwm
ac yn gyson to squeeze, to press, to crush

2 defnyddio pwysau i gywasgu neu wthio'n
dynn; hefyd malu neu dynnu sudd neu hylif,
*ceisio gwasgu popeth i gist y car, gwasgu
grawnwin* to press, to squeeze
3 cydio'n dynn yn un pen a throi pen arall
dilledyn gwlyb er mwyn cael gwared ar gymaint
o'r gwlybaniaeth ag sy'n bosibl to wring
4 dwyn pwysau anghyffordddus yn gorfforol ar
y bola neu ar y meddwl, *Mae'r hen selsig 'ma
yn dechrau gwasgu arnaf. Mae meddwl am yr
arholiadau yn dechrau gwasgu arni.*; pwyso
to upset
5 ffurfio eitemau drwy eu gwasgu allan o lenni
metel, e.e. paneli ceir, llwyau, etc. to press

gwasgu ar rywun ceisio perswadio, pwyso'n
barhaus ar rywun i wneud rhywbeth to urge

gwasgwch arni cyflymwch, prysurwch,
Gwasgwch ar y sbardun. to step on it

gwasgwr *eg* (gwasgwyr) dyfais ar gyfer gwasgu
rhywbeth, yn enwedig dyfais i wasgu dŵr allan
o ddillad gwlyb presser, wringer

gwasod *ans* (am fuwch) yn gofyn tarw;
rhydderig in heat

gwastad¹ *ans* [gwastat•] (gwastadion)
1 fflat, lefel, llorwedd, llyfn, *tir gwastad, braf*
flat, level
2 yn gwneud yr un peth bob tro, *Mae hi
wastad yn hwyr.*; cyson, parhaus always

gwastad² *eg* (gwastadau) wyneb llyfn, fflat i
rywbeth, *Mae dau fath o rasys ceffylau, y naill
lle mae'r ceffylau yn neidio dros glwydi a'r
llall lle mae'r ceffylau yn rasio ar y gwastad.*
flat, level

ar wastad fy (dy, ei, etc.**) nghefn** yn methu
gwneud dim rhagor exhausted, flat out

gwastadedd *eg* (gwastadeddau) darn o wlad
agored, fflat megis gwaelod dyffryn; gwastatir
plain

gwastadiant *eg* DAEAREG y broses raddol sy'n
erydu a lefelu rhan neilltuol o arwyneb y tir
planation

gwastadion *ell* mannau gwastad levels

gwastadol *ans* yn digwydd drwy'r amser,
o hyd, *Mae rhywun yn curo ar y drws yma'n
wastadol.*; cyson, parhaus constant, continual,
perpetual

gwastadrwydd *eg* y cyflwr o fod yn wastad,
o fod yn fflat; fflatrwydd flatness

gwastatâ *bf* [**gwastatáu**] *ffurfiol* mae ef yn
gwastatáu/mae hi'n gwastatáu; bydd ef
yn gwastatáu/bydd hi'n gwastatáu

gwastatach:gwastataf:gwastated *ans* [**gwastad**]
mwy gwastad; mwyaf gwastad; mor wastad

gwastatáu:gwastatu *be* [gwastata•¹⁵] gwneud
yn wastad, *Cafodd y rhan hon o'r ddinas
ei gwastatáu gan fomiau yn ystod y rhyfel.*;
fflatio, lefelu, llyfnhau to flatten, to level

gwastatir *eg* (gwastatiroedd) darn eang o wlad sy'n agored ac yn wastad; gwastadedd, paith level, plain

gwastraff *eg*
1 camddefnydd neu ddiffyg defnydd, *Dywedodd y prifathro fod yr holl wastraff bwyd yn warthus.*; afradlondeb, wast waste, wastage
2 defnydd gwenwynllyd neu ddefnydd nad oes ar neb ei eisiau bellach, *gwastraff ymbelydrol atomfa*; gweddillion, gwehilion, sborion, sbwriel waste

gwastrafflyd gw. gwastraffus

gwastraffu *be* [gwastraff•³] camddefnyddio, peidio â defnyddio neu dreulio'n ofer, *Paid â gwastraffu dy amser yn y lle yna.*; afradu, afradloni, ofera to waste, to fritter
gwastraffu anadl siarad yn ofer; ceisio perswadio yn aflwyddiannus to waste one's breath

gwastraffus:gwastrafflyd *ans* chwannog i wastraffu, yn gweithredu mewn ffordd sy'n arwain at wastraff; afradlon, afradus, annarbodus, ofer wasteful, extravagant, prodigal

gwastraffwr *eg* (gwastraffwyr) un sy'n gwastraffu squanderer, waster

gwastrawd *eg* (gwastrodion) gwas sy'n gyfrifol am geffylau groom, ostler

gwastrodi *be* cadw mewn trefn, gwneud i (rywun neu rywbeth) ufuddhau; dofi, hyweddu to discipline, to control
Sylwch: nid yw'r ferf hon yn arfer cael ei rhedeg.

Gwatemalaidd *ans* yn perthyn i Guatemala, nodweddiadol o Guatemala Guatemalan
Sylwch: yng Nguatemala; i Guatemala.

Gwatemaliad *eg* (Gwatemaliaid) brodor o Guatemala Guatemalan
Sylwch: yng Nguatemala; i Guatemala.

gwatwar¹ *be* cael hwyl am ben (rhywun neu rywbeth), chwerthin am ben (rhywun neu rywbeth), gwawdio drwy ddynwared; bychanu, difenwi, difrïo, dilorni to mock, to ridicule, to deride
Sylwch: nid yw'r ferf hon yn arfer cael ei rhedeg.

gwatwar² *eg* (gwatwarion) gwawd, dirmyg, yn enwedig wrth ddynwared rhywun neu rywbeth; amarch, coegni, sarhad, sen mockery, ridicule

gwatwarus *ans* yn gwatwar, o natur gwatwar; coeglyd, dirmygus, dychanol, gwawdlyd mocking, derisive, scornful

gwatwarwr *eg* (gwatwarwyr) un sy'n gwatwar; bychanwr, dilornwr, dychanwr, gwawdiwr mocker, scoffer

gwau¹ *be* [gwe•¹ 2 *un. pres.* gwëi; 1 *llu. pres.* gwëwn; 2 *llu. pres.* gwëwch; *amh. pres.* gwëir; *amh. gorff.* gwëwyd; 1 *un. amhen.* gwëwn; 2 *un. amhen.* gwëit; *amh. amhen.* gwëid;

1 *llu. gorch.* gwëwn; 2 *llu. gorch.* gwëwch; 1 *un. dib.* gwëwyf; 2 *un. dib.* gwëych;]
1 cynhyrchu defnydd (megis carthen neu garped) drwy blethu un edefyn ar y tro (yr anwe) ar draws rhes o edefynnau sydd wedi'u gosod ar hyd gwŷdd (yr ystof); gwehyddu to weave
2 gwneud (dillad, fel arfer) drwy gynhyrchu rhwydwaith tyn o edafedd o bellen wlân â dwy neu ragor o weill to knit
3 (am gorryn) gwneud gwe to spin
4 symud ymlaen gan newid cyfeiriad yn aml (er mwyn osgoi pethau), *Llwyddodd i wau ei ffordd drwy'r dorf a chyrraedd y pen draw yn ddianaf.* to weave
5 troi a throsi, gwibio drwy'i gilydd blith draphlith, *cwlwm o nadredd yn gwau drwy'i gilydd*; cydblethu, cyfrodeddu, plethu to twist and turn

gwau² *eg* y broses o wau, canlyniad gwau, *Cofia ddod â'th wau pan ddoi di i aros.* knitting

gwaudd *eb* (gwehyddon) *hynafol* merch yng nghyfraith daughter-in-law

gwaun *eb* (gweunydd)
1 tir uchel, gwastad, gwlyb a brwynog; ffridd, gweundir, rhos heath, moorland
2 tir isel, gwlyb; dôl, gweirglodd meadow, lea

gwawch *eb* (gwawchiau) gwaedd uchel; bonllef, oernad, sgrech shriek

gwawd *eg* teimlad cryf, amharchus tuag at rywun neu rywbeth, *Ni allai ddioddef gwawd y dosbarth funud yn rhagor.*; amarch, coegni, dirmyg, gwatwar mockery, ridicule, scorn

gwawdio *be* [gwawdi•²] cael hwyl am ben (rhywun) mewn ffordd gas, chwerthin am ben, taflu sen; dilorni, dirmygu, dychanu, gwatwar (~ *rhywun/rhywbeth* am) to mock, to jeer, to deride

gwawdiwr *eg* (gwawdwyr)
1 un sy'n gwawdio; bychanwr, dilornwr, dychanwr, gwatwarwr mocker, jeerer
2 *hynafol* bardd, canwr mawl panegyrist

gwawdlun *eg* (gwawdluniau) portread ar ffurf cartŵn, darlun, perfformiad neu ysgrif sy'n gwawdio nodweddion hynod gwrthrych caricature

gwawdlunydd *eg* (gwawdlunwyr) un sy'n tynnu gwawdluniau neu'n eu creu caricaturist

gwawdlyd *ans* yn gwawdio, llawn dirmyg; bychanus, coeglyd, dilornus, sarhaus mocking, scornful, snide

gwawl *eg llenyddol* disgleirdeb, golau, goleuni light, radiance
rhwng gwyll a gwawl gw. gwyll

gwawn *eg* yr edafedd ysgafn, sidanaidd a gynhyrchir gan gorryn; gweoedd ysgafn y corryn gossamer

gwawr *eb* (gwawriau)
1 toriad dydd, y golau cyntaf ar ôl y nos, glas y dydd **dawn, daybreak, sunrise**
2 gradd o liw, ffurf ysgafnach neu ddyfnach o liw, *paent gwyn a rhyw wawr felen iddo*; arlliw **hue, tinge, tint, tone**
gwawriad *eg* (gwawriadau) y broses o wawrio, toriad gwawr **dawning**
gwawrio *be* [gwawri•²] goleuo wrth i'r haul godi, torri (am y wawr); dyddhau, dyddio **to dawn**
gwawrio ar graddol sylweddoli neu ddod i wybod **to dawn on**
gwayw *eg* (gwewyr)
1 poen lem a sydyn (gan waywffon yn wreiddiol); brath, cnofa, gloes, pang **pain, pang, stab**
2 poen yn yr ochr a achosir gan ymarfer yn ormodol; pigyn **stitch**
gwayw'r galon angina; cyflwr a nodweddir gan boenau yn y frest sy'n deillio o ddiffyg yn y cyflenwad gwaed i'r galon **angina pectoris**
gwayw-fwyell *eb* (gwayw-fwyeill) *hanesyddol* cyfuniad o waywffon a bwyell ryfel **halberd**
gwaywffon *eb* (gwaywffyn)
1 polyn hir a blaen miniog iddo a ddefnyddid fel arf i drywanu gelyn mewn brwydr; picell **lance, pike, spear**
2 arf tebyg llai ei faint a ddefnyddir yn awr mewn cystadleuaeth taflu gwaywffon sy'n rhan o chwaraeon athletaidd **javelin**
gwden *eb* (gwdenni) gwialen wydn, hydwyth (o helyg) **withy**
gwdennu *be* [gwdenn•⁹] *hynafol* rhwymo â gwden **to bind, to plait**
Sylwch: dyblwch yr 'n' ym mhob ffurf ac eithrio yn y rhai sy'n cynnwys *-as-*.
gwdihŵ *eb* gair llafar am dylluan **owl**
gwddf:gwddw:gwddwg *eg* (gyddfau: gyddygau)
1 y rhan o'r corff rhwng y pen a'r ysgwyddau **neck**
2 rhan o ddilledyn sy'n ffitio dros y rhan hon o'r corff, *Mae gwddwg y crys yn rhy dynn.* **neck**
3 rhan o rywbeth sydd o'r un ffurf neu siâp â'r rhan hon o'r corff, *gwddwg potel* **neck**
4 y geg a'r llwnc, sef y tu mewn i'r geg a'r gwddf sy'n rhannu yn ddwy ran, y naill yn arwain at y stumog a'r llall at yr ysgyfaint, *Mae gwddf tost gen i.* **throat**
gwddf y groth ANATOMEG llwybr cul (fel gwddf) a geir ar ben isaf y groth **cervix**
Ymadrodd
torri fy (dy, ei, etc.) ngwddf bron â marw o eisiau **dying to**
gwe *eb* (gweoedd)
1 y rhwydwaith tyn o ddefnydd sy'n cael ei gynhyrchu drwy gydblethu edefynnau ar

wŷdd; darn sydd wedi cael ei wau **weaving, woven fabric**
2 rhwydwaith main, ysgafn sy'n cael ei wau gan gorryn allan o'i wawn **cobweb**
3 y croen sy'n cysylltu bysedd traed rhai mathau o anifeiliaid, e.e. hwyaid **web**
gwe fwyd BIOLEG system o gadwynau bwydydd cydgysylltiol a chyd-ddibynnol **food web**
y We Fyd-eang gw. **Gwe Fyd-eang**
gwead *eg* (gweadau)
1 y natur, y dull neu'r ffordd y mae darn o ddefnydd wedi cael ei wau; plethiad **texture, weave, weaving**
2 cyfansoddiad, gwneuthuriad, *Mae hoffter o gerddoriaeth yn ei wead.*; ffurfiad, lluniad, saernïaeth **fabric, make up, nature**
3 canlyniad cyfuno ansawdd, alaw, rhythmau a chordiau mewn cyfansoddiad cerddorol, trwch y gerddoriaeth **texture**
gweadeddu *be* [gweadedd•¹] cynrychioli neu ddefnyddio gwead, yn enwedig mewn cerddoriaeth, celfyddyd gain a dylunio mewnol **to texture**
gweaf *bf* [gwau] *ffurfiol* rwy'n gwau; byddaf yn gwau
gwedais *bf* [gwadu] *hynafol* gwnes i wadu
gwedi *ardd* ffurf gysefin **wedi**
gwedn *ans* ffurf fenywaidd **gwydn**
gwedd¹ *eb* (gweddau)
1 y ffordd y mae rhywun neu rywbeth yn edrych yn allanol; diwyg, golwg, siâp, ymddangosiad **appearance, countenance, sight**
2 y graddau y mae darn o bren yn llyfn neu'n arw **texture**
3 golwg neu gyflwr penodol mewn dilyniant o newidiadau cylchol a rheolaidd, *Mae cil y Lleuad a'r Lleuad lawn yn ddwy o weddau'r Lleuad.* **phase**
4 CEMEG un o'r gwahanol ffurfiau y mae sylwedd neu wrthrych yn gallu eu cymryd neu ymddangos ynddynt, e.e. nwy, hylif neu solid **phase**
5 FFISEG dadleoliad tonffurf neu osgiliad ar amser penodol o'i gymharu â thonffurf neu osgiliad arall neu â phwynt cyfeirio sefydlog **phase**
6 MEDDYGAETH pryd a gwedd wyneb person sy'n nodweddiadol o gyflwr neu glefyd arbennig **facies**
7 SERYDDIAETH un o siapiau gwahanol y Lleuad neu blaned arall, yn ôl y graddau mae'n cael ei oleuo **phase**
ar fy (dy, ei, etc.) newydd wedd yn ei ffurf newydd **new look**
ar un wedd mewn un ffordd **from one aspect, in one respect**
lliw a gwedd:pryd a gwedd ymddangosiad **appearance, countenance**

gwedd² *eb* (gweddoedd)
  1 offer i gysylltu dau ych neu ddau geffyl i dynnu rhywbeth; iau harness, yoke
  2 pâr (neu ragor) o anifeiliaid (megis ychen neu geffylau) dan yr iau team
  ceffyl gwedd gw. ceffyl

gweddaidd *ans*
  1 yn gweddu; addas, cymwys, llednais, priodol proper, seemly, suitable
  2 hardd, prydferth, lluniaidd, cain beautiful, graceful

gweddeidd-dra *eg* y cyflwr o fod yn weddaidd, ymddygiad gweddus; addaster, urddas propriety, seemliness

gwedder *eg* (gweddrod) hwrdd wedi'i ysbaddu; mollt wether

gweddi¹ *eb* (gweddïau)
  1 y weithred o siarad â Duw (neu dduwiau) ar eich pen eich hun neu mewn cwmni, i'w addoli, i ddiolch neu i ofyn (neu i ddeisyf) am rywbeth prayer, praying
  2 y patrwm geiriau a ddefnyddir wrth ymbil ar Dduw; bendith, pader prayer
  3 deisyfiad neu ymbiliad taer ar Dduw neu rywun mewn awdurdod, *Atebwyd ei weddi a daeth ei ferch yn ôl yn ddiogel.* prayer

gweddi² *bf* [gweddu] rwyt ti'n gweddu; byddi di'n gweddu

gweddigar *ans* chwannog i weddïo, yn troi at weddi yn aml prayerful

gweddii *bf* [gweddïo] rwyt ti'n gweddïo; byddi di'n gweddïo

gweddill *eg* (gweddillion)
  1 yr hyn sy'n aros, sydd dros ben; gwarged, rhelyw surplus, residue, remnant, rest
  2 MATHEMATEG yr hyn sydd ar ôl pan dynnir un rhif o rif mwy, *10 – 4, gweddill 6,* neu pan gaiff un rhif ei rannu â rhif llai, *10 ÷ 4 = 2, gweddill 2, mae 4 yn mynd i 10 ddwywaith gan adael 2 yn weddill* remainder
  3 CYLLID y gwahaniaeth rhwng credydau a debydau mewn cyfrif; balans, gwarged balance

gweddilleb *eb* (gweddillebau) MATHEMATEG y gwahaniaeth rhwng gwerth a fesurir mewn arbrawf a gwerth a ragfynegir gan fformiwla residual

gweddilliad *eg* CYFRAITH budd yn gysylltiedig ag eiddo na ddaw i rym ond pan ddaw budd blaenorol i ben, budd gweddilliol remainder

gweddillio *be* [gweddilli•²] gwaredu copïau o lyfrau sydd dros ben (drwy eu gwerthu'n rhad) to remainder

gweddilliol:gweddillol *ans*
  1 am rywbeth sy'n aros yn weddill o rywbeth fu llawer yn fwy residual, vestigial
  2 CYFRAITH â hawl ar yr hyn sydd ar ôl o eiddo

ystâd ar ôl talu'r dyledion a'r cymynroddion residuary
  3 BIOLEG (am organ neu ran o'r corff) dirywiedig neu wedi crebachu, wedi datblygu'n ddibwrpas yn y broses o esblygu vestigial

gweddillion *ell*
  1 lluosog gweddill
  2 rhannau o rywbeth sydd ar ôl; gwaddod, gwaelodion, gwastraff, sorod remains
  3 corff marw, celain (person fel arfer), *Claddwyd ei weddillion ym mynwent Llanwynno.* remains

gweddïo *be* [gweddi•⁸] galw neu ymbil ar Dduw (neu dduwiau), cynnig neu offrymu gweddi, plygu glin (~ **ar** *rywun* **am** *rywbeth*; ~ **dros** *rywun*) to pray
  Sylwch: does dim angen didolnod pan fydd dwy 'i' yn dilyn ei gilydd, *gweddiir.*

gweddïo o'r frest gweddïo yn ddifyfyr

gweddïwr *eg* (gweddïwyr) un sy'n gweddïo supplicant

gweddnewid *be* [gweddnewidi•²] newid ffurf neu ymddangosiad (rhywun neu rywbeth) to transform, to transfigure, to make over

gweddnewidiad *eg* (gweddnewidiadau)
  1 y broses o weddnewid, canlyniad gweddnewid transformation, transfiguration
  2 ymddangosiad y Crist yn ei ogoniant i dri o'i ddisgyblion yn dilyn ei groeshoeliad Transfiguration

gweddol *ans* (o flaen ansoddair) lled dda, eithaf da, go lew (gan ddibynnu yn aml ar oslef neu gyd-destun i gael gwybod ai da neu ddrwg yw'r gwir ystyr); bethma, canolig, cyffredin, cymedrol fair, middling, not bad, reasonable
  Sylwch: mae'n achosi'r treiglad meddal; nid yw'n arfer cael ei gymharu.

gweddu *be* ateb y pwrpas, gwneud y tro i'r dim, bod yn gymwys, bod yn briodol, *Nid yw'r crys lliwgar yna yn gweddu i achlysur mor drist.*; siwtio, taro (~ **i**) to suit, to befit
  Sylwch: nid yw'r ferf hon yn cael ei rhedeg ac eithrio'r ddwy ffurf 'gwedda ef/hi', 'gweddai ef/hi'.

gweddus *ans* [gweddus•] teilwng o barch, yn gweddu; addas, cymwys, dyladwy, priodol fitting, proper, seemly

gwedduster:gweddustra:gweddusrwydd *eg* pa mor weddus yw rhywbeth, cydymffurfiad â safonau neu foesau cyffredin; addasrwydd, cyfaddasrwydd, priodoldeb propriety, correctness, decorum

gweddw¹ *eb* (gweddwon) gwraig y mae ei gŵr wedi marw a hithau heb ailbriodi; gwidw widow

gweddw² *ans* (gweddwon) am un sydd wedi claddu ei briod/phriod, *gŵr gweddw* widowed
  maneg weddw un faneg o bâr

gweddwdod *eg* y cyflwr o fod yn weddw widowhood

gweddwon *ans* ffurf luosog gweddw², e.e. *gwragedd gweddwon*

gwefan *eb* (gwefannau) gwybodaeth wedi'i chofnodi dan enw parth fel arfer; mae wedi'i storio ar weinydd cyfrifiadurol ar y We Fyd-eang a cheir mynediad iddi drwy'r Rhyngrwyd, safle gwe website

gwefeistr *eg* (gwefeistri) un sy'n gweinyddu a rheoli gwefan (a'r un sydd wedi'i chynllunio, gan amlaf) webmaster

gwefl *eb* (gweflau)
1 gwefus anifail lip
2 yr ymyl a geir ar watsh sy'n dal y gwydr yn ei le; cantel bezel
3 labiwm, fel yn *gwefl y wain* labium

gweflau lleiaf dau blyg mewnol llai eu maint y fwlfa labia minora

gweflau mwyaf dau blyg allanol y fwlfa labia majora

gwefl y wain un o'r pedwar plyg tebyg i wefusau sy'n rhan o'r fwlfa labium

gweflau *ell*
1 lluosog gwefl
2 safn, genau jaws

gweflog *ans* BOTANEG yn ymwneud â phlanhigion o deulu'r mintys sydd â blodau â dwy wefl amlwg labiate

gweflogyn *eg* (gweflogiaid) pysgodyn bach y môr â phen llydan a chorff hir ac yn debyg i lysywen eel pout

gwefr *eb* (gwefrau)
1 sioc debyg i sioc drydanol (a achosir gan bleser, ofn, etc.), *Allaf i ddim disgrifio'r wefr a deimlais wrth glywed dy lais ar y ffôn wedi cyfnod mor hir.*; cic, ias shock, thrill
2 disgleirdeb yn y llygaid neu loywder wedi'i achosi gan deimlad dwys radiance, sparkle
3 FFISEG swm arbennig o drydan sy'n profi grym pan fydd yng nghyffiniau swm arall o drydan; ceir dau fath o wefr, positif a negatif charge
4 hen air am **ambr**

gwefreiddio *be* [gwefreiddi•²] gyrru gwefr neu ias neu sioc debyg i sioc drydanol drwy unigolyn, cynulleidfa, torf etc.; cyffroi, trydanu to thrill, to electrify, to galvanize

gwefreiddiol *ans* yn gyrru ias neu wefr drwy berson, *perfformiad gwefreiddiol*; cyffrous, cynhyrfus, iasol, trydanol electrifying, thrilling

gwefru:gwefrio *be* [gwefri•²] anfon cerrynt trydanol rhwng dwy ran o offer fel bod gwefr bositif yn cynyddu ar un rhan a gwefr negatif yn cynyddu ar y rhan arall, er enghraifft batri neu gynhwysydd to charge

gwefr yrrwr *eg* (gwefr yrwyr) un sy'n mynd â char (heb ganiatâd y perchennog, gan amlaf) er mwyn yr hwyl o'i yrru joyrider

gwefus *eb* (gwefusau) un o ddau ymyl y geg ddynol lip

gwefus hollt MEDDYGAETH hollt cynhwynol yn y wefus uchaf a gysylltir yn aml â thaflod hollt cleft lip
Ymadrodd

gwefus bur iaith lân, iaith bur ddihalog

gwefusol *ans*
1 IEITHYDDIAETH tebyg i wefus, yn ymwneud â gwefus(au) labial
2 IEITHYDDIAETH yn cael ei ynganu gan ddefnyddio'r gwefusau, *seiniau gwefusol m, b, p, w* labial

Gwe Fyd-eang *eb* (y We) cyfundrefn sy'n cynnig mynediad at wybodaeth amlgyfryngol drwy'r Rhyngrwyd, a ffordd o'i hadfer; mae'r wybodaeth yn cynnwys cysylltiadau hyperdestun sy'n caniatáu i'r defnyddiwr fynd yn rhwydd o un darn o wybodaeth i'r llall; hefyd y rhwydwaith o wybodaeth gydgysylltiedig y ceir hyd iddi drwy gyfrwng hon World Wide Web, www

gwe-gam *eg* camera fideo wedi'i gysylltu â chyfrifiadur fel bod modd gweld y lluniau ar rwydwaith cyfrifiadurol, yn enwedig y Rhyngrwyd webcam

gwegi *eg* pleser mewn pethau ofer, dibwys, hunanol; gwagedd, oferedd frivolousness, vanity

gwegian *be* symud yn simsan, bod ar fin syrthio; cloffi, hercian, rhoncian, simsanu to reel, to stagger, to totter
Sylwch: nid yw'r ferf hon yn arfer cael ei rhedeg.

gwegil *eg* (gwegilau) y tu ôl i'r pen, rhan uchaf y gwddf; gwar, mwnwgl nape, scruff

troi gwegil (ar) cefnu ar, ymwadu â rhywbeth to turn one's back on

gweheirdd *bf* [gwahardd] hynafol mae ef yn gwahardd/mae hi'n gwahardd; bydd ef yn gwahardd/bydd hi'n gwahardd

gwehelyth *egb* (gwehelaethau) y teulu y mae rhywun yn perthyn iddo; cyff, hil, llinach, tylwyth lineage, pedigree

gwehilion *ell* gweddillion di-werth, y pethau salaf, y pethau gwaethaf; carthion, sorod dregs, rubbish, scum, trash

gwehydd:gwëydd *eg* (gwehyddion) un sy'n ennill bywoliaeth drwy wau defnydd weaver

gwehyddes:gweyddes *eb* (gwehyddesau) benyw o wehydd weaver

gwehyddiad *eg* un o'r patrymau neu ddulliau a ddefnyddir i gydblethu edafedd wrth wau defnydd weave

gwehyddon *ell* lluosog gwaudd

gwehyddu *be* [gwehydd•¹] gwau defnydd, gwaith a chrefft y gwehydd; gwau to weave

gwehynnwr *eg* (gwehynwyr) un sy'n codi dŵr o ffynnon drawer of water

gweiddi *be* [gwaedd•¹] galw yn uchel, *Dringodd i ben y wal a gweiddi arnom ni i'w ddilyn.*; bloeddio, crochlefain (~ *ar rywun* am *rywbeth*) to shout, to yell

gweigion *ans* ffurf luosog gwag, *llestri gweigion*

gweilch *ell* lluosog gwalch

gweilgi *eb* (gweilgïoedd) *llenyddol* y môr; cefnfor, dyfnfor, eigion main, sea, the deep

gweill *ell* lluosog gwäell, y nodwyddau hir a ddefnyddir i wau knitting needles
    ar y gweill wedi cychwyn, ar waith in progress, ongoing

gweini *be* [gwein•¹]
    1 *hanesyddol* gweithio fel gwas neu forwyn, bod mewn gwasanaeth; tendio to be in service, to serve
    2 erbyn heddiw, dod â bwyd at y bwrdd mewn tŷ bwyta neu wasanaethu mewn siop; gwasanaethu (~ **ar**) to attend, to wait upon

gweiniaid *ell* rhai gwan weaklings

gweiniau *ell* lluosog gwain

gweinidog *eg* (gweinidogion)
    1 swyddog uchel sy'n gyfrifol am un o adrannau'r llywodraeth (ac sydd weithiau'n atebol i Ysgrifennydd Gwladol) minister
    2 un sydd wedi'i ordeinio i fod â gofal dros gapel; bugail (capel), pregethwr minister, pastor
    Prif Weinidog y gweinidog uchaf ei swydd yn Llywodraeth y Deyrnas Unedig (a nifer o wledydd eraill y byd) Prime Minister
    Prif Weinidog Cymru pennaeth Llywodraeth Cymru First Minister

gweinidogaeth *eb* (gweinidogaethau)
    1 swydd gweinidog yr Efengyl ministry, pastorship
    2 y gwasanaeth ysbrydol a gynigir gan yr Eglwys Gristnogol ministry
    3 y broses o weinidogaethu, gwaith a gwasanaeth un gweinidog ministry

gweinidogaethol *ans*
    1 yn ymwneud â gweinidog neu weinidogion y llywodraeth ministerial
    2 yn ymwneud â gweinidog yr Efengyl ministerial

gweinidogaethu *be* [gweinidogaeth•¹] gwasanaethu neu weithredu fel gweinidog yr Efengyl; bugeilio to minister, to officiate

gweinidogol *ans* yn ymwneud â swydd a swyddogaeth gweinidog (gwleidyddol) ministerial

gweinio *be* [gweini•²] gosod mewn gwain to sheathe

gweinion¹ *ans* ffurf luosog gwan

gweinion² *ell* pobl wan, *Cofia, O Dad, am weinion ein cymdeithas.* the weak

gweinydd *eg* (gweinyddion)
    1 un sy'n gweini, sy'n gwasanaethu neu'n cynorthwyo rhywun arall attendant, waiter

2 CYFRIFIADUREG cyfrifiadur neu raglen gyfrifiadurol ar rwydwaith sy'n rheoli mynediad at adnodd canolog neu wasanaeth server

gweinyddaf *bf* [gweini] rwy'n gweini; byddaf yn gweini

gweinyddes *eb* (gweinyddesau) merch neu wraig sy'n gweini (ar y claf, mewn tŷ bwyta, etc.) maid, waitress, nurse

gweinyddiad *eg* (gweinyddiadau)
    1 y gweithrediad o weini administration
    2 y broses o weinyddu ystâd rhywun sydd wedi marw administration

gweinyddiaeth *eb* (gweinyddiaethau)
    1 y gwaith o gadw trefn a rheolaeth ar fusnes neu swyddfa; rheolaeth administration
    2 un o adrannau Llywodraeth San Steffan sydd dan ofal un neu ragor o weinidogion, *Gweinyddiaeth Amaeth* administration, ministry

gweinyddol *ans* yn ymwneud â chadw trefn a rheolaeth ar fusnes, swyddfa, neu adran o'r llywodraeth administrative

gweinyddu *be* [gweinydd•¹]
    1 cadw trefn a rheolaeth ar fusnes neu swyddfa; llywio, rheoli to administer, to manage
    2 cyflawni rhan gweinidog mewn gwasanaeth crefyddol; arwain, gwasanaethu to officiate

gweinyddwr *eg* (gweinyddwyr) gŵr a benodir i gadw trefn a rheolaeth ar fusnes neu swyddfa administrator

gweinyddwraig *eb* merch neu wraig a benodir i gadw trefn a rheolaeth ar fusnes neu swyddfa administrator

gweirglodd *eb* (gweirgloddiau) darn o dir isel, gwastad ar gyfer tyfu gwair, cae gwair; cae, dôl, gwaun, maes, parc hayfield, meadow

gweiriau:gweirydd *ell* lluosog gwair

gweiryn *eg* blewyn o wair; glaswelltyn, gwelltyn blade of grass

gweisg *ell* lluosog gwasg¹

gweision *ell* lluosog gwas

gweithdrefn *eb* (gweithdrefnau) cyfres o gamau ffurfiol a ddilynir wrth gyflawni proses (gyfreithiol, fel arfer) procedure

gweithdy *eg* (gweithdai)
    1 ystafell waith, siop waith (crefftwr, fel arfer); gweithle workshop
    2 cyfarfod lle mae disgwyl i'r bobl sydd yno feithrin profiad drwy gyfrannu neu gynhyrchu rhywbeth, *gweithdy ysgrifennu creadigol* workshop

gweithfan *eb* (gweithfannau)
    1 lle mae rhywun yn gweithio place of work
    2 math o ddesg (symudol yn aml) ar gyfer cyfrifiadur; rhan o gyfundrefn mewn swyddfa electronig yn cynnwys sgrin ac allweddell i ddelio â gwaith y swyddfa workstation

gweithfaol *ans* yn ymwneud â gweithfeydd diwydiannol; diwydiannol industrial

gweithfeydd *ell* lluosog **gwaith**[3]

gweithgar *ans* awyddus i weithio, llawn gwaith; diwyd, dyfal, dygn, ymroddedig industrious, diligent, active

gweithgaredd *eg* (gweithgareddau)
1 y cyflwr o fod yn weithgar; diwydrwydd, prysurdeb activity
2 rhywbeth sy'n cael ei wneud o ran diddordeb neu er lles addysgiadol neu er mwyn codi arian, *Trefnwyd nifer o weithgareddau y llynedd er mwyn codi arian i'r papur bro; gweithgareddau'r Urdd a'r Ffermwyr Ifanc;* gorchwyl, gwaith activity, pursuit

gweithgarwch *eg* y broses o weithio, canlyniad gweithio; diwydrwydd, prysurdeb activity, diligence, industry

gweithgor *eg* (gweithgorau) nifer neu grŵp bach o bobl sydd wedi cael eu dewis i ymchwilio i ryw fater neu'i gilydd working party
Sylwch: mae'n derbyn ffurf unigol neu luosog berf.

gweithgynhyrchu *be* [gweithgynhyrch•[1]] creu neu gynhyrchu (nifer mawr o rywbeth, fel arfer) drwy ddefnyddio peiriannau to manufacture

gweithgynhyrchydd *eg* (gweithgynhyrchwyr) un sy'n gweithgynhyrchu ar raddfa fasnachol manufacturer

gweithiadwy *ans* (am waith mwyn neu bwll glo) y gellir gweithio ynddo er mwyn echdynnu'r mwyn workable

gweithiau[1] *ell* lluosog **gwaith**[1]

gweithiau[2] *ell* lluosog **gwaith**[2]

gweithio *be* [gweithi•[2]]
1 cyflawni gweithred sy'n gofyn am ymdrech (yn enwedig fel swydd); gwneud gwaith, llafurio, *gweithio mewn ffatri* (~ **i** *rywun;* ~ **dros** *rywun*) to work
2 bod yn effeithiol, llwyddo, *Rwy'n gobeithio y bydd y syniad yma'n gweithio.* to work
3 (am beiriant) gweithredu yn y modd y bwriadwyd iddo, heb fethu na thorri, *Dydy fy mheiriant golchi ddim yn gweithio.* to work
4 gorfodi rhywun i wneud ei waith, *Mae'r athrawon yn ein gweithio ni'n rhy galed o lawer.* to work
5 peri bod peiriant yn cyflawni'r hyn y bwriadwyd iddo'i wneud, *A oes rhywun yn gwybod sut i weithio'r cyfrifiadur yma?* to operate, to work
6 gwingo, cyffroi, *Ar ôl cymryd y cyffur, roedd ei gorff yn gweithio i gyd.* to twitch
7 byrlymu sy'n tarddu o gymysgedd o furum a siwgr mewn diod ac sy'n ei throi'n feddwol; eplesu to ferment

8 gosod ffurf neu siâp ar rywbeth; saernïo, *gweithio haearn* to forge
9 cyfansoddi, barddoni, *gweithio pennill* to compose
10 gwau, *gweithio dilledyn* to knit
11 paratoi pryd o fwyd, *gweithio cinio;* coginio to prepare
12 trin, troi, *Gwaith trwm oedd gweithio'r tir gwlyb ar waelod yr ardd.* to cultivate
13 fel yn *cael ei weithio,* y gwrthwyneb i 'bod yn rhwym', 'medru gwagio'r coluddion'

gweithiol *ans*
1 fel yn *dosbarth gweithiol,* h.y. y dosbarth hwnnw o gymdeithas sy'n gweithio (yn gorfforol gan amlaf) am eu bywoliaeth working class
2 yn ymwneud â gweithrediadau mecanyddol neu gorfforol, *sgiliau gweithiol* operative

gweithiwr *eg* (gweithwyr)
1 un sy'n gweithio worker, employee
2 un sy'n gweithio'n galed (yn gorfforol yn aml); labrwr labourer, worker
3 gwenynen, morgrugyn, cacynen, etc, nad yw'n gallu bod yn fam ond sy'n gweithio'n nifer mawr gyda'i gilydd i gyflawni gwaith angenrheidiol yn y nyth neu'r cwch ac i'w amddiffyn worker

gweithle *eg* (gweithleoedd) man gwaith, e.e. swyddfa, ffatri, mwynglawdd, etc.; gweithdy workplace

gweithlu *eg*
1 nifer y rhai sydd mewn gwaith neu sydd ar gael i gychwyn gwaith mewn gwlad neu ardal workforce, labour force
2 yr holl bobl sy'n gweithio i gwmni neu sefydliad penodol workforce

gweithred *eb* (gweithredoedd)
1 rhywbeth y mae rhywun wedi'i wneud neu ei gyflawni, o fwriad gan amlaf, *Wrth eu gweithredoedd y mae adnabod pobl yn fwy nag wrth eu siarad.*; act, gwaith act, action
2 symudiad sy'n defnyddio grym at ryw bwrpas arbennig, *Roedd codi'r gyllell fel yna yn weithred fygythiol.* action, deed
3 CYFRAITH lluosog (gweithredoedd) dogfen gyfreithiol sy'n dangos hawl rhywun i fod yn berchen ar dŷ neu dir, etc. deed, document

gweithred Duw digwyddiad annisgwyl, yn enwedig trychineb wedi'i hachosi gan rymoedd naturiol act of God

gweithredadwy *ans* y gellir ei weithredu executable

gweithrediad *eg* (gweithrediadau)
1 (am berson neu beiriant) proses neu ddull o weithio operation, function

g

2 MATHEMATEG proses fathemategol (e.e. adio, tynnu, differu) sy'n cael ei chyflawni drwy ddilyn set o reolau ffurfiol operation

gweithrediadol *ans*
1 yn effeithio ar ffwythiannau neu weithrediad seicolegol neu ffisiolegol organeb neu'r corff heb effeithio ar adeiledd y corff functional
2 wedi'i lunio i fod yn ymarferol neu i gyflawni swyddogaeth arbennig heb fod yn addurniadol functional

gweithredoedd *ell* CYFRAITH dogfennau cyfreithiol sy'n dangos hawl rhywun i fod yn berchen ar dŷ neu dir, etc. deeds, documents

gweithredol *ans* yn gweithredu; â'r hawl i weithredu (dros rywun arall weithiau) executive, acting, active, operational

gweithredu *be* [gweithred•¹]
1 dwyn i ben, peri bod rhywbeth yn digwydd, *Nid siarad sydd eisiau ond gweithredu.*; cyflawni, gwneud to accomplish, to do, to implement
2 cyflawni gweithred, *Wnest ti ddim gweithredu mewn ffordd anrhydeddus iawn neithiwr.*; gweithio, ymddwyn to act, to operate
3 ymgyrchu'n frwd i sicrhau newid gwleidyddol neu gymdeithasol to act

gweithredu cadarnhaol cymryd camau cadarnhaol i sicrhau bod cyfranogiad grwpiau sy'n cael eu tangynrychioli yn y gweithle yn cynyddu positive action

gweithredu uniongyrchol defnyddio streiciau, ymgyrchoedd neu ddulliau eraill o brotestio (yn hytrach na dulliau trafod) i gyrraedd nod penodol direct action

gweithredwr *eg* (gweithredwyr)
1 un sy'n gweithredu (dros eraill yn aml); asiant, gwneuthurwr agent, operator
2 un sy'n ymgyrchu'n frwd i sicrhau newid gwleidyddol neu gymdeithasol; ymgyrchydd activist

prif weithredwr prif swyddog cyflogedig cwmni, sefydliad neu lywodraeth leol chief executive

gweithredydd *eg* (gweithredyddion)
1 MATHEMATEG symbol mewn mathemateg neu resymeg yn dynodi bod angen cyflawni proses neu weithred arbennig, e.e. y symbol + i ddynodi adio operator
2 BIOLEG genyn sy'n rheoli gweithrediad genynnau cyfagos sy'n cynhyrchu proteinau operator

gweithwraig *eb* merch neu wraig sy'n gweithio

gweithwyr *ell* lluosog gweithiwr

gweithydd *eg* (gweithyddion)
1 ANATOMEG (am barau gwrthweithiol o gyhyrau) y cyhyryn, e.e. y cyhyryn deuben, sy'n cyfangu pan fydd y cyhyryn arall, e.e. y cyhyryn triphen, yn llaesu agonist

2 BIOCEMEG sylwedd cemegol sy'n medru cyfuno â derbynnydd ar wyneb cell (nerfgell, gan amlaf) gan gychwyn adwaith ffisiolegol agonist

gwêl *bf* [gweld]
1 mae ef yn gweld/mae hi'n gweld; bydd ef yn gweld/bydd hi'n gweld
2 gorchymyn i ti weld

gweladwy *ans* y gellir ei weld, yn y golwg; amlwg, eglur, gweledig visible, discernible

gwelâu *ell* lluosog gwely

gweld:gweled *be* [gwel•⁴ *3 un. pres.* gwêl; *2 un. gorch.* gwêl]
1 bod â golwg da, sef bod y llygaid yn iach ac yn gweithio'n iawn, *Mae o wedi cael ei olwg yn ôl ac yn gweld popeth ar ôl y driniaeth.* to see
2 defnyddio'r llygaid i ganfod, *Ar ddiwrnod braf fe welwch y wlad am filltiroedd o'r fan hyn.* to see
3 edrych neu graffu ar rywbeth, adnabod rhywbeth wrth edrych arno, *Gadewch imi weld eich tocynnau.*; sylwi to examine, to see
4 ceisio darganfod neu gael penderfyniad, *Af i weld beth y gallaf ei wneud.* to inquire, to see
5 creu llun yn y meddwl, *Ni allaf ei weld hi'n aros yn hir yn y swydd hon.*; dychmygu (~ *rhywun* **yn**) to see
6 cael profiad o (rywbeth), bod yn llygad-dyst i (rywbeth), *Mae'r hen dŷ wedi gweld dyddiau gwell.* to see
7 ymweld â, ymgynghori â, *Mae hi wedi mynd i weld y doctor.* to see, to visit
8 gwneud yn sicr, *Rwy'n dibynnu arnat ti i weld bod popeth yn barod erbyn fory.*; sicrhau, ymorol to see
9 edrych fel petai, *Mae o i'w weld yn gwella.*; ymddangos to seem
10 barnu, ystyried, *Wel, gwnewch chi fel y gwelwch chi orau.* to see fit
11 deall, dirnad, *Rwy'n gweld. Mae e wedi'i weld hi.* to see, to understand

gweld rhithiau gweld neu glywed rhywbeth nad yw yno, o ganlyniad i salwch neu gyffuriau to hallucinate

Ymadroddion
cawn weld (cawn ni weld, fe gei di weld, etc.) yn sôn am y dyfodol we shall see, you'll see
gweld bai ar edliw nam neu fai, *Mae e'n gweld bai ar bawb ond ef ei hun.* to find fault
gweld eisiau/colled bod â hiraeth am rywun neu fod ag angen rhywbeth to miss
gweld golau coch gweld arwydd o berygl to see the warning light
gweld golau dydd ymddangos, cael ei (g)eni; cael ei gyhoeddi to appear, to see the light of day
gweld lygad yn llygad bod yn gytûn ar rywbeth to see eye to eye

gweld yn chwith digio to take offence
gweld yn dda fel yn *os gweli/gwelwch yn dda*
please, if you please
gwelededd *eg* y graddau y mae'n bosibl gweld
rhywbeth (oherwydd ansawdd y goleuni neu
eglurder yr atmosffer) visibility
gwelediad *eg* (gwelediadau) canfyddiad
(â'r llygaid neu gyda'r meddwl); dirnadaeth,
amgyffrediad vision
gweledig *ans* yn y golwg, a welir; amlwg, eglur,
gweladwy visible
gweledigaeth *eb* (gweledigaethau)
  1 syniadau treiddgar (ynglŷn â rhyw nod neu
  ddelfryd), *Roedd yn ŵr a geisiodd danio pawb
  â'i weledigaeth ynglŷn ag addysg Gymraeg.* vision
  2 fflach sydyn o oleuni ar broblem ddyrys
  brainwave
  3 rhywbeth sy'n cael ei weld fel breuddwyd
  neu ddarlun yn y dychymyg, 'Gweledigaethau'r
  Bardd Cwsg' *yw teitl llyfr enwog Ellis Wynne
  a gyhoeddwyd yn 1703.* vision
gweledol *ans* yn ymwneud â'r golwg neu y
  gellir ei weld, e.e. y celfyddydau gweledol (o'u
  cyferbynnu â cherddoriaeth a llenyddiaeth) visual
gweledydd *eg* (gweledyddion)
  1 un sy'n gweld (â'i lygaid ei hun) beholder
  2 un sy'n canfod gweledigaethau, un
  sydd â doniau dirnadaeth neu ddychymyg
  anghyffredin; proffwyd visionary
gwelw *ans* [gwelw•] (gwelwon) heb fawr o liw;
  heb fawr o lewyrch, heb fod yn ddisglair; llwyd
  pale, ashen, wan
gwelwder:gwelwedd *eg* llwydni gwedd, y
  cyflwr o fod yn welw; gwynder paleness, pallor
gwelwi *be* [gwelw•¹]
  1 colli lliw (yn enwedig am wyneb rhywun),
  mynd yn wyn, pylu mewn disgleirdeb; glasu,
  gwynnu, llwydo to pale
  2 achosi i blanhigyn gwyrdd wynnu drwy ei
  gadw allan o'r golau to blanch, to etiolate
gwelwlas *ans* (am wedd rhywun) gwelw a glas
  pallid
gwelwlwyd *ans* llwyd a gwelw ashen, pale grey
gwelwon *ans* ffurf luosog **gwelw**
gwely *eg* (gwelyau:gwelâu)
  1 dodrefnyn neu gelficyn a ddefnyddir i gysgu
  arno bed
  2 unrhyw beth y mae rhywun yn cysgu arno,
  gwely o wair bed
  3 darn o dir (mewn gardd) wedi'i baratoi ar
  gyfer plannu hadau neu lysiau bed
  4 gwaelod afon, llyn neu fôr bed
  5 haen waelodol, *gosod y tatws pob ar wely
  o letys*; sylfaen bed
  6 mae papur newydd yn mynd 'i'w wely', sef
  bwrdd gwastad yr argraffwasg, h.y. yn cael ei
  argraffu bed

  7 DAEAREG haen o graig waddod neu waddod
  megis tywod a graean bed
  8 *hanesyddol* (o dan y gyfundrefn Gymreig o
  gyfreithiau lle y byddai tir yn cael ei rannu'n
  gyfartal rhwng holl feibion gŵr rhydd) tir
  y byddai'r gwehelyth neu ddisgynyddion y
  perchennog cyntaf yn ei ddal ar y cyd
gwely crog darn hir o ddefnydd neu rwyd y
  mae modd ei grogi wrth ei ddau ben er mwyn
  ffurfio gwely hammock
  Ymadrodd
gwely cystudd gwely'r claf sickbed
gwelya:gwelyo *be* [gwely•¹] mynd i'r gwely,
  gosod mewn gwely (nid am bobl), e.e. carreg
  mewn morter; planhigyn mewn pridd to bed
gwelyfod *eg* *hynafol* y cyflwr o fod yn gaeth i'r
  gwely ar adeg o esgor, gwely esgor confinement
gwell¹ *ans*
  1 yn rhagori ar arall, *Mae Manon yn well
  cerddor na'i brawd.* better
  2 nad yw mor sâl neu dost ag y bu, *Rwy'n
  teimlo'n llawer gwell erbyn hyn.* better
  3 mwy buddiol neu a fydd o fwy o les, *Faint
  yn well wyt ti ar ôl yr holl ymdrech?* better,
  preferable
  4 wedi'i wella enhanced, improved
    Sylwch:
    1 gradd gymharol **da**, fel arfer daw o flaen
    yr hyn mae'n ei oleddfu ond nid bob tro;
    2 nid yw'n achosi'r treiglad meddal pan ddaw
    o flaen enw.
bod yn well gan hoffi'n fwy to prefer
er gwell neu er gwaeth beth bynnag fydd y
  canlyniad; er da neu ddrwg for better or for worse
gwell i mi (ti, ef, etc.**)** mae gofyn i mi
  I had better
gwell² *eg* yn dilyn rhagenw gan amlaf, fel yn
  fy ngwell neu'r ymadrodd *o flaen ei well,* pobl
  sydd yn uwch eu statws neu sydd â mwy
  o awdurdod nag eraill betters, superiors
mynd o flaen fy (dy, ei, etc.**) ngwell**
  ymddangos ar gyhuddiad mewn llys barn
  to appear in court
gwella *be* [gwell•¹]
  1 dod neu fynd yn well (o ran iechyd, ansawdd,
  y tywydd, etc.), *Mae Bethan yn dechrau gwella
  o'r diwedd.*; adfywio, gwellhau to get better,
  to improve, to recover
  2 gwneud yn well, *Mae cot o baent wedi
  gwella'r ystafell yn rhyfeddol.*; diwygio, gloywi
  to enhance, to improve, to make better
  3 gwneud yn well o ran iechyd to cure, to heal
gwellaif:gwellau *eg* (gwelleifiau) math o siswrn
  cryf a ddefnyddir i gneifio a thocio gwlân
  defaid â llaw shears
gwelleifio *be* [gwelleifi•²] cneifio (dafad)
  â gwellau to shear

g

gwelleifiwr *eg* (gwelleifwyr) un sy'n gwelleifio; cneifiwr defaid shearer

gwellen gw. **gwäell**

gwellhad *eg* y broses neu'r weithred o wella, *Anfonodd y dosbarth gerdyn yn dymuno gwellhad buan i'w hathrawes.*; adferiad, adfywiad, iachâd recovery

ar wellhad yn gwella on the mend

gwellhaol *ans* (am rywbeth) a ddefnyddir i wella curative, remedial

gwellhau *be* [gwellha•¹⁴] gwneud yn well, gwneud lles; diwygio, cywiro to improve, to make better

gwelliant *eg* (gwelliannau)
1 newid er gwell; cynnydd, cywiriad, datblygiad improvement
2 cynnig ffurfiol o flaen pwyllgor i newid argymhelliad, neu awgrym ar gyfer newid geiriau deddf amendment

gwellt *eg ac ell*
1 coesynnau ŷd wedi'u sychu a ddefnyddir i wneud lle clyd i anifeiliaid gysgu neu ar gyfer llunio matiau, basgedi, etc.; gwlydd straw
2 lluosog **gwelltyn** straws

dyrnu gwellt gw. **dyrnu**

mynd i'r gwellt methu, mynd i ebargofiant to fall through

gwelltglas *eg* porfa, glaswellt grass

gwelltog *ans* llawn gwellt, toreithiog o wellt; glas grassy

gwelltyn *eg* (gwellt)
1 un coesyn neu gorsen o ŷd wedi'i sychu; un darn o wellt; blewyn, bonyn, gweiryn stalk, straw
2 tiwb tenau o bapur neu blastig ar gyfer sugno hylif (megis llaeth/llefrith) drwyddo straw

gwemp *ans* ffurf fenywaidd **gwymp** (teg, hardd, prydferth)

gwen¹ *ans* ffurf fenywaidd **gwyn**

gwen² *eb* MEDDYGAETH ('y wen') chwydd annormal chwarren y thyroid, yn arwain at chwydd ar flaen y gwddf goitre

gwên *eb* (gwenau) golwg ar yr wyneb lle mae dau ben y geg yn codi a'r llygaid yn pefrio fel arwydd o lawenydd, boddhad, cyfeillgarwch, etc.; weithiau gall guddio teimladau chwerw smile

gwên deg gwên dwyllodrus sy'n cuddio teimladau angharedig neu gas (*Roedd e'n wên deg i gyd, ond gwn ei fod yn dweud pethau cas y tu ôl i 'nghefn.*) false smile

gwên gam gwên fach chwerw wry smile

gwenci *eb* (gwencïod) anifail bach ysglyfaethus â chot o ffwr lliw rhwd a brown a bola gwyn; mae'n perthyn i'r un teulu â'r ffured, y carlwm a'r ffwlbart, ac, fel y rhain, mae'n byw ar hela anifeiliaid eraill megis cwningod a llygod; bronwen weasel

gwendid *eg* (gwendidau)
1 y cyflwr o fod yn wan, o beidio â bod yn gryf; eiddilwch weakness
2 man gwan, *Mae ei hoffter o'r ddiod feddwol yn wendid ynddo.*; bai, diffyg fault, weakness
3 llesgedd, gwaeledd, nychdod infirmity, weakness
4 y cyflwr o fod yn wirion neu o fod yn llai na llawn llathen feebleness (of mind), imbecility
5 lleihad y Lleuad, *Mae'r Lleuad yn ei gwendid.* waning

Gwener *egb*
1 fel yn *dydd Gwener*, y chweched dydd o'r wythnos Friday
2 SERYDDIAETH yr ail blaned o'r Haul a'r nesaf at y Ddaear sy'n ymddangos inni weithiau fel y seren fore ac weithiau fel seren yr hwyr; cafodd ei henwi ar ôl duwies cariad a phrydferthwch y Rhufeiniaid Venus

(dydd) Gwener y Groglith y diwrnod y croeshoeliwyd Iesu Grist, y dydd Gwener cyn Sul y Pasg Good Friday
Ymadrodd

dydd Gwener y chweched dydd o'r wythnos (yn dilyn dydd Iau) Friday

gwenerol *ans* MEDDYGAETH (am glefyd fel arfer) yn cael ei drosglwyddo drwy weithredoedd rhywiol venereal

gwenfflam *ans*
1 yn llosgi â fflamau mawr coch; fflamboeth, tanllyd, ynghyn blazing, flaming
2 *ffigurol* yn llosgi, yn ffrwydro'n danllyd ablaze

gweniaith *eb* canmoliaeth orhael, clod gwag, iaith i seboni rhywun; sebon flattery, blandishment, cajolery

gwenieithu:gwenieithio *be* [gwenieithi•²] canmol (rhywun) yn fawr, yn aml er mwyn ennill ffafr; ffalsio, gorganmol, seboni to flatter, to blandish

gwenieithus *ans* yn gwenieithu, â thuedd i seboni; ffuantus, rhagrithiol, sebonllyd flattering, fawning

gwenieithwr *eg* (gwenieithwyr) un sy'n gwenieithu dissembler, flatterer

gwenith *eg* planhigion y mae eu grawn yn cael ei falu i wneud blawd neu fflŵr sydd hefyd yn ddwysfwyd i anifeiliaid wheat

gwenith gwyn gwenith aeddfed yn barod i'w gynaeafu

gwenithen *eb* gronyn gwenith wheat

gwenithfaen *eg* (gwenithfeini) DAEAREG craig igneaidd, grisialog, galed a all fod yn binc, yn goch neu'n llwyd ac sy'n crisialu yn ddwfn yng nghramen y Ddaear granite

gwennaf *ans* mwyaf gwen

gwennol *eb* (gwenoliaid)
1 aderyn ag adenydd pigfain a chynffon fforchog sydd â rhannau uchaf dulas, rhannau isaf gwyn a thalcen a gwddwg cochlyd ac sy'n medru ehedeg yn gyflym a dal pryfed wrth hedfan; mae'n cyrraedd gwledydd hemisffer y Gogledd yn yr haf, ac yn hoff o nythu dan fondo tŷ swallow
2 dyfais sy'n gwau edefyn (yr anwe) rhwng yr edefynnau sy'n rhedeg o ben i waelod gwŷdd (yr ystof) shuttle
3 (mewn badminton) côn ysgafn o blu neu blastig sy'n cael ei daro yn ôl ac ymlaen â racedi shuttlecock
4 darn trionglog, elastig, corniog, sy'n tyfu yng nghanol carn ceffyl, buwch, etc.; bywyn troed ceffyl, ffroga, llyffant frog
gwennol ddu aderyn bach pryfysol ag adenydd hirgul sy'n gallu hedfan yn gyflym ac am gyfnodau hir swift
gwennol ofod math arbennig o awyren sy'n gallu cludo teithwyr i'r gofod ar ôl cael ei thanio gan roced, ac yna eu hedfan yn ôl i'r Ddaear drachefn space shuttle
gwennol y bondo un o deulu'r gwenoliaid y mae rhannau uchaf ei chorff a'i hadenydd yn ddu a'i bola'n wyn; weithiau mae'n gwneud nyth o laid dan fondo tŷ house martin
gwennol y glennydd un o deulu'r gwenoliaid y mae rhannau uchaf ei chorff a'i hadenydd yn frown a'i bola'n wyn; mae'n nythu mewn clogwyni tywodlyd sand martin
gwenoglun *eg* (gwenogluniau) CYFRIFIADUREG darlun o olwg ar wyneb rhywun wedi'i greu drwy ddefnyddio ychydig o nodau oddi ar fysellfwrdd (wedi'u tynnu ar eu hochr fel arfer) yn mynegi teimlad neu agwedd y person sy'n danfon y neges ebost, e.e. :-), :-(emoticon
gwenu *be* [gwen•¹]
1 codi ochrau'r geg a dangos mwynhad, pleser, bodlonrwydd, hoffter, etc., neu weithiau syndod, amheuaeth, chwerwder neu ddirmyg, *gwenu'n llon, gwenu'n sur* (~ **ar**) to grin, to smile
2 pelydru, tywynnu, *Mae'r haul yn gwenu arnom heddiw.* to shine, to smile
gwenu fel giât gwenu o glust i glust
gwenu o glust i glust bod yn wên i gyd, gwenu'n llydan to smile from ear to ear
gwenwisg *eb* (gwenwisgoedd) CREFYDD gwisg laes, wen, lewys-agored offeiriad surplice
gwenwyn *eg* (gwenwynau)
1 sylwedd sy'n gallu niweidio neu ladd person, anifail neu blanhigyn (o gael ei lyncu, ei anadlu neu ei amsugno drwy'r croen, dail, etc.) poison, venom

2 cenfigen, malais, sbeit *Roedd Megan yn llawn gwenwyn tuag at y merched eraill ar ôl iddi beidio cael ei dewis.* bitchiness, jealousy, spite
3 hwyl ddrwg, *Paid â thrafferthu siarad ag ef – mae'n llawn gwenwyn heno* spleen
gwenwyndra:gwenwynder *eg* y graddau y mae rhywbeth yn wenwynig toxicity
gwenwyniad *eg* (gwenwyniadau) y broses o wenwyno, canlyniad gwenwyno poisoning
gwenwynig:gwenwynol *ans* yn cynnwys gwenwyn, peryglus i iechyd; gwenwynllyd poisonous, venomous, toxic
gwenwynllyd *ans*
1 llawn gwenwyn; gwenwynig poisonous, venomous
2 llawn malais a chasineb; drygnaws, maleisus, milain jealous, spiteful
3 anniddig, blin, piwis splenetic
gwenwyno *be* [gwenwyn•¹]
1 rhoi gwenwyn i (rywun neu rywbeth), lladd neu niweidio drwy wenwyn (~ *rhywun/ rhywbeth* â) to poison
2 amhuro mewn ffordd beryglus, *Mae cemegion yn gwenwyno'n hafonydd.*; llygru to poison
3 cwyno'n ddi-baid, bod yn biwis ac anniddig, *Dim ond gwenwyno rwyt ti wedi'i wneud oddi ar iti ddod adre!*; achwyn, grwgnach to grizzle, to moan, to be peevish
gwenwynwr *eg* (gwenwynwyr) un sy'n gwenwyno poisoner
gwenyg *ell* lluosog gwaneg
gwenyn *ell* lluosog gwenynen
gwenyna *be* [gwenyn•¹] cadw a magu gwenyn to keep bees
gwenynen *eb* (gwenyn) pryfyn sy'n hedfan ac yn byw mewn heidiau, sy'n cynhyrchu mêl a chŵyr, ac sy'n gallu pigo'n gas bee
gwenynen farch (gwenyn meirch) pryfyn â chorff du a melyn sy'n hedfan ac yn pigo ac sy'n debyg o ran golwg i wenynen; cacynen, picwnen wasp
gwenynen ormes gwenynen wryw nad yw'n gweithio nac yn amddiffyn y nyth; ei unig swyddogaeth yw ffrwythloni'r frenhines; bygegyr, gwenynen segur drone
gwenynen segur gwenynen ormes drone
gwenynfa *eb* (gwenynfeydd) man lle mae gwenyn yn cael eu cadw, yn enwedig casgliad o gychod lle mae gwenyn yn cael eu cadw am eu mêl apiary
gwenynwr *eg* (gwenynwyr) un sy'n gwenyna, sy'n cadw gwenyn beekeeper, apiarist
gweog *ans* wedi'u cysylltu â gwe webbed
gwep *eb* difrïol wyneb hir, sur, *Dyw hi ddim yn hapus iawn â'r canlyniad, yn ôl ei gwep.*; gwg, jib, ystum countenance, jib
tynnu gwep tynnu wyneb, gwneud ystumiau to make faces

gwêr *eg* braster neu saim caled sy'n cael ei wneud drwy doddi bloneg anifeiliaid a'i ddefnyddio i wneud canhwyllau, sebon, etc. grease, tallow, wax

gwerdd *ans* ffurf fenywaidd **gwyrdd**, *deilen werdd*

gwerddon *eb* (gwerddonau) ardal o unrhyw faint yng nghanol diffeithdir cras sydd â digon o ddŵr i gynnal tyfiant; cilfach werdd oasis

gwerddyr *eb* perinëwm; y rhan o'r corff rhwng yr anws a'r organau rhyw perineum

gweren *eb* cosyn neu delpyn o wêr tallow (cake of)

gwerin[1] *eb*
1 pobl gyffredin gwlad, yn enwedig pobl gyffredin cefn gwlad; cyhoedd, gwrêng folk, people, proletariat
2 darnau gwyddbwyll chessmen, pieces
y Werin syniad delfrydol o bobl gyffredin (cefn gwlad) Cymru fel rhan o gymdeithas wâr, ddiwylliedig, annibynnol

gwerin[2] *ans* fel yn *amgueddfa werin, llên gwerin, canu gwerin*, etc., am grefft neu gelfyddyd arbennig sydd wedi codi ymhlith pobl gyffredin (cefn gwlad fel arfer) fel rhan bwysig o'u bywyd a'u diwylliant ac sy'n nodweddiadol o wlad, ardal neu alwedigaeth, etc. folk

gwerinaidd *ans* nodweddiadol o'r werin, o natur 'brethyn cartref'; cyffredin folksy, unpretentious

gwerineiddio *be* [gwerineiddi•[2]] gwneud yn werinaidd, troi'n un o'r werin to go native

gweriniaeth *eb* (gweriniaethau) gwladwriaeth sydd ag arlywydd yn hytrach na brenin neu frenhines yn ben arni, e.e. *Gweriniaeth Iwerddon, Gweriniaeth Ffrainc* republic

gweriniaethol *ans* nodweddiadol o weriniaeth, yn perthyn i weriniaeth, yn cefnogi gweriniaeth democratic, republican

gweriniaethwr *eg* (gwerinieithwyr)
1 un sy'n credu'n wleidyddol mewn gweriniaeth republican
2 un sy'n cefnogi plaid weriniaethol, e.e. yn Iwerddon neu blaid benodol yn Unol Daleithiau America Republican

gwerinlywodraeth *eb*
1 llywodraeth heb frenin neu frenhines yn ben arni
2 *hanesyddol* 'Y Werinlywodraeth', gwladwriaeth Lloegr dan Oliver Cromwell a'i fab Richard o farwolaeth y Brenin Siarl I yn 1649 hyd at 1659, flwyddyn cyn adferiad y Stiwartiaid i'r orsedd The Commonwealth

gwerinol *ans* nodweddiadol o'r werin, o bobl gyffredin common, plebeian

gwerinos *eb* y bobl (bach) gyffredin (gydag awgrym o dosturi neu ddirmyg) folk

gwerinwr *eg* (gwerinwyr)
1 gwladwr, dyn sy'n byw yn y wlad countryman, peasant, rustic
2 y darn gwyddbwyll lleiaf ei werth pawn

gwern[1] *eb* (gwernydd)
1 lle gwlyb lle y bydd coed gwern yn tyfu; cors, mign, siglen quagmire, swamp
2 *mewn enwau lleoedd* llwyn neu gelli o goed gwern, e.e. *Plas y Wern*

gwern[2] *ell* coed sy'n perthyn i deulu'r fedwen ac sy'n tyfu fel arfer ar lan afon neu mewn dŵr; hefyd, yn unigol, pren y coed hyn (y byddai pobl yn arfer gwneud clocs ohono) alder

gwernen *eb* unigol gwern alder (tree)

gwerniar *eb* (gwernieir) un o deulu o adar mawr a geir yn Ewrop, Affrica ac Asia sy'n adeiladu eu nythod ar y ddaear; cerddant yn araf ac yn urddasol ond gallant hedfan yn rymus a chyflym pan fo raid bustard

gwers *eb* (gwersi)
1 y cyfnod neu'r amser sy'n cael ei bennu i blentyn neu ddosbarth astudio rhyw bwnc (yn enwedig fel un ymhlith cyfres o gyfnodau tebyg), *pedair gwers y prynhawn* lesson
2 rhywbeth sy'n cael ei ddysgu i ddisgybl (yn yr ysgol, fel arfer), *gwers fathemateg* lesson
3 rhywbeth wedi'i ddysgu neu rywbeth y mae rhywun yn dysgu oddi wrtho, *Rwy'n gobeithio y bydd hynny'n wers iti*. lesson
4 darn byr o'r Beibl a ddarllenir yn uchel yn ystod gwasanaeth crefyddol; darlleniad, llith lesson

gwers rydd LLENYDDIAETH
1 math o farddoniaeth wedi'i seilio ar rythmau llafar, sy'n rhydd oddi wrth fesur ac odl ac sy'n gallu amrywio'i phatrwm o un llinell i'r llall, e.e.

> Onid ydyw'n beth syn
> Mai fel hyn y mae'r rhelyw yn synio
> Am wlad y Cymro,
> Sef fel y lle y ceir
> Llanfairpwllgwyngyllgo-
> gerychwyrndrobwyllllantysilio-
> gogogoch ynddo.
> – *'Gwalia' gan Gwyn Thomas* vers libre

2 cyfnod yn yr ysgol pan na fydd athro'n dysgu dosbarth free period

gwerseb *eb* (gwersebau) gwirionedd amlwg a fynegir mewn ffordd gryno, fachog; acsiom, dihareb, gwireb maxim

gwerslyfr *eg* (gwerslyfrau) llyfr sydd wedi'i ysgrifennu i'w ddefnyddio'n rheolaidd gan ddisgyblion ysgol neu fyfyrwyr coleg i astudio pwnc penodol textbook

gwersyll *eg* (gwersylloedd) casgliad o bebyll neu gytiau lle mae pobl yn treulio'u gwyliau neu'n byw dros dro, *gwersyll milwyr, gwersyll yr Urdd*; maes, safle camp

gwersyll crynhoi math o garchar, yn aml wedi'i amgylchynu â ffens, lle mae carcharorion gwleidyddol, etc. yn cael eu cadw, e.e. gwersylloedd crynhoi'r Natsïaid concentration camp

gwersylla *be* [gwersyll•¹] codi gwersyll, treulio amser mewn gwersyll/pabell; campio to camp

gwersyllfa:gwersyllfan *eb* (gwersyllfannau) man gwersylla, yn enwedig man lle mae grŵp o bobl yn gwersylla campsite, encampment

gwersyllu *be* [gwersyll•¹] cysgu mewn pabell (dros dro, ar wyliau, fel arfer) to camp

gwersyllwr *eg* (gwersyllwyr) un sy'n gwersylla neu'n aros mewn gwersyllfa camper

gwerth¹ *eg* (gwerthoedd)
1 ansawdd sy'n gwneud rhywbeth yn ddefnyddiol neu'n ddeniadol yn enwedig o'i gymharu â phethau eraill; buddioldeb, defnyddioldeb, lles, mantais value
2 y swm o arian y gallech ddisgwyl ei dalu neu ei dderbyn am rywbeth, neu faint o bethau y gallech eu disgwyl o'u cyfnewid am rywbeth arall; cost, pris, traul value
3 (yn ei ffurf luosog) y syniad sydd gan bobl o bwysigrwydd rhinweddau a safonau, *Un ffordd o bwyso a mesur cymdeithas yw drwy fwrw golwg ar ei gwerthoedd.* values

gwerth² *ans*
1 ac iddo bris neu ansawdd arbennig worth
2 y mae modd ei brynu am bris arbennig, *Ga' i werth punt o tsips, os gwelwch yn dda?* worth
3 sy'n deilwng, sy'n haeddu, *Mae'n rhaglen werth ei gweld.* worth
  Sylwch: gradd gyfartal 'gwerth' yw cyfwerth/cywerth
ar werth i'w werthu for sale
dim gwerth da i ddim, heb fod o unrhyw werth worthless
gwerth arian gwerthfawr, *Mae ganddo werth arian o lyfrau yn y tŷ.* valuable
gwerth chweil gwerth ei wneud, gwerthfawr worthwhile

gwerthadwy *ans* posibl ei werthu, y bydd rhywun yn barod i'w brynu marketable, saleable

gwerthfawr *ans* [gwerthfawroc•] yn werth llawer; costus, drud, hallt, prid precious, valuable

gwerthfawrogi *be* [gwerthfawrog•¹]
1 pwyso a mesur gwerth rhywbeth, *Yn ei hysgrif, mae hi'n gwerthfawrogi cyfraniad y bardd i lenyddiaeth Gymraeg.*; cydnabod, parchu, trysori to appreciate, to value
2 meddwl neu wneud yn fawr o (rywun neu rywbeth), ystyried bod rhywbeth neu rywun yn werthfawr, *'Mae'n braf cael eich gwerthfawrogi weithiau,' meddai Mam pan roddais i flodau iddi.* to appreciate, to value

gwerthfawrogiad *eg* (gwerthfawrogiadau)
1 y weithred o werthfawrogi, barn ynglŷn â gwerth rhywbeth; edmygedd, parch appreciation
2 adroddiad ysgrifenedig am werth rhywbeth appreciation
3 teimlad diolchgar, *Ni dderbyniodd erioed yr un gair o werthfawrogiad am ei holl waith caled.*; diolch appreciation, gratitude

gwerthfawrogol *ans* yn dangos gwerthfawrogiad; diolchgar appreciative

gwerthiant *eg* (gwerthiannau)
1 y broses o werthu, canlyniad gwerthu, *Bydd gwerthiant y teganau hyn yn cynyddu cyn y Nadolig.* sale
2 cynnig arbennig o nwyddau am brisiau gostyngedig; sêl sale

gwerthu *be* [gwerth•¹ 3 un. pres. gwerth/gwertha; 2 un. gorch. gwerth/gwertha]
1 cyfnewid am arian neu am rywbeth arall o werth (~ *rhywbeth* **am**) to sell
2 achosi i rywbeth gael ei brynu, *Newyddion drwg sy'n gwerthu papurau newydd, nid newyddion da.* to sell
3 cynnig (nwyddau) i rai gael eu prynu, *Mae siop y pentre'n gwerthu popeth.* to sell, to vend
4 perswadio, *Rwyf wedi llwyddo i werthu'r syniad iddyn nhw.* (~ *rhywbeth* **i**) to sell
5 bradychu am arian neu wobr arall, *Mae wedi'i werthu ei hun i'r diafol.* to sell

gwerthu lledod dweud rhywbeth (gwir neu beidio) er mwyn plesio; gwenieithu soft-soap

gwerthusiad *eg* (gwerthusiadau) y broses o werthuso, canlyniad gwerthuso; arfarniad appraisal, evaluation

gwerthuso *be* [gwerthus•¹] dod i gasgliad ar werth, arwyddocâd neu statws (rhywbeth), yn enwedig cynnig barn arbenigol ar werth neu deilyngdod (rhywun neu rywbeth); arfarnu to appraise, to evaluate

gwerthwr *eg* (gwerthwyr) un sy'n gwerthu; arwerthwr, marsiandwr, masnachwr salesman, seller

gwerthyd *eb* (gwerthydau:gwerthydoedd)
1 y rhoden sy'n mynd drwy ganol olwyn, y bar y mae olwyn yn troi arno; echel axle
2 bar neu drosol sy'n troi, neu y mae olwyn yn troi arno er mwyn trosglwyddo egni drwy beiriant, e.e. camwerthyd shaft
3 rhoden neu bìn sy'n troi, neu sy'n gweithredu fel echel spindle
4 BIOLEG ffurfiad wedi'i wneud o ficrodiwbynnau; mae'n gwahanu'r parau o gromosomau wrth i gelloedd ymrannu spindle
5 gwialen â dau ben pigfain a ddefnyddir wrth nyddu â llaw spindle

gwerthydffurf *ans* BIOLEG ar ffurf gwerthyd, yn culhau yn bigyn ar bob pen, e.e. am ffurf bacteria fusiform

gweryd[1] *eg* tir, (yn ffigurol) bedd; pridd, daear, daearen, deilbridd earth

gweryd[2] *bf* [**gwaredu**] *hynafol* mae ef yn gwaredu/ mae hi'n gwaredu; bydd ef yn gwaredu/bydd hi'n gwaredu

gweryddon *ell* hen ffurf luosog **gwyryf/gwyry**

gweryrad:gweryriad *eg* (gweryriadau) y sŵn hir, crynedig a wneir gan geffyl neigh, whinny

gweryru *be* [gweryr•[1]] (am geffyl) gwneud sŵn hir a chrynedig (~ **ar**) to neigh, to whinny

gweryru fel gafr y gors am ferch neu wraig yn chwerthin yn uchel

gwesgi[1] *eg* (gwesgïau) llafn o ledr neu blastig a ddefnyddir i symud hylif oddi ar wyneb, e.e. wrth olchi ffenestr squeegee

gwesgi[2] *bf* [**gwasgu**] *ffurfiol* rwyt ti'n gwasgu, byddi di'n gwasgu

gwestai[1] *eg* (gwesteion)
1 rhywun sydd wedi derbyn gwahoddiad ac yn aros yng nghartref rhywun arall guest
2 rhywun sy'n aros mewn gwesty; lletywr visitor
3 rhywun sydd wedi derbyn gwahoddiad i gymryd rhan mewn rhaglen, cyngerdd, etc., *Fy ngwestai yn y rhaglen bore fory fydd y canwr enwog . . .* guest

gwestai[2] *ell* lluosog **gwesty**

gwesteia *be* [gwestei•[1]] CYFRIFIADUREG cynnal gwefan neu ddata y gellir eu cyrchu drwy gyfrwng y Rhyngrwyd neu gynnig gwasanaethau eraill i rwydwaith to host

gwesteiwr *eg* (gwesteiwyr) un sy'n gwahodd ac yn derbyn gwestai host

gwesty *eg* (gwestai:gwestyau) lle i bobl aros dros nos (am dâl, fel arfer); llety, tafarn hotel, boarding house, guest house

gwestyaeth *eb* y grefft neu'r busnes o redeg gwesty neu westai hotel management

gwestywr *eg* (gwestywyr) perchennog gwesty neu un sy'n cadw gwesty host, hotelier

gwestywraig *eb* merch neu wraig sy'n berchennog gwesty neu un sy'n cadw gwesty

gweu *gw.* **gwau**

gweud *be tafodieithol, yn y De* ffurf lafar ar **dweud**

gweundir *eg* (gweundiroedd) tir gwlyb yn aml ar yr ucheldir ond heb fod mor wlyb â chors; gwaun, gweirglodd, rhostir heathland, moorland

gweunwellt *eg* math o laswellt sy'n ffynnu lle mae digonedd o wlybaniaeth meadow grass

gweunydd *ell* lluosog **gwaun**

gweuwaith *eg* dillad wedi'u gwau knitwear

gweuwr:gwëwr *eg* (gweuwyr) un sy'n (medru) gwau weaver

gwewyr *ell* lluosog **gwayw**, brathiadau o boen, poenau sydyn; gwayw, pangau, poenau spasms

gwewyr cydwybod brathiadau cydwybod pangs of conscience

gwewyr esgor/geni poenau y mae menyw yn eu profi wrth roi genedigaeth birth pangs, labour pains

gwewyr meddwl poen meddwl dwys mental anguish

gwëydd *gw.* **gwehydd**

gweyddes *gw.* **gwehyddes**

gwg *eg* y weithred o wgu, golwg ddifrifol yn mynegi anfodlonrwydd drwy grychu'r aeliau a'r talcen; cilwg, cuwch frown, scowl

gwgu *be* [gwg•[1]]
1 tynnu'r aeliau at ei gilydd er mwyn mynegi anfodlonrwydd; cilwgu, cuchio, sorri (~ **ar**) to frown, to glower, to scowl
2 (am bethau) bod â golwg anghyfeillgar neu beryglus, *y cwmwl yn gwgu, mynydd yn gwgu* to frown, to scowl

gwiail *ell* lluosog **gwialen**

gwialen *eb* (gwiail)
1 coes hir, hyblyg o bren; ffon cane, staff
2 coes hir, hyblyg o bren a ddefnyddid i guro (plant ysgol, fel arfer); cansen cane, rod
3 un o nifer o wiail, sef ceinciau hir, tenau o bren hyblyg sy'n cael eu gwau i lunio basgedi, celfi, etc. sapling, wicker

gwialen bysgota darn hir o bren (neu ddefnydd tebyg) a ddefnyddir i daflu lein a bachyn yn dynn wrtho i'r dŵr er mwyn ceisio dal pysgodyn ac yna i dynnu'r lein (a'r pysgodyn) yn ôl i'r lan; genwair fishing-rod

gwialennod *eb* (gwialenodau) ergyd gwialen; ffonnod caning

gwib[1] *eb* (gwibiau) symudiad cyflym, rhuthr sydyn flash, rush, sprint

ar wib ar ruthr, *dyma fe heibio ar wib* full speed, in a rush

gwib[2] *ans* yn symud yn gyflym iawn, e.e. seren wib shooting (star)

Sylwch: nid yw'n arfer cael ei gymharu.

gwibdaith *eb* (gwibdeithiau) siwrnai fer, taith o un man i fan arall (ac yn ôl, fel arfer); trip excursion, outing, trip

gwiber *eb* (gwiberod)
1 neidr fach wenwynig â phatrwm igam-ogam ar ei chefn sy'n esgor ar wiberod bach byw adder
2 neidr wenwynig â dannedd mawr, colynnog a chroen â phatrwm tywyll ar gefndir golau viper

gwibfaen *eg* (gwibfeini) meteoryn; meteor sy'n cyrraedd wyneb y Ddaear heb fod wedi'i lwyr anweddu meteorite

gwibgart *eg* (gwibgartiau) car rasio bach ysgafn go-kart

gwib-gartio *be* [gwib-garti•²] gyrru neu rasio gwibgartiau to go-kart

gwibiad *eg* (gwibiadau) y broses neu'r weithred o wibio sprint

gwibio *be* [gwibi•²]
1 rhedeg yma a thraw, rhuthro o gwmpas, symud yn gyflym o fan i fan; brysio, ffrystio, rhuthro (~ **heibio**; ~ **am**) to dart, to flit, to rush
2 rhedeg nerth eich traed dros bellter cyfyngedig; melltennu, rasio, saethu to sprint

gwibiog *ans* yn gwibio yma a thraw, ar ras, ar wib; chwim, sydyn flitting

gwibiwr¹ *eg* (gwibwyr)
1 un sy'n rhedeg mewn rasys gwibio sprinter
2 rhywbeth sy'n symud yn arbennig o gyflym, e.e. trên cyflym iawn sprinter

gwibiwr² *eg* (gwibwyr) un o nifer o fathau o loynnod byw bach brown yn debyg i wyfyn sy'n gwibio hedfan skipper (butterfly)

gwibwraig *eb* merch neu wraig sy'n rhedeg mewn rasys gwibio sprinter

gwich *eb* (gwichiau)
1 sgrech fain, uchel a wneir gan blant wrth chwarae a chan rai anifeiliaid, e.e. moch a llygod, i fynegi braw; cri, gwawch shriek, squeal
2 sŵn main, uchel, cas fel sialc ar fwrdd du, neu ddarnau o fetel heb eu hiro yn rhwbio yn erbyn ei gilydd; gwichiad screech, squeak

gwichiad¹ *eg* (gwichiaid) math o bysgodyn bach bwytadwy sy'n byw mewn cragen debyg i gragen malwen periwinkle, winkle

gwichiad² *eg* (gwichiadau) y weithred o wichian; gwich shriek, squeal

gwichian:gwichio *be* [gwichi•²]
1 gwneud sŵn uchel, main fel mochyn neu lygoden to squeal, to creak
2 gwneud sŵn treiddgar, uchel, cas fel sialc ar fwrdd du to screech, to squeak
3 canu neu chwibanu fel brest sy'n dynn to wheeze

gwichlyd:gwichiog *ans* yn gwichian shrill, squeaky

gwidman *eg* gŵr gweddw widower

gwidw *eb* gwraig weddw; gweddw widow

gwiddon¹ *eb* (gwiddonod) dewines, gwrach, hudoles, swynwraig hag, witch

gwiddon² *ell* lluosog gwiddonyn; pryfetach, euddon, gwraint

gwiddoni *be* pydru a mynd yn llawn gwiddon; cynrhoni to become maggot-ridden
   Sylwch: nid yw'r ferf hon yn arfer cael ei rhedeg.

gwiddonllyd *ans* llawn gwiddon, llawn cynrhon full of mites, maggot ridden

gwiddonyn *eg* (gwiddon) anifail bach di-asgwrn-cefn, yn perthyn i'r corynnod a'r trogod, sy'n gallu trosglwyddo heintiau wrth heigio ar anifeiliaid eraill; euddonyn mite

gwif *eb* (gwifiau:gwifion) bar, lifer, trosol crowbar, lever

gwifren:gwifr *eb* (gwifrau) edefyn neu linyn o fetel (e.e. dur neu gopr) ar gyfer trosglwyddo trydan, codi ffens, etc.; weiren wire

gwifren bigog gwifren a phigau byr, main yn rhan ohoni a ddefnyddir ar gyfer codi ffens; weiren bigog barbed wire

gwifriad *eg* cyfundrefn o wifrau yn cludo trydan, e.e. mewn tŷ wiring

gwifro *be* [gwifr•¹] cysylltu gwifrau ynghyd, yn enwedig mewn system drydan, *gwifro tŷ*; weirio (~ *rhywbeth* **wrth** *rywbeth*) to wire

gwifrog *ans* wedi'i wneud o wifr neu wifrau, tebyg i wifr, e.e. blew neu wallt wiry

gwifwrnwydden y gors *eb* (gwifwrnwydd y gors) llwyn â blodau gwyn sy'n tyfu'n wyllt a hefyd yn yr ardd; y pren y crogodd y gŵr drwg ei fam arno yn ôl yr hanes guelder rose

gwig *eb* mewn enwau lleoedd coed, coedwig, e.e. *Y Wig*; celli spinney

gwingiad *eg* (gwingiadau) symudiad dirybudd, cyson, cyhyr, yn enwedig un o gyhyrau'r wyneb tic

gwingo *be* [gwing•¹]
1 troi a throsi, bod yn aflonydd (oherwydd poen, fel arfer), bod yn rhwyfus to fidget, to squirm, to writhe
2 cicio, strancio fel yn *gwingo yn erbyn y symbylau*, sef cicio (a gwneud dolur i chi eich hunan) yn erbyn yr hyn sy'n siŵr o ddigwydd beth bynnag to kick

gwingo yn erbyn y symbylau gw. symbylau

gwimbill:gimbill *eg* (gwimbillion:gimbillion) ebill bychan, e.e. ar gyfer gwneud twll i hoelen fach; mynawyd gimlet

gwimpl *eb* (gwimplau) dilledyn a wisgid am y pen, yr ên, ochrau'r wyneb a'r gwddf, gan ferched neu wragedd gynt ac sy'n dal yn rhan o wisg lleian wimple

gwin *eg* (gwinoedd) diod feddwol wedi'i gwneud, fel arfer, o sudd grawnwin ond hefyd o sudd mathau eraill o ffrwythau a llysiau wine

gwina *be* [gwin•¹] ymhél â gwin; llymeitian to tipple

gwinau *ans*
1 (am wallt neu ffwr) browngoch; eurfrown auburn
2 (am geffyl) cochddu, melynfrown bay, chestnut

gwineugoch *ans* coch tywyll, brown golau, lliw castan chestnut

gwineulas *ans* (am anifail) llwydlas, glasfrown bay

gwineulwyd *ans* (am anifail) llwytgoch, broc dun, roan

gwinllan *eb* (gwinllannau:gwinllannoedd) llain o dir y mae gwinwydd yn tyfu arni vineyard

gwinllannwr:gwinllannydd *eg* (gwinllanwyr) perchennog gwinllan

gwinwr:gwinydd *eg* (gwinwyr) gwneuthurwr neu werthwr gwin vintner

gwinwyddaeth *eb* yr wyddor o dyfu neu amaethu gwinwydd viticulture

gwinwydden *eb* (gwinwydd) y goeden y mae grawnwin yn tyfu arni; mae'n cael ei phlannu'n un o res mewn gwinllan neu mewn tŷ gwydr vine

gwir¹ *eg* y gwrthwyneb i 'celwydd' neu 'anwiredd', *Wyt ti'n dweud y gwir?*; cywirdeb, geirwiredd, gonestrwydd, gwirionedd truth
ar fy ngwir wir iti, wir yr honestly
calon y gwir craidd y mater the heart of the matter
gwir i wala gw. gwala
wir iti gw. gwir²
y gwir amdani yw . . . y gwirionedd yw the truth of the matter is . . .
y gwir a'r gau gw. gau
y gwir cas rhywbeth sy'n boenus o wir the plain truth

gwir² *ans* [gwir•]
1 (yn dilyn yr hyn a oleddfir) perffaith gywir, heb fod yn ffug nac yn gelwyddog, *stori wir*; cywir, diamau, iawn true, real, genuine
2 (o flaen yr hyn a oleddfir) dilys, real, *fy ngwir ddiddordeb* real, true
3 (o flaen yr hyn a oleddfir) mae'n cael ei ddefnyddio mewn teitlau megis *Y Gwir Anrhydeddus, Y Gwir Barchedig* Right (Reverend)
  Sylwch: mae'n achosi'r treiglad meddal pan ddaw o flaen yr hyn a oleddfir.
cyn wired â'r pader mor wir ag y gallai fod gospel truth
wir iti:wir yr yn wir honestly

gwir³ *adf* mewn gwirionedd, yn wir, *Mae'n sefyllfa wir ddifrifol.* really, truly

gwireb *eb* (gwirebau)
1 gwirionedd amlwg sy'n cael ei fynegi mewn ffordd gryno, fachog, e.e. 'Ba rin i bren heb ei wraidd?' B.T. Hopkins, 'Heb dda a bai ni bydd byd.' T. Gwynn Jones; dihareb, dywediad axiom, maxim, truism
2 egwyddor, rheol neu osodiad a ddefnyddir fel man cychwyn ymresymiad ffurfiol axiom

gwireddiad *eg* (gwireddiadau) y broses o wireddu, canlyniad gwireddu verification

gwireddu *be* [gwiredd•¹]
1 gwneud yn wir, dod yn wir, *Pan welodd John hi yn y drws, gwireddwyd ei holl freuddwydion.*; cadarnhau, gweithredu to come true, to fulfil, to make true

2 sicrhau neu brofi bod rhywbeth yn wir neu'n gywir; gwirio, cadarnhau to verify, verification
3 CYFRIFIADUREG sicrhau bod data wedi cael eu copïo'n gywir o un cyfrwng i un arall to verify

gwireddydd *eg* dyfais sy'n gwirio verifier

gwirfodd *eg* fel yn *o wirfodd*, heb orfodaeth, cydsyniad o fodd calon, yn fodlon; dewis full-hearted consent

gwirfoddol *ans* o ewyllys calon, heb orfodaeth a heb dâl fel arfer; digymell voluntary, willing

gwirfoddoli *be* [gwirfoddol•¹] cynnig o wirfodd, yn ddigymell; ymgynnig (~ i wneud rhywbeth) to volunteer

gwirfoddoliaeth *eb*
1 yr egwyddor o ddibynnu ar weithredu'n wirfoddol yn hytrach na gorfodaeth voluntarism
2 ATHRONIAETH damcaniaeth mai ewyllys rydd yw sail pob gweithred neu brofiad voluntarism

gwirfoddolrwydd *eg* y cyflwr o wneud rhywbeth o wirfodd, yn ddigymell spontaneity

gwirfoddolwr *eg* (gwirfoddolwyr) un sy'n cynnig (gwasanaeth, fel arfer) yn wirfoddol volunteer

gwirgroen *eg* dermis; yr haenen o groen lle y ceir y chwarennau chwys a gwreiddiau'r blew sy'n tyfu ar y corff; mae'n gorwedd o dan yr epidermis dermis

gwiriad *eg* (gwiriadau) y broses o wirio, canlyniad gwirio check, verification

gwiriadwy *ans* y gellir ei wirio ascertainable, verifiable

gwirio *be* [gwiri•²]
1 gwneud yn siŵr fod ffaith neu ddatganiad yn wir neu'n gywir; archwilio, dilysu, gwireddu, profi, sicrhau (~ *rhywbeth* â) to check, to verify, to ascertain
2 haeru, tyngu to swear
gwirio sillafu gwirio'r sillafu mewn testun gan ddefnyddio gwirydd sillafu to spellcheck

gwirion *ans* [gwirion•]
1 diniwed, syml guileless, simple
2 *tafodieithol, yn y Gogledd* ffôl neu ddwl; chwerthinllyd, twp daft, silly, stupid
gwirion bost hurt, gwirion absurd, stupid

gwiriondeb *eg* y cyflwr o fod yn wirion; annoethineb, diniweidrwydd, ffolineb, twpdra innocence, simplicity, stupidity

gwirionedd *eg* (gwirioneddau) y gwir, rhywbeth nad yw'n anwiredd neu'n gelwydd; cywirdeb, geirwiredd, gonestrwydd truth, reality
mewn gwirionedd a dweud y gwir actually, really

gwirioneddol *ans*
1 hollol wir, cwbl wir, *Trasiedi wirioneddol oedd bod y tân wedi digwydd a chynifer o bobl wedi casglu yn yr adeilad.* absolute
2 (yn rhagflaenu ansoddair) yn union fel y mae heb ddweud gair o gelwydd, mewn gwirionedd,

Mae'n wirioneddol ddrwg gennyf.; digymysg,
dilys, ffeithiol, gwir genuine, real, true
   Sylwch:
   1 mae'n achosi'r treiglad meddal pan ddaw o
   flaen yr hyn a oleddfir;
   2 nid yw'n arfer cael ei gymharu.
gwirionen *eb* merch neu wraig wirion
gwirioni *be* [gwirion•[1]] syrthio mewn cariad
   â rhywun neu rywbeth nes colli pob synnwyr
   cyffredin, *Mae hi wedi gwirioni ar y CD newydd
   yna.*; dotio, dwlu, ffoli, mopio, mwydro (~ ar)
   to be infatuated, to be obsessed, to dote
gwirionyn *eg* rhywun gwirion; crinc, ionc,
   twpsyn, ynfytyn simpleton
gwiriwr *eg* (gwirwyr) rhywun sy'n gwirio checker
gwirlen *eb* (gwirlenni)
   1 RHESYMEG rhestr neu dabl yn dangos a yw
   datganiad cymhleth yn rhesymegol ddilys yn
   ôl gwirionedd neu anwiredd pob elfen yn y
   datganiad ynghyd â'u perthynas â'i gilydd yn ôl
   rheolau rhesymeg ffurfiol truth table
   2 ELECTRONEG diagram tebyg o'r allbynnau a geir
   am bob cyfuniad posibl o fewnbynnau truth table
gwirod *eg* (gwirodydd) diod gadarn (feddwol)
   megis chwisgi neu frandi sy'n cael ei distyllu o
   ddiod lai meddwol liquor, spirit
gwirodlyn *eg* (gwirodlynnau) diod gadarn felys,
   gref liqueur
gwirydd *eg* peiriant sy'n gwirio checker
gwirydd sillafu *eg* CYFRIFIADUREG rhaglen
   gyfrifiadurol sy'n mynd drwy destun ac yn
   tynnu sylw at wallau sillafu posibl spellchecker
gwisg *eb* (gwisgoedd)
   1 dillad y mae pobl yn eu gwisgo, yn enwedig y
   dillad uchaf, gweladwy clothing, dress
   2 dillad sy'n nodweddiadol o wlad, rhanbarth,
   cyfnod neu swyddogaeth arbennig; y dillad
   y mae actor neu actores yn eu gwisgo wrth
   gyflwyno cymeriad arbennig costume, habit
   3 golwg neu orchudd allanol; diwyg,
   ymddangosiad attire, garb, livery
gwisgadwy *ans* y gellir ei wisgo wearable
gwisgi *ans*
   1 bywiog, chwim, heini, hoenus lively, nimble,
   sprightly
   2 (am gneuen) aeddfed mature, ripe
gwisgo *be* [gwisg•[1] 3 un. pres. gwisg/gwisga;
   2 un. gorch. gwisg/gwisga]
   1 bod â dillad dros y corff er mwyn bod yn
   gynnes neu'n weddus neu'n ffasiynol, *Ydy hi'n
   gwisgo'r ffrog hyll yna eto?* to wear
   2 bod â rhywbeth ar eich dillad, clymu
   rhywbeth wrth eich dillad, *Mae hi'n gwisgo
   bathodyn Cymdeithas yr Iaith.* to wear
   3 rhoi dillad dros y corff, *Os na chodi di cyn
   bo hir, chei di ddim amser i wisgo cyn daw'r
   bws.*; dilladu to dress, to put on

   4 rhoi arfau neu arfogaeth amdanoch to put on
   arms or armour
   5 addurno, prydferthu, *gwisgo ffenestr siop*;
   tecáu (~ *rhywbeth* â) to adorn, to dress
   6 colli newydd-deb wrth gael ei ddefnyddio,
   Mae llawes y got 'ma bron â gwisgo'n dwll.;
   treulio to wear
**gwisgo amdanaf fi (amdanat ti, amdano ef,
   etc.)** gwisgo dillad to get dressed
gwisgo'n dda gwrthsefyll traul, para to last,
   to wear well
gwisgon *eb* (gwisgonau)
   1 tas neu bentwr o ysgubau mewn ysgubor ar
   gyfer eu dyrnu stack
   2 mwdwl o wair mewn sièd wair neu bentwr o
   goed, mawn, glo, etc. stack
gwiw *ans*
   1 haeddiannol, priodol, teilwng fitting, proper
   2 o fudd mawr, o werth ac anrhydedd, da iawn;
   anrhydeddus, gwych, rhagorol excellent, fine,
   worthy
ni wiw ni fyddai'n iawn, ni wnâi'r tro
   it wouldn't do
   Sylwch: mae'n treiglo'n feddal yn dilyn 'ni' ac
   mae'r treiglad yn aros hyd yn oed os collir y
   'ni', *wiw imi fynd*
wiw/fiw i mi (i ti, iddo ef, etc.) feiddiaf i
   ddim I dare not
gwiwer *eb* (gwiwerod) anifail bychan a
   chanddo got drwchus o ffwr a chynffon hir,
   flewog, sy'n byw mewn coed ac yn cysgu
   yn ystod y gaeaf; mae dau fath yn byw yng
   Nghymru, sef y wiwer goch frodorol a'r wiwer
   lwyd estron squirrel
gwlad *eb* (gwledydd)
   1 darn (mawr) penodol o dir ac iddo ffiniau
   pendant ac enw arbennig ac sydd â chenedl
   arbennig neu genhedloedd yn byw oddi
   mewn i'w ffiniau, e.e. Cymru, Ffrainc, Sbaen
   country, nation
   2 y bobl arbennig sy'n byw mewn gwlad,
   *Cododd y wlad fel un dyn yn erbyn gormes
   y brenin.* country
   3 tir agored (amaethyddol, fel arfer) y tu allan
   i drefi a dinasoedd, *byw yn y wlad* country,
   countryside
Gwlad yr Addewid gw. addewid
gwladaidd *ans* nodweddiadol o gefn gwlad
   (fel arfer ag awgrym o fod yn gyntefig, amrwd
   neu'n ddiaddurn), â blas y pridd; gwerinol,
   gwledig countrified, plain, rustic
gwladeiddrwydd *eg* y cyflwr o fod yn wladaidd
   rusticity
gwladfa *eb* (gwladfeydd) cymdeithas o bobl
   o'r un genedl neu gefndir yn byw ynghyd
   (mewn gwlad estron, fel arfer); gwladychfa,
   trefedigaeth colony, settlement

g

y Wladfa *hanesyddol* Patagonia, sef y rhan o'r Ariannin yn Ne America yr ymfudodd Cymry i fyw ynddi yn 1865 Patagonia

gwladgarol *ans* (am rywun) yn caru ei wlad ac yn barod i'w hamddiffyn; gwlatgar patriotic

gwladgarwch *eg* cariad rhywun at ei wlad enedigol; cenedlaetholdeb, cenedlgarwch patriotism

gwladgarwr *eg* (gwladgarwyr) un sy'n fawr ei gariad at ei wlad ac yn fawr ei ymdrechion drosti, '*gwladgarwyr tra mad*' patriot

gwladol *ans* yn perthyn i'r wladwriaeth, *Ysgrifennydd Gwladol*; sifil state

gwladoli *be* [gwladol•¹] ECONOMEG (am lywodraeth neu wladwriaeth) cymryd meddiant o rywbeth neu ei brynu (busnes, diwydiant, etc.), e.e. gwladoli'r diwydiant dur yn y Deyrnas Unedig yn 1967; cenedlaetholi to nationalize

gwladweiniaeth *eb* y grefft neu'r wyddor o lywodraethu statesmanship

gwladweinydd *eg* (gwladweinwyr) arweinydd gwleidyddol neu aelod o lywodraeth statesman

gwladweinyddiaeth *eb* y grefft o weinyddu materion gwladol statecraft, statesmanship

gwladwr *eg* (gwladwyr) un sy'n byw yn y wlad (o'i gyferbynnu â rhywun sy'n byw mewn tref neu ddinas); gwerinwr countryman, peasant, rustic

gwladwriaeth *eb* (gwladwriaethau) llywodraeth gwlad a'i swyddogion state

y Wladwriaeth Les system wleidyddol sydd wedi'i seilio ar yr egwyddor mai cyfrifoldeb llywodraeth yw gofalu am iechyd a lles economaidd pobl the Welfare State

gwladwriaethol *ans* yn perthyn i'r wladwriaeth state

gwladychfa *eb* (gwladychfeydd) gwlad neu ran o wlad dan awdurdod gwlad arall, wedi'i gwladychu gan ymsefydlwyr o'r wlad arall; trefedigaeth, gwladfa colony

gwladychiad *eg* (gwladychiadau) y broses o wladychu, o symud i mewn i wlad estron i'w meddiannu, canlyniad gwladychu colonization

gwladychiaeth *eb* y polisi neu'r arfer o ddefnyddio mewnfudwyr i feddiannu gwlad er mwyn sicrhau rheolaeth wleidyddol dros wlad arall a'i hecsbloetio'n economaidd; trefedigaethedd colonialism

gwladychol *ans* yn perthyn i wladychfa, nodweddiadol o wladychfa; trefedigaethol colonial

gwladychu *be* [gwladych•¹] symud i wlad estron i'w meddiannu a'i phoblogi; byw mewn gwlad neu drefedigaeth; cyfanheddu, trefedigaethu, ymsefydlu to colonize, to inhabit

gwladychwr *eg* (gwladychwyr) un sy'n gwladychu; anheddwr, cyfanheddwr, ymsefydlwr settler

gwlân¹ *eg* (gwlanoedd)
1 blew trwchus, meddal dafad neu rai mathau o eifr wool
2 yr edefyn sy'n cael ei nyddu o flew'r ddafad a'i ddefnyddio i wau dillad a charthenni, etc. wool

gwlân cotwm gw. cotwm

gwlân² *ans*
1 wedi'i wneud o wlân, *sanau gwlân* wool, woollen
2 rhywbeth sy'n ymwneud â gwlân neu â chynhyrchu gwlân, *ffatri wlân* wool, woollen

gwlana *be* [gwlan•¹]
1 yr hen arfer o gasglu neu gardota gwlân
2 hel meddyliau; breuddwydio, pencawna, pensynnu to daydream

gwlanen *eb* (gwlanenni)
1 defnydd llac ei wead wedi'i wneud o wlân, yn enwedig darn o liain sy'n cael ei ddefnyddio wrth ymolchi face cloth, flannel
2 rhywun gwan, di-asgwrn-cefn, un di-ddal, *hen wlanen o ddyn*; cachgi wet

gwlanennaidd:gwlanennog *ans* (am rywun) tebyg i wlanen; di-asgwrn-cefn, llipa, mursennaidd spineless

gwlanog *ans*
1 (am greadur) â chot (neu gnu) o wlân woolly, fleecy
2 wedi'i wneud o wlân woollen
3 â chot sy'n debyg i wlân fluffy, woolly
4 (am syniadau) amhendant, diafael, niwlog woolly, vague

gwlatgar *ans* (am rywun) yn caru ei wlad ac yn barod i'w hamddiffyn; gwladgarol patriotic

gwlâu *ell* ffurf luosog lafar gwely

gwleb *ans* ffurf fenywaidd gwlyb, *hosan wleb*

gwledig *ans* nodweddiadol o gefn gwlad, yn perthyn i gefn gwlad (o'i gyferbynnu â'r dref), â blas y pridd; amaethyddol, gwladaidd country, rural

gwledydd *ell* lluosog gwlad

gwledydd Cred y teulu neu gorff byd-eang o Gristionogion Christendom

gwledd *eb* (gwleddoedd)
1 pryd o fwyd sy'n arbennig o flasus neu grand (o natur swyddogol neu gyhoeddus, fel arfer); arlwy, cyfeddach, neithior banquet, feast
2 rhywbeth sy'n peri hyfrydwch arbennig wrth ei weld neu ei glywed, *arddangosfa sy'n wledd i'r llygad, cyngerdd sy'n wledd i'r glust* feast, treat

gwledd briodas y pryd o fwyd (sy'n dilyn) priodas; neithior wedding breakfast

gwledda *be* [gwledd•¹] cymryd rhan mewn gwledd, bwyta'n helaeth o fwyd da; ciniawa, cyfeddach, gloddesta (~ **ar**) to feast, to revel

gwleddwr *eg* (gwleddwyr) un sy'n gwledda neu sy'n hoff o wledda carouser, reveller

gwlei:glei² *talfyriad tafodieithol* talfyriad o 'goelia' i' (coeliaf i), *Wyt ti'n dod i'r gêm fory? Odw, gwlei.*; decini, mwn, sbo you bet

gwleidydd *eg* (gwleidyddion)
1 un sy'n ennill ei fywoliaeth drwy wleidyddiaeth, yn enwedig aelod neu ymgeisydd seneddol politician
2 un sy'n hyddysg yn y ffordd o weithredu'n wleidyddol politician

gwleidyddiaeth *eb*
1 y gelfyddyd neu'r wyddor o lywodraethu gwlad, *Mae Ann yn astudio Gwleidyddiaeth Ryngwladol yn ei blwyddyn gyntaf yn y coleg.* politics
2 y daliadau politicaidd neu'r blaid wleidyddol y mae rhywun yn ei harddel, *Nid wyf yn hoffi ei wleidyddiaeth.* politics
3 materion politicaidd, yn enwedig fel ffordd o ennill grym a rheoli, *gwleidyddiaeth leol* politics

gwleidyddol *ans*
1 yn ymwneud â gwleidyddiaeth, neu sy'n ymwneud â phleidiau politicaidd a'u perthynas â'i gilydd; politicaidd political
2 (astudiaeth) yn ymwneud â gwledydd a'u ffiniau, *daearyddiaeth wleidyddol* political

gwlff *eg* (gylff(i)au) cilfach ddwfn o fôr wedi'i hamgylchynu gan dir ac eithrio ceg gul gulf
Sylwch: nid yw'n treiglo'n feddal.

gwli *eg* (gwlïau)
1 *tafodieithol, yn y De* y llwybr sy'n rhedeg wrth gefn rhes o dai gully
2 sianel gul a dwfn, fel arfer, sy'n creithio llechweddau serth gully
3 cafn neu gwter y rhed dŵr drwyddi gully
Sylwch: nid yw'n treiglo'n feddal.

gwlith *eg* (gwlithoedd) y dafnau o ddŵr sydd i'w gweld weithiau yn y bore ar laswellt neu gerrig, etc. wedi i'r lleithder yn yr aer oeri a chyddwyso yn ystod y nos dewfall, dew
rhif y gwlith (ar y ffurf adferfol 'rif y gwlith', fel arfer) aneirif innumerable

gwlithbwll *eg* (gwlithbyllau) pwll gwneud a geir mewn mannau ar wastadeddau de Lloegr y meddylid gynt y câi ei lenwi â gwlith dew pond

gwlithbwynt *eg* (gwlithbwyntiau) METEOROLEG y tymheredd y mae'n rhaid i'r aer ostwng iddo cyn iddo ddechrau gwlitho dew point

gwlithen *eb* (gwlithod:gwlithenni)
1 un o nifer o fathau o greaduriaid bach tebyg i falwod heb gregyn sy'n bwyta planhigion a ffrwythau slug
2 *tafodieithol, yn y De* ewinor, ffelwm felon, whitlow
3 *tafodieithol, yn y De* chwydd llidus, poenus ar amrant y llygad neu yng nghornel y llygad; llefelyn, llyfrithen sty, stye

gwlithlaw *eg* glaw mân; smwclaw drizzle

gwlithlys *eg* planhigyn y corsydd sy'n denu ac yn dal pryfed â'r dafnau gloyw ar ei ddail; yr un dafnau sy'n galluogi'r planhigyn i dreulio'r pryfed y mae'n eu dal sundew

gwlitho *be* [gwlith•¹] diferu neu ddefnynnu'n wlith; taenellu, ysgeintio to dew
Sylwch: ac eithrio ffurfiau'r 3ydd unigol, nid yw'r ferf hon yn arfer cael ei rhedeg.

gwlithog *ans*
1 wedi'i wlychu â gwlith, yn disgleirio â gwlith dewy
2 *ffigurol* eneiniedig, ysbrydoledig inspirational

gwlithyn *eg* un defnyn bach o wlith dewdrop

gwlyb *ans* [gwlyp• *b* gwleb] (gwlybion)
1 wedi'i wlychu, â hylif drosto, heb fod yn sych neu heb sychu; diferol, dyfrllyd, llaith wet
2 am y tywydd pan fydd hi'n bwrw glaw, glawog wet
gwlyb diferol/diferu wedi gwlychu drwyddo; gwlyb domen soaked
gwlyb domen wedi gwlychu drwyddo; gwlyb diferu soaking wet

gwlybaniaeth *eg* rhyw gymaint o ddŵr neu hylif arall, ager neu niwl; lleithder dampness, moisture

gwlybion *ans* ffurf luosog gwlyb

gwlybni:gwlybrwydd *eg* y cyflwr o fod yn wlyb; gwlybaniaeth moisture, wetness

gwlybwr *eg* (gwlybyrau) hylif megis sudd; diod, gwlych (fel arfer yn gysylltiedig â bwyd a diod) fluid, liquid

gwlybyredd *eg* CEMEG gwlybaniaeth a ddaw o sylwedd sy'n troi'n hylif wrth amsugno dŵr o'r aer deliquescence

gwlybyrol *ans* yn tueddu i wlybyru deliquescent

gwlybyru *be* [gwlybyr•¹] (am blanhigion megis madarch) troi'n feddal neu'n wlyb wrth aeddfedu to deliquesce

gwlych *eg*
1 *tafodieithol, yn y Gogledd* saws sy'n cael ei wneud o'r sudd a ddaw o gig wrth ei goginio; grefi gravy
2 *hen ffasiwn* hylif, diod, gwlybwr fluid
rhoi yng ngwlych rhoi i fwydo [mwydo to soak

gwlychu *be* [gwlych•¹ 3 un. pres. gwlych/gwlycha; 2 un. gorch. gwlych/gwlycha] gwneud yn wlyb neu fynd yn wlyb, *Rwyf wedi gwlychu at fy nghroen. Bydd raid gwlychu'r papur cyn y gallwn ei dynnu oddi ar y wal.*; mwydo, trwytho to get wet, to moisten, to wet
gwlychu'r gwely pisio yn y gwely to wet the bed
Ymadroddion
gwlychu fy (dy, ei, etc.) mhig yfed to wet one's whistle
gwlychu toes cymysgu dŵr a blawd er mwyn gwneud toes to mix

gwlydd *ell* lluosog gwlyddyn, coesynnau a dail planhigion fel tatws, tomatos, pys, etc.; gwrysg haulms

g

gwlyddyn *eg* unigol gwlydd, coesyn planhigyn haulm

gwlypach:gwlypaf:gwlyped *ans* [gwlyb] mwy gwlyb; mwyaf gwlyb; mor wlyb

gwlyptir *eg* tir corsiog, gwlyb wetland(s)

gwm *eg* (gymau)
1 sudd gludiog sy'n tarddu gan amlaf o goesau rhai mathau o blanhigion a choed gum
2 sylwedd a ddefnyddir i ludio pethau ysgafn (fel papur) ynghyd; adlyn, glud glue, gum
gwm cnoi losin/da-da/fferen debyg i lastig y gallwch ei gnoi ond nid ei lyncu chewing gum

gwn¹ *eg* (gynnau) arf y mae bwled neu ffrwydryn yn cael ei saethu drwy ei faril; dryll, llawddryll, reiffl, rifolfer gun

gwn² *bf* [gwybod] rwy'n gwybod
am (a) wn i cyn belled ag yr wyf i'n gwybod as far as I know
hyd y gwn i am a wn i as far as I know
os (ys) gwn i tybed I wonder

gŵn *eg* (gynau)
1 gwisg hir, laes, *gŵn nos* gown
2 gwisg swyddogol yn dynodi statws y gwisgwr, *gŵn academaidd athro*; hugan gown, robe
3 gwisg hir, grand merch dress, frock, gown

gwna *bf* [gwneud]
1 mae ef yn gwneud/mae hi'n gwneud; bydd ef yn gwneud/bydd hi'n gwneud
2 gorchymyn i ti wneud

gwnaed *bf* [gwneud] gwnaethpwyd, cafodd ei wneud

gwnaeth *bf* [gwneud] bu iddo/iddi wneud, mi ddaru iddo/iddi wneud

gwndwn:gwyndwn *eg* tir glas heb ei droi na'i aredig ley, leyland

gwnei *bf* [gwneud] rwyt ti'n gwneud; byddi di'n gwneud

gwnêl:gwnelo *bf* [gwneud] *ffurfiol* (pan) fyddo ef yn gwneud/fyddo hi'n gwneud
does a wnelo hynny ddim â'r peth does gan hynny ddim byd i'w wneud â'r peth

gwnes *bf tafodieithol, yn y De* ffurf lafar ar 'gwneuthum'

gwneud¹:gwneuthur *be* [19]
1 berf sy'n cynorthwyo berf arall mewn brawddeg neu gwestiwn, yn enwedig ar lafar, e.e. *A wnei di wrando? Wnaeth e ddim dod wedyn. Mi wnes i syrthio.* to do
2 berf gynorthwyol sy'n cyflawni gweithred berf arall sydd yn mynd i ddilyn fel ateb, *Beth wyt ti'n ei wneud? Eistedd fan hyd yn disgwyl y trên.* to do
3 cynhyrchu drwy waith neu weithredoedd *Pryd wyt ti'n mynd i orffen gwneud y silffoedd llyfrau 'na i mi?*; creu, saernïo to make
4 cymhennu, gosod yn daclus, *gwneud y gwely* to make

5 ennill (arian), derbyn fel cyflog, *Mae gwerthu hufen iâ yn ffordd eithaf rhwydd o wneud arian/pres yn ystod gwyliau'r haf.* to earn, to make (money)
6 achosi, peri newid mewn cyflwr, *Mae bwyta gormod o bethau melys yn fy ngwneud i'n sâl.* (~ *rhywun* yn) to make
7 peri i rywbeth ddigwydd, *Y pry copyn yn y bath a wnaeth imi sgrechian.* (~ *rhywbeth* i) to make
8 gorfodi, dwyn pwysau ar, *Cofia nawr, does neb ym mynd i wneud iti siarad.* to force, to make, to order
9 cynrychioli, rhoi argraff, *Mae'r llun hwn yn gwneud iddi hi edrych yn dew.* to make
10 dod i'r swm, bod yn gywerth â, *Mae 2 a 2 yn gwneud 4.* to make
11 teithio, *Mae'r car yma'n gallu gwneud 90 m.y.a.* to do
12 coginio, paratoi bwyd, *gwneud teisen, gwneud cinio* to make
13 penodi i swydd neu roi anrhydedd, *Mae e wedi cael ei wneud yn aelod o'r Orsedd.* to make
14 twyllo, peri colled, *Cefais fy ngwneud yn y ffair wrth dalu deg punt am y watsh yma.* to cheat, to do
15 trin, *At bwy rwyt ti'n mynd i wneud dy wallt?* to do
16 dod ymlaen, *Sut wnest ti yn yr arholiad?* to do
gwneud amdanaf fy (dy, ei, etc.) hun cyflawni hunanladdiad, fy lladd fy hun to commit suicide
gwneud cam â gw. cam²
gwneud cawl o gwneud smonach/stomp o to make a mess of
gwneud chwarae teg â bod yn deg ac yn gyfiawn â to be fair to
gwneud drosof fy (dy, ei, etc.) hun gofalu amdanaf fy hun to fend for oneself
gwneud dŵr gw. dŵr
gwneud fy (dy, ei, etc.) musnes cachu to defecate
gwneud hwyl/sbort am ben (rhywun) gwawdio to make fun of
gwneud i ffwrdd â cael gwared ar; dileu, gwaredu to do away with
gwneud llanastr gwneud cawl, smonaeth/smonach to mess up
gwneud môr a mynydd creu helynt am rywbeth (dibwys, fel arfer) to make a song and dance
gwneud smonaeth/smonach o gwneud cawl o to make a mess of, to muck up
gwneud yn fach o rywun/rywbeth bychanu, dilorni, gwawdio to belittle
gwneud y tro bod yn addas, bod yn iawn (this will) do

gwneud² *ans* wedi'i wneud gan rywun
(yn hytrach nag am rywbeth naturiol);
artiffisial artificial, false

gwneuthum *bf* [gwneud] *ffurfiol* bu i mi wneud,
mi ddaru i mi wneud

gwneuthur *llenyddol* gw. **gwneud**

gwneuthuredig *ans* wedi'i greu, wedi'i lunio
(o'i gymharu â rhywbeth sy'n digwydd yn
naturiol) fashioned

gwneuthuriad *eg* (gwneuthuriadau)
  1 y ffordd y mae rhywbeth wedi cael ei
  wneud; cyfansoddiad, lluniad, ffurfiad, gwead
  composition, construction, make
  2 enw'r gwneuthurwr neu enw masnach
  cynnyrch, *Beth yw gwneuthuriad eich
  cyfrifiadur chi?* make, brand

gwneuthurwr *eg* (gwneuthurwyr)
  1 un sy'n gwneud, creu neu'n adeiladu
  rhywbeth; awdur, creawdwr, dyfeisiwr, lluniwr
  creator, maker, manufacturer
  2 unigolyn neu gwmni sy'n gwneud nwyddau
  i'w gwerthu manufacturer

gwnfetel *eg*
  1 METELEG math o efydd a ddefnyddid gynt i
  wneud canon ond a ddefnyddir yn awr i wneud
  berynnau sy'n gwrthsefyll traul a chyrydu
  gunmetal
  2 lliw efydd sydd bron wedi pylu'n ddu gan
  henaint gunmetal

gwnïad *eg* (gwniadau)
  1 llinell o bwythau sy'n cydio ymylon dau
  ddarn o frethyn wrth ei gilydd; sêm seam
  2 y broses o wnïo, canlyniad gwnïo sewing

gwniadur *eg* (gwniaduron) cwpan bach o fetel
  i'w wisgo ar ben bys i'w gadw rhag cael dolur
  wrth wthio nodwydd wnïo thimble

gwniadwaith *eg*
  1 gwaith gwnïo a brodwaith; gwaith cain â
  nodwydd ac edau needlework, sewing
  2 enghreifftiau o'r gwaith hwn, *Mae
  enghreifftiau gwych o wniadwaith cain ar y
  clustogau hyn.* needlework

gwniadwraig:gwniadreg:gwniadyddes *eb*
  merch neu wraig sy'n gwneud gwaith gwnïo i
  bobl eraill; gwniyddes seamstress

gwnïo *be* [gwnï•⁸] pwytho, gweithio â nodwydd
  ac edau, pwytho defnyddiau at ei gilydd â
  nodwydd ac edau (~ *rhywbeth* **ar**) to sew,
  to stitch
  Sylwch: does dim angen didolnod pan fydd
  dwy 'i' yn dilyn ei gilydd, *gwniir.*

gwniyddes *eb* (gwniyddesau) merch neu wraig
  sy'n ennill ei bywoliaeth drwy wneud dillad i
  wragedd a phlant; gwniadreg, gwniadwraig,
  gwniadyddes dressmaker, seamstress

gwobr *eb* (gwobrau:gwobrwyon) cydnabyddiaeth
  (werthfawr, fel arfer) am deilyngdod neu

ragoriaeth (mewn gwasanaeth, ffyddlondeb,
cystadleuaeth, arholiad, etc.); rhodd, tlws
award, prize, reward

gwobrwyo *be* [gwobrwy•¹] rhoi gwobr i
(rywun neu rywbeth), rhoi cydnabyddiaeth am
wasanaeth, ffyddlondeb, etc. neu am ennill
cystadleuaeth neu lwyddo mewn arholiad;
cyflwyno (~ *rhywun* â; ~ *rhywun* am) to award,
to reward

gwobrwywr *eg* (gwobrwywyr) un sy'n cynnig
gwobr neu'n gwobrwyo prize giver, rewarder

gŵr *eg* (gwŷr)
  1 dyn yn ei lawn oed man
  2 dyn priod, cymar, *gŵr a gwraig* husband
  Sylwch: gw. hefyd **gwŷr.**

darpar ŵr y gŵr y mae rhywun arall yn mynd
  i'w briodi; dyweddi fiancé

gŵr bonheddig un o'r boneddigion; gŵr
  cwrtais gentleman

gŵr cydnabyddedig CYFRAITH y dyn,
  mewn perthynas lle mae dyn a menyw wedi
  cyd-fyw am gyfnod digon hir i awgrymu ei bod
  yn berthynas sefydlog; cymar cydnabyddedig
  common-law husband

gŵr gwadd gŵr sydd wedi derbyn
  gwahoddiad guest

gŵr gweddw gŵr y mae ei wraig wedi marw
  widower

gŵr llên gŵr sy'n gwybod llawer am
  lenyddiaeth ac sydd, fel arfer, yn ysgrifennu ei
  hun man of letters

gŵr wrth gerdd *hanesyddol* cerddor neu un o
  gantorion yr Oesoedd Canol minstrel
  Ymadroddion
  fel/megis un gŵr yn unfrydol as one man
  y gŵr drwg y diafol devil

gwra *be* chwilio am ŵr
  Sylwch: nid yw'r ferf hon yn arfer cael ei rhedeg.

gwrach *eb* (gwrachod:gwrachïod)
  1 gwraig y credid gynt bod ganddi alluoedd
  hud a lledrith i reibio a melltithio; dewines,
  gwiddon, hudoles, swynwraig witch
  2 hen wraig hyll, gas hag, harridan

gwrachod lludw moch y coed woodlice
  Ymadrodd
  breuddwyd gwrach (wrth ei hewyllys)
  gobaith am rywbeth amhosibl, breuddwyd ofer
  wishful thinking

gwrachen *eb* (gwrachennod:gwrachod)
  1 aelod o deulu o bysgod bach dŵr croyw o
  Affrica neu Asia yn perthyn i deulu'r cerpyn;
  mae ganddi gorff main a phigau am y geg loach
  2 un o deulu o bysgod lliwgar y moroedd
  cynnes a phigau ar eu cefnau, sy'n dda i'w
  bwyta wrasse

gwrachen ludw cramennog bychan sy'n byw
  ar y tir; mae ganddo 14 coes ac mae'n byw yn

y lleithder o dan goed a cherrig, etc.; mochyn y coed woodlouse

gwragedd *ell* lluosog **gwraig**

bwrw hen wragedd a ffyn gw. **bwrw**

gwraidd *eg* (gwreiddiau)

1 y rhan o blanhigyn sy'n tyfu i lawr i'r pridd; gwreiddyn root

2 y rhan o ddant, blewyn, etc. sy'n ei ddal yn dynn yn y corff; gwreiddyn root

3 man cychwyn, achos dechreuol, *gwraidd y drwg*; dechrau, ffynhonnell, tarddiad origin, root, source

o'r gwraidd yn gyfan gwbl entirely, from the roots

wrth wraidd yn gyfrifol, achos at the root

yn y gwraidd yn y bôn, yn sylfaenol basically

gẃraidd *ans* nodweddiadol o ŵr manly

gwraig *eb* (gwragedd)

1 benyw yn ei llawn dwf; dynes, menyw woman, female

2 benyw briod, cymhares, *gŵr a gwraig* wife

Sylwch: gw. hefyd **gwragedd**.

darpar wraig y wraig neu'r ferch y mae rhywun arall yn mynd i'w phriodi; dyweddi fiancée

gwraig gydnabyddedig CYFRAITH y fenyw, mewn perthynas lle mae dyn a menyw wedi cyd-fyw am gyfnod digon hir i awgrymu ei bod yn berthynas sefydlog; cymar gydnabyddedig common-law wife

gwraig weddw gweddw, gwraig y mae ei gŵr wedi marw widow

gwraint *ell* gwiddon; anifeiliaid bychain di-asgwrn-cefn, yn perthyn i'r corynnod a'r trogod, sy'n gallu trosglwyddo heintiau wrth heigio ar anifeiliaid eraill; euddon mites

gwrandawaf *bf* [gwrando] rwy'n gwrando; byddaf yn gwrando

gwrandawiad *eg* (gwrandawiadau)

1 y broses o wrando hearing

2 y sylw neu'r ystyriaeth a roddir i rywbeth y gwrandewir arno, *Nid oeddwn yn hoffi'r darn ar y gwrandawiad cyntaf.* hearing

3 cyfle i rywun osod ei achos, *Rwy'n gwneud fy ngorau i gael gwrandawiad gan y pwyllgor cyn iddynt benderfynu.* hearing

4 perfformiad ar brawf; clyweliad audition

5 CYFRAITH prawf o flaen barnwr (heb reithgor) hearing

gwrandawr *eg* (gwrandawyr) un sy'n gwrando, un sy'n clustfeinio listener

gwrandawyr cynulleidfa rhaglen radio listeners

gwrandewais *bf* [gwrando] *ffurfiol* gwnes i wrando

gwrando *be* [gwrandaw•³ 3 *un. pres.* gwrendy/gwrandawa; 1 *llu. gorff.* gwrandawsom; 2 *llu. gorff.* gwrandawsoch; 3 *llu. gorff.* gwrandawsant; 1 *llu. gorff. anff.* gwrandawson/gwrandawon; 2 *llu. gorff. anff.*

gwrandawoch; *3 llu. gorff. anff.* gwrandawson/gwrandawon; 2 *un. gorch.* gwrando/gwranda]

1 talu sylw i'r hyn yr ydych yn ei glywed, canolbwyntio'r synnwyr clywed ar (rywun neu rywbeth), moeli clustiau, *Ydych chi'n gwrando yng nghefn y dosbarth?*; clustfeino, clywed (~ ar) to listen

2 derbyn cyngor, *Mae'r plant yn ddrwg – maen nhw'n gwrthod gwrando ar ddim rwy'n ei ddweud wrthyn nhw.*; ufuddhau, ystyried, (~ ar) to listen

gwrando a deall y broses o ddeall yr hyn y mae rhywun yn gwrando arno listening comprehension

gwrantaf *bf* [gwarantu] fel yn *mi wrantaf*, rwy'n gwarantu; byddaf yn gwarantu I guarantee

gwrcath:cwrcath *eg* (gwrcathod) cath wryw; cwrci (gwrci), cwrcyn (gwrcyn) tomcat

gwrcatha *be* mynd allan i garu gyda'r nos (megis gwrcath) to spend a night on the tiles

Sylwch: nid yw'r ferf hon yn arfer cael ei rhedeg.

gwrci gw. cwrci

gwrcyn gw. cwrcyn

Sylwch: nid yw 'gwrcyn' yn treiglo'n feddal

gwrda *eg* (gwyrda) gŵr bonheddig o'r radd nesaf at frenin; uchelwr gentleman

gwrdd *ans hynafol* dewr, gwrol valiant

gwregys *eg* (gwregysau)

1 rhwymyn neu felt o ledr neu frethyn neu ddefnydd arall sy'n cael ei wisgo am y canol fel addurn neu er mwyn cadw dillad ynghyd neu rhag cwympo, neu er mwyn cynnal arf megis cleddyf neu ddryll, etc.; belt belt, sash

2 rhwymyn arbennig sy'n cael ei wisgo gan deithiwr mewn car neu awyren er mwyn ei ddiogelu safety belt, seat belt

3 rhwymyn ar gyfer cywasgu'r wasg er mwyn i rywun edrych yn deneuach neu ar gyfer cynnal cyhyrau girdle

gwregysu *be* [gwregys•¹] gwisgo gwregys (yn enwedig un â gwain cleddyf) to gird

gwregysu lwynau ymbaratoi ar gyfer gwaith caled to gird one's loins

gwrêng *eg* fel yn *bonedd a gwrêng*, y werin, pobl gyffredin; cyhoedd

gwreica *be* chwilio am wraig

Sylwch: nid yw'r ferf hon yn arfer cael ei rhedeg.

gwreicty *eg* (gwreictai) *hanesyddol* rhan ar wahân o dŷ Mwslimaidd wedi'i neilltuo ar gyfer gwragedd y teulu (gwragedd, gordderchwragedd, gweinyddesau ac aelodau o'r teulu); harîm harem

gwreichion *ell* lluosog **gwreichionyn** a **gwreichionen**, darnau bychain o dân sy'n tasgu allan o rywbeth sy'n llosgi neu wrth i ddau beth caled megis darnau o haearn daro neu fwrw yn erbyn ei gilydd sparks

gwreichionen *eb*

1 un ymhlith nifer o wreichion; gwreichionyn spark

2 y golau a gynhyrchir wrth i drydan groesi adwy neu fwlch spark

3 mymryn bach ond pwysig o rywbeth, yn enwedig rhywbeth y mae modd gwneud rhywbeth llawer mwy ohono, *Rhaid ailedrych ar hwn gan fod yma wreichionyn o wreiddioldeb nad yw ar gael yn y lleill.* glimmer, spark

gwreichioni *be* [gwreichion•¹]

1 tasgu gwreichion, llosgi gan gynhyrchu llawer o wreichion to spark

2 pefrio, serennu, *ei llygaid yn gwreichioni dan ddrygioni* to sparkle, to twinkle, to glitter

gwreichionyn *eg* un ymhlith nifer o wreichion; gwreichionen spark

gwreiddair *eg* (gwreiddeiriau) IEITHYDDIAETH gair y mae gair arall yn deillio ohono; tarddair etymon, root word

gwreiddbilen *eb* coleoptil; haen amddiffynnol o gwmpas egin gwair neu egin grawn coleoptile

gwreiddflewyn *eg* (gwreiddflew) BOTANEG un o nifer mawr o ffurfiadau microsgopig yn debyg i flewiach mân sy'n ymestyn o gelloedd gwreiddiau ac yn amsugno dŵr a maetholion o'r pridd root hair

gwreiddgapan *eg* (gwreiddgapanau) BOTANEG gorchudd o gelloedd mân gwasgarog sy'n gwarchod pen blaen gwreiddyn planhigyn root cap

gwreiddgnepyn *eg* (gwreiddgnepynnau) BOTANEG lwmp bach ar wreiddyn planhigyn codlysol, e.e. pys, ffa, meillion, etc., mae'n cynnwys bacteria sefydlogi nitrogen symbiotig sy'n newid nitrogen o'r aer yn gyfansoddyn sefydlog er mwyn iddo allu cael ei ddefnyddio gan y planhigyn root nodule

gwreiddgyff *eg* (gwreiddgyffion) rhisom; rhan o goesyn planhigyn sy'n tyfu dan y ddaear; mae'n tewhau wrth grynhoi bwyd, ac yn cynhyrchu blagur a gwreiddiau rhizome

gwreiddiau *ell*

1 lluosog **gwraidd** neu **gwreiddyn**

2 teimlad o fod yn perthyn i le neu ardal arbennig am i chi gael eich geni a'ch magu yno, *Er ei fod yn byw ym Mangor yn awr, mae ei wreiddiau yng Nghwm Tawe.* roots

gwreiddio *be* [gwreiddi•²]

1 bwrw neu dyfu gwreiddiau, *Mae'r toriad planhigyn a gefais y llynedd wedi gwreiddio erbyn hyn.* to take root

2 seilio, gosod yn gadarn ar sail, *Mae'r traddodiad barddol wedi'i wreiddio'n ddwfn yn niwylliant ein gwlad.*; sefydlu, sicrhau to establish, to root, to secure

gwreiddiol¹ *ans*

1 heb fod yn gopi o ddim byd arall; newydd, ffres (yn enwedig am syniadau, dywediadau neu ysgrifennu); creadigol, dychmygus, dyfeisgar, unigryw fresh, original

2 yr un cyntaf o rywbeth y mae popeth arall yn efelychiad neu'n gopi ohono; cynharaf, cysefin, sylfaenol original

3 yn bod o'r dechrau, *Dim ond dau o'r aelodau gwreiddiol sy'n dal i ganu yn y côr.*; cynharaf, cynhenid original

gwreiddiol² *eg*

1 un (darlun, llawysgrif, etc.) y mae modd copïo eraill oddi wrtho, *Ar ôl i chi wneud ugain copi, dewch â'r gwreiddiol yn ôl i'r swyddfa.* original

2 yr iaith y cyfansoddwyd darn ynddi gyntaf; fersiwn cysefin rhywbeth, *Nid dyna ystyr y gair yn y gwreiddiol, cofiwch.* original (language, version)

gwreiddioldeb *eg* y cyflwr neu'r ansawdd o fod yn wreiddiol; ffresni, newydd-deb originality

gwreiddlysiau *ell* planhigion â gwreiddiau bwytadwy megis tatws, maip, etc. root crops

gwreiddrudd *eb* planhigyn y mae ei ddail yn tyfu'n gylch o gwmpas coes y blodau bach melyn; defnyddid y gwraidd trwchus coch i wneud llifyn madder

gwreiddyn *eg* (gwreiddiau)

1 ffynhonnell, *gwreiddyn y drwg*; calon, craidd, sail, tarddiad origin, reason, root

2 BOTANEG y rhan o blanhigyn sy'n tyfu o dan y ddaear ac sy'n amsugno maetholion a dŵr o'r pridd; gwraidd root

3 rhan o wraidd planhigyn wedi'i dorri ar gyfer ei ailblannu root

gwreigan *eb* gwraig fach ddistadl, dawel, oedrannus, fel arfer

gwreigdda *eb* gwraig fonheddig, meistres tŷ gentlewoman, good woman, lady

gwreig-gar *ans* gor-hoff o wragedd

gwreig-garwch *eg* y cyflwr o fod yn or-hoff o wragedd

gwrendy *bf* [gwrando] *hynafol* mae ef yn gwrando/mae hi'n gwrando; bydd ef yn gwrando/bydd hi'n gwrando

gwres *eg*

1 tymheredd uchel, tanbeidrwydd (yr haul, tân); poethder, twymder heat, temperature

2 tywydd poeth, *Dewch allan o'r gwres ac i mewn i'r cysgod.*; tes heat

3 tymheredd uchel yng nghorff dyn neu anifail wedi'i achosi gan glefyd, *Mae gwres uchel ar y plentyn 'ma – gwell i ni ffonio'r doctor.*; twymyn fever, temperature

4 angerdd, brwdfrydedd, sêl, eiddgarwch,

Roedd perygl colli tymer yng ngwres y cystadlu. heat, intensity

5 FFISEG yr egni sy'n bodoli oherwydd symud a chyffro ymhlith atomau a moleciwlau heat

gwres canolog ffordd o gynhesu tŷ neu adeilad drwy gynhyrchu gwres mewn man canolog a'i yrru wedyn drwy weddill yr adeilad central heating

Ymadroddion

cael fy (dy, ei, etc.) ngwres cynhesu, twymo to get warm

cael gwres fy (dy, ei, etc.) nhraed gorfod rhedeg yn gyflym neu weithio'n galed (gydag awgrym o gystadlu)

mewn gwres (am anifail benyw) yn barod am gyfathrach rywiol gyda gwryw; catherig, cynhaig, gwasod, gwynnedd, llodig, rhydio in heat

gwresfesurydd *eg* (gwresfesuryddion) thermomedr; dyfais ar gyfer cofnodi a dangos tymheredd thermometer

gwresocach:gwresocaf:gwresoced *ans* [gwresog] mwy gwresog; mwyaf gwresog; mor wresog

gwresog *ans* [gwresoc•]
1 llawn gwres, cynnes iawn; brwd, poeth, twym hot, very warm
2 llawn teimlad; angerddol, brwdfrydig, eiddgar, selog hot, warm

gwresogi *be* [gwresog•¹] gwneud yn boeth, *Mae'n anodd iawn gwresogi hen dai drafftiog.*; cynhesu, poethi, twymo (~ *rhywbeth* â) to heat

gwresogydd *eg* (gwresogyddion) peiriant ar gyfer poethi/twymo aer neu ddŵr drwy losgi glo, nwy, olew, trydan, etc. heater

gwrhyd:gwryd *eg* (gwrhydau:gwrhydion) mesur o ddyfnder dŵr (y môr, fel arfer), tua chwe throedfedd, 1.8 metr; yn wreiddiol, y pellter rhwng dwy fraich ar led fathom

gwrhydri *eg* gweithred neu weithredoedd gwrol; dewrder, glewder, gorchest, gwroldeb courage, heroism, valour

gwrid *eg*
1 y lliw coch ysgafn a geir ar y bochau ac sy'n arwydd o ieuenctid neu iechyd da, fel arfer, er y gall fod yn arwydd o afiechyd weithiau; cochni bloom, blush, flush
2 y lliw coch sy'n codi i'r wyneb fel arwydd o swildod, cariad, dicter, cywilydd, etc. blush, flush
3 unrhyw liw coch sy'n debyg i'r rhain, *gwrid yr haul ar y cymylau* glow

gwrido *be* [gwrid•¹] cochi yn yr wyneb o dan deimlad dwys (o swildod, cariad, dicter, cywilydd, etc.); cochi to blush, to flush, to redden

gwridog *ans* â bochau cochion; bochgoch, gwritgoch glowing, rosy-cheeked

gwringhelliad *eg* (gwringhelliadau) peristalsis; y broses lle mae cyhyr sy'n amgáu ceudod (yn enwedig y coluddyn) yn cyfangu'n ddiarwybod i greu cyfres o donnau ar hyd y cyhyr sy'n gwthio unrhyw ddefnydd sydd yn y ceudod yn ei flaen peristalsis

gwringhellu *be* cyfangu diarwybod cyhyr sy'n amgáu ceudod i greu cyfres o donnau ar hyd y cyhyr (yn enwedig cyhyr y coluddyn) sy'n gwthio unrhyw ddefnydd sydd yn y ceudod yn ei flaen
Sylwch: nid yw'r ferf hon yn arfer cael ei rhedeg.

gwrit *eb* (gwritiau)
1 CYFRAITH gorchymyn mewn ysgrifen oddi wrth lys yn gorfodi neu'n gwahardd rhywun neu ryw weithred writ
2 CYFRAITH gorchymyn cyfreithiol mewn ysgrifen yn enw'r brenin neu'r frenhines writ

gwritgoch *ans* bochgoch, o liw coch; gwridog florid, ruddy

gwrm *ans* o liw tywyll; glas neu frown tywyll dark-coloured

gwrogaeth *eb* *hanesyddol* datganiad ffurfiol o ffyddlondeb deiliad i frenin, arglwydd neu lywodraeth, o dan gyfundrefn ffiwdal yn bennaf; llw o ffyddlondeb i awdurdod uwch; ufudd-dod, ymostyngiad allegiance, homage, loyalty

gwrol *ans* [gwrol•] fel yn *gwrol ryfelwyr*; arwrol, dewr, eofn, glew brave, courageous, valiant

gwroldeb:gwrolder *eg* y cyflwr o fod yn wrol; arwriaeth, dewrder, gwrhydri valour, bravery, courage

gwroli *be* [gwrol•¹]
1 mynd yn wrol, troi'n wrol, cymryd calon (~ **drwyddo**) to take heart
2 gwneud yn wrol; calonogi to hearten

gwron *eg* (gwroniaid) gŵr dewr; arwr warrior, brave man, hero

gwrones *eb* merch neu wraig ddewr

gwroniaeth *eb* y cyflwr o fod yn wrol; dewrder, arwriaeth, gwrhydri heroism

gwrtaith *eg* (gwrteithiau) unrhyw sylwedd (naturiol neu gemegol) sy'n cael ei wasgaru neu ei chwistrellu ar y tir neu ar blanhigion er mwyn cynyddu twf; achles, compost, tail, tom fertilizer, manure

gwrteithiad *eg* y broses o wrteithio, canlyniad gwrteithio manuring

gwrteithio *be* [gwrteithi•²] teilo; gwasgaru gwrtaith ar dir (~ *rhywbeth* â) to manure, to fertilize

gwrth- *rhag* mae'n cael ei ddefnyddio weithiau ar ddechrau gair i olygu 'yn groes i', 'yn erbyn', 'yn wrthwynebol i', e.e. *gwrth-ddweud*, dweud yn groes i, *gwrthdaro*, taro yn erbyn, *gwrthblaid*, plaid sy'n wrthwynebol i'r blaid lywodraethol anti-, contra-

gwrthadwaith *eg* (gwrthadweithiau) SEICIATREG
y broses o ollwng a rhyddhau tyndra emosiynol
sydd ynghlwm wrth syniadau wedi'u cadw
ynghudd, drwy godi'r syniadau hyn i'r
ymwybod abreaction

gwrthapartheid *ans* yn gwrthwynebu polisi neu
drefn apartheid anti-apartheid

gwrtharwr *eg* (gwrtharwyr) cymeriad canolog
(mewn stori, drama neu ffilm) nad yw'n meddu
ar nodweddion traddodiadol arwr anti-hero

gwrthasid *ans* (yn enwedig am feddyginiaeth)
yn gweithio yn erbyn gormod o asid yn y
stumog antacid

gwrthateb *eg* (gwrthatebion) ymateb sydyn sy'n
arbennig o lym neu frathog rejoinder

gwrthatyniad *eg* (gwrthatyniadau) digwyddiad
sydd yn tynnu sylw oddi wrth atyniad arall ac
yn milwrio yn ei erbyn counter-attraction

gwrthawyrennol *ans* (am ddryll neu daflegryn)
a ddefnyddir i ymosod ar awyrennau'r gelyn
o'r tir neu oddi ar long anti-aircraft

gwrthbab *eg* (gwrthbabau) CREFYDD un sy'n
cael ei ethol yn Bab mewn cyfnod o ymrafael
neu ymraniad yn yr Eglwys Gatholig Rufeinig,
yn erbyn y Pab swyddogol antipope

gwrth-Babaidd *ans* yn gwrthwynebu cyfundrefn
grefyddol sydd â Phab yn ben arni antipapal

gwrth-Babyddol *ans* yn gwrthwynebu
pabyddiaeth anti (Roman) Catholic

gwrthban *eg* (gwrthbannau) gorchudd gwely;
blanced, carthen, cwilt, cwrlid counterpane,
bedspread, blanket

gwrthblaid *eb* (gwrthbleidiau) plaid (mewn
senedd neu gyngor) sy'n gwrthwynebu'r blaid
lywodraethol neu'r blaid sydd â'r mwyafrif
opposition

gwrthbrawf *eg* (gwrthbrofion) prawf i'r
gwrthwyneb confutation, refutation

gwrthbrofi *be* [gwrthbrof•¹] dangos bod dadl
neu honiad yn anghywir, profi i'r gwrthwyneb;
datbrofi (~ *rhywbeth* **drwy**) to disprove,
to refute

gwrthbwynt *eg* CERDDORIAETH cyfuniad o
ddwy neu ragor o alawon sy'n cydblethu'n dwt
wrth gael eu canu gyda'i gilydd counterpoint

gwrthbwyntiol *ans* CERDDORIAETH
yn ymwneud â gwrthbwynt; yn tueddu i
ddefnyddio cyfres o alawon fel gwrthbwynt
yn hytrach na harmoni cordiol contrapuntal

gwrthbwyso *be* [gwrthbwys•¹] cadw grym neu
bwysau yn y fantol drwy ddefnyddio grym neu
bwysau eraill o faint cyferbyniol (~ *rhywbeth* **â**)
to counterbalance, to offset

gwrthchwyddiannol *ans* (am bolisi neu fesur) yn
gweithio yn erbyn chwyddiant counter-inflationary

gwrthchwyldro *eg* (gwrthchwyldroadau)
chwyldro i gael gwared ar lywodraeth neu

gyfundrefn a sefydlwyd gan y chwyldro
blaenorol counter-revolution

gwrthchwyldroadwr *eg* (gwrthchwyldroadwyr)
un sy'n gwrthwynebu chwyldro blaenorol
neu sy'n gwrthdroi ei ganlyniadau counter-
revolutionary

gwrthdan *ans* anodd neu amhosibl ei losgi neu
ei gynnau fire-resistant

gwrthdaro *be* [gwrthdraw•³ *llu. gorff.*
gwrthdrawsom etc.]
1 bwrw neu daro yn chwyrn yn erbyn (rhywun
neu rywbeth), mynd benben to clash, to collide
2 anghytuno, anghydweld (~ **rhwng**) to clash,
conflict

gwrthderfysgaeth *eb* gweithgareddau
gwleidyddol a milwrol i atal terfysgaeth
counterterrorism

gwrthderfysgol *ans* gyda'r bwriad o frwydro
yn erbyn terfysgaeth neu derfysgwyr antiterrorist

gwrthdocsin *eg* (gwrthdocsinau) FFISIOLEG
gwrthgorff sy'n gwrthweithio tocsin antitoxin

gwrthdrawiad *eg* (gwrthdrawiadau)
1 trawiad sydyn dau beth y naill yn erbyn y llall,
gwrthdrawiad trên a char collision, crash, impact
2 methiant i gyd-weld, *Mae yna wrthdrawiad
sylfaenol yn eu hatebion i'r broblem.*;
anghydfod conflict, disagreement

gwrthdrawydd *eg* (gwrthdrawyddion) FFISEG
cyflymydd sy'n gorfodi dau baladr o ronynnau
i wrthdaro â'i gilydd collider

gwrthdro¹ *eg* (gwrthdroeon)
1 CERDDORIAETH newid yn nhrefn sylfaenol
cord neu gyfwng neu gymal o gerddoriaeth
inversion
2 MATHEMATEG maint cilyddol, *Gwrthdro
4 yw* $\frac{1}{4}$*.*; gweithrediad sy'n dad-wneud
gweithrediad arall, *Tynnu yw'r gweithrediad
gwrthdro i adio.*; cilydd inverse, inverse
operation

gwrthdro² *ans* MATHEMATEG wedi'i wrthdroi
inverted

gwrthdroad *eg* (gwrthdroadau)
1 troad yn ôl i'r gwrthwyneb inversion
2 troi cerrynt trydanol union, e.e. o fatri,
yn gerrynt eiledol inversion
3 BIOLEG gwahanu darn o gromosom a'i ailosod
y tu chwith gan wrthdroi'r cod genynnol
inversion
4 METEOROLEG newid yng ngraddiant
tymheredd arferol yr atmosffer lle y ceir haen
o aer cynnes uwchben haen o aer oer inversion

gwrthdroadol *ans* ELECTRONEG (am ddyfais) yn
troi cerrynt trydanol union yn gerrynt eiledol,
e.e. *mwyhadur gwrthdroadol* inverting

gwrthdroi *be* [gwrthdro•¹⁷]
1 troi i wynebu'r ffordd arall, e.e. wyneb i
waered, tu chwith allan to invert, to reverse

2 newid i'r gwrthwyneb to invert
3 newid penderfyniad cyfreithiol drwy apelio i lys uwch to reverse
4 MATHEMATEG achosi gwrthdro to invert

gwrthdröydd *eg* (gwrthdroyddion) ELECTRONEG dyfais sy'n trawsnewid un o'r ddau ddigid neu signal deuaidd i'r digid neu signal arall inverter

gwrthdynnu *be* [gwrthdynn•⁹]
1 tynnu yn erbyn, tynnu yn groes i to pull counter to
2 tynnu sylw oddi ar rywbeth at wrthrych arall, neu mewn mwy nag un cyfeiriad yr un pryd to distract
Sylwch: dyblwch yr 'n' ym mhob ffurf ac eithrio yn y rhai sy'n cynnws -as-.

gwrthdystiad *eg* (gwrthdystiadau) y broses o wrthdystio; cyfarfod i wrthdystio; gwrthwynebiad, protest protest, demonstration

gwrthdystio *be* [gwrthdysti•²] gwrthwynebu'n gyhoeddus, siarad yn erbyn, codi gwrthwynebiad cyhoeddus; gwrthryfela, protestio, ymgyrchu (~ yn erbyn) to protest

gwrthdystiwr *eg* (gwrthdystwyr) un sy'n gwrthdystio; gwrthryfelwr, protestiwr, ymgyrchwr protester

gwrthddadl *eb* (gwrthddadleuon) y ddadl yn erbyn counterargument

gwrthddadlau *be* [gwrthddadleu•¹] dadlau yn erbyn (~ yn erbyn) to argue against

gwrthddalen *eb* (gwrthddalennau) bonyn siec banc neu docyn a gedwir gan amlaf gan y talwr/prynwr counterfoil

gwrthddewis *eg* (gwrthddewisiadau) y weithred o gydbwyso dau beth sy'n ddymunol ond sy'n groes i'w gilydd; cyfaddawd trade-off

gwrthddiwretig¹ *eg* (gwrthddiwretigion) MEDDYGAETH hormon neu gyffur sy'n rheoli llif troeth o'r corff antidiuretic

gwrthddiwretig² *ans* MEDDYGAETH (am hormon, cyffur, etc.) yn rheoli cynhyrchiad troeth antidiuretic

Gwrthddiwygiad *eg hanesyddol* y mudiad diwygiadol yn yr Eglwys Gatholig Rufeinig yn ail hanner yr unfed ganrif ar bymtheg yn Ewrop, a dyfodd yn sgil y Diwygiad Protestannaidd Counter-Reformation

gwrth-ddweud *be* [gwrthddywed•¹ 3 un. pres. gwrthddywed; 2 un. gorch. gwrthddywed]
1 datgan bod rhywbeth yn anghywir neu'n gelwydd; anghydweld, anghytuno, croes-ddweud to contradict
2 mynd yn groes i rywbeth neu fod yn anghyson â rhywbeth, *Rwyt ti'n gwrth-ddweud yn awr yr hyn roeddet ti'n ei honni bum munud yn ôl.* to contradict

gwrth-ddŵr *ans* yn cadw dŵr rhag treiddio drwyddo; anhydraidd water-repellent

gwrthddywediad *eg* (gwrthddywediadau) mynegiant o'r gwrthwyneb i'r hyn a ddywedwyd neu a ddatganwyd; croesddywediad contradiction

gwrthebiaeth *eb* (gwrthebiaethau) ATHRONIAETH paradocsau dwfn sy'n ymddangos yn amhosibl eu datrys; casgliadau, ymresymiadau, credoau, argyhoeddiadau sy'n ymddangos yn deg ac yn rhesymol i'w derbyn er eu bod yn groes i'w gilydd antinomy

gwrthedd *eg* FFISEG mesur o allu sylwedd, e.e. copr, i rwystro llif cerrynt trydanol drwyddo resistivity

gwrtheiriad *eg* (gwrtheiriadau) LLENYDDIAETH math o briod-ddull sy'n tynnu ynghyd ymadroddion sy'n ymddangosiadol yn gwrth-ddweud ei gilydd, e.e. 'dyn mawr bach' (h.y. mawr ei gorff ond crintachlyd) a 'dyn bach mawr' (bach ei gorff ond mawr ei ysbryd) oxymoron

gwrthergyd *ebg* trawiad yn ôl; gweithred o wrthguro counterstroke

gwrth-Ewropeaidd *ans* yn erbyn y syniad o undod ymhlith gwledydd Ewrop anti-European

gwrthfacteria *ans* effeithiol yn erbyn bacteria anti-bacterial

gwrthfantol *eb* pwysyn sy'n cydbwyso pwysau gwrthrych arall counterbalance

gwrthfiotig *eg* (gwrthfiotigau) BIOCEMEG sylwedd, e.e. penisilin, y mae rhai organebau yn ei gynhyrchu sy'n gallu lladd neu atal twf micro-organebau eraill antibiotic

gwrthfirws *eg* (gwrthfirysau) CYFRIFIADUREG darn o feddalwedd sy'n rhwystro firysau rhag cael mynediad i system neu rwydwaith cyfrifiadur antivirus

gwrthfwled *ans* wedi'i adeiladu i wrthsefyll bwledi, e.e. car, dilledyn bulletproof

gwrthfflam *ans* yn gwrthsefyll y niwed a achosir gan fflamau, nad yw'n llosgi'n rhwydd; anhylosg flame-resistant

gwrthffrithiant *ans* yn lleihau neu'n gwaredu effeithiau ffrithiant anti-friction

gwrthgawod *ans* (am frethyn neu got) wedi'i thrin i gadw allan ychydig o ddŵr, e.e. cawod o law showerproof

gwrthgenhedliad *eg* atal cenhedlu; y defnydd o ddulliau artiffisial neu dechnegau eraill er mwyn peidio â beichiogi contraception

gwrthgenhedlol *ans* yn atal cenhedlu, yn ymwneud ag atal cenhedlu contraceptive

gwrthgenhedlu *eg* atal cenhedlu; defnyddio dulliau artiffisial neu dechnegau eraill er mwyn peidio â beichiogi contraception
Sylwch: nid yw'r ferf hon yn arfer cael ei rhedeg.

gwrthgeulydd *eg* (gwrthgeulyddion MEDDYGAETH sylwedd sy'n atal gwaed rhag ceulo anticoagulant

gwrthgiliad *eg* (gwrthgiliadau)
1 y broses o wadu ffydd neu ailgyflawni trosedd backsliding, apostasy, recidivism
2 enciliad, ymneilltuad departure, withdrawal, desertion

gwrthgilio *be* [gwrthgili•²]
1 syrthio yn ôl i wneud pethau drwg neu i beidio â gwneud pethau da to apostatize, to backslide
2 encilio, ymbellhau to withdraw, to depart

gwrthgiliwr *eg* (gwrthgilwyr)
1 un sydd wedi gwrthgilio; enciliwr turncoat, apostate
2 troseddwr tan gollfarn sy'n aildroseddu recidivist

gwrthglawdd *eg* (gwrthgloddiau) clawdd neu fanc llydan o bridd, weithiau a wal ar ei ben, wedi'i adeiladu o gwmpas caer er mwyn ei hamddiffyn; magwyr, rhagfur rampart, bulwark, earthwork

gwrthglerigol *ans* yn gwrthwynebu dylanwad yr Eglwys mewn materion cyhoeddus anticlerical

gwrthglocwedd *adf* yn troi i'r gwrthwyneb i'r ffordd y mae bysedd cloc yn symud anticlockwise

gwrthgorff *eg* (gwrthgyrff) BIOCEMEG protein arbennig a gynhyrchir gan y corff i ymateb i antigen penodol, drwy uno'n gemegol â'r antigen er mwyn gwrthweithio ei effeithiau antibody

gwrthgrafiad *ans* (am wyneb rhywbeth, e.e. pren) wedi'i drin â sylwedd caled nad yw'n rhwydd ei grafu scratch-proof, scratch-resistant

gwrthgrebachol *ans* (am frethyn neu ddilledyn) wedi'i drin fel nad yw'n mynd yn llai wrth gael ei olchi shrink-resistant

gwrthgrych *ans* (am frethyn neu ddilledyn) wedi'i drin er mwyn ei gadw rhag crychu crease-resistant

gwrthgyferbyniad *eg* (gwrthgyferbyniadau) y gwahaniaeth (yn hytrach na'r tebygrwydd) rhwng pethau o'u cymharu â'i gilydd, yn enwedig rhwng yr eithafion gwahanol, *Un o nodweddion llun camera da yw gwrthgyferbyniad clir rhwng y rhannau golau a'r rhannau tywyll.*; annhebygrwydd, cyferbyniad, gwahaniaeth contrast, opposition

gwrthgyferbyniol *ans* am rywbeth sydd mor wahanol â phosibl i rywbeth arall; annhebyg, cyferbyniol, gwahanol contrasting, opposite

gwrthgyferbynnu *be* [gwrthgyferbynn•⁹]
1 cymharu pethau gan sylwi ar y gwahaniaethau rhyngddynt; cyferbynnu, gwahaniaethu to contrast
2 bod mewn gwrthgyferbyniad â rhywbeth arall *Sylwch:* dyblwch yr 'n' ym mhob ffurf ac eithrio yn y rhai sy'n cynnwys -*as*-.

gwrthgyferbynrwydd *eg* y cyflwr o fod yn cyferbynnu neu'n gwrthgyferbynnu oppositeness

gwrthgyffur *eg* (gwrthgyffuriau) gwrthwenwyn; sylwedd sy'n lladd effaith gwenwyn ar y corff neu sy'n atal effeithiau rhyw glefyd ar y corff antidote

gwrthgyhuddo *be* [gwrthgyhudd•¹] dwyn cyhuddiad yn erbyn cyhuddwr; dannod, edliw (~ *rhywun* o) to recriminate

gwrthgymdeithasol *ans* fel yn *ymddygiad gwrthgymdeithasol*, am ymddygiad sydd yn aflonyddu, codi braw neu'n achosi gofid antisocial

gwrthgymesur *ans* MATHEMATEG fel yn 'perthynas wrthgymesur', am berthynas nad yw ond yn gweithio un ffordd, *Mae 'yn ail isradd' yn berthynas wrthgymesur oherwydd mae'r gosodiad 'mae 3 yn ail isradd 9' yn wir ond nid yw'r gosodiad 'mae 9 yn ail isradd 3' yn wir.* antisymmetric

gwrthgyrff *ell* lluosog **gwrthgorff**

gwrthgyrydol *ans* yn gwrthsefyll neu'n atal effeithiau cyrydu corrosion-resistant

gwrth-heintus *ans* antiseptig; yn atal haint a phydredd, fel arfer drwy atal twf micro-organebau ar feinwe byw antiseptic

gwrth-hiliaeth *eb*
1 yr arfer o wrthwynebu hiliaeth gan hybu goddefgarwch hiliol yn ei le anti-racism
2 CYFRAITH cyfundrefn o gyfreithiau ac arferion i sicrhau nad yw'r syniad (yn ymwybodol neu'n ddiymwybod) mai hil neu liw sydd yn penderfynu gallu dyn, yn cael ei arfer anti-racism

gwrth-hiliol *ans* yn gwrthwynebu hiliaeth anti-racist

gwrth-histamin *ans* (am gyffur neu gyfansoddyn) yn trin alergedd drwy lesteirio effeithiau ffisiolegol histamin antihistamine

gwrthiad *eg* (gwrthiadau) y weithred o ymosod tra ydych ar yr un pryd yn eich amddiffyn eich hun yn erbyn ymosodiad gan eich gwrthwynebydd counter

gwrthiannol *ans* yn gallu gwrthsefyll (llif trydan, effaith gwres, effeithiau'r corff neu feddyginiaeth, etc.) resistant

gwrthiant *eg* (gwrthiannau) FFISEG mesur o allu gwrthrych, e.e. gwifren gopr o hyd a diamedr penodol, i rwystro llif cerrynt trydanol drwyddo resistance

gwrthio *be* [gwrthi•²] ymosod ar yr un pryd yr ydych yn amddiffyn eich hun (e.e. wrth ymladd â chleddyf) to counter

gwrthiselydd *eg* (gwrthiselyddion) MEDDYGAETH cyffur a ddefnyddir i leddfu iselder ysbryd antidepressant

g

gwrthlamu *be* [gwrthlam•³] neidio neu lamu yn ôl; adlamu (~ **oddi ar**) to rebound, to recoil

gwrthlaw *ans* yn ymwneud â chefn y llaw backhand

ergyd wrthlaw (mewn gêmau raced) ergyd i'r bêl pan fydd cefn y llaw yn wynebu'r bêl backhand

gwrth-law *ans* (am ddilledyn neu ddefnydd) gwrth-ddŵr rainproof

gwrthlidiol *ans* MEDDYGAETH am sylwedd a ddefnyddir i leihau llid anti-inflammatory

gwrth-lithr *ans* wedi'i gynllunio i gadw rhywun neu rywbeth rhag llithro non-slip

gwrthlogarithm *eg* (gwrthlogarithmau) MATHEMATEG y rhif y mae ei logarithm yn rhif penodol, *Logarithm 100 bôn 10 yw 2, ac felly gwrthlogarithm 2 (bôn 10) yw 100.* antilogarithm

gwrthlwydni *ans* (am wyneb neu lysieuyn) wedi'i drin neu wedi'i ddatblygu fel nad yw'n caniatáu i lwydni dyfu arno mildew-resistant

gwrthnysig *ans* hoff iawn o dynnu'n groes i bawb arall; anhydyn, blwng, pengaled, traws headstrong, obstinate, perverse

gwrthocsidydd *eg* (gwrthocsidyddion) cemegyn sy'n rhwystro cyfuno cemegol rhwng sylwedd arbennig ac ocsigen; fe'i defnyddir i atal dirywiad bwydydd, rwber, petrol, etc. antioxidant

gwrthod *be* [gwrthod•¹ 3 *un. pres.* gwrthyd/ gwrthoda; 2 *un. gorch.* gwrthod/gwrthoda]
1 peidio â derbyn neu gymryd, *Mae hi wedi gwrthod pob cynnig o help.*; jibio, pallu to refuse, to reject
2 pallu rhoi, gwneud neu ganiatáu rhywbeth, *Mae'n gwrthod gadael imi fynd ddydd Sadwrn.*; nacáu to refuse

gwrthodedig *ans* wedi'i wrthod, wedi'i ddiarddel; anghymeradwy, amhoblogaidd, annerbyniol forsaken, rejected

gwrthodedigion *ell* rhai sydd wedi'u gwrthod the rejected

gwrthodiad *eg* (gwrthodiadau) y weithred o wrthod; gwadiad, nacâd rejection, denial, refusal

gwrthodwr *eg* (gwrthodwyr) un sy'n gwrthod refuser

gwrthol *ans* fel yn *pàs wrthol*, yn mynd tuag yn ôl reverse

gwrtholeuaeth *eb* gwrthwynebiad i gynnydd mewn gwybodaeth neu i ledaenu syniadau (drwy guddio bwriadol, fel arfer) obscurantism

gwrtholeuwr *eg* (gwrtholeuwyr) un sy'n arfer gwrtholeuaeth obscurantist

gwrthraflog *ans* GWNIADWAITH (am frethyn) wedi'i drin i beidio â rhannu'n edafedd wrth gael ei rwbio non-fraying

gwrthran *eb* (gwrthrannau) CYFRAITH y naill neu'r llall o ddau gopi cyfatebol o ddogfen gyfreithiol, e.e. les counterfoil, counterpart

gwrthredol *ans* mewn trefn i'r gwrthwyneb i'r drefn arferol, *gwyddor wrthredol* retrograde

gwrthrewydd *eg* (gwrthrewyddion) sylwedd cemegol sy'n cael ei ychwanegu at ddŵr i'w gadw rhag rhewi ar adegau o oerfel mawr (yn enwedig mewn rheiddiadur car) antifreeze

gwrthronyn *eg* (gwrthronynnau) FFISEG gronyn isatomig sydd â'r un màs â gronyn penodol ond sydd â phriodweddau trydanol neu fagnetig dirgroes (e.e. positron o'i gymharu ag electron) antiparticle

gwrthrwd *ans* am sylwedd sy'n atal effaith rhwd anti-rust

gwrthrych *eg* (gwrthrychau)
1 unrhyw beth y mae modd ei weld neu ei gyffwrdd object
2 *hen ffasiwn* rhywun neu rywbeth sy'n creu rhyw deimlad neu emosiwn mewn person; testun (gwawd, edmygedd, serch, addoliad, etc.), *Siân oedd gwrthrych ei serch.* object
3 GRAMADEG y gair mewn brawddeg sy'n dangos y person neu'r peth y mae'r ferf yn gweithredu arno (o'i gyferbynnu â'r *goddrych* sy'n gwneud y gweithredu), e.e. *gwelodd ci*, 'a dog saw', lle mae *ci* yn oddrych, a *gwelodd gi*, 'he/she saw a dog' lle mae *ci* yn wrthrych object

gwrthrychedd *eg* y cyflwr o fod yn wrthrychol neu'n ddiduedd objectivity

gwrthrychol *ans*
1 heb gael ei ddylanwadu gan deimladau personol objective, dispassionate
2 GRAMADEG yn dynodi gwrthrych gweithred accusative

gwrthryfel *eg* (gwrthryfeloedd)
1 gwrthwynebiad agored (ag arfau yn aml) i lywodraeth gwlad; gwrthdystiad, gwrthsafiad rebellion, revolt
2 gwrthwynebiad agored (yn enwedig ymhlith aelodau o'r lluoedd arfog) i awdurdod swyddogion uwch insurrection, mutiny

gwrthryfela *be* [gwrthryfel•¹]
1 codi'n agored (ag arfau yn aml) yn erbyn llywodraeth gwlad; gwrthdystio, gwrthsefyll, protestio, terfysgu (~ **yn erbyn**) to rebel, to revolt
2 gwrthwynebu agored (yn enwedig ymhlith aelodau o'r lluoedd arfog) i awdurdod swyddogion uwch to mutiny

gwrthryfelgar *ans* yn tueddu i herio awdurdod, yn gwrthod cydymffurfio, yn pallu gwrando; anghydnaws, anhydrin, anhydyn, gwrthnysig, pengaled, ystyfnig rebellious, insubordinate

gwrthryfelwr *eg* (gwrthryfelwyr) un sy'n gwrthwynebu neu'n ymladd yn erbyn awdurdod llywodraeth (drwy rym arfau, fel arfer), *Mae gwrthryfelwr yn ymladdwr dros ryddid i'w gyfeillion ac yn derfysgwr i'w elynion.*; gwrthdystiwr, rebel, terfysgwr, ymgyrchwr rebel, insurgent

gwrthsafiad *eg* (gwrthsafiadau) y weithred o wrthsefyll, canlyniad gwrthsefyll; gwrthryfel, gwrthwynebiad, protest resistance

gwrthsafol *ans* (am sylwedd) yn medru gwrthsefyll gwres uchel, e.e. briciau a ddefnyddir mewn odyn crochenydd refractory

gwrthsafwr *eg* (gwrthsafwyr) un sy'n sefyll yn erbyn rhywun neu rywbeth; gwrthwynebydd antagonist

gwrthsaim *ans* am bapur sy'n gwrthsefyll amsugno saim, olew, gwêr, etc. ac a ddefnyddir i lapio bwyd greaseproof

gwrthsefydliad *ans* yn gwrthwynebu gwerthoedd a gweithredoedd 'Y Sefydliad' anti-establishment

gwrthsefydlog *ans* ELECTRONEG yn perthyn i system neu gylched drydanol sy'n osgiliadu rhwng cyflyrau ansefydlog astable

gwrthsefyll *be* [gwrthsaf•³]
1 gwrthwynebu neu wrthod yn ddi-ildio, dal eich tir yn gadarn yn erbyn pwysau trwm to withstand, to resist, to thwart
2 para'n dda heb dreulio, *adeilad yn gwrthsefyll tywydd drwg* to withstand
3 ymwrthod rhag temtasiwn neu weithred annoeth to resist
4 ymgadw rhag effeithiau (rhywbeth), *Mae rhai mathau o facteria'n gallu gwrthsefyll gwrthfiotigau.* to resist, to withstand

gwrth-Semitiaeth *eb* gelyniaeth neu anffafriaeth yn erbyn Iddewon anti-Semitism

gwrthsodd *ans* wedi'i sgriwio neu ei folltio fel bod pen y sgriw neu'r bollt ar yr un lefel â'r pren neu'r metel o'i gwmpas countersunk

gwrthsoddi *be* [gwrthsodd•¹]
1 gwneud twll, e.e. mewn darn o bren, yn fwy, fel bod pen sgriw sy'n cael ei sgriwio i mewn i'r twll ar yr un lefel â'r pren o'i gwmpas to countersink, to recess
2 troi sgriw i mewn i dwll sydd wedi'i wneud yn fwy fel hyn to countersink

gwrthstaen *ans* wedi'i wneud o ddefnydd sy'n gwrthsefyll rhwd neu gyrydu stainless

gwrthstatig *ans* yn rhwystro trydan statig rhag crynhoi antistatic

gwrthsymudiad *eg* (gwrthsymudiadau) symudiad i'r gwrthwyneb, yn erbyn rhywbeth (symudiad arall, fel arfer) countermove

gwrthun *ans* hollol annerbyniol; afresymol, atgas, ffiaidd, gwarthus absurd, repugnant, ridiculous

gwrthuni *eg* y cyflwr o fod yn wrthun; ffieidd-dra odiousness, repugnance

gwrthwaniad *eg* (gwrthwaniadau) trawiad cleddyf yn ymateb i un gan wrthwynebydd counterthrust, riposte

gwrthwedd *ans* FFISEG heb fod yn gydwedd; anghydwedd antiphase, out of phase

gwrthweithio *be* [gwrthweithi•²] gweithio yn erbyn; adweithio, niwtraleiddio (~ yn erbyn) to counteract

gwrthweithiol *ans* yn gweithio i'r gwrthwyneb; adweithiol, gwrthwynebol counteractive, antagonistic

gwrthweithydd *eg* (gwrthweithyddion)
1 ANATOMEG (am barau gwrthweithiol o gyhyrau) y cyhyryn, e.e. y cyhyryn triphen, sy'n llaesu pan fydd y cyhyryn arall, e.e. y cyhyryn deuben, yn cyfangu antagonist
2 BIOCEMEG sylwedd cemegol, e.e. cyffur, sy'n ymyrryd â gweithred ffisiolegol sylwedd arall antagonist

gwrthwenwyn *eg* MEDDYGAETH sylwedd sy'n lladd effaith gwenwyn ar y corff neu sy'n atal effeithiau rhyw glefyd ar y corff antidote

gwrthwenwynol *ans* MEDDYGAETH yn gwrthweithio effeithiau gwenwyn antitoxic

gwrthwyfyn *ans* yn gwrthsefyll cynrhon y gwyfyn dillad mothproof

gwrthwyfynu *be* [gwrthwyfyn•¹] GWNIADWAITH trin defnydd gan ei gwneud yn anodd i wyfynod ei ddinistrio to moth-proof

gwrthwyneb *eg*
1 fel yn *i'r gwrthwyneb*, yr hyn sy'n wrthgyferbyniol o'i gymharu â rhywbeth arall, *Gwrthwyneb 'poeth' yw 'oer'.*; cyferbyniad, gwrthgyferbyniad contrary, opposite
2 wyneb arall (neu gefn) darn o arian, dalen, etc.; cyferbyniad, gwrthgyferbyniad reverse

gwrthwynebedd *eg* yr effaith rhwystro sy'n deillio o osod grym un peth materol yn erbyn un arall resistance

gwrthwynebiad *eg* (gwrthwynebiadau) y weithred o wrthwynebu, datganiad o resymau dros anghytuno, y ddadl yn erbyn rhywbeth, *Y ffaith y byddai'n gwneud drwg i'r Gymraeg oedd wrth wraidd fy ngwrthwynebiad.*, canlyniad gwrthwynebu; gwrthdystiad, gwrthsafiad, protest objection, opposition, resistance

gwrthwynebol *ans* yn gwrthwynebu; croes, gelyniaethus, gwrthwynebus, heriol antagonistic, averse, resistant

gwrthwynebu *be* [gwrthwyneb•¹] sefyll yn erbyn, ceisio rhwystro, bod yn erbyn; anghytuno, gwrthsefyll, herio, milwrio to be opposed to, to object, to oppose, to resist

gwrthwynebus *ans* yn gwrthwynebu; croes, gelyniaethus, heriol, traws hostile, opposed, opposing

gwrthwynebydd:gwrthwynebwr *eg*
(gwrthwynebwyr)
1 un sy'n gwrthwynebu, rhywun sydd yn eich
erbyn, un sy'n credu'n wahanol; gwrthsafwr
opponent, objector
2 gelyn neu rywun y mae'n rhaid ei drechu
mewn cystadleuaeth; cydymgeisydd adversary,
foe, competitor
gwrthwynebydd cydwybodol un sy'n
gwrthod bod yn aelod o'r lluoedd arfog
oherwydd ei ddaliadau moesol neu grefyddol
conscientious objector
gwrthwynt *ans* (am ddillad, fel arfer) yn
gwrthsefyll effeithiau'r gwynt windproof
gwrthyd *bf* [gwrthod] *hynafol* mae ef yn
gwrthod/mae hi'n gwrthod; bydd ef yn
gwrthod/bydd hi'n gwrthod
gwrthydd *eg* (gwrthyddion) FFISEG cydran
electronig â'r gallu i rwystro'n rhannol lif
cerrynt trydanol drwyddi resistor
gwrthymosod *be* [gwrthymosod•¹] ymateb
i ymosodiad gelyn neu, mewn gêm, i
ymosodiad gan wrthwynebydd neu
wrthwynebwyr, drwy ymosod eich hun
(~ ar) to counter-attack
gwrthymosodiad *eg* (gwrthymosodiadau)
y weithred o wrthymosod counter-attack
gwrthyriad *eg* (gwrthyriadau) FFISEG yr hyn sy'n
digwydd pan ddaw dwy wefr drydanol o'r un
anian at ei gilydd repulsion
gwrthyrrol *ans* FFISEG yn gwrthyrru,
nodweddiadol o wrthyriad repulsive
gwrthyrru *be* [gwrthyrr•⁹] gwthio ymaith megis
dwy wefr drydanol o'r un anian to repel
Sylwch: dyblwch yr 'r' ym mhob ffurf ac
eithrio yn y rhai sy'n cynnwys -as-.
gwrw *eg*
1 CREFYDD athro ysbrydol Hindŵaidd guru
2 CREFYDD (ar y ffurf 'Gwrw') teitl yn golygu
'athro' a roddwyd i ddeg arweinydd cyntaf
Sikhiaeth Guru
gwrwst *eb hynafol* cramp; brathiad sydyn
o boen sy'n digwydd wrth i gyhyr dynhau'n
sydyn; cwlwm gwythi, cwlwm chwithig
cramp
gwrych¹ *eg* (gwrychoedd) *safonol, yn y Gogledd*
clawdd o lwyni neu goed isel o gwmpas cae neu
ardd; bid, clawdd, perth, sietin hedge
gwrych² *ell* lluosog gwrychyn, blew bach byr,
pigog fel blew mochyn bristles
gwrychyn *eg* unigol gwrych² bristle
codi gwrychyn gw. codi
gwryd gw. gwrhyd
gwrym *eg* (gwrymiau)
1 ôl ergyd ar y corff lle mae'r croen wedi codi
weal, welt
2 llinyn o rywbeth sy'n codi'n uwch na'r hyn

sydd o'i gwmpas, e.e. chwyddiad gwythïen
protrusion, ridge
3 pwythiad, y man lle mae dau beth wedi'u
cyplysu neu wedi'u gwnïo ynghyd hem, seam
gwrymio *be* [gwrymi•²] codi'n wrymiau
to seam, to welt
gwrymiog *ans* llawn gwrymiau corrugated,
furrowed, ridged
gwrysg *ell* coesynnau a dail planhigion fel tatws,
tomatos, pys, etc.; gwlydd stems, stalks, haulms
gwrysgen *eb* unigol gwrysg haulm, stalk
gwrysgyn *eg* unigol gwrysg haulm, stalk
gwryw¹ *eg* (gwrywod) dyn (o'i gyferbynnu â
benyw), anifail o'r rhyw gwrywol; gŵr male
gwryw a benyw (y ddau ryw) male and female
gwryw²:gwrywol *ans*
1 (am berson neu anifail) o'r rhyw nad yw'n
esgor neu'n geni rhai bach male
2 (am blanhigyn neu flodyn) yn meddu
ar organau ffrwythloni male
gwrywaidd *ans*
1 nodweddiadol o ŵr neu o ddyn masculine,
virile
2 GRAMADEG am enwau sy'n cael eu dilyn gan
'hwn' masculine
gwrywedd:gwrywdod *eg* y cyflwr o fod yn
wryw, yr hyn sy'n nodweddiadol o fod yn
wryw masculinity, maleness
gwrywgydiaeth *eb sarhaus, annerbyniol*
'cyfunrywioldeb' yw'r ffurf a arferir
homosexuality
gwrywgydiwr *eg* (gwrywgydwyr) *sarhaus,
annerbyniol* 'dyn cyfunrywiol' yw'r ffurf a arferir
homosexual male
gwrywol gw. gwryw²
gwsberen *eb* (gwsberins:gwsberis) eirinen Mair
gooseberry
gwter *eg* (gwteri) cafn, ceuffos, draen, ffos gutter
gwth *eg* (gwthiau) hyrddiad cryf; hergwd, hwb,
hwrdd, proc push, shove, thrust
gwth o wynt chwa gref o wynt gust of wind
(mewn) gwth o oedran hen iawn advanced
in years
gwthiad *eg* (gwthiadau)
1 y weithred o wthio; hergwd, hwb, hyrddiad
shove, thrust
2 FFISEG grym sy'n gwthio yn erbyn gwrthrych,
e.e. mewn roced, peiriant awyren neu yn erbyn
bwa mewn adeilad thrust
3 FFISEG y weithred o yrru rhywbeth ymlaen
drwy rym sy'n cynhyrchu mudiant propulsion
4 PENSAERNÏAETH y gwasgedd ochrol a achosir
gan fwa neu gynhalydd arall mewn adeilad neu
bont thrust
gwthio *be* [gwthi•²]
1 gyrru neu wasgu (rhywun neu rywbeth)
ymlaen, i ffwrdd neu i safle gwahanol drwy

bwyso arno o'r tu ôl; gorfodi, hyrddio
(~ **yn erbyn**; ~ *rhywbeth* **yn erbyn**) to jostle,
to push, to shove
2 gyrru (cleddyf neu gyllell, etc.) i gnawd
to poke, to thrust
3 gyrru ymlaen drwy rym sy'n cynhyrchu
mudiant to propel
gwthio fy (dy, ei, etc.) mhig i mewn busnesa,
ymyrryd to poke one's nose into
gwthio i lawr corn gwddf gorfodi (rhywbeth)
ar rywun to ram down one's throat
gwthio i'r dwfn mentro i beryglon y môr
mawr, cychwyn gorchwyl anodd to cast off into
the deep
gwthio'r cwch i'r dŵr gw. **cwch**
gwthiwr *eg* (gwthwyr) un sy'n gwthio pusher
gwyach *eb* (gwyachod) aderyn dŵr â gwddf hir,
cynffon fer iawn a bysedd traed llabedog sy'n
gallu nofio o dan y dŵr grebe
  Sylwch: yr **wyach**.
gwyach fach gwyach fechan â gwddf byr a
phig gwta ac arni smotyn melyn little grebe
gwyach fawr gopog gwyach fawr â chrib
a chlustiau pluog great crested grebe
gwybed *ell*
1 pryfed bychain hedegog sy'n pigo dyn
ac anifail a sugno'r gwaed gnats, midges
2 clêr, cylion, pryfed flies
gwybedog *eg* (gwybedogion) un o nifer
o adar bychain sy'n dal gwybed wrth hedfan
flycatcher
gwybedog mannog aderyn bach sy'n hynod
am ei hedfan ystwyth, cyflym wrth hela
gwybed spotted flycatcher
gwybedyn *eg* unigol **gwybed**; cleren, pryfyn
gnat, midge, fly
gwybedyn y dom a gwyd uchaf un sy'n
gyfarwydd a bryntni a baw sy'n llwyddo yn
y byd
gwybetach *ell* haid o fân wybed gnats, midges
gwybod *be* [20]
1 meddu ar ffaith neu ffeithiau; bod yn sicr
neu'n argyhoeddedig o (rywbeth), *Rwy'n
gwybod ei fod yn wir.*; deall, dirnad,
sylweddoli (~ **am**) to know (a fact or facts)
2 bod wedi meistroli rhywbeth sydd wedi
cael ei ddysgu, *Rwy'n gwybod sut i nofio.*;
amgyffred, deall to know
  Sylwch:
  1 rydych yn *adnabod* rhywun neu rywle ond
  yn *gwybod* ffeithiau;
  2 **gwydd-** yw bôn yr Amser Presennol a'r
  Amser Amhenodol, **gwyb-** yw'r bôn ar gyfer
  yr Amserau eraill.
am (a) wn i gw. **gwn**²
cael gwybod yn derbyn gwybodaeth
to be informed

drwy wybod i (*Wnes i ddim o'i le, drwy
wybod i mi.*) knowingly
gwybod lle rwy'n sefyll gwybod barn
rhywun amdanaf to know where one stands
heb yn wybod i heb fod rhywun yn gwybod
unbeknown
gwybodaeth *eb* (gwybodaethau)
1 peth y mae rhywun yn ei wybod (yn ffeithiau,
hanesion, dysg); adnabyddiaeth, amgyffrediad,
dealltwriaeth, dirnadaeth (~ **am** *rywun* neu
rywbeth) knowledge
2 math o amgyffred sydd wedi'i seilio ar gasglu
ffeithiau information
  Sylwch: yr **wybodaeth**.
gwybodus *ans* (gwybodusion) (am rywun)
llawn gwybodaeth, a chanddo wybodaeth
eang; deallus, dysgedig, goleuedig, hyddysg
learned, enlightened, well informed
gwybodusion *ell* pobl wybodus neu ddoeth,
neu bobl sy'n honni neu'n meddwl eu bod yn
ddoeth; dysgedigion intelligentsia
gwybu *bf* [**gwybod**] *ffurfiol* bu iddo/iddi wybod
gwybyddiaeth *eb* (gwybyddiaethau) y broses o
ddod i wybod sy'n cynnwys derbyn gwybodaeth
drwy'r synhwyrau a hefyd ganfyddiad,
ymwybyddiaeth a barn; dirnadaeth cognition
gwybyddol *ans* yn ymwneud â gwybyddiaeth,
yn seiliedig ar wybodaeth empirig cognitive
gwybyddus *ans* am rywbeth y mae pawb yn ei
wybod; cyfarwydd, cyhoeddus, hysbys known
gwych *ans* [gwych•] (gwychion) anghyffredin
o dda, *perfformiad gwych, tywydd gwych*;
ardderchog, campus, godidog, rhagorol,
ysblennydd excellent, gorgeous, magnificent
bydd wych *hen ffasiwn* da bo, yn iach, hwyl!
farewell
y gwych a'r gwachul y ddau eithaf, yr
ardderchog a'r gwael (from) the sublime to the
ridiculous
gwychder *eg* (gwychderau) godidowgrwydd,
harddwch, tegwch, ysblander, *Ni allai holl
wychder ei gwisg guddio'r tristwch yn ei
hwyneb.* elegance, grandeur, magnificence,
splendour
gwychion¹ *ans* ffurf luosog **gwych**
gwychion² *ell* rhai gwych the magnificent
gwydn *ans* [gwytn• *b* gwedn]
1 anodd ei dorri na'i dreulio; anodd ei gnoi
(am fwyd, yn enwedig cig); caled tough, durable
2 cryf (o ran iechyd neu gyfansoddiad); di-ildio,
cadarn hardy, resilient, tough
gwydnwch:gwytnwch *eg*
1 yr ansawdd o fod yn anodd ei dorri a'i dreulio
neu ei gnoi; caledwch toughness, durability
2 cryfder cyfansoddiad y corff i wrthsefyll
afiechyd, henaint, etc.; cyndynrwydd hardiness,
resilience

g

gwydr¹ *eg* (gwydrau)
  1 defnydd tryloyw disglair a chaled a wneir drwy doddi tywod â soda ar wres uchel iawn *glass*
  2 y defnydd hwn mewn ffenestr *glass*
  3 llestr yfed ar ffurf cwpan heb ddolen, neu ffiol wedi'i gwneud o wydr, *gwydrau gwin*; gwydryn *glass, tumbler*
  4 darn o wydr wedi'i lunio at ddiben arbennig, e.e. clawr watsh, gorchudd larwm neu rybudd tân *glass*
  gwydr ffibr gwydr toddedig sydd wedi'i dynnu allan ar ffurf ffibrau *glass fibre*

gwydr² *ans* wedi'i wneud o wydr, *tŷ gwydr glass*

gwydraid *eg* (gwydreidiau) llond (llestr) gwydr *glassful*

gwydraidd *ans* gwydrog; tebyg i wydr *glassy*

gwydredig *ans* wedi'i wydreiddio *vitrified*

gwydredd *eg* haen o wydr wedi'i lunio fel arfer o wahanol ocsidau a ddefnyddir i selio ac addurno crochenwaith *glaze*

gwydreiddio *be* [gwydreiddi•²] troi'n wydr dan effaith gwres *to vitrify*

gwydrfaen *eg* (gwydrfeini) DAEAREG craig folcanig, wydrog, ddu sy'n ffurfio arwynebau crwm, llyfn ag ymylon miniog wrth ei hollti *obsidian*

gwydriad *eg* y broses o wydro, canlyniad gwydro *glazing*

gwydro *be* [gwydr•¹] gosod gwydr mewn ffrâm, e.e. ffenestr *to glaze*

gwydrog *ans*
  1 fel yn *papur gwydrog*, sef papur cryf a gwydr wedi'i falu a'i daenu ar un ochr iddo; fe'i defnyddir i lyfnhau darn o bren, plastig, etc.
  2 tebyg i wydr; gwydraidd *glassy, vitreous*

gwydrwr *eg* (gwydrwyr) un sy'n gwydro *glazier*

gwydryn *eg* (gwydrynnau) llestr yfed wedi'i wneud o wydr; gwydr *glass, tumbler*

gwŷdd¹ *eg*
  1 (*lluosog* gwyddiau) ffrâm neu ddyfais a ddefnyddir gan wehydd i wau gwlân yn frethyn *loom*
  2 (*lluosog* gwyddion) aradr *plough*

gwŷdd² *eg ac ell* coed, coedwig; fforest, gwig *trees, forest*

gŵydd¹ *eg* fel yn *yng ngŵydd* (yn fy ngŵydd, yn dy ŵydd, yn ei ŵydd, yn ei gŵydd, yn ein gŵydd, yn eich gŵydd, yn eu gŵydd), sef yng ngolwg neu ym mhresenoldeb *presence, face*

gŵydd² *eb* (gwyddau)
  1 un o deulu o adar dŵr â gwddf hir, coesau byr, traed gweog a phig fer a llydan *goose*
  2 cig yr aderyn hwn, *Byddwn yn cael gŵydd i ginio Nadolig eleni. goose*
  Sylwch: yr ŵydd; gw. hefyd **gwyddau.**
  croen gŵydd gw. croen

gwyddai *bf* [gwybod] roedd ef yn arfer gwybod/ roedd hi'n arfer gwybod

gwyddau *ell* lluosog gŵydd²
  mae'r gwyddau yn y ceirch mae trwbl ar ddechrau *the fat's in the fire*

gwyddau bach *ell* blodau sy'n debyg i linynnau bach blewog ac sy'n tyfu ar goed helyg yn y gwanwyn *catkins, willow catkins*

gwyddbwyll *eb*
  1 gêm i ddau berson sy'n chwarae ag un ar bymtheg o ddarnau yr un, a'r rhain yn cael eu symud ar fwrdd wedi'i rannu'n chwe deg pedwar o sgwariau du a gwyn; mae'r naill chwaraewr yn ceisio caethiwo brenin y chwaraewr arall *chess*
  2 *hanesyddol* hen gêm Gymreig a oedd yn un o'r pedair camp ar hugain yr oedd disgwyl i uchelwr eu medru yng Nghymru'r Oesoedd Canol
  Sylwch: y wyddbwyll.

Gwyddel *eg* (Gwyddelod:Gwyddyl) brodor o Iwerddon neu o dras Wyddelig *Irishman*

Gwyddeleg *ebg* iaith Geltaidd y Gwyddelod a chwaeriaith i'r Aeleg a'r Fanaweg *Irish (language)*
  Sylwch:
  1 yr *Wyddeleg*;
  2 mae enw'r iaith yn fenywaidd, ond os sonnir am fath arbennig o Wyddeleg, mae'n wrywaidd, *Gwyddeleg gwael.*

Gwyddeles *eb* merch neu wraig o Iwerddon *Irishwoman*
  Sylwch: yr Wyddeles.

Gwyddelig *ans* yn perthyn i Iwerddon a'i phobl, nodweddiadol o Iwerddon a'i phobl *Irish*

gwyddfa *eb* (gwyddfeydd)
  1 ARCHAEOLEG math o fryn bach wedi'i greu, e.e. i orchuddio bedd; (yn wreiddiol roedd 'yr Wyddfa' yn cyfeirio at y garnedd o gerrig ar ben y mynydd) *tumulus, burial mound, cairn*
  2 BOTANEG gardd goed, man lle mae coed neu brysglwyni yn cael eu codi er mwyn iddynt gael eu hastudio'n wyddonol *arboretum*

gwyddfid *eg* planhigyn dringo sy'n tyfu'n wyllt ac mewn gerddi; mae ganddo aroglau persawrus a blodau pert *honeysuckle*

gwyddgrug *eg* tomen gladdu *barrow, tumulus*

gwyddiau *ell* lluosog gwŷdd¹ 1 *looms*

gwyddion *ell* lluosog gwŷdd¹ 2 *ploughs*

gwyddoniadur *eg* (gwyddoniaduron) cyfrol neu nifer o gyfrolau yn cyflwyno gwybodaeth ffeithiol am bob maes o wybodaeth (neu ag un maes o wybodaeth mewn dyfnder); gallwch holi rhai gwyddoniaduron drwy gyfrifiaduron *encyclopedia*

gwyddoniadurwr *eg* (gwyddoniadurwyr) un sy'n ysgrifennu, yn golygu neu'n cyfrannu at wyddoniadur *encyclopedist*

gwyddoniaeth *eb* cangen o wybodaeth neu astudiaeth sy'n gallu cael ei threfnu'n systematig ac sy'n dibynnu, fel arfer, ar brofi ffeithiau a dod o hyd i ddeddfau naturiol ein byd, e.e. ffiseg, cemeg, bioleg science
　Sylwch: y wyddoniaeth.

gwyddonias *ans* am ffuglen sy'n seiliedig ar effeithiau tybiedig gwyddoniaeth a thechnoleg ar y gymdeithas a'r amgylchfyd yn y dyfodol science fiction

gwyddonol *ans*
　1 yn ymwneud â gwyddoniaeth scientific
　2 yn cadw at reolau tyn gwyddoniaeth wrth geisio profi rhyw ddamcaniaeth scientific

gwyddonydd *eg* (gwyddonwyr) arbenigwr neu un hyddysg mewn gwyddoniaeth neu faes gwyddonol scientist

gwyddonyddiaeth *eb* ATHRONIAETH gorddibyniaeth ar iaith, gwybodaeth a thechnegau gwyddonol yn arwain at y casgliad mai gwirionedd gwyddonol yw'r unig wirionedd scientism

gwyddor *eb* (gwyddorau)
　1 yr elfennau hanfodol sy'n perthyn i ryw faes penodol o wybodaeth ac sy'n ei wahanu oddi wrth faes arall o wybodaeth; elfen, hanfod, sylfaen first principles, rudiments
　2 testun gwyddonol ei natur, *gwyddor gwlad*, *gwyddor tŷ*; gwyddoniaeth science
　3 fel yn *yr wyddor* alphabet
　Sylwch: yr wyddor.
Gwyddorau Bywyd gw. **gwyddorau**
Gwyddorau Daear gw. **gwyddorau**
yr wyddor set sefydlog o lythrennau neu symbolau sy'n cynrychioli synau llafar iaith; abiéc ABC (alphabet), alphabet
　*Sylwch: mae enwau ar lythrennau'r wyddor sy'n wahanol i sain y lythyren, h.y. 'bi' nid '*by*', 'èc' nid '*cy*' ac ati; ynganiad yr wyddor Gymraeg yw — *a* a, *b* bi, *c* èc, *ch* èch, *d* di, *dd* èdd, *e* e, *f* èf, *ff* èff, *g* èg, *ng* èng, *h* aets, *i* i, *j* j, *l* èl, *ll* èll, *m* èm, *n* èn, *o* o, *p* pi, *ph* ffi, *r* èr, *rh* rhi, *s* ès, *t* ti, *th* èth, *u* u, *w* w, *y* y.*

gwyddorau *ell* gwyddoniaeth; cangen o wybodaeth sy'n cael ei chyferbynnu â'r celfyddydau sciences
Gwyddorau Bywyd BIOLEG cangen o wyddoniaeth sy'n ymwneud ag astudiaeth wyddonol o organebau byw Life Sciences
Gwyddorau Daear DAEARYDDIAETH cangen o wyddoniaeth sy'n ymwneud â chyfansoddiad ffisegol y Ddaear a'i hatmosffer Earth Sciences

Gwyddyl *ell* lluosog **Gwyddel**

gwyddys *bf* [gwybod] *hynafol* mae'n cael ei wybod

gwyfyn *eg* (gwyfynod) pryfyn sy'n debyg iawn ei olwg i'r glöyn byw, ac sy'n tyfu drwy'r un broses o wy, cynrhonyn, chwiler ac yna gwyfyn; y gwyfyn mwyaf adnabyddus yw'r pryf dillad, a'r mwyaf defnyddiol i bobl yw hwnnw y mae edafedd sidan yn cael eu tynnu o'i chwiler moth

gŵyl *eb* (gwyliau)
　1 CREFYDD diwrnod wedi'i neilltuo a'i gadw'n barchus bob blwyddyn er cof am sant, rhywun arbennig neu ddigwyddiad arbennig, e.e. *gŵyl Ddewi ar 1 Mawrth* holy day
　2 dydd neu ddyddiau pan nad oes disgwyl i neb weithio; *gŵyl y banc* holiday
　3 dathliad drwy berfformiad neu gyfres o berfformiadau neu arddangosfa, *gŵyl ddrama*, *gŵyl flodau* festival, fête, gala
　Sylwch: yr arfer oedd bod treiglad meddal ar ddechrau enw'r sant ar ôl 'gŵyl', e.e. gŵyl Ddewi; er bod hyn yn gyffredin o hyd, derbynnir hefyd gyfuniadau fel gŵyl Dewi, gŵyl Padrig, etc.; yr ŵyl; gw. hefyd gwyliau.

gŵyl Andras 30 Tachwedd, dydd gŵyl nawddsant yr Alban; dygwyl Andras St Andrew's Day

gŵyl Badrig/Padrig 17 Mawrth, dydd gŵyl nawddsant Iwerddon; dygwyl Badrig St Patrick's Day

gŵyl Ddewi/Dewi 1 Mawrth, dydd gŵyl nawddsant Cymru; dygwyl Ddewi St David's Day

gŵyl fabsant/mabsant gŵyl flynyddol a fyddai'n cael ei chynnal i goffáu nawddsant plwyf; cychwynnai fel arfer ar noswyl y mabsant gyda'r plwyfolion yn dod at ei gilydd i weddïo ac ymprydio; yna byddai'n parhau gyda rhai dyddiau o ddathlu (yn ffair, ymladd ceiliogod, dawnsio, chwarae bando, etc.); daeth yn ddiarhebol am ei miri a'i rhialtwch; gwylmabsant

gŵyl Gewydd/Cewydd 15 Gorffennaf; 'Cewydd y glaw' yw'r sant Cymreig sy'n cyfateb i San Swithin, a chredid gynt y byddai'n parhau i lawio am 40 niwrnod arall pe bai'n digwydd bwrw ar ŵyl Gewydd; dygwyl Gewydd

gŵyl Ifan 24 Mehefin, canol haf, achlysur a gâi ei ddathlu â choelcerthi a dawnsio o gwmpas y fedwen haf; dygwyl Ifan Midsummer Day

gŵyl Sain Siôr 23 Ebrill, dydd gŵyl nawddsant Lloegr; dygwyl Sain Siôr St George's Day

gŵyl San Steffan 26 Rhagfyr; dygwyl Steffan Boxing Day

gŵyl y Geni 25 Rhagfyr, dydd Nadolig Christmas Day

gwylaidd *ans* heb fod eisiau tynnu sylw; diymffrost, diymhongar, dirodres, gweddaidd modest, shy, unassuming

gwylan *eb* (gwylanod) un o nifer o fathau o adar hedegog y môr; mae ganddo big gref a thraed gweog gull, seagull
　Sylwch: yr wylan.

g

gwylan benddu gwylan fechan â phen lliw brown tywyll tan fis Awst pan fydd y plu yn troi'n wyn cyn troi'n frown tywyll unwaith eto erbyn dechrau'r flwyddyn black-headed gull

gwylan gefnddu fwyaf y fwyaf o'r gwylanod â chefn ac adenydd duon a phig unlliw gyda smotyn coch ar flaen y gylfin isaf great black-backed gull

gwylan gefnddu leiaf gwylan lai ei maint na'r gefnddu fwyaf â phlu llwyd-ddu a choesau a thraed melyn, amlwg lesser black-backed gull

gwylan goesddu gwylan fach â phen gwyn a choesau a thraed du kittiwake

gwylan y gweunydd gwylan â chefn ac adenydd llwydlas a phig a choesau o liw melynwyrdd, heb smotyn coch ar y big common gull

gwylan y penwaig gwylan fawr gyffredin â chefn ac adenydd llwyd, pig fawr felen gyda smotyn coch ar flaen y gylfin isaf a thraed a choesau o liw pinc gwelw; mae cywion gwylan y penwaig â phlu brith, tywyll herring gull

gwyleidd-dra *eg* y cyflwr o fod yn wylaidd; iselfrydedd, gostyngeiddrwydd, lledneisrwydd, swildod modesty, humility, diffidence

gwylfa:gwylfan *eb* (gwylfâu:gwylfeydd) lle i wylio ohono; arsyllfa look-out, observation post

gwyliadwriaeth *eb* (gwyliadwriaethau)
1 cyfnod o wylio, *Byddwch yn sefyll yr arholiad o dan wyliadwriaeth Mr Jones a Mr Davies.*; cyfrifoldeb, gofal watch
2 gofal effro, *Byddwch ar eich gwyliadwriaeth.* vigilance, guard, wariness, alertness
3 y broses o wylio rhywun yn ofalus iawn, yn enwedig rhywun sy'n cael ei amau o fod yn droseddwr neu'n ysbïwr surveillance
  Sylwch: yr wyliadwriaeth.

gwyliadwrus *ans* ar ei wyliadwriaeth, yn effro i berygl; carcus, gochelgar, gofalus alert, wary, watchful

gwyliau *ell* lluosog gŵyl, y cyfnod pan nad oes disgwyl i rywun fynd i'r ysgol neu i'r gwaith; cyfnod o seibiant (swyddogol, fel arfer) o'r ysgol neu o'r gwaith holiday, vacation, leave

gwyliau coch y calendr dyddiau arbennig neu gofiadwy (yn ôl arfer calendrau gynt o uwcholeuo dydd gŵyl sant yn goch) red-letter days

mynd ar fy (dy, ei, etc.) ngwyliau mynd i ffwrdd i rywle i dreulio fy ngwyliau to go on holiday

gwyliedydd *eg* un sy'n gwylio; gwyliwr observer, watcher

gwylio:gwylied *be* [gwyli•²]
1 edrych ar (ryw weithgarwch neu ddigwyddiad), *gwylio'r teledu* to watch
2 dal sylw yn gyson gan aros a disgwyl, *Roedd hi'n gwylio'n ofalus er mwyn gweld beth fyddai'n digwydd nesaf.*; craffu, syllu, tremio to observe, to watch
3 bugeilio, edrych ar ôl, gwarchod, *Roedd bugeiliaid y Beibl yn 'gwylio'u praidd liw nos'.*; gofalu (~ **dros**) to tend, to watch
4 cadw gwyliadwriaeth, bod yn effro i berygl, *Roedd y ffermwyr yn benderfynol o ddal y ci oedd yn lladd eu defaid a phob nos byddai un ohonynt yn aros allan yn y caeau i wylio.* (~ **rhag**) to watch
5 gofalu (rhag bod rhywbeth yn digwydd), *Gwylia di na chei di dy ddal yn dwyn afalau.* to beware, to take care of, to watch
6 treulio'r nos yn gweini ar glaf to mind the sickbed
7 bod yn effro i unrhyw gyfle, *Mae'n gwylio pob cyfle sydd i'w gael er mwyn gwneud rhagor o arian.* to look out, to watch

gwyliwr *eg* (gwylwyr)
1 un sy'n gwylio fel yn 1, 2, 3, 4 uchod; arsyllwr, tyst spectator, viewer, watcher
2 un (e.e. milwr) sy'n gofalu am rywbeth neu'n gwarchod rhywbeth rhag unrhyw niwed; ceidwad, gofalwr, gwarchodwr guard, sentry

gwylmabsant *eb* (gwyliau mabsant) gŵyl flynyddol a fyddai'n cael ei chynnal i goffáu nawddsant plwyf; cychwynnai fel arfer ar noswyl y mabsant gyda'r plwyfolion yn dod at ei gilydd i weddïo ac ymprydio; yna byddai'n parhau gyda rhai dyddiau o ddathlu (yn ffair, ymladd ceiliogod, dawnsio, chwarae bando, etc.); daeth yn ddiarhebol am ei miri a'i rhialtwch

gwylnos *eb* (gwylnosau) noson o beidio â mynd i gysgu, yn wreiddiol o flaen gŵyl eglwysig neu angladd; erbyn hyn mae'n wasanaeth crefyddol arbennig i ffarwelio â'r hen flwyddyn ac i groesawu'r flwyddyn newydd vigil, watchnight
  Sylwch: yr wylnos.

gwylog *eb* (gwylogod) aderyn y môr o deulu'r carfil; mae'n debyg i'r llurs ond bod ganddo big bigfain guillemot
  Sylwch: y wylog.

gwylwyr *ell* lluosog gwyliwr; cynulleidfa

gwylwyr y glannau *ell* sefydliad y mae ei swyddogion yn cadw gwyliadwriaeth am longau mewn perygl ac yn plismona'r môr; hefyd swyddogion y sefydliad hwn coastguards

gwyll *eg* *llenyddol* yr adeg o'r dydd (naill ai'n gynnar y bore neu yn yr hwyr) rhwng nos a dydd, 'rhwng dau olau', lled dywyllwch; cyfnos dusk, gloom, twilight

rhwng gwyll a gwawl rhwng dydd a nos from dusk to dawn

gwylliad *eg* (gwylliaid) lleidr arfog; herwr, ysbeiliwr bandit, brigand, robber

Gwylliaid Cochion Mawddwy *hanesyddol* haid o ladron ac ysbeilwyr a fu'n lladrata a lladd a chreu terfysg yn yr ardal o gwmpas Dinas Mawddwy tua 1155 a 1555 pan gawsant eu herlid a'u difa am lofruddio'r Barwn Lewis Owain

gwyllion *ell* ysbrydion mynydd

gwyllt[1] *ans* (gwylltion)
1 (am blanhigion neu anifeiliaid) yn byw yn eu cynefin naturiol heb ddod dan ddylanwad dyn wild, feral
2 yn brawychu'n rhwydd, sydd heb ddisgyblaeth, yn hawdd ei gynhyrfu, *Un gwyllt yw Dafydd.*; afreolus, anhywaith, byrbwyll, chwyrn rash, untamed, wild
3 wedi gwylltio, *Roedd Iwan yn wyllt pan wrthododd y dyn roi ffurflen Gymraeg iddo.*; anystywallt wild
4 (am wlad neu dir) yn ei stad gyntefig, heb ei drin; anial, diffaith wild
5 (am y tywydd) stormus, garw, *Fydd dim llawer o bobl yn mentro allan ar noson mor wyllt â hon.* wild
6 tost iawn, poenus iawn, *y ddannoedd wyllt* raging, acute
cael y gwyllt colli tymer yn lân to go spare
gwyllt[2] *eg* fel *yn y gwyllt*, sef parthau neu ardaloedd naturiol sy'n llawn anifeiliaid a phlanhigion ond heb lawer o bobl in the wild

gwylltineb *eg*
1 y cyflwr o fod yn wyllt wildness
2 tymer wyllt, *Yn ei wylltineb, cododd garreg a'i thaflu drwy'r ffenestr.*; byrbwylltra, cynddeiriogrwydd, ffyrnigrwydd fury, impetuosity, rashness
3 darn o dir heb ei drin, *Bydd hi'n flynyddoedd cyn cymhennu gwylltineb yr ardd yna sydd gennym.*; anialwch, anialdir wilderness

gwylltio:gwylltu *be* [gwylltio•[2]]
1 colli tymer, mynd yn grac, cynhyrfu'n lân, *Mae'r prifathro wedi gwylltio'n gaclwm oherwydd bod rhywun wedi taenu paent dros ei gar.*; cynddeiriogi, digio, ffromi, sorri (~ at) to become angry
2 gwneud yn wyllt, hela'n wyllt, *Mae'r pethau sarhaus y mae'n eu dweud amdani yn fy ngwylltio.* to anger, to annoy, to enrage
3 cynhyrfu, colli pen, *Gan bwyll nawr, paid â gwylltu – mae gennym ddigon o amser.* to panic

gwylltio'n gaclwm:gwylltio'n gacwn colli tymer yn lân to be wild with rage

gwylltion *ans* ffurf luosog gwyllt[1], e.e. *adar gwylltion*

gwymon *eg* un o nifer o fathau o blanhigion sy'n tyfu yn y môr seaweed

gwymp *ans* [*b* gwemp] teg, hardd, golygus, gwych fair, handsome

gwyn[1] *eg* (gwynion)
1 lliw'r eira neu laeth/llefrith white
2 yr hylif tryloyw a geir mewn wy sy'n troi'n wyn wedi i'r wy gael ei goginio; gwynnwy white (of an egg)
3 braster cig fat

gwyn y llygad sglera; y bilen wen ffibrog sy'n ffurfio rhan allanol pelen y llygad sclera

gwyn[2] *ans* [gwynn• *b* gwen] (gwynion)
1 o liw'r eira neu laeth/llefrith white
2 o liw arian, *arian gwynion*; disglair, gloyw silver
3 yn perthyn i hil â chroen golau iawn, *dyn gwyn* white
4 (am win) o liw golau iawn (o'i gyferbynnu â choch) white
5 am goffi â llaeth/llefrith yn hytrach na choffi du white
6 sanctaidd, bendigaid, *'Gwyn eu byd yr adar gwylltion.'* blessed
7 am gig bras, braster fat
8 annwyl, hoff, *fy machgen gwyn i* darling
9 (am wenith) aeddfed, yn barod i'w cynaeafu ripe

man gwyn man draw am rywun sydd byth yn fodlon ar ei fyd ond sydd yn chwilio am rywbeth neu rywle gwell the grass on the other side is always greener

gwŷn *eg* (gwyniau)
1 poen mewn rhan o'r corff; dolur, cur, gloes ache
2 orgasm; synhwyriad dwys, pleserus sy'n uchafbwynt i weithred rywiol, e.e. cyfathrach rywiol, neu fastyrbiad orgasm

gwynad *ans*
1 yn achosi gwŷn; poenus, dolurus smarting
2 (am gaseg) yn gofyn march, yn ei gwres on heat

gwynder:gwyndra *eg* y cyflwr neu'r ansawdd o fod yn wyn, *Roedd gwynder yr eira yn brifo'i llygaid.*; gwelwder whiteness

gwyndwn gw. **gwndwn**

gwynegol *ans* MEDDYGAETH yn ymwneud â'r gwynegon, tebyg i'r gwynegon neu'n cael ei effeithio gan y gwynegon rheumatoid

gwynegon *ell* MEDDYGAETH un o nifer o glefydau sy'n achosi poen ac anystwythder yn y cymalau neu'r cyhyrau; cryd cymalau rheumatism

gwynegon y glun MEDDYGAETH poen dwys ar hyd nerf hiraf y corff o gefn y forddwyd i groth y goes sciatica

gwynegu *be* [gwyneg•[1]] gwneud dolur; brifo, dolurio, gwynio to ache, to hurt, to throb

gwynfa *eb* tir teg, bendigaid; gwynfyd, nefoedd, paradwys paradise

Coll Gwynfa hanes Adda ac Efa yn y Beibl yn cael eu danfon o Ardd Eden a cherdd enwog Milton yn seiliedig ar yr hanes Paradise Lost

Gwynfa'r Ynfyd cyflwr o hapusrwydd rhithiol neu dwyllodrus fool's paradise

gwynfyd *eg* (gwynfydau) dedwyddwch, hapusrwydd, llawenydd bliss, joy

y Gwynfydau CREFYDD yr adran honno o'r 'Bregeth ar y Mynydd' sy'n dechrau 'Gwyn eu byd . . .' (Mathew, pennod 5, adnodau 3–12) Beatitudes

gwynfydedig *ans* [gwynfydedic•] wrth fodd Duw; bendigaid, cysegredig, dedwydd, sanctaidd beatific, blessed, blissful

gwyngalch *eg* cymysgedd o ddŵr a chalch a ddefnyddir yn olch gwyn ar gyfer waliau, nenfydau, etc. white lime, whitewash

gwyngalchog *ans* wedi'i wyngalchu whitewashed

gwyngalchu *be* [gwyngalch•¹]
1 lliwio'n wyn, gorchuddio â chymysgedd o ddŵr a chalch; calchu to whitewash
2 ceisio cuddio beiau neu wendidau neu gelwydd, *Cais i wyngalchu methiant y llywodraeth i leihau nifer y di-waith yw'r llyfr hwn.* to whitewash

gwyniad *eg* (gwyniaid)
1 pysgodyn dŵr croyw o liw arian sydd tua 25 cm o hyd sy'n perthyn i deulu'r eog ac sy'n byw yn nyfnderoedd Llyn Tegid (Llyn y Bala)
2 gwyniad y gog; eog ifanc, ariannaidd sydd yn barod i adael dŵr croyw'r afon ac ymfudo i'r môr; dail coch smolt

gwyniad môr pysgodyn main y môr â chnawd gwyn bwytadwy yn perthyn i deulu'r penfras whiting

gwynias *ans* (am fetel) wedi'i wresogi nes ei fod yn loyw; chwilboeth, eirias, tanbaid incandescent, white-hot

gwyniasedd *eg* y cyflwr o fod yn eirias; tywyniad pelydredd gan gorff poeth sy'n gwneud y corff hwnnw'n weladwy; eiriasedd incandesence

gwyniasu *be* [gwynias•¹] gwneud yn wynias, (yn ffigurol) dyheu'n angerddol (~ am) to become white-hot, to incandescence

gwynio *be* gwneud dolur; brifo, dolurio, gwynegu to ache, to hurt, to throb
Sylwch: nid yw'r ferf hon yn arfer cael ei rhedeg.

gwynion¹ *ans* ffurf luosog gwyn, *gynau gwynion*

gwynion² *ell* pobl neu bethau gwyn the whites

gwynlasu *be* [gwynlas•¹] troi'n llwyd; gwelwi to pale

gwynnach:gwynnaf:gwynned *ans* [gwyn] mwy gwyn; mwyaf gwyn; mor wyn

gwynnedd *ans* (am gaseg) yn gofyn march, yn ei gwres in heat

gwynnin *eg*
1 yr haenen rhwng rhuddin a rhisgl pren sapwood

2 ANATOMEG meinwe nerfol yn yr ymennydd a madruddyn y cefn; mae'n cynnwys edafedd nerf a'u pilenni myelin gwyn substantia alba, white matter

gwynnu *be* [gwynn•⁹]
1 gwneud neu droi'n wyn, *Mae ei gwallt yn dechrau gwynnu.*; britho, cannu, penwynnu to become grey, to become white
2 barugo, llwydrewi, rhewi to rime
3 berwi (cnau almon) er mwyn tynnu'r plisgyn to blanch
Sylwch: dyblwch yr 'n' ym mhob ffurf ac eithrio yn y rhai sy'n cynnwys -as-.

gwynnwy *eg* yr hylif tryloyw sydd o gwmpas melyn wy; albwmen, gwyn albumen, egg white, the white of an egg

gwynt *eg* (gwyntoedd)
1 ffrwd o aer yn chwythu (o gyfeiriad arbennig, fel arfer); chwa o wynt sy'n gryfach nag awel, *gwynt o'r Gogledd* wind
2 *tafodieithol, yn y De* arogl, sawr, *Mae gwynt drwg yn codi o'r tu ôl i'r sièd.* smell
3 nwy neu aer sy'n casglu yn y stumog flatulence, flatus, wind
4 anadl, *Rwyf wedi colli fy ngwynt yn llwyr ar ôl rhedeg i fyny'r rhiw.* breath, wind
5 balchder, ymffrost, fel wrth ddweud bod rhywun yn *llawn o wynt* wind

a'm gwynt yn fy (dy, ei, etc.**) nwrn** allan o wynt breathless

ar adenydd y gwynt gw. adenydd

ar yr un gwynt yr un pryd, '*Cymryd rhan sy'n bwysig,' meddai Mam ar y ffordd i'r eisteddfod, gan ychwanegu ar yr un gwynt, 'ond gofala di dy fod yn ennill.'* in the same breath

byw yng ngwynt ei gilydd treulio llawer o amser yng nghwmni ei gilydd to be on close terms

cael fy (dy, ei, etc.**) ngwynt ataf** adennill fy anadl to catch one's breath

gweld pa ffordd mae'r gwynt yn chwythu gweld sut mae pethau'n mynd, beth yw'r farn gyffredinol to see which way the wind is blowing

gwynt teg ar ôl (rhywun) diolch fod rhywun wedi mynd good riddance

gwynt teg iddo/iddi pob lwc iddo/iddi good luck to him/her

gwynt traed y meirw gwynt o'r dwyrain east wind

(i'r) pedwar gwynt i bedwar ban byd (to) the four winds

mynd â'r gwynt o hwyliau (rhywun) tanseilio ymdrechion rhywun mewn ffordd annisgwyl fel na allant barhau to take the wind from one's sails

mynd i ganlyn y gwynt am rywbeth sy'n cael ei chwythu gan y gwynt windblown

pen yn y gwynt ffuantus, penchwiban, heb fod a'i draed ar y ddaear head in the clouds

rhywbeth yn y gwynt rhyw awgrym neu amheuaeth fod rhywbeth yn mynd i ddigwydd something afoot

siarad dan fy (dy, ei, etc.) ngwynt mwmian to murmur

synhwyro cyfeiriad y gwynt bod â syniad o ffordd y mae cyfarfod neu grŵp o bobl yn teimlo to see which way the wind is blowing

troi gyda phob gwynt bod yn anwadal to turn with every breeze

troi yng ngwynt ei gilydd (am grŵp o bobl) yn byw mewn cymuned glòs ar ben ei gilydd

gwyntafell *eb* niwmothoracs; aer sydd wedi casglu rhwng wal y frest a'r ysgyfaint, sy'n achosi'r ysgyfaint i ddatchwyddo pneumothorax

gwyntell *eb* (gwyntelli) basged fawr, gron, heb ddolen, wedi'i phlethu o wiail a ddefnyddid at gario tatws, tyweirch, dillad, etc.

gwyntfesurydd *eg* (gwyntfesuryddion) anemomedr; offeryn i fesur buanedd y gwynt anemometer

gwyntglos *ans* (am ddilledyn, fel arfer) yn cadw'r gwynt allan windproof

gwynto:gwyntio *be* [gwynt•¹]
1 clywed aroglau, *Mae'r persawr yna mor gryf, bydd pobl yn gallu dy wynto di cyn dy weld di.*; arogleuo, arogli, sawru to smell
2 bod ag aroglau drwg, *Mae dy draed di'n gwynto eto!*; arogleuo, drewi to smell

gwyntog *ans* â llawer o wynt; awelog, brochus, stormus, tymhestlog rough, stormy, windy

gwyntyll *eb* (gwyntyllau)
1 dyfais i gynhyrchu chwa o awel (oer, fel arfer, ar adeg pan fydd y gwres yn llethol); yn wreiddiol, teclyn llaw, ond erbyn hyn ceir gwyntyllau trydan a hefyd wyntyllau cryfion sy'n rhan o beiriannau nerthol; ffan fan
2 dyfais a ddefnyddid ers talwm i wahanu'r us a'r grawn winnowing fan
  Sylwch: y wyntyll.

gwyntylliad *eg* y broses o ddefnyddio gwyntyll neu o wyntyllu, canlyniad gwyntyllu venting, winnowing

gwyntyllu *be* [gwyntyll•¹]
1 defnyddio gwyntyll i gynhyrchu chwa o awel to fan, to vent
2 trafod rhywbeth yn agored, lledaenu syniadau, *Mae'r peth wedi cael ei gadw'n gyfrinachol yn rhy hir, rhaid iddo gael ei wyntyllu a'i drafod.*; ystyried to air, to ventilate
3 MEDDYGAETH cyflawni neu dderbyn resbiradaeth artiffisial to ventilate

gwypo *bf* [gwybod] *hynafol* (pan neu pe) byddo ef yn gwybod/byddo hi'n gwybod

gwŷr *ell* lluosog gŵr menfolk

gwŷr meirch milwyr sy'n ymladd ar gefn ceffylau cavalry

gwŷr traed milwyr sy'n ymladd ar droed infantry

gwŷr y Gloran gw. cloren

gwŷr¹ *ans* yn gwyro neu'n pwyso i'r naill ochr neu'r llall; nad yw'n syth; anunion, cam, crwca, gwyrgam crooked, slanting

ar ŵyr lletraws, yn gwyro aslant

gwŷr² *bf* [gwybod] *ffurfiol* mae ef yn gwybod/mae hi'n gwybod

gwyrda *ell* rhai bonheddig, gwŷr bonheddig gentlefolk

gwyrdroad:gwyrdro *eg* (gwyrdroadau) y broses o wyrdroi, o lygru, canlyniad gwyrdroi; gwyriad, camliwiad distortion, perversion

gwyrdroëdig *ans*
1 wedi'i wyrdroi, llygredig perverted
2 (am ymddygiad) ar gyfeiliorn deviant

gwyrdroi *be* [gwyrdro•¹⁷]
1 troi i ffwrdd o'r hyn sy'n iawn ac yn naturiol; arwain ar gyfeiliorn, *Yn ei chwerwder, mae'n llwyddo i wyrdroi unrhyw beth a ddywedaf a'i weld yn feirniadaeth arno ef ei hun.*; anffurfio, llurgunio, ystumio to distort, to pervert, to twist
2 tanseilio neu ystumio'r broses gyfreithiol, *gwyrdroi cwrs cyfiawnder* to subvert

gwyrdd¹ *eg* lliw'r borfa neu ddail y coed yn yr haf, 'Hei, Mr Urdd, yn dy goch, gwyn a gwyrdd.' green

gwyrdd² *ans* [gwyrdd• *b* gwerdd] (gwyrddion)
1 o liw'r borfa neu ddail y coed yn yr haf; glas green
2 ifanc neu anaeddfed, *Afalau surion yw afalau gwyrddion.*; ffres, iraidd green, unripe
3 yn ymwneud â chefnogi gwarchod yr amgylchfyd fel egwyddor wleidyddol Green

gwyrddion *ans* ffurf luosog **gwyrdd**

gwyrddlas¹ *eg*
1 lliw gwyrdd tywyll, lliw'r môr aquamarine, sea green, turquoise
2 lliw rhwng gwyrdd a glas sy'n un o'r lliwiau sylfaenol tynnol; mae'n lliw cyflenwol i goch cyan

gwyrddlas² *ans* o liw gwyrdd tywyll aquamarine, turquoise, cyan

gwyrddlesni *eg* lliw gwyrdd llystyfiant iachus; glesni greenness, verdure

gwyrddmon *eg* (gwyrddmyn) *hanesyddol* swyddog yn llys y brenin a oedd yn gyfrifol am y coedwigoedd brenhinol verderer

gwyrddni *eg* y lliw gwyrdd, y cyflwr o fod yn wyrdd greenness, verdure

gwyredd *eg* (gwyreddau)
1 y graddau y mae ongl yn goleddfu o'r llorwedd, e.e. ongl rhes o seddau mewn theatr rake

2 ongl pen offeryn torri pethau, e.e. cŷn neu lafn plân, (o'i chymharu ag ongl sgwâr) yn codi o wyneb yr hyn a dorrir rake

3 yr ongl y mae adain awyren yn gwyro am yn ôl rake

4 ymddygiad sy'n groes i'r normau a'r gwerthoedd sy'n bodoli ar y pryd deviance

gwyrgam *ans* [gwyrgam•] heb fod yn syth nac yn union; anunion, cam, crwca bent, crooked, twisted

gwyriad *eg* (gwyriadau) troad neu ogwyddiad oddi wrth y syth neu'r union, *gwyriad cwmpawd oddi wrth y gwir* Ogledd; gwyrdroad, camliwiad, dargyfeiriad deflection, deviation, digression

gwyrni *eg* y cyflwr o fod yn gwyro o'r cywir a'r gwirionedd; annidwylledd, gogwydd neu duedd annheg aberrance, deviousness

gwyro *be* [gwyr•¹]
1 pwyso i un ochr, troi i un ffordd neu i'r ffordd arall, *gwyro ei ben i wrando, chwaraewr yn gwyro heibio'i wrthwynebydd ar gae rygbi*; allwyro, crymu, gogwyddo, plygu (~ o:at; ~ rhywbeth o:i) to bend, to incline, to swerve
2 mynd ar gyfeiliorn, *Mae'r llong yn gwyro oddi ar ei chwrs. 'Mi wyraf weithiau ar y dde/Ac ar yr aswy law', meddai'r emynydd.*; cyfeiliorni, crwydro to deviate, to stray, to veer
3 camu, gwyrdroi, llygru, *Mae popeth a ddywedais wedi cael ei wyro ganddynt.* to distort, to warp

gwyro barn gw. **barn**

gwyrol *ans* BIOLEG yn gwyro o'r math arferol, e.e. rhai anifeiliaid oddi mewn i'r grŵp y byddent yn cael eu dosbarthu iddo aberrant

gwyrth *eb* (gwyrthiau)
1 gweithred neu ddigwyddiad da iawn sy'n amhosibl ei esbonio yn ôl rheolau natur; rhywbeth llesol ond goruwchnaturiol miracle
2 testun rhyfeddod, syndod mawr, *Mae'n wyrth ei fod yn fyw ar ôl y fath ddamwain.* miracle, wonder
3 CREFYDD gweithred sy'n cael ei hystyried yn arwydd gan Dduw, e.e. Iesu Grist yn troi dŵr yn win miracle
Sylwch: y wyrth.

gwyrthiol *ans* hynod iawn, o natur oruwchnaturiol; anhygoel, rhyfeddol miraculous, remarkable

gwyrwr *eg* (gwyrwyr)
1 un sy'n gwyro o'r arferol a'r derbyniol deviator
2 un sy'n crwydro o'r testun deviator

gwyryf:gwyry *eb* (gwyryfon)
1 merch neu wraig sydd heb gael cyfathrach rywiol; morwyn maiden, virgin
2 *hanesyddol* merch neu wraig ddibriod, ddiwair

a oedd yn cysegru ei bywyd i grefydd, yn enwedig felly 'santesau' y bumed a'r chweched ganrif
Sylwch: y wyryf.

gwyryfdod *eg* cyflwr benyw neu ŵr nad yw wedi profi cyfathrach rywiol; diweirdeb, morwyndod, purdeb virginity

gwyryfol *ans*
1 nodweddiadol o wyryf; dihalog, dilychwin, diwair, morwynol virgin
2 heb ei gyffwrdd, heb ei drin, *tir gwyryfol*; ffres, ifanc virgin

gwŷs *eb* (gwysion) CYFRAITH gorchymyn ysgrifenedig (i ymddangos gerbron barnwr neu ynad); gwarant summons, writ
Sylwch: y wŷs.

gwysio *be* [gwysi•²] gorchymyn i rywun ymddangos gerbron (barnwr neu ynad, fel arfer); gorchymyn, mynnu, rhybuddio (~ *rhywun* i) to summon

gwysiwr *eg* (gwyswyr) un sy'n gwysio, swyddog sy'n galw tystion, rheithwyr, etc. i lys barn summoner

gwystl *eg* (gwystlon)
1 rhywun sy'n cael ei ddal yn gaeth a'i fywyd dan fygythiad nes bod rhyw amodau arbennig yn cael eu cyflawni, ynghyd â'r addewid y caiff fynd yn rhydd wedyn, *Mae'r terfysgwyr wedi herwgipio'r awyren a chymryd y teithwyr yn wystlon.* hostage
2 adnau, ernes, gwarant pledge

gwystlo *be* [gwystl•¹] CYLLID gadael eitem o werth gyda gwystlwr yn gyfnewid am arian, fel prawf y bydd y benthyciad yn cael ei ad-dalu to pawn, to hock

gwystlwr *eg* (gwystlwyr) masnachwr wedi'i drwyddedu i fenthyca arian ar gyfradd llog yn gyfnewid am ddarn o eiddo personol y byddai modd ei werthu pe na bai'r benthyciad yn cael ei ad-dalu pawnbroker

gwystno *be* [gwystn•¹] *tafodieithol, yn y Gogledd* sychu a gwywo; crebachu, crino to become wizened, to shrivel

gwytnach:gwytnaf:gwytned *ans* [gwydn] mwy gwydn; mwyaf gwydn; mor wydn

gwytnwch gw. **gwydnwch**

gŵyth *eg* *hynafol* llid, digofaint, cynddaredd, ffyrnigrwydd wrath

gwythi *ell* darnau o gartilag neu iau neu ddefnydd ffibrog a geir mewn cig wedi'i goginio gristle

gwythïen *eb* (gwythiennau)
1 ANATOMEG un o bibellau gwaed y corff sydd, ac eithrio'r wythïen hepatig, yn mynd â gwaed yn ôl i'r galon ar ôl i'r rhydwelïau gludo gwaed o'r galon vein
2 DAEAREG haen danddaearol o fwyn, e.e. glo neu aur, *gwythïen o lo* seam, vein
Sylwch: yr wythïen.

gwythïen y gwddf ANATOMEG un o nifer o wythiennau mawr y gwddf sy'n cludo gwaed o'r pen jugular vein

gwythieniad *eg* BIOLEG y patrwm o wythiennau a geir ar ddeilen neu adain gwybedyn venation

gwythiennig *eb* (gwythienigau) ANATOMEG gwythïen fach, e.e. mewn adain gwybedyn neu yn y corff venule

gwythiennol *ans* ANATOMEG yn ymwneud â gwythïen neu wythiennau venous

gwywedig:gwyw *ans* wedi gwywo; crin, crychlyd, llegach, marw faded, withered, atrophied

gwywedigaeth *eb* y broses o wywo decay

gwywo *be* [gwyw•¹] dechrau crino, colli irder, yr hyn sy'n digwydd yn yr hydref i ddail rhai mathau o goed nad ydynt yn fythwyrdd, *Mae'r planhigion yn gwywo oherwydd prinder dŵr.*; crebachu, dihoeni, edwino, sychu to fade, to wilt, to wither

gyd *adf* fel yn *i gyd*, yn gyfan, pob un; oll, pawb all

gyda:gydag *ardd*
1 ynghyd â, yng nghwmni, *A ddoi di gyda fi i'r dref?*; efo with
2 ochr yn ochr â, ar hyd, *Mae'r ffin yn rhedeg gydag ochr y tŷ.* along, alongside, parallel with
3 mae'n cael ei ddefnyddio gydag ansoddair yn y radd eithaf (mwyaf . . .) i olygu 'ymhlith', 'yn un o', *Mae e'n daclwr gyda'r cryfaf yr wyf fi wedi'i weld. Mae ei gar gyda'r mwyaf crand yn yr ardal.* among, one of
4 mewn ymadroddion megis *gyda fy mod i'n cyrraedd fe aeth hi, a chyda ei bod hi'n eistedd, dyma'r gloch yn canu eto; cyn gynted â* as soon as
5 yn cyflwyno teimlad neu ymateb, *gyda phleser, gyda'n cyfarchion gorau* with
   Sylwch:
   1 mae'n achosi'r treiglad llaes (er bod 'ti' yn gwrthsefyll treiglo mewn arddull anffurfiol);
   2 'cyda' oedd y ffurf wreiddiol a gall *gyda* dreiglo ar ôl *a* ('and'), *A chyda hynny, dyma fe ar ei draed.*;
   3 mae'n troi'n 'gydag' o flaen llafariad.

gyda hyn cyn bo hir at that, shortly

gyda'i gilydd yng nghwmni ei gilydd together

gyda llaw yn gysylltiedig â'r hyn yr ydym yn sôn amdano by the way

gyda'r nos yn yr hwyr, *Rwy'n mynd adref bob gyda'r nos.* evening

gydol fel yn *drwy gydol*, gw. **cydol**

gyddfau:gyddygau *ell* lluosog **gwddf**
  yng ngyddfau'i gilydd am ddau sy'n anghytuno'n ffyrnig at each other's throats

gyddfgam *ans* a'i wddf ar dro

gyddfol *ans*
1 ANATOMEG yn perthyn i'r gwddf, yn y gwddf jugular

2 am sain neu seiniau sy'n cael eu cynhyrchu yn y gwddf; bloesg guttural, throaty

gyferbyn â gw. **cyferbyn**

gylch *bf* [golchi] *hynafol* mae ef yn golchi/mae hi'n golchi; bydd ef yn golchi/bydd hi'n golchi

gylfgragen *eb* (gylfgregyn) un o bâr o gregyn cocos mawr ar ffurf gwyntyll â rhychau dyfnion ac ymyl donnog; cragen fylchog scallop shell

gylfin *eg* (gylfinau) pig aderyn beak, bill

gylfinir *eg* (gylfinirod) aderyn â phlu brown a welir ar hyd y mynyddoedd a'r rhostiroedd yn y gwanwyn a'r haf ac ar lannau'r môr yn yr hydref; gellir ei adnabod wrth ei big hirfain, grom a'i alwad glir; chwibanogl y mynydd curlew

gylfinog *eb* math o ddaffodil sydd â blodyn â phetalau allanol gwyn a chanol melyn neu oren narcissus

gylffiau *ell* lluosog **gwlff**

gymio *be* [gymi•²] taenu glud a gludio (~ *rhywbeth* **wrth**) to gum

gymnasiwm *eg* neuadd arbennig sy'n cynnwys cyfarpar ymarfer corff; campfa gymnasium

gymnasteg *eb* gwyddor ymarfer corff; hyfforddiant y corff drwy ymarferion arbennig gymnastics
  Sylwch: nid yw'n treiglo'n feddal.

gymnastig *ans* yn perthyn i gampau gymnasteg, nodweddiadol o gampau gymnasteg gymnastic
  Sylwch: nid yw'n treiglo'n feddal.

gymnastwr *eg* (gymnastwyr) un sy'n arfer gymnasteg gymnast
  Sylwch: nid yw'n treiglo'n feddal.

gymnastwraig *eb* merch neu wraig sy'n arfer gymnasteg gymnast
  Sylwch: nid yw'n treiglo'n feddal.

gymog *ans* a gwm drosto; gludiog gummy
  Sylwch: nid yw'n treiglo'n feddal.

gynaecoleg:gynecoleg *eb* MEDDYGAETH cangen o feddygaeth yn ymwneud â swyddogaethau ac afiechydon sy'n benodol i ferched a gwragedd, yn enwedig y rhai sy'n effeithio ar y system atgenhedlu gynaecology
  Sylwch: nid yw'n treiglo'n feddal.

gynaecolegol:gynecolegol *ans* MEDDYGAETH yn ymwneud â gynaecoleg gynaecological
  Sylwch: nid yw'n treiglo'n feddal.

gynaecolegydd:gynecolegydd *eg* (gynaecolegwyr) meddyg sy'n arbenigo mewn gynaecoleg gynaecologist
  Sylwch: nid yw'n treiglo'n feddal.

gynau *ell* lluosog **gŵn** (gwisg)

gynecoleg gw. **gynaecoleg**

gynecolegol gw. **gynaecolegol**

gynecolegydd gw. **gynaecolegydd**

gynnau¹ *ell* lluosog **gwn** (dryll)

gynnau² *adf* ychydig amser yn ôl, yn ddiweddar, yn gynt, *Roedd ef yn yr ystafell hon gynnau.*; cynt a short while ago, just now
  gynnau fach ychydig iawn o amser yn ôl just now

gynnwr *eg* (gynwyr) taniwr neu saethwr gwn gunner

gynoeciwm *eg* BOTANEG rhan fenywol blodyn, yn cynnwys o leiaf un carpel gynoecium
  Sylwch: nid yw'n treiglo'n feddal.

gynt *adf* oesoedd yn ôl, yn flaenorol, cyn hynny, *Byddai'r Cymry gynt yn arfer dathlu gwylmabsant.*; ers talwm formerly, of yore, once

gynwal *eg* pen uchaf neu ymyl uchaf ochr llong gunnel, gunwale
  Sylwch: nid yw'n treiglo'n feddal.

gypswm *eg* mwyn cyffredin o sylffad calsiwm; fe'i defnyddir i wneud plastr Paris a sment gypsum
  Sylwch: nid yw'n treiglo'n feddal.

gyr¹ *eg* (gyrroedd) casgliad o un math o anifail sy'n byw ac yn bwydo gyda'i gilydd; creaduriaid dof sy'n cael eu godro, fel arfer, *gyr o wartheg*; buches herd, drove, flock
  Sylwch:
  1 os yw *gyr* yn treiglo'n feddal, dyblwch yr 'r' er mwyn gwahaniaethu rhyngddo ac *yr*;
  2 mae'n derbyn ffurf unigol neu luosog berf.

gyr² *bf* [gyrru] *hynafol* mae ef yn gyrru/mae hi'n gyrru; bydd ef yn gyrru/bydd hi'n gyrru
  Sylwch: os yw *gyr* yn treiglo'n feddal, dyblwch yr 'r' er mwyn gwahaniaethu rhyngddo ac *yr*.

gyr³ *ans* (am haearn, etc.) wedi'i guro wrought
  Sylwch: os yw *gyr* yn treiglo'n feddal, dyblwch yr 'r' er mwyn gwahaniaethu rhyngddo ac *yr*.

gyrdd *ell* lluosog gordd

gyredig *ans* wedi'i yrru driven

gyrfa *eb* (gyrfaoedd:gyrfâu)
  1 swydd neu broffesiwn y mae rhywun yn bwriadu ei ddilyn am oes, *Mae Mair yn gobeithio dilyn gyrfa fel peiriannydd.*; bywoliaeth, galwedigaeth, rhawd career
  2 hynt gyffredinol bywyd unigolyn, *gyrfa ddisglair David Lloyd George*; cwrs career

gyrfa chwist gw. chwist

gyrfaol *ans* yn ymwneud â gyrfa neu yrfaoedd

gyriad *eg* (gyriadau)
  1 y broses o yrru, canlyniad gyrru, *gyriad anifeiliaid gan y porthmyn* drive
  2 (mewn tennis, hoci, criced, golff, etc.) ffordd o daro pêl yn rymus ac yn ymosodol drive

gyriad cripian dyfais neu gydran heligol, yn enwedig y silindr edafog mewn gêr cripian worm drive

gyriant *eg* (gyriannau)
  1 y dull y mae peiriant neu ran o beiriant yn cael ei yrru, e.e. gyriant strap, gyriant cadwyn drive
  2 y ffordd y mae'r grym sy'n gyrru cerbyd yn cael ei drosglwyddo i'r heol, *gyriant olwynion blaen* drive
  3 y man y rheolir cerbyd ohono, *gyriant llaw chwith* drive
  4 y peirianwaith cyfrifiadurol a ddefnyddir i gofnodi neu i atgynhyrchu data ar ddisg drive
  5 gwthiad; y weithred o yrru rhywbeth ymlaen drwy rym sy'n cynhyrchu mudiant propulsion

gyrosgop *eg* (gyrosgopau) dyfais ar ffurf olwyn drom sy'n troelli'n gyflym oddi mewn i ffrâm ac sy'n cael ei defnyddio ar gyfer mordwyo ac i gadw llongau neu awyrennau'n wastad (ac fel tegan) gyroscope
  Sylwch: nid yw'n treiglo'n feddal.

gyrru *be* [gyrr•⁹ 3 un. pres. gyr/gyrra; 2 un. gorch. gyr/gyrra]
  1 gwthio rhywun neu rywbeth i fynd neu i wneud rhywbeth, *gwynt yn gyrru'r dail, gyrru defaid o'r ardd*; gorfodi to drive, to send
  2 llywio a rheoli cerbyd, *Mae hi'n gyrru'n dda iawn.* to drive
  3 mynd mewn cerbyd sy'n cael ei yrru (fel uchod), *Wyt ti'n fodlon fy ngyrru i'r dref yfory?* to drive
  4 anfon, danfon, hela, *gyrru parsel drwy'r post* to dispatch, to send
  Sylwch: (ac eithrio 'gyr') dyblwch yr 'r' ym mhob ffurf ac eithrio yn y rhai sy'n cynnwys *-as-*. Mae 'gyr' yn troi'n 'yrr' wrth gael ei threiglo.

gyrru arni bwrw ymlaen yn egnïol to drive on

gyrru braw (ar) dychryn (rhywun), codi ofn ar to scare, to frighten

gyrru'r cwch i'r dŵr rhoi cychwyn i rywbeth to launch

gyrru ymlaen parhau, *Roedd cymaint o sŵn fel na allai yrru ymlaen â'i waith.* to carry on

gyrrwr *eg* (gyrwyr)
  1 un sy'n gyrru (cerbyd, gan amlaf) driver
  2 *hanesyddol* un a fyddai'n gyrru anifeiliaid; porthmon drover

gyrwynt *eg* (gyrwyntoedd) tornado; colofn o aer yn ymledu o ychydig fetrau i 100 km, yn cylchdroi'n gyflym iawn o amgylch craidd o wasgedd aer isel iawn; mae'n ddinistriol iawn, yn cael ei nodweddu gan gymylau du ar ffurf twndis a gwyntoedd ffyrnig ar i lawr, ac mae'n gyffredin yng nghanolbarth Unol Daleithiau America tornado

Ng

ng:Ng *eb* cytsain ac unfed lythyren ar ddeg yr
wyddor Gymraeg; mae'n digwydd ar ddechrau
gair yn dreiglad trwynol *g*, e.e. *fy ngardd*.
Sylwch: Mae 'ng' yn gallu digwydd
(yn eithriadol) yn ddwy lythyren annibynnol,
e.e. 'dan(-)gos', 'gwyn(-)galchu', 'byn(-)galo'.

H

h:H *eb*
  1 cytsain a deuddegfed lythyren yr wyddor
  Gymraeg h, H
  2 ar ffurf H, am *Hen*, e.e. H. Gymraeg
  3 symbol cemegol hydrogen, e.e. yn H_2O
  Sylwch: daw 'h' o flaen llafariad: yn dilyn
  ar yng nghanol rhifolyn, e.e. *un ar hugain*;
  yn dilyn *ei*, rhagenw personol benywaidd,
  e.e. *ei hewythr hi*, ac *ein* ac *eu*, rhagenwau
  personol lluosog, e.e. *ein heisteddfodau*, *eu
  heisteddfodau*, ond nid felly *eich*; *'i*, rhagenw
  mewnol benywaidd, e.e. *Hi a'i hesgusodion;
  Ai ti a'i hanfonodd hi?*; *'i*, rhagenw mewnol
  gwrywaidd, pan fydd yn wrthrych, e.e. *John a'i
  hanfonodd ef*; a'r rhagenwau mewnol *'m*, *'n*, *'u*
  ac *'w* fel rhagenw mewnol lluosog, e.e. *Rwy'n
  mynd i'w hannerch yfory* ac *'w* fel rhagenw
  mewnol benywaidd, e.e. *Byddaf yn mynd i'w
  hysgol hi*, ond nid yw'n dilyn nac *'th* nac *'ch*.
ha *byrfodd* hectar ha
habeas corpus *eg* CYFRAITH gorchymyn bod
  rhywun a arestiwyd yn ymddangos gerbron
  barnwr neu lys er mwyn sicrhau bod y
  rhesymau dros ei ddal yn gyfreithlon
hac *eg* (haciau) toriad bach ar ffurf V hack, notch
hacio¹ *be* [haci•²]
  1 torri gydag ergydion lletchwith; cymynu,
  naddu, tocio to hack
  2 cicio pêl neu wrthwynebydd (mewn gêm
  bêl-droed neu rygbi) gyda mwy o rym na
  deheurwydd to hack
hacio² *be* [haci•²] ceisio cael mynediad heb
  ganiatâd i raglen gyfrifiadurol (~ i) to hack
haciwr *eg* (hacwyr) un sy'n ceisio cael mynediad
  heb ganiatâd i raglen gyfrifiadurol hacker
haclif *eb* (hacliffiau) llif â llafn o ddannedd mân
  y mae modd ei daflu ar ôl iddo dreulio a gosod

llafn newydd yn ei le; caiff ei ddefnyddio'n
bennaf ar gyfer torri metel hacksaw
  haclif fach llif i dorri pibellau bach metel neu
  blastig junior hacksaw
hacrach:hacraf:hacred *ans* [hagr] mwy hagr;
  mwyaf hagr; mor hagr
hach *eg* clefyd anifeiliaid fel gwartheg, defaid, moch,
  etc. sy'n achosi iddynt besychu'n gryg hoose
had *eg*
  1 y rhan o blanhigyn y mae planhigyn newydd
  yn gallu tyfu ohoni; casgliad o ronynnau
  bychain sy'n cael eu hau seed
  2 sberm; un o'r celloedd neu'r hadau sy'n cael
  eu cynhyrchu gan organau rhywiol anifail
  gwryw (gan gynnwys dyn), ac sy'n medru
  ffrwythloni wy anifail benyw a thrwy hynny
  greu bywyd newydd sperm
  had llin had cywarch neu lin, planhigyn
  â blodau glas y mae ei dorion yn cael eu
  defnyddio i wneud y brethyn lliain a'i hadau
  i wneud olew had llin linseed
  tatws had:tatws hadyd gw. **tatws**
hadau *ell* lluosog haden, hadyn neu hedyn
had-ddeilen *eb* (had-ddail) cotyledon; deilen
  sy'n un o'r pâr neu'r grŵp o ddail cyntaf sy'n
  datblygu mewn eginyn cotyledon
Hadeaidd *ans* DAEAREG yn perthyn i aeon
  cynharaf y cyfnod cyn-Gambriaidd
  (4,600–3,800 miliwn o flynyddoedd yn ôl),
  nodweddiadol o aeon cynharaf y cyfnod
  cyn-Gambriaidd Hadean
haden *eb* (hadau)
  1 unigol hadau; hedyn seed
  2 merch neu wraig gellweirus sy'n hoff o hwyl
  a thynnu coes case
hadgraith *eb* (hadgreithiau) BOTANEG nod neu
  graith ar hedyn, e.e. ffeuen, yn y man y bu
  ynghlwm wrth ei hadlestr hilum
hadgroen *eg* BOTANEG plisgyn neu got galed
  allanol hedyn testa
yr Hadith *eg* CREFYDD (Islam) casgliad o
  draddodiadau sy'n cynnwys dywediadau a
  chynghorion y proffwyd Muhammad
hadog¹ *eg* (hadogiaid) corbenfras; pysgodyn môr
  bwytadwy o'r un teulu â'r penfras ond yn llai
  ei faint haddock
hadog² *ans* yn dwyn hadau, yn cynhyrchu had
  seed-bearing
hadron *eg* (hadronau) FFISEG gronyn isatomig
  sy'n gallu bod yn rhan o ryngweithiad niwclear
  cryf, e.e. baryon hadron
hadu *be* [had•¹] (am blanhigyn) dechrau ffurfio
  hadau, mynd yn wyllt; ehedeg to bolt, to go to seed
hadwr *eg* (hadwyr)
  1 un sy'n hau hadau seedsman
  2 un sy'n prynu, yn gwerthu neu'n datblygu
  hadau seedsman

hadyd *eg* had ŷd (gwenith, ceirch, haidd, etc.)
neu weithiau had tatws hayseed, seed corn,
seed potatoes

hadyn *eg* (hadau)
1 unigol **had** a **hadau**; hedyn seed
2 bachgen neu ŵr cellweirus sy'n hoff o hwyl
a thynnu coes case

haddef gw. **addef**²

haearn *eg* (heyrn)
1 elfen gemegol rhif 26; metel trwm ariannaidd
a ddefnyddir ar gyfer llawer o bethau gan
gynnwys gwneud dur (Fe) iron
2 teclyn (trydan, gan amlaf erbyn heddiw)
â gwaelod gwastad sy'n cael ei ddefnyddio
i smwddio dillad ar ôl eu golchi, haearn
smwddio (smoothing) iron
3 (mewn gêm o golff) unrhyw un o'r naw
pastwn â phen metel ar ongl a ddefnyddir i
fwrw'r bêl yn uwch na'r pastynau pren iron
Sylwch: gw. hefyd **heyrn**.

haearn bwrw math o haearn nad yw'n plygu
mewn gwres ac nad yw'n rhydu'n rhwydd ond
sy'n frau iawn cast iron

haearn gyr math o haearn y mae modd ei
blygu neu ei ffurfio pan fydd yn boeth ac a
ddefnyddir i wneud dur wrought iron

yr Oes Haearn cyfnod hanesyddol yn ymestyn
oddeutu 700 CC a tua OC 50 pan gâi offer ac
arfau eu gwneud o haearn Iron Age
Ymadroddion

haearn a hoga haearn darlun o hogi min ar
gyllell, ac yn yr un ffordd, dau feddwl o'r un
ansawdd, y naill yn miniogi'r llall

taro'r haearn tra bo'n boeth achub y cyfle,
gweithredu'n bositif ar adeg ffafriol to strike
while the iron's hot

y Llen Haearn *hanesyddol* (yn Ewrop) y ffin a fu
rhwng y gwledydd Comiwnyddol a'r gwledydd
eraill, nad oedd yn arfer bod yn rhwydd ei
chroesi ac a ddaeth i ben wedi cwymp y drefn
Sofietaidd the Iron Curtain

haearnaidd *ans* [haearn•] tebyg i haearn o ran
caledwch; (yn ffigurol) yn gwrthod plygu neu
fod yn hyblyg iron-like

haearnllyd *ans* o liw haearn, o natur haearn
(heblaw ei galedwch – gw. 'haearnaidd')
ferruginous

haeddedigaeth *eb* (haeddedigaethau) yr hyn
a haeddir fel gwobr neu gosb; haeddiant,
teilyngdod deserts

haeddiannau *ell* lluosog **haeddiant**

haeddiannol *ans* yn haeddu gwobr, cosb, etc.,
neu am yr hyn y mae rhywun yn ei haeddu;
dyladwy, dyledus, priodol, teilwng deserved,
deserving

haeddiant *eg* (haeddiannau) y cyflwr neu'r
ansawdd o haeddu (gwobr neu gosb), rhywbeth

y mae rhywun yn ei haeddu; haeddedigaeth,
teilyngdod deserts, merit

haeddu *be* [haedd•¹] bod yn deilwng o (wobr
neu gosb); teilyngu to deserve, to merit

hael *ans* [hael•]
1 parod iawn i rannu, â llaw agored; anhunanol,
caredig, dibrin, llawagored generous,
magnanimous
2 ar gael yn helaeth, y mae digon ohono i'w gael,
Roedd yn hael iawn ei ganmoliaeth i'r gwaith.;
cyforiog, dibrin, toreithiog generous, lavish

haelder gw. **haelioni**

haelfrydedd *eg* haelioni ac ewyllys da;
eangfrydedd, mawrfrydedd, mawrfrydigrwydd
benevolence, generosity

haelfrydig *ans* hael ac yn barod ei gymwynas;
eangfrydig, mawrfrydig, rhyddfrydig
bounteous, generous

haelioni:haelder *eg* parodrwydd i roi
neu i rannu, yr ansawdd o fod yn hael;
caredigrwydd, elusengarwch generosity

haelionus *ans* hael a pharod ei gymwynas
generous, bountiful

haels *ell* pelenni bychain sy'n cael eu saethu
o ddryll smallshot, hail-shot

haematit:hematit *eg* mwyn o liw coch tywyll
neu ddu, sy'n ocsid o haearn ac yn ffynhonnell
haearn bwysig haematite

haematoleg:hematoleg *eb* MEDDYGAETH
cangen o feddygaeth sy'n ymwneud ag astudio
a thrin y gwaed haematology

haematwria:hematwria *eg* MEDDYGAETH
gwaed yn y troeth haematuria

haemoffilia:hemoffilia *eg* MEDDYGAETH
cyflwr cynhwynol o ochr y fam sy'n effeithio
ar wrywod yn unig, lle mae'r gwaed yn
hwyrfrydig i geulo. Golyga hyn golli llawer
o waed hyd yn oed o glwyf bychan haemophilia

haemoglobin:hemoglobin *eg* BIOCEMEG protein
sy'n cynnwys haearn a geir yng nghelloedd
coch y gwaed ac sy'n trosglwyddo ocsigen
o'r ysgyfaint i feinwe'r corff haemoglobin

haemolysis:hemolysis *eg* BIOLEG ymdoriad neu
ddistryw celloedd coch y gwaed haemolysis

haemoroid:hemoroid *eg*
(haemoroidau:hemoroidau) MEDDYGAETH
gwythïen chwyddedig yn ymyl yr anws a all
arwain at glwyf y marchogion haemorrhoid

haen:haenen *eb* (haenau:haenennau)
1 gorchudd tenau (fel arfer) sydd wedi'i daenu
dros rywbeth, *haen o baent*; caenen, pilen,
plymen coating, layer
2 DAEAREG trwch neu wely o graig y mae modd
ei wahaniaethu oddi wrth yr haenen uwchlaw
ac islaw iddo bed, layer, stratum
3 trwch tebyg o'r boblogaeth sy'n ffurfio dosbarth
neu radd arbennig o gymdeithas layer, stratum

4 gradd mewn sefydliad neu system yn ddarostyngedig i'r un uwch ei phen grade, tier

haen balis BOTANEG haen o gelloedd hirgul, cyfochrog dan epidermis deilen palisade layer

haen sbyngaidd BOTANEG haen o gelloedd a gwagleoedd aer rhyng-gellol a geir rhwng haen balis ac epidermis isaf deilen spongy layer

haenedig *ans* wedi ymffurfio'n haenau stratified

haenell *eg* (haenellau)
1 dalen denau, anhyblyg o ddefnydd, yn enwedig dalen o fetel plate
2 haen denau o fetel a osodir ar fetel arall drwy broses o haenellu plate

haenellu *be* [haenell•¹] platio; gorchuddio gwaith metel â haen denau o fetel arall (e.e. aur, arian, crôm, etc.) (~ *rhywbeth* â) to plate

haenen gw. **haen**

haeniad *eg* (haeniadau) DAEAREG (am greigiau) y broses o ymffurfio'n haenau stratification

haenog *ans*
1 yn cynnwys haenau, wedi'i drefnu'n haenau; fflawiog, tafellog layered, stratiform
2 wedi'i greu drwy lynu haenau (o bapur, pren, plastigau) at ei gilydd â resin poeth, dan bwysau, h.y. drwy lamineiddio; laminedig laminated

haenol *ans* (am graig) wedi ymffurfio'n haenau stratiform

haenu *be* [haen•¹] gosod yn haenau, ffurfio yn haenau, ymffurfio'n haenau to stratify

haeriad *eg* (haeriadau) datganiad cryf a chroyw, yr hyn sy'n cael ei faentumio neu ei haeru; datganiad, gosodiad, honiad allegation, assertion

haerllug *ans* heb ddangos digon o barch tuag at rywun arall; digywilydd, eofn, hy, trahaus arrogant, impudent, presumptuous

haerllugrwydd *eg* yr ansawdd o fod yn haerllug; digywilydd-dra, hyfdra, rhyfyg, trahauster cheek, impudence, insolence

haeru *be* [haer•¹] dweud yn hollol bendant (gyda'r awgrym o herio neu gyhuddo), honni'n gryf; honni, maentumio, proffesu, taeru to allege, to contend, to insist

haerwr *eg* (haerwyr) un sy'n edliw ac yn protestio; gwrthdystiwr remonstrant, asserter

haf *eg* (hafau) y tymor rhwng y gwanwyn a'r hydref pan fydd yr Haul ar ei boethaf a'r diwrnodau ar eu hiraf, sef misoedd Mehefin, Gorffennaf ac Awst summer

haf bach Mihangel cyfnod o dywydd cynnes tua diwedd Medi neu ddechrau Hydref Indian summer

hafaidd *ans* yn perthyn i'r haf, nodweddiadol o'r haf; braf summerlike, summery

hafal *ans* cydradd, cyfartal, cymesur (~ i) comparable, equal

hafaledd *eg* MATHEMATEG y berthynas rhwng rhifau sy'n hafal o ran eu gwerth neu eu maint equality

hafaliad *eg* (hafaliadau)
1 MATHEMATEG gosodiad lle mae dau fynegiad yn gywerth neu'n hafal i'w gilydd, *Mae 8 – 3 = 5 ac x + 3y = 7 yn ddau hafaliad.* equation
2 CEMEG mynegiad mewn symbolau o gyfansoddiad cemegol sylwedd arbennig, neu o'r newidiadau sy'n digwydd mewn adwaith cemegol rhwng moleciwlau chemical equation

hafaliadau cydamserol MATHEMATEG set o ddau (neu ragor) o hafaliadau sy'n cynnwys yr un newidynnau ac y mae gwerthoedd yr anhysbysion hyn yn bodloni'r holl hafaliadau yn y set ar yr un pryd simultaneous equations

hafaliad llinol MATHEMATEG hafaliad rhwng dau newidyn sy'n rhoi llinell syth pan gaiff ei blotio ar graff, e.e. $4y + 3x + 9 = 0$ linear equation

hafalnod *eg* (hafalnodau) yr arwydd = equal sign, equals sign
Sylwch: cyflwynwyd yr hafalnod fel arwydd gan Robert Recorde (1510?–1558), mathemategydd o Ddinbych-y-pysgod.

hafalochrog *ans* MATHEMATEG ac iddo ochrau sy'n gyfartal eu hyd equilateral

hafalonglog *ans* MATHEMATEG ac iddo onglau sy'n gyfartal eu maint equiangular

hafalu *be* [hafal•³] MATHEMATEG nodi bod gwrthrych mathemategol, e.e. mynegiad algebraidd, yn hafal i wrthrych mathemategol arall; ffurfio hafaliad to equate

hafan *eb* (hafnau)
1 angorfa gysgodol i longau; encil, gwarchodfa, lloches, porthladd haven
2 (ar safle cyfrifiadurol) tudalen cartref; y tudalen cyntaf a geir o gyrchu gwefan home page

hafdy *eg* (hafdai) adeilad bach mewn gardd neu barc cyhoeddus sy'n cynnig cysgod rhag yr haul summer house

hafddydd *eg* (hafddyddiau) diwrnod o haf, hirddydd teg summer day

hafn *eb* (hafnau) hollt yn y tir, cwm cul iawn gap, cleft, fissure

hafnau *ell* lluosog **hafan** a **hafn**

hafod *eb* (hafodau:hafodydd) *hanesyddol* llety haf ar yr ucheldiroedd lle byddai'r anifeiliaid a'r rhai a oedd yn eu gwylio'n treulio misoedd yr haf cyn symud yn ôl i'r tiroedd is i dreulio'r gaeaf yn yr hendre; hafoty summer dwelling

hafod unnos *hanesyddol* yn ôl hen arfer, byddai gan unrhyw un a allai godi tyddyn ar dir comin dros nos, fel bod mwg yn codi o'r corn simnai erbyn y bore, hawl i fyw ynddo a ffermio ychydig o'r tir o'i gwmpas; tŷ unnos

h

hafog *eg* anhrefn llwyr, traed moch; bedlam, difrod, llanastr havoc

hafol *ans* yn perthyn i'r haf, yn digwydd yn yr haf

hafota *be* [hafot•¹] *hynafol* symud tŷ (i hafod) dros yr haf to summer

hafoty *eg* (hafotai) hafod summer dwelling

haffio *be* [haffi•²] llyncu'n awchus; llowcio, claddu to guzzle

hafflaid *eg* (haffleidiau) llond yr hafflau, llond côl; coflaid, ceseiliaid bundle, lapful

hafflau *eg*
1 côl, arffed bosom, lap
2 gafael, crafangau clutches, grasp
llond fy (dy, ei, etc.) hafflau llond côl, coflaid, cymaint ag y gellir ei gario ar y tro

haffniwm *eg* elfen gemegol rhif 72; metel trosiannol, caled, llwyd (Hf) hafnium

hagioleg *eb* y llenyddiaeth a'r astudiaethau sy'n ymdrin â bucheddau'r saint hagiology

hagis *eg* selsig traddodiadol o'r Alban sy'n cynnwys calon, afu ac ysgyfaint dafad wedi'u malu a'u cymysgu â siwed, ceirch a sesnin a'u berwi yng nghroen stumog dafad haggis

hagr *ans* [hacr•] heb fod yn bert nac yn brydferth; afluniaidd, diolwg, hyll, salw ugly, unsightly

hagredd *gw.* hagrwch

hagru *be* [hagr•¹] gwneud yn hagr neu fynd yn hagr; andwyo, anharddu, difwyno, llurgunio to disfigure

hagrwch:hagredd *eg* y cyflwr o fod yn hagr; afluniaidd-dra, amhrydferthwch, anharddwch, hylltod ugliness

hanger *eg* teclyn i hongian dillad arno; cambren hanger

haid *eb* (heidiau)
1 casgliad helaeth o anifeiliaid (bychain fel arfer) o'r un rhywogaeth, e.e. *haid o wenyn, o wybed, o adar, o lygod* flock, gaggle, swarm
2 casgliad niferus (o feddyliau, pechodau, pobl, etc.); ciwed, criw, fflyd, gang group, horde
Sylwch: mae'n derbyn ffurf unigol neu luosog berf.
fel haid o locustiaid *gw.* locust

haidd *eg* math o ŷd y defnyddir ei rawn i wneud cwrw neu wirodydd, ac fel bwyd i besgi anifeiliaid; byddai'n cael ei ddefnyddio ers talwm i wneud bara; barlys barley

haig *eb* (heigiau) casgliad mawr o bysgod yn nofio o gwmpas gyda'i gilydd; aig shoal
Sylwch: mae'n derbyn ffurf unigol neu luosog berf.

haint *eg* (heintiau)
1 unrhyw glefyd heintus infection
2 pangfa o boen, pwl cas o boen, trawiad, *Pan glywodd y newyddion, bu bron iddo gael haint.* fit

haint y nodau y Pla Du Black Death, bubonic plague

Haïtiad *eg* (Haïtiaid) brodor o Haiti Haitian

Haïtiaidd *ans* yn perthyn i Haiti, nodweddiadol o Haiti Haitian

hajj *eg* CREFYDD (Islam) pererindod mawr i Mecca y disgwylir i bob Mwslim ei gyflawni (os gall ei fforddio)

haka *eg* dawns ryfel y Maori sy'n cynnwys llafarganu

hala ffurf dafodieithol y De ar hela

halabalŵ *gw.* halibalŵ

halal *ans* CREFYDD (Islam) (am gig) wedi'i baratoi yn unol â chyfraith Fwslimaidd

haldian *be* [haldi•²] rhedeg ar gyflymder cymedrol (yn enwedig rhedeg yn rheolaidd er mwyn cadw'n heini); loncian, jogio to jog

haleliwia *eb* cân, ebychiad neu floedd o fawl i Dduw hallelujah

halen *eg* (halenau) y sylwedd gwyn crisialaidd sy'n cael ei ddistyllu o ddŵr y môr neu ei fwyngloddio o'r ddaear, a'i ddefnyddio i flasu bwyd ac i gadw rhai mathau o fwydydd rhag pydru; sodiwm clorid salt

halen y ddaear rhywun o'r math gorau the salt of the earth

rhoi halen ar friw gwneud rhywbeth yn waeth to rub salt into the wound

(rhywun) sy'n werth ei halen yn haeddu parch neu'n llawn deilwng o'i gyflog worth one's salt

haliad *eg* (haliadau) plwc nerthol heave

halian *gw.* halio

halibalŵ:halabalŵ *egb* stŵr, cynnwrf, mwstwr, cyffro hullabaloo, pandemonium

halid *eg* (halidau) CEMEG cyfansoddyn sy'n cynnwys halogen (clorin, bromin, fflworin neu ïodin) ac elfen gemegol neu grŵp cemegol arall halide

halier *eg* (halwyr) y gweithiwr mewn pwll glo a oedd yn gyfrifol am y ceffylau a'r dramiau y byddent yn eu tynnu haulier

halio:halian *be* [hali•²]
1 tynnu neu lusgo'n gryf (e.e. ceffyl yn tynnu dramiau neu longwr yn tynnu rhaff) (~ **ar**) to haul, to heave, to lug
2 *di-chwaeth* ysgogi orgasm heb gyfathrach rywiol, e.e. drwy ysgogi â llaw; llawgnychu to wank

halitosis *eg* MEDDYGAETH gwynt drwg ar yr anadl halitosis

haliwr *eg* (halwyr) unigolyn neu gwmni sy'n cludo nwyddau mewn faniau neu lorïau haulier

halo *eb* (haloau)
1 eurgylch; y cylch o aur sy'n cael ei beintio uwchben Iesu Grist a'r saint mewn lluniau crefyddol; corongylch halo
2 cylch o oleuni llachar yn debyg i'r hyn a geir

o gwmpas yr Haul neu'r Lleuad pan fydd hi'n niwlog; lleugylch corona, halo

haloffyt *eg* (haloffytau) BOTANEG planhigyn sy'n tyfu mewn amodau halwynog halophyte

halogedig *ans* amhûr (yn enwedig mewn ystyr grefyddol); aflan, llygredig defiled, impure

halogen *eg* (halogenau) CEMEG un o'r pum elfen (fflworin, clorin, bromin, ïodin ac astatin) a geir yng ngrŵp 7 yn y tabl cyfnodol halogen

halogenaidd *ans* CEMEG wedi'i gyfuno ag un neu fwy o halogenau halogenated

halogenu *be* [halogen•[1]] ychwanegu un neu ragor o atomau halogenaidd at gyfansoddyn neu foleciwl to halogenate

halogeniad *eg* CEMEG y broses o halogenu, canlyniad halogenu halogenation

halogi *be* [halog•[1]] gwneud yn amhûr, difwyno; amhuro, difetha, llygru (~ *rhywbeth* â) to corrupt, to contaminate, to defile

halogiad *eg* y broses o halogi; amhuriad, difwyniad, llygriad, trais contamination, defilement

halogrwydd *eg* y cyflwr o fod wedi halogi; llygredigaeth, amhuredd corruptness

halogwr *eg* (halogwyr) un sy'n halogi; difwynwr, llygrwr defiler

halogydd *eg* (halogyddion) sylwedd sy'n halogi; difwynydd contaminant

halsing *eb* (halsingod) cân grefyddol boblogaidd o'r cyfnod rhwng y Rhyfel Cartref a'r Diwygiad Methodistaidd

halsingwr *eg* (halsingwyr) un sy'n cyfansoddi halsingod

halwyn *eg* (halwynau) CEMEG un o ddosbarth o sylweddau cemegol sy'n cael eu ffurfio drwy gyfuno asid a bas salt

halwyndir *eg* (halwyndiroedd) tir corsiog sy'n cael ei guddio gan y llanw; morfa heli saltings

halwynedd *eg* CEMEG cyflwr halwynog salinity

halwynog *ans* yn cynnwys halen neu halwyn, tebyg i halen saline

hallt *ans* [hallt•] (heilltion)
1 yn cynnwys halen, a gormod o flas halen arno salty, saline
2 (am ddŵr) nad yw'n groyw, sydd fel dŵr y môr brackish
3 wedi'i gyffeithio neu wedi'i gadw mewn halen pickled
4 drud iawn (am gost rhywbeth), *Mae pris y coffi yn y bwyty hwn braidd yn hallt.*; neu lym (am gosb) *Talodd yn hallt am ei gamgymeriad.*; drud, prid steep

halltedd:halltineb:halltrwydd *eg* mesur o ba mor hallt yw rhywbeth, ansawdd hallt saltiness

halltu *be* [hallt•[1]] COGINIO ffordd o gadw bwyd (cig yn enwedig) rhag pydru drwy ei drin â halen to cure, to salt

halltwr *eg* (halltwyr) un sy'n halltu, un sy'n gwerthu pethau wedi'u halltu; helltydd salter

ham *eg* (hamiau) cig o goes mochyn wedi'i drin rhag iddo bydru ham

hambwrdd *eg* (hambyrddau) bwrdd llaw sy'n cael ei ddefnyddio i gario llestri, etc. tray, salver

hambygio:hymbygio *be* [hambygi•[2]] bod yn gas ac yn angharedig wrth (rywun neu rywbeth); cam-drin, gwaradwyddo, poeni, sarhau (~ *rhywun* am) to plague

hamdden *eb* amser rhydd, amser pan nad ydych yn gweithio neu ar orchwyl arbennig leisure, pastime

canolfan hamdden gw. canolfan

hamddena *be* mwynhau cyfnod o hamdden; gorffwys, segura, ymlacio to relax
  Sylwch: nid yw'r ferf hon yn arfer cael ei rhedeg.

hamddenol *ans* heb frysio na phryderu, wrth ei bwysau, o dow i dow, ling-di-long; araf, pwyllog, digyffro casual, leisurely, relaxed

hamog *eg* (hamogau) gwely crog hammock

hamper *eb* (hamperi) basged fawr â chlawr ar gyfer cludo llestri a bwyd hamper

hances *eb* (hancesi) sgwaryn o liain (sidan weithiau) a gedwir mewn poced neu fag er mwyn sychu trwyn fel arfer; cadach poced, ffunen, hansier, macyn, neisied, nicloth handkerchief

handi *ans* fel yn yr ymadrodd *go handi*, cyflym pretty quick, quick

handicap *eg* (handicap(i)au) ras neu gystadleuaeth lle mae rhai o'r cystadleuwyr o dan anfantais o ryw fath er mwyn i bob un gael cyfle cyfartal i ennill handicap

handicapio *be* [handicapi•[2]] gosod handicap ar gystadleuydd to handicap

hanedig *ans* yn hanu o (rywle), yn tarddu (o), yn deillio (o) descended from

haneri *ell*
1 lluosog **hanner**
2 (mewn rygbi) y maswr a'r mewnwr halves

haneriad *eg* (haneriadau) y broses o haneru, canlyniad haneru halving

hanerog *ans* fesul hanner, yn rhannol, rhwng bodd ac anfodd; cymedrol middling, partial

haneru *be* [haner•[1]]
1 lleihau i hanner y maint neu'r nifer gwreiddiol to halve
2 MATHEMATEG rhannu'n ddwy ran gyfartal to halve

hanerwr *eg* (hanerwyr) (mewn rygbi, pêl-droed, hoci, etc.) chwaraewr sy'n chwarae'n dynn y tu ôl i'r blaenwyr half back

hanerydd *eg* (haneryddion) MATHEMATEG llinell syth sy'n haneru llinell, ongl, etc. bisector

hanes *eg* (hanesion)
1 pwnc mewn ysgol a choleg sy'n ymdrin â digwyddiadau'r gorffennol history

h

2 cyfres o ddigwyddiadau ym mywyd dyn, teulu, cenedl, etc. yn nhrefn amser, *Darllenais lyfr diddorol yn adrodd hanes bywyd Florence Nightingale.* story, history
3 astudiaeth o unrhyw beth dros gyfnod o amser, *hanes llenyddiaeth Gymraeg* history
4 llyfr am ddigwyddiadau'r gorffennol, *Hanes Cymru gan John Davies* history
5 chwedl, newyddion, sôn, *Beth yw'r hanes diweddaraf am deulu Pen-y-bryn?*; stori account, tale
6 adroddiad, traethiad, cofnod, *A fyddech chi cystal ag adrodd hanes y digwyddiadau a arweiniodd at y ffrwydrad?*; cownt, cyfrif report

hanesiaeth *eb* HANES damcaniaeth sy'n pwysleisio lle hanes fel sylfaen o werthoedd neu fel symbyliad i weithredoedd historicism

hanesydd *eg* (haneswyr) un sy'n astudio hanes ac sy'n ysgrifennu amdano historian

hanesyddiaeth *eb*
1 HANES theori, egwyddorion a hanes y gwaith o ysgrifennu hanes historiography
2 HANES corff o hanes ysgrifenedig historiography

hanesyddol *ans*
1 digon pwysig i'w gofnodi'n rhan o hanes historic
2 yn perthyn i gyfnod pan oedd hanes yn cael ei gofnodi (o'i gyferbynnu â chyfnod cynhanesyddol) historical
3 yn ymwneud â hanes, *nofel hanesyddol* historical

hanesyddoldeb *eg* HANES dilysrwydd hanesyddol, cywirdeb ffeithiol materion hanesyddol historicity

hanesyn *eg* (hanesion) stori fach, hanes byr; chwedl anecdote

hanfod *eg* (hanfodion) yr ansawdd neu'r rhinwedd y mae'n rhaid ei chael er mwyn i rywbeth fod yr hyn ydyw; calon, cnewyllyn, craidd, natur essence, nature, quintessence

hanfodion *ell* y pethau pwysicaf, y pethau y mae'n rhaid wrthynt essentials, rudiments

hanfodol *ans* (hanfodolion) am rywun neu rywbeth y mae'n rhaid wrtho, gwir angenrheidiol; allweddol, anhepgor, sylfaenol, tyngedfennol crucial, essential, vital

haniad *eg* (haniadau) tarddiad, disgyniad descent, origin

haniaeth *eb* (haniaethau) rhywbeth sy'n bod fel syniad yn unig yn hytrach nag fel ffaith neu wrthrych; cysyniad abstraction

haniaethol *ans*
1 yn bod fel syniad yn unig, yn hytrach nag fel ffaith neu wrthrych, y gwrthwyneb i 'diriaethol'; athronyddol abstract

2 cyffredinol a niwlog yn hytrach na manwl a phenodol; amhendant, ansylweddol abstract
3 CELFYDDYD am arlunwaith nad yw'n ceisio darlunio pethau mewn ffordd real neu fel yr ydym yn arfer eu gweld abstract

haniaethu *be* ystyried rhywbeth yn annibynnol ar ei ddefnydd mewn unrhyw sefyllfa arbennig to abstract
Sylwch: nid yw'r ferf hon yn arfer cael ei rhedeg.

hanner *eg* (haneri)
1 (yn rhagflaenu'r hyn a oleddfir) y naill neu'r llall o'r ddwy ran gyfartal y mae'n bosibl rhannu rhywbeth iddynt, ½, 50% half
2 canol, fel yn *hanner dydd* neu *hanner nos* mid
3 un o ddwy ran y mae rhywbeth yn cael ei rannu iddynt, *Sgoriodd Cymru ei holl bwyntiau yn yr hanner cyntaf.* half
4 y rhan o gwrt neu faes sy'n cael ei hamddiffyn gan chwaraewr neu dîm, *Roedd llawer o weiddi yn ein hanner ni o'r cae pan sgoriodd Rhys.* end, half
5 rhywbeth heb ei orffen, heb ei gwblhau, *Dyw'r cig 'ma ddim wedi hanner ei goginio.* half
Sylwch:
1 nid yw'n achosi treiglad
2 oherwydd ei fod yn enw, caiff ei ddilyn gan ragenw personol, *Fe wnaf i hanner ei ladd e'*, nid 'Fe wnaf i ei hanner lladd e''.

hanner amser hanner ffordd drwy (gêm, fel arfer) half-time

hanner awr deng munud ar hugain half an hour

hanner brawd brawd sy'n perthyn drwy un o'r rhieni yn unig half-brother

hanner brif CERDDORIAETH nodyn sydd yr un hyd â dau finim semibreve

hanner canfed
1 y rhifol (rhif trefnol) nesaf mewn trefn ar ôl pedwar deg nawfed fiftieth
2 rhif 50 mewn rhestr o hanner cant neu fwy; 50fed fiftieth

hanner cant y rhif 50; pum deg fifty

hanner colon atalnod (;) a ddefnyddir yn bennaf i gysylltu rhannau o frawddeg a fyddai, fel arall, yn cael eu cysylltu â chysylltair megis oherwydd, a, ond, er, nad, etc., *Rhaid inni beidio aros; mae'n hwyr.* semicolon

hanner cwafer CERDDORIAETH nodyn sy'n hanner hyd cwafer a chwarter hyd crosiet semiquaver

hanner cylch semicircle

hanner chwaer chwaer sy'n perthyn drwy un o'r rhieni yn unig half-sister

hanner diwrnod gwyliau neu gyfnod i ffwrdd o'r gwaith (bore neu brynhawn, fel arfer) half-day

hanner dydd canol dydd, 12 o'r gloch y prynhawn midday, noon

hanner ffordd y man canol rhwng dau le neu ddau beth midway, halfway

hanner nos canol nos, 12 o'r gloch y nos midnight

hanner oes gw. oes[1]

hanner tymor gwyliau hanner ffordd drwy dymor ysgol half-term

Ymadroddion

ar hanner heb gwblhau, yng nghanol on half

hanner call a dwl gwallgof foolish, silly

hanner gair gw. gair

hanner munud *anffurfiol* arhoswch am funud half a minute!

hanner-pan gw. pan[3]

o'r hanner o ddigon, o bell ffordd by far

hanner foli *eg* y weithred o daro neu gicio pêl cyn gynted ag y mae'n sboncio half-volley

hanner tôn *eg* (hanner tonau) CERDDORIAETH gwahaniaeth traw sy'n cyfateb i'r gwahaniaeth rhwng dau nodyn nesaf at ei gilydd ar y piano semitone

hanner-tonol *ans* cromatig; yn perthyn i'r raddfa gromatig sy'n cynnwys tri ar ddeg o nodau yn symud fesul hanner tôn; yn gwneud defnydd mynych o nodau cerdd y tu allan i'r wythfed cyffredin chromatic

Hanoferaidd *ans* hanesyddol yn ymwneud ag Etholwyr Hanofer yn yr Almaen, hefyd â theulu brenhinol Prydeinig a ddeilliodd o deulu'r Hanoferiaid ac a deyrnasai ym Mhrydain rhwng 1714 a 1901 Hanoverian

hansiad *eg* (hansiadau) llond ceg, cegaid wedi'i gnoi oddi ar rywbeth, *hansiad o afal* hanch

hansier *eg* (hansieri) sgwaryn o liain (sidan weithiau) a gedwir mewn poced neu fag er mwyn sychu trwyn fel arfer; cadach poced, ffunen, hances, macyn, neisied, nicloth handkerchief

hanu *be* deillio, disgyn, tarddu, dod o (~ *o rywle*) to derive from, to originate

Sylwch: ac eithrio 'hanai ef/hi' nid yw'r ferf hon yn arfer cael ei rhedeg.

hap *eb* (hapiau) damwain, ffawd, lwc, siawns chance, fortune, luck

ar hap ar siawns by accident, by chance

hap a damwain digwyddiad ar hap, damweiniol accident

hapbrynu *be* [hapbryn•[1]] prynu (rhywbeth) ar hap yn y gobaith y bydd yn fwy gwerthfawr na'r hyn a dalwyd amdano to buy on spec

hapchwarae[1] *eg* (hapchwaraeon)
1 trefniant lle mae pobl yn prynu tocynnau wedi'u rhifo ond dim ond ychydig ohonynt sy'n cael eu dewis (ar hap) i ennill gwobr(au) lottery
2 math o chwarae lle mae rhywun yn betio neu'n gamblo ar ganlyniad rhywbeth betting

hapchwarae[2] *be* taro bet; betio, gamblo, mentro to bet, to gamble

Sylwch: nid yw'r ferf hon yn arfer cael ei rhedeg.

hapchwaraewr *eg* (hapchwaraewyr) un sy'n mentro ar hapchwarae[1]; gamblwr gambler

hapddewis[1] *be* [hapddewis•[1]] dewis wedi'i drefnu fel bod gan bob eitem yr un tebygolrwydd o gael ei dewis; dewis ar hap to choose at random

hapddewis[2] *eg* (hapddewisiadau) y broses o hapddewis, canlyniad hapddewis random selection

hapddigwyddiad *eg* (hapddigwyddiadau) digwyddiad sydd wedi dod i fodolaeth drwy ddamwain random event

hapfasnachu *be* [hapfasnach•[1]] CYLLID mentro prynu (neu werthu) rhywbeth (e.e. cyfranddaliadau neu arian tramor) gan obeithio gwneud elw drwy ei werthu (neu ei brynu'n ôl) yn weddol gyflym (~ *ar*) to speculate

hapgyrch *eg* (hapgyrchoedd) CYFRIFIADUREG fel yn *cof hapgyrch*, cof mewn cyfrifiadur a ddefnyddir i gadw data dros dro gyda modd i fynd at y data a'u newid yn ôl yr angen random access memory

haploid[1] *eg* (haploidau) BIOLEG cell haploid haploid

haploid[2] *ans* BIOLEG (am gell neu gnewyllyn) yn cynnwys un set o gromosomau, sef hanner y set lawn, normal o gromosomau sydd eu hangen ar gyfer bywyd, *Mae sbermau ac wyau yn gelloedd haploid.* haploid

hapnewidyn *eg* (hapnewidynnau) MATHEMATEG newidyn ystadegol y mae ei werth yn cael ei reoli gan ddosraniad tebygolrwydd random variable

hapnod *eg* (hapnodau) CERDDORIAETH arwydd (llonnod ♯, meddalnod ♭, neu arwydd naturiol ♮) sy'n newid traw nodyn mewn un bar yn unig i draw nad yw'n perthyn i gyweirnod y darn accidental

haprif *eg* (haprifau) MATHEMATEG rhif wedi'i ddewis mewn system sy'n sicrhau bod gan bob rhif yr un tebygolrwydd o gael ei ddewis random number

hapsampl *eb* (hapsamplau) y broses o hapsamplu, canlyniad hapsamplu random sample

hapsamplu *be* [hapsampl•[1]] trefnu dewis sampl fel bod gan bob eitem yr un tebygolrwydd o gael ei dewis; dewis ar hap to take a random sample

hapus *ans* [hapus•]
1 yn teimlo neu'n achosi llawenydd; dedwydd, llawen, llon, siriol happy
2 wrth fy (dy, ei, etc.) modd, *Byddem yn hapus iawn i geisio ateb eich gofynion.* (~ **i** wneud) happy
3 (mewn cyfarchion) llawen, *Pen blwydd hapus!* happy

4 bodlon, *Doedd rheolwr y tîm ddim yn hapus gyda'r perfformiad.* happy

hapusrwydd *eg* y cyflwr neu'r stad o fod yn hapus; boddhad, dedwyddwch, llawenydd happiness

hapwirio *be* [hapwiri•²] profi neu archwilio rhywun neu rywbeth wedi'i ddewis ar hap heb roi rhybudd to spot-check

hara-kiri *eg* defod o hunanladdiad a gâi ei chyflawni gan Samurai Japan gynt er mwyn osgoi dwyn gwarth arnynt eu hunain

harbwr *eg* man lle mae llongau'n gallu cysgodi a glanio; angorfa, hafan, porthladd harbour

hardd *ans* [hardd•] (heirdd:heirddion) mae'n cyfleu ystyr mwy urddasol neu gain na 'pert' neu 'tlws'; glandeg, golygus, mirain, prydferth beautiful, fair, handsome

harddiad *eg* (harddiadau) y broses o harddu, canlyniad harddu embellishment

harddu *be* [hardd•¹] gwneud yn hardd; prydferthu, tecáu to beautify, to grace

harddwch *eg* yr ansawdd o fod yn hardd; ceinder, glendid, prydferthwch, tegwch beauty, attractiveness

harddwych *ans* hardd a gwych gorgeous, splendid

haricot *eg* fel yn *ffeuen haricot*, ffeuen wen French bean

harîm *eg* *hanesyddol* rhan ar wahân o dŷ Mwslimaidd wedi'i neilltuo ar gyfer menywod y teulu (gwragedd, gordderchwragedd, gweinyddesau ac aelodau o'r teulu); gwreicty harem

harin *be* *tafodieithol, yn y De* goddef, dioddef cwmni neu bresenoldeb (mewn cyd-destun negyddol, fel arfer), *Alla' i ddim harin y dyn.* to bear, to tolerate
  Sylwch: nid yw'r ferf hon yn cael ei rhedeg.

harmatan *eg* gwynt sych, llychlyd ar arfordir gorllewinol Affrica, sy'n chwythu tua'r de-orllewin o ddiffeithdir y Sahara harmattan

harmoneiddio *be* [harmoneiddi•²] CERDDORIAETH creu harmoni (e.e. ar gyfer alaw); canu neu chwarae mewn harmoni to harmonize

harmoni *eg* (harmonïau)
  1 CERDDORIAETH cyfuniad o nodau sy'n cynhyrchu cyfres o gordiau cerddorol neu astudiaeth o'r cordiau hyn; cynghanedd harmony
  2 yr hyn a geir pan fo pobl, e.e. gŵr a gwraig, yn cyd-fyw heb gweryla; cytundeb, cytgord harmony

harmonïaidd *ans* tebyg i harmoni, yn cydgordio; cyseiniol harmonious

harmonig¹ *eg* (harmonigau)
  1 CERDDORIAETH sain debyg i sain ffliwt a gynhyrchir ar offeryn llinynnol wrth gyffwrdd yn ysgafn â'r tant mewn man penodol harmonic

  2 FFISEG amledd ton sain neu electromagnetig sy'n lluoswm o'r sylfaen, e.e. *Os yw amledd y sylfaen yn 200 Hz yr amleddau harmonig yw 400, 600, 800, etc. Hz* harmonic

harmonig² *ans*
  1 CERDDORIAETH yn dynodi harmonig neu harmonigau neu'n perthyn i harmonig neu harmonigau harmonic
  2 FFISEG yn ymwneud â chyfres o osgiliadau lle mae amledd pob osgiliad yn lluoswm o'r un amledd sylfaenol harmonic

harmoniwm *eg* math o organ fechan debyg ei golwg i biano sy'n defnyddio megin i gynhyrchu'r sain harmonium

harnais *eg* (harneisiau)
  1 y strapiau lledr sy'n cael eu defnyddio i reoli ceffyl neu ei sicrhau wrth gert; tresi harness, trappings
  2 set o strapiau sy'n cael ei defnyddio i sicrhau rhywbeth wrth rywun, *harnais parasiwt* harness

harneisio *be* [harneisi•²]
  1 gosod harnais ar geffyl to harness
  2 rheoli rhywbeth a'i ddefnyddio at ddiben arall, fel y gwneir wrth ddefnyddio grym natur i gynhyrchu egni to harness

harpsicord *eg* (harpsicordiau) offeryn cerdd tebyg i biano ond bod ei dannau'n cael eu tynnu (fel tannau telyn) yn hytrach na'u taro fel tannau piano harpsichord

harpsicordydd *eg* (harpsicordwyr) un sy'n canu'r harpsicord harpsichordist

harten *eb* *anffurfiol* trawiad ar y galon heart attack

haru *bf* [darfod] *tafodieithol, yn y Gogledd* ffurf lafar ar 'darfu i', e.e. *Be' haru chi? (Beth sy'n bod arnoch chi?)*

hashnod *eg* (hashnodau) gair neu ymadrodd ar gyfrwng electronig a ragflaenir gan yr arwydd # a ddefnyddir i adnabod negeseuon yn trafod testun penodol hashtag

hast *eb* brys, ffrwst, prysurdeb, rhuthr haste, hurry
  bod ar hast bod ar frys, rhuthro to be in a hurry
  gwneud hast prysuro, brysio, mwstro to hasten, to hurry up

hastio:hastu *be* [hasti•²] dod yn gynt; brysio, cyflymu, prysuro, rhuthro to hasten

hastus *ans* *tafodieithol, yn y Gogledd* ar hast; brysiog, cyflym, prysur hasty

hatling *eb* (hatlingau)
  1 arian bath gwerth hanner ffyrling half farthing
  2 (yn llenyddol neu yn y Beibl) cyfraniad bach iawn (o arian) gan rywun nad yw'n gallu fforddio rhoi mwy mite
  yr hatling eithaf pob dimai (sy'n ddyledus)

hau *be* [heu•¹]
  1 gwasgaru hadau ar wyneb y ddaear neu

blannu (neu ddodi) hadau yn y ddaear er mwyn iddynt dyfu'n flodau neu'n gnwd to sow

2 *ffigurol* lledaenu, gwasgaru, taenu, *hau stori* to sow

haul *eg* (heuliau)

1 y corff llachar yn yr awyr y mae'r Ddaear yn teithio o'i gwmpas ac yn derbyn golau a gwres oddi wrtho; y seren yng nghanol cysawd yr Haul sun

2 golau a gwres sy'n deillio o'r Haul, *Gofala na chei di dy losgi yn yr haul.* sun

3 SERYDDIAETH seren y mae planedau'n teithio o'i chwmpas sun

Sylwch: defnyddir priflythyren pan gyfeirir ato mewn cyd-destun seryddol.

daw eto haul ar fryn daw amser gwell things will get better

haute couture eb y dillad drud ffasiynol a lunnir gan y prif dai ffasiwn, a'r diwydiant/ diwylliant sy'n gysylltiedig â hyn

haute cuisine eb COGINIO safon uchel o goginio bwyd yn y dull Ffrengig

Hawaiad *eg* (Hawaiaid) brodor o Hawaï Hawaian

Hawaiaidd *ans* yn perthyn i Hawaï, nodweddiadol o ynysoedd Hawaï Hawaian

hawdd *ans* [haws•] y gellir ei feistroli heb lawer o ymdrech; didrafferth, diffwdan, rhwydd easy, ready

hawdd fel baw hawdd iawn easy as pie

hawddamor *ebychiad hynafol* henffych well, bendith hail

hawddfraint *eb* CYFRAITH hawl i groesi tir neu i ddefnyddio tir sy'n eiddo i rywun arall at ddiben penodedig easement

hawddfyd *eg* bywyd esmwyth, pleserus, ffyniannus; esmwythyd, seguryd ease, prosperity

hawddgar *ans* [hawddgar•] (am rywun) hawdd ei hoffi; dymunol, hoffus, hynaws amiable, pleasant

hawddgarwch *eg* y cyflwr o fod yn hawddgar; hynawsedd, sirioldeb, tiriondeb amiability, geniality

hawl[1] *eb* (hawliau)

1 cais dilys neu'r hyn sy'n ddyledus i rywun ar sail gyfreithiol neu foesol; iawn claim, right

2 CYFRAITH un o'r pethau neu'r manteision y mae gan bobl hawl gyfiawn iddo (Mae'r term 'hawliau' wedi disodli term 'iawnderau' a ddefnyddiwyd hyd at yr 20fed ganrif.)

Sylwch: gw. hefyd **hawliau**.

hawl gweld yr hawl neu'r cyfle i weld neu ymweld â rhywun access

hawl[2] *bf* [holi] *hynafol* mae ef yn holi/mae hi'n holi; bydd ef yn holi/bydd hi'n holi

hawlen *eb* (hawlenni) trwydded neu warant ysgrifenedig sy'n caniatáu i'w deiliad gyflawni rhywbeth neu gadw rhywbeth, *hawlen bysgota* permit

hawlfraint *eb* (hawlfreintiau) CYFRAITH yr hawl gyfreithiol i gael cynhyrchu, gwerthu neu ddarlledu llyfr, drama, ffilm, record, etc. am gyfnod penodol o flynyddoedd copyright

hawlfreintiau sifil hawliau'r unigolyn i ryddid yn ei berthynas â'r wladwriaeth; rhyddid mynegiant, rhyddid i gyfarfod, rhyddid i addoli, etc.; iawnderau civil liberties

hawliad *eg* (hawliadau) yr hawl gyfreithiol i rywbeth, e.e. hawl i gael dyled wedi'i thalu, rhagorfraint neu hawl i rywbeth ym mherchenogaeth rhywun arall claim

hawliau *ell* lluosog **hawl**, y manteision hynny y mae gan rywun hawl foesol neu gyfreithiol i'w mynnu, *hawliau merched* rights

hawliau di-syfl hawliau wedi'u gwreiddio mor gadarn y bydd newid yn anodd entrenched rights

hawliau dynol y pethau neu'r manteision y mae gan bob un hawl gyfiawn iddynt; iawnderau human rights

hawliau sifil hawliau unigolyn sy'n deillio o'i ddinasyddiaeth; hawliau dynol civil rights

hawliau tramwy hawliau unigolyn i ddefnyddio llwybrau cyhoeddus rights of way

Mesur Hawliau gw. **Mesur Iawnderau**

hawlio *be* [hawli•[2]] mynnu fel hawl; haeru, maentumio, meddiannu, taeru to claim, to demand

hawliwr:hawlydd *eg* (hawlwyr) un sy'n hawlio rhywbeth yn gyfreithiol claimant

hawlrwym *eg* CYFRAITH hawl i berchenogi eiddo rhywun arall hyd nes bydd hwnnw neu honno wedi talu dyled lien

haws:hawsaf:hawsed *ans* [hawdd] mwy hawdd; mwyaf hawdd; mor hawdd

haws dweud na gwneud gw. **dweud**

hawster:hawstra *eg* (hawsterau) pa mor hawdd yw rhywbeth; hwylustod, rhwyddineb, symledd ease

hawstoriwm *eg* (hawstoria) BOTANEG pigyn neu dyfiant ymthiol o wreiddyn planhigyn parasitig neu o gorff ffwng; mae'n treiddio i gelloedd y planhigyn y mae'n bwydo arno er mwyn dwyn maeth i'r parasit haustorium

hawyr *ebychiad* fel yn *hawyr bach* good gracious

head gw. **heuad**

heb *ardd* [hebof fi, hebot ti, hebddo ef (fe/fo), hebddi hi, hebom ni, heboch chi, hebddynt hwy (hebddyn nhw)]

1 yn brin o, yn amddifad o, *Dyma'r tro cyntaf imi fod ar fy ngwyliau heb fy rhieni.*, *Heb ei fai: heb ei eni.*; llai, namyn without

2 (negydd sy'n dynodi Amser Presennol gorffenedig y ferf yn cyfateb i 'wedi' yn y cadarnhaol) peidio â, nid wyf (wyt, yw, etc.)

wedi, *Rwyf heb weld y rhaglen eto*. (yn cyfateb i 'Nid wyf wedi gweld y rhaglen eto') not *Sylwch:*
1 mae'n achosi'r treiglad meddal;
2 *a heb* sy'n gywir (nid *ac heb*);
3 fe'i defnyddir gyda berf gadarnhaol, nid yw *'Doedd hi heb ddod'* yn gywir.

heb os nac oni bai gw. **os**

mwy na heb ar y cyfan, mwy neu lai more or less, on the whole

heblaw *ardd* yn ogystal â, ar wahân i, *A oes rhywun arall yn mynd i'r parti heblaw ni?*; eithr, oddieithr apart from, besides

hebof gw. **heb**

hebog *eg* (hebogau:hebogiaid) un o nifer o fathau o adar ysglyfaethus sy'n hela yn ystod y dydd ac yn defnyddio eu crafangau i ddal adar llai ac anifeiliaid bach; cudyll, curyll, gwalch hawk, falcon

hebog tramor hebog grymus a welir ar fynydd-dir neu glogwyni peregrine, peregrine falcon

heboga *be* [heboc•¹] hela â hebog wedi'i hyfforddi at y gwaith falconry, hawking

hebogaidd *ans* tebyg i hebog, o'r un natur â hebog hawkish, hawklike

heboglys *eg* planhigyn yn perthyn i deulu llygad y dydd ond sydd â blodau melyn tebyg i ddant y llew hawkweed

hebogwr *eg* (hebogwyr) un sy'n hela â hebog wedi'i hyfforddi at y gwaith falconer

hebogydd *eg* (hebogyddion)
1 un sy'n magu hebogiaid a'u hyfforddi i hela falconer
2 *hanesyddol* ceidwad yr hebogiaid, un o brif swyddogion llys y brenin yn yr Oesoedd Canol falconer

hebogyddiaeth *eb* y grefft o hyfforddi hebog i hela; yr arfer o hela â hebog falconry

Hebraeg *ebg* iaith hynafol yr Hebreaid; hefyd gwahanol fersiynau cyfoes o'r iaith hon Hebrew

Hebread *eg* (Hebreaid) Iddew; un o ddisgynyddion y llwythau a gâi eu harwain gan Moses Hebrew

Hebreig *ans* yn perthyn i'r Hebreaid neu i'r Hebraeg Hebrew

hebrwng *be* [hebryng•¹] teithio gyda (rhywun neu rywbeth) (fel cwmni neu er mwyn gofalu ei fod yn cyrraedd pen ei daith), *Wnei di fy hebrwng i adref?*; cyd-deithio, cydgerdded, danfon to escort

hebryngaf *bf* [hebrwng] rwy'n hebrwng; byddaf yn hebrwng

hebryngydd *eg* (hebryngwyr) un sy'n cyd-deithio er mwyn cadw cwmni; cydymaith, danfonydd, tywysydd accompanier, companion

heclo *be* [hecl•¹] ceisio tarfu ar siaradwr cyhoeddus drwy weiddi cwestiynau neu sylwadau ar ei draws to heckle

heclwr *eg* (heclwyr) un sy'n heclo heckler

hecsadegol *ans* MATHEMATEG am gyfundrefn rifo sy'n seiliedig ar 16 (yn hytrach na deg) hexadecimal

hecsagon *eg* (hecsagonau) MATHEMATEG ffigur dau ddimensiwn sydd â chwe ochr llinell syth a chwe ongl hexagon

hecsagonol *ans* MATHEMATEG ar ffurf hecsagon; chweochrog hexagonal

hecsahedron *eg* (hecsahedronau) MATHEMATEG ffurf solet ac iddi chwe wyneb, *Mae ciwb yn hecsahedron â chwe wyneb cyfartal.* hexahedron

hecsan *eg* CEMEG hylif hydrocarbon o betroliwm, yn cynnwys chwe atom carbon hexane

hecsos *eg* CEMEG siwgr syml â chwe atom carbon ym mhob moleciwl hexose

hectar *eg* (hectarau) mesur arwynebedd tir sy'n cyfateb i 10,000 metr sgwâr; ha hectare

hectig *ans* fel ffair wyllt, llawn cynnwrf a phrysurdeb hectic

hecto- *rhag* (gydag unedau metrig) cant e.e. *hectogram* hecto-

hectogram *eg* (hectogramau) uned bwysau fetrig yn gywerth â 100 gram; hg hectogram

hectolitr *eg* (hectolitrau) uned fetrig yn gywerth â 100 litr; hl hectolitre

hecyn *eg* hac bach nick

hed *bf* [hedfan]
1 *ffurfiol* mae ef yn /mae hi'n hedfan; bydd ef yn hedfan/bydd hi'n hedfan
2 gorchymyn i ti hedfan
fel yr hed y frân am y ffordd fyrraf; syth, uniongyrchol as the crow flies

hedeg ffurf lafar ar **ehedeg**

hedegog *ans* yn hedfan neu'n gallu hedfan; adeiniog flying, winged

hedfan *be* [hedfan•³]
1 teithio drwy'r awyr ar adenydd neu mewn peiriant; ehedeg (~ **dros**) to fly, to soar
2 llywio a rheoli (awyren, hofrennydd, etc.) yn yr awyr, *Pwy sy'n hedfan yr awyren?* to fly
3 cael eich cludo'n gyflym drwy'r awyr, *Roedd y cymylau'n hedfan ar draws yr wybren.* to fly
4 codi i'r awyr ar ben llinyn neu ddarn o raff, *hedfan barcud* to fly
5 symud yn gyflym, brysio, *car yn hedfan ar hyd y draffordd, amser yn hedfan* (~ **heibio**) to fly

hedfaniad *eg* y broses o hedfan, canlyniad hedfan flight

hedfanol *ans*
1 yn symud fel pe bai'n hedfan fleeting
2 yn medru hedfan, yn perthyn i hedfan flying, winged

hedfanwr *eg* (hedfanwyr) un sy'n hedfan aviator, flyer

hedfor *ans* môr gwyllt â thonnau mawr wild sea

hediad *eg* (hediadau) y broses o hedfan, e.e. taith mewn awyren flight

hedion *ell* tywysennau gwag (o ŷd neu lafur); peiswyn, torion chaff

hedlamu *be* [hedlam•¹] neidio'n uchel ac yn bell to take a flying leap

hedoniaeth *eb* yr athroniaeth mai pleser personol yw'r unig ddaioni, a ffordd o fyw wedi'i seilio ar yr athroniaeth hon hedonism

hedonistaidd *ans* yn seiliedig ar hedoniaeth, nodweddiadol o hedoniaeth hedonistic

hedonydd *eg* (hedonyddion) un sy'n credu mewn hedoniaeth ac yn dilyn y ffordd honno o fyw hedonist

hedwr *eg* (hedwyr) ehedwr, un sy'n ehedeg flyer

hedydd *eg* ffurf ar **ehedydd**

hedyn *eg* (hadau)
1 un gronyn o had, *yr hedyn mwstard* seed, germ, pip
2 *ffigurol* rhywbeth sy'n mynd i dyfu neu ddatblygu, *hedyn o amheuaeth*; cnewyllyn seed

hedd *gw.* **heddwch**

heddgeidwad *eg* (heddgeidwaid) *hen ffasiwn* swyddog heddlu; heddwas, plismon policeman

heddiw *eg ac adf*
1 y diwrnod hwn, y diwrnod rhwng ddoe ac yfory; ar y diwrnod presennol hwn, *Maen nhw'n mynd ar eu gwyliau heddiw.* today
2 yr amser presennol (o'i gyferbynnu â'r gorffennol neu â'r dyfodol) nowadays
bore heddiw y bore 'ma this morning
prynhawn heddiw y prynhawn 'ma this afternoon
Ymadroddion
fel heddiw ac yfory anwadal, oriog, di-ddal
hyd heddiw tan y presennol to this day

heddlu *eg* (heddluoedd)
1 corff swyddogol o ddynion a gwragedd sy'n gyfrifol am gadw'r heddwch, am ofalu am bobl ac eiddo, am sicrhau bod pobl yn ufuddhau i gyfreithiau, ac am ddal troseddwyr, etc. police, police force
2 y corff sy'n gyfrifol am blismona rhanbarth arbennig, *Heddlu Dyfed–Powys* constabulary

hedd-offrwm *eg* (hedd-offrymau)
1 rhodd neu offrwm i geisio cymodi â rhywun peace offering
2 CREFYDD yn yr Hen Destament, aberth o ddiolch i Dduw peace offering

heddwas *eg* (heddweision) swyddog heddlu; heddgeidwad, plismon policeman

heddwch:hedd *eg* (heddychau)
1 cyfnod neu gyflwr heb ryfel na therfysg peace

2 cytundeb i ddwyn rhyfel i ben rhwng rhai a fu'n brwydro (gwledydd, fel arfer), *Heddwch Versailles ar ôl y Rhyfel Byd Cyntaf* peace
3 distawrwydd hir, *Mae'n braf cael dod i mewn i gael ychydig bach o heddwch.*; gosteg, llonyddwch, tawelwch peace
4 tawelwch meddwl, llonyddwch ysbrydol; hedd, tangnefedd tranquillity

heddychiad *eg* y broses o greu heddwch, o ostegu neu leihau gwrthwynebiad neu wrthryfel pacification

heddychiaeth *eb* gwrthwynebiad i ryfel neu i drais fel ffordd o ddatrys anghydfod; gwrthodiad i ddwyn arfau ar seiliau crefyddol neu foesol pacifism

heddychlon:heddychol *ans* heb greu cynnwrf na therfysg, heb frwydro nac ymladd, yn credu mewn heddwch; digynnwrf, llonydd, tawel peaceful

heddychu *be* gwneud neu adfer heddwch; cymodi, gostegu, llonyddu, tawelu to pacify
Sylwch: nid yw'r ferf hon yn arfer cael ei rhedeg.

heddychwr *eg* (heddychwyr)
1 un sy'n gwrthod rhyfela, sy'n ymwrthod â rhyfel, sy'n credu mewn heddwch; tangnefeddwr pacifist
2 un sy'n ceisio cymodi rhwng dwy (neu ragor) o ochrau sy'n rhyfela neu'n brwydro yn erbyn ei gilydd; cymodwr conciliator, peacemaker

heddychwraig *eb*
1 merch neu wraig sy'n gwrthod rhyfela, sy'n ymwrthod â rhyfel, sy'n credu mewn heddwch pacifist
2 *hanesyddol* un o grŵp o ferched a fu'n protestio am gyfnod hir yn erbyn arfau niwclear ger safle milwrol Comin Greenham

hefelydd *eg* rhywun cystal ag un arall, un hafal, un cydradd peer

hefo *gw.* **efo**

hefrio:hefru *be* [hefri•²] baldorddi, clebran, siarad dwli to jabber

hefyd *adf* yn ogystal, yn ychwanegol, yn gwmni, *A gaf fi ddod hefyd?* also, too, additionally
Sylwch: a hefyd sy'n gywir (nid ac hefyd).
byth a hefyd yn wastadol, drwy'r amser always

heffer *eb* (heffrod) buwch ifanc (nad yw, fel arfer, wedi bwrw llo); anner, treisiad heifer

hegemoni *eb* tra-arglwyddiaeth, yn enwedig goruchafiaeth un genedl neu grŵp dros eraill; penarglwyddiaeth hegemony

heglau *ell* coesau legs

hegledd *eg* BOTANEG y cyflwr o fod yn heglog etiolation

heglog *ans*
1 â choesau hirion, *corryn heglog*; coesog leggy, long-legged

2 BOTANEG (am blanhigyn) llipa a di-liw oherwydd diffyg goleuni etoliated

heglu *be* [hegl•¹] fel yn *ei heglu hi*, rhedeg i ffwrdd, ei gwân hi, ei gloywi hi; dianc, ffoi, gwadnu to run away

heibiad *eg* (heibiadau) (mewn criced) rhediad sy'n cael ei sgorio pan fydd y bêl yn cael ei bowlio heibio i'r batiwr a'r wicedwr heb i'r naill na'r llall allu ei hatal, pêl heibio bye

heibio *adf* hyd at ryw bwynt neu fan arbennig (mewn amser neu le) a thu hwnt i hynny, *Aeth y gwyliau heibio'n gyflym iawn. Does dim lle inni fynd heibio iddo ar yr heol yma.* (~ *i rywun neu rywle*) by, past

galwch heibio dewch i ymweld call by

wrth fynd heibio gyda llaw in passing

heic *eb* (heiciau) taith heicio hike

heicio *be* [heici•²] mynd ar daith gerdded, cerdded (ar daith hir fel arfer) (~ i) to hike

heiciwr *eg* (heicwyr) un sy'n heicio; cerddwr, rhodiwr hiker

heidiau *ell* lluosog **haid**

heidio *be* [heidi•²]

1 crynhoi yn un haid neu'n dorf, *Mae'r gwartheg wedi heidio at ei gilydd yng nghornel y cae.*; tyrru, ymgasglu, ymgynnull (~ **at**) to swarm, to flock, to teem

2 hel at ei gilydd, casglu nifer o bethau ynghyd, e.e. anifeiliaid to herd

3 bod yn llawn o, yn berwi o; heigio, *Mae'r dref yn heidio o ymwelwyr.* to teem

heidiol *ans* BIOLEG (am anifeiliaid a phlanhigion) â thuedd i heidio, yn casglu'n heidiau; heigiog gregarious

heidioledd *eg*

1 BOTANEG priodwedd rhai planhigion i dyfu'n sypiau neu'n glystyrau gregariousness

2 SWOLEG cyflwr neu berthynas gwenyn neu gacwn sy'n byw mewn nythod ar bwys ei gilydd ond heb ymrannu'n nythfeydd annibynnol gregariousness

heidden *eb* un gronyn o **haidd**

heiffen *eb* (heiffenau) cysylltnod; llinell fer (-) a ddefnyddir i wahanu ambell gyfuniad o gytseiniaid, ac i ddangos nad ar y goben yr acennir gair, e.e. *Ynys-y-bwl, di-waith*; hefyd weithiau i gyplysu dau air, e.e. *Mrs Powell-Davies, Heddlu Dyfed-Powys*; defnyddir cysylltnod ar ddiwedd llinell i ddangos bod y gair wedi'i hollti a bod yr ail ran ar y llinell nesaf; cyplysnod hyphen

heigiad *eg* (heigiadau) y weithred o heigio, o gasglu'n haid (niweidiol yn aml) infestation

heigiau *ell* lluosog **haig**

heigio *be* [heigi•²]

1 casglu ynghyd yn un dorf fawr; bod yn llawn o, *y môr yn heigio o bysgod* to swarm, to teem

2 (am bryfed neu organebau) casglu ynghyd mewn ffordd sy'n gwneud drwg neu'n achosi niwed to infest

heigiog *ans* yn casglu'n haig, yn heigio; heidiol teeming

heilltion *ans* ffurf luosog **hallt**, *dagrau heilltion*

heini *ans* llawn bywyd; chwim, gwisgi, hoenus, sionc active, spry, vigorous

cadw'n heini ymarfer y corff er mwyn cadw'n iach, yn gryf ac yn ystwyth to keep fit

heintiad *eg* y weithred neu'r broses o heintio, canlyniad heintio infection

heintiau *ell* lluosog **haint**

heintiedig *ans* wedi'i heintio infected

heintio *be* [heinti•²]

1 troi neu wneud (person neu organeb) yn afiach drwy ledaenu organeb sy'n achosi clefyd, *Mae dy lygad chwith wedi'i heintio.* to infect

2 llygru drwy ledaenu (clefyd neu haint) ymhlith eraill; gwenwyno to contaminate, to infect

heintrydd *ans* imiwn; (am y corff) yn gallu gwrthsefyll haint penodol oherwydd presenoldeb gwrthgyrff neu gelloedd cof immune

heintryddid *eg* imiwnedd; gallu'r corff i wrthsefyll clefyd, afiechyd, gwenwyn, etc. immunity

heintus *ans*

1 yn dioddef o haint neu'n cario haint infectious

2 (am glefyd) yn cael ei drosglwyddo drwy'r aer neu drwy gyffyrddiad, hawdd ei ddal infectious, contagious, communicable

3 yn ymledu'n gyflym ac yn effeithio ar bobl eraill, *Roedd ganddi chwerthiniad heintus.* catching, infectious

heirdd *ans* ffurf luosog **hardd**; heirddion

heirddion¹ *ans* ffurf luosog **hardd**; heirdd

heirddion² *ell* llenyddol rhai hardd the beautiful

heislan *eb* (heislanau) crib haearn â dannedd miniog a gâi ei ddefnyddio i gribo llin neu gywarch hackle

heislanu *be* [heislan•³] cribo llin neu gywarch â heislan to card, to hackle

hel *be* [hel•¹]

1 danfon, erlid, gyrru, *Cafodd hi ei hel o'r ystafell am ei hymddygiad.* to drive, to send

2 crynhoi, casglu ynghyd, *Rwy'n hel arian at achos da.* to collect, to gather together

3 mynychu, ymweld â, *hel tafarnau* to frequent

hel achau olrhain achau to trace one's ancestry

hel at ei gilydd casglu ynghyd to gather together

hel celwyddau dweud anwireddau to tell lies

hel clecs gw. clecs

hel dail gwastraffu amser â siarad di-werth to natter

hel dynion rhedeg ar ôl dynion

hel esgusion/esgusodion chwilio am esgusodion to make excuses

hel fy (dy, ei, etc.**) mhac** casglu pethau ynghyd yn barod i ymadael to collect one's bags, to pack up

hel fy (dy, ei, etc.**) mol** bwyta'n awchus to stuff oneself

hel fy (dy, ei, etc.**) nhamaid** ennill bywoliaeth to earn one's living

hel fy (dy, ei, etc.**) nhraed** cychwyn to set off

hel llwch gw. **llwch**[1]

hel meddyliau troi a throsi pethau yn y meddwl a hynny'n aml yn peri ofn neu ddigalondid; chwalu meddyliau to brood

hel merched rhedeg ar ôl merched to womanize

hel straeon hel clecs, dweud straeon to gossip

hela *be* [hel•[1]]
1 mynd ar ôl anifeiliaid neu adar a'u lladd, naill ai fel adloniant neu ar gyfer eu crwyn/plu neu eu cig, *hela'r ysgyfarnog, ci hela*; ymlid to hunt
2 *tafodieithol, yn y De* (yn aml yn y ffurf 'hala') gwario, treulio, *hela gormod o amser yn y dafarn, hela fy arian i gyd yn y dre* (~ **ar**) to spend
3 *tafodieithol, yn y De* (yn aml yn y ffurf 'hala') anfon, danfon, gyrru, *hela llythyr*; postio to send
4 *tafodieithol, yn y De* ffurf ar **hel**

hela'r dryw *hanesyddol* arfer lle y byddai cwmni o bobl ifanc yn mynd â dryw mewn tŷ bychan neu ar elor i gartref pâr a oedd wedi priodi yn ystod y flwyddyn, ac yn canu i ofyn am ddiod

helaeth *ans* [helaeth•]
1 eang, llydan, maith, *Mae'n bwrw glaw dros rannau helaeth o'r wlad.* extensive, large, wide
2 dibrin, hael, toreithiog, *Roedd yn ŵr helaeth ei gymwynas.* generous, magnanimous, plentiful

helaethder gw. **helaethrwydd**

helaethiad *eg* (helaethiadau)
1 y broses o helaethu, canlyniad helaethu enlargement
2 MATHEMATEG trawsffurfiad sy'n newid maint gwrthrych heb newid ei siâp enlargement

helaethrwydd:helaethder *eg* y cyflwr o fod yn helaeth; amlder, ehangder, maint, toreth extent, immensity

helaethu *be* [helaeth•[1]] gwneud neu dyfu'n ehangach; trafod yn llawnach; cynyddu, datblygu, ehangu to enlarge, to expand

helaethwych *ans* â llawer o rywbeth drud iawn, helaeth a gwych sumptuous

helaethydd *eg* (helaethyddion) CELFYDDYD cyfarpar ar gyfer helaethu neu leihau negatifau neu ddelweddau positif enlarger

helbul *eg* (helbulon) helynt, strach, trafferth, trwbl, *Mae'r merched 'na mewn rhyw helbul byth a hefyd.* bother, scrape, trouble

helbulus *ans* llawn helbulon; yn achosi helynt neu drafferth; trafferthus stormy, troublesome

helcyd *be tafodieithol, yn y Gogledd* halio, llusgo, cario, *Mi fydd raid imi helcyd yr hen fag trwm 'ma ar draws Llundain.* to drag, to lug
Sylwch: nid yw'r ferf hon yn arfer cael ei rhedeg.

heldir *eg* (heldiroedd) *hynafol* tir hela preserve

heldrin *eb* (heldrinoedd) helbul, helynt, trafferth, trwbl fray, hullabaloo
yr heldrin fawr yr Ail Ryfel Byd (1939–45)

Helenaidd *ans hanesyddol* yn perthyn i Roeg y cyfnod clasurol; Groegaidd Hellenic

Heleniaeth *eb* ymlyniad wrth arferion, arddull neu ffordd Roegaidd o feddwl yng nghyfnod clasurol gwlad Groeg, neu efelychiad ohonynt Hellenism

Helenistaidd *ans hanesyddol* yn perthyn i gyfnod yn ymestyn o ddiwedd teyrnasiad Alecsander Fawr (323 CC) dros bum canrif neu ragor gan gynnwys cyfnod yr Eglwys Fore Hellenistic

helfa *eb* (helfeydd:helfâu)
1 y weithred o hela neu o ymlid anifeiliaid gwyllt gyda'r bwriad o'u dal a'u lladd, taith hela hunt
2 casgliad o'r pethau (pysgod, fel arfer) sydd wedi cael eu dal; dalfa catch, haul
3 y weithred o chwilio am rywbeth (â'r bwriad yn aml o'i ddarganfod o flaen pawb arall), *helfa drysor* hunt

helfarch *eg* (helfeirch) ceffyl â'r dyfalbarhad, y cryfder a'r dewrder sydd eu hangen i hela llwynogod ar draws gwlad hunter

Helfetaidd *ans* yn perthyn i'r Helfetiaid, llwyth Celtaidd a drigai lle mae'r Swistir heddiw Helvetian

Helfetig *ans* yn perthyn i'r Swistir, nodweddiadol o'r Swistir Helvetic

helgi *eg* (helgwn) ci hela, yn enwedig ci hela llwynogod; bytheiad hound

helgorn *eg* (helgyrn) corn hela hunting horn

heli *eg*
1 *llenyddol* y môr; eigion, gweilgi briny, sea
2 dŵr hallt, dŵr y môr briny, seawater
bwrw heli yn y môr cyflawni rhyw waith di-werth to carry coals to Newcastle

helicoid *eg* (helicoidau) MATHEMATEG gwrthrych helicoidol helicoid

helicoidol *ans* ar ffurf helics (e.e. cragen malwoden) helicoidal

helicopter *eg* (helicoptrau) *anffurfiol* hofrennydd helicopter

helics *eg* (helicsau) MATHEMATEG cromlin sy'n troelli mewn tri dimensiwn, e.e. fel ar ffurf siâp sbring helix

helics dwbl *eg* (helicsau dwbl) pâr o helicsau wedi'u dirdroi am yr un echelin, yn enwedig y ffurf a geir yn adeiledd DNA double helix

heligol *ans* ar ffurf helics helical

h

heliotropedd *eg* BIOLEG priodwedd organebau sy'n troi tuag at heulwen neu oddi wrth heulwen heliotropism

heliotropig *ans* BIOLEG yn meddu ar briodwedd heliotropedd heliotropic

heliwm *eg* elfen gemegol rhif 2; nwy nobl nad yw'n adweithio'n gemegol ac sy'n ysgafnach nag aer (He) helium

heliwr *eg* (helwyr)
1 un sy'n hela hunter, huntsman
2 un sy'n hel, sy'n casglu pethau, *heliwr achau*; casglwr collector

helm[1] *eb* (helmau) yn wreiddiol y darn o arfogaeth a fyddai'n amddiffyn pen milwr neu farchog, ond erbyn heddiw het milwr, plismon, dyn tân, etc. helm, helmet

helm[2] *eb* (helmydd) tas o wair, ŷd, etc., yn enwedig un a gâi ei hadeiladu ar ffurf adeilad a tho iddo; bera, cocyn, mwdwl rick

helmed:helmet *eb* (helmedau:helmedi:helmetau: helmeti) helm[1] ond hefyd y math o het amddiffynnol a wisgir gan yrrwr beic helmet

helmog *ans* yn gwisgo helm, a helm drosto helmeted

helmu *be* [helm•[1]] gwneud tas o ŷd, mydylu

helô:hylô *ebychiad* cyfarchiad ar y ffôn, neu wrth gyfarfod â rhywun, etc. hello

helogan *eb* llysieuyn gardd â choesynnau gwyrdd golau a ddefnyddir mewn salad neu i wneud cawl celery

help *eg* yr hyn a gynigir gan rywun sy'n helpu; budd, cymorth, cynhorthwy, iws aid, help

help llaw cymorth ymarferol helping hand

helpiwr *eg* (helpwyr) un sy'n helpu helper

helpu *be* [help•[1]]
1 gwneud cyfran o waith ar ran rhywun, bod o ddefnydd neu gymorth; cyfrannu, cynorthwyo to help, to assist
2 cefnogi, creu amgylchiadau derbyniol (~ gyda) to help

helpu fy (dy, ei, etc.) hun cymryd heb dolio neu warafun; cymryd heb ganiatâd to help myself

helwraig *eb*
1 merch neu wraig sy'n hela huntress
2 merch neu wraig sy'n casglu pethau

helwriaeth *eb*
1 y grefft o hela huntsmanship
2 yr hyn sy'n cael ei hela neu sy'n cael ei ddal wrth hela game

helwyr *ell* lluosog heliwr

helyg *ell* coed sy'n tyfu gerllaw dŵr a'u canghennau'n gwyro tua'r ddaear; hefyd, yn unigol, pren y coed hyn willow

helygaidd *ans* tebyg i'r helygen, main ac ystwyth willowy

helygen *eb* unigol **helyg** willow (tree)
helygen Fair prysgwydden dew, gollddail sy'n tyfu ar dir corsiog, a chanddi ddail persawrus bog myrtle

helyglys hardd *eg* planhigyn lluosflwydd talsyth a chanddo ddail hirgul a phen o flodau pinc-borffor rosebay willowherb

helygog *ans* â helyg yn tyfu yno willowy

helynt *egb* (helyntion) helbul, trafferth, trallod, trwbl bother, predicament, trouble
hynt a helynt hanes llwyddiannau ac aflwyddiannau rhywun neu rywbeth

hell *ans* ffurf fenywaidd (brin ei defnydd) **hyll**

helltni *eg* yr ansawdd o fod yn hallt, y graddau y mae peth yn hallt salinity, saltiness

helltydd *eg* (helltyddion) un sy'n halltu (bwydydd, e.e. cig), halltwr salter

hem *eb* (hemiau) ymyl dilledyn wedi'i throi i fyny ac wedi'i gwnïo; cwr, godre, gwaelod hem

hematit gw. **haematit**

hematoleg gw. **haematoleg**

hematwria gw. **haematwria**

hemio *be* [hemi•[2]]
1 troi ymyl dilledyn i fyny a'i gwnïo, gwneud hem to hem
2 *tafodieithol, yn y De* rhoi cosfa i; curo to belt
3 teithio'n gyflym, rhuthro mynd to belt

hemiplegia *eg* MEDDYGAETH parlys un ochr i'r corff hemiplegia

hemisffer *eg* (hemisfferau)
1 un o ddau hanner pelen hemisphere
2 DAEARYDDIAETH un o ddau hanner y Ddaear (y naill i'r gogledd o'r cyhydedd a'r llall i'r de) hemisphere
3 ANATOMEG un o ddwy ran (de a chwith) y cerebrwm hemisphere

hemisfferig *ans* ar ffurf hemisffer, yn perthyn i hemisffer hemispheric, hemispherical

hemlog *eb* yn enwedig hemlog y gorllewin, coeden fythwyrdd, conwydden sy'n debyg i'r byrwydden; pren y goeden hon hemlock

hemoffilia gw. **haemoffilia**

hemoglobin gw. **haemoglobin**

hemolysis gw. **haemolysis**

hen[1] *ans* [hyn• hyned; hŷn; hynaf]
1 (o flaen yr hyn a oleddfir) mewn gwth o oedran, nad yw'n ifanc neu'n newydd, sy'n bod ers cyfnod hir old
2 (o flaen yr hyn a oleddfir) cynt, a fu, *Cafodd ei hen swydd yn ôl.* former, old
3 (o flaen yr hyn a oleddfir) yn gyfarwydd ers llawer o amser, *yr un hen stori* old
4 (o flaen yr hyn a oleddfir) heb fod yn ffres, *Mae'r caws yma'n hen.* old, stale
5 (o flaen yr hyn a oleddfir) annwyl, *Chwarae teg i'r hen blant!* old

6 (o flaen yr hyn a oleddfir) annymunol, atgas, *Mae'r hen ddyn 'na wrth y drws eto.* old

7 (yn dilyn yr hyn a oleddfir) hen iawn, hynafol, *hen adeilad* ond *adeilad hen iawn* am adeilad hynafol ancient

Sylwch: yn ei leoliad arferol o flaen yr hyn a oleddfir ganddo, mae'n achosi'r treiglad meddal.

hen bennill pennill telyn, math cyffredin o farddoniaeth werin Cymru

Hen Galan gw. calan

hen nain gw. nain

hen nodiant CERDDORIAETH y dull o ysgrifennu cerddoriaeth sy'n defnyddio un neu ragor o setiau o bum llinell (erwydd) staff notation

Hen Wlad Fy Nhadau anthem genedlaethol Cymru; ysgrifennwyd y geiriau gan Evan James a'r gerddoriaeth gan ei fab James James yn 1856 Land of My Fathers *Ymadroddion*

hen ben rhywun call, doeth an old hand

hen bryd *Mae hi'n awr yn chwarter wedi dau; roedd y gêm i fod i ddechrau am ddau – mae'n hen bryd iddo fod yma.* high time

hen dro trueni, piti a shame

hen ddigon gw. digon¹

hen ferch gwraig ddibriod old maid, spinster

hen gant gw. cant¹

hen geg gw. ceg

hen geilioges gw. ceilioges

hen lanc gŵr dibriod bachelor

hen law rhywun profiadol iawn an old hand

hen ŵr llysieuyn peraidd ei arogl ond chwerw ei flas y credid gynt ei fod yn llesol southernwood

hen ŷd y wlad gw. ŷd

Yr Hen Gorff Y Methodistiaid Calfinaidd

Yr Hen Ogledd gw. gogledd

hen² *adf* ers hir amser, hir, *Rwyf wedi hen flino ar ei gŵynion.* long, long since

henadur *eg* (henaduriaid) *hanesyddol* aelod o un o'r hen gynghorau sir neu dref a fyddai'n cael ei gyfethol am gyfnod hwy na chynghorydd cyffredin; cynghorwr alderman

henaduriad *eg* (henaduriaid) aelod o henaduriaeth elder

henaduriaeth *eb* (henaduriaethau)

1 CREFYDD cynulliad cynrychioliadol cylch o eglwysi Presbyteraidd, yn ymestyn dros ranbarth presbytery

2 cynulliad cynrychioliadol o eglwysi cylch i geisio sicrhau'r gofal ysbrydol gorau i holl aelodau'r eglwysi

Sylwch: mae'n derbyn ffurf unigol neu luosog berf.

henaidd *ans* braidd yn hen neu'n hen ffasiwn old-fashioned, oldish

henaint *eg* y cyflwr o fod yn hen neu'n oedrannus; henoed old age

henbeth *eg* (henbethau) peth hen, peth hynafol antique, old thing

henbob *ans* fel yn *bara henbob*, heb fod yn ffres stale

meddw henbob gw. meddw

hen dad-cu *eg* (hen dad-cuod) *safonol, yn y De* hen daid, tad mam-gu neu dad-cu great-grandfather

hen daid *eg* (hen deidiau) *safonol, yn y Gogledd* hen dad-cu, tad nain neu daid great-grandfather

hendraul *ans* hen ac wedi treulio threadbare

hendref *eb* (hendrefi) *hanesyddol* y man lle byddai ffermwr, ei deulu a'i breiddiau'n byw yn ystod misoedd y gaeaf ar ôl dychwelyd yn yr hydref o'r hafod winter dwelling

hendrefa:hendrefu *be* [hendref•¹] *hanesyddol* bwrw'r gaeaf, treulio'r gaeaf ar lawr gwlad ar ôl treulio'r haf yn yr hafod; gaeafu (~ **yn**) to winter

hendy *eg* (hendai) hen dŷ, plasty

heneb:henebyn *eb* (henebion) hen adeiladwaith neu gofadail; heneb ancient monument

henebion *ell* lluosog **heneb**, adeiladau neu olion hen iawn; hen adeiladwaith, *Mae Castell Caernarfon a Chromlech Pentre Ifan ymysg henebion enwocaf Cymru.* ancient monuments

heneiddedd *eg* cyfnod o dyfiant planhigyn (dail a ffrwythau) o aeddfedrwydd llawn hyd at ei farwolaeth senescence

heneiddiad *eg*

1 y broses o fynd yn hen geriatrification

2 MEDDYGAETH cyfuniad o wendidau a chlefydau henaint, yn enwedig dirywiad yn y cyneddfau meddyliol senility

heneiddio *be* [heneiddi•²] mynd yn oedrannus, mynd yn hen, tynnu ymlaen to age, to become old

heneiddiol *ans* yn heneiddio ageing, senescent

hen fam-gu *eb* (hen fam-guod) *safonol, yn y De* hen nain, mam mam-gu neu dad-cu great-grandmother

henfyd *eg* enw ar Ewrop, Asia ac Affrica, cyn i America gael ei darganfod; Hen Fyd antiquity

hen ffasiwn *ans* heb fod yn gyffredin bellach, nad yw yn y ffasiwn old-fashioned

henffel *ans* mwy call na'r disgwyl am ei oedran, hen o'i oed; hirben precocious, shrewd

henffych *ebychiad* *hynafol* hen ffordd o gyfarch rhywun greetings, hail

hengerdd *eb* barddoniaeth y Cynfeirdd, y beirdd a ganai o'r chweched ganrif hyd yr unfed ganrif ar ddeg

heniaith *eb* ffordd annwyl o gyfeirio at y Gymraeg

henna *eg* coeden fach o Affrica ac Ewrop sy'n cynhyrchu sypiau o flodau gwyn persawrus ac y defnyddir ei dail i gynhyrchu llifyn sy'n troi gwallt yn lliw gwinau henna

heno *eb ac adf* y noson hon, y nos cyn bore yfory; ar neu yn ystod y noson hon tonight

henoed *eg*
1 hen bobl, *Mae'r plant wedi penderfynu casglu arian ar gyfer yr henoed eleni.* old people, the elderly
2 y cyflwr o fod yn hen; henaint old age

henotheistiaeth *eb* CREFYDD ymlyniad wrth un duw ymhlith nifer henotheism

henuriad *eg* (henuriaid)
1 rhywun sy'n perthyn i genhedlaeth hŷn ac sy'n haeddu parch oherwydd ei brofiad neu ei ddoethineb elder
2 un a ddewiswyd i fod yn un o arweinwyr (ysbrydol, fel arfer) mewn capel; blaenor elder

henwlad *eb* ffordd annwyl o gyfeirio at Gymru

henwr *eg* (henwyr) hen ddyn, gŵr oedrannus (heb fod mor hen â hynafgwr) old man

heol:hewl *eb* (heolydd) ffordd, lôn, priffordd, stryd road

heol fawr y brif stryd neu'r brif heol main road

heolig *eb* ffordd fach gul; lôn, wtra, meidr lane, path

hepatig *ans* ANATOMEG yn perthyn i'r afu/iau hepatic

hepatitis *eg* MEDDYGAETH clefyd a nodweddir gan lid yr afu/iau hepatitis

hepgor *be* [hepgor•¹] gwneud y tro heb, gadael allan; anwybyddu, eithrio, sbario to avoid, to forego

hepgoradwy *ans* y gellir ei hepgor dispensable, discardable

hepian *be* [hepi•²] cysgu'n ysgafn; pendrymu, pendwmpian to doze, to nap, to snooze

heptagon *eg* (heptagonau) MATHEMATEG ffigur dau ddimensiwn sydd â saith ochr llinell syth a saith ongl heptagon

heptagonol *ans* MATHEMATEG ar ffurf heptagon; seithochrog heptagonal

heptan *eg* CEMEG hylif hydrocarbon o betroliwm, yn cynnwys saith atom carbon heptane

heptathlon *eg* cystadleuaeth athletaidd, yn enwedig i ferched, lle mae pob un yn cystadlu mewn saith camp, sef y rasys 200 metr ac 800 metr, 100 metr dros y clwydi, taflu'r waywffon, taflu'r maen a'r naid hir heptathlon

her *eb* (heriau)
1 gwahoddiad i gystadlu mewn brwydr, gêm, etc. er mwyn profi rhywbeth (fel dewrder neu allu); sialens challenge, dare
2 rhywbeth sy'n mynnu ymateb; gorchwyl sy'n gofyn am ymdrech galed i sicrhau llwyddiant, *Roedd dringo'r mynydd yn her roedd yn rhaid iddo ymateb iddi.* challenge

her unawd cystadleuaeth i ddarganfod yr unawdydd gorau champion solo

herbariwm *eg* (herbaria) BOTANEG casgliad cyfeiriol o blanhigion wedi'u sychu a'u cadw mewn trefn; hefyd yr adeilad sy'n gartref i'r casgliad herbarium

herc *eb* (herciau) naid ar un goes, naill ai'n fwriadol neu oherwydd bod y llall wedi'i hanafu hop, limp

herc, cam a naid naid driphlyg; cystadleuaeth athletaidd i bennu pwy sy'n gallu neidio bellaf ar ôl herc a cham hop, step and jump, triple jump

hercian *be* [herci•²] cerdded gan geisio cadw'r pwysau i gyd ar un goes (oherwydd bod y llall wedi cael anaf); cloffi, clunhercian, gwegian to hobble, to hop, to limp

herciog *ans* yn hercian, heb fod yn symud yn rhwydd ac yn llyfn, *mydr herciog mewn darn o farddoniaeth*; cloff jerky, limping

herclif *eb* (herclifiau) llif sy'n cael ei gyrru gan beiriant; mae ganddi lafn cul a dannedd bychain, ac fe'i defnyddir i dorri patrymau cywrain mewn coed tenau jigsaw

herclyd *ans* yn hercio, cloff, herciog hobbling

Hercwleaidd *ans* tebyg i'r cawr Ercwlff (Hercules) o ran cryfder neu faint, hefyd yn ffigurol am orchwyl sy'n gofyn am ymdrech neu nerth mawr i'w chyflawni Herculean

hercyd *be* cyrchu, nôl, ymofyn to fetch
Sylwch: nid yw'r ferf hon yn arfer cael ei rhedeg.

heresi *eb* (heresïau) CREFYDD athrawiaeth sy'n groes i ddysgeidiaeth yr Eglwys (yr Eglwys Gatholig Rufeinig yn wreiddiol), gau athrawiaeth; camgrediniaeth, cyfeiliornad heresy

heretic *eg* (hereticiaid) un sy'n arddel heresi, neu sy'n cael ei gondemnio am arddel heresi heretic

hereticaidd *ans* croes i ddysgeidiaeth yr Eglwys; anuniongred, cyfeiliornus heretical

herfeiddiol *ans* yn herio, beiddgar iawn; eofn, mentrus, rhyfygus challenging, daring, defiant

herfeiddiol o fe'i defnyddir i ddwysáu ystyr ansoddair, *yn herfeiddiol o flaenllaw*

herfeiddiwch *eg* y cyflwr o fod yn herfeiddiol; beiddgarwch defiance

hergwd *eg* ergyd (ymlaen neu i'r ochr); gwth, hwb, pwniad push, shove

hergydio *be* [hergydi•²] rhoi hergwd i; bwrw, curo, dyrnu, taro (~ o'r ffordd) to shove

herio:herian *be* [heri•²]
1 gwahodd i gystadlu (drwy ymladd, chwarae, etc.) (~ *rhywun* i) to challenge, to contest
2 amau cywirdeb, cyfiawnder neu awdurdod rhywbeth, *Paid ti â'm herio i, 'merch i, neu fe gawn ni weld pwy yw'r feistres yn y tŷ 'ma.*; pryfocio to defy

3 sefyll yn ddewr yn erbyn, wynebu'n herfeiddiol, *y cwch bach yn herio'r tonnau* to brave, to defy

heriol *ans* yn gosod her; herfeiddiol challenging

heriwr *eg* (herwyr) un sy'n herio, sy'n gosod her challenger

herlodes *eb* (herlodesi) *hynafol* ffurf lawn **lodes**

herllyd *ans* chwannog i herio, o natur her defiant, provocative

hermeniwteg *eb* astudiaeth o egwyddorion a dulliau esbonio, yn enwedig esboniadau beiblaidd; esboniadaeth hermeneutics

herod:herodr *eg* (herodiaid) swyddog â chyfrifoldeb am olrhain a chofnodi achau herald at arms

herodraeth *eb* yr astudiaeth a'r defnydd cywir o arfbeisiau heraldry

herodrol *ans* yn perthyn i herodr neu i herodraeth armorial, heraldic

heroin *eg* cyffur cryf iawn y mae pobl yn mynd yn gaeth iddo; mae'n cael ei wneud o sudd pabi coch o fath arbennig heroin

herpes *eg* MEDDYGAETH un o nifer o glefydau sy'n cael eu hachosi gan firws ac a nodweddir gan gwlwm o bothelli, e.e. crachen annwyd, yr eryr herpes

hers *eb* (hersiau) cerbyd arbennig a ddefnyddir i gludo corff mewn arch i angladd hearse

hertz:herts *eg* FFISEG uned mesur amledd yn cyfateb i un gylchred bob eiliad; Hz hertz

herw *eg*
1 fel yn *bod ar herw*, bod y tu allan i ofal neu amddiffyniad y gyfraith; dihangiad, ffo, ffoedigaeth (to be) outlawed
2 cyrch neu ymosodiad i ddwyn ysbail raid

herwa *be* crwydro o le i le yn cadw sŵn (yn enwedig am gathod yn y nos) to be out on the tiles
Sylwch: nid yw'r ferf hon yn arfer cael ei rhedeg.

herwddadlau *be* defnyddio dulliau eithafol i rwystro trafodaethau mewn cynulliad deddfwriaethol, e.e. drwy siarad yn ddi-baid am gyfnod hir to filibuster
Sylwch: nid yw'r ferf hon yn arfer cael ei rhedeg.

herwfilwr *eg* (herwfilwyr) aelod o grŵp bach annibynnol sy'n ymosod yn ddirybudd er mwyn distrywio a difa (a hynny, fel arfer, yn erbyn byddin ffurfiol) guerrilla

herwgipiad *eg* (herwgipiadau) CYFRAITH y weithred o herwgipio hijacking

herwgipio *be* [herwgipi•²] CYFRAITH cymryd meddiant o gerbyd (awyren, llong, etc.) drwy rym arfau gyda'r bwriad o godi arian neu ennill rhai amcanion gwleidyddol to hijack

herwgipiwr *eg* (herwgipwyr) CYFRAITH un sy'n herwgipio hijacker

herwgydiad *eg* (herwgydiadau) CYFRAITH y weithred o herwgydio, o gipio rhywun yn ddirgel abduction

herwgydio *be* [herwgydi•²] CYFRAITH cipio rhywun yn ddirgel (yn enwedig gwraig neu blentyn) a hynny drwy drais neu dwyll to abduct

herwgydiwr *eg* (herwgydwyr) CYFRAITH un sy'n herwgydio abductor

herwhela *be* CYFRAITH dal (anifeiliaid, adar neu bysgod fel arfer) yn anghyfreithlon; potsio to poach
Sylwch: nid yw'r ferf hon yn arfer cael ei rhedeg.

herwheliwr *eg* (herwhelwyr) CYFRAITH un sy'n herwhela; potsiar poacher

herwlong *eb* (herwlongau) *hanesyddol* llong gyflym a fyddai'n cael ei defnyddio gan fôr-ladron privateer

herwr *eg* (herwyr) rhywun sy'n byw y tu allan i'r gyfraith; drwgweithredwr, gwylliad, lleidr, ysbeiliwr outlaw

herwriaeth *eb* y cyflwr o fod ar herw, y tu allan i ofal neu amddiffyniad y gyfraith outlawry

herwydd gw. oherwydd

hesb *ans* ffurf fenywaidd **hysb**, sych, diffrwyth, heb wlybaniaeth na nodd; heb fod yn rhoi llaeth (am fuwch, dafad, etc.); anghynhyrchiol, anffrwythlon barren, dry

hesbin *eb* (hesbinod) dafad flwydd heb fagu ŵyn ewe

hesbinwch *eb* (hesbinychod) hwch ifanc, yn enwedig un sydd heb esgor ar dorllwyth; banwes gilt

hesbwrn *eg* (hesbyrniaid) oen blwydd gwryw, llwdn dafad wether

hesg *ell* planhigion tebyg i borfa neu wair sy'n tyfu ar diroedd isel gwlyb; brwyn, cawn, cyrs, pabwyr bulrushes, sedge

hesgen *eb* unigol **hesg** bulrush

hesian *eg* sachlïain, y defnydd y câi sachau eu gwneud ohono cyn rhai plastig hessian

hestor *eb* mesur sych neu wlyb yn cyfateb i un galwyn ar bymtheg

hestoraid *eg* (hestoreidiau) llond mesur hestor

het *eb* (hetiau) gorchudd ar gyfer y pen; cap hat
hen het o ddyn dyn gwirion
het gron/galed het gron fel bowlen â chantel, i ddyn bowler hat
het mynd a dŵad *anffurfiol* het â phig tu blaen a thu ôl deerstalker
tynnu fy (dy, ei, etc.) het (i rywun) dangos neu fynegi parch tuag at rywun to doff one's hat

hetar *eg* (hetars) *tafodieithol, yn y Gogledd* haearn smwddio iron

heterodein *ans* ELECTRONEG (mewn radio) yn cyfuno signal sy'n cael ei ddarlledu â signal mewnol o amledd tebyg er mwyn gostwng maint yr amledd clywadwy heterodyne

h

heterogenaidd *ans* yn deillio o rywogaeth arall, e.e. *impio croen heterogenaidd* heterogenous
   Sylwch: mae perygl ei gymysgu â'r ffurf 'heterogeneaidd' sy'n derm gwahanol.

heterogeneaidd *ans*
   1 amrywiol ei gynnwys neu ei gymeriad; anghydryw heterogeneous
   2 CEMEG am broses sy'n digwydd gyda sylweddau mewn gweddau gwahanol (solet, hylifol, nwyol) heterogeneous
   Sylwch: mae perygl ei gymysgu â 'heterogenaidd' sy'n derm gwahanol.

heterorywiol *ans* â diddordeb rhywiol mewn aelodau o'r rhyw arall heterosexual

heterosboraidd *ans* BOTANEG (am redyn a rhai gweiriau) yn cynhyrchu dau fath o sborau rhyw heterosporous

heterosis *eg* BIOLEG twf iach cryf a welir yn aml mewn planhigion neu anifeiliaid croesryw heterosis

heterosygaidd *ans* BIOLEG (am organeb) â dau alel gwahanol o enyn neu enynnau penodol heterozygous

heterosygot *eg* (heterosygotau) BIOLEG organeb heterosygaidd heterozygote

hetiwr *eg* (hetwyr) un sy'n gwneud hetiau, gwneuthurwr neu werthwr hetiau hatter

hèth *eb* cyfnod o dywydd oer iawn yn ystod y gaeaf; oerfel, oerni cold spell

Hethiad *eg* (Hethiaid) *hanesyddol* aelod o genedl a sefydlodd ymerodraeth yn Syria ac Asia Leiaf yn yr ail fileniwm CC Hittite

heuad:head *eg* y broses o hau hadau, canlyniad hau; gwasgariad, taeniad sowing

heuaf *bf* [hau] rwy'n hau; byddaf yn hau

heulaidd *ans*
   1 SERYDDIAETH yn perthyn i'r haul, agos at yr Haul heliacal
   2 SERYDDIAETH am fachlud cyntaf seren neu wawr gyntaf seren ar ôl bod yn anweledig am gyfnod oherwydd ei bod yn rhannu'r un aliniad â'r haul heliacal

heuldro *eg* (heuldroeon) y ddau ddyddiad yn ystod y flwyddyn pan geir y diwrnod hiraf a'r byrraf yn un hemisffer a'r gwrthwyneb yn yr hemisffer arall; alban solstice
   heuldro'r gaeaf y dyddiad yn y flwyddyn pan fydd yr haul yn cyrraedd ei fan isaf yn yr awyr am hanner dydd; Alban Arthan winter solstice
   heuldro'r haf y dyddiad yn y flwyddyn pan fydd yr haul yn cyrraedd ei anterth yn yr awyr am hanner dydd; Alban Hefin summer solstice

heulgi *eg* (heulgwn) siarc mawr sy'n tueddu i orwedd ychydig yn is nag wyneb y môr yn torheulo basking shark

heulgyrchedd *eg* heliotropedd; priodwedd organebau sy'n troi tuag at heulwen neu oddi wrth heulwen heliotropism

heulgyrchol *ans* heliotropig; yn meddu ar briodwedd heliotropedd heliotropic

heuliau *ell* lluosog haul

heul-len *eb* (heul-lenni)
   1 dalen symudol wrth sgrin car y mae modd ei symud i osgoi golau'r haul sun visor
   2 darn tebyg i bigyn cap y mae modd ei wisgo i gysgodi'r llygaid rhag yr haul neu unrhyw oleuni cryf visor

heul-lin *eb* (heul-liniau) METEOROLEG isohel isohel

heulo *be*
   1 fel yn *bolaheulo, torheulo,* gosod yn yr haul to sun
   2 bod yn heulog
   Sylwch: nid yw'r ferf hon yn arfer cael ei rhedeg.

heulog *ans*
   1 (tywydd) pan fo'r haul yn tywynnu; araul, braf, teg, tesog sunny
   2 yn llygad yr haul, yn dal yr haul, *llecyn heulog* sunny
   3 hapus, siriol sunny

heulwen *eb* y goleuni a'r gwres a ddaw o'r Haul ar ddiwrnod braf, digwmwl sunlight, sunshine

heuslau *ell* llau sy'n magu ar ddefaid; trogod keds, sheep lice

heusor *eg* (heusoriaid) un sy'n bugeilio anifeiliaid (moch neu wartheg, fel arfer) herdsman

heuwr *eg* (heuwyr) un sy'n hau neu'n taenu (hadau, fel arfer) sower

hewian *be* cwyno, achwyn, cadw sŵn, codi cwenc (~ am) to moan, to nag
   Sylwch: nid yw'r ferf hon yn arfer cael ei rhedeg.

hewl gw. heol

hewristig *ans*
   1 yn perthyn i ddull o ddatrys problemau drwy brofi a methu heuristic
   2 CYFRIFIADUREG yn symud tuag at ateb drwy ddull profi a methu, neu gan ddefnyddio rheolau nad ydynt wedi'u diffinio'n fanwl heuristic

heyrn *ell* lluosog haearn
   heyrn tân y taclau neu'r offer – procer, rhaw, gefel, etc. – sydd eu hangen i ofalu am dân ar aelwyd fire irons
   Ymadrodd
   gormod o heyrn yn y tân gormod o bethau i'w gwneud neu ormod o gyfrifoldebau fel nad oes modd eu cyflawni i gyd too many irons in the fire

hi¹ *rhagenw annibynnol syml* yr un fenywaidd (gwraig, merch, etc.) neu rywbeth benywaidd yr ydych chi neu rywun arall yn cyfeirio ati; trydydd person unigol benywaidd, ac fel gwrthrych berf gryno, fe'i defnyddir fel dibeniad i'r goddrych, *Hi yw'r doctor.*, ac fel gwrthrych berf gryno, *Gwelodd y dyn hi'n nofio.* she, her, it

hi² *rhagenw dibynnol ategol syml*
1 *Wyt ti'n ei gweld hi o gwbl nawr? Gwelodd hi ddyn. Ganddi hi y mae'r allwedd.*
2 mae'n cael ei ddefnyddio i gyfleu ystyr amhersonol neu amhenodol yn cyfateb i *it* yn Saesneg mewn ymadroddion yn ymwneud â'r tywydd, *Mae hi'n bwrw glaw.*, ag amser, *Mae hi'n hwyr.*, ac ag amgylchiadau, *Roedd hi'n bleser bod yno.*, *Sut aeth hi heddiw?* it
beth amdani (hi)? beth am roi cynnig? what about it?
ei dal hi meddwi to become drunk
mynd ati (hi) dechrau o ddifrif to go to it
piau hi cael y llaw uchaf (*Taw piau hi.*) has it

hic:hicyn *eg* (hiciau) ffurf ar **rhic**, yr hollt ar waelod saeth y mae tant bwa yn ffitio iddi notch, nick

hicio *be* ffurf lafar ar **rhicio** to notch

hid *eg* fel yn y ffurf negyddol **di-hid**; sylw, cyfrif, pwys heed

hidio *be* [hidi•²]
1 becso, malio, poeni, ystyried, *Paid â hidio, efallai y bydd hi'n braf yfory.* (~ **am**) to heed, to mind, to worry
2 hoffi (mewn brawddegau negyddol), *Dw i'n hidio dim amdano.* to like
hidiwch befo *tafodieithol, yn y Gogledd* dim ots, peidiwch â phoeni, na hidiwch never mind
hidiwn i ddim *tafodieithol, yn y Gogledd* ni fyddai dim gwahaniaeth gennyf (h.y. baswn i'n hoffi) I wouldn't mind

hidl¹ *eb* (hidlau) math o lestr a thyllau mân yn ei waelod er mwyn gwahanu hylif oddi wrth bethau solet, neu er mwyn gwahanu darnau breision oddi wrth rai llai; gogr, rhidyll sieve, strainer

hidl² *ans* [hidl•] fel yn yr ymadrodd *wylo'n hidl*, yn diferu neu'n llifeirio copious, streaming

hidlaid *ans* wedi'i hidlo, yn ganlyniad i hidlo strained

hidlen *eb* (hidlenni)
1 dyfais yn cynnwys papur, tywod, cemegion, etc., er mwyn puro unrhyw hylif sy'n rhedeg drwyddi filter
2 dyfais debyg i buro'r aer sy'n llifo drwyddi filter
3 gwydr neu blastig o liw arbennig sy'n newid ansawdd y goleuni sy'n mynd i mewn i gamera, telesgop, etc. filter

hidliad *eg* (hidliadau) y broses o hidlo, canlyniad hidlo filtering

hidlif *eg* hylif wedi'i hidlo, sydd wedi bod drwy hidl filtrate

hidlo *be* [hidl•¹]
1 arllwys hylif drwy hidl neu ridyll neu ddarn o liain, etc. er mwyn gwahanu unrhyw

sylweddau bras oddi wrth y gwlybwr; gogrwn, rhidyllu to filter, to strain
2 sianelu aer drwy hidl er mwyn ei buro to filter
3 arllwys hylif drwy sylwedd er mwyn iddo dderbyn lliw, blas neu rin o'r sylwedd, e.e. gadael i ddŵr dreiddio drwy hadau coffi wedi'u malu to filter, to percolate
4 arllwys, tywallt, e.e. glaw neu ddagrau to pour
papur hidlo papur hydraidd a ddefnyddir ar gyfer hidlo (hylif, fel arfer) filter paper *Ymadrodd*
hidlo gwybed hollti blew, mynd ar ôl pethau mân a dibwys to split hairs

hidlydd *eg* (hidlyddion)
1 peth a ddefnyddir i hidlo, e.e. dyfais mewn car sy'n hidlo olew peiriant y car, neu wydr neu blastig sy'n amsugno rhai o liwiau'r sbectrwm goleuni filter
2 bowlen rwyllog (h.y. llawn mân dyllau) a ddefnyddir i olchi neu i ddraenio bwyd; colandr colander

hierarchaeth *eb* (hierarchaethau)
1 corff llywodraethol o offeiriaid wedi'i drefnu'n raddau neu urddau gyda phob un yn ddarostyngedig i'r un uwch ei ben hierarchy
2 trefn swyddi neu bobl yn dilyn yr un patrwm ag uchod hierarchy

hierarchaidd *ans* yn dilyn patrwm hierarchaeth hierarchical

hieroglyff *eb* (hieroglyffau) *hanesyddol* arwydd tebyg i lun, a oedd yn cynrychioli gair yn ysgrifen yr hen Eifftiaid (a rhai cenhedloedd eraill) hieroglyph

hieroglyffig *ans* am fath o ysgrifen sy'n defnyddio hieroglyffau hieroglyphic

hifio *be* [hifi•²]
1 (am risgl, croen, etc.) rhisglo'n haenau neu'n gen; datblisgo to exfoliate
2 blansio; (am gnau almon fel arfer) rhoi am ychydig i mewn i ddŵr berwedig er mwyn tynnu'r plisgyn to blanch

hifr-dihafr gw. **mihifir-mihafar**

hil *eb* (hilion:hiloedd)
1 un o nifer o fathau o bobloedd â nodweddion corfforol gwahanol race
2 grŵp neu gasgliad o bobl sy'n rhannu'r un hanes, traddodiadau, etc., *yr hil Almaenig* race
3 math o greadur, *yr hil ddynol*; brid, gwaedoliaeth race
4 cyff, epil, disgynyddion, gwehelyth, *hil Adda* descendants, offspring
o hil o dras of long lineage

hiliaeth:hilyddiaeth *eb*
1 cred mai hil sy'n bennaf cyfrifol am briodoleddau a gallu dynol a bod pobl sy'n

perthyn i un hil yn fwy galluog ac yn well na
phobl sy'n perthyn i hil arall racism
2 CYFRAITH y broses o wahaniaethu (yn
anghyfreithlon yn aml) rhwng pobl er mwyn
sicrhau bod aelodau o un hil yn cael llawer
mwy o fanteision nag aelodau o unrhyw hil
arall racism
hiliogaeth *eb* rhai sy'n perthyn i'r un llinach neu
deulu; disgynyddion descendants, offspring
hiliol *ans*
1 (am farn neu weithred) yn seiliedig ar y
syniad bod un hil (yr hil yr ydych chi'n perthyn
iddi) yn well nag unrhyw hil arall racist
2 CYFRAITH yn gwahaniaethu (yn
anghyfreithlon yn aml) rhwng pobl er mwyn
sicrhau bod aelodau o un hil yn cael llawer
mwy o fanteision nag aelodau o unrhyw hil
arall racial, racist
hiliwr *eg* (hilwyr) un sy'n credu mewn hiliaeth
neu sy'n gweithredu mewn ffordd hiliol racist
hil-laddiad *eg* CYFRAITH y weithred o ddifodi
cenedl gyfan genocide
hilwm *eg* hadgraith; nod neu graith ar hedyn,
e.e. ffeuen, yn y man y bu ynghlwm wrth ei
hadlestr hilum
hilyddiaeth gw. **hiliaeth**
hin *eb* (hinoedd) *hen ffasiwn* tywydd weather
hindreuliad *eg* DAEARYDDIAETH prosesau
naturiol dinistriol a sbardunir gan y tywydd,
e.e. gwynt, glaw, rhew a haul, ac sy'n achosi i
greigiau neu gerrig chwilfriwio neu ddadfeilio
yn y fan a'r lle weathering
hindreuliedig *ans* wedi dioddef effeithiau
hindreulio weathered
hindreulio *be* [hindreuli•²] treulio o ganlyniad
i effeithiau'r tywydd to weather
Hindŵ *eg* (Hindŵiaid) un sy'n arddel Hindŵaeth
Hindu
Hindŵaeth *eb* CREFYDD crefydd mwyafrif
poblogaeth India; Brahman yw prif dduw'r
Hindŵ, ac mae afon Ganges yn afon
gysegredig iddo; cred yr Hindŵ fod modd
i'r enaid gael ei aileni ar ffurf unigolyn neu
anifail Hinduism
Hindŵaidd *ans* yn perthyn i Hindŵaeth neu i'r
Hindŵ Hindu
hindda *eb* tywydd teg, tywydd braf, y
gwrthwyneb i 'drycin' fair weather
hinddanu *be tafodieithol, yn y De* troi'n dywydd da,
codi'n braf; brafio, hinoni to clear
Sylwch: nid yw'r ferf hon yn arfer cael ei
rhedeg.
hiniog gw. **rhiniog**
hinon *eb* tywydd teg, sych, heulog fair weather
hinoni *be tafodieithol, yn y De* troi'n dywydd da,
codi'n braf; hinddanu, brafio to clear
Sylwch: nid yw'r ferf hon yn cael ei rhedeg.

hinsawdd *eb* (hinsoddau)
1 cyfartaledd nodweddion y tywydd a geir
mewn gwlad neu ardal arbennig climate
2 syniadau neu deimladau cyffredinol grŵp
arbennig o bobl, neu bobl yn gyffredinol,
ar adeg arbennig, *yr hinsawdd wleidyddol ar
drothwy etholiad cyffredinol* climate
hinsoddeg *eb* yr astudiaeth wyddonol o
hinsoddau'r byd climatology
hinsoddi *be* dod yn gyfarwydd â hinsawdd
(lle newydd); ymgynefino to acclimatize
Sylwch: nid yw'r ferf hon yn arfer cael ei rhedeg.
hinsoddol *ans* yn ymwneud â hinsawdd climatic
hip hop *eg* CERDDORIAETH math o gerddoriaeth
boblogaidd a gafodd ei ddatblygu gan rai
o bobl ddu a phobl o dras Sbaenaidd Unol
Daleithiau America; mae'n cynnwys rap â
chefndir electronig hip hop
hipi *egb* (hipis) rhywun ifanc o'r 1960au a
ymwrthodai â moesau ac arferion traddodiadol,
e.e. drwy wisgo'n anarferol, byw mewn comiwn,
arddel dulliau protest di-drais, ac a fyddai'n
aml yn defnyddio cyffuriau fel LSD i gyrraedd
cyflyrau newydd o ymwybyddiaeth hippie
Sylwch: mae cenedl yr enw'n newid yn ôl rhyw
yr unigolyn.
hipïaidd *ans* yn perthyn i hipis, nodweddiadol
o hipis
hipopotamws *eg* (hipopotamysau) anifail mawr
Affricanaidd â chroen trwchus sy'n byw yn
ymyl dŵr hippopotamus
hir *ans* [cyhyd; hwy; hwyaf] (hirion)
1 yn mesur tipyn o hyd o un pen i'r llall,
darn hir o linyn long
2 yn ymestyn dros bellter neu am gyfnod
maith, *taith hir*; maith long
3 yn ymddangos fel petai amser yn arafu,
Roeddwn i'n ei chael hi'n nofel hir iawn.
long, tedious
am (yn) hir am gyfnod neu bellter maith
for a long time/distance
cyn bo hir heb fod yn hir before long
hir oes bydded i rywun fyw yn hir neu i
rywbeth barhau am gyfnod hir long live
ymhen hir a hwyr yn y diwedd at last,
eventually
hiraeth *eg* (hiraethau)
1 dyhead neu ddymuniad cryf, *Roedd gweld
hen ffilmiau am y cyfnod cyn y rhyfel yn codi
hiraeth arno am yr amseroedd hynny.*; chwant
longing, nostalgia
2 tristwch a galar ar ôl rhywun neu rywbeth
a gollwyd, *Roedd hiraeth ar Mari pan aeth hi
i Langrannog y tro cyntaf.*; chwithdod, loes
calon homesickness, wistfulness, yearning
hiraethu *be* [hiraeth•¹]
1 dymuno'n ddwys; dyheu (~ **am**) to long

2 bod yn drist ar ôl colli rhywun neu rywbeth; galaru, tristáu *to yearn, to pine*

hiraethus:hiraethlon *ans* yn mynegi hiraeth (e.e. llythyr, cerdd), yn dioddef o hiraeth; elegeiog, unig *homesick, nostalgic, wistful*

hirbarhaol *ans* yn para'n hir *long-lasting, chronic*

hirbell *ans* pell iawn, fel yn yr ymadrodd *o hirbell afar*

hirben *ans* craff, deallus, doeth, peniog *shrewd*

hirdymor *ans* yn ymwneud â chyfnod gweddol hir, e.e. *cynllun hirdymor long-term*

hirddydd *eg* (hirddyddiau) diwrnod hir (o haf)

hirfain *ans* hirgul; tal a thenau, hir a chul *elongated, tall and slender*

hirfaith *ans*
  1 (am anerchiad, pregeth, etc.) rhy hir ac amleiriog *long-winded, prolix*
  2 (am glefyd) cronig; yn para'n hir, neu'n ymddangos ac yn ailymddangos yn aml *chronic*

hirfelyn *ans* hir a heulog, *haf hirfelyn, tesog long and sunny*

hirfys *eg* (hirfysedd) y bys canol *middle finger*

hirglust *ans* â chlustiau hir *long-eared*

hirgron *ans* (am bêl rygbi fel arfer) ffurf fenywaidd **hirgrwn** *oval*

hirgrwn *ans* [*b* hirgron] (hirgrynion) tebyg i siâp wy *oval*

hirgrynion *ans* ffurf luosog **hirgrwn** *oval*

hirgul *ans* hir a main; hirfain *elongated*

hirgwsg *eg* cwsg hir

hirheglog *ans* â choesau hir *long-legged*

hirhoedl:hirhoedledd *eg* bywyd sy'n para'n hir; hiroes, parhad *longevity*

hirhoedlog *ans* wedi byw am gyfnod maith neu'n byw'n hir *long-lived, lasting*

hirion *ans* ffurf luosog **hir**, *coesau hirion*

hirlaes:hirllaes *ans* (am wisg neu wallt, etc.) hir a llaes, yn gorwedd yn rhydd *long, trailing*

hirlas[1] *ans* hir a glas

hirlas[2] *eg* enw ar gorn yfed arbennig, sef *Y Corn Hirlas* a ddefnyddir yn seremonïau'r Eisteddfod Genedlaethol

hirlwm *eg* yr adeg o'r flwyddyn (ar ddiwedd y gaeaf ac ar ddechrau'r gwanwyn) pan fydd y stôr o fwyd yn dod i ben a dim byd newydd wedi tyfu; cyfnod hir o fyw'n fain *depths of winter*

hirnod *eg* (hirnodau) acen grom, *to bach circumflex accent*

hirnos *ans* am noson hir, dywyll *long night*

hiroes *eb* oes faith; hirhoedl *longevity*

hirsgwar *hen ffasiwn* gair nad yw'n cael ei ddefnyddio bellach (ni ellir wrth 'sgwâr hir'); petryal yw'r ffurf gydnabyddedig

hirwyntog *ans* (am siaradwr) yn mynd ymlaen ac ymlaen gan ddiflasu pawb sy'n gwrando; anghryno, amleiriog, diderfyn *long-winded, verbose*

hirymaros *be* dioddef yn dawel ac yn amyneddgar; goddef *to be forebearing*
  Sylwch: nid yw'r ferf hon yn cael ei rhedeg.

hirymarhous *ans* yn dioddef am gyfnod hir heb achwyn na chwyno, amyneddgar tu hwnt; amyneddgar, dioddefgar, goddefgar *long-suffering*

hisian *be* [hisi•[2]]
  1 gwneud sŵn fel 's' hir *to hiss*
  2 sibrwd yn siarp, *hisian rhybudd i fod yn dawel* (~ **ar**) *to hiss*

histamin *eg* BIOCEMEG cyfansoddyn cemegol sy'n cael ei ryddhau yn dilyn niwed neu ym mhresenoldeb alergen ac sy'n achosi adwaith ffisiolegol yn y corff, e.e. cosi a thisian *histamine*

histogram *eg* (histogramau) MATHEMATEG diagram amlder sy'n defnyddio arwynebedd petryalau i gynrychioli amlder *histogram*

histoleg *eb* BIOLEG cangen o fioleg sy'n ymwneud ag adeiledd microsgopig meinweoedd planhigion ac anifeiliaid *histology*

histopatholeg *eb* maes mewn patholeg sy'n astudio'r newidiadau ym meinwe'r corff sy'n nodweddu clefyd arbennig *histopathology*

histrionig *ans* yn ymddwyn fel pe bai ar lwyfan, yn gor-wneud *histrionic*

hithau[1] *rhagenw annibynnol cysylltiol* hi hefyd, hi o ran hynny, hi ar y llaw arall, *Yr oedd ei brawd ar un ochr a hithau ar y llall. Rhoddais stŵr i'r bachgen, ond canmolais hithau.* *she too, even she, she for her part, she on the other hand, her too, even her, her for her part, her on the other hand*
  Sylwch: fel 'hi' mae 'hithau' yn gallu cael ei ddefnyddio i gyfleu ystyr amhersonol, *Mae'n well iti beidio â mynd allan a hithau'n bwrw mor drwm.*

hithau[2] *rhagenw dibynnol ategol cysylltiol* e.e. *Mae ganddi hithau ddiddordeb yn y pwnc hwn.*

hiwmor *eg*
  1 y ddawn i fwynhau digrifwch, *Does dim gronyn o hiwmor yn perthyn i'r dyn.*; difyrrwch, direidi *humour*
  2 yr hyn sy'n achosi digrifwch, *Roedd ei fath arbennig ef o hiwmor afiach yn apelio at rai yn y gynulleidfa.*; digrifwch, doniolwch, hwyl, smaldod *humour*
  hiwmor llofft stabl hiwmor bras, swnllyd (tebyg i'r hiwmor ymhlith gweision ffermydd gynt) *barnyard humour*

hobaid *eb* (hobeidiau) llond hob, sef mesur sych (ar gyfer ŷd neu rawn) *bushel*

hobi *eg* (hobïau) gweithgarwch amser hamdden, e.e. pysgota, casglu stampiau, etc., sy'n difyrru; diddordeb, difyrrwch, diléit *hobby*

hoced *eb* gweithred o dwyllo; celwydd, dichell, twyll, ystryw deceit, guile

hocedwr *eg* (hocedwyr) un sy'n twyllo; ffugiwr fraud, fraudster

hoci *eg* gêm sy'n cael ei chwarae rhwng dau dîm gan ddefnyddio ffyn pwrpasol i geisio bwrw pêl galed neu ddisgen, y naill drwy gôl y llall hockey

hoci iâ *eg* gêm sy'n cael ei chwarae ar iâ; mae aelodau'r ddau dîm yn defnyddio ffyn pwrpasol i geisio bwrw disgen, y naill drwy gôl y llall ice hockey

hocsed *eb* (hocsedi) casgen fawr, mesur gwlyb o oddeutu 63 o alwyni hogshead

hocysen *eb* (hocys) planhigyn ac iddo flodau porffor, pinc neu binc a gwyn, dail danheddog a choesau blewog mallow

hodosgop *eg* (hodosgopau) FFISEG dyfais sy'n olrhain llwybrau gronynnau wedi'u gwefru, e.e. electronau, protonau, a geir yn y pelydrau cosmig sy'n taro'r Ddaear o'r gofod hodoscope

hoe *eb* (hoeau) ysbaid o orffwys; egwyl, saib, seibiant pause, breather, break

hoeden *eb* (hoedennod) merch neu wraig sy'n cellwair garu; coegen, fflyrten, mursen flirt, minx, coquette

hoedennaidd *ans* yn ymddwyn fel hoeden coquettish

hoedl *eb* (hoedlau) y cyfnod rhwng geni a marw rhywun; buchedd, bywyd, einioes, oes lifetime

hoelbren *eg* (hoelbrennau) pìn neu roden fach fer (o bren, fel arfer) a ddefnyddir i gysylltu neu i uno dau ddarn o bren dowel

hoelen:hoel *eb* (hoelion) darn tenau o fetel â blaen miniog a phen ar gyfer ei fwrw â morthwyl (i mewn i ddarn o bren neu ddefnydd arall) nail

hoelen yn arch (rhywun neu rywbeth) rhywbeth sy'n cyfrannu at ddiwedd rhywbeth, *Yn ôl rhai, mae cau nifer o ysgolion bach gwledig yn hoelen arall yn arch yr iaith Gymraeg.* a nail in the coffin

hoelion wyth cewri'r pulpud, pregethwyr pwysig eminent preachers, 'big guns'

taro'r hoelen ar ei phen bod yn hollol gywir, gwneud pwynt dilys to hit the nail on the head

hoelio *be* [hoeli•²]
1 sicrhau rhywbeth (darn o bren, fel arfer) wrth rywbeth arall â hoelion; cydio, dal (~ *rhywbeth* **wrth/ar**) to nail
2 tynnu a chadw (diddordeb, sylw, etc.), *Roedd eu sylw wedi'i hoelio ar y llwyfan.* to rivet

hoelio sylw tynnu sylw fel bod pawb yn canolbwyntio ar un peth to grab the attention

hoen *eb* (hoenau) bywiogrwydd a hwyl, *Onid hoff yw cofio'n taith/Mewn hoen i Benmon unwaith ...*; afiaith, arial, asbri, nwyf glee, vivacity, zest

hoenus *ans* llawn bywyd; bywiog, gwisgi, heini, nwyfus lively, sprightly, vivacious

hoenusrwydd *eg* bywiogrwydd, sioncrwydd, nwyf, asbri vivaciousness

hoewal gw. hoywal

hof *eb* (hofiau) erfyn coes hir â llafn ar ei flaen sy'n cael ei ddefnyddio yn yr ardd i chwalu'r pridd ac i godi chwyn hoe

hofel *eb* (hofelau) yn wreiddiol, sièd agored i gadw offer fferm, erbyn hyn, bwthyn bach, truenus hovel

hofio *be* [hofi•²] gweithio hof drwy'r pridd er mwyn ei chwalu a chodi chwyn to hoe

hofran *be* [hofran•³]
1 (am rai mathau o adar neu awyrennau) hedfan yn yr unfan to hover
2 (am bobl) aros neu sefyllian mewn un lle; loetran, sefyllian, tindroi (~ **o gwmpas**) to hover
Sylwch: nid yw'r ferf hon yn arfer cael ei rhedeg.

hofranfad *eg* (hofranfadau) math o long sy'n symud ar draws dŵr neu dir ar 'glustog' neu wely o aer sy'n cael ei wthio dani ac sy'n ei chodi a'i chynnal hovercraft

hofrennydd *eg* (hofrenyddion) math o awyren sy'n hedfan drwy rym llafnau hir o fetel sy'n troi'n gyflym uwch ei ben; mae'n gallu glanio mewn lle cyfyng, yn gallu codi yn syth a hedfan yn ei unfan helicopter

hoff *ans*
1 (yn dilyn yr hyn a oleddfir) yn agos iawn at eich calon, *Ddarllenydd hoff, bydd yn amyneddgar.*; annwyl, cu cherished, dear
2 (o flaen yr hyn a oleddfir) sydd orau gennych, *Hon yw fy hoff raglen.*; gorau, rhagoraf favourite
Sylwch: mae'n achosi'r treiglad meddal pan ddaw o flaen yr hyn a oleddfir.

bod yn hoff o hoffi, *Dydw i ddim yn hoff iawn ohono.* to like

hoff gennyf fi (gennyt ti, ganddo ef, etc.) rwy'n hoffi I like

hoffi *be* [hoffi•¹]
1 bod yn hoff o, *Rwy'n hoffi darllen. Rwy'n credu'i fod yn ei hoffi hi.*; caru, mwynhau to like, to care for
2 dymuno, *Hoffwn eich gweld chi yn fy swyddfa am naw o'r gloch bore fory.* to like, to wish

hoffter *eg* (hoffterau)
1 cariad, serch, *Allai hi ddim cuddio'i hoffter o'r bachgen drws nesaf.*; anwyldeb, edmygedd affection, fondness, liking
2 pleser, hyfrydwch, diddanwch, *Un o hoffterau bychain bywyd yw cael eistedd yn yr ardd ar ddiwrnod braf.* delight, pleasure

hoffus *ans* hawdd ei hoffi; cariadus, cu, dymunol, serchog endearing, likeable, lovable

hoffusrwydd *eg* y cyflwr o fod yn hoffus; anwyldeb, hynawsedd dearness

hogalen *eb* (hogalennau) carreg hogi; calen, hôn whetstone

hogen:hogan *eb* (hogennod:gennod) *tafodieithol, yn y Gogledd* merch ifanc; croten, geneth, llances, rhoces girl, lass

hogfaen *eg* (hogfeini) carreg hogi; hogalen, hôn whetstone

hogi *be* [hog•¹] rhoi min neu awch ar rywbeth drwy ei rwbio yn erbyn rhywbeth caled; awchlymu, llifanu, minio (~ *rhywbeth* **ar**) to hone, to sharpen, to whet

hogiad *eg* y broses o hogi, canlyniad hogi sharpening

hogwr:hogydd *eg* (hogwyr) teclyn sy'n hogi; un sy'n hogi; miniwr sharpener

hogyn *eg* (hogiau) *tafodieithol, yn y Gogledd* bachgen; còg, crwt, mab, rhocyn lad

hongiad *eg* (hongiadau) system o sbringiau a siocladdwyr sy'n cynnal cerbyd ar ei olwynion ac sy'n lleddfu effaith heolydd/ffyrdd garw neu anwastad ar y cerbyd a'r rhai sy'n teithio ynddo suspension

hongian *be* [hongi•²]
1 sicrhau wrth y pen fel bod y gwaelod yn rhydd, *hongian llenni*; crogi (~ **wrth**; ~ **o**) to hang, to suspend
2 bod ynghrog, wedi cael ei osod ynghrog, yn crogi, *Nid yw'r llun yn hongian yn sgwâr ar y wal.* to hang
3 gosod drws wrth y colfachau (neu'r colynnau) sy'n ei ddal, neu osod papur ar wal to hang

honglad:honglaid *eg* adeilad mawr – rhy fawr os rhywbeth, *Mae ganddyn nhw honglad o dŷ sy'n llawer rhy fawr iddyn nhw.* huge place

hoi polloi *ell* y werin gyffredin

hôl *be tafodieithol, yn y De* ymofyn, nôl to fetch
Sylwch: nid yw'r ferf hon yn cael ei rhedeg.

holgar *ans*
1 hoff o holi; chwilfrydig inquisitive
2 CYFRAITH am system gyfreithiol sy'n defnyddio'r barnwr fel ymholwr inquisitorial

holi *be* [hol•¹ 3 *un. pres.* hawl/hola; 2 *un. gorch.* hola] gofyn cwestiynau, gwneud ymholiadau; cwestiynu, stilio (~ **am**; ~ *rhywun* **am**) to ask, to inquire, to interrogate, to question
holi a stilio holi'n fanwl iawn to cross-examine, to pump
holi/chwilio perfedd gw. perfedd
holi'r pwnc CREFYDD hen arfer lle y byddai grŵp o aelodau capel (dosbarth ysgol Sul, fel arfer), neu nifer o grwpiau o wahanol gapeli, yn cael eu holi o flaen cynulleidfa ar 'y pwnc', sef darn penodol o'r ysgrythurau to catechize

holiad *eg* (holiadau) y broses neu'r weithred o holi; cwestiwn inquiry, query

holiadur *eg* (holiaduron) taflen brintiedig neu ar lein ac arni nifer o gwestiynau ynghyd â lle i roi'r atebion, wedi'i pharatoi'n arbennig ar gyfer casglu gwybodaeth questionnaire

holmiwm *eg* elfen gemegol rhif 67; metel meddal, ariannaidd (Ho) holmium

holnod *eg* gofynnod; atalnod (?) a ddefnyddir ar ddiwedd brawddeg i ddangos bod cwestiwn uniongyrchol yn cael ei ofyn, *'I ble rwyt ti'n mynd, Ann?' gofynnodd Dai.* question mark

Holocost *eg hanesyddol* yr erledigaeth a'r lladd a gyflawnwyd gan Natsïaid yr Almaen ar Iddewon Ewrop yn ystod yr Ail Ryfel Byd Holocaust

holoffytig *ans* BIOLEG yn cynhyrchu bwyd drwy ffotosynthesis holophytic

hologram *eg* (hologramau)
1 techneg a ddefnyddir i greu delweddau tri dimensiwn drwy ddefnyddio laser, ymyriant a diffreithiant hologram
2 darlun (ffotograffig) o'r patrwm ymyriant, sy'n ymddangos mewn tri dimensiwn o gael ei oleuo mewn ffordd arbennig hologram

Holosen *ans* DAEAREG yn perthyn i epoc diweddaraf y cyfnod Cwaternaidd (11,500 o flynyddoedd yn ôl hyd heddiw), nodweddiadol o epoc diweddaraf y cyfnod Cwaternaidd Holocene

holosöig *ans* SWOLEG (am anifeiliaid) yn derbyn bwyd drwy ei amlyncu ac yna ei dreulio holozoic

holwr *eg* (holwyr) un sy'n holi cwestiynau (yn enwedig un sy'n holi mewn arholiad llafar neu mewn cwis); arholwr question master, quizmaster

holwraig *eb* merch neu wraig sy'n holi

holwyddoreg *eb* ffordd o ddysgu ar ffurf cyfres o gwestiynau ac atebion yn enwedig holi ac ateb ffurfiol yn seiliedig ar y Beibl; catecism catechism

holwyddori *be* holi rhywun er mwyn profi faint o atebion parod y mae wedi'u dysgu; arholi to catechize
Sylwch: nid yw'r ferf hon yn arfer cael ei rhedeg.

holwyddorol *ans* yn perthyn i holwyddoreg, nodweddiadol o holwyddoreg catechetical

holl *ans* y cyfan, y cwbl, i gyd; oll, pob all, whole
Sylwch:
1 mae *holl* yn dod o flaen enw ac yn achosi'r treiglad meddal;
2 nid yw'n cael ei gymharu.

hollalluog *ans* â'r gallu i wneud popeth; â gallu diderfyn almighty, omnipotent
  yr Hollalluog CREFYDD teitl ar Dduw the Almighty

hollalluogrwydd:hollalluowgrwydd *eg* y gallu i wneud popeth omnipotence

hollbresennol *ans* presennol ym mhob man ar yr un pryd omnipresent, ubiquitous

hollbresenoldeb *eg* y cyflwr o fod yn hollbresennol omnipresence, ubiquity

hollbwysig *ans* pwysig tu hwnt, yn sylfaenol bwysig; allweddol, canolog, hanfodol, tyngedfennol all-important

hollfyd *eg* y bydysawd, y greadigaeth; cread, cyfanfyd, hollfyd the creation, the universe

hollgynhwysfawr *ans* yn cynnwys pob peth all-embracing

holliach *ans* heb unrhyw nam ar ei iechyd; cwbl iach, fel cneuen fit, sound, whole

hollol *ans* (yn rhagflaenu'r hyn a oleddfir) cwbl, cyfan, llwyr entire, quite, whole
  Sylwch:
  1 erbyn hyn prin y defnyddir 'hollol' ond fel 'yn hollol', *Rwyt ti'n hollol gywir.*;
  2 oherwydd ei leoliad mae'n achosi'r treiglad meddal.
  yn hollol rwy'n cytuno'n llwyr absolutely, exactly

hollorchfygol *ans* yn gorchfygu popeth all-conquering

hollt[1] *eb* (holltau) agoriad mewn craig neu bren; adwy, crac, toriad cleft, fissure, split

hollt[2] *ans* wedi'i hollti, wedi'i rannu split

holltedd *eg* (hollteddau) DAEAREG gallu craig, yn enwedig llechfaen, i hollti ar hyd arwynebeddau cyfochrog ac agos at ei gilydd cleavage

hollti *be* [hollt•[1] 3 *un. pres.* hyllt/hollta; 2 *un. gorch.* hollta] torri rhywbeth yn ei hyd (e.e. torri darn o goed â bwyell neu lechfaen â chŷn); gwahanu, rhannu (~ *rhywbeth* â) to cleave, to split
  hollti blew *gw.* blew

holltiad *eg* (holltiadau) y broses o hollti, canlyniad hollti split

holltwr *eg* (holltwyr) un sy'n hollti splitter

hollwybodaeth *eb* gwybodaeth am bopeth omniscience

hollwybodol:hollwybodus *ans* yn gwybod popeth all-knowing, omniscient

hollwybodusion *ell* rhai hollwybodus know-alls

hollysol *ans* yn bwyta llysiau a chig omnivorous

hollysydd *eg* (hollysyddion) anifail sy'n bwyta pob math o fwydydd (yn llysiau ac yn gig) omnivore

homeopath *eg* un sy'n arfer homeopathi homeopath

homeopatheg *gw.* homeopathi

homeopathi:homeopatheg *eb* system o feddygaeth gyflenwol lle mae symptomau'n cael eu trin gan ddosau bach, bach o sylweddau naturiol sy'n achosi'r clefyd homeopathy

homeopathig *ans* yn perthyn i homeopathi, yn deillio o homeopathi homeopathic

homeostasis *eg* FFISIOLEG y broses o gynnal amgylchedd mewnol cyson mewn organeb fyw, e.e. lefel gyson o glwcos yn y gwaed homeostasis

homeostatig *ans* FFISIOLEG yn cyrraedd cydbwysedd sefydlog drwy brosesau ffisiolegol homeostatic

homeothermig *ans* SWOLEG (am organeb) yn cadw gwres ei chorff yn gyson drwy ei gweithgaredd metabolaidd homeothermic

homer *eg* *anffurfiol* clamp (o), clobyn (o), *homer o gelwydd*

homili *eb* (homilïau) pregeth fach er lles ysbrydol cynulleidfa homily

hominid *eg* (hominidiaid) SWOLEG aelod o ddosbarth o brimatiaid yn cynnwys dynion a'u hynafiaid y cedwir eu holion mewn ffosiliau hominid

homoffobia *eg* atgasedd eithafol ac afresymol tuag at gyfunrywiaeth a phobl gyfunrywiol homophobia

homoffobig *ans* yn amlygu homoffobia, nodweddiadol o homoffobia homophobic

homoffon *eg* (homoffonau) GRAMADEG gair sy'n cael ei ynganu yn yr un ffordd â gair arall gwahanol ei ystyr, sillafiad neu darddiad, e.e. 'can' (blawd) a 'can' (cant), 'ceir' o 'cael' a 'ceir' lluosog 'car' homophone

homoffonig *ans* CERDDORIAETH â'r rhannau'n cyd-symud ar sylfaen o gordiau a harmoni; cordiol homophonic

homogenaidd:homogenus *ans*
  1 o'r un rhyw, o'r un natur; cydryw homogeneous
  2 o'r un gwead neu gyfansoddiad drwyddi draw; cydryw homogeneous

homogenedd *eg* y cyflwr o fod o'r un gwead neu gyfansoddiad drwyddi draw; cydrywiaeth homogeneity

homograff *eg* (homograffau) GRAMADEG gair a sillefir yn yr un ffordd â gair arall gwahanol ei ystyr neu ei darddiad, e.e. 'hawl' (hawliau) a 'hawl' (mae ef/hi yn holi) homograph

homoleg *eb*
  1 BIOLEG tebygrwydd yn adeiledd ffurfiadau organebau, e.e. braich primat, adenydd ystlum ac asgell morfil; er bod eu swyddogaeth bellach yn wahanol, maent yn deillio o esblygiad ffurfiadau cyfatebol mewn rhywogaethau hynafiadol homology
  2 BIOLEG cyfatebiaeth o ran adeiledd os nad swyddogaeth rhwng gwahanol rannau o'r un unigolyn homology
  3 CEMEG y berthynas oddi mewn i gyfres o gyfansoddion cemegol, lle mae gwahaniaeth

cyson, e.e. un atom carbon a dau atom hydrogen, rhwng aelodau olynol yn y gyfres homology

4 CEMEG y berthynas rhwng aelodau o'r un grŵp yn nhabl cyfnodol yr elfennau homology

homologaidd *ans* yn perthyn i homoleg, yn amlygu homoleg, yn ganlyniad i homoleg homologous

homomorffedd *eg* BIOLEG tebygrwydd o ran ffurf arwynebol ond yn meddu ar adeiledd sy'n sylfaenol wahanol homomorphy

homomorffig *ans* nodweddiadol o homomorffeg, yn ganlyniad i homomorffeg homomorphic

homonym *eg* (homonymau) GRAMADEG gair ac iddo'r un ffurf lafar neu ysgrifenedig â gair arall gwahanol ei ystyr neu ei darddiad, e.e. (ar lafar) 'Cymru' a 'Cymry' homonym

Homo sapiens *eg* BIOLEG bod dynol fel rhywogaeth arbennig

homoseiclig *ans* CEMEG wedi'i lunio o gylch o atomau o'r un elfen, e.e. carbon homocyclic

homosygaidd *ans* BIOLEG (am organeb) yn meddu ar ddau alel unfath o enyn neu enynnau homozygous

homosygot *eg* (homosygotau) BIOLEG organeb homosygaidd homozygote

hon¹ *rhagenw dangosol* (y rhain) rhywun neu rywbeth benywaidd sy'n agos neu y sonnir amdani ar y pryd, *Ai hon yw'r ferch?* this (one) **hon a hon** rhywun (benywaidd) sydd heb gael ei henwi so and so

hon² *ans dangosol* (hyn) am rywun neu rywbeth benywaidd sy'n agos neu y sonnir amdani ar y pryd, *yr afon hon*; yma this

hôn *eb* (honau) carreg hogi; calen, hogalen hone, whetstone

honcian *be* cerdded yn ansicr; cloffi, clunhercian, gwegian, hercian to stagger, to waddle

Sylwch: nid yw'r ferf hon yn arfer cael ei rhedeg.

Hondwraidd *ans* yn perthyn i Honduras, nodweddiadol o Honduras Honduran

Hondwriad *eg* (Hondwriaid) brodor o Honduras Honduran

honedig *ans* a honnir, a osodir fel y gwirionedd ond heb unrhyw brawf; damcaniaethol, tybiedig alleged, purported

honiad *eg* (honiadau) yr hyn sy'n cael ei haeru neu ei honni; haeriad, proffes allegation, claim, contention

honna *tafodieithol* gw. **honno¹**

honni *be* [honn•⁹] datgan fel gwirionedd (ond heb brawf), *Mae e'n honni mai joc oedd y cyfan ac na fwriadwyd unrhyw niwed.*; haeru, maentumio, mynnu, taeru to allege, to claim, to maintain

Sylwch: dyblwch yr 'n' ym mhob ffurf ac eithrio yn y rhai sy'n cynnwys -*as*-.

honno¹ *rhagenw dangosol* (y rheini) rhywun neu rywbeth benywaidd sydd o'r golwg neu y soniwyd amdani yn barod, *Wyt ti'n cofio honno y buom yn siarad â hi ar ein gwyliau?*; yr un yna, yr un acw, honna that (one)

honno² *ans dangosol* (hynny) am rywun neu rywbeth benywaidd sy'n lled agos neu y soniwyd amdani yn barod, *Yr adeg honno, roedd ceir yn llai.*; acw, yna that

honoris causa *adf* er anrhydedd (yn enwedig am radd academaidd a gyflwynir heb orfod sefyll arholiad)

honos *eg* (honosiaid) pysgodyn bwytadwy yn perthyn i deulu'r penfras sy'n byw yn nyfroedd dwyreiniol Cefnfor Iwerydd ling

hopgefn *eg* (hopgefnau) DAEAREG cefnen hirgul, serthochrog ac iddi grib amlwg a grëwyd o ganlyniad i erydiad gwahaniaethol strata yn goleddu'n serth; esgair, trum hogback, hog's back

hopian *be* [hopi•²] **1** rhoi naid fach ar un goes (~ *o rywle* i) to hop **2** tasgu, sboncio to hop

hopran *eb* (hopranau) **1** math o dwmffat neu dwndis mawr y mae grawn neu lo, etc., yn cael ei dywallt iddo hopper **2** cynhwysydd tebyg ar gyfer storio pethau fel grawn ynddo dros dro hopper **3** *tafodieithol, yn y Gogledd* ceg, *cau dy hopran* gob

hopys *ell* planhigion dringo y defnyddir eu blodau (wedi'u sychu) i roi blas chwerw ar gwrw hops

hormon *eg* (hormonau) BIOCEMEG sylwedd sy'n cael ei gynhyrchu gan gelloedd mewn un rhan o organeb ac sy'n cael effaith ar ôl iddo gael ei drosglwyddo i ran arall hormone

hormonaidd *ans* BIOCEMEG yn perthyn i hormon(au), wedi'i achosi gan hormon(au) hormonal

hors *eb* math o ffrâm i ddal pethau y gellir ei hagor a'i chau a'i symud, yn enwedig *hors ddillad* clothes horse

hors d'oeuvre *eg* (*hors d'oeuvres*) COGINIO darn bach blasus i godi archwaeth ar ddechrau pryd o fwyd

horst *eg* (horstau) DAEAREG darn hirgul o dir y mae ei ochrau yn dilyn ffawtiau ar oleddf serth a'i wyneb yn sefyll yn uwch na'r tir o'i gwmpas horst

horwth *eg* talp mawr afrosgo, clobyn, *horwth o ddyn mawr blewog*; clorwth great big lump, hulk

hosan *eb* (hosanau:sanau) dilledyn wedi'i wau sy'n cael ei wisgo am y droed (y tu mewn i'r esgid) ac am ran isaf y goes, neu weithiau'r goes i gyd sock, stocking

yn nhraed fy (dy, ei, etc.**) sanau** yn gwisgo dim ond sanau am fy nhraed in one's stockinged feet

hosanna *ebychiad* yn y Beibl gwaedd sy'n golygu 'Achub ni nawr' ond sydd wedi datblygu erbyn hyn i olygu 'Gogoniant i Dduw' hosanna

hosanwr:hosanydd *eg* (hosanwyr) un sy'n gwau hosanau neu'n gwerthu hosanau neu ddillad isaf wedi'u gwau hosier

hosanwraig *eb* merch neu wraig sy'n gwau hosanau

hosbis *eb* (hosbisau) cartref i gleifion yn eu gwaeledd olaf neu i gleifion sy'n dioddef o waeledd hir nad oes modd ei drin hospice

hostel *eb* (hosteli) math o gartref sy'n cynnig lletty i deithwyr ifainc, rhai digartref, etc. yn ddielw neu am bris rhesymol hostel

howld *eg* (howldiau)
1 y gofod tan fwrdd llong lle y gellir cadw llwyth y llong hold
2 gofod i gadw llwyth mewn awyren hold

howtin *eg* (howtinod) pysgodyn main a geir yn bennaf yn y môr Baltig; mae ganddo gnawd gwyn bwytadwy ond mae'n bysgodyn prin erbyn hyn houting

hoyw *ans* [hoyw•] (hoywon)
1 bywiog, heini, nwyfus, sionc gay, lively, vivacious
2 yn ymwneud â gwrywgydiaeth; cyfunrywiol, gwrywgydiol, lesbiaidd gay

hoywal *eb* (hoywaliau) sièd neu gwt mawr ag un pen yn agored lle y cedwid y cartiau (ar fferm); cartws outhouse

hoywder *eg* y cyflwr o fod yn hoyw vivacity

hoywi *be* llonni, sirioli, bywiogi to brighten, to cheer
Sylwch: nid yw'r ferf hon yn arfer cael ei rhedeg.

hoywon[1] *ell* dynion neu ferched hoyw the gay

hoywon[2] *ans* ffurf luosog hoyw

hual *eg* (hualau)
1 cadwyn fetel sy'n cael ei sicrhau wrth arddwrn neu figwrn/ffêr carcharor neu gaethwas; llyffethair, gefyn, cloffrwym bond, fetter, shackle
2 rhwystr neu lyffethair a ddodir am goesau anifail i'w atal rhag crwydro hobble

hualog *ans* caeth, wedi'i hualu, wedi'i lyffetheirio fettered

hualu *be* [hual•³] gosod mewn hualau; llyffetheirio, cadwyno (~ *rhywbeth* â) to fetter, to shackle

huawdl *ans* [huotl•]
1 (am rywun) sy'n medru traddodi areithiau clir, cofiadwy, sy'n argyhoeddi; arabus, ffraeth, rhugl eloquent, loquacious
2 yn defnyddio iaith yn feistrolgar, fel pwll y môr eloquent

hud[1] *eg* (hudau)
1 ffordd o geisio rheoli digwyddiadau drwy alw ar ysbrydion neu foddion goruwchnaturiol; dewiniaeth, lledrith, swyngyfaredd magic
2 grym neu ddylanwad rhyfeddol i swyno'r synhwyrau; cyfaredd, swyn, hudoliaeth enchantment

hud a lledrith fel yn *gwlad hud a lledrith, stori hud a lledrith* enchanted, fairy-tale

hud[2] *ans* llawn hud, yn ymwneud â hud; hudolus magic
Sylwch: nid yw'n arfer cael ei gymharu.

hudlath *eb* (hudlathau) ffon dewin neu gonsuriwr magic wand

hudo *be* [hud•¹]
1 creu o hud a lledrith, llunio drwy ddewiniaeth; consurio, dewinio, lledrithio, swyngyfareddu to conjure
2 denu a dal y synhwyrau, *Cafodd y bobl a'i clywodd eu hudo gan ei ganu cyfareddol.*; cyfareddu, lledrithio, rheibio, swyno to beguile, to charm, to enchant

hudoles *eb* (hudolesau)
1 merch neu wraig sy'n hudo; dewines, gwiddon, gwrach, swynwraig enchantress, sorceress
2 merch neu wraig sy'n temtio, neu'n arwain (rhywun) ar gyfeiliorn seductress

hudoliaeth *eb* (hudoliaethau) ffordd o geisio rheoli digwyddiadau drwy alw ar ysbrydion neu foddion goruwchnaturiol, rhywbeth sy'n cyfareddu, yn swyno; cyfaredd, dewiniaeth, rhaib, swyngyfaredd enchantment, magic

hudolus:hudol *ans* deniadol, llawn hud, yn swyno; cyfareddol, dengar, lledrithiol, swynol alluring, enchanting, magical

hudrithiol *ans* tebyg i rithwelediagaeth, neu'n achosi rhithweledigaethau hallucinogenic

hudwr *eg* (hudwyr) un sy'n hudo, un sy'n denu; dewin, dyn hysbys, swynwr enchanter, enticer

hudwraig *eb* merch neu wraig sy'n hudo neu'n denu enchantress

huddygl *eg* llwch neu bowdr du sy'n cael ei ffurfio pan fydd rhywun yn llosgi coed, glo, olew, etc., ac sy'n ymgasglu y tu mewn i simneiau; parddu soot

(disgyn) fel huddygl i botes am rywbeth annymunol sy'n digwydd yn sydyn ac yn ddirybudd

hufen *eg*
1 y rhan fras felen sy'n codi i wyneb llaeth/ llefrith ac sy'n cael ei defnyddio i wneud menyn cream
2 bwyd wedi'i wneud i edrych a blasu fel hufen melys cream
3 y rhan orau o unrhyw beth, *hufen y genedl* cream

hufen iâ cymysgedd melys wedi'i rewi sydd, fel arfer, yn cynnwys llaeth ac wyau ymhlith pethau eraill ice cream

hufenfa *eb* (hufenfeydd) ffatri sy'n gwahanu'r hufen oddi wrth y llaeth/llefrith yn barod i weithio gwanhol fathau o fwydydd fel menyn, caws, iogwrt, etc., ac sydd hefyd yn aml yn potelu'r llaeth/llefrith; ffatri laeth creamery

hufennog *ans* o'r un ansawdd â hufen creamy

hufennu *be* [hufenn•[9]]
1 troi'n hufen, ymffurfio'n hufen to cream
2 codi'r hufen, cymryd ymaith y peth gorau to cream (off)
3 COGINIO (am fenyn, fel arfer gyda siwgr) gweithio i ffurfio past llyfn to cream
Sylwch: dyblwch yr 'n' ym mhob ffurf ac eithrio yn y rhai sy'n cynnwys -as-.

hugain ffurf ar **ugain** fel yn *un ar hugain*

hugan[1] *eb* (huganau) gwisg laes allanol (heb lewys fel arfer) sy'n debyg i babell o ran ffurf ac sy'n cadw rhywun yn sych ac yn gynnes; clogyn, cochl, mantell cape, cloak, mantle

hugan[2]:**hucan** *eg* (huganod) aderyn y môr sy'n debyg i wylan fawr wen ond bod ei ben yn felynaidd a blaenau'i adenydd hirion yn ddu gannet

Huguenot *eg* (Huguenotiaid) *hanesyddol* Protestant Calfinaidd Ffrengig (yn yr unfed a'r ail ganrif ar bymtheg) Huguenot

huling *eb* gorchudd, cwrlid, gwrthban, mantell cover, mantle

hulio *be* [huli•[2]] fel yn *hulio'r bwrdd*, gosod (y bwrdd); darparu, paratoi, trefnu to lay, to set, to spread

hulpan *eb* *difrïol* hurten, gast, sguthan silly woman

hulpyn *eg* *difrïol* twpsyn; ionc, lembo silly fellow

hummus *eg* COGINIO past o ffacbys a hadau sesame ynghyd â lemon, garlleg ac olew olewydd

hun[1]:**hunan** *rhagenw atblygol* (hunain)
1 y person y sonnir amdano, neu'r rhai y sonnir amdanynt, *fy nhraed fy hun/hunan* self
2 yr union un neu'r union rai, *Gwelais y dyn ei hun/hunan*. self
Sylwch:
1 'hun' yw'r ffurf arferol am yr unigol yn y Gogledd; 'hunan' (unigol) a 'hunain' (lluosog) yw ffurfiau arferol y De, ond gall 'hunan' fod yn unigol neu luosog yn y Gogledd, *Mae'r ci ar ei ben ei hun/hunan yn y tŷ. Mae'r plant ar eu pennau eu hunan yn y tŷ.*;
2 pan fydd 'eich' yn cyfeirio at unigolyn mae'n cael ei ddilyn gan 'hun:hunan', pan fydd yn cyfeirio at fwy nag un defnyddir 'eich hunain', *helpwch eich hun* (unigol); *helpwch eich hunain* (grŵp).

ar fy (dy, ei, etc.**) mhen fy (dy, ei** etc.**) hun/hunan** yn unig alone

dod ataf fy (dy, ei, etc.**) hun/hunan**
1 gwella, dod yn iach to get better
2 dod yn ymwybodol ar ôl bod yn anymwybodol to come to
3 adennill synhwyrau, callio to come to one's senses

heb fod yn fi fy (dy, ei, etc.**) hun/hunan** heb fod yn iach yn gorfforol neu'n feddyliol not feeling myself

hunan bach heb neb arall o gwbl, yn unig alone

rhyngddo ac ef ei hun/hunan rhywbeth y mae'n rhaid iddo'i wneud ar ei ben ei hun it's up to him

hun[2] *eb* (hunau) *hen ffasiwn* cwsg; cyntun, napyn sleep, slumber

hunan- *rhag* am neu wedi'i gyfeirio at yr un (fi, ti, ef, etc.) y sonnir amdano, e.e. *hunangyfiawn, hunandosturi* self-

hunan arall
1 gwedd arall ar bersonoliaeth person alter ego
2 cyfaill agos sy'n debyg iawn i chi alter ego

hunanaberthol *ans* parod i wneud heb bethau er lles eraill self-immolating, self-sacrificing

hunanadlynol *ans* yn gallu cael ei lynu drwy ei wasgu ynghyd heb orfod ei wlychu self-adhesive

hunanaddasiadol *ans* yn dychwelyd yn awtomatig i'w safle blaenorol self-adjusting

hunanamddiffyniad *eg*
1 y broses lle mae rhywun yn ei amddiffyn neu'n ei gyfiawnhau ei hun self-defence
2 yr hawl gyfreithiol i ddefnyddio trais (o fewn rheswm) er mwyn i rywun gael ei amddiffyn ei hun self-defence

hunanamddiffynnol *ans* yn ei amddiffyn ei hun in self-defence, self-defending

hunanamheuaeth *eb* diffyg hyder rhywun ynddo ei hun diffidence

hunanamlwg:hunaneglur *ans* heb angen neb na dim arall i'w egluro; diymwad self-evident

hunanapwyntiedig *ans* yn cymryd arno awdurdod nas cadarnhawyd gan neb arall self-appointed

hunanarchwiliad *eg* (hunanarchwiliadau) y broses lle mae rhywun yn archwilio rhannau o'i gorff, e.e. archwilio bronnau am chwyddiant a allai fod yn arwydd o ganser self-examination

hunanarlwyo *be* cymryd gwyliau neu aros mewn llety sy'n cynnig cyfleusterau i rywun wneud ei fwyd ei hunan to self-cater

hunanarlwyol *ans* (am wyliau) yn cynnig llety a chyfleusterau i rywun wneud ei fwyd ei hunan self-catering

hunanasesiad *eg* y broses o hunanasesu self-assessment

hunanasesu *be* [hunanases•[1]] eich pwyso a'ch mesur eich hun neu'r ffordd yr ydych yn cyflawni tasgau neu waith yn erbyn safon wrthrychol to assess oneself

hunan-barch *eg* parch neu falchder (priodol) rhywun ynddo ef ei hun, *Mae bod yn ddi-waith am gyfnodau hir yn gallu tanseilio eich hunan-barch.* self-esteem, self-respect

hunanbarhaol *ans* yn gallu ei adnewyddu ei hun, *pwyllgor hunanbarhaol* self-perpetuating

hunanbeillio *be* BOTANEG (mewn blodyn) trawsgludo paill o anther i stigma yn yr un blodyn to self-pollinate
   Sylwch: nid yw'r ferf hon yn arfer cael ei rhedeg.

hunanbwysig *ans* yn meddwl gormod ohono'i hun, yn meddwl ei fod yn bwysig; hunandybus, coegfalch, mawreddog self-important, bumptious

hunandosturi *eg* y cyflwr o fod yn tosturio wrthych eich hun self-pity

hunandosturiol *ans* yn cydymdeimlo (yn ormodol) ag ef ei hun, yn tosturio (yn ormodol) wrtho'i hun self-pitying

hunandrechol *ans* yn gweithredu mewn ffordd sy'n trechu ei amcanion ei hun self-defeating

hunan-dwyll *eg* y broses o'ch twyllo eich hunan (e.e. ynglŷn â'ch cymeriad neu eich cymhellion) self-deception

hunan-dyb *eg* (hunandybiau) y cyflwr o fod â meddwl mawr ohono ei hun; hunanbwysigrwydd conceit, self-importance

hunandybus *ans* a meddwl uchel ohono'i hun; coegfalch, hunanbwysig, mawreddog conceited, self-important, bumptious

hunanddarostyngiad:hunanymddarostyngiad *eg* y broses lle mae rhywun yn ei ddarostwng ei hun oherwydd teimladau o euogrwydd neu daeogrwydd self-abasement

hunanddatblygiad *eg* y broses lle mae rhywun yn datblygu ei feddwl neu ei alluoedd ei hun self-development

hunanddelwedd *eb* (hunanddelweddau) y darlun neu'r syniad sydd gan rywun ohono ei hun self-image

hunanddewisiad *eg* (hunanddewisiadau)
1 y broses o ddewis drosto ei hun personal selection
2 rhywbeth y mae rhywun wedi'i ddewis drosto ei hun, e.e. *Yng nghystadleuaeth y côr eleni, mae un darn gosod a dau hunanddewisiad.*

hunanddibynnol *ans* heb fod yn dibynnu ar neb arall ond ar adnoddau a gallu personol self-dependent

hunanddigonol *ans* yn medru cyflenwi anghenion sylfaenol (yn enwedig bwyd) heb gymorth o'r tu allan self-sufficient

hunanddinistrio *be* ei ddistrywio ei hun to self-destruct
   Sylwch: nid yw'r ferf hon yn arfer cael ei rhedeg.

hunanddirmyg *eg* dibristod rhywun ohono'i hun self-deprecation

hunanddisgyblaeth *eb* y broses lle mae rhywun yn cadw rheolaeth ar yr hyn y mae am ei wneud neu ar y ffordd y mae am ei wneud self-discipline

hunanddyrchafydd *eg* un sy'n barod iawn i'w ddyrchafu ei hun self-promoter

hunanddysgedig *ans* wedi'i ddysgu ei hun heb gymorth neb arall self-educated, self-taught

hunaneglur gw. hunanamlwg

hunanfantoli:hunangloriannu *be* pwyso a mesur eich gwerth neu eich cyfraniad eich hun to self-appraise

hunanfeddiannol *ans* a rheolaeth dros ei deimladau a'i weithredoedd; hamddenol, digyffro composed, self-possessed

hunanfeddiant *eg* y cyflwr o fod yn hunanfeddiannol composure, sangfroid

hunanfeirniadol *ans*
1 yn medru edrych ar ei waith ei hun a'i farnu'n wrthrychol self-critical
2 yn rhy feirniadol ohono'i hun self-critical

hunanfoddhaus *ans* yn (rhy) falch ohono'i hunan neu o'i safle, neu o'r hyn y mae wedi'i gyflawni complacent, self-satisfied, smug

hunanfynegiant *eg*
1 mynegiant rhywun o'i bersonoliaeth drwy gyfrwng llên, celf, barddoniaeth, etc. self-expression
2 penrhyddid i fynegi'r bersonoliaeth mewn unrhyw ffurf a fynnir self-expression

hunanfywgraffyddol *ans* yn perthyn i hunangofiant autobiographical

hunanffrwythloni *be* [hunanffrwythlon•[1]] BIOLEG yn ei ffrwythloni ei hun to self-fertilize

hunanffrwythloniad *eg* BIOLEG ffrwythloniad planhigion a rhai infertebratau gan eu paill neu eu sberm eu hunain yn hytrach nag eiddo unigolyn arall self-fertilization

hunangaledol *ans* METELEG yn (medru) hunangaledu self-hardening

hunangaledu *be* (am ddur yn bennaf) caledu mewn aer heb orfod ei drochi mewn dŵr neu olew; caledu heb orfod ei drin neu ddefnyddio cemegion to self-harden
   Sylwch: nid yw'r ferf hon yn arfer cael ei rhedeg.

hunangar *ans* yn meddwl dim ond amdano ei hunan; hunanol, myfïol self-centred

hunangeisiol *ans* yn ceisio ei les ei hun yn anad dim na neb arall; hunanol self-seeking

hunangloriannu gw. hunanfantoli

hunangofiannol *ans* wedi'i adrodd gan rywun amdano ef ei hun autobiographical

hunangofiannydd *eg* (hunangofianwyr) un sy'n adrodd hanes ei fywyd ei hun autobiographer

hunangofiant *eg* (hunangofiannau)
hanes bywyd person wedi'i ysgrifennu ganddo
neu wedi'i adrodd ganddo wrth rywun arall
autobiography, memoir

hunangydosod *ans* (am ddarn o ddodrefn/celfi
neu offer) yn cael ei werthu ar ffurf cit y bydd
y prynwr yn ei adeiladu self-assembly

hunangyfeiriedig *ans* wedi'i gyfeirio i'w
ddychwelyd at yr un a'i hanfonodd self-addressed

hunangyfiawn *ans* cyfiawn yn ei olwg ei hun,
yn (llawer rhy) sicr yn ei feddwl ei hun nad
yw'n gwneud cam â neb self-righteous

hunangyfiawnder *eg* yr hyn sy'n gwneud
rhywun yn hunangyfiawn self-righteousness

hunangyflawnol *ans* (am farn neu gred) yn
sicr o gael ei brofi'n gywir neu o ddod yn wir
o ganlyniad i ymddygiad sy'n gyson â'r gred
self-fulfilling

hunangyflogedig *ans* yn gweithio ar ei liwt ei
hun neu'n berchennog ar fusnes yn hytrach nag
yn weithiwr cyflogedig self-employed

hunangymorth *eg* y broses o ddefnyddio eich
ymdrechion a'ch adnoddau eich hun i gyflawni
pethau heb ddibynnu ar bobl eraill self-help

hunangynhaliol *ans* yn ennill digon o
arian i dalu'r holl dreuliau, yn talu'i ffordd
self-supporting

hunangynhwysol *ans* yn cynnwys popeth sydd
ei angen, cyflawn ynddo ei hun self-contained

hunanhyder *eg* hyder rhywun yn ei ddoniau ei
hun assuredness, self-confidence

hunanhyderus *ans* llawn hunanhyder
self-confident

hunaniaeth *eb* pwy neu beth yn union yw
person neu rywbeth arbennig; yr hyn sy'n
gwneud rhywun neu rywbeth yr hyn ydyw ac
yn ei wahaniaethu oddi wrth eraill identity
hunaniaeth rhywedd canfyddiad person o'i
rywedd ei hun gender identity

hunanladdiad *eg* (hunanladdiadau) y weithred
o wneud amdanoch eich hunan, lle mae rhywun
yn terfynu ei fywyd ei hun yn fwriadol, yn ei
ladd ei hun suicide

hunanleiddiol *ans*
1 yn ymwneud â hunanladdiad, nodweddiadol
o hunanladdiad suicidal
2 mewn perygl o gyflawni hunanladdiad neu'n
arwain at hunanladdiad suicidal

hunan-les *eg* mantais neu fudd personol
self-interest

hunanlywodraeth *eb* y cyflwr lle mae gwlad neu
genedl yn ei llywodraethu ei hun heb ymyrraeth
o'r tu allan; annibyniaeth, awtonomiaeth,
ymreolaeth autonomy, home rule, self-government

hunanlywodraethol *ans* yn arfer rheolaeth dros
ei faterion ei hun autonomous, self-governing

hunanol *ans* am rywun sy'n gwneud popeth
er ei les ei hun neu am rywbeth sy'n cael
ei wneud er lles unigolyn neu grŵp a hynny'n
aml ar draul lles pobl eraill; hunangar, myfïol
selfish

hunanoldeb *eg* y cyflwr o fod yn hunanol;
myfïaeth selfishness

hunanreolaeth *eb*
1 rheolaeth rhywun ar ei deimladau a'i nwydau
self-control
2 hunanlywodraeth, hawl sefydliad i'w
lywodraethu ei hun neu i wlad ei llywodraethu
ei hun autonomy

hunanreolus *ans* yn ei reoleiddio ei hun,
peiriant hunanreolus self-regulating

hunan-serch *eg* SEICOLEG diddordeb annaturiol,
erotig, yn eich corff a'ch gwedd eich hun
narcissism

hunanwasanaeth *eg* y drefn lle mae cwsmeriaid
yn dewis nwyddau drostynt eu hunain ac yn
talu wrth ddesg dalu self-service

hunanwerthusiad *eg* gwerthusiad rhywun o'i
berfformiad ei hun self-appraisal

hunanwerthuso *be* [hunanwerthus•¹] pwyso a
mesur eich gwerth neu eich cyfraniad eich hun
to self-appraise

hunanymddarostyngiad gw. hunanddarostyngiad

hunanymwadiad *eg* cwtogiad neu reolaeth lem
dros ddiwallu chwantau neu bleserau personol;
ymwrthodiad â phleserau (er mwyn helpu eraill
yn aml) self-denial

hunanymwybodol *ans* (am rywun) sy'n rhy
ymwybodol o'i ymddygiad neu ei symudiadau,
a hynny'n ei wneud yn drwsgl neu'n lletchwith
self-conscious

hunanymwybyddiaeth *eb* ymwybyddiaeth
rhywun o'i bersonoliaeth neu ei hunaniaeth
self-awareness

hunanyredig *ans* â'r gallu i symud dan ei egni ei
hun (yn hytrach na chael ei dynnu gan rywun
neu rywbeth arall) self-propelled

hunanysgogol *ans* yn gallu gweithredu ei hun;
awtomatig self-acting

hunlun *eg* (hunluniau) llun y mae rhywun
wedi'i dynnu o'i hunan (â'i ffôn symudol,
fel arfer) selfie

hunllef *eb* (hunllefau)
1 breuddwyd frawychus neu ddychrynllyd
nightmare
2 profiad erchyll neu ofnadwy, *Roedd gyrru ar
y fath ddiwrnod yn hunllef.* nightmare

hunllefus *ans* tebyg i hunllef; brawychus
nightmarish
hunllefus o fe'i defnyddir i ddwysáu ystyr
ansoddair, *yn hunllefus o hir*

huno *be* [hun•¹]
1 *hen ffasiwn* cysgu; hepian, pendwmpian
to slumber

2 marw, *Fe gewch ar rai cerrig beddau yr ymadrodd 'Hunodd yn yr Arglwydd' sy'n golygu 'Bu farw dan ofal Duw'.* to lie at rest

huodledd *eg* y gallu i siarad yn huawdl; ffraethineb, rhethreg eloquence, loquacity

huotlach:huotlaf:huotled *ans* [huawdl] mwy huawdl; mwyaf huawdl; mor huawdl

hur *ans* (am weithiwr neu gerbyd, etc.) wedi'i logi neu ar gael i'w logi; cyflogedig hired

hurbwrcas *eg* (hurbwrcasau) CYLLID ffordd o brynu rhywbeth drwy dalu symiau bychain o arian (ynghyd â llog) yn rheolaidd dros gyfnod ar ôl derbyn y nwyddau; nid yw'r prynwr yn berchen ar y nwyddau tan iddo dalu'r swm olaf hire purchase

hurbwrcasu *be* prynu rhywbeth drwy ddefnyddio hurbwrcas to buy on hire purchase
   Sylwch: nid yw'r ferf hon yn arfer cael ei rhedeg.

hurfilwr *eg* (hurfilwyr) milwr (tramor) hur, sy'n ymladd am arian mercenary

hurio *be* [huri•²]
   1 talu er mwyn cael defnyddio rhywbeth am gyfnod penodol (~ *rhywun/rhywbeth* i) to hire
   2 cyflogi rhywun i gyflawni gwaith penodol neu i weithio am gyfnod penodol; llogi to hire

huriwr *eg* (hurwyr) un sy'n hurio neu'n llogi; cyflogwr hirer

hurt *ans* [hurt•] *anffurfiol* annoeth iawn; chwerthinllyd, disynnwyr, gwirion, twp silly, stupid, stupified
   edrych yn hurt edrych (ar rywbeth) yn syfrdan to look aghast

hurten *eb anffurfiol* merch neu wraig hurt neu ffôl

hurtio:hurto *be* [hurti•²]
   1 mynd yn ddwl neu'n ddisynnwyr, *Mae e wedi hurtio ar y ferch.*; dotio, gwirioni, mopio (~ ar) to become silly, to be infatuated
   2 gwneud yn ddwl, syfrdanu, drysu (rhywun) to stun, to stupefy

hurtrwydd *eg* y cyflwr o fod yn hurt; annoethineb, ffolineb, twpdra, ynfydrwydd folly, silliness, stupidity

hurtyn *eg* (hurtynnod) clown, ffŵl, ionc, twpsyn fool, idiot, nitwit

hust gw. ust

Huw:Huwcyn *eg* enw personol a roddir ar gwsg, Siôn Cwsg the sandman

hwb:hwp *eg* (hybiau) gwthiad i fyny neu ymlaen; hergwd, hwrdd, proc, sbardun push, shove
   rhoi hwb i codi calon, cefnogi to give a boost to

hwch *eb* (hychod) mochyn benyw sow
   yr hwch wedi mynd drwy'r siop (am unigolyn, busnes neu gwmni) wedi mynd yn fethdalwr

hwde *ebychiad tafodieithol, yn y Gogledd* cymer hwn, dyma i ti, edrych yma; hwre here, look here, take this

hwfer *eg* peiriant sugno llwch (yn wreiddiol peiriant wedi'i gynhyrchu gan y cwmni Hoover) hoover, vacuum cleaner

Hwngariad gw. Hwn(-)gariad

hwi *ebychiad* sŵn i yrru anifeiliaid i ffwrdd
   cael yr hwi rhywun yn cael gwared arnoch chi to be given the old heave ho
   rhoi'r hwi i cael gwared ar to give the old heave ho

hwian *be* canu'n dawel i suo plentyn bach i gysgu to croon
   Sylwch: nid yw'r ferf hon yn arfer cael ei rhedeg.

hwiangerdd *eb* (hwiangerddi) pennill neu benillion wedi'u llunio i ddifyrru plant bach, neu gân i suo babi i gysgu; rhigwm, suo-gân lullaby, nursery rhyme

hwl *eg* corff llong sy'n cynnwys y gwaelod, yr ochrau a'r dec hull

hwlcyn *eg* rhywun neu rywbeth mawr afrosgo; llabwst lout, whopper

hwligan *eg* (hwliganiaid) un sy'n euog o hwliganiaeth hooligan

hwliganiaeth *eb* gweithred neu gyfres o weithredoedd lle mae pobl yn ymladd, yn difa pethau ac yn ymddwyn yn aflywodraethus hooliganism

hwmerws *eg* ANATOMEG asgwrn hir pen ucha'r fraich yn ymestyn o'r ysgwydd i'r penelin humerus

hwmian:hymian *be* canu â'r gwefusau ynghau; suo, mwmial to hum
   Sylwch: nid yw'r ferf hon yn arfer cael ei rhedeg.

hwmws *eg* y sylwedd organig brown neu ddu, ffrwythlon, a geir mewn pridd; deilbridd humus

hwn¹ *rhagenw dangosol* (y rhain) rhywun neu rywbeth gwrywaidd sy'n agos neu y sonnir amdano ar y pryd, *Ai hwn yw'r bachgen?* this (one)
   hwn a hwn rhywun (gwrywaidd) sydd heb gael ei enwi so and so
   hwn a'r llall pobl yn amhenodol, *Rwyf wedi bod yn siarad â hwn a'r llall a'r farn yw . . .*

hwn² *ans dangosol* (hyn) am rywun neu rywbeth gwrywaidd sy'n agos neu y sonnir amdano ar y pryd, *y tad hwn*; yma this

Hwngaraidd *ans* yn perthyn i Hwngari, nodweddiadol o Hwngari Hungarian

Hwngariad *eg* (Hwngariaid) brodor o Hwngari, un o dras neu genedligrwydd Hwngaraidd Hungarian

hwnna *tafodieithol* gw. **hwnnw¹**

hwnnw¹ *rhagenw dangosol* (y rheini) rhywun neu rywbeth gwrywaidd sydd o'r golwg neu y soniwyd amdano yn barod, *Beth wnaeth hwnnw i'r economi?*; honna, hwnnw, yr un acw, yr un yna that (one)

hwnnw² *ans dangosol* (hynny) am rywun neu rywbeth gwrywaidd sy'n lled agos neu y soniwyd amdano yn barod, *Roedd y llythyr hwnnw'n cyfeirio at y gost.*; acw, yna that

hwnt *adf* acw, draw, i ffwrdd away, yonder

hwnt ac yma fan hyn a fan draw, yma ac acw here and there

tu hwnt

1 yr ochr arall i, ymhellach, tu draw, *I'r Lleuad a thu hwnt.* beyond

2 allan o gyrraedd; ymhell tu draw, mwy o lawer, *Mae ei ymddygiad y tu hwnt i bob rheswm.* beyond

hwntw *eg* (hwntws) *anffurfiol* enw ysgafn am frodor o dde Cymru South Walian

hwp *gw.* hwb

hwpo:hwpio *be* [hwpi•²] rhoi hwb/hwp i; gwthio, hyrddio (~ *rhywbeth* **o'r ffordd**) to push, to shove

hŵr:hwren *eb* (hwrod) *difriol* putain whore

hwrdd *eg* (hyrddod)

1 y gwryw o rywogaeth y ddafad yn ei lawn dwf; maharen ram

2 gwthiad nerthol, *hwrdd o wynt*; hergwd, hwb, hwp gust, squall

hwre *ebychiad tafodieithol, yn y De* cymer hwn, dyma i ti, edrych yma; hwde here, take this

hwrê *ebychiad* bloedd o gymeradwyaeth hurrah, hurray

hwrian *be difriol* puteinio to whore

    Sylwch: nid yw'r ferf hon yn arfer cael ei rhedeg.

hwsâr *eg* (hwsariaid) marchfilwr o Hwngari, neu un o wlad arall â lifrai yn seiliedig ar batrwm y marchogion Hwngaraidd hussar

hwsmon *eg* (hwsmyn) *hynafol* ffermwr; un sy'n trin y tir ac yn gofalu am fusnes fferm; amaethwr bailiff, husbandman

hwsmonaeth *eb*

1 y gwaith o drin y tir a ffermio (yn ddarbodus); amaeth, amaethyddiaeth husbandry

2 yn y ffurf **smonath**, cawl, llanastr, anhrefn llwyr mess, muck-up

hwt *ebychiad* bant, i ffwrdd out

hwter *eb* (hwteri) math o gorn sy'n cael ei ganu, e.e. mewn ffatri neu bwll glo ers talwm, i rybuddio pawb ei bod yn amser dechrau neu orffen gwaith hooter

hwtian:hwtio *be* [hwtio•²]

1 gwneud sŵn fel tylluan to hoot

2 canu corn car neu long (~ **ar**) to hoot

hwy¹:hwynt:nhw *rhagenw annibynnol syml* y bobl neu'r pethau yr ydych chi neu rywun arall yn cyfeirio atynt; trydydd person lluosog; fe'i defnyddir fel dibeniad i'r goddrych, *Nhw sy'n dod. Hwy yw'r bechgyn gorau yn y dosbarth.*, ac fel gwrthrych berf gryno, *Gwelodd y teigr hwy.* them, they

    Sylwch: 'hwy' oedd y ffurf ysgrifenedig

ffurfiol ac mae'n dal i gael ei defnyddio er ei bod braidd yn hen ffasiwn erbyn hyn.

hwy²:hwynt:nhw *rhagenw dibynnol ategol syml* e.e. *y maent hwy, maen nhw, ganddynt hwy, eu hachos nhw*

hwy³ *ans* [**hir**] mwy hir, hirach

hwyad:hwyaden *eb* (hwyaid)

1 aderyn y dŵr sydd â choesau byr, traed gweog, gwddf byr a phig lydan, fflat a cherddediad afrosgo duck

2 cig yr aderyn hwn duck

fel dŵr ar gefn hwyaden disgrifiad o rywbeth sydd heb unrhyw effaith o gwbl like water off a duck's back

hwyaf *ans* [**hir**] mwyaf hir, hiraf

hwyaid *ell lluosog* **hwyad**

hwyfell *eb* (hwyfelliaid) eog benyw salmon (female)

hwyhad *eg* y broses o hwyhau, canlyniad hwyhau; estyniad, ychwanegiad, ymestyniad elongation

hwyhau *be* [hwyha•¹⁴] gwneud yn hwy, mynd yn hirach, *Mae'r dydd yn hwyhau.*; ymestyn to become longer, to elongate, to lengthen, to prolong

hwyl¹ *eb* (hwyliau)

1 darn o gynfas neu ddefnydd gwydn tebyg sy'n cael ei sicrhau wrth long er mwyn i'r gwynt ei lenwi a gwthio'r llong drwy'r dŵr sail

2 darn tebyg wedi'i glymu wrth fraich melin wynt er mwyn iddi droi yn y gwynt sail

hwyliau blaen-ac-ôl am long hwylio lle mae'r hwyliau'n gyfochrog ar hyd y llong fore and aft sail

Ymadrodd

mynd â'r gwynt o hwyliau (rhywun) *gw.* **gwynt**

hwyl² *eb* (hwyliau)

1 llwyddiant didrafferth, fel yn yr ymadrodd *cael hwyl arni* (yn deillio o long yn symud yn rhwydd â gwynt yn ei hwyliau)

2 tymer, agwedd meddwl, *Dyw e ddim mewn hwyl rhy dda y bore 'ma.* mood, temper

3 cyflwr iach neu normal (o ran corff neu feddwl), *Does dim llawer o hwyl arno heddiw.*

4 math o lafarganu a fyddai'n cael ei ddefnyddio gan bregethwr yn uchafbwyntiau ei bregeth pan fyddai'n 'mynd i hwyl'

5 afiaith, difyrrwch, sbort, sbri, *Cawsom hwyl yn y ffair.* fun

6 da bo ti/da boch chi; cyfarchiad wrth ymadael â rhywun, *Hwyl 'te, wela' i di yfory!* cheers, goodbye

hwyl a sbort llawer iawn o hwyl

Ymadroddion

cael hwyl am ben (rhywun neu rywbeth) gwneud sbort am ben; difrïo, gwatwar to make fun of

cael hwyl ar (rywbeth) llwyddo i wneud rhywbeth yn dda a mwynhau'r llwyddiant, *Cafodd y côr hwyl arni heno yn y cyngerdd.* to make a good job of

drwg fy (dy, ei, etc.) hwyl mewn hwyliau drwg in a bad mood

yn fy (dy, ei, etc.) llawn hwyliau yn hapus iawn, mewn hwyliau da in fine spirits

hwylbren *eg* (hwylbrennau:hwylbrenni) polyn hir, tal sy'n cynnal yr hwyliau a'r rhaffau ar long hwyliau; mast mast

hwyldrawst *eg* (hwyldrawstiau) y trawst sy'n cynnal hwyl neu hwyliau y mae eu pennau wedi'u clymu'n dynn wrtho boom, yardarm

hwylfa *eb* (hwylfeydd) lôn, lôn fferm lane

hwylfyrddio *be* [hwylfyrddi•[2]] defnyddio math o fwrdd syrffio â hwyl a chilbren symudol i gyfuno campau hwylio a syrffio windsurfing

hwylio *be* [hwyli•[2]]
1 (am long) teithio ar hyd wyneb y dŵr to sail
2 teithio mewn llong, *Rwy'n hwylio i'r Cyfandir yfory.*; mordwyo, morio to sail
3 *ffigurol Hwyliodd Mrs Prydderch i mewn i'r cyfarfod yn hwyr fel arfer.* to sail
4 paratoi, *hwylio te* to prepare
5 bwriadu, *Rwy'n hwylio mynd i'r gêm ddydd Sadwrn.* to intend to
6 gyrru neu gludo rhywbeth, *hwylio whilber, hwylio cwch i'r dŵr* to wheel
7 y gamp o lywio a rasio llong hwyliau to sail, sailing

hwylio yn erbyn y llanw mynd yn erbyn y mwyafrif to swim against the tide

hwyliog *ans* llawn hwyl, llawen a diddan convivial, blithe, full of fun

hwylus *ans* [hwylus•]
1 wrth law, yn agos; cyfleus, didrafferth, rhwydd convenient, handy
2 mewn iechyd boddhaol, *Dydw i ddim yn teimlo'n rhy hwylus y bore 'ma.*; iach healthy
3 heb rwystr na llestair, *Aeth y cyfarfod yn hwylus iawn.*; rhwydd smooth

hwyluso *be* [hwylus•[1]] gwneud rhywbeth yn haws neu'n rhwyddach (i rywun), *Bydd y peiriant newydd yn siŵr o hwyluso'r gwaith palu.*; hybu, rhwyddhau to expedite, to facilitate

hwylustod:hwylusrwydd *eg* y cyflwr o fod yn hwylus; cyfleustra, rhwyddineb convenience

hwylusydd *eg* (hwyluswyr) un sydd (fel rhan o'i waith) yn cynnig cyngor ac unrhyw adnoddau eraill i gynorthwyo pobl i ddatblygu syniadau a chyrraedd casgliadau facilitator

hwynt gw. hwy[1]

hwynt-hwy *rhagenw annibynnol dwbl* ffurf ddwbl ar y rhagenw 'hwy' sy'n pwysleisio

hwy/nhw (a neb arall); nhw eu hunain, y nhw they themselves

hwyr[1] *ans* [hwyr•] (hwyrion)
1 ar ôl, heb fod yn brydlon neu mewn pryd, *Mi fyddwn ni'n hwyr i ginio.*; amhrydlon, diweddar late, overdue
2 yn digwydd tua diwedd y dydd neu ar ddiwedd unrhyw gyfnod o amser, *Mae'n rhaid i ni fynd i'r gwely, mae hi'n mynd yn hwyr.* late
3 newydd gyrraedd, diweddar, *A dyma eitem o newyddion hwyr.* late

gwell hwyr na hwyrach better late than never

yn hwyr neu'n hwyrach rhywbryd yn y dyfodol sooner or later

hwyr[2] *eg* min nos, nos, *Cynhelir cyfarfod yr hwyr am 6.30 yng nghapel Tabor.* evening, nightfall

gyda'r hwyr ar ddechrau'r nos of an evening

hwyr glas hen bryd high time

hwyrach[1] *ans* mwy hwyr; diweddarach later

hwyrach[2] *adf* efallai, *Hwyrach y cawn ni fynd yfory eto.*; dichon maybe, perhaps

hwyrddydd *eg* hwyr y dydd, min nos; cyfnos, diwedydd, yr hwyr evening

hwyrddyfodiad *eg* (hwyrddyfodiaid)
1 un sy'n cyrraedd yn hwyr latecomer
2 plentyn hŷn (mewn teulu sydd wedi symud i Gymru) nad yw wedi cael cyfle i ddysgu'r Gymraeg pan oedd yn fach

hwyrfrydedd:hwyrfrydigrwydd *eg* diffyg awydd; amharodrwydd reluctance

hwyrfrydig *ans* amharod, anfoddog, hirymarhous, pwyllog reluctant, slow, tardy

hwyrgan *eb* (hwyrganeuon) CERDDORIAETH darn breuddwydiol, myfyrgar i'r piano sydd â'i wreiddiau yn y cyfnod Clasurol ond a ddaeth yn boblogaidd yn yr oes Ramantaidd nocturne

hwyrgloch *eb* arwydd (cloch, fel arfer) y dylai pobl glirio o'r strydoedd ar amser penodol, fel arfer yn ystod cyfnod o aflonyddwch dinesig curfew

hwyrhau *be* mynd yn hwyr, mynd yn ddiweddar; nosi, tywyllu to become late, to get late
Sylwch: nid yw'r ferf hon yn arfer cael ei rhedeg.

hwyrion *ans* ffurf luosog hwyr, *oriau hwyrion y nos*

hwyrnos *eb* (hwyrnosau) min nos, yr hwyr; cyfnos, noswaith evening

hwyrol *ans* fel yn *hwyrol weddi*, yn perthyn i'r hwyr evening

hwythau[1] *rhagenw annibynnol cysylltiol* nhw hefyd, nhw o ran hynny, nhw ar y llaw arall, *A hwythau newydd fynd i'w gwelyau, canodd y ffôn.* they too, even they, they for their part, they on the other hand, them too,

even them, them for their part, them on the
other hand, them, they

hwythau² *rhagenw dibynnol ategol cysylltiol*
e.e. *Dyma fy ymgais gyntaf i a'u hymgais
gyntaf hwythau.*

hy gw. *hyf*

hy- *rhag* mae'n cael ei ddefnyddio ar ddechrau
gair i awgrymu rhwyddineb, bod rhywbeth yn
hawdd ei . . ., e.e. *hybarch* (hawdd ei barchu),
hyglyw (hawdd ei glywed)
   Sylwch: yr un 'y' sydd yn yr 'hy' yma ag yn
   'dynion'.

h.y. *byrfodd* hynny yw, sef i.e., viz.

hybarch *ans* parchedig iawn (mae'n ffurf
hen ffasiwn sy'n cael ei chadw i gyfarch
archddiacon yn yr Eglwys neu Archdderwydd
yr Orsedd – '*hybarch Archdderwydd*');
anrhydeddus venerable
   Sylwch: mae'n arfer dod o flaen enw ac yn
   achosi'r treiglad meddal.

hyblycach:hyblycaf:hyblyced mwy **hyblyg**;
mwyaf **hyblyg**; mor **hyblyg**

hyblyg *ans* [hyblyc•]
   1 hawdd ei blygu; ystwyth flexible, pliable, supple
   2 yn gallu newid neu gael ei newid yn ôl
   amgylchiadau neu sefyllfa newydd, *cynllun
   oriau hyblyg* flexible

hyblygrwydd *eg* y cyflwr o fod yn hyblyg neu'n
ystwyth; ystwythder suppleness, adaptability

hybrid *ans* croesryw, cymysgryw hybrid

hybrin *ans* mor brin fel mai o'r braidd y gellir
ei ganfod, e.e. elfen hybrin trace

hybu *be* [hyb•¹]
   1 rhoi hwb (ymlaen neu i fyny); cefnogi,
   hyrwyddo, noddi, sbarduno to promote,
   to encourage, to further
   2 adfywio, gwella, meithrin to improve,
   to recover

hychod *ell* lluosog **hwch**

hyd¹ *eg* (hydoedd)
   1 y mesur o un pen i'r llall, neu fesur yr ochr
   hiraf (o'i gyferbynnu â lled rhywbeth) length
   2 maint neu barhad rhywbeth (o ran amser)
   o'r dechrau hyd at nawr, neu hyd at ei ddiwedd;
   ysbaid, *Beth yw hyd y llyfr? Byddwn yma am
   ryw hyd.* length (of time)

am ryw hyd am ychydig o amser

ar hyd drwy, *Ar hyd y nos.* throughout
Ymadroddion

ar draws ac ar hyd dros bob man, *Buom yn
edrych ar draws ac ar hyd amdanynt.* far and
wide, the length and breadth

ar ei hyd drwyddo/drwyddi i gyd, o un pen
i'r llall, *Cefais flas ar y bregeth ar ei hyd.*
throughout

ar fy (dy, ei, etc.**) hyd** yn wastad, yn gorwedd;
yn fy hyd flat out, on my face/back

ar hyd ac ar led o gwmpas, ym mhobman,
*Mae'r stori ar hyd ac ar led mai ti oedd yn
gyfrifol.* about

(cadw) (o) hyd braich (cadw) pellter rhwng,
peidio â mynd yn rhan o, *Rwy'n cadw'r dyn
'na o hyd braich rhag iddo gael cyfle i 'nhwyllo
i hefyd.* at arm's length

ers hydoedd ers amser mawr for ages, this
long time

hyd a lled gwir faint, *Cawn wybod hyd a
lled y broblem yn y cyfarfod nesaf.* the extent,
the size

hyd oni gw. *hyd²*

o hyd/ar ei hyd *Mae'n chwe throedfedd o hyd
a dwy o led.* long

pa hyd bynnag pa mor hir bynnag however
long

yn fy (dy, ei, etc.**) hyd** ar fy wyneb neu
ar fy nghefn, *Baglais yn y rhaff a syrthio yn
fy hyd.*; ar fy hyd at full length, flat on my
face/back

yr un hyd a'r un lled as broad as it is long

hyd² *ardd* [hyd-ddo ef, hyd-ddi hi, hyd-ddynt
hwy (hyd-ddyn nhw)]
   1 tan, nes dod, drwy gydol, nes, *Bydd yn
   rhaid i chi eistedd yn llonydd hyd ddiwedd
   y wers.* until
   2 mor bell â, *Tynnodd ddillad y gwely i fyny
   hyd ei ên.* as far as, up to
   3 o un pen i'r llall, *Mae angen cerdded
   hyd yr heol nes cyrraedd yr ail dro i'r chwith.*
   along
     Sylwch: mae'n achosi'r treiglad meddal, *hyd
     Ddydd y Farn,* ond nid felly 'ar hyd', *ar hyd
     glyn cysgod angau.*

hyd at cymaint â, cyn belled â, *Mae'r tanc yn
dal hyd at naw galwyn. Symudais lan hyd ato
heb iddo fy ngweld.* as far as, up to

hyd heddiw/hyd y dydd heddiw *Diflannodd
y llong a'r trysor ac nis gwelwyd hyd y dydd
heddiw.* to this very day

hyd lawr/hyd y llawr
   1 bob cam i'r llawr, *Roedd y ffrog yn cyrraedd
   hyd y llawr.*
   2 dros y llawr, *Gollyngodd y cwpan a cholli'r
   llaeth i gyd hyd lawr.* all over the floor, down to
   the ground

hyd nes nes until

hyd oni nes until

hyd y gwelaf i yn fy marn i in my view

hyd y gwn i gw. *gwn²*

hyd yn hyn hyd at nawr, cyn belled so far

hyd yn oed sydd yn fwy nag y gallwch ei
ddisgwyl, *Roedd hyd yn oed Iolo wedi'i
fwynhau'i hun!* even

o hyd drwy'r amser, byth, *Rydym ni yma
o hyd.* always, still

o hyd ac o hyd *yn* ddi-baid, drwy'r amser, drosodd a throsodd incessantly

hyd³ *cysylltair* cyhyd â, mor hir â, *Mae'r tŷ yma ichi hyd y byddaf i.* as long as
   Sylwch: mae 'y' yn dilyn y cysylltair, *hyd y byddaf*

hydal *ans* yn gallu talu pob dyled gyfreithiol solvent

hydaledd *eg* CYFRAITH y gallu i dalu pob dyled gyfreithiol solvency

hydawdd *ans* yn hydoddi'n rhwydd mewn dŵr (neu hylif arall) soluble

hyd-ddi gw. hyd²

hydeiml *ans* am rywun sy'n teimlo pethau i'r byw; croendenau, gordeimladwy, sensitif sensitive

hydeimledd *eg*
  1 ymwybyddiaeth ddwys o anghenion neu deimladau pobl eraill sensitivity
  2 y gallu i ymateb i gywreinrwydd celfyddydol sensitivity

hyder *eg* gobaith cryf neu sicr, cred bendant, obeithiol, *Does gen i fawr o hyder y bydd y tîm yn gwneud yn dda eleni.*; disgwyliad, ffydd, optimistiaeth, ymddiriedaeth confidence, boldness

hyderu *be* [hyder•¹] bod yn hyderus, gobeithio'n fawr; coelio, credu, ymddiried to trust, to hope

hyderus *ans* gobeithiol hyd at fod yn sicr, llawn hyder; diamau, dibetrus, ffyddiog, sicr (~ **am**) confident, assured

hydoddedd *eg*
  1 y cyflwr o fod yn hydawdd solubility
  2 CEMEG cymaint o sylwedd ag sy'n gallu hydoddi mewn maint penodol o sylwedd arall solubility

hydoddi *be* [hydodd•¹] CEMEG gwneud neu fynd yn hydoddiant wrth gyfuno sylwedd hydawdd â hylif (hydoddydd), *Mae dŵr glaw yn hydoddi calchfaen ac mae siwgr yn hydoddi mewn dŵr.* to dissolve
  Sylwch: (yn dechnegol) toddi = solid yn troi'n hylif o gael ei wresogi; ymddoddi = troi o fod yn solid i fod yn hylif; hydoddi = sylwedd hydawdd yn troi'n hylif o gael ei gymysgu â hylif.

hydoddiant *eg* (hydoddiannau) CEMEG hylif â sylwedd wedi'i hydoddi ynddo lle mae'r hydoddyn wedi'i wasgaru'n gyson drwy'r hydoddydd solution

hydoddydd *eg* (hydoddyddion) CEMEG hylif sy'n gallu peri i solid neu nwy hydoddi a ffurfio hydoddiant solvent

hydoddyn *eg* (hydoddion) CEMEG y solid neu'r nwy sy'n hydoddi yn yr hydoddydd i ffurfio'r hydoddiant solute

hydoedd *ell* lluosog hyd¹
  am hydoedd am amser hir for ages

hydrad *eg* (hydradau) CEMEG cemegyn sy'n cynnwys moleciwlau dŵr hydrate

hydradiad *eg* CEMEG y broses o hydradu, canlyniad hydradu hydration

hydradol *ans* CEMEG wedi'i gyfuno'n gemegol â moleciwlau dŵr hydrated

hydradu *be* [hydrad•¹] CEMEG achosi i gemegyn gyfuno â dŵr neu elfennau dŵr er mwyn creu cyfansoddyn to hydrate

hydraidd *ans* yn caniatáu i bethau fel hylif neu nwy dreiddio drwyddo permeable, pervious

hydrant *eg* (hydrantau) piben gollwng dŵr a falf arni ar gyfer tynnu dŵr o'r prif gyflenwad (i ddiffodd tanau, etc.) hydrant

hydrasin *eg* CEMEG cyfansoddyn hylifol yn cynnwys nitrogen a hydrogen, sy'n adweithio'n bwerus â sylweddau ocsidio; fe'i defnyddir fel tanwydd rocedi hydrazine

hydraul *ans* yn treulio'n rhwydd, hawdd ei dreulio (yn enwedig am fwyd) digestible

hydred *eg* (hydredau) y pellter i'r dwyrain neu i'r gorllewin ar wyneb y Ddaear o'r llinell (ddychmygol) sy'n rhedeg drwy Greenwich yn Llundain, wedi'i fesur mewn graddau longitude

hydredol *ans* yn ymwneud â hydred sy'n cael ei fesur o'r dwyrain i'r gorllewin, neu'n cael ei fesur yn ôl hydred sy'n rhedeg ar ei hyd yn hytrach nag ar draws longitudinal

hydref¹ *eg* (hydrefau) y tymor rhwng yr haf a'r gaeaf – Medi, Hydref, Tachwedd autumn
  Sylwch: 'h' fach a ddefnyddir i ddynodi'r tymor.

Hydref² *eg* degfed mis y flwyddyn October
  Sylwch: priflythyren sydd yma.
  mis Hydref 'ym mis Hydref' nid *yn Hydref* October

hydrefol *ans* yn perthyn i dymor yr hydref, nodweddiadol o'r hydref autumnal

hydreiddedd *eg* y cyflwr o fod yn hydraidd, neu i ba raddau mae rhywbeth yn hydraidd permeability

hydrid *eg* CEMEG cyfansoddyn yn cynnwys hydrogen ac elfen arall fwy electropositif na hydrogen hydride

hydrin *ans*
  1 hawdd ei drin; hydyn, hywedd, tringar manageable, docile, tractable
  2 (am fetel, etc.) y gellir ei fwrw, ei wasgu neu ei rolio i siâp newydd heb iddo dorri neu gracio malleable

hydrinedd *eg*
  1 gallu defnydd i newid ei siâp dan wasgedd heb dorri'n ddarnau neu gracio malleability
  2 gallu pethau i gael eu symud yn hawdd manoeuvrability

hydrocarbon *eg* (hydrocarbonau) CEMEG cyfansoddyn organig sy'n cynnwys hydrogen a charbon yn unig hydrocarbon

hydroceffalig *ans* MEDDYGAETH yn perthyn i hydroceffalws, nodweddiadol o hydroceffalws hydrocephalic

hydroceffalws *eg* MEDDYGAETH cynnydd annormal yn hylif ceudodau'r ymennydd sy'n arwain at chwyddiant y benglog a nychdod yr ymennydd hydrocephalus

hydroclorig *ans* CEMEG fel yn *asid hydroclorig*, sef hydoddiant o hydrogen clorid mewn dŵr; mae'n asid cryf a ddefnyddir gan ddiwydiant ond a geir wedi'i wanedu yn yr hylif a gynhyrchir gan y stumog i dreulio bwyd hydrochloric

hydrodynameg *eb* FFISEG cangen o ffiseg sy'n astudio symudiad hylifau hydrodynamics

hydroelectrig *ans* yn ymwneud â thrydan wedi'i gynhyrchu drwy rym symudiad dŵr hydroelectric

hydroffilig *ans* (am gemegion) yn cael eu hatynnu at ddŵr, yn hydoddi'n hawdd mewn dŵr hydrophilic

hydroffobia *eg* MEDDYGAETH ofn eithafol neu afresymol o ddŵr, yn enwedig fel symptom o'r gynddaredd hydrophobia

hydroffobig *ans* MEDDYGAETH yn dioddef o hydroffobia hydrophobic

hydroffoil *eg* (hydroffoilau) math o asgell o dan gwch sy'n ei godi uwchben arwyneb y dŵr pan fydd yn teithio'n gyflym hydrofoil

hydroffyt *eg* (hydroffytau) BOTANEG planhigyn sy'n tyfu mewn dŵr neu ar dir gwlyb iawn hydrophyte

hydrogen *eg* elfen gemegol rhif 1; nwy anweledig, heb arogl, a'r elfen ysgafnaf a'r fwyaf helaeth yn y bydysawd (H) hydrogen

hydrogen perocsid CEMEG hylif di-liw ac ansefydlog a ddefnyddir fel ocsidydd mewn hydoddiant gwanedig, e.e. fel antiseptig, cannydd gwallt neu ffabrig, etc. hydrogen peroxide

hydrogenaidd *ans* CEMEG yn perthyn i hydrogen, yn cynnwys hydrogen hydrogenated

hydrogeniad *eg* CEMEG y broses o hydrogenu, canlyniad hydrogenu hydrogenation

hydrogenu *be* [hydrogen•¹] CEMEG ychwanegu hydrogen at sylwedd, e.e. i wneud braster dirlawn to hydrogenate

hydrograffeg *eb*
1 astudiaeth o holl gyrff dŵr y Ddaear, e.e. moroedd, llynnoedd, afonydd hydrography
2 y gwaith o fesur, casglu a phlotio data yn ymwneud â gwely ac arfordir cefnforoedd y byd, y llanwau a'r ceryntau, er mwyn eu cyflwyno ar ffurf siart hydrograffig hydrography

hydroleg *eb*
1 DAEARYDDIAETH astudiaeth wyddonol o'r dŵr sydd ar wyneb y Ddaear ac yn yr atmosffer hydrology

2 astudiaeth o symudiad hylifau a'r defnydd ymarferol a wneir o hynny, e.e. llif mewn afonydd, neu'r defnydd o hylif dan wasgedd i gynhyrchu grym hydraulics

hydrolegol *ans* yn ymwneud â'r dŵr a geir ar wyneb y Ddaear ac yn yr atmosffer hydrological

hydrolig *ans* yn ymwneud â phriodweddau mecanyddol hylifau a'r defnydd a wneir ohonynt hydraulic

hydrolysis *eg* CEMEG y dadelfennu cemegol a achosir gan ddŵr hydrolysis

hydrolysu *be* mynd drwy'r broses o hydrolysis, rhoi rhywbeth drwy'r broses o hydrolysis to hydrolyse
Sylwch: nid yw'r ferf hon yn arfer cael ei rhedeg.

hydromedr *eg* (hydromedrau) FFISEG dyfais sy'n mesur dwysedd hylif (wedi'i gymharu â dŵr neu safon arall) hydrometer

hydroseffalig defnyddiwch **hydroceffalig**

hydroseffalws defnyddiwch **hydroceffalws**

hydrosffer *eg* holl ddyfroedd y Ddaear (moroedd, llynnoedd, etc.) a'r anwedd yn yr atmosffer hydrosphere

hydrosgop *eg* (hydrosgopau) dyfais arsylwi ar bethau dan ddŵr hydroscope

hydrostateg *eb* FFISEG astudiaeth wyddonol o hylifau llonydd, yn enwedig gwasgedd oddi mewn i hylif neu ar gorff sydd mewn cysylltiad â'r hylif hydrostatics

hydrostatig *ans* yn ymwneud â gwasgedd hylifau llonydd hydrostatic

hydrotropedd *eg* BOTANEG y ffordd y mae rhai planhigion yn tyfu tuag at (neu oddi wrth) ddŵr neu anwedd dŵr hydrotropism

hydrotherapi *eg* defnydd llesol o ymarferion corfforol mewn pwll nofio hydrotherapy

hydrothermol *ans* yn ymwneud ag effaith dŵr poeth ardaloedd folcanig neu wedi'i achosi ganddo, e.e. y broses o greu mwynau hydrothermal

hydwf *ans* llawn dwf, yn tyfu'n dda full-grown, luxuriant

hydwyll *ans* hawdd ei dwyllo; dibrofiad, diniwed gullible

hydwyth *ans* [hydwyth•]
1 (am berson neu anifail) yn gallu gwrthsefyll amgylchiadau anodd neu ddod ato'i hun er eu gwaethaf resilient
2 METELEG (am fetelau) yn gallu cael eu tynnu'n edafedd neu wifrau ductile
3 adlamol; ystwyth resilient

hydwythedd:hydwythder *eg* y cyflwr o fod yn hydwyth; hyblygrwydd, ystwythder ductility, resilience

hydyn *ans* hawdd ei drin neu ei ddysgu neu hawdd dylanwadu arno; hydrin, tringar tractable

hydd *eg* (hyddod) carw gwryw, cymar ewig hart, stag

hyddysg *ans* dysgedig iawn; goleuedig, gwybodus (~ **yn**) learned, expert

hyena *eg* (hyenau) anifail ysglyfaethus, gwyllt, tebyg i gi, sydd â chyfarthiad fel chwerthiniad ac sy'n byw yng ngwledydd Asia ac Affrica; udfil hyena

hyf:hy *ans* yn mynd y tu hwnt i'r hyn sy'n briodol; beiddgar, digywilydd, eofn, haerllug bold, impudent, presumptuous

   Sylwch: mae'r 'hy' yma yn odli â 'tŷ'.

hyfdra:hyfder *eg* y cyflwr o fod yn hy; digywilydd-dra, haerllugrwydd, rhyfyg, wyneb audacity, boldness, cheek

hyfedr *ans* â sgiliau uwch neu arbenigedd mewn maes o wybodaeth neu gelfyddyd; abl, deheuig, medrus proficient

hyfedredd *eg* deheurwydd arbenigol mewn maes o wybodaeth neu gelfyddyd; crefft, deheurwydd, medr, sgìl proficiency

hyfriw *ans* hawdd ei chwalu a'i friwsioni; brau, briwsionllyd, chwâl friable

hyfryd *ans* [hyfryt•] dymunol iawn; braf, hynaws, pleserus delightful, lovely, nice, pleasant

hyfryd gennyf fi (gennyt ti, ganddo ef, etc.) mae'n braf gennyf, rwy'n falch I'm pleased to

hyfrydlais *eg* (hyfrydleisiau) llais persain, sain hyfryd

hyfrydwch *eg* y cyflwr o fod yn hyfryd; diddanwch, difyrrwch, mwynhad, pleser delight, pleasure

hyfrytach:hyfrytaf:hyfryted *ans* [hyfryd] mwy hyfryd; mwyaf hyfryd; mor hyfryd

hyfyw *ans*

   1 yn medru byw a datblygu yn naturiol, *hadau hyfyw* viable

   2 MEDDYGAETH (am ffoetws) yn medru byw y tu allan i groth y fam viable

hyfywdra *eg* y cyflwr o fod yn hyfyw viability

hyffa *eg* (hyffâu) BOTANEG un o'r edafedd neu'r ffilamentau y mae corff ffwng wedi'i wneud ohonynt hypha

hyfflam *ans* hawdd ei roi ar dân; fflamadwy, hylosg, llosgadwy inflammable

hyfforddai *eg* (hyfforddeion) un sy'n derbyn hyfforddiant; prentis trainee

hyfforddedig *ans* wedi'i hyfforddi trained

hyfforddi *be* [hyfforddd•¹] dangos y ffordd (i rywun) wneud rhywbeth; dysgu rhywun sut i wneud rhywbeth neu sut i ddod yn fedrus neu'n hyddysg; addysgu, arwain, cyfarwyddo, meithrin (~ *rhywun/rhywbeth* i) to coach, to train, to instruct

hyfforddiant *eg* y broses o gael eich dysgu sut i wneud rhywbeth; addysg, arweiniad, cyfarwyddyd, prentisiaeth coaching, training, instruction

hyfforddiant mewn swydd yr hyn sy'n digwydd pan fydd rhywun yn cael ei ryddhau am gyfnod o'i waith pob dydd i ddysgu sgiliau newydd neu loywi hen sgiliau in-service training

hyfforddwr *eg* (hyfforddwyr) un sy'n hyfforddi grŵp neu unigolyn (mewn campau neu chwaraeon fel arfer); mentor, tiwtor coach, trainer, instructor

hyfforddwraig *eb* gwraig sy'n hyfforddi coach, trainer, instructress

hygar *ans* annwyl, hoffus, hynaws, serchog amiable

hygaredd:hygarwch *eg* y cyflwr o fod yn hygar; graslonrwydd, hynawsedd amiability

hyglod *ans* o fri, yn cael ei glodfori; canmoladwy, clodwiw, cymeradwy, enwog celebrated, distinguished, renowned

hyglyw *ans* hawdd ei glywed; clir, clywadwy, eglur audible, clear

hygoeledd *eg* parodrwydd i goelio neu i gredu unrhyw beth; diniweidrwydd credulity

hygoelus *ans* (am rywun) rhy barod i goelio (i gredu), hawdd ei dwyllo; diniwed, gwirion credulous, gullible

hygred *ans* yn cynnig seiliau digonol i allu cael ei gredu credible

hygrededd *eg* y cyflwr o fod yn gredadwy credibility, plausibility

hygromedr *eg* (hygromedrau) dyfais i fesur lleithder yr atmosffer hygrometer

hygrosgopig *ans*

   1 yn tynnu lleithder o aer hygroscopic

   2 yn ymateb yn gyflym i leithder, sensitif i leithder hygroscopic

hygyrch *ans*

   1 hawdd mynd ato, o fewn cyrraedd hwylus, wrth law; cyfleus, di-rwystr accessible

   2 a adeiladwyd neu a newidiwyd i fod yn addas ar gyfer pobl anabl accessible

hygyrchedd *eg* y cyflwr o fod o fewn cyrraedd hwylus, o fod yn hawdd ei gyrraedd, mynd iddo neu ei ddefnyddio accessibility, approachability

hyhi *rhagenw annibynnol dwbl* ffurf ddwbl ar y rhagenw 'hi' sy'n pwysleisio hi (a neb arall); hi ei hun, y hi she herself, it itself

   Sylwch: ar yr -*hi* y mae'r acen wrth ynganu'r gair.

hylan *ans* yn cyrraedd safon o lendid sy'n hyrwyddo iechyd da hygienic

hylaw *ans* hawdd ei drin; hwylus, rhwydd handy, manageable

hylc *eb* (hylciau) hen long wedi'i hangori'n barhaol a'i defnyddio fel storfa neu (yn y gorffennol) fel carchar hulk

hylendid *eg* MEDDYGAETH yr astudiaeth a'r
ymarfer o gadw'n iach yn enwedig drwy gadw
pethau (a phobl) yn lân hygiene
hylenydd *eg* (hylenwyr:hylenyddion) rhywun
sy'n arbenigo yn y gwaith o hyrwyddo
hylendid; glanweithydd hygienist
hylenydd deintyddol cynorthwyydd i
ddeintydd sydd wedi'i hyfforddi yn hylendid
y geg a glanhau dannedd dental hygienist
hylif *eg* (hylifau) sylwedd nad yw'n solet nac yn
nwy, sy'n llifo ac nad oes iddo ffurf neu siâp
penodol, *Mae dŵr yn hylif.* fluid, liquid
hylifadwy *ans* gellir ei droi'n hylif liquefiable
hylifedig *ans* wedi'i droi'n hylif liquefied
hylifedd *eg* CYLLID y cyflwr o fod yn berchen ar
asedau gwerthfawr y mae modd eu cyfnewid
am arian parod liquidity
hylifiad:hylifiant *eg* (hylifiadau:hylifiannau)
y broses o wneud neu droi'n hylif liquefaction
hylifo *be* troi'n hylif to liquefy, to liquidize
Sylwch: nid yw'r ferf hon yn arfer cael ei rhedeg.
hylifol *ans*
1 o natur neu ansawdd hylif liquid
2 CYLLID (am asedau) ar ffurf arian parod neu'n
hawdd eu cyfnewid am arian parod liquid
owns hylifol gw. **owns**
hylifydd *eg* (hylifyddion) peiriant cegin sy'n
malu ffrwythau neu lysiau'n ffurf debyg i gawl
blender, liquidizer
hylithredd *eg* y cyflwr o fod yn llithrig slipperiness
hylô gw. **helô**
hylosg *ans* yn llosgi'n rhwydd; fflamadwy,
hyfflam, llosgadwy combustible, inflammable
hylosgi *be* [hylosg•¹] CEMEG llosgi'n rhwydd
to combust
hylosgiad *eg* (hylosgiadau) CEMEG proses gemegol
(e.e. cyfuniad o ocsigen a sylwedd arall) sy'n
cynhyrchu gwres a goleuni combustion
hyll *ans* [hyll• *b* hell] annymunol i'r golwg neu
i'r clyw, y gwrthwyneb i hardd; anhardd,
anolygus, hagr, salw hideous, ugly
hyllt *bf* [hollti] *hynafol* mae ef yn hollti/mae hi'n
hollti; bydd ef yn hollti/bydd hi'n hollti
hylltra:hyllter *eg* y cyflwr o fod yn hyll, hagrwch
(ond mae'n awgrymu rhywbeth mwy erchyll
neu ofnadwy na hagrwch yn unig) ghastliness,
hideousness
hymbygio gw. **hambygio**
hymen *eg* ANATOMEG pilen sy'n lled-guddio
agoriad y wain ac sydd fel arfer yn cael ei thorri
yn yr achos cyntaf o gyfathrach rywiol hymen
hymian gw. **hwmian**
hymn *eg* (hymnau) fel yn *llyfr hymnau,* emyn
hymn
hyn¹ *rhagenw dangosol* rhywbeth unigol,
haniaethol nad yw ei genedl yn glir, *Ni all hyn
fyth fod yn wir!* this

ar hyn o bryd nawr at the present, now
bob hyn a hyn nawr ac yn y man now and again
cyn hyn cyn nawr/rŵan before
er hyn er gwaethaf despite this
fel hyn yn y ffordd hon like this
gyda hyn gw. **gyda**
hyn a hyn peth, cymaint â hynny a dim mwy
only so much, such and such
hyn a'r llall dim byd yn benodol this and that
hyn o fyd y byd fel y mae as things are
o hyn allan gw. **allan¹**
yn hyn o beth yn yr achos hwn in this case
hyn² *ans dangosol* am fwy nag un person neu
beth sy'n agos neu y sonnir amdanynt ar y
pryd, *y dynion hyn, y ddau lyfr hyn;* yma these
hŷn *ans*
1 [hen] mwy hen elder, older
2 â mwy o awdurdod, *staff hŷn llyfrgell* senior
hynaf *ans*
1 [hen] y mwyaf hen o ddau elder, senior
2 y mwyaf hen o bawb neu bopeth eldest,
oldest
hynafaidd gw. **hynafol**
hynafedd *eg* y cyflwr o fod yn hŷn, oedran hŷn;
hynafiaeth seniority
hynafgwr *eg* (hynafgwyr) hen ŵr (yn hŷn na
henwr) elder, old man
hynafiad *eg* (hynafiaid) un ymhlith nifer o
hynafiaid ancestor, forefather, forebear
hynafiadol *ans* BIOLEG (am blanhigion, etc.)
yn ymwneud â llinach neu â rhagflaenwyr
rhywogaeth, yn perthyn i'r teip gwreiddiol
ancestral
hynafiaeth *eb* (hynafiaethau)
1 oedran hen iawn, y cyflwr o fod yn hynafol;
hynafedd antiquity
2 gwrthrych neu adeilad hynafol (fel arfer yn
y ffurf luosog 'hynafiaethau'); heneb ancient
monument
hynafiaethol *ans* yn perthyn i gyfnod yn y
gorffennol, hen (a gwerthfawr) antiquarian
hynafiaethwr:hynafiaethydd *eg*
(hynafiaethwyr) un sy'n casglu neu sy'n astudio
pethau hynafiaethol antiquarian
hynafiaid *ell* y perthnasau (hynafol) yr ydych
yn hanu ohonynt; cyndadau, cyndeidiau,
rhagflaenwyr, tadau ancestors, forefathers
hynafol:hynafaidd *ans* hen iawn, nad yw'n cael
ei ddefnyddio bellach ancient, antiquated
hynafolion *ell* lluosog **hynafolyn** *eg* antiques
hynafolyn *eg* (hynafolion) rhywbeth hen a
gwerthfawr y mae pobl yn ei gasglu antique
hynawf *ans* â thuedd i arnofio yn hytrach na
suddo buoyant
hynaws *ans* [hynaws•] cyfeillgar a charedig;
llednais, mwynaidd, rhadlon, tirion kindly,
genial, benign

hynawsedd *eg* y cyflwr o fod yn hynaws; agosatrwydd, cyfeillgarwch, cynhesrwydd, hawddgarwch geniality, bonhomie, kindness

hyned *ans* hen mor hen

hynna *tafodieithol* gw. **hynny**[1]

hynny[1] *rhagenw dangosol* rhywbeth unigol, haniaethol nad yw ei genedl yn glir ac nad yw yn ymyl, *Rwy'n credu ein bod ni i gyd yn gytûn ar hynny.*; y peth yna, y peth acw that

  am hynny gw. **am**[1]

  ar hynny yr union amser hwnnw whereupon

  ar ôl hynny wedyn after that

  at hynny yn ychwanegol, yn ogystal added to which

  cyn belled â hynny as far as that

  cyn hynny o'r blaen previously

  erbyn hynny erbyn yr amser hwnnw by that time

  er/serch hynny ta p'un, beth bynnag, fodd bynnag for all that, nevertheless

  gan hynny gw. **gan**[2]

  gyda hynny
  1 yna at that moment
  2 yn ogystal

  hyd hynny hyd at yr amser hwnnw up to that point

  hynny a fedraf fi (fedri ti, fedr ef, etc.) fy ngorau glas, *Er imi redeg hynny fedrwn i, enillais i mo'r ras.*

  hynny yw h.y., sef i.e., namely, that is

  o hynny allan o'r amser hwnnw ymlaen from that time on

  o ran hynny cyn belled â hynny for that matter

hynny[2] *ans dangosol* am fwy nag un person neu beth sy'n lled agos neu y soniwyd amdanynt yn barod, *Disgwyliaf i'r plant hynny a oedd yn gyfrifol am y llanastr ei glirio ar eu hôl.*; acw, yna those

hynod *ans* [hynot•] yn haeddu sylw oherwydd ei fod yn anarferol; anghyffredin, arbennig, ecsentrig, nodedig notable, noteworthy, remarkable

  hynod o fe'i defnyddir i ddwysáu ystyr ansoddair, *hynod o olygus*

hynodi *be* [hynod•[1]] gwneud yn hynod; gwahaniaethu, nodweddu to distinguish

hynodion *ell* pethau hynod

hynodrwydd *eg* nodwedd neu ansawdd hynod, arbenigrwydd rhywbeth, y peth sy'n gwneud rhywun neu rywbeth yn anghyffredin; nod amgen, priodoledd, rhyfeddod, teithi distinction, peculiarity

hynodyn *eg* (hynodion)
1 SERYDDIAETH man o ddwysedd anfeidraidd yng nghanol twll du seryddol singularity
2 MATHEMATEG pwynt lle nad yw'n bosibl diffinio ffwythiant mathemategol, e.e. oherwydd y gofyn i rannu â 0 singularity

hynofedd *eg*
1 gallu rhywbeth i arnofio mewn dŵr neu hylif arall buoyancy
2 FFISEG grym sy'n gwthio gwrthrych i fyny pan fydd mewn llifydd buoyancy

hynotach:hynotaf:hynoted *ans* [hynod] mwy hynod; mwyaf hynod; mor hynod

hynt *eb* ffordd, llwybr, cwrs (yn enwedig erbyn heddiw am y llwybr y mae bywyd rhywun yn ei dilyn neu am y ffordd y mae rhywbeth yn datblygu); trywydd course, way

  ar fy (dy, ei, etc.) hynt ar fy nhaith on one's journey

  hynt a helynt gw. **helynt**

  rhwydd hynt llwybr agored, heb unrhyw rwystr nac amod every success

hyperbola *eg* (hyperbolâu) MATHEMATEG cromlin gonig y mae ei hechreiddiad yn fwy nag 1 hyperbola

hyperdestun *eg* (hyperdestunau) CYFRIFIADUREG testun nad yw'n bodoli ar ffurf un dilyniant o eiriau; mae adrannau o'r testun wedi'u cydgysylltu er mwyn i'r darllenydd (wrth sgrin cyfrifiadur) fedru gadael un rhan o'r testun i edrych ar ran arall sy'n gysylltiedig â'r rhan honno hypertext

hypergyswllt *eg* (hypergysylltiadau:hyperg ysylltau) CYFRIFIADUREG cyswllt o ddogfen hyperdestun at leoliad arall ar y We; gellir ei ysgogi drwy glicio ar air neu lun wedi'i uwcholeuo hyperlink

hypertroffedd *eg* FFISIOLEG twf annormal mewn rhan o'r corff lle y cynyddir maint celloedd neu ffibrau heb unrhyw gynnydd yn nifer y celloedd neu'r ffibrau hypertrophy

hypnotaidd:hypnotig *ans* yn tueddu i arwain at gwsg neu at gael eich hypnoteiddio hypnotic

hypnoteiddio *be* [hypnoteiddi•[2]] achosi i rywun arall syrthio i gyflwr sy'n debyg i gwsg, fel y gallwch ddylanwadu'n gryf arno a rheoli ei weithredoedd; swyno to hypnotize

hypnotiaeth *eb* y broses o hypnoteiddio neu o achosi swyngwsg hypnotism

hypnotydd *eg* (hypnotyddion) un sy'n hypnoteiddio hypnotist

hypocoristig *ans* anwes, fel yn 'enw anwes', yn cyfleu hoffter, e.e. *Now* am Owen, *Moc* am Morgan hypocoristic

hypodermig *ans* (am ddyfais, yn enwedig chwistrell) sy'n gosod sylwedd o dan y croen hypodermic

hypotenws *eg* (hypotenysau) MATHEMATEG yr ochr gyferbyn â'r ongl sgwâr mewn triongl ongl sgwâr hypotenuse

hypothalamws *eg* ANATOMEG rhan o'r ymennydd sy'n gorwedd dan y thalamws ac sy'n rheoli tymheredd y corff, yr archwaeth a gwaith y chwarren bitwidol hypothalamus

hypothermia *eg* MEDDYGAETH cyflwr lle mae gwres y corff yn beryglus o isel neu'n anarferol o isel hypothermia

hypsograffeg *eb* mesur o uchder a dyfnder mannau ar wyneb y Ddaear islaw ac uwchlaw lefel gymedrig y môr, a'r modd o bortreadu hyn ar ffurf cromlin hypsography

hypsomedr *eg* (hypsomedrau) dyfais i fesur uchder, e.e. uchder coed neu uchder mynyddoedd hypsometer

hyrdi-gyrdi *eg* offeryn cerdd lle y cynhyrchir y sŵn drwy droi handlen; organ faril hurdy-gurdy

hyrddiad *eg* (hyrddiadau) y gwaith o hyrddio, canlyniad hyrddio; gwthiad, rhuthrad shove, thrust

hyrddiant *eg* y weithred o wthio ymlaen yn sydyn impulse, impulsion

hyrddio *be* [hyrddi•²] gwthio ymlaen yn gryf iawn, rhuthro neu ymosod ar (rywun neu rywbeth); lluchio, taflu to ram, to charge, to drive

hyrddiwr *eg* (hyrddwyr) un sy'n hyrddio hurler, rammer

hyrddod *ell* lluosog **hwrdd**

hyrddyn *eg* un o deulu o bysgod bwytadwy â chorff hir, praff; mae'r mwyafrif yn byw yn y môr ond mae rhai o'r teulu yn byw mewn dŵr croyw; mingrwn mullet

hyrwyddiad *eg* y broses o hyrwyddo, canlyniad hyrwyddo promotion, furtherance

hyrwyddo *be* [hyrwydd•¹] rhoi hwb ymlaen i, gwneud yn rhwyddach; cefnogi, cynorthwyo, hybu, rhwyddhau to promote, to further

hyrwyddwr *eg* (hyrwyddwyr) un sy'n hyrwyddo; anogwr, cefnogwr, noddwr facilitator, promoter

hysb *ans* [*b* hesb] (hysbion) wedi sychu (am darddle dŵr), heb ragor o laeth (am anifail); sych barren, dry

hysbion *ans* ffurf luosog **hysb**

hysbys *ans* wedi'i hysbysu; adnabyddus, cyfarwydd, cyhoeddus, gwybyddus evident, known, well known

dyn hysbys gw. **dyn**

hysbýs *eb* ffurf ar **hysbyseb**, cyhoeddusrwydd advertisement

hysbyseb *eb* (hysbysebion) cyhoeddiad ynglŷn â rhywbeth sydd ar werth neu wasanaeth sydd ar gael, e.e. mewn papur newydd, ar boster, ar y teledu, etc. advertisement, notice

hysbysebiaeth *eb* y broses o hysbysebu publicity

hysbysebu *be* [hysbyseb•¹] gwneud yn gyhoeddus, tynnu sylw'r cyhoedd at bethau fel nwyddau neu wasanaethau (sydd ar werth fel arfer), neu swyddi gwag y mae angen eu llenwi, drwy gyfrwng papurau newydd, posteri, radio, teledu, sinema, etc.; cyhoeddi, hyrwyddo, marchnata to advertise

hysbysebwr *eg* (hysbysebwyr) un sy'n hysbysebu (yn unigolyn neu'n gwmni) advertiser

hysbysfwrdd *eg* (hysbysfyrddau) bwrdd (ar wal fel arfer) i lynu hysbysiadau neu hysbysebion wrtho noticeboard

hysbysiad *eg* (hysbysiadau) y weithred o hysbysu, datganiad cyhoeddus; adroddiad, cyhoeddiad, datganiad notice, announcement

hysbysion *ell* hysbysiadau, yn enwedig ar ffurf posteri neu daflenni notices

hysbyslen *eb* (hysbyslenni) taflen fach yn hysbysebu digwyddiad neu gynnyrch flyer

hysbysrwydd *eg* newyddion ynglŷn â rhywbeth; gwybodaeth ddilys, ffeithiol ei natur, *swyddog hysbysrwydd*; cyhoeddusrwydd information, publicity

hysbysu *be* [hysbys•¹] dweud wrth (rywun am rywbeth), rhoi gwybodaeth i (rywun am rywbeth); cyhoeddi, datgan, mynegi (~ *rhywun am*) to inform, to notify

hysbyswr *eg* (hysbyswyr) un sy'n hysbysu informant, notifier

hysian:hysio *be* [hysi•²] gyrru ymlaen, e.e. *hysian ci ar rywun sy'n tresmasu*; annog, cymell, ysgogi (~ *rhywbeth* **ar** ; ~ *rhywun* **ymlaen**) to incite, to urge

hysterectomi *eg* MEDDYGAETH triniaeth lawfeddygol i dynnu'r groth o'r corff hysterectomy

hysteresis *eg* FFISEG y cyflwr lle mae priodweddau sylwedd neu wrthrych yn dibynnu ar ei orffennol yn ogystal â'i amgylchedd presennol; mae defnyddiau fferomagnetig yn aml yn arddangos y cyflwr hwn hysteresis

hysteria *eg*
1 *hen ffasiwn* anhwylder meddwl a nodweddir gan orgyffro emosiynol sy'n amharu ar brosesau arferol y corff hysteria
2 pwl o chwerthin neu lefain aflywodraethus; sterics hysteria

hysterig *ans* yn dioddef hysteria, yn amlygu hysteria; aflywodraethus hysterical, hysteric

hytrach *adf* fel yn *yn hytrach*, yn lle, *Byddai hi wedi bod yn well i chi geisio newid tacteg yn hytrach na dal ati fel y gwnaethoch*. rather

hytrawst *eg* (hytrawstiau) trawst o ddur a ddefnyddir (ar ei ben ei hun neu mewn fframwaith) i gynnal adeiladwaith, e.e. pont, adeilad, etc. girder

hywaith *ans* mewn cyflwr sy'n barod i gyflawni rhyw dasg operational

hywedd *ans* hawdd ei drin; wedi'i ddysgu; dof, hydrin, llywaeth, swci docile, trained

hyweddu *be* [hywedd•¹] troi o fod yn wyllt i fod yn ddof; dofi, gwastrodi to tame

Hz *byrfodd* hertz Hz

I

i¹:I *eb*

1 llafariad a thrydedd lythyren ar ddeg yr wyddor Gymraeg; i dot (o'i chymharu ag 'u bedol') i, I

2 fel llafariad bur mae iddi'r un ynganiad ag *Iddew, inc, is*, etc.

3 fel lled-lafariad ('i' gytsain) mae iddi'r un ynganiad ag *iâr, iawn*

4 MATHEMATEG symbol ar gyfer rhif dychmygol yn cyfateb i ail isradd minws un $i = \sqrt{-1}$

  Sylwch: 'ac' (*and*) a ddefnyddir o flaen 'i' lafariad fel yn *ac inc* ac 'i' gytsain, *ac Iestyn*; 'ag' (*gyda*) a ddefnyddir o flaen 'i' gytsain, *ag iâr*, ac o flaen 'i' lafariad, *ag inc*.

i²:fi² *rhagenw dibynnol ategol syml* e.e. *A oes rhywun wedi gweld fy nghot i? Mae arna i ofn y tywyllwch.*

  Sylwch: defnyddiwch 'fi' neu 'i' ar ôl ffurf sy'n gorffen ag 'f' ac 'i' bob tro arall, *af i; edrychais i.*

i³ *ardd* [imi/i mi, iti/i ti, iddo ef (fe/fo), iddi hi, inni/i ni, ichi/i chwi (i chi), iddynt hwy (iddyn nhw)]

1 tua, i gyfeiriad, *Byddwn yn teithio i Lundain yfory.* to

2 symudiad tuag at bwynt mewn lle caeedig, i mewn i, *Cafodd ei ddanfon i'r carchar.* to

3 cyn belled â, *Mae deunaw milltir o Fachynlleth i Aberystwyth.* to

4 i gyfeiriad (o ran lle neu amser), *Rydyn ni'n byw dair milltir a hanner i'r gogledd o Bontypridd. Edrych 'nôl i'r gorffennol.* to

5 (am amser) cyn neu ar ôl amser penodol, *pum munud i chwech, wythnos i heddiw* to

6 o flaen berfenw i ddynodi pwrpas neu amcan, er mwyn, *Rwyf wedi dod yma i ddweud wrthyt na elli ddod gyda ni yfory.* to

7 i gyflwyno cymal enwol Gorffennol, *Trueni iddi fynd. Gwn i'r ferch gael ei thalu. Rwy'n siŵr iddo ddweud wrthyf.* that

8 yn dangos testun cân, darn o farddoniaeth, etc., *englyn i geiliog y gwynt* to

9 yn dangos rhywun yr ydych yn dymuno'n dda iddo neu iddi, *Blwyddyn newydd dda i chi/ac i bawb sydd yn y tŷ.* to

10 yn y ffurf bersonol mewn ymadroddion fel *yr hen ffŵl gwirion iddo fo*, ac yn yr ail berson (unigol a lluosog) yn dilyn *dyma, dyna, yn siŵr, wel, yn wir*, etc., i bwysleisio sylw neu ffaith, *dyna i chi hen dro sâl, wir iti*

11 yn dangos meddiant neu berthynas rhwng dau beth neu ddau berson, *Mae'n ferch i John Aber-nant. Mae'n byw yr ochr arall i'r afon.*

12 mewn cysylltiad â, *Peidiwch â bod yn gas wrthi hi.* to

13 hyd at a chan gynnwys, *Rhifwch o un i ddeg.* to

14 o'i gymharu â, *Enillon ni o ugain pwynt i ddeg.* to

15 mewn, *Mae can ceiniog i bob punt.* to

16 rhwng un rhif a rhif arall, *12 cm i 20 cm o ddŵr* to

17 i feddiant neu i sylw rhywun, *oddi wrth Geraint i Delyth, anrheg fach iti* to

18 ar gyfer, er mwyn, wedi'i neilltuo at, *Dyma un allwedd i'r drws.* to, for

19 er anrhydedd, er cof am, *Cofgolofn i'r rhai a laddwyd yn y rhyfel.*

20 dros, er mwyn, *Mi wnaf i hynny iti.* for

21 yn dilyn rhai geiriau megis *am, wedi, heb, gan, er, erbyn, ar ôl, cyn*, etc., *Erbyn i mi godi, roedd pawb wedi gadael.*

  Sylwch:

  1 mae'n achosi'r treiglad meddal, ac eithrio yn achos *i mewn* ac *i maes*;

  2 yn amlach na pheidio, ni fyddwn yn defnyddio *i* + berfenw er mwyn cyfieithu 'to do', 'to come', 'to sing', etc. (ac eithrio gyda rhai berfau y mae 'i' yn perthyn yn naturiol iddynt megis *dal i, llwyddo i, tueddu i*, etc.) gan fod '*to*' yn rhan o'r berfenw yn y Gymraeg;

  3 ond defnyddir *i* o flaen berfenw er mwyn dangos pwrpas, *Aeth yno i weld ei gyfaill*;

  4 defnyddiwch *i* wrth gyfeirio at le ac *at* wrth sôn am berson, *Anfonais lythyr i Aberteifi. Anfonais lythyr at fy mam.*

i fyny lan up

i ffwrdd bant, ymaith away

i gyd gw. cyd¹

i lawr i fan is down

i maes allan out

i mewn

1 allan o'r awyr agored, *Dewch i mewn am funud.* in

2 (am gêm megis criced) yn batio, *Ni neu nhw sydd i mewn gyntaf?* in

3 (am gêm megis tennis) yn ddilys, heb fod y tu allan i'r llinell, *A oedd y bêl i mewn?* in

4 ynghyn, yn llosgi, *A yw'r tân i mewn o hyd?* in

5 gartref, *Fyddi di i mewn heno?* at home, in

  Sylwch: er bod *mewn* (heb yr 'i') i'w glywed ar lafar, a *Dewch fewn* hefyd, *i mewn* yw'r ffurf gywir.

i'r dim gw. dim

i waered i lawr, *wyneb i waered* down

'i *rhagenw dibynnol mewnol*

1 (trydydd person unigol genidol) yn eiddo iddo ef; yn eiddo iddi hi, *Ddoe gwelais ef a'i fam a'i ewythr a heddiw gwelais hi a'i mam a'i hewythr.*; ei . . . (ef); ei . . . (hi) her, his, its

2 (trydydd person unigol) fe'i defnyddir i gyfleu gwrthrych ymadrodd berfol, *Fe'i gwelais ddoe.*; ef, hi her, him, it
Sylwch:
1 defnyddir ''i' ar ôl llafariad ac eithrio yn achos yr arddodiad 'i' ac enw neu ferfenw sy'n gorffen yn –i, –u, –y na chwaith ar ôl *neu, mai,* na *wedi*;
2 mae ''i' gwrywaidd yn achosi'r treiglad meddal, *ei fam a'i dad*;
3 mae ''i' benywaidd yn achosi'r treiglad llaes ac 'h' o flaen llafariad, *ei mam a'i thad a'i hewythr*;
4 pan fydd ''i' (ef neu hi) yn rhagenw mewnol sy'n wrthrych i'r ferf, does dim treiglad ar ôl ''i' gwrywaidd na benywaidd ond mae'r ddwy ffurf yn achosi 'h' o flaen llafariad, *Fe'i gwelais [ef] ac fe'i clywais [hi]; fe'i hachubwyd [ef] ac fe'i hachubwyd [hithau].*

iâ *eg* dŵr sydd wedi rhewi'n gorn; ffurf grisial dŵr ice
    cloch iâ gw. cloch
    hufen iâ gw. hufen
    mynydd iâ darn anferth o iâ yn gorwedd yn y môr a dim ond un rhan o wyth ohono yn y golwg iceberg
    yr Oes Iâ gw. oes[1]
iach *ans* [iach•]
    1 nad yw'n sâl, nad yw'n dioddef o afiechyd; cryf, diglefyd, holliach healthy
    2 yn dda i bobl, nad yw'n cael unrhyw effaith ddrwg, *bwydydd iach*; llesol, maethlon wholesome, salubrious
    3 (am awyr/aer) oer, pur fresh
    4 diffuant, agored, *chwerthin yn iach* hearty
    5 cadarn a phleidiol, *Mae'r cyngor yn eithaf iach ar fater yr iaith*. sound
    6 cadarn, heb bydru, *Does dim golwg iach iawn ar y pren*. sound
    7 hardd, braf, *'Afal mawr iach i Ben y gwas bach.'* fine
    canu'n iach gw. canu[1]
    iach y boch a dibechod cyfarchiad neu lwncdestun your good health
    yn iach ffarwél, hwyl farewell
    yn iach fel y gneuen gw. cneuen
iachâd *eg* y broses o iacháu, canlyniad iacháu; gwellhad cure
iachadwy *ans* y gellir ei iacháu curable
iachaol *ans* yn iacháu; rhinweddol healing, curative
iacháu *be* [iacha•[15]]
    1 llwyddo i roi iechyd i rywun (neu yn ôl i rywun) yn lle afiechyd, yn enwedig drwy driniaeth feddygol; adfer, gwella (~ *rhywun* o) to cure, to make better
    2 (mewn Cristnogaeth) rhyddhau rhywun o afael pechod neu ddrygioni; gwaredu to save

iachawdwr *eg*
    1 rhywun neu rywbeth sy'n achub (rhywun) o berygl neu golled; achubwr, gwaredwr saver, saviour
    2 (mewn Cristnogaeth) fel 'Iachawdwr' mae'n cael ei ddefnyddio am Iesu Grist; Ceidwad, Gwaredwr, Prynwr saviour
iachawdwriaeth *eb*
    1 (mewn Cristnogaeth) y broses o gael eich achub o afael a dylanwad pechod a drygioni neu'r canlyniad i hyn; cadwedigaeth, gwaredigaeth, prynedigaeth, ymwared salvation
    2 y weithred o achub rhywun neu rywbeth rhag colled, dinistr neu fethiant; achubiaeth, gwaredigaeth salvation
    3 rhywbeth sy'n achub; cadwedigaeth salvation
    Byddin yr Iachawdwriaeth gw. byddin
iachawr *eg* (iachawyr) un sy'n iacháu healer
iachus *ans* [iachus•] yn peri i rywun fod yn iach, *awel iachus* bracing, healthy, wholesome
iachusol *ans* yn hyrwyddo iechyd da; bendithiol, llesol, meddyginiaethol health-giving, salubrious
iachusrwydd *eg* y cyflwr o fod yn iach, yn gorfforol, yn feddyliol neu'n ffigurol healthiness
iad *eb* (iadau) rhan ucha'r pen; copa, corun crown, pate
    caeadau'r iad ffontanél; meinwe sy'n gorchuddio'r bwlch rhwng esgyrn pen ffoetws nad ydynt wedi tyfu'n llawn a chlymu ynghyd fontanelle
iaith *eb* (ieithoedd)
    1 y corff o eiriau, a'r ffordd o'u rhoi at ei gilydd, sy'n cael eu defnyddio gan bobl, wrth siarad neu wrth ysgrifennu, i gyfathrebu â phobl eraill language
    2 y corff o eiriau, a'r ffordd o'u rhoi at ei gilydd, sy'n cael eu defnyddio gan grŵp arbennig o bobl, *yr iaith Ffrangeg* language, tongue
    3 unrhyw gyfundrefn o arwyddion sy'n cyfleu ystyr, *iaith blodau* language
    4 geiriau, priod-ddulliau, arddull, etc. sy'n perthyn i grŵp neu fath arbennig o berson, *iaith pob dydd, iaith y llenor* language
    5 rhegfeydd neu eiriau annerbyniol, *Does dim angen iaith fel 'na yn y tŷ hwn!* language
    iaith y nefoedd y Gymraeg
    yr iaith fain Saesneg
iam *eg* (iamau) planhigyn trofannol a dyfir er mwyn ei wreiddiau bwytadwy ac sy'n fwyd pwysig mewn rhai rhannau o'r byd yam
Ianci *eg*
    1 dinesydd o Unol Daleithiau America; Americanwr Yankee
    2 rhywun sydd wedi'i eni neu sy'n byw yn rhan ogleddol Unol Daleithiau America Yankee
    3 *hanesyddol* milwr Ffederal adeg y Rhyfel Cartref yn Unol Daleithiau America Yankee

i

iâr *eb* (ieir)

1 y fenyw ymhlith dofednod neu adar fferm, cymar ceiliog, sy'n cael ei chadw am ei hwyau a'i chig hen

2 aderyn benywaidd sy'n gymar i geiliog hen

iâr ddŵr aderyn y dŵr sydd â phlu du a marc coch neu oren uwchben ei big felen moorhen

iâr fach yr haf glöyn byw; pilipala butterfly

iâr fôr (ieir môr) pysgodyn bach heb gen ond wedi'i orchuddio â llysnafedd; mae'r esgyll blaen wedi'u haddasu er mwyn caniatáu i'r pysgodyn lynu wrth greigiau snailfish

iâr Gini aderyn mawr Affricanaidd sy'n cael ei hela er mwyn ei gig; mae ganddo blu llwydlas a smotiau gwyn arnynt a llais uchel ac fe'i dofir er mwyn ei gig a'i wyau; combác guinea fowl

Ymadroddion

fel iâr ag un cyw yn llawn ffws a ffwdan

fel iâr ar farwor darlun o iâr yn camgymryd marwor poeth am rawn ac yn llosgi'i thraed wrth gerdded drosto like a cat on a hot tin roof

fel iâr ar y glaw (rhywun) a golwg drist, anobeithiol arno/arni (like) a wet weekend

fel iâr dan badell wedi pwdu, wedi sorri

fel iâr i ddodi yn sydyn

iard *eb* (iardiau:ierddydd)

1 darn o dir wedi'i amgáu gan furiau neu adeiladau, *iard ysgol*; beili, buarth, clos, cowt, cwrt, ffald playground, yard

2 darn o dir wedi'i amgáu am reswm arbennig neu at ddiben arbennig, *iard lo, iard longau* yard

iarll *eg* (ieirll)

1 teitl arglwydd uchel ei statws ymhlith bonedd Prydain sy'n is nag ardalydd earl

2 teitl arglwydd cyfatebol ymhlith bonedd Ewrop count

iarllaeth *eb* (iarllaethau)

1 swydd ac urddas iarll earlship

2 tiroedd dan awdurdod iarll earldom

iarlles *eb* (iarllesau)

1 gwraig iarll countess

2 gwraig o statws iarll countess

ias *eb* (iasau)

1 teimlad o ofn neu o oerfel; arswyd, crynod, cynnwrf shiver, shudder

2 gwefr o gyffro; ysgryd sensation, thrill

iasbis *eg* math o gwarts microgrisialog o liw coch yn bennaf y mae'n bosibl ei droi'n em maen iasbis jasper

iasoer *ans*

1 oer iawn; crynedig, fferllyd, rhewllyd, rhynllyd chilly, glacial

2 yn peri ias, *stori iasoer*; arswydus, brawychus, chilling

nofel/ffilm iasoer nofel/ffilm ddatrys dirgelwch, fel arfer, sy'n cadw'r darllenydd/ gwyliwr ar bigau'r drain thriller

iasol *ans* yn peri gwefr o ofn neu oerfel; arswydus, cyffrous, cynhyrfus, rhynllyd chilling, eerie

iasol o fe'i defnyddir i ddwysáu ystyr ansoddair, *yn iasol o oer*

iatrogenig *ans* MEDDYGAETH yn ymwneud ag afiechyd a achosir gan driniaeth feddygol iatrogenic

iau¹ *eb* (ieuau:ieuoedd)

1 darn o bren sy'n cael ei osod ar draws gwarrau dau neu ragor o anifeiliaid (ychen, fel rheol) sy'n tynnu aradr neu gert; gwedd yoke

2 ffrâm sy'n ffitio ar ysgwyddau rhywun er mwyn iddo allu cario pwysau yoke

bod dan yr iau bod o dan awdurdod a gormes under the yoke

o dan iau (rhywun) o dan awdurdod a gormes (rhywun) under the yoke

iau² *eg* (ieuau)

1 ANATOMEG organ mawr a geir yng ngheudod abdomenol fertebratau; mae'n achosi ymddatodiad y sylweddau gwenwynig sydd yn y gwaed ac yn cynhyrchu bustl, ac mae'n chwarae rhan bwysig ym metabolaeth carbohydradau, brasterau a phroteinau; afu liver

2 afu anifail, aderyn neu bysgodyn a ddefnyddir fel bwyd liver

iau³ *ans* mwy **ifanc**, ieuangach, ifancach junior, younger

Iau⁴ *eg*

1 fel yn *dydd Iau*, y pumed dydd o'r wythnos Thursday

2 y bumed, a'r fwyaf, o'r planedau yng Nghysawd yr Haul Jupiter

3 enw brenin y duwiau Rhufeinig Jove

dydd Iau y pumed dydd o'r wythnos (yn dilyn dydd Mercher); Difiau Thursday

iawn¹ *ans*

1 (yn dilyn yr hyn a oleddfir) yn dda'n foesol; derbyniol just, right

2 (yn dilyn yr hyn a oleddfir) cywir, *Does dim un o'r atebion hyn yn iawn.* correct, right

3 (yn dilyn yr hyn a oleddfir) cyfiawn, *Mae'n iawn iddo dalu am y llanastr.* just

4 (yn dilyn yr hyn a oleddfir) iach, *Wyt ti'n teimlo'n iawn?* all right

5 gwnaf, o'r gorau, *A ei di i'r siop drosof? Iawn!* all right, okay

6 (o flaen yr hyn a oleddfir) cywir, priodol, *iawn ryw* proper, rightful

Sylwch: nid yw'n cael ei gymharu.

o'r iawn ryw un o'r goreuon o'i fath/fath; dilys authentic, one of the best

yn ei iawn bwyll heb golli pwyll, yn gall all there, in his right mind

iawn² *eg* rhywbeth sy'n cael ei roi neu ei wneud er mwyn ceisio unioni cam neu dalu am golled;

ad-daliad, digollediad, iawndal, (~ **dros**) atonement, compensation, redress

iawn³ *adf* (yn dilyn ansoddair) yn arbennig; i raddau uchel, *da iawn*, *poenus iawn*; dros ben, tra very

iawndal *eg* (iawndaliadau) CYFRAITH swm o arian sy'n cael ei dalu fel iawn am niwed, colled, etc.; iawn compensation, damages, redress

iawnderau *ell* CYFRAITH y pethau neu'r manteision y mae gan bobl hawl gyfiawn iddynt (Dyma'r term a ddefnyddiwyd hyd at yr 20fed ganrif pan gafodd ei ddisodli gan 'hawliau') rights

ibid *byrfodd* o'r Lladin *ibidem*, yn yr un lle, o'r un ffynhonnell

icosahedron *eg* (icosahedronau) siâp tri dimensiwn ac iddo ugain wyneb triongl icosahedron

ichi gw. **i³**

id *eg* SEICOLEG (ym maes seicdreiddiad) un o dair rhan yr ymennydd sydd yn rhan o'r anymwybod, ffynhonnell egni seicig yn deillio o anghenion a chymhellion cwbl reddfol; rheolir yr id gan yr ego id

idealaeth:idealistiaeth *eb* ATHRONIAETH theori sy'n honni mai dodrefn ein deall yw syniadau yn y meddwl ac mai dyma'r unig realiti y gallwn wybod amdano i sicrwydd; delfrydiaeth idealism

idealistaidd:idealistig *ans* yn arddel syniadau idealaeth; yn anelu at y delfrydol idealistic

idealydd:idealwr *eg* (idealwyr) un sy'n arddel syniadau idealaeth neu sy'n ceisio'r delfrydol idealist

idée fixe *eg* (*idées fixes*) obsesiwn

idem *adf* yn cyfeirio at awdur y gwaith y soniwyd amdano ddiwethaf

ideogram *eg* (ideogramau) darlun neu symbol a ddefnyddir wrth ysgrifennu iaith, sy'n cyflwyno syniad neu wrthrych ond nid ei sain neu ei ynganiad, e.e. '3', '5' ideogram

ideoleg *eb* cyfundrefn o'r honiadau, athroniaethau ac amcanion sydd y tu cefn i raglen o weithgarwch cymdeithasol, gwleidyddol neu ddiwylliannol ideology

ideolegol *ans* seiliedig ar ideoleg ideological

idiom *eb* (idiomau)
1 ymadrodd na allwch ei gyfieithu air am air i iaith arall; dywediad sy'n nodweddiadol ac yn perthyn i iaith arbennig, e.e. gwyn ei byd, gorau glas; nerth ei ben; priod-ddull idiom
2 (mewn cerddoriaeth neu arlunwaith) nodweddion arddull arbennig idiom

idiomatig *ans* (am ysgrifennu neu iaith lafar) yn cynnwys teithi sy'n nodweddiadol o'r iaith, yn cynnwys priod-ddulliau idiomatic

idiopathig *ans* MEDDYGAETH am haint neu glefyd sy'n codi'n ddigymell, nad yw ei achos yn hysbys idiopathic

Iddew *eg* (Iddewon) un o ddisgynyddion y bobl a oedd yn byw yn rhan ddeheuol Palesteina, y wlad y mae sôn amdani yn y Beibl; rhywun sy'n arddel crefydd y bobl hyn; Hebread, Israeliad Jew

Iddewes *eb* (Iddewesau) merch neu wraig sy'n Iddew Jewess

Iddewiaeth *eb* CREFYDD crefydd a dyfodd ymhlith yr Hebreaid gyda'u cred mewn un Duw sydd y tu hwnt i'r greadigaeth ond sydd yn gweithredu o'i mewn ac a'i datguddiodd ei hun i Abraham, Moses a'r proffwydi Judaism

Iddewig *ans* yn perthyn i'r Iddewon, nodweddiadol o'r Iddewon Jewish

iddi:iddo:iddynt gw. **i³**

iddwf:iddw *eg* MEDDYGAETH clefyd a nodweddir gan lid coch ar y croen ac a achosir gan facteriwm; fflamwydden erysipelas

ie *adf*
1 ateb cadarnhaol i gwestiwn sy'n dechrau ag *ai* neu *onid* neu sy'n dechrau â gair neu ymadrodd nad yw'n ferf (er mwyn ei bwysleisio), [*Ai*] *John yw'r nesaf? Ie*. yes
2 *anffurfiol* cytundeb ar ddechrau brawddeg â rhywbeth sydd wedi'i ddweud cyn hynny, '*Dyna drueni iddo fynd fel 'na.*' '*Wel, ie, trueni mawr.*' yes
3 *hynafol* geiryn yn pwysleisio beth sy'n dilyn, '*Ie, pe rhodiwn ar hyd glyn cysgod angau, nid ofnaf niwed.*' *Salm 23* yea

i.e. *byrfodd* o'r Lladin *id est*, hynny yw; h.y.

iechyd¹ *eg*
1 y cyflwr o fod yn iach, o fod heb afiechyd na niwed health
2 cyflwr y corff, *Nid yw ei iechyd yn dda iawn y dyddiau 'ma.* health

iechyd meddwl cyflwr meddwl person sy'n effeithio'n gadarnhaol ar ei deimladau a'i ymddygiad mental health

Ymadrodd

iechyd da cyfarchiad neu lwncdestun cyn yfed (diod feddwol, fel arfer) cheers, good health

iechyd² *ebychiad* mynegiant o syndod neu fraw heavens

iechydaeth *eb* y broses o hyrwyddo glanweithdra ac atal heintiau drwy ddulliau o gael gwared ar aflendid, heintiau a pheryglon iechyd, e.e. drwy system garthffosiaeth sanitation

iechydol *ans* rhydd o faw, haint neu beryglon i iechyd sanitary

ieir *ell* lluosog iâr; dofednod, ffowls

ieirll *ell* lluosog iarll

ieitheg *eb* astudiaeth o ddatblygiad hanesyddol iaith neu gymhariaeth o wahanol ieithoedd philology

ieithegol *ans* yn perthyn i ieitheg, nodweddiadol o ieitheg philological

ieithegydd *eg* (ieithegwyr) un sy'n astudio ieitheg philologist

ieithgi *eg* (ieithgwn) *anffurfiol* un sy'n arbenigo mewn ieithyddiaeth neu sy'n siarad nifer o ieithoedd language buff

ieithoedd *ell* lluosog **iaith**

ieithwedd *eb* y dewis o eiriau o ran eu cywirdeb, eu priodoldeb a'u heglurder diction, style

ieithydd *eg* (ieithyddion) un sy'n hyddysg mewn iaith neu mewn ieithoedd linguist

ieithyddiaeth *eb* astudiaeth wyddonol o iaith ddynol, ei helfennau, ei natur, ei hadeiladwaith a'i datblygiad linguistics

ieithyddol *ans* yn ymwneud ag iaith neu ieithyddiaeth linguistic

ierdydd *ell* lluosog **iard**

Iesüwr *eg* (Iesuwyr) Jeswit; aelod o Gymdeithas yr Iesu, un o urddau'r Eglwys Gatholig Rufeinig a sefydlwyd gan Sant Ignatius Loyola tua 1534 ar gyfer cenhadu ac addysgu Jesuit

iet *eb* (ietau) clwyd, gât, giât, llidiart gate

ieuaf *ans* [ifanc] mwyaf ifanc, ieuangaf

ieuangach:ieuangaf:ieuanged *ans* [ieuanc] mwy ieuanc; mwyaf ieuanc; mor ieuanc

ieuangeiddio *be* [ieuangeiddi•²] mynd yn iau, ymddangos yn iau to grow younger

ieuainc *ans* ffurf luosog **ieuanc**; ifainc

ieuanc *ans* [ieueng•] (ieuainc) ifanc; glas, newydd young

ieuant *eg* (ieuaint) *hynafol* rhywun rhwng 12 oed ac 20 oed, person ifanc young person

ieuau lluosog **iau**

ieued *ans* mor **ifanc**

ieuengaidd *ans* ifanc ei olwg neu ei ffordd juvenile

ieuengrwydd *eg* y cyflwr o fod yn ifanc; anaeddfedrwydd youthfulness, juvenility

ieuenctid *eg*
1 y cyflwr o fod yn ifanc; glasoed, llencyndod, mabolaeth, mebyd youth
2 pobl ifanc fel grŵp, *ieuenctid y wlad* youth
yn ieuenctid y dydd yn gynnar y bore

ieuo *be* [ieu•¹] asio neu gydio ynghyd ag iau; cyfuno, cyplysu, cysylltu, uno to yoke
ieuo anghymarus gosod ynghyd ddau beth nad ydynt yn cydweddu

ieuoedd *ell* lluosog **iau¹**

ifainc¹ *ans* ffurf luosog **ifanc**, *pobl ifainc*; ieuainc

ifainc² *ell* rhai ifanc the young

ifanc *ans* [ifanc• *hefyd* ieued; iau; ieuaf] (ifainc)
1 ar adeg gynnar bywyd; anaeddfed, ieuanc young, juvenile
2 ffres a da; ir young
3 dibrofiad; glas youthful

ifori *eg* y defnydd gwyn, caled y mae ysgithrau eliffant, walrws, baedd gwyllt, etc. wedi'u gwneud ohono ivory

ig *eg* (igion) ('yr ig') symudiad sydyn, anfwriadol yn y frest sy'n tagu'r anadl ac yn peri i chi wneud sŵn byr, gyddfol hiccup

igam-ogam *ans* am batrwm neu gyfres o symudiadau ar ffurf ZZZZZ; anunion zigzag, meandering

igam-ogamu *be* [igam-ogam•³] symud ymlaen gan wyro i'r dde ac i'r chwith am yn ail; mynd o'r un ochr i'r llall to jink, to stagger, to zigzag

igian *be* [igi•²]
1 gwneud sŵn byr, gyddfol o ganlyniad i symudiad sydyn, anfwriadol yn y frest sy'n tagu'r anadl to hiccup
2 gwneud sŵn tebyg wrth lefain; beichio wylo, llefain to sob

iglw *eg* (iglws) gair yr Inuit am dŷ, a ddefnyddir am gaban ar ffurf cromen, wedi'i wneud o flociau o eira wedi'u rhewi'n gorn igloo

igneaidd *ans* DAEAREG (am greigiau) wedi'u ffurfio wrth i lafa neu fagma oeri a chaledu igneous

ing *eg* (ingoedd) poen a dioddefaint meddyliol mawr; cystudd, galar, gloes, trallod anguish, distress, angst

ingol *ans* yn achosi poen mawr neu ing; arteithiol, dirdynnol agonizing, harrowing, poignant

ildiad *eg* (ildiadau) y broses o ildio, canlyniad ildio surrender, capitulation

ildio *be* [ildi•²]
1 cyfaddef bod rhywun neu rywbeth yn drech na chi, *Hyd yn oed ar ôl chwe mis o warchae, roedd amddiffynwyr y castell yn gyndyn iawn i ildio.*; plygu, rhoi'r gorau i, ymostwng (~ i; ~ rhywbeth i rywun) to surrender, to yield, to capitulate
2 rhyddhau, gollwng, *Roedd yn waith caled ei gael i ildio'r dogfennau fel y gallem eu gweld.* to relinquish, to yield
3 syrthio, ymostwng (i demtasiwn) to succumb

ilewm *eg* ANATOMEG y rhan olaf a'r lleiaf o'r coluddyn bach ileum

iliag *ans* ANATOMEG wedi'i leoli (yn y corff) ar bwys yr iliwm, *rhydweli iliag* iliac

iliwm *eg* (ilia) ANATOMEG yr uchaf a'r mwyaf o'r tri asgwrn sy'n ffurfio dwy ochr y pelfis ilium

ilwminiaeth *eb* athroniaeth yn gysylltiedig ag Iddewiaeth ac Islam lle y rhoddir pwyslais ar brofiadau sythweledol a chyfriniol (y syniad o 'oleuni mewnol' a ddaw o Dduw) illuminism

ilwminiaid *ell* ATHRONIAETH mwy nag un 'ilwminydd', aelodau o un o nifer o grwpiau yn honni bod yn fwy goleuedig na'r gweddill illuminati

ilwminydd *eg* unigol **ilwminiaid**

ill *rhagenw* nhw, hwy (o flaen rhifolion),
Daethant yma ill dau i ymddiheuro. the (two
etc.) of them
  Sylwch:
  1 nid yw'n achosi treiglad;
  2 cyfyngir defnydd 'ill' i'r trydydd lluosog,
  aethant ill tri.
imam *eg* (Islam)
  1 CREFYDD rhywun sy'n arwain gweddïau
  cymunedol mewn mosg imam
  2 CREFYDD teitl a ddefnyddir ar gyfer arweinydd
  Mwslimaidd imam
imi gw. **i**[3]
imiwn *ans* MEDDYGAETH (am y corff) yn
  gallu gwrthsefyll haint benodol oherwydd
  presenoldeb gwrthgyrff neu gelloedd cof
  immune
imiwnedd *eg*
  1 diogelwch rhag ymosodiad (cyfreithiol,
  beirniadol, etc.) immunity
  2 MEDDYGAETH gallu'r corff i wrthsefyll clefyd,
  afiechyd, gwenwyn, etc. immunity
  atal imiwnedd MEDDYGAETH llesteirio adwaith
  imiwn yn y corff, e.e. er mwyn rhwystro'r corff
  rhag gwrthod organ newydd a drawsblannwyd
  immunosuppression
imiwneiddiad *eg* (imiwneiddiadau)
  MEDDYGAETH y weithred o imiwneiddio,
  canlyniad imiwneiddio immunization
imiwneiddio *be* [imiwneiddi•[2]] MEDDYGAETH
  rhoi imiwnedd i (~ *rhywun/rhywbeth* **rhag**)
  to immunize
imiwnoleg *eb* MEDDYGAETH cangen o
  feddygaeth sy'n astudio imiwnedd a'r hyn sy'n
  ei achosi immunology
imiwnolegol *ans* MEDDYGAETH yn ymwneud
  ag imiwnoleg, nodweddiadol o imiwnoleg
  immunological
imperialaeth *eb*
  1 y broses o lunio ymerodraeth a chanlyniad
  y broses honno imperialism
  2 cred yn y lles sy'n deillio o ymerodraethau
  imperialism
  3 (fel condemniad) gweithred anghyfiawn
  gwlad rymus yn manteisio yn fasnachol ac yn
  wleidyddol ar wledydd tlawd, diamddiffyn
  imperialism
imperialaidd *ans* yn ymwneud ag ymerodraeth
  neu â'r pennaeth sy'n teyrnasu arni imperial
imperialydd *eg* (imperialwyr) un sy'n cefnogi
  imperialaeth imperialist
impetigo *eg* MEDDYGAETH clefyd cyffwrdd-
  ymledol y croen a nodweddir gan bothelli
  a chrach melyn ar y clwyfau impetigo
impiad *eg* (impiadau) (mewn garddwriaeth
  a meddygaeth) y weithred neu'r broses o impio
  graft

impio *be* [impi•[2]]
  1 (am blanhigyn) ffurfio twf newydd;
  blaendarddu, blaguro, egino, glasu to sprout
  2 clymu cangen wedi'i thorri oddi ar un
  planhigyn mewn hollt wedi'i wneud mewn
  planhigyn tebyg (ond mwy) er mwyn hybu
  tyfiant newydd to graft
  3 asio darn o groen neu asgwrn iach i'r corff
  yn lle croen neu asgwrn sydd wedi cael niwed
  to graft
impresario *eg* un sy'n trefnu neu'n noddi
  adloniant cyhoeddus, yn enwedig rheolwr neu
  arweinydd cwmni opera neu gwmni dawns
  impresario
imprimatur *eg* trwydded swyddogol gan yr
  Eglwys Gatholig Rufeinig yn caniatáu cyhoeddi
  llyfr crefyddol neu eglwysig imprimatur
impyn *eg* (impiau)
  1 tyfiant newydd ar blanhigyn; blaguryn,
  eginyn sprout
  2 rhywbeth (megis cangen neu groen neu asgwrn)
  sydd wedi'i impio wrth rywbeth arall graft
in absentia *adf* yn eich absenoldeb
inc *eg* (inciau) hylif lliw (du neu las, gan amlaf)
  a ddefnyddir i ysgrifennu neu i argraffu neu i
  dynnu lluniau ink
in camera *adf* CYFRAITH yn breifat, y tu ôl i
  ddrysau caeedig (yn hytrach nag mewn llys
  agored)
incil *eg* band cul o ddefnydd (plastig, metel,
  lliain, etc.), tâp, yn enwedig un â mesuriadau
  wedi'u nodi arno tape, tape measure
incio *be* [inci•[2]] gorchuddio ag inc (yn enwedig
  teip argraffu) to ink
incléin:inclên *eb* (mewn pwll glo neu chwarel)
  siafft neu gledrau ar oleddf i godi a gostwng
  wagenni incline, declivity
incwm *eg* arian sy'n cael ei dderbyn yn rheolaidd
  naill ai fel cyflog neu fel llog neu fuddran ar
  fuddsoddiad; cyflog, derbyniadau, enillion
  income
  treth incwm CYLLID treth sy'n cael ei chodi
  ar incwm unigolion income tax
indecs *eg* (indecsau) MATHEMATEG rhif a atodir
  at symbol ar ffurf uwchysgrif (esbonydd) neu
  isysgrif, e.e. x^2 neu x_2 index
  indecs plygiant FFISEG mesur o'r graddau y
  mae sylwedd (e.e. crisial neu wydr) yn plygu
  golau, sef cymhareb buanedd golau mewn
  gwagle neu mewn aer o'i gymharu â buanedd
  golau yn y sylwedd refractive index
indeintur *eg* (indeinturau) CYFRAITH cytundeb
  sy'n rhwymo rhywun i weithio i rywun arall
  am gyfnod penodol o amser, e.e. prentis i feistr
  indenture
indemniad *eg* (indemniadau)
  1 sicrhad rhag colled neu niwed indemnity

2 CYFRAITH rhyddhad rhag unrhyw gosb neu ddyled indemnity

indemnio *be* [indemni•²] sicrhau rhag colled, neu sicrhau rhag unrhyw gosb neu ddyled (~ *rhywun/rhywbeth* **rhag**) to indemnify

Indiad *eg* (Indiaid)
1 brodor o India, un o dras neu genedligrwydd Indiaidd Indian
2 aelod o un o lwythau brodorol America Indian

Indiaidd *ans* yn perthyn i India, nodweddiadol o India Indian

india-roc *eg* math o felysyn ar ffurf ffon o siwgr caled rock

indigo¹ *eb*
1 lliw porffor tywyll, lliw dulas; un o liwiau'r enfys; fioled, piws, porffor indigo
2 llifyn synthetig glas ei liw indigo

indigo² *ans* o liw porffor tywyll; dulas indigo

indiwm *eg* elfen gemegol rhif 49; metel meddal, ariannaidd a ddefnyddir mewn lled-ddargludyddion (In) indium

Indo-Ewropeaidd *ans*
1 yn perthyn i Indo-Ewropeg neu i'r bobl a'i siaradai Indo-European
2 IEITHYDDIAETH yn perthyn i'r teulu o ieithoedd a darddai o Indo-Ewropeg a'r bobloedd sy'n siarad yr ieithoedd hyn Indo-European

Indo-Ewropeg *ebg* mamiaith teulu o ieithoedd a siaredir drwy'r rhan fwyaf o Ewrop, Asia a gogledd India Indo-European

Indonesaidd *ans* yn perthyn i Indonesia, nodweddiadol o Indonesia Indonesian

Indonesiad *eg* (Indonesiaid) brodor o Indonesia, un o dras neu genedligrwydd Indonesaidd Indonesian

indrawn *eg* planhigyn tal a dyfir er mwyn ei rawn neu ei hadau melyn sy'n cael eu bwyta gan bobl ac anifeiliaid Indian corn, maize, sweetcorn

inertia *eg*
1 FFISEG un o briodweddau mater, sef ei fod yn sefyll yn stond neu'n symud mewn llinell syth, oni bai fod grym allanol yn dylanwadu arno inertia
2 FFISEG yr un briodwedd mewn pethau fel trydan inertia

in extremis *adf* ar farw; mewn trafferthion eithafol

infertas *eg* BIOCEMEG ensym sy'n gallu newid swcros (siwgr masnachol arferol) yn ffrwctos a glwcos invertase

infertebrat *eg* (infertebratau) SWOLEG anifail sy'n perthyn i ddosbarthiad tacsonomaidd sy'n cynnwys anifeiliaid di-asgwrn-cefn, e.e. arthropod, molwsg, anelid, etc. invertebrate

in flagrante delicto *adf* wrthi'n cyflawni trosedd (yn enwedig mewn cyd-destun rhywiol)

infoliwt *eg* (infoliwtiau) MATHEMATEG y gromlin a ffurfir gan bwynt ar edau sy'n cael ei chadw'n dynn wrth iddi ddad-ddirwyn o gromlin arall involute

infra dig *ans* rhy ddibwys (i fi)

inffimwm *eg* (inffimymau) MATHEMATEG y rhif mwyaf sydd cyfuwch â, neu'n llai na phob rhif mewn set benodol o rifau; arffin isaf fwyaf greatest lower bound, infimum

ingot *eg* (ingotau) talp petryal o fetel bwrw, e.e. aur, arian, dur ingot

injan *eb* (injans) darn o beirianwaith â rhannau symudol sy'n newid egni (o lo, trydan, ager, etc.) yn symudiad; peiriant engine

injan dân cerbyd arbennig sy'n cludo ymladdwyr ac offer arbennig i ymladd tanau fire engine

injan drên peiriant sy'n tynnu cerbydau ar hyd cledrau arbennig engine, locomotive

injan ddyrnu gw. **dyrnu**

injan stêm peiriant ager steam engine

in loco parentis *adf* yn cymryd lle rhiant

innau:finnau² *rhagenw dibynnol ategol cysylltiol* e.e. *Ar ôl i ti sôn, sylwais innau fod y gwair wedi tyfu.*
Sylwch: defnyddiwch 'finnau' pan fydd '-f' yn niwedd terfyniad y ferf, *Ni chanaf finnau chwaith.*, ac 'innau' os nad oes '-f' yn y terfyniad, *Gwelodd e gath a gwelais innau lygoden.*

in situ *adf* ac *ans* yn ei le gwreiddiol

inswleiddio *be* [inswleiddi•²]
1 gorchuddio rhywbeth er mwyn rhwystro gwres, trydan, oerfel, etc. rhag treiddio drwyddo, *Rydym yn bwriadu inswleiddio to'r tŷ cyn y gaeaf. Mae angen inswleiddio gwifrau trydan rhag iddynt gyffwrdd â'i gilydd.*; ynysu (~ *rhywbeth* **rhag**) to insulate
2 cadw rhywun rhag profiadau bywyd pob dydd to insulate

inswlin *eg*
1 BIOCEMEG hormon sy'n cael ei gynhyrchu yn y pancreas ac sy'n rheoli lefel y glwcos sydd yn y gwaed; mae prinder ohono yn achosi diabetes insulin
2 ffurf synthetig ar yr hormon; fe'i defnyddir i drin diabetes insulin

intaglio *eg* (*intaglios*)
1 CELFYDDYD dyluniad wedi'i dorri i mewn i arwyneb caled neu arwyneb sydd wedi'i addurno â dyluniad tebyg
2 y broses o wneud dyluniadau *intaglio*

intarsia *eg*
1 y grefft o greu mosaig pren
2 patrwm gwau sy'n debyg i fosaig; brithwaith

integredig *ans* cyfannol, cyfun, cyfunol integrated

integreiddio *be* [integreiddi•²]
1 dod yn rhan o; cymathu (~ **i mewn i**)
to integrate
2 caniatáu (i rywun neu rywrai) ddod yn rhan
(e.e. o grŵp neu sefydliad); cyfannu, cyfuno,
uno to integrate, integration

integrol *ans* MATHEMATEG yn ymwneud ag
integru mathemategol, yn enwedig calcwlws
integrol integral

integru *be* [integr•¹] MATHEMATEG canfod
integryn ffwythiant mathemategol to integrate

integryn *eg* (integrynnau) MATHEMATEG
cyfanswm nifer mawr o symiau bychain iawn
naill ai oddi mewn i ffiniau penodol (integryn
pendant), e.e. i ganfod maint yr arwynebedd
dan gromlin benodol, neu heb unrhyw ffiniau o
gwbl (integryn amhendant) integral

inter alia *adf* ymhlith pethau eraill

intercom *eg* dyfais electronig yn caniatáu
cyfathrebu un ffordd yn unig neu ddwyffordd
intercom

interfferon *eg* BIOCEMEG protein sy'n cael ei
ryddhau gan gelloedd anifeiliaid mewn ymateb
i firws ac sy'n atal twf y firws interferon

interim *ans* dros dro, cyfamserol interim

Inuit *eg* un o'r bobl sy'n byw yn y gwledydd
sy'n ffinio â Chylch yr Arctig megis Grønland,
Canada, Alaska; Esgimo Inuit

in utero *adf* ac *ans* yn y groth

iòd gw. iot
iòd a thipyn pob manylyn posibl

ïodid *eg* (ïodidau) CEMEG cyfansoddyn
yn cynnwys ïodin ynghyd ag elfennau
electropositif neu grwpiau eraill iodide

ïodin *eg* elfen gemegol rhif 53; halogen a geir fel
arfer ar ffurf crisialau du neu anwedd fioled (I)
iodine

iodl *eb* (iodlau) CERDDORIAETH sain sy'n cael
ei chynhyrchu wrth newid o'r llais arferol i
feinllais ac yn ôl yodel

iodlan:iodlo *be* [iodl•¹] CERDDORIAETH canu gan
ddefnyddio iodlau, sef dull traddodiadol o ganu
a gysylltir ag ardaloedd mynyddig y Swistir
to yodel

iodlwr *eg* (iodlwyr) un sy'n iodlo yodeller

ioga:yoga *egb*
1 athrawiaeth Hindŵ sy'n dysgu gostegu neu
ffrwyno gwaith y corff, y meddwl a'r ewyllys
er mwyn i'r hunan, yn y pen draw, ymryddhau
oddi wrth y pethau hyn a dod yn un â Duw
yoga
2 cyfres o ymarferion llesol i geisio ennill
rheolaeth dros y corff a'r meddwl yoga

iogwrt *eg* bwyd wedi'i wneud o wahanol fathau o
laeth sydd wedi'i dewychu drwy eplesu yoghurt

ioio *eg* tegan wedi'i wneud o sbŵl o bren, plastig
neu fetel, etc. a rhigol ddofn o gwmpas ei ymyl

a darn o linyn ynghlwm wrth ganol y rhigol;
y gamp yw gwneud i'r tegan redeg i fyny ac
i lawr y llinyn yo-yo

iolyn *eg anffurfiol* rhywun twp, gwirion, hurt;
ionc, lembo nincompoop

Iôn gw. Iôr

ïon *eg* (ïonau) CEMEG atom neu grŵp o atomau
sydd wedi colli neu ennill electronau ion

Ionawr *eg* mis cyntaf y flwyddyn January
mis Ionawr 'ym mis Ionawr' nid yn Ionawr
January

ionc *eg anffurfiol* rhywun twp, gwirion, hurt,
ynfyd; crinc, lembo, twpsyn, ynfytyn thickhead,
nitwit

ïoneiddiad *eg* (ïoneiddiadau) y broses o
ïoneiddio, canlyniad ïoneiddio ionization

ïoneiddio *be* [ïoneiddi•²] troi (atom, moleciwl
neu sylwedd) yn ïonau; (am atom, sylwedd neu
foleciwl) cael ei droi yn ïônau to ionize

ïonig¹ *ans*
1 CEMEG yn perthyn i ïonau, nodweddiadol
o ïonau ionic
2 seiliedig ar ïonau, yn gweithredu drwy
gyfrwng ïonau ionic

ïonig² *ans* PENSAERNÏAETH un o dri dosbarth
pensaernïaeth glasurol gwlad Groeg (Ïonig,
Corinthaidd a Dorig) a nodweddir gan ei
sgroliau addurniadol ar ben colofnau Ionic

Ionor *hynafol* gw. Ionawr

ïonosffer *eg* (ïonosfferau)
1 SERYDDIAETH y rhan o'r atmosffer sydd
wedi'i ïoneiddio gan olau'r Haul; mae'n gallu
adlewyrchu signalau ar donfeddi radio gan
alluogi cyfathrebu dros bellteroedd mawr
ionosphere
2 SERYDDIAETH cylch tebyg o gwmpas
planedau, e.e. Gwener a Mawrth ionosphere

Iôr:Iôn *eg llenyddol* yr Arglwydd, Duw lord

Iorddonaidd *ans* yn perthyn i wlad Iorddonen,
nodweddiadol o wlad Iorddonen Jordanian

Iorddoniad *eg* (Iorddoniaid) brodor o wlad
Iorddonen neu o dras Iorddonaidd Jordanian

iorwg *eg* planhigyn parasit sy'n tyfu ar furiau
neu goed; mae ganddo ddail disglair â thri neu
bum pigyn; eiddew ivy

iot¹:iòd *eg* tamaid bach iawn, mymryn, *Does
dim iot o wirionedd yn y stori.* iota, jot

iot² *eb* (iot[i]au) llong hwylio o faint cymedrol
a ddefnyddir i rasio neu fel llong bleser; bad,
cwch yacht

ipso facto *adf* yn ôl y ffaith honno

ir:iraidd *ans* [ir•] (irion) llawn sudd; croyw,
ffres, gwyrdd fresh, juicy, succulent

Iracaidd *ans* yn perthyn i Iraq, nodweddiadol
o Iraq Iraqi

Iraciad *eg* (Iraciaid) brodor o Iraq, un o dras neu
genedligrwydd Iracaidd Iraqi

iraid *eg* (ireidiau) sylwedd a ddefnyddir i iro (y corff neu beiriannau); balm, eli, ennaint, olew grease, lubricant

iraidd gw. ir

Iranaidd *ans* yn perthyn i Iran, nodweddiadol o Iran Iranian

Iraniad *eg* (Iraniaid) brodor o Iran, un o dras neu genedligrwydd Iranaidd Iranian

irder *eg* y cyflwr o fod yn iraidd; croywder, ffresni, glendid, ireidd-dra freshness

irdwf *eg* twf ffyniannus, bras, iraidd succulent growth

iredentiaeth *eb* yr egwyddor wleidyddol o ddychwelyd tiroedd ar sail hanesyddol neu ar sail cenedligrwydd trigolion y tiroedd hynny irredentism

ireidio gw. ireiddio

ireidd-dra *eg* y cyflwr o fod yn ir neu'n iraidd; ffresni, llawnder o sudd freshness, succulence

ireiddiach:ireiddiaf:ireiddied *ans* [iraidd] mwy iraidd; mwyaf iraidd; mor iraidd

ireiddio:ireidio *be* [ireiddi•²] gwneud neu fynd yn iraidd, yn ffres, yn llawn sudd

iriad *eg* (iriadau)
  1 y broses o daenu ennaint dros y corff neu ran o'r corff (yn aml fel defod grefyddol); eneiniad anointing
  2 y weithred o daenu olew neu saim ar rannau symudol peiriant er mwyn iddynt weithio'n fwy llyfn a pheidio â threulio mor gyflym lubrication
  3 BIOLEG sampl o feinwe neu ddefnydd arall a gymerir o ran o'r corff ac a daenir yn denau ar sleid microsgop er mwyn ei harchwilio, yn enwedig at bwrpasau diagnosis meddygol smear

iridiwm *eg* elfen gemegol rhif 77; metel caled, trwm, brau, ariannaidd yn perthyn i'r un teulu o fetelau â phlatinwm (Ir) iridium

irion *ans* ffurf luosog ir

iris *eg* (irisau) ANATOMEG y darn lliw o gwmpas cannwyll y llygad; mae'n cynnwys cylch o ffibrau cyhyrol sy'n rheoli maint cannwyll y llygad ac felly faint o olau sy'n cyrraedd y retina iris

irlas *ans* o liw dail gwyrdd, ifanc a ffres verdant

irlesni *eg* y cyflwr o fod yn irlas verdure

iro *be* [ir•¹]
  1 rhoi olew neu rwbio braster ar rywun neu rywbeth am reswm arbennig, *Irodd ei hun ag olew rhag iddi losgi yn yr haul. Irodd ei chorff â bloneg i'w gadw rhag oerfel y dŵr.*; brasteru to oil, to lubricate, to anoint
  2 taenu ennaint dros y corff neu ran o'r corff (yn aml fel defod grefyddol); eneinio to anoint

iro blonegen gwneud rhywbeth dibwrpas to carry coals to Newcastle

iro llaw llwgrwobrwyo bribe

is¹:isaf:ised *ans* [isel] mwy isel; mwyaf isel; mor isel

is² *ardd* o dan, *'Canys gwnaethost ef [sef dyn] ychydig is na'r angylion'* below, beneath, lower, inferior

is- *rhag* o dan, dirprwy, llai pwysig na, e.e. *isflanced, is-brifathro, isadran* deputy, sub-, under-, vice-
  Sylwch: mae'n arfer rhoi cysylltnod ar ôl *is-* mewn termau swyddogaethol, e.e. *is-bwyllgor, is-lywydd,* ond nid mewn geiriau eraill, e.e. *isnormal, Isalmaenwr.*

isadain *eb* (isadenydd) fflap symudol ar gefn adain awyren aileron

isadeiledd *eg* (isadeileddau)
  1 adeiledd neu fframwaith sylfaenol (system neu gyfundrefn) infrastructure
  2 ECONOMEG strwythurau sylfaenol, e.e. ffyrdd, cyfundrefnau addysg, a'r sector cynhyrchu egni, sy'n sail i weithgareddau economaidd infrastructure

isadran *eb* (isadrannau) rhan o adran neu gorff sy'n delio ag un agwedd yn unig ar waith yr adran neu'r corff, *Isadran Cyflogau*; israniad division, subsection

isaf *ans* mwyaf isel nethermost

isafbwynt *eg* (isafbwyntiau)
  1 y man neu'r pwynt isaf posibl minimum
  2 MATHEMATEG pwynt ar gromlin neu arwyneb sy'n is na'r pwyntiau wrth ei ymyl; minimwm minimum

isafon *eb* (isafonydd) llednant; nant neu afon gymharol fach yn llifo i afon fwy tributary

isafswm *eg* (isafsymiau) y swm isaf posibl (o arian) minimum

isafswm cyflog y cyflog isaf a ganiateir yn ôl y gyfraith neu drwy gytundeb minimum wage

isalobar *eg* (isalobarrau) METEOROLEG llinell ar fap tywydd yn cysylltu lleoedd sydd wedi profi'r un newid yng ngwasgedd aer yn ystod cyfnod penodedig isallobar

isatomig *ans* llai nag atom, ar gael oddi mewn i atom subatomic

isawyrol *ans* yn digwydd ar wyneb y Ddaear neu yn ymyl wyneb y Ddaear subaerial

isbaent *eg* (isbaentiau) haen o baent a ddefnyddir yn sylfaen i haen arall o baent undercoat

isbennawd *eg* (isbenawdau) pennawd neu deitl a roddir ar isadran mewn darn o waith ysgrifenedig subheading

isblot *eg* (isblotiau) ail stori neu blot mewn nofel sy'n rhedeg yr un pryd â'r brif stori subplot

isbridd *eg* y pridd sydd uwchben y graig ac sy'n is ac yn frasach na'r pridd sy'n cael ei drin ar wyneb y tir subsoil isbwerdy *eg* (isbwerdai) pwerdy cynorthwyol sy'n newid foltedd cerrynt trydanol fel ei fod yn addas i'w ddefnyddio substation

is-bwyllgor *eg* (is-bwyllgorau) grŵp llai wedi'i ffurfio o aelodau pwyllgor llawn er mwyn trafod mater penodol yn fwy manwl subcommittee

isbwysedd *eg* MEDDYGAETH pwysedd gwaed anarferol o isel hypotension

ischaemig:ischemig *ans* MEDDYGAETH (am feinwe yn y corff, yn enwedig cyhyrau'r galon) yn dioddef o brinder ocsigen oherwydd bod rhywbeth yn rhwystro llif y gwaed i ran o'r corff ischaemic

ischiwm *eg* (ischia) ANATOMEG yr asgwrn crwm a geir ar waelod dwy ochr y pelfis ischium

isdeitl *eg* (isdeitlau)
1 ail deitl esboniadol, e.e. *Y Treigladur: A Check-list of Welsh Mutations* subtitle
2 darn o naratif wedi'i argraffu ac yn ymddangos rhwng golygfeydd mewn ffilm heb sain subtitle
3 dialog wedi'i argraffu ac yn ymddangos ar sgrin deledu, sinema, etc., yn gyfieithiad neu'n destun ar gyfer pobl drwm eu clyw subtitle

isdeitlo *be* [isdeitl•¹] creu isdeitlau (gw. **isdeitl** 2 a 3) to subtitle

isdenant *eg* (isdenantiaid) un sy'n rhentu oddi wrth denant subtenant

isdestun *eg* (isdestunau) isthema mewn darn ysgrifenedig neu mewn darn a berfformir subtext

isdonydd *eg* CERDDORIAETH seithfed nodyn graddfa ddiatonig (beth bynnag ei chywair) leading note

isdrothwyol *ans* SEICOLEG (am ysgogiad meddyliol) yn cael ei ganfod gan rywun neu'n effeithio ar feddwl rhywun heb iddo fod yn ymwybodol ohono subliminal

isdyfiant *eg* prysgwydd, coedach, rhedyn, planhigion, etc. sy'n tyfu ar lawr coedwig undergrowth

is-ddeddf *eb* (is-ddeddfau)
1 deddf sy'n dibynnu ar brif ddeddf, sy'n egluro neu'n manylu ar ddeddf by-law
2 deddf sy'n weithredol oddi mewn i ardal awdurdod lleol yn unig, e.e. *is-ddeddfau llyfrgell* by-law

isddeiliad *eg* (isddeiliaid) un sy'n rhentu (ystafell, adeilad, etc.) oddi wrth ddeiliad subtenant

isddilyniant *eg* (isddilyniannau) MATHEMATEG dilyniant sydd yn rhan o ddilyniant arall subsequence

isddiwylliant *eg* (isddiwylliannau) grŵp diwylliannol oddi mewn i ddiwylliant mwy, sy'n arddel syniadau a gwerthoedd tra gwahanol i eiddo'r mwyafrif subculture

isddosbarth *eg* (isddosbarthau) rhan neu israniad o ddosbarth subclass, underclass

isddynol *ans*
1 ar lefel is o fodolaeth na dyn subhuman
2 SWOLEG (am brimat) yn perthyn yn agos i ddyn subhuman

ised *ans* mor isel

isel *ans* [ised; is; isaf]
1 heb fod yn mesur llawer o'r gwaelod i'r brig; heb fod yn uchel low
2 heb fod yn bell o'r llawr neu o'r gwaelod, *Mae'r awyrennau yn hedfan yn rhy isel o lawer.* low
3 is neu lai na'r uchder arferol, *Mae'r dŵr wedi mynd yn isel yn y cronfeydd.* low
4 heb fod yn fawr o ran rhif, *Cafodd farciau isel yn yr arholiad.* low
5 CERDDORIAETH y gwrthwyneb i 'uchel' o ran traw nodyn, *Doedd y baswr yn cael dim trafferth gyda'r nodau isel.* low
6 yn dioddef o iselder ysbryd, *Mae hi'n isel iawn y dyddiau hyn.*; anhapus, pruddglwyfus depressed, low
7 yn agos at y gwaelod o ran safle neu swyddogaeth, *swyddog isel yn y fyddin* low, menial
8 rhad, *prisiau isel* low
9 (am gêr mewn car, er enghraifft) yn arafu'r car neu'n ei gadw ar ei gyflymder isaf, *gêr isel* low
10 am synau nad ydynt yn uchel, *Sŵn isel grwnan y gwenyn.*; tawel low
11 di-werth, gwael, *Safon isel iawn sydd yn y gystadleuaeth eleni.* low

isel-ael *ans* heb fod â chwaeth aruchel neu lawer o ddealltwriaeth mewn materion yn ymwneud â'r celfyddydau low-brow

iselder *eg* (iselderau) SEICIATREG cyflwr meddyliol a nodweddir gan deimladau dwys o anobaith a diffygion personol; digalondid, y felan, iselder ysbryd depression, lowness

iseldir *eg* (iseldiroedd) darn o dir (neu diroedd) sy'n is na'r tir o'i gwmpas, llawr gwlad; gwastadeddau lowland(s)

Iseldiraidd *ans* yn perthyn i'r Iseldiroedd, nodweddiadol o'r Iseldiroedd Dutch

Iseldirwr *eg* (Iseldirwyr) brodor o'r Iseldiroedd, un o dras neu genedligrwydd Iseldiraidd Dutchman

Iseldirwraig *eb* merch neu wraig o'r Iseldiroedd Dutchwoman

iseldra *eg* y cyflwr o fod yn isel; iselder lowliness

Iseleglwysig *ans* yn perthyn i blaid oddi mewn i'r Eglwys sydd yn rhoi ychydig yn unig o bwyslais ar drefn a defodau'r Eglwys Low Church

Iseleglwyswr *eg* (Iseleglwyswyr) un sy'n arddel trefn iseleglwysig Low Churchman

iselfrydedd *eg* y cyflwr o deimlo'n ostyngedig ynglŷn â'ch pwysigrwydd personol; gwyleidd-dra humility

iselfrydig *ans* gostyngedig, gwylaidd unassuming

iselhad *eg* y broses neu'r weithred o iselhau, canlyniad iselhau; darostyngiad, diraddiad, ymostyngiad lowering, humiliation, abasement

iselhau *be* [iselha•¹⁴]
1 gwneud (rhywbeth) yn is, *Rwyt ti'n dy iselhau dy hun drwy geisio dial arno.*; gostwng to lower
2 gwneud i rywun neu rywbeth edrych yn wael; darostwng, diraddio, gostwng to degrade, to humiliate, to abase

iselradd *ans*
1 is na'r safon a ddisgwylir, heb fod yn ddigon da inferior
2 DAEAREG (am fathau arbennig o ddyddodion mwynol) nad ydynt yn cynnwys cyfran uchel o fwyn arbennig low-grade

isentropig *ans* FFISEG yn perthyn i system lle mae entropi yn aros yn gyson; yn digwydd heb gynyddu maint yr entropi isentropic

isetholiad *eg* (isetholiadau) etholiad sy'n cael ei gynnal rhwng etholiadau arferol er mwyn llenwi sedd wag by-election

isfant *eb* (isfantau) ANATOMEG asgwrn yr ên isaf (y genogl o'i gymharu â'r gorchfan) lower jaw

isfantol *ans* ANATOMEG yn perthyn i'r isfant, nodweddiadol o'r isfant submaxillary

isfeidon *eb* CERDDORIAETH chweched nodyn graddfa ddiatonig (beth bynnag ei chywair) submediant

isfyd *eg* (isfydoedd)
1 byd eneidiau'r meirw; annwfn the underworld
2 byd lladron a drwgweithredwyr the underworld

is-gadeirydd *eg* (is-gadeiryddion) dirprwy gadeirydd vice chairman

is-gadfridog *eg* (is-gadfridogion) dirprwy gadfridog lieutenant-general

is-ganghellor *eg* (is-gangellorion) dirprwy ganghellor; mewn prifysgol ffederal, fel Prifysgol Cymru ar un adeg, is-ganghellor yw teitl prifathro un o golegau'r brifysgol vice chancellor

is-gapten *eg* (is-gapteiniaid)
1 dirprwy gapten (e.e. mewn timau chwaraeon, tai mewn ysgolion etc.) vice captain
2 swyddog yn y fyddin neu yn y llynges sy'n ail ei radd i'r capten lieutenant

isgell *eg* (isgellau) dŵr wedi i gig a/neu lysiau gael eu mudferwi ynddo am amser hir, gydag ychwanegiadau fel perlysiau a sbeis, ac a ddefnyddir eto yn sail i gawl, potes neu fwydydd eraill; gwlych stock

isgellog *ans*
1 BIOLEG yn ymwneud â ffurfiadau y tu mewn i gell subcellular

2 BIOLEG llai o ran maint na chelloedd cyffredin subcellular

isgiwm defnyddiwch **ischiwm**

isgoch¹ *eg* FFISEG pelydriad electromagnetig (pelydriad gwres, fel arfer) y tu allan i'r sbectrwm gweladwy; mae ei donfedd rhwng golau coch a microdon infrared

isgoch² *ans* yn dynodi pelydriad isgoch neu'n ymwneud â phelydriad isgoch infrared

isgontract *eg* (isgontractau) CYFRAITH cytundeb rhwng rhywun (a fu'n un o'r ddau a ddaeth i gytundeb yn wreiddiol) a thrydydd person neu barti (fel arfer i gyflawni rhan neu'r cyfan o'r gwaith neu'r eiddo y cytunwyd arno yn y cytundeb gwreiddiol) subcontract

isgontractio *be* [isgontracti•²] cytuno ar isgontract gyda thrydydd person neu barti to subcontract

isgroenol *ans* ANATOMEG wedi'i leoli o dan y croen subcutaneous

isgwmni *eg* (isgwmnïau) cwmni wedi'i berchenogi'n llwyr gan gwmni arall subsidiary

isgyfandir *eg* (isgyfandiroedd) rhan o gyfandir ac iddo ei gymeriad a'i nodweddion ei hun, yn enwedig India a'r gwledydd cyfagos subcontinent

isgymal *eg* (isgymalau) CYFRAITH cymal atodol mewn deddf neu gytundeb subclause

isgynnyrch *eg* (isgynhyrchion)
1 rhywbeth a gynhyrchir yn ystod proses weithgynhyrchu yn ychwanegol at y prif gynnyrch by-product
2 ail ganlyniad annisgwyl i rywbeth by-product

is-haen *eb* (is-haenau)
1 rhywbeth sy'n cynnal yn waelodol; sylfaen substratum
2 yr haen o bridd a geir o dan y pridd ar yr wyneb substratum
3 yr haen denau sy'n glynu'r emwlsiwn wrth ffilm neu wydr substratum

is-iarll *eg* (is-ieirll) teitl arglwydd ymhlith bonedd Prydain (ac Ewrop) sydd un cam yn is nag iarll viscount

is-iarllaeth *eb* swyddogaeth a dyletswyddau is-iarll viscountcy

is-iarlles *eb* (is-iarllesau) gwraig neu weddw is-iarll, neu un â statws is-iarll viscountess

îsl *eg* (îsls) ffrâm y gellir addasu ei huchder a'i hongl i ddal bwrdd du neu ddarlun easel

islais *eg* (isleisiau)
1 llais isel, sibrwd undertone
2 ystyr gudd, *Er ei bod hi'n nofel ddoniol, roedd yna islais trist yn rhedeg drwyddi.* undertone

Islam *eb* CREFYDD crefydd y Mwslimiaid yn seiliedig ar Allah (yr un Duw) a Muhammad (ei broffwyd) Islam

Islamaidd *ans* yn perthyn i Islam neu i'r Mwslimiaid Islamic

islaw¹ *adf* oddi tanodd, yn is i lawr, isod, *Roedd yr olygfa o furiau'r castell dros y wlad islaw yn syfrdanol.* (~ i *rywun neu rywle*) below, underneath

islaw² *ardd* [is fy llaw, is dy law, is ei law, is ei llaw, is ein llaw, is eich llaw, is eu llaw] oddi tan, o dan, *Roedd y ffynnon yn tarddu islaw'r graig.* below, beneath

islawr *eg* (isloriau) llawr adeilad sydd yn rhannol neu'n gyfan gwbl dan ddaear basement

islif *eg* (islifau) llif neu gerrynt o dan wyneb y dŵr undercurrent

islywydd *eg* CERDDORIAETH pedwerydd nodyn graddfa ddiatonig (beth bynnag ei chywair) subdominant

is-lywydd *eg* (is-lywyddion) dirprwy lywydd vice president

isnod:isnodyn *eg* (isnodau) llythyren neu symbol a nodir yn is na'r llythyren sy'n ei rhagflaenu, e.e. H_2O subscript

isnormal *ans*
1 llai neu is na'r arfer subnormal
2 â llai o rywbeth na'r norm, yn enwedig llai o ddeallusrwydd subnormal

isobar *eg* (isobarrau)
1 METEOROLEG llinell ar fap tywydd yn cysylltu lleoedd sydd â'r un gwasgedd atmosfferig isobar
2 FFISEG un o ddau neu ragor o niwclidau sydd â'r un rhif màs (nifer o niwcleonau) ond sydd â gwahanol rifau atomig isobar
3 FFISEG cromlin ar graff yn cynrychioli darlleniadau a gymerwyd ar wasgedd cyson isobar

isobarig *ans* FFISEG wedi'i nodweddu gan wasgedd cyson isobaric

isoclin *eg* (isoclinau) DAEAREG plyg yng nghreigiau'r Ddaear lle mae'r haenau sy'n ffurfio'r naill ystlys a'r llall yn gyfochrog â'i gilydd isocline

isocron *eg* (isocronau) DAEAREG llinell ar fap yn cysylltu pwyntiau sy'n dangos y gwahaniaeth o ran amser rhwng dau ddigwyddiad neu adlewyrchiad seismig isochron

isocronus *ans* yn digwydd yr un pryd neu'n parhau am yr un amser isochronous

isod *adf*
1 mewn lle is neu i le is, o dan; obry below
2 yn is i lawr ar y tudalen, yn nes ymlaen yn y testun, *gw. isod*; islaw below

isoglos *eg* (isoglosau) IEITHYDDIAETH llinell ar fap (neu raniad haniaethol) yn gwahanu lleoedd yn ôl un nodwedd ieithyddol, e.e. y defnydd o *nawr* a *rŵan* isogloss

isohel *eg* (isohelau) METEOROLEG llinell ar fap tywydd yn cysylltu lleoedd sy'n rhannu'r un nifer o oriau o heulwen isohel

isomer *eg* (isomerau) CEMEG cyfansoddyn cemegol, grŵp cemegol neu ïon sy'n amlygu isomeredd isomer

isomeredd *eg* CEMEG y berthynas rhwng dau neu ragor o gyfansoddion cemegol sy'n cynnwys yr un nifer o atomau o'r un elfennau ond sydd yn wahanol o ran eu hadeiledd a'u priodweddau isomerism

isomeru *be* [isomer•¹] CEMEG peri newid i ffurf isomer to isomerize, isomerization

isometreg¹ *eb* dull ymarfer corff lle mae'r cyhyrau'n gweithio yn erbyn ei gilydd neu yn erbyn gwrthrych disymud isometrics

isometreg² *eg* MATHEMATEG trawsffurfiad geometregol nad yw'n newid hyd nac ongl, e.e. adlewyrchiad isometry

isometrig *ans*
1 MATHEMATEG am drawsffurfiad geometregol nad yw'n newid hyd nac ongl isometric
2 FFISIOLEG yn cynhyrchu tyndra yn y cyhyrau heb eu cyfangu isometric
lluniad isometrig CELFYDDYD darlun o wrthrych mewn tri dimensiwn lle mae'r llinellau ym mhob dimensiwn wrth raddfa isometric drawing

isomorff *eg* (isomorffau) rhywbeth sydd yn union yr un fath â rhywbeth arall o ran ffurf neu adeiledd isomorph

isomorffedd *eg*
1 BIOLEG perthynas ymddangosiadol rhwng organebau o wahanol linachau yn deillio o'r ffaith eu bod wedi esblygu mewn ffordd debyg isomorphism
2 CEMEG tebygrwydd rhwng adeiledd crisialog sylweddau tebyg eu cyfansoddiad isomorphism

isomorffig *ans* yn cyfateb neu'n debyg o ran ffurf neu adeiledd isomorphic

isopleth *eg* (isoplethau) llinell ar fap yn cysylltu pwyntiau o'r un gwerth, e.e. cyfuchlin ar fap topograffig neu isobar ar fap tywydd isopleth

isorsaf *eb* (isorsafoedd)
1 casgliad o beiriannau sy'n gostwng foltedd uchel cyflenwad o drydan i lefel addas ar gyfer defnyddwyr substation
2 gorsaf heddlu neu orsaf dân sy'n atebol i orsaf fwy substation

isoseismig *ans* DAEAREG yn profi dirgryniadau daeargryn o'r un dwysedd isoseismic

isosgeles *ans* MATHEMATEG (am driongl) â dwy ochr o'r un hyd isosceles

isosod *be* [isosod•¹] rhentu neu osod tŷ neu dir gan y deiliad i isddeiliad to sublet

isostasi *eg*
1 y cyflwr o fod â phwysedd cyfartal yn gwasgu ar bob ochr isostasy
2 DAEAREG cyflwr o gydbwysedd cyffredinol cramen y Ddaear sy'n golygu bod y gramen

yn cael ei chynnal gan greigiau lled doddedig y fantell ac yn arnofio arnynt **isostasy**

isotach *eg* (isotachau) METEOROLEG llinell ar fap tywydd yn cysylltu mannau lle mae buanedd y gwynt yr un fath **isotach**

isotonig *ans* yn rhannu'r un lefel o dyndra **isotonic**

isotop *eg* (isotopau) CEMEG un o ddau neu ragor o atomau neu elfennau cemegol sy'n rhannu'r un rhif atomig a'r un safle yn nhabl cyfnodol yr elfennau ond sydd â'i fàs yn wahanol neu a chanddo rif màs gwahanol **isotope**

isotopig *ans* CEMEG yn perthyn i isotop, nodweddiadol o isotop **isotopic**

isotherm *eg* (isothermau) METEOROLEG llinell ar fap tywydd yn cysylltu lleoedd sy'n rhannu'r un tymheredd **isotherm**

isothermal *ans*

1 METEOROLEG yn perthyn i bethau neu leoedd sy'n rhannu'r un tymheredd, nodweddiadol o bethau neu leoedd sy'n rhannu'r un tymheredd **isothermal**

2 CEMEG wedi'i nodweddu gan newidiadau mewn cyfaint neu wasgedd tra bo'r tymheredd yn gyson **isothermal**

isradd *eg* (israddau) MATHEMATEG rhif sydd, o'i luosi ag ef ei hun nifer penodol o weithiau, yn rhoi rhif penodol, *Pedwerydd isradd 16 yw 2, h.y. 2 × 2 × 2 × 2 = 16*. root
  ail isradd gw. ail
  trydydd isradd gw. trydydd

israddedig *ans* (am fyfyriwr prifysgol) heb raddio **undergraduate**

israddio *be* [israddi•²] gostwng o ran gradd, pwysigrwydd neu werth **to downgrade**

israddol *ans*

1 is o ran safle neu bwysigrwydd, o radd is; eilradd **subordinate**

2 gwael o ran safon neu werth, o safon isel **inferior**

israddoldeb *eg* y cyflwr o fod yn israddol neu o deimlo'n israddol **inferiority**

Israelaidd *ans* yn perthyn i wlad Israel, nodweddiadol o Israel **Israeli**

Israeliad *eg* (Israeliaid) brodor o wlad Israel, un o dras neu genedligrwydd Israelaidd **Israeli**

israniad *eg* (israniadau) rhaniad llai o rywbeth sydd eisoes wedi'i rannu; adran, isadran **subdivision**

isra.nnu *be* [isrann•¹⁰] rhannu rhywbeth sydd eisoes wedi'i rannu yn rhannau llai **to subdivide**
  Sylwch: dyblwch yr 'n' ym mhob ffurf ac eithrio yn y rhai sy'n cynnwys *-as-.*

is-reolwaith *eg* (is-reolweithiau) CYFRIFIADUREG set o gyfarwyddiadau sy'n cyflawni tasg benodol y tu mewn i brif reolwaith rhaglen **subroutine**

isrywogaeth *eb* (isrywogaethau) BIOLEG categori

yn nosbarthiad pethau byw yn union o dan rywogaeth, yn cynnwys grŵp daearyddol ynysig, adnabyddus sy'n rhyngfridio'n llwyddiannus gydag isrywogaethau eraill o'r un rhywogaeth **subspecies**

is-safonol *ans* heb fod yn ddigon da; eilradd **substandard**

is-sonig *ans* FFISEG yn teithio ar fuanedd sy'n llai na buanedd sain drwy aer **subsonic**

is-system *eb* (is-systemau) system hunangynhwysol y tu mewn i system fwy **subsystem**

istrofannol *ans* yn perthyn i'r ardaloedd gerllaw ond ychydig i'r gogledd o Drofan Cancr ac i'r de o Drofan Capricorn neu'n nodweddiadol o'r ardaloedd hynny; mae'r ardaloedd istrofannol yn ymestyn cyn belled â lledred 40° G a 40° D **subtropical**

isthmus *eg* culdir; darn cul o dir a môr bob ochr iddo sy'n cysylltu dau ddarn o dir mwy o faint **isthmus**

iswasanaethgar *ans* yn bodoli er mwyn hyrwyddo rhyw bwrpas; gwasaidd, taeogaidd **subservient**

isymwybod *eg* 'anymwybod' yw'r gair technegol **subconscious**

isymwybodol *ans* yn digwydd yn yr isymwybod ond heb ei gydnabod gan yr ymwybod **subconscious**

is-ysgrifennydd *eg* ysgrifennydd sy'n atebol i'r prif ysgrifennydd **undersecretary**

italeiddio *be* [italeiddi•²] argraffu mewn teip italig ysgafn *fel y rhain*, neu droi teip rhufeinig (teip trwm) yn deip italig **to italicize**

italig:italaidd *ans*

1 yn disgrifio dull o ysgrifennu â llaw lle mae'r llinellau fertigol a llorweddol yn dew a'r llinellau ar oleddf yn denau **italic**

2 am deip tenau ar oleddf *fel hyn* **italic**

iteru *be* [iter•¹] MATHEMATEG ailadrodd cylch o weithrediadau gyda'r canlyniad yn dod yn nes bob tro at yr ateb i broblem benodol **to iterate**

iterus *ans* yn ailadrodd yn fathemategol **iterative**

ithfaen *eg* (ithfeini) gwenithfaen; craig igneaidd, grisialog, galed a all fod yn binc, yn goch neu'n llwyd ac sy'n crisialu'n ddwfn yng nghramen y Ddaear **granite**

iwfforia *eg* teimlad dwys o hapusrwydd a gorfoledd **euphoria**

Iwgoslafaidd *ans* *hanesyddol* yn perthyn i wlad Iwgoslafia, nodweddiadol o wlad Iwgoslafia **Yugoslav**

Iwgoslafiad *eg* (Iwgoslafiaid) *hanesyddol* brodor o wlad Iwgoslafia, un o dras neu genedligrwydd Iwgoslafaidd **Yugoslav**

iwmon *eg* (iwmyn) *hanesyddol* rhydd-ddeiliad a pherchennog tir is ei safle cymdeithasol nag uchelwr; gwas o radd uchel mewn plasty brenhinol neu bendefigaidd yeoman

iwnifform *eb* (iwnifformau) dillad o fath arbennig a wisgir gan grŵp arbennig fel modd o'i adnabod; lifrai uniform

iwrch *eg* (iyrchod) math o garw bach a geir yn Ewrop ac Asia roebuck

iws *eg* cymorth, defnydd, gwasanaeth, help, *cyfrol o ganeuon at iws gwlad* benefit, use **dim iws** dim pwrpas, *Does dim iws mynd ato fe.* no point

iwtilitaraidd *ans* yn adlewyrchu cred neu arferion iwtilitariaeth utilitarian

iwtilitariaeth *eb*
1 ATHRONIAETH y gred mai maen prawf a yw gweithred yn dda neu'n ddrwg yw pa mor ddefnyddiol yw ei chanlyniadau utilitarianism
2 cred mai prif amcan unrhyw bolisi neu weithredu cymdeithasol yw cynnig y lles mwyaf i'r nifer mwyaf o bobl utilitarianism

iwtopaidd *ans* (am gymdeithas) delfrydol ond amhosibl utopian

iwtopia *eb* lle neu gyflwr delfrydol yng nghyd-destun llywodraeth, deddfwriaeth ac amodau cymdeithasol utopia

iwtopiaeth *eb* cyflwr delfrydol lle mae bywyd yn berffaith; delfrydiaeth utopianism

iyrches *eb* ewig fach sy'n gymar i'r iwrch; ewig roe deer

J

j:J *eb* cytsain a phedwaredd lythyren ar ddeg yr wyddor Gymraeg a ddefnyddir ar ddechrau geiriau benthyg j, J
Sylwch: er nad oedd 'j' yn cael ei chyfrif ymhlith llythrennau'r wyddor Gymraeg ar un adeg, fe'i defnyddir yn aml i ddisodli 'si-', e.e. *Japan* yn lle 'Siapan', ac mewn benthyciadau diweddarach, e.e. *jîns, jòb.* Erys rhai ffurfiau hŷn heb J er mai benthyciadau oeddynt, e.e., e.e. *Iesu, Ioan* (Jesus, John), etc.

J *byrfodd* joule J

jac *eg*
1 (jacs) dyfais ar gyfer codi rhywbeth trwm fel car o'r llawr jack
2 math o botel o dun i gario diod, e.e. gan lowyr dan ddaear jack
3 (mewn bowls) y bêl fach wen yr anelir ati jack
jac y baglau pryfyn â choesau hir, tenau; pry'r gannwyll, pryf teiliwr daddy-long-legs
Ymadroddion
Jac yr Undeb enw (ychydig yn ddilornus) ar faner y Deyrnas Unedig sy'n gyfuniad o faneri saint Siôr, Andreas a Padrig Union Jack
pob un wan jac pob un yn ddieithriad

Jac codi baw *eg* math o dractor cryf â bwced mawr ar y tu blaen ac un bach ar y tu ôl ar gyfer ceibio a chodi pridd a rwbel JCB, excavator

jacio *be* [jaci•²] codi rhywbeth trwm drwy ddefnyddio jac (~ *rhywbeth* â) to jack

Jacobeaidd *ans hanesyddol* yn perthyn i oes y Brenin Iago (James) I (1603–25) Jacobean

Jacobin *eg* (Jacobiniaid) *hanesyddol* aelod o grŵp terfysgol oedd yn hawlio cydraddoldeb llwyr i bawb yn ystod y Chwyldro Ffrengig Jacobin

Jacobitiad *eg* (Jacobitiaid) *hanesyddol* cefnogwr y Brenin Iago (James) II neu deulu Stuart yn dilyn chwyldro 1688 Jacobite

jacwsi *eg* math o faddon mawr sy'n chwistrellu dŵr o'i ochrau er mwyn tylino'r corff jacuzzi

jac-y-do *eg* (jac-y-dos) aelod o deulu'r brain sy'n nythu yn aml yn simneiau tai; corfran jackdaw

jâd *eg* un o ddau fwyn caled o liw gwyrdd yn bennaf y mae modd eu caboli a'u defnyddio fel gemau gwerthfawr jade

jaden:jadan *eb difriol* merch neu wraig gas ac annymunol, *yr hen jaden;* cnawes, gast, maeden bitch, harridan

Jafanaidd *ans* yn perthyn i Jafa (Jawa), nodweddiadol o Jafa Javanese

Jafaniad *eg* (Jafaniaid) brodor o Jafa (Jawa) neu un o dras Jafanaidd Javanese

j

jagwar *eg* (jagwarod) cath fawr sy'n debyg i'r llewpart o ran lliw ac sy'n byw yn fforestydd trwchus De a Chanolbarth America yn bennaf jaguar

jam *eg* (jamiau) COGINIO cyffaith neu bast o ffrwythau wedi'u berwi â siwgr (er mwyn eu cadw rhag pydru); caiff ei daenu ar fara neu ei ddefnyddio mewn teisen jam

Jamaicad *eg* (Jamaicaid) brodor o Jamaica Jamaican

Jamaicaidd *ans* yn perthyn i Jamaica, nodweddiadol o Jamaica Jamaican

jamborî *eg* (jamborïau)
1 cyfarfod mawr, swnllyd y mae pobl yn dod iddo i fwynhau eu hunain jamboree
2 gwersyll mawr (cenedlaethol neu ryngwladol, fel arfer) o sgowtiaid neu geidiau jamboree

jamio *be* [jami•²]
1 gwrthod agor, bod yn sownd, e.e. am ddrws neu ddrâr to jam
2 COGINIO gwneud jam to jam
3 (grŵp o gerddorion) creu cerddoriaeth yn fyrfyfyr neu'n ddifyfyr ac yn anffurfiol to jam

janglen *eb* merch neu wraig sy'n clebran ac yn hel straeon; clebren, cloncen gossip

janglo *be* hel straeon, clebran, cloncian, clepian to gossip
   Sylwch: nid yw'r ferf hon yn arfer cael ei rhedeg.

janisariad *eg* (janisariaid) *hanesyddol* un o'r gwarchodlu o filwyr traed dethol a fu'n gwarchod y Swltan yn Nhwrci janissary

Janseniaeth *eb* CREFYDD athrawiaeth yn perthyn i rai o Gatholigion Ffrengig yr ail ganrif ar bymtheg a'r ddeunawfed ganrif, a ddysgai nad drwy weithredoedd da yn unig y byddai dyn yn cael ei achub ond oherwydd bod Duw wedi ethol rhai i fod yn gadwedig Jansenism

Japanead *eg* (Japaneaid) brodor o Japan, un o dras neu genedligrwydd Japaneaidd Japanese

Japaneaidd *ans* yn perthyn i Japan, nodweddiadol o Japan Japanese

jar *eb* (jariau)
1 math o botel â gwddf byr a cheg lydan; pot jar
2 llestr o bridd yn wreiddiol, neu erbyn hyn, cynhwysydd rwber neu blastig sy'n cael ei lenwi â dŵr poeth i gynhesu'r gwely; potel ddŵr poeth hot-water bottle

jardinière *eb* cynhwysydd neu stondin addurniadol i arddangos planhigion

jarff *eg* (jarffod) bachgen neu ddyn â meddwl uchel ohono'i hun big-head

jarffes *eb* merch neu wraig â meddwl uchel ohoni ei hun

jarffio *be* ymddwyn yn llawn hunanfalchder; torsythu to swagger, to swank
   Sylwch: nid yw'r ferf hon yn arfer cael ei rhedeg.

jargon *eg*
1 iaith arbenigol ac idiomau maes arbennig neu grŵp arbennig o bobl jargon
2 iaith gwmpasog, ffuantus yn llawn o eiriau hir jargon

jargonllyd *ans* llawn jargon, o natur jargon jargonistic

jariaid *eb* (jareidiau) llond jar jarful

jasio *be* [jasi•²] fel yn *jasio i fyny*, gwneud rhywbeth yn fwy bywiog to jazz up

jazz *eg* CERDDORIAETH un o nifer o fathau o gerddoriaeth a gafodd eu datblygu gan rai o bobl dduon New Orleans, Unol Daleithiau America, rhwng diwedd y bedwaredd ganrif ar bymtheg a dechrau'r ugeinfed ganrif; mae iddo guriad cryf a chaiff ei chwarae neu ei ganu'n fyrfyfyr jazz

Jehofa *eg* Duw

Tystion Jehofa CREFYDD sect Gristnogol anuniongred sy'n gosod pwys ar genhadu fel unigolion, yn ymwrthod ag awdurdod y wladwriaeth ac yn darogan diwedd y byd Jehovah's Witnesses

jejwnwm *eg* ANATOMEG y rhan o'r coluddyn bach sydd rhwng y dwodenwm a'r ilewm jejunum

jel gw. **gel**

jêl *eb* carchar, dalfa, rheinws jail, gaol

jeli *eg* (jelis)
1 bwyd meddal, melys sy'n crynu pan gaiff ei symud jelly
2 unrhyw sylwedd mewn cyflwr hanner ffordd rhwng solet a hylif jelly

jelïaidd *ans* o ansawdd jeli, tebyg i jeli jelly-like

jelio *be* [jeli•²] troi'n jeli; ceulo to gel

je ne sais quoi *eg* (am rywbeth annelwig) ni allaf roi fy mys arno

jest gw. **jyst**

Jeswit *eg* (Jeswitiaid) aelod o Gymdeithas yr Iesu, un o urddau'r Eglwys Gatholig Rufeinig a sefydlwyd gan Sant Ignatius Loyola tua 1534 ar gyfer cenhadu ac addysgu Jesuit

jet *eb* (jetiau)
1 llifeiriant cryf, cul o hylif, nwy, etc. sy'n cael ei wthio drwy dwll bach; chwythell jet
2 awyren sy'n cael ei gyrru gan injan jet, sef injan sy'n gwthio nwyon poeth o'i hôl i'w gyrru ymlaen jet

jetlif *eg* (jetlifau) METEOROLEG cerrynt cul o wyntoedd cryfion, uchel yn yr atmosffer, yn chwythu o'r gorllewin ar fuanedd o tua 110 km yr awr yn ystod yr haf ac 185 km yr awr yn ystod y gaeaf, ac weithiau dros 370 km yr awr jet stream

jetludded *eg* amhariaeth ar rythmau naturiol y corff, e.e. blinder affwysol, yn dilyn hedfan i bellafoedd byd a chroesi cylchfaoedd amser gwahanol jet lag

jetluddedig *ans* yn dioddef o jetludded jet lagged

jib *eg* (jibs:jibiau) wyneb (yn yr ystyr o dynnu wyneb), *tynnu jibs*; ystum grimace

jibidêrs *ell* fel yn *rhacs jibidêrs*, wedi torri'n ddarnau mân, wedi chwalu'n yfflon; drylliau, yfflon pieces, smithereens, tatters

ji-binc *eg* (jibincod) aderyn bach cyffredin ac iddo gorun glas, cefn brown, rhannau isaf o liw pinc, streipiau gwyn ar ei adenydd a chân nodweddiadol (mae i'r iâr liwiau llawer llai llachar); asgell arian chaffinch

jibio *be* [jibi•²] dangos amharodrwydd; gwrthod, pallu (~ **wrth**) to jib

jibiog *ans*

  1 yn tynnu jibiau grimacing

  2 (am anifail, fel arfer) chwannog i jibio jibbing

jig *eb* (jigiau)

  1 un o nifer o ddawnsiau bywiog â thri churiad i bob mesur jig

  2 dyfais sy'n dal darn o waith naill ai er mwyn gweithio arno ag erfyn neu mewn perthynas â darn arall wrth eu cydosod jig

jig-so *eg* (jigsos) darlun wedi'i dorri yn nifer o ddarnau amrywiol eu maint a'u ffurf; y gamp yw eu gosod yn ôl at ei gilydd jigsaw puzzle

jihad *eg* (Islam)

  1 CREFYDD brwydr bersonol yn erbyn drygioni (greater) jihad

  2 ymateb arfog milwrol yn erbyn anffyddwyr nad yw'n caniatáu terfysgaeth na lladd y diniwed (lesser) jihad

jinc *eg* (jinciau) (mewn rygbi) symudiad sydyn i osgoi tacl jink

jincian *be* [jinci•²] (mewn rygbi) rhedeg yn gyflym gan symud yn sydyn o'r naill ochr i'r llall i osgoi taclau (~ **heibio**) to jink

jingoistaidd *ans* yn arddel syniadau gwladgarol eithafol sy'n arwain at duedd i ymosod ar wledydd eraill jingoistic

jingoistiaeth *eb* gwladgarwch neu genedlaetholdeb eithafol a nodweddir gan duedd i ymosod ar genhedloedd neu wledydd eraill jingoism

jîns *eg* trowsus wedi'i wneud, gan amlaf, o gotwm cryf, glas jeans

jîp *eg* (jîps) cerbyd gyriant pedair olwyn a ddefnyddir at bob math o waith (yn wreiddiol gan y fyddin) jeep

jiráff *eg* (jiraffod) anifail Affricanaidd â choesau a gwddf hir a chroen oren a smotiau duon arno giraffe

jiw *ebychiad* fel yn yr ebychiad o syndod *jiw! jiw!*, ffordd fwy llednais o alw ar enw Duw good gosh

jiwbilî *eb* (jiwbilïau) cyfnod o ddathlu mawr i gofio neu nodi rhyw ddigwyddiad jubilee

jiwcbocs *eg*

  1 peiriant chwarae recordiau neu CDs lle y dewisir un o gasgliad, a gosod arian yn y 'bocs' i'w glywed jukebox

  2 unrhyw gasgliad o ddisgiau y mae modd dewis a chwarae un ohonynt yn awtomatig jukebox

jiwdo *eg* camp wedi'i seilio ar ddull Japaneaidd o ymaflyd codwm lle mae'r ymarferwr yn ceisio gafael yn ei wrthwynebydd a'i daflu i'r llawr neu ei ddal yn ddiymadferth am gyfnod; jw-jitsw judo

jiwt *eg*

  1 planhigyn sy'n cael ei dyfu a'i gynaeafu ar gyfer gwneud defnydd bras megis sachlïain neu'r hyn a geir yn gefn i garpedi jute

  2 y ffibr a geir o risgl y planhigyn jute

jòb *eb* (jobsys)

  1 darn o waith, *Rwy'n gobeithio y gwnaiff well jòb y tro nesaf.* job

  2 rhywbeth anodd, *Roedd yn dipyn o jòb i'w gael i siarad am ei waith.* job, work

  3 swydd, *Pryd rwyt ti'n dechrau yn dy jòb newydd?*; gwaith job

joben *eb* anffurfiol jòb job

jobyn *eg* anffurfiol jòb job

  jobyn da peth da, *Jobyn da nad oeddet ti yma nos Sadwrn.* good job

jôc *eb* (jôcs)

  1 rhywbeth sy'n cael ei ddweud neu ei wneud i achosi chwerthin joke

  2 rhywun neu rywbeth nad oes neb yn ei gymryd o ddifrif joke

jocan *be*

  1 *tafodieithol, yn y De* smalio, cogio, esgus bod, cymryd arnoch to pretend

  2 dweud jôcs to joke

  Sylwch: nid yw'r ferf hon yn arfer cael ei rhedeg.

jocer *eg* un o ddau gerdyn mewn pac o gardiau a llun ffŵl llys arnynt; gellir ei ddefnyddio mewn rhai gêmau fel cerdyn amgen neu ychwanegol at y pum deg dau cerdyn arferol joker

joci *eg* (jocis) un sy'n marchogaeth ceffylau mewn rasys (yn broffesiynol, fel arfer) jockey

jocôs *ans* (am rywun) bodlon ar ei fyd; cyfforddus contented, happy-go-lucky, jocose

jocstrap *eg* (jocstrapiau) dilledyn isaf a wisgir gan ddynion i roi cynhaliaeth i'r ceilliau wrth chwarae gêmau corfforol jockstrap

joch *eg* (jochiau) llond ceg (o rywbeth i'w yfed); cegaid, dracht, llwnc gulp, swig

jogio *be* [jogi•²] anffurfiol loncian; haldian (~ **ar hyd**) to jog

joie de vivre *eb* afiaith bywyd

jolihoetio:jolihoetian *be* [jolihoeti•²] mynd i ffwrdd ar dramp i fwynhau eich hun a gwastraffu amser to gallivant, to jaunt

jolihoetiwr *eg* (jolihoetwyr) un sy'n hoff o jolihoetio gallivanter

j

joule *eg* FFISEG uned fesur safonol o egni,
sef mesur o'r gallu i gyflawni gwaith; J joule

julienne *ans* COGINIO (am lysieuyn neu ffrwyth)
wedi'i dorri yn stribedi byr a thenau

jwg *eb* (jygiau) llestr a dolen i gydio ynddi a phig
i arllwys hylif allan ohoni jug

jwgaid:jygaid *eb* (jwgeidiau:jygeidiau) llond jwg
jugful

jw-jitsw *eg* dull Japaneaidd o ymaflyd codwm
a hyfforddiant corfforol y datblygodd jiwdo
ohono; jiwdo ju-jitsu

jwnta *eb* (jwntâu) grŵp sy'n rheoli llywodraeth
(yn enwedig yn dilyn chwyldro); clymblaid
junta

Jwrasig *ans* DAEAREG yn perthyn i ail gyfnod
y gorgyfnod Mesosöig (200–146 miliwn o
flynyddoedd yn ôl), nodweddiadol ail gyfnod
y gorgyfnod Mesosöig, sef cyfnod yr
ymlusgiaid mawr a'r adar cyntaf Jurassic

jygaid gw. jwgaid

jyglo *be* [jygl•¹]
1 cadw nifer o wrthrychau yn symud drwy'r
aer ar yr un pryd drwy eu dal a'u taflu mewn
trefn arbennig to juggle
2 dygymod yn ddeheuig â nifer o dasgau yr un
pryd to juggle

jyglwr *eg* (jyglwyr) un sy'n medru cadw nifer o
wrthrychau yn symud drwy'r aer yr un pryd
oherwydd y ffordd fedrus mae'n eu dal a'u
haildaflu juggler

jyngl *eg* (jyngloedd)
1 coedwig drwchus yn y trofannau jungle
2 *ffigurol* lle gwyllt llawn tyfiant; lle neu sefyllfa
ddyrys a chystadleuol jungle

jyrsi *eb* dilledyn wedi'i wau sy'n cael ei dynnu
dros y pen a'i wisgo am ran uchaf y corff jersey,
pullover, sweater

jyst:jest *adf anffurfiol* bron, o fewn dim, *Mi fues i
jyst â chwympo.* just

K

k:K *eb* cytsain a ddefnyddir o flaen geiriau
benthyg, ond nid yw'n cael ei ystyried yn un
o lythrennau'r wyddor Gymraeg

karate *eg* camp wedi'i seilio ar ddull Japaneaidd
o ymladd lle y defnyddir y dwylo a'r traed fel
arfau karate

Kazakstanaidd *ans* yn perthyn i Kazakstan,
nodweddiadol o Kazakstan Kazakh

Kazakstaniad *eg* (Kazakstaniaid) brodor o
Kazakstan neu un o'r bobl sy'n byw yn bennaf
yn y wlad honno Kazakh

KB *byrfodd* cilobeit KB

kg *byrfodd* cilogram kg

kilo- gw. cilo-

kl *byrfodd* cilolitr kl

km *byrfodd* cilometr km

Ku Klux Klan *eg* yn Unol Daleithiau America,
cymdeithas gyfrinachol, eithafol, sy'n dyrchafu
hawliau dynion gwyn dros bawb arall

Kuwaitaidd *ans* yn perthyn i Kuwait,
nodweddiadol o Kuwait Kuwaiti

Kuwaitiad *eg* (Kuwaitiaid) brodor o Kuwait
Kuwaiti

kW *byrfodd* cilowat kW

Kyrgyzstanaidd *ans* yn perthyn i Kyrgyzstan,
nodweddiadol o Kyrgyzstan Kyrgyz

Kyrgyzstaniad *eg* (Kyrgyzstaniaid) brodor o
Kyrgyzstan neu un o'r bobl sy'n byw yn bennaf
yn y wlad honno Kyrgyz

L

l¹:L *eb*
1 cytsain a phymthegfed lythyren yr wyddor Gymraeg; ar ddechrau gair, gall fod yn ganlyniad treiglo 'g' yn feddal neu dreiglo 'll' yn feddal, e.e. *dau löwr, dwy long*. l, L
2 CERDDORIAETH y chweched nodyn yng ngraddfa nodiant y system sol-ffa, la l, lah
l² *byrfodd* litr l

la *eg* CERDDORIAETH y chweched nodyn yng ngraddfa nodiant y system sol-ffa, l lah, l

label *eg* (labelau:labeli) darn o ddefnydd (papur neu liain) wedi'i lynu neu ei glymu wrth rywbeth i ddweud beth ydyw neu i ble y mae i fynd, etc. label, tag

labelu *be* [label•¹] gosod label ar rywbeth neu'n ffigurol ar rywun, *labelu poteli gwin, labelu rhywun yn fradwr* (~ *rhywun/rhywbeth* **yn**) to label

labia *ell*
1 lluosog **labiwm**
2 ANATOMEG y pedwar plyg o groen sy'n rhan o'r fwlfa labia

labiwm *eg* (labia)
1 BOTANEG gwefl isaf corola planhigyn gweflog, e.e. aelod o deulu'r mintys labium
2 SWOLEG rhan isaf ceg pryfyn labium

labordy *eg* (labordai) man lle mae gwyddonydd yn gweithio lle y ceir cyfarpar arbennig ar gyfer arbrofi, archwilio, dadansoddi a phrofi defnyddiau laboratory

labrador gw. **ci labrador**

labrinth gw. **labyrinth**

labro *be* [labr•¹] gweithio'n galed yn gorfforol mewn gwaith sydd angen ymdrech a chryfder ond nid llawer o grefft; llafurio to labour

labrwm *eg* (labra) SWOLEG ffurfiad yn cyfateb i wefl neu wefus, yn enwedig ymyl uchaf genau cramenogion neu bryfed labrum

labrwr *eg* (labrwyr) gweithiwr y mae ei waith yn gofyn cryfder yn hytrach na dawn neu grefft; llafurwr labourer, navvy

labyrinth:labrinth *eg* (labyrinthau:labrinthau)
1 rhwydwaith o lwybrau neu dwneli sy'n gweu drwy'i gilydd ac y mae'n anodd iawn cael hyd i'r ffordd allan ohono; mae drysfa yn digwydd mewn dau ddimensiwn ond mae uchder a dyfnder i labyrinth labyrinth
2 ANATOMEG ffurfiad anatomegol cymhleth, yn enwedig yr un yn y glust fewnol; troellfa labyrinth

labyrinthitis *eg* MEDDYGAETH llid y glust fewnol labyrinthitis

lacolith *eg* (lacolithau) DAEAREG corff cymharol fawr o graig igneaidd fewnwthiol ac iddo arwyneb uchaf cromennog a gwaelod lled wastad sy'n gwthio'r creigiau gorchuddiol i fyny laccolith

lacr *eg* math o farnais (clir neu liw) wedi'i wneud drwy hydoddi sielac mewn alcohol; defnyddir un math i gadw gwallt yn ei le lacquer

lacro *be* gorchuddio â haen o lacr to lacquer
Sylwch: nid yw'r ferf hon yn arfer cael ei rhedeg.

lactad *eg* BIOCEMEG halwyn neu ester o asid lactig lactate

lactas *eg* BIOCEMEG ensym sy'n catalyddu hydrolysis lactos yn glwcos a galactos lactase

lactig *ans*
1 yn ymwneud â llaeth lactic
2 a geir o laeth sur neu leision (gleision) lactic
3 BIOCEMEG yn cynhyrchu asid lactig, sylwedd a gynhyrchir yn y cyhyrau yn ystod resbiradaeth aerobig lactic

lactos *eg* CEMEG siwgr a geir mewn llaeth; mae'n cynnwys un moleciwl o glwcos ac un o galactos wedi'u bondio lactose

lach gw. **llach**

lachio gw. **llachio**

ladi *eb* (ladis) gwraig, benyw; boneddiges lady
ladi wen ysbryd ghost

laddar *eg* *tafodieithol, yn y Gogledd* ewyn, *yn laddar o chwys* lather

lafa *eg* (lafâu)
1 DAEAREG craig dawdd sy'n llifo o losgfynydd neu agen yng nghramen y Ddaear lava
2 DAEAREG y graig sy'n cael ei ffurfio pan fydd y defnydd tawdd yn caledu lava

lafant *eg*
1 planhigyn â blodau bach persawrus o liw porffor golau lavender
2 blodau a choesynnau'r planhigyn hwn wedi'u sychu er mwyn eu persawr lavender

lafwr gw. **lawr²**

lagio *be* [lagi•²] gosod gorchudd o gwmpas (boeler, pibau dŵr, etc.) (~ *rhywbeth* â) to lag

lagŵn *eg* (lagwnau) corff o ddŵr hallt wedi'i wahanu'n llwyr neu'n rhannol oddi wrth y môr lagoon

laissez faire *eg* polisi o beidio ag ymyrryd, gan adael i bethau redeg eu cwrs

lama¹ *eg* (lamaod:lamas) anifail dof sy'n perthyn i deulu'r camel ac a geir yn Ne America llama

lama² *eg* (lamas) CREFYDD mynach Bwdhaidd o wlad Tibet lama

lambastio *be* [lambasti•²] ymosod yn chwyrn ar rywun neu rywbeth (yn enwedig mewn dadl) to lambaste

lamela *eb* (lamelâu) ANATOMEG un o'r haenau calchaidd y ffurfir asgwrn ohonynt lamella

lamina *eg* (laminâu)
1 haenen, haen neu gen lamina

2 un o'r haenau sensitif sy'n gorchuddio cnawd carn (ceffyl) lamina

3 BOTANEG llafn deilen (yn hytrach na'i choesyn) lamina

laminaidd *ans*

1 ar ffurf rhywbeth wedi'i laminiadu neu'n debyg iddo laminar

2 FFISEG am lif lle mae llifydd yn llifo mewn haenau paralel heb unrhyw rwystr neu gynnwrf rhwng yr haenau laminar

laminedig *ans* wedi'i laminiadu; haenog laminated

laminiad *eg* (laminiadau) y broses o laminiadu, canlyniad laminiadu laminate

laminiadu *be* [laminiad•³]

1 creu (defnydd cryf) drwy lynu nifer o haenau o'r defnydd wrth ei gilydd to laminate

2 gosod haen denau o blastig neu fetel ar wyneb rhywbeth (~ *rhywbeth* â) to laminate

lamp *eb* (lampau) teclyn sy'n rhoi golau; llusern lamp, lantern

lamp oleugylch lamp sy'n cynhyrchu llafn o olau a ddefnyddir i oleuo rhywun neu rywbeth yn llachar, e.e. actor ar lwyfan spot lamp

Ymadrodd

cadw'r lamp i losgi cadw pethau i fynd (yn wreiddiol, cadw lamp y Deml ynghyn)

lamplen *eb* (lamplenni) math o orchudd lled dryloyw, addurniadol a roddir am ffynhonnell o olau (trydanol) rhag ei bod yn rhy lachar lampshade

lan *adf*

1 *tafodieithol, yn y De* i safle uwch, o le isel i le uwch, *Mae'r heol yn mynd o waelod y cwm lan y mynydd a throsodd i'r ochr arall.*; i fyny up

2 uwchben, mewn safle uwch, *Mae John lan 'na yn barod.* up

3 i safle o eistedd neu sefyll, *Eisteddwch lan.* up

4 dod i'r wyneb o rywle is, *nofiwr yn dod lan am aer* up

5 hyd at, *Cerddodd lan ataf.* up

6 i raddau uwch, â mwy o nerth, *A wnei di droi sŵn y radio lan?* up

7 symud fel ei fod yn uwch, *Cododd goler ei got lan yn erbyn y gwynt.* up

lan â thi i fyny â thi up you go

Lancastriad *eg* (Lancastriaid) *hanesyddol* un a gefnogai gangen Lancaster o deulu brenhinol Lloegr (sef disgynyddion John o Gaunt) yn ystod Rhyfeloedd y Rhosynnau yn y bymthegfed ganrif Lancastrian

lander *eg* (landeri:landerau) *tafodieithol, yn y Gogledd* sianel hir a chul i gasglu a chyfeirio dŵr sy'n rhedeg oddi ar do tŷ; cafn gutter

landlordiaeth *eb* cyfundrefn economaidd lle mae tirfeddiannwr yn troi'n landlord drwy rentu tir amaethyddol i denantiaid landlordism

landri *eb* *anffurfiol* golchdy laundry

landrofer *eg* (landrofers) math o gerbyd neu gar mawr, cryf â gyriant pedair olwyn sy'n addas i'w yrru dros dir garw landrover

lanlwythiad *eg* (lanlwythiadau) ffeil neu set o ffeiliau sydd wedi cael eu lanlwytho upload

lanlwytho *be* [lanlwyth•¹] CYFRIFIADUREG anfon (data) o un cyfrifiadur neu safle i gyfrifiadur neu safle arall, llwytho i fyny to upload

lanolin *eg* y saim a geir mewn gwlân naturiol; hefyd y saim hwn wedi'i buro ar gyfer gwneud eli a cholur lanolin

lansiad *eg* (lansiadau) y broses o lansio, canlyniad lansio launching

lansio:lawnsio *be* [lansi•²]

1 gollwng (cwch) i'r dŵr to launch

2 saethu (arf modern neu ddyfais) i'r awyr neu i'r gofod to launch

3 rhoi ar waith; cychwyn, dechrau to launch

4 tynnu sylw at lyfr, ffilm, rhaglen, etc. sy'n newydd to launch

lantern:lantarn *eb* (lanterni) casyn tryloyw symudol i ddal golau, e.e. cannwyll; llusern lantern

lanthanwm *eg* elfen gemegol rhif 57; metel ariannaidd (La) lanthanum

Laosaidd *ans* yn perthyn i Laos, nodweddiadol o Laos Laotian

Laosiad *eg* (Laosiaid) brodor o wlad Laos Laotian

lap *eg* *tafodieithol, yn y De* fel yn *cau dy lap*, siarad diddiwedd; baldordd, cleber, gwag-siarad, lol

Lapaidd *ans* yn perthyn i'r Lapdir a'i phobl, nodweddiadol o'r Lapdir Lapp

Lapiad *eg* (Lapiaid) brodor o'r Lapdir neu o dras Lapaidd Laplander, Sami

lapidari *eg* un sy'n naddu, caboli neu ysgythru meini gwerthfawr; gemydd lapidary

lapilws *eg* (lapili) DAEAREG darn bach o ddefnydd folcanig (ar ffurf cerigos o lafa neu ddarnau o bwmis) a deflir allan yn ystod echdoriad folcanig lapillus

lapio *be* [lapi•²]

1 plygu rhywbeth o gwmpas rhywbeth arall; amdoi, gorchuddio, pacio (~ *rhywbeth* **yn**) to swaddle, to wrap

2 CYFRIFIADUREG peri i air neu uned o destun gael ei gario drosodd i linell newydd yn awtomatig wrth gyrraedd yr ymyl, neu gael ei ffitio o amgylch eitemau wedi'u mewnosod, e.e. lluniau to wrap

lapiwr *eg* (lapwyr) darn o bapur, plastig neu ffoil sy'n gorchuddio a gwarchod rhywbeth sydd ar werth wrapper

lapswchan *be* *tafodieithol, yn y De* cusanu yn hir ac yn wlyb to smooch

Sylwch: nid yw'r ferf hon yn arfer cael ei rhedeg.

lard *eg* bloneg, yn enwedig y bloneg gwyn a geir o fol mochyn, wedi'i doddi a'i buro lard

larfa *eg* (larfâu) ffurf gynnar ar bryfyn neu anifail, e.e. lindysyn neu benbwl, sy'n mynd drwy broses o fetamorffosis; cynrhonyn larva

largo *adf ac ans* CERDDORIAETH yn araf ac urddasol

larts *ans* [lartsi•] balch, beiddgar, mawreddog, hy, talog conceited

larwm *eg* (larymau) fel yn *cloc larwm*, sŵn sy'n rhybuddio rhag perygl; dyfais ar gloc neu oriawr sy'n gallu cael ei gosod i wneud sŵn ar amser penodol er mwyn dihuno/deffro rhywun sy'n cysgu alarm

laryncs *eg* ANATOMEG rhan o'r system resbiradol sy'n cynnwys y tannau llais; mae'n gyfrifol am gynhyrchu'r llais ac yn ein cynorthwyo i lyncu ac i anadlu larynx

las:lasyn *eg* (lasys) carrai esgid lace

lasagne *ell* COGINIO pasta ar ffurf stribedi llydain sy'n cael eu coginio yn haenau gyda sawsiau amrywiol (o gig neu gaws) rhyngddynt

laser *eg* (laserau) dyfais sy'n cynhyrchu pelydryn dwys o olau unlliw laser

lasio *be* [lasi•²]
1 clymu neu dynhau â charrai, e.e. esgid to lace
2 dirwyn carrai drwy dyllau priodol, neu addurno â charrai to lace

last *eb* (lastiau) dyfais fetel ar ffurf troed a ddefnyddir gan grydd wrth lunio neu gyweirio esgid shoe-last

lastig gw. elastig

lasŵ *eg* rhaff sy'n rhedeg drwy ddolen ac yn ffurfio cylch ar un pen iddi; gallwch ei thynhau a'i defnyddio i ddal anifeiliaid megis ceffylau neu wartheg lariat, lasso

lasyn gw. las

lasys *ell* lluosog las

latecs *eg* hylif tebyg i laeth a gynhyrchir gan rai planhigion ac a ddefnyddir i wneud rwber, gwm cnoi, etc. latex

Latfiad *eg* (Latfiaid) brodor neu ddinesydd Latvia, un o dras Latfiaidd Latvian

Latfiaidd *ans* yn perthyn i Latvia, nodweddiadol o Latvia Latvian

lats *eb* bar bach o fetel sy'n cael ei godi neu ei ostwng i fachyn priodol gan dafod o fetel (y gallwch ei wasgu â'ch bawd, fel arfer), cliciod drws latch

lawnsio gw. lansio

lawnt *eb* (lawntiau)
1 darn o borfa mewn gardd neu barc sy'n cael ei dorri'n gwta yn gyson lawn
2 (mewn golff) y cylch neu'r llain lefn o gwmpas y twll green

lawr¹:i lawr *adf*
1 i neu tuag at safle is; o ben uchaf i ben isaf rhywbeth, *Estynnwch y bocs yna i lawr i mi.* down
2 i'r de, *Rwy'n mynd i lawr i Gaerdydd dros y penwythnos.* down
3 i le neu safle sydd bellter oddi wrth y siaradwr (heb fod, o raid, yn is), *Ei di lawr yr heol imi i siopa? Mae o wedi mynd lawr i'r dre.* down
4 ar bapur, yn ysgrifenedig, *Rwyf wedi rhoi'r rhif i lawr fan hyn.* down
5 i gyflwr neu stad lai grymus, gwannach, *A wnei di droi'r teledu i lawr am funud i mi gael siarad?* down
6 dros gyfnod o amser, *Mae'r un enw wedi dod i lawr o un genhedlaeth i'r llall yn ein teulu ni.* down
7 suddo, *Dewch yn gyflym, mae e'n mynd i lawr am y trydydd tro.* down, under
8 ar y llawr, wedi cwympo, *Mae hi i lawr – nac yw, mae hi wedi codi ac yn rhedeg eto.* down
9 ar lefel is, *Mae'r nifer sy'n dod i'r dosbarth nos i lawr eleni.* down
10 wedi gorffen, *un i lawr a phump i fynd* down
11 yn ymgeisydd, *Wyt ti i lawr i redeg yn y ras filltir?* down
12 i safle o orffwys, *Gorweddodd i lawr.* down
13 ar hyd, *Cerddodd i lawr y stryd.* down

lawr grisiau lawr llawr, lawr staer downstairs

lawr llawr lawr staer, lawr grisiau downstairs

talu i lawr rhoi rhan o ddâl am rywbeth (a thalu'r gweddill bob yn dipyn)

torri i lawr
1 (am beiriant) methu symud, gwrthod gweithio
2 colli rheolaeth ar yr emosiynau, llefain to break down

lawr² *eg* COGINIO fel yn *bara lawr*, bwyd wedi'i wneud o ddail math arbennig o wymon (a gysylltir â Bro Gŵyr) laver

lawrenciwm *eg* elfen gemegol rhif 103; metel ymbelydrol wedi'i lunio gan ddyn (Lr) lawrencium

lawrlwythiad *eg* (lawrlwythiadau) CYFRIFIADUREG ffeil neu set o ffeiliau sydd wedi cael eu lawrlwytho download

lawrlwytho *be* [lawrlwyth•¹] CYFRIFIADUREG trosglwyddo data o un cyfrifiadur i un arall, fel arfer o gyfrifiadur mwy i un llai; llwytho i lawr to download

lecithin *eg* BIOCEMEG un o grŵp o ffosffolipidau a geir ym meinweoedd anifeiliaid ac yn rhai planhigion, e.e. melynwy a ffa soia; fe'u defnyddir yn y diwydiant bwyd oherwydd eu bod yn gallu sefydlogi cymysgedd o olew a dŵr lecithin

lecsiwn *eb* (lecsiynau) *anffurfiol* etholiad election

ledio *be* [ledi•²]
1 arwain, tywys, dangos y ffordd, *ledio'r ffordd* to guide, to lead
2 arwain (y gân), codi'r canu; darllen emyn cyn iddo gael ei ganu, *ledio emyn* to lead

ledled *adf* yn ymestyn drwy, *Daeth y canwr yn adnabyddus ledled Cymru wedi iddo ennill y gystadleuaeth ar y teledu.* throughout

lefain *eg* sylwedd sy'n achosi i gymysgedd o ddŵr a blawd godi; burum, eples, surdoes leaven, yeast

lefeinio *be* [lefeini•²]
1 achosi i godi neu ysgafnhau to leaven
2 treiddio drwyddo â rhywbeth sy'n bywiocáu neu'n achosi newid er gwell to leaven

lefel *eb* (lefelau)
1 safle o uchder, *Mae'r tŷ wedi'i adeiladu ar ddwy lefel.*; llawr level
2 offeryn a ddefnyddir gan saer, masiwn, etc. i sicrhau bod gwaith yn wastad; lefel wirod level, spirit level
3 safon, *arholiad Lefel A*; gradd, safon level
4 twnnel gwastad mewn gwaith glo neu fwyngloddiau level

lefel wirod dyfais sy'n defnyddio swigen mewn tiwb gwydr llawn alcohol neu hylif arall i ddangos a yw arwyneb yn berffaith lorweddol spirit level

lefelu *be* [lefel•¹] gwneud yn wastad; gwastatáu, llyfnhau to level

lefiathan *eg*
1 unrhyw beth anferthol sy'n bygwth gormesu (o'r enw ar yr anghenfil dŵr enfawr yn y Beibl) leviathan
2 gwladwriaeth dotalitaraidd â biwrocratiaeth anferth leviathan

lefren *eb* (lefrod)
1 ysgyfarnog neu gwningen ifanc leveret
2 enw ar ferch ifanc yn ei harddegau filly

legad:legat *eg* cynrychiolydd swyddogol (Pab, llywodraeth, etc.); cennad, diplomydd, dirprwy legate

legins *ell* dilledyn i'w wisgo am y coesau, yn wreiddiol wedi'u gwneud o ledr neu gynfas; bacsau leggings

leicio *be* hoffi (hefyd yn y gair croes 'drwgleicio') to like
Sylwch: nid yw'r ferf hon yn cael ei rhedeg fel arfer, ond mae'n gyffredin ar lafar, e.e. 'licen/liciwn','licech/liciech', etc.

leim *egb* (leimiau)
1 ffrwyth sitrws sy'n debyg i lemon bach gwyrdd lime
2 lliw gwyrdd tebyg i liw croen leim lime
3 y goeden y mae'r leim yn tyfu arni

lein *eb* (leiniau)
1 llinell, *lein ar bapur, lein o farddoniaeth* line
2 un o'r llinellau gwyn sy'n marcio caeau chwarae, *rhedeg y lein mewn gêm o rygbi* line
3 trac trenau; cledrau, rheilffordd line
4 llinyn, *lein bysgota* line
5 y ddwy linell a ffurfir gan y blaenwyr mewn gêm o rygbi, er mwyn ailgychwyn, wedi i'r bêl groesi'r ystlys line-out

ar lein *gw.* ar

lein bibell rhes hir (milltiroedd) o bibau wedi'u cydgysylltu er mwyn cludo nwy, olew, etc.; piblin pipeline

lein ddillad rhaff neu wifren y mae dillad yn cael eu hongian arni i sychu clothes line

lein fach rheilffordd trenau ager hen ffasiwn (sy'n gulach, fel arfer, na thrac modern) (narrow gauge) railway

leiner:leinar *eb* llong yn perthyn i gwmni llongau sy'n cludo teithwyr ar deithiau cofrestredig rheolaidd liner

leiniad *eg* y weithred o leinio neu o roi cweir i rywun, canlyniad leinio thrashing

leinin *eg* (leininau) peth a ddefnyddir i orchuddio'r tu mewn i rywbeth neu'r tu cefn i rywbeth, e.e. defnydd y tu mewn i ddilledyn neu'r tu ôl i lenni, plastig y tu mewn i fin, neu fetel y tu mewn i simnai lining

leinio *be* [leini•²]
1 rhoi cweir; cledro, chwipio, ergydio, ffusto, pwno to lash, to thrash
2 gosod leinin, *Cofiwch leinio'r tun rhag i'r deisen lynu wrth yr ochrau.* (~ *rhywbeth* â) to line
3 bod yn leinin y tu mewn i (rywbeth), *Mae celloedd arbennig yn leinio'r coluddion.* to line

leino *eg* anffurfiol linoliwm lino

leitmotif *eg* (leitmotifau)
1 CERDDORIAETH cymal o gerddoriaeth (mewn opera, fel arfer) sy'n cynrychioli cysyniad neu gymeriad ac sy'n cael ei ailadrodd pan fydd y cyfansoddwr yn dymuno tynnu sylw at syniad neu gymeriad; fe'i cysylltir ag operâu Wagner yn bennaf
2 prif thema neu gysyniad sy'n ymddangos dro ar ôl tro mewn darn o lenyddiaeth

lelog *eg*
1 coeden â blodau persawrus o liw porffor golau (er bod mathau â blodau o borffor tywyll a blodau gwyn i'w cael); pren y goeden hon lilac
2 y lliw porffor golau sydd fwyaf nodweddiadol o'r blodau hyn lilac

lema *eg* (lemata) BOTANEG yr isaf o'r ddwy ddeilen sy'n amgáu'r blodyn mewn gweiryn lemma

lembo *eg* anffurfiol rhywun twp; hulpyn, iolyn, ionc numbskull, thickhead

leming *eg* (lemingiaid)
1 math o lygoden sy'n byw yng ngwledydd yr Arctig; mae'r llygod hyn yn enwog am deithio'n bell yn un haid fawr gan ddiystyru pob perygl a allai ddod i'w rhan lemming
2 *ffigurol* rhywun sy'n ymuno (yn ddifeddwl) â mudiad torfol yn ei ruthr i ddistryw lemming

lemon:lemwn *eg* (lemonau)
1 ffrwyth sitrws melyn y mae sudd sur a siarp
y ffrwyth yn cael ei ddefnyddio i ychwanegu
blas at fwydydd a diodydd ac ar gyfer persawr
lemon
2 lliw melyn tebyg i liw croen lemon lemon
3 y goeden y mae'r lemon yn tyfu arni
lemonêd:lemwnêd *eg* diod wedi'i gwneud
o sudd lemon neu sydd â blas lemon arni
lemonade
lemwr:lemur *eg* (lemyriaid) mamolyn y nos
o Fadagascar; mae'n debyg i fwnci a chanddo
drwyn hir fel cadno, llygaid mawr a blew
meddal lemur
lens *eg* (lensiau:lensys)
1 darn o wydr neu ddefnydd tryloyw ag
ochrau crwm ar gyfer ffocysu neu wasgaru
pelydrau goleuni; fe'i defnyddir ar ei ben ei hun
(e.e. chwyddwydr) neu gyda lensiau eraill
(e.e. telesgop) lens
2 ANATOMEG ffurfiad tryloyw, elastig y tu ôl i
iris y llygad sy'n gallu newid ei siâp er mwyn
ffocysu golau ar retina'r llygad lens
lens cyffwrdd lens plastig tenau sy'n gorwedd
ar y llygad er mwyn gwella nam ar y golwg
contact lens
lenticel *eg* (lenticelau) BOTANEG un o'r mandyllau
niferus yng nghoesyn planhigyn prennaidd sy'n
caniatáu cyfnewid nwyon â'r aer lenticel
lepton *eg* (leptonau) FFISEG dosbarth o ronynnau
isatomig sy'n llai na baryon ac yn cynnwys yr
electron, y ffoton a'r cwarc lepton
leptoten *egb* BIOLEG cam cyntaf proffas meiosis,
pan mae pob cromosom i'w weld fel dwy edau
fân (cromatidau) leptotene
les[1] *eb* (lesoedd) prydles; cytundeb ysgrifenedig
rhwng perchennog a rhywun y mae'n caniatáu
iddo ddefnyddio ei eiddo am gyfnod penodol
am dâl neu am rent lease
les[2] *eb* (lesau) darn o ddefnydd wedi'i wau, sy'n
debyg i rwyd fain a chywrain; sider lace
lesbiad *eb* (lesbiaid) merch neu wraig
gyfunrywiol gay, homosexual woman, lesbian
lesbiaeth *eb* perthynas rywiol rhwng benyw a
benyw lesbianism, homosexuality
lesddeiliad *eg* (lesddeiliaid) prydleswr; perchennog
prydles (ar adeilad, fel arfer) leaseholder
lèse-majesté *eg* brad; sarhau'r brenin/frenhines
les-fenthyg *eg* y system (a ddefnyddiwyd gan
Unol Daleithiau America yn ystod yr Ail Ryfel
Byd) i drosglwyddo nwyddau a chymorth
i gynghreiriaid, gyda'r defnyddiau (neu
ddefnyddiau o werth cyfatebol) yn cael eu
rhoi yn ôl ar y diwedd, neu'n cael eu defnyddio
ar y cyd lend-lease
lesio *be* [lesi•[2]] prydlesu; gosod neu ddal tir,
adeilad, etc. ar brydles to lease

letysen *eb* (letys)
1 un o lysiau'r ardd (bwytadwy) ac iddi ddail
bras gwyrdd neu borffor lettuce
2 (yn lluosog) dail y llysieuyn hwn, e.e. mewn
salad lettuce
lewcemia:lewcaemia *eg* MEDDYGAETH clefyd
malaen, cynyddol lle mae mêr yr esgyrn
ac organau eraill sy'n cynhyrchu gwaed
yn cynhyrchu mwy a mwy o lewcocytau
anaeddfed neu annormal sy'n atal y broses o
gynhyrchu celloedd gwaed normal leukaemia
lewcocyt *eg* (lewcocytau) FFISIOLEG cell wen
y gwaed, cell dryloyw sy'n ymladd clefydau
a chorffynnau estron yn y gwaed leucocyte
liana *eb* (lianas) planhigyn dringo â choesyn
meddal a geir mewn coedwigoedd trofannol
liana
Libanaidd *ans* yn perthyn i wlad Libanus,
nodweddiadol o wlad Libanus Lebanese
Libaniad *eg* (Libaniaid) brodor o wlad Libanus
Lebanese
libart *eg*
1 y tir sy'n amgáu tŷ curtilage
2 tir pori mynyddig mountain pasture
3 tir lle y cedwir dofednod/ffowls hen run
4 rhyddid neu le i grwydro
Liberiad *eg* (Liberiaid) brodor o Liberia Liberian
Liberiaidd *ans* yn perthyn i Liberia, nodweddiadol
o Liberia Liberian
Libiad *eg* (Libiaid) brodor o Libya Libyan
Libiaidd *ans* yn perthyn i Libya, nodweddiadol o
Libya Libyan
libido *eg*
1 SEICOLEG egni emosiynol neu feddyliol sydd,
yn ôl seicdreiddwyr, yn deillio o drachwantau
cyntefig biolegol libido
2 ffynhonnell chwant rhywiol libido
libretto *eg* (*libretti*) testun ar gyfer gwaith sydd
yn gerddorol ac ar gyfer theatr (e.e. opera)
libretydd *eg* (libretwyr) awdur 'libretto' librettist
licris *eg*
1 sylwedd du a ddefnyddir i roi blas ar felysion
neu foddion, neu wreiddyn y planhigyn y ceir
y sylwedd hwn ohono liquorice
2 losin/pethau da a blas y sylwedd hwn arnynt
liquorice
lid *eb* (lidiau) gwifren drydan wedi'i hinswleiddio;
cebl lead
Liechtensteinaidd *ans* yn perthyn i wlad
Liechtenstein, nodweddiadol o Liechtenstein
Liechtenstinian
Liechtensteiniad *eg* (Liechtensteiniaid) brodor
o wlad Liechtenstein Liechtensteiner
Lied (*Lieder*) CERDDORIAETH math o gân
Almaenaidd, yn enwedig o'r cyfnod
Rhamantaidd, ar gyfer unawdydd lleisiol ac yn
cynnwys cyfeiliant piano

lifer *eg* (liferi)
1 MECANEG bar anhyblyg sy'n gorffwys ar golyn ac a ddefnyddir i drosglwyddo grym, e.e. i godi pwysau ar un pen iddo drwy wthio i lawr ar y pen arall *lever*
2 braich neu ddolen ymestynnol a symudir i weithio mecanwaith *lever*

lifrai *eg* (lifreiau) gwisg swyddogol, yn arbennig pobl megis milwyr, plismyn, etc.; iwnifform *livery, uniform*

lifft *eg* (lifftiau)
1 math o flwch mawr neu ystafell fach symudol i gario pobl neu nwyddau o lawr i lawr mewn adeilad amrylawr *lift, elevator*
2 taith rad ac am ddim mewn cerbyd; pàs *lift*

lifftenant *eg* swyddog yn y fyddin neu yn y llynges; is-gapten *lieutenant*

lignaidd *ans* tebyg i bren *ligneous*

ligneiddio *be* troi'n bren *to lignify*
Sylwch: nid yw'r ferf hon yn arfer cael ei rhedeg.

lignin *eg* BOTANEG polymer a geir yng nghellwlos cellfuriau planhigion *lignin*

lignit *eg* DAEAREG glo brown sydd hanner ffordd rhwng mawn a glo; coedlo *lignite*

ling-di-long:linc-di-lonc *adf* yn symud o'r naill ochr i'r llall; o dow i dow, yn araf deg, yn hamddenol *leisurely, slowly*

lili *eb* (liliau) un o nifer o fathau gwahanol o blanhigion, yn enwedig hwnnw sydd â blodau mawr gwyn *lily*
lili'r dŵr:lili ddŵr alaw *water lily*
lili'r dyffrynnoedd:lili'r maes aelod o deulu'r lili â dail llydan a blodau gwyn persawrus ar ffurf clychau bychain *lily of the valley*
lili'r Wyddfa planhigyn Arctig-alpaidd â dail cul a blodau gwyn ac arnynt wythiennau cochlyd; fe'i darganfuwyd gan Edward Lhuyd ddiwedd yr ail ganrif ar bymtheg; brwynddail y mynydd *Snowdon lily*
lili wen fach eirlys *snowdrop*

limonit *eg* mwyn o liw brown yn bennaf yr echdynnir haearn ohono *limonite*

limpin *eg* pìn haearn sy'n cael ei roi drwy dwll ym mhen echel i gadw'r olwyn sydd arni yn ei lle *linchpin*
colli fy (dy, ei, etc.**) limpin** colli tymer (y syniad gwreiddiol oedd hwnnw o gert yn colli'r pìn sy'n ei ddal wrth yr hyn sy'n ei dynnu ac yn rhedeg yn gyflym ac yn ddigyfeiriad) *to become unhinged, to go bananas, to lose one's temper*

limrica *be* cyfansoddi limrigau
Sylwch: nid yw'r ferf hon yn arfer cael ei rhedeg.

limrig *eg* (limrigau) pennill doniol, ffraeth neu gellweirus o bum llinell yn odli yn ôl y patrwm *a a b b a*, gyda thri thrawiad yn llinellau *a* a dau drawiad yn llinellau *b* *limerick*

limrigwr *eg* (limrigwyr) cyfansoddwr limrigau

limwsîn *egb* (limwsinau) car mawr, moethus â gyrrwr ei hun; mae'n arfer cynnwys gwydr yn rhannu'r gyrrwr oddi wrth y teithwyr *limousine*

linc-di-lonc gw. **ling-di-long**

lindys *ell* lluosog **lindysyn**

lindysyn *eg* creadur tebyg i fwydyn bach sydd â chorff hir wedi'i rannu'n ben ac 13 o rannau; mae mathau gwahanol ohonynt sy'n deor o wyau glöyn byw, y gwyfyn neu rai trychfilod eraill; ar ôl bwrw ei groen tua phump o weithiau mae'r lindysyn yn troi'n chwiler; Siani flewog *caterpillar, grub*

lingerie *eb* dillad isaf a dillad nos benywaidd

linoliwm *eg* gorchudd llawr ac iddo wyneb sgleiniog, gwydn, wedi'i wneud o olew had llin yn gymysg â sylweddau eraill ar haen o gynfas *linoleum*

lint *eg* defnydd meddal, esmwyth a ddefnyddir i drin briwiau *lint*

lintel:linter *eb* (lintelydd:linterydd) capan drws; trawst neu garreg sy'n gapan ffenestr *lintel*

lipas *eg* (lipasau) BIOCEMEG ensym sy'n catalyddu ymddatodiad brasterau ac olewydd yn asidau brasterog a glyserol *lipase*

lipid *eg* (lipidau) CEMEG un o nifer o sylweddau nad ydynt yn hydoddi mewn dŵr ond sydd yn hydoddi mewn alcohol ac ether; y rhain ynghyd â charbohydradau a phroteinau yw prif gydrannau celloedd byw, ac maent yn cynnwys brasterau a mathau o wêr *lipid*

liposugnedd *eg* MEDDYGAETH y broses o liposugno, yn enwedig fel triniaeth feddygol *liposuction*

liposugno *be* MEDDYGAETH techneg lawfeddygol lle mae braster yn cael ei sugno oddi tan y croen *liposuction*

lisbian:lisbio *be* [lisbi•²] bod â nam ar y lleferydd sy'n arwain at ynganu 's', 'z' ac 'th' yn debyg i 'dd' *to lisp*

listio *be* [listi•²]
1 ymuno yn wirfoddol â'r lluoedd arfog *to enlist*
2 cofrestru rhywun yn aelod o'r lluoedd arfog *to enlist*

litani *eb* (litanïau) gweddi ffurfiol, gan amlaf o natur edifeiriol, yn cynnwys darnau a adroddir gan offeiriad ac atebiadau gan y gynulleidfa *litany*

litmws *eg* CEMEG llifyn sy'n troi'n goch dan effaith asid ac yn las dan effaith alcali *litmus*

litr *eg* (litrau) mesur cyfaint sy'n cyfateb i tua 1¾ peint; l *litre*

litwrgi *eg* (litwrgïau) CREFYDD trefn ffurfiol gwasanaeth eglwysig cyhoeddus *liturgy*

litwrgïaidd *ans* yn perthyn i litwrgi, tebyg i litwrgi *liturgical*

lithiwm *eg* elfen gemegol rhif 3; metel alcalïaidd, meddal, ysgafn, ariannaidd a ddefnyddir yn helaeth mewn batris (Li) lithium

lithograff *eg* (lithograffau) llun wedi'i gynhyrchu drwy broses lithograffeg lithograph

lithograffeg *eb* proses argraffu yn defnyddio wyneb gwastad, e.e. plât metel, lle mae'r ddelwedd i'w hargraffu yn derbyn inc ond y rhannau gwag yn ymwrthod ag inc lithography

litholeg *eb* DAEAREG disgrifiad o nodweddion creigiau ar sail eu lliw, maint y gronynnau/crisialau, eu gweadedd a'u cyfansoddiad lithology

lithosffer *eg* DAEAREG cramen allanol solet y Ddaear sy'n amrywio rhwng 2–3 km a 120–140 km o ran trwch, a dros 250 km o dan rannau o'r cyfandiroedd lithosphere

Lithwanaidd *ans* yn perthyn i wlad Lithuania, nodweddiadol o Lithuania Lithuanian

Lithwaniad *eg* (Lithwaniaid) brodor o Lithuania, dinesydd neu un o dras Lithwanaidd Lithuanian

liwdo *eg* gêm fwrdd syml lle mae hyd at bedwar o chwaraewyr yn symud cownteri o gwmpas y bwrdd yn ôl y rhif ar y dis; y cyntaf i gyrraedd adref sy'n ennill ludo

liw dydd/nos *adf* yn ystod (y dydd:y nos) by (day:night)

liwt *eb* (liwtiau) math o offeryn cerddorol ar ffurf hanner peren, gyda thannau sy'n cael eu plycio yn yr un ffordd â thannau gitâr; yn Sbaen yn y bedwaredd ganrif ar ddeg y daeth y fersiwn Ewropeaidd o'r offeryn hwn i fodolaeth lute

ar fy (dy, ei, etc.) liwt fy (dy, ei, etc.) hun ar fy mhen fy hun, heb gymorth gan neb, yn annibynnol ar bawb arall off one's own bat

lob *eg* *anffurfiol* hurtyn, iolyn, ffŵl, twpsyn yobbo

lobi *eb* (lobïau) cyntedd adeilad; porth lobby, porch

lobio *be* [lobi•²] taflu neu daro pêl ar ffurf bwa yn uchel drwy'r awyr fel ei bod yn glanio y tu ôl i'r gwrthwynebydd to lob

lobïo *be* [lobï•⁸] gweithredu er mwyn dylanwadu ar swyddogion corff cyhoeddus neu Aelodau Seneddol/Cynulliad (o blaid neu yn erbyn polisi arbennig fel arfer) to lobby

  Sylwch: does dim angen didolnod pan fydd dwy 'i' yn dilyn ei gilydd, lobiir.

lobïwr *eg* (lobïwyr) un sy'n lobïo lobbyist

lobsgows *eg*

  1 *tafodieithol, yn y Gogledd* saig a geir o gydferwi darn o gig (cig eidion, fel arfer) a llysiau; potes lobscouse, stew

  2 cawl, cymysgedd, cawdel hotchpotch, muddle

loc *eg* (lociau) darn o gamlas neu afon â dwy gât (llifddorau) ar y ddau ben y gellir eu hagor neu eu cau i reoli llif y dŵr; fe'i defnyddir i godi neu ostwng cwch yn ôl lefel y dŵr lock

loc.cit. *adf* (talfyriad o'r Lladin *loco citato*, yn y man y soniwyd amdano

loced *eb* (locedi) casyn bach o aur neu arian a wisgir fel tlws am y gwddf, â lle ynddo i gadw llun neu gudyn o wallt locket

locer *eg* (loceri) cwpwrdd bychan lle y gall unigolyn gadw rhai mân bethau dan glo mewn lle cyhoeddus, e.e. dillad mewn ystafell newid pwll nofio locker

loci *ell* ffurf luosog **locws**

locomotif *eg* injan sy'n rhedeg ar gledrau ac yn tynnu cerbydau neu wageni locomotive

locsodrom *eg* llinell ddychmygol ar wyneb y Ddaear sy'n croesi pob meridian hydred ar yr un ongl loxodrome

locsyn *eg* (locsys) *anffurfiol* barf beard

locust *eg* (locustiaid)

  1 math o geiliog y rhedyn a geir mewn gwledydd poeth; mae'n gallu ymuno ag eraill i ffurfio heidiau anferthol sy'n difa'n llwyr unrhyw blanhigion y maent yn disgyn arnynt locust

  2 defnyddir 'locustiaid' yn ffigurol am unrhyw nifer mawr o bobl neu grŵp trachwantus

  fel haid o locustiaid am grŵp o bobl sy'n cyrraedd ac yn bwyta'n awchus like a swarm of locusts

locwm *eg* (locymiaid) talfyriad o *locum tenentes*, sef un sy'n dirprwyo dros dro (yn enwedig am feddyg neu offeiriad) locum

locws *eg* (loci:locysau)

  1 safle penodol lle mae rhywbeth wedi'i leoli neu'n digwydd, *locws genyn ar gromosom* locus

  2 MATHEMATEG cromlin neu ffigur arall a ffurfir gan yr holl bwyntiau y mae eu lleoliad wedi'i bennu gan amodau penodol locus

lodes *eb* (lodesi:lodesau) *llenyddol* merch ifanc damsel, girl

loes *gw.* **gloes**

loes calon poen emosiynol neu alar heartache

loetran *be* oedi, sefyllian, segura, tin-droi to dawdle, to loiter

  Sylwch: nid yw'r ferf hon yn arfer cael ei rhedeg.

lòg *eg* (logiau)

  1 darn o bren neu foncyff addas i'w roi ar y tân log

  2 cofnod rheolaidd neu systematig o ddigwyddiadau neu arsylwadau, e.e. er mwyn cofnodi'r hyn sy'n digwydd mewn ysgol, neu hynt taith llong log, logbook

lòg o rhywbeth mawr iawn, clamp o, *logiau o draed anferthol* great big

logarithm *eg* (logarithmau) MATHEMATEG y radd neu'r pŵer y mae'n rhaid codi rhif penodol (y bôn) iddo er mwyn cynhyrchu rhif penodol arall, *Logarithm 100 bôn 10 yw 2 gan fod $10^2 = 100$.*; log logarithm

logarithmig *ans* MATHEMATEG o natur logarithm, wedi'i fynegi ar ffurf logarithm logarithmic

logio *be* [logi•²] gwneud cofnod systematig o ddigwyddiadau neu arsylwadau, *logio data* to log

logisteg *eb* y rhan o wyddor filwrol yn ymwneud â symud, cartrefu, bwydo a sicrhau cyflenwadau o anghenion i filwyr mewn ymgyrch milwrol logistics

logogram *eg* (logogramau) llythyren, arwydd neu ran o air a ddefnyddir i gynrychioli gair cyfan mewn system law-fer logogram

lojer *eg* (lojers) *anffurfiol* lletywr; un sy'n talu rhent i fyw yn yr un tŷ â pherchennog y tŷ lodger

lojo:lojio *be* [loj•¹] *anffurfiol* lletya (~ gyda) to lodge

lol *eb* gwag-siarad dwl, nonsens; baldordd, dwli, ffwlbri frivolity, nonsense, rubbish

  lol botes maip ffwlbri eithaf, nonsens pur, twt lol! nonsense, poppycock

Lolard *eg* (Lolardiaid) *hanesyddol* un o ddilynwyr John Wycliffe yn y bedwaredd ganrif ar ddeg Lollard

lolfa *eb* (lolfeydd) ystafell gyffordus (mewn tŷ neu westy) i eistedd ac ymlacio ynddi lounge, sitting room

lolian *be*

  1 siarad lol, siarad dwli to joke

  2 eistedd neu sefyll mewn ffordd ddiog; gorweddian, lled-orwedd, segura to lounge

  Sylwch: nid yw'r ferf hon yn arfer cael ei rhedeg.

lolipop *eg* (lolipops)

  1 losin/pethau da neu iâ (wedi'i flasu a'i liwio) ar ffon fechan lollipop

  2 yr arwydd crwn sy'n cael ei ddefnyddio i atal trafnidiaeth y tu allan i ysgol fel bod y plant yn gallu croesi'r ffordd yn ddiogel, *dyn/dynes lolipop* lollipop man/woman

lolyn *eg* hurtyn, ionc, lob, twpsyn fool

lom *eb* (lomau) math o bridd ffrwythlon yn cynnwys clai yn bennaf, tywod, a defnydd organig pydredig; priddglai loam

lôn *eb* (lonydd) ffordd fach gul (â chloddiau bob ochr iddi, fel arfer); beidr, heolig, llwybr, wtra lane

  lôn bengaead lôn a dim ond un ffordd i mewn ac allan ohoni; ffordd bengaead cul-de-sac

  lôn bost y ffordd fawr main road

  lon fawr y ffordd fawr main road

  Ymadrodd

  lôn goch *anffurfiol* y bibell fwyd

loncian *be* [lonci•²] rhedeg yn araf ond yn gyson; jogio (~ ar hyd) to jog

lonciwr *eg* (loncwyr) un sy'n loncian (i gadw'n heini, fel arfer) jogger

lordio *be* [lordi•²] tra-arglwyddiaethu, mynd o gwmpas yn rhoi'r argraff o fod yn gyfrifol (~ ar) to show off, to swank

lorri *eb* (lorïau) cerbyd modur a ddefnyddir i gario nwyddau trwm neu hir lorry

  lorri laeth tancer llaeth milk-tanker

  lorri ludw cerbyd casglu gwastraff o dai pobl dustcart

  lorri wartheg cattle-truck

lòs *eb* talfyriad tafodieithol o 'lodes'

losin *eg* ac *ell* danteithion melys; candis, cisys, da-da, fferins, melysion, minceg, pethau da, taffis sweet, sweets

loteri *eb* (loterïau)

  1 dull o godi arian drwy werthu tocynnau wedi'u rhifo; y mae perchenogion y tocyn neu'r tocynnau, sy'n cael eu dewis ar hap, yn ennill gwobrau lottery

  2 rhywbeth y mae'n ymddangos bod ei ganlyniad yn dibynnu yn gyfan gwbl ar hap a damwain lottery

lotment *eb* (lotments) llain o dir sy'n rhan o ddarn mwy, a rentir (gan awdurdod lleol, fel arfer) i rywun ei thrin a'i garddio, a hynny mewn ardal boblog allotment

Ludiaeth *eb* *hanesyddol* daliadau gwleidyddol mudiad o weithwyr yn Lloegr (1811–16) a ddinistriodd beiriannau (yn enwedig mewn melinau cotwm a gwlân); tybient fod y peiriannau'n bygwth eu swyddi Luddism

Luftwaffe *eg* llu awyr yr Almaen hyd at ddiwedd yr Ail Ryfel Byd

Lutheraidd *ans*

  1 CREFYDD yn ymwneud ag athrawiaethau Martin Luther, e.e. cyfiawnhad drwy ffydd Lutheran

  2 CREFYDD yn ymwneud â'r eglwysi Protestannaidd sy'n arddel athrawiaethau Luther Lutherian

lwc *eb*

  1 y cyflwr o fod yn ffortunus, rhywbeth sy'n dod ichi ar hap a damwain, yn enwedig rhywbeth derbyniol, ffodus; damwain, ffawd, hap, siawns luck, fortune

  2 swm bach o arian sy'n cael ei roi gan y gwerthwr yn ôl i'r prynwr ar ôl cytuno ar bris, fel arwydd o ewyllys da

  canmol fy (dy, ei, etc.**) lwc** gw. canmol

  drwy lwc yn ffodus, wrth lwc luckily, forunately

  gyda lwc os byddaf yn lwcus with luck

  lwc mwnci/mwngrel/mul (drwy) hap a damwain fluke

  wrth lwc yn ffodus, drwy lwc luckily, forunately

lwcs *eg* (lycsau) FFISEG uned fesur safonol o oleuedd, yn cyfateb i un lwmen i bob metr sgwâr lux

Lwcsembwrgaidd *ans* yn perthyn i wlad Luxembourg, nodweddiadol o Luxembourg

Lwcsembwrgiad *eg* (Lwcsembwrgiaid) brodor o Luxembourg Luxembourger

lwcus *ans* yn derbyn lwc dda, yn achosi lwc dda neu'n digwydd oherwydd lwc dda; ffodus, ffortunus fortunate, lucky

lwcus i mi (ti, ef, etc.) mae'n ffodus fy mod i fortunately

lwfans *eg* (lwfansau) rhywbeth (arian, fel arfer) sy'n cael ei dalu'n rheolaidd neu at ddiben arbennig, *lwfans personol o £2,000 y flwyddyn;* budd-dal allowance

lwfer *eg* (lwfrau)
1 twll y mwg; simnai louvre
2 cwfl neu fath o dwmffat mawr i sianeli mwg neu ager coginio; gortho hood

lwgen *eb* (lwgws) mwydyn sy'n byw mewn tywod gwlyb ger y môr ac a ddefnyddir fel abwyd pysgota lugworm

lwmen *eg* (lwmina)
1 ANATOMEG y ceudod mewn rhydweli, gwythïen, cell, etc. *lwmen pibell waed* lumen
2 FFISEG uned fesur safonol o fflwcs goleuol lumen

lwmp:lwmpyn *eg* (lympiau)
1 darn o rywbeth solet heb ffurf arbennig; cnepyn, talp lump
2 chwydd caled ar y corff; chwyddi, talpyn lump, bump
3 darn sgwâr (o siwgr) lump

lwrecs *eg* GWNIADWAITH edefyn â haen o ddefnydd metelig drosto lurex

lwtetiwm *eg* elfen gemegol rhif 71; metel ariannaidd, prin (Lu) lutetium

lwts *eb* pentwr bach (o fwyd, fel arfer) soeglyd; stwnsh mash

lwyn *eb* (lwynau) y rhan o gorff dynol neu anifail y naill ochr a'r llall i'r asgwrn cefn rhwng esgyrn y glun a'r asennau; ystlys, tenewyn loin

lycra *eg* GWNIADWAITH ffibr neu ddefnydd polywrethan sy'n cael ei ddefnyddio ar gyfer dillad chwaraeon tyn lycra

lymbego *eg* MEDDYGAETH poen yn rhan isaf y cefn lumbago

lymff *eg* FFISIOLEG hylif tryloyw sy'n cynnwys celloedd gwyn y gwaed ac sy'n llifo drwy'r system lymffatig cyn ymuno â llif y gwaed lymph
nod lymff gw. nod²

lymffatig¹ *ans* FFISIOLEG yn ymwneud â lymff, yn secretu lymff lymphatic

lymffatig² *eg* FFISIOLEG pibell debyg i wythïen sy'n cludo lymff yn y corff lymphatic

lymffocyt *eg* (lymffocytau) FFISIOLEG cell wen y gwaed sy'n cynhyrchu gwrthgyrff lymphocyte

lyncs *eg* (lyncsod) math o gath wyllt, gref â choesau hir a chynffon fer lynx

lyra *eb* (lyrâu) CERDDORIAETH offeryn cerdd tebyg i delyn fach lyre

lysis *eg* BIOLEG proses lle mae pethau, e.e. celloedd, yn ymddatod lysis

lysogenig *ans* BIOCEMEG (am facteriwm) â firws yn rhan o'r deunydd etifeddol sy'n difa bacteria eraill ond nad yw'n gwneud drwg i gludydd y firws lysogenic

lysosom *eg* BIOLEG (mewn cytoplasm) organyn yn cynnwys gwahanol ensymau sy'n gallu achosi ymddatodiad pethau estron neu ymddatodiad y gell ei hun lysosome

lysosym *eg* BIOCEMEG ensym a geir yng ngwynnwy, dagrau a phoer ac sy'n gallu difa cellfuriau rhai mathau o facteria lysozyme

lysti *ans* llond ei groen/ei chroen; mawr, cryf, egnïol hale and hearty, lusty, robust

Ll

Ll¹:Ll *eb* cytsain ac unfed lythyren ar bymtheg yr wyddor Gymraeg; ar ddechrau gair, gall dreiglo'n feddal, e.e. *dwy long.*

Ll.² *byrfodd* lluosog pl.

llabed *eb* (llabedau)
1 darn o ddefnydd sy'n hongian yn rhydd ac sydd fel arfer yn cuddio agoriad megis poced flap
2 y rhan o got neu siaced sy'n barhad o'r goler ac sy'n cael ei phlygu'n ôl ar y frest lapel
3 ANATOMEG darn estynnol, lled grwn, o ran o'r corff, e.e. gwaelod y glust allanol lobe
4 ANATOMEG un o brif raniadau (crwm fel arfer) organ fel yr ymennydd lobe

llabed barwydol ANATOMEG un o bâr o labedau yn yr ymennydd ar ben ucha'r pen; y llabedau hyn sy'n gyfrifol am reoli symudiad ac am dderbyn gwybodaeth gan y synhwyrau parietal lobe

llabed flaen ANATOMEG un o bâr o labedau yn yr ymennydd sy'n gorwedd yn union y tu ôl i'r talcen; y llabedau hyn sy'n rheoli ein hymddygiad, ein gallu i resymu, ein personoliaeth a'n symudiadau digymell frontal lobe

llabed yr arlais ANATOMEG llabed fawr y ceir un yn nau hemisffer yr ymennydd, y rhain sy'n rheoli ein siarad a'n clywed temporal lobe

llabed yr ocsipwt ANATOMEG un o bâr o labedau yng nghefn yr ymennydd sy'n gyfrifol am brosesu gwybodaeth weledol occipital lobe

llabeden *eb* (llabedennau) llabed fechan; llabedyn lobule

llabedog *ans* yn cynnwys llabed neu labedau lobed

llabedyn *eg* (llabedynnau) llabed fechan; llabeden lobule

llabwst *eg* (llabystiau) bachgen neu ŵr mawr, trwsgl, anfoesgar; hwlcyn, lleban bumpkin, ruffian

llabyddio *be* [llabyddi•²] lladd rhywun drwy daflu cerrig ato to stone

llabyddiwr *eg* (llabyddwyr) un sy'n llabyddio stoner

llac *ans* [llac•]
1 nad yw'n dynn nac yn gaeth, rhy fawr; llaes, rhydd loose, slack
2 nad yw'n sad, wedi'i ddatod; rhydd slack
3 heb fod yn ddigon gofalus; brac, diofal, esgeulus lax, slack, slipshod

llaca:llacs *eg* biswail, budredd, llaid, stecs mire, muck, sludge

llacio *be* [llaci•²] gwneud neu ddod yn llac, lleihau mewn grym, gweithgarwch neu dyndra;

datod, llaesu, rhyddhau, ymollwng to ease, to slacken

llacio'r gengl yr hyn a wneid i geffyl wedi diwrnod caled o waith; (yn ffigurol) ymlacio

llacrwydd *eg*
1 y cyflwr o fod yn llac; difaterwch, dihidrwydd, esgeulustod laxity, slackness
2 diffyg moesau da neu ddisgyblaeth laxity

llacs gw. llaca

llacsog *ans* llawn llacs; bawaidd, bawlyd, brwnt, budr muddy

llach *eb* (llachiau) ergyd chwip lash

dan lach (rhywun) am rywun sy'n cael ei geryddu neu ei feirniadu'n llym under the lash

llachar *ans* disglair iawn, yn pefrio; araul, gloyw, llathraidd, tanbaid bright, glittering, brilliant

llacharedd *eg* disgleirdeb anghyfforddus sy'n boenus braidd i'r llygaid; llewyrch, tanbeidrwydd glare, brightness, brilliance

llachio *be* taro gyda llach; chwipio, fflangellu, leinio (~ *rhywun/rhywbeth* â) to lash
Sylwch: nid yw'r ferf hon yn arfer cael ei rhedeg.

Lladin *ebg* hen iaith swyddogol yr Ymerodraeth Rufeinig a'r Eglwys Gatholig Rufeinig Latin
Sylwch: mae enw'r iaith yn fenywaidd ond os sonnir am fath arbennig o Ladin mae'n wrywaidd, e.e. *Lladin da.*

Lladin-Americanaidd *ans* yn perthyn i America Ladin, nodweddiadol o America Ladin Latin-American

Lladin-Americanwr *eg* (Lladin-Americanwyr) brodor o America Ladin neu o dras Ladin Americanaidd Latin-American

Lladinwr *eg* (Lladinwyr) ysgolhaig Lladin Latinist

lladmerydd *eg* (lladmeryddion) un sy'n cyfieithu, egluro neu ddehongli (ar lafar, gan amlaf); cyfieithydd, dehonglwr, esboniwr, troswr interpreter

lladrad *eg* (lladradau) CYFRAITH y drosedd o ddwyn, o fynd ag eiddo rhywun arall yn anghyfreithlon gan ddefnyddio trais neu'n codi ofn robbery, theft

lladradaidd *ans* mewn ffordd ddirgel, gan geisio cuddio'r hyn sy'n digwydd; cudd, dichellgar, llechwraidd furtive, stealthy, surreptitious

lladrata *be* CYFRAITH dwyn eiddo rhywun yn anghyfreithlon ac mewn ffordd ddirgel; bod yn lleidr; celcio, ysbeilio (~ *rhywbeth* **oddi ar;** ~ **o**) to pilfer, to rob, to steal
Sylwch: nid yw'r ferf hon yn arfer cael ei rhedeg.

lladron *ell* lluosog lleidr

lladrones *eb* (lladronesau) merch neu wraig sy'n lladrata

lladrongar *ans* â thuedd i ladrata thievish

lladd *be* [lladd•[3] *3 un. pres.* lladd/lladda; *2 un. gorch.* lladd]

1 achosi marwolaeth, rhoi terfyn ar fywyd, *Y plismon a laddodd lleidr; y plismon a laddodd leidr!* to kill, to slaughter, to slay

2 torri, cymynu, *lladd gwair, lladd mawn;* pladuro, tocio to cut, to mow

3 torri ar neu gael gwared ar, *cyffuriau lladd poen;* lleddfu, lleihau to deaden, to lessen, to relieve

fel lladd nadredd/nadroedd am rywun sy'n mynd ati'n chwyrn a phrysur iawn i wneud rhyw waith neu orchwyl with might and main

lladd amser gw. amser

lladd ar (rywun neu rywbeth) difrïo, dilorni, beirniadu'n llym, *Mae e'n un drwg am ladd ar rywun y tu ôl i'w gefn.* to criticize, to denounce

lladd dau dderyn ag un ergyd llwyddo i gyflawni dau beth â'r un weithred to kill two birds with one stone

lladd-dy *eg* (lladd-dai) adeilad lle mae anifeiliaid yn cael eu lladd am eu cig abattoir, slaughterhouse

lladdedigaeth *eb* (lladdedigaethau) y weithred o ladd ar raddfa eang; cyflafan, galanas carnage, slaughter

lladdfa *eb* (lladdfeydd)

1 y weithred o ladd (ar raddfa fawr), canlyniad lladd; cyflafan, distryw, galanas massacre, carnage

2 gwaith caled, *Roedd palu'r ardd ar brynhawn mor boeth yn lladdfa.*

lladdiad *eg* (lladdiadau) y weithred o ladd bod dynol arall, canlyniad lladd homicide, killing

lladdwr *eg* (lladdwyr) un sy'n lladd; lleiddiad, llofrudd killer, slayer

lladdwr gwair peiriant lladd gwair mower

llaes *ans* [llaes•]

1 yn hongian yn rhydd heb unrhyw lyffethair, heb fod yn dynn; llac, rhydd flowing, loose, trailing

2 hyd at y llawr, *ffrog laes;* hir full-length, long

ymddiheuriad llaes adroddiad hir a diffuant ei bod yn ddrwg gennych abject apology

llaesiad *eg* y broses o laesu, canlyniad llaesu; gollyngiad slackening

llaesodr *eb* gwasarn; y gwellt (brwyn, etc.) a roddir dan wartheg neu ar lawr beudy litter

llaesu *be* [llaes•[1]]

1 gollwng yn rhydd, caniatáu i hongian, *Roedd sŵn ofnadwy yn dod o'r delyn – roedd rhywun wedi llaesu'r tannau i gyd.*; datod, llacio, rhyddhau, ymollwng to loosen, to slacken

2 lleddfu, esmwytháu, *Ydy'r boen yn dy goes yn dechrau llaesu erbyn hyn?* (~ *rhywbeth* â) to ease, to slacken

3 gwneud yn hwy, *llaesu dillad drwy ollwng yr hem;* hwyhau, ymestyn to lengthen

4 (am gyhyrau) mynd yn llai anhyblyg, achosi i fynd yn llai anhyblyg to relax

llaesu dwylo bod yn barod i roi'r gorau i rywbeth; diffygio, diogi to flag, to slacken off, to weary

llaeth *eg*

1 *safonol, yn y De* hylif gwyn a gaiff ei gynhyrchu gan famolion benyw fel bwyd maethlon i'w rhai bach; yn achos y fuwch, yr afr a rhai anifeiliaid eraill caiff ei ddefnyddio yn fwyd i bobl hefyd ac fel sail i gaws, iogwrt a menyn; llefrith milk

2 unrhyw hylif tebyg i laeth/llefrith, e.e. sudd cneuen goco neu sudd rhai planhigion milk

llaeth anwedd llaeth sydd wedi'i dewhau drwy anweddu peth o'r dŵr oedd ynddo evaporated milk

llaeth cyddwysedig llaeth wedi'i felysu sy'n dewach na llaeth anwedd condensed milk

llaeth enwyn yr hylif sy'n weddill ar ôl gwneud menyn o hufen buttermilk

llaeth glas y llaeth sy'n weddill ar ôl gwahanu'r hufen; llaeth sgim skimmed milk

llaeth sgim y llaeth sy'n weddill ar ôl gwahanu'r hufen; llaeth glas skimmed milk

llaeth y gaseg gwyddfid honeysuckle

Ymadroddion

cael gormod o laeth y fuwch goch gw. buwch

drwy laeth wedi'i wneud â llaeth, e.e. *coffi drwy laeth*

lliw llaeth a chwrw gw. lliw[1]

llaetha *be* rhoi llaeth to lactate

Sylwch: nid yw'r ferf hon yn arfer cael ei rhedeg.

llaethdy *eg* (llaethdai) adeilad neu ystafell (ar fferm) lle mae llaeth yn cael ei gadw a lle mae menyn, caws, etc. yn cael eu cynhyrchu dairy

llaethferch *eb* (llaethferched) morwyn laeth, merch sy'n gweithio mewn llaethdy milkmaid

llaethiad *eg* (llaethiadau) y cyfnod y mae mamolyn yn dal i gynhyrchu llaeth ar ôl esgor, cyfnod llaetha lactation

llaethlys *eg* prysgwydden â sudd chwerw yn debyg i laeth a fyddai'n cael ei ddefnyddio fel carthydd spurge

llaethog *ans* llawn llaeth neu'n debyg i laeth milky

y Llwybr Llaethog SERYDDIAETH y rhimyn golau o sêr a chymylau o nwy o'n galaeth ni a welir ar draws yr awyr ar noson glir; Caer Gwydion, Caer Arianrhod Milky Way

llaethwr *eg* (llaethwyr) perchennog llaethdy neu ŵr sy'n gweithio mewn llaethdy dairyman

llaethwyg y mynydd *eg* planhigyn yn perthyn i'r un teulu â'r bysen â blodau glas golau yn tyfu'n dynn wrth ei gilydd Alpine milk vetch

llaethyddiaeth *eb* y ddisgyblaeth o ffermio i gynhyrchu llaeth dairy farming

llafar *ans* [llafar•]

1 am rywbeth sy'n deillio o siarad neu ddweud (o'i gyferbynnu â rhywbeth sy'n ysgrifenedig neu wedi'i argraffu), *arholiad llafar, iaith lafar* oral, verbal, vocal

2 yn siarad neu'n llefaru'n uchel ac yn glir, *Mae'n llafar iawn ei wrthwynebiad i'r cynllun.*; croch, parablus, siaradus, swnllyd vocal, vociferous

3 fel yn *llyfr llafar* neu *papur llafar*, llyfr neu bapur newydd wedi'i recordio ar dâp i'r rhai nad ydynt yn gallu gweld yn ddigon da i'w ddarllen talking (newspaper, book)

ar lafar yn yr iaith a siaredir bob dydd

llafar gwlad yr iaith a siaredir bob dydd, neu'r traddodiadau sy'n cael eu cadw'n fyw yn iaith bob dydd pobl common speech, oral tradition

llafaredd *eg* y gallu i'ch mynegi eich hun ar lafar ac i ddeall iaith lafar eraill oracy

llafareg *eb* proses o ddysgu sut i ynganu neu eirio yn gywir elocution

llafarganiad:llafargan *eb* (llafarganiadau) cân i'w llafarganu; côr-gân chant

llafarganu *be* [llafargan•] CERDDORIAETH math o ganu, heb amrywiaeth eang o nodau, a ddefnyddir i gyflwyno salmau neu adrannau o'r litwrgi neu eiriau di-fydr; corganu, goslefu, siantio to chant, to intone

llafariad *eb* (llafariaid)

1 un o seiniau agored yr iaith (o'i chyferbynnu â chytsain) vowel

2 llythyren sy'n cynrychioli'r sain; y llafariaid Cymraeg yw *a, e, i, o, u, w, y*. vowel

llafarog *ans*

1 a leferir, wedi'i lefaru, llafar vocal

2 yn cynnwys llafariaid, *sain lafarog* vowel

llafn *eg* (llafnau)

1 rhan wastad, finiog cleddyf, cyllell, pladur neu unrhyw arf neu offeryn sy'n cael ei ddefnyddio i dorri; ellyn, rasel blade

2 wyneb llyfn, gwastad bat, rhwyf, etc. blade

3 deilen hir, wastad (o borfa, fel arfer) blade

4 llanc, yn enwedig bachgen neu ŵr ifanc cryf sy'n gallu gweithio'n galed; glaslanc strapping lad

llafnes *eb* (llafnesau) *anffurfiol* merch ifanc hyderus, yn llond ei chroen strapping lass

llafnlys mawr *eg* planhigyn sy'n perthyn i deulu'r blodyn ymenyn ac sy'n tyfu ar dir corsiog; mae ganddo flodau melyn a dail fel llafnau greater spearwort

llafnog *ans* tebyg i lafn; â llafn neu lafnau bladed, blade-like

llafrwyn *ell* planhigion o deulu'r hesgen sy'n tyfu ar dir gwlyb common clubrush

llafrwynen *eb* unigol llafrwyn

llafur¹ *eg* (llafuriau) yr egni sydd ei angen er mwyn cyflawni rhyw orchwyl; gwaith, ymdrech, ymroddiad labour, toil

maes llafur y testunau a astudir mewn cwrs dysgu neu addysgu syllabus

undeb llafur grŵp o weithwyr wedi dod ynghyd i warchod eu buddiannau a thrafod fel un gyda'u cyflogwyr trade union

Ymadrodd

llafur cariad gwaith (mawr) sy'n cael ei wneud yn wirfoddol a labour of love

llafur² *eg* ŷd, grawn, *cae o lafur* corn

llafur-ddwys *ans* yn gofyn am weithlu mawr neu am lawer o waith o'i gymharu â'r hyn a gynhyrchir labour-intensive

llafurfawr *ans* yn golygu llawer iawn o waith laborious

llafurio *be* [llafuri•] gweithio (yn galed, fel arfer), ymdrechu'n ddygn, dygnu arni; labro, ymlafnio (~ **uwchben**) to labour, to toil

llafurlu *eg* (llafurluoedd) gweithlu; nifer y rhai sydd mewn gwaith neu sydd ar gael i gychwyn gwaith mewn gwlad neu ardal workforce

llafurus *ans* yn golygu llawer iawn o waith caled; beichus, dyfal, dygn arduous, hard, laborious

llafurwr¹ *eg* (llafurwyr) un sy'n llafurio; gweithiwr, labrwr labourer

Llafurwr² *eg* aelod o'r Blaid Lafur neu un sy'n cefnogi'r Blaid Lafur Labour supporter

llai¹ *ans* (gradd gymharol **bach, bychan,** ac **ychydig,** h.y. 'mwy bach'); heb fod mor fawr, sydd heb fod cymaint neu gynifer fewer, less, lesser, smaller

ni allwn lai na ni allwn wneud dim byd ond, *Ni allwn lai nag edmygu'i ddewrder er nad oeddwn yn cytuno ag ef.* I couldn't do other than

pam lai? pam na (allaf/ddylwn?); iawn why not?

llai² *ardd* minws, heb gyfrif, *Mae arnat ti ddeg punt i mi, llai y ddwy bunt a dalaist drosof yr wythnos diwethaf.*; heb, namyn less, minus

llaid *eg* (lleidiau) pridd gwlyb, gludiog; baw, clai, llaca, mwd mud, sludge

llai-lai gw. **lleilai**

llain *eb* (lleiniau)

1 darn (hir a chul, fel arfer) o dir; rhandir, rhimyn plot, strip

2 y darn o dir rhwng y wicedi ar gae criced pitch, wicket

llain galed lôn galed wrth ymyl heol, yn enwedig traffordd, lle y gall cerbyd stopio mewn argyfwng hard shoulder

llain ganol y llain o dir a geir rhwng ffyrdd y cerbydau ar draffordd neu heol fawr arall central reservation

llain las DAEARYDDIAETH darn o dir agored o amgylch dinas lle mae cyfyngiadau llym ar adeiladu a lle mae'r wlad yn cael ei gwarchod green belt

llais *eg* (lleisiau)
1 y sain neu'r seiniau llafar a gynhyrchir gan rywun wrth iddo siarad, canu, gweiddi, etc. voice
2 ansawdd y seiniau hyn sy'n gwneud i un person swnio'n wahanol i berson arall, *Mae ei lais yn dechrau torri.* voice
3 mynegiant barn neu syniadau, yr hawl i geisio dylanwadu ar eraill, *Paid â 'meio i, doedd gen i ddim llais yn y mater.* say, voice
4 dawn canwr neu gantores, *Mae ganddi lais bendigedig.* voice
5 CERDDORIAETH un o'r rhannau lleisiol (soprano, alto, tenor, bas, etc.) mewn darn o gerddoriaeth leisiol line, voice
ag un llais yn unfrydol with one voice
codi llais siarad yn uwch, dechrau gweiddi to raise one's voice
llais fel brân gw. **brân**
llais y wlad barn y bobl public opinion
llaith *ans* [lleith•] lled wlyb, heb fod yn sych ond heb fod yn wlyb diferu damp, moist, clammy
llall *rhagenw* (lleill) yr un arall (o'i gyferbynnu â'r naill) (the) other, (the) second
llam *eg* (llamau) naid; sbonc jump, leap, bound
carreg lam gw. **carreg**
Ymadrodd
llam llyffant gêm lle mae un plentyn yn plygu i lawr a phlentyn arall yn llofneidio drosto leapfrog
llamhidydd *eg* (llamidyddion) y lleiaf o'r morfilod sydd i'w cael o amgylch glannau ynysoedd Prydain; mae'n debyg i'r dolffin ond mae ganddo drwyn swta yn hytrach na thrwyn hir porpoise
llamsachus *ans* yn neidio ac yn prancio mewn ffordd fywiog iawn; chwareus, nwyfus capering, frisky, prancing
llamu *be* [llam•3] cymryd llamau; crychlamu, dychlamu, neidio, sboncio (~ **dros**) to jump, to leap, to spring
llamwr *eg* (llamwyr) un sy'n llamu; neidiwr leaper
llan *eb* (llannau)
1 yn wreiddiol darn gwastad o dir agored, wedyn darn o dir caeedig ar gyfer tyfu cynnyrch, e.e. *perllan, ydlan,* neu ar gyfer cadw pethau, e.e. *corlan,* ac yna darn o dir cysegredig
2 CREFYDD eglwys (y plwyf), yn enwedig os yw'n dwyn enw sant fel y mae cymaint o enwau lleoedd, e.e. *Llanwynno, Llanfair* kirk, parish church
llanastr *eg* annibendod tost, anhrefn llwyr; aflerwch, cawdel, cybolfa disorder, mess, havoc
llanc *eg* (llanciau) gŵr ifanc (dibriod, fel arfer); llefnyn lad, young man, youth
hen lanc gw. **hen**[1]
llanc mawr rhywun (bachgen neu ddyn) hunanbwysig big-head

llancaidd *ans* yn ymddwyn fel llanc, tebyg i lanc adolescent, youthful
llances *eb* (llancesi:llancesau) merch ifanc; adolesent, glaslances adolescent (female), lass
llances fawr merch neu wraig hunanbwysig
llannerch *eb* (llennyrch:llanerchau) darn o dir agored mewn coedwig; clwt, llain, llecyn clearing, glade
llanw[1] *eg* (llanwau) codiad a gostyngiad rheolaidd cefnforoedd y byd o ganlyniad i atyniad grym disgyrchiant y Lleuad a'r Haul; llif, mewnlifiad tide
llanw a thrai patrwm y môr yn drosiad am batrwm bywyd ebb and flow
llanw isel llanw yn dilyn chwarter cyntaf a thrydydd chwarter y Lleuad pan fo'r gwahaniaeth rhwng pen y llanw a'i drai ar ei leiaf; llanw bach neap tide
llanw mawr llanw'n dilyn Lleuad newydd neu Leuad lawn pan fo'r gwahaniaeth rhwng pen y llanw a'i drai ar ei fwyaf spring tide
Ymadrodd
blaen y llanw gw. **blaen**[1]
llanw[2] gw. **llenwi**[1]
llanw[3] *ans* yn llenwi bwlch
Sylwch: nid yw'n cael ei gymharu.
gair llanw gair a ddefnyddir mewn darn o farddoniaeth er mwyn odli neu er mwyn y mesur, heb fod iddo fawr o ystyr
llanwad gw. **llenwad**
llanwol *ans* yn perthyn i'r llanw tidal
llanwr:llenwr *eg* (llenwyr) un sy'n llanw; rhywbeth sy'n llanw neu'n gymorth i lanw filler
llariaidd *ans* [llarieiddi•] addfwyn, caredig, mwyn, tirion benign, gentle, mild
llarieidd-dra *eg* addfwynder, tiriondeb, tynerwch gentleness
llarieiddiach:llarieiddiaf:llarieiddied *ans* [llariaidd] mwy llariaidd; mwyaf llariaidd; mor llariaidd
llarieiddio *be* [llarieiddi•2] gwneud yn fwy mwyn, tirion, tyner; lleddfu, lliniaru, tawelu to ease, to soothe
llarpiau *ell* darnau o ddefnydd wedi'u rhwygo a'u darnio; clytiau, rhacs tatters
llarpio *be* [llarpi•2] rhwygo'n ddarnau; darnio, malurio, rhacsan to rend, to tear to pieces
llarpiog *ans* yn llarpiau i gyd, yn garpiau; rhacsiog tattered
llarpiwr *eg* (llarpwyr) rhywun neu rywbeth (yn enwedig anifail gwyllt) sy'n llarpio, sy'n tynnu'n ddarnau mauler, shredder
llarwydd *ell* coed conwydd tal, collddail sydd â nodwyddau ifanc gwyrdd llachar; hefyd, yn unigol, pren y coed hyn larch
llarwydden *eb* unigol **llarwydd** larch

llaswyr *eg* (llaswyrau) CREFYDD y cylch o leiniau a ddefnyddir i gyfrif gweddïau yn yr Eglwys Gatholig; rosari rosary

llatai *eg* (llateion) *llenyddol* un sy'n mynd â neges at gariad (aderyn yn aml); negesydd cariad; cennad, negesydd messenger

llath:llathen *eb* (llathau:llathenni) mesur o hyd sydd ychydig yn llai na metr, ac sy'n cyfateb i dair troedfedd neu 36 modfedd yard

   heb fod yn llawn llathen am rywun diniwed, twp not quite sixteen ounces

   llathen o'r un brethyn gw. brethyn

llathaid *eb* (llatheidi:llatheidiau) hyd llath, *Roedd llathaid o'r defnydd yn costio £10.* yard, yard's length

llathen gw. llath

llathr *ans* llathraidd shining

llathraidd *ans* [llathreiddi•] a sglein arno, *corff gwlyb, llathraidd y brithyll*; claer, disglair, gloyw, llachar glossy, shining, sleek

llathredig *ans* llyfn a disglair, yn ganlyniad i lathru; caboledig, coeth polished

llathredd *eg* disgleirdeb, gloywder, graen, sglein lustre, sheen

llathreiddiach:llathreiddiaf:llathreiddied *ans* [llathraidd] mwy llathraidd; mwyaf llathraidd; mor llathraidd

llathru *be* [llathr•¹]
   1 disgleirio, llewyrchu, pefrio, tywynnu to dazzle, to shine
   2 gwneud yn llyfn ac yn ddisglair drwy rwbio; caboli, coethi, gloywi, sgleinio to polish, to burnish

llathrudd *eg* (llathruddion) CYFRAITH y weithred o lathruddo, o gipio rhywun yn erbyn ei ewyllys ac yn anghyfreithlon gyda'r bwriad o'i gyfnewid am arian neu rywbeth arall o werth kidnapping

llathruddo *be* [llathrudd•¹]
   1 CYFRAITH cipio neu fynd â rhywun yn erbyn ei ewyllys ac yn anghyfreithlon gyda'r bwriad o'i gyfnewid am arian neu rywbeth arall o werth to kidnap
   2 *hanesyddol* (yn y cyfreithiau Cymreig) herwgipio merch, dwyn merch ymaith to abduct

llathruddwr *eg* (llathruddwyr) un sy'n llathruddo kidnapper

llathrwasgu *be* [llathrwasg•³] GWNIADWAITH trin (defnydd neu edau cotwm) ag alcali cawstig i'w gryfhau a rhoi sglein ysgafn iddo, sgleinio to mercerize

llathrydd *eg* math o gŵyr i gaboli, bwydo ac ychwanegu lliw at gelfi; polish polish

llau *ell* lluosog **lleuen**

llaw *eb* (dwylo:dwylaw)
   1 y rhan symudol honno o gorff dyn sydd ar ben y fraich ac sy'n cynnwys pedwar bys a bawd hand
   2 ochr, cyfeiriad hand, side
   3 dawn, medr, cyffyrddiad, *Mae ganddi law dda at wneud tarten.* touch
   4 ysgrifen, *Byddwn yn adnabod y llaw yna yn unrhyw le.* handwriting
   5 y cardiau a gaiff eu rhoi i rywun mewn gêm o gardiau hand
   6 awdurdod, gofal, *dan law'r meddyg* authority, care
   Sylwch: gw. hefyd **dwylo**.

llaw aswy *hynafol* llaw chwith left hand

llaw bwt am rywun sy'n defnyddio'i law chwith i ysgrifennu, etc.; llawchwith left-handed

llaw chwith y llaw sydd ar yr un ochr i'r corff â'r galon left hand

llaw dde y llaw gyferbyn â'r llaw chwith right hand

tor llaw gw. tor¹

Ymadroddion

ail-law gw. ail¹

codi llaw ar cyfarch â'r llaw wave

drwy law oddi wrth from, via

dwy law chwith lletchwith awkward

gyda llaw gw. gyda

hen law gw. hen¹

law yn llaw
   1 yn cydio dwylo hand in hand
   2 am ddau beth sy'n mynd gyda'i gilydd hand in hand

llaw flewog am un sy'n chwannog i ladrata light-fingered

llaw gadarn awdurdod strong arm

llond llaw
   1 dyrnaid, ychydig handful
   2 rhywbeth neu rywun sy'n eich cadw'n brysur neu sy'n peri trafferth i chi handful

mewn llaw wedi'i drefnu, dan reolaeth in hand

o law i law (gwerthu rhywbeth) yn breifat neu'n uniongyrchol

o'r llaw i'r genau byddwn yn dweud am rywun tlawd nad yw'n gwybod o ba le y daw'r pryd nesaf ei fod *yn byw o'r llaw i'r genau* (to live) from hand to mouth

wrth law ar bwys, o fewn cyrraedd at hand

y llaw flaenaf yr unigolyn neu'r rhan bwysicaf leading hand

llawagored *ans* parod iawn i rannu; anhunanol, caredig, dibrin, hael generous, open-handed

llawchwith *ans* yn defnyddio'r llaw chwith i ysgrifennu, etc.; llaw bwt left-handed

llawchwithedd *eg* y cyflwr o fod yn llawchwith left-handedness

llawd *eg* awydd rhywiol hwch am faedd heat

llawdrin *be* MEDDYGAETH archwilio a thrin asgwrn sydd wedi'i dorri neu aelod o'r corff sydd wedi'i sigo to manipulate
Sylwch: nid yw'r ferf hon yn arfer cael ei rhedeg.

llawdriniaeth *eb* (llawdriniaethau) MEDDYGAETH triniaeth (mewn ysbyty, fel arfer) gan lawfeddyg operation, surgery

llawdriniol *ans* yn ymwneud â'r gallu i drin pethau â llaw manipulative

llawdrwm *ans* rhy lym neu feirniadol; beirniadus heavy-handed, hypercritical, censorious

llawdueddiad *eg* CEMEG y cyflwr o fodoli fel un neu bâr o ddrych-ddelweddau na ellir ei arosod neu eu harosod y naill ar ben y llall handedness

llawdde *ans* yn defnyddio'r llaw dde i ysgrifennu, etc. right-handed

llawddewin *eg* (llawddewiniaid) un sy'n arfer llawddewiniaeth chiromancer, palm reader

llawddewiniaeth *eb* yr arfer o ddarogan drwy ddarllen y llinellau ar gledrau llaw rhywun chiromancy, palmistry

llawddryll *eg* (llawddrylliau) gwn y gellir ei ddal a'i saethu mewn un llaw; dryll, gwn, rifolfer pistol

llawen *ans* [llawen•] yn dangos bodlonrwydd neu hapusrwydd, fel y gog; diddan, hapus, llon, siriol happy, merry, jovial

llawen-chwedl *eb* newyddion da o lawenydd mawr, fel neges Crist glad tidings

llawenhau *be* [llawenha•¹⁴] bod yn llawen, dangos llawenydd neu wneud yn llawen; gorfoleddu, llawenychu, llonni, sirioli (~ **yn**) to be glad, to gladden, to rejoice

llawenheais *bf* [llawenhau] *ffurfiol* gwnes i lawenhau

llawenychu *be* [llawenych•¹] bod yn llawen, dangos llawenydd neu wneud yn llawen; gorfoleddu, llawenhau to be glad, to gladden, to rejoice

llawenydd *eg* y cyflwr neu'r stad o fod yn llawen; balchder, gorfoledd, hapusrwydd, sirioldeb happiness, joy, merriment

llawer¹ *rhagenw* (llaweroedd)
1 nifer mawr, cryn dipyn, mwyafrif, rhan helaeth; nifer, rhifedi lot, many
2 swm mawr, *Does dim llawer y gelli di ei ddweud amdano.* great deal, lot, much
Sylwch: nid yw'n achosi treiglad.
llawer i nifer mawr (pobl, fel arfer) lots of, many
llawer iawn nifer mawr very many

llawer² *adf*
1 o gryn dipyn, *llawer gwell, Mae dinas Tyddewi yn llai o lawer na dinas Caerdydd.* far, much
2 yn fawr, yn aml, *Nid oedd yn mynd allan rhyw lawer oddi ar y ddamwain.* lot, much
ers llawer dydd gw. dydd
llawer gwaith yn aml, nifer o weithiau often

llaweredd *eg* nifer mawr; toreth, helaethrwydd abundance, lot

llawes *eb* (llewys)
1 y rhan o ddilledyn sy'n gorchuddio'r fraich neu ran o'r fraich sleeve
2 amlen i gadw record ynddi sleeve
Sylwch: gw. hefyd **llewys.**
bod â rhywbeth i fyny/lan fy (dy, ei, etc.) **llawes** cadw rhywbeth pwysig neu rywbeth a allai fod yn dyngedfennol yn gudd, yn barod i'w ddatgelu petai angen to keep something up one's sleeve
chwerthin yn fy (dy, ei, etc.) llawes/llewys chwerthin yn ddirgel to laugh up one's sleeve

llawfaeth *ans* y ffurf wreiddiol a roes llywaeth; (am anifail) wedi'i godi a'i fwydo â llaw tame

llawfeddyg *eg* (llawfeddygon) meddyg sydd wedi cael ei hyfforddi i drin clwyfau'r corff drwy ddefnyddio offer arbennig i agor, torri ac ailgydio'r cnawd surgeon

llawfeddygaeth *eb* MEDDYGAETH cangen o feddygaeth sy'n ymwneud â thrin anafiadau neu anhwylderau'r corff drwy endoriad i'r corff neu lawdriniaeth, yn enwedig drwy ddefnyddio offer arbenigol surgery

llawfeddygaeth ddargyfeiriol MEDDYGAETH llawdriniaeth i greu llwybr amgen er mwyn hwyluso cylchrediad y gwaed bypass surgery

llawfeddygol *ans* MEDDYGAETH yn perthyn i lawfeddygaeth surgical

llaw-fer *eb* dull o ysgrifennu'n gyflym, yn enwedig drwy ddefnyddio arwyddion a symbolau arbennig yn lle'r llythrennau arferol shorthand, stenography

llawforwyn *eb* (llawforynion)
1 yn wreiddiol, morwyn a fyddai'n gweini neu'n gwasanaethu; gwasanaethferch handmaid, maidservant
2 morwyn briodas, merch ddibriod (gan amlaf) sy'n gymar i'r briodferch ar ddydd y briodas bridesmaid

llawfwrdd *eg* (llawfyrddau) offeryn cerdd ag allweddell clavier

llawgaead *ans* cybyddlyd, mên tight-fisted

llawgnychu *be* di-chwaeth ysgogi orgasm heb gyfathrach rywiol (e.e. drwy ysgogi â llaw) to wank
Sylwch: nid yw'r ferf hon yn arfer cael ei rhedeg.

llawgoch *ans* (am lofrudd) a gwaed ar ei ddwylo

llawiau *ell tafodieithol, yn y Gogledd* cyfeillion pals

llawio *be* [llawi•²] (yn enwedig mewn pêl-droed) trafod y bêl â'r llaw a hynny yn erbyn y rheolau to handle, handling

llawlif *eb* (llawlifiau) llif y gellir ei defnyddio ag un llaw handsaw

llawlyfr *eg* (llawlyfrau) llyfr bychan sy'n cynnwys gwybodaeth gryno am unrhyw beth

II

(astudiaeth, galwedigaeth, sut i weithio peiriant arbennig, etc.); cyfarwyddyd handbook, manual

llawn[1] *ans* [llawn•] (llawnion)

1 (yn dilyn yr hyn a oleddfir) am gynhwysydd sydd wedi'i lenwi hyd ei ymylon, y gwrthwyneb i 'gwag' *full*

2 (yn dilyn yr hyn a oleddfir) am le neu ofod sy'n cynnwys cynifer o bobl neu gymaint o lwyth ag sy'n bosibl; dan ei sang, *Mae'r bws yn llawn.* full

3 (yn dilyn yr hyn a oleddfir) yn cynnwys llawer iawn o rywbeth, *Roedd ei llygaid yn llawn dagrau.* full

4 (yn dilyn yr hyn a oleddfir) wedi bwyta llond ei fol full up, sated

5 (yn dilyn yr hyn a oleddfir) yn meddwl neu'n canolbwyntio ar un peth yn unig, *Mae e'n llawn hunanbwysigrwydd.* full

6 (yn dilyn yr hyn a oleddfir) cyfan, cyflawn, *Rwyf am gael y stori lawn.*; crwn, llwyr complete, entire

7 (yn dilyn yr hyn a oleddfir) (ffurf y corff) graenus, crwn, yn chwyddo, *Mae ei wyneb yn edrych yn llawnach wedi iddo ddechrau bwyta eto.* full

8 (o flaen yr hyn a oleddfir) wedi cyrraedd yr eithaf naturiol, *yn ei lawn dwf* full

9 (o flaen yr hyn a oleddfir) yn gorlifo o deimlad neu ansawdd, *Mae'n llawn brwdfrydedd dros y syniad.* full

Sylwch: pan olyga 'llawn' (o flaen enw) 'yn llawn o', nid yw'n achosi'r treiglad meddal (*Roedd eu chwarae yn llawn tân.*) ond pan olyga 'eithaf' neu 'fwyaf', yna ysgogir treiglad meddal (*Bydd y ceffyl yn cyrraedd ei lawn dwf ymhen tair blynedd.*).

llawn dop llawn i'r ymyl full up

llawn dyddiau gw. **dyddiau**

llawn[2] *adf*

1 (gyda gradd gyfartal yr ansoddair) yr un mor, *Mae e lawn cynddrwg â'i frawd. Mae hi lawn mor gyfoethog â'i chwaer.* just (as), quite as

2 (gyda gradd gymharol yr ansoddair) braidd, *yn llawn gwell* much, rather

3 yn llwyr, *Mae hi'n llawn haeddu'r wobr.* *Sylwch:* nid yw'n achosi treiglad.

llawnamser *ans* mewn cyflogaeth amser llawn neu wedi ymrwymo i rywbeth sy'n cymryd amser gwaith i gyd, yn hytrach na rhan amser full-time

llawnder:llawndra *eg* y cyflwr o fod yn llawn; amlder, digonedd, helaethrwydd, toreth (~ o) abundance, fullness

llawn-dwf *ans* wedi tyfu neu ddatblygu i'r eithaf; am dwf corfforol cyflawn, aeddfed full-grown

llawnion *ans* ffurf luosog **llawn**

llawr *eg* (lloriau)

1 yr hyn y mae rhywun yn sefyll arno pan fydd dan do; yr wyneb agosaf at y ddaear (o'i gyferbynnu â'r llofft) floor, ground

2 (am y môr, ogof, dyffryn, etc.) y gwaelod floor

3 lefel neu set o ystafelloedd mewn adeilad floor, storey

4 y Ddaear, y man lle mae dyn yn byw, *holl drigolion y llawr* the Earth

5 lle gwastad wedi'i neilltuo ar gyfer rhyw waith neu weithgarwch arbennig, *llawr dyrnu* floor *Sylwch:* y llawr cyntaf yw'r llawr cyntaf ar ôl y llawr isaf, ac felly mae adeilad tri llawr yn golygu tri llawr a llawr gwaelod.

llawr gwaelod ystafell neu nifer o ystafelloedd sydd ar yr un gwastad mewn adeilad ac sydd ar yr un lefel â'r stryd y tu allan ground floor

llawr isaf ystafell neu nifer o ystafelloedd sydd ar yr un lefel â'r tir neu weithiau o dan lefel y tir y tu allan basement

Ymadroddion

ar lawr

1 heb fod wedi mynd i'r gwely down

2 wedi codi o'r gwely up

3 ar y llawr

llawr gwlad

1 tir isel, dyffryndir, iseldir lowland

2 fel yn *ar lawr gwlad*, ymhlith y bobl yn gyffredinol grass roots

llawr y Tŷ llawr Tŷ'r Cyffredin lle mae Aelodau Seneddol yn eistedd ac yn siarad the floor of the house

o'r llawr (mewn cyfarfod) am rywun sy'n siarad o'r gynulleidfa yn hytrach nag o'r llwyfan from the floor

llawr-sgleinydd *eg* (llawr-sgleinwyr) peiriant caboli llawr floor polisher

llawrwydd:llawryf *ell* prysgwydd bythwyrdd o wledydd ger y Môr Canoldir; mae ganddynt ddail gwyrdd persawrus a ddefnyddir i ychwanegu blas at fwydydd; hefyd, yn unigol, pren y coed hyn bay, laurel

llawrwydden:llawryfen *eb* unigol **llawrwydd:llawryf** bay (tree), laurel

llawrydd *ans* wedi'i wneud â llaw heb gymorth offer fel riwl neu gwmpas freehand

llawryf *eg* (llawryfoedd)

1 coeden fach fythwyrdd â dail gwyrdd, tywyll, disglair; pren y goeden hon laurel

2 coron neu dorch o ddail y goeden a fyddai'n cael ei gwisgo fel arwydd o anrhydedd neu fuddugoliaeth laurels

llawryfog:llawryfol *ans* am un sydd wedi derbyn anrhydedd arbennig (llawryf) am ei gampau ym maes celfyddyd neu wyddoniaeth laureate

llawsafiad *eg* (llawsafiadau) y weithred o gynnal a chadw cydbwysedd y corff wrth sefyll ar y dwylo gyda'r coesau yn yr awyr handstand

llawsefyll *be* [llawsaf•³] pwyso'ch corff, wyneb i waered, ar eich dwylo mewn llawsafiad to handstand

llawysgrif *eb* (llawysgrifau)
1 copi cyntaf llyfr fel y cafodd ei ysgrifennu neu ei deipio gan awdur, cyn iddo gael ei argraffu manuscript
2 dogfen, llyfr, etc. a ysgrifennwyd â llaw (cyn cyfnod argraffu, fel arfer); llsgr. manuscript

llawysgrifen *eb*
1 ysgrifen â llaw (o'i chyferbynnu ag ysgrifen wedi'i theipio, wedi'i hargraffu, etc.) handwriting
2 dull o ysgrifennu sy'n nodweddiadol o unigolyn neu o gyfnod handwriting

LICLl *byrfodd* MATHEMATEG Lluosrif Cyffredin Lleiaf LCM

lle¹ *eg* (lleoedd:llefydd)
1 gofod yn gyffredinol, *Rydym wedi bod yn edrych dros y lle amdanat.* place
2 man penodol, rhan benodol o ofod, *Dyma'r lle cywir.* place, location
3 man arbennig sydd ag enw penodol fel arfer, *Mae'n byw mewn lle o'r enw Ynys-y-bwl.* place
4 adeilad neu fan a ddefnyddir at ddiben penodol, *lle gwaith, llefydd cysgu* place
5 digon o ofod i gynnwys rhywun neu rywbeth, *Oes gen ti le i un bach arall?* room, space
6 man gwag ar ôl rhywun neu rywbeth, *Mae'n well gen i ei le na'i gwmni.* room
7 man priodol neu naturiol i rywun neu rywbeth fod, *Mae'r asgwrn yn fy mys wedi mynd yn ôl i'w le.* place
8 man lle mae rhywbeth yn arfer cael ei gadw, *Rho'r llyfr yn ôl yn ei le, os gweli di'n dda* place
9 lleoliad mewn rhyw drefn neu gyfres, *Yn y lle cyntaf, fe hoffwn i ddiolch i chi i gyd am ddod yma heno.* place
10 safle o bwysigrwydd neu statws o'i gymharu â phobl eraill, *Mae gofyn cadw'r plant 'ma yn eu lle neu fe aiff pethau dros ben llestri. Ond nid fy lle i yw gwneud hynny.* place
11 rheswm, achos, sail, *Mae yna le i gredu nad yw mor ddiniwed ag y mae'n honni.* reason, room
12 sefyllfa, cyflwr, ystad, *Fe fydd 'na andros o le yma pan welith dy fam dy fod ti wedi torri'r ffenest.*
13 MATHEMATEG lleoliad ffigur mewn rhif sy'n dynodi ei werth yn y system ddegol, *Gwerth y ffigur 4 yn y rhif 648 yw 40; gwerth y rhif π i bedwar lle degol yw 3.1416* place

lle bwyd caffi, ystafell fwyta eating-place

lle tân man lled amgaeedig wrth fôn simdde ar gyfer cynnau tân mewn tŷ fireplace

Ymadroddion

agos i'm (i'th, i'w, etc.) lle gw. agos¹

lle chwech gw. chwech

o'i le rhywbeth yn bod wrong

rhoi (rhywun) yn ei le dweud wrth rywun sy'n rhy sicr ohono'i hun, beth yw ei ddiffygion a'i wendidau to put someone in his place

y lle a'r lle rhywle neu'i gilydd such and such a place

yn lle yn fy lle, yn dy le, yn ei le, yn ei lle, yn ein lle, yn eich lle, yn eu lle, yn hytrach na, yn cymryd lle instead

lle² *cysylltair* yn y man, i'r man, i ble bynnag, *Dewch gyda fi i'r man lle y gwelsoch chi ef ddiwethaf.* where

   Sylwch: mae 'y' yn dilyn 'lle' mewn Cymraeg tra ffurfiol, ond mae 'lle mae' yn ogystal â 'lle y mae' yn gyffredin erbyn hyn.

lle³ *adf* ble, ym mhle, *Lle buost ti ddoe? Wn i ddim lle mae o.* where

lleban *eg* clamp o ddyn mawr, afrosgo, twp; hwlcyn, llabwst lout

llecyn *eg* (llecynnau) man neu le bach penodol, darn bach o dir; lle, lleoliad, mangre, safle spot

llech:llechen *eb* (llechi)
1 darn petryal o lechfaen ar gyfer toi adeilad slate
2 darn tebyg o lechfaen ac iddo ffrâm o bren a ddefnyddid yn yr ysgol i ysgrifennu arno slate
3 maen o lechfaen (ar gyfer gwneud llawr, carreg fedd, gradell goginio, etc.) flagstone
4 tabled goffa o garreg ac ysgrifen arni tablet

y llech MEDDYGAETH clefyd plant a achosir gan brinder fitamin D sy'n arwain at esgyrn gwan a choesau bwaog rickets

llech eira *eg* llosg eira; chwyddi sy'n cosi neu'n ysu ar fysedd y traed, y dwylo neu'r clustiau ac a achosir gan oerfel a chylchrediad gwael y gwaed chilblains

llechen gw. llech

llechfaen *eg* (llechfeini)
1 DAEAREG craig fetamorffig lwydlas, borffor neu lwydwyrdd fel arfer, sy'n hollti'n haenau tenau slate
2 gradell; plât crwn o haearn bwrw (llechen yn wreiddiol) a dolen ar un pen, ar gyfer crasu bara a theisennau uwchben tân agored; maen, planc bakestone

llechfan *eb* (llechfannau) lle i lechu; cuddfan, encil, lloches, noddfa hiding place, lair

llechfeddiannu *be* [llechfeddiann•¹⁰] cymryd meddiant o eiddo neu hawliau rhywun arall yn raddol ac yn llechwraidd to encroach

   Sylwch: dyblwch yr 'n' ym mhob ffurf ac eithrio yn y rhai sy'n cynnwys -as-.

llechfeddiant *eg* (llechfeddiannau) y broses o lechfeddiannu, canlyniad llechfeddiannu encroachment

llechgi *eg* (llechgwn) rhywun llechwraidd a thwyllodrus; adyn, cachgi, dihiryn, sinach sneak

llechog *ans*
1 llawn llechi, creigiog
2 wedi'i orchuddio â llechi, e.e. llawr neu do flagged, slate

llechres *eb* (llechresi) rhestr mewn trefn, e.e. rhestr o enwau yn nhrefn yr wyddor, rhestr o lawysgrifau yn nhrefn amser; cofrestr catalogue, inventory, register

llechu *be* [llech•[1]]
1 cadw o'r golwg yn llechwraidd; celu, cwato, ymguddio (~ **rhag**) to hide, to lurk, to skulk
2 aros yn y cysgod neu yng nghysgod; cysgodi (~ **y tu ôl i**) to shelter

llechwedd *eg* (llechweddau) ochr bryn; allt, banc, goleddf, llethr hillside, incline, slope

llechwr *eg* (llechwyr) un sy'n llechu; llerciwr, stelciwr lurker, skulker

llechwraidd:llechwrus *ans* twyllodrus a dirgel, dan din; cyfrwys, dichellgar, lladradaidd, slei furtive, sneaking, underhand

lled[1] *eg*
1 mesur ar draws (o'i gyferbynnu â mesur ar hyd) rhywbeth, pellter o ochr i ochr width, breadth, span
2 darn o frethyn, pren, etc. o led penodol width
3 darn o frethyn o'r un lled ag y cafodd ei wneud, heb gael ei dorri width

ar led
1 yn llydan ar agor, *Pan ddaeth hi i lawr o'r bws rhedodd ef ati â'i freichiau ar led i'w chofleidio a'i chroesawu.* open, outstretched
2 ar wasgar, o gwmpas, dros bob man, *Roedd rhywun wedi rhoi si ar led mai fe oedd yn gyfrifol.* about

lled cae heb fod ymhell, *Rydym yn codi tŷ rhyw led cae oddi wrth fy rhieni.* not far

lled y pen yn llydan agored, *Gadawodd y drws ar agor led y pen.* wide (open)

lled[2] *adf* ac *ans* (o flaen yr hyn a oleddfir) yn rhannol, *lled dda*; braidd, eithaf, gweddol, rhannol fairly, quite

Sylwch: mae'n achosi'r treiglad meddal ac eithrio pan ddaw 'll' ar ei ôl yn 'yn lled' (*yn lled llawn*).

lled[3] *rhag* yn rhannol, *lled-gytuno* semi-

lledaeniad *eg* (lledaeniadau)
1 y weithred o ledaenu neu wasgaru dissemination
2 ANTHROPOLEG ymlediad priodoledd diwylliannol o un ardal neu ddiwylliant i ardal neu ddiwylliant arall (drwy ymfudo, masnachu, etc.) diffusion, spread

lledaenu *be* [lledaen•[1]] chwalu ar led, cyhoeddi, *lledaenu'r newyddion*; dosbarthu, gwasgaru, taenu (~ **dros**) to spread, to disseminate, to promulgate

lledaenydd:lledaenwr *eg* (lledaenwyr) un sy'n lledaenu disseminator, spreader

lled-amcan *eg* (lledamcanion) bras amcan; amcangyfrif rough guess

lledathraidd *ans* (am ddefnydd neu bilen) yn caniatáu i rywfaint o lifydd dreiddio drwyddo semipermeable

lledawgrym *eg* (lledawgrymiadau) awgrym anuniongyrchol fod rhywbeth o'i le neu fod rhywbeth yn bod; ensyniad insinuation

lled-awtomatig *ans* yn cael ei weithio rhan o'r amser yn awtomatig a rhan o'r amser â llaw semi-automatic

lled-ddargludydd *eg* (lled-ddargludyddion) FFISEG sylwedd (e.e. silicon neu germaniwm) sydd â gwrthedd llawer uwch na dargludydd (e.e. metel) a llawer is nag ynysydd (e.e. plastig); mae priodweddau dargludol lled-ddargludyddion yn ddibynnol iawn ar ychwanegu lefel isel o amhuredd atynt; dyma brif sylwedd offer electronig modern semiconductor

lleden *eb* (lledod) pysgodyn fflat, bwytadwy â dau lygad ar yr un ochr i'r pen, a geir yn nyfroedd gogleddol yr Iwerydd flatfish

fel lleden wedi'i wasgu'n fflat as flat as a pancake

lledewig *eb* (lledewigod) haemoroid; gwythïen chwyddedig yn ymyl yr anws a all arwain at glwyf y marchogion haemorrhoid

lledfarw *ans* rhwng byw a marw, hanner marw half-dead

lled-fedrus *ans* (am waith neu weithiwr) ag angen ychydig, ond nid llawer, o hyfforddiant semi-skilled

lled-ferwi *be* [lled-ferw•[1]] COGINIO berwi'n araf ac yn ysgafn; mudferwi to simmer, to parboil

lled-fetel *eg* (lled-fetelau) CEMEG elfen gemegol fel arsenig neu dun sydd â phriodweddau yn syrthio rhwng metelau a solidau anfetel neu led-ddargludyddion semimetal

lledfyw *ans* rhwng byw a marw, hanner byw barely alive

lledgyfieithiad *eg* (lledgyfieithiadau) cyfieithiad neu drosiad rhydd free-translation

lled-gyffwrdd *be* [lled-gyffyrdd•[1]]
1 sôn am rywbeth ond heb ei drafod; crybwyll (~ **â**) to touch upon
2 braidd gyffwrdd to brush

lled-gytuno *be* [lled-gytun•[1]] dim mor gytûn â chytuno'n fras, ond cytuno ar rai pethau ond dim popeth (~ **â**) to agree more or less

llediad *eg* y broses o ledu, canlyniad lledu widening

llediaith *eb* acen hynod, estron neu fursennaidd, neu ddefnydd o eiriau ac ymadroddion estron neu sathredig accent, patois, twang

llednais *ans* [lledneis•] boneddigaidd, gweddaidd, hynaws, mwyn, *Derbyniais ateb llednais ganddo yn ymddiheuro na fyddai'n gallu bod yn bresennol ar y noson.* courteous, modest, refined

llednant *eb* (llednentydd) nant neu afon gymharol fach yn llifo i afon fwy tributary

lledneisrwydd *eg* y cyflwr o fod yn llednais; addfwynder, hynawsedd, mwynder, rhadlonrwydd courtesy, modesty, refinement

lledod *ell* lluosog **lleden**

lledol *ans* yn lledu, â thuedd i ledu spreading

lled-orwedd *be* [lled-orwedd•¹] hanner gorwedd; gorweddian (~ **ar**) to loll, to recline

lledr *eg* (lledrau) croen anifail wedi'i drin â thannin (neu yn fwy diweddar â halwynau cromiwm) a'i ystwytho er mwyn gwneud esgidiau, cyfrwyau, bagiau, etc. ohono leather, hide

lledr duloyw gw. **duloyw**

lledred *eg* (lledredau) y pellter i'r de neu i'r gogledd o'r cyhydedd wedi'i fesur mewn graddau latitude

lledredol *ans* yn ymwneud â lledred, wedi'i fesur fesul lledred latitudinal

lledrith *eb* (lledrithiau) ffordd o geisio rheoli digwyddiadau drwy alw ar ysbrydion neu foddion goruwchnaturiol; cyfaredd, dewiniaeth, hudoliaeth, swyngyfaredd illusion, magic

lledrithio *be* [lledrithi•²] defnyddio hud a lledrith; cyfareddu, hudo, rheibio, swyno to enchant

lledrithiol *ans* am rywbeth nad yw'n real ond sy'n ymddangos felly, dan swyn; cyfareddol, hudolus, rhithiol, swynol illusory, phantom, spectral

lledrithiol o fe'i defnyddir i ddwysáu ystyr ansoddair, *yn lledrithiol o hardd*

lledryw *ans* o radd isel; dirywiedig, diurddas degenerate

lledu *be* [lled•¹]
1 mynd neu wneud yn fwy llydan; ehangu, helaethu to broaden, to expand, to widen
2 agor yn llydan (hwyl llong, breichiau, rhwyd, etc.) to splay, to spread out

lledu adenydd am aderyn yn barod i hedfan, neu am rywun sy'n barod i fentro ar ei ben ei hun am y tro cyntaf to spread one's wings

lledwastadedd *eg* (lledwastadeddau) DAEAREG ardal eang o dir sydd bron yn wastad ac a luniwyd gan erydiad afonol a masddarfodiant dros gyfnod hir o amser peneplain

lled-ymreolaethol *ans* a graddau o hunanlywodraeth semi-autonomous

lleddais *bf* [lladd] *ffurfiol* gwnes i ladd

lleddf *ans* [lleddf•]
1 heb fod yn llon; dolefus, prudd, trist melancholy, mournful, plaintive
2 CERDDORIAETH (am gywair) lleiaf minor

lleddfol *ans* yn lliniaru, yn esmwytháu; lliniarol palliative

lleddfu *be* [lleddf•¹] esmwytháu, *Mae'r eli a gefais gan y doctor wedi dechrau lleddfu peth ar y boen yn fy nghoes.*; lleihau, lliniaru, tawelu to alleviate, to ease, to soothe

lleddi *bf* [lladd] *ffurfiol* rwyt ti'n lladd; byddi di'n lladd

llef *eb* (llefau) galwad neu gri uchel; bloedd, bonllef, ebychiad, gwaedd cry, shout, wail

llefain *be* [llef•¹ 3 *un. pres.* llef/llefa; 2 *un. gorch.* llef/llefa]
1 colli dagrau; crio, wylo to cry
2 galw'n uchel (mewn poen, gofid, llawenydd, etc.); bloeddio, dolefain, ebychu, nadu to cry out

llefain y glaw llefain yn hidl

llefair *bf* [llefaru] *hynafol* mae ef yn llefaru/mae hi'n llefaru; bydd ef yn llefaru/bydd hi'n llefaru

llefaru *be* [llefar•³ 3 *un. pres.* llefair/llefara] adrodd ar lafar; dweud, seinio, siarad, traethu (~ **wrth**) to recite, to speak, to utter

llefarwr *eg* (llefarwyr) un sy'n llefaru; adroddwr, areithiwr, datgeinydd speaker

llefarydd *eg* (llefaryddion) un ag awdurdod ganddo i siarad ar ran unigolyn neu gwmni, etc.; siaradwr spokesman, spokesperson

y Llefarydd yr aelod o Dŷ'r Cyffredin sy'n cael ei ddewis gan ei gydaelodau i gadeirio a chadw trefn ar drafodaethau yn y Tŷ the Speaker

llefelaeth *eg* tafodieithol, yn y De dirnadaeth (mewn brawddegau negyddol) *Doedd ganddo ddim llefelaeth beth oedd yn digwydd*; amcan, amgyffred, clem, dealltwriaeth concept, notion

llefelyn *eg* (llefelynod) MEDDYGAETH safonol, yn y De ploryn neu chwydd llidus, poenus ar amrant y llygad neu yng nghornel y llygad; gwlithen, llyfrithen sty, stye

lleferais *bf* [llefaru] *ffurfiol* gwnes i lefaru

lleferi *bf* [llefaru] *ffurfiol* rwyt ti'n llefaru; byddi di'n llefaru

lleferydd *eg* y broses o siarad; mynegiant, parabl, ynganiad, ymadrodd speech, utterance

nam ar y lleferydd methiant ynganu neu lefaru geiriau speech disorder, speech impediment

Ymadrodd
ar dafod leferydd
1 wedi'i adrodd, ar lafar
2 wedi'i ddysgu ar y cof
3 yn wybyddus i bawb

llefn *ans* ffurf fenywaidd **llyfn**

llefnyn *eg* (llafnau) gŵr ifanc; glaslanc, llanc youth

llefrith *eg* gair rhannau o'r Gogledd am **llaeth**; hylif gwyn a gaiff ei gynhyrchu gan famolion benyw fel bwyd maethlon i'w rhai bach; yn achos y fuwch, yr afr a rhai anifeiliaid eraill caiff ei ddefnyddio yn fwyd i bobl hefyd ac fel sail i gaws, iogwrt a menyn milk

llefydd *ell* lluosog **lle**

llegach *ans* heb gryfder nac egni; bregus, egwan, eiddil, musgrell feeble, decrepit

lleng *eb* (llengoedd)
1 *hanesyddol* uned a oedd yn cynnwys rhwng 3,000 a 6,000 o wŷr traed a gwŷr meirch yn y fyddin Rufeinig; catrawd, mintai legion
2 erbyn heddiw, lliaws, nifer mawr, tyrfa fawr o bobl neu o bethau, *Mae fy meiau yn lleng.* host, multitude

llengar gw. **llen(-)gar**

llengfilwr *eg* (llengfilwyr) *hanesyddol* milwr a berthynai i leng yn y fyddin Rufeinig gynt; hefyd milwr sy'n aelod o rai byddinoedd eraill legionnaire

llengig gw. **llen(-)gig**

llengol *ans* yn perthyn i leng, nodweddiadol o leng legionary

lleiaf *ans* gradd eithaf **bach, bychan** ac **ychydig**
1 distatlaf, yr ieuangaf, mwyaf dinod; nad oes ei lai i'w gael least, lesser, smallest
2 CERDDORIAETH (am raddfa) yn cynnwys cyfwng o hanner tôn rhwng yr ail a'r trydydd nodyn, ac fel arfer rhwng y pumed a'r chweched nodyn a'r seithfed a'r wythfed; (am gyfwng) nodweddiadol o raddfa lleiaf ac am gyfwng hanner tôn yn llai na'r cyfwng cyfatebol mwyaf; lleddf minor

ar y lleiaf gw. **ar**

o leiaf os nad (oes) mwy hyd yn oed, os na ellir gwneud dim byd arall at least

lleiafrif *eg* (lleiafrifoedd)
1 y rhan leiaf neu'r rhif lleiaf; rhif neu ran sy'n llai na hanner y cyfanswm, *Lleiafrif yn unig sy'n galw am wneud crogi yn gosb gyfreithiol eto.* minority
2 rhan fach o boblogaeth gwlad sy'n wahanol i'r lleill o ran hil, crefydd, lliw eu croen, etc., *Erbyn hyn, lleiafrif yw'r Cymry Cymraeg hyd yn oed yng Nghymru.* minority

lleiafrifol *ans* yn perthyn i leiafrif, nodweddiadol o leiafrif minority

lleiafswm *eg* (lleiafsymiau) y nifer, mesur, maint, dogn neu'r swm lleiaf minimum

lleian *eb* (lleianod) CREFYDD merch sydd wedi gwneud adduned drwy lw i gysegru ei bywyd i wasanaethu Duw, gan amlaf drwy fyw bywyd crefyddol mewn cwfaint neu leiandy, ond weithiau drwy weithio fel meddyg, athrawes neu genhades ymhlith pobl y mae arnynt angen ei gwasanaeth nun

lleiandy *eg* (lleiandai) adeilad neu gasgliad o adeiladau lle mae lleianod yn byw bywyd crefyddol o dan adduned o dlodi, diweirdeb ac ufudd-dod; cwfaint nunnery, convent

lleidiog *ans*
1 a llaid neu fwd drosto i gyd; bawlyd, caglog, mwdlyd dirty, muddy
2 am ddŵr aneglur yn llawn mwd murky

lleidlif *eg* (lleidlifau) llifeiriant o laid mudflow

lleidr *eg* (lladron) rhywun sy'n dwyn neu'n lladrata eiddo rhywun neu rywrai eraill; gwylliad, herwr, ysbeiliwr burglar, robber, thief

lleidr pen-ffordd mewn amser a fu, un a fyddai'n gorfodi teithwyr mewn coets neu ar gefn ceffyl i aros, ac yna yn dwyn eu harian a'u heiddo; bandit highwayman

lleiddiad[1] *eg* (lleiddiaid)
1 un sy'n lladd neu'n llofruddio; lladdwr, llofrudd assassin, killer, murderer
2 gwenwyn lladd pryfed neu chwyn insecticide, weedkiller

lleiddiad[2] *eg* (lleiddiaid) aelod ysglyfaethus o deulu'r morfilod â chorff du a gwyn ac asgell unionsyth ar ei gefn killer whale

lleied *ans* [ychydig] mor fach, mor ychydig so few, so little, so small

lleihad *eg*
1 y weithred neu'r broses o leihau; cwtogiad, cywasgiad, talfyriad, trai decrease
2 esmwythâd (poen), gostegiad (gwynt), gostyngiad (mewn pris neu werth) decrease, reduction

lleihaol *ans* yn mynd yn llai neu'n gwneud yn llai fesul cam decreasing

lleihau *be* [lleiha•[14]] gwneud neu fynd yn llai; cwtogi, gostwng, prinhau to decrease, to lessen, to reduce

lleilai:llai-lai *adf* ac *ans* yn lleihau yn gyson

lleill *rhagenw* lluosog **llall** others, remainder, rest

lleiniau *ell* lluosog **llain**

lleiniog *ans* (am faes) wedi'i rannu'n lleiniau

lleinw *bf* [llanw] *ffurfiol* mae ef yn llanw/mae hi'n llanw; bydd ef yn llanw/bydd hi'n llanw

lleisbost *eg* dull o gadw negeseuon ar y ffôn voicemail

lleisiau *ell* lluosog **llais**

lleisio *be* [lleisi•[2]]
1 gwneud sŵn â'r llais, *Cododd llefarydd i leisio barn yr ardal.*; cynanu, dweud, mynegi, ynganu to express, to voice
2 cynhyrchu seiniau cerddorol â'r llais, y ffordd y mae'r llais yn cael ei ddefnyddio i gynhyrchu seiniau; seinio to sing, to vocalize

lleisiol *ans* yn ymwneud â'r llais, nodweddiadol o'r llais vocal

lleisiwr *eg* (lleiswyr) un sy'n canu, yn enwedig un sy'n canu gyda band neu mewn grŵp; canwr, datgeinydd vocalist

lleisydd *eg* (lleisyddion)
   1 un sy'n lleisio (barn)
   2 un sy'n canu vocalist

lleithach:lleithaf:lleithed *ans* [llaith] mwy
llaith; mwyaf llaith; mor llaith

lleithder:lleithedd *eg*
   1 y cyflwr o fod yn llaith; gwlybaniaeth
dampness, moisture
   2 METEOROLEG mynegiant neu fesur o anwedd
dŵr yn yr atmosffer humidity

lleithio *be* [lleithi•²]
   1 gwneud yn llaith; gwlychu (~ *rhywbeth* â)
to dampen
   2 gwneud rhywbeth (y croen fel arfer) yn llai
sych to moisturize

lleithiog *ans* llaith; llawn sudd juicy, moist

lleithon *eg* casgliad o wyau meddal pysgodyn roe

lleithydd *eg*
   1 dyfais sy'n cynnal neu'n creu lleithder yn yr
awyrgylch (mewn ystafell neu adeilad) humidifier
   2 eli croen i'w wneud yn llai sych moisturizer

llem *ans* ffurf fenywaidd **llym**, *beirniadaeth lem*
   ongl lem gw. **ongl**

llemais *bf* [llamu] *ffurfiol* gwnes i lamu

llemi *bf* [llamu] *ffurfiol* rwyt ti'n llamu; byddi
di'n llamu

llen *eb* (llenni)
   1 darn o liain neu gynfas sy'n cael ei hongian er
mwyn cuddio, gwahanu neu dywyllu rhywbeth;
cyrten, gorchudd curtain, drape, veil
   2 (mewn theatr) darn o ddefnydd trwm y gellir
ei godi neu ei ostwng ar flaen llwyfan curtain
   3 darn llydan, tenau, o ddefnydd megis metel,
gwydr neu bren haenog sheet
   llen iâ DAEAREG gorchudd neu haen eang
a thrwchus o iâ sydd fel arfer yn mesur
50,000 km², *Llen iâ Antarctica yw'r fwyaf
yn y byd.* ice sheet
   Ymadrodd
   y Llen Haearn gw. **haearn**

llên *eb* corff o weithiau ysgrifenedig sydd
â gwerth celfyddydol yn perthyn iddynt;
llenyddiaeth literature
   gŵr llên gw. **gŵr**

llên gwerin yr holl wybodaeth neu gof am
gredoau, arferion, traddodiadau, etc. sy'n perthyn
i hil neu genedl neu grŵp arbennig folklore

llencyn *eg* llanc ifanc; adolesent, glaslanc
adolescent, lad, youth

llencyndod *eg* y cyfnod rhwng tua thair ar
ddeg oed ac un ar bymtheg oed pan fydd
bechgyn a merched yn tyfu'n ddynion a
gwragedd ifanc; arddegau, glasoed, maboed,
mebyd adolescence

llencynnaidd:llencynnol *ans* yn perthyn
i lencyndod, nodweddiadol o lencyndod;
adolesent, mabolaidd adolescent

llen-dân *eb* llen yn gwrthsefyll tân y gellir ei
gollwng er mwyn gwahanu llwyfan oddi wrth
gorff theatr safety curtain

llenfetel *eg* METELEG llen neu haen denau o fetel
sheet metal

llengar *ans* am rywun sy'n hoff iawn o
lenyddiaeth neu'n ymwneud â llenyddiaeth;
diwylliedig, dysgedig

llengig *eg* (llengigoedd) ANATOMEG y cyhyr
cromennog sy'n gwahanu'r ceudod abdomenol
a'r ceudod thorasig mewn mamolion diaphragm
   tor llengig defnyddiwch **torlengig**

llên-ladrad *eg* (llên-ladradau) y broses o ddwyn
gwaith awdur (neu gyfansoddwr) a'i gyhoeddi
fel gwaith gwreiddiol newydd plagiarism

llên-ladrata *be* cyflawni llên-ladrad to plagiarize
   Sylwch: nid yw'r ferf hon yn arfer cael ei
rhedeg.

llenni *ell* lluosog **llen**
   1 dwy len sy'n cael eu crogi o flaen ffenestr neu
ddrws ac sy'n cael eu hagor a'u cau yn ôl y galw
curtains
   2 pâr tebyg ond llawer iawn mwy sy'n cael eu
crogi o flaen llwyfan curtains

llennyrch *ell* lluosog **llannerch**

llenor *eg* (llenorion) awdur (nofelydd, bardd,
dramodydd, etc.) sy'n ysgrifennu gwaith creadigol
o werth celfyddydol, sef llenyddiaeth author

llenwad *eg* (llenwadau)
   1 sylwedd sy'n cael ei ychwanegu at rywbeth
arall i'w wneud yn fwy neu'n gryfach filler
   2 defnydd a ddefnyddir i lenwi craciau neu
dyllau (e.e. cyn peintio rhywbeth) filler
   3 y sylwedd y mae deintydd yn ei ddefnyddio
i lenwi twll mewn dant filling

llenwi¹:llanw² *be* [llanw•³ *3 un. pres.* lleinw/
llanwa; *2 un. gorch.* llanw]
   1 gwneud neu ddod yn llawn; llwytho to fill,
to occupy
   2 dal swydd neu safle, *Mae'n bwysig bod
gennym rywun i lanw swydd y trysorydd cyn
y cyfarfod nesaf.* to fill

llenwi² *bf* [llanw] rwyt ti'n llanw; byddi di'n
llanw

llenwr gw. **llanwr**

llenydda *be*
   1 ymhél â llenyddiaeth, bod â diddordeb mewn
llenyddiaeth a'i hastudio
   2 cyfansoddi llenyddiaeth; ysgrifennu
   Sylwch: nid yw'r ferf hon yn arfer cael ei rhedeg.

llenyddiaeth *eb* (llenyddiaethau)
   1 gwaith ysgrifenedig creadigol, yn enwedig
y gweithiau sy'n cael eu cadw'n fyw oherwydd
ceinder eu harddull neu brydferthwch
eu syniadau literature
   2 yr holl lyfrau ac erthyglau sydd wedi cael eu
hysgrifennu ar ryw destun literature

llenyddol *ans* nodweddiadol o lenyddiaeth neu lenor, cysylltiedig â llenyddiaeth literary

lleol *ans*

1 yn perthyn i le neu ardal benodol, yn y cyffiniau; cyfagos local, localized

2 CYFRIFIADUREG yn ymwneud ag un rhan o raglen yn unig, *newidyn lleol* local

lleoledig *ans* wedi'i gyfyngu i leoliad arbennig localized

lleoli *be* [lleol•¹]

1 darganfod ym mhle yn union y mae (rhywun neu rywbeth) (~ *rhywbeth* **yn**) to locate

2 gosod (rhywun neu rywbeth) mewn lle penodol to locate, to place

lleoliad *eg* (lleoliadau) union safle, man penodol lle y ceir rhywun neu rywbeth, lle; llecyn, man, mangre, safle location, placement, position, setting

llercian *be* [llerci•²]

1 aros ynghudd (er mwyn cyflawni rhyw ddrwg); celu, llechu, ymguddio (~ **y tu ôl i**) to lurk

2 symud yn ddistaw ac yn llechwraidd gan geisio cadw o'r golwg to lurk, to prowl

llerciwr *eg* (llercwyr) un sy'n llercio; llechwr, stelciwr lurker, prowler

lles *eg* rhywbeth sy'n gwneud pethau'n well; budd, defnyddioldeb, gwerth, mantais benefit, good, welfare

Sylwch: ceir gradd gymharol ansoddeiriol, 'llesach'.

y Wladwriaeth Les gw. **gwladwriaeth**

Ymadroddion

ar fy (dy, ei, etc.) lles er daioni, er fy lles fy hun for one's own benefit, to one's advantage

er lles yn gwneud lles of benefit

llesach *ans* mwy o les

Sylwch: ffurf gymharol o'r enw 'lles'.

llesâd *eg* budd, elw, lles, mantais benefit

llesáu *be* bod o les neu o fantais i, gwneud lles to be beneficial

Sylwch: nid yw'r ferf hon yn arfer cael ei rhedeg.

llesfawr *ans* llesol iawn; buddiol, manteisiol advantageous

llesg *ans* [llesg•] heb gryfder neu fywiogrwydd, yn enwedig yn dilyn afiechyd; bregus, egwan, eiddil, nychlyd debilitated, feeble, frail

llesgáu *be* [llesga•¹⁵] mynd yn llesg, mynd yn eiddil; clafychu, diffygio, dihoeni, gwanhau to languish, to weaken

llesgedd *eg* y cyflwr neu'r stad o fod yn llesg; eiddilwch, gwendid, lludded, nychdod debility, frailty, weakness

llesiant *eg* budd, elw, mantais advantage, benefit

llesmair *eg* (llesmeiriau) y cyflwr o fod yn anymwybodol (ar ôl braw neu syndod, fel arfer); llewyg, perlewyg, pwl faint, swoon, trance

llesmeirio *be* [llesmeiri•²] syrthio yn anymwybodol; llewygu to faint, to swoon

llesmeiriol *ans* mor rhyfeddol (o brydferth) nes ei fod yn mynd â'ch sylw i gyd; ecstatig, hudolus, swynol captivating, enchanting, entrancing

llesol *ans* o les, er budd; bendithiol, iachusol, rhinweddol advantageous, beneficial, salutary

llestair *eg* (llesteiriau) rhywbeth sy'n llesteirio neu sy'n peri i bethau gael eu dal yn ôl; atalfa, rhwystr hindrance, obstruction

llesteiriad:llesteiriant *eg* (llesteiriadau:llesteiriannau) rhwystr, peth sy'n llesteirio; atalfa hindrance, obstacle

llesteirio *be* [llesteiri•²] dal yn ôl; atal, ffrwyno, rhwystro (~ *rhywun/rhywbeth* **rhag**) to hinder, to impede, to obstruct

llesteiriol *ans* yn llesteirio, yn rhwystro hindering, obstructive

llesteiriwr *eg* (llesteirwyr) un sy'n llesteirio; rhwystrwr obstructionist, obstructor

llestr *eg* (llestri) cynhwysydd ar gyfer dal rhywbeth (hylif, fel arfer), e.e. cwpan, dysgl, padell, etc. dish, receptacle, utensil, vessel

Sylwch: gw. hefyd **llestri**.

llestri *ell* lluosog **llestr**, yr holl blatiau, gwydrau, cyllyll, ffyrc, llwyau a chwpanau, etc. a ddefnyddir ar gyfer pryd o fwyd crockery

llestri pridd crochenwaith wedi'i wneud o glai clay pots, pottery

llestri te set o gwpanau, soseri a phlatiau ar gyfer te prynhawn tea set

Ymadrodd

dros ben llestri yn eithafol, yn ormodol, yn rhy bell over the top, too far

llesyddiaeth *eb* iwtilitariaeth; y gred mai maen prawf a yw gweithred yn dda neu'n ddrwg yw pa mor ddefnyddiol yw ei chanlyniadau utilitarianism

lletach:lletaf:lleted *ans* [llydan] mwy llydan; mwyaf llydan; mor llydan

Lletai'r Llysoedd *ell* CYFRAITH pedair cymdeithas breifat o fyfyrwyr y gyfraith a bargyfreithwyr yn Llundain sydd â'r unig hawl i dderbyn cyfreithwyr yn fargyfreithwyr; hefyd yr adeiladau a ddefnyddir gan y pedair cymdeithas Inns of Court

lletchwith *ans* heb fod yn ddeheuig na llyfn; afrosgo, anhylaw, chwithig, trwsgl awkward, clumsy, inconvenient

lletchwithdod *eg* yr ansawdd o fod yn lletchwith, yn enwedig os yw'n achosi teimladau chwith; anfedrusrwydd, anneheurwydd awkwardness, clumsiness

lleted gw. **lletach**

lletem *eb* (lletemau) darn o bren (fel arfer) ar ffurf V ag un pen main a'r llall yn llydan;

fe'i defnyddir naill ai i agor hollt neu er mwyn llenwi bwlch; gaing wedge

lletem bysgod darn bach, hirsgwar o bysgodyn dan haen o friwsion bara fish finger

lletemu *be* [lletem•¹] gosod yn sownd neu'n dynn wrth guro lletem i'w lle to wedge

lletgras *ans* (am dir neu hinsawdd) sych, yn derbyn ychydig o law semi-arid

lletraws *ans* (am linell) heb fod yn hollol lorwedd, ar ogwydd, ar oleddf; arosgo diagonal, slanting, sloping

lletro *eg* hanner tro half-turn

lletwad *eb* (lletwadau) llwy fawr, ddofn a choes hir iddi ladle, scoop

llety *eg* (lletyau) lle i aros a chysgu ynddo dros dro; gwesty lodging, accommodation, billet

lletya *be* [llety•¹]
1 aros dros dro, aros mewn llety, *Pan euthum i i'r coleg gyntaf bûm yn lletya gyda Mrs Jones yn Heol y Bont.* (~ **gyda**) to lodge
2 rhoi lle, neu ddod o hyd i loches i rywun, *Mae lletya'r holl bobl sy'n ddigartref yn un o broblemau mawr ein cyfnod.*; cartrefu to accommodate, to house, to put up
3 CYFRIFIADUREG storio (gwefan neu ddata eraill) ar weinydd neu gyfrifiadur arall er mwyn gallu eu cyrchu dros y Rhyngrwyd to host

lletyaeth *eb* y broses o letya, canlyniad lletya lodging

lletygar *ans* parod i roi llety; croesawgar hospitable

lletygarwch *eg* y weithred o estyn croeso, o wneud i rywun deimlo'n gartrefol hospitality

lletyol *ans*
1 BIOLEG (am anifail neu blanhigyn) y mae parasit neu organeb gydfwytaol yn byw ynddo neu arno host
2 BIOLEG fel yn *cell letyol*, sef cell fyw y mae firws yn lluosi ynddi host

lletywr *eg* (lletywyr)
1 un sy'n talu rhent i fyw yn yr un tŷ â pherchennog y tŷ lodger
2 perchennog llety neu un sy'n rhoi llety landlord

llethdod *eg* y cyflwr pan fo rhywbeth yn llethol; myllni, trymder oppressiveness

llethol *ans* ofnadwy o feichus neu flinderus; gormesol, gorthrymus, mwll, trymaidd overpowering, overwhelming, sweltering

llethol o fe'i defnyddir i ddwysáu ystyr ansoddair, *yn llethol o drwm*

llethr *eg* (llethrau) ochr bryn neu fynydd, rhiw serth; allt, banc, goleddf, llechwedd slope, hillside, scarp

llethrog *ans* fel ochr llechwedd; serth sloping, steep

llethu *be* [lleth•¹]
1 pwyso'n drwm ar rywun, gwasgu dan bwysau, *O bryd i'w gilydd fe ddaw ton o iselder ysbryd drosto sy'n llethu pob awydd i wneud unrhyw beth.*; gormesu, gorthrymu, maeddu (~ *rhywun* â) to oppress, to overwhelm, to stifle, to suppress, to swamp
2 cael eich gorthrymu neu eich gormesu, *Roedd y prifathro wedi'i lethu'n llwyr gan yr holl waith papur.*; trechu to be oppressed, to be overwhelmed

lleuad *eb* (lleuadau)
1 SERYDDIAETH lloeren naturiol y Ddaear sydd 382,376 cilometr (tua 238,000 milltir) i ffwrdd, ac sy'n symud o amgylch y Ddaear unwaith tua phob 28 diwrnod; fe'i gwelir yn tywynnu yn y nos wrth iddi adlewyrchu golau'r Haul; y Lleuad, y lloer moon, the Moon
2 corff wybrennol neu loeren naturiol unrhyw un o'r planedau eraill moon
Sylwch: defnyddir priflythyren pan gyfeirir ato mewn cyd-destun seryddol.

lleuad fedi y lleuad sy'n ymddangos adeg cynhaeaf harvest moon

lleuad gŵr Penllyn/Iâl lleuad yr heliwr, sef y lleuad lawn nesaf ar ôl lleuad naw nos olau, y lleuad agosaf at gyhydnos yr hydref hunter's moon

lleuad lawn y Lleuad ar ei mwyaf, pan fydd yn gylch crwn, cyfan full moon

lleuad naw nos olau ymadrodd arall am leuad fedi (sy'n codi tua'r un adeg ar nifer o nosweithiau olynol yn ystod mis Medi) harvest moon

lleuen *eb* (llau) un o nifer o fathau o bryfed bychain sy'n byw ar groen neu yng ngwallt pobl ac anifeiliaid bug, louse

lleufer *eg* *hynafol* disgleirdeb, goleuni, gwawl illumination

lleugylch *eg* cylch o oleuni sy'n ymddangos o gwmpas y Lleuad corona, halo

lleuog *ans* llawn llau lousy

llew *eg* (llewod) anifail mawr a geir yn Affrica ac sy'n perthyn i'r un teulu â'r gath; mae gan y gwryw fwng trwchus o flew dros ei ben a'i ysgwyddau lion

llewes *eb* (llewesau) llew benyw lioness

llewpart:llewpard *eg* (llewpartiaid) anifail tebyg i gath fawr â chot felynfrown ac arni smotiau duon; mae'n byw yn Affrica a De Asia ac yn hela anifeiliaid eraill am eu cig leopard

llewpart hela math o lewpart bychan a'r anifail cyflymaf ar dir yn y byd (yr hebog tramor yw'r anifail cyflymaf) cheetah

llewych gw. **llewyrch**

llewyg *eg* (llewygon) y cyflwr o fod yn anymwybodol (ar ôl braw neu syndod neu oherwydd afiechyd); llesmair, perlewyg, pwl faint, swoon

llewyg yr iâr planhigyn gwenwynllyd, drycsawrus o deulu'r codwarth â blodau brown/melyn a dail blewog, gludiog henbane

llewygu *be* [llewyg•¹]
1 syrthio'n anymwybodol (am gyfnod byr) o ganlyniad i ddiffyg ocsigen i'r ymennydd; llesmeirio to faint, to pass out, to swoon
2 fel arfer yn y ffurf *llwgu*, dioddef o eisiau bwyd; newynu to famish, to starve

llewyrch:llewych *eg*
1 goleuni; disgleirdeb, gloywder, llacharedd, ysblander brightness, radiance, sheen
2 golwg raenus; ffyniant, graen, llwyddiant prosperity, success

llewyrch daear SERYDDIAETH y golau gwan a welir o ochr y Lleuad nad yw'r Haul yn ei goleuo earthshine

llewyrchiad:llewyrchiant *eg* (llewyrchiadau) y weithred neu'r broses o lewyrchu; disgleiriad illumination, shining

llewyrchu *be* [llewyrch•¹] disgleirio, pefrio, pelydru, tywynnu to gleam, to glisten, to shine

llewyrchus *ans* yn ffynnu, yn llwyddo (fel y gall pawb weld y llwyddiant); ffrwythlon, ffyniannus, llwyddiannus, toreithiog flourishing, prosperous, thriving

llewyrchyn *eg* llygedyn (o oleuni); pelydryn, gwreichionen glimmer, ray, spark

llewys *ell* lluosog **llawes**
    torchi llewys
1 (yn llythrennol) troi llewys eich crys i fyny
2 (yn ffigurol) gweithio o ddifrif neu baratoi i wneud hynny, *Mae angen iti dorchi dy lewys – mae'r arholiadau'n dechrau ymhen llai na mis.* to roll up one's sleeves
    yn llewys fy (dy, ei, etc.) nghrys gw. crys

lleyg *ans*
1 heb fod wedi derbyn hyfforddiant proffesiynol lay
2 CREFYDD am unigolyn nad yw wedi'i ordeinio, nad yw'n weinidog nac yn offeiriad nac yn esgob, etc., neu am wasanaeth a roddir gan rywun o'r fath; seciwlar lay, secular

lleygwr *eg* (lleygwyr)
1 gŵr nad yw wedi'i ordeinio, nad yw'n weinidog nac yn offeiriad nac yn esgob layman
2 gŵr nad yw wedi derbyn hyfforddiant mewn rhyw faes arbennig o'i gyferbynnu â'r rhai sydd wedi cael eu hyfforddi layman

LlGC *byrfodd* Llyfrgell Genedlaethol Cymru NLW

lli gw. **llif¹**

lliain *eg* (llieiniau)
1 defnydd wedi'i wau o lin; brethyn, ffabrig linen
2 darn o liain neu frethyn a ddefnyddir i sychu gwlybaniaeth oddi ar groen neu lestri, etc.; tywel cloth, towel

lliain bwrdd:lliain bord darn o'r defnydd hwn (neu ddefnydd tebyg) a ddefnyddir i'w daenu dros fwrdd tablecloth

lliant *eg* llif, môr, llanw flood

lliaws *eg* nifer mawr; amlder, llu, mintai, tyrfa, host, multitude

llibin *ans* yn hongian yn llac; llaes, llegach, llesg, llipa flaccid, limp

llid *eg* (llidiau)
1 teimlad cryf o ddicter; atgasedd, cynddaredd, digofaint, ffyrnigrwydd anger, fury, ire, wrath
2 MEDDYGAETH gwres, cochni a chwydd poenus mewn rhannau o'r corff, wedi'u hachosi fel adwaith i haint neu niwed inflammation

llid falfiau'r galon endocarditis; llid y bilen lefn sy'n gorchuddio'r siambrau y tu mewn i'r galon a'i falfiau endocarditis

llid pibell y bledren wrethritis; llid yr wrethra urethritis

llid y berfeddlen peritonitis; cyflwr meddygol lle mae'r peritonëwm yn mynd yn llidus peritonitis

llid y bledren llid yn y bledren, a achosir gan haint ac a all achosi poen wrth basio dŵr cystitis

llid y coluddion gastro-enteritis; llid y stumog a'r coluddion sy'n gallu achosi chwydu a dolur rhydd poenus gastro-enteritis

llid y cylla MEDDYGAETH llid y meinwe y tu mewn i'r stumog gastritis

llid y cymalau arthritis; clefyd sy'n achosi llid ac anhyblygedd yng nghymalau'r corff arthritis

llid y droellfa labyrinthitis; llid y glust fewnol labyrinthitis

llid y feudag llid y laryncs; llid yn y laryncs sy'n gallu achosi gwddf tost, crygni a cholli llais laryngitis

llid y ffaryncs MEDDYGAETH llid yn y ffaryncs sy'n achosi gwddf tost pharyngitis

llid y ffroenau rhinitis; llid ym mhilen fwcaidd y trwyn rhinitis

llid y genau stomatitis; llid yn leinin y geg stomatitis

llid y gorchfannau llid y deintgig periodontitis, pyorrhoea

llid y groth metritis; llid ym mur y groth metritis

llid y gwythiennau fflebitis; llid ym muriau'r gwythiennau phlebitis

llid y gyfbilen llid y bilen y tu mewn i amrant y llygad sydd hefyd yn gorchuddio tu blaen pelen y llygad conjunctivitis

llid y pendics MEDDYGAETH cyflwr meddygol difrifol lle mae'r pendics yn mynd yn llidus ac yn boenus appendicitis

llid yr afu/iau hepatitis; clefyd a nodweddir gan lid yr afu/iau hepatitis

llid yr amrannau bleffaritis; llid yn ymylon yr amrannau blepharitis

llid yr arennau neffritis; cyflwr llym neu gronig sy'n achosi i'r arennau fynd yn llidus *nephritis*

llid yr enfys MEDDYGAETH llid iris y llygad *iritis*

llid yr oesoffagws MEDDYGAETH llid yn leinin yr oesoffagws *oesophagitis*

llid yr ymennydd MEDDYGAETH llid y tair pilen sy'n gorchuddio'r ymennydd a madruddyn y cefn *meningitis*

llid yr ysgyfaint niwmonia; clefyd sy'n effeithio ar yr ysgyfaint drwy eu gwneud yn llidus, gyda'r canlyniad bod y claf yn cael anhawster i anadlu *pneumonia*

llid y sefnig llid yr oesoffagws; llid yn leinin yr oesoffagws *oesophagitis*

llid y tafod MEDDYGAETH cyflwr lle mae'r tafod yn chwyddo ac yn newid lliw *glossitis*

llidiart *eg* (llidiardau)
1 math o ddrws solet neu un wedi'i wneud o fframwaith agored o goed neu fetel a ddefnyddir i gau neu agor bwlch mewn clawdd, wal, etc.; clwyd, gât, giât, iet *gate*
2 un o ddau ddrws mawr a ddefnyddir i reoli uchder y dŵr mewn camlas; llifddor *lock-gate*
(gwybod) tu nesaf i lidiart y mynydd gwybod y nesaf peth i ddim

llidio *be* [llidi•²]
1 troi'n llidus; achosi llid *to fester, to inflame*
2 colli tymer; cythruddo, digio, ffromi, ymgynddeiriogi (~ **wrth/yn erbyn** *rhywun*) *to become enraged, to become infuriated*

llidiog *ans* llawn llidiogrwydd; blin, cynddeiriog, dicllon, dig *wrathful*

llidiogrwydd:llidiowgrwydd *eg* dicter, digofaint, ffyrnigrwydd *wrath*

llidus *ans* (am ran o'r corff) wedi cochi, wedi chwyddo, yn llosgi, yn cosi; llosg *burning, inflamed*

llieiniau *ell* lluosog **lliain**

llif¹:lli *eg* (llifogydd) rhediad dŵr (neu hylif arall), yn enwedig symudiad y dŵr ar hyd gwely afon; cerrynt, dylifiad, ffrwd, llanw *flow, current, flood*

llif arian CYLLID cyfanswm yr arian sy'n mynd i mewn i fusnes ac sy'n dod allan o'r busnes, yn enwedig yn y ffordd y mae'n effeithio ar warged y busnes *cash flow*

llif y gwaed y gwaed sy'n cylchredeg drwy gorff person neu anifail *bloodstream*

llif² *eb* (llifiau) erfyn ar gyfer torri defnyddiau (megis pren, cerrig, plastig, etc.) â llafn â rhes o ddannedd ar ffurf V ar ei ymyl *saw*

blawd llif gw. **blawd**

llif dwll erfyn ar gyfer dril trydan i dorri tyllau crwn cymharol fawr *hole saw*

llif dyno llif law fach â dannedd mân i dorri pren yn fanwl gywir *tenon saw*

llif dyno fach llif debyg i lif dyno a ddefnyddir i wneud uniadau cynffonnog *dovetail saw*

llif fwa fach llif law â llafn tenau ar ffrâm i dorri cromliniau a siapiau cymhleth o bren a rhai plastigion *coping saw*

llif ffret llif â llafn main, ystwyth a ddefnyddir i dorri patrymau cywrain mewn pren tenau; rhwyll-lif *fretsaw*

llif gadwyn llif torri coed pwerus â chadwyn ddanheddog ddi-dor a yrrir gan fodur *chainsaw*

llif gron llif drydan â disg danheddog sy'n cylchdroi'n gyflym *circular saw*

llifanu *be* [llifan•³] gosod min ar lafn neu lyfnu rhywbeth drwy ffrithiant neu drwy ei falu'n fân; awchlymu, minio *to grind, to hone, to whet*

maen llifanu disg sgraffiniol sy'n troi'n gyflym a ddefnyddir i osod min ar lafn neu i lathru metel; agalen *grindstone*

llifddor *eb* (llifddorau)
1 drws mawr neu lidiart sy'n cael ei agor a'i gau er mwyn rheoli llif neu uchder dŵr; fflodiart *floodgate, lock, sluice*
2 drws gwaelod dau ddrws mawr a ddefnyddir i reoli uchder y dŵr mewn camlas; *lock-gate*

llifddwr *eg* (llifddyfroedd) llawer o ddŵr llifeiriol neu rededog; cenllif; llifeiriant *deluge, torrent*

llifedig *ans* wedi'i lifo, wedi'i liwio *dyed*

llifedd *eg* y cyflwr o fod yn llifo neu'r graddau y mae rhywbeth yn medru llifo *fluidity*

llifeiriant *eg* rhediad (chwyrn, fel arfer) o ddŵr; cenllif, cerrynt, dylifiad, ffrydlif *flow, spate, stream*

llifeirio *be* [llifeiri•²] rhedeg, arllwys, dylifo, gorlifo, *gwlad yn llifeirio o laeth a mêl* to flow, to gush

llifeiriol *ans* yn llifeirio; rhedegog *flowing*

llifglawdd *eg* (llifgloddiau) clawdd o wneuthuriad dyn i ddiogelu tir rhag gorlifiad; cob *levee*

llif-gynhyrchu *eg* y broses o gynhyrchu nwyddau unffurf safonedig ar linell gydosod *flow production*

llifio *be* [llifi•²] torri rhywbeth â llif (~ **drwy**) *to saw*

llifiwr *eg* (llifwyr) un sy'n llifio (coed) *sawyer*

llifo¹ *be* [llif•¹] llifeirio, rhedeg (fel dŵr); arllwys, dylifo, ffrydio, gorlifo (~ **i**) *to flow, to gush*

llifo² *be* [llif•¹] defnyddio llifyn i newid lliw rhywbeth, e.e. gwallt neu frethyn; lliwio *to dye*

clymu a llifo gw. **clymu**

llifo batic GWNIADWAITH (am ddefnydd) llifo ar ôl rhoi cwyr ar y rhannau nad ydynt i'w llifo *batik dyeing*

llifo darn GWNIADWAITH (am ddefnydd) llifo ar ôl iddo gael ei wehyddu *to piece-dye*

llifo dipio GWNIADWAITH (am ddefnydd neu edafedd) trochi mewn hydoddiant arbennig er mwyn ei lifo *to dip-dye*

llifo³ gw. llifianu

llifogydd *ell*
  1 lluosog llif¹
  2 dyfroedd yn llifeirio dros y tir, yn enwedig
  ar ôl glaw trwm, llanw uchel, stormydd, etc.;
  ffrydlif, gorlif, llifeiriant floods

llifolau *eg* (llifoleuadau) golau trydan cryf,
  llachar (a ddefnyddir i oleuo cae chwarae,
  llwyfan, waliau adeilad, etc.) floodlight

llifoleuo *be* [llifoleu•¹] goleuo (rhywbeth) â
  llifoleuadau to floodlight

llifsiart *eg* (llifsiart(i)au) siart llif; darlun yn
  defnyddio symbolau (triongl, diemwnt, petryal,
  etc.) wedi'u cysylltu â llinellau yn dangos
  fesul cam, y ffordd o gyflawni rhyw waith
  (cymhleth, fel arfer) flow chart

llifwaddod *eg* (llifwaddodion) DAEAREG
  clai, silt, tywod, graean neu ddefnyddiau tebyg
  wedi'u dyddodi gan nentydd neu afonydd,
  ac sy'n sail i orlifdiroedd alluvium

llifwaddodol *ans* DAEAREG yn perthyn i
  lifwaddod, yn ffurfio llifwaddod alluvial

llifwr *eg* (llifwyr) un sy'n hogi, un sy'n rhoi min
  ar erfyn o fetel grinder, whetter

llifydd *eg* (llifyddion) FFISEG sylwedd, e.e. hylif
  neu nwy, sy'n gallu llifo a newid ei siâp fluid

llifyddol *ans* FFISEG o natur llifydd fluid

llifyn *eg* (llifynnau) sylwedd cemegol neu un
  wedi'i wneud o lysiau y mae modd ei gymysgu
  â dŵr er mwyn lliwio pethau fel brethyn, lliain,
  gwallt, etc. dye

llilin *ans* [llilin•] wedi'i ddylunio i symud yn llyfn
  ac yn rhwydd (drwy ddŵr neu aer) streamlined

llilinio *be* [llilini•⁶] gosod ffurf llilin ar rywbeth
  to streamline

llin *eg* planhigyn â blodau bach glas sy'n cael ei
  dyfu ar gyfer gwneud lliain o'i ffibrau ac olew
  o'i hadau flax

  had llin gw. had

llin yn mygu y llinyn yng nghanol cannwyll
  sy'n llosgi'n fflam; llin yn mygu yw un nad yw
  wedi'i ddiffodd yn llwyr; fel arfer 'diffodd llin
  yn mygu' yw'r ymadrodd sy'n golygu 'lladd pob
  gobaith'
  Ymadrodd

llin y llyffant planhigyn yn perthyn i deulu
  bysedd y cŵn â blodau melyn ac oren yn debyg
  i drwyn y llo common toadflax

llinach *eb* (llinachau) rhestr o achau rhywun
  o genhedlaeth i genhedlaeth; ach, cyff,
  gwehelyth, tras ancestry, lineage, pedigree

llinad y dŵr *eg* planhigyn dyfrol bychan iawn
  sy'n arnofio ar ddŵr llonydd ac sydd yn aml
  yn ffurfio haen werdd sy'n ymddangos fel ei
  bod yn gorwedd yn ddi-dor ar wyneb y dŵr
  duckweed

llin-blygu *be* [llin-blyg•¹] gwresogi llenni

thermoplastig ar hyd llinell denau a'u plygu; wedi
i'r llenni oeri bydd y plyg yn aros to line bend

llindag *eg*
  1 planhigyn parasitig â choesynnau sy'n
  defnyddio sugnolynnau i ddringo planhigion
  eraill dodder
  2 MEDDYGAETH haint a achosir gan ffwng yn
  tyfu ar feinwe'r gwddf thrush

llindagu *be* [llindag•¹] atal rhywun rhag anadlu
  drwy wasgu ei gorn gwddf; mogi, mygu, tagu
  to strangle, to throttle

llindagwr *eg* (llindagwyr) un sy'n llindagu
  strangler

llinell *eb* (llinellau)
  1 marc o hyd penodol ond sydd mor gul nad yw
  ei led yn cael ei ystyried, e.e. ôl pensil ar bapur,
  crafiad ar bren neu fetel, neu rigol gul yn y
  croen line
  2 rhes union (o bobl, fel arfer) y naill y tu ôl
  i'r llall, *sefyll mewn llinell i aros am fws*
  queue, row
  3 lein sy'n cael ei pheintio ar y llawr er
  mwyn nodi ffin (e.e. man cychwyn neu fan
  terfyn ar gae chwarae neu ar y ffordd fawr)
  crease, line
  4 streipen, lein fras, *Un o nodweddion y sebra
  yw'r llinellau du a geir ar hyd ei gorff llwyd
  golau.* stripe
  5 ffin rhwng dau gyflwr, *Llinell denau medden
  nhw, sydd rhwng athrylith a gwallgofrwydd.*
  boundary, line
  6 rhes o eiriau mewn darn o farddoniaeth neu
  ar dudalen o brint, *Mae pedair llinell ar ddeg
  mewn soned.* line

llinell atchwel gw. atchwel

llinell gais (mewn rygbi) un o ddwy linell gôl;
  mae tirio'r bêl y tu ôl i linell y gwrthwynebwyr
  yn sgorio pwyntiau ac yn caniatáu cic at y gôl
  gan y tîm a sgoriodd y cais try line

llinell gwsg (mewn rygbi) llinell y tu ôl i'r
  llinell gais; mae'r bêl yn mynd oddi ar y cae
  chwarae wrth ei chroesi dead-ball line

llinell gydosod rhes o weithwyr a pheiriannau
  mewn ffatri sy'n cydosod cyfres o eitemau
  unfath assembly line

llinell gynhyrchu dilyniant o brosesau mewn
  ffatri i weithgynhyrchu cynnyrch gorffenedig
  production line

llinell weld llinell ddychmygol o lygad person
  at yr hyn a wêl sight line
  Ymadroddion

llinell gymorth gwasanaeth ffôn sy'n darparu
  help ar gyfer problemau helpline

llinell ystlys un o'r ddwy linell sy'n pennu
  ffin y chwarae bob ochr i gae rygbi, pêl-droed,
  etc., neu'r llain y tu draw i'r llinellau hyn
  touchline

llinellau *ell* lluosog **llinell**

1 rhes o linellau sy'n gorfod cael eu hysgrifennu fel cosb gan blentyn ysgol lines

2 y geiriau y mae'n rhaid i actor neu actores eu dysgu mewn drama lines

3 y modd cywir i ddelio â thasg neu sefyllfa arbennig, *Er na chafodd y bachgen yr ateb cywir, roedd yr athro'n falch ei fod ar y llinellau iawn.* lines

darllen rhwng y llinellau gw. darllen

llinelliad *eg* (llinelliadau)

1 y broses o farcio â llinellau, canlyniad marcio â llinellau lineation

2 DAEAREG nodwedd dopograffig, linellol, e.e. ffawt lineament

llinellog:llinellol *ans* a llinellau drosto; rhesog lined

llinellwr *eg* (llinellwyr) llumanwr mewn gêmau megis tennis a phêl-droed, un o'r swyddogion sy'n cadw at ymyl y maes chwarae ac yn cynorthwyo'r dyfarnwr; ystlyswr linesman

llinfap *eg* (llinfapiau) DAEARYDDIAETH map wedi'i luniadu'n fras sy'n dangos manylion sylfaenol yn unig sketch map

lliniarol *ans*

1 yn lleddfu, yn esmwytháu, yn lleihau poen; lleddfol soothing, palliative

2 yn lleihau difrifoldeb mitigating

lliniaru *be* [lliniar•³] lleihau (poen, gofid, blinder, etc.); esmwytho, lleddfu, llonyddu, tawelu to alleviate, to soothe, to ease

lliniarydd *eg* (lliniaryddion) MEDDYGAETH cyffur i leddfu neu liniaru poen palliative

lliniogi *be* [lliniog•¹] llenwi rhannau o lun â llinellau main agos, cyfochrog to hatch

llinol *ans*

1 mewn un dimensiwn yn unig, tebyg i linell linear

2 (am naratif) yn symud yn gronolegol drwy gyfres o gamau sy'n dilyn ei gilydd linear

3 MATHEMATEG y gellir ei gynrychioli gan linell syth ar graff linear

4 MATHEMATEG yn ymwneud â newid union gyfraneddol mewn dau faint cysylltiedig linear

llinoledd *adf* y cyflwr o fod yn llinol linearity

llinos *eb* (llinosiaid) aderyn bach brown sy'n perthyn i'r un teulu â'r ji-binc a'r nico; mae gan y ceiliog gân bert linnet

llinos werdd llinos fawr â phlu melynwyrdd a chlytiau melyn ar brif blu'r adenydd ac ar ochrau'r gynffon greenfinch

llinyn *eg* (llinynnau)

1 cortyn main wedi'i lunio o ffibrau wedi'u cyfrodeddu; carrai string, strand, twine

2 darn o ddefnydd ar gyfer clymu rhywbeth; cordyn, rheffyn, tennyn band, tape

3 tant neu gortyn bwa sy'n cadw'r bwa

yn ei blyg ac a ddefnyddir i saethu'r saeth bowstring

4 lein bysgota; mae'r bachyn yn cael ei glymu wrth un pen tra bo'r pen arall yn sownd wrth y rilen line

5 tendon; gewyn sy'n clymu cyhyr wrth asgwrn, *Nid yw Gareth yn gallu chwarae rygbi ddydd Sadwrn; y mae wedi tynnu llinyn ei ar.* tendon

6 un o dannau offeryn cerdd, e.e. telyn, feiolin string

7 rhes hir (o bobl, anifeiliaid, ceir, digwyddiadau, etc.) line

8 y pwyntiau sy'n cysylltu â'i gilydd i wneud dadl, stori, adroddiad, etc., *Tynnodd holl linynnau'r ddadl at ei gilydd yn effeithiol.* thread

9 CYFRIFIADUREG rhestr ddilyniannol o nodau, geiriau neu ddata eraill string

llinyn bogail ANATOMEG (yn achos mamolion) y tiwb o gnawd sy'n cysylltu mam â'i phlentyn cyn iddo gael ei eni umbilical cord

llinyn mesur

1 tâp mesur tape measure

2 yn ffigurol hefyd am farn rhywun am rywbeth/rywun, *Wyt ti wedi gosod dy linyn mesur ar y neuadd newydd eto – beth wyt ti'n ei feddwl ohoni?*

llinyn yr ar ANATOMEG un o'r pum tendon yng nghefn pen uchaf y goes (gar) sy'n clymu'r cyhyr wrth yr asgwrn hamstring

Ymadroddion

cael deupen y llinyn ynghyd llwyddo i dalu ffordd, llwyddo i gadw pethau i fynd to make both ends meet

llinyn trôns *difriol* twpsyn dipstick

y llinyn arian disgrifiad o fywyd rhywun (a fydd yn cael ei dorri gan farwolaeth)

llinynnau *ell* CERDDORIAETH lluosog **llinyn**, yr offerynnau llinynnol mewn cerddorfa (feiolin, fiola, sielo a'r bas dwbl) strings

llinynnog *ans* tebyg i linyn neu gortyn o ran golwg neu ansawdd stringy

llinynnol *ans*

1 (am offeryn cerddorol) â thannau neu linynnau y gellir eu tynhau neu eu llacio er mwyn newid y traw stringed

2 CERDDORIAETH a genir gan yr offerynnau hyn neu gan linynnau cerddorfa string

llinynnu *be*

1 defnyddio llinyn plwm er mwyn sicrhau bod rhywbeth yn unionsyth neu ddefnyddio llinyn er mwyn sicrhau lefel syth o friciau wrth adeiladu to align, to plumb

2 gosod gleiniau (neu bethau tebyg) ar linyn to string

Sylwch: nid yw'r ferf hon yn arfer cael ei rhedeg.

llipa *ans* [llip•]
1 heb fod yn galed nac yn gryf, yn hongian yn ddiymadferth; eiddil, llac, llesg, musgrell limp, drooping, lank
2 (o ran cymeriad) di-asgwrn-cefn, gwan; bregus weak

llipryn *eg* (lliprynnod) rhywun tal, tenau, gwan, diegni neu ddi-asgwrn-cefn; edlych, llwfrgi milksop, weakling

lliprynnaidd *ans* heb ruddin; diymadferth, egwan, llipa feeble, wet

llith¹ *eb* (llithau:llithoedd) CREFYDD darlleniad o'r ysgrythur, yn enwedig un sydd wedi'i bennu gan yr Eglwys yng Nghymru ar gyfer gwasanaeth arbennig; gwers lesson
naw llith a charol gwasanaeth yn cynnwys naw darlleniad a charolau i ddathlu'r Nadolig

llith² *eg* (llithiau)
1 cymysgedd o rawn, bran, etc. wedi'i ferwi neu ei fwydo mewn dŵr berwedig i'w roi i geffylau, neu gymysgedd o ddŵr neu laeth a blawd fel bwyd anifeiliaid mash, swill
2 abwyd i ddenu anifail er mwyn ei ddal, e.e. pysgodyn, neu'n ffigurol, abwyd sy'n swyno, hudo ac yn arwain dyn ar gyfeiliorn bait, decoy

llithiad *eg* (llithiadau) y weithred o lithio, atyniad (at beth drwg), canlyniad llithio allurement, enticement

llithio *be* [llithi•²]
1 denu drwy dwyll, temtio (megis ag abwyd), arwain ar gyfeiliorn; hudo, swyno to lure, to entice
2 bwydo, rhoi maeth, e.e. llaeth to nourish

llithiwr *eg* (llithwyr) un sy'n llithio seducer

llithlyfr *eg* (llithlyfrau) CREFYDD llyfr yn cynnwys casgliad o ddarlleniadau i'w darllen mewn gwasanaeth crefyddol lectionary

llithr¹ *ans* yn llithro sliding

llithr² *eg* talp o bridd a chreigiau wedi llithro i lawr llechwedd slide

llithren *eb* (llithrennau)
1 tegan mawr â grisiau y gall plentyn eu dringo er mwyn llithro i lawr yr ochr arall slide
2 unrhyw ddyfais debyg y mae pethau yn gallu llithro ar hyd-ddi chute

llithrfa *eb* (llithrfeydd) ponc neu esgynfa ar oleddf yn ymestyn i'r môr, fel lle i longau lanio neu gael eu hatgyweirio neu gael eu hadeiladu slipway

llithriad *eg* (llithriadau)
1 y weithred o lithro slip
2 camgymeriad bach; amryfusedd, brycheuyn, mefl, nam lapse, slip
3 CERDDORIAETH symudiad llyfn, di-dor rhwng nodau slur
llithriad tafod camgymeriad bach wrth ddweud rhywbeth a slip of the tongue

llithrig *ans*
1 anodd sefyll neu yrru peiriant arno, anodd gafael ynddo heb lithro; sglefriog, slic, llyfn slippery
2 (am rywun) yn gallu siarad yn rhwydd a diymdrech; ffraeth, huawdl, rhugl articulate, facile
3 (am rywun) na ellir dibynnu arno; di-ddal slippery, unreliable

llithrigrwydd *eg* yr ansawdd neu'r cyflwr o fod yn llithrig; llyfnder, rhwyddineb, slicrwydd fluency, glibness, slipperiness

llithriwl *eb* MATHEMATEG riwl arbennig â chanol symudol wedi'i raddoli sy'n hwyluso lluosi rhifau (drwy adio hydoedd) a'u rhannu (drwy dynnu hydoedd) slide rule

llithro *be* [llithr•¹]
1 baglu neu golli gafael, cwympo (ar rywbeth llithrig), *Llithrais ar iâ ar y gris uchaf a chwympo'n bendramwnwgl i'w gwaelod.* to skid, to slip
2 symud yn llyfn ac yn esmwyth, *afon yn llithro heibio yn dawel a digyffro* to glide, to slide, to slither
3 mynd o un lle i'r llall heb i neb sylwi, yn llechwraidd; llercian, sleifio, *Llithrodd allan drwy ddrws y cefn heb i neb weld ei eisiau.* to slink, to slip
4 disgyn neu syrthio'n is na rhyw safon ddisgwyliedig, *llithro i ddyled*; cwympo to slide, to slip
5 gwneud camgymeriad, *llithro wrth sillafu* to slip up
6 CERDDORIAETH symud yn llyfn ac yn ddi-dor rhwng nodau to slur

llithrydd *eg* (llithryddion)
1 bwlyn neu lifer a symudir ar draws neu i fyny i reoli newidyn, e.e. lefel sain slider
2 rhan o beiriant neu offeryn sy'n llithro slide, slider

lliw¹ *eg* (lliwiau)
1 nodwedd sy'n caniatáu i'r llygaid wahaniaethu rhwng, er enghraifft, blodyn bach glas a blodyn bach melyn o'r un ffurf a maint, ac sy'n cael ei hachosi gan hyd y tonfeddi goleuni y mae'r llygaid yn gallu eu canfod; arlliw, gwawr colour
2 coch, gwyn, glas, du, melyn, gwyrdd, etc. colour
3 sylwedd a ddefnyddir i drosglwyddo coch, gwyn, glas, du, melyn, etc. i rywbeth, e.e. paent, llifyn colour
4 ymddangosiad yr wyneb (o ran lliw), *Mae e wedi cael lliw da ar ei wyliau.*; gwedd, pryd colour
lliw ceirios gw. ceirios
lliw haul croen o liw brown euraidd sy'n ganlyniad treulio amser yn yr haul suntan, tan

lliwiau cyflenwol lliwiau sydd, o'u cymysgu â'i gilydd, yn ffurfio gwyn neu lwyd complementary colours

lliwiau sylfaenol un o'r tri lliw (coch, glas a melyn) y mae modd eu cymysgu i gynhyrchu pob lliw arall ond du primary colours

Ymadroddion

lliw dydd yng ngoleuni'r dydd in broad daylight

lliw fy (dy, ei, etc.) arian/mhres arian sychion, *Welais i mo liw ei arian e erioed.* the colour of (my) money

lliw llaeth a chwrw disgrifiad o liw ceffyl roan

lliw nos yn nhywyllwch y nos, *Daeth Tom i fy ngweld liw nos.* at night

na lliw na llun dim o gwbl, *Ni welais na lliw na llun ohono byth wedyn.* nor sight nor sound

o bob lliw a llun o bob math all sorts

lliw² *ans* wedi'i liwio, nad yw'n wyn, *gwydr lliw* coloured, stained

> *Sylwch:* ceir y radd gyfartal 'cyfliw'

lliwddangos *be* [lliwddangos•¹] lliwio (darn o ysgrifen neu ddogfen) â phen fflwroleuol lliwgar er mwyn tynnu sylw ato; aroleuo to highlight

lliwgar *ans*

1 llawn lliw neu liwiau colourful, vivid

2 yn debygol o dynnu sylw neu o aros yn y cof oherwydd ei nodweddion trawiadol, *cymeriad lliwgar*; amryliw, diddorol colourful, vivid

lliwgarwch *eg* y cyflwr o fod yn lliwgar colourfulness

lliwiad *eg* (lliwiadau) y broses o liwio, canlyniad lliwio colouring

lliwiau *ell* lluosog lliw

1 yn wreiddiol, rhubanau neu fathodyn a wisgid i ddangos cefnogaeth i blaid neu achos; erbyn heddiw, gwisg liwgar joci neu dîm o chwaraewyr, etc., neu'n ffigurol, unrhyw arwydd sy'n dynodi i ba blaid neu achos y mae rhywun yn perthyn, *Ni fedrodd beidio â dangos ei liwiau wrth holi'r siaradwr.* colours

2 (mewn snwcer) y peli lliw unigol ac eithrio'r rhai coch a'r un wen colours

lliwiedig *ans* wedi'i liwio, wedi'i lifo coloured, dyed

lliwio *be* [lliwi•²]

1 rhoi lliw i rywbeth, newid lliw rhywbeth; coluro, peintio (~ *rhywbeth* â) to colour, to imbue

2 ychwanegu llifyn at ddŵr (neu hylif pwrpasol) er mwyn trosglwyddo'r lliw i ddillad, gwallt, defnydd, etc.; llifo² to dye

3 darlunio neu bortreadu rhywun neu rywbeth naill ai'n well neu'n waeth nag ydyw mewn gwirionedd, *Mae ei holl agwedd tuag at ynni niwclear wedi cael ei lliwio gan ei brofiadau yn ystod y rhyfel.*; dylanwadu to colour

4 cochi, gwrido (dan effaith teimlad) to colour (up)

lliwiwr *eg* (lliwyr) un sy'n lliwio (gwlân, gwallt, etc.) dyer

lliwur *eg* (lliwurau) llifyn; sylwedd cemegol neu un wedi'i wneud o lysiau y mae modd ei gymysgu â dŵr er mwyn lliwio pethau fel brethyn, lliain, gwallt, etc. dye

lliwydd *eg* (lliwyddion) llifyn neu bigment a ddefnyddir i liwio rhywbeth colourant

llo *eg* (lloi:lloeau)

1 epil neu fychan y fuwch (neu weithiau anifeiliaid mawrion eraill megis eliffant a morfil) calf

2 *difrïol* bachgen mawr dwl; hurtyn, llwdn, twpsyn oaf

> *Sylwch:* mae llo yn newid cenedl yn ôl rhyw'r anifail, *llo fanw*; *llo gwryw.*

llo cors am rywun afrosgo, heb fod yn sicr ble mae'n mynd

llo lloc am rywun diniwed braidd, nad yw wedi bod allan yn y byd mawr an innocent abroad

lloaidd *ans* twp, tebyg i lo doltish

lloc *eg* (llociau) corlan; darn bach o dir wedi'i amgylchynu â chlawdd neu ffens i gadw anifeiliaid ynddo, yn enwedig defaid; ffald enclosure, fold, pen

llocio *be* [lloci•²] cau anifail neu anifeiliaid mewn lloc; corlannu, ffaldio (~ **mewn**) to pen, to impound

lloches *eb* (llochesau) man sy'n cynnig cysgod a diogelwch (rhag y tywydd neu ymosodiad); encil, gwarchodfa, hafan, noddfa refuge, shelter, asylum

llochesu *be* [lloches•¹]

1 cadw'n ddiogel, diogelu rhag cael niwed, *Mae hanes am ddynion ardal y Mynydd Bach yng Ngheredigion yn llochesu gŵr oedd wedi llofruddio ciper nes iddo lwyddo i ddianc i America.*; gwarchod to harbour, to shelter

2 cuddio rhag niwed, *Penderfynasom lochesu yn harbwr Aberaeron rhag y storm a oedd ar dorri.*; cysgodi, ymochel (~ **rhag**) to shelter

llodig *ans* (am hwch) yn gofyn baedd; mewn gwres in heat

llodrau *ell*

1 math o drowsus byr sy'n cau wrth y penliniau breeches

2 *hen ffasiwn* trowsus, trwser, trywsus trousers

lloea *be* [lloe•¹] dod â llo to calve

lloer *eb* gair llai cyffredin am y lleuad moon

lloeren *eb* (lloerenni:lloerennau)

1 SERYDDIAETH corff bychan sy'n troi o gylch un mwy, e.e. mae'r Lleuad yn lloeren i'r Ddaear satellite

2 dyfais ddynol a wnaed i'w saethu i'r gofod ac i gylchynu'r Ddaear neu blaned arall

(i gasglu gwybodaeth am y tywydd, i dynnu
lluniau, neu i ddarllledu rhaglenni teledu, etc.)
satellite

lloergan *eg* *llenyddol* goleuni'r lleuad moonlight

lloerig *ans* hurt, disynnwyr, peryglus neu'n hollol
anymarferol; gorffwyll, ynfyd irrational, nuts

lloerigrwydd *eg* gweithredoedd neu ymddygiad
sy'n ymddangos yn wallgof; cynddaredd,
gwiriondeb, ynfydrwydd lunacy

lloerol *ans* yn ymwneud â'r lloer, yn cael ei reoli
gan y lloer lunar

llofnaid *eb* (llofneidiau) y weithred o lofneidio
vault

llofneidio *be* [llofneidi•²] neidio dros rywbeth gan
bwyso llaw neu ddwylo arno (~ **dros**) to vault

llofnod *eg* (llofnodion:llofnodau) enw rhywun
wedi'i ysgrifennu yn ei law ei hun (fel ar ddiwedd
llythyr neu ar waelod siec) signature, autograph

llofnodi *be* [llofnod•¹] torri enw, yn enwedig
ar ddogfen swyddogol; arwyddo to sign

llofnodwr *eg* (llofnodwyr) un sydd wedi torri'i
lofnod ar rywbeth signatory

llofr *ans* ffurf fenywaidd **llwfr**

llofrudd *eg* (llofruddion) CYFRAITH un sy'n lladd
rhywun yn anghyfreithlon (ac yn fwriadol, fel
arfer) murderer, assassin

llofruddiaeth *eb* (llofruddiaethau) CYFRAITH
y drosedd o ladd rhywun yn anghyfreithlon
ac yn fwriadol murder

llofruddio *be* [llofruddi•²] lladd rhywun yn
anghyfreithlon (ac yn fwriadol, fel arfer)
to murder, to assassinate

lloffa *be* [lloff•¹]
1 casglu'r grawn sydd yn weddill ar ôl cynaeafu'r
ŷd to glean
2 casglu (â chryn drafferth) ddarnau o
wybodaeth to glean

lloffion *ell* y grawn neu'r tywysennau sy'n
weddill ac sy'n cael eu casglu ar ôl medi'r ŷd
gleanings
llyfr lloffion llyfr o dudalennau gwag ar
gyfer gludio lluniau, toriadau papur newydd,
cardiau, etc. ynddo scrapbook

llofft *eb* (llofftydd)
1 llawr uchaf tŷ (lle mae'r ystafelloedd gwely,
fel arfer); croglofft, goruwchystafell upstairs
2 ystafell wely bedroom
lan llofft i fyny'r grisiau, lan stâr upstairs
llofft fach ystafell wely sbâr spare bedroom

lloffwr *eg* (lloffwyr) un sy'n casglu lloffion
gleaner

llog *eg* (llogau) tâl a godir neu a roddir am
fenthyg arian; ardreth, elw interest
llog syml CYLLID tâl wedi'i seilio ar y swm
gwreiddiol a fenthycwyd yn unig (cf. 'adlog')
simple interest

llogell *eb* (llogellau) *hen ffasiwn* poced, bag bach

wedi'i wnïo ar ddilledyn neu oddi mewn iddo
pocket

llogi *be* [llog•¹]
1 talu am gael defnyddio rhywbeth am gyfnod
penodol neu ar gyfer achlysur arbennig; hurio
to hire, to lease, to charter
2 cyflogi rhywun am gyfnod penodol neu i
wneud gwaith penodol; hurio, rhentu to hire

llogwr *eg* (llogwyr) un sy'n llogi, un sy'n rhentu
hirer

llong *eb* (llongau) bad neu gwch mawr, cerbyd
mawr iawn ar gyfer cludo pobl neu nwyddau
ar draws llyn neu fôr ship, vessel
llong danfor math o long (llong ryfel, fel arfer)
sy'n gallu symud ar wyneb y dŵr a hefyd dan
yr wyneb submarine
llong ofod math o gerbyd sy'n gallu teithio yn
y gofod gan gludo pobl a nwyddau spacecraft,
spaceship
llong olau llong fechan â goleuadau cryfion yn
fflachio ar bob pen iddi, wedi'i hangori yn ymyl
man peryglus yn y môr er mwyn rhybuddio
llongau eraill o'r perygl lightship
llong ryfel llong sy'n perthyn i lynges, fel arfer,
ac sy'n cario drylliau a ffrwydron yn barod i'w
defnyddio mewn rhyfel battleship, warship
Ymadrodd
fel llong ar dir sych am rywun allan o'i
gynefin like a ship out of water

llongaid *eb* (llongeidiau) llond llong (o nwyddau)
shipment

llongddrylliad *eg* (llongddryll̃iadau) dinistr
llong gan storm ar y môr neu o ganlyniad i
daro yn erbyn creigiau shipwreck

llongddryllio *be* [llongddrylli•²] (am long) cael
ei ddistrywio gan y môr a thywydd garw (~ **ar**)
to shipwreck

llongwr *eg* (llongwyr) un sy'n gweithio ar
fwrdd llong, yn enwedig un y mae ei waith
yn ymwneud â hwylio'r llong; morwr sailor,
seaman, mariner

llongwriaeth *eb* y grefft o hwylio llong;
morwriaeth seamanship

llongyfarch *gw.* **llon(-)gyfarch**

lloi *ell* lluosog **llo**

llom *ans* ffurf fenywaidd **llwm**, *Hafod Lom*

llon *ans* [llonn•]
1 wrth ei fodd; hapus, llawen, siriol cheerful,
happy, jolly, joyful
2 CERDDORIAETH (am raddfa gerddorol) mwyaf
major

llond *eg* cymaint ag sydd eisiau i lenwi rhywun
neu rywbeth
llond bol mwy na digon, syrffed (to be)
fed up
llond ceg/pen fel yn *rhoi llond ceg*, dwrdio,
dweud y drefn

llond dwrn dyrnaid, ychydig, *Dim ond llond dwrn o'r rhieni ddaeth i'r cyfarfod.* handful

llond ei groen â golwg dda a bodlon arno, tew, ffyniannus plump, portly

llond fy (dy, ei, etc.) hafflau gw. hafflau

llond gwlad torf fawr o bobl, neu helaethrwydd neu ddigonedd o rywbeth crowd, pile

llonder *eg* gorfoledd, hapusrwydd, llawenydd, sirioldeb cheerfulness, gaiety

llongyfarch *be* [llongyfarch•³] dymuno'n dda (i rywun) ar achlysur hapus yn ei hanes (e.e. priodas) neu fynegi llawenydd am iddo/ iddi gyflawni rhyw gamp neu'i gilydd (e.e. pasio arholiad, ennill gwobr); canmol, clodfori (~ *rhywun* **ar**) to congratulate, to compliment

llongyfarchiad *eg* (llongyfarchiadau: llongyfarchion) (yn y lluosog, fel arfer) cyfarchiad sy'n canmol neu'n mynegi edmygedd, y weithred o longyfarch, canlyniad llongyfarch congratulation

llonnach:llonnaf:llonned *ans* [llon] mwy llon; mwyaf llon; mor llon

llonni *be* [llonn•⁹] llenwi â llawenydd, gwneud yn llon, dod yn hapus, *Pan glywodd y newyddion da, teimlodd ei hun yn llonni drwyddo.*; sirioli, ymfalchïo, ymlawenhau to cheer, to gladden
  Sylwch: dyblwch yr 'n' ym mhob ffurf ac eithrio yn y rhai sy'n cynnwys -*as*-.

llonnod *eg* (llonodau) CERDDORIAETH arwydd (#) yn dynodi y dylid seinio'r nodyn sy'n ei ddilyn hanner-tôn yn uwch sharp

llonydd¹ *ans* [llonydd•]
  1 heb symud; ansymudol, digyffro, disymud, safadwy still, stationary, immobile
  2 heb wynt, *y llynnoedd gwyrddion, llonydd . . .*; digynnwrf, di-stŵr still, tranquil
  3 distaw, tawel quiet

llonydd² *eg* llonyddwch, tawelwch, distawrwydd, *y llonydd wedi'r storm* quiet
  gadael llonydd (i) gw. gadael

llonyddu *be* [llonydd•¹]
  1 dod yn fwy llonydd neu dawel; gostegu, ymdawelu, ymlonyddu to settle
  2 mynd yn llonydd; distewi, esmwytháu, tewi to calm, to quieten, to still

llonyddwch *eg* y cyflwr o fod yn llonydd; distawrwydd, gosteg, taw, tawelwch stillness, calmness, tranquillity

llopan *eb* (llopanau) esgid ysgafn anffurfiol; sliper flip-flop, slipper

llorestynnol *ans* BOTANEG (am ddeilen yn bennaf) â gwaelod llafn y ddeilen yn ymestyn i lawr coesyn y planhigyn yn ddwy adain decurrent

llorfudiant *eg* METEOROLEG y broses o drosglwyddo gwres yn llorweddol gan lif aer a dŵr, e.e. gwres o'r trofannau tua'r pegynau advection

lloriau *ell* lluosog **llawr**

llorio *be* [llori•²]
  1 bwrw i'r llawr, *paffiwr yn llorio'i wrthwynebydd* to floor
  2 maeddu drwy ddrysu neu synnu, *Cefais fy llorio gan ei ddadleuon cryfion.*; gorchfygu, trechu to floor
  3 gosod llawr (mewn adeilad) to floor

llorlech *eb* (llorlechi) un o'r cerrig gwastad sy'n ffurfio palmant; fflag flagstone

llorp *eb* (llorpiau) un o ddwy fraich trol, y mae modd gosod ceffyl rhyngddynt i'w thynnu, neu fraich debyg ar ferfa; siafft shaft

llorwedd *ans* yn gorwedd yn wastad, ar ei hyd; gorweddol, gwastad horizontal

llorwedd-dra *eg* y cyflwr o fod yn llorwedd horizontality

llorweddol *ans* ar ei orwedd, ar ei hyd, llorwedd horizontal

llosg¹ *eg* (llosgiadau)
  1 niwed neu gylch o ddrwg wedi'i achosi gan losgi burn
  2 teimlad poenus tebyg i losgi burning, irritation

llosg cylla MEDDYGAETH teimlad poenus yn y stumog a'r frest sy'n cael ei achosi gan ormod o asid yn y stumog ac sy'n arwydd o ddiffyg traul heartburn

llosg eira MEDDYGAETH chwyddi sy'n cosi neu'n ysu ar fysedd y traed, y dwylo neu'r clustiau a achosir gan oerfel a chylchrediad gwael y gwaed chilblains

llosg haul cyflwr lle mae'r croen yn troi'n goch ac yn boenus ar ôl bod allan yn yr haul yn rhy hir sunburn

llosg² *ans* yn llosgi neu wedi'i losgi; erbyn hyn mae'n fwy arferol yn ffigurol, *testun llosg*, testun cyfoes sy'n ennyn teimladau cryfion; llidiog, ysol burning

llosgach *eg* CYFRAITH cyfathrach rywiol rhwng dau sydd yn perthyn yn rhy agos i briodi, e.e. brawd a chwaer incest

llosgadwy *ans* y gellir ei losgi; fflamadwy, hyfflam, hylosg combustible

llosgedig *ans* wedi'i losgi burnt, scorched

llosgfa *eb* (llosgfeydd)
  1 teimlad o losg; enynfa burning
  2 man llosgi

llosgfynydd *eg* (llosgfynyddoedd) DAEAREG unrhyw agorfa neu agen naturiol ar wyneb y Ddaear y daw lafa, lludw a nwyon folcanig allan ohoni yn ystod echdoriad volcano

llosgfynydd byw llosgfynydd sydd yn y broses o echdorri neu un a allai echdorri unrhyw bryd active volcano

llosgfynydd cwsg:llosgfynydd mud llosgfynydd sy'n dawel ar hyn o bryd ond sydd wedi echdorri yn ystod y cyfnod hanesyddol dormant volcano

llosgfynydd marw llosgfynydd nad yw wedi echdorri yn ystod y cyfnod hanesyddol extinct volcano

llosg-garnedd *eb* (llosg-garneddau) DAEAREG dyddodyn pyroclastig ac ynddo ddarnau onglog a chrwn o ddefnyddiau folcanig sy'n ymgasglu gerllaw agorfa folcanig agglomerate

llosgi *be* [llosg•[1] *3 un. pres.* llysg/llosga; *2 un. gorch.* llosg/llosga]
1 bod ar dân; cael ei ddifa'n llwyr gan dân, cael ei droi'n lludw, *llosgodd y gannwyll yn isel*, *llosgodd ei lyfrau i gadw'n gynnes* to burn, to combust
2 tywynnu, *Roeddwn yn gallu gweld golau'n llosgi yn hwyr y nos yn y tŷ gyferbyn.* to burn, to shine
3 bod yn anghyfforddus o boeth, *Mae'r tywod yn llosgi fy nhraed.* to burn, to sting
4 (am y croen) troi'n goch ac yn boenus drwy fod allan yn yr haul yn rhy hir, *Llosgodd ar ddiwrnod cyntaf ei wyliau ac ni fentrodd allan i'r haul ar ôl hynny.*; cochi to burn, to smart
5 niweidio, difa, neu wneud dolur â thân neu wres, achosi difrod drwy wres neu dân, *Llosgodd ei lyfrau i gyd.* to burn
6 defnyddio ar gyfer gwresogi neu fel ffynhonnell egni neu er mwyn goleuo, *llongau oedd yn llosgi glo* to burn

llosgi bysedd gw. bys

llosgi'r gannwyll yn y ddau ben gw. cannwyll

llosgi yn fy (dy, ei, etc.) nghroen yn awyddus i wneud rhywbeth bursting to (do something)

llosgiad *eg* (llosgiadau) briw neu anaf sy'n ganlyniad llosgi â thân, dŵr berw, etc., *llosgiadau ar gefn y llaw* burn

llosgliw *ans* (mewn crochenwaith yn bennaf) wedi'i wneud o liw yn gymysg â chwyr toddedig a resin, lle mae'r lliw yn cael ei sefydlogi wrth ei grasu encaustic

llosgwr *eg* (llosgwyr) un sy'n llosgi pethau, un sy'n rhoi rhywbeth ar dân (yn fwriadol ac yn faleisus) arsonist, burner

llosgwrn *eg* (llosgyrnau) cloren, cwt, cynffon tail

llosgydd *eg* (llosgyddion) dyfais i losgi pethau'n ulw; ffwrnais incinerator, burner

llostlydan *eg* (llostlydanod) anifail sy'n perthyn i deulu'r llygoden Ffrengig; mae ganddo gynffon lydan a gall godi argaeau ar draws nentydd ac afonydd; afanc beaver

llowcio *be* [llowci•[2]] llyncu bwyd yn wancus; claddu, sglaffio, traflyncu to gulp, to gobble, to devour

llowdio *be* (am hwch) gofyn baedd; bod mewn gwres to be in heat
Sylwch: nid yw'r ferf hon yn arfer cael ei rhedeg.

llsgr. *byrfodd* llawysgrif ms.

llu *eg* (lluoedd) nifer mawr (o bobl, fel arfer); criw, gang, haid, mintai horde, host, throng

llu awyr y rhan o luoedd arfog gwlad sy'n ymwneud ag ymosod ac amddiffyn o'r awyr; awyrlu air force

lluoedd arfog lluoedd milwrol gwlad (byddin, llynges, awyrlu, etc.) armed forces

lluched *eb* ac *ell tafodieithol, yn y De* mellt; fflach neu fflachiadau cryfion o olau yn yr awyr sy'n cael eu dilyn fel arfer gan daranau lightning

llucheden *eb* (lluched) taranfollt; mellten a sŵn taran yr un pryd thunderbolt

lluchfa *eb* (lluchfeydd) pentwr o eira (tywod, lludw, etc.) wedi'i grynhoi gan y gwynt; lluwch drift

lluchiad *eg* (lluchiadau) tafliad, hyrddiad throw

lluchio *be* [lluchi•[2]]
1 achosi i rywbeth hedfan drwy ei daflu'n rymus; bwrw, hyrddio, taflu (~ *rhywbeth* **at**) to fling, to lob, to throw
2 symud (eich hun neu ran o'r corff) yn ddisymwth ac yn rymus, *Pan sylweddolodd fod y car yn rhuthro'n syth amdano, fe'i lluchiodd ei hun i'r naill ochr.*; taflu to fling, to hurl, to throw

lluchio baw pardduo, difenwi to sling mud

lluchiwr *eg* (lluchwyr) un sy'n lluchio hurler, thrower

lludw:lludu *eg* y llwch sy'n cael ei adael ar ôl i rywbeth losgi (yn enwedig olion tân glo/coed) ash, cinders

lludded *eg*
1 blinder eithafol o ganlyniad i ymdrech gorfforol neu feddyliol neu afiechyd; anegni, llesgedd exhaustion, fatigue, lassitude, weariness
2 tuedd metel, etc. i dorri neu hollti o gael ei blygu yn ôl ac ymlaen yn gyson fatigue

lluddedig *ans* wedi blino, wedi ymlâdd; blinedig, llesg exhausted, weary

lluddedu *be* blino, llesgáu, diffygio to grow weary
Sylwch: nid yw'r ferf hon yn arfer cael ei rhedeg.

lluddias *be* dal yn ôl; atal, llesteirio, rhwystro to hinder, to obstruct
Sylwch: nid yw'r ferf hon yn arfer cael ei rhedeg.

lluest *eg* (lluestau) math o babell neu le i gysgodi dros dro (i filwyr neu fugail) camp, shelter

lluesta:lluestu *be* [lluest•[1]] aros yn rhywle dros dro, byw mewn lluest to camp, to shelter

lluesteiwr *eg* (lluesteiwyr)
1 swyddog mewn byddin sy'n gyfrifol am drefnu llety a bwyd i filwyr quartermaster
2 swyddog ar long sy'n gyfrifol am sicrhau cyflenwad digonol o fwyd a diod, am gadw rhestr o'r criw a'u cyflog, etc. ac am drefnu'r cargo a gludir quartermaster

lluestfa *eb* gwersyll, trigfa dros dro encampment

lluestwr *eg* (lluestwyr) un sy'n byw mewn lluest

lluesty *eg* (lluestai) math o fwthyn neu hafod ar dir comin ar gyfer bugeiliaid; lluest

llufadredd *eg* BIOLEG y broses lle mae defnydd organig yn ymddatod yn hwmws humification

llugoer *ans*
1 (hylif neu sylwedd) bron â bod yn oer; claear, oeraidd lukewarm, tepid
2 heb ddangos llawer o frwdfrydedd, heb dderbyn croeso gwresog; amharod, diawydd, difater apathetic, lukewarm

lluman *eg* (llumanau) baner fach, fflag banner, standard

llumanu *be* [lluman•³] codi a chwifio baner er mwyn tynnu sylw neu er mwyn rhoi neges (e.e. gan lumanwr) to flag

llumanwr *eg* (llumanwyr)
1 swyddog neu filwr sy'n gyfrifol am gario baner uned, catrawd neu fyddin; banerwr standard-bearer
2 mewn gêmau megis tennis a phêl-droed, un o'r swyddogion sy'n cadw at ymyl y maes chwarae ac yn cynorthwyo'r dyfarnwr; llinellwr, ystlyswr linesman

llun¹ *eg* (lluniau)
1 darlun wedi'i greu â phensil neu baent, ffotograff neu lun ar sgrin; darlun, murlun, paentiad, pictiwr drawing, photograph, picture
2 ffurf neu ymddangosiad, siâp, patrwm, *Mae ffenestr fawr yr eglwys ar lun rhosyn.*; gwedd form, semblance, shape
ar lun a delw yr un ffunud â the spitting image
ar lun a gwedd ar ffurf in the form of
rhyw lun o (berthyn) perthyn o bell be distantly related
tynnu llun
1 defnyddio camera i greu delwedd to take a picture
2 cynhyrchu darlun drwy wneud llinellau a marciau ar bapur to draw

Llun² *eg* fel yn *dydd Llun*, yr ail ddydd o'r wythnos yn dilyn dydd Sul Monday
dydd Llun yr ail ddydd o'r wythnos yn dilyn dydd Sul Monday

Llundeiniwr *eg* (Llundeinwyr) brodor o Lundain neu un sy'n byw yn y ddinas Londoner

Llundeinwraig *eb* merch neu wraig o Lundain neu un sy'n byw yn y ddinas Londoner

llungopi *eg* (llungopïau) llun (o ddogfen neu ddudalen, fel arfer) wedi'i dynnu ar beiriant copïo arbennig photocopy

llungopïo *be* [llungopï•⁸] tynnu llungopi to photocopy
Sylwch: does dim angen didolnod pan fydd dwy 'i' yn dilyn ei gilydd, *llungopiir.*

llungopïwr *eg* (llungopiwyr) peiriant sy'n copïo dogfennau fesul tudalen drwy broses ffotograffig photocopier

Llungwyn *eg* CREFYDD y dydd Llun ar ôl y Sulgwyn neu Ŵyl y Pentecost Whit Monday

lluniad *eg* (lluniadau)
1 y ffordd y mae pethau wedi'u gosod at ei gilydd, yn cynnwys trefn y rhannau a'r berthynas rhyngddynt, *lluniad naratif* construction
2 llun wedi'i dynnu â phen, pensil, sialc, etc.; darlun drawing

lluniadaeth *eb* drafftsmonaeth; y grefft o ddylunio a thynnu lluniad manwl a chywir (o beiriant, adeilad, etc.) draughtsmanship

lluniadu *be* [lluniad•³] tynnu llun â phen, pensil, sialc, etc.; darlunio to draw

lluniaeth *eg* bwyd, ymborth, cynhaliaeth, yr hyn y mae'n rhaid ei fwyta a'i yfed i gadw'n fyw *'Cans o'th law y daw bob dydd / Ein lluniaeth a'n llawenydd.'*; maeth, porthiant, ymborth food, fare, sustenance

lluniaidd *ans* hardd neu gain o ran ffurf neu wneuthuriad; gosgeiddig, siapus graceful, shapely

llunio *be* [lluni•⁶]
1 creu, ffurfio, gwneud, *Mae'r crochenydd yn medru llunio llestri o glai.* (~ rhywbeth o) to fashion, to form, to shape
2 ffurfio, cymryd arno ffurf, *Roedd y cymylau tywyll yn llunio ceyrydd cedyrn ar y gorwel.* to form
3 creu rhywbeth yn ôl rheolau pendant, *llunio llinell gywir o gynghanedd*; adeiladu to form
4 sefyll neu beri i rywun sefyll neu symud mewn trefn arbennig, *Blant, lluniwch linell syth ar hyd y dosbarth.* to form
5 MATHEMATEG tynnu llun (ffigur geometrig) gan ddefnyddio'r cyfarpar priodol to construct
6 cynllunio, dyfeisio, dylunio, *Un o'r adeiladau enwocaf a luniodd y pensaer Frank Lloyd Wright oedd ei gartref 'Taliesin'.* to design, to fashion, to form

llunio'r wadn fel bo'r troed gwneud yr hyn mae ei angen gyda'r adnoddau (arian) sydd ar gael

lluniwr *eg* (llunwyr) un sy'n llunio neu'n creu; awdur, creawdwr, dyfeisiwr, gwneuthurwr creator, fashioner, maker

llunwedd *eg* (llunweddau) trefn rhywbeth wedi'i osod allan (ar bapur neu sgrin gyfrifiadurol); cynllun, diwyg, golwg layout

lluo *be* [llu•¹] gw. **llyfu**

lluosflwydd *ans*
1 yn parhau am lawer o flynyddoedd perennial
2 BOTANEG (am blanhigyn) yn byw am fwy na dwy flynedd perennial
Sylwch: nid yw'n arfer cael ei gymharu.

lluosi *be* [lluos•¹] MATHEMATEG ychwanegu rhif ato'i hun nifer penodol o weithiau, e.e. $2 \times 4 = 2 + 2 + 2 + 2 = 8$ to multiply

lluosiad *eg* (lluosiadau) MATHEMATEG y weithred neu'r broses o luosi multiplication

lluosill *ans* yn cynnwys mwy nag un sillaf; amlsillafog polysyllabic

Sylwch: nid yw'n arfer cael ei gymharu.

lluosog *ans* (lluosogion)

1 am y ffurf ar air sy'n cyfeirio at fwy nag un, y gwrthwyneb i 'unigol', e.e. *cŵn* yw ffurf luosog *ci* a *gleision* yw ffurf luosog *glas*; defnyddir y talfyriad *ell* i gyfeirio at enwau lluosog yn y llyfr hwn plural

2 nifer mawr, *Fe ddaeth nifer lluosog ynghyd i dalu teyrnged iddi.*; aml, llawer, niferus, toreithiog numerous

lluosogi *be* [lluosog•¹] cynyddu mewn rhif neu nifer; amlhau, lluosi, tyfu to increase, to multiply, to propagate

lluosogiad *eg* y broses o luosogi neu amlhau, canlyniad lluosogi; cynnydd multiplying, proliferation

lluosogion *ell* ffurfiau lluosog

lluosogrwydd:lluosowgrwydd *eg* y cyflwr neu'r ansawdd o fod yn lluosog; digonedd, helaethrwydd, nifer mawr abundance, multiplicity

lluosogydd *eg* (lluosogyddion) peiriant ar gyfer dyblygu rhywbeth duplicator

lluosol *ans* yn lluosi multiplicative

lluosrif *eg* (lluosrifau) MATHEMATEG rhif y gellir ei rannu â rhif arall nifer llawn o weithiau, e.e. 36 rhannu 4 yw 9, felly mae 36 yn lluosrif 4; 2.8 rhannu 1.4 yw 2, felly mae 2.8 yn lluosrif 1.4 multiple

Lluosrif Cyffredin Lleiaf MATHEMATEG y rhif lleiaf y mae dau neu ragor o rifau eraill yn rhannu'n llawn iddo, *Lluosrif Cyffredin Lleiaf 3, 4 a 6 yw 12*; LlCLl Least Common Multiple, Lowest Common Multiple

lluoswm *eg* (lluosymiau) MATHEMATEG yr ateb a gewch wrth luosi dau neu ragor o rifau, *Lluoswm y rhifau 2, 3, 4 a 5 yw 120 gan mai'r ateb i'r swm 2 × 3 × 4 × 5 yw 120* product

lluoswm fector MATHEMATEG lluoswm dau fector sy'n ffurfio fector newydd ar gyfeiriad sy'n berpendiclwar i gyfeiriad y ddau fector gwreiddiol (fe'i hysgrifennir fel **a × b**) vector product

Ymadrodd

lluoswm sgalar MATHEMATEG lluoswm dau fector ar ffurf gwerth arbennig (fe'i hysgrifennir fel **a.b**) scalar product

lluosydd *eg* (lluosyddion)

1 MATHEMATEG y rhif a ddefnyddir i luosi rhif arall (y lluosyn) multiplier

2 dyfais sy'n dwysáu neu gynyddu grym cerrynt neu fecanwaith ar beiriant multiplier

3 ECONOMEG y gymhareb rhwng y cynnydd mewn incwm a newid yn un o'r elfennau o wariant (e.e. buddsoddiant, allforion, gwariant y llywodraeth) a'i hachosodd multiplier

lluosyn *eg* (lluosion) MATHEMATEG y rhif a luosir gan rif arall (y lluosydd) multiplicand

llurguniad *eg* (llurguniadau) canlyniad llurgunio rhywbeth; anffurfiad distortion

llurguniedig *ans* wedi'i lurgunio mutilated

llurgunio *be* [llurguni•⁶]

1 gwyrdroi (ffeithiau, y gwir, etc.); ystumio to distort, to garble

2 newid er gwaeth; aflunio, anffurfio, difwyno, hagru to disfigure, to mutilate

llurguniwr *eg* (llurgunwyr) un sy'n llurgunio distorter, mangler

llurig *eb* (llurigau) arfwisg milwr wedi'i gwneud o blatiau o fetel neu o gylchoedd metel, neu'r darn hwnnw o arfwisg a fyddai'n amddiffyn hanner uchaf y corff; bronneg, dwyfronneg breastplate, cuirass

llurs *eb* (llursod) aderyn y môr du a gwyn â phig sy'n debyg ei golwg i rasel hen ffasiwn razorbill

llus:llusi *ell*

1 llwyni isel sy'n tyfu fel arfer ar lethrau mynydd neu weunydd mawnog

2 ffrwythau bach gleision y llwyni hyn bilberries, whinberries

llus coch prysgwydden o deulu'r grug sy'n cynhyrchu aeron cochion bwytadwy yn debyg i lus cowberries

llus y brain prysgwydden debyg i rug â dail bychain ac sy'n cynhyrchu aeron du, di-flas crowberries

llusen *eb* unigol llus bilberry, whinberry

llusern *eg* (llusernau) dyfais (i'w chario gan rywun, fel arfer) ar gyfer taflu golau; ffagl, golau, lamp lamp, lantern

llusg¹ *ans* yn cael ei lusgo, *car llusg* drawn

Sylwch: nid yw'n arfer cael ei gymharu.

cynghanedd lusg gw. cynghanedd

llusg² *bf* [llusgo] *ffurfiol* mae ef yn llusgo/mae hi'n llusgo; bydd ef yn llusgo/bydd hi'n llusgo

llusgiad *eg*

1 y weithred o lusgo, canlyniad llusgo drag

2 FFISEG y grym ataliol sy'n gweithio ar gorff yn teithio drwy hylif neu nwy, e.e. awyren neu gwch, mewn cyfeiriad cyflin ond yn groes i gyfeiriad teithio'r gwrthrych drag

llusgo *be* [llusg•¹ 3 un. pres. llusg/llusga; 2 un. gorch. llusg/llusga]

1 tynnu rhywbeth trwm ar hyd y llawr; halio (~ *rhywbeth* o rywle i rywle) to haul, to drag, to lug

2 peri (i rywun) fynd neu ddod i/o rywle yn erbyn ei ewyllys to drag

3 symud yn rhy araf, *Mae'r ddrama yma'n dechrau llusgo.* to drag

llusgo traed oedi, arafu yn fwriadol oherwydd anfodlonrwydd to drag one's feet

llusgwr *eg* (llusgwyr) un sy'n llusgo dragger

llusi duon bach *gw.* **llus**

lluwch *eg* (lluwchau) eira wedi'i yrru gan y gwynt drift, snowdrift

lluwchfa *eb* (lluwchfeydd) eira wedi'i bentyrru gan y gwynt snowdrift

lluwchio *be* [lluwchi•²] (am eira) cael ei bentyrru gan y gwynt to drift

lluwchwynt *eg* (lluwchwyntoedd) gwynt oer, cryf sy'n dod â llwyth o eira gydag ef; storm eira blizzard

lluyddu *be* casglu ynghyd yn fyddin, cynnull i ryfel; mwstro to mobilize, to muster
  Sylwch: nid yw'r ferf hon yn arfer cael ei rhedeg.

llw *eg* (llwon)
  1 addewid o ddifrif (wedi'i dyngu o flaen Duw, fel arfer); adduned, diofryd, gair, ymrwymiad oath, pledge
  2 y geiriau arbennig a ddefnyddir i dyngu llw oath, vow
  3 defnydd aflednais o eiriau (rhywiol neu grefyddol) i fynegi teimladau cryfion; cabledd, melltith, rheg curse, oath

llw Hipocrataidd llw y bydd rhai meddygon yn ei dyngu ar ddechrau eu gyrfa, yn cadarnhau eu dyletswydd a'u hymarweddiad priodol Hippocratic oath
  Ymadroddion
  ar fy (dy, ei, etc.**) llw** rwy'n tyngu I give you my word
  ar lw wedi tyngu llw on oath

llwch¹ *eg*
  1 mân ronynnau sych sy'n casglu ar unrhyw arwyneb, e.e. dodrefn, llawr etc.; dwst dust
  2 pridd wedi'i falu'n fân, *Pan fydd car yn teithio drwy'r anialwch, bydd yn codi cwmwl o lwch y mae modd ei weld am filltiroedd.* dust
  3 gwrtaith artiffisial y bydd ffermwr neu arddwr yn ei roi ar ei bridd er mwyn gwneud i gnydau dyfu'n well fertilizer

llwch y garreg silicosis; clefyd lle mae anadlu llwch sy'n cynnwys silica yn achosi cynnydd mawr ym meinwe ffibraidd yr ysgyfaint ac yn achosi prinder anadl silicosis
  Ymadroddion
  hel llwch heb ei ddefnyddio, segur to gather dust
  lluchio/taflu llwch i lygaid (rhywun) *ffigurol* dallu dros dro, gwneud i rywun fethu gweld rhywbeth; camarwain, twyllo
  mân lwch y cloriannau peth(au) dibwys trivia
  tynnu llwch *gw.* **tynnu**

llwch² *eg* (llychau) mewn enwau lleoedd:
  1 llyn, e.e. *Talyllychau* lake
  2 lle corsog, gwlyb, lleidiog bog
  3 cilfach y môr, e.e. *Amlwch* inlet, loch

llwdn *eg* (llydnod)
  1 anifail ifanc
  2 gŵr ifanc hurt; llo oaf

llwfr *ans* [llwfr• *b* llofr] heb fod yn ddewr; anwraidd, anwrol, gwangalon, ofnus cowardly, faint-hearted

llwfrdra *gw.* **llyfrdra**

llwfrgi:llyfrgi *eg* (llwfrgwn) enw gwawdlyd ar rywun llwfr, un nad yw'n ddewr, un sy'n dianc yn hytrach na wynebu anawsterau neu beryglon; cachgi, cachwr, llipryn coward

llwfrhau *be* [llwfrha•¹⁴] troi'n llwfr; danto, diffygio, digalonni to lose heart

llwg *eg* MEDDYGAETH ('y llwg') afiechyd a achosir gan brinder fitamin C ac a nodweddir gan y deintgig yn gwaedu a smotiau dulas ar y croen scurvy

llwglyd *ans* ac arno eisiau bwyd yn fawr iawn, a golwg eisiau bwyd arno; curiedig, newynog famished, hungry, starving

llwgr *ans*
  1 parod i gael ei lwgrwobrwyo, *Yr oedd yr un grŵp bach o swyddogion llwgr wedi dwyn anfri ar y mudiad cyfan.;* anonest, llygredig corrupt, debased
  2 wedi'i ddifetha; diffygiol, llygredig corrupt

llwgrwobr:llwgrwobrwy *eg* (llwgrwobrau) cildwrn, arian neu gymwynas a roddir yn anghyfreithlon i rywun er mwyn iddo weithredu mewn ffordd arbennig bribe

llwgrwobrwyo *be* [llwgrwobrwy•¹] dylanwadu ar rywun neu rywrai mewn ffordd annheg neu anghyfreithlon drwy gynnig rhoddion neu drwy wneud addewidion iddo/iddynt to bribe

llwgu *be* [llwg•¹] ffurf ar **llewygu**, dioddef o eisiau bwyd; cadw rhywun arall rhag cael bwyd; newynu to famish, to starve

llwm *ans* [llym• *b* llom] (llymion)
  1 heb dyfiant; agored, diffrwyth, gwag, moel bare, barren, bleak
  2 heb fawr o arian na chyfoeth; anghenus, amddifad, tlawd destitute, poor

llwnc¹ *eg*
  1 ANATOMEG llwybr bwyd wrth iddo fynd o'r geg i'r stumog; pibell fwyd gullet
  2 y weithred o lyncu gulp, swallow
  3 cegaid fawr, *Cymerwch lwnc da o'r moddion.;* dracht, joch, llymaid gulp

llwnc² *bf* [llyncu] *ffurfiol* mae ef yn llyncu/mae hi'n llyncu; bydd ef yn llyncu/bydd hi'n llyncu

llwncdestun *eg* (llwncdestunau) galwad ar gwmni i yfed gyda'i gilydd i lwyddiant, iechyd da, llawenydd, etc. (rhywun neu rywrai) toast

llwrw *adf* fel yn:
  1 *llwrw ei gefn*, am yn ôl, wysg ei gefn, drach ei gefn (ar lafar clywch y ffurf *llwyr ei gefn*); wysg backwards
  2 *llwrw ei ben*, ar ei ben, dros ei ben headlong

llwtra *eg* llaid, llysnafedd, mwd, llifwaddod sludge

llwy *eb* (llwyau)
  1 teclyn o bren, metel, plastig, etc. ac iddo goes a phen hirgrwn a ddefnyddir i godi, mesur, cymysgu, gweini neu fwyta bwyd spoon
  2 un o'r cafnau neu'r bwcedi ar wyneb allanol rhod melin ddŵr bucket

llwy de
  1 llwy fach a ddefnyddir gan amlaf i ychwanegu siwgr at ddiod boeth a'i throi
  2 llond llwy de, tua 5 mililitr, fel mesur coginio teaspoon
Ymadrodd
  llwy serch/garu llwy bren wedi'i cherfio a'i chyflwyno gan fab i ferch yn arwydd o'i gariad love-spoon

llwyaid *eb* (llwyeidiau) llond llwy spoonful

llwyarn:llwyar *eb* (llwyarnau:llwyerni) erfyn tebyg i gyllell â llafn llydan, gwastad (neu weithiau'n gafnog) i gymysgu, taenu neu godi pethau scoop, trowel

llwybr *eg* (llwybrau)
  1 ffordd sydd wedi'i chreu gan bobl neu anifeiliaid yn cerdded; camre, lôn, troedffordd, trywydd path, course, trail
  2 ffordd agored sy'n caniatáu i rywun symud ymlaen, *Cliriodd lwybr drwy'r dorf.* path, way
  3 *ffigurol* dull, modd, ffordd o weithredu, *Un llwybr oedd ar agor i'r protestwyr bellach: llwybr torcyfraith.* path

llwybr anadlu ANATOMEG y llwybr a gymerir gan aer i gyrraedd yr ysgyfaint airway

llwybr critigol y gyfres angenrheidiol o gamau sydd eu hangen er mwyn cwblhau gweithrediad cymhleth yn yr amser lleiaf posibl critical path

llwybr resbiradol ANATOMEG y llwybr a ffurfir gan y geg, y trwyn, y gwddf a'r ysgyfaint y mae aer yn mynd drwyddo yn y broses o anadlu respiratory tract

llwybr ymborth ANATOMEG y tiwb hir sy'n rhedeg o'r geg i'r anws, y mae bwyd yn teithio ar ei hyd wrth iddo gael ei dreulio alimentary canal
Ymadroddion
  llwybr canol *ffigurol* ffordd ganol rhwng dau ddewis, cyfaddawd (yn aml) the middle way
  llwybr cul *ffigurol* y ffordd iawn, gywir, foesol (o fyw eich bywyd) the straight and narrow
  llwybr llygad/tarw y ffordd fwyaf uniongyrchol, gynt, i fynd i rywle short-cut

llwybr troed llwybr i gerdded arno footpath
y Llwybr Llaethog gw. llaethog

llwybreiddiad *eg hynafol* y broses neu'r gwaith o lwybreiddio direction

llwybreiddio *be* [llwybreiddi•²] cyfeirio camre; arwain, cerdded, troedio, ymlwybro to proceed, to wend

llwybro *be* [llwybr•¹]
  1 cerdded, rhodio, troedio to traverse, to walk
  2 CYFRIFIADUREG rheoli llwybr data dros y rhwydwaith to route, routing

llwybrydd *eg* (llwybryddion)
  1 un sy'n dod o hyd i lwybrau neu'n darganfod y ffordd orau i fynd i rywle router
  2 CYFRIFIADUREG dyfais gyfrifiadurol sy'n defnyddio meddalwedd i bennu pa un yw'r llwybr byrraf neu'r llwybr cyflymaf, etc. o fynd o un man i fan arall router

llwyd *ans* [llwyt•] (llwydion)
  1 o liw sy'n gymysgedd o ddu a gwyn, sef yr un lliw â chymylau glaw neu ludw grey
  2 (am groen wyneb) gwelw (fel arwydd o afiechyd, fel arfer) pallid, wan
  3 (am bapur) brown brown
  4 *hynafol* sanctaidd holy
  Sylwch: fel cyfenw, nid yw llwyd yn treiglo pan olyga 'lliw', *Dafydd Llwyd*, ond mae'n treiglo'n feddal pan olyga 'sanctaidd', *Beuno Lwyd.*

llwyd y gors telor y cyrs reed warbler

llwyd y gwrych aderyn bach cyffredin â chorff brown a streipiau du ar hyd-ddo; gwas y gog dunnock, hedge sparrow

llwydaidd *ans* braidd yn llwyd, braidd yn welw; di-liw, digymeriad, plaen, undonog drab, greyish, grizzled

llwydfron *eb* (llwydfronnau) telor mudol sy'n cyrraedd y rhan fwyaf o Brydain yn yr haf whitethroat

llwydion *ans* ffurf luosog **llwyd**, *y brodyr llwydion*

llwydni:llwydi *eg*
  1 tyfiant gwyn, meddal, gwlanog sy'n ffurfio ar fwydydd, lledr, etc. ar adegau cynnes, llaith; malltod, pydredd mildew, mould
  2 afiechyd ar blanhigion pan geir tyfiant gwyn, meddal ar hyd y dail blight, mildew
  3 y lliw llwyd greyness

llwydo *be* [llwyd•¹]
  1 cael ei orchuddio â haen o lwydni to turn mouldy
  2 (am rywun sy'n colli lliw yn ei wyneb ar ôl salwch) gwelwi, glasu; (am wallt) britho, gwynnu to pale

llwydrew *eg* dafnau o wlith wedi rhewi sy'n gorchuddio'r ddaear ar fore oer ac sy'n edrych fel powdr gwyn; barrug frost, hoar frost

llwydrewi *be* [llwydrew•¹] gorchuddio â barrug, gwynnu gan lwydrew; barugo, rhewi to freeze

llwyd y cŵn *eg* planhigyn blewog o deulu'r farddanhadlen (marddanhadlen) sydd â blodau bach gwyn â sudd chwerw a ddefnyddir at beswch white horehound

llwydyn *eg*
1 gŵr â gwallt yn gwynnu
2 breithell; meinwe tywyllach yr ymennydd a madruddyn y cefn yn cynnwys nerfgelloedd a ffibrau nerfol grey matter

llwydd gw. **llwyddiant**

llwyddiannus *ans* yn llwyddo, wedi llwyddo; ffyniannus, llewyrchus, porthiannus successful

llwyddiant:llwydd *eg* (llwyddiannau)
1 y weithred o lwyddo, ffyniant success, accomplishment
2 canlyniad da, *Cafodd lwyddiant yn ei arholiadau ar ddiwedd y tymor.* success
3 rhywun neu rywbeth sydd yn llwyddo neu sydd wedi llwyddo, *Er syndod i bawb ond ef ei hun, roedd yn llwyddiant mawr yn y swydd.* success

llwyddo *be* [llwydd•¹]
1 cyflawni amcan neu gyrraedd rhyw nod, mynd â'r maen i'r wal; ymdopi (~ **i** wneud) to succeed
2 gwneud yn dda, yn enwedig wrth geisio am swydd neu am boblogrwydd, dod yn eich blaen; cynyddu, ffynnu, tyfu to succeed

llwyf *ell* coed tal â dail danheddog, garw elm

llwyfan *eb* (llwyfannau) llawr wedi'i godi ar gyfer perfformio dramâu, etc. mewn theatr; llawr tebyg mewn neuadd gyngerdd, neuadd ysgol, etc. stage, rostrum, dais
llwyfan olew fframwaith â llwyfan sy'n cynnal offer tyllu am olew oil rig
Ymadrodd
cael llwyfan bod yn llwyddiannus mewn rhagbrofion eisteddfod, cystadleuaeth, etc.

llwyfandir *eg* (llwyfandiroedd) darn eang o dir gwastad neu led-wastad, ucheldirol, e.e. llwyfandir arfordirol de Sir Benfro plateau

llwyfannu *be* [llwyfann•¹⁰] perfformio neu drefnu perfformiad cyhoeddus o ddrama, sioe, etc. to stage
Sylwch: dyblwch yr 'n' ym mhob ffurf ac eithrio yn y rhai sy'n cynnwys -*as*-.

llwyfen *eb* unigol **llwyf**; pren trwm a chaled y goeden hon elm
clefyd y llwyfen gw. **clefyd**

llwyn *eg* (llwyni)
1 unrhyw fath o blanhigyn prennaidd sy'n llai na choeden ac iddo nifer o brif goesynnau neu ganghennau yn tyfu o'i fôn, *llwyn eithin*; prysglwyn, prysgwydden shrub, bush
2 coedwig fechan o lwyni neu goed bychain, *llwyn onn* grove, copse
llwyn a pherth fel yn *mab llwyn a pherth*, am blentyn anghyfreithlon

llwynog *eg* (llwynogod)
1 creadur gwyllt, ysglyfaethus â thrwyn hir pigfain a chot o flew coch, sy'n perthyn i deulu'r ci; cadno, madyn fox
2 rhywun cyfrwys, twyllodrus fox
llwynog môr siarc mawr ag estyniad hir i frig y gynffon er mwyn cynhyrfu'r dyfroedd i ddal y pysgod bach y mae'n bwydo arnynt (yn ôl y sôn) thresher shark

llwynogaidd *ans* o'r un natur â llwynog; cyfrwys, dichellgar, ystrywgar foxy, wily

llwynoges *eb* llwynog benyw vixen

llwyo *be* [llwy•¹] defnyddio llwy i drosglwyddo o un man i fan arall (~ *rhywbeth* o rywle **i**) to spoon

llwyr *adf* ac *ans* (yn rhagflaenu'r hyn a oleddfir) cyfan gwbl, *Mae'r plentyn wedi cael ei lwyr ddifetha.*; absoliwt, hollol, trwyadl, trylwyr complete, completely, utter, utterly
Sylwch: mae'n achosi'r treiglad meddal pan ddaw o flaen yr hyn a oleddfir.
llwyr anobeithio colli pob gobaith to give up all hope

llwyredd:llwyrni *eg* trylwyredd, cyfanrwydd, y cyfan oll completeness, totality

llwyrglo *eg* (llwyrgloeon)
1 clo na ellir ei agor heb allwedd deadlock
2 sefyllfa ar gyfrifiadur pan fydd angen yr un meddalwedd ar ddwy raglen gyfrifiadurol, sydd yn cadw'r naill a'r llall rhag gweithio deadlock

llwyrlosgi *be* [llwyrlosg•²]
1 llosgi yn llwyr to burn out
2 peidio â gweithio o ganlyniad i wres eithafol neu ffrithiant to burn out
3 difetha eich iechyd neu ymlâdd drwy orweithio to burn out

llwyrymatal *be* [llwyrymatali•²] ymwrthod yn llwyr â diod feddwol, cyffuriau, etc. (~ **rhag**) to abstain

llwyrymataliad gw. **llwyrymwrthodiad**

llwyrymataliwr *eg* (llwyrymatalwyr) un sy'n llwyrymatal teetotaller

llwyrymdrochi *be* [llwyrymdroch•¹] CREFYDD bedyddio rhywun drwy drochi'r corff cyfan mewn dŵr (~ **yn**)

llwyrymwrthodiad:llwyrymataliad *eg* ymataliad llwyr rhag yfed diod feddwol; dirwest teetotalism

llwyrymwrthodwr *eg* (llwyrymwrthodwyr) un nad yw'n yfed unrhyw ddiodydd meddwol ac sydd, fel arfer, yn erbyn i bobl eraill eu hyfed; dirwestwr, ymataliwr teetotaller

llwytach:llwytaf:llwyted *ans* [llwyd] mwy llwyd; mwyaf llwyd; mor llwyd

llwytgoch *ans* o'r un lliw â rhwd neu lwynog russet

llwyth¹ *eg* (llwythi)

1 cymaint o rywbeth ag sy'n cael ei gario (yn enwedig os yw'n drwm), *llwyth o wair*; bagad, baich, crugyn, pwn load, burden, consignment

2 cymaint ag y mae'n bosibl i gerbyd arbennig ei gludo neu i rywbeth arall ei gynnal, *Faint o lwyth gawn ni ar gefn y lorri?* load

3 y pwysau neu'r grym sy'n cael ei godi neu ei symud gan drosol neu fath arall o beiriant load

4 y pwysau sy'n cael eu cynnal gan golofn neu bont load

llwyth gwely DAEARYDDIAETH y gwaddod sy'n cael ei gludo gan afon ar ffurf gronynnau sy'n rhy drwm i fod mewn daliant bedload

llwyth² *eg* (llwythau) grŵp cymdeithasol sydd o'r un hiliogaeth, sydd â'r un arferion a'r un iaith ac sy'n atebol i'r un arweinwyr, *llwyth o Indiaid brodorol*; tylwyth tribe, clan

llwytho *be* [llwyth•¹]

1 gosod llwyth (llawn) ar neu mewn cerbyd, llong, etc. i'w gludo; llanw, llenwi (~ *rhywbeth* â) to load

2 rhoi bwledi neu ffrwydryn mewn dryll, neu osod disg mewn cyfrifiadur to load

llwytho i fyny CYFRIFIADUREG anfon (data) o un cyfrifiadur neu safle i gyfrifiadur neu safle arall; lanlwytho to upload

llwytho i lawr CYFRIFIADUREG trosglwyddo data o un cyfrifiadur i un arall, fel arfer o gyfrifiadur mwy i un llai; lawrlwytho to download

llwythog *ans* yn cario llwyth mawr; trymlwythog laden, burdened

llwythol *ans* nodweddiadol o lwyth (o bobl), yn perthyn i lwyth tribal

llwytholdeb *eg* ymwybyddiaeth o fod yn aelod o lwyth ac o fawrygu'r llwyth uwchlaw unrhyw grŵp arall tribalism

llwythwr *eg* (llwythwyr) un sy'n llwytho loader

llychlyd *ans* wedi'i orchuddio â llwch dusty

Llychlynnaidd *ans* yn perthyn i wledydd neu bobl Llychlyn, nodweddiadol o wledydd neu bobl Llychlyn Scandinavian

Llychlynnwr *eg* (Llychlynwyr)

1 brodor o un o wledydd Sgandinafia Scandinavian

2 aelod o lwyth o fôr-ladron a masnachwyr Sgandinafaidd a ymosodai ar rannau o ogledd-orllewin Ewrop ac ymsefydlu yno rhwng yr wythfed ganrif a'r unfed ganrif ar ddeg oed Crist Norseman, Viking

Llychlynwraig *eb* merch neu wraig o un o wledydd Llychlyn

llychwin *ans* amhûr, brwnt, budr, llychlyd soiled, stained

llychwino *be* [llychwin•¹] peri i rywbeth golli ei sglein neu ei burdeb (hefyd yn ffigurol);

baeddu, brychu, difwyno, llygru to foul, to sully, to tarnish

llychyn *eg* darn bach o lwch mote, speck

llydain *ans* ffurf luosog **llydan**

llydan *ans* [llet• *hefyd* lleted/cyfled] (llydain) yn ymestyn yn bell o'r naill ochr i'r llall, â lled sylweddol; eang, helaeth, maith broad, wide

llydanddail *ans* BOTANEG (am goeden neu blanhigyn) â dail llydan (yn hytrach na nodwyddau) broadleaved

llydanu *be* [llydan•¹] gwneud yn fwy llydan; lledu to broaden, to widen

Llydaweg *ebg* iaith Geltaidd Llydaw a chwaeriaith i'r Gymraeg a'r Gernyweg Breton

   Sylwch: mae enw'r iaith yn fenywaidd, ond os sonnir am fath arbennig o Lydaweg, mae'n wrywaidd, *Llydaweg da*.

Llydawes *eb* merch neu wraig o Lydaw Breton

Llydawr *eg* (Llydawyr) brodor o Lydaw neu o dras Lydewig Breton

Llydewig *ans* yn perthyn i Lydaw, nodweddiadol o wlad neu bobl Llydaw Breton

llydnes *eb* fel yn *oen llydnes*, oen fenyw hyd at flwydd oed a heb fagu

llydnu *be* (am anifail) bwrw epil; esgor to bring forth young

   Sylwch: nid yw'r ferf hon yn arfer cael ei rhedeg.

llyfelyn gw. **llefelyn**

llyfiad *eg* (llyfiadau) y weithred o lyfu, canlyniad llyfu lick

llyfn *ans* [llyfn• *b* llefn] (llyfnion)

1 ag wyneb gwastad heb bantiau na phigau, heb fod yn arw; fflat, gwastad, llorwedd smooth, even, level

2 yn symud yn esmwyth heb neidio na thasgu; rhugl, rhwydd, slic smooth

llyfndeg *ans* hardd a llyfn; llilin sleek

llyfnder:llyfndra *eg* y cyflwr o fod yn llyfn sleekness, smoothness

llyfndew *ans* â golwg lewyrchus, llond ei groen; porthiannus plump

llyfngrwn *ans* [*b* llyfngron] yn grwn ac yn llyfn rounded

llyfnhau *be* [llyfnha•¹⁴] gwneud yn llyfn (ag arf fel plaen, fel arfer); gwastatáu, lefelu to level, to plane, to smooth

llyfnion *ans* ffurf luosog **llyfn**

llyfnochr *eb* (llyfnochrau) DAEAREG wyneb llyfn a rhychiog a achosir wrth i greigiau'r naill ochr a'r llall i blân ffawt symud mewn perthynas â'i gilydd slickenside

llyfnu *be* [llyfn•¹] chwalu wyneb y pridd a'i wastatáu ag og; defnyddio og i orchuddio hadau â phridd mân; gwastatáu, lefelu, ogedu to harrow

llyfr *eg* (llyfrau)

1 casgliad o ddalennau wedi'u rhwymo

ynghyd y tu mewn i gloriau, i'w darllen neu i ysgrifennu arnynt book

2 un o brif raniadau gwaith mawr ysgrifenedig, e.e. y Beibl neu gerdd hir (iawn) book

3 unrhyw beth wedi'i gasglu ynghyd ar ffurf llyfr, *llyfr stampiau*; cyfrol, copi book

llyfr clwt llyfr ac iddo ddalennau lliwgar o liain nad ydynt yn rhwygo'n rhwydd ar gyfer plant bach rag book

llyfr emynau gw. emyn

llyfr erchwyn gwely gw. erchwyn

llyfr lloffion gw. lloffion

llyfrbryf *eg* (llyfrbryfed)

1 pryfyn sy'n bwyta'r rhwymiad a'r glud a geir mewn (hen) lyfrau bookworm

2 rhywun sydd â'i ben mewn llyfr byth a hefyd bibliophile, bookworm

llyfrdra:llwfrdra *eg* methiant i wynebu poen, perygl neu gyni oherwydd diffyg dewrder; gwangalondid, ofn cowardice

llyfrfa *eb* (llyfrfaoedd)

1 ystafell lyfrau, llyfrgell library

2 enw a ddefnyddir gan wasg neu dŷ cyhoeddi publisher

llyfrgell *eb* (llyfrgelloedd)

1 adeilad neu ran o adeilad lle mae llyfrau'n cael eu cadw ac y gall pobl fynd i'w darllen neu weithiau i'w benthyca library

2 casgliad o lyfrau library

llyfrgell genedlaethol prif lyfrgell gwlad, sydd â'r gwaith o gasglu ynghyd bob llyfr yn ymwneud â chenedl neu wlad arbennig, yn ogystal â llyfrau a chofnodion eraill national library

llyfrgell gyhoeddus llyfrgell lle mae aelodau o'r cyhoedd yn gallu benthyca llyfrau yn rhad ac am ddim public library

llyfrgellydd *eg* (llyfrgellwyr) un sy'n gyfrifol am lyfrgell neu am ran o wasanaeth llyfrgell, un sy'n gweithio mewn llyfrgell librarian

llyfrgellyddiaeth *eb* yr wyddor o ofalu am lyfrgell a'i gweinyddu librarianship

llyfrgi gw. llwfrgi

llyfrifeg *eb* y weithred o gadw cyfrifon neu o gofnodi trafodion ariannol busnes bookkeeping

llyfrithen:llefrithen *eb* (llyfrithod) ploryn neu chwydd llidus, poenus ar amrant neu yng nghornel y llygad; gwlithen, llefelyn sty, stye

llyfrnod *eg* (llyfrnodau) darn o rywbeth (e.e. lledr) i nodi lle mewn llyfr bookmark

llyfrothen *eb* (llyfrothod) pysgodyn bach dŵr croyw a ddefnyddir fel abwyd yn aml butterfish

llyfrwerthwr *eg* (llyfrwerthwyr) un sy'n gwerthu llyfrau, perchennog siop lyfrau bookseller

llyfryddiaeth *eb* (llyfryddiaethau) rhestr o lyfrau ac erthyglau ar destun arbennig, neu gan awdur neu awduron arbennig, neu restr o lyfrau ac

erthyglau a ddefnyddiwyd fel ffynhonnell i waith ysgrifenedig bibliography

llyfryddol *ans* yn perthyn i lyfrau neu lyfryddiaethau bibliographical

llyfryddwr *eg* (llyfryddwyr) un sy'n arbenigo mewn astudio llyfrau, neu un sy'n casglu gwybodaeth am lyfrau bibliographer

llyfryn *eg* (llyfrynnau) llyfr bach, pamffledyn booklet, brochure, pamphlet

llyfu *be* [llyf•[1] 3 un. pres. llyf/llyfa; 2 un. gorch. llyf/llyfa] symud y tafod ar hyd rhywbeth i'w flasu, ei wlychu neu ei lanhau, etc.; lluo, llyo to lick

llyfu tin *di-chwaeth* gwenieithio, bod yn sebonllyd to arse-lick, to crawl

llyffant *eg* (llyffantod:llyffaint)

1 amffibiad sy'n debyg o ran ffurf i'r broga ond bod ganddo groen sych, brown; mae'n byw ar y tir fel arfer ond yn dychwelyd i'r dŵr i epilio; llyffant dafadennog (yn y Gogledd) toad

2 llyffant cyffredin, llyffant melyn, broga frog

3 darn trionglog, elastig, corniog, sy'n tyfu yng nghanol carn ceffyl, buwch, etc.; bywyn carn ceffyl, ffroga, gwennol frog

llyffethair *eb* (llyffetheiriau) cadwyn i'w chlymu wrth droed neu arddwrn carcharor, neu wrth draed anifail; cloffrwym, gefyn, hual shackle, fetter, hobble

llyffetheirio *be* rhwymo rhywun â llyffetheiriau neu (yn ffigurol) ei rwystro; caethiwo, carcharu, clymu to fetter, to hamper, to shackle
Sylwch: nid yw'r ferf hon yn arfer cael ei rhedeg.

llyg *eg* (llygod) creadur tebyg i lygoden fach â chot frown, trwyn hir pigfain a chynffon fer; chwistlen shrew

llygad *eg* (llygaid)

1 yr organ yn y corff sy'n ein galluogi i weld eye

2 rhan allanol yr organ a'i lliw *Mae ganddo lygaid gleision fel ei fam.* eye

3 y ddawn i weld, *Pe meddwn lygad arlunydd . . .* eye

4 y nam neu'r smotyn du ar groen taten y gall planhigyn newydd egino ohono eye

5 canol llonydd storm neu gorwynt, *llygad y ddrycin* eye

6 agwedd, safbwynt, *ffilm yn dangos y sefyllfa drwy lygad merch* eye

7 *mewn enwau lleoedd* tarddle nant neu afon, e.e. *Llyn Llygad Rheidol* source
Sylwch: mae'n fenywaidd mewn rhai tafodieithoedd.

cannwyll (y) llygad[1] gw. cannwyll

enfys y llygad gw. enfys

llygad ddu (llygad yn *fenywaidd* yma) clais o gwmpas y llygad o ganlyniad i ergyd black eye, shiner

llygad maharen gw. maharen

Ymadroddion

agor llygaid (rhywun) gwneud yn siŵr bod rhywun yn ymwybodol o rywbeth (nad oedd yn gwybod amdano cynt) to open someone's eyes

bod â/cadw llygad ar gwylio, cadw gwyliadwriaeth rhag ofn i rywbeth ddigwydd to keep an eye on

cil y llygad cwr neu gornel y llygad corner of the eye

drwg lygad ffordd o wgu ar rywun y credir ei fod yn gwneud drwg i chi the evil eye

edrych yn llygad y geiniog bod yn orofalus ag arian, bod yn gybyddlyd, bod yn dynn

gweld lygad yn llygad gw. gweld

gwneud llygad bach cau un llygad yn awgrymog; wincio to wink

lygad am lygad dial an eye for an eye

llygad barcud golwg craff, llygad llym hawk-eyed

llygad cath glain sy'n adlewyrchu golau a osodir yn rhes ar heolydd er mwyn dynodi lonydd teithio neu ymylon ffordd cat's eye

llygad croes tro llygad; aliniad annormal llygad, sy'n achosi gwyriad parhaol yng nghyfeiriad golwg y llygad squint

llygad (rhywun) yn fwy na'i fol am rywun sydd wedi cymryd mwy o fwyd nag y medr ei fwyta

llygad y ffynnon tarddle, y man lle mae rhywbeth yn dechrau source, the horse's mouth

llygad yr amser ar yr union amser cywir at the right time

llygad yr haul man lle mae'r haul yn tywynnu yn ddigysgod

(taflu) llygad gafr (am fachgen/dyn) edrych mewn ffordd awgrymog, anweddus, ar ferch

(taflu) llygad mochyn edrych drwy gil y llygad to sneak a glance

ym myw llygad (rhywun) (edrych) yn syth i lygaid rhywun (i'w holi neu ei herio) to look someone in the eye

yn llygad fy (dy, ei, etc.) lle yn hollol gywir (am benderfyniad neu rywbeth lle roedd yn rhaid dewis) absolutely right

llygad-dynnu *be* [llygad-dynn•⁹] denu, hudo, swyno, tynnu to attract
  Sylwch: dyblwch yr 'n' ym mhob ffurf ac eithrio yn y rhai sy'n cynnwys *-as-*.

llygad-dyst *eg* (llygad-dystion) rhywun a welodd rywbeth yn digwydd â'i lygaid ei hun ac sydd felly yn gallu ei ddisgrifio (mewn llys barn, er enghraifft) eyewitness, witness

llygad-dystio *be* gweld â'ch llygaid eich hunan to witness
  Sylwch: nid yw'r ferf hon yn arfer cael ei rhedeg.

llygad-ddu *ans* â llygaid du, disglair dark-eyed

llygad Ebrill *eg* blodyn bach melyn o deulu'r blodyn ymenyn lesser celandine

llygaden *eb* (llygadennau) twll bach wedi'i gryfhau i dderbyn carrai (e.e. mewn esgid); darn o fetel sy'n cryfhau ymylon y twll eyelet

llygadlas *ans* â llygaid glas blue-eyed

llygad-llo mawr *eg* blodyn cymharol fawr â chanol melyn a phetalau gwyn, o deulu llygad y dydd ox-eye daisy

llygadog *ans*
  1 â llygaid mawr big-eyed
  2 craff, sylwgar observant

llygadol *ans* yn ymwneud â'r llygaid a golwg ocular, optical

llygadrwth *ans* â'i lygaid yn llydan agored; yn rhythu staring, wide-eyed

llygadrythu *be* [llygadryth•¹] syllu'n hir ac yn galed, craffu; llygadu, syllu (~ ar) to peer, to stare

llygadu *be* [llygad•³] edrych ar rywbeth neu rywun yn fanwl (a thrachwantus); craffu, edrych, gwylio, syllu to eye, to peer

llygad y dydd *eg* (llygaid y dydd) blodyn bach gwyllt cyffredin iawn â chanol melyn a phetalau gwynion daisy

llygaeron *ell* aeron bach coch sy'n tyfu ar brysgwydd o deulu'r grug ac a ddefnyddir i wneud jeli, saws neu ddiod; ceirios y waun cranberries

llygaid *ell* lluosog **llygad**

llygatgam:llygatgroes *ans* am lygaid rhywun sydd, oherwydd nam ar y llygaid, yn edrych i ddau gyfeiriad yr un pryd cross-eyed, squint-eyed

llygatgraff *ans* craff ei olwg; llygadog, sylwgar, treiddgar observant, sharp-eyed

llygatgroes gw. llygatgam

llygatsych *ans* heb wylo neu lefain dry-eyed

llygedyn *eg*
  1 golau bach gwan ac ansicr; hefyd yn ffigurol, *llygedyn o obaith*; fflach, llewyrch gleam, glimmer
  2 pelydryn o olau ray

llygeidiog *ans* a chanddo lygaid neu dyllau tebyg i lygaid, e.e. mewn caws

llygeidiol *ans* yn ymwneud â'r llygaid neu'r golwg ocular

llygliw *ans* o'r un lliw â llygoden mousey

llygoden *eb* (llygod)
  1 un o nifer o gnofilod bach blewog sy'n amrywio o ran lliw o frown i lwyd; mae ganddynt gynffon a dannedd miniog, a gallant beri cryn ddifrod i fwydydd a chnydau mouse
  2 CYFRIFIADUREG teclyn bach sy'n cael ei symud â llaw ar arwyneb fflat i reoli symudiadau'r cyrchwr ar sgrin cyfrifiadur mouse

llygoden bengron aelod bychan o urdd y cnofilod; mae'n tyrchu ac mae ganddi gorff tew, trwyn crwn a chlustiau byr vole

llygoden fawr/Ffrengig un o nifer o fathau o gnofilod â chynffonnau hir sy'n perthyn i'r llygoden ond sy'n fwy o faint rat

llygoden y maes llygoden sy'n byw mewn caeau field mouse

Ymadrodd

dal llygoden a'i bwyta byw o'r llaw i'r genau, heb ddim wrth gefn

llygota *be* (am gath, ci, tylluan, etc.) hela llygod (mawr) to mouse, to rat

Sylwch: nid yw'r ferf hon yn arfer cael ei rhedeg.

llygotwr *eg* (llygotwyr) un sy'n dda am ddal llygod (yn enwedig ci neu gath) mouser

llygotwraig *eb* gast neu gath sy'n dda am ddal llygod

llygradwy *ans* â thuedd i lygru, darfodedig perishable

llygredig *ans* wedi'i lygru; amhûr, halogedig, llwgr, pwdr corrupt, degraded, depraved

llygredigaeth *eb* y cyflwr o fod yn llygredig neu'n amhûr; aflendid, amhuredd, halogrwydd, pydredd corruption, corruptness, vice

llygredd *eg*
1 y cyflwr neu'r stad o fod yn llwgr corruption
2 ymddygiad neu weithredoedd drwg, anweddus neu anfoesol corruption, depravity
3 amhuredd, pydredd corruption
4 yr hyn sy'n gwneud dŵr, yr aer, pridd, etc. yn beryglus o amhûr pollution

llygriad *eg* (llygriadau) y broses o lygru, canlyniad llygru; amhuriad, difwyniad, halogiad adulteration, corruption, pollution

llygru *be* [llygr•¹]
1 gwneud yn amhûr (e.e. drwy gymysgu rhywbeth â baw neu wenwyn); baeddu, difwyno, halogi (~ *rhywbeth* â) to adulterate, to contaminate, to taint
2 gwneud rhywbeth yn beryglus o amhûr; amhuro to pollute
3 dylanwadu neu effeithio ar rywun er drwg a'i annog i fod yn anfoesol to corrupt

llygrwr *eg* (llygrwyr) un sy'n llygru; difwynwr, halogwr adulterator, corrupter, polluter

llygrydd *eg* (llygryddion) sylwedd sy'n achosi llygredd pollutant

llygwyn *eg* planhigyn â dail gwyrdd neu lwydwyrdd yn bennaf, a fwyteir weithiau fel llysieuyn orache

llynges *eb* (llyngesau)
1 casgliad o longau megis llongau rhyfel fleet
2 grym morwrol gwlad, yn llongau, swyddogion, morwyr, etc., yn barod ar gyfer rhyfel navy

llyngesol *ans* yn perthyn i lynges, nodweddiadol o lynges naval

llyngesydd *eg* (llyngesyddion) prif swyddog (neu swyddog uchel iawn) yn y llynges admiral

llyngyraidd *ans* hir a chul megis abwydyn vermiform

llyngyren *eb* (llyngyr) math o fwydyn hir, fflat, parasitig sy'n gallu byw yng ngholuddion pobl ac anifeiliaid tapeworm

llym *ans* [llym• *b* llem] (llymion)
1 ag awch neu flaen neu ymyl miniog; brathog, miniog, pigog, siarp sharp, cutting
2 cyflym ei feddwl, craff ei lygaid, neu â chlyw da keen, sharp
3 yn achosi teimlad o losgi neu frathiad, *Mae'r gwynt yn llym heddiw.*; deifiol keen, sharp
4 am boen sydyn a thost megis brathiad acute, sharp
5 am eiriau cas wedi'u bwriadu i niweidio, *Mae ganddi dafod llym.*; difaol, ysol harsh, sharp
6 (am reolaeth) caeth neu gyfyng; caled rigorous, severe, strict

llyma *adf hynafol* dyma here is (are), lo

llymach:llymaf:llymed *ans*
1 [llym] mwy llym; mwyaf llym; mor llym
2 [llwm] mwy llwm; mwyaf llwm; mor llwm

llymaid *eg* (llymeidiau)
1 ychydig o ddiod wedi'i chymryd i flaen y geg cyn ei llyncu sip
2 llond ceg o ddiod wedi'i lyncu'n sydyn; cegaid, dracht, joch, llwnc gulp, swig
3 diod feddwol drink

llymarch *eg* (llymeirch) un o nifer o fathau o folysgiaid dwygragennog â chregyn anwastad; mae rhai mathau yn fwytadwy (yn amrwd) ac mae rhai yn gallu cynhyrchu perl; wystrysen oyster

llymder:llymdra *eg*
1 y cyflwr o fod yn llwm; caledi, moelni, noethni, tlodi austerity, poverty
2 y cyflwr o fod yn llym (yn ei amrywiol ystyron); awch, caledwch, egrwch, miniogrwydd rigour, severity, sharpness, strictness

llymdost *ans* (am salwch) llym, tost iawn, caled, creulon severe

llymeidiau *ell* lluosog **llymaid**

llymeirch *ell* lluosog **llymarch**

llymeitian *be* yfed diod feddwol yn aml; diota, potio, slotian to drink, to tipple

Sylwch: nid yw'r ferf hon yn arfer cael ei rhedeg.

llymeitiwr *eg* (llymeitwyr) un sy'n (or-)hoff o'r ddiod feddwol; diotwr, potiwr, slotiwr tippler

llymhau *be* [llymha•¹⁴] gwneud yn fwy llym; tynhau rheolaeth (dros rywbeth) to sharpen, to tighten (control)

llymion *ans*
1 ffurf luosog **llwm**, e.e. *tiroedd llymion*
2 ffurf luosog **llym**, e.e. *arfau llymion*

llymrïen *eb* (llymrïaid) pysgodyn bach, bwytadwy sy'n byw yn nŵr bas moroedd y gogledd; fe'i ceir yn aml yn tyrchu mewn tywod ar lan y môr sand eel

llymru *eg* bwyd a geir ar ôl gadael i gymysgedd o flawd ceirch, dŵr oer a llaeth enwyn suro dros gyfnod o rai diwrnodau, yna hidlo'r cymysgedd a berwi'r trwyth; saig Gymreig a fyddai'n arfer cael ei bwyta'n oer mewn llaeth/llefrith neu ddŵr a thriog; bwdram, griwel, uwd flummery

llymsur *ans* llym a sur, sur iawn, chwerw acrid, bitter

llyn *eg* (llynnoedd) ehangder o ddŵr (croyw, fel arfer) wedi'i amgylchynu â thir; pwll lake
Sylwch: mewn enwau lleoedd, gall 'llyn' fod yn wrywaidd yn y Gogledd ac yn fenywaidd yn y De, e.e. *Llyn Mawr* (Powys), *Llyn Fawr* (Rhondda Cynon Taf)
bwyd a llyn gw. **bwyd**

llyna *adf hynafol* dyna there is (are), lo

llyncdwll *eg* (llyncdyllau) DAEAREG pant neu dwll sy'n nodweddu tirweddau calchfaen y mae dŵr yn llifo i mewn iddo ac yn diflannu dan ddaear sinkhole, swallow hole

llynciad *eg* y broses o lyncu, canlyniad llyncu swallow

llyncoes *eb* un o nifer o anhwylderau sy'n effeithio ar draed neu goesau ceffylau splint

llyncu *be* [llync•[1] 3 *un. pres.* llwnc/llynca; 2 *un. gorch.* llwnc/llynca]
1 cymryd bwyd neu ddiod i mewn drwy'r geg a'r corn gwddwg to swallow
2 gwneud yr un symudiad heb fwyd (oherwydd nerfusrwydd, er enghraifft), *llyncu poer/poeri* to swallow
3 credu heb ofyn digon o gwestiynau, *Dwyt ti ddim yn llyncu'r stori honno, does bosibl?*; derbyn to swallow
4 (am fusnes, gwlad, etc.) gwneud yn rhan ohono/ohoni ei hunan, cymryd drosodd, *Un o'r peryglon sy'n wynebu pob gwlad fach yw ei bod yn cael ei llyncu gan un o'r gwledydd mawrion o'i chwmpas.* to absorb, to engulf, to swallow

llyncu fy (dy, ei, etc.**) ngeiriau**
1 tynnu geiriau yn ôl
2 siarad yn aneglur to mumble

llyncu mul pwdu, sorri'n bwt to sulk

llyncu'r abwyd:codi at yr abwyd derbyn fel gwir neu gywir rywbeth sydd yn mynd i'ch dal chi (fel pysgodyn yn cael ei fachu) to take the bait

llyncwr *eg* (llyncwyr) un sy'n llyncu swallower

llynedd *eb* ac *adf* y flwyddyn ddiwethaf; yn ystod y flwyddyn ddiwethaf last year

llynglwm *eg* (llynglymau) cwlwm anodd iawn ei ddatod, cwlwm tyn Gordian knot

llynmeirch *eg* clwyf yr ysgyfaint mewn ceffylau glanders

llynneg *eb* astudiaeth wyddonol o'r amodau ffisegol, biolegol a chemegol sy'n nodweddu pyllau dŵr, llynnoedd, nentydd ac afonydd limnology

llynnoedd *ell* lluosog **llyn**

llynnol *ans* yn perthyn i lyn, nodweddiadol o lyn lacustrine

llyo:lluo *be* [lly.•[1]] symud y tafod ar hyd rhywbeth (er mwyn gwlychu, blasu, glanhau, etc.); llyfu to lick

llyrlys *eg* planhigyn y morfeydd heli, â dail cnodiog, a arferai gael ei losgi yn y broses o wneud gwydr glasswort

llys[1] *eg* (llysoedd)
1 ystafell neu adeilad lle mae achosion cyfreithiol yn cael eu cynnal a'u barnu; brawdlys court, courtroom
2 (*yn derbyn ffurf unigol neu luosog berf*) y barnwr, swyddogion y gyfraith a'r rhai sy'n cael eu cyhuddo wedi'u casglu ynghyd wrth farnu achos cyfreithiol court
3 (*yn derbyn ffurf unigol neu luosog berf*) y corff sy'n rheoli sefydliad, e.e. prifysgol, eisteddfod, etc. court
4 *hanesyddol* ystafell brenin, arglwydd neu uchelwr a'r bobl oedd yn byw ynddi, *llys Ifor Hael*; cwrt, neuadd, plas, plasty hall, court
Llys Apêl CYFRAITH (yng Nghymru a Lloegr) llys barn sy'n gwrando ar apeliadau yn erbyn dyfarniadau sifil a throseddol gan Lysoedd y Goron, yr Uchel Lys a Llysoedd Sirol Court of Appeal

llys[2] *eg* llysnafedd, yn enwedig y tyfiant gwyrdd a geir ar ferddwr slime

llysaidd *ans* nodweddiadol o lys y brenin neu uchelwr; boneddigaidd, coeth, cwrtais, syber courtly, refined

llysblant *ell* lluosog **llysblentyn**

llysblentyn *eg* (llysblant) llysfab neu lysferch stepchild

llyschwaer *eb* (llyschwiorydd) merch y mae ei mam neu ei thad hi wedi priodi eich mam neu eich tad chi stepsister

llysdad gw. **llystad**

llysenw *eg* (llysenwau) enw anffurfiol a ddefnyddir yn lle enw iawn rhywun, naill ai fel talfyriad o'i enw iawn, neu'n seiliedig ar ryw briodoledd sy'n perthyn iddo, neu sy'n cynnwys enw ei gartref, e.e. *Ianto Ffwl Pelt*, *Moc Troed-rhiw*; arallenw, blasenw, ffugenw, glasenw nickname

llysenwi *be* rhoi llysenw i rywun to nickname
Sylwch: nid yw'r ferf hon yn arfer cael ei rhedeg.

llysfab *eg* (llysfeibion) mab eich gŵr neu eich gwraig o briodas flaenorol stepson

llysfam *eb* (llysfamau) y fenyw sydd nawr yn briod â'ch tad ond nid eich mam chi yw hi; mam wen stepmother

llysferch *eb* (llysferched) merch eich gŵr neu eich gwraig o briodas flaenorol stepdaughter

llysfrawd *eg* (llysfrodyr) bachgen y mae ei fam neu ei dad wedi priodi eich mam neu eich tad chi stepbrother

llysfwytaol *ans* yn cynnwys dim ond llysiau vegetarian

llysfwytäwr *eg* (llysfwytawyr) un sy'n bwyta llysiau yn unig vegetarian

llysg *bf* [llosgi] *hynafol* mae ef yn llosgi/mae hi'n llosgi; bydd ef yn llosgi/bydd hi'n llosgi

llysgenhadaeth *eb* (llysgenadaethau)
1 casgliad o swyddogion, dan orchymyn llysgennad fel arfer, sy'n cael eu hanfon gan eu llywodraeth i drafod buddiannau'r wlad â llywodraeth gwlad arall; diplomyddiaeth embassy, legation
2 yr adeilad y mae llysgennad a'i staff yn gweithio ynddo mewn gwlad dramor embassy, legation

llysgenhades *eb* (llysgenadesau) merch neu wraig sy'n llysgennad

llysgenhadol *ans* yn perthyn i swydd llysgennad ambassadorial

llysgennad *eg* (llysgenhadon) swyddog uchel llywodraeth sy'n cynrychioli ei wlad mewn gwlad arall; pennaeth llysgenhadaeth; cennad, diplomydd, legad ambassador, diplomat

llysiau *ell* lluosog **llysieuyn**
1 planhigion (neu rannau ohonynt) sy'n cael eu tyfu fel bwyd vegetables
2 planhigion y defnyddir eu dail, eu bonion neu eu hadau i roi blas ar fwyd neu i wneud moddion ohonynt herbs

llysiau pen tai planhigion â blodau pinc sy'n tyfu ar hen furiau a thoeon houseleek

llysiau'r angel planhigion o deulu'r foronen y mae eu gwreiddiau a'u ffrwythau yn cael eu defnyddio i wneud olew blasu bwyd wild angelica

llysiau'r cwlwm planhigion o deulu tafod yr ych sydd â dail blewog a blodau gwyn, melyn, pinc neu las yn gorwedd un ochr i goes y planhigyn common comfrey

llysiau'r-dryw pêr planhigion cyffredin o deulu'r rhosyn a chanddynt sbigynnau o flodau melyn fragrant agrimony

llysiau'r wennol planhigion o deulu'r pabi ac iddynt flodau tebyg i babïau bychain greater celandine

llysiau'r ysgyfaint planhigion o deulu tafod yr ych sydd â blodau pinc a dail a brychau gwyn drostynt yn debyg i ysgyfaint llidus lungwort

llysieuaeth *eb* y weithred o ymwrthod â bwyta cig neu bysgod; cigwrthodaeth vegetarianism

llysieueg *eg hen ffasiwn* botaneg; astudiaeth wyddonol o blanhigion botany

llysieulyfr *eg* (llysieulyfrau) cyfrol yn cynnwys disgrifiadau o blanhigion a'r defnydd y gellir ei wneud ohonynt herbal

llysieuol *ans*
1 o natur neu ansawdd llysiau herbaceous
2 yn cynnwys llysiau neu wedi'i wneud o lysiau herbal, vegetable
3 yn ymwneud â llysieuwyr a'u hegwyddorion vegetarian

llysieuwr:llysieuydd *eg* (llysieuwyr)
1 un sy'n bwyta llysiau yn unig; cigwrthodwr vegetarian
2 un sy'n arbenigo yn y defnydd o berlysiau fel moddion neu at bwrpas meddyginiaethol herbalist

llysieuwraig *eb*
1 merch neu wraig sy'n bwyta llysiau yn unig; cigwrthodwr
2 un sy'n arbenigo yn y defnydd o berlysiau fel moddion neu at bwrpas meddyginiaethol

llysieuyn *eg* unigol **llysiau**; planhigyn vegetable, plant, herb
Sylwch: gw. hefyd **llysiau**.

llysleuen *eb* (llyslau) un o nifer o bryfed neu drychfilod mân sy'n byw ar nodd planhigion; pryf glas aphid

llysnafedd *eg* hylif trwchus, llithrig sy'n cael ei gynhyrchu gan rai rhannau o'r corff (megis y geg a'r trwyn), a chan falwod i'w cynorthwyo i symud; crachboer, fflem, mwcws slime, mucus, mucilage

llysnafeddog *ans* llawn llysnafedd, tebyg i lysnafedd slimy

llysol *ans* yn perthyn i lys (brenin neu uchelwr) courtly

llystad *eg* (llystadau) y gŵr sydd nawr yn briod â'ch mam ond nid eich tad chi yw e stepfather

llystyfiant *eg* planhigion a'u tyfiant yn gyffredinol vegetation

llystyfol *ans* BOTANEG yn ymwneud â thwf planhigion a ffyngau yn hytrach nag atgenhedliad rhywiol vegetative

llysysol *ans* yn bwyta planhigion yn unig herbivorous

llysysydd *eg* (llysysyddion) anifail sy'n bwyta planhigion yn unig herbivore

llysywen *eb* (llyswennod:llyswod) math o bysgodyn sy'n debyg i neidr o ran ei ffurf ac sy'n anodd gafael ynddo gan fod ei gorff mor llithrig eel

llysywen bendoll creadur tebyg i lysywen sy'n byw yn y môr ac mewn dŵr croyw; mae ganddo geg heb ên sy'n ei alluogi i lynu wrth bysgod eraill a sugno'u cnawd lamprey

llythreniad *eg* natur ac ansawdd y llythrennau a ddefnyddir mewn arysgrif lettering

llythrennau *ell* lluosog **llythyren**

llythrennedd *eg* y gallu i ddarllen ac ysgrifennu literacy

llythrennog *ans* yn gallu darllen ac ysgrifennu literate

llythrennol *ans*
1 cywir i'r llythyren olaf, manwl gywir literal
2 am gyfieithiad sy'n dilyn y testun gwreiddiol yn fanwl, air am air literal
3 am union ystyr gair, nid ei ystyr ffigurol, *Roedd rhai o'r golygfeydd yn y ffilm mor erchyll nes iddynt fy ngwneud i'n sâl yn llythrennol.* literal

llythrennu *be* ysgrifennu'n gain, torri neu gerfio llythrennau (ar garreg) to inscribe
  Sylwch: nid yw'r ferf hon yn arfer cael ei rhedeg.

llythyr *eg* (llythyrau:llythyron)
1 neges ysgrifenedig sy'n cael ei hanfon mewn amlen, fel arfer; gohebiaeth (~ at) letter
2 un o'r llythyrau a ysgrifennwyd gan un o ddilynwyr cynnar Iesu Grist ac a geir yn y Beibl; epistol epistle

llythyr aelodaeth llythyr sy'n cael ei anfon o'r eglwys lle bu rhywun yn aelod i drosglwyddo'i aelodaeth i eglwys arall

llythyrdy *eg* (llythyrdai) siop neu swyddfa sy'n delio â'r post a pheth busnes arall, e.e. biliau ffôn, budd-daliadau, etc., ar ran y llywodraeth; swyddfa bost post office

llythyren *eb* (llythrennau) un o'r arwyddion ysgrifenedig sy'n cynrychioli sain ar lafar, un o arwyddion yr wyddor letter, character

llythyren fras gw. **bras**[1]
  Ymadrodd

llythyren y ddeddf (mynnu bod) yn fanwl gywir, dilyn rhywbeth heb feddwl am y canlyniadau, a all fod yn anghyfiawn neu'n hurt the letter of the law

llythyru *be* [llythyr•1] gohebu â rhywun drwy gyfrwng llythyr neu neges ebost; ysgrifennu llythyrau; cyfathrebu, ebostio (~ â) to correspond

llythyrwr *eg* (llythyrwyr) un sy'n ysgrifennu llythyr(au); gohebydd correspondent, (letter) writer

llyw *eg* (llywiau)
1 llafn symudol yng nghefn llong neu gwch sy'n rheoli i ba gyfeiriad y mae'n hwylio rudder, tiller
2 dyfais debyg a geir yng nghefn rhai awyrennau rudder
3 yr olwyn sy'n gysylltiedig â'r llafn ac sydd o dan reolaeth capten y llong helm
4 olwyn yrru car, olwyn lywio cerbyd modur steering wheel

5 (hen ystyr) yn ffigurol, arweinydd, tywysydd, *Llywelyn ein Llyw Olaf*

wrth y llyw yn arwain, yn rhoi cyfeiriad at the helm

llywaeth *ans*
1 (am anifail, fel arfer) wedi'i ddofi, nad yw'n wyllt nac yn ffyrnig; dof, hywedd, swci pet, tame
2 (am rywun) di-asgwrn-cefn, braidd yn ddigymeriad; llipa wet

llywanen gw. **llywionen**

llyweth *eb* (llywethau) cudyn o wallt, modrwy o wallt; cwrl, ton curl, lock of hair, ringlet

llywio *be* [llywi•2]
1 sicrhau bod rhywbeth (fel llong) yn mynd i gyfeiriad arbennig; arwain, cyfarwyddo, cyfeirio (~ rhywbeth i) to steer, to pilot
2 CYFRIFIADUREG symud o gwmpas gwefan, y Rhyngrwyd, etc., *llywio safle* to navigate

llywionen:llywanen *eb* (llywanennau) llen o gynfas, darn mawr o ddefnydd bras, e.e. i gasglu dail ynddo sheet

llywiwr *eg* (llyw-wyr) un sy'n llywio llong helmsman, navigator, steersman

llywodraeth *eb* (llywodraethau)
1 y rheolaeth sydd ar wlad, sir neu ddinas, *llywodraeth leol* government
2 (*yn derbyn ffurf unigol neu luosog berf*) y rhai sydd yn rheoli gwlad ar unrhyw adeg, *Mae'r Frenhines yn teyrnasu ond y llywodraeth sydd â'r grym yn y Deyrnas Unedig.*; awdurdod, gwladwriaeth government

Llywodraeth Cymru corff gweithredol gweinyddiaeth ddatganoledig Cymru, yn cynnwys Prif Weinidog Cymru, Gweinidogion Cymru, y Cwnsler Cyffredinol a Dirprwy Weinidogion Cymru Welsh Government

llywodraethiant *eg* y broses o lywodraethu a natur y llywodraethu neu'r ffordd o lywodraethu governance

llywodraethol *ans* yn llywodraethu, yn rheoli, *bwrdd llywodraethol, corff llywodraethol* governing, ruling

llywodraethu *be* [llywodraeth•1]
1 cyfarwyddo, gweinyddu, rhedeg, rheoli (~ ar) to govern
2 llywio, cyfeirio, rheoli, *Mae grym y llanw yn cael ei lywodraethu gan y lleuad.* to control, to govern, to rule

llywodraethwr *eg* (llywodraethwyr)
1 unigolyn neu aelod o grŵp sy'n gyfrifol am reoli rhai mathau o sefydliadau governor
2 *hanesyddol* un a fyddai'n rheoli talaith neu ranbarth ar ran llywodraeth ganolog; rhaglaw governor
3 un sydd wedi cael ei ethol i fod yn bennaeth talaith yn Unol Daleithiau America governor

llywydd *eg* (llywyddion)
1 rhywun sy'n rheoli cyfarfodydd a
gweithgareddau cymdeithas arbennig, *llywydd*
clwb rygbi president
2 pennaeth rhai prifysgolion president
3 pennaeth cwmni busnes neu fanc, etc.
president
4 un sy'n cael ei (h)anrhydeddu mewn
eisteddfod, cyngerdd, cymanfa etc. president
5 CERDDORIAETH pumed nodyn graddfa
ddiatonig (beth bynnag ei chywair) dominant
llywyddiaeth *eb* swydd llywydd neu dymor
ei swydd; arweiniad, goruchwyliaeth,
stiwardiaeth presidency
llywyddol *ans* yn perthyn i lywydd, yn llywyddu
presidential, presiding
llywyddu *be* [llywydd•¹] llywio (cyfarfod);
arwain, cadeirio, cyfeirio to preside

M

m¹:M *eb*
1 cytsain ac ail lythyren ar bymtheg yr wyddor
Gymraeg; ar ddechrau gair, gall dreiglo'n
feddal yn 'f', e.e. *dwy fam*, ac mewn rhai
tafodieithoedd fe'i treiglir yn 'mh', e.e. '*ei*
mham'; hefyd ar ddechrau gair, gall fod yn
ganlyniad treiglo *b* yn drwynol, e.e. *fy mrawd*
m, M
2 1000 mewn rhifau Rhufeinig
3 CERDDORIAETH y trydydd nodyn yng
ngraddfa nodiant y system sol-ffa, mi m, me
m² *byrfodd* metr m
'm *rhagenw dibynnol mewnol*
1 (person cyntaf unigol genidol) yn eiddo i mi,
yn perthyn i mi, *fy mrawd a'm chwaer, fy oren*
a'm hafal; fy my
2 (person cyntaf unigol) fe'i defnyddir yn dilyn
geiryn berfol, i gyfleu gwrthrych ymadrodd
berfol, *Fe'm gwelwyd., Pwy a'm hatebodd?*
ac fel gwrthrych o flaen berfenw, *fy nghicio*
a'm gwthio; fi, i me
Sylwch:
1 defnyddir ''m' genidol ar ôl *a, â, gyda, tua,*
efo, na, i, o, mo; fy mlows a'm sgert; efo'm
chwaer; Ni welsoch mo'm brawd.; ar lafar,
yr arfer yw hepgor y rhagenw mewnol a
defnyddio'r treiglad trwynol, e.e. *fi a nhad*;
mae'r treiglad yn dynodi bod 'fy' yn eisiau,
h.y. fi a (fy) nhad;
2 'fy' sy'n dilyn berfenw neu enw, *bwrw fy*
nghoes; tŷ fy nhad;
3 defnyddir ''m' gwrthrychol ar ôl 'a', 'na'
(perthynol), y geiryn 'y' ac ar ôl y geirynnau
a arferir o flaen berfau, *Pwy a'm dewisodd?*;
Fe'm cynhyrfwyd; Ni'm gwelwyd;
4 mae'n achosi 'h' o flaen llafariad, *Fy nheulu*
a'm haelwyd; Fe'm hanfonodd.
ma-:ba- *rhag mewn enwau lleoedd* tir, gwlad, maes,
e.e. *Machen, Machynlleth, Mathrafael*; ceir
'ba-' yn ffurf amrywiol arni, e.e. *Bathafarn,*
Bachymbyd
Sylwch: mae'n cael ei ddilyn gan dreiglad
llaes.
'ma *byrfodd anffurfiol* gw. **yma**
mab *eg* (meibion)
1 plentyn gwryw rhywun son
2 bachgen, dyn ifanc, *Ar gyfer y ddawns nesaf,*
lluniwch gylch – mab a merch bob yn ail.;
gwas, hogyn, llanc, rhocyn boy, lad
mab bedydd gw. **bedydd**
mab yng nghyfraith gŵr eich merch
son-in-law

m

Ymadroddion

mab afradlon rhywun sydd wedi bod yn byw bywyd ofer ond sy'n edifarhau, pechadur sy'n edifarhau (ar sail dameg yn y Beibl) prodigal son

mab llwyn a pherth bachgen anghyfreithlon

Mab y Dyn CREFYDD ymadrodd o'r Hen Destament yn wreiddiol, a ddefnyddiwyd gan Iesu i gyfeirio ato'i hun; y Meseia the Son of Man

y Mab CREFYDD yr ail yn y Drindod sanctaidd o Dduw'r Tad, Iesu Grist y Mab a'r Ysbryd Glân the Son

y mab darogan *hanesyddol* arwr sy'n dod i'r byd i gyflawni proffwydoliaeth (ac achub ei genedl fel arfer)

mabaidd *ans* addas i fab (mewn perthynas â'i rieni) filial

mabandod *eg* cyfnod cynnar plentyndod; babandod infancy

y Mabinogion *ell Pedair Cainc y Mabinogi*, rhai o'r straeon traddodiadol hynaf sydd gennym yn y Gymraeg, maen nhw'n ffurfio'r rhan gyntaf o gasgliad llawnach o straeon yn dwyn y teitl *y Mabinogion*

maboed gw. mebyd

mabolaeth *eb* cyfnod ieuenctid; glasoed, ieuenctid, mebyd childhood, youth

mabolaidd:mabol *ans* tebyg i fab, nodweddiadol o fab; bachgennaidd, ieuanc, ifanc boyish, filial

mabolgampau *ell* campau athletaidd, cystadlaethau yn cynnwys rhedeg, neidio a thaflu; campau, chwaraeon, gornestau athletics, sports

mabolgampol *ans* yn ymwneud â chwaraeon, yn enwedig mabolgampau athletic

mabolgampwr *eg* (mabolgampwyr) un sy'n cystadlu mewn mabolgampau athlete, sportsman

mabolgampwraig *eb* merch neu wraig sy'n cystadlu mewn mabolgampau sportswoman

mabsant *eg* (mabsaint) sant neu santes a gysylltir â man arbennig, yn aml lle mae'r eglwys wedi'i chysegru yn ei (h)enw, sant gwarcheidiol; yn y gorffennol byddai'n arferiad cynnal dathliadau arbennig ar ddydd gŵyl mabsant; nawddsant patron saint

mabwysiad *eg* (mabwysiadau) y broses o fabwysiadu plentyn, canlyniad mabwysiadu adoption

drwy fabwysiad drwy broses o fabwysiadu by adoption

mabwysiadai *eg* (mabwysiadeion) un wedi'i fabwysiadu adoptee

mabwysiadol *ans* wedi'i fabwysiadu adopted, adoptive

mabwysiadu *be* [mabwysiad•³]
1 derbyn plentyn i'w fagu fel un o'r teulu gan ymgymryd â'r holl gyfrifoldebau cyfreithiol fel rhiant y plentyn; maethu, magu, meithrin to adopt
2 derbyn (arfer, cynllun, syniad, etc.) a'i ddefnyddio fel eich eiddo eich hun, *Ar ôl gweld pa mor effeithiol oeddynt, penderfynodd fabwysiadu eu dulliau nhw o chwarae'r gêm.* to adopt

mabwysiadwr *eg* (mabwysiadwyr) un sy'n mabwysiadu adopter

mabwysiedig *ans* wedi'i fabwysiadu adopted

macaronaidd *ans* (am destun neu farddoniaeth) mewn dwy neu ragor o ieithoedd macaronic

macaroni *eg* COGINIO bwyd wedi'i wneud o diwbiau tenau o basta trwchus macaroni

macarŵn *eg* COGINIO math o deisen fach wedi'i gwneud o wynnwy, siwgr a chnau almon; bisged almon macaroon

macédoine COGINIO cymysgedd o ffrwythau neu lysiau wedi'u torri'n fân

Macedonaidd *ans* yn perthyn i Macedonia, nodweddiadol o Macedonia Macedonian

Macedoniad *eg* (Macedoniaid) brodor o Weriniaeth Macedonia, Macedonia'r hen fyd, neu'r rhanbarth presennol o wlad Groeg Macedonian

Maciafelaidd *ans* cyfrwys, diegwyddor, dichellgar (egwyddorion ymddygiad a osodwyd gan yr awdur Eidalaidd Machiavelli) Machiavellian

macramé *eg* y grefft o ddefnyddio clymau i wneud patrymau

macrell *eg* (mecryll) pysgodyn môr bwytadwy a chanddo gorff hirfain a marciau tonnog glas a gwyrdd ar ei gefn; mae'n nofio mewn heigiau mawr mackerel

macro *eg* (macros) CYFRIFIADUREG set o gyfarwyddiadau i gwblhau tasg benodol y mae modd ei chychwyn â gorchymyn unigol macro

macro- *rhag* eang, mawr, dros gyfnod hir, e.e. *macrofaethyn* macro-
Sylwch: nid yw 'macro' + cyfaddasiad o air Saesneg yn achosi treiglad yn yr ail elfen, e.e. *macrobiotig.*

macrobiotig *ans* yn cyfeirio at ddeiet sy'n cynnwys bwydydd cyflawn yn unig, a ddilynir fel arfer er mwyn bod yn fwy iach a byw'n hen macrobiotic

macrocosm *eg* (macrocosmau)
1 yr hollfyd, y bydysawd macrocosm
2 adeiledd cymhleth sydd yn un o gydrannau adeiledd mwy wedi'i chwyddo ar raddfa anferth macrocosm

macro-economaidd *ans* yn ymwneud â macro-economeg, yn deillio o facro-economeg macroeconomic

macro-economeg *eb* cangen o economeg
yn ymwneud â ffactorau graddfa eang neu
gyffredinol fel cyfraddau llog a chynnyrch
gwladol macro-economics

macrofaethyn *eg* (macrofaethynnau) BIOLEG
elfen gemegol (fel carbon, hydrogen neu ocsigen)
y mae angen llawer ohoni er mwyn sicrhau twf
planhigion, meinwe, etc. macronutrient

macroffag *eg* (macroffagau) FFISIOLEG un o nifer
o'r celloedd ffagocytig mawr sy'n amddiffyn y
corff drwy lyncu defnyddiau estron macrophage

macrohinsawdd *eb* (macrohinsoddau)
METEOROLEG hinsawdd arferol ardal eang iawn
macro-climate

macsila *eg* (macsilâu) ANATOMEG gên uchaf
mamolion maxilla

macsimwm *eg* (macsimymau) MATHEMATEG
pwynt ar gromlin neu arwyneb sy'n uwch na'r
pwyntiau wrth ei ymyl; uchafbwynt maximum

macsu *be* [macs•¹] gwneud cwrw (drwy drwytho,
berwi ac eplesu brag a hopys); bragu, darllaw
to brew, brewing

macwla *eg* (macwlau) ANATOMEG rhan hirgron
o amgylch y ffofea yn retina'r llygad a'r rhan
fwyaf craff o'r llygad macula

macwy *eg* (macwyaid)
1 bachgen sy'n cymryd rhan mewn seremoni,
e.e. seremoni briodas neu seremonïau'r Orsedd;
gwas ifanc page
2 *hanesyddol* arglwydd ifanc dan hyfforddiant
marchog squire

macyn *eg* (macynau:macynon) darn o liain (neu
bapur tenau) ar gyfer sychu'r trwyn, llygaid,
etc.; cadach poced, ffunen, hances, hansier,
neisied, nicloth handkerchief

mach *eg* unigol meichiau

Mach *eg* FFISEG cyfradd buanedd gwrthrych o'i
gymharu â buanedd sain yn yr un cyfrwng;
Mach 1 yw buanedd sain, Mach 2 = dwywaith
buanedd sain Mach

machlud¹:machludiad *eg* (machludoedd) (am yr
Haul) diflaniad graddol dros y gorwel, neu o'r
golwg setting, sunset

machlud²:machludo *be* [machlud•¹ 3 *un. pres.*
machlud/machluda; 2 *un. gorch.* machlud/
machluda] diflannu'n raddol o'r golwg neu
(am yr Haul) dros y gorwel (~ dros) to set

mad *ans* daionus, hyfryd, rhinweddol good,
pleasant

Madagasgaidd *ans* yn perthyn i Fadagascar,
nodweddiadol o Fadagascar Madagascan

Madagasgiad *eg* (Madagasgiaid) brodor o
Fadagascar Madagascan

madam *eb*
1 teitl ffurfiol wrth gyfarch gwraig, yn cyfateb
i 'syr' i ddynion, yn enwedig wrth ysgrifennu
llythyr, e.e. *Madam Olygydd* madam

2 merch neu wraig fawreddog, ddiamynedd,
biwis, *Mae hi'n dipyn o fadam.* madam

madarch *ell* planhigion sy'n perthyn i deyrnas
y ffyngau, nid ydynt yn gallu creu eu bwyd eu
hunain drwy ffotosynthesis fel y mwyafrif o
blanhigion eraill, cynhyrchant sborau yn lle
hadau; mae rhai mathau yn fwytadwy ac eraill
yn wenwynig iawn; caws llyffant mushrooms,
toadstools
  Sylwch: mae'n derbyn ffurf unigol neu luosog
berf.

madarchaidd *ans* o natur madarch, tebyg i
fadarch o ran golwg fungoid

madfall *eb* (madfallod) ymlusgiad sy'n debyg
o ran ffurf i neidr ond sydd â phedair coes a
chroen cennog; genau-goeg lizard
  madfall ddŵr amffibiad bach â phedair coes
sy'n byw yn rhannol yn y dŵr ac yn rhannol ar
y tir newt

madredd *eg*
1 crawn; dolur crawnllyd; gôr pus
2 MEDDYGAETH dirywiad ym meinwe'r cnawd
yn arwain at gnawd marw oherwydd diffyg
yn y cyflenwad gwaed gangrene

madreddog *ans* yn madreddu festering,
gangrenous

madreddu *be* [madredd•¹] (am glwyf)
troi'n fadredd; casglu, crawni, gori, madru
to fester

madrigal *eb* (madrigalau) CERDDORIAETH
math o gân seciwlar, ddigyfeiliant (o darddiad
Eidalaidd) i ddau neu ragor (hyd at chwech)
o leisiau; roedd yn ei fri yn yr unfed ganrif
ar bymtheg a dechrau'r ail ganrif ar bymtheg
madrigal

madrondod *eg* y bendro; teimlad o fod yn
sigledig ac ar fin cwympo sy'n cael ei achosi
gan edrych i lawr o uchder neu gan glefyd sy'n
effeithio ar y glust fewnol; y ddot dizziness,
vertigo

madroni *be* [madron•¹] teimlo'n benysgafn,
dioddef o'r bendro to become dizzy,
to make dizzy

madru *be* (am glwyf) cael ei wenwyno a
chrawni; casglu, gori, madreddu to fester,
to putrefy
  Sylwch: nid yw'r ferf hon yn arfer cael ei
rhedeg.

madruddyn *eg* (madruddynnau) cartilag;
defnydd lled dryloyw, hydwyth a geir yn y
laryncs, yn y llwybr resbiradol ac ar wyneb rhai
cymalau; fe'i ceir yn sgerbwd fertebratau ifanc
iawn cyn i'r rhan fwyaf ohono galedu a throi'n
asgwrn cartilage, gristle
  madruddyn y cefn ANATOMEG y llinyn o nerfau
sydd y tu mewn i'r asgwrn cefn spinal cord

madyn *eg hynafol* cadno, llwynog fox

m

maddau *be* [maddeu•¹ 3 *un. pres.* maddau/
maddeua; 2 *un. gorch.* maddau/maddeua]
dweud neu deimlo eich bod yn barod i
anghofio (rhyw gam a wnaed â chi); peidio
â dal dig neu deimlo'n gas tuag at rywun,
rhyddhau o gosb; esgusodi, trugarhau
(~ *rhywbeth* i *rywun*; ~ i *rywun* am *rywbeth*)
to forgive, to pardon
maddeuadwy *ans* y gellir ei faddau, heb fod yn
rhy ddifrifol excusable
maddeuaf *bf* [maddau] rwy'n maddau; byddaf
yn maddau
maddeuant *eg*
1 y broses o faddau, canlyniad maddau;
gollyngdod, pardwn, rhyddhad forgiveness,
pardon
2 parodrwydd i faddau forgiveness
maddeueb *eb* (maddeuebau) CREFYDD *hanesyddol*
yn yr Eglwys Gatholig Rufeinig, tystysgrif
gan y Pab, yn sicrhau rhyddhad rhannol (neu
gyflawn) o'r gosb a delir am bechodau ym
mhurdan indulgence, pardon
maddeugar *ans* (am rywun) parod i faddau
neu'n dangos arwydd o faddeuant forgiving
maddeuol *ans* y gellir ei faddau; wedi'i faddau
pardonable, pardoned
maddeuwr *eg* (maddeuwyr)
1 un sy'n maddau forgiver
2 pregethwr canoloesol a chanddo'r gwaith
o godi arian tuag at weithgareddau crefyddol
drwy werthu maddeuebau pardoner
mae *bf* [bod] 3ydd unigol Amser Presennol
Modd Mynegol 'bod', *Mae Ifan yma. Sefyll y
mae'r dyn. Gwnewch fel y mae eich athro yn
ei ddweud.* are, is
  Sylwch: ac mae (nid 'a mae') sy'n gywir.
sut mae? sut rwyt ti? sut rydych chi?
how are you?
maeden *eb* (maedenod) *difriol* merch neu wraig
ddrwg ei thymer; cnawes, jaden jade, shrew, slut
maeddu *be* [maedd•¹]
1 bod yn drech na; curo, gorchfygu, goresgyn,
trechu to beat, to conquer
2 gwneud yn frwnt neu'n fudr; baeddu,
difwyno, trochi (rhywbeth) to make dirty, to soil
maelfa *eb* (maelfaoedd:maelfeydd) casgliad o
siopau mewn un man neu dan yr un to, ynghyd
â lle i barcio fel arfer precinct, shopping mall
maelgi *eg* (maelgwn) pysgodyn bwytadwy â
chorff gwastad sy'n byw ar waelod y môr;
mae'n perthyn i deulu'r siarcod a'r morgathod
monkfish
maen¹ *eg* (meini:main)
1 darn o graig naill ai ar ffurf naturiol neu
wedi'i naddu (ar gyfer adeiladu fel arfer);
carreg, craig, llechen stone, rock
2 gradell; plât crwn o haearn bwrw (llechen

yn wreiddiol) a dolen ar un pen, ar gyfer
crasu bara a theisennau uwchben tân agored;
llechfaen, planc bakestone, griddle
maen awyr awyrfaen; meteoryn wedi'i wneud
o graig aerolite
maen clo gw. clo
maen dyfod DAEAREG maen neu glogfaen a
gludwyd gan rewlif neu len iâ ac a ddyddodwyd
yn bell o'i darddle erratic block
maen gorchest maen yn pwyso rhwng 75 a
100 pwys a fyddai'n cael ei ddefnyddio mewn
gornest brofi cryfder
maen gwerthfawr gem precious stone
maen hir un bloc mawr o garreg ar lun colofn;
monolith monolith, standing stone
maen llifo maen crwn y mae modd ei droi er
mwyn hogi cyllyll, llafnau, offer saer, etc. arno
grindstone
maen llog y garreg ganolog yn seremonïau'r
Orsedd y mae'r Archdderwydd yn traddodi
oddi arni
maen melin
1 un o'r ddwy garreg fawr gron sy'n malu ŷd
yn flawd mewn melin millstone
2 rhywun neu rywbeth sy'n achosi llawer o
bryder, gofid, trafferth, etc.; baich, rhwystr
encumbrance, millstone
maen tostedd carreg y bustl; darn bach caled
fel carreg sy'n ffurfio yng nghoden y bustl
gallstone
Ymadroddion
maen prawf *hanesyddol*
1 carreg lefn a gâi ei defnyddio i asesu gwerth
aloion aur ac arian yn ôl y lliw a fyddai ar
y garreg wedi iddynt gael eu rhwbio ynddi
touchstone
2 unrhyw beth a ddefnyddir fel prawf neu
safon, *Eu llwyddiant neu ddiffyg llwyddiant
yn y rhagbrofion fydd y maen prawf a fydd yn
dangos a ydynt wedi gwella fel tîm neu beidio.*
criterion, test
maen tramgwydd rhywbeth sy'n rhwystr,
sy'n llesteirio symud ymlaen obstruction,
stumbling-block
mynd â'r maen i'r wal gwneud y gwaith
angenrheidiol i gwblhau rhywbeth; llwyddo
i gyrraedd amcan to complete a task
maen² *bf* [bod] sef 'maen nhw', talfyriad o
'maent' (hwy), 3ydd lluosog Amser Presennol
'bod' are
maenhad *eg* planhigyn â hadau caled o deulu
tafod yr ych gromwell
maenor:maenol *eb* (maenorau)
1 *hanesyddol* cylch neu ardal dan awdurdod
arglwydd (neu'r Eglwys) yn y gyfundrefn
ffiwdal; byddai ffermwyr yn cael rhentu peth
o'r tir, gan dalu amdano drwy wasanaethu

a chyfrannu cnydau, e.e. *Maenorbŷr* (Pŷr, enw abad); ffiff manor, fief, grange

2 cartref arglwydd; plas, plasty

maenordy *eg* (maenordai) neuadd neu brif ganolfan maenor, lle byddai'r llys yn cael ei gynnal; erbyn heddiw, plasty a'i diroedd manor

maentumio *be* [maentumi•²] dadlau dros wirionedd rhywbeth; haeru, honni, mynnu, taeru to claim, to maintain

maer *eg* (meiri) pennaeth cyngor tref neu ddinas mayor

maerdref *eb* (maerdrefi) *hanesyddol* (o dan y gyfundrefn ffiwdal) tir yn ymyl llys cwmwd, lle byddai taeogion yn codi bwyd ar gyfer y llys

maeres *eb* (maeresau) gwraig neu gymar i ŵr o faer, neu wraig sy'n cyflawni dyletswyddau gwraig maer; gwraig sy'n faer mayoress

maerol *ans* yn perthyn i faer, nodweddiadol o faer neu swydd maer mayoral

maeryddiaeth *eb* swydd maer, neu'r cyfnod o fod yn faer mayorality

maes¹ *eg* (meysydd)

1 cae, darn o dir ar fferm, wedi'i neilltuo neu wedi'i amgylchynu â mur neu glawdd neu ffens er mwyn i anifeiliaid bori neu i gnydau dyfu ynddo; dôl, parc field

2 man agored lle mae gêm arbennig yn cael ei chwarae, *maes rygbi*; lle mae defnydd arbennig yn cael ei gloddio, *maes glo, maes olew*; neu lle mae gweithgarwch arbennig yn digwydd, *maes glanio, maes parcio, maes eisteddfod* area, field, ground, pitch

3 cangen o wybodaeth neu o weithgarwch arbenigol, *Mae Rhys yn arbenigo mewn atgyweirio hen adeiladau, ac yn ei faes does neb cystal ag ef.*; pwnc area, domain, field, purview

4 y man lle mae pethau yn digwydd o'i gyferbynnu â'r man lle maent yn cael eu trefnu neu eu cynllunio, *swyddog maes* field

5 FFISEG ardal lle mae gan rym penodol ddylanwad, e.e. *maes magnetig, maes trydanol* neu *faes disgyrchiant* field

6 darn agored mewn tref neu bentref, *Y Maes, Caernarfon*; sgwâr square

7 y tir y mae brwydr wedi cael ei hymladd arno, *maes y gad*; brwydr, *ennill neu gario'r maes*; safle field of battle

gwaith maes gwaith ymarferol sy'n cael ei gyflawni yn y maes gan ymchwilydd fieldwork

maes antur math o faes chwarae â nifer o bethau megis teiars, pibau, cerbydau, etc. wedi'u gosod arno i ddifyrru plant adventure playground

maes awyr man lle mae awyrennau'n cael hedfan a glanio aerodrome, airport

maes llafur gw. llafur¹

maes y gad gw. cad

maes yr Eisteddfod y rhan o'r tir y cynhelir yr Eisteddfod Genedlaethol arni y mae'r Pafiliwn a'r pebyll a'r stondinau llai wedi'u gosod arno, *Wela i di ar y Maes bore fory.*
Ymadrodd

colli'r maes gw. colli

maes²:ma's *adf tafodieithol, yn y De* allan, *Rwy'n mynd ma's.* out
Sylwch: mynd i maes ('mynd ma's' ar lafar) = mynd allan; *mynd i faes* = mynd i gae.

maes o law yn y man, cyn bo hir eventually, before long
Sylwch: nid yw 'maes o law' yn arfer treiglo.

tu faes tu allan outside

maeslywydd *eg* (maeslywyddion) y swyddog uchaf ei radd ym myddin Prydain field marshal

maestir *eg* (maestiroedd) darn gwastad, agored o dir open country, plain

maestref *eb* (maestrefi) rhan allanol tref neu ddinas lle mae pobl yn byw suburb, township

maestrefol *ans* nodweddiadol o faestref; yn byw neu wedi'i leoli mewn maestref suburban

maesu *be* [maes•¹]

1 (mewn pêl-fas etc.) dal neu rwystro pêl sydd wedi cael ei tharo, ac yna ei dychwelyd to field

2 (mewn criced, rownderi, etc.) bod yn aelod o'r tîm sy'n bowlio yn hytrach na batio to field

maeswellt *eg* math o borfa luosflwydd a blennir weithiau mewn lawntydd neu a dyfir yn wair agrostis, bent grass

maeswr *eg* (maeswyr) un sy'n maesu fielder

maeth¹ *eg* (maethau) y rhan o fwyd a diod sy'n iachus ac yn peri twf; cynhaliaeth, lluniaeth, porthiant, ymborth nourishment, sustenance

maeth² *ans*

1 yn cynnig gofal rhieni i blentyn wedi'i faethu, *tad maeth* foster

2 yn dynodi perthynas drwy'r broses o faethu (gan yr un rhieni maeth) e.e. *brawd maeth* foster

maetheg *eb* astudiaeth wyddonol o'r holl ffyrdd y mae'r corff yn derbyn maeth ac yn ei ddefnyddio nutrition

maethiad *eg* proses mewn pobl ac anifeiliaid o dderbyn maeth a'i gymathu i feinwe'r corff; y ffordd y mae'r corff yn ymborthi nutrition

maethlon *ans* llawn maeth; iach nourishing, nutritious

maethol *ans*

1 yn cynnig maeth nourishing, nutritious

2 yn ymwneud â maeth neu ymborth alimentary

maetholyn *eg* (maetholion) sylwedd sy'n darparu'r maeth angenrheidiol i gynnal bywyd a hybu twf nutrient

maethu *be*

1 bod yn rhiant maeth i rywun; mabwysiadu, magu, meithrin to foster

m

2 rhoi bwyd a maeth (i rywun neu rywbeth); porthi to nourish

Sylwch: nid yw'r ferf hon yn arfer cael ei rhedeg.

mafon *ell* lluosog **mafonen**, ffrwythau bach coch sy'n tyfu ar brysgwydd pigog ac sy'n debyg o ran ffurf i'r fwyaren; afan, afan coch/cochion raspberries

mafon coch afan coch raspberries

mafon duon mwyar duon blackberries

mafonen *eb* unigol **mafon** raspberry

mag *eg* pysgod ifanc, silod; sil fry

magad *eb* y weithred o fagu, canlyniad magu; cofleidiad, cwtsh hug

magan *eg tafodieithol, yn y Gogledd* dimai

magenta *ans* o liw golau rhwng rhuddgoch a phorffor golau, sy'n un o'r lliwiau sylfaenol; mae'n lliw cyflenwol i wyrdd magenta

magïen *eb* (magïod) chwilen ag organau ymoleuol yn ei habdomen, yn enwedig y fenyw anadeiniog sy'n allyrru golau gwyrdd i ddenu'r gwryw glow-worm

magl *eb* (maglau)
1 dyfais ac ynddi raff neu wifren sy'n tynhau am goes neu wddf anifail ac yn ei ddal; bachell snare, trap
2 yr edafedd, a'r tyllau sy'n cael eu ffurfio ganddynt, mewn rhwyd mesh

magl ffŵl
1 magl i ddal y diniwed neu'r rhai ffôl
2 rhywbeth diniwed ei olwg â dyfais ffrwydro ynghlwm wrtho sy'n tanio wrth iddo gael ei gyffwrdd booby trap

maglu *be* [magl•³]
1 dal mewn magl (~ *rhywbeth* **yn**) to snare, to trap
2 dal ym maglau rhwyd; rhwydo to enmesh, to entangle

maglwr *eg* (maglwyr) un sy'n ennill ei fywoliaeth drwy faglu anifeiliaid (am eu crwyn fel arfer); daliwr trapper

maglys *eg* (maglysiau) planhigyn yn perthyn i deulu'r bysen ac a dyfir yn fwyd i anifeiliaid alfalfa, medick

magma *eg* (magmâu) DAEAREG y graig dawdd a geir dan gramen y Ddaear sy'n troi'n graig igneaidd wrth oeri ac yn crisialu dan wyneb y Ddaear neu ar yr wyneb ar ffurf lafa magma

magnel *eb* (magnelau) dryll mawr cryf wedi'i sicrhau wrth y llawr neu wrth gerbyd; canon cannon

magnelaeth *eb* cangen o fyddin sy'n defnyddio magnelau (gynnau mawr) artillery

magnelwr *eg* (magnelwyr) milwr yn adran magnelaeth byddin artilleryman

magnesiwm *eg* elfen gemegol rhif 12; metel ariannaidd sy'n llosgi'n wenfflam ac yn cyfuno â metelau eraill i wneud aloi cryf ond ysgafn (Mg) magnesium

magnet *eg* (magnetau) defnydd neu wrthrych sy'n creu maes magnetig o'i gwmpas, ac o'r herwydd yn gallu tynnu haearn (a rhai metelau eraill fel nicel a chobalt) ato magnet

magnetedd *eg* priodoledd magnet, yr hyn sy'n gwneud magnet yn fagnet magnetism

magneteg *eb* cangen o ffiseg yn ymwneud â ffenomenau magnetig magnetism

magneteiddiad *eg* (magneteiddiadau)
1 y broses o fagneteiddio sylwedd dros dro neu'n barhaol drwy ei roi mewn maes magnetig magnetization
2 y briodwedd o fod yn fagnetig magnetization

magneteiddio *be* [magneteiddi•²] gwneud rhywbeth yn fagnet to magnetize

magnetig *ans* â phriodoleddau magnet neu'n ymwneud â magnetedd magnetic

magnetit *eg* mwyn llwyd-ddu magnetig sy'n un o ocsidau haearn magnetite

magneto *eg* dyfais sy'n defnyddio magnetau i gynhyrchu foltedd uchel (i danio peiriant tanio mewnol fel arfer) magneto

magnetomedr *eg* (magnetomedrau) dyfais i fesur grym a chyfeiriad maes magnetig, e.e. maes magnetig y Ddaear magnetometer

magnolia *eg* ac *ell*
1 teulu o goed o Asia neu America sydd â dail gwyrdd a blodau mawr gwyn, melyn a phinc neu las trawiadol magnolia
2 lliw hufen neu binc golau iawn magnolia

magnum opus *eg* (magna opera) gwaith mwyaf awdur

magu *be* [mag•³ 3 *un. pres.* mag/maga]
1 (am fabi) cario a siglo'n ysgafn gyda gofal mawr, *Bûm yn ei magu hi am ddwy awr cyn iddi fynd i gysgu.* to nurse
2 gofalu am blentyn o'i fabandod nes ei fod wedi tyfu'n oedolyn, *Magodd hi chwech o blant mewn bwthyn bach.*; codi, meithrin to raise, to rear
3 cadw anifeiliaid gyda'r bwriad o gynhyrchu rhai bach, *Mae fy nhad yn magu cobiau Cymreig.* to breed
4 cynyddu mewn (hyder, profiad, etc.), *Mae hi'n magu mwy o hyder bob tro mae hi'n perfformio'n gyhoeddus.*; datblygu, ennill (~ *rhywun* **yn**) to acquire, to gain

magu asgwrn cefn gw. asgwrn

magu bloneg gw. bloneg

magu bol/bola mynd yn dew, tewhau

magu cefn gw. cefn

magu pwysau gw. pwysau²

magwr *eg* (magwyr) un sy'n magu neu'n codi; bridiwr breeder

magwraeth *eb* y weithred o fagu neu o ddwyn i fyny, canlyniad magu; y ffordd y mae rhywun yn cael ei godi nurture, upbringing

magwrfa *eb* (magwrfeydd) y man lle mae rhywbeth yn cael ei feithrin; bridfa, meithrinfa breeding ground

magwyr *eb* (magwyrydd) clawdd o gerrig; mur, gwrthglawdd, rhagfur bulwark, (stone) wall

mangl gw. man(-)gl

maharen *eg* (meheryn) gwryw'r ddafad yn ei lawn dwf; hwrdd ram, wether

llygad maharen pysgodyn cragen neu folwsg sydd â chragen ar ffurf côn ac sy'n glynu'n dynn wrth graig pan nad yw o dan y dŵr; brenigen limpet

maharena *be* (am y cyfnod y bydd dafad yn) gofyn hwrdd; rhydio to be in heat (of an ewe)
Sylwch: nid yw'r ferf hon yn arfer cael ei rhedeg.

mahogani *eg* pren tywyll, caled un o nifer o goed trofannol a ddefnyddir i wneud celfi cain mahogany

mai[1] *cysylltair* fe'i defnyddir i gyflwyno cymal enwol pan ddaw elfen i'w phwysleisio ar ddechrau'r cymal hwnnw; *taw* sy'n cael ei ddefnyddio ar lafar yn y De; cymharwch *Gwn fod John yn byw yn Aberdâr* a *Gwn mai yn Aberdâr y mae John yn byw.* that, that it (is)
Sylwch:
1 os ydych yn ansicr pa un ai *mai* ynteu *mae* sy'n gywir: os yw'n bosibl newid y gair am y gair *taw*, *mai* yw'r ffurf gywir;
2 *ac mai* (nid *a mai*) sy'n gywir.

fel mai gyda'r canlyniad (*Roedd y llwyth mor drwm fel mai prin y gallai ei godi.*) so that

Mai[2] *eg* pumed mis y flwyddyn May
mis Mai 'ym mis Mai' nid *ym Mai* May

maidd[1] *eg* (meiddion) gweddillion llaeth/llefrith sur wedi i'r dafnau breision (y ceulion) gael eu defnyddio i wneud caws; gleision whey

maidd[2] *bf* [meiddio] *hynafol* mae ef yn meiddio/mae hi'n meiddio; bydd ef yn meiddio/bydd hi'n meiddio

main[1] *ans* [mein•] (meinion)
1 (am rywun neu rywbeth) cul, cyfyng, tenau slender, slim, thin
2 o ansawdd da, heb fod yn fras, *lliain main* fine
3 (am sŵn) tenau, uchel, treiddgar, *llais main*; gwichlyd piercing, shrill, thin
4 (yn y Beibl) am lais Duw – '*y llef ddistaw fain*' small
5 (am y synhwyrau) craff, *clust fain* keen
6 (am wynt, awel, etc.) llym, treiddgar biting, keen
7 (am amgylchiadau, amodau byw, etc.) tlawd, caled, annigonol, *byw yn fain* meagre, poor

yr iaith fain gw. iaith

main[2] *ell* lluosog **maen**[1]

mainc *eb* (meinciau)
1 sedd hir, weithiau a chefn iddi, i ddau neu ragor o bobl; ffwrwm, sgiw bench

2 bwrdd hir i weithio arno, e.e. mewn gweithdy neu labordy bench
3 y sedd y mae barnwr neu ynad yn eistedd arni mewn llys barn, *Pwy sydd ar y fainc heddiw?* bench
4 barnwr neu ustus (neu farnwyr neu ustusiaid fel grŵp) bench

mainc flaen un o seddau blaen y Senedd lle mae'r gweinidogion (ac arweinwyr yr wrthblaid) yn eistedd front bench

meinciau cefn seddau yr Aelodau Seneddol hynny nad oes ganddynt swyddi swyddogol ychwanegol back benches

maint *eg* (meintiau)
1 pa mor fach neu fawr yw rhywbeth, mesur rhywbeth; hyd a lled, maintioli, *Beth yw maint y gynulleidfa?*; amlder, ehangder, helaethrwydd, trwch extent, size
2 nifer, swm, rhif, cymaint, *Cewch faint a fynnoch chi o sglodion am bunt.* number, quantity

faint o pa nifer, sawl how many
faint? pa faint? how many?, how much?
faint yw dy oedran di? beth yw dy oedran? how old are you?

maintioli *eg*
1 taldra naturiol person; corffolaeth, maint size, stature
2 DAEAREG mesur o arddwysedd daeargryn yn seiliedig ar osgled tonnau seismig magnitude
3 SERYDDIAETH mesur sy'n dangos pa mor llachar yw seren magnitude

maip *ell* lluosog meipen; erfin, rwdins

maître d'hôtel *eg* (*maîtres d'hôtel*) pen weinydd gwesty

maith *ans* [meith•] (meithion)
1 yn cymryd llawer o amser, hir iawn, poenus o hir; blinderus long, prolonged, tedious
2 o gryn bellter; eang, helaeth, llydan, ymledol extensive, large

mâl *ans*
1 wedi'i falu ground
2 wedi'i fathu gan felin (am arian) a'i gaboli (aur mâl) fine

malaen *ans* MEDDYGAETH (am diwmor neu afiechyd) tebygol o ledu mewn ffordd a all arwain at farwolaeth malignant

malaenedd *eg* MEDDYGAETH (am diwmor neu afiechyd) y cyflwr o fod yn falaen malignancy

malais *eg* (maleisiau) y dymuniad neu'r bwriad i wneud niwed neu ddrwg; atgasedd, casineb, digasedd, mileindra (~ at) malice, spite

malaria *eg* MEDDYGAETH twymyn neu glefyd trofannol a achosir gan y parasit *Plasmodium* sy'n cael ei gario gan y mosgito malaria

Malawaidd *ans* yn perthyn i Falaŵi, nodweddiadol o Falaŵi Malawian

Malawiad *eg* (Malawiaid) brodor o Falaŵi
Malawian

Maldifaidd *ans* yn perthyn i'r Maldives,
nodweddiadol o'r Maldives Maldivian

Maldifiad *eg* (Maldifiaid) brodor o'r Maldives
Maldivian

maldod *eg* sylw neu garedigrwydd anwesol
(gormodol weithiau) sy'n cael ei roi i rywun neu
rywbeth; anwes, mwythau pampering

maldodi *be* [maldod•¹] difetha (rhywun neu
rywbeth) drwy roi gormod o sylw iddo
to mollycoddle, to pamper, to spoil

Maleisaidd *ans* yn perthyn i Malaysia,
nodweddiadol o Malaysia Malaysian

Maleisiad *eg* (Maleisiaid) brodor o Malaysia
Malaysian

maleisiau *ell* lluosog **malais**

maleisus *ans* wedi'i wneud â malais neu
gyda'r bwriad o wneud niwed; drygnaws,
gwenwynllyd, milain malicious, spiteful

maleithiau *ell* llosg eira; chwyddi sy'n cosi neu'n
ysu ar fysedd y traed, y dwylo neu'r clustiau
ac a achosir gan oerfel a chylchrediad gwael y
gwaed chilblains

Malïad *eg* (Malïaid) brodor o Mali Malian

Malïaidd *ans* yn perthyn i Mali, nodweddiadol
o Mali Malian

malio *be* [mali•²] pryderu am, *Nid yw'n malio
taten am na neb na dim.*; becso, hidio, poeni,
ystyried to care, to mind

Maltaidd:Melitaidd *ans* yn perthyn i Malta,
nodweddiadol o Malta Maltese

maltos *eg* CEMEG siwgr yn cynnwys dwy uned o
glwcos yn deillio o hydrolysu startsh maltose

Malthwsiaeth *eb* damcaniaeth Thomas Malthus
fod poblogaeth yn cynyddu ar raddfa gynt
na'r ffyrdd o'i bwydo, ac mai'r canlyniad
anochel yw tlodi a chaledi oni bai fod modd
arafu'r twf drwy ddulliau atal cenhedlu neu
drwy drychineb (newyn, pla, rhyfel, etc.)
Malthusianism

malu *be* [mal•¹ 3 *un. pres.* mâl/mala; 2 *un.
gorch.* mâl/mala]
1 chwalu neu falurio'n bowdr mân rhwng meini
neu wynebau caled, *malu gwenith yn flawd*
to grind
2 torri'n ddarnau, *Gofala di na fyddi di'n
malu'r car os wyt ti'n mynd allan heno.
Mae'n malu pob tegan y mae'n ei gael.*; dryllio
to break, to smash
3 mynd yn chwilfriw; chwalu to break, to shatter

malu awyr gw. awyr

malu cachu ffordd aflednais o ddweud 'malu
awyr', siarad dwli to talk through his backside

maluriad *eg* (maluriadau) y weithred neu'r
broses o falurio, canlyniad malurio; chwaliad
break-up, grinding

malurio *be* [maluri•²]
1 malu'n fân drwy daro dro ar ôl tro â
rhywbeth trwm to pound, to pulverize
2 chwalu neu dorri'n ddarnau bychain;
chwilfriwio, dadfeilio, dryllio to crumble,
to disintegrate

malurion *ell*
1 darnau mân o rywbeth wedi'i falurio;
teilchion, detritws detritus, fragments
2 DAEAREG mân ddarnau o greigiau
hindreuliedig a phridd sydd wedi'u cludo o'u
tarddle gan ddŵr neu iâ a'u hailddyddodi
mewn man arall; detritws debris, detritus

malwen gw. **malwoden**

malwenna *be* [malwenn•⁹] symud yn araf fel
malwen to mooch
Sylwch: dyblwch yr 'n' ym mhob ffurf ac
eithrio yn y rhai sy'n cynnwys -*as*-.

malwod *ell* lluosog **malwen**

malwoden:malwen *eb* (malwod) un o nifer
o fathau o folysgiaid â chorff meddal a chragen
galed ar eu cefn snail

malwr *eg* (malwyr)
1 peiriant neu ddyfais sy'n malu, yn darnio
neu'n torri'n fân chopper, grinder, crusher
2 rhywun sy'n malu, *Mae'n falwr cachu heb
ei ail.*; rwdlyn

mall *ans* wedi pydru neu wedi deifio; braen,
braenllyd, pwdr putrid

y Fall cosb dragwyddol ar ôl marwolaeth;
uffern (*ellyllon y Fall*) hell, perdition

mallryg *eg* clefyd sy'n effeithio ar gnydau grawn,
lle mae ffwng yn cymryd lle hadau'r grawn
ergot

malltod *eg* math o glefyd sy'n effeithio ar
blanhigion ac sy'n achosi iddynt wywo a marw;
llwydni, pydredd blight, rot

mam *eb* (mamau)
1 rhiant benyw; penteulu mother
2 eich mam chi mother
3 teitl a roddir i bennaeth lleianod,
Y Fam Teresa o Calcutta mother

mam fedydd gw. **bedydd**

mam wen llysfam stepmother

mam yng nghyfraith mam eich gŵr neu fam
eich gwraig; chwegr mother-in-law

mamaeth *eb* gwraig sy'n cael ei chyflogi i ofalu
am blentyn bach nanny

mamaidd *ans* tebyg i fam, nodweddiadol o fam;
mamol maternal, motherly

mamal gw. **mamolyn**

mam-eglwys *eb* (mameglwysi) yr eglwys neu'r
capel hynaf mewn ardal y mae eglwysi eraill
neu gapeli eraill o'r un enwad wedi tarddu
ohoni motherchurch

mamfaeth *eb* (mamau maeth) mam sy'n derbyn
plentyn rhywun arall at ei theulu ei hun ac yn

magu'r plentyn am gyfnod fel un o'r teulu,
ond nad yw'n ymgymryd â'r holl gyfrifoldebau
cyfreithiol am y plentyn foster mother

mamfrenhines *eb* mam brenin neu frenhines
queen mother

mamgell *eb* (mamgelloedd) BIOLEG rhiant-gell;
cell sy'n rhoi bodolaeth i gelloedd eraill, e.e.
drwy ymrannu i gynhyrchu dwy neu ragor o
epilgelloedd parent cell

mam-gu *eb* (mamau-cu:mamguod) *safonol, yn*
y De mam un o'ch rhieni, gwraig tad-cu; nain
grandmother, grandma

mamiaith *eb* (mamieithoedd) iaith gyntaf
plentyn, yr iaith y mae plentyn wedi cael ei fagu
ynddi mother tongue

mamladdiad *eg* (mamladdiadau) CYFRAITH
lladd eich mam eich hun matricide

mamog *eb* (mamogiaid) dafad feichiog in lamb ewe

mamol *ans* tebyg i fam, nodweddiadol o fam;
mamaidd maternal, motherly

mamolaeth *eb*
1 y broses o feichiogi ac esgor neu o ddod yn
fam, *cyfnod mamolaeth* maternity, motherhood
2 y cyfnod o fod yn feichiog ynghyd ag ychydig
amser ar ôl esgor maternity

mamolion *ell* SWOLEG dosbarth o anifeiliaid
gwaed cynnes; mae ganddynt asgwrn cefn,
gwallt neu flew, ac mae'r fenyw yn secretu
llaeth i fwydo ei rhai bach Mammalia, mammals

mamolyn *eg* SWOLEG unigol **mamolion** mammal

Mamon *eg* cyfoeth wedi'i bersonoli fel rhywbeth
(duw) i'w addoli Mammon

mamoth *eg* (mamothiaid) math o eliffant
blewog, mwy o lawer na'r eliffant presennol,
a oedd yn byw ar y Ddaear yn oesoedd
cynharaf datblygiad dyn mammoth

mamwlad *eb* y wlad y ganwyd rhywun ynddi;
perthynas gwlad sydd â threfedigaethau o
safbwynt y trefedigaethau hynny motherland

mamwst *eb* *hynafol* ('y famwst') anhwylder
meddwl a nodweddir gan adweithiau emosiynol
eithafol, e.e. llefain a chwerthin afreolus
hysteria

man¹ *egb* (mannau) pwynt (yn gorfforol neu'n
ffigurol), lle penodol, *Dyma'r man y bu farw.*;
llecyn, lleoliad, mangre, safle place, spot
fan hyn yma here
man gwan gwendid, man diamddiffyn
weak spot
Ymadroddion
man a man yr un man, waeth (i mi, i ti, etc.)
may as well, might as well
man a man a Sianco yr un man, waeth (i mi,
i ti, etc.) may as well, might as well
man gwyn man draw gw. **gwyn²**
nawr/rŵan ac yn y man bob hyn a hyn
now and again

yn y fan ar unwaith at once
yn y fan a'r lle yn y fan honno yn union
there and then
yn y man cyn bo hir soon, presently
yr un man man a man might as well

man² *eg* (mannoedd:mannau) nod, marc mark,
spot
man geni smotyn ar y croen naill ai ar ffurf
brycheuyn du neu ddarn bach coch chwyddedig
birthmark, mole, naevus

mân *ans* [man•] (manion)
1 (yn dilyn yr hyn a oleddfir) bach iawn, pitw,
adar mân, arian mân; bychan little, small, trifling
2 (yn dilyn yr hyn a oleddfir) heb fod yn arw
neu'n fras; ac iddo dyllau neu fylchau bychain,
e.e. rhwyd, crib; wedi'i falu'n llwch (am flawd,
etc.); bach fine
3 (o flaen yr hyn a oleddfir) dibwys, *mân siarad*
petty, trifling
Sylwch: mae 'mân' (ystyr 1) yn cael ei
ddefnyddio ag enwau lluosog.

yn fân ac yn fuan â chamau bychain, cyflym

Manawaidd *ans* yn perthyn i Ynys Manaw,
nodweddiadol o Ynys Manaw Manx

Manaweg *ebg* iaith Geltaidd Ynys Manaw a
chwaeriaith i'r Aeleg a'r Wyddeleg Manx
Sylwch: mae enw'r iaith yn fenywaidd, ond
os sonnir am fath arbennig o Fanaweg, mae'n
wrywaidd, *Manaweg da.*

Manawes *eb* (Manawesau) merch neu wraig
o Ynys Manaw, merch neu wraig o dras neu
genedligrwydd Manawaidd Manxwoman

Manawiad *eg* (Manawiaid) brodor o Ynys
Manaw, un o dras neu genedligrwydd
Manawaidd Manxman

manbeth *eg* (manbethau) rhywbeth dibwys trifle

manblu *ell* plu bach meddal, ysgafn, *manblu*
cyw down

mandad *eg* (mandadau) awdurdod i weithredu
ar ran rhywun arall, yn enwedig yr hawl
wleidyddol y mae etholwyr yn ei rhoi i'r senedd
mandate

mandarin¹ *eg* (mandariniaid)
1 swyddog uchel oedd yn bodoli yn China
yn y dyddiau a fu mandarin
2 swyddog pwysig (o fewn gweinyddiaeth
llywodraeth fel arfer) mandarin
3 math arbennig o oren bach sy'n hawdd ei
blicio/bilio mandarin orange

Mandarin² *ebg* ffurf swyddogol iaith China,
iaith Beijing (Peking) a rhan ogleddol y wlad
Mandarin

mandibl *eg* (mandiblau)
1 SWOLEG asgwrn isaf yr ên mewn pysgod
a mamolion mandible
2 SWOLEG y naill neu'r llall o ddwy ran pig
aderyn mandible

m

3 SWOLEG y naill ran neu'r llall o'r organ malu yng ngenau arthropod mandible

mandolin *eg* (mandolinau) offeryn cerdd tebyg i liwt fechan â phedwar pâr o dannau a chorff crwn mandolin

mandon *eb* planhigyn â blodau gwyn a dail persawrus a ddefnyddir mewn persawr ac i roi blas ar win woodruff

mandrel *eg* (mandreli) picas glöwr ac iddo ddau ben pigfain mandrel

mandwll *eg* (mandyllau) twll bychan iawn, yn enwedig yng nghroen neu bilyn organeb, y gall nwyon, hylifau neu ronynnau microsgopig fynd drwyddo pore

mandylledd *eg* FFISEG cymhareb cyfaint y gwagleoedd mewn sylwedd i gyfanswm cyfaint y sylwedd porosity

mandyllog *ans* llawn mandyllau porous

mân-ddarlun *eg* (mân-ddarluniau)
1 darlun bach iawn (ar ddarn o ifori neu fetel) miniature
2 darlun lliw mewn llyfr neu lawysgrif oliwiedig miniature

mân-ddarlunio *be* [mân-ddarluni•⁶] tynnu mân-ddarluniau

mân-ddarluniwr *eg* (mân-ddarlunwyr) arlunydd sy'n arbenigo mewn tynnu mân-ddarluniau miniaturist

manecwin *eb* (manecwiniaid) merch sy'n gwisgo dillad i'w harddangos i eraill; model mannequin

maneg *eb* (menig) dilledyn sy'n gorchuddio'r llaw, sydd â lle priodol ynddo i bob bys ac i'r bawd; un o bâr gan amlaf glove

maneg weddw gw. gweddw²

manfriw *ans* wedi'i chwalu'n fân, wedi'i friwsioni chopped, minced

mân-friwo *be* [manfriw•¹] COGINIO torri neu ddarnio cig yn fân to mince

manganîs *eg* elfen gemegol rhif 25; metel caled, brau, llwydwyn sy'n debyg ei olwg i haearn ond nad yw'n fagnetig (Mn) manganese

mangl *eg* (manglau) peiriant â rholeri y bwydir dillad rhyngddynt i wasgu dŵr o'r dillad (neu o frethyn) mangle

mango *eg* (mangoau) ffrwyth mawr, bwytadwy, melyngoch sy'n tyfu yn y trofannau mango

mangoed *ell* mân lwyni, canghennau bach ac isdyfiant ar lawr man coediog; coediach, llwyni, prysglwyni, prysgwydd brushwood, shrubbery, undergrowth

mangre *eb* (mangreoedd)
1 lle, lleoliad, man, safle, *Dyma'r fangre lle y lladdwyd Llywelyn.* location, place
2 (yn swyddogol) tŷ neu adeilad busnes ynghyd â'r tir a'r adeiladau allanol premises

mangrof *eg* coeden neu lwyn trofannol sy'n tyfu mewn gwernydd arfordirol; mae ganddi wreiddiau clymog sy'n ffurfio tyfiant trwchus ar wyneb y ddaear mangrove

mania *eg* SEICIATREG cyflwr meddyliol a nodweddir gan gyffro a gorfoledd annormal ac ymddygiad gorfywiog ac anhrefnus mania

maniffesto *eg* (maniffestos) datganiad (ysgrifenedig yn aml) o amcanion grŵp o bobl (plaid wleidyddol fel arfer) manifesto

maniffold *eg* (maniffoldau) pibell â sawl agoriad cyswllt ar ei hyd i'w chysylltu â nifer o bibellau eraill; hefyd dyfais ar beiriant tanio mewnol sy'n cludo aer a thanwydd i'r silindrau neu'n derbyn y nwyon gwacáu o nifer o silindrau ac yn eu cludo i'r bibell wacáu manifold

manig *ans*
1 llawn cyffro ac egni; gwyllt manic
2 SEICIATREG yn amlygu mania, tebyg i fania manic

manion *ell* pethau mân, dibwys; geriach, petheuach, taclau, trugareddau trivia, trifles

mân-ladrata *be* dwyn ychydig o bethau bychain to pilfer
Sylwch: nid yw'r ferf hon yn arfer cael ei rhedeg.

manlaw *eg* glaw mân drizzle

manna *eg*
1 yn y Beibl, bara o'r nefoedd, y bwyd yr oedd Duw wedi'i sicrhau, drwy wyrth, ar gyfer yr Israeliaid yn yr anialwch ar ôl yr ecsodus o'r Aifft manna
2 unrhyw beth sydd yn cyrraedd fel cymorth annisgwyl ar adeg o angen, *fel manna o'r nefoedd* manna

mannau *ell* lluosog man

mannog *ans* a smotiau drosto, brith, e.e. *gwybedog mannog* spotted

mannu gw. menu

manod *eg* eira mân, eira sy'n casglu ynghyd wrth gael ei chwythu; lluwch driven snow

manomedr *eg* (manomedrau) offeryn (fel arfer tiwb siâp pedol a mercwri ynddo) i gymharu gwasgedd nwyon a hylifau yn erbyn gwasgedd safonol, e.e. gwasgedd atmosfferig manometer

manon *eb* hynafol brenhines, rhiain maiden, queen

mans *eg* (mansys) tŷ neu gartref gweinidog (capel), *plant y mans* manse

mansier *eg* (mansieri) bocs wedi'i godi oddi ar y ddaear (mewn stabl neu feudy) i ddal bwyd anifeiliaid; cafn, preseb manger

mân-sôn *be* sibrwd anfodlonrwydd, grwgnach yn isel (~ am) to mutter
Sylwch: nid yw'r ferf hon yn arfer cael ei rhedeg.

manta *eg* (mantaod) math o forgath fawr sy'n byw ar y mân anifeiliaid a phlanhigion sy'n nofio yn y môr manta

mantach *ans* hynafol heb ddant yn ei geg, diddannedd toothless

mantais *eb* (manteision)
1 rhywbeth sy'n mynd i'ch helpu i lwyddo neu ennill y blaen neu gyrraedd rhyw nod; budd, caffaeliad, elw, lles advantage
2 (mewn tennis) y pwynt nesaf i'w ennill ar ôl i'r chwaraewyr gyrraedd sgôr o 40–40 (pedwar deg pwynt yr un), *mantais i Miss Williams* advantage
mantais absoliwt ECONOMEG gallu gwlad (grŵp, etc.) i gynhyrchu nwydd yn rhatach mewn termau absoliwt na gwlad (grŵp, etc.) arall absolute advantage
mantais gymharol ECONOMEG gallu absoliwt gwlad i gynhyrchu dau nwydd o'i chymharu â gwlad arall, ond mae'r fantais yn wahanol i'r ddau nwydd ac o ganlyniad mae masnachu manteisiol rhwng y ddwy wlad yn bosibl comparative advantage
Ymadroddion
achub/cymryd mantais defnyddio rhywun neu rywbeth mewn ffordd annheg neu dwyllodrus; manteisio to take advantage
o fantais yn fuddiol, yn fanteisiol to one's advantage
manteisio *be* [manteisi•²]
1 defnyddio i ryw bwrpas a fydd o les, achub cyfle, *Mae'r Gleision wedi manteisio ddwywaith yn awr ar yr anaf i asgellwr chwith y Gweilch drwy ymosod i lawr yr asgell honno.*; elwa (~ ar) to exploit, to take advantage (of)
2 defnyddio (rhywun neu rywbeth) mewn ffordd annheg neu dwyllodrus, cymryd mantais, *Doedd gen ti ddim hawl i fanteisio ar ei charedigrwydd.*; ymelwa to take advantage (of)
manteisiol *ans* o fantais neu o fudd; bendithiol, buddiol, ffafriol, llesol advantageous
manteision *ell* ffurf luosog mantais
mantell *eb* (mentyll)
1 gwisg laes allanol (heb lewys fel arfer) sy'n debyg i babell o ran ffurf ac sy'n cadw rhywun yn sych ac yn gynnes; clogyn, cochl, hugan cape, cloak, mantle
2 DAEAREG y rhan o'r Ddaear sy'n gorwedd rhwng y gramen a'r craidd mantle
mantell goch glöyn byw ag adenydd tywyll a bandiau coch a smotiau gwyn arnynt red admiral
y Fantell Fraith clogyn lliwgar y Pibydd Brith yng ngherdd I.D. Hooson 'Y Fantell Fraith' *Ymadrodd*
gwisgo mantell dilyn yn ôl troed rhywun ac ymddwyn yn yr un ffordd ag ef neu hi to take on the mantle of
mantellog *ans* yn gwisgo mantell, wedi'i orchuddio â mantell cloaked
mantellu *be* [mantell•¹] gorchuddio â mantell (~ rhywbeth â) to cloak

mantis *eg* un o nifer o bryfed sy'n bwydo ar bryfed eraill; mae ganddo ben trionglog ac mae'n aros yn llonydd am ei ysglyfaeth, gan ddal ei goesau blaen ar i fyny fel pe bai'n gweddïo mantis
mantisa *eg* (mantisâu)
1 MATHEMATEG y rhan o logarithm sy'n dilyn y pwynt degol mantissa
2 CYFRIFIADUREG y rhan o rif â phwynt arnawf sy'n cynrychioli digidau ystyrlon y rhif hwnnw mantissa
mantol *eb* (mantolion) teclyn sy'n pwyso pethau drwy gael y pwysau mewn cynhwysydd ar y naill ochr i gydbwyso â'r hyn a bwysir mewn cynhwysydd ar yr ochr arall; clorian, tafol balance
(bod) yn y fantol (bod) yn ansicr, â'r posibilrwydd y gall pethau fynd y naill ffordd neu'r llall, *Mae hwn yn gyfarfod pwysig iawn gan fod dyfodol y clwb yn y fantol.* in the balance, at stake
troi'r fantol gwneud rhywbeth sy'n arwain at benderfyniad y naill ffordd neu'r llall to tip the balance
mantoledd *eg* cydbwysedd ariannol neu fathemategol balance
mantolen *eb* (mantolenni) CYLLID taflen ariannol sy'n rhestru'r asedau a'r dyledion ar ddiwedd adeg benodol, e.e. blwyddyn balance sheet
mantolen fasnach CYLLID y gwahaniaeth gwerth rhwng allforion a mewnforion gwlad balance of trade
mantolen taliadau CYLLID mantolen sy'n cofnodi'r arian a dderbynnir o wledydd tramor a thaliadau i wledydd tramor, a'r gwahaniaeth rhwng y ddau balance of payments
mantoli *be* [mantol•¹] CYLLID dangos y berthynas rhwng derbyniadau a thaliadau (fel mewn mantolen) er mwyn sicrhau eu bod yn cyfateb to balance
mantoliad *eg* (mantoliadau) SERYDDIAETH effaith lle y gwelir ychydig dros hanner wyneb y Lleuad pan fo'r Ddaear mewn safleoedd arbennig libration
mantra *eg* yn wreiddiol, sain neu air cysegredig Bwdhaidd neu Hindŵaidd, a ailadroddir wrth ymbilio; erbyn heddiw, ymadrodd neu slogan a ailadroddir yn aml mantra
mân us *ell* plisgyn ysgafn grawn ŷd sy'n cael ei dynnu wrth ddyrnu; peiswyn chaff
manwallt *ans* â dail neu frigau mân; â gwallt mân, ysgafn
manwellt *ell* glaswellt mân
manwerthu:mân-werthu *be* ECONOMEG gwerthu nwyddau i unigolion a fydd yn debygol o ddefnyddio'r nwyddau (yn hytrach na'u gwerthu i'w hailwerthu); adwerthu to retail
Sylwch: nid yw'r ferf hon yn arfer cael ei rhedeg.

m

mân-werthwr *eg* (mân-werthwyr) rhywun sy'n mân-werthu; adwerthwr retailer

manwl *ans* [manyl•] (manylion)
  1 yn sicrhau bod y pethau lleiaf (y manylion) yn cael eu mynegi neu eu trin yn llawn, *adroddiad manwl*; cysáct, cywir, gofalus, trwyadl detailed
  2 yn sicrhau bod y pethau lleiaf yn hollol gywir o ran ffurf, mesur, amser, etc., *model manwl o long hwylio*; cyfewin, cywrain, llym, trylwyr detailed, exact, precise

manwl gywir *ans* wedi'i fynegi neu ei ddiffinio i'r dim; cyfewin accurate, precise, scrupulous

manwl gywirdeb *eg*
  1 y cyflwr o fod yn fanwl gywir precision, meticulousness
  2 y graddau y mae rhywbeth yn llwyddo i fod yn fanwl gywir accuracy, precision

manws *eg* (manysau) SWOLEG pen coes flaen anifail fertebraidd, yn cyfateb i'r llaw a'r arddwrn mewn bodau dynol manus

manwyn *eg* (manwynion) *hanesyddol* clefyd a nodweddid gan chwyddi yn y chwarennau a smotiau gwyn ar y croen, ac a oedd yn debygol o fod yn ffurf ar dwbercwlosis scrofula

manylder:manylrwydd *eg* y broses o fod yn fanwl a gofalus; y graddau y mae rhywun neu rywbeth yn rhoi sylw i fanylion, neu'n ymdrechu i fod yn fanwl gywir, *Roedd manylder y cerflunwaith cain yn rhyfeddol.*; cywirdeb, gofal, trylwyredd detail, exactness, precision

manyleb *eb* (manylebau)
  1 disgrifiad manwl o'r meini prawf ar gyfer cynhwysion, adeiledd, golwg, a'r ffordd y mae (rhywbeth) i weithio, ynghyd â safon angenrheidiol y gwaith i'w lunio neu ei godi specification
  2 yr un math o fanylion am anghenion swydd specification

manylion *ell* lluosog **manylyn**
  1 pwyntiau bychain (ond pwysig weithiau) details
  2 pethau bychain dibwys details
  3 rhestr o bwyntiau mân sy'n cael eu cynnwys mewn disgrifiad; tystiolaeth particulars

manylrwydd *gw.* **manylder**

manylu *be* [manyl•¹] rhestru'n fanwl, cynnwys manylion (~ ar) to detail, to go into details

manylyn *eg* unigol **manylion** detail

Maori *eg* (Maorïaid) aelod o lwyth brodorol Seland Newydd Maori

Maorïaidd *ans* yn perthyn i lwyth brodorol Seland Newydd, y Maorïaid, nodweddiadol o'r Maorïaid Maori

map *eg* (mapiau)
  1 darlun o wyneb y Ddaear sy'n dangos ffurf gwledydd, lleoliad trefi, uchder y tir, cyfeiriad afonydd, ffyrdd, etc. map

  2 cynllun sy'n dangos lleoliad y sêr neu wyneb y Lleuad neu blaned map
  3 darlun sy'n nodi lleoliad neu gyflwr unrhyw beth, e.e. *gwledydd, y tywydd, etc.* map

map meddwl diagram a ddefnyddir i roi trefn weledol ar wybodaeth mind map

mapgoll *eb* un o nifer o blanhigion o deulu'r rhosyn sydd â blodau gwyn, porffor neu felyn wood avens

mapio *be* [mapi•²] creu map to chart, to map

mapiwr *eg* (mapwyr) un sy'n gwneud mapiau cartographer

marathon *eb* (marathonau)
  1 ras redeg 26 milltir 385 llath (42.195 km) o hyd marathon
  2 unrhyw orchwyl hir iawn a blinedig marathon

marblen *eb* (marblis:marblys) pelen fach wydr a ddefnyddir gan chwaraewyr mewn gêm o farblys; *ali* marble

marc *eg* (marciau)
  1 brycheuyn, staen, etc. sy'n amharu ar olwg rhywbeth, *Gadawodd y te farc ar y carped.* mark
  2 arwydd wedi'i ysgrifennu neu ei argraffu sy'n rhoi rhyw wybodaeth, *marc post* mark
  3 rhif neu lythyren sy'n cynrychioli barn ar ddarn o waith, ymddygiad neu berfformiad mewn cystadleuaeth, *Cefais saith marc allan o ddeg yn y prawf Ffrangeg.* mark
  4 man neu smotyn ar wyneb neu gorff sy'n eich galluogi i adnabod person neu anifail, *cath fach ddu a chanddi farciau gwyn ar hyd ei hochr* mark
  5 (mewn rygbi) galwad pan fydd chwaraewr o un tîm yn dal y bêl yn lân ac yn sefyll yn stond, ar ôl i'r bêl gael ei chicio gan chwaraewr o'r tîm arall; o gyflawni hyn yn iawn, bydd rhyddid gan y chwaraewr a ddaliodd y bêl i'w chicio ei hun mark
  6 argraff, effaith, ôl, *Mae Catrin wedi gwneud ei marc yn ei maes.* mark

marc cwestiwn gofynnod; atalnod (?) a ddefnyddir ar ddiwedd brawddeg i ddangos bod cwestiwn uniongyrchol yn cael ei ofyn; holnod question mark
Ymadrodd
gwneud fy (dy, ei, etc.**) marc** bod yn llwyddiant, gadael ôl amlwg to make one's mark

marcie:marce *ardd* *tafodieithol*, yn y De tua, o gwmpas, *Bydda i gyda ti marce deg o'r gloch.* about

marcio *be* [marci•²]
  1 gwneud marc gweladwy, *Mae saim y sglodion wedi marcio fy nhei.* to mark
  2 dyfarnu marciau fel arwydd o werth, *Mae'r athro Cemeg yn marcio'n galed.* to mark
  3 (mewn gêmau megis rygbi, hoci, pêl-droed, etc.)

aros yn agos at wrthwynebydd a'i rwystro to mark

4 trosglwyddo siapiau a llinellau i ddefnyddiau ar gyfer eu torri, eu plygu neu eu ffurfio to mark out

marciwr *eg* (marcwyr)
1 rhywun neu rywbeth sy'n marcio marker
2 peth a ddefnyddir i farcio, *marciwr ffelt* marker

Marcsaeth *eb* daliadau economaidd, gwleidyddol a chymdeithasol Karl Marx, yn cynnwys sosialaeth, theori llafur, materoliaeth hanesyddol, brwydr y dosbarthiadau ac unbennaeth y proletariat (neu'r werin) cyn sefydlu cymdeithas ddiddosbarth Marxism

Marcsaidd *ans* yn perthyn i Farcsaeth, nodweddiadol o Farcsaeth Marxist

Marcsydd *eg* (Marcsyddion) un sy'n arddel Marcsaeth Marxist

marcwis *eg* (marcwisiaid) ardalydd; uchelwr o radd rhwng dug ac iarll marquis

march *eg* (meirch)
1 ceffyl gwryw yn ei lawn dwf sy'n cael ei gadw i fridio oddi wrtho; ystalwyn stallion
2 ceffyl (i'w farchogaeth); cel steed
  Sylwch: gw. hefyd **meirch**
canlyn march gw. **canlyn**

marcha *be* gofyn march gan gaseg; marchio to be in heat (of a mare)
  Sylwch: nid yw'r ferf hon yn arfer cael ei rhedeg.

marchalan *eg* planhigyn bras o deulu llygad y dydd â blodau mawr melyn elecampane

marchfacrell *eb* (marchfecryll) pysgodyn y môr sydd ag esgyll pigog ar ei gefn scad

marchio *be*
1 (am farch) ffrwythloni caseg to cover
2 gofyn march gan gaseg; marcha to be in heat
  Sylwch: nid yw'r ferf hon yn arfer cael ei rhedeg.

marchnad *eb* (marchnadoedd)
1 adeilad, sgwâr neu le agored ar gyfer prynu a gwerthu nwyddau market
2 casgliad o bobl sy'n dod ynghyd i brynu a gwerthu nwyddau, anifeiliaid, etc., ar ddiwrnodau arbennig, *diwrnod marchnad* market
3 ardal, gwlad neu wledydd lle mae galw am nwyddau, *marchnad fyd-eang* market
4 y galw am nwyddau, *Does dim marchnad i ddanau trydan yn anialwch y Sahara.* market
5 cyflwr masnach mewn rhyw faes arbennig, *Y farchnad llyfrau Cymraeg* market

marchnad ddu masnach anghyfreithlon mewn nwyddau prin neu rai a reolir black market

marchnad gyffredin ECONOMEG undeb economaidd rhwng nifer o wledydd sy'n caniatáu i nwyddau, llafur a chyfalaf symud yn ddi-rwystr rhyngddynt ac sydd â tholl gyffredin ar fewnforion o'r tu allan i'r undeb, yn ogystal â pholisïau cyffredin mewn rhai meysydd penodol, e.e. amaethyddiaeth. Sefydlwyd y Farchnad Gyffredin (yr Undeb Ewropeaidd erbyn hyn) yn 1957 gan Ffrainc, Gwlad Belg, yr Iseldiroedd, Luxembourg, yr Eidal a Gorllewin yr Almaen. Erbyn 2014 roedd ganddi 28 o aelodau common market

marchnad rydd system economaidd lle mae prisiau'n cael eu pennu gan gystadleuaeth rydd rhwng busnesau preifat free market
Ymadrodd
ar y farchnad ar werth, *Mae'n anodd gwybod pa deledu i'w brynu gan fod cynifer o wahanol fathau ar y farchnad.* on the market

marchnadfa *eb* (marchnadfeydd)
1 man agored mewn tref lle y cynhelir marchnad marketplace
2 byd prynu a gwerthu bob dydd marketplace

marchnadol:marchnadwy *ans* y gellir ei werthu (a gwneud elw) marketable

marchnadwr *eg* (marchnadwyr) un sy'n arbenigo mewn marchnata trader

marchnata *be*
1 prynu a gwerthu; masnachu to market
2 defnyddio dulliau fel hysbysebu i berswadio pobl i brynu; hyrwyddo, hysbysebu to market, marketing, to promote, promotion
  Sylwch: nid yw'r ferf hon yn arfer cael ei rhedeg.

marchnerth *eg* mesur hanesyddol o bŵer peiriant (1 marchnerth = 746W), wedi'i seilio ar geffyl yn gallu symud gwrthrych un droedfedd bob eiliad gyda grym o 550 pwys horsepower, h.p.

marchog *eg* (marchogion)
1 rhywun sy'n marchogaeth (ceffyl) horseman, rider
2 *hanesyddol* milwr o haen uchaf cymdeithas (y tu allan i'r Eglwys) a fyddai'n brwydro ar gefn ceffyl; roedd Urdd y Marchogion yn ei bri yn ystod yr Oesoedd Canol knight
3 gŵr sy'n derbyn y teitl 'Syr' gan frenin neu frenhines Lloegr knight
4 darn gwyddbwyll, fel arfer ar ffurf pen ceffyl knight

marchogaeth *be* [marchog•¹ *3 un. pres.* merchyg/marchoga; *2 un. gorch.* marchoga] teithio drwy eistedd ar gefn rhywbeth (ceffyl, beic, etc.) a'i reoli to ride, to hack

marchoges *eb* (marchogesau) merch neu wraig sy'n marchogaeth ceffyl horsewoman

marchoglu *eg* (marchogluoedd) mintai o wŷr meirch cavalry

marchogol *ans*
1 tebyg i farchog, nodweddiadol o farchog knightly
2 yn ymwneud â marchogaeth equestrian

m

marchogwisg *eb* (marchogwisgoedd) gwisg farchogaeth riding habit

marchosgordd *eb* (marchosgorddion) gosgordd o wŷr meirch y brenin horse guards

marchrawn *eg* casgliad o blanhigion diflodau sy'n perthyn i deulu'r rhedyn horsetail

marchredyn *ell* rhedyn cyffredin ferns

marchruddygl *eg* planhigyn tal o deulu'r bresych y defnyddir ei wreiddyn i roi blas ar fwyd; rhuddygl poeth horseradish

marchwas *eg* (marchweision) y gwas sy'n gyfrifol am ofal, bwyd a stablau ceffyl groom

marchwellt *eg* porfa arw a bras a ystyrir yn chwyn gan fod ei gwreiddiau yn lledu i bob man couch grass

marchwreinyn *eg* (marchwraint) tarwden; clefyd cyffwrdd-ymledol ar ffurf cylchoedd bach coch, coslyd (ar groen y pen neu'r traed fel arfer) a achosir gan fath o ffwng ringworm

marchysgallen *eb* (marchysgall) planhigyn tebyg i ysgall a dyfir er mwyn ei bennau bwytadwy artichoke

marddanhadlen *eb* (marddanadl) planhigyn sy'n ymddangos yn debyg i ddanadl ond nid yw'n pigo dead-nettle

margarîn *eg* bwyd tebyg i fenyn sy'n cael ei baratoi o frasterau anifeiliaid neu blanhigion margarine

marian *eg* (marianedd:marianau) DAEAREG llwyth cymysg o gerrig mawr a bach, tywod a chlai wedi'i gludo a'i ddyddodi gan rewlif neu len iâ moraine, scree

Mari Lwyd *eb* pen ceffyl a fyddai'n cael ei addurno a'i wisgo adeg y Nadolig a'r Calan mewn rhannau o Gymru; byddai cwmni o gantorion yn mynd â'r Fari o dŷ i dŷ i ganu penillion, gan dderbyn croeso o deisen a diod

marina *eg* (marinas) harbwr ar gyfer cychod pleser, ynghyd â gwestai a thai yn ymyl i bobl gael aros ynddynt marina

marinadu *be* [marinad•¹] COGINIO trwytho cig, pysgod neu fwyd arall mewn cymysgedd o olew, finegr a pherlysiau, er mwyn eu meddalu a rhoi blas iddynt cyn eu coginio (~ *rhywbeth mewn*) to marinate
   Sylwch: nid yw'r ferf hon yn arfer cael ei rhedeg.

marionét *eg* (marionetau) pyped ar linynnau marionette

mariwana *eg* math o ganabis a ysmygir oherwydd ei effaith feddwol marijuana

marl *eg* (marlau) pridd yn cynnwys clai a chalch sy'n wrtaith da; math o garreg laid marl

marlad *gw.* marlat

marlaidd *gw.* marlog

marlat:marlad *eg* (marlatod) hwyaden wryw, ceiliog hwyaden; barlad, barlat, meilart drake

marlin *eg* (marlinod) un o deulu o bysgod â phigyn hir fel gwaywffon yn ymestyn o'r trwyn marlin

marlio *be* gwasgaru marl dros y tir; gwrteithio to marl
   Sylwch: nid yw'r ferf hon yn arfer cael ei rhedeg.

marlog *ans* yn cynnwys marl, tebyg i farl marly

marmalêd *eg* (marmaledau) math o jam wedi'i wneud fel arfer o orenau marmalade

marmor *eg*
   1 calchfaen metamorffedig sy'n cael ei ddefnyddio ar gyfer adeiladau neu gerrig beddau neu gerfluniau oherwydd bod modd ei naddu a'i gaboli marble
   2 *ffigurol* am rywbeth gwyn, llyfn neu rywbeth oer, caled, *Roedd ei chroen fel marmor gwyn ac felly hefyd ei chalon.* marble

marmori *be* [marmor•¹]
   1 ychwanegu gwythiennau a smotiau i wneud i rywbeth edrych fel marmor to marble
   2 troi (gydag amser) yn debyg i liw marmor to marble

marsial *eg* (marsialiaid) y swyddog uchaf ym myddinoedd neu luoedd awyr rhai gwledydd marshal

marsiandïaeth *eb* casgliad o bethau i'w gwerthu neu o nwyddau i'w masnachu merchandise

marsiandwr *eg* (marsiandwyr) un sy'n gwneud bywoliaeth o brynu a gwerthu nwyddau; gwerthwr, masnachwr, siopwr merchant

marsipán *eg* past o siwgr, gwynnwy a chnau almon wedi'u malu a ddefnyddir i orchuddio teisen neu weithiau i wneud melysion marzipan

mart *eg* (martau) marchnad arbennig ar gyfer prynu a gwerthu anifeiliaid fel da/gwartheg, defaid, ceffylau, etc., *Mae mart Tregaron yn cael ei gynnal bob yn ail ddydd Mawrth.*; ffair mart

martensit *eg* METELEG y prif sylwedd mewn dur sydd wedi'i oeri'n gyflym, a'r hyn sy'n gyfrifol am galedwch dur a wnaed yn y ffordd hon martensite

marw¹ *be* peidio â bod, peidio â byw; darfod, trengi, trigo, ymadael (~ *o*) to die, to perish
   Sylwch: nid yw'r ferf hon yn cael ei rhedeg, a *bu farw* (nid *marwodd*) sy'n gywir.

marw² *ans* (meirw:meirwon)
   1 wedi peidio â bod, wedi colli bywyd; crin, gwyw, hen dead, deceased
   2 nad yw'n cael ei ddefnyddio bellach, *iaith farw* dead
   3 difywyd, heb ysbrydoliaeth, *perfformiad marw* dead, lifeless
   Sylwch: 'marwed' yw'r unig ffurf gymharol.

marw gelain cwbl farw stone dead

marwaidd *ans* tebyg i rywbeth marw, *Mae pentrefi glan y môr yn gallu bod yn farwaidd yn y gaeaf.*; cysglyd, difywyd, musgrell, swrth dead, lifeless, listless

marwanedig *ans* am fabi neu epil sy'n cael ei eni'n farw stillborn

marwdon *eg* cen pen; croen marw'r pen; cen scurf

marwdy *eg* (marwdai) ystafell neu adeilad lle mae cyrff y meirw'n cael eu cadw cyn cael eu claddu neu eu hamlosgi; corffdy morgue, mortuary

marweidd-dra *eg* diffyg sêl neu frwdfrydedd; difaterwch, llesgedd sluggishness, stagnation

marweiddiad *eg* darostyngiad y corff (y chwantau a'r nwydau) drwy ymprydio neu benydio mortification

marweiddio *be* [marweiddi•²]
1 mynd yn farwaidd, mynd yn ddifywyd; gwanychu to languish
2 darostwng y cnawd a'i bechodau a'i chwantau drwy ei wneud yn farw i bechod; penydio to mortify

marwgig *eg* madredd; dirywiad ym meinwe'r cnawd yn arwain at gnawd marw oherwydd diffyg yn y cyflenwad gwaed gangrene

marwhad *eg* darostyngiad y corff (y chwantau a'r nwydau) drwy ymprydio neu benydio mortification

marwhau *be* darostwng chwantau a nwydau'r corff drwy ymprydio neu benydio to mortify
   Sylwch: nid yw'r ferf hon yn arfer cael ei rhedeg.

marŵn¹ *eg* lliw sy'n gyfuniad o goch a chochddu maroon

marŵn² *ans* o liw sy'n gyfuniad o goch a chochddu maroon

marwnad *eb* (marwnadau) cerdd sy'n galaru ac yn hiraethu ar ôl rhywun sydd wedi marw, *Rhai o'r marwnadau mawr yn yr iaith Gymraeg yw marwnad Llywelyn ap Gruffudd gan Gruffudd ab yr Ynad Coch, marwnad Lewys Glyn Cothi i'w fab, Siôn y Glyn, a chywydd coffa Tydfor gan Dic Jones.*; galargan, galarnad elegy

marwnadol *ans* yn mynegi tristwch neu hiraeth am rywbeth a fu; elegeiog, hiraethus elegiac

marwol *ans*
1 heb fod yn anfarwol, a fydd yn marw mortal
2 yn gallu lladd, yn bwriadu lladd (*Mae rhai cyffuriau yn farwol.*); angheuol deadly, fatal, lethal
3 yn rhwystro neu'n lladd unrhyw dwf ysbrydol neu ddatblygiad yr enaid, *pechod marwol* deadly, mortal

marwolaeth *eb* (marwolaethau) diwedd bywyd; angau, dihenydd, tranc death, mortality
  marwolaeth yn y crud MEDDYGAETH

marwolaeth baban yn ei gwsg na ellir ei esbonio cot death

marwoldeb:marwoledd *eg* natur farwol dyn, y cyflwr o fod yn ddarostyngedig i farwolaeth mortality

marwolion *ell* rhai sydd wedi marw, y meirw the dead

marworyn *eg* (marwor) darn eirias o goed neu lo wedi hanner llosgi (mewn tân marw); colsyn, glöyn, pentewyn cinder, ember

marwydos *ell* marwor, cols embers

marwysgafn *eb* LLENYDDIAETH (yn y canu cynnar Cymraeg) math o gerdd lle byddai'r bardd ar ei wely angau yn cyffesu ei bechodau ac yn erfyn ar Dduw am faddeuant

mas:ma's gw. maes²

màs *eg* (masau) FFISEG maint y defnydd sydd mewn gwrthrych, wedi'i fesur yn ôl y grym sydd ei angen i gyflymu'r gwrthrych mass
  màs atomig CEMEG uned o fàs sy'n hafal i un rhan o ddeuddeg o fàs carbon-12 atomic mass
  rhif màs gw. rhif

masarn *ell* coed â dail llydan a rhisgl golau sy'n tyfu yng ngwledydd gogleddol y byd; hefyd, yn unigol, pren y coed hyn; deilen y fasarnen yw arwyddlun cenedlaethol Canada maple, sycamore

masarnen *eb* unigol masarn; sycamorwydden maple, sycamore

masddarfodiant *eg* DAEAREG term cyffredinol i ddisgrifio symudiad malurion creigiau i lawr llethrau dan ddylanwad disgyrchiant mass wasting

masg *eg* (masgiau) mwgwd; gorchudd sy'n cuddio neu'n amddiffyn rhan o'r wyneb mask

masgl *eg* (masglau) gorchudd caled y tu allan i rai hadau ac wyau, sy'n eu hamddiffyn (nid y cnewyllyn neu'r bywyn); cibyn, coden, plisgyn pod, shell, hull
  masgl wy darn caled, allanol wy aderyn; plisgyn wy eggshell

masglo *be* [masgl•¹] tynnu o'r plisg neu'r masgl; plisgo, disbeinio to shell

masgynhyrchu *be* [masgynhyrch•¹] cynhyrchu nifer mawr o nwyddau unffurf drwy ddefnyddio dulliau mecanyddol safonedig to mass-produce

masiwn *eg* (masiyniaid) crefftwr yn y gwaith o dorri meini neu gerrig a'u defnyddio i adeiladu; saer maen mason

masnach *eb* (masnachau)
1 y busnes o brynu a gwerthu neu gyfnewid nwyddau commerce, trade
2 busnes neu ddiwydiant penodol, *y fasnach lyfrau* trade
3 maint neu swm busnes, *Mae masnach dda mewn moron eleni.* trade

m

masnach deg masnach rhwng cwmnïau mewn gwledydd datblygedig a chynhyrchwyr mewn gwledydd sy'n datblygu lle mae prisiau teg yn cael eu talu i'r cynhyrchwyr am eu cynnyrch fair trade

masnach gaethion
1 (yn hanesyddol) y fasnach mewn pobl ddu Affricanaidd fel caethweision yng ngwledydd Ewrop a Gogledd America the slave trade
2 masnach lle y caiff bodau dynol eu prynu, eu cludo a'u gwerthu fel caethweision; caethwasiaeth slave trade

masnacheiddio *be* [masnacheiddi•²] defnyddio rhywbeth i geisio gwneud elw, yn enwedig mewn ffordd nad yw pobl eraill yn cytuno ag ef to commercialize, commercialization

masnachfraint *eb* (masnachfreintiau) ECONOMEG yr hawl neu'r drwydded a roddir gan gorff i ddosbarthwr neu gwmni i farchnata neu werthu cynnyrch y corff mewn ardal benodol franchise

masnachol *ans*
1 yn ymwneud â masnach, nodweddiadol o fasnach commercial, mercantile
2 yn debyg o wneud elw, *A phris aur mor uchel, mae'n bosibl meddwl am gloddio aur Cymru ar raddfa fasnachol* commercial

masnachu *be* [masnach•¹] prynu, gwerthu neu gyfnewid nwyddau neu wasanaeth; marchnata to trade

masnachu mewnol CYLLID masnachu ar y marchnadoedd arian sy'n seiliedig ar wybodaeth gyfrinachol; mae'n drosedd insider trading, insider dealing

masnachwr *eg* (masnachwyr) un sy'n masnachu; gwerthwr, marsiandwr, siopwr dealer, merchant, trader

unig fasnachwr gw. unig

masnachwraig *eb* merch neu wraig sy'n masnachu

masocist *eg* (masocistiaid) un sy'n derbyn pleser rhywiol o gael ei gam-drin masochist

masocistaidd *ans* nodweddiadol o fasocistiaeth masochistic

masocistiaeth *eb* SEICOLEG tuedd rywiol lle mae rhywun yn cael pleser o gael ei gam-drin yn gorfforol neu'n feddyliol masochism

mast *eg* (mastiau)
1 polyn hir, tal sy'n cynnal hwyliau neu faneri ar long; hwylbren mast
2 fframwaith o fetel sy'n dal erial radio neu deledu mast

mastectomi *eg* MEDDYGAETH triniaeth lawfeddygol i godi bron mastectomy

mastgell *eb* (mastgelloedd) BIOLEG cell fawr ym meinwe'r corff sy'n cynnwys histamin a serotonin a allai ollwng allan petai'r gell

yn cael niwed, gan achosi llid neu adwaith alergaidd mast cell

mastig *eg*
1 resin persawrus a ddefnyddir mewn farnais mastic
2 math o bwti a ddefnyddir i lenwi craciau mewn pren, waliau, etc. mastic

mastitis *eg* MEDDYGAETH llid chwarren laeth bron menyw neu gadair buwch sy'n cael ei achosi gan facteria mastitis

mastyrbiad *eg* y broses o fastyrbio, canlyniad mastyrbio masturbation

mastyrbio *be* [mastyrbi•²] ysgogi orgasm heb gyfathrach rywiol, e.e. drwy ysgogi â llaw to masturbate

maswedd *eg* geiriau neu weithredoedd brwnt/ budr, aflednais, anweddus; anlladrwydd, gwagedd, oferedd ribaldry, wantonness

masweddus:masweddol *ans*
1 (am hiwmor) aflednais, brwnt, coch bawdy, ribald
2 (am ymddygiad) aflednais, anweddus, anfoesol, anllad indecent, wanton

maswr *eg* (maswyr) (mewn rygbi) yr olwr sy'n ddolen rhwng y mewnwr o'i flaen a'r canolwyr y tu allan iddo fly half, outside half, stand-off half

mat *eg* (matiau)
1 darn o ddefnydd garw, cryf i orchuddio rhan o'r llawr neu sychu traed arno mat
2 rŷg neu garped bach mat
3 darn o ddefnydd sy'n cael ei roi ar fwrdd i'w arbed rhag cael ei farcio gan lestri poeth neu wlyb mat

matador *eg* (matadoriaid) prif ymladdwr mewn gornest ymladd teirw, a'r un a bennir i ladd y tarw matador

mater *eg* (materion)
1 testun y mae gofyn i rywun roi sylw iddo, *y mater nesaf sy'n codi*; eitem, pwnc, pwynt matter, subject, topic
2 FFISEG sylwedd ac iddo fàs ac sy'n llenwi gofod (o'i gyferbynnu ag egni neu donnau) matter

mater tywyll SERYDDIAETH y sylwedd sy'n gyfrifol am y rhan fwyaf o'r màs mewn galaethau dark matter

materol *ans*
1 yn mwynhau neu'n ymhyfrydu mewn pethau corfforol ac ariannol yn hytrach na phethau'r meddwl a'r ysbryd; ariangar, bydol materialistic
2 yn ymwneud â sylwedd neu fater yn hytrach na'r meddwl neu'r dychymyg; anysbrydol material, physical

materoliaeth *eb*
1 y gred mai lles materol a chynnydd yw'r gwerthoedd gorau materialism

2 y syniad bod pob newid gwleidyddol a chymdeithasol yn cael ei achosi gan newid yn sylfaen faterol ac economaidd cymdeithas materialism

3 pwyslais ar eiddo a chysur corfforol ar draul pethau ysbrydol neu ymenyddol materialism

4 ATHRONIAETH yr athrawiaeth mai pethau diriaethol yw realiti a bod popeth arall (y meddwl, teimladau, etc.) yn deillio o'r rhain materialism

materolwr:materolydd *eg* (materolwyr) un sy'n arddel neu'n arfer egwyddorion materoliaeth materialist

matiog *ans* yn ddryswch trwchus, llawn clymau matted

matog *eb* (matogau) math o bicas a'r naill ben iddo'n bigfain fel pen picas a'r llall yn debyg i ben caib mattock

matres *eg* (matresi) math o gwdyn mawr yn llawn o blu, gwlân, rwber neu sbringiau metel y mae rhywun yn cysgu arno mattress

matriarchaeth *eb* (matriarchaethau) trefn gymdeithasol a gwraig yn bennaeth arni, lle mae achau'n cael eu holrhain o ochr y fam yn hytrach na'r tad matriarchy

matriarchaidd *ans* yn perthyn i drefn matriarchaeth matriarchal

matrics *eg* (matricsau) MATHEMATEG casgliad o rifau neu fynegiadau mathemategol wedi'u gosod ar ffurf betryal mewn rhesi a cholofnau matrix

matricwleiddio *be* [matricwleiddi•²]
1 derbyn myfyriwr yn aelod o goleg neu brifysgol to matriculate
2 dod yn aelod o goleg neu brifysgol to matriculate, matriculation

matryd ffurf lafar ar **ymddihatru**

matshen:matsien *eb* (matshys) coesyn bach (o bren fel arfer) â phen o ddefnydd cemegol sy'n tanio ac yn llosgi'n fflam pan fydd yn cael ei daro yn erbyn rhywbeth garw; fflach match

matsio *be* [matsi•²]
1 achosi i gyfateb neu gydweddu, *rhaid matsio'n ffordd o fyw â'n hincwm* (~ rhywbeth â) to match
2 cyfateb yn union, *dau gwpan yn matsio'i gilydd* to match
3 darparu arian cywerth to match, to match (fund)

math¹ *eg* (mathau) casgliad o bobl neu bethau sy'n rhannu'r un priodoleddau neu nodweddion, *Pa fath o lyfr sydd orau gen ti?*; rhywogaeth, teip (~ o; ~ ar) kind, sort, type

math² *eb* fel yn *y fath beth* lle mae'r ystyr yn fwy penagored na *math¹* ac yn sôn am natur neu ansawdd cyffredinol, haniaethol sort, such

mathemateg *eb* yr wyddor sy'n ymdrin â rhif, maint, siâp a gofod mathematics

mathemateg bur mathemateg sy'n ymdrin â rhif, maint, siâp a gofod fel cysyniadau haniaethol pure mathematics

mathemateg gymhwysol mathemateg (bur) wedi'i chymhwyso i ffiseg, peirianneg a meysydd eraill applied mathematics

mathemategol *ans* yn ymwneud â mathemateg, nodweddiadol o fathemateg mathematical

mathemategwr:mathemategydd *eg* (mathemategwyr) un sy'n astudio neu'n arbenigo mewn mathemateg mathematician

mathredig *ans* wedi'i fathru; gwasgedig crushed, trampled

mathriad *eg* y broses o fathru, canlyniad mathru crushing, trampling

mathru *be* [mathr•¹] sathru dan draed; bracsan, damsang, pystylad, sathru to crush, to trample

mathrwr *eg* (mathrwyr) peiriant sy'n mathru, *mathrwr cerrig, mathrwr ceir* crusher

mawl¹ *eg*
1 mynegiant o addoliad, *emyn o fawl*; moliant praise, worship
2 mynegiant o edmygedd, *Yn llysoedd tywysogion Cymru, roedd beirdd yn arfer canu cerddi o fawl iddynt*.; canmoliaeth, clod praise

mawl² *bf* [**moli**] *hynafol* mae ef yn moli/mae hi'n moli; bydd ef yn moli/bydd hi'n moli

mawlgan *eb* (mawlganau) cân neu emyn o fawl, o ddiolch neu o orfoledd paean

mawn *eg* math o dywarchen wedi'i ffurfio o fwsogl a phlanhigion wedi pydru; caiff ei sychu a'i ddefnyddio yn lle pridd, neu ei dorri'n ddarnau a'i losgi yn danwydd peat

mawn caru y darn o fawn y byddai gwas yn ei gario pan âi i ymweld â'i gariad o forwyn, er mwyn sicrhau y byddai'r tân yn para'n hir

mawna *be* torri a hel mawn
Sylwch: nid yw'r ferf hon yn arfer cael ei rhedeg.

mawnen *eb* darn o fawn

mawnog *eb* (mawnogydd) cors o fawn; mign, siglen peatbog

mawr *ans* [cymaint; mwy; mwyaf] (mawrion)
1 mwy o faint neu o bwysau na'r cyffredin, *bachgen mawr, cae mawr*; eang, helaeth big, large
2 (eira, glaw) trwm heavy
3 pwysig, dylanwadol, gweithgar, brwdfrydig, *darllenwr mawr, dyn mawr yn y capel* big, important, keen
4 o safon uchel neu o ansawdd arbennig, *rhai o chwaraewyr mawr y gorffennol* great
5 (amser) hir, *blynyddoedd mawr* long
6 mewn ymadroddion negyddol megis *Fydda i fawr o dro yn gorffen y llyfr 'ma* neu *Does gennyf fawr mwy i'w ddweud ar y mater*, mae'n dynodi absenoldeb maint neu radd little, much

m

Sylwch: pan fydd 'mawr' yn negyddol ei ystyr ac yn cyfeirio at ddiffyg neu absenoldeb maint neu radd, mae'n treiglo'n feddal (*Ni chawn wybod fawr ddim ganddo.* [*Nid yw*] *fawr o beth*; *fawr o werth*). Ni ddefnyddir ond y ffurf 'mor' (nid 'mwy' a 'mwyaf') gyda 'mawr', *mor fawr.*

nefoedd fawr/wen gw. nefoedd
sêt fawr gw. sêt
Ymadroddion
cyrddau mawr gw. cyrddau
heol fawr gw. heol
noson fawr
1 noson stormus
2 noson bwysig
3 noson o gyfeddach a rhialtwch
stryd fawr gw. stryd
tywydd mawr tywydd garw, stormus
y Brenin Mawr gw. brenin
mawredd *eg* yr hyn sy'n nodweddiadol o ŵr mawr neu wraig fawr neu achlysur mawr; crandrwydd, godidowgrwydd, gogoniant, rhwysg grandeur, greatness
mawredd ebychiad good gracious
mawreddog *ans*
1 ysblennydd ac urddasol; gogoneddus, gwych, rhwysgfawr grand, dignified, august
2 yn meddwl yn fawr ohono'i hun; ffroenuchel, hunanbwysig, rhodresgar, ymffrostgar pompous, conceited, boastful
mawrfrydedd *eg* y briodoledd o fod yn hael iawn ac yn barod i helpu eraill; eangfrydedd, haelfrydedd, mawrfrydigrwydd magnanimity
mawrfrydig *ans* â meddwl eang a delfrydau uchel, yn barod iawn i helpu eraill; eangfrydig, graslon, haelfrydig generous, magnanimous
mawrfrydigrwydd *eg* yr ansawdd o fod yn fawrfrydig; eangfrydedd, graslonrwydd, haelfrydedd, mawrfrydedd magnanimity
mawrhad *eg* achos o ogoneddu; mawrygiad exaltation, glorification
mawrhau *be* [mawrha•¹⁴] canmol yn fawr; clodfori, gogoneddu, mawrygu, moli to exalt, to extol
mawrhydi *eg* teitl a ddefnyddir wrth gyfarch brenin neu frenhines, *Ei Mawrhydi Elizabeth yr Ail* majesty
mawrion *ell* pobl neu bethau **mawr**, pobl bwysig neu alluog the great
Sylwch: ni ddylid defnyddio 'mawrion' ar ôl enw lluosog: *bechgyn mawr,* nid 'bechgyn mawrion'.
Mawrisaidd *ans* yn perthyn i Mauritius, nodweddiadol o Mauritius Mauritian
Mawrisiad *eg* (Mawrisiaid) brodor o Mauritius Mauritian
Mawritanaidd *ans* yn perthyn i Mauritania, nodweddiadol o Mauritania Mauritanian

Mawritaniad *eg* (Mawritaniaid) brodor o Mauritania Mauritanian
Mawrth¹ *eg* fel yn *dydd Mawrth,* y trydydd dydd o'r wythnos Tuesday
dydd Mawrth y trydydd dydd o'r wythnos (yn dilyn dydd Llun) Tuesday
Mawrth² *eg* trydydd mis y flwyddyn March
mis Mawrth 'ym mis Mawrth' nid *ym Mawrth* March
Mawrth³ *eg* SERYDDIAETH y bedwaredd blaned o'r Haul a'r agosaf at y Ddaear; cafodd ei henwi ar ôl duw rhyfel y Rhufeiniaid Mars
mawrwych *ans* o wychder mawr imposing, splendid
mawrygiad *eg* achos neu weithred o fawrygu, canlyniad mawrygu; mawrhad esteem
mawrygu *be* [mawryg•¹] gwneud yn fawr o (rywun); breinio, clodfori, gogoneddu, moliannu to glorify, to venerate
MC *byrfodd* Methodist(iaid) Calfinaidd
mebyd:maboed *eg* blynyddoedd cynharaf bywyd, y cyfnod o fod yn ifanc, y cyfnod o fod yn blentyn neu'n llanc; bachgendod, llencyndod, mabolaeth, plentyndod childhood, youth
mecaneg *eb* yr adran honno o ffiseg sy'n disgrifio symudiad gwrthrychau o bob math, a'r modd y defnyddir yr wybodaeth honno i gynllunio peiriannau neu offerynnau mechanics
mecaneiddiad *eg* y broses o fecaneiddio, canlyniad mecaneiddio mechanization
mecaneiddio *be* [mecaneiddi•²] defnyddio peiriannau i wneud gwaith a fyddai'n cael ei wneud yn y gorffennol gan bobl neu anifeiliaid to mechanize
mecaniaeth *eb* ATHRONIAETH y syniad bod pob gweithred ym myd natur yn broses fecanyddol y mae modd ei hegluro drwy reolau ffiseg a chemeg mechanism
mecanwaith *eg* (mecanweithiau)
1 y rhannau gwahanol y tu mewn i beiriant wedi'u cysylltu ynghyd, a'r ffordd y maent yn gweithio mechanism
2 trefn a swyddogaeth gwahanol rannau mewn un cyfanwaith, *mecanwaith yr ymennydd* mechanism
mecanydd *eg* (mecanyddion) un â'r ddawn a'r hyfforddiant i ofalu am beiriannau neu i weithio peiriannau mechanic
mecanyddol *ans*
1 yn cael ei weithio gan beiriant, yn cael ei gynhyrchu gan beiriant; peirianyddol mechanical
2 yn ymddwyn fel peiriant neu fel petai peiriant yn ei yrru; peiriannol mechanical
mecatroneg *eb* technoleg yn cyfuno electroneg a pheirianneg fecanyddol yn bennaf er mwyn

datblygu dulliau gweithgynhyrchu newydd a
mwy effeithlon mechatronics

meconiwm *eg* MEDDYGAETH sylwedd gwyrdd
tywyll, ysgarthion cyntaf babi newydd ei eni
meconium

mecryll *ell* lluosog **macrell**

Mecsicanaidd *ans* yn perthyn i México,
nodweddiadol o México Mexican

Mecsicanes *eb* merch neu wraig o México

Mecsicaniad:Mecsicanwr *eg* (Mecsicaniaid:
Mecsicanwyr) brodor o México Mexican

mechdeyrn *eg hanesyddol* arglwydd ffiwdal, un
sy'n arglwyddiaethu overlord

mechnïaeth:mechni *eb* CYFRAITH swm o arian
sy'n cael ei dalu i lys barn fel bod rhywun
sydd wedi'i gyhuddo o drosedd yn gallu bod
yn rhydd nes i'w achos gael gwrandawiad gan
y llys; mae'r arian yn cael ei golli os nad yw'r
cyhuddedig yn dod i'r llys ar ddiwrnod yr
achos; gwarant, meichiau bail, surety

mechnïo *be* [mechni•⁸] mynd yn feichiau dros;
addo, gwarantu, sicrhau (~ **dros**) to go surety (for)
Sylwch: does dim angen didolnod pan fydd
dwy 'i' yn dilyn ei gilydd, mechniir.

mechnïwr:mechnïydd *eg* (mechnïwyr) un sy'n
mechnïo surety

medal *eb* (medalau) cylch fflat o fetel
(neu groes weithiau), ac arno lun neu eiriau,
sy'n cael ei gyflwyno i rywun am gyflawni rhyw
gamp arbennig neu er mwyn dathlu achlysur
arbennig, e.e. *Medal Gee* am ffyddlondeb
i'r ysgol Sul neu'r *Fedal Ryddiaith*, un o brif
wobrau'r Eisteddfod Genedlaethol; tlws medal

medel *eb* (medelau)
1 mintai o fedelwyr; cynaeafwyr reaping party
2 y broses o fedi, canlyniad medi reaping

medelwr *eg* (medelwyr) un sy'n medi, un sy'n
torri ŷd a'i gynaeafu harvester, reaper

medi *be* [med•¹ 3 *un. pres.* med/meda; 2 *un.*
gorch. med/meda] torri ŷd, torri llafur (adeg
y cynhaeaf); cynaeafu to reap, to harvest

Medi *eg* nawfed mis y flwyddyn September
mis Medi 'ym mis Medi' nid *ym Medi* September

mediastinwm *eg* ANATOMEG y barwyden sy'n
gwahanu dau geudod neu ddwy ran organ yn y
corff, yn enwedig y barwyden a geir rhwng
yr ysgyfaint mediastinum

Mediteranaidd *ans*
1 nodweddiadol o'r tir o gwmpas y Môr
Canoldir Mediterranean
2 nodweddiadol o hinsawdd yr ardal yma,
â hafau cynnes a gaeafau cymedrol, gwlyb
Mediterranean

medr *eg* (medrau) gwybodaeth ymarferol
ynghyd â'r ddawn neu'r gallu i wneud rhywbeth
yn dda ac yn ddeheuig; abledd, deheurwydd,
hyfedredd, sgìl ability, capacity, skill

ar fedr ar fin, gyda'r bwriad o on the point of
medru *be* [medr•¹ 3 *un. pres.* medr/medra;
2 *un. gorch.* ni cheir ffurf]
1 gwybod sut i wneud rhywbeth; gallu deall
a siarad iaith, *Wyt ti'n medru nofio? Wyt ti'n
medru Ffrangeg?* to know
2 bod yn abl, bod â'r gallu i, *A fedri di ddod
nos Wener?*; gallu to be able

medrus *ans* [medrus•] yn dangos medr neu allu
arbennig, *Mae'n yrrwr medrus.*; abl, deheuig,
galluog, meistrolgar skilful, clever, expert

medrusrwydd *eg* dawn, deheurwydd, gallu,
medr, *Roedd pawb yn rhyfeddu at fedrusrwydd
y feiolinydd ifanc.* skill, proficiency, prowess

medrydd:meidrydd *eg* (medryddion) dyfais
ar gyfer mesur maint pethau, e.e. lled gwifren
neu faint o law sydd wedi disgyn; mesurydd
gauge, meter

medrydd fernier erfyn mesur manwl gywir
sy'n gallu rhoi mesuriadau mewnol ac allanol
vernier gauge

medrydd marcio erfyn a ddefnyddir mewn
gwaith coed a gwaith metel i farcio llinellau
cyflin marking gauge

medrydd mortais erfyn a ddefnyddir i farcio
pren er mwyn torri mortais ynddo mortise
gauge

medryddu:meidryddu *be* [medrydd•¹] mesur yn
fanwl, gan ddefnyddio medrydd to gauge

medwla *eg*
1 ANATOMEG craidd neu ran fewnol organ,
yn enwedig pan fydd yn amlwg wahanol i'w
rhan allanol neu i'r cortecs medulla
2 BOTANEG y bywyn meddal y tu mewn i
blanhigyn medulla

medwla oblongata ANATOMEG parhad
madruddyn y cefn tu mewn i'r penglog;
mae'n ffurfio rhan isaf coesyn yr ymennydd
lle y rheolir gwaith y galon a'r ysgyfaint
medulla oblongata

medwlaidd *ans*
1 ANATOMEG yn perthyn i fedwla,
nodweddiadol o fedwla, yn enwedig y medwla
oblongata medullary
2 BOTANEG yn perthyn i fywyn planhigyn,
nodweddiadol o fywyn planhigyn medullary

medd¹ *eg* diod feddwol wedi'i heplesu o fêl mead

medd² *bf* [1 *un. pres.* meddaf; 2 *un. pres.* meddi;
3 *un. pres.* medd; 1 *lluos. pres.* meddwn;
2 *lluos. pres.* meddwch; 3 *lluos. pres.* meddant;
Amhers. pres. meddir; 1 *un. amhenodol*
meddwn; 2 *un. amhenodol* meddet; 3 *un.*
amhenodol meddai; 1 *lluos. amhenodol*
meddem; 2 *lluos. amhenodol* meddech; 3 *un.*
amhenodol meddent; *Amhers. amhenodol*
meddid] *ffurfiol* ebe, ebr (yn yr Amser Presennol);
chwedl (~ **wrth** *rywun*)

m

Sylwch: defnyddir 'medd' (says) a 'meddai' (said) wrth ddyfynnu'r hyn y mae siaradwr neu awdur yn ei ddweud; *ac medd* ac *ac meddai* (nid *a medd* ac *a meddai*) sy'n gywir.

medd³ *bf* [meddu] *llenyddol* mae ef yn meddu/ mae hi'n meddu; bydd ef yn meddu/bydd hi'n meddu

meddal *ans* [meddal•]
1 yn pantio neu'n 'rhoi' wrth ei gyffwrdd, yn newid ei ffurf yn rhwydd, heb fod yn galed, *Mae'r menyn yn mynd yn feddal pan fydd y tywydd yn boeth.* soft
2 llai caled na'r arfer, *Mae plwm yn fetel meddal.* soft
3 llyfn a braf wrth ei deimlo, *gwallt meddal* soft
4 ysgafn neu bleserus i'r synhwyrau, *golau meddal* soft
5 tyner, hawdd dylanwadu arno, *Mae ganddo galon feddal iawn.* soft, tender
6 (dŵr) pur, heb y sylweddau sy'n rhwystro gwaith sebon soft
treiglad meddal gw. treiglad¹

meddalnod *eg* (meddalnodau) CERDDORIAETH nodyn â'r arwydd ♭ o'i flaen sy'n ei wneud hanner tôn yn is na'r nodyn cysefin; fflat flat

meddalu *be* [meddal•¹] gwneud neu ddod yn fwy meddal, *Rho'r menyn wrth y tân iddo gael meddalu. Mae'n defnyddio olew arbennig i feddalu'r croen.*; toddi, tyneru to soften

meddalwch *eg* y cyflwr o fod yn feddal; esmwythder, tynerwch, ystwythder softness

meddalwedd *ebg* CYFRIFIADUREG y systemau ar ffurf rhaglenni cyfrifiadurol (yn hytrach na'r caledwedd) sy'n rheoli'r hyn y mae'r cyfrifiadur yn ei wneud software

meddalydd *eg* (meddalyddion) sylwedd sy'n meddalu, e.e. dillad wrth eu golchi softener

medd-dod gw. meddwdod

meddianiad *eg* (meddianiadau) y broses o feddiannu, canlyniad meddiannu occupation

meddiannaeth *eb* y gwaith o feddiannu a chadw perchenogaeth tir, eiddo, etc. occupation, possession

meddiannau *ell* lluosog **meddiant**, yr hyn y mae rhywun yn berchen arno, neu sydd ym meddiant rhywun; da, eiddo belongings, possessions

meddiannol *ans* yn meddu ar possessing

meddiannu *be* [meddiann•¹⁰]
1 cymryd meddiant o rywbeth, *Mae goresgynwyr wedi meddiannu'r wlad.*; cipio, hawlio, perchenogi to occupy, to seize, to take possession of
2 (am ysbryd, ofn, etc.) cymryd meddiant o rywun, bod â dylanwad mor gryf ar rywun nes rheoli'i weithredoedd, *Fe'i meddiannwyd gan ofn.* to possess

Sylwch: dyblwch yr 'n' ym mhob ffurf ac eithrio yn y rhai sy'n cynnwys *-as-*.

meddiannwr:meddiannydd *eg* (meddiannwyr) un sy'n meddu (ar eiddo, etc.), perchennog; deiliad, preswyliwr, tenant acquirer, appropriator, possessor

meddiant *eg* (meddiannau)
1 y cyflwr neu'r weithred o feddu ar rywbeth, *Roedd gan fy nain lawer o bethau gwerthfawr yn ei meddiant.*; eiddo, perchenogaeth occupation, ownership, possession
2 rheolaeth dros dro gan chwaraewr neu dîm ar y bêl mewn gêm bêl-droed, rygbi, etc. possession

meddiennir *bf* [meddiannu] *ffurfiol* mae (rhywun neu rywbeth) yn cael ei feddiannu; bydd (rhywun neu rywbeth) yn cael ei feddiannu

meddu *be* [medd•¹]
1 bod â, bod yn berchen (ar); meddiannu, perchenogi (~ **ar**) to own, to take possession of
2 bod â phriodoledd neu gymhwyster neu ansawdd arbennig, *Mae'n meddu ar bersonoliaeth hynaws.* to possess, to have

meddw *ans* [meddw•] (meddwon) wedi meddwi, yn teimlo neu'n ymddwyn fel pe bai wedi meddwi, wedi'i dal hi; chwil drunk, inebriate, intoxicated

meddw chwil:meddw gaib:meddw gorn wedi meddwi'n llwyr blind drunk, sozzled

meddw gaib gw. caib

meddw henbob (yn dioddef o'r) pen tost a chyfogi sy'n dilyn yfed gormod o ddiod feddwol hung-over

yn feddw fawr wedi meddwi'n llwyr sozzled

meddwdod:medd-dod *eg*
1 y cyflwr y mae rhywun ynddo ar ôl yfed gormod o alcohol drunkenness, intoxication
2 CYFRAITH cyflwr tebyg a achosir gan gyffuriau neu sylweddau eraill neu gyfuniad o'r cyfan intoxication

meddwi *be* [meddw•¹]
1 yfed gormod o ddiod feddwol nes bod rhywun yn colli rheolaeth arno'i hun, ei dal hi (~ **ar**) to be intoxicated, to get drunk
2 annog neu fwydo rhywun â diod feddwol nes iddo golli arno'i hun to get (someone) drunk, to intoxicate
3 teimlo neu ymddwyn yn feddw; profi rhyw deimlad cyffrous, afreolus, *Mae wedi meddwi ar ei lwyddiant.* to be intoxicated

meddwl¹ *eg* (meddyliau)
1 y rhan o berson sy'n gwybod, sy'n cael syniadau, sy'n profi emosiynau, sy'n dymuno ac sy'n dewis (o'i gyferbynnu â'r corff) mind
2 y ffordd y mae rhywun yn trin a threfnu ei syniadau, *Mae ganddi feddwl clir iawn.* mind
3 syniad, bryd, *Beth oedd dy feddwl di?*; barn, piniwn, safbwynt, tyb idea, mind, thought

ar fy (dy, ei, etc.**) meddwl** sefyll yn y cof, bod ar flaen y meddwl on one's mind

(bod â) meddwl agored bod heb ragfarn; heb fod wedi penderfynu (to be) open-minded

cloffi rhwng dau feddwl gw. cloffi

dweud fy (dy, ei, etc.**) meddwl** gw. dweud

tawel fy (dy, ei, etc.**) meddwl** â chydwybod glir, yn hapus, heb ofid

meddwl² *be* [meddyli•² 3 *un. pres.* meddwl/meddylia; 2 *un. gorch.* meddwl/meddylia]
1 defnyddio'ch rheswm, dod i rai casgliadau, cael syniad, dod i benderfyniad, *Roeddwn i'n meddwl ei bod hi'n ffilm dda. Rwy'n meddwl yr af i i nofio yfory os bydd hi'n braf.*; credu, tybio to consider, to think
2 ystyried yn ofalus, *Meddyliaf amdano.*; barnu to think
3 cofio, *Rwy'n methu'n lân â meddwl beth yw ei enw.* to think
4 disgwyl, bwriadu, golygu, *Doeddwn i ddim yn meddwl y buaswn i mor hwyr â hyn.* to think
5 bwriadu, *Roeddwn i wedi meddwl mynd i'r cyngerdd.* to intend, to think
6 golygu *Beth mae'r arwydd yma'n ei feddwl?*; arwyddocáu, awgrymu, cyfleu to mean, to signify

meddwl am ystyried to think of

meddwl ddwywaith ystyried yn ofalus to think twice

meddwl fy (dy, ei, etc.**) hun** meddwl fy mod yn rhywun pwysig to be conceited

meddwl y byd o caru, hoffi'n fawr iawn to think the world of (someone)

meddwl yn uchel
1 parchu, bod â golwg ar to think highly of
2 siarad â chi eich hun to think aloud

nid wyf fi (wyt ti, yw ef, etc.**) yn meddwl dim am/o** heb fod â golwg ar, y gwrthwyneb i '*meddwl yn uchel*' I don't think much of

meddwol *ans* yn meddwi, yn achosi meddwdod heady, intoxicating

meddwon¹ *ell* lluosog **meddwyn**

meddwon² *ans* ffurf luosog **meddw** the drunk

meddwyn *eg* (meddwon) un sy'n feddw neu un sy'n meddwi'n aml; diotwr, llymeitiwr, potiwr, slotiwr drunkard, drunk

meddydd *eg hanesyddol* (yn y cyfreithiau Cymreig) swyddog yn llys y brenin a oedd yn gyfrifol am ddarllaw medd i'r llys

meddyg *eg* (meddygon) un sy'n gymwys i arfer meddygaeth; doctor doctor, physician

meddyg esgyrn un sy'n arfer meddygaeth gyflenwol osteopatheg osteopath

meddyg teulu meddyg sy'n gweithio yn y gymuned yn darparu gwasanaeth i bawb general practitioner

meddygaeth *eb* (meddygaethau) yr wyddor o drin a deall clefydau ac afiechyd medicine

meddygaeth amgen therapi meddygol nad yw'n cael ei ystyried yn rhan o feddygaeth gonfensiynol, e.e. homeopathi, meddygaeth lysieuol alternative medicine

meddygaeth gyflenwol therapi meddygol y tu allan i faes meddygaeth wyddonol ond y gellir ei ddefnyddio law yn llaw â hi i drin clefydau ac afiechyd complementary medicine

meddygfa *eb* (meddygfeydd) ystafell neu adeilad lle y gall rhywun fynd i weld meddyg (meddyg teulu fel arfer) surgery

meddyginiaeth *eb* (meddyginiaethau) ffordd o wella poen neu afiechyd; triniaeth neu foddion ar gyfer cael gwared ar glefyd; cyffur, ffisig, moddion medication, remedy

meddyginiaethol *ans* yn dwyn neu'n peri gwellhad; yn perthyn i feddyginiaeth, nodweddiadol o feddyginiaeth; iachusol medicinal

meddyginiaethu *be* [meddyginiaeth•¹]
1 trin yn feddygol (~ i) to treat
2 gwella, iacháu to cure

meddyglyn *eg* diod feddwol wedi'i gwneud o fêl; medd mead, metheglin

meddygol *ans*
1 yn ymwneud â gwyddor meddygaeth, yn ymwneud â meddygon medical
2 am driniaeth ar gyfer afiechyd nad yw'n llawdriniaeth medical

meddylfryd *eg* tuedd meddwl, dull o feddwl; agwedd, gogwydd, tueddfryd, ymarweddiad disposition, mentality

meddylgar *ans*
1 yn amlygu cryn dipyn o feddwl, yn mynegi meddyliau, *Ar ôl clywed y newyddion, daeth golwg feddylgar iawn i'w wyneb.*; myfyrgar, synfyfyrgar pensive, thoughtful
2 yn parchu teimladau pobl eraill, *gweithred feddylgar*; gofalus, tosturiol, trugarog, ystyriol considerate, thoughtful

meddylgarwch *eg*
1 y cyflwr o fod yn hel meddyliau; myfyrdod low spirits, pensiveness
2 y cyflwr o fod yn ystyriol o eraill; cymwynasgarwch, gofal thoughtfulness

meddyliaeth:ymenyddiaeth *eb* SEICOLEG y syniad bod gan unigolyn ddimensiwn meddyliol neu fewnol sy'n wahanol i'r dimensiwn ymddygiadol ac sy'n dylanwadu ar ymddygiad yr unigolyn mentalism

meddyliaf *bf* [meddwl] rwy'n meddwl; byddaf yn meddwl

meddyliau *ell* lluosog **meddwl¹**

chwalu meddyliau gw. chwalu

hel meddyliau gw. hel

meddyliol *ans*
1 yn ymwneud â'r meddwl, nodweddiadol o'r meddwl mental

2 MEDDYGAETH yn ymwneud ag afiechydon neu anhwylderau'r meddwl mental

meddyliwr *eg* (meddylwyr) un sy'n meddwl yn ddwfn ac yn dreiddgar thinker

mefl *eg* (meflau) diffyg sy'n rhwystro rhywbeth rhag bod yn berffaith, *Oni bai am rai mân feflau, byddai wedi cael marciau llawn yn yr arholiad.*; amryfusedd, brycheuyn, llithriad blemish, flaw, solecism

mefusen *eb* (mefus)
1 planhigyn sy'n tyfu'n agos i'r llawr ac sy'n dwyn ffrwythau melys coch, bwytadwy strawberry
2 un o ffrwythau'r planhigyn hwn; syfien strawberry

mega- *rhag* miliwn, e.e. *megafolt* (miliwn folt), *megatherm* (miliwn therm) mega-, million
Sylwch: nid yw 'mega' + cyfaddasiad o air Saesneg yn achosi treiglad yn yr ail elfen, e.e. *megabeit.*

megabeit *eg* (megabeitiau) CYFRIFIADUREG uned o ddata cyfrifiadurol sy'n cyfateb i 1 filiwn (1,048,576 yn fanwl gywir) beit; MB megabyte

megacaryocyt *eg* (megacaryocytau) BIOLEG cell fawr iawn, cnewyllyn a geir ym mêr yr esgyrn, lle mae platennau gwaed yn cael eu creu megakaryocyte

megalith *eg* (megalithiau) ARCHAEOLEG maen mawr, diaddurn sy'n rhan o gofadail cynhanesyddol megalith

megalomanaidd *ans* yn dioddef o fegalomania, nodweddiadol o fegalomania megalomanic

megalomania *eg* SEICIATREG rhithdyb rhywun ynglŷn â'i bwysigrwydd, ei awdurdod a'i rym (sydd yn aml yn symptom o anhwylder manig neu baranoid) megalomania

megalomaniad *eg* (megalomaniaid) un sy'n dioddef o fegalomania megalomaniac

megalopolis *eg* dinas fawr iawn neu ardal yn cynnwys mwy nag un ddinas megalopolis

megasbor *eg* (megasborau) BOTANEG (mewn planhigion) y math o sbôr y mae gametoffytau benywol yn deillio ohono; mae'n fwy na'r microsbor gwrywol megaspore

megi *bf* [magu] *ffurfiol* rwyt ti'n magu; byddi di'n magu

megin *eb* (meginau) teclyn ar gyfer chwythu aer i dân neu organ bellows

megino *be* [megin•[1]] chwythu aer gan ddefnyddio megin; cael yr un effaith â megin ar dân; bywiocáu, ennyn to fan the flames of

meginwr *eg* (meginwyr) un sy'n chwythu megin

megis[1] *cysylltair* tebyg i (gair braidd yn llenyddol), *Megis yn y nef, felly ar y ddaear hefyd.*; fel as, such as
Sylwch:
1 *ac megis* (nid *a megis*) sy'n gywir;
2 nid yw'n achosi treiglad.

megis[2] *ardd* cyffelyb i, yr un fath â, *Rwy'n cofio'r achlysur megis ddoe.*; fel, tebyg as, like

Mehefin *eg* chweched mis y flwyddyn June
mis Mehefin 'ym mis Mehefin' nid *ym Mehefin* June

meheryn *ell* lluosog **maharen**
meibion *ell* lluosog **mab**
meicro- defnyddiwch **micro-**
meichiad *eg* (meichiaid) 'bugail' moch, un sy'n gofalu am foch swineherd

meichiau *eg*
1 rhywun sy'n derbyn cyfrifoldeb am y ffordd y bydd rhywun arall yn ymddwyn; gwystl (~ **dros**) surety
2 CYFRAITH arian sy'n cael ei dalu i lys barn er mwyn sicrhau bod rhywun sy'n cael ei gyhuddo o drosedd yn gallu bod yn rhydd nes i'w achos gael gwrandawiad gan y llys; mae'r arian yn cael ei golli os nad yw'n dod i'r llys ar ddiwrnod yr achos; ernes, gwarant, mechnïaeth surety

meidon *eb* CERDDORIAETH trydydd nodyn graddfa ddiatonig (beth bynnag ei chywair) mediant

meidr:beidr *eb* heol fach; lôn, llwybr, heolig, wtra lane

meidraidd *ans* MATHEMATEG (am rif, mesur neu ranbarth) a ffiniau iddo; heb fod yn anfeidraidd finite

meidrol *ans* ac iddo derfyn neu ddiwedd (fel sydd i fywyd person); dynol finite

meidroldeb *eg* y cyflwr o fod yn feidrol finiteness

meidrolion *ell* lluosog **meidrolyn**
meidrolyn *eg* (meidrolion) bod meidrol mortal
meidrydd *gw.* **medrydd**
meidryddu *gw.* **medryddu**

meiddio *be* [meiddi•[2] 3 un. pres. maidd/meiddia; 2 un. gorch. maidd/meiddia] bod yn ddigon dewr neu'n ddigon eofn i wneud rhywbeth, *Paid ti â meiddio mynd i'r ddawns os nad wyt ti wedi gorffen dy waith cartref.*; beiddio, mentro to dare, to venture

meiddion *ell* lluosog **maidd[1]**

meigryn *eg* MEDDYGAETH cur pen cas sydd gan amlaf yn effeithio ar un ochr i'r pen; mae'n achosi cyfog ac yn effeithio ar y llygaid migraine

meilart *eg* hwyaden wryw, ceiliog hwyaden; barlad, barlat, marlat drake

meillionen *eb* (meillion) un o nifer o wahanol fathau o blanhigion bychain sydd fel arfer â thair deilen a blodau gwyn neu goch; mae'n cael ei defnyddio fel bwyd i'r da/gwartheg yn aml clover, shamrock

meillionog *ans* llawn meillion, wedi'i orchuddio â meillion clovered

meim *egb* (meimiau)
  1 yr arfer o ddefnyddio symudiadau i gyflwyno ystyr (yn ddifyrrwch gan amlaf) mime
  2 yr actio a geir pan na fydd geiriau'n cael eu defnyddio, e.e. mewn *ballet* mime
meimio *be* [meimi•²]
  1 actio heb eiriau, gan ddefnyddio symudiadau yn unig to mime
  2 dynwared rhywun (heb ddefnyddio geiriau) mewn ffordd ddoniol to mime
meimiwr *eg* (meimwyr) un sy'n dynwared neu'n meimio; actor sy'n arbenigo mewn meim mimer
meinach:meinaf:meined *ans* [main] mwy main; mwyaf main; mor fain
meinciau *ell* lluosog **mainc**
meinciwr *eg* (meincwyr) aelod o fwrdd llywodraethol Ysbytai'r Brawdlys (cymdeithasau cyfreithiol â hawliau i dderbyn cyfreithwyr yn fargyfreithwyr) bencher
  meinciwr cefn Aelod Seneddol nad oes ganddo swydd yn y llywodraeth na chyda'r wrthblaid backbencher
meincnod *eg* (meincnodau)
  1 arwydd wedi'i osod ar bwynt arbennig y gwyddom beth yw ei uchder, ac sy'n cael ei ddefnyddio wedyn i fesur pellterau ac uchderau eraill wrth lunio mapiau benchmark
  2 rhywbeth a ddefnyddir fel safon i fesur pethau eraill yn ei erbyn benchmark
meincnodi *be* [meincnod•¹] gosod meincnod neu feincnodau to benchmark
meinder *eg*
  1 y cyflwr o fod yn fain neu o fod yn gul, y graddau y mae rhywbeth yn fain slenderness
  2 cyflwr uchel, tenau a threiddgar sain shrillness
meindio *be* [meindi•²] fel yn *meindia dy fusnes*, gofalu, hidio to mind
meindra *eg* y cyflwr o fod yn fain neu o fod yn denau, y graddau y mae rhywbeth yn fain slightness
meindwr *eg* (meindyrau)
  1 PENSAERNÏAETH math o do pigfain wedi'i adeiladu ar ben twˆr; pigdwr spire
  2 twˆr main mosg ar gyfer galw pobl i weddïo; minarét minaret
meingefn *eg*
  1 cefn cloriau llyfr sy'n amgáu'r tudalennau; fel arfer mae'n cynnwys teitl y llyfr ac enw'r awdur, ac yn wynebu tuag allan pan fydd y llyfr ar silff spine
  2 ANATOMEG gwaelod y cefn lle mae'n troi tuag i mewn small of the back
meingefnol *ans* ANATOMEG yn perthyn i'r meingefn lumbar
meinhau *be* [meinha•¹⁴] lleihau yn raddol o ran lled neu drwch neu ddiamedr wrth gyrraedd y pen; culhau, teneuo to narrow, to taper

meini *ell* lluosog **maen**¹
meinion *ans* ffurf luosog **main**¹
meinir *eb hynafol* geneth, merch, morwyn maiden
meinlais:meinllais *eg* llais â thraw annaturiol o uchel wedi'i gynhyrchu drwy gyfangu tannau'r llais; ffalseto falsetto
meintiau *ell* lluosog **maint**
meintiol *ans* yn ymwneud â mesur maint (rhywbeth) quantitative
meintioli *be* [meintiol•¹] mesur a mynegi maint; cyfrif, rhifo to quantify
meintioliad *eg* y broses o feintioli, canlyniad meintioli quantification
meinwe *eg* (meinweoedd)
  1 defnydd tenau, rhwyllog sy'n cael ei osod ar glwyfau, neu sy'n cael ei ddefnyddio weithiau i wneud llenni gauze
  2 BIOLEG un o nifer o fathau o'r defnydd y mae planhigion ac anifeiliaid wedi'u gwneud ohono, yn cynnwys celloedd arbenigol a'u cynnyrch tissue
  meinwe blonegog gw. blonegog
meinwen *eb* gair barddonol am ferch fain a harddd; cariadferch sweetheart
meinweol *ans* BIOLEG yn perthyn i feinwe neu feinweoedd tissue
meiosis *eg* BIOLEG math o gellraniad lle mae cell yn ymrannu i ffurfio pedair epilgell, a phob un yn cynnwys hanner y nifer o gromosomau yn y rhiant-gell; mae hyn yn digwydd adeg cynhyrchu gametau a sborau planhigion meiosis
meiotig *ans* BIOLEG yn perthyn i feiosis, wedi'i achosi gan feiosis meiotic
meipen *eb* (maip) planhigyn sy'n cael ei dyfu er mwyn ei wreiddyn mawr oren neu felyn sy'n fwytadwy; rwden swede
meirch *ell* lluosog **march**
  gwŷr meirch gw. gwŷr
meiri *ell* lluosog **maer**
meirioli *be* [meiriol•¹] (am rywbeth sydd wedi rhewi neu am eira) dadlaith, dadmer, toddi, ymdoddi to thaw
meirw¹:meirwon *ans* ffurf luosog **marw**
meirw²:meirwon *ell* pobl sydd wedi marw the dead
meirw-ddewiniaeth *eb* y broses o alw ar ysbrydion y meirw er mwyn darogan y dyfodol neu effeithio arno necromancy
meirwon *ans* ffurf luosog **marw**
meistr *eg* (meistri:meistriaid)
  1 gwˆr sy'n rheoli pobl, anifeiliaid neu bethau master
  2 pennaeth teulu a thŷ master
  3 *hynafol* athro schoolmaster
  4 gwˆr sy'n cyflogi gweision neu weithwyr boss, master

m

5 gŵr sy'n fedrus iawn mewn crefft, sydd wedi meistroli rhyw faes o wybodaeth; arbenigwr, awdurdod master

meistr corn gw. **corn**³

meistres *eb* (meistresi)

1 gwraig sydd mewn awdurdod, gwraig meistr mistress

2 gordderch mistress

meistrolaeth *eb* y broses o feistroli, canlyniad meistroli; gallu, goruchafiaeth, rhagoriaeth mastery

meistrolgar *ans*

1 (am rywun) yn amlygu cryn ddawn neu fedrusrwydd; deheuig, medrus masterly

2 yn ymddwyn fel meistr; â'r ddawn neu'r awydd i reoli eraill; awdurdodol magisterial, masterful

meistroli *be* [meistrol•¹]

1 llwyddo i reoli (rhywun neu rywbeth), dod yn feistr ar, *Cyn iddo fedru bod yn hyfforddwr da, bydd yn rhaid i John lwyddo i feistroli ei dymer wyllt.*; gorchfygu to master

2 dod i allu gwneud rhywbeth yn dda iawn, bod yn feistr, *Dysgodd sut i ganu'r corn mewn ychydig fisoedd ond fe gymerodd flynyddoedd iddo'i feistroli'n llwyr.* to master

meitin *eg* fel yn *ers meitin*, sef ers cryn amser (wrth sôn am rywbeth sydd wedi digwydd lai na diwrnod yn ôl), *Rwyt ti'n hwyr, rwy'n barod i fynd ers meitin.* (for) some time

meitr *eg* (meitrau)

1 uniad meitrog mitre

2 penwisg archoffeiriad yr Iddewon gynt; penwisg swyddogol esgob neu abad mitre

meitro *be* [meitr•¹] ffurfio uniad meitr to mitre

meitrog *ans* fel yn *uniad meitrog*, sef uniad rhwng dau ddarn (o bren fel arfer), lle mae'r ddau'n cael eu torri ar ongl o 45° ac, wrth eu huno, ceir ongl o 90° (fel cornel ffrâm llun) mitred

meithach:meithaf:meithed *ans* [maith] mwy maith; mwyaf maith; mor faith

meithder *eg* (meithderau) hyd (o ran amser neu bellter); meithni length

meithion *ans* ffurf luosog maith, *oriau meithion y nos*

meithni *eg* y cyflwr o fod yn hir; meithder length

meithrin *be* [meithrin•¹] gofalu, bwydo a chodi'n ofalus; coleddu, cynnal, mabwysiadu, magu to cherish, to cultivate, to nourish, to rear

ysgol feithrin ysgol i blant dan bump oed; yng Nghymru, ysgol sy'n perthyn i'r Mudiad Ysgolion Meithrin, mudiad sy'n sicrhau addysg Gymraeg wirfoddol i blant dan oedran ysgol kindergarten, nursery school

meithrinfa *eb* (meithrinfeydd)

1 ystafell lle mae plant ifanc iawn yn cael gofal am amser penodedig, fel arfer tra bydd eu rhieni yn gweithio crèche, nursery

2 man lle mae planhigion ifainc yn cael eu tyfu i'w gwerthu neu eu hailblannu nursery

meithriniad *eg* y broses o dyfu bacteria neu gelloedd mewn cyfrwng sy'n cynnwys yr amodau angenrheidiol i gynnal twf culture

mêl *eg* hylif trwchus, melys, bwytadwy sy'n cael ei gynhyrchu gan wenyn honey

dil mêl rhesi o gelloedd bychain ar ffurf hecsagonau rheolaidd sy'n cael eu hadeiladu gan wenyn i gadw eu mêl a'u hwyau; crwybr honeycomb

Ymadroddion

heb fod yn fêl i gyd (am sefyllfa sy'n ymddangos yn ddidrafferth neu'n fanteisiol) â thrafferthion ac anawsterau it's not all plain sailing

mêl ar fy (dy, ei, etc.) mysedd rhywbeth (anhwylustod rhywun arall yn aml) sydd wrth fy modd music to one's ears, Schadenfreude

mis mêl y cyfnod o wyliau y mae gŵr a gwraig yn ei gymryd yn syth ar ôl priodi honeymoon

yn fêl i gyd yn dwyllodrus neu'n wenieithus o groesawgar full of sweetness and light, all over (me)

mela *be* (am bryfed) casglu neithdar i wneud mêl; gwneud mêl

Sylwch: nid yw'r ferf hon yn arfer cael ei rhedeg.

'mela ffurf lafar ar **ymhél â**

melamin *eg* CEMEG cyfansoddyn gwyn, crisialog a ddefnyddir wrth gynhyrchu resinau synthetig melamine

melan *eb* tristwch neu iselder ysbryd dros gyfnod o amser, yn aml heb unrhyw reswm amlwg; y cyflwr o fod yn bruddglwyfus, *Mae John druan yn y felan ers dyddiau.*; digalondid, iselder depression, melancholy

canu'r felan CERDDORIAETH math o gerddoriaeth *jazz* araf, drist a ddatblygwyd yn wreiddiol gan bobl dduon de Unol Daleithiau America blues

melancolaidd *ans*

1 hen ffasiwn digalon ac isel ei ysbryd; pruddglwyfus melancholic

2 yn mynegi teimladau trist, *cân felancolaidd*; trist melancholic

melancolia *eg* hen ffasiwn iselder ysbryd difrifol melancholia

melanedd *eg* SWOLEG cynnydd yn y lliw du neu frown tywyll a geir yng nghroen, gwallt a llygaid pobl neu anifeiliaid, ac a achosir drwy orgynhyrchu melanin melanism

melanin *eg* pigment du neu frown tywyll a geir yng nghroen, gwallt a llygaid pobl neu anifeiliaid melanin

melanocyt *eg* (melanocytau) FFISIOLEG cell yn yr epidermis sy'n cynhyrchu melanin melanocyte

melen *ans* ffurf fenywaidd **melyn**, *ffrog felen*

melengu *eb* planhigyn â phigyn o flodau o liw melyn/gwyrdd sy'n tyfu ar dir tywodlyd, graean, etc. dyer's rocket

melfaréd *eg* defnydd cotwm trwchus, cryf, a rhesi o rigolau ynddo, sy'n cael ei ddefnyddio fel arfer i wneud dillad allanol corduroy

melfed *eg* (melfedau) defnydd â gwead tyn, wedi'i wneud o sidan, neilon, cotwm, etc.; mae un ochr iddo'n teimlo'n feddal ac yn llyfn fel ffwr velvet

melfedaidd *ans* mor feddal, llyfn a moethus â melfed velvety

melgawod:mêl-gawod *eb* sylwedd siwgraidd y mae rhai trychfilod (neu weithiau ffwng) yn ei adael ar ddail planhigion; melwlith honeydew

meli *bf* [malu] *hynafol* rwyt ti'n malu; byddi di'n malu

melin *eb* (melinau)
1 peirianwaith i falu ŷd neu rawn yn flawd, a'r adeilad sy'n ei gynnwys mill
2 math o ffatri neu siop waith ar gyfer cynhyrchu a thrin rhai mathau o ddefnyddiau, e.e. melin ddur, melin gotwm mill
3 peiriant bach y mae modd malu rhywbeth penodol yn bowdr ynddo, *melin goffi* mill

melin ddŵr melin lle mae dŵr yn troi rhod (olwyn) sydd, yn ei thro, yn troi meini'r felin neu'n gweithio rhyw beirianwaith arall watermill

melin wynt math arall o felin lle mae'r gwynt yn troi hwyliau mawr neu lafnau sydd, yn eu tro, yn gweithio'r peirianwaith windmill

Ymadroddion

mynd drwy'r felin cael profedigaethau caled neu brentisiaeth ddidostur to go through the mill

siarad fel melin bupur gw. siarad

troi'r dŵr at/i fy (dy, ei, etc.) melin fy hun troi rhywbeth at fy mhwrpas fy hun ac er fy lles i fy hun to turn (something) to one's advantage

melino *be* [melin•¹]
1 mynd â rhywbeth drwy'r prosesau a geir mewn melin, e.e. malu blawd to mill
2 rhoi metel drwy felin arbennig i'w lyfnhau neu i leihau ei drwch to mill

peiriant melino peiriant ar gyfer gosod ffurf ar fetel drwy ei redeg yn erbyn melinwyr cylchdroadol milling machine

melinwr *eg* (melinwyr) erfyn torri neu lifanu a ddefnyddir mewn peiriant melino milling tool

melinydd *eg* (melinwyr:melinyddion) perchennog melin sy'n malu blawd neu'r un sy'n ei gweithio miller

melisma *eg* (*melismata*)
1 CERDDORIAETH casgliad o nodau a genir ar un sill (yn null plaengan)
2 CERDDORIAETH darn addurnedig o alaw

melismataidd *ans* tebyg i felisma (seiniau addurnedig atyniadol) melismatic

Melitaidd gw. Maltaidd

Melitiad *eg* (Melitiaid) brodor o Malta, un o dras neu genedligrwydd Maltaidd Maltese

melodaidd *ans* ac iddo felodi; persain, soniarus melodious

melodi *eb* (melodïau)
1 alaw; nifer o nodau cerddorol yn dilyn ei gilydd i greu patrwm boddhaol o seiniau; cainc, tiwn, tôn melody
2 un o'r tair elfen (ynghyd â harmoni a rhythm) sy'n gwneud cerddoriaeth melody

melodig *ans* yn perthyn i felodi, ac iddo felodi melodic

melodrama *eg* darn o waith (ffilm, drama, etc.) sy'n apelio at yr emosiynau ac yn pwysleisio digwyddiadau ar draul cynllun a chymeriadau melodrama

melodramatig *ans* yn perthyn i felodrama, nodweddiadol o felodrama melodramatic

melog y cŵn *eg* planhigyn â phigyn o flodau amryliw ac sy'n perthyn i deulu'r orfanhadlen lousewort

melon *eg* (melonau) un o nifer o fathau o ffrwythau mawr, crwn, melys, llawn sudd a chanddynt groen gwyrdd (neu felyn) caled melon

melwlith *eg* sylwedd siwgraidd y mae rhai trychfilod (neu weithiau ffwng) yn ei adael ar ddail planhigion; cawod o fêl, melgawod honeydew

melyn¹ *eg* lliw aur, menyn neu flodyn cenhinen Bedr yellow

melyn² *ans* [melyn• *b* melen] (melynion o liw aur, menyn neu flodyn cenhinen Bedr yellow

melynaidd *ans* yn tueddu at liw melyn, lled felyn yellowish

melynder:melyndra *eg* yr ansawdd neu'r cyflwr o fod yn felyn yellowness

melynddu *ans* tywyll a melynaidd ei groen swarthy

melyngoch *ans* o liw oren, neu gopr neu ambr neu frics saffron, terracotta

melynion *ans* ffurf luosog melyn

melynog y waun *eg* planhigyn, yn perthyn i deulu'r bysen, â blodau melyn a fyddai'n cael eu defnyddio i greu llifyn gwyrdd neu felyn dyer's greenweed

melynu *be* [melyn•¹] troi'n felyn, *papur yn melynu yn yr haul; croen yn dechrau melynu* to yellow

melynwy *eg* darn melyn canol wy yolk

melynydd *eg* planhigyn sy'n perthyn i deulu llygad y dydd ac sydd â blodau bach melyn tebyg i flodau dant y llew cat's ear

melys *ans* [melys•] (melysion)
1 â blas tebyg i siwgr, a siwgr ynddo neu drosto sweet

m

2 (am flas yn bennaf) dymunol, hyfryd, peraidd sweet

3 am win nad yw'n sych, sydd â siwgr ynddo nad yw wedi troi'n alcohol sweet

melys gybolfa gw. **cybolfa**

melys moes mwy da iawn, rhagor os gwelwch yn dda

melysber *ans* melys iawn (o ran blas, sain neu arogl)

melysfwyd *eg* (melysfwydydd) bwyd melys, bwyd danteithiol a blasus; pwdin dessert, sweetmeat

melysion *ell* darnau bychain lliwgar o siwgr neu siocled (fel arfer) y mae pobl, a phlant yn enwedig, yn mwynhau eu sugno; danteithion melys; candis, cisys, da-da, fferins, losin, minciag, pethau da, taffis confectionery, sweets

melyster:melystra *eg* y cyflwr neu'r ansawdd o fod yn felys sweetness

melysu *be* [melys•¹] gwneud yn felys, mynd yn felys (~ *rhywbeth* â) to sweeten

melysydd *eg* (melysyddion) sylwedd (heblaw siwgr fel arfer) sy'n melysu bwyd neu ddiod sweetener

melysyn *eg* unigol **melysion** sweet

mellt *ell*
1 METEOROLEG fflachiadau yn yr awyr a geir yn ystod storm ac a achosir gan ddadwefriad trydanol; mae'r fflachiadau'n digwydd pan fo gwefr drydanol y cwmwl taranau (cwmwlonimbws) yn drech na phriodwedd ynysu aer; lluched lightning
2 (yn ffigurol) rhywbeth sy'n symud yn gyflym iawn, rhywbeth sy'n fflachio'n beryglus

mellten *eb* unigol **mellt** lightning
mellten wib blue streak

melltennu:melltio *be* [melltenn•⁹]
1 fflachio â mellt
2 disgleirio, fflachio (gan amlaf fel arwydd o ddicter), *Roedd ei llygaid yn melltennu â chynddaredd.* to flash
  Sylwch: dyblwch yr 'n' ym mhob ffurf ac eithrio yn y rhai sy'n cynnws *-as-*.

melltigedig *ans*
1 yn dioddef yn eithafol o anlwc neu anffawd, wedi'i felltithio; colledig, cyfrgoll, damnedig accursed, cursed
2 am rywbeth sy'n cael ei gasáu oherwydd iddo achosi dioddefaint neu anffawd (yn aml â grym rheg); cythreulig, diawledig, dieflig, ysgymun accursed, damnable
melltigedig o fe'i defnyddir i ddwysáu ystyr ansoddair, *yn felltigedig o wlyb*

melltith *eb* (melltithion)
1 gair neu frawddeg sy'n galw ar Dduw, y nefoedd, ysbryd, etc. i ddial neu i wneud drwg i rywun neu rywle; damnedigaeth, llw, rheg curse, imprecation
2 canlyniad melltithio rhywun neu rywbeth, y drwg sy'n disgyn ar rywun neu rywle, *Mae'r llwyth dan felltith.* curse
3 yr hyn sy'n peri niwed, yr hyn sy'n achosi drwg, *Mae llwynogod yn gallu bod yn felltith i ffermwyr.* curse

melltithio *be* [melltithi•²] bwrw melltith ar, galw ar felltith Duw; damnio, rhegi, tyngu to curse, to damn

melltithiol *ans* yn melltithio; damnedig, dinistriol, distrywiol, melltigedig baneful, imprecatory

memorandwm *eg* (memoranda)
1 gohebiaeth fer, anffurfiol yn atgoffa pobl (mewn swyddfa, etc.) o'r hyn a drefnwyd neu a benderfynwyd; nodyn, sylw memorandum
2 dogfen gyfreithiol fer, yn cofnodi telerau cytundeb neu brif bwyntiau sefydlu cwmni, etc.; cofnod memorandum
memorandwm cymdeithasiad dogfen gyfreithiol yn cofnodi manylion cwmni cyfyngedig newydd memorandum of association

memrwn *eg* (memrynau)
1 croen anifail (dafad neu afr fel arfer) wedi'i baratoi fel bod modd ysgrifennu neu beintio arno parchment, vellum
2 darn trwchus o bapur o ansawdd da sy'n debyg ei olwg i femrwn iawn parchment
3 darn o ysgrifen ar femrwn parchment

men *eb* (menni) cerbyd â phedair olwyn ar gyfer llwythi trymion; byddai'n cael ei thynnu gan geffylau neu ychen; gwagen, trol wagon

mên *ans* heb fod yn hael; anhael, crintach, cybyddlyd, llawgaead mean

Mendelaidd *ans* BIOLEG yn cydymffurfio â damcaniaethau neu ddeddfau etifeddeg Mendel Mendelian

mendelefiwm *eg* elfen gemegol rhif 101; metel ymbelydrol wedi'i lunio gan ddyn (Md) mendelevium

mendio *be* [mendi•²]
1 clytio, cywiro, trwsio to mend
2 gwella, iacháu to get better, to heal

menestr *eg hanesyddol* profwr gwin (ar ran brenin, e.e. er mwyn sicrhau nad oedd wedi'i wenwyno) cupbearer

menig *ell* lluosog **maneg**

menisgws *eg* (menisga)
1 FFISEG arwyneb crwm hylif sy'n cyffwrdd â solid (e.e. hylif mewn tiwb); mae'n cael ei achosi gan dyniant arwyneb yr hylif meniscus
2 FFISEG lens ag un wyneb amgrwm ac un wyneb ceugrwm meniscus
3 ANATOMEG cartilag ar ffurf cilgant a geir rhwng rhai o gymalau'r corff, e.e. y pen-glin meniscus

menni *ell* lluosog **men**

mennu:menu:mannu *be anffurfiol* torri ar draws, *Dydy ei eiriau yn mennu dim arnaf.*; aflonyddu, amharu, effeithio, tarfu (~ **ar**) to affect
  Sylwch: nid yw'r ferf hon yn arfer cael ei rhedeg.

menopos *eg* diwedd y mislif; y cyfnod ym mywyd gwraig (rhwng 45 a 50 oed fel arfer) pan fydd y mislif yn dod i ben menopause

Menorcaidd *ans* yn perthyn i Menorca, nodweddiadol o Menorca Minorcan

Menorciad *eg* (Menorciaid) brodor o Menorca neu o dras Fenorcaidd Minorcan

Mensiefig *eg* (Mensiefigiaid) *hanesyddol* aelod o asgell lai eithafol y Blaid Sosialaidd Ddemocrataidd yn ystod chwyldro 1905 yn Rwsia, a gredai ei bod yn bosibl cyflwyno Sosialaeth drwy ddulliau cyfansoddiadol, seneddol Menshevik

mens rea *eb* CYFRAITH amcan drwg y cyhuddedig, sef y bwriad neu'r ddealltwriaeth o ddrwgweithred sy'n rhan o drosedd, yn hytrach na'r *actus reus*, sef gweithred neu ymddygiad y cyhuddedig

menter *eb* (mentrau)
  1 ffordd o weithredu neu weithred nad yw'n glir beth fydd ei chanlyniad, *menter fusnes*; antur, anturiaeth, risg speculation, venture
  2 parodrwydd i wynebu her; beiddgarwch, hyfdra daring, venture
  3 project mawr, yn enwedig un mentrus, anodd enterprise

mentor *eg* (mentoriaid) rhywun profiadol mewn sefydliad sy'n hyfforddi neu'n cynghori myfyrwyr neu aelodau newydd o staff; hyfforddwr, tiwtor mentor

mentora *be* [mentor•[1]] bod yn fentor (i aelod newydd o staff, etc.) to mentor

mentoriaeth *eb* (mentoriaethau) y broses o fentora (aelod newydd o staff, etc.) mentorship

mentro *be* [mentr•[1]]
  1 derbyn yr her o wneud rhywbeth a allai fod â chanlyniadau niweidiol neu anffafriol, *Does bosib dy fod ti'n mynd i fentro'n ôl i'r lle 'na ar ôl beth ddigwyddodd ddydd Sadwrn?*; anturio, beiddio (~ **ar** *rywbeth*) to risk, to venture
  2 dweud rhywbeth sy'n debyg o gael ei wrthwynebu neu ei wawdio, *Sut mentri di ddweud y fath beth ar ôl yr holl ofal a gefaist gennym?*; meiddio to dare, to hazard, to venture
  3 betio, *Mi fentra' i bunt y bydd yma cyn diwedd y noson.*; gamblo, hapchwarae to wager

mentrus *ans*
  1 parod i fentro; beiddgar, dewr, eofn, rhyfygus daring, enterprising
  2 yn fenter, yn golygu cymryd risg; arbrofol, arloesol risky, venturesome

mentrwr *eg* (mentrwyr) un sy'n trefnu, rheoli a derbyn ansicrwydd busnes yn y gobaith o wneud arian entrepreneur, speculator

mentyll *ell* lluosog **mantell**

menu *gw.* **mennu**

menyn:ymenyn *eg* braster melyn a daenir ar fara ac a ddefnyddir wrth goginio; fe'i cynhyrchir pan fydd braster hufen yn cael ei wahanu oddi wrth y dŵr drwy ei gorddi butter

menyw *eb* (menywod) *safonol, yn y De* benyw yn ei llawn dwf; benyw, dynes, gwraig woman

mêr *eg* ANATOMEG y sylwedd meddal, bras a geir yng nghanol esgyrn marrow
  ym mêr fy (dy, ei, etc.**) esgyrn** yn fy nghalon, yn fy hanfod in (my) bones

merbwll *eg* (merbyllau) pwll o ferddwr; merllyn stagnant pool

mercantilaidd *ans* am bolisïau neu gredoau sy'n gyson â mercantiliaeth mercantile

mercantiliaeth *eb* ECONOMEG athroniaeth economaidd yn deillio o'r ail ganrif ar bymtheg sy'n dal mai cynyddu allforion a chyfyngu ar fewnforion yw'r ffordd o gyfoethogi gwlad a, thrwy wneud hynny, o bentyrru aur ac asedau tebyg mercantilism

mercwri *eg* elfen gemegol rhif 80; metel trwm, gloyw, ariannaidd ar ffurf hylif ar dymheredd ystafell (Hg); arian byw mercury, quicksilver

mercwrig *ans* yn cynnwys mercwri, yn enwedig mercwri â falens o 2 mercuric

merch *eb* (merched)
  1 person ifanc benywaidd; bodan, croten, geneth, hogen, lodes, girl
  2 plentyn benyw rhywun, *Ai merch John Evans wyt ti?* daughter
  3 dynes, gwraig, menyw woman
  Sylwch: gw. hefyd **merched**.

merch fedydd *gw.* **bedydd**

merch yng nghyfraith gwraig eich mab daughter-in-law

merch ysgol merch o'r oedran i fynychu ysgol uwchradd (fel arfer), neu ferch sy'n mynychu ysgol uwchradd arbennig schoolgirl
  Ymadroddion

hen ferch *gw.* **hen**[1]

merch y crydd esgid

merched *ell* lluosog **merch**

Merched Beca *gw.* **Beca**
  Ymadroddion

merched y gerddi merched o gefn gwlad Cymru a âi i Lundain i dendio gerddi

Merched y Wawr mudiad Cymreig gwirfoddol sy'n hybu buddiannau menywod a diwylliant

Mercher[1] *eg* fel yn *dydd Mercher*, y pedwerydd dydd o'r wythnos (yn dilyn dydd Mawrth) Wednesday

m

dydd Mercher y pedwerydd dydd o'r wythnos Wednesday

Mercher² *eg* y blaned agosaf at yr Haul; cafodd ei henwi ar ôl negesydd y duwiau Rhufeinig Mercury

mercheta *be* (am ddyn) canlyn merched, bod yn hoff o gwmni merched a'i geisio yn aml; hel merched to philander, to womanize
Sylwch: nid yw'r ferf hon yn arfer cael ei rhedeg.

merchetaidd *ans* (am fachgen neu ŵr fel arfer) yn ymddwyn fel merch neu'n debyg i ferch; anwraidd, anwrol, mursennaidd effeminate

merchetan *eb* merch ddi-briod, hen ferch maid, (old) maid

merchetwr *eg* (merchetwyr) dyn sy'n hel merched flirt, womanizer

merchyg *bf* [marchogaeth] *hynafol* mae ef yn marchogaeth/mae hi'n marchogaeth; bydd ef yn marchogaeth/bydd hi'n marchogaeth

merddwr *eg* (merddyfroedd) dŵr llonydd, disymud lle nad oes dim yn tyfu na dim pysgod yn gallu byw backwater, stagnant water

mererid *eg* maen gwerthfawr, perl (ond fel enw merch yn bennaf) pearl

merfaidd *ans* [merfeiddi•] heb flas; diflas, gwan bland, insipid, tasteless

merfder:merfdra *eg* y cyflwr o fod yn ferfaidd; diflastod insipidity

merfeiddiach:merfeiddiaf:merfeiddied *ans* [merfaidd] mwy merfaidd; mwyaf merfaidd; mor ferfaidd

merfog *eg* (merfogiaid) pysgodyn dŵr croyw o liw efydd, hefyd enw ar bysgod tebyg sy'n byw yn y môr bream

meridian *eg* (meridianau) un o nifer o linellau dychmygol sy'n cael eu dangos ar fapiau, yn rhedeg o Begwn y Gogledd i Begwn y De; mae'r meridianau wedi'u rhifo o 0° i 180° i'r dwyrain a'r gorllewin o feridian Greenwich, ac mae pob lle sydd ar yr un meridian o'r un hydred meridian

Meri Jên *eb difriol* enw a roddir ar ddyn merchetaidd sissy

merino *eg* dafad o Sbaen yn wreiddiol, â gwlân main gwyn; hefyd enw ar wlân y ddafad merino

meristem *eg* BOTANEG meinwe planhigol, yn enwedig ym mlaenau'r gwreiddiau a'r cyffion ac yn y cambiwm, sy'n cynnwys celloedd sy'n ymrannu i ffurfio tyfiant newydd meristem

meristematig *ans* BOTANEG yn perthyn i'r meristem, yn cynnwys meristem meristematic

meritocratiaeth *eb*
1 cyfundrefn addysg sy'n seiliedig ar gynnig y cyfleoedd gorau i'r rhai mwyaf galluog, e.e. drwy ddefnyddio arholiadau cystadleuol meritocracy
2 trefn gymdeithasol lle mae'r mwyaf galluog yn arwain neu'n llywodraethu meritocracy

merlen *eb* (merlod) merlyn benyw pony

merlota *be* treulio gwyliau neu amser hamdden gyda chwmni yn marchogaeth merlod yn yr awyr agored pony-trekking
Sylwch: nid yw'r ferf hon yn arfer cael ei rhedeg.

merlotwr *eg* (merlotwyr) un sy'n merlota pony-trekker

merlyn *eg* (merlod) ceffyl bach ysgafn, *merlyn mynydd* pony

merllyd *ans* heb arwydd o symudiad na bywyd; difywyd, digyffro insipid, stagnant

merllyn *eg* (merllynnoedd) llyn o ferddwr; merbwll stagnant pond

merllysen *eg* (merllys:merllysiau) planhigyn y mae ei flagur ifainc gwyrdd yn cael eu bwyta fel llysiau asparagus

y Mers *ell hanesyddol* arglwyddiaethau (darnau eang o dir dan awdurdod arglwydd) go annibynnol a sefydlwyd gan y Normaniaid ar ororau Cymru ac a ddiddymwyd dan Ddeddf Uno 1536 a'u ffurfio'n siroedd (o'r Ffrangeg *marche* yn golygu 'ffin') the Marches

merthyr *eg* (merthyron)
1 rhywun sy'n ei aberthu'i hun dros yr hyn y mae'n ei gredu, *Sant Steffan oedd y merthyr Cristnogol cyntaf.* martyr
2 *mewn enwau lleoedd* man claddu, eglwys, e.e. *Merthyr Tudful*

merthyrdod *eg*
1 y cyflwr o fod yn ferthyr martyrdom
2 marwolaeth neu ddioddefaint merthyr martyrdom

merthyredig *ans* wedi'i ferthyru martyred

merthyres *eb* merch neu wraig sy'n ferthyr martyr (female)

merthyroleg *eg*
1 CREFYDD rhestr o ferthyron a saint yn nhrefn eu dyddiau gŵyl martyrology
2 CREFYDD hanes eglwysig sy'n sôn am ferthyron a'u dioddefaint martyrology

merthyru *be* [merthyr•¹] lladd neu beri i rywun ddioddef dros yr hyn y mae'n ei gredu to martyr

merwindod *eg* y cyflwr o fod yn merwino; diffyg teimlad, poen, diffrwythdra, fferdod itching, numbness, smarting

merwino *be* [merwin•¹] colli pob teimlad; fferru, parlysu to benumb, to numb
merwino clustiau poeni clustiau rhywun â sŵn cras to grate

merysbren *eg* (merysbrennau) coeden o deulu'r rhosyn y ceir ffrwythau tebyg i grabas yn tyfu arni; gellir gwneud cyffaith o'r ffrwythau ond nid nes iddynt ddechrau pydru; *meryswydden* medlar

meryswydd *ell* coed o deulu'r rhosyn y ceir ffrwythau yn debyg i grabas yn tyfu arnynt;

gellir gwneud cyffaith o'r ffrwythau ond nid
nes iddynt ddechrau pydru medlars

meryswydden *eb* unigol **meryswydd**; mersybren
medlar

meryw *ell* coed neu lwyni bythwyrdd o deulu'r
gypreswydden hefyd, pren y coed hyn juniper

merywen *eb* (meryw) un o nifer o goed neu
lwyni bythwyrdd o deulu'r gypreswydden
juniper (tree)

mes *ell* lluosog mesen

mesa *eg* (mesâu) DAEAREG bryn wedi'i ynysu ag
ochrau serth a phen gwastad, yn enwedig yn
ne-orllewin Unol Daleithiau America mesa

meseia *eg* CREFYDD 'yr eneiniog un', arweinydd
crefyddol sydd, neu a fydd, yn achub y byd;
i Gristnogion, Crist yw'r Meseia, ond mae'r
Iddewon yn dal i ddisgwyl y meseia messiah

meseianaidd *ans* yn perthyn i feseia,
nodweddiadol o feseia messianic

mesen *eb* (mes) ffrwyth neu gneuen y dderwen;
mae'n tyfu mewn cwpan bach o risgl acorn

mesenteri *eg* ANATOMEG plyg yn y peritonëwm
sy'n cydio'r stumog, y coluddyn bach, y pancreas
a rhai organau eraill wrth fur ôl yr abdomen
mesentery

mesiwais *eg* (mesiweisiau) CYFRAITH tŷ annedd
a'i adeiladau allanol; preswylfa messuage

mesmereiddio *be* [mesmereiddi•[2]] hypnoteiddio,
hudo (~ *rhywun* â) to mesmerize

mesoderm *eg* (mesodermau) BIOLEG haen ganol
tair haen mewn embryo y mae esgyrn, cyhyrau,
meinwe gyswllt, etc. yn datblygu ohoni yn y
creadur aeddfed mesoderm

mesoffyl *eg* BOTANEG y meinwe meddal a geir
y tu mewn i ddeilen ac sy'n cynnwys llawer o
gloroplastau mesophyll

mesoffyt *eg* (mesoffytau) BOTANEG planhigyn
sy'n tyfu mewn mannau lle mae'r hinsawdd
yn gymedrol mesophyte

Mesolithig *ans* ARCHAEOLEG yn perthyn
i gyfnod yn ystod Oes y Cerrig rhwng
y Paleolithig a'r Neolithig Mesolithic

mesomorff *eg* (mesomorffiaid) FFISIOLEG
dosbarthiad o'r corff dynol sy'n dynodi
unigolyn â chorff cryno, cyhyrog mesomorph

mesomorffig *ans*
1 FFISIOLEG â chorff cyhyrog, esgyrnog
mesomorphic
2 CEMEG mewn cyflwr rhwng bod yn wir hylif
neu'n wir solid mesomorphic

meson *eg* (mesonau) FFISEG cyfres o ronynnau
isatomig sy'n cynnwys un cwarc ac un
gwrthgwarc; mae eu màs yn amrywio rhwng
màs electron a màs proton meson

Mesosöig *ans* DAEAREG yn perthyn i'r
gorgyfnod rhwng y gorgyfnodau Palaeosöig
a Chainosöig (251–65 miliwn o flynyddoedd

yn ôl), nodweddiadol o'r gorgyfnod rhwng y
gorgyfnodau Palaeosöig a Chainosöig Mesozoic

mesotint *eg* (mesotintiau) dull o ysgythru ar
gopr lle mae'r wyneb i gyd yn cael ei arwhau
ac yna darnau'n cael eu llyfnhau er mwyn creu
golau a chysgod mewn llun; hefyd llun wedi'i
gynhyrchu o'r plât mezzotint

mesothoracs *eg* SWOLEG segment canol thoracs
pryfyn mesothorax

mesul gw. fesul

mesur[1] *eg* (mesurau)
1 hyd, lled neu uchder rhywbeth, *Bydd raid
cael y mesurau cywir cyn y gallwn ni archebu
llenni newydd i'r lolfa.*; dimensiwn, mesuriad,
measurement
2 swm neu faint penodol (o fewn rhyw system
o fesur rhywbeth fel arfer), *Cymysgwch ddau
fesur o flawd ag un mesur o ddŵr.* measure
3 offeryn tebyg i wialen i fesur hyd, llestr
arbennig i fesur cynnwys, *mesur troed* measure
4 (mewn barddoniaeth) ffurf arbennig sy'n
cynnwys patrymau mydr, rhythm, odl neu
gynghanedd, e.e. *mesur caeth, mesur rhydd*
measure, metre
5 CERDDORIAETH uned o rythm mewn darn o
gerddoriaeth; amser bar
6 dull o weithredu sydd ag amcan arbennig iddo,
mesurau brys, mesurau diogelwch measure
7 CYFRAITH cynnig ar gyfer deddf newydd
wedi'i baratoi a'i ysgrifennu i'w ystyried gan
San Steffan, *Mae'r mesur eisoes ar ei ffordd
drwy Dŷ'r Arglwyddi.*; bil bill
Sylwch: CYFRAITH: 'mesur' yw'r term a
ddefnyddir yn neddfwriaeth San Steffan i
ddisgrifio cynnig ar gyfer deddf newydd;
'bil' yw'r term a ddefnyddir gan Gynulliad
Cenedlaethol Cymru er 2011 i ddisgrifio cynnig
ar gyfer deddf newydd yno.

mesurau caeth patrymau mydryddol penodol
sy'n defnyddio'r gynghanedd, megis cywydd,
englyn, etc. (gw. 'canu caeth') strict metres

mesurau rhydd darnau o farddoniaeth heb
gynghanedd, e.e. soned, telyneg, salm, etc.
free metres

Mesur Cynulliad CYFRAITH deddfiad
deddfwriaethol a wneir gan Gynulliad
Cenedlaethol Cymru sydd â grym Deddf
Seneddol ond sy'n berthnasol i Gymru yn unig
Assembly Measure

y Mesur Iawnderau GWLEIDYDDIAETH
datganiad o hawliau, yn enwedig setliad
cyfansoddiadol 1689 a'r deg diwygiad cyntaf
i Gyfansoddiad UDA ('Iawnderau' yw'r term
a ddefnyddiwyd hyd at yr 20fed ganrif pan
gafodd ei ddisodli gan 'hawliau' Bill of Rights
Ymadrodd

heb fesur yn ddi-ball in abundance

m

mesur²:mesuro *be* [mesur•¹ *3 un. pres.* mesur/
mesura; *2 un. gorch.* mesur/mesura]
1 darganfod a nodi maint, hyd, gradd (ac ati)
rhywbeth yn ôl rhyw raddfa safonol, *Mae'r
blwch yn mesur 30 cm o hyd, 15 cm o led a
7 cm o uchder.* (*~ rhywun* **am**) to measure,
to quantify
2 bod o ryw faint arbennig, *Faint wyt ti'n ei
fesur o dy gorun i dy sawdl? Rydw i'n mesur
un metr a chwe deg centimetr.* to measure
mesur a phwyso gw. pwyso a mesur
mesuradwy *ans* y gellir ei fesur measurable,
quantifiable
mesuredig *ans* wedi'i fesur; rheolaidd measured
mesureg *eb* gwyddor mesur hyd, arwynebedd a
chyfaint mensuration
mesuriad *eg* (mesuriadau) hyd, lled neu
uchder wedi'i ddarganfod drwy fesur, *A yw'r
mesuriadau ar gyfer y carped newydd yn
gywir?* measurement
mesuro gw. mesur²
mesurwr *eg* (mesurwyr) un sy'n mesur measurer
mesurydd *eg* (mesuryddion) teclyn neu offeryn
i fesur faint (o rywbeth) sy'n cael ei ddefnyddio
neu ei gofnodi; medrydd meter
mesuryn *eg* (mesurynnau) MATHEMATEG
cyfesuryn pwynt mewn system gyfesurynnol
Gartesaidd o ran ei bellter o'r echelin *x*;
y cyfesuryn *y* ordinate
mêt *eg* (mêts)
1 (ar long – ond nid yn y llynges) y swyddog
nesaf at y capten sy'n gyfrifol am y llong mate
2 *anffurfiol* cyfaill neu gyd-weithiwr mate
os mêts dywediad i nodi eich bod chi a'ch
ffrind yn deall ac yn cefnogi eich gilydd
metabolaeth *eb* BIOCEMEG y prosesau cemegol
sy'n digwydd mewn organebau byw ac sy'n
hanfodol ar gyfer bywyd metabolism
metabolaidd *ans* BIOCEMEG yn perthyn i
fetabolaeth metabolic
metabolyn *eg* (metabolynnau) BIOCEMEG
sylwedd sy'n angenrheidiol ar gyfer
metabolaeth neu a gynhyrchir yn ystod
metabolaeth metabolite
metacarpws *eg* ANATOMEG y rhan o law dynol
(neu droed flaen anifail) sy'n ymestyn o'r
arddwrn i'r bysedd ac sy'n cynnwys pum
asgwrn hir metacarpus
metadata *ell* CYFRIFIADUREG lluosog
metadatwm, set o ddata sy'n disgrifio ac yn
rhoi gwybodaeth am ddata eraill metadata
metadatwm *eg* unigol metadata
metaffiseg *eb* ATHRONIAETH cangen o
athroniaeth sy'n astudio egwyddorion
sylfaenol, yn enwedig yr achos neu'r achosion
gwreiddiol a roddodd fodolaeth i bopeth
metaphysics

metaffisegol *ans*
1 yn perthyn i faes metaffiseg metaphysical
2 yn haniaethol ac yn astrus iawn metaphysical
3 am farddoniaeth Saesneg o ddechrau'r ail
ganrif ar bymtheg, sy'n defnyddio arabedd
a delweddau cyfrwys i fynegi syniadau a
theimladau mewn ffordd gynnil a chraff
metaphysical
metaffisegwr:metaffisegydd *eg*
(metaffisegwyr) un sy'n astudio neu'n dysgu
metaffiseg metaphysician
metameraeth *eb* SWOLEG y cam yn natblygiad
anifeiliaid a nodweddir gan raniad corff yn
segmentau tebyg i'w gilydd; mewn llawer o
fertebratau mae'n gyfyngedig i'r systemau
nerfol a chyhyrol embryonig metamerism
metamerig *ans* SWOLEG yn cynnwys nifer o
segmentau tebyg metameric
metamorffedig *ans* DAEAREG am graig neu
greigiau a drawsffurfiwyd gan wres, gwasgedd
neu rymoedd naturiol eraill metamorphosed
metamorffedd *eg* DAEAREG y broses o newid
cyfansoddiad craig dan ddylanwad tymheredd
uchel, gwasgedd dwys ac anweddolion,
sy'n arwain at ffurfio mwynau newydd a
newidiadau o ran gwead metamorphism
metamorffig *ans* DAEAREG yn perthyn i
fetamorffedd, a achosir gan fetamorffedd
metamorphic
metamorfforeiddio *be* [metamorfforeiddi•²]
DAEAREG newid cyfansoddiad craig dan
ddylanwad tymheredd uchel, gwasgedd
dwys ac anweddolion sy'n arwain at ffurfio
mwynau newydd a newidiadau o ran gwead
to metamorphose
metamorffosis *eg* SWOLEG newid trawiadol yn
ymddangosiad neu adeiledd creadur yn
y broses o ddatblygu, e.e. lindysyn yn troi'n
löyn byw, penbwl yn troi'n froga; trawsffurfiad
metamorphosis
metasefydlog *ans*
1 FFISEG (am gyflwr o ecwilibriwm) sefydlog
o dan amgylchiadau lle nad yw unrhyw newid
ond yn un bychan metastable
2 FFISEG (am sylwedd neu ronyn) ansefydlog
mewn theori, ond gan fod iddo oes mor hir,
gellir ei drin yn ymarferol fel petai'n sefydlog
metastable
metastasis *eg* MEDDYGAETH y broses lle mae
clefyd (yn enwedig celloedd canser) yn lledu i
fannau eraill yn y corff drwy'r gwaed neu hylif
arall metastasis
metatarsws *eg* ANATOMEG y rhan o'r droed
ddynol rhwng y ffêr a bysedd y droed, neu'r
rhan gyfatebol yn nhroed ôl anifail metatarsus
metel *eg* (metelau) un o nifer o ddefnyddiau a
geir fel arfer o fwynau yng nghramen y Ddaear;

ar ôl eu puro maent gan amlaf yn llachar; gellir eu gwasgu dan bwysau i roi ffurf iddynt, ac maent yn dargludo gwres a thrydan yn dda, *Aur, arian, copr, plwm ac alcam yw rhai o'r metelau mwyaf adnabyddus.* metal

metel nobl METELEG un o'r metelau sy'n gwrthsefyll ymosodiad asidau ac nad ydynt yn cyrydu, e.e. aur, paladiwm, platinwm a rhodiwm noble metal

metelaidd gw. metelig

meteleg *eb* yr astudiaeth a'r arfer o echdynnu metelau o fwynau, eu toddi, a'u defnyddio at wahanol ddibenion metallurgy

metelegol *ans* yn ymwneud â meteleg metallurgical

metelegwr:metelegydd *eg* (metelegwyr) gwyddonydd sy'n arbenigo mewn meteleg metallurgist

meteleiddio *be* [meteleiddi•²] gorchuddio â haen o fetel neu gyfuno â metel to metallize

metelifferaidd *ans* (am fwyn) yn cynnwys metel neu'n cynhyrchu metel metalliferous

metelig:metelaidd *ans*
1 wedi'i wneud o fetel, yn debyg i fetel, yn cynnwys metel metallic
2 yn gwneud sŵn sy'n atseinio fel cloch metallic

meteloid *eg* (meteloidau)
1 METELEG sylwedd anfetelaidd sy'n gallu cyfuno â metel i ffurfio aloi metalloid
2 CEMEG elfen gemegol, e.e. arsenig, sy'n meddu ar rai o briodweddau elfen fetelaidd a rhai o briodweddau elfen anfetelaidd metalloid

meteor *eg* (meteorau) SERYDDIAETH darn o ddefnydd o'r gofod a welir oherwydd bod effaith ffrithiant yn ei droi'n wynias wrth iddo ddisgyn drwy atmosffer y Ddaear; seren wib meteor

meteoraidd *ans* (yn ffigurol) tebyg i feteor yn ei gyflymder neu yn sydynrwydd y golau meteoric

meteoroleg *eb* astudiaeth o'r tywydd a'r amgylchiadau sy'n achosi gwahanol fathau o dywydd meteorology

meteorolegol *ans* yn perthyn i'r tywydd neu i astudiaeth wyddonol o'r tywydd meteorological

meteorolegydd *eg* (meteorolegwyr) arbenigwr ym maes meteoroleg, dyn (neu ddynes) tywydd meteorologist

meteoryn *eg* (meteorynnau) SERYDDIAETH meteor sy'n cyrraedd wyneb y Ddaear heb fod wedi'i lwyr anweddu meteorite

metr *eg* (metrau) mesur hyd sy'n cyfateb i 39.37 modfedd; m metre

metrig *ans* am system o bwyso a mesur wedi'i seilio ar rannu fesul deg; y metr sy'n sylfaen i fesur hyd, cilogram yw sylfaen pwyso, a litr yw sylfaen mesur cyfaint metric

metrigeiddio *be* [metrigeiddi•²] newid i'r system fetrig to metricate

metritis *eg* MEDDYGAETH llid ym mur y groth metritis

metron *eb* (metronau)
1 y fenyw sy'n gyfrifol am drefniadau domestig a meddygol ysgol neu gartref preswyl matron
2 swyddog sy'n gyfrifol am y nyrsio mewn ysbyty matron

metronom *eg* (metronomau) CERDDORIAETH offeryn curo amser y mae modd newid cyflymder ei dipiadau i gyfateb i gyflymder priodol ar gyfer darn o gerddoriaeth metronome

metronomaidd *ans* mecanyddol gywir fel tipiadau metrenom, yn cadw amser â thipiadau metrenom metronomic

meth *eg* (fel arfer yn y ffurf **di-feth**) methiant, gwall, cyfeiliornad, aflwydd

methadon *eg* cyffur synthetig a ddefnyddir i ladd poen ac i drin y rheini sy'n gaeth i heroin methadone

methan *eg* CEMEG nwy di-liw, di-arogl, llosgadwy a geir lle mae planhigion wedi dadfeilio dros gyfnod hir; prif gyfansoddyn nwy naturiol (CH_4) methane

methanal *eg* CEMEG enw systematig ar fformaldehyd methanal

methanol *eg* CEMEG hylif alcoholaidd gwenwynig a ddefnyddir fel hydoddydd neu mewn hylif gwrthrew methanol

methdaliad *eg* (methdaliadau) CYFRAITH y cyflwr o fod yn fethdalwr, o fod wedi mynd i'r wal bankruptcy, insolvency

methdalwr *eg* (methdalwyr) CYFRAITH rhywun y mae llys barn yn dyfarnu nad yw'n gallu talu ei ddyledion; mae eiddo methdalwr fel arfer yn cael ei rannu rhwng y rhai y mae arno ddyled iddynt; dyledwr bankrupt

methedig *ans* yn methu defnyddio'i gorff i wneud y pethau y mae'r rhan fwyaf o bobl eraill yn gallu eu gwneud; ffaeledig, llesg, musgrell infirm, invalid

methiannus *ans* â thuedd i fethu neu i fynd o'i le; beius, diffygiol, ffaeledig decrepit, feeble

methiant *eg* (methiannau)
1 diffyg llwyddiant; aflwyddiant failure
2 rhywun neu rywbeth sy'n methu, *Methiant oedd yr arbrawf y tro cyntaf.* failure
3 anallu cwmni i barhau mewn busnes, *Roedd methiant y gwaith dur yn ergyd i ardal gyfan.* failure

method *eg* (methodau)
1 dull trefnus o wneud rhywbeth method
2 techneg a ddefnyddir gan actorion er mwyn iddynt uniaethu'n llwyr â phersonoliaeth y cymeriad sy'n cael ei actio method

m

Methodist *eg* (Methodistiaid) CREFYDD aelod o enwad crefyddol a ymrannodd yn ddwy yng Nghymru, y naill garfan yn dilyn yr hyn y bu John Calvin yn ei ddysgu yn yr unfed ganrif ar bymtheg, sef y Methodistiaid Calfinaidd (neu Eglwys Bresbyteraidd Cymru fel y mae'n cael ei galw heddiw) a'r llall yn dilyn yr hyn a ddysgwyd gan John Wesley yn y ddeunawfed ganrif, sef y Methodistiaid Wesleaidd Methodist

Methodistaidd *ans* CREFYDD yn perthyn i Fethodistiaeth, nodweddiadol o Fethodistiaeth neu Fethodistiaid Methodist

methodoleg *eb* corff o fethodau ac arferion da a ddefnyddir mewn gwyddor arbennig methodology

methu *be* [meth•¹]
1 bod yn aflwyddiannus, *Methais gael y swydd wedi'r cyfan.*; ffaelu to fail
2 bod yn aflwyddiannus mewn prawf neu arholiad, *Methodd ei brawf gyrru am y trydydd tro.*; ffaelu to fail
3 heb fod yn gwneud yr hyn a ddisgwylir, *Rwy'n ofni bod y ffa yn mynd i fethu eleni eto oherwydd y rhew cynnar; mae brêcs y car wedi methu eto.* to fail
4 bod yn aflwyddiannus wrth geisio bwrw, taro, dal, cyffwrdd, cyfarfod â (rhywun neu rywbeth), *Nid yn aml y bydd ef yn methu trosiad mor agos â hynny at y pyst.* to miss
5 mynd yn fusgrell ac yn ffaeledig, *Mae'r hen wraig yn dechrau methu.*; gwanhau, llesgáu to fail, to weaken
6 bod yn analluog i wneud rhywbeth neu i fynd i rywle, *Rwy'n methu canu. Rwy'n methu mynd i'r sioe ddydd Sadwrn.* to be unable
  Sylwch: nid oes angen *â* ar ôl *methu* ar ei ben ei hun, dim ond mewn priod-ddulliau megis *methu'n deg â*, etc.
  methu'n deg â:methu'n lân â methu'n llwyr to fail utterly
  methu'n glir â gw. clir
  methu'n lân â byw yn fy (dy, ei, etc.) nghroen gw. byw¹

methwsela *eg* COGINIO potelaid o siampên sy'n cynnwys wyth gwaith yn fwy na photel arferol methuselah

methyl *eg* CEMEG y radical carbon unfalent CH_3 sy'n bresennol mewn nifer o gyfansoddion organig methyl

meudwy *eg* (meudwyaid:meudwyod)
1 person crefyddol sy'n byw ar ei ben ei hun ymhell o bob man er mwyn myfyrio a gweddïo; ancr hermit
2 rhywun sy'n osgoi cwmni pobl eraill hermit, recluse

meudwyaidd *ans* yn byw fel meudwy, tebyg i feudwy; mynachaidd, unig hermitic

meuryn *eg* (meurynnau) y dyfarnwr sy'n gosod y tasgau ac yn eu beirniadu mewn ymryson barddol (ar ôl R. J. Rowlands a oedd â'r enw barddol Meuryn)

meurynna *be* gweithredu fel meuryn mewn ymryson barddol
  Sylwch: nid yw'r ferf hon yn arfer cael ei rhedeg.

mewian:mewial *be* gwneud sŵn fel cath neu fwncath (neu rai mathau o wylanod) (~ **ar**) to mew
  Sylwch: nid yw'r ferf hon yn arfer cael ei rhedeg.

mewn¹ *ardd*
1 yn cael ei gynnwys (gan rywbeth â hyd, lled neu ddyfnder), *Nid yw anifeiliaid gwyllt wedi arfer â byw mewn tŷ.* in
2 wedi'i amgylchynu gan, oddi mewn, nid y tu allan, *buwch mewn cae* in
3 wedi'i ddylunio neu wedi'i ddisgrifio fel testun, *cymeriad mewn drama* in
4 yn gwisgo, *Roedd hi mewn du o'i chorun i'w sawdl.* in
5 yn ystod cyfnod nad yw'n fwy na, *Dysgodd Gymraeg mewn tri mis.* in
6 ymhen, *Fe fyddaf gyda chi mewn awr.* in
7 bod mewn cyflwr, *Rwyt ti mewn perygl o ddrysu'r cyfan.* in
8 fel, *Mewn ateb i'ch cais ar y 13eg o fis Mai eleni . . .* in
9 allan o, *un mewn cant* in
10 yn iawn, yn gywir, *mewn pryd, mewn trefn* in
  Sylwch:
  1 *ac mewn* (nid *a mewn*) sy'n gywir;
  2 defnyddier 'yn' gyda geiriau sy'n cyfeirio at un peth penodol, e.e. *yn y tŷ*, sef tŷ penodol, a 'mewn' pan gyfeirir at rywbeth amhenodol, e.e. *mewn tŷ*, sef unrhyw dŷ;
  3 dim ond yn yr ymadrodd *o fewn* y mae 'mewn' yn treiglo'n feddal;
  4 os dilynir enw gan ansoddair, defnyddier 'mewn', *yng Nghymraeg y De* ond *mewn Cymraeg Canol.*
  i mewn gw. i³
  Sylwch: er bod *mewn* (heb yr 'i') i'w glywed ar lafar, a *Dewch fewn* hefyd, *i mewn* yw'r ffurf gywir.
  o fewn [o'm mewn, o'th fewn, o'i fewn, o'i mewn, o'n mewn, o'ch mewn, o'u mewn] yn bod y tu mewn i within

mewn-² *rhag* (mae'n cael ei ddefnyddio ar ddechrau gair i olygu) yn, i mewn, e.e. *mewnlif, mewnforio* in-
  Sylwch: mae'r 'mewn' hwn yn achosi'r treiglad meddal.

mewnanadliad *eg* (mewnanadliadau) y weithred o fewnanadlu, canlyniad mewnanadlu inhalation

mewnanadlu *be* [mewnanadl•³] anadlu i mewn; anadlu rhywbeth i mewn to inhale

mewnanadlydd *eg* (mewnanadlwyr)
MEDDYGAETH dyfais a ddefnyddir i fewnanadlu
meddyginiaeth (e.e. triniaeth ar gyfer asthma)
inhaler

mewnblaniad *eg* (mewnblaniadau) y broses
o fewnblannu, canlyniad mewnblannu
implantation

mewnblannu *be* [mewnblann•¹⁰] MEDDYGAETH
gosod (meinwe neu wrthrych artiffisial) yng
nghorff rhywun, yn enwedig drwy lawdriniaeth
to implant
Sylwch: dyblwch yr 'n' ym mhob ffurf ac
eithrio yn y rhai sy'n cynnwys *-as-*.

mewnblyg *ans* (am rywun) yn canolbwyntio
ar ei feddyliau, ei weithredoedd a'i fywyd
ei hun yn hytrach na rhai pobl eraill;
anghymdeithasol, swil introverted

mewnbwn *eg* (mewnbynnau) yr hyn sy'n cael
ei fwydo i mewn i rywbeth, yn enwedig data i
gyfrifiadur, y gwrthwyneb i 'allbwn' input

mewnbynnu *be* [mewnbynn•⁹] bwydo
(cyfrifiadur, fel arfer) â data (~ *rhywbeth* i)
to input
Sylwch: dyblwch yr 'n' ym mhob ffurf ac
eithrio yn y rhai sy'n cynnwys *-as-*.

mewndarddiad *eg* (mewndarddiadau) BIOLEG
twf yn deillio oddi mewn i gell neu organeb
endogeny

mewndarddol *ans*
1 yn tyfu oddi mewn, yn tyfu y tu mewn i fur
cell endogenous
2 yn deillio oddi mewn i'r corff, e.e. rhythmau
mewndarddol endogenous
3 yn digwydd heb fod rhywbeth penodol yn ei
achosi, *iselder ysbryd* mewndarddol endogenous

mewndir *eg* (mewndiroedd) tir sydd ymhell o'r
môr inland, interior

mewndirol *ans* am rywbeth oddi mewn i wlad
neu yng nghanol gwlad, heb fod ar yr arfordir,
nac yn ymyl y ffin inland, interior

mewnddodi *be* [mewnddod•¹]
1 gosod yn dynn drwy drywanu neu wthio i
mewn i rywbeth to infix
2 GRAMADEG dodi rhagenw, etc. mewn gair,
e.e. *y gŵr nas gwelsoch* to infix

mewnfa *eb* (mewnfeydd) ffordd i mewn, yn
enwedig ar gyfer derbyn rhywbeth, *mewnfa
danwydd* inlet

mewnfodaeth *eb* CREFYDD hollbresenoldeb
parhaol Duw yn y bydysawd cyfan immanence

mewnfodol *ans* CREFYDD (am Dduw)
hollbresennol; presennol ym mhob man ar yr
un pryd immanent

mewnfoleciwlaidd:mewnfolecylaidd *ans*
CEMEG yn digwydd oddi mewn i foleciwl; yn
cael ei ffurfio gan adwaith rhwng gwahanol
rannau yn yr un moleciwl intramolecular

mewnforio *be* [mewnfori•²]
1 dod â rhywbeth i mewn i wlad (yn enwedig
nwyddau, fel gweithred fasnachol) to import
2 CYFRIFIADUREG trosglwyddo (data) i ffeil neu
ddogfen to import

mewnforion *ell* lluosog **mewnforyn**, nwyddau
sy'n cael eu mewnforio imports

mewnforiwr *eg* (mewnforwyr) un sy'n
mewnforio nwyddau neu wasanaethau
importer

mewnforyn *eg* unigol **mewnforion** import

mewnfridio *be* [mewnfridi•²] bridio anifeiliaid
o stoc sy'n perthyn i'w gilydd, er mwyn
trosglwyddo a chadw priodoleddau gwerthfawr
to inbreed

mewnfudiad *eg* (mewnfudiadau) y broses o
fewnfudo immigration

mewnfudo *be* [mewnfud•¹] dod i fyw'n barhaol
mewn gwlad dramor to immigrate

mewnfudwr *eg* (mewnfudwyr) un sydd wedi dod
i wlad arall ac aros yno i fyw, *Mewnfudwyr sy'n
gyfrifol am y twf ym mhoblogaeth cefn gwlad
Cymru.* immigrant, incomer

mewnffrwydrad *eg* (mewnffrwydradau)
y weithred o fewnffrwydro implosion

mewnffrwydro *be*
1 datchwyddo neu ddymchwel i mewn yn
gyflym iawn, *ergyd a achosodd i'r fflasg
wactod fewnffrwydro* to implode
2 profi cywasgiad chwyrn a grymus, *sêr sy'n
mewnffrwydro* to implode
Sylwch: nid yw'r ferf hon yn arfer cael ei rhedeg.

mewngellol *ans* BIOLEG yn digwydd y tu mewn
i gell; yn cael ei ffurfio gan adwaith rhwng
gwahanol rannau yn yr un gell intracellular

mewngofnodi *be* [mewngofnod•¹]
1 cofnodi ar beiriant eich bod wedi cyrraedd
neu wedi cychwyn (gwaith) to log in
2 CYFRIFIADUREG cychwyn cyfnod wrth
gyfrifiadur drwy ddilyn cyfres o gamau,
e.e. cofnodi gorchymyn ac yna cyfrinair
to log on

mewngraig *eb* (mewngreigiau) DAEAREG ardal
o greigiau hŷn wedi'u hamgylchynu gan
greigiau iau inlier

mewngylch *eg* (mewngylchoedd) MATHEMATEG
cylch sydd wedi'i fewnsgrifio y tu mewn i ffigur
arall incircle, inscribed circle

mewngyrchol *ans* FFISEG yn tueddu at y canol,
yn tynnu at echelin centripetal

mewniad *eg* (mewniadau) darn o frodwaith neu
waith nodwydd a ddefnyddir fel addurn rhwng
dau ddarn o frethyn neu liain insertion

mewnlenwad *eg* (mewnlenwadau) defnydd fel
cerrig a graean a ddefnyddir i lenwi bylchau
yn rhywbeth sy'n cael ei adeiladu, e.e. mewn
waliau neu dan loriau infilling

mewnlif *eg* DAEAREG y broses o ddyddodi, mewn haen is o bridd, sylweddau sy'n cael eu cludo gan ddŵr o haen uwch *illuviation*

mewnlifiad *eg* (mewnlifiadau) llif cyson o bobl (neu bethau) i mewn i rywle, *mewnlifiad Saeson i gefn gwlad Cymru*; dylifiad, llanw *influx, inrush*

mewnlifol *ans* DAEAREG yn ymwneud â mewnlif, wedi'i greu gan fewnlif *illuvial*

mewnol *ans* wedi'i leoli oddi mewn neu'n dod o'r tu mewn, neu'n perthyn i'r tu mewn *inside, inner, internal*

mewnoli *be* [mewnol•¹]
  1 dechrau (llinell o destun) neu leoli (bloc o destun) ymhellach o'r ymyl na phrif ran y testun *to indent*
  2 SEICOLEG ymgorffori (gwerthoedd neu batrymau ymddygiad a ddysgwyd) yn rhan o natur yr hunan *to internalize*

mewnoliad *eg* (mewnoliadau)
  1 y bwlch o flaen testun sydd wedi'i fewnoli *indent, indentation*
  2 y broses o fewnoli, canlyniad mewnoli *internalization*

mewnosod *be* [mewnosod•¹] rhoi neu wthio i mewn (~ *rhywbeth* i) *to insert, to inset*

mewnrwyd *eb* CYFRIFIADUREG rhwydwaith cyfrifiadurol preifat neu un sydd wedi'i gyfyngu i gorff arbennig ac sy'n defnyddio protocolau'r Rhyngrwyd *intranet*

mewnsgrifio *be* [mewnsgrifi•²] MATHEMATEG llunio ffigur y tu mewn i ffigur geometrig arall fel bod ffiniau'r ddau yn cyffwrdd ond nad ydynt yn croestorri *to inscribe*

mewnsyllgar *ans* yn ymarfer mewnsylliad, nodweddiadol o fewnsylliad *introspective*

mewnsylliad *eg* y cyflwr o fod yn synfyfyrio uwchben eich meddyliau a'ch teimladau eich hun *introspection*

mewnsyllu *be* [mewnsyll•¹] synfyfyrio uwchben eich meddyliau a'ch teimladau eich hun

mewnwelediad *eg* (mewnwelediadau) y gallu i weld hanfod peth, i weld beth sydd y tu ôl i rywbeth neu beth sy'n digwydd mewn gwirionedd; craffter, sythwelediad *insight*

mewnwr *eg* (mewnwyr)
  1 (mewn rygbi) yr aelod o blith yr olwyr sy'n bwydo'r bêl i'r sgrym ac sy'n derbyn y bêl gan ei flaenwyr i'w throsglwyddo (fel arfer) i'r maswr *inside half, scrum half*
  2 (mewn pêl-droed a hoci) y blaenwr rhwng yr asgellwr a'r blaenwr canol *inside forward, inner (in hockey)*

mewnwthiad *eg* (mewnwthiadau)
  1 DAEAREG y broses lle mae craig dawdd (magma) yn cael ei gwthio i ganol creigiau o gyfnod cynharach, ac yn caledu yno *intrusion*

  2 DAEAREG corff o graig igneaidd a gafodd ei wthio ar ffurf magma yn wreiddiol i ganol creigiau o gyfnod cynharach *intrusion*

mewnwthiol *ans* DAEAREG (am greigiau) wedi'u ffurfio o ganlyniad i fewnwthiad *intrusive*

mewnwythiennol *ans* MEDDYGAETH y tu mewn i wythïen, wedi'i roi i mewn i wythïen neu wythiennau *intravenous*

meysydd *ell* lluosog **maes**

mg *byrfodd* miligram *mg*

mi¹ *geiryn rhagferfol* geiryn a ddefnyddir o flaen y ferf i gryfhau neu i gadarnhau yr hyn sy'n ei ddilyn; yn wreiddiol ac yn llenyddol byddai 'mi' yn cyfeirio at y person cyntaf unigol yn unig, *mi welais, mi af*; bellach mae'n cael ei ddefnyddio gydag unrhyw un o bersonau'r ferf a chanddo swyddogaeth geiryn rhagferfol tebyg i 'fe', *mi redodd, mi welson nhw* I, me
  Sylwch:
  1 mae'n achosi'r treiglad meddal;
  2 *ac mi* (nid *a mi*) sy'n gywir;
  3 ar lafar yn nhafodieithoedd y Gogledd 'mi' yw'r geiryn rhagferfol cyffredin ac nid 'fe'; digwydd yn dra chyffredin o flaen ffurfiau'r ferf 'bod' yn y Gogledd tra na cheir y ffurf 'fe' yn yr un cysylltiadau yn yr ardaloedd eraill, e.e. *Mi wyt ti'n hwyr; Mi roedd o'n canu'n rhagorol.*

mi² *rhagenw annibynnol syml* fi, i, *Dewch gyda mi i'r siop. Dyna wers i mi.* I, me

mi³ *eg* CERDDORIAETH y trydydd nodyn yng ngraddfa nodiant y system sol-ffa, m me, m

miaren *eb* (mieri) llwyn pigog, gwyllt, yn enwedig un sy'n perthyn i deulu'r rhosyn gwyllt neu i'r llwyn y mae mwyar gwyllt yn tyfu arno; draen, drysïen *bramble, briar*

mica *eg* DAEAREG un o nifer o fwynau silicad o liw tywyll (brown neu ddu) neu dryloyw, sy'n rhannu'n haenau tenau hyblyg *mica*

micro *eg* (micros) talfyriad o **microgyfrifiadur** neu **microdon**

micro- *rhag*
  1 rhywbeth bach iawn, e.e. *microdon, microsgop, microffon* micro-
  2 un rhan o filiwn, e.e. *microamper* micro-
  Sylwch: nid yw 'micro' + cyfaddasiad o air Saesneg yn achosi treiglad yn yr ail elfen, e.e. *microbioleg.*

microb *eg* (microbau) micro-organeb; organeb sydd mor fach fel nad oes modd ei gweld heb ficrosgop, e.e. bacteriwm, firws, ffwng *microbe*

microbaidd *ans* yn ymwneud â microbau, wedi'i achosi gan ficrobau *microbial*

microbioleg:microfioleg *eb* bioleg bacteria a microbau eraill *microbiology*

microbiolegydd:microfiolegydd *eg*
(microbiolegwyr:microfiolegwyr) gwyddonydd
sy'n arbenigo mewn microbioleg microbiologist

microbrosesydd *eg* (microbrosesyddion)
CYFRIFIADUREG uned brosesu ganolog neu'r
'ymennydd' sy'n rheoli microgyfrifiadur ac
a geir fel arfer ar un sglodyn microprocessor

microcosm *eg* (microcosmau)
1 darn bach cyfan, e.e. cymuned, a ystyrir yn
fodel ar raddfa lawer yn llai o rywbeth llawer
mwy microcosm
2 bodau dynol a ystyrir yn fodel, ar raddfa
fechan, o'r bydysawd cyfan microcosm

microdiwbyn *eg* (microdiwbynnau) BIOLEG
ffurfiad a geir mewn celloedd, ar ffurf tiwb
bychan iawn wedi'i wneud o brotein microtubule

microdon *eb* (microdonnau) ton electromagnetig
â'i thonfedd rhwng 0.001–0.3 m; fe'i defnyddir
wrth anfon negeseuon radio, mewn radar,
ac i goginio bwyd microwave

microdriniaeth *eb* (microdriniaethau)
MEDDYGAETH llawdriniaeth gymhleth sy'n cael
ei chyflawni drwy ddefnyddio offer bach iawn
a microsgop microsurgery

microeconomeg *eb* cangen o economeg sy'n
ymwneud â ffactorau unigol ac effeithiau
penderfyniadau unigol microeconomics

microeiliad *eb* (microeiliadau) miliynfed ran o
eiliad microsecond

microelectroneg *eb* technoleg sy'n defnyddio
cydrannau electronig bychain iawn, yn enwedig
sglodion lled-ddargludo, i greu offer electronig
microelectronics

microfaethyn *eg* (microfaethynnau) BIOLEG
cyfansoddyn wedi'i gynhyrchu gan blanhigion
neu anifeiliaid, e.e. fitamin, nad oes angen
llawer ohono, ond sydd er hynny'n hollol
angenrheidiol i iechyd neu les anifail micronutrient

microfilws *eg* (microfili) BIOLEG ymestyniad
microsgopig o feinwe neu gell microvillus

microfioleg gw. microbioleg

microffibr *eg* (microffibrau) GWNIADWAITH
edafedd synthetig tenau iawn microfibre

microffilm *eb* (microffilmiau) stribed ffilm
sy'n cynnwys lluniau o ddefnydd print
neu lawysgrifen, e.e. papurau newydd,
llawysgrifau, wedi'u lleihau microfilm

microffon *eg* (microffonau) teclyn ar gyfer
trosglwyddo neu recordio sain (drwy ei
newid yn bŵer trydanol) fel mewn radio neu
ffôn, neu declyn i chwyddo maint seiniau
(gan ddefnyddio'r un broses) microphone

microgrisialog *ans* am grisialau na ellir eu
gweld ond dan ficrosgop microcrystalline

microgyfrifiadur *eg* (microgyfrifiaduron)
CYFRIFIADUREG cyfrifiadur bach â'i brosesydd
canolog yn ficrobrosesydd microcomputer

microhinsawdd *eb* (microhinsoddau)
METEOROLEG yr hinsawdd o fewn ychydig
fetrau i arwyneb y Ddaear mewn ardal fechan
iawn microclimate

microhinsoddeg *eb* astudiaeth wyddonol o
ficrohinsoddau microclimatology

microlith *eg* (microlithau) ARCHAEOLEG offeryn
bychan iawn â llafn o gallestr mewn coes o
bren sy'n deillio o'r cyfnod Mesolithig microlith

micromedr *eg* (micromedrau) teclyn ar gyfer
mesur trwch neu led pethau bach iawn micrometer

micrometr *eg* (micrometrau) miliynfed ran o fetr
micrometre, micron

micron *eg* (micronau) un rhan o filiwn o fetr,
$^1/_{1,000,000}$ metr micron

Micronesaidd *ans* yn perthyn i ynysoedd
Micronesia, nodweddiadol o ynysoedd
Micronesia Micronesian

Micronesiad *eg* (Micronesiaid) brodor o un o
Daleithiau Ffederal Micronesia Micronesian

micro-organeb *eb* (micro-organebau) BIOLEG
organeb sydd mor fach fel nad oes modd ei
gweld heb ficrosgop, e.e. bacteriwm, firws,
ffwng micro-organism

micropyl *eg* (micropylau)
1 SWOLEG man ar wyneb ofwl, e.e. wy pryfyn,
lle mae'r had yn cael mynediad i'r ofwl
micropyle
2 BOTANEG agoriad bach ym mhilyn ofwl
planhigyn sy'n rhoi mynediad i'r tiwb paill
micropyle

microsbor *eg* (microsborau) BOTANEG
(mewn planhigion) y math o sbôr y mae
gametoffytau gwrywol yn deillio ohono;
mae'n llai na'r megasbor benywol microspore

microsffer *eg* (microsfferau) sffêr microsgopig
cau, e.e. o brotein neu bolymer synthetig
microsphere

microsglodyn *eg* (microsglodion)
uned electronig sy'n cynnwys nifer mawr o
gydrannau electronig bychain, er enghraifft
transistorau a gwrthyddion microchip

microsgop *eg* (microsgopau) dyfais sy'n gwneud
i wrthrych edrych yn fwy na'i faint go iawn
microscope

microsgopaidd:microsgopig *ans* rhy fach i'w
weld heb gymorth microsgop microscopic

microsgopeg *eb*
1 gwyddor llunio microsgopau microscopy
2 astudiaeth gan ddefnyddio microsgop
microscopy

microsom *eg* (microsomau) BIOLEG un o nifer o
fân ffurfiadau y tu mewn i gell y gellir eu gweld
â microsgop microsome

microswitsh *eg* (microswitshys) ELECTRONEG
switsh trydan y bydd y symudiad lleiaf yn ei
weithredu'n ddi-oed microswitch

m

microtôn *eb* (microtonau) CERDDORIAETH
cyfwng cerddorol llai na hanner tôn microtone

mieri *ell* lluosog **miaren**

mig *eb* fel yn *chwarae mig* sef chwarae cwato
neu guddio hide-and-seek, peep-bo

mign *eb* (mignau:mignedd) corstir o fawn sy'n
ymestyn dros fryniau a thir gwastad fel arfer;
cors, gwern, mawnog, siglen swamp, quagmire

mignen *eb* (mignenni) mign fach; cors bog, marsh

migwrn *eg* (migyrnau)
  1 ffêr; y cymal rhwng y droed a'r goes, darn cul
  y goes uwchben y droed; pigwrn, swrn ankle
  2 cwgn; y cymal rhwng bys a gweddill y llaw
  knuckle

migwyn *eg* math o fwsogl sy'n tyfu ar gorsydd
mawn a mannau gwlyb asidig sphagnum moss

mihifir-mihafar:hifr-dihafr *eg* oen, myn, llo neu
borchell sydd heb fod yn wryw nac yn fenyw,
Mihifir-mahafar,/Dim bwch a dim gafar.
hermaphrodite

mil¹:milyn *eg* (milod) *hynafol* anifail, fel yn
milfeddyg; bwystfil, creadur animal

mil² *eb* (miloedd) y rhif 1,000; deg cant thousand
  Sylwch:
  1 er mai gair benywaidd ydyw, nid yw 'mil'
  yn treiglo ar ôl y fannod pan yw'n cael ei
  ddilyn gan enw (*y mil blynyddoedd*);
  2 y ffurf luosog 'blynyddoedd' (nid 'blynedd')
  a geir ar ôl *mil*.
  y mil blynyddoedd gw. **blynyddoedd**

milain:mileinig *ans* [mileini•] (mileinion) yn dangos
casineb ac awydd i niweidio; creulon, didostur,
didrugaredd, ffyrnig vicious, fierce, savage
  milain o fe'i defnyddir i ddwysáu ystyr
  ansoddair, *yn filain o gas*

mileindra *eg* casineb creulon; anfadwaith,
cieidd-dra, creulondeb, digasedd malevolence,
viciousness

mileiniach:mileiniaf:mileinied *ans* [milain]
mwy milain; mwyaf milain; mor filain

mileinig gw. **milain**

mileinion *ans* ffurf luosog **milain**

mileniwm *eg* (milenia) cyfnod o fil o
flynyddoedd; milflwyddiant millennium

milfed *ans*
  1 y rhifol (rhif trefnol) nesaf mewn trefn ar ôl
  'naw cant naw deg nawfed' thousandth
  2 rhif 1,000 mewn rhestr o fil neu fwy;
  1,000fed thousandth
  Sylwch: mae'n sbarduno treiglad meddal pan
  ddaw o flaen enwau benywaidd.

milfeddyg *eg* (milfeddygon) doctor anifeiliaid;
fet, ffarier vet, veterinarian, veterinary surgeon

milfeddygol *ans* yn ymwneud â gofal a
thriniaeth feddygol anifeiliaid veterinary

milflwyddiant *eg* cyfnod o fil o flynyddoedd;
mileniwm millennium

milfyrdd *eg* mil o fyrddoedd, llawer iawn iawn
whole host

milgi *eg* (milgwn) math o gi tenau, llwyd a
chanddo goesau hirion ac sy'n gallu rhedeg yn
gyflym iawn wrth hela neu rasio greyhound

miliast *eb* (milieist) milgi benyw

miligram *eg* (miligramau) milfed ran o gram; mg
milligram

mililitr *eg* (mililitrau) milfed ran o litr; ml
millilitre

milimetr *eg* (milimetrau) milfed ran o fetr; mm
millimetre

milisia *eg* corff o ddinasyddion â rhyw gymaint
o hyfforddiant milwrol y disgwylir iddynt
frwydro ar adeg o argyfwng militia

militaraidd *ans* yn perthyn i filwyr neu i'r
lluoedd arfog, nodweddiadol o filwyr neu o'r
lluoedd arfog military

militariaeth *eb*
  1 teyrngarwch i ddelfrydau a rhinweddau
  milwrol militarism
  2 polisi gwleidyddol o fod yn barod i ymosod
  yn filwrol militarism

militarydd *eg* (militarwyr) un sy'n arddel
gwerthoedd militariaeth militarist

miliwm *eg* (milia) MEDDYGAETH talp neu dosyn
bach gwyn ar y croen sy'n cael ei achosi gan
chwarren sebwm wedi'i chau milium

miliwn *eb* (miliynau) y rhif 1,000,000; mil
o filoedd million
  Sylwch: gw. y nodyn dan 'biliwn'.

miliwnydd:miliynydd *eg* (miliynyddion)
rhywun sy'n berchen ar 1,000,000 neu ragor
o bunnau neu ddoleri; person cyfoethog iawn
millionaire

miliynfed *eb* un rhan mewn miliwn neu'r rhif
1,000,000 mewn rhestr o filiwn neu fwy;
1,000,000fed millionth

milrhith *eg* ffoetws anifail foetus

miltroed *eg* (miltroediaid) infertebrat bach sy'n
perthyn i deulu'r cantroed a chanddo gorff
ar ffurf tiwb wedi'i rannu yn nifer mawr o
segmentau â phâr o goesau ar bob un millipede

milwr *eg* (milwyr) aelod o fyddin (dyn neu
ferch), yn enwedig un nad yw'n swyddog yn
y fyddin; rhyfelwr, ymladdwr soldier

milwriaethus *ans* parod iawn i ddefnyddio
grym neu i ymladd; gelyniaethus, rhyfelgar,
ymladdgar, ymosodol militant

milwrio *be* [milwri•²] bod yn bwysig fel rheswm
(yn erbyn), *Mae'r holl broblemau sydd wedi
codi'n ddiweddar yn milwrio yn erbyn elw
mawr inni eleni.*; brwydro, gwrthwynebu,
ymgyrchu, ymladd (~ **yn erbyn**) to militate

milwrol:milwraidd *ans* yn ymwneud â byddin,
rhyfel neu filwyr, nodweddiadol o fyddin,
rhyfel neu filwyr martial, military

milyn gw. **mil**[1]

mill *ell* lluosog **millyn**

milltir *eb* (milltiroedd) mesur penodol o hyd yn cyfateb i 1,609 metr neu 1,760 llathen mile

milltir fwyd milltir y mae eitem o fwyd yn cael ei chludo yn ystod y daith o'r cynhyrchydd at y defnyddiwr; uned i fesur y tanwydd a gaiff ei ddefnyddio i gludo'r eitem food mile

milltir sgwâr

1 arwynebedd sy'n cyfateb i sgwâr â phob ochr yn filltir o hyd square mile

2 ardal y mae rhywun yn frodor ohoni, cylch cyfarwydd, *Mae'n ymddangos yn swil ac yn dawedog i ddieithriaid, ond o fewn ei filltir sgwâr does mo'i ffraethach i'w gael.*; cynefin square mile

milltiredd *eg* nifer y milltiroedd a drafaeliwyd, e.e. gan gar mileage

millyn *eg* (mill) fioled, blodyn bach glas/porffor violet

min *eg* (minion)

1 ymyl llym neu flaen miniog llafn, *Rhaid i mi roi min ar fy mhensil.*; awch, llymder edge, sharpness, point

2 ymyl, ochr, cwr, *min y môr* edge

3 *llenyddol* gwefus, fel yn y gair *minlliw* lip

ar fin bron â on the verge of

cael min cael codiad rhywiol to have an erection

min nos gyda'r hwyr evening

min y ffordd ochr yr heol roadside

troi'r tu min (at rywun) bod yn llym wrth rywun to catch the edge of (my) tongue

minarét *eg* (minaretau) tŵr main mosg ar gyfer galw pobl i weddïo; meindwr minaret

minc *eg* (mincod) anifail sy'n debyg i wenci; ffwr gwerthfawr yr anifail hwn mink

minceg *eg* losin, da-da, melysion sweets

mindlws *ans*

1 (am ferch) teg ei gwefusau

2 (am eraill) mursenaidd, yn glaswenu simpering

minfin *adf* gwefus wrth wefus lip to lip

minfwlch *eg* gwefus hollt; hollt cynhwynol yn y wefus uchaf a gysylltir yn aml â thaflod hollt cleft lip

minfylchog *ans* gwefus hollt cleft lipped

mingam *ans* â thro gwawdlyd i'r geg; gwatwarus sardonic, wry

mingamu *be* troi'r geg yn wawdlyd, lledwenu mewn ffordd sarhaus; glaswenu (~ **ar**) to smile sardonically, to smile wryly, to smirk

Sylwch: nid yw'r ferf hon yn arfer cael ei rhedeg.

mingrwn *eg* (mingrynion) un o deulu o bysgod bwytadwy â chorff hir, praff ; mae'r mwyafrif yn byw yn y môr ond mae rhai o'r teulu yn byw mewn dŵr croyw; hyrddyn mullet

mingrychu *be* [mingrych•[1]] crychu gwefusau to pucker one's lips

mini *eg* unrhyw beth sy'n llawer llai na'r ffurf arferol ar rywbeth (ond nid mor fach â micro), e.e. *sgert fini* a'r car *Mini* mini

miniatur *eg* (miniaturau)

1 darlun mewn llyfr neu lawysgrif oliwiedig miniature

2 darlun bach iawn, e.e. ar ddarn o ifori miniature

minim *eg* (minimau) CERDDORIAETH hyd nodyn cerddorol sy'n gywerth o ran amser â dau grosiet neu chwarter brif minim

minimalaidd *ans* yn cynnwys minimaliaeth, wedi'i lunio ar sail minimaliaeth minimalistic

minimaliaeth *eb*

1 arddull a mudiad yn y 1950au ym maes arlunio a cherflunio; strwythurau mawr, syml, geometrig ac amhersonol sy'n nodweddu'r arddull minimalism

2 math o gerddoriaeth yn seiliedig ar elfennau syml ac ailadroddus sy'n osgoi addurniadau minimalism

3 arddull sy'n defnyddio'r elfennau symlaf neu'r nifer lleiaf posibl o elfennau i greu effaith drawiadol minimalism

minimalydd *eg* (minimalwyr) artist neu gyfansoddwr sy'n arddel minimaliaeth minimalist

minimol *ans* y lleiaf posibl, yr isaf posibl minimal

minimwm *eg* (minimymau) MATHEMATEG pwynt ar gromlin neu arwyneb sy'n is na'r pwyntiau wrth ei ymyl; isafbwynt minimum

miniocach:miniocaf:minioced *ans* [miniog] mwy miniog; mwyaf miniog; mor finiog

miniog *ans* [minioc•]

1 a min arno; blaenllym, pigfain, siarp sharp, pointed, keen

2 (am feddwl) treiddgar, crafog incisive, keen, penetrating

miniogi *be* [miniog•[1]] rhoi min ar rywbeth, gwneud yn llym neu droi'n llym; hogi to become sharp, to sharpen, to whet

miniogrwydd *eg* y cyflwr o fod yn finiog; awch, llymder sharpness, incisiveness

miniwét *eg* (miniwetau) CERDDORIAETH dawns lys urddasol i fesur tri churiad sydd â'i tharddiad yn Ffrainc yr ail ganrif ar bymtheg minuet

miniwr *eg* (minwyr) teclyn gosod min ar flaen graffit pensil; hogwr, naddwr pencil sharpener

minlliw *eg* colur a ddefnyddir i liwio'r gwefusau lipstick

minllym *ans* a min arno; siarp, miniog sharp-edged, keen

minnau:finnau[1] rhagenw annibynnol cysylltiol fi hefyd, fi o ran hynny, fi ar y llaw arall, *Roedd John ar un ochr a minnau'r ochr arall.*, *Gwelodd hi'r plant a gwelodd hi finnau.* I too, even I, I for my part, I on the other hand, me too, even me, me for my part, me on the other hand

Sylwch: defnyddiwch 'finnau' pan fydd '-f' yn niwedd terfyniad y ferf, *Ni chanaf finnau chwaith.*, ac 'innau' os nad oes '-f' yn y terfyniad, *Gwelodd e gath a gwelais innau lygoden.*

Minoaidd *ans* yn perthyn i wareiddiad Oes Efydd Ynys Creta (tua 3000CC–1400CC) Minoan

minsur *ans* â golwg sarrug, sur sour, surly

mintai *eb* (minteioedd)

1 cwmni o bobl, *'Tua Bethlem dref/Awn yn fintai gref'*; grŵp, lliaws, llu, torf crowd, band, troop

2 grŵp neu gorff o filwyr (yn enwedig o farchogion); gosgordd, gorsgoddlu, lleng troop

3 grŵp penodol o filwyr (tua 120) sy'n rhan o gatrawd company

Sylwch: mae'n derbyn ffurf unigol neu luosog berf.

mintys *eg* un o nifer o fathau o lysiau gwyrdd y mae gan eu dail bersawr a blas nodweddiadol; maent yn cael eu defnyddio i roi blas ar fwydydd, *saws mintys* mint

mintys poeth dail persawrus planhigyn yn perthyn i deulu'r mintys, neu'r olew a ddaw o'r dail a ddefnyddir i roi blas ar fwyd peppermint

Ymadrodd

degymu'r mintys a'r anis rhoi gormod o sylw i fanion dibwys to split hairs

mintys y creigiau *eg* llysieuyn o deulu'r mintys â blodau bach pinc neu borffor y defnyddir ei ddail persawrus i roi blas ar fwydydd marjoram

minwend *eg* (minwendau) MATHEMATEG rhif y tynnir rhif arall oddi wrtho minuend

minws *eg* (minysau) arwydd (–) a ddefnyddir i ddynodi rhif negatif, *–5 yw'r rhif minws 5*, neu i ddangos bod y rhif sy'n ei ddilyn i'w dynnu o'r rhif sydd o'i flaen, *gallwn ddarllen 9 – 6 = 3 fel naw minws chwech yw tri* minus

miragl *eg* (miraglau) *llenyddol* gwyrth miracle

mirain *ans* [mireini•] teg a chelfydd, hardd a chain, glandeg ac urddasol, *Gwaith mirain y crefftwyr a fu'n llunio ffenestr liw yr eglwys.* fair, fine, graceful

mireinder *eg* prydferthwch (yn gysylltiedig â pharch ac urddas); coethder, gwychder, perffeithrwydd beauty, perfection

mireiniach:mireiniaf:mireinied *ans* [mirain] mwy mirain; mwyaf mirain; mor firain

mireinio *be* [mireini•²] gwneud yn firain; addurno, caboli, harddu, perffeithio to refine, to adorn, to enhance

miri *eg* sbort a sbri; difyrrwch, digrifwch, hwyl, rhialtwch fun, hilarity, merriment

mis *eg* (misoedd) un o ddeuddeg rhan y flwyddyn a enwir yn Ionawr, Chwefror, Mawrth, Ebrill,

Mai, Mehefin, Gorffennaf, Awst, Medi, Hydref, Tachwedd, Rhagfyr month

mis lleuad yr amser y mae'n ei gymryd i'r Lleuad gylchynu'r Ddaear lunar month

y Mis Bach Chwefror February

Ymadroddion

cadw mis bod yn gyfrifol am letya gweinidog dieithr sy'n pregethu ar y Sul

mis mêl gw. **mêl**

mise en place *eg* COGINIO (mewn cegin broffesiynol) paratoad cynhwysion cyn dechrau coginio neu seigiau cyn dechrau gweini

misel *eg* (miselâu) CEMEG cyd-gasgliad o foleciwlau mewn coloid, e.e. pan fydd sebon yn hydoddi mewn dŵr micelle

misericord *eg* (misericordiau) silff o dan sêt golfachog mewn eglwys, y mae'r sawl sy'n defnyddio'r sêt yn gallu pwyso yn ei erbyn pan fo raid sefyll misericord

misglen *eb* (misgl) molwsg bwytadwy â chragen ddu-las sy'n rhannu'n ddwy; cragen las mussel

misi *ans* anodd ei blesio; cysetlyd, gorfanwl finicky, fastidious, priggish

misio *be* [misi•²]

1 methu taro, cyrraedd neu ddal, *misio'r targed, misio'r bws* to miss

2 gweld eisiau to miss

3 llwyddo i osgoi, *O'r braidd y misiodd y car.* to miss

4 gadael allan, mynd heibio, *Misiais i'r cyhoeddiad.* to miss

5 yn methu tanio, *peiriant yn misio* to miss

mislif *eg* MEDDYGAETH y llif o waed a ddaw o groth merch neu wraig yn fisol period, menstruation, menses

diwedd y mislif MEDDYGAETH y cyfnod ym mywyd gwraig (rhwng 45 a 50 oed fel arfer) pan fydd y mislif yn dod i ben menopause

mislifol *ans* MEDDYGAETH yn ymwneud â'r mislif menstrual

misol *ans* yn digwydd bob mis, yn ymddangos bob mis monthly

misolyn *eg* (misolion) papur neu gylchgrawn sy'n ymddangos bob mis monthly publication

mistimanars *ell* pethau na ddylech chi fod wedi'u gwneud; camymddygiad misdemeanours

miswrn *eg* (misyrnau) rhan flaen, symudol, helm sy'n amddiffyn yr wyneb visor

miten *eb* (mitens:mits) maneg â lle i'r pedwar bys gyda'i gilydd, a'r bawd ar wahân mitten

mitocondrion *eg* (mitocondria) BIOLEG organyn a geir y tu allan i gnewyllyn cell; dyma safle resbiradaeth aerobig mewn celloedd ewcaryotig mitochondrion

mitosis *eg* BIOLEG math o gellraniad lle mae cell yn ymrannu i ffurfio dwy epilgell fydd yn cynnwys yr un nifer o gromosomau sy'n unfath yn enetig â'r rhiant-gell mitosis

mitotig *ans* BIOLEG yn perthyn i fitosis, wedi'i achosi gan fitosis mitotic

mitsio *be* [mitsi•²] peidio â mynd i'r ysgol a hynny heb ganiatâd, chwarae triwant to mitch, to play truant

miw *eg* fel yn *heb siw na miw* without a sound

miwon *eg* (miwonau) FFISEG gronyn elfennol ansefydlog sydd â gwefr negatif a màs 200 gwaith yn fwy nag electron muon

miwsig *eg* cerddoriaeth; canu, cerdd, peroriaeth music

miwtini *eg* gwrthryfel yn erbyn awdurdod (yn enwedig gan filwyr neu forwyr) mutiny

ml *byrfodd* mililitr ml

mm *byrfodd* milimetr mm

mo *ardd* [mohonof/monof fi, mohonot/monot ti, mohono/mono ef (fe/fo), mohoni/moni hi, mohonom/monom ni, mohonoch/monoch chi, mohonynt/monynt hwy (mohonyn/monyn nhw)] talfyriad o 'dim o' (gw. o dan **dim**)
Sylwch: mae'n achosi'r treiglad meddal.

moch *ell* lluosog **mochyn**
 moch coed ffrwythau'r pinwydd a'r ffynidwydd ar ffurf conau **(fir) cones**

mocha *be* byw neu ymddwyn fel mochyn
 Sylwch: nid yw'r ferf hon yn arfer cael ei rhedeg.

mochaidd *ans* tebyg i'r budreddi a'r llanastr a geir lle y cedwir moch; afiach, aflan, brwnt, budr, mochynnaidd disgusting, filthy
 mochaidd o fe'i defnyddir i ddwysáu ystyr ansoddair, *yn fochaidd o frwnt*

mochel gw. **ymochel**

mochwr *eg* (mochwyr) bugail moch; un sy'n prynu a gwerthu moch **pig dealer, swineherd**

mochyn *eg* (moch)
 1 un o nifer o fathau o anifeiliaid sy'n cael eu codi ar ffermydd am eu cig (cig moch, ham, porc); mae ganddo goesau byrion a chroen trwchus a gwrych drosto pig
 2 gair dilornus am rywun sy'n bwyta gormod; rhywun brwnt ei ymddygiad neu sy'n fudr pig, swine
 Sylwch: gw. hefyd **moch.**
 mochyn cwta:mochyn gini anifail blewog, tebyg i lygoden fawr ddigynffon, sy'n cael ei gadw fel anifail anwes **guinea pig**
 mochyn daear anifail gwyllt hollysol sy'n perthyn i'r wenci ac yn hela gan amlaf yn y nos; mae ganddo resi llydan du a gwyn ar hyd ei ben o flaen ei drwyn i'w war; broch, pryf llwyd **badger**
 mochyn y coed cramennog bychan sy'n byw ar y tir; mae ganddo 14 coes ac mae'n byw yn y lleithder o dan goed a cherrig, etc.; gwrachen ludw **woodlouse**

mochyndra *eg* y budreddi a'r llanastr a geir lle y cedwir moch; aflendid, baw, bryntni, filth

mochynnaidd gw. **mochaidd** filthy

model *eg* (modelau)
 1 copi bach o rywbeth mwy, *Dyma fodel o gwrwgl.*; delw model
 2 rhywun sy'n cael ei gyflogi i wisgo dillad i'w harddangos i rai sy'n debyg o'u prynu model
 3 un sy'n cael ei gyflogi i gael ei lun wedi'i beintio gan artist model
 4 un o nifer o bethau tebyg wedi'u seilio ar batrwm safonol, *Mae model newydd o'r cyfrifiadur yn ymddangos cyn y Nadolig.* model
 5 *technegol* ffordd o astudio problem drwy ei rhoi ar ffurf fathemategol neu ar ffurf y mae'n bosibl ei bwydo i gyfrifiadur er mwyn gweld beth sy'n digwydd iddi dan wahanol amgylchiadau model

modelu *be* [model•¹]
 1 gwneud model o rywbeth; efelychu, llunio, mowldio to model
 2 arddangos dillad fel model to model

modem *eg* (modemau) CYFRIFIADUREG dyfais sy'n medru trawsnewid signalau digidol ac analog, y naill i'r llall, fel bod modd er enghraifft gysylltu cyfrifiadur â llinell ffôn modem

modern *ans*
 1 yn perthyn i'r cyfnod presennol ac nid i'r hen amser; cyfoes modern
 2 newydd a gwahanol i'r hyn a oedd ar gael yn y gorffennol, *cerddoriaeth fodern* modern
 3 am iaith sy'n cael ei siarad heddiw modern

modernaidd *ans* yn tueddu at foderniaeth, yn amlygu nodweddion moderniaeth modernistic

moderneiddiad *eg* y broses o foderneiddio, canlyniad moderneiddio modernisation

moderneiddio *be* [moderneiddi•²] gwneud yn addas at ddefnydd heddiw, *moderneiddio hen dŷ* to modernize

moderniaeth *eb*
 1 arddull a mudiad celfyddydol sy'n ymwrthod â dulliau traddodiadol gan geisio darganfod ffyrdd newydd o fynegiant mewn llenyddiaeth, arlunio a cherddoriaeth modernism
 2 (yn grefyddol) tuedd i briodoli syniadau cyfoes i ddysgeidiaeth draddodiadol gan ddibrisio yr hen elfennau goruwchnaturiol modernism

modfedd *eb* (modfeddi)
 1 mesur hyd sy'n cyfateb i 0.025 metr (deuddegfed ran o droedfedd) inch
 2 *ffigurol* y mymryn lleiaf, *Doedd hi ddim yn barod i ildio modfedd yn y ddadl.* inch

modiwl *eg* (modiwlau)
 1 uned, neu un o set o gydrannau annibynnol y gellir eu cyfuno i greu adeiledd mwy cymhleth module

m

2 (mewn pensaernïaeth glasurol) maint un rhan o adeilad a ddefnyddir fel uned fesur er mwyn pennu cymesuredd gweddill yr adeilad module
3 uned safonol annibynnol sy'n gallu bod yn gydran o gyfrifiadur, adeilad, llong ofod, etc. module
4 uned neu adran o gwrs addysg sy'n ymwneud â thestun neu faes arbennig module

modiwlaidd *ans* gw. **modylaidd**.

modrwy *eb* (modrwyau) cylch o fetel sy'n cael ei wisgo ar fys, neu drwy glust neu drwyn ring

modrwyo *be* gosod modrwy ar fys, neu mewn clust neu ran arall o'r corff dynol; gosod modrwy yn nhrwyn, e.e. mochyn neu darw to ring
Sylwch: nid yw'r ferf hon yn arfer cael ei rhedeg.

modrwyog *ans* yn hongian yn fodrwyau, *gwallt modrwyog*; crych, cyrliog curly

modrwyol *ans* ar ffurf modrwy neu gylch annular

modrwywedd *ans* SWOLEG wedi'i wneud o fodrwyau neu segmentau modrwyog, e.e. mwydyn annulate

modryb *eb* (modrybedd)
1 chwaer eich mam neu eich tad, neu chwaer eich taid/tad-cu neu eich nain/mam-gu; bodo, bopa aunt
2 gwraig i ewythr; dynes neu ferch y mae ei brawd neu ei chwaer wedi cael plentyn aunt
3 gwraig sy'n gyfaill i blentyn bach neu ei rieni; anti aunt

modur *eg* (moduron)
1 peiriant sy'n trawsnewid egni (egni trydanol fel arfer) yn symudiad; gall yr egni ddeillio o betrol (fel mewn car), o ager neu o danwydd niwclear motor
2 car modur automobile, motor car

modurdy *eg* (modurdai)
1 lle i gadw car; garej garage
2 man lle mae ceir yn cael eu trwsio a phetrol yn cael ei werthu hefyd weithiau; garej garage

modurgad *eb* gorymdaith o geir motorcade
moduro *be* [modur•¹] gyrru car, teithio mewn modur to motor
modurwr *eg* (modurwyr) gyrrwr car, perchennog car motorist
modus operandi *eg* dull o weithredu
modwlws *eg* (modwli)
1 FFISEG rhif neu faint sy'n dynodi i ba raddau y mae sylwedd neu gorff yn meddu ar briodwedd corfforol arbennig, e.e. y graddau y mae peth yn gallu cael ei lurgunio ac adennill ei ffurf wreiddiol heb gael ei newid yn barhaol modulus
2 MATHEMATEG gwerth absoliwt rhif real, e.e. modwlws 3 yw 3 a modwlws −3 yw 3 hefyd; mewn symbolau, |3| = |−3| = 3 mod, modulus
3 MATHEMATEG (am rifau cymhlyg) yr hyd *r*

pan fynegir y rhif cymhlyg *z* ar y ffurf $z = r(\cos\theta + i\sin\theta)$ modulus
modylaidd:modiwlaidd *ans*
1 yn seiliedig ar fodiwlau modular
2 wedi'i adeiladu o unedau safonol (modiwlau) modular
modyledig *ans* wedi'i fodylu modulated
modyliad *eg* (modyliadau) FFISEG ffordd o ddefnyddio tonffurf amledd uchel (ton gario) i drosglwyddo tonfedd arall o amledd llawer is (signal), drwy ddefnyddio'r signal i newid naill ai osgled neu amledd y don gario modulation
modylu *be* [modyl•¹] FFISEG rheoli neu gymhwyso (osgled, amledd, etc.) tonffurf (yn enwedig un â signal sain neu lun) drwy fodyliad to modulate
modylydd *eg* (modylyddion) FFISEG dyfais a ddefnyddir i fodylu ton electromagnetig modulator
modd¹ *eg* (moddion)
1 dull neu ffordd o wneud rhywbeth, *Doeddwn i ddim yn hoffi'r modd y bu'n trin yr hen wraig.* way
2 digon o arian, incwm neu gyfoeth i fyw yn gyfforddus arno, *Mae ganddo ddigon o fodd.* means
3 achos, cyfrwng, *Gall y syniad newydd fod yn fodd inni wneud llawer o arian.* means
moddion tŷ celfi, dodrefn furniture
prawf modd gw. **prawf¹**
Ymadroddion
fodd bynnag gw. **bynnag**
gwaetha'r modd gw. **gwaethaf**
modd i fyw pleser mawr, amser gwych, boddhad dwfn
modd² *eg* (moddau)
1 *technegol* y ffordd neu'r dull y mae peiriant (megis cyfrifiadur) yn gweithio (ar y pryd) mode
2 GRAMADEG ffurf berf sy'n dynodi: ffaith (y Modd Mynegol), e.e. *af*; gorchymyn neu gais cryf (y Modd Gorchmynnol), e.e. *eisteddwch ar unwaith*; cyflwr neu ddigwyddiad nad yw'n sicr (y Modd Dibynnol), e.e. *pe bawn i'n mynd i'r ysgol* mood
3 CERDDORIAETH un o'r graddfeydd hynafol, e.e. Doriaidd, Phrygiaidd, sy'n dal i gael eu defnyddio weithiau mewn cerddoriaeth werin mode
4 MATHEMATEG mesur canoledd ar sail y rhif sy'n digwydd amlaf mewn set o rifau, *Yn y set {5,4,6,5,9,2,5}, 5 yw'r modd.* mode
5 FFISEG un o'r mathau neu'r patrymau dirgrynu mewn system osgiliadol mode
moddion¹ *eg* sylwedd (hylif gan amlaf) sy'n cael ei gymryd i wella clefyd neu i liniaru poen; cyffur, ffisig, meddyginiaeth medication, medicine
moddion tŷ gw. **modd¹**

moddion² *ell*
 1 CREFYDD lluosog **modd**, fel yn *moddion gras*, ffordd o gyrraedd stad o ras neu'r cyflwr o fod yn ysbrydol iach the means (of grace)
 2 CREFYDD cyfarfod neu wasanaeth crefyddol service

moddol *ans* CERDDORIAETH yn defnyddio melodïau neu gordiau sy'n seiliedig ar foddau a oedd yn cael eu defnyddio cyn i gyweiriau mwyaf a lleiaf gael eu datblygu modal

moedro *tafodieithol* gw. **mwydro**

moel¹ *ans* [moel•] (moelion)
 1 heb fawr o wallt neu flew, heb unrhyw flew neu wallt o gwbl bald
 2 diaddurn, plaen, syml, *Cawsom y ffeithiau moel ganddo heb unrhyw ymgais i'w lliwio o gwbl.* bald, plain
 3 (am deiars car) heb y trwch priodol neu gyfreithiol o rwber bald
 4 diaddurn, tlawd, noeth, *Teimlad od oedd gweld ystafelloedd yr hen gartref yn wag a'r waliau'n gwbl foel.* bare, bleak

moel² *egb* (moelydd) pen mynydd heb fawr o dyfiant arno, *Mae R. Williams Parry yn ei englynion i Hedd Wyn yn cyfeirio at 'foelydd Eryri'.*

moeli *be* colli gwallt neu flew nes bod y croen neu beth sydd o dan y blew yn dangos to make or become bald
 Sylwch: nid yw'r ferf hon yn arfer cael ei rhedeg.
 moeli clustiau
 1 (erbyn hyn) codi clustiau (i wrando), gwrando'n astud to prick up one's ears
 2 (am geffyl) gwastatáu clustiau fel arwydd o dymer ddrwg neu barodrwydd i strancio to pin back one's ears

moelni *eg*
 1 y cyflwr o fod yn foel¹; llymder, noethder baldness, bareness, alopecia
 2 cyflwr tebyg i **moel²**, tir (uchel) heb fawr o dyfiant arno barrenness

moelrhon *eg* (moelrhoniaid) *hynafol* morlo neu lamhidydd neu ddolffin dolphin, seal, porpoise

moelyd:ymhoelyd *be tafodieithol, yn y De* dymchwel, troi drosodd, *Mae'r ffermwr wedi moelyd y gert.* to overturn, to tip, to topple
 Sylwch: nid yw'r ferf hon yn arfer cael ei rhedeg.

moelyn *eg* gŵr moel baldy

moelystota *be* prancio, neidio mewn llawenydd to prance, to caper
 Sylwch: nid yw'r ferf hon yn arfer cael ei rhedeg.

moes¹ *bf* [rhoi] *ffurfiol* gorchymyn i ti roi; rho, dyro
 moes a phryn ffordd o godi arian at achos da lle mae pobl yn dod â nwyddau i'w gwerthu ac yn prynu nwyddau y mae pobl eraill wedi'u cyfrannu bring and buy

moes² *eb* unigol **moesau**

moesau *ell* lluosog **moes**, egwyddorion moesol sydd naill ai'n dda neu'n ddrwg; buchedd, ymagwedd, ymarweddiad, ymddygiad manners, morals

moeseg *eb*
 1 egwyddorion ymddygiad a moesau grŵp penodol neu unigolyn ethics
 2 ATHRONIAETH astudiaeth o natur a sylfeini egwyddorion a chasgliadau moesol ethics

moesegol *ans*
 1 yn perthyn i foeseg, nodweddiadol o foeseg ethical
 2 (am gronfa fuddsoddi) yn gwrthod buddsoddi mewn rhai cwmnïau, e.e. gwerthwyr arfau, cwmnïau tybaco, ar seiliau moesol ethical

moesegu *be* [moeseg•¹] tynnu sylw at ddiffygion moesegol (mewn ffordd ffugsanctaidd neu ragrithiol); pregethu to moralize

moesgar *ans* boneddigaidd, cwrtais, llednais, *Dyna ŵr ifanc moesgar yw Dafydd.* courteous, polite

moesgarwch *eg* ymddygiad boneddigaidd sy'n dangos gofal ac ystyriaeth o bobl eraill; boneddigeiddrwydd, cwrteisi, gwarineb politeness

moesgyfarch *be* [moesgyfarch•³] cyfarch yn foneddigaidd ac yn gwrtais to greet

moesol *ans*
 1 yn ymwneud ag egwyddorion daioni a drygioni moral
 2 yn ymwneud â'r hyn sydd yn iawn (o'i gyferbynnu â'r hyn sy'n gyfreithlon), *dewrder moesol* moral
 3 yn bur, yn rhinweddol mewn materion rhywiol (o'i gyferbynnu â rhywun neu rywbeth anfoesol); cydwybodol, egwyddorol, rhinweddol moral

moesoldeb *eg*
 1 yr hyn sy'n dda neu'n ddrwg ynglŷn â gweithred arbennig morality
 2 set o reolau ynglŷn â sut i ymddwyn; enw ar gyfundrefn o foesau morality

moesoli *be* [moesol•¹]
 1 tynnu moeswers o rywbeth to moralize
 2 traethu'n hir ar ddiffygion moesol; pregethu to moralize

moeswers *eb* (moeswersi) gwers ar sut i ymddwyn yn dda wedi'i chyflwyno drwy gyfrwng stori neu ddigwyddiad; dameg lesson, moral

moesymgrymiad *eg* (moesymgrymiadau) y weithred o foesymgrymu; cyrtsi, gostyngiad bow

moesymgrymu *be* [moesymgrym•¹]
 1 (am ddynion fel arfer) plygu neu wyro rhan uchaf y corff tuag ymlaen fel arwydd o barch

m

neu gwrteisi, plygu pen; ymgrymu, plygu
(~ **gerbron**) to bow
2 (am ferch neu wraig fel arfer) plygu glin a
phlygu pen fel arwydd o barch to curtsy
moeth *eg* (moethau) hawddfyd neu fywyd
moethus yn seiliedig ar ddefnyddio pethau
drud fel pethau cyffredin heb boeni am y gost;
afradlondeb, gormodedd, moethusrwydd luxury
moethus *ans* [moethus•] (moethusion)
yn ymddangos fel petai llawer iawn o arian
wedi'i wario arno neu am rywbeth y mae
digonedd ohono ar gael, cyfforddus iawn,
gwesty moethus iawn; amheuthun, drud
luxurious, sumptuous
moethusion *ell* pethau moethus the luxurious
moethusrwydd *eg*
1 y cyflwr o fod yn gyfforddus heb orfod cyfri'r
gost luxury
2 rhywbeth nad yw'n angenrheidiol ond
sy'n ddymunol iawn, *Does dim byd yn curo
moethusrwydd bath twym ar ddiwedd
diwrnod caled o waith.* luxury
mofyn gw. **ymofyn**
mogfa *eb* ('y fogfa') asthma; cyflwr resbiradol
a nodweddir gan byliau o anhawster anadlu,
caethder y frest a phesychu asthma
mogi:mygu *be* [mog•¹]
1 cadw rhag cael aer, lladd drwy gadw
rhywun neu rywbeth rhag cael aer, *Bu'r nwy
bron â mogi'r glowyr.*; llindagu, mygu, tagu
to smother, to suffocate
2 methu anadlu'n rhwydd, *Roedden ni bron
â mogi yn yr ystafell – roedd hi mor boeth.*;
mygu to suffocate
mogwl *eg* (mogyliaid)
1 *hanesyddol* un o'r ymerawdwyr Mwslimaidd a
deyrnasai dros India rhwng 1526 a 1857 mogul
2 dyn cyfoethog neu rymus iawn mogul
moher *eg*
1 blew'r afr angora mohair
2 GWNIADWAITH edafedd neu ddefnydd wedi'i
wneud o flew'r afr angora, wedi'i gymysgu â
gwlân fel arfer mohair
mohoni:moni gw. **mo**
moiré *eg* GWNIADWAITH defnydd wedi'i drin
i greu effaith symudliw tonnog
moksha *eg* CREFYDD (Hindŵaeth) y rhyddhad
eithaf o gylch parhaus geni a marw
môl *eg* (molau) CEMEG uned fesur safonol o
swm sylwedd wedi'i seilio ar swm sylwedd yn
cynnwys yr un nifer o endidau, e.e. atomau,
moleciwlau, iönau, etc.; un môl yw'r nifer o
atomau a geir mewn 0.012 kilogram o garbon
â rhif màs 12 mole
molal *ans* CEMEG (am hydoddiant) yn cynnwys
un môl o hydoddyn mewn cilogram o
hydoddydd molal

molaledd *eg* CEMEG crynodiad hydoddiant
wedi'i fesur yn ôl nifer y molau o hydoddyn
mewn cilogram o hydoddydd molality
molar *ans* CEMEG (am hydoddiant) yn cynnwys un
môl o hydoddyn mewn litr o hydoddiant molar
molaredd *eg* crynodiad hydoddiant wedi'i fesur
yn ôl nifer y molau o hydoddyn mewn litr o
hydoddiant molarity
molawd *eg* (molawdau) cân o fawl; arwyrain,
moliant eulogy, panegyric
molchi ffurf lafar ar **ymolchi**
mold gw. **mowld**
moldin gw. **mowldin**
Moldofaidd *ans* yn perthyn i Moldova,
nodweddiadol o Moldova Moldovan
Moldofiad *eg* (Moldofiaid) brodor o Moldova
Moldavan
moleciwl *eg* (moleciwlau) CEMEG y gronyn
lleiaf posibl o gyfansoddyn neu o rai elfennau
cemegol (mae'n cynnwys o leiaf dau atom),
e.e. H_2, H_2O (dŵr) neu CO_2 (carbon deuocsid)
molecule
moleciwlaidd *ans* yn perthyn i foleciwlau,
yn cynnwys moleciwlau molecular
moleciwledd *eg* CEMEG nifer y moleciwlau
sy'n rhan o un cam mewn adwaith cemegol
molecularity
moli *be* [mol•¹ *3 un. pres.* mawl/mola; *2 un. gorch.*
mola] (mewn cyd-destun crefyddol yn bennaf)
clodfori, gogoneddu, moliannu, *Molwch yr
Arglwydd.* to worship, to praise, to eulogize
moliannu *be* [moliann•¹⁰] canu clodydd
(rhywun neu rywbeth), *Moliannwn oll yn llon.*;
clodfori, gogoneddu, mawrygu to praise, to laud
Sylwch: dyblwch yr 'n' ym mhob ffurf ac
eithrio yn y rhai sy'n cynnwys *-as-*.
moliant *eg* (moliannau) mynegiant o edmygedd;
canmoliaeth, clod, mawl praise
molwsg *eg* (molysgiaid) SWOLEG unigol
molysgiaid mollusc
molybdenwm *eg* elfen gemegol rhif 42;
metel caled, hydwyth, arianwyn a ddefnyddir
yn bennaf i galedu a chryfhau dur (Mo)
molybdenum
molysgiaid *ell* SWOLEG ffylwm mawr o
anifeiliaid di-asgwrn-cefn sy'n cynnwys
malwod, gwlithod a chregyn gleision; mae gan
lawer ohonynt gragen allanol Mollusca, molluscs
moll *ans* ffurf fenywaidd **mwll**
mollt *eg* (myllt) maharen neu hwrdd wedi'i
ddisbaddu; gwedder wether
moment¹ *eb* (momentau)
1 ysbaid fer o amser, *Un foment, os gwelwch
yn dda.*; amrantiad, munudyn moment
2 ysbaid i wneud rhywbeth yn amlwg neu'n
rhagorol, *Mae'n aros ei foment cyn cyhoeddi'r
newyddion.* moment

moment² *eg* (momentau) FFISEG effaith troi sy'n dibynnu ar faint y grym a phellter y grym o'r pwynt troi moment

momentwm *eg* (momenta)
1 FFISEG cyflymder gwrthrych wedi'i luosi â'i fàs momentum
2 y bwrlwm sy'n cael ei gynhyrchu gan ddatblygiad digwyddiadau neu amgylchiadau, *Ar ôl y brwdfrydedd cychwynnol, mae'r mudiad wedi dechrau colli peth o'i fomentwm yn ddiweddar.* momentum

monarch *eg* CYFRAITH unigolyn sy'n bennaeth ar wladwriaeth monarch

monarchaidd *ans* yn perthyn i fonarchiaeth, nodweddiadol o fonarchiaeth monarchical, sovereign

monarchiaeth *eb*
1 unbennaeth neu deyrnasiad llwyr ar wlad gan unigolyn monarchy
2 gwladwriaeth neu lywodraeth lle mae brenin neu frenhines yn teyrnasu monarchy

monarchydd *eg* (monarchyddion) un sy'n cefnogi monarchiaeth monarchist

monatomig *ans* CEMEG yn cynnwys un atom, *Mae heliwm yn nwy monatomig.* monatomic

Monegasciad *eg* (Monegasciaid) brodor neu ddinesydd o Monaco Monégasque

Monegasg *ans* yn perthyn i Monaco, nodweddiadol o Monaco Monégasque

monetariad *eg* (monetariaid) economegydd sy'n arddel monetariaeth monetarist

monetariaeth *eb* theori a gysylltir yn bennaf â'r economegydd Milton Friedman, sy'n hawlio mai cyfanswm y cyflenwad arian sy'n pennu lefel cynnyrch a chyflogaeth yn y tymor byr a chyfradd chwyddiant yn y tymor hir monetarism

Mongolaidd *ans* yn perthyn i Fongolia, nodweddiadol o Fongolia Mongolian

Mongoliad *eg* (Mongoliaid) brodor o Fongolia, un o dras neu genedligrwydd Mongolaidd Mongol, Mongolian

moni *gw.* mo

monitor *eg* (monitorau)
1 sgrin teledu a ddefnyddir mewn stiwdio i weld llun a ddarlledir o gamera penodol monitor
2 sgrin sy'n arddangos allbwn cyfrifiadur monitor

monitro *be* [monitr•¹]
1 arsylwi a gwirio (rhywbeth) dros gyfnod o amser to monitor
2 gwrando ar ddarllediad neu alwad ffôn a rhoi adroddiad amdano (yn gyfrinachol yn aml) to monitor

monni *be* digio, pwdu, sorri to sulk
Sylwch: nid yw'r ferf hon yn arfer cael ei rhedeg.

monocl *eg* (monoclau) sbectol un llygad monocle

monoclin *eg* (monoclinau) DAEAREG plyg ac iddo un ystlys ac o'i amgylch mae'r haenau o greigiau'n llorweddol neu'n goleddu'n raddol i'r un cyfeiriad ar yr un ongl monocline

monocotyledon *eg* BOTANEG planhigyn blodeuol ac iddo un cotyledon yn unig monocotyledon

monocroesryw *eg* (monocroesrywiau) BIOLEG epil dwy organeb sydd ag amrywiadau gwahanol ar yr un nodwedd etifeddol monohybrid

monocromatig *ans* FFISEG yn cynnwys pelydriad ar un donfedd yn unig (neu ystod gyfyng o donfeddi), *golau monocromatig* monochromatic

monocsid *eg* (monocsidau) CEMEG ocsid yn cynnwys un atom ocsigen monoxide

monocyt *eg* (monocytau) FFISIOLEG math o gell wen y gwaed; maen nhw'n gelloedd mawr sy'n amlyncu defnyddiau estron neu beryglus ac yn rhan bwysig o system amddiffyn y corff monocyte

monoffonig *ans* CERDDORIAETH (am alaw) digyfeiliant, heb unrhyw harmonïau na melodi mewn gwrthbwynt monophonic

monogami *eg* yr arfer neu'r cyflwr o fod â dim ond un cymar neu briod ar y tro monogamy

monogenig *ans* BIOLEG am nodwedd etifeddol sy'n cael ei rheoli gan un genyn monogenic

monograff *eg* (monograffau) traethawd neu lyfryn sy'n ymwneud â maes cyfyng o ddysg monograph

monogram *eg* (monogramau) arwydd wedi'i lunio o lythrennau wedi'u plethu ynghyd (llythrennau cyntaf enw rhywun, gan amlaf) monogram

monolith *eg* (monolithau) maen hir; un bloc mawr o garreg ar ffurf colofn monolith

monolithig *ans* tebyg i fonolith o ran bod yn unffurf, anferth, disyflyd ac anhyblyg monolithic

monolog *eb* (monologau) cyflwyniad dramatig gan un cymeriad; ymson monologue

monomaidd *ans*
1 math o enw a ddefnyddir wrth ddosbarthu pethau byw sy'n cynnwys un term yn unig monomial
2 MATHEMATEG am fynegiad algebraidd sy'n cynnwys un term, e.e. $2xy$ monomial

monomer *eg* (monomerau) CEMEG moleciwl y mae modd ei fondio â moleciwlau eraill i greu polymer monomer

monomerig *ans* CEMEG yn perthyn i fonomer, nodweddiadol o fonomer monomeric

monopoleiddio *be* [monopoleiddi•²] sicrhau monopoli, cymryd meddiant llawn ac awdurdod dros (rywbeth neu rywun) to monopolise

monopoli *eg* (monopolïau)
1 ECONOMEG rheolaeth lwyr gan un cyflenwr mewn marchnad benodol i gyflenwi gwasanaeth neu nwyddau monopoly

m

2 perchenogaeth neu reolaeth nad yw gan neb arall, *Llwyddodd y blaenwyr i gael monopoli ar y bêl yn yr ail hanner.* monopoly

monopolistig *ans* ac iddo fonopoli, yn ceisio monopoli dros rywbeth, yn enwedig diwydiant neu gwmni monopolistic

monopsoni *eg* ECONOMEG cyflwr y farchnad pan nad oes ond un prynwr yn y farchnad honno monopsony

monosacarid *eg* (monosacaridau) CEMEG siwgr, e.e. glwcos, nad yw'n dadelfennu'n siwgrau symlach monosaccharide

monosodiwm glwtamad *eg* CEMEG cyfansoddyn sy'n digwydd yn naturiol wrth i broteinau ymddatod ac a ddefnyddir i wella blas bwydydd parod yn bennaf monosodium glutamate

monosygotig *ans* SWOLEG (am efeilliaid) yn deillio o un wy ac felly'n unfath monozygotic

monoteip *eg* (monoteipiau)
1 unig gynrychiolydd grŵp biolegol, e.e. rhywogaeth neu genws monotype
2 argraffiad ar bapur wedi'i godi o baentiad ar wydr neu fetel monotype

monothëist *eg* (monothëistiaid) un sy'n credu nad oes ond un Duw monotheist

monothëistaidd *ans* yn credu mewn un Duw monotheistic

monothëistiaeth *eb*
1 CREFYDD yr arfer o addoli un Duw ond heb wadu amldduwiaeth monotheism
2 CREFYDD y gred mewn un Duw gan wadu realiti duwiau eraill; undduwiaeth monotheism

monswn *eg* (monsynau)
1 METEOROLEG y math o hinsawdd sy'n nodweddu rhannau o isgyfandir India yn bennaf; nodweddir y monswn gogledd-ddwyreiniol gan dywydd poeth iawn ym misoedd Hydref–Ebrill, a'r monswn de-orllewinol gan law trwm ym misoedd Mai–Medi monsoon
2 *technegol* y gwynt sy'n dod â'r tywydd hwn monsoon

montage *eg* (*montages*) CELFYDDYD y dechneg o ddewis, o olygu ac o gyfuno gwahanol luniau i greu cyfanwaith

Monwysyn:Monwys *eg* (Monwysion) brodor o sir Fôn

mop *eg* (mopiau)
1 teclyn golchi llawr ac iddo goes pren neu blastig a phen naill ai o sbwng neu o edafedd tebyg i gortyn mop
2 teclyn tebyg ond llai ar gyfer golchi llestri mop
3 trwch o wallt (heb ei gribo) mop

mopio¹ *be* [mopi•²]
1 golchi neu sychu'r llawr â mop (~ *rhywbeth* â) to mop

2 sychu unrhyw wlybaniaeth â chlwtyn neu sbwng, *mopio'r llaeth oddi ar sedd y gadair* to mop, to wipe

mopio² *be* gwirioni, *Mae Gwen wedi mopio'i phen ar y bachgen drws nesaf.*; dotio, dwlu, ffoli, gwirioni, mwydro (~ *ei ben/ei phen* ar) to be infatuated
Sylwch: nid yw'r ferf hon yn arfer cael ei rhedeg.

mor *adf*
1 i'r fath raddau (*Mae e mor gyfoethog.*) how, so
2 (mewn cymhariaeth rhwng dau beth) cyn, i'r un graddau â, yr un maint â, *mor fawr ag eliffant; mor denau â weiren gaws* as, so
Sylwch:
1 mae'n achosi'r treiglad meddal (ac eithrio mewn geiriau'n dechrau ag *ll* neu *rh*) (*mor fawr, mor rhydd*);
2 *ac mor* (nid *a mor*) sy'n gywir;
3 nid yw *mor* byth yn treiglo.

yr un mor i'r un graddau â (*Mae'r un mor wir am ei dad ag ydyw amdano yntau.*) just as

môr *eg* (moroedd)
1 y dyfroedd hallt sy'n ffurfio dwy ran o dair o wyneb y Ddaear; cefnfor, dyfnfor, eigion, gweilgi sea
2 ehangder mawr o ddŵr sy'n rhan o gefnfor, *Môr y Gogledd* sea
3 ehangder o ddŵr hallt wedi'i amgylchynu gan dir, *y Môr Marw* sea
4 un o'r gwastadeddau mawrion sydd ar y Lleuad sea

môr tir môr peryglus yn sugno yn ôl drwy'r graean a'r tywod undertow

y moroedd meirwon y doldrymau, y trofannau tawel the doldrums
Ymadroddion
addo môr a mynydd gw. addo
gwneud môr a mynydd gw. gwneud¹

morâl *eg* cyflwr emosiynol a meddyliol, e.e. brwdfrydedd, hyder, teyrngarwch unigolyn neu grŵp mewn perthynas â rhyw orchwyl neu waith morale

moratoriwm *eg* (moratoria)
1 CYFRAITH gohiriad cyfreithiol mewn proses gyfreithiol neu mewn perthynas ag ad-dalu arian moratorium
2 ataliad ar weithgarwch, *moratoriwm ar werthu arfau* moratorium

morbid *ans*
1 â diddordeb annaturiol, afiach, mewn marwolaeth a digwyddiadau annymunol a nodweddir gan deimladau pruddglwyfus a melancolaidd morbid
2 MEDDYGAETH yn ymwneud â natur clefyd, yn dynodi clefyd morbid

morbidrwydd *eg* y cyflwr o fod yn forbid
morbidity

mordaith *eb* (mordeithiau)
1 taith hir ar y môr voyage, crossing
2 gwyliau ar long cruise

mordant *eg*
1 cemegyn a ddefnyddir i sefydlogi llifyn
drwy ei gyfuno â'r llifyn i ffurfio cyfansoddyn
anhydawdd mordant
2 sylwedd megis asid a ddefnyddir i gyrydu
yn y broses o ysgythru mordant

mordeithiwr *eg* (mordeithwyr) un sy'n teithio
ar long passenger, voyager

mordwyaeth *eb* yr wyddor o bennu llwybr taith
(llong, awyren, llong ofod, etc.) gan ystyried
pellter, cyflymder a lleoliad drwy ddefnyddio
geometreg, seryddiaeth, radar, etc. yn ystod
y daith navigation

mordwyo *be* [mordwy•¹]
1 cynllunio a chyfeirio llwybr taith (llong,
awyren, etc.) to navigate
2 teithio ar fôr; hwylio, morio (~ ar hyd) to sail,
to voyage

mordwyol:mordwyadwy *ans* (am fôr neu
ddarn o ddŵr) y gellir ei fordwyo navigable

mordwywr *eg* (mordwywyr) un sy'n mordwyo
navigator, seafarer, voyager

morddwyd *eb* (morddwydydd) ANATOMEG
y rhan o'r goes ddynol sydd rhwng y pen-glin
a'r glun; gar thigh, haunch

morddwydol *ans* ANATOMEG yn perthyn i'r
forddwyd, yn ymwneud â'r forddwyd femoral

moresg *ell* math o laswellt cryf sy'n tyfu ar dir
tywodlyd ac yn ei gadw rhag cael ei erydu gan y
môr marram grass

morfa *eg* (morfeydd) darn o dir gwael, isel a
gwlyb ger y môr; cors, mignen fen, salt-marsh
morfa heli tir corsiog sy'n cael ei guddio gan y
llanw; halwyndir saltings

morfarch *eg* (morfeirch) walrws walrus

morfil *eg* (morfilod) anifail anferth sy'n byw yn
y môr; mae'n debyg o ran golwg i bysgodyn ond
mae'n famolyn gwaed cynnes whale

môr-filwr *eg* (môr-filwyr) aelod o'r lluoedd arfog
wedi'i hyfforddi i wasanaethu ar y tir neu ar y
môr marine

môr-filltir *eb* (môr-filltiroedd) uned fesur a
ddefnyddir mewn llongwriaeth sy'n cyfateb i
1,852 o fetrau knot, nautical mile

morflaidd *eg* (morfleiddiaid) pysgodyn mawr
bwytadwy sy'n byw yn nyfnder y môr; mae ganddo
ddannedd cryfion a natur ffyrnig wolf fish

môr-forwyn *eb* (môr-forynion) gwraig ifanc
(brydferth) chwedlonol â chynffon pysgodyn
sy'n byw yn y môr mermaid

morfran *eb* (morfrain) aderyn y môr, du ei
liw, sy'n byw ar bysgod; mae ganddo wddf

hir a phig fachog; bilidowcar, mulfran
cormorant

morffin *eg* cyffur cryf wedi'i wneud o opiwm a
ddefnyddir i leddfu poen morphine

morffoleg *eb*
1 ffurf, siâp neu strwythur morphology
2 BIOLEG y gangen o fioleg sy'n ymwneud â
ffurf ac adeiledd organebau byw morphology
3 IEITHYDDIAETH yr astudiaeth wyddonol o
ffurfdroadau ac adeileddau iaith morphology

morffolegol *ans* yn perthyn i forffoleg
morphological

morgais *eg* (morgeisi:morgeisiau)
1 cytundeb i fenthyca arian (er mwyn prynu tŷ
fel arfer); mae'r tŷ neu'r tir yn eiddo i'r un sy'n
rhoi benthyg yr arian nes i'r benthyciad gael ei
dalu'n ôl mortgage
2 y swm o arian sy'n cael ei fenthyca o dan y
trefniant hwn mortgage

morgath *eb* (morgathod) pysgodyn cartilagaidd
llydan, fflat ag esgyll tebyg i adenydd a chynffon
hir, denau ray
morgath gyffredin pysgodyn y môr
bwytadwy â chorff ar ffurf diemwnt skate

môr-geffyl *eg* (môr-geffylau) math o bysgodyn
môr bychan â phen tebyg i ben ceffyl sea horse

morgeisai *eg* yr un sy'n rhoi benthyg yr arian ar
gyfer morgais mortgagee

morgeisio *be* [morgeisi•²] CYFRAITH cyfnewid
hawl i fod yn berchen (tŷ, tir, etc.) am
fenthyciad o arian; bydd y berchenogaeth yn
cael ei rhoi yn ôl ar ôl i'r arian gael ei ad-dalu
to mortgage

morgeisiwr *eg* (morgeiswyr) yr un sy'n morgeisio
ei eiddo er mwyn benthyca arian mortgager

morgi *eg* (morgwn) siarc; pysgodyn mawr a
chanddo gorff hir ac esgyll amlwg ar ei gefn;
mae'n bwyta pysgod eraill a phobl hefyd (weithiau)
yn achos y rhywogaethau ffyrnicaf shark
morgi glas siarc barus sydd weithiau'n ymosod
ar bobl blue shark
morgi llyfn siarc bach heb bigyn ar ei gefn y tu
blaen i asgell y cefn smooth hound

morglawdd *eg* (morgloddiau) clawdd llydan
o bridd neu gerrig i gadw afon neu fôr rhag
gorlifo, neu fel sail i heol/ffordd neu reilffordd
sy'n croesi tir isel neu gors; argae, còb
embankment, barrage, breakwater

morgrugyn *eg* (morgrug) pryfyn sy'n perthyn
i'r un urdd â'r wenynen; mae'n byw mewn nyth
yn y ddaear yn rhan o haid drefnus, ac mae'n
enwog am weithio'n brysur ac yn galed ant

môr-hwch gw. **morwch**

morio *be* [mori•²]
1 teithio ar y môr, '*Fuost ti 'rioed yn morio?/
Wel do, mewn padell ffrio.*'; hwylio, mordwyo
to sail, to voyage

2 bod dan ddŵr, *Roedd y lle yn morio gan fod y to'n gollwng cymaint.*; gorlifo
3 canu â'ch holl egni, *Byddai Dai yn ei morio hi yn y dafarn bob nos Sadwrn.*

môr-ladrad *eg* CYFRAITH trais a lladrad gan unigolyn neu griw o unigolion yn erbyn llong ar y môr piracy

morlan *eb* (morlannau) tir corsiog yn ymyl môr neu afon marshland

morlas *eg* (morleisiaid) pysgodyn bwytadwy o ogledd Cefnfor Iwerydd; mae'n debyg i'r penfras ond yn dywyllach ei groen pollack, pollock

môr-leidr *eg* (môr-ladron) aelod o griw sy'n hwylio'r moroedd gan ddwyn oddi ar longau masnachol a'u hysbeilio pirate, buccaneer

morlin *eg* (morlinau) amlinell arfordir coastline

morlo *eg* (morloi) un o nifer o fathau o famolion mawr sy'n byw ar bysgod ac sydd â dwy goes fel esgyll llydain ar gyfer nofio seal

morlun *eg* (morluniau) darlun neu baentiad eang o'r môr seascape

morlyn *eg* (morlynnoedd) llyn o ddŵr y môr wedi'i wahanu oddi wrth y môr gan greigiau, rîff gwrel neu dwyni tywod; lagŵn lagoon

morlys *eg*
1 adran o'r llywodraeth a oedd yn gyfrifol am y llynges admiralty
2 CYFRAITH y llysoedd barn ag awdurdodaeth dros faterion morwrol admiralty

môr-lywydd *eg* (môr-lywyddion)
1 swyddog yn y llynges un cam yn is nag ôl-lyngesydd; comodor commodore
2 uwch-gapten cwmni llongau; comodor commodore

Mormon *eg* (Mormoniaid) CREFYDD aelod o Eglwys Iesu Grist Saint y Dyddiau Diwethaf a sefydlwyd yn 1830 yn Unol Daleithiau America gan Joseph Smith, sy'n dilyn athrawiaeth y llyfr sanctaidd, *The Book of Mormon* Mormon

Mormones *eb* merch neu wraig sy'n Formon

mornay *eg* COGINIO saws gwyn (Béchamel) gyda chaws a gwynnwy wedi'u hychwanegu ato; gweinir fel arfer gyda physgod neu lysiau

Morocaidd *ans* yn perthyn i Foroco, nodweddiadol o Foroco Moroccan

Morociad *eg* (Morociaid) brodor o Foroco Moroccan

morol[1] gw. ymorol

morol[2] *ans*
1 yn byw yn y môr neu yn ei ymyl marine
2 yn ymwneud â llongau a masnach y môr marine, maritime

moron *ell* lluosog **moronen**, llysiau â gwreiddiau hir, coch, bwytadwy

moronen *eb* unigol **moron** carrot

Morse *eg* fel yn *cod Morse* a enwyd ar ôl Samuel Morse, synau neu fflachiadau hirion a byrion (sy'n cynnwys dotiau a/neu haciau) y mae modd eu defnyddio yn lle rhifau a llythrennau i anfon negeseuon, e.e. a .- ; b - . . . ; c - . - . Morse

mortais fel yn *uniad mortais a thyno*, uniad lle y ceir twll (mortais) wedi'i lunio i dderbyn darn ymwthiol (tyno) er mwyn clymu dau ddarn o bren ynghyd mortice and tenon joint

morter[1] *eg* cymysgedd o galch, tywod a dŵr a fyddai'n cael ei ddefnyddio cyn i sment gael ei ddyfeisio; cymrwd mortar

morter[2] *eg* (morteri) llestr ar gyfer pwyo a malu'n fân gan ddefnyddio pestl mortar

morthwyl *eg* (morthwylion:myrthylau)
1 offeryn â phen trwm, caled ar gyfer bwrw hoelion i bren neu daro pethau er mwyn eu torri neu eu symud hammer
2 rhywbeth sydd wedi'i lunio er mwyn taro/bwrw rhywbeth arall, e.e. morthwyl piano hammer

morthwyl plansio morthwyl â dau ben amgrwm a ddefnyddir i lyfnhau a siapio arwyneb llenni metel planshing hammer

morthwyliadwy *ans* y gellir ei guro a'i drin i gyrraedd y siâp sydd ei angen; hydrin malleable

morthwylio *be* [morthwyli•[2]] bwrw/taro (hoelen fer arfer) â morthwyl to hammer

môr-warchae *eg* gwarchae porthladd blockade

morwch:môr-hwch *eb* (môr-hychod) *hynafol* morlo neu lamhidydd neu ddolffin dolphin, porpoise, seal

môr-wennol *eb* (môr-wenoliaid) un o nifer o fathau o adar y môr sydd â chynffon fforchog ac adenydd hir tern

môr-wiber *eb* (môr-wiberod) pysgodyn bwytadwy y môr â phen llydan a phigyn gwenwynllyd ar hyd ei gefn weever

morwr *eg* (morwyr) un sy'n gweithio ar long; llongwr sailor, seaman, mariner

morwriaeth *eb* y grefft o reoli llong; llongwriaeth seamanship

morwrol *ans* yn ymwneud â bywyd neu waith morwr; yn ymwneud â'r môr nautical, marine, naval

morwydd *ell* coed y mae pryfed sidan yn bwyta eu dail; mwyar Mair yw enw eu ffrwythau coch tywyll neu borffor; hefyd, yn unigol, pren y coed hyn mulberry

si ym mrig y morwydd sibrydion, straeon heb eu cadarnhau rumour

morwydden *eb* unigol **morwydd**

morwyn *eb* (morynion)
1 merch sy'n gweini mewn tŷ neu westy maid
2 merch neu wraig nad yw wedi cael cyfathrach rywiol; geneth, gwyryf, rhiain virgin

morwyn briodas y ferch neu'r wraig sy'n helpu'r briodferch ar ddiwrnod ei phriodas bridesmaid

y Forwyn Fair CREFYDD Mair mam Iesu yn y Beibl the Virgin Mary

morwyndod *eg* y cyflwr o fod yn forwyn; gwyryfdod virginity

morwynol:morwynaidd *ans* yn perthyn i forwyn, nodweddiadol o forwyn; gwyryfol maiden, virginal

enw morwynol cyfenw merch cyn iddi briodi maiden name

morwyr *ell* lluosog **morwr**

moryd *eb* (morydau) aber afon y mae'r môr yn llifo iddi ar adegau o lanw estuary

moryn *eg* (morynnau) ton fawr nerthol, ymchwydd y môr; gwaneg breaker

morynion *ell* lluosog **morwyn**

mosaig *eg* (mosaigau) darn o waith cain wedi'i lunio drwy osod darnau bach o gerrig llyfn, gwydr lliw a chrochenwaith, etc. at ei gilydd mosaic

Mosambicaidd *ans* yn perthyn i Moçambique, nodweddiadol o Moçambique Mozambican

Mosambiciad *eg* (Mosambiciaid) brodor o Moçambique Mozambican

mosg *eg* (mosgiau) CREFYDD adeilad y mae addolwyr Islam yn addoli ynddo; addoldy Islamaidd mosque

mosgito *eg* (mosgitos) un o nifer o fathau o bryfed sy'n perthyn i deulu'r clêr ac sy'n pigo'r croen ac yn yfed y gwaed; mae un math yn achosi malaria mosquito

motél *eg* (motelau) gwesty yn ymyl y ffordd ar gyfer modurwyr y mae ei ystafelloedd yn rhwydd eu cyrraedd o'r maes parcio motel

motét *eb* (motetau) CERDDORIAETH cyfansoddiad neu ddarn digyfeiliant i nifer o leisiau ar destun crefyddol motet

motiff *eg* (motiffau) thema sy'n rhedeg drwy gyfansoddiad artistig, e.e. cerddoriaeth, arlunwaith, llenyddiaeth, neu drwy straeon gwerin o wahanol wledydd motif

mot juste *eg* (*mots justes*) yr union air

motor *ans*
1 echddygol; yn ymwneud â'r cyhyrau neu symudiad y cyhyrau motor
2 echddygol; am nerf sy'n trosglwyddo negeseuon o'r brif system nerfol i gyhyryn neu chwarren er mwyn ysgogi ymateb ffisiolegol, e.e. cyfangu neu secretu motor

mousse *eg* saig o hufen wedi'i chwipio a'i flasu; hefyd am rywbeth o'r un ansawdd â'r bwyd hwn (e.e. ewyn siafio neu wallt)

mowld:mold *eg* (mowldiau) llestr ar ffurf arbennig i'w lenwi â sylwedd meddal (fel jeli), fel bod hwnnw'n caledu ar ffurf y llestr mould

mowldadwy *ans* y gellir ei fowldio mouldable

mowldin:moldin *eg* (moldinau:mowldinau) darn o bren, plastr, plastig, etc. a lynir wrth wyneb rhywbeth fel addurn moulding

mowldio *be* [mowldi•²]
1 ffurfio neu lunio rhywbeth yn ôl patrwm neu siâp arbennig; castio to mould
2 ffurfio, siapio (cymeriad, ymddygiad, etc.) to mould

mowldio chwistrellu dull o ffurfio plastig drwy ei doddi a'i chwistrellu o dan wasgedd i fowld injection moulding

mownt *eg* (mowntiau)
1 sleid gwydr sy'n clymu sbesimen yn sownd fel y gellir ei archwilio drwy ficrosgop mount
2 ymyl a roddir o gwmpas llun neu ffotograff mount

mowntin *eg* (mowntinau) y defnydd y mae peth wedi'i osod arno, e.e. darlun ar ddarn o gardfwrdd, yr hyn sy'n dal maen gwerthfawr mewn tlws, yr hyn y mae peiriant (car) yn eistedd arno mount, mounting

mowntio *be* [mownti•²]
1 mynd neu ddringo ar gefn (ceffyl, etc.) to mount
2 gosod (llun, gem etc.) mewn mownt to mount

moyn ffurf dafodieithol y De ar **ymofyn**

muchudd *eg* lignit du, wedi'i ffurfio o bren, y mae modd ei gaboli a'i ddefnyddio i lunio addurniadau a thlysau jet

mud *ans* (mudion) heb fod yn gallu siarad, neu'n methu neu'n gwrthod siarad dumb, mute, speechless

mudan *egb* (mudion) un sy'n methu neu'n gwrthod siarad mute
Sylwch: mae cenedl yr enw'n newid yn ôl rhyw yr unigolyn.

mudandod *eg* y cyflwr o fod yn fud silence, muteness, mutism

mudanes *eb* (mudanesau) merch neu wraig fud

mudferwi *be* [mudferw•¹]
1 COGINIO berwi'n araf ac yn ysgafn; lled-ferwi to simmer
2 (yn ffigurol) bod yn llawn o ddicter, cyffro, etc. sydd bron â mynd allan o reolaeth to simmer

mudiad *eg* (mudiadau) carfan neu gymdeithas o bobl sydd wedi dod at ei gilydd i gyflawni rhyw bwrpas arbennig, *Mudiad y Ffermwyr Ifanc*; corff, sefydliad, urdd movement, organization

mudiant *eg* (mudiannau) FFISEG y cyflwr o fod yn symud neu o newid lleoliad, *mudiant y planedau*; symudiad motion

mudion¹ *ell* rhai mud

mudion² *ans* ffurf luosog **mud**

mudlosgi *be* [mudlosg•¹]
1 llosgi'n araf heb fflamau to smoulder
2 (am deimladau cryf fel dicter, casineb, etc.)

m

yn corddi oddi mewn i rywun ond heb ddod i'r amlwg, *Roedd casineb yn mudlosgi yn ei llygaid*. to smoulder

mudo *be* [mud•[1]]
1 symud i wlad arall, codi pac; allfudo, ymfudo to migrate, migration
2 symud tŷ, newid aelwyd to move
3 (am anifail, aderyn neu bysgodyn, fel arfer) symud o un rhanbarth neu gynefin i un arall yn ôl y tymhorau to migrate
mudo 'mennydd y sefyllfa lle mae pobl alluog yn ymfudo o wlad brain drain

mudol *ans*
1 am adar neu anifeiliaid sy'n teithio'n rheolaidd o un rhan o'r byd i ran arall yn ôl y tymhorau; symudol migratory
2 yn symud o le i le am gyfnodau byrion; symudol migrant, migratory

mudoledd *eg* y graddau y mae rhywbeth neu rywun yn medru symud; symudoledd mobility

mudwr:mudydd[1] *eg* (mudwyr) crwydryn, ymfudwr migrant, wanderer

mudydd[2] *eg* (mudyddion) CERDDORIAETH teclyn sy'n cael ei osod ar offeryn cerddorol er mwyn ei ddistewi neu er mwyn cyfyngu ar ei sain mute

muesli *eg* COGINIO bwyd brecwast o'r Swistir yn cynnwys ceirch, cnau, ffrwythau sych ac afal wedi'u cymysgu â llaeth neu sudd

muezzin *eg* (Islam) gŵr sy'n galw'r Mwslimiaid i weddïo o feindwr y mosg

mul *eg* (mulod) epil asyn wedi'i groesi â cheffyl; mae'n enwog am ei ystyfnigrwydd; asyn, mwlsyn donkey, mule
llyncu mul gw. llyncu
oes mul cyfieithiad o ymadrodd mwys yn Saesneg 'donkey's ears' sy'n enwog am eu hyd donkey's years

mulaidd *ans* tebyg i ful o ran ei natur; pengaled, penstiff, ystyfnig mulish

mulfran *eb* (mulfrain) aderyn y môr, du ei liw, sy'n byw ar bysgod; mae ganddo wddf hir a phig fachog; bilidowcar, morfran cormorant

munud *ebg* (munudau)
1 un o'r trigain (60) rhan sydd mewn awr minute
2 cyfnod byr o amser, *Fe fydda i gyda ti mewn munud*. minute
3 MATHEMATEG mesur ongl cywerth ag $1/60$ o radd, *Mae 60 munud [60'] mewn gradd*. minute
  Sylwch: mae'n wrywaidd yn y Gogledd ac yn fenywaidd yn y De.
ar y munud/funud nawr at the moment
i'r munud/funud prydlon, i'r union amser to the minute
mewn munud cyn bo hir in a minute

munudyn *eg* cyfnod byr, munud fach/bach; moment moment

mur *eg* (muriau)
1 adeiladwaith cymharol uchel o gerrig neu friciau, wedi'i godi i amgáu, i rannu, i gynnal (nenfwd neu do) neu i amddiffyn (rhywbeth), *muriau castell, pedwar mur ystafell*; gwal, wal wall
2 unrhyw beth sy'n debyg i fur o ran golwg neu ddefnydd, *mur o ddŵr* wall
3 haen o sylwedd sy'n amgáu gofod, e.e. am adeiledd mewnol y corff, *muriau'r galon, muriau cell*; magwyr, palis, pared wall

murdreth *eb* (murdrethi) *hanesyddol* treth a gâi ei chodi am atgyweirio neu am godi muriau trefol murage

murddun *eg* (murddunnod) gweddillion hen adeilad sydd wedi mynd a'i ben iddo; adfail ruin

murfwlch *eg* (murfylchau) bylchfur; rhagfur bylchog wedi'i godi ar ben mur fel amddiffynfa neu fel addurn battlement, crenellation

mur gwarchod *eg* (muriau gwarchod) CYFRIFIADUREG darn o feddalwedd neu galedwedd sy'n gwirio cyfathrebu electronig sefydliad ac sy'n rhwystro mynediad anawdurdodedig yn deillio o'r tu allan ond sydd ar yr un pryd yn caniatáu cyfathrebu allanol firewall

murio *be* [muri•[2]] codi mur, amgáu â mur, gosod briciau neu feini to brick up, to wall

muriog *ans* a muriau o'i gwmpas walled

murlun *eg* (murluniau) llun wedi'i beintio ar wal; darlun, llun, paentiad, pictiwr mural

murmur[1] *eg* (murmuron)
1 sŵn isel aneglur, *murmur y nant yn y cefndir*; si, sisial babble, murmur
2 sŵn isel cwynfanllyd gan nifer o bobl, *murmur y dorf*; cwyn, sôn murmur, muttering
3 MEDDYGAETH sŵn cylchol yn y galon a glywir drwy stethosgop ac sydd, gan amlaf, yn dynodi rhyw niwed neu glefyd murmur

murmur[2] *be* [murmur•[1]] gwneud sŵn isel aneglur; siffrwd, sisial to murmur

murmurog:murmurol *ans* yn sibrwd, yn gwneud sŵn distaw, yn murmur murmuring

mursen *eb* (mursennod)
1 merch sy'n esgus caru, sy'n chwarae â serch; coegen, fflyrten, hoeden flirt, coquette
2 pryfyn tebyg i was y neidr ond yn llai ei faint damselfly

mursendod *eg* y cyflwr o fod yn fursennaidd, ffugledneisrwydd, ymddygiad merchetaidd; maldod, rhodres affectation

mursennaidd *ans*
1 yn cael sioc yn rhwydd (gan unrhyw beth sy'n cyfeirio at ryw); cul, cysetlyd, misi priggish, prudish

2 â ffug ddiddordeb mewn pethau uchel-ael; ffuantus, rhodresgar, ymhongar affected
3 merchetaidd camp, effeminate
musgrell *ans* [musgrell•] gwan, wedi colli ei egni a'i nerth, yn fethedig (oherwydd henaint neu afiechyd fel arfer); curiedig, eiddil, llegach, llesg feeble, infirm, decrepit
musgrellni *eg* y cyflwr o fod yn fusgrell; gwendid, eiddilwch, llesgedd frailty, decrepitude
mutatis mutandis *adf* gyda'r newidiadau angenrheidiol
MW *byrfodd* Merched y Wawr
mwcaidd *ans* yn cynhyrchu mwcws, tebyg i fwcws mucous
pilen fwcaidd gw. pilen
mwclis *ell tafodieithol* gleiniau, rhes o beli bach gloyw, addurniadol (ar linyn) beads
mwcws *eg* sylwedd tebyg i lysnafedd a gynhyrchir gan bilenni gludiog (y trwyn a'r geg) mucus
mwd *eg* pridd gwlyb, gludiog; llaca, llaid mud
mwdlyd *ans* wedi'i orchuddio â llaid neu'n debyg i laid o ran lliw neu ansawdd; lleidiog muddy
mwdwl *eg* (mydylau) pentwr trefnus, crwn o wair sy'n llai o faint na thas, ac sy'n cael ei adael yn y cae cyn ei gywain; bera, cocyn, helm haycock
cau pen y mwdwl gw. cau[1]
mwffler *eg* (mwffleri) gorchudd i (ddynion) ei lapio am wddf neu wyneb; sgarff muffler
mwg *eg* y cwmwl o nwyon gweladwy sy'n cael ei gynhyrchu wrth losgi defnydd sy'n cynnwys carbon fumes, smoke
fel y mwg yn rhwydd ac yn helaeth (*gwnawn arian fel y mwg*) like mad
mwg drwg:mwg melys *anffurfiol* cyffur fel mariwana neu ganabis sy'n cael ei ysmygu pot, wacky baccy
mwg tato rhywbeth cwbl ddisylwedd moonshine
mẁg *eg* (mygiau) math o gwpan mawr ag ochrau syth (heb soser fel arfer) mug
mwgwd *eg* (mygydau)
1 gorchudd sy'n cuddio neu'n amddiffyn rhan o'r wyneb; masg mask
2 gorchudd sy'n cael ei wisgo mewn rhai seremonïau neu gan rai mathau o actorion mask
3 rhwymyn sy'n cael ei osod dros y llygaid (e.e. mewn rhai gêmau) fel na all rhywun weld; bwmbwr blindfold
mwgwd yr ieir gêm lle mae chwaraewr a mwgwd dros ei lygaid yn ceisio dal eraill sy'n ei wthio o gwmpas blind man's buff
mwg-y-ddaear cyffredin *eg* planhigyn y mae gan ei flodau sbardunau bach; câi ei ddefnyddio fel llysieuyn meddygol fumitory
mwgyn *eg* y weithred o ysmygu baco smoke
mwng *eg* (myngau) y gwallt hir ar war ceffyl neu o gylch wyneb llew, etc. mane

mwngial *be* siarad neu rwgnach dan eich anadl; mwmial, mwmian, myngial to mumble, to mutter
Sylwch: nid yw'r ferf hon yn arfer cael ei rhedeg.
mwngrel gw. mwn(-)grel
mwliwn *eg* (mwliynau) PENSAERNÏAETH darn syth o bren neu garreg rhwng chwareli o wydr mewn drws neu ffenestr mullions
mwlsyn *eg*
1 mul bach mule
2 gair dilornus am blentyn neu berson ystyfnig ass, donkey
mwll *ans* [myll• *b* moll] (am y tywydd) clòs, llethol, mwrn, trymaidd, *Roedd hi'n anghysurus o fwll yn y swyddfa heddiw.* muggy, close, sultry
mwmi *eg* (mwmïau) celain neu gorff marw a gafodd ei drin mewn ffordd arbennig rhag iddo bydru mummy
mwmian:mwmial *be* [mwmial•[1]]
1 siarad yn aneglur; mwngial, myngial to mumble, to mutter
2 canu'n dawel â'r gwefusau ynghau; hymian, sïo, suo to hum
mwn *talfyriad tafodieithol* talfyriad o 'am wn i'; deceni, gwlei, sbo I guess, I suppose
mwnci[1] *eg* (mwncïod)
1 un o nifer o fathau o anifeiliaid cymedrol neu fach eu maint â chynffon hir sy'n dringo coed ac yn byw mewn gwledydd trofannol; mae'n perthyn i'r un dosbarth o anifeiliaid â dyn ei hun monkey
2 bachgen bach drygionus monkey
codi mwnci colli tymer to raise the old nick
mwnci[2] gw. mynci
mwncïaidd *ans* o natur neu olwg mwnci simian
mwngrel *eg* (mwngreliaid)
1 ci cymysgryw; brithgi mongrel
2 enw dilornus am rywun neu rywbeth mongrel
mwnt *eg hanesyddol* fel yn *mwnt a beili*, twmpath y byddai'r Normaniaid yn codi eu hen gestyll pren arno motte, mound
mwnwgl *eg* (mynyglau) gwar (anifail fel arfer); gwegil neck, scruff
mwnwgl y droed cefn troed; y rhan o'r droed ddynol sydd rhwng pelen y droed a'r ffêr instep
Mẁr *eg* (Mwriaid) aelod o bobl Arabaidd o ogledd Affrica a orchfygodd Sbaen yn yr wythfed ganrif Moor
mwrdro *be* [mwrdr•[1]] *anffurfiol* llofruddio to murder
mwrdwr *eg anffurfiol* llofruddiaeth murder
mwrllwch *eg* cwmwl trwchus, afiach o fwg, nwyon a niwl a fyddai'n llygru aer rhai dinasoedd; caddug, niwl, tarth, tawch smog
mwrn *ans tafodieithol, yn y De* (am y tywydd) clòs, llethol, mwll, trymaidd close, sultry
mwrthwl (anffurfiol) gw. morthwyl

m

mwsg *eg* sylwedd a geir o chwarren mewn carw
mwsg gwryw ac a ddefnyddir wrth wneud
peraroglau musk

mwsged *eg* (mwsgedi) gwn llaw tebyg i reiffl
fawr a ddefnyddid gan filwyr traed gynt
musket

Mwslim *eg* (Mwslimiaid) CREFYDD
un o ddilynwyr Islam Muslim

Mwslimaidd *ans* CREFYDD yn perthyn i Islam
a'r Mwslimiaid, nodweddiadol o Islam a'r
Mwslimiaid Muslim

mwslin *eg* defnydd bras plaen wedi'i wneud o
gotwm muslin

mwsogl:mwswgl:mwswm *eg* (mwsoglau)
un o nifer o fathau o blanhigion heb flodau sy'n
tyfu'n drwch meddal melyn neu wyrdd mewn
mannau llaith moss

mwsoglyd *ans* wedi'i orchuddio â mwsogl neu'n
debyg i fwsogl neu o natur mwsogl mossy

mwstard:mwstart *eg*
  1 planhigyn â blodau melyn y mae ei hadau yn
cael eu defnyddio i wneud powdr poeth ei flas
mustard
  2 past, wedi'i wneud o'r powdr hwn, sy'n cael
ei fwyta gyda bwyd mustard

mwstas(h) *eg* (mwstashys) y blew sy'n tyfu
uwchben y wefus moustache

mwstasiog *ans* â mwstash moustached

mwstro *be* [mwstr•¹]
  1 *tafodieithol, yn y De* symud ar unwaith;
brysio, cyffroi, hastu, prysuro to get a move on,
to shift
  2 casglu byddin ynghyd yn barod i ryfela;
byddino, ymbaratoi to mobilize, to muster

mwstwr *eg* sŵn mawr; dadwrdd, dwndwr, stŵr,
twrw din, racket, commotion
  cadw mwstwr gwneud sŵn mawr to make
a racket

mwswm:mwswgl gw. mwsogl

mwtan *eg* (mwtanau) BIOLEG organeb sydd
wedi'i newid drwy fwtanu mutant

mwtanaidd *ans* BIOLEG yn perthyn i fwtaniad,
yn digwydd ohewydd mwtaniad mutant

mwtaniad *eg* (mwtaniadau)
  1 BIOLEG newid sydyn neu annisgwyl mewn
genyn neu gromosom sy'n achosi nodwedd
newydd a allai gael ei throsglwyddo i'r
genhedlaeth nesaf mutation
  2 mwtan; organeb sydd wedi'i newid drwy
fwtanu mutant

mwtanu *be* BIOLEG newid (neu achosi newid)
yng ngenynnau neu gromosomau organeb
to mutate
  Sylwch: nid yw'r ferf hon yn arfer cael ei
rhedeg.

mwtrin *eg* llysiau wedi'u berwi a'u stwnsio
(yn enwedig tatws a llysieuyn arall); stwnsh mash

mwy¹ *ans* gradd gymharol **mawr**
  1 (o ran nifer neu swm) heb fod cyn lleied;
rhywbeth y mae rhagor ohono, *Oes mwy
o fagiau gyda chi?* more
  2 (o ran maint) heb fod mor fychan (o ran
maint); talach, tewach, trymach, etc., *Mae Iolo
yn fwy na Steffan.* bigger, larger
  3 (o ran sŵn) o well ansawdd neu gymeriad
neu uwch (o ran sŵn), *Mae e'n fwy o ddyn na'i
olynydd. Mae'r sŵn yn fwy yn y dosbarth hwn
na'r un dosbarth arall.* greater
  4 (am amser neu bellter) hwy, *Mae arna i angen
mwy nag awr i wneud fy ngwaith cartref.
Mae mwy o ffordd i'r pentref nag roeddwn i'n
ei feddwl.* further, longer
  Sylwch: fel gradd gymharol ansoddair nid
yw'n achosi treiglad.

mwy na heb gw. **heb**

mwy na thebyg y tebyg yw more than likely

mwy neu lai bron â bod, rhywle'n agos
more or less

mwy o dwrw nag o daro gw. **twrw**

mwy² *adf*
  1 (mewn cymhariaeth rhwng dau beth) i raddau
pellach neu uwch, *mwy swnllyd, mwy dymunol*
more
  2 bellach, o hyn allan, *Welwn ni mohono fe/fo
byth mwy.*; mwyach, eto again, any more
  3 (a'i ddilyn gan *na*) yn hytrach (na), *Pam rwyt
ti'n gofyn i mi, mwy nag iddo fe/fo?* rather than
  Sylwch: mae'r 'mwy' yma'n arfer gwrthsefyll
treiglo.

mwyach *adf*
  1 byth mwy, o hyn ymlaen; eto henceforth,
henceforward
  2 bellach, *Dyw e ddim yn byw yma mwyach.*
any more
  Sylwch:
    1 *ac mwyach* (nid *a mwyach*) sy'n gywir;
    2 nid yw *mwyach* yn arfer treiglo.

mwyaduron *ell* lluosog **mwyhadur**

mwyaf¹ *ans* gradd eithaf **mawr**
  1 mwy o ran nifer, maint, ansawdd, amser,
pellter, etc. na phawb neu bopeth arall,
*Ef yw'r mwyaf yn y dosbarth. Ef yw'r
arweinydd mwyaf a gawsom erioed.*; gorau,
pennaf, prif, pwysicaf greatest, largest, most
  2 CERDDORIAETH (am raddfa) a chyfwng
o hanner tôn rhwng y trydydd nodyn a'r
pedwerydd a rhwng y seithfed nodyn a'r
wythfed; (am gyfwng) yn cyfateb i'r hyn a geir
rhwng y tonydd ac unrhyw nodyn arall mewn
graddfa fwyaf (sy'n hanner tôn yn fwy na'r
cyfwng cyfatebol lleiaf); llon major

mwyaf yn y byd po fwyaf all the more

mwyaf² *adf* (o flaen ansoddair mewn cymhariaeth)
i'r radd uchaf, *mwyaf swnllyd* most

mwyafrif *eg* (mwyafrifau:mwyafrifoedd)
1 y rhan fwyaf, rhif neu nifer sy'n fwy na'r
hanner majority, preponderance
2 y gwahaniaeth rhwng un nifer a nifer arall
(o bleidleisiau, er enghraifft) majority
3 y gwrthwyneb i 'lleiafrif' majority

mwyafrifol *ans* yn perthyn i'r mwyafrif, yn y
mwyafrif majority

mwyalchen *eb* (mwyeilch) math o fronfraith
y mae'r ceiliog yn ddu drosto a'i big yn felen,
a'r iâr yn frown ei phlu a'i phig; yr aderyn du
pigfelen blackbird

mwyar *ell* lluosog **mwyaren**

mwyara *be* hel neu gasglu mwyar duon to gather
blackberries
Sylwch: nid yw'r ferf hon yn arfer cael ei rhedeg.

mwyaren *eb* (mwyar) ffrwyth melys, bwytadwy
y fiaren sy'n debyg o ran ffurf i fafon ond yn
ddu ei liw; defnyddir mwyar i wneud jam, jeli
a phasteiod neu dartenni blackberry
mwyaren Mair ffrwyth porffor neu goch
tywyll y forwydden mulberry

mwydion *ell* peth neu bethau wedi'u mwydo;
pethau meddal, soeglyd, e.e. tu mewn rhai
ffrwythau neu blanhigion pith, pulp
mwydion coed ffibr coed wedi'i leihau yn
gemegol neu'n fecanyddol i fwydion, sy'n cael
eu defnyddio i wneud papur woodpulp
mwydion papur papur wedi'i ferwi neu'
ei fwydo nes ei fod yn feddal ac yna wedi'i
gymysgu â glud neu ryw ddeunydd sy'n ei
galedu er mwyn ei ddefnyddio i lunio bocsys
neu fodelau, etc. papier mâché, pulp

mwydo *be* gadael rhywbeth mewn hylif er mwyn
iddo feddalu, gwella o ran blas, etc.; gwlychu,
trwytho to soak, to steep, to infuse
Sylwch: nid yw'r ferf hon yn arfer cael ei rhedeg.

mwydod gw. **abwydod**

mwydro:moedro *be* drysu, *Paid â mwydro dy
ben ynglŷn â'r peth.*; cawlio, ffoli, gwirioni,
mopio to confuse, to bewilder
Sylwch: nid yw'r ferf hon yn arfer cael ei rhedeg.

mwydyn *eg* (mwydod)
1 creadur bach tenau, hir, heb asgwrn cefn nac
aelodau corff, sy'n byw yn y pridd; abwydyn,
pryf genwair earthworm, worm
2 rhan fewnol feddal neu dyner (torth, ffrwyth
etc.) pith

mwyeilch *ell* lluosog **mwyalchen**

mwyfwy *adf* yn gynyddol, mwy a mwy o
hyd, *Rwy'n dod i ddibynnu arno fwyfwy.*
increasingly, more and more

mwyhad *eg* y weithred o wneud yn fwy;
helaethiad enlargement, amplification

mwyhadur *eg* (mwyaduron) ELECTRONEG
offeryn (a geir mewn radio neu beiriant
chwarae recordiau, disgiau, etc.) sy'n cynyddu

nerth neu bŵer cerrynt trydanol (cyn ei droi'n
ôl yn sain) amplifier
Sylwch: dylid defnyddio *mwyhadur* mewn
cyd-destun technegol, ond gellir defnyddio
amp mewn cyd-destun llai technegol lle nad
oes perygl drysu rhyngddo ac *amp* (*ampere*).

mwyhaol *ans* yn mwyhau amplifying,
magnifying

mwyhau *be* [mwyha•¹⁴]
1 gwneud yn fwy, e.e. mwyhau lluniau,
mwyhau seiniau to enlarge, to amplify
2 mynd yn fwy; amlhau, cynyddu, ehangu
to increase, to multiply

mwyn¹ *eg* (mwynau)
1 DAEAREG elfen neu gyfansoddyn cemegol
naturiol, sy'n grisialog fel arfer, a ffurfiwyd
o ganlyniad i brosesau daearegol mineral
2 un o'r sylweddau naturiol hyn yng nghramen
y Ddaear sy'n cynnwys metel y mae modd ei
echdynnu o'r defnydd crai ore

mwyn² *eg* fel yn yr ymadrodd *er mwyn* gw.
o dan **er**

mwyn³ *ans* [mwyn•] (mwynion)
1 hynaws a dymunol; addfwyn, hoffus, tirion
dear, gentle, tender
2 (am y tywydd) braf, tirion, tyner fine, mild

mwynaidd *ans* mwyn; addfwyn, hynaws, tirion
gentle, tender, mild

mwynder *eg* y cyflwr o fod yn fwyn, yn hynaws;
addfwynder, hynawsedd, tiriondeb, tynerwch
gentleness, mildness

mwynderau *ell*
1 pethau sy'n rhoi mwynhad neu bleser;
pleserau delights, pleasures
2 ffurf gyffredin ar **amwynderau**

mwyndoddi *be* [mwyndodd•¹] METELEG
echdynnu metel o fwyn drwy ei boethi to smelt

mwyneidd-dra *eg* mwynder, tynerwch,
caredigrwydd, hynawsedd, cwrteisi gentleness,
affableness, geniality

mwyneiddiach:mwyneiddiaf:mwyneiddied
ans [mwynaidd] mwy mwynaidd; mwyaf
mwynaidd; mor fwynaidd

mwyneiddio *be* [mwyneiddi•²] troi yn fwy
mwynaidd; meddalu, tirioni, tyneru to become
gentler, to become milder, to become more tender

mwynglawdd *eg* (mwyngloddiau) man ar
gyfer cloddio am fwynau metel, *Os ewch
chi i Bumsaint yn Sir Gâr fe welwch hen
fwyngloddiau lle bu'r Rhufeiniaid yn cloddio
am aur.* mine

mwyngloddiaeth *eb* yr wyddor o fwyngloddio
mining

mwyngloddio *be* [mwyngloddi•²] cloddio am
fwynau metel; tyllu to mine

mwynhad *eg* mwyniant, hapusrwydd neu
fodlonrwydd sy'n deillio o brofiad pleserus,

m

Roedd ei fwynhad yn amlwg ar ei wyneb.; difyrrwch, hwyl, hyfrydwch, pleser enjoyment, pleasure

mwynhau *be* [mwynha•[14]]
1 derbyn pleser neu hapusrwydd oddi wrth rywbeth, cael blas, *Wyt ti'n mwynhau'r daith?*; hoffi to enjoy
2 bod yn berchen ar rywbeth da neu ei ddefnyddio, *Mae'n mwynhau iechyd ardderchog ar hyn o bryd.* to enjoy

mwyniant *eg* (mwyniannau) y cyflwr o fwynhau; diddanwch, difyrrwch, hwyl, hyfrydwch pleasure

mwynion[1] *ell* pethau mwyn the gentle

mwynion[2] *ans* ffurf luosog **mwyn**[3]

mwynlong *eb* (mwynlongau) llong cludo mwynau ore carrier

mwynol *ans* o natur mwyn, yn cynnwys mwynau mineral

mwynoleg *eb* DAEAREG astudiaeth wyddonol o ffurfiant, cyfansoddiad, priodweddau a dosbarthiad mwynau mineralogy

mwynolegydd *eg* (mwynolegwyr) DAEAREG gwyddonydd hyddysg mewn mwynoleg; mwynydd mineralogist

mwynwr *eg* (mwynwyr) un sy'n gweithio mewn gwaith mwyn (ond nid gwaith glo) miner

mwynydd *eg* (mwynyddwyr) gwyddonydd hyddysg mewn mwynoleg; mwynolegydd mineralogist

mwys *ans* â mwy nag un ystyr, nad yw ei ystyr yn glir; amheus, amwys ambiguous
gair mwys gw. **gair**

mwyth *ans hynafol* moethus, danteithiol (gydag awgrym o fod yn ormodol felly) luxurious

mwythau *ell*
1 cyffyrddiadau tyner, hoffus, *Rhoi mwythau i'r gath.*; anwes, maldod caresses
2 pethau blasus, danteithiol; danteithion delicacies

mwythlyd *ans* wedi'i fwytho, wedi'i faldodi pampered

mwytho *be* [mwyth•[1]] cyffwrdd yn dyner ac yn hoffus, rhoi mwythau, yn enwedig 'mwytho cath'; anwylo, anwesu, tolach, tylino to stroke, to caress, to fondle
mwytho'r llo i blesio'r fuwch esgus bod yn gyfaill i'r plant er mwyn ennill ffafr eu mam

mya *byrfodd* milltir yr awr mph

Myanmaraidd *ans* yn perthyn i Myanmar (Burma gynt), nodweddiadol o Myanmar

Myanmariad *eg* (Myanmariaid) brodor o Myanmar (Burma gynt), un o dras neu genedligrwydd Myanmaraidd

myceliwm *eg* BIOLEG y cwlwm o hyffâu sy'n ffurfio rhan lystyfol ffwng mycelium

mycoleg *eb* bioleg ffyngau mycology

mycolegydd *eg* (mycolegwyr) gwyddonydd sy'n arbenigo mewn mycoleg mycologist

mycoprotein BIOCEMEG protein a gynhyrchir drwy feithrin y ffwng *Fusarium graminarium* mewn cyfrwng meithrin addas cyn ei hidlo a'i drin; fe'i defnyddir yn lle cig fel ffynhonnell o brotein sy'n isel o ran braster mycoprotein

mycorhisa *eg* BIOLEG enghraifft o symbiosis rhwng myceliwm ffwng, e.e. cloronen y moch, a gwreiddiau planhigyn sy'n blodeuo, e.e. derwen neu ffawydden mycorrhiza

mycsofirws *eg* (mycsofirysau) MEDDYGAETH un o grŵp mawr o firysau yn cynnwys y ffliw a'r dwymyn doben myxovirus

myctod *eg* MEDDYGAETH cyflwr a achosir gan brinder ocsigen yn y corff a all arwain at anymwybyddiaeth neu farwolaeth asphyxia

mydr *eg* (mydrau) y symudiad rheolaidd a geir mewn llinell o farddoniaeth neu'r patrwm o sillafau ac odlau a geir mewn pennill; mesur measure, metre

mydryddiaeth *eb* yr wyddor sy'n ymwneud â phatrymau prydyddiaeth; barddoniaeth, cerdd dafod, prydyddiaeth prosody, versification

mydryddol *ans* (am farddoniaeth) wedi'i gosod mewn patrwm penodol o acenion metrical

mydryddu *be* [mydrydd•[1]] cyfansoddi ar fydr; barddoni, prydyddu to versify

mydryddwr *eg* (mydryddwyr) un sy'n medru mydryddu; bardd, prydydd versifier

mydylau *ell* lluosog **mwdwl**

mydylu *be* [mydyl•[1]] gwneud gwair yn fydylau ar y cae to rick, to stack hay

myelin *eg* ANATOMEG sylwedd gwyn, brasterog sy'n ffurfio pilen amddiffynnol am lawer o edafedd nerf mewn fertebratau ac sy'n cyflymu trosglwyddiad ysgogiadau nerfol myelin

myelinedig *ans* ANATOMEG ans yn meddu ar bilen fyelin myelinated

myeloid *ans*
1 ANATOMEG yn ymwneud â madruddyn y cefn myeloid
2 ANATOMEG yn ymwneud â mêr yr esgyrn myeloid

myfi *rhagenw annibynnol dwbl* [myfi, tydi, efe, hyhi, nyni, chwychwi, hwynt-hwy] ffurf ddwbl ar y rhagenw 'fi' sy'n pwysleisio fi (a neb arall); fi fy hun, y fi myself
Sylwch: ar y *-fi* y mae'r acen wrth ynganu'r gair.

myfïaeth *eb*
1 yr arfer o siarad neu ysgrifennu yn ormodol amdanoch eich hunan, y fi fawr egomania, egotism
2 egoistiaeth; athrawiaeth sy'n honni mai lles yr unigolyn sy'n symbylu pob gweithred gan unigolyn a dyma, yn wir, amcan gorau unrhyw weithred ymwybodol egoism

myfïol *ans* am rywun nad yw'n meddwl am unrhyw un arall nac yn ystyried neb ond ef ei hun; hunangar egocentric, egoistic, selfish

myfyrdod *eg* (myfyrdodau)
1 y weithred o feddwl yn ddwys; cynhemlad, synfyfyrdod contemplation, meditation
2 rhywbeth sy'n deillio o fyfyrio ynglŷn â rhywbeth (e.e. llyfr, cerdd, etc.); astudiaeth meditation

myfyrgar *ans*
1 yn hoff o fyfyrio; darllengar, dwys studious
2 yn dangos ôl myfyrdod; meddylgar, synfyfyrgar, ystyriol contemplative, meditative

myfyrgell *eb* (myfyrgelloedd) ystafell ar gyfer astudio a myfyrio study

myfyrio *be* [myfyri•²]
1 meddwl yn ddwys ac yn ddifrifol, *Bu'n myfyrio'n hir a ddylai adael y coleg a chwilio am swydd a'i dad bellach wedi marw.*; meddwl, ystyried (~ **uwchben**) to contemplate, to meditate, to ponder
2 canolbwyntio'n llwyr ar un peth (crefyddol fel arfer) ar ôl clirio'r meddwl, *Mae mynaich a lleianod yn neilltuo amser arbennig bob dydd i fyfyrio.*; cynhemlu, meddylu, synfyfyrio (~ **ar**) to contemplate, to meditate

myfyriol *ans* yn myfyrio; breuddwydiol, cynhemlol, synfyfyriol contemplative, meditative, thoughtful

myfyriwr *eg* (myfyrwyr) rhywun sy'n astudio mewn coleg, prifysgol neu ddosbarthiadau uchaf ysgol uwchradd; disgybl, dysgwr, efrydydd student

myfyrwraig *eb* merch sy'n fyfyriwr student

mygdarth *eg* aer trwm neu anwedd sy'n dod o fwg, nwy, paent ffres, etc.; mae ganddo wynt neu aroglau cryf sy'n pigo cefn y gwddf wrth ei anadlu; arogldarth fumes, vapour

mygdarthiad *eg* y broses o fygdarthu, canlyniad mygdarthu fumigation

mygdarthu *be* [mygdarth•¹] defnyddio mwg neu anwedd i ddiheintio rhywbeth neu i ladd pryfed to fumigate

mygdwll *eg* (mygdyllau) DAEAREG agorfa mewn ardal folcanig y daw ager a nwyon sylffwrig, poeth allan ohoni fumarole

mygedol *ans* (am swydd fel arfer) di-dâl, er anrhydedd, *Ysgrifennydd Mygedol Cyngor Llyfrau Cymru* honorary

mygiau *ell* lluosog m**ẘ**g

mygio *be* [mygi•²] ymosod yn dreisiol ar rywun gyda'r bwriad o ladrata to mug

mygiwr *eg* (mygwyr) un sy'n ymosod yn dreisiol gyda'r bwriad o ladrata mugger

myglyd *ans*
1 llawn mwg neu'n sawru o fwg; mwll, mwrn smoky, stifling

2 yn mygu, yn mogi, yn methu dal ei anadl; llethol suffocating

mygu¹ *be* [myg•¹]
1 gollwng mwg neu anwedd sy'n debyg i fwg, *Ar ôl carlamu'n galed roedd ochrau'r ceffyl yn mygu.* to smoke, to steam, to fume
2 COGINIO hongian bwyd mewn mwg i'w gadw rhag llygru a rhoi blas arbennig iddo; cochi to smoke

brawd mogi/mygu yw tagu gw. **brawd¹**

mygu² *be* gw. **mogi**

mygydau *ell* lluosog **mwgwd**

mygydu *be* [mygyd•¹] gosod mwgwd dros lygaid neu wyneb rhywun fel na all weld to blindfold, to mask

mygyn *eg* y weithred o ysmygu sigarét drag, smoke

myngau *ell* lluosog **mwng**

myngus *ans* yn siarad yn aneglur, yn myngial; aneglur, bloesg mumbling, indistinct

myll *eg* fel yn *cael y myll*, tymer ddrwg; gwylltineb bad temper

myllach:myllaf:mylled *ans* [mwll] mwy mwll; mwyaf mwll; mor fwll

myllio:ymhyllio *be* [mylli•²] colli arnoch eich hun, mynd yn wyllt, colli synnwyr; gwylltio to go wild, to lose it

myllni *eg* y cyflwr o fod yn fwll, o fod yn drymaidd ac yn glòs closeness, sultriness

myllt *ell* lluosog **mollt**

MYM *byrfodd* Mudiad Ysgolion Meithrin

mympwy *eg* (mympwyon) syniad neu ddymuniad sydyn ac afresymol, *Un o'i mympwyon diweddaraf yw y dylem i gyd wisgo sanau coch yn yr ysgol.*; chwiw, chwilen, ffad fad, whim, caprice

mympwyol *ans*
1 llawn mympwyon; cysetlyd, misi quirky, whimsical, idiosyncratic
2 na allwch fod yn sicr ohono, na allwch ddibynnu arno; anghyson, cyfnewidiol, oriog, penchwiban capricious

mymryn *eg* (mymrynnau)
1 darn bach iawn, tamaid bach bach, *Roedd y fantol mor gywir, roedd modd pwyso'r mymryn lleiaf o unrhyw beth arni.*; bribsyn, briwsionyn, gronyn bit, particle
2 tamaid bach, ychydig (wrth sôn am hyd, lled, uchder, etc.), *Dewch fymryn yn nes at y meic.*; brycheuyn, cetyn, ychydig bit, shade, mite

myn¹ *eg* (mynnod) cyw gafr, gafr ifanc kid

myn² *ardd* ffurf a geir ar ddechrau llw neu reg, *Myn Duw, mi a wn y daw! Myn diawch!* by

myn³ *bf* [mynnu] mae ef yn mynnu/mae hi'n mynnu; bydd ef yn mynnu/bydd hi'n mynnu

mynach *eg* (mynachod:mynaich) CREFYDD un o grŵp o ddynion sydd wedi addunedu i fyw bywyd crefyddol, ac sy'n byw ynghyd mewn mynachlog; brawd monk, friar

mynachaeth *eb* y gyfundrefn grefyddol o fynaich a mynachlogydd a'r hyn y maent yn ei gynrychioli monasticism

mynachaidd *ans*
1 yn ymwneud â mynaich, lleianod neu fynachlogydd monastic
2 tebyg i fywyd mewn mynachlog (o ran unigrwydd neu lymder); meudwyaidd monastic

mynachdy *eg* (mynachdai)
1 fferm lle byddai mynachlog yn storio cnydau grange
2 mynachlog monastery

mynachlog *eb* (mynachlogydd) adeilad lle mae mynaich yn byw bywyd yn ôl rheolau crefyddol; brodordy, mynachdy monastery

mynaich *ell* lluosog **mynach**

mynawyd *eg* (mynawydau:mynawydydd) offeryn blaenllym ar gyfer gwneud tyllau (bychain) mewn coed neu ledr, etc.; ebill, gimbill awl, bradawl, gimlet

mynawyd y bugail *eg* planhigyn cyffredin â blodau pinc, glas, gwyn neu borffor a dail crynion wedi'u rhannu'n fân geranium

mynd[1] *be* [[19]]
1 cyrchu i le arbennig, *Rwy'n mynd i Rufain.* to go
2 ymadael, diflannu, *Erbyn i'r heddlu gyrraedd, roedd y lleidr wedi mynd.* to depart, to go
3 teithio neu symud, *Rydyn ni'n mynd yno ar y bws.* to go, to travel
4 cyrraedd, ymestyn, *Mae'r gwreiddiau yn mynd ymhell.* to extend, to go
5 cael ei osod, cael ei roi, *Mae'r llyfrau hyn yn mynd ar y silff hon.* to go
6 (am beiriannau) gweithio yn iawn, *A yw wedi llwyddo i gael y car i fynd eto?* to go, to work
7 newid (yn naturiol neu'n fwriadol), *Mae'n dechrau mynd yn hen, druan.* to become, to get
8 cael ei dreulio, *Mae hanner f'amser yn mynd i glirio ar ôl y ddau blentyn 'na.* to go, to spend
9 gorffen, darfod, marw, *Mae'r haf wedi mynd.* to cease, to go
10 i'w ganu neu ei ynganu mewn ffordd arbennig, *Mae'r dôn yn mynd fel hyn . . .* to go
11 (am eiriau) ffitio, bod yn addas i dôn arbennig, *Ydy'r geiriau hyn yn mynd ar y dôn newydd yma?* to fit, to go
12 gweddu, *Dyw'r llenni ddim yn mynd gyda'r papur wal.* to go, to match
13 cael ei anfon i'w ystyried, *Rhaid i'ch cais fynd o flaen y pwyllgor yn gyntaf.* to be considered, to go
14 bod ar fin, cynllunio, *Mae hi'n mynd i agor siop yn y dre.* to go

15 cyrraedd rhyw bwynt, *Wel, mae pethau wedi mynd i'r pen. Wn i ddim beth i'w wneud.* to go, to reach
16 symud ag egni anarferol, *Roedd cynffon y ci bach yn mynd i gyd.* to go (at full speed)
17 dynodi rhywbeth sy'n debygol iawn neu'n sicr o ddigwydd yn y dyfodol, *Mae hi'n mynd i fwrw glaw fory yn ôl rhagolygon y tywydd.* to go
18 cymryd tro mewn gêm, *Pwy sydd i fynd nesaf?*
19 mynychu, *Wyt ti'n mynd i'r capel yn gyson?* to go
20 cael ei werthu, *Aeth y tŷ am bris da iawn.* to be sold
21 cael ei roi, *Mae'r wobr yn mynd i'r ferch yn y ffrog goch.* to go
  Sylwch: rydych chi'n mynd 'at' berson ond yn mynd 'i' le.

mynd â hebrwng, mynd yn eich meddiant (*Mae hi'n mynd â'r plant i'r ysgol.*) to take
mynd â hi ennill y dydd to win
mynd allan â (rhywun) canlyn, bod yn gariad i i to go out with (someone)
mynd â'r maen i'r wal gw. **maen**[1]
mynd at troi at rywun, *Bydd rhaid mynd at y pennaeth i drafod y camau nesaf. Af i ato fory* approach
mynd ati (hi) gw. **hi**[2]
mynd dros
1 ail-wneud to go over
2 mynd ar ran (rhywun arall) to go on behalf of
mynd ffordd yr holl fyd gw. **ffordd**
mynd gyda mynd yn gwmni to go with
mynd heb gwneud heb, aberthu to go without
mynd i gadw gw. **cadw**[1]
mynd i'r afael â ymgodymu (yn ffigurol), mynd ati o ddifrif i geisio datrys neu ateb problem address, to get to grips with
mynd o flaen gofid gw. **gofid**
mynd rhagddo mynd ymlaen to go on, to proceed, to unfold
mynd yn fel yn *Mae wedi penderfynu mynd yn fynach.* to become

mynd[2] *eg* yr ansawdd o fod yn llawn bywyd neu symudiad, *Mae tipyn o fynd yn y pennaeth newydd.* go, zip
mynd ar gwerthiant uchel neu boblogrwydd (*Roedd mynd arbennig ar ei nofel ddiweddaraf.*)

myned gw. **mynd**[1]

mynedfa *eb* (mynedfeydd) ffordd i mewn i adeilad (llwyfan, stadiwm, etc.) ac allan, *Mae mwy nag un fynedfa i faes yr Eisteddfod Genedlaethol.* entrance, entry, gateway

mynediad *eg* (mynediadau)
1 caniatâd i fynd i mewn, neu i ymuno â rhywbeth, yn enwedig y tâl a godir am hyn,

Mae mynediad i'r Eisteddfod wedi codi eto eleni. admission, admittance, entry
2 (am gyfrifiadur) y weithred o fwydo data i gof y cyfrifiadur neu o'u tynnu oddi arno access
3 y ffordd i mewn, *mynediad i briffordd* access
dim mynediad dim ffordd i mewn no entry
mynegadwy *ans* y gellir ei fynegi, ei draethu neu ei ddangos communicable, expressible
mynegai *eg* (mynegeion) rhestr yn nhrefn yr wyddor o'r prif eiriau neu'r testunau sy'n cael eu trin mewn llyfr (neu mewn unrhyw gasgliad o wybodaeth), *Cewch fynegai i'r geiriau Saesneg yn y Geiriadur yng nghefn y llyfr.* index
mynegai nwyddau adwerthu ECONOMEG mynegai sy'n dangos yr amrywiadau yng nghostau nwyddau adwerthu ac eitemau eraill retail price index
mynegair *eg* (mynegeiriau) rhestr o eiriau sydd i'w cael mewn testun (y Beibl yn fwyaf arbennig) wedi'u gosod yn nhrefn yr wyddor a'u dyfynnu yn eu cyd-destun; concordans concordance
mynegbost *eg* (mynegbyst) postyn ac arwydd neu enw arno, sy'n cael ei osod ar groesffordd neu gyffordd i ddangos cyfeiriad neu bellter i le arbennig signpost
mynegeio *be* [mynegei•¹] llunio mynegai to index
mynegeiwr *eg* (mynegeiwyr) un sy'n llunio mynegai indexer
mynegfys *eg* (mynegfysedd) ANATOMEG y bys cyntaf nesaf at y fawd index finger
mynegi *be* [myneg•¹] dangos (teimlad, barn) mewn geiriau (neu ryw ffordd arall), *Hoffwn fynegi fy niolchiadau i bawb sydd wedi cynorthwyo gyda'r gwaith.*; adrodd, datgan, dweud, traddodi (~ *rhywbeth* i *rywun*) to express, to indicate
mynegiad *eg* (mynegiadau)
1 rhywbeth sy'n cael ei fynegi; crybwylliad, sylw expression, indication
2 MATHEMATEG casgliad o dermau a symbolau algebraidd sydd, gyda'i gilydd, yn cynrychioli gwerth penodol, e.e. $x^2 + 2xy + 7$ expression
mynegiadaeth *eb* arddull gelfyddydol sy'n ceisio mynegi ymateb goddrychol, emosiynol yr artist i wrthrychau neu ddigwyddiadau expressionism
mynegiadol *ans* yn perthyn i fynegiadaeth expressionist
mynegiannol *ans* llawn mynegiant, yn ymwneud â mynegiant expressive
mynegiant *eg* (mynegiannau) y ffordd y mae rhywbeth yn cael ei fynegi (drwy eiriau, golwg, gweithrediad, etc.), *Fe welwch yn ei holl luniau fynegiant o'i hiraeth am yr hyn a fu.*; dynodiad, lleferydd, traethiad, ymadrodd expression

mynegol *ans* GRAMADEG am ffurf (neu Fodd) ar y ferf sy'n dynodi gweithred neu gyflwr fel ffaith (yn hytrach na fel rhywbeth ansicr fel yn y Modd Dibynnol neu fel gorchymyn fel yn y Modd Gorchmynnol) indicative
mynegolrwydd *eg* y cyflwr o fod yn fynegol expressiveness
mynegrif *eg* (mynegrifau) rhif a ddefnyddir i ddangos newid yng ngwerth rhywbeth, e.e. ei gost neu ei bris, a osodwyd ar lefel 100 ar ryw adeg flaenorol index
mynnod *ell* lluosog **myn**¹
mynnu *be* [mynn•⁹ 3 *un. pres.* myn/mynna; 2 *un. gorch.* myn/mynna]
1 datgan yn bendant, *Mae e'n mynnu mai ti oedd yr un a welodd yn y dafarn.*; haeru, honni, maentumio, taeru to insist
2 gorchymyn, *Roedd hi'n mynnu bod rhaid iddo fynd.* to stipulate, to require, to insist
3 hawlio, *Mae e'n mynnu siarad Cymraeg ym mhob cyfarfod.* to persist
4 dymuno, *Gwnewch fel y mynnwch.* to wish
Sylwch: dyblwch yr 'n' ym mhob ffurf ac eithrio yn y rhai sy'n cynnwys -as-.
mynte *bf tafodieithol, yn y De* medd, medde
mynwent *eb* (mynwentydd) darn o dir wedi'i neilltuo ar gyfer claddu pobl; beddrod, claddfa cemetery, graveyard
mynwes *eb* (mynwesau) tu blaen y frest ddynol; (yn ffigurol) calon; bron, y ddwyfron breast, bosom
mynwesol *ans* (am ffrindiau fel arfer) agos iawn; anwahanadwy, unfryd bosom, dear
mynwesu *be* [mynwes•¹] cofleidio, anwesu to embrace
mynwydd *eg* (mynwyddau)
1 rhywbeth, e.e. darn hyblyg o biben, wedi'i blygu fel gwddf gŵydd gooseneck
2 y ddyfais (bachyn crwm) sy'n cysylltu hwylbren a bŵm cwch ac yn ei alluogi i symud yn rhydd gooseneck
mynych *ans* [mynych•] aml, cyson, llawer, *Gwelais eryr ar un o'm hymweliadau mynych â'r ardal.* frequent, repeated
Sylwch: mae'n achosi'r treiglad meddal pan ddaw o flaen yr hyn a oleddfir.
mynychder *eg*
1 pa mor fynych; amlder frequency, repetition
2 y graddau y mae rhywbeth ar gael mewn ardal arbennig neu ar adeg arbennig; amlder clefyd, trosedd neu ddigwyddiad annymunol arall incidence, prevalence
mynychiad *eg* (mynychiadau) y broses o fynychu, canlyniad mynychu frequenting
mynychu *be* [mynych•¹] mynd yn gyson, ymweld yn fynych neu'n rheolaidd, *Byddai'n mynychu'r*

m

cwrdd ar fore Sul – a'r dafarn ar nos Sadwrn. to attend, to frequent, to visit regularly

mynychwr *eg* (mynychwyr) un sy'n ymweld â rhywle yn gyson neu'n rheolaidd frequenter

mynychwraig *eb* merch neu wraig sy'n mynychu

mynydd *eg* (mynyddoedd)
1 bryn uchel iawn, darn enfawr o dir sy'n codi i gryn uchder uwchlaw'r wlad o'i gwmpas mountain
2 swm anferth o rywbeth, *mynydd o waith* mountain
3 (yn hanesyddol) swm anferth o fwyd a gynhyrchwyd gan wledydd y Gymuned Ewropeaidd, *mynydd menyn* mountain
mynydd iâ gw. iâ

mynydda *be* [mynydd•¹]
1 (y gamp o) ddringo mynyddoedd uchel geirwon to mountaineer
2 yr adloniant o gerdded mynydd-dir

mynydd-dir *eg* tir uchel, mynyddig; bannau, ucheldir hill country

mynyddig:mynyddog *ans* o natur mynydd, llawn mynyddoedd; uchel mountainous

mynyddwr *eg* (mynyddwyr) dringwr mynyddoedd neu un sy'n byw yn y mynyddoedd mountaineer

mynyglau *ell* lluosog **mwnwgl**

myocardiaidd *ans* ANATOMEG yn ymwneud â'r myocardiwm myocardial

myocardiwm *eg* ANATOMEG meinwe cyhyrol y galon myocardium

myoglobin *eg* BIOCEMEG protein lliw coch sy'n cludo ac yn storio ocsigen yng nghelloedd y cyhyrau myoglobin

myopia *eg*
1 nam ar y golwg sy'n amharu ar y gallu i weld gwrthrychau pell; golwg byr myopia
2 diffyg crafftter, diffyg crebwyll myopia

myosin *eg* BIOCEMEG protein ffibrog a geir yng nghelloedd y cyhyrau; mae'n adweithio ag actin pan fydd cyhyr yn cyfangu myosin

myrdd:myrddiwn *eg* (myrddiynau) lliaws mawr, rhif diderfyn, *Gwelwn fyrdd o sêr ar noson glir.*; llawer myriad

myrr *eg*
1 math o lud gwerthfawr a geir o goed ac a ddefnyddir i wneud persawr ac arogldarth myrrh
2 un o anrhegion y Doethion o'r dwyrain a ddaeth i ymweld â'r baban Iesu (aur a thus oedd y ddwy anrheg arall) myrrh

myrtwydd *ell* llwyni bythwyrdd â dail hirgrwn, gloyw, blodau gwyn neu binc persawrus ac aeron duon sy'n tyfu yn ne Ewrop yn bennaf, *Mae gan Ann Griffiths emyn enwog sy'n dechrau â'r geiriau 'Wele'n sefyll rhwng y myrtwydd'.*; hefyd, yn unigol, pren y coed hyn myrtle

myrtwydden *eb* (myrtwydd) unigol **myrtwydd**

myrthylau *ell* lluosog **morthwyl**

myrthylu *be* [myrthyl•¹] taro â morthwyl to hammer

myseliwm defnyddiwch **myceliwm**

mysg *eg* canol, *Gwelwyd ef ddiwethaf yn cerdded gyda'r dorf, ac roedd i'w weld yn hollol fodlon yn eu mysg.* midst
i fysg i'n mysg, i'ch mysg, i'w mysg (does dim ffurfiau unigol) i ganol into the midst

mysgedwr *eg* (mysgedwyr) milwr wedi'i arfogi â mwsged musketeer

mysgu *be* [mysg•¹] tynnu'n rhydd; datglymu, datod, llacio, rhyddhau to undo, to untie

myswynog:swynog *eb* (myswynogydd:swynogydd) buwch a gedwir heb lo barren cow

myth *eg* (mythau)
1 hen, hen chwedl (yn aml yn sôn am dduwiau a phethau goruwchnaturiol) sy'n esbonio digwyddiadau naturiol neu hanesyddol myth
2 syniad neu stori nad yw'n wir, *y myth nad yw'r eliffant byth yn anghofio* myth

mytholeg *eb* y gyfundrefn o gredoau sydd i'w chael mewn casgliad o fythau; chwedloniaeth mythology

mytholegol *ans* yn perthyn i fyd mythau a'r astudiaeth ohonynt mythological

N

n¹:N *eb* cytsain a deunawfed lythyren yr wyddor Gymraeg; ar ddechrau gair, gall fod yn ganlyniad treiglo *d* yn drwynol, e.e. *fy nosbarth.* n, N

N² *byrfodd* newton N

'n¹ *rhagenw dibynnol mewnol*
1 (person cyntaf lluosog genidol) yn eiddo i ni, yn perthyn i ni, *ein mamau a'n tadau, rhan o'n heiddo*; ein our
2 (person cyntaf lluosog) fe'i defnyddir i gyfleu gwrthrych ymadrodd berfol, *y bachgen a'n gwelodd, y ferch a'n henwodd* ac fel gwrthrych o flaen berfenw, *Nid oeddech wedi ein gweld na'n clywed.*; ni us
3 (ar lafar) mae'n dynodi'r person cyntaf unigol (ystyr genidol) 'fy', *y'n llyfr i* my
Sylwch:
1 defnyddir ''n' ar ôl llafariad, *o'n plaid*; *ni a'n chwiorydd; Ef a'n hanfonodd.; Fe'n hanfonwyd.*;
2 fe'i dilynir gan 'h' o flaen llafariad, *ein haur a'n harian.*

'n² *geiryn traethiadol* yn, *Siân sy'n ddrwg, nid fi.*
Sylwch:
1 mae'n dalfyriad o 'yn' traethiadol pan fydd yn dilyn llafariad;
2 gellir ei gadw heb ei dalfyrru hefyd, e.e. er mwyn creu pwyslais, *Mae yn fachgen da.*;
3 mae'n achosi'r treiglad meddal ac eithrio yn 'll' a 'rh'.

'n³ *geiryn adferfol* yn, *Canodd Anna'n dda.*
Sylwch: mae'n achosi'r treiglad meddal ac eithrio yn 'll' a 'rh'.

'n⁴ *geiryn berfenwol* yn, *Rwy'n mynd.*
Sylwch:
1 nid yw'r ''n' yma'n achosi treiglad;
2 talfyriad o 'yn' yw'r rhain pan fyddant yn dilyn llafariad ond ni thalfyrrir yr arddodiad 'yn', 'Beth sy yn y fasged?' sy'n gywir nid 'Beth sy'n y fasged?'.

na¹:nac *geiryn negyddol* gair a ddefnyddir o flaen y ferf i ffurfio ateb negyddol i gwestiwn, ac eithrio yn yr Amser Gorffennol pan ddefnyddir 'na:naddo', *Wyt ti'n dod? Na/Nac ydw. Ei di i'r siop drosof fi? Na wnaf. Fuost ti yn y gwaith ddoe? Na/ Naddo.*
Sylwch:
1 collir yr 'c' o flaen cytsain, *Nac ydwyf; Na chaf*;
2 mae 'na' yn achosi'r treiglad llaes yn 'c', 'p' a 't' a'r treiglad meddal yn achos 'b', 'd', 'g', 'll', 'rh' ac 'm';
3 *nag* yw ynganiad y 'nac' yma;

4 'ac na' sy'n gywir nid *a na*;
5 'na' nid *nac* a ddefnyddir o flaen berfau treigledig yn dechrau ag 'g', *Na wnaf/ Na wnaiff.*

na²:nac *geiryn negyddol* gair oedd yn arfer cael ei ddefnyddio i roi gorchymyn negyddol; paid, peidiwch â, *Na ladd, Nac ysmyger.*
Sylwch:
1 collir yr 'c' o flaen cytsain;
2 mae 'na' yn achosi'r treiglad llaes yn 'c', 'p' a 't' a'r treiglad meddal yn achos 'b', 'd', 'g', 'll', 'rh' ac 'm'.

na³:nac *cysylltair* gair a ddefnyddir i gysylltu dau neu ragor o bethau mewn brawddeg negyddol, *Ni welais na chi na chath na cheffyl na mochyn nac un peth byw.*
neither . . . nor, nor
Sylwch:
1 collir yr 'c' o flaen cytsain;
2 dilynir y 'na' yma gan dreiglad llaes yn unig;
3 *nag* yw ynganiad y 'nac' yma.

na⁴:nad *rhagenw perthynol* gair a ddefnyddir mewn brawddeg i ddangos at bwy neu beth y mae gweithred negyddol yn cyfeirio, *yr asyn na fu farw, rhyw lyfr na chlywodd neb amdano, y chwaraewr nad oedd yn ddigon da* that . . . not, who . . . not
Sylwch:
1 'nad' o flaen llafariad *nad aeth*, ac eithrio o flaen berf a gollodd 'g' ar ei dechrau drwy dreiglad, e.e. *na allodd*, 'na' o flaen cytsain, gan gynnwys 'h', 'i' gytsain ac 'w' gytsain;
2 'na' a geir o flaen ffurfiau treigledig 'g', *yr unig un na wyddai*;
3 mae 'na' yn achosi'r treiglad llaes yn 'c', 'p' a 't' a'r treiglad meddal yn achos 'b', 'd', 'g', 'll', 'rh' ac 'm';
4 yn wahanol i'r rhagenw perthynol 'a' (mewn arddull ffurfiol) mae ffurf y ferf sy'n dilyn 'na/nad' yn newid i gytuno naill ai â'r ffurf unigol neu â ffurf luosog y goddrych, felly, *y dynion a gafodd eu hachub ond y dynion na chawsant eu hachub.*

na⁵:nag *cysylltair* gair sy'n dilyn yr ansoddair mewn cymhariaeth, *Mae'n well gen i ganu nag adrodd. Mae'r basti yn fwy na'r ffwrn.* than
Sylwch:
1 'nag' o flaen llafariad, 'na' o flaen cytsain;
2 dilynir y 'na' yma gan dreiglad llaes er bod tuedd ar lafar i beidio â threiglo 'ti', *Rwy'n fwy na ti.*

nabod ffurf lafar ar **adnabod**
nac gw. **na**
nacâd *eg*
1 y broses o nacáu, canlyniad nacáu; gwadiad, gwrthodiad denial, negation
2 absenoldeb neu ddiffyg bodolaeth rhywbeth, *Anarchiaeth yw nacâd llywodraeth.* negation

n

nacaol *ans* am air neu ymadrodd yn golygu na, yn gwrthod, yn pallu; negyddol negative

nacáu *be* [naca•¹⁵] gwrthod, pallu gadael, ar lafar yn y Gogledd mae'n gyffredin yn y ffurf *'cau*; gwahardd to refuse, to rebuff, to veto

naci *adf tafodieithol, yn y Gogledd* nage

nacr *eg* sylwedd o'r un ansawdd â pherl wedi'i wneud yn bennaf o galsiwm carbonad, a geir yn haen ar wyneb mewnol rhai mathau o gregyn, e.e. llymarch mother-of-pearl, nacre

nad gw. **na⁴**

na'd *bf* [gadael] na ad, paid â gadael, paid â chaniatáu don't let

nâd *eb* (nadau) cri uchel; bloedd, dolef, llef, ysgrech cry, shout, screech

na'd-fi'n-angof *eg* sgorpionllys; planhigyn isel o deulu tafod yr ych a chanddo flodau bach glas forget-me-not

nadir *eg* SERYDDIAETH y man ar y sffêr wybrennol sydd yn union islaw yr un sy'n arsylwi ac sydd gyferbyn â'r anterth nadir

Nadolig *eg* (Nadoligau)
  1 gŵyl Gristnogol a gynhelir yn flynyddol ar 25 Rhagfyr i ddathlu geni Iesu Grist Christmas
  2 y cyfnod ychydig cyn hyn a'r deuddeng niwrnod sy'n dilyn Christmas

Nadoligaidd *ans* yn perthyn i'r Nadolig, nodweddiadol o'r Nadolig Christmassy

nadredd:nadroedd *ell* lluosog **neidr**
  fel lladd nadredd yn brysur dros ben flat out, very busy

nadreddog *ans*
  1 yn troi ac yn troelli fel neidr snaking
  2 llawn nadredd
  nadreddog o fe'i defnyddir i ddwysáu ystyr ansoddair, *nadreddog o droellog*

nadreddu *be* [nadredd•¹] troi a throelli fel neidr, *afon yn nadreddu'i ffordd i lawr y cwm*; dolennu to slither, to snake

nadu¹ *be* gweiddi'n hir ac yn uchel mewn poen neu mewn tymer ddrwg; crio, llefain, oernadu, udo to howl, to whine, to bray
  Sylwch: nid yw'r ferf hon yn arfer cael ei rhedeg.

nadu² *be tafodieithol, yn y Gogledd* rhwystro, *Mae o'n nadu i mi fynd.* to prevent
  Sylwch: nid yw'r ferf hon yn arfer cael ei rhedeg.

nadd *ans* wedi'i gerfio neu ei naddu carved, hewn

naddiad *eg* (naddiadau) y broses o naddu, canlyniad naddu hewing

naddion *ell* darnau bychain sy'n cael eu ffurfio wrth i rywbeth gael ei naddu; crafion, sborion, sglodion chips, shavings

naddo *adf* yr ateb negyddol sy'n cyfateb i 'do'; na no
  Sylwch: defnyddir do neu *naddo* yn ateb i gwestiwn ynglŷn â'r hyn a ddigwyddodd yn y gorffennol.

naddu *be* [nadd•¹ 3 *un. pres.* nadd/nadda; 2 *un. gorch.* nadd/nadda] torri (coed neu garreg, fel arfer) fesul darn bach ar y tro, er mwyn creu ffurf arbennig; cerfio, cerflunio (~ *rhywbeth* o) to carve, to chip, to hew

naddwr *eg* (naddwyr) un sy'n naddu pren neu garreg; cerfiwr, cerflunydd carver, cutter, hewer

naf *eg*
  1 *hynafol* arglwydd, meistr lord
  2 *hynafol* Duw; Iôn, Iôr Lord

nafi *eg* (nafis) *hanesyddol* labrwr a fyddai'n gwneud y gwaith caib a rhaw wrth adeiladu heolydd, camlesi a rheilffyrdd y wlad navvy

nafftha *eg* CEMEG un o nifer o hydrocarbonau hylifol a ddistyllir o sylweddau organig fel petroliwm a glo naphtha

nag gw. **na⁵**

nage *adf* yr ateb negyddol i gwestiwn sy'n pwysleisio rhywbeth ar wahân i'r ferf drwy ei roi yn gyntaf, neu sy'n dechrau ag *ai* neu *onid*, *Ti sydd yna, John? Nage, y dyn yn y Lleuad! Ai yn Aberystwyth y cyfansoddwyd 'Hen wlad fy nhadau'? Nage, ym Mhontypridd*.; na no

nagio *be* [nagi•²]
  1 cwyno a gweld bai yn ddi-baid; dwrdio, bigit(i)an to nag
  2 poeni, plagio, procio to nag

nai *eg* (neiaint)
  1 mab eich brawd neu eich chwaer nephew
  2 mab brawd neu chwaer eich gŵr neu eich gwraig nephew

naid¹ *eb* (neidiau) y weithred o neidio; llam, sbonc jump, leap
  naid bolyn camp athletaidd lle mae cystadleuwyr yn ceisio neidio dros far uchel gyda chymorth polyn hir (iawn) a hyblyg pole vault
  naid driphlyg cystadleuaeth athletaidd lle mae'r cystadleuwyr yn rhedeg i ddechrau ac yn neidio mor bell â phosibl â herc, cam a naid triple jump
  naid hir camp athletaidd lle mae athletwyr yn cystadlu i weld pwy sy'n gallu neidio bellaf long jump
  naid uchel cystadleuaeth athletaidd lle mae'r cystadleuwyr yn neidio mor uchel â phosibl dros far y mae modd ei godi neu ei ostwng high jump

naid² *bf* [neidio] *ffurfiol* mae ef yn neidio/mae hi'n neidio; bydd ef yn neidio/bydd hi'n neidio

naidlen *eb* (naidlenni) CYFRIFIADUREG dewislen sy'n ymddangos ar sgrin weithredol ac sy'n gallu cael ei gwaredu'n gyflym pop-up menu

naïf *ans* diniwed, gwirion, dirodres naive/naïve

naïfrwydd:naïfder *eg* y cyflwr o fod yn naïf neu'n ddiniwed; diniweidrwydd, gwiriondeb naivity

naill *rhagenw*
  1 un o ddau neu ragor, *Roedd y naill yn wyn a'r llall yn ddu.* the one . . . (the other)
  2 (dewis) un o ddau, *Naill ai rwyt ti'n aros gartref gyda ni neu rwyt ti'n mynd i'r dref gyda dy chwaer.* either . . . (or)
    Sylwch: mae'n achosi'r treiglad meddal, ac eithrio yn achos 'tu' (*y naill tu a'r llall*)
  i'r naill ochr o'r neilltu, allan o'ch meddwl to one side
  sylw naill ochr sylw y mae cymeriad mewn drama'n ei ddweud wrth y gynulleidfa, ond na fwriedir i'r cymeriadau eraill ar y llwyfan ei glywed; sylw tebyg mewn sgwrs bob dydd aside
nain *eb* (neiniau) *safonol, yn y Gogledd* mam un o'ch rhieni, gwraig taid; mam-gu grandma, grandmother
  hen nain mam taid/tad-cu neu fam nain/mam-gu; hen fam-gu great-grandmother
nam *eg* (namau)
  1 rhywbeth sy'n cadw rhywun neu rywbeth rhag bod yn berffaith; amherffeithrwydd, bai, camgymeriad, diffyg, gwall fault, defect, blemish, impairment
  2 MEDDYGAETH rhan o organ neu o feinwe'r corff sydd wedi cael niwed drwy anaf neu oherwydd afiechyd lesion
  nam ar y lleferydd gw. lleferydd
Namibiad *eg* (Namibiaid) brodor o Namibia Namibian
Namibiaidd *ans* yn perthyn i Namibia, nodweddiadol o Namibia Namibian
namyn *ardd* ac eithrio, ar wahân i, *Mae cant namyn un yn ffordd hen ffasiwn o ddweud naw deg naw.*; heb, llai, ond except, minus
nano- *rhag*
  1 yn cyflwyno ffactor 10^{-9}, e.e. *nano-eiliad* nano-
  2 isficrosgopig, e.e. *nanodechnoleg* nano-
nanodechnoleg *eb* technoleg ar raddfa atomig neu foleciwlaidd sy'n ymwneud â dimensiynau sy'n llai na 100 nanometr nanotechnology
nanoddefnydd *eg* (nanoddefnyddiau) defnydd yn cynnwys gronynnau neu gyfansoddion ar raddfa nano, neu a gynhyrchwyd drwy nanodechnoleg nanomaterial
nanoelectroneg *eb* y defnydd o nanodechnoleg i gynhyrchu cydrannau electronig nanoelectronics
nanometr *eg* (nanometrau) mil filiynfed ran o fetr, 10^{-9} metr nanometre
nanoraddfa *eb* FFISEG graddfa sy'n ymwneud â dimensiynau sy'n llai na 100 nanometr nanoscale
nant *ebg* (nentydd)
  1 afon fach; afonig, ffrwd, gofer stream, brook, rill
  2 mae 'nant' gwrwaidd, yn enwedig mewn enwau lleoedd, yn gallu golygu'r dyffryn neu'r

pant y mae'r dŵr yn rhedeg drwyddo, e.e. *Nant Ffrancon*; cwm, glyn, hafn
napalm *eg* petrol wedi'i dewhau yn jeli, ac a ddefnyddir mewn bomiau napalm
napcyn:napgyn *eg* (napcynau) darn sgwâr o bapur neu liain a ddefnyddir i gadw bwyd rhag colli ar eich dillad yn ystod pryd o fwyd napkin, serviette
napyn *eg* cwsg bach byr; cyntun, hun nap, snooze
naratif[1] *eg* y rhan o waith llenyddol sy'n rhoi'r hanes, lle mae'r stori yn cael ei hadrodd; traethiad narrative
naratif[2] *ans* yn adrodd stori, yn ymwneud ag adrodd stori; storïol, traethiadol narrative
narcosis *eg* MEDDYGAETH cyflwr o syrthni neu ddiffyg ymwybyddiaeth a achosir gan gyffuriau narcosis
narcotig *ans* MEDDYGAETH yn ymwneud â chyffuriau narcotig narcotic
  cyffur narcotig cyffur, e.e. morffin neu opiwm, sy'n lleddfu poen ac yn achosi trwmgwsg ac y gellir mynd yn gaeth iddo narcotic
nard *eg* planhigyn a ddefnyddir i wneud eli neu ennaint peraroglus a drudfawr spikenard
narsisaidd *ans* llawn narsisiaeth narcissistic
narsisiaeth *eb* hunan-serch narcissism
nas y rhagenw perthynol 'na' ynghyd â'r rhagenw mewnol gwrthrychol '-s' sy'n cyfeirio at y ffurfiau trydydd unigol neu luosog ('ef', 'hi' neu 'nhw'), *Nid wyf yn adnabod y dyn am nas gwelais erioed.*
  Sylwch:
    1 nid yw'n achosi treiglad;
    2 cyfyngir defnydd y rhagenw mewnol hwn i gyweiriau tra ffurfiol a'r duedd bellach yw defnyddio rhagenw syml yn dilyn y ferf, e.e. 'am na welais ef erioed' yn lle *am nas gwelais erioed.*
nasoffaryncs *eg* ANATOMEG rhan uchaf y ffaryncs yn cysylltu â cheudod y trwyn uwchben y daflod feddal nasopharynx
nastig *ans* BOTANEG (am symudiad rhannau planhigion) yn cael ei achosi gan symbyliad allanol nad yw'n dylanwadu ar gyfeiriad y symud nastic
Natsi *eg* (Natsïaid) aelod o'r Blaid Genedlaethol Sosialaidd a fu'n llywodraethu'r Almaen dan arweiniad Adolf Hitler o 1933 i 1945 Nazi
Natsïaeth *eb* *hanesyddol* athrawiaeth dotalitaraidd, hiliol, ffasgaidd Plaid Genedlaethol Sosialaidd Gweithwyr yr Almaen a oedd am weld y llywodraeth yn rheoli pob diwydiant; roedd yn ffafrio grwpiau o hil a gâi ei hystyried yn well nag unrhyw hil arall Nazism
natur *eb*
  1 y nodweddion sy'n gwneud rhywun neu

n

rywbeth yn wahanol i eraill; cymeriad, hanfod, personoliaeth, unigoliaeth nature, disposition

2 anian, math, tymer, *Bydd ail ran y cyngerdd o natur dipyn ysgafnach na'r rhan gyntaf.*; ansawdd, naws, tueddfryd nature

3 y byd cyfan, yn enwedig fel rhywbeth parhaol heb gynnwys pethau o waith dyn, *rhyfeddodau natur*; y cread, y greadigaeth nature

4 tymer ddrwg, *Un gas yw hi os wyt ti'n digwydd codi'i natur.* temper

wrth natur yn reddfol, yn naturiol naturally

naturiaethwr *eg* (naturiaethwyr) un sy'n astudio planhigion a/neu anifeiliaid naturalist

naturiol *ans*

1 yn rhan gynhenid o'r byd o'i gyferbynnu â rhywbeth sydd wedi'i greu gan ddyn natural

2 yn ymwneud â grymoedd neu ddigwyddiadau arferol y mae modd eu hegluro, *Bu farw o achosion naturiol.* natural

3 yn cael ei ddysgu drwy brofiad, yn digwydd yn ôl yr arfer neu'r disgwyl, *Fe fyddwn, yn naturiol, yn rhoi gwybod i chi cyn bwrw ymlaen i wneud dim byd.*; arferol natural

4 heb edrych neu'n swnio'n wahanol i arfer, heb fod yn ffals neu'n fursennaidd, *Gwnewch eich gorau i edrych yn naturiol ar gyfer y llun.*; dirodres, diymffrost, gweddaidd, syml natural, unaffected

5 cynhenid, nad oes rhaid ei ddysgu, *Roedd yn storïwr naturiol.*; anianol, cynhwynol, greddfol natural, innate

6 CERDDORIAETH am nodyn cysefin nad yw uwchben y nodyn (a ddynodir â llonnod) nac o dan y nodyn (a ddynodir â meddalnod), nodau gwyn ar biano; hefyd yr arwydd ♮ sy'n cael ei ddefnyddio i ddangos hyn natural

naturioldeb *eg* y cyflwr o fod yn naturiol, heb fod yn ffug neu'n ffuantus naturalness

naturiolaeth *eb*

1 arddull a theori mewn celf a llenyddiaeth sy'n cyflwyno bywyd fel y mae, yn naturiol, heb ddelfrydu'r ochr hyll neu dywyll naturalism

2 ATHRONIAETH safbwynt yn ymwrthod ag unrhyw eglurhad goruwchnaturiol neu ysbrydol o'r bydysawd naturalism

naturyddol *ans* yn perthyn i fyd naturiolaeth, nodweddiadol o naturiolaeth naturalistic

naw *rhifol*

1 y rhif sy'n dilyn wyth ac yn dod o flaen deg nine

2 y symbol sy'n cynrychioli'r nifer hwn, 9 neu ix nine

3 y nifer hwn o bobl, pethau, etc., *naw bachgen, naw coeden*

Sylwch: mae'n achosi'r treiglad trwynol yn 'blynedd', 'blwydd' a 'diwrnod'.

naw llith a charol gw. **llith**[1]

Ymadroddion

ar y naw (math o lw) ofnadwy, *Mae'r sêt yma'n galed ar y naw.* awfully, terribly

naw byw cath gw. **byw**[3]

naw nos olau y cyfnod o dywydd braf sy'n digwydd weithiau ym mis Medi ar adeg y cynhaeaf

naw wfft *ebychiad* mynegiant o ddirmyg, *Roeddwn wedi bwriadu aros yma am yr wythnos ond y mae diwrnod wedi bod yn hen ddigon – naw wfft i'r fath le!*

nawban *ans* fel yn *cyhydedd nawban*, sef llinell o farddoniaeth yn cynnwys naw sillaf

naw deg *rhifol* (nawdegau) y rhif 90; deg a phedwar ugain ninety

nawdd[1] *eg*

1 y cymorth neu'r cefnogaeth ariannol a gynigir gan noddwr i hybu achos neu weithgarwch arbennig sponsorship, support, patronage

2 amddiffyniad, cefnogaeth, diogelwch, lloches refuge

nawdd cymdeithasol CYLLID nawdd sy'n gael ei dalu gan y llywodraeth i'r rhai mewn angen, e.e. i bobl sy'n sâl neu'n ddi-waith social security

Ymadrodd

dan nawdd â chefnogaeth gan, wedi'i noddi gan sponsored by, with the patronage of

nawdd[2] *bf* [noddi] *hynafol* mae ef yn **noddi**/ mae hi'n **noddi**; bydd ef yn **noddi**/bydd hi'n **noddi**

nawddogaeth *eb* y cefnogaeth a gynigir gan noddwr; yr awdurdod i reoli penodiadau i swyddi arbennig neu i rannu hawliau i freintiau arbennig patronage

nawddogi *be* [nawddog•[1]] cefnogi (achos neu weithgarwch) drwy roi arian neu ganiatáu i eraill ddefnyddio'ch enw; bod yn noddwr to patronize

nawddoglyd *ans*

1 (am rywun) yn ymddwyn fel pe bai ganddo'r hawl i rannu nawddogaeth patronizing

2 yn gwneud rhywbeth gan ystyried ei fod yn ddibwys iawn condescending

nawddogol *ans*

1 yn cefnogi, yn amddiffyn neu'n gwarchod supportive

2 nawddoglyd patronizing, condescending

nawddsant *eg* (nawddseintiau) CREFYDD sant neu santes (g)warcheidiol, un sy'n gofalu yn arbennig am eglwys, gwlad neu garfan o bobl, *Sant Christopher yw nawddsant teithwyr.*; mabsant patron saint

nawddsantes *eb* (nawddsantesau) CREFYDD santes y credir ei bod yn gofalu yn arbennig am eglwys, gwlad neu garfan o bobl, *Santes Dwynwen, nawddsantes cariadon.* patron saint (female)

nawf *bf* [**nofio**] *hynafol* mae ef/hi yn nofio; bydd ef/hi yn nofio

nawfed *rhifol*

1 y rhifol (rhif trefnol) nesaf mewn trefn ar ôl 'wythfed' ninth

2 rhif 9 mewn rhestr o naw neu fwy; 9fed ninth

3 un rhan o naw ¹/₉ ninth

Sylwch: mae'n achosi'r treiglad meddal o flaen enwau benywaidd (nid felly enwau gwrywaidd) *y nawfed wers*.

nawfed ach naw gradd o berthynas y cyfreithiau Cymreig, 1. tad/mam 2. hendad 3. gorhendad 4. brawd/chwaer 5. cefnder/ cyfnither 6. cyfyrder/cyfyrdyres 7. caifn 8. gorchaifn 9. gorchaw

nawmis *eg* cyfnod o naw mis, yn enwedig am gyfnod beichiogrwydd merch neu wraig nine months

nawn *eg* (nawniau) hanner dydd, y prynhawn, o ganol dydd tan gyda'r nos noon

nawnddydd *eg* prynhawn, canol dydd noon

nawr *adf*

1 *safonol, yn y De* y funud hon, yn awr, yr amser presennol, *Buom yn byw yng Nghaerfyrddin ond rydym yn byw yn Aberystwyth nawr.*; rŵan, yrŵan now

2 fel ffurf i dynnu sylw, *Nawr 'te, gofalwch chi nad ydych chi'n cyffwrdd â dim byd*. now

nawr ac yn y man gw. yn awr ac yn y man

nawr 'te now then

Nawriad *eg* (Nawriaid) brodor o ynys Nauru Nauruan

Nawrwaidd *ans* yn perthyn i ynys Nauru, nodweddiadol o ynys Nauru Naurean

naws *eb* (nawsau) rhywbeth y gellir ei synhwyro; anian, awyrgylch, natur, tymer atmosphere, feel

nawsu *be tafodieithol, yn y De* (am y tywydd) yn dechrau mwyneiddio, tymheru to become mild

Sylwch: nid yw'r ferf hon yn arfer cael ei rhedeg.

Neapolitaidd *ans* yn perthyn i ddinas Napoli (Naples) yn yr Eidal Neapolitan

neb *eg*

1 (mewn brawddegau negyddol yn unig) rhywun, unrhyw un, yr undyn byw, *Peidiwch â dweud wrth neb.* anybody, anyone

2 dim un person, *A oedd unrhyw un yno? Nac oedd, neb.* nobody, nonentity, no one

Sylwch: dylech ddefnyddio *ni* neu *na* neu frawddeg negyddol gyda *neb*. Nid yw 'Dywedodd fod neb yn bresennol' yn gywir; 'Dywedodd nad oedd neb yn bresennol' sy'n gywir.

nebiwlydd *eg* (nebiwlyddion) dyfais sy'n cynhyrchu mân chwistrelliad (o foddion, persawr, etc.) nebulizer

neclis *eb* cadwyn (o fwclis neu emau) a wisgir am y gwddf necklace

necropolis *eg* (necropolisiau) mynwent fawr iawn a geid mewn dinasoedd hynafol necropolis

necrosis *eg* MEDDYGAETH marwolaeth meinwe byw (mewn mannau penodol ar y corff, fel arfer) necrosis

nectarîn *eb* (nectarinau) math o eirinen wlanog â chroen llyfn nectarine

necton *ell* SWOLEG anifeiliaid dyfrol sy'n nofio'n rhydd yn y môr heb ddibynnu ar gael eu cludo gan geryntau fel y mae plancton yn ei wneud nekton

nedden *eb* (nedd) wy pryfyn (llau pen, fel arfer) y mae nifer ohonynt i'w cael weithiau yng ngwallt pobl nit

neddyf *eb* (neddyfau) math o fwyell ar ffurf caib, â llafn miniog i naddu pren adze

nef *eb* (nefoedd)

1 y lle mae pobl yn credu y mae Duw neu'r duwiau'n byw ynddo; man perffaith lle mae eneidiau pobl dda i fod i fynd ar ôl iddynt farw heaven

2 yr awyr, yr wybren heaven

nefi *eb* y lliw glas tywyll a wisgir gan aelodau'r llynges navy

nefi bliw/wen nefoedd wen good heavens

nefoedd *eb* ac *ell*

1 y man lle mae Duw Cristnogion yn teyrnasu; nef heaven

2 hapusrwydd mawr neu le hapus iawn, *Roedd hi'n nefoedd i gael gorwedd yn yr haul heb orfod poeni am ddim.*; gwynfa, gwynfyd, nefoedd, paradwys bliss, heaven

3 ffurf luosog *nef* heavens

Sylwch: er ei bod yn ffurf luosog mae'n cael ei thrin fel enw unigol

nefoedd fawr/wen *ebychiad* mynegiant o syndod good heavens

nefol *ans* (nefolion)

1 yn perthyn i'r awyr, i'r gofod neu i'r nef heavenly, celestial

2 tebyg i'r nefoedd, yn ymwneud â'r nefoedd; bendigedig, gogoneddus, gwych, sanctaidd heavenly

nefolaidd *ans* yn perthyn i'r nefoedd, nodweddiadol o'r nefoedd; bendigedig, gogoneddus, paradwysaidd heavenly

nefolaidd o fe'i defnyddir i ddwysáu ystyr ansoddair, *nefolaidd o dawel*

nefolion *ell* y rhai sy'n byw yn y nefoedd celestial beings

neffridiwm *eg* SWOLEG (mewn llawer o anifeiliaid di-asgwrn-cefn, e.e. mwydod) organ ysgarthu syml ar ffurf tiwb sy'n cludo defnyddiau gwastraff allan o'r corff nephridium

neffritis *eg* MEDDYGAETH cyflwr llym neu gronig sy'n achosi i'r arennau fynd yn llidus nephritis

n

neffron *eg* (neffronau) ANATOMEG un o'r unedau gwaredu troeth a geir mewn aren nephron

negatif¹ *ans*

1 FFISEG yn cyfeirio at y math o wefr drydanol sydd gan electronau, y gwrthwyneb i 'positif' negative

2 MATHEMATEG llai na sero; yr arwydd minws (–) negative

rhif negatif gw. **rhif**

negatif² *eg* (negatifau) darn o ffilm wedi'i ddatblygu sy'n dangos rhannau tywyll y gwrthrych neu'r olygfa yn olau a'r rhannu golau yn dywyll; negydd negative

neges *eb* (negesau:negeseuon)

1 darn o wybodaeth (ysgrifenedig neu ar lafar) a drosglwyddir o un person i'r llall; cenadwri, cenhadaeth message

2 syniad canolog, *Neges y llyfr i ni yw . . .*; byrdwn, thema message

3 *tafodieithol, yn y Gogledd* nifer bach o eitemau o fwyd a diod o siop, *A ei di i lawr i'r siop i nôl neges imi?*; nwyddau errand

neges destun testun ar ffurf neges electronig sy'n cael ei drosglwyddo gan ffôn symudol text message

negesa:negeseua *be* mynd ar neges to run errands

Sylwch: nid yw'r ferf hon yn arfer cael ei rhedeg.

negeseuydd:negeseuwr *eg* (negeseuwyr)

1 un sy'n mynd ar neges messenger

2 BIOCEMEG sylwedd sy'n cludo gwybodaeth neu ysgogiad o fewn corff, *Mae hormonau'n negeseuwyr cemegol sy'n cludo gwybodaeth rhwng celloedd y corff.* messenger

negesfwrdd *eg* (negesfyrddau) CYFRIFIADUREG fforwm ar-lein message board

negesydd *eg* (negeswyr) un sy'n dod â neges; apostol, cennad, llatai messenger

negodi *be* [negod•¹] dod ynghyd i drafod, bargeinio a chyflafareddu er mwyn ceisio cyrraedd cytundeb; cyd-drafod (~ **gyda**) to negotiate

Negro *eg* (Negroaid) *sarhaus, annerbyniol* person du neu dywyll ei groen yr oedd ei hynafiaid yn wreiddiol o Affrica, i'r de o Ddiffeithdir Sahara Negro

Negroaidd *ans* *sarhaus, annerbyniol* yn perthyn i'r Negro, nodweddiadol o'r Negro Negroid

Negröes *eb* (Negroësau) *sarhaus, annerbyniol* merch neu wraig ddu ei chroen Negress

negydd *eg* (negyddion)

1 math o ffilm mewn ffotograffiaeth sy'n dangos pethau sy'n naturiol olau yn ddu, a phethau tywyll yn olau negative

2 GRAMADEG gair sy'n negyddu, e.e. 'na', 'ni' negative

negyddiaeth *eb*

1 agwedd neu gyfundrefn feddyliol sy'n amau yn fawr y farn neu'r syniadau a dderbynnir yn gyffredinol; pesimistiaeth, siniciaeth negativism

2 tuedd i wneud y gwrthwyneb i'r hyn a ofynnir, neu i beidio â'i wneud o gwbl negativism

negyddol *ans*

1 yn dweud 'na', *ateb negyddol* negative

2 heb fod o unrhyw gymorth, yn mynegi'r hyn na ellir ei wneud yn unig, *Cefais lond bol ar ei agwedd negyddol.* negative

3 yn dangos nad yw rhywbeth ar gael neu'n bod, *Pan ddaeth y canlyniadau i brofion yr ysbyty roeddynt i gyd yn negyddol.* negative

4 GRAMADEG yn cyfleu nacâd, e.e. y geiryn negyddol 'ni' negative

negyddu *be* [negydd•¹] GRAMADEG troi (gair, ymadrodd, etc.) i fod yn negyddol, rhoi'r ateb 'na' to negate

neiaint *ell* lluosog **nai**

neidiant *eg* (neidiannau)

1 DAEAREG un o'r prif brosesau sy'n gyfrifol am gludo gronynnau drwy aer neu ddŵr, pan fyddant yn sboncio ar hyd wyneb y ddaear neu wely afon saltation

2 BIOLEG newid sydyn o un genhedlaeth i'r genhedlaeth nesaf sy'n sylweddol fwy nag unrhyw newid arferol saltation

neidiau *ell* lluosog **naid**

neidio *be* [neidi•² 3 *un. pres.* naid/neidia; 2 *un. gorch.* naid/neidia]

1 sboncio yn gyflym ac yn sydyn, *Neidiodd i mewn i'r dŵr.*; llamu to jump, to leap

2 llamu dros, *Â'r tarw yn dynn ar ei sodlau, neidiodd dros y gât heb feddwl ddwywaith.* to jump, to leap, to vault

3 symud yn sydyn ac yn annisgwyl, *Neidiodd ei chalon â llawenydd.* to leap, to start

4 cynyddu yn sydyn mewn nifer neu werth, *Mae pris bara wedi neidio eleni.* to leap

5 tyfu'n gyflym, *Mae'r mab wedi neidio i fyny eleni.* to spring

6 agor neu gau yn sydyn, *Neidiodd clawr y blwch yn agored.*; tasgu to spring

7 ymosod, *Neidiodd y gath ar y llygoden.* to pounce

neidiol *ans* yn symud fesul naid yn hytrach na cham wrth gam leaping, jumping

neidiwr *eg* (neidwyr) rhywun neu rywbeth sy'n neidio; llamwr jumper, leaper

neidr *eb* (nadredd:nadroedd) ymlusgiad â chorff hir heb goesau na breichiau, ceg fawr, tafod fforchog ac weithiau brathiad gwenwynig; sarff snake, serpent

Sylwch: gw. hefyd **nadredd**.

gwas y neidr gw. **gwas**

neidr ddefaid math o fadfall heb goesau

sy'n symud yn debyg i neidr ond sy'n hollol ddiniwed slow-worm

neidr gantroed arthropod â chorff hir wedi'i rannu yn nifer mawr o gymalau a phâr o goesau ynghlwm wrth bob cymal centipede

neidr ruglo gw. rhuglo

neidr y gwair:neidr y glaswellt neidr lwyd, gyffredin, ddiniwed, a bandyn melyn am ei gwddf grass snake

neidraidd *ans*
1 wedi'i lunio o nadredd neu'n ymgordeddu fel nadredd snake-like, snaky
2 llechwraidd a gwenwynllyd snaky

neidwyr *ell* lluosog **neidiwr**

Neifion *eg* yr wythfed blaned o'r Haul; cafodd ei henwi ar ôl duw môr y Rhufeiniaid Neptune

neigaredd:neigarwch *eg* nepotistiaeth; yr arfer o roi blaenoriaeth neu ddangos ffafriaeth i rywun yn perthyn i chi neu i gyfaill (wrth benodi i swydd, etc.) nepotism

neilon *eg* ffibr synthetig sy'n cael ei droi'n edau neu'n ddefnydd dillad ymhlith pethau eraill nylon

neilltu *eg* naill ochr, un ochr, ochr draw one side
o'r neilltu naill ochr, ar wahân aside, secluded

neilltuad *eg* y broses o roi o'r neilltu, canlyniad rhoi o'r neilltu; gwahaniad separation

neilltuaeth *eb* y cyflwr o fod ar wahân, o fod wedi encilio o'r neilltu; enciliad, gwahaniad, ymadawiad withdrawal, retreat

neilltuedig *ans* wedi'i roddi o'r neilltu, ar wahân set apart

neilltuo *be* [neilltu•¹] rhoi i'r naill ochr, gwahanu, gosod ar wahân, gosod o'r neilltu; didoli, gwahanu, ymwahanu to reserve, to seclude, to set to one side

neilltuol *ans* arbennig, nodedig, penodol, *Perfformiad neilltuol lle roedd pob un ar ei orau.* special, particular
neilltuol o fe'i defnyddir i ddwysáu ystyr ansoddair, *neilltuol o dda*

neilltuoldeb *eg* taerineb neu frwdfrydedd dros un peth neu ddiddordeb arbennig particularism

neilltuolion *ell* yr hyn sy'n gwneud rhywun neu rywbeth yn wahanol i bopeth neu bawb arall; nodweddion, priodoleddau characteristics

neilltuolrwydd *eg* y cyflwr o fod yn neilltuol (yn hytrach na chyffredin); arbenigrwydd, hynodrwydd particularity

neiniau *ell* lluosog **nain**

neis *ans* [neis•] braf, deniadol, dymunol, hyfryd nice

neisied *eb* (neisiedi) *tafodieithol, yn y De* cadach poced, ffunen, hances, hansier, macyn, nicloth handkerchief, hankie

neithdar *eg*
1 (yn ôl traddodiadau Groeg a Rhufain) diod y duwiau nectar

2 yr hylif melys sy'n cael ei gasglu o flodau gan wenyn nectar

neithdarle *eg* (neithdarleoedd) BOTANEG (mewn planhigyn) chwarren sy'n cynhyrchu neithdar nectary

neithior *eb* (neithiorau)
1 yn draddodiadol, y wledd briodas y byddai pobl yn cael eu gwahodd iddi i gyflwyno'u hanrhegion i'r pâr oedd yn priodi; arlwy, gwledd wedding feast
2 erbyn hyn, y cinio priodas wedding breakfast, wedding reception

neithiwr *adf* y noson cyn heno last night

nematocyst *eg* (nematocystau) SWOLEG un o'r colynnau gwenwynig bychain a geir mewn slefren fôr neu anemoni môr nematocyst

nematod *eg* (nematodau) SWOLEG unrhyw un o ffylwm o fwydod hir ar ffurf tiwb cul, sy'n byw fel parasitiaid y tu mewn i anifeiliaid a phlanhigion neu'n byw yn rhydd yn y pridd nematode

nem. con. *byrfodd* o'r Lladin *nemine contradicente,* yn unfrydol, heb neb yn anghytuno
nemor *adf* braidd, bron, prin hardly, scarcely
Sylwch: mae'n achosi'r treiglad meddal o flaen enwau ond nid felly o flaen gradd gymharol ansoddair (*nemor ddim; nemor gwell*)
nemor ddim bron dim hardly any
nemor un bron neb neu ddim hardly any(one)

nen¹ *eb* (nennau)
1 *llenyddol* yr awyr, *glas y nen*; entrych, ffurfafen, nefoedd, wybren sky, the heavens
2 *llenyddol* nenfwd; to ceiling

nen²:neno *ebychiad* yn enw, fel yn *neno'r annwyl!, nen Duw!, neno dyn!, neno'r tad!* in the name of goodness, etc.

nenbren *eg* (nenbrennau) dist neu drawst llorweddol sy'n cysylltu, ar grib adeilad, holl gyplau'r to; tulath ridge tree

nenfwd *eb* (nenfydau) ochr fewnol to ystafell, *Roeddynt wrthi'n papuro'r nenfwd pan ddaeth y cyfan i lawr ar eu pennau!* ceiling

nenfforch *eb* (nenffyrch) y naill neu'r llall o ddrawstiau mawr cam yn ymestyn o'r to i'r llawr a fyddai'n cynnal wal a tho bwthyn neu ysgubor hynafol cruck

nenlen *eb* (nenlenni) darn o liain neu frethyn yn crogi uwchben gwely neu rywbeth pwysig canopy

nenlofft *eb* (nenlofftydd) ystafell fach yn nho'r tŷ; atig, croglofft, goruwchystafell, llofft attic, loft, garret

neno gw. **nen²**

nentydd *ell* lluosog **nant**

neoargraffiadaeth *eb* mudiad ymhlith arlunwyr Ffrainc ar ddiwedd y bedwaredd ganrif ar

n

bymtheg a greai argraffiadaeth fwy manwl gywir o ran ffurf drwy ddefnyddio smotiau bach o liw neo-impressionism

neodymiwm *eg* elfen gemegol rhif 60; metel ariannaidd sy'n rhoi lliw fioled-porffor i wydr (Nd) neodymium

Neogen *ans* DAEAREG yn perthyn i ail gyfnod y gorgyfnod Cainosöig (23–1.8 miliwn o flynyddoedd yn ôl), nodweddiadol o ail gyfnod y gorgyfnod Cainosöig Neogene

neoglasuriaeth *eb* CELFYDDYD atgyfodiad o ffurfiau neu werthoedd clasurol mewn llên, celfyddyd neu bensaernïaeth neoclassicism

neoglasurol *ans* yn perthyn i neoglasuraeth, yn ymgorffori egwyddorion neoglasuraeth neoclassical

Neolithig *ans* ARCHAEOLEG yn perthyn i Oes Newydd y Cerrig pan gâi offer cerrig llathredig eu defnyddio Neolithic

neon *eg* elfen gemegol rhif 10; nwy nobl nad yw'n adweithio'n gemegol ac y mae rhyw fymryn ohono yn yr aer o'n cwmpas; fe'i defnyddir mewn lampau lliw oren (Ne) neon
golau neon tiwb o wydr yn llawn neon sy'n goleuo'n oren pan fydd cerrynt trydan yn mynd drwyddo neon light

Nepalaidd *ans* yn perthyn i Nepal, nodweddiadol o Nepal Nepalese, Nepali

Nepali *eg* (Nepaliaid) brodor o Nepal Nepalese, Nepali

nepell *adf* pell, ymhell, ond fel arfer yn y ffurf *nid nepell* i olygu heb fod ymhell, *Nid nepell o gyrion y dref roedd cae'r eisteddfod.* (~ o)
Sylwch:
1 mae'n rhaid defnyddio elfen negyddol gyda'r ansoddair hwn i gyfleu 'heb fod ymhell', '*Roeddwn yn byw nid nepell*' neu '*Roeddwn yn byw heb fod nepell*' sy'n gywir;
2 nid yw'n dilyn 'yn' traethiadol.

nepotistiaeth *eb* yr arfer o roi blaenoriaeth neu ddangos ffafriaeth i rywun yn perthyn i chi neu i gyfaill (wrth benodi i swydd, etc.) nepotism

neptwniwm *eg* elfen gemegol rhif 93; metel ymbelydrol (Np) neptunium

nêr *eg* hynafol arglwydd, ond gan amlaf, yr Arglwydd (Dduw); Iôn, Iôr lord, Lord

nerco *eg* anffurfiol un hanner call (o 'hanner co'); ffŵl, hurtyn, twpsyn idiot

nerf *eb* (nerfau) sypyn o ffibrau nerfol sy'n cysylltu'r brif system nerfol â gweddill y corff nerve
mynd ar fy (dy, ei, etc.) nerfau cael fy niflasu, fy mlino, fy syrffedu (gan rywun neu rywbeth) to get on one's nerves

nerfgell *eb* (nerfgelloedd) BIOLEG cell arbenigol sydd wedi addasu i gludo ysgogiadau nerfol o un rhan o'r corff i'r llall; niwron nerve cell

nerfogaeth *eb* ANATOMEG y broses o nerfogi innervation

nerfogi *be* [nerfog•¹]
1 ANATOMEG cyflenwi nerfau i (organ neu ran arall o'r corff) to innervate
2 ANATOMEG symbylu darn o'r corff gan ysgogiadau o'r nerfau to innervate

nerfol *ans* yn ymwneud â'r nerfau a system nerfau'r corff nervous
system nerfol y rhwydwaith o nerfgelloedd a ffibrau sy'n trosglwyddo ysgogiadau nerfol rhwng rhannau o'r corff nervous system

nerfrwyd *eb* (nerfrwydau) SWOLEG (mewn anifeiliaid di-asgwrn-cefn, e.e. llyngyr a slefrod môr) rhwydwaith o niwronau sy'n cludo ysgogiadau nerfol i bob cyfeiriad o bwynt y symbyliad gwreiddiol nerve net

nerfus *ans* [nerfus•]
1 yn poeni ac yn llawn cyffro; cynhyrfus, ofnus, rhusiog, swil nervous
2 (am rywbeth) yn deillio o fod yn nerfus, *gwên fach nerfus*; crynedig nervous

nerfusrwydd *eg* y cyflwr o fod yn nerfus, math o ofn nerviness, nervousness

nerfwst *eg* hynafol clefyd meddyliol a nodweddir gan flinder llethol, iselder ysbryd a theimlad o annheilyngdod nervous debility

neritig *ans* DAEAREG yn perthyn i'r moroedd bas uwchben y sgafell gyfandirol neritic

nero *eg* difrïol dyn cas neu greulon (o enw'r ymerawdwr Rhufeinig)

nerth *eg* (nerthoedd)
1 cryfder, cadernid (yn enwedig cryfder corfforol person); egni, ffrwt, grym strength, vigour
2 FFISEG cryfder neu fuanedd grym neu ffenomen naturiol, e.e. y gwynt strength
mynd o nerth i nerth cryfhau, gwella, llwyddo to go from strength to strength
nerth braich ac ysgwydd â'ch holl nerth with might and main
nerth fy (dy, ei, etc.) mhen/nerth esgyrn fy mhen (gweiddi) mor uchel ag sy'n bosibl as loud as I can, at the top of one's voice
nerth fy (dy, ei, etc.) nhraed mor gyflym ag sy'n bosibl as fast as I can

nerthol *ans* cryf, cydnerth, grymus, egnïol mighty

nerthu *be* [nerth•¹] gwneud yn fwy nerthol; atgyfnerthu, cryfhau, cyfnerthu, grymuso (~ *rhywbeth* â) to strengthen

nes¹ *ans* mwy agos; agosach
yn nes ymlaen ymhellach ymlaen o ran amser, *Mae Mr Williams wedi addo galw yn nes ymlaen.* later on

nes² *ardd* tan, hyd oni, *Nid wyf yn gadael nes imi gael yr arian sy'n ddyledus imi.* (~ i *rywun* wneud (berfenw)) till, until

nesâd *eg* y broses o nesáu; dynesiad, dyfodiad approaching

nesaf *ans*

1 yn dilyn yn syth heb fwlch, *Y tŷ nesaf yn y rhes yw'n tŷ ni.* next

2 yn dilyn o ran amser, *yr wythnos nesaf, Beth ddigwyddodd nesaf?*; canlynol, dilynol, olynol next

3 mwyaf **agos** nearest

y nesaf peth i ddim gw. **dim**

nesaol *ans* yn nesáu, yn dynesu approaching

nesáu:nesu *be* [nesa•¹⁵] mynd yn nes neu ddod yn nes, *Mae'r Nadolig yn nesáu.*; agosáu, closio, dynesu (~ **at**) to approach, to draw near

neseais *bf* [nesáu] *ffurfiol* gwnes i nesáu

nesed *ans* mor agos

nesei *bf* [nesáu] *ffurfiol* rwyt ti'n nesáu; byddi di'n nesáu

nesnes *adf* yn agosach ac agosach ever nearer

nesu gw. **nesáu**

net *ans*

1 yn weddill ar ôl cyfrif neu ystyried pob ffactor net

2 CYLLID (am arian) y swm sy'n weddill ar ôl tynnu pob tâl, traul, colled, etc. net

3 (am bwysau rhywbeth) heb y cynhwysydd neu'r defnydd pacio net

nêt *ans tafodieithol, yn y De* da, pleserus, *amser nêt* good

netin *eg* math o rwyd fras wedi'i gwneud o wifrau ac a ddefnyddir i wneud ffensys ohono, *netin weiar* netting, wire netting

neu *cysylltair* ynteu, naill ai, ai, *Well inni dalu neu bydd yr heddlu ar ein holau ni.* or, alternatively, or else

Sylwch:

1 mae'n achosi'r treiglad meddal yn achos enwau, ansoddeiriau a berfenwau (*gŵr neu wraig, llon neu leddf, cerdded neu redeg*) ond nid felly ffurfiau eraill sy'n ei ddilyn (*Adroddwch neu canwch. Pa ddyn neu pa wraig?*);

2 mewn rhestr o bethau nid oes angen 'neu' ond o flaen yr un olaf.

neuadd *eb* (neuaddau)

1 ystafell fawr y mae modd cynnal cyfarfodydd neu ddawnsfeydd ynddi hall

2 adeilad ar gyfer cyfarfodydd cyhoeddus neu fusnes, a swyddfeydd cynghorau llywodraeth leol, *Neuadd y Sir, neuadd bentref* hall

3 adeilad lle mae myfyrwyr yn byw yn ystod tymor ysgol neu goleg, *neuadd breswyl* hall (of residence), hostel

neuaddaid *eb* llond neuadd hallful

newid¹ *be* [newidi•² 3 *un. pres.* newidia; 2 *un. gorch.* newid/newidia]

1 mynd yn wahanol o ran golwg, ansawdd neu gyflwr, *Dwyt ti ddim wedi newid o gwbl. Mae'r tywydd yn newid.*; altro, gweddnewid (~ *rhywun* **yn**) to change

2 achosi i (rywbeth neu rywun) fod yn wahanol, *Dywedodd y prifathro y byddai'n rhaid i'r disgybl newid ei agwedd at ei waith neu byddai'n siŵr o fethu ei arholiadau* to alter, to change

3 rhoi neu dderbyn un peth yn lle rhywbeth arall; cyfnewid, *Rwy'n mynd i'r llyfrgell bob bore Sadwrn i newid fy llyfrau.* to change, to exchange

4 gwisgo dillad gwahanol, *Cofia di newid cyn mynd allan i chwarae.* to change

5 rhoi dillad glân (ar fabi, gwely, etc.), *Tro pwy yw hi i newid clwt y babi?* to change

6 cyfnewid un math o arian am fath arall, *Bydd rhaid newid ein punnoedd yn ewros pan awn ni oddi ar y llong.* to change, to exchange

7 symud o un cerbyd i gerbyd arall er mwyn cwblhau taith, *Mae'n rhaid newid ddwywaith wrth fynd i Lundain.* to change

8 peri i beiriant weithio mewn gêr uwch neu is, *Newidiwch i'r ail gêr wrth droi i mewn i'n stryd ni.* to change

newid dwylo symud o berchenogaeth un person i berchenogaeth rhywun arall to change hands

newid fy (dy, ei, etc.**) nghân** mynegi barn wahanol i'r un y bûm yn ei harddel to change one's tune

newid fy (dy, ei, etc.**) meddwl** meddwl yn wahanol i'r ffordd y bûm yn meddwl to change one's mind

newid²:newidiad *eg* (newidiadau)

1 rhywbeth gwahanol i'r arfer; amrywiaeth, *Beth am gael tatws drwy'u crwyn am newid?* change

2 dillad gwahanol i'r rhai sydd amdanoch, *Wyt ti wedi dod â newid dillad gyda ti?* change

3 yr arian sy'n cael ei roi yn ôl i chi pan fyddwch wedi rhoi mwy nag sydd ei angen i dalu am rywbeth change

4 arian mân, *Faint o newid gest ti?* change

5 cyflwr newydd neu enghraifft o newid; gwahaniaeth, *Roedd Nain yn gweld newid mawr yn y pentref a hithau heb fod yno ers blynyddoedd.*; altrad change, alteration

newidiadau *ell* lluosog **newid**

newidiadwy *ans* y gellir ei newid changeable, amendable, commutable

newidiaeth *eb* y broses neu'r weithred o newid (arian yn bennaf) exchange

newidiol *ans* â thuedd i newid, yn gallu newid; cyfnewidiol changeable, variable

newidydd *eg* (newidyddion) dyfais ar gyfer newid foltedd cerrynt eiledol drwy anwythiad electromagnetig transformer

n

newidyn *eg* (newidynnau)
  1 MATHEMATEG mesur sy'n gallu amrywio o ran ei faint neu ei werth; nodwedd neu elfen newidiol variable
  2 MATHEMATEG symbol sy'n cynrychioli'r peth newidiol hwn variable
  newidyn arwahanol MATHEMATEG newidyn sydd â nifer meidraidd neu rifadwy o werthoedd discrete variable
  newidyn di-dor MATHEMATEG newidyn sy'n gallu cymryd pob un o nifer anrhifadwy o werthoedd, e.e. cyflymder car wrth iddo gyflymu o 0 mya hyd at 60 mya continuous variable

newton *eg* (newtonau) FFISEG mesur o rym, *Mae grym o 1 newton yn cyflymu màs o 1 cilogram, 1 metr yr eiliad.*; N newton, N

newydd¹ *ans* [newydd•] (newyddion)
  1 wedi dechrau neu wedi'i wneud yn ddiweddar iawn, *ffasiwn newydd* new
  2 heb gael ei ddefnyddio gan neb o'r blaen, *crys newydd* new
  3 wedi'i ddarganfod yn ddiweddar, *Mae tystiolaeth newydd wedi'i darganfod.* new
  4 yn wahanol i'r hyn a aeth o'i flaen, *blwyddyn newydd* new
  5 (am datws) wedi'u tyfu a'u tynnu'n gynnar yn y tymor new
  6 (am y Lleuad) yr amser (tua unwaith y mis) pan fydd yn llwyr yng nghysgod yr Haul; ymyl tenau'r Lleuad a welir ychydig o nosweithiau wedi hyn new
  Sylwch: mae'n achosi'r treiglad meddal pan ddaw o flaen yr hyn a oleddfir.
  newydd sbon hollol newydd brand new
  o'r newydd mewn ffordd wahanol, eto anew

newydd² *adf* ychydig amser yn ôl, yn ddiweddar iawn, *Mae hi newydd fynd, babi newydd ei eni* just, recently
  Sylwch: mae'n achosi treiglad meddal i'r ferf neu i'r berfenw sy'n ei ddilyn.

newydd³ *eg* (newyddion) hanes diweddar, stori ffres, gwybodaeth newydd hollol gyfoes, *papur newydd* news

newydd-anedig *ans* newydd ei eni newborn

newyddbeth *eg* (newyddbethau) peth newydd neu ffordd newydd (o wneud rhywbeth) novelty, innovation

newydd-deb *eg* y cyflwr o fod yn newydd; ffresni, gwreiddioldeb freshness, novelty

newydd-ddyfodiad *eg* (newydd-ddyfodiaid) rhywun sydd wedi dod i fyw i rywle neu wedi ymuno â rhywbeth yn ddiweddar; rhywun sydd newydd ddod newcomer

newyddiadura *be* ysgrifennu straeon ar gyfer y wasg; dilyn gyrfa fel gohebydd
  Sylwch: nid yw'r ferf hon yn arfer cael ei rhedeg.

newyddiaduraeth:newyddiaduriaeth *eb* y proffesiwn o ysgrifennu ar gyfer papur newydd, o olygu neu gynhyrchu papur newydd, neu gasglu newyddion ar gyfer y radio neu'r teledu journalism

newyddiadurwr *eg* (newyddiadurwyr) un sy'n ennill ei fywoliaeth drwy ysgrifennu i bapur newydd neu drwy gasglu newyddion ar gyfer y radio neu'r teledu; gohebydd, sylwebydd journalist

newyddiadurwraig *eb* merch neu wraig sy'n ennill ei bywoliaeth drwy ysgrifennu i bapur newydd neu drwy gasglu newyddion ar gyfer y radio neu'r teledu journalist

newyddian *eg* (newyddianod)
  1 un heb brofiad; dechreuwr, dysgwr, hyfforddai, prentis novice
  2 aelod o grŵp crefyddol sy'n dechrau derbyn hyfforddiant ar gyfer bod yn fynach neu'n lleian; acolit, disgybl, nofis novice

newyddion¹ *ell*
  1 yr hyn sy'n cael ei adrodd am ddigwyddiadau diweddar, gwybodaeth newydd, *Beth yw'r newyddion diweddaraf am eich mam?*; hanes news, tidings
  2 rhaglen radio neu deledu am bethau sydd wedi digwydd yn ddiweddar iawn news

newyddion² *ans* ffurf luosog **newydd³**

newyddlen *eb* (newyddlenni) papur newydd syml news-sheet

newyn *eg* (newynau) prinder bwyd difrifol hunger, starvation, famine
  codi newyn o'i wâl gw. **gwâl**

newynog *ans* yn dioddef o brinder bwyd; llwglyd hungry, famished

newynu *be* [newyn•¹]
  1 dioddef o brinder bwyd difrifol; clemio, llwgu to starve, to hunger
  2 marw o brinder bwyd to starve

nfed *ans* MATHEMATEG yn dynodi term amhenodol mewn dilyniant o rifau neu fynegiadau, *nfed term y dilyniant o eilrifau $2, 4, 6, 8 \ldots$ yw $2n$* orthogonal

nhw *rhagenw annibynnol syml* ffurf ar **hwy**; y bobl neu'r pethau y mae rhywun yn cyfeirio atynt them, they

nhwythau *rhagenw cysylltiol* ffurf lafar ar **hwythau**

ni¹ *rhagenw annibynnol syml* y rhai sy'n siarad; person cyntaf lluosog, lluosog 'fi'; fe'i defnyddir fel dibeniad i'r goddrych, *Ni yw'r chwaraewyr gorau.*, ac fel gwrthrych berf gryno, *A welodd rhywun ni?* us, we
  Sylwch: defnyddir 'ni' gan olygydd papur neu gylchgrawn pan fydd yn mynegi barn ar ran y papur.

ni² *rhagenw dibynnol ategol syml* lluosog 'fi', *Clywsom ni ei fod yn sâl. Gennym ni y mae'r tîm gorau.*

ni³:nid *geiryn negyddol* fe'i defnyddir i newid yr ystyr i'r gwrthwyneb, drwy negyddu, *Gwelaf. Ni welaf.*; na not
> *Sylwch:*
> 1 defnyddir 'ni' o flaen berf sy'n dechrau â chytsain ac 'nid' o flaen llafariad; 'ni' sy'n gywir o flaen berf sydd wedi colli 'g' ddechreuol drwy dreiglad, *Ni welaf*, 'ni' a ddefnyddir o flaen 'h', *ni helodd fawr o amser yn y lle* ac 'ni' a ddefnyddir o flaen 'i' gytsain, *ni ieuwyd yn gymharus*;
> 2 mae'n achosi'r treiglad llaes yn 'c', 'p', 't' a'r treiglad meddal yn achos 'b', 'd', 'g', 'll', 'm', 'rh', *Ni chanodd ac ni ddawnsiodd*;
> 3 nid yw'r unig ffurf a ddefnyddir pan fydd unrhyw ran o frawddeg heblaw'r ferf yn cael ei phwysleisio (*Nid canu ond adrodd roedd hi*).

nib *eg* (nibiau) pen blaen miniog ysgrifbin sy'n cyfeirio'r inc nib

Nicaragwad *eg* (Nicaragwaid) brodor o Nicaragua Nicaraguan

Nicaragwaidd *ans* yn perthyn i Nicaragua, nodweddiadol o Nicaragua Nicaraguan

nicel *eg*
1 elfen gemegol rhif 28; metel ariannaidd a ddefnyddir mewn dur gwrthstaen (Ni) nickel
2 darn bach isel ei werth o arian Unol Daleithiau America a Chanada nickel

nicers *ell* math o drôns i ferched, dillad isaf i ferch ar ffurf trowsus bach byr knickers

nicloth *eb* sgwaryn o liain (sidan weithiau) a gedwir mewn poced neu fag er mwyn sychu trwyn fel arfer; cadach poced, ffunen, hances, hansier, macyn, neisied handkerchief

nico *eg* (nicos) aderyn bach pinc â smotyn coch ar ei ben, adenydd melyn a chân bert; asgell aur, eurbinc, teiliwr Llundain goldfinch

nicotîn *eg* sylwedd cemegol sy'n wenwynig yn ei ffurf bur ac sy'n gyfrifol am flas ac effaith tybaco nicotine

nid gw. ni³

nifer *egb* (niferoedd)
1 swm, casgliad, *Roedd nifer da wedi dod i gefnogi'r tîm*. number
2 grŵp, *Mae'r Gymdeithas hon yn ben tost – rwy'n gobeithio nad wyt ti'n cyfrif dy hun yn un o'i nifer*. number
> *Sylwch:*
> 1 fel arfer mae'n wrywaidd yn y Gogledd ac yn fenywaidd yn y De;
> 2 ceir y radd gyfartal ansoddeiriol *cynifer*.

niferus *ans* â nifer mawr; aml, brith, lluosog, toreithiog numerous, repeated

nifwl *eg* (nifylau) SERYDDIAETH un o sawl gwrthrych seryddol sy'n edrych yn debyg i gwmwl nebula

Nigeraidd *ans* yn perthyn i Niger, nodweddiadol o Niger Nigerien

Nigeriad *eg* (Nigeriaid) brodor o wlad Nigeria Nigerian

Nigeriaidd *ans* yn perthyn i Nigeria, nodweddiadol o Nigeria Nigerian

Nigerwr *eg* (Nigerwyr) brodor o Niger native of Niger, Nigerien

nigromans:nigromansi *eg*
1 galw ar ysbrydion y meirw i rag-ddweud y dyfodol; dewiniaeth necromancy
2 y gelfyddyd ddu sorcery

nihilaidd *ans* yn perthyn i nihiliaeth, nodweddiadol o nihiliaeth nihilistic

nihiliaeth *eb*
1 ATHRONIAETH golwg ar y byd sy'n ymwrthod â gwerthoedd neu gred; athrawiaeth sy'n gwadu bod unrhyw sail wrthrychol i unrhyw gred mewn moesau neu wirionedd nihilism
2 y gred bod y sefyllfa gymdeithasol mor wael, fel na ellir ond gwella pethau drwy ddistrywio'r sefydliadau sydd ohoni nihilism

nihilydd *eg* (nihilyddion) un sy'n arddel neu'n gweithredu egwyddorion nihiliaeth nihilist

nimbostratws *eg* METEOROLEG haen isel o gymylau llwyd tywyll sy'n ddigon trwchus i guddio'r Haul ac sy'n gysylltiedig â glaw neu eira di-baid nimbostratus

nimbws *eg* METEOROLEG cwmwl glaw, megis nimbostratws neu gwmwlonimbws nimbus

ninnau¹ *rhagenw annibynnol cysylltiol* ni hefyd, ni o ran hynny, ni ar y llaw arall, *Chi fydd yn rhedeg a ninnau fydd yn cerdded, Tecstiaist ti nhw, ond ffoniaist ti ninnau*. we too, even we, we for our part, we on the other hand, us too, even us, us for our part, us on the other hand

ninnau² *rhagenw dibynnol ategol cysylltiol* e.e. *Gwelodd e deigr mawr, ond gwelsom ninnau deigr enfawr!*

niobiwm *eg* elfen gemegol rhif 41; metel llwydwyn a ddefnyddir mewn aloion (Nb) niobium

nionyn *eg* (nionod)
1 *safonol, yn y Gogledd* llysieuyn gwyn neu borffor, crwn a sawr cryf iddo, sy'n cael ei ddefnyddio'n aml wrth goginio; wynionyn onion
2 *tafodieithol, yn y Gogledd* rhywun gwirion; hurtyn, lembo, twmffat nitwit

niper *eg* (niperi) math o binsiwrn i ddal neu i dorri (metel, fel arfer) nippers

nirfana *eb* CREFYDD (Hindŵaeth a Bwdhaeth) cyflwr goleuedig a gyrhaeddir drwy gael gwared ar bob chwant ac unigoliaeth nirvana

nis y geiryn negyddol *ni* ynghyd â'r rhagenw mewnol gwrthrychol '-s' sy'n cyfeirio at

n

ffurfiau trydydd unigol neu luosog ('ef', 'hi' neu 'nhw'), *Yn rhyfedd iawn nis gwelwyd gan neb.*
  Sylwch:
  1 nid yw'n achosi treiglad;
  2 cyfyngir defnydd y rhagenw mewnol hwn i gyweiriau tra ffurfiol a'r duedd bellach yw defnyddio rhagenw syml yn dilyn y ferf, e.e. 'Ni welais ef' yn lle *Nis gwelais.*

nitrad *eg* (nitradau) CEMEG un o nifer o sylweddau cemegol sy'n cynnwys nitrogen ac ocsigen ac a ddefnyddir yn aml fel gwrtaith nitrate

nitradiad *eg* CEMEG y broses o drin neu gyfuno â grŵp nitro, nitrad neu asid nitrig nitration

nitraid *eg* (nitreidiau) CEMEG un o nifer o halwynau neu esterau a ffurfir wrth gyfuno asid nitrus a metel neu alcohol neu gyfansoddyn arall nitrite

nitreiddiad *eg* CEMEG y broses o nitreiddio nitrification

nitreiddio *be* [nitreiddi•²] CEMEG gwaith bacteria wrth newid cyfansoddion amonia a geir yn y ddaear, e.e. o anifeiliaid neu blanhigion marw, yn gyntaf yn nitreidiau ac yna yn nitradau y mae planhigion yn gallu creu proteinau ohonynt to nitrify

nitrid *eg* (nitridau) cyfansoddyn cemegol yn cynnwys nitrogen ac un elfen arall sy'n fwy electropositif nitride

nitrig *ans* yn cynnwys nitrogen nitric

nitrogen *eg* elfen gemegol rhif 7; nwy heb liw nac arogl; yr elfen fwyaf cyffredin yn yr aer yr ydym yn ei anadlu ac elfen sydd i'w chael ym mhob peth byw (N) nitrogen

nitrogenaidd *ans* yn cynnwys nitrogen, yn deillio o nitrogen nitrogenous

nitroglyserin *eg* hylif ffrwydrol yn debyg i olew a ddefnyddir i gynhyrchu dynameit ac, wedi iddo gael ei wanedu, meddyginiaeth nitroglycerine

nitrus *ans* CEMEG yn cynnwys nitrogen, yn enwedig nitrogen mewn cyflwr o falens isel nitrous

nith *eb* (nithoedd)
1 merch eich brawd neu ferch eich chwaer niece
2 merch brawd neu chwaer eich gŵr neu eich gwraig niece

nithiad *eg* y weithred o nithio; gwyntylliad winnowing

nithio *be* [nithi•²] *hanesyddol* gwahanu'r us (ysgafn) oddi wrth y grawn (trwm) yn yr hen amser drwy daflu'r grawn i'r awyr a gadael i'r us gael ei chwythu i ffwrdd; gogrwn, hidlo, rhidyllu to winnow

nithiwr *eg* (nithwyr) un sy'n nithio; peiriant nithio winnower

niwc *eb* (niwcs) *tafodieithol, yn y Gogledd* ceiniog penny

niwcellws *eg* BOTANEG rhan ganolog ofwl yn cynnwys coden yr embryo nucellus

niwclear *ans* yn ymwneud ag egni neu ynni atomig, yn defnyddio egni neu ynni atomig nuclear
  Sylwch: yn dechnegol 'egni' yw'r term a ddefnyddir ac eithrio yn achos 'niwclear' lle mae 'egni niwclear' ac 'ynni niwclear' yn cael eu defnyddio.

niwcledig *ans* FFISEG (am atom) â niwclews neu niwclysau nucleated

niwcleon *eg* (niwcleonau) FFISEG proton neu niwtron nucleon

niwclews *eg* (niwclysau) FFISEG rhan ganolog atom sy'n cynnwys niwtronau a phrotonau nucleus
  Sylwch: defnyddier 'cnewyllyn' yng nghyd-destun celloedd.

niwclid *eg* (niwclidau) FFISEG math o atom wedi'i nodweddu gan y nifer o brotonau, y nifer o niwtronau a'r egni sydd yn ei niwclews nuclide

niwclioffil *eg* CEMEG sylwedd, e.e. ïon negatif, sy'n cael ei atynnu at rannau positif moleciwlau nucleophile

niwclioffilig *ans* CEMEG yn perthyn i niwclioffil, nodweddiadol o niwclioffil nucleophilic

niwed *eg* (niweidiau)
1 anaf corfforol, *A gafodd unrhyw un niwed yn y ddamwain?*; clwyf, dolur, drwg harm, injury
2 drwg sydd wedi digwydd neu a all ddigwydd harm, detriment

niweidiadwy *ans* hawdd ei niweidio, agored i'w niweidio; archolladwy, clwyfadwy vulnerable

niweidio *be* [niweidi•²] gwneud drwg neu niwed; anafu, brifo, clwyfo, dolurio to damage, to harm, to hurt

niweidiol *ans* yn achosi niwed; andwyol, cas, drwg harmful, detrimental, injurious

niweidiwr *eg* (niweidwyr) un sy'n peri niwed harmer

niwl *eg* (niwloedd)
1 cwmwl o ddafnau mân iawn o ddŵr yn yr awyr o'ch cwmpas; caddug, mwrllwch, nudd, tarth fog, mist
2 haen o rywbeth y mae'n anodd gweld drwyddo – yn llythrennol a ffigurol, *Ar ôl darllen y diffiniad, rwy'n dal i fod yn y niwl ynglŷn ag ystyr y gair.* haze, mist

niwlen *eb*
1 haen denau o niwl; caddug, nudden, tarth haze, mist
2 gordyfiant o fân organebau (plancton neu algâu) ar wyneb dŵr bloom

niwlo:niwlio *be* gorchuddio â haen o niwl to mist
  Sylwch: nid yw'r ferf hon yn arfer cael ei rhedeg.

niwlog *ans*
1 wedi'i orchuddio â niwl neu gwmwl trwchus; cymylog foggy, misty
2 heb fod yn glir; amwys, aneglur, annelwig, diafael hazy, nebulous
3 (am hylif) heb fod yn glir cloudy

niwlogrwydd *eg* y cyflwr o fod yn niwlog fogginess, mistiness

niwm *eg* (niwmau) CERDDORIAETH nodyn neu grŵp o nodau a genir ar un sillaf neume

niwmateg *eb* astudiaeth wyddonol o nwyon dan wasgedd a'r defnydd ohonynt i greu grym neu symudiad pneumatics

niwmatig *ans*
1 yn cael ei weithio gan nwy neu aer dan wasgedd, *dril niwmatig* pneumatic
2 yn cynnwys aer dan wasgedd, *teiar niwmatig car* pneumatic

niwminaidd:nwmenaidd *ans* â naws grefyddol neu ysbrydol gref numinous

niwmismateg *eb* yr arfer o gasglu darnau arian, arian papur, medalau, etc. numismatics

niwmoconiosis *eg* MEDDYGAETH clefyd yr ysgyfaint sy'n cael ei achosi drwy anadlu llwch (glo, metel, etc.) pneumoconiosis

niwmonia *eg* MEDDYGAETH clefyd sy'n effeithio ar yr ysgyfaint drwy eu gwneud yn llidus, gyda'r canlyniad bod y claf yn cael anhawster i anadlu pneumonia

niwmothoracs *eg* MEDDYGAETH aer sydd wedi casglu rhwng wal y frest a'r ysgyfaint, sy'n achosi'r ysgyfaint i ddatchwyddo pneumothorax

niwral *ans* BIOLEG yn perthyn i nerf neu i'r system nerfol neural

niwralgia *eg* MEDDYGAETH gwayw neu boen yn saethu ar hyd nerf sydd wedi derbyn niwed o ryw fath neuralgia

niwrodrosglwyddydd *eg* (niwrodrosglwyddyddion) FFISIOLEG sylwedd cemegol a ryddheir gan edefyn nerf ac sy'n peri trosglwyddo ysgogiad i nerf, cyhyr, etc. arall neurotransmitter

niwroffisioleg *eb* FFISIOLEG ffisioleg y system nerfol neurophysiology

niwroleg *eb* astudiaeth fiolegol neu feddygol o'r system nerfol neurology

niwrolegol *ans* yn ymwneud â'r system nerfol neurological

niwrolegydd *eg* (niwrolegwyr) arbenigwr meddygol ym maes niwroleg neurologist

niwron *eg* (niwronau) BIOLEG cell arbenigol sydd wedi addasu i gludo ysgogiadau nerfol yn gyflym o un rhan o'r corff i'r llall; nerfgell neurone

niwrosis *eg* MEDDYGAETH afiechyd meddwl ysgafn yn cyfuno ffobia, obsesiwn neu gymhellion cryf a gofid neurosis

niwrotig *ans*
1 MEDDYGAETH yn cael ei effeithio gan niwrosis neurotic
2 yn poeni yn ormodol neurotic

niwsans *eg* rhywun neu rywbeth sy'n eich cythruddo neu'n eich rhwystro, sy'n eich gwneud yn grac neu'n flin, *Paid â bod yn niwsans. Dyna niwsans – rwyf wedi anghofio fy mag.* nuisance

niwtral *ans* yn y canol rhwng dau eithaf a hynny heb nodweddion y naill eithaf na'r llall
1 (am liwiau) gwan neu ddi-liw neutral
2 nad yw'n ochri gyda'r naill ochr na'r llall mewn rhyfel; canolig neutral
3 FFISEG heb wefr drydanol neutral
4 (am beiriant) lleoliad y gêr pan nad oes dim egni yn cael ei drosglwyddo o'r injan yrru i'r olwynion neutral
5 CEMEG am sylwedd nad yw nac yn asid nac yn fas neutral

niwtraleiddiad *eg* y broses o niwtraleiddio, canlyniad niwtraleiddio neutralization

niwtraleiddio *be* [niwtraleiddi•²] gwneud yn aneffeithiol drwy ddefnyddio grym neu effaith wrthgyferbyniol (~ *rhywbeth* â) to neutralize

niwtraliad *eg* CEMEG y broses o niwtralu, canlyniad niwtralu neutralization

niwtraliaeth *eb* y cyflwr o beidio ag ochri gyda'r naill ochr na'r llall mewn rhyfel neu unrhyw anghydfod neutrality

niwtralu *be* [niwtral•¹] CEMEG gwneud cemegyn yn niwtral, *Dywedir bod sudd dail tafol yn dda at niwtralu pigiad asidig danadl poethion.* (~ *rhywbeth* â) to neutralize

niwtrino *eg* FFISEG gronyn elfennol a geir mewn nifer o ffurfiau, nid oes ganddo ddim gwefr drydanol, mae ei fàs yn sero, a phrin yw unrhyw adwaith rhyngddo a mater arall o gwbl neutrino

niwtron *eg* (niwtronau) FFISEG gronyn isatomig nad oes iddo wefr drydanol ac sy'n rhan o niwclews atom neutron

no *geiryn* (talfyriad o 'mynno'?) ta p'un, *Wel dyna beth dwi'n credu no.* anyway

nobeliwm *eg* elfen gemegol rhif 102; metel ymbelydrol (No) nobelium

nobl *ans*
1 hardd a chryf ei olwg; ardderchog, braf, sylweddol fine, noble
2 agos i'w le; cywir, egwyddorol
3 llond ei groen; cydnerth, praff stout, well built
metel nobl gw. metel
nwy nobl gw. nwy

noblesse oblige *eg* cyfrifoldeb yn deillio o fod yn freintiedig

nobyn *eg* (nobynnau) y belen fach yr ydych yn cydio ynddi a'i throi er mwyn agor drws, nobyn drws; unrhyw beth o'r un siâp â nobyn drws; bwlyn knob

nocer *eg* (noceri) teclyn ar ffurf cylch neu far (ar echel, fel arfer) ar gyfer curo drws knocker

nociganfyddwr *eg* (nociganfyddwyr) FFISIOLEG derbynnydd synhwyraidd sy'n ymateb i ysgogiadau poenus nociceptor

nod¹ *eg* (nodau)
1 y canlyniad rydych yn ei ddymuno; diben rydych yn cyfeirio eich ymdrechion tuag ato; diben, pwrpas, targed aim, purpose
2 arwydd neu farc, e.e. ar y corff, neu un sy'n dynodi pwy biau rhywbeth neu bwy sydd wedi'i wneud; arwyddnod mark, brand, character
nod barcud (yn y Deyrnas Unedig) nod siâp barcud ar nwyddau a gymeradwywyd gan Sefydliad Safonau Prydain (*British Standards Institution*) Kitemark
nod clust patrwm sy'n cael ei dorri yng nghlust anifail (dafad, fel arfer) i ddangos pwy yw perchennog yr anifail earmark
nod llyfr darn o ddefnydd (e.e. lledr, cerdyn, etc.) sy'n cael ei ddefnyddio i nodi'r man lle mae person wedi cyrraedd mewn llyfr bookmark
nod masnach marc penodol sy'n cael ei ddefnyddio i ddynodi cynnyrch un masnachwr neu gynhyrchydd arbennig (y mae ganddo hawlfraint arno, fel arfer) trade mark
nod tudalen CYFRIFIADUREG cofnod o gyfeiriad gwefan, ffeil neu ddata eraill sy'n galluogi'r defnyddiwr i gael mynediad iddynt yn gynt yn y dyfodol bookmark
Ymadroddion
nod amgen gw. **amgen**
nod Cain (yn y Beibl) peth sy'n nodi llofrudd, ar ôl y nod a roddwyd ar Cain gan Dduw wedi iddo lofruddio ei frawd the mark of Cain

nod² *eg* (nodau:nodion)
1 man lle mae isrannau yn deillio neu'n dod ynghyd, yn enwedig mewn diagram ar ffurf coeden node
2 SERYDDIAETH un o'r ddau bwynt lle mae cylchdroeon dau gorff seryddol yn croesi'i gilydd ar blân arbennig node
3 FFISEG man mewn ton unfan lle mae'r dadleoliad yn sero node
nod lymff FFISIOLEG un o nifer o chwyddiadau bach yn y system lymffatig lle mae lymffocytau'n cael eu cynhyrchu a lle mae bacteria'n cael eu gwaredu lymph node

nodadwy *ans* gwerth ei nodi, yn haeddu sylw; nodedig notable

nodaledd *eg* y cyflwr o fod wedi'i leoli ger nod² nodality

nodau *ell*
1 lluosog **nod**
2 lluosog **nodyn**

nodchwiliwr *eg* (nodchwilwyr) CYFRIFIADUREG symbol sy'n cael ei ddefnyddio i gynrychioli unrhyw nod neu ddilyniant o nodau mewn chwiliad wild card

nodedig *ans* yn haeddu sylw, gwerth ei nodi; anghyffredin, arbennig, hynod, neilltuol impressive, remarkable, notable, noteworthy

nodedig o fe'i defnyddir i ddwysáu ystyr ansoddair, *nodedig o gofiadwy*

nodi *be* [nod•¹]
1 sylwi a chofio, *Hoffwn i chi nodi mai am 9.30 y bore y bydd y cyfarfod yn dechrau.* to note
2 tynnu sylw, *Yn anffodus, nid yw'n nodi ai yn y bore neu'r hwyr y mae'r cyfarfod.*; dynodi, pennu to note
3 gwneud nodyn, *Gadewch imi nodi teitl y llyfr.*; cofnodi, cofrestru to note, to jot
4 gosod nod ar, *nodi gwledydd ar fap*; dynodi, marcio, ysgrifennu to mark

nodiadau *ell* lluosog **nodyn²**, cofnodion cryno ysgrifenedig notes

nodiadur *eg* (nodiaduron) llyfr nodiadau notebook

nodiannu *be* [nodiann•¹⁰]
1 gosod nodiadau neu sylwadau (wrth ymyl testun mewn llyfr yn aml); anodi to notate
2 CERDDORIAETH gosod mewn nodiant to notate
Sylwch: dyblwch yr 'n' ym mhob ffurf ac eithrio yn y rhai sy'n cynnwys -*as*-.

nodiant *eg* math o ysgrifennu sy'n defnyddio arwyddion arbennig i ddynodi gwahanol bethau, *nodiant cerddorol* notation
hen nodiant gw. **hen¹**

nodio *be* [nodi•²] gostwng neu ostwng a chodi'r pen (yn arwydd o gytundeb, fel arfer); amneidio to nod

nodlyfr *eg* (nodlyfrau) llyfr nodiadau notebook

nodwedd *eb* (nodweddion) yr hyn sy'n gwneud rhywun neu rywbeth yn arbennig neu'n wahanol i eraill; arbenigrwydd, hynodrwydd, priodoledd, priodwedd, teithi characteristic, feature, trait

nodweddiadol *ans* yn amlygu'r brif nodwedd neu nodweddion characteristic, typical

nodweddrif *eg* (nodweddrifau) MATHEMATEG y rhan o logarithm cyffredin a ddaw o flaen y pwynt degol characteristic

nodweddu *be* [nodwedd•¹] bod yn nodwedd o, bod yn enghraifft berffaith o; dynodi, gwahaniaethu, hynodi to typify

nodwydd *eb* (nodwyddau)
1 math o bìn hir a ddefnyddir i wnïo; mae twll (crau) i ddal edau yn un pen ac mae'r pen arall â blaen llym fel y gellir ei wthio drwy ddefnydd needle

2 rhywbeth tenau, blaenllym sy'n edrych yn debyg i nodwydd, *nodwydd hypodermig, nodwydd cwmpawd, nodwyddau pinwydd* needle
3 (mewn peiriant chwarae recordiau) y diemwnt bachog neu'r darn o fetel sy'n cyffwrdd â'r record fel y mae'n troi ac sy'n codi'r sain oddi arno needle, stylus
nodwyddes *eb* (nodwyddesau) gwniadwraig; merch neu wraig sy'n dra medrus am wnïo pethau needlewoman
nodwyddo *eg* system o feddygaeth gyflenwol lle y gosodir blaenau nodwyddau yn y croen mewn mannau penodol o'r corff er mwyn ysgogi'r nerfau; aciwbigo acupuncture
nodyn¹ *eg* (nodau)
1 sain gerddorol o hyd a thraw penodol note
2 arwydd ysgrifenedig yn dynodi'r seiniau hyn note
  nodyn addewidiol CYFRAITH dogfen wedi'i harwyddo, sy'n addo talu swm o arian pan fydd ei angen, neu ar ddyddiad penodol, naill ai i rywun wedi'i enwi neu i ddeiliad y nodyn promissory note
  nodyn arweiniol CERDDORIAETH seithfed nodyn graddfa ddiatonig (beth bynnag ei chywair) leading note
nodyn² *eg* (nodiadau) neges fer mewn ysgrifen neu ddarn ysgrifenedig i'ch atgoffa o rywbeth note
nodd *eg* sudd sy'n cario maeth drwy blanhigyn, neu unrhyw sudd maethlon (o lysiau, ffrwythau, cig, etc.), hefyd yn ffigurol juice, sap
nodded *eb* gair hen ffasiwn braidd am **nawdd** neu **noddfa**; cysgod, diogelwch, lloches refuge
noddedig *ans* wedi'i noddi sponsored
noddfa *eb* (noddfeydd) lle diogel; encil, gwarchodfa, lloches refuge, sanctuary, shelter
noddi *be* [nodd•¹ 3 un. pres. nawdd/nodda; 2 un. gorch. nodda] bod yn noddwr, sef rhoi arian i gefnogi rhywun neu rywbeth sy'n ei haeddu yn eich barn chi; cefnogi, hybu, meithrin to sponsor, to patronize
noddwr *eg* (noddwyr)
1 un sy'n cefnogi rhywbeth y mae'n credu ynddo drwy roi arian iddo; cymwynaswr, cynhaliwr, cynheiliad, hyrwyddwr patron, sponsor
2 unigolyn neu gwmni sy'n talu neu'n cyfrannu tuag at amgylchiad arbennig gan achub ar y cyfle i hysbysebu yr un pryd, *Mae bragwyr a phapurau newydd ymhlith noddwyr rhai o glybiau rygbi mawr Cymru.* sponsor
noddwraig *eb* merch neu wraig sy'n noddi
noe *eb* (noeau) dysgl neu fowlen fawr fas o bren ar gyfer tylino toes neu wneud menyn, etc. dish

noeth *ans* [noeth•] (noethion)
1 (am gorff rhywun) heb ddillad amdano neu orchudd drosto; porcyn naked
2 heb y gorchudd arferol, *Ar ôl y tân roedd ochr y mynydd yn hollol noeth.*; moel, llwm bare, naked
3 digywilydd, llwyr, *celwydd noeth* stark, barefaced
noethder *eg* noethni, moelni bareness, nakedness
noethi *be* [noeth•¹] tynnu dillad, gorchudd, etc. oddi ar (rywun neu rywbeth); dinoethi to bare
noethion *ans* ffurf luosog **noeth**
noethlun *eg* (noethluniau) darlun o rywun noeth nude
noethlwm *ans* moel, llwm, noeth, anial barren, bleak
noethlymun *ans* (am rywun) nad yw'n gwisgo unrhyw ddillad o gwbl; porcyn nude
noethlymuno *be* [noethlymun•¹] tynnu dillad er mwyn ymddangos yn noeth, e.e. ar draeth neu fel adloniant; dinoethi, ymddihatru (~ **o flaen**) to strip
noethlymunwr *eg* (noethlymunwyr) rhywun nad yw'n gwisgo unrhyw ddillad amdano, yn enwedig rhywun sy'n un o grŵp neu gymdeithas nad ydynt yn dymuno gwisgo dillad nudist
noethni *eg* y cyflwr o fod yn noeth nakedness, nudity
noethwibiwr *eg* (noethwibwyr) un sy'n rhedeg yn noeth mewn lle cyhoeddus er mwyn cynhyrfu neu ddiddanu pobl streaker
nofa *eb* (nofâu) SERYDDIAETH seren sy'n mynd yn fwy disglair o lawer am gyfnod, cyn pylu eto nova
nofel *eb* (nofelau) stori hir ysgrifenedig am bobl a digwyddiadau dychmygol neu hanesyddol, math o ffuglen novel
nofelig *eb* stori-fer hir novelette
nofelydd *eg* (nofelwyr) awdur sy'n ysgrifennu nofelau novelist
nofiad *eg* (nofiadau) y weithred o nofio swim
nofiadwy *ans* y gellir ei nofio swimmable
nofio *be* [nofi•² 3 un. pres. nawf/nofia; 2 un. gorch. nofia]
1 symud drwy ddŵr drwy ddefnyddio aelodau'r corff neu gynffon to swim, to bathe
2 croesi neu deithio pellter yn y modd hwn, *Nofiodd o un ochr i'r afon i'r llall.* to swim
3 bod yn llawn o hylif neu wedi'i orchuddio â hylif, *Roedd ei sglodion yn nofio mewn saim.* to swim
  nofio ar y cefn dull o nofio lle mae'r nofiwr yn gorwedd ar ei gefn ac am yn ail yn codi ei freichiau allan o'r dŵr ar ffurf cylch tuag yn ôl wrth estyn a chicio ei goesau back crawl, backstroke

n

nofio broga dull o nofio lle mae'r nofiwr yn gwthio ei freichiau ymlaen ac yna'n eu symud yn ôl ar ffurf cylch wrth dynnu ei goesau at ei gorff ac yna eu cicio allan breaststroke

nofio pilipala dull o nofio lle mae'r nofiwr yn taflu ei freichiau allan o'r dŵr wrth gicio ei draed i lan ac i lawr butterfly stroke

nofio yn eich blaen dull o nofio lle mae'r nofiwr am yn ail yn codi ei freichiau allan o'r dŵr wrth gicio ei goesau i lan ac i lawr yn gyflym to crawl

nofis *eg* (nofisiaid)
1 un sy'n cael ei dderbyn i dŷ crefyddol ar brawf, neu cyn addunedu; acolit, newyddian novice
2 dechreuwr dibrofiad; disgybl, dysgwr, newyddian novice

nofiwr *eg* (nofwyr) un sy'n nofio neu un sy'n medru nofio swimmer, bather

noflithro *be* [noflithr•¹] arnofio a mynd gyda'r llif (~ ar) to drift

nofwraig *eb* merch neu wraig sy'n nofio

nogio *be* [nogi•²] gwrthod symud ymlaen, bod yn anfodlon, *Fe nogiodd y ceffyl ar y ffens olaf ond un.*; pallu to jib, to refuse, to balk

noglyd *ans* chwannog i nogio jibbing

nôl *be* dod â, *A ei di i nôl fy sbectol imi?*; ymofyn, hôl to bring, to fetch
Sylwch: nid yw'r ferf hon yn cael ei rhedeg ac ni ellir ei defnyddio ond gyda berfau eraill.

nomad *eg* (nomadiaid)
1 aelod o lwyth sy'n symud o le i le er mwyn cael bwyd a dŵr i'r anifeiliaid nomad
2 rhywun sy'n crwydro o le i le; crwydryn, sipsi, teithiwr nomad

nomadiaeth *eb* ffordd o fyw sy'n golygu symud o le i le (o fewn ffiniau penodol, fel arfer) er mwyn dod o hyd i fwyd a dŵr i anifeiliaid nomadism

nomadig:nomadaidd *ans* yn byw bywyd nomad, nodweddiadol o nomadiaeth; crwydrol nomadic

nonagon *eg* (nonagonau) MATHEMATEG ffigur dau ddimensiwn sydd â naw ochr llinell syth a naw ongl nonagon

nonsens *eg* dwli dwl, pethau gwirion nonsense

non sequitur *eg* casgliad neu ateb nad yw'n dilyn (yn rhesymegol o'r hyn a ddaeth o'i flaen)

noradrenalin *eg* BIOCEMEG hormon sy'n cael ei ryddhau gan y chwarennau adrenal ac sy'n gweithredu fel niwrodrosglwyddydd noradrenaline

norm *eg* (normau)
1 safon swyddogol, model i'w ddilyn; rheol norm
2 safon o ymddygiad a ddisgwylir gan grŵp, ac sy'n penderfynu faint o feirniadu fydd os na chydymffurfir â'r safon norm

3 safon cyrhaeddiad yn seiliedig ar gyfartaledd cyrhaeddiad grŵp eithaf mawr o bobl norm

normadol *ans* yn gosod norm, yn dilyn norm, yn deillio o norm normative

normal *ans* yn ymddwyn yn y ffordd y byddech chi'n ei disgwyl, yn datblygu yn y ffordd y byddech chi'n ei disgwyl; arferol, derbyniol normal

normaleiddio *be* [normaleiddi•²] gwneud yn normal, troi'n normal to normalize

normalrwydd:normaledd *eg* y cyflwr o fod yn normal normality

Normanaidd *ans* yn perthyn i Normandi yng ngogledd-orllewin Ffrainc, yn perthyn i'r Normaniaid a oresgynnodd Loegr yn 1066 Norman

Normaneiddio *be* [Normaneiddi•²] lledaenu arferion, sefydliadau a chyfreithiau'r Normaniaid wedi 1066 Normanization

Normaniad *eg* (Normaniaid)
1 brodor o Normandi yng ngogledd-orllewin Ffrainc Norman
2 brodor o'r un ardal a oresgynnodd Loegr yn yr unfed ganrif ar ddeg Norman

Northyn *eg* gogleddwr, gŵr o ogledd Cymru north Walian

Norwyad *eg* (Norwyaid) brodor o wlad Norwy, un o dras neu genedligrwydd Norwyaidd Norwegian

Norwyaidd *ans* yn perthyn i Norwy, nodweddiadol o Norwy Norwegian

Norwyes *eb* (Norwyesau) merch neu wraig o wlad Norwy, un o dras neu genedligrwydd Norwyaidd Norwegian

nos *eb* (nosau:nosweithiau) y cyfnod o dywyllwch neu gyfnos rhwng machlud a gwawr, yr hwyr; cyfnos, düwch, noswaith, tywyllwch night
Sylwch: yn 'nos da', mae presenoldeb 's' yn gwrthsefyll y treiglad meddal disgwyliedig.

(mynd) yn nos arnaf fi (arnat ti, arno ef, etc.)
1 anghofio (*Fe aeth yn nos arnaf yng nghanol y darn adrodd.*) to go blank
2 (mae pethau'n) anobeithiol it's looking bleak

nos da cyfarchiad wrth adael rhywun yn yr hwyr (drwy hir arfer y mae'r 'd' yn gwrthsefyll treiglo yn dilyn 's') good night

nosgan *eb*
1 serenâd; darn o gerddoriaeth a berfformir i gyfarch merch neu wraig yn yr awyr agored, yn yr hwyr serenade
2 serenâd; darn o gerddoriaeth i gerddorfa fechan serenade

nosi *be* [nos•¹] mynd yn nos, tywyllu

nosol *ans* yn digwydd yn y nos, yn digwydd bob nos nocturnal, nightly

noson *eb* (nosau:nosweithiau) noswaith, hwyr y dydd pan fydd hi'n tywyllu neu wedi tywyllu, *noson braf, noson loer olau* evening, night

noson tân gwyllt noson Guto Ffowc, sef 5 Tachwedd bonfire night

Ymadroddion

noson fawr gw. **mawr**

noson lawen noson gymdeithasol o adloniant Cymraeg a Chymreig (canu, dawnsio, adrodd, etc.) a fyddai'n cael ei chynnal yn wreiddiol yng nghartrefi pobl, ond sydd erbyn hyn yn fath o gyngerdd gwerinol

noswaith *eb* (nosweithiau) hwyr y dydd pan fydd hi'n tywyllu neu wedi tywyllu; noson evening, night

noswaith dda cyfarchiad wrth gyfarfod â rhywun yn yr hwyr good evening

nosweithiau *ell* lluosog noswaith, noson a nos

nosweithiol *ans*

  1 yn digwydd gyda'r nos nocturnal

  2 yn digwydd yn gyson gyda'r nos nightly

noswyl *eb* (noswyliau) noson cyn gŵyl, *noswyl Nadolig*; gwylnos eve, vigil

noswylio *be* [noswyli•²] mynd i'r gwely, clwydo; gorffen gwaith ar ddiwedd diwrnod

noswyliwr *eg* (noswylwyr)

  1 un sy'n mynd i'r gwely, sy'n noswylio

  2 un sy'n cadw gwylnos/noswyl

not *eb* (notiau) uned o gyflymder a ddefnyddir yn bennaf yng nghyd-destun llong neu awyren, tua 1.9 cilometr yr awr knot

notari *eg* (notarïaid) swyddog cyhoeddus sy'n gweinyddu llwon, yn llunio dogfennau cyfreithiol ac yn eu hardystio notary

notochord *eg* SWOLEG rhoden gartilagaidd, ysgerbydol sy'n cynnal corff embryo anifail fertebraidd ac sy'n bresennol mewn rhai oedolion fertebraidd notochord

nouveau riche *ell* y rhai sydd wedi dod yn gyfoethog yn ddiweddar (gydag awgrym nad ydynt yn gwybod sut i ymddwyn yn briodol)

nouvelle cuisine *eb* dull o goginio sy'n osgoi sawsiau bras, traddodiadol, ac yn canolbwyntio ar fwydydd ffres wedi'u cyflwyno mewn ffordd atyniadol

now *eg* *tafodieithol* syniad od; mympwy, chwiw, chwilen, cinc, ffad whim

nudd:nudden *eb* niwl bach ysgafn; caddug, niwlen, tarth haze, mist

nwdl *eg* (nwdlau:nwdls) stribyn hir, gwastad o basta wedi'i wneud o flawd ac wyau noodle

nwl¹ *eg* (nyliau)

  1 MATHEMATEG sero, dim null

  2 ELECTRONEG cyflwr lle nad oes signal yn cael ei gynhyrchu null

  3 CYFRIFIADUREG grŵp diystyr o lythrennau a gynhwysir mewn neges cod i dwyllo pobl sy'n ceisio datrys y cod null

nwl² *ans* MATHEMATEG (am set neu fatrics) heb unrhyw fynegiadau mathemategol neu ddim ond seroau, â gwerth sero null

nwrl *eg* (nwrliaid) gwrym neu fwlyn bach knurl

nwy *eg* (nwyon)

  1 math o sylwedd, fel aer, nad yw'n hylif nac yn solid gas

  2 sylwedd o'r math hwn a ddefnyddir yn y cartref (a mannau eraill hefyd) i wresogi ac i goginio gas

  3 sylwedd o'r math hwn a ddefnyddir gan anesthetegydd mewn ysbyty gas

nwy nobl CEMEG unrhyw un o'r elfennau nwyol megis heliwm, neon, argon, crypton, senon a radon sydd fwy neu lai yn anadweithiol ond yn fasnachol bwysig noble gas

nwyd *eg* (nwydau) teimlad cryf iawn (o serch, dicter, etc.); angerdd, taerineb, traserch passion

nwydus *ans* llawn nwyd; angerddol, gwyllt, tanbaid passionate, sensual, voluptuous

nwydwyllt *ans* â thuedd i adael i'r nwydau fynd yn rhemp, yn wyllt o angerddol passionate

nwydd *eg* (nwyddau) peth i'w fasnachu yn enwedig os yw'n cael ei gludo (ar long, etc.); cynnydd commodity

nwyddau *ell*

  1 eiddo y mae modd ei symud (yn wahanol i dai neu diroedd) goods

  2 pethau trwm y mae modd eu cludo ar lorri neu drên, etc., *trên nwyddau* goods

  3 pethau sy'n cael eu prynu neu eu gwerthu goods, ware

  4 ECONOMEG nwyddau economaidd, defnydd crai, e.e. metelau, egni, cnydau, etc., y gellir eu prynu a'u gwerthu commodities, goods

mynegai nwyddau adwerthu gw. **mynegai**

nwyddau cyhoeddus nwyddau neu wasanaethau, e.e. amddiffyn, golau stryd, sy'n cael eu darparu gan y llywodraeth (ganolog neu leol) drwy drethi, i bob aelod o'r gymdeithas public goods

nwyddau di-rinwedd nwyddau sy'n cael eu hystyried yn afiach neu'n niweidiol mewn rhyw ffordd, e.e. sigarennau, bwyd sothach demerit goods

nwyddau preifat nwyddau neu wasanaethau fel bwyd, dillad, etc., y mae person, wrth eu prynu, yn rhwystro person arall rhag eu cael private goods

nwyddau rhinwedd nwyddau neu wasanaethau fel brechiad neu addysg sy'n cael eu darparu'n rhad ac am ddim gan y llywodraeth er lles y cyhoedd merit goods

nwyddau traul nwyddau fel bwyd, dillad, etc., sy'n cael eu prynu a'u defnyddio gan

n

ddefnyddwyr yn hytrach na chan wneuthurwyr i gynhyrchu nwyddau eraill consumer goods

nwyf:nwyfiant *eg* (nwyfau) fel yn 'Os deui byth i oedi uwch fy medd/ Ac ing a hiraeth yn cynhyrfu'r hedd,/ Cofia fy nwyf . . . (Cen Williams); afiaith, arial, asbri, bywiogrwydd, hoen vivacity, vigour, ebullience

nwyfre *eb hynafol* awyr, wybren, ffurfafen firmament

nwyfus *ans* llawn nwyf, llawn chwarae; heini, hoenus, llamsachus, sionc high-spirited, lively, vivacious

nwyfusrwydd *eg* y cyflwr o fod yn nwyfus; asbri, bywiogrwydd spiritedness, vivacity, zest

nwyglos *ans* anhydraidd i nwy gas-tight

nwyol *ans* o natur nwy (heb sylwedd) gaseous

nyctinasedd *eg* BOTANEG y broses lle mae blodau neu ddail yn agor a chau oherwydd newidiadau yn y tymheredd neu yn nhanbeidrwydd y golau nyctinasty

nychdod *eg*
1 gwendid corfforol; breuder, eiddilwch, llesgedd feebleness, infirmity
2 MEDDYGAETH cyflwr lle mae meinweoedd y corff yn dihoeni ac yn nychu, e.e. nychdod y cyhyrau dystrophy

nychlyd *ans* afiach, claf, curiedig, musgrell sick, unwell

nychu *be* [nych•¹]
1 mynd yn wan yn gorfforol; clafychu, dihoeni, gwaelu, llesgáu (~ yn rhywle) to languish
2 hiraethu nes dihoeni to pine
3 bod yn dreth ar amynedd, Mae'r plant 'na bron â'm nychu i.; poeni to get down, to oppress

nydd-droi *be* [nydd-dro•¹⁶] troi gan nyddu, dirwyn o gwmpas; cyfrodeddu, dolennu to twirl, to twist

nyddiad *eg* (nyddiadau) y broses o nyddu, canlyniad nyddu spinning, twist

nyddolyn:nyddyn *eg* (nyddolynnau:nyddynnau) SWOLEG un o nifer o organau mewn corynnod neu bryfed sy'n cynhyrchu edafedd sidan spinneret

nyddu *be* [nydd•¹]
1 gwneud edafedd drwy gyfrodeddu edau neu droelli gwlân; cordeddu, cydblethu, cyfrodeddu to spin
2 (am gorryn neu bryf sidan) cynhyrchu pelen neu we o edafedd; troelli to spin
3 *ffigurol* barddoni, cyfansoddi barddoniaeth

nyddwr *eg* (nyddwyr) gŵr sy'n nyddu spinner

nyddwraig *eb* merch neu wraig sy'n nyddu spinner

nyf *eg hynafol* eira, ôd snow

nymff *eb* (nymffiaid:nymffau)
1 un o nifer o fân dduwiesau chwedlonol sy'n byw yn y coed a ger afonydd; er byw yn hir, nid ydynt yn anfarwol nymph
2 cynrhonyn neu larfa pryfyn, megis gwas y neidr, nad yw wedi'i lwyr weddnewid yn oedolyn nymph

nymffomania *eg* trachwant rhywiol eithafol mewn benyw nymphomania

nyni *rhagenw annibynnol dwbl* ffurf ddwbl ar y rhagenw 'ni' sy'n pwysleisio ni (a neb arall); ni ein hun, y ni we ourselves
Sylwch: ar y -ni y mae'r acen wrth ynganu'r gair.

nyrs *ebg* (nyrsys)
1 un sy'n gofalu am bobl (mewn ysbyty, fel arfer) sy'n dioddef o afiechyd, neu sydd wedi cael dolur, neu sydd wedi mynd yn hen nurse
2 *hanesyddol* gwraig a gâi ei chyflogi i ofalu am blentyn ifanc iawn nurse
Sylwch: mae cenedl yr enw'n newid yn ôl rhyw yr unigolyn.

nyrsio *be* [nyrsi•²]
1 gweithredu fel nyrs broffesiynol to nurse
2 gofalu am rywun fel y bydd nyrs yn ei wneud, edrych ar ôl; ymgeleddu to nurse
3 dal yn ofalus, Eisteddodd drwy'r nos yn nyrsio'i fraich dost.; magu to nurse

nyten *eb* (nytiau) sgwaryn o fetel wedi'i wneud i'w sgriwio ar ben blaen bollt nut

nytmeg *eg* hedyn caled persawrus coeden drofannol a ddefnyddir fel sbeis nutmeg

nyth *eg* (nythod)
1 cartref aderyn lle mae'n dodwy ei wyau nest
2 cartref mathau eraill o anifeiliaid neu bryfed, nyth morgrug nest
mynd dros/gadael y nyth gadael cartref er mwyn gwneud eich ffordd eich hun yn y byd to fly the nest
nyth cacwn gw. cacwn

nythaid *eg* (nytheidiau)
1 llond nyth nestful
2 casgliad (o ladron neu ddrwgweithredwyr, fel arfer)
3 set o bethau (byrddau yn aml) y naill yn ffitio y tu mewn i'r llall nest

nythfa *eb* (nythfeydd) lle i nythu ynddo nesting-place

nythu *be* [nyth•¹]
1 adeiladu neu ddefnyddio nyth; ymgartrefu to nest
2 gorwedd yn dynn yn erbyn ei gilydd; cwtsio, swatio to nest, to nestle

O

o¹:O *eb*
1 llafariad a phedwaredd lythyren ar bymtheg yr wyddor Gymraeg; ar ddechrau gair, gall fod yn ganlyniad treiglo *g* yn feddal, e.e. *yr orsaf radio o,* O
2 un o'r pedwar math o waed yn y gyfundrefn ABO o ddosbarthu gwaed; nid yw'n cynnwys antigenau A na B O

o² *ardd* [ohonof fi, ohonot ti, ohono ef (fe/fo), ohoni hi, ohonom ni, ohonoch chi, ohonynt hwy (ohonyn nhw)]
1 mae'n dynodi achos neu reswm, *neidio o lawenydd, yn glaf o gariad* because of
2 os (am wneud rhywbeth), *O fynd, rhaid paratoi'n iawn.* of
3 wedi'i wneud o, *to o wellt, cerflun o iâ* of
4 mae'n dangos perthynas rhwng y gair sydd o'i flaen a'r gair sy'n ei ddilyn o ran: nifer, ansawdd neu faint, *chwech o blant, llwyth o lo, ffordd o redeg, mwy o lawer;* hefyd perthynas fwy cyffredinol, *cywilydd o beth, bachgen o Gymro* of
5 yn cynnwys, *cwpanaid o de* of
6 allan o, *yfed dŵr o wydr* from
7 oddi ar, *o naw tan ddeg o'r gloch* from
8 wrth gymharu pwysau, taldra, oed, etc., *yn hŷn o saith mlynedd* by
9 mae'n dynodi rhaniadau, *y cyntaf o'r mis, aelod o'r corff, y rhan gyntaf o'r llyfr* of
10 mae'n dynodi pellter neu arwahanrwydd, *Mae'n byw yn y rhan isaf o'r dref.* of
11 mae'n cael ei ddefnyddio mewn ymadrodd sy'n dynodi tarddiad neu fan cychwyn, *Rwy'n dod o Ynys-y-bwl. Cerddodd o Abertawe i Gaerdydd.* from
12 mewn ymadroddion fel *y fraint o gael bod yma* of
13 drwy, wrth, *O wrando'n ofalus ar ei acen, gallwch ddweud o ble mae'n dod.* by
Sylwch:
1 mae'n achosi'r treiglad meddal;
2 mae *dim o* yn cael ei dalfyrru i *mo*;
3 defnyddiwch 'o' pan fyddwch yn cyfeirio at le, 'oddi wrth' wrth gyfeirio at berson neu beth a 'rhag' os ydych yn dianc neu'n ffoi, *Daeth adref o'r Eidal., Daeth neges oddi wrth ei fam., Roedd hi wedi dianc rhag y gwaith.*
o boptu ar y naill ochr a'r llall, *Siôn a Siân o boptu'r tân;* am around, on either side
o dow i dow ling-di-long, wrth eich pwysau dawdling

ohonof fy (dy, ei, etc.) **hun/hunan** o wirfodd, *Fe ddaeth ohoni ei hun heb i neb ei gorfodi.*
sydd/oedd ohoni fel y mae/bu, *y byd sydd ohoni* current
o³ *tafodieithol, yn y Gogledd* ef, fe, fo; e he, him
o⁴ *ebychiad* mynegiant o syndod oh
Sylwch: mae'n achosi'r treiglad meddal (*O Dduw!*).

obadeia *eg tafodieithol, yn y Gogledd* fel yn yr ymadrodd 'Does gen i ddim obadeia.' amcan, syniad idea
obelisg *eg* (obelisgau) maen tal, petryal a'i ben yn ffurfio pyramid, o darddiad Eifftaidd obelisk
obeutu *adf anffurfiol* o gwmpas; tua, bron about
obiter dicta *ell* CYFRAITH sylwadau a fynegir gan farnwr yn y llys neu mewn dedfryd ysgrifenedig, ond sydd heb fod yn hanfodol i benderfyniad y barnwr, ac nad ydynt felly'n rhwymo'n gyfreithiol
oblegid¹ *cysylltair* o achos, *Ni allwn gychwyn oblegid bod yr afon wedi gorlifo.*; am, canys, gan, oherwydd because
oblegid² *ardd* [o'm plegid, o'th blegid, o'i blegid, o'i phlegid, o'n plegid, o'ch plegid, o'u plegid] am y rheswm, oherwydd, o achos, *Byddwn yn hwyr o'ch plegid chi.* because of, on account of, owing to
obo *eg* (oboi:oboau) offeryn cerdd o deulu'r chwythbrennau; caiff ei ganu drwy chwythu drwy gorsen ddwbl ac mae traw'r nodau'n cael eu hamrywio drwy wasgu bysellau neu gau tyllau â'r bysedd oboe
o boptu gw. o dan o²
oboydd *eg* (obowyr) un sy'n canu'r obo oboist
obry *adf llenyddol* oddi tanodd, y gwrthwyneb i 'fry', *Ar ôl dringo'r mynydd roedd y tai obry fel mân deganau.*; isod below, down
obsesiwn *eg* (obsesiynau) syniad, teimlad neu gymhelliad afresymol na ellir ei waredu obsession
obstetreg *eb* MEDDYGAETH cangen o feddygaeth sy'n ymwneud â gofal a thriniaeth gwragedd cyn, yn ystod ac yn dilyn esgor ar fabi; cangen gyfatebol o filfeddygaeth obstetrics
obstetregydd *eg* (obstetregwyr) meddyg yn arbenigo mewn obstetreg obstetrician
obstetrig *ans* MEDDYGAETH yn ymwneud ag obstetreg obstetric
OC *byrfodd* oed Crist, y ffordd o rifo'r blynyddoedd ers geni Crist AD
Sylwch: defnyddir OC o flaen y flwyddyn, e.e. OC 143 (daw CC ar ôl y flwyddyn, e.e. 500 CC).
ocelws *eg* (oceli) SWOLEG llygad syml un lens pryfyn neu arthropod ocellus
ocr *eg* gwaddod llawn haearn a ddefnyddir yn sylfaen i liw melyn neu goch ochre

o

ocsalig *ans* fel yn *asid ocsalig*, asid organig cryf, gwenwynig sydd i'w gael mewn rhai planhigion, e.e. rhiwbob, ac a ddefnyddir yn y broses o lifo brethyn, etc. oxalic

ocsi-asetylen *ans* yn defnyddio cymysgedd o nwyon ocsigen ac asetylen i gynhyrchu fflam boeth iawn oxy-acetylene

ocsid *eg* (ocsidau) CEMEG cyfansoddyn cemegol yn cynnwys ocsigen ac elfen neu grŵp cemegol arall oxide

ocsidas *eg* BIOCEMEG unrhyw ensym sy'n catalyddu adweithiau rhydwytho ac sy'n ymwneud â throsglwyddo electronau i ocsigen oxidase

ocsidiad *eg* adwaith cemegol lle mae sylwedd yn ennill ocsigen, yn colli hydrogen neu'n colli electronau oxidation

ocsidio *be* [ocsidi•²]
1 CEMEG peri i (rywbeth) gyfuno ag ocsigen; gwneud ocsid to oxidize
2 CEMEG gwaredu hydrogen yn enwedig drwy waith ocsigen to oxidize
3 CEMEG colli electron(au) o gyfansoddion, atomau neu iönau sy'n arwain at gynyddu'r rhif ocsidiad to oxidize

ocsidiol *ans* CEMEG yn ocsidio oxidative

ocsidydd *eg* (ocsidyddion) CEMEG sylwedd sy'n peri ocsidio wrth gael ei rydwytho ac wrth ennill rhagor o electronau oxidizing agent

ocsigen *eg* elfen gemegol rhif 8; nwy heb liw na blas nac arogl sy'n angenrheidiol i fywyd aerobig ar y Ddaear; ocsigen yw 20.8% o'r atmosffer (O) oxygen

ocsigenedig *ans* CEMEG wedi'i gyflenwi neu wedi'i drin ag ocsigen oxygenated

ocsigeniad *eg* CEMEG y broses o gyflenwi neu drin ag ocsigen oxygenation

ocsigenu *be* [ocsigen•¹] CEMEG cyflenwi neu drin ag ocsigen to oxygenate

ocsitosin *eg* BIOCEMEG hormon sy'n cael ei ryddhau gan y chwarren bitwidol ac sy'n gyfrifol am gyfangiadau yn y groth wrth roi genedigaeth ac am hwyluso'r broses secretu llaeth yn y chwarennau mamol oxytocin

ocsiwn *eb* (ocsiynau) math o werthiant cyhoeddus lle mae rhywbeth yn cael ei werthu i bwy bynnag sy'n cynnig y pris uchaf amdano; arwerthiant, gwerthiant, sêl auction

ocsiwnîr *eg* (ocsiwnîrs) trefnydd ocsiwn; arwerthwr auctioneer

ocsygen defnyddiwch ocsigen

octagon *eg* (octagonau) MATHEMATEG ffigur dau ddimensiwn ag wyth ochr llinell syth ac wyth ongl octagon

octagonal *ans* wythonglog; (am siâp) ag wyth ochr ac wyth ongl octagonal

octahedron *eg* (octahedronau) MATHEMATEG siâp tri dimensiwn ag wyth wyneb (yn enwedig ffurf yn cynnwys wyth triongl hafalochrog cyfath) octahedron

octan *eg* (octanau) CEMEG hydrocarbon hylifol (a geir mewn petroliwm) sy'n cynnwys wyth atom carbon octane

rhif octan rhif yn dynodi priodwedd tanwydd o ran ei allu i wrthsefyll tanio cynamserol mewn injan car octane number

octopws *eg* (octopysau) ceffalopod sydd â chorff meddal ac wyth braich ac sy'n amrywio yn ei faint o ychydig o gentimetrau o led hyd at chwe metr octopus

ocwlt *ans* yn deillio o ddylanwadau neu rymoedd goruwchnaturiol, neu o wybodaeth am y grymoedd hyn occult

ocwltiaeth *eb* cred mewn grymoedd goruwchnaturiol ac astudiaeth ohonynt occultism

och *ebychiad* gwae oh, och

ochain gw. ochneidio

ochenaid *eb* (ocheneidiau) anadl a ollyngir yn araf gan wneud sŵn sy'n awgrymu tristwch, blinder neu ryddhad; griddfan groan, sigh

ochneidio:ochain *be* [ochneidi•²]
1 gollwng anadl yn araf gan wneud sŵn sy'n awgrymu blinder, tristwch neu ollyngdod to sigh
2 gwneud sŵn eithaf uchel i ddynodi poen, gofid neu anghymeradwyaeth; ebychu, griddfan to groan

ochr *eb* (ochrau)
1 un o wynebau allanol rhywbeth, ond nid y blaen, y cefn, y top na'r gwaelod, *ochr y tŷ* side
2 un o wynebau gwastad rhywbeth, *Gofala mai'r ochr yma i'r bocs sy'n wynebu i fyny.* side
3 rhan sydd ar y naill du neu'r llall i linell ganol (real neu ddychmygol), *Mae'n byw ochr ucha'r dref.* side
4 rhan dde neu chwith y corff (yn enwedig o'r ysgwydd i ben ucha'r goes), *Mae gennyf boen yn fy ochr.*; ystlys side
5 y lle nesaf at rywun (yn enwedig wrth gyfeirio at gyfaill, cynorthwywr, arf, etc.), *Yn ystod argyfwng fel hyn, dy le di yw bod wrth ei hochr hi.*; ymyl side
6 ymyl neu ffin, *Sawl ochr sydd gan sgwâr?*; glan side
7 y naill wyneb neu'r llall i rywbeth tenau, gwastad, *Oes darlun yr ochr arall i'r tudalen?* side
8 rhywbeth y mae gofyn edrych arno yng ngoleuni pethau gwrthgyferbyniol, *Mae gofyn ichi ystyried pob ochr i'r ddadl cyn dod i benderfyniad.*; agwedd, safbwynt side, aspect, facet
9 grŵp sy'n cefnogi safbwynt mewn rhyfel, anghydfod, cweryl, etc., *Ar ochr pwy wyt ti 'te?* side
10 tîm o chwaraewyr, *Tro'r ochr arall yw maesu yn awr.* side

11 rhan o linach teulu sy'n perthyn i berson arbennig, *Mae ochr ei fam yn dod o Geredigion ac ochr ei dad o Iwerddon*. side

12 y rhan sydd bellaf o'r canol, *Eisteddodd ar ochr y gwely.*; ymyl, erchwyn edge

ochr gyfagos MATHEMATEG ochr mewn triongl ongl sgwâr sydd, gyda'r hypotenws, yn ffurfio ongl benodol adjacent

ochr gyferbyn MATHEMATEG ochr mewn triongl ongl sgwâr sy'n wynebu ongl benodol opposite

Ymadroddion

ar ochr [ar f'ochr, ar d'ochr, ar ei ochr (ef), ar ei hochr (hi), ar ein hochr, ar eich ochr, ar eu hochr] yn gorfforol neu'n ffigurol, o blaid on the side of

ochr yn ochr y naill wrth ochr y llall abreast, side by side

rhoi (rhywbeth) i'r naill ochr peidio ag ystyried neu ddelio â rhywbeth ar unwaith, ei gadw tan rywbryd yn y dyfodol to put on/to one side

ochredd *eg* SEICOLEG y gwahaniaeth rhwng y gweithgareddau sy'n cael eu rheoli gan hemisffer ochr dde a hemisffer ochr chwith yr ymennydd laterality

ochrgamu *be* [ochrgam•¹] osgoi rhywun neu rywbeth drwy gamu i'r naill ochr a mynd heibio iddo (yn enwedig mewn rygbi neu bêl-droed) (~ **heibio**) to sidestep, to dodge

ochri *be* [ochr•¹] cytuno â barn neu ochr arbennig mewn dadl, cynnen neu ryfel, bod o blaid; cefnogi (~ **â:gyda**) to side

ochrog *ans* ag ochrau sided

ochrol *ans* yn perthyn i ochr, ar yr ochr, i'r ochr, o'r ochr lateral

ochrwr *eg* (ochrwyr) un sy'n ochri (â) partisan

od *ans* [od•]

1 am ymddygiad, gwedd neu sefyllfa anarferol neu hynod; anghyffredin, anarferol, ecsentrig, rhyfedd strange, odd, eccentric

2 heb fod yn perthyn i set, *Mae gennyf bâr o sanau od.* odd

3 (fel yn odrif) rhif na ellir ei rannu yn union â 2 odd

yn od o yn rhyfeddol o, *O ystyried ei oedran mae'r hen ŵr yn cadw'n od o dda.* remarkably

ôd *eg llenyddol* eira sy'n disgyn snow

o dan *ardd* [odanaf fi, odanat ti, odano ef (fe/fo), odani hi, odanom ni, odanoch chi, odanynt hwy (odanyn nhw)]

1 tan under

2 oddi tan, *Tynnodd y carped o dan ei draed.* from under

odanaf gw. o dan

odanodd *adf* oddi tano, islaw, tanodd beneath

odi¹:oti ffurf dafodieithol y De ar ydyw

odi² *be* bwrw eira to snow

Sylwch: nid yw'r ferf hon yn arfer cael ei rhedeg.

odiaeth¹ *ans* da dros ben; anghyffredin, rhagorol excellent, exquisite

odiaeth² *adf* fel yn *da odiaeth*; dros ben, iawn extremely, very

odid *adf* go brin, mae'n annhebyg, *odid y daw*, *odid na ddaw* hardly, scarcely

Sylwch: mae'n achosi'r treiglad meddal.

odid ddim braidd dim hardly anything

ond odid mae'n debyg probably

odl *eb* (odlau) y gyfatebiaeth sain sy'n digwydd rhwng sillafau diweddol dau neu ragor o eiriau, o'r llafariad hyd ddiwedd y sillaf, *Mae 'ton' a 'bron', 'tân' a 'mân', 'man' a 'gwan' yn enghreifftiau o odlau.* rhyme

odl ddwbl odl ddwy sillaf rhwng gwahanol eiriau sy'n diweddu â sillafau â'r un sain, e.e. *gelyn-telyn, santa-presanta*

odli *be* [odl•¹]

1 (am eiriau) gorffen â'r un sain, *Mae 'prynu' yn odli â 'chrynu'.* (~ **â**) to rhyme

2 gosod ynghyd ddau (neu ragor) o eiriau sy'n gorffen â'r un sain, *A yw'n bosibl odli 'prynu' a 'hynny'?* (~ **rhywbeth â**) to rhyme

odliadur *eg* (odliaduron) geiriadur lle mae'r geiriau wedi'u dosbarthu yn ôl eu terfyniadau (sy'n creu odlau) rhyming dictionary

odlog *ans* (am ddarn o farddoniaeth) yn defnyddio odlau rhyming

odrif *eg* (odrifau) MATHEMATEG rhif cyfan nad oes modd ei haneru'n union; rhif cyfan nad yw'n eilrif, *Mae 1, 3, 5 etc. yn odrifau* odd number

odrwydd *eg* y cyflwr o fod yn od; dieithrwch, hynodrwydd oddness, eccentricity

ods gw. ots

odw ffurf lafar yn y De ar ydw(yf)

odyn *eb* (odynau) math o ffwrn fawr wedi'i hadeiladu i sychu grawn, i grasu crochenwaith neu friciau, neu i losgi calchfaen i wneud calch kiln

oddeutu¹ *adf* tua, o gwmpas, o amgylch, rhyw about, approximately, circa

oddeutu² *ardd* [o'm deutu, o'th ddeutu, o'i ddeutu, o'i deutu, o'n deutu, o'ch deutu, o'u deutu] o gwmpas, o amgylch about

oddf *eg* (oddfau) bwlb; coesyn byr lle mae planhigyn yn storio haenau o fwyd dros y gaeaf, e.e. wynionyn, tiwlip bulb

oddfog *ans* yn tyfu o fwlb neu'n cynhyrchu oddfau bulbous

oddi *ardd* o mewn ffurfiau fel y rhai sy'n dilyn from, out of

oddi allan o'r tu allan, *Roedd sŵn udo i'w glywed oddi allan.* from outside

oddi amdanaf fi (amdanat ti, amdano ef, etc.) i ffwrdd, *Tynnodd ei got oddi amdano.* off

oddi ar

1 i ffwrdd, *Roedd fel codi pwysau trwm oddi ar fy ngwar.* from

2 er, ers, *Nid wyf wedi siarad â hi oddi ar y parti.* since

oddi arnodd o uwchben from above

oddi cartref gw. cartref[1]

oddi draw o'r ochr arall, o'r tu draw; o bellter, *Clywodd lais yn galw arni oddi draw.* from a distance, from the other side

oddi fry o uwchben, *Disgynnodd y glaw oddi fry.* from above

oddi isod o le is, *Sefais ar y bryn yn gwylio'r mwg yn codi oddi isod.* from below

oddi mewn o'r tu mewn, *Clywodd hi galon y gath yn curo oddi mewn iddi.* from inside

oddi tanaf fi (tanat ti, tano ef, etc.) o dan, *Tynnodd rhywun y mat oddi tano.* from under

oddi uchod oddi fry, o uwchben, *Rhaid ufuddhau i orchmynion sy'n dod oddi uchod.* from above

oddi wrthyf fi (wrthyt ti, wrtho ef, etc.) gan, *Cefais lythyr oddi wrth fy mrawd.* from

oddi yma o'r lle hwn, *Rhaid inni fynd oddi yma ar unwaith.* from here

oddi yno o'r fan honno, *Daethom oddi yno heb ddim arian ond â llawer o atgofion melys.* away

oddieithr:oddigerth *ardd* ac eithrio, oni bai am, ar wahân i, *Does neb yn cael dod i'r pafiliwn oddieithr y rheini sydd â thocynnau arbennig.* except, unless

oed[1] *eg*

1 cyfnod o amser y mae rhywun neu rywbeth wedi bodoli, *Faint yw dy oed/oedran di?* age

2 un o gyfnodau bywyd, *Erbyn cyrraedd ei ddeugain y mae dyn yn ganol oed.*; oedran age

Sylwch:

  1 'oed' sy'n cael ei ddefnyddio gyda rhif i gyfeirio at oedran penodol person (neu beth) *ugain oed*;

  2 ceir y radd gyfartal ansoddeiriol *cyfoed.*

oed Crist ffurf lawn OC, nifer y blynyddoedd ers geni Iesu Grist AD, Anno Domini

Ymadroddion

mewn oed

1 yn oedrannus aged

2 yn oedolyn adult

oed yr addewid y deng mlynedd a thrigain (70 mlynedd) y mae'r Beibl yn sôn amdanynt fel oes dyn; saith deg oed

yn ei (h)oed a'i (h)amser yn oedolyn old enough (and dull enough)

oed[2] *eg* (oedau) *llenyddol* trefniant rhwng dau gariad i gyfarfod â'i gilydd date, tryst

gwneud oed trefnu cyfarfod to make an appointment

oedema:edema *eg* MEDDYGAETH gormodedd o hylif yn casglu rhwng celloedd ym meinwe'r corff oedema

oedfa *eb* (oedfaon) CREFYDD gwasanaeth crefyddol mewn capel neu eglwys, moddion gras; cwrdd meeting, service

oedi *be* [oed•[1]] aros cyn gwneud rhywbeth, llusgo traed; petruso, sefyll, tario to wait, to delay, to linger

oediad *eg* (oediadau) fel yn *cadoediad*, cyfnod o aros; seibiant, gohiriad delay, postponement

oedolaeth *eb* CYFRAITH fel yn *oedran oedolaeth*, y cyflwr o fod yn oedolyn yn ôl y gyfraith, o fod dros ddeunaw oed adulthood, majority

oedolyn *eg* (oedolion)

1 rhywun sydd wedi cyrraedd ei lawn dwf a datblygiad adult

2 CYFRAITH rhywun dros ddeunaw oed adult

oedran *eg* (oedrannau)

1 cyfnod o amser y mae rhywun neu rywbeth wedi bodoli, *Beth yw oedran y llyfr hwn? Faint yw dy oedran/oed di? Byddaf yn ugain oed ddydd Llun nesaf.*; oed age

2 cyfnod mewn bywyd pan fo hawl gan rywun i wneud rhywbeth, *Mae e'n edrych ymlaen at gyrraedd oedran ymddeol.* age

  Sylwch: 'oed' sy'n cael ei ddefnyddio gyda rhif i gyfeirio at oedran penodol person (neu beth) *ugain oed.*

oedran cydsynio CYFRAITH yr oedran pan fydd hawl gyfreithiol gan unigolyn i gytuno i gyfathrach rywiol age of consent

oedran oedolaeth CYFRAITH yr oedran cyfreithiol pan ddaw person yn oedolyn, sef 18 oed the age of majority

oedrannus *ans* mewn gwth o oedran, yn tynnu ymlaen; hen elderly, aged

oedwr *eg* (oedwyr) un sy'n oedi, yn tindroi, neu'n gohirio pethau procrastinator

oedd *bf* [bod] 3ydd unigol Amser Amherffaith 'bod' was

oel gw. olew

oelio *be* [oeli•[2]] taenu olew ar hyd rhywbeth neu chwistrellu olew i mewn iddo (~ *rhywbeth* â) to oil

oen *egb* (ŵyn) dafad iau na blwydd oed lamb

  Sylwch: gw. hefyd 'ŵyn'

oen llywaeth:oen swci oen sydd wedi cael ei godi fel anifail anwes pet lamb

oenig *eb* oen benyw ifanc lambkin

oer *ans* [oer•] (oerion)

1 â thymheredd isel; anghynnes, gaeafol, rhewllyd cold, chilly

2 heb fod yn teimlo'n gynnes; anwydog, rhynllyd cold

3 (am fwyd) wedi'i goginio ond heb gael ei fwyta'n gynnes cold

digon oer i rewi brain gw. brain

oeraidd *ans*

1 yn tueddu at fod yn oer, *tywydd oeraidd*; fferllyd, oerllyd, rhewllyd, rhynllyd chilly, bleak

2 heb fod yn gyfeillgar, *Croeso digon oeraidd a gawsom pan aethom i'w gweld yn annisgwyl.*; anghroesawgar, anghyfeillgar, digroeso, pell chilly, cool, frigid

oerddrws *eg* (oerddrysau) adwy i'r gwynt, bwlch cul ar ben mynydd, bwlch gwynt wind gap

oerfel *eg* diffyg gwres, tymheredd isel, tywydd oer; hèth, oerni cold, chill

oergell *eb* (oergelloedd) dyfais (ar ffurf cwpwrdd fel arfer) y mae modd cadw bwyd a diod yn oer ynddi fridge, refrigerator

oeri *be* [oer•¹] mynd yn oer; gwneud yn oer; fferru, rhynnu, sythu to chill, to get cold

oeri trwch cot troi'n sylweddol oerach

oerias:oeriasol *ans* (am y tywydd) eithriadol o oer; fferllyd, rhewllyd, rhynllyd freezing

oerion *ans* ffurf luosog oer, *gwledydd oerion y byd*

oerllyd *ans* yn tueddu i fod yn oer; oeraidd chilly, frigid

oernad *eg* (oernadau) llef drist alaethus; dolef, nâd, udiad threnody, wail

oernadu *be* [oernad•¹] gwneud sŵn udo neu nadu tebyg i lef blaidd; dolefain to howl, to caterwaul

oerni *eg* y cyflwr o fod yn oer ond yn ffigurol hefyd, *Daeth rhyw oerni i'w llais pan siaradodd am y peth.*; oerfel cold, coolness

oerydd *eg* (oeryddion) hylif neu nwy a ddefnyddir i oeri (peiriant fel arfer) coolant

oes¹ *eb* (oesau:oesoedd)

1 yr holl bobl sy'n digwydd byw ar unrhyw adeg, *Dyw'r oes sydd ohoni ddim yn gwybod beth yw gwir dlodi.* age

2 cyfnod hir iawn, *Dydyn ni ddim wedi gweld ein gilydd ers oes.* age

3 cyfnod bywyd rhywun neu rywbeth, *Gwelodd nifer mawr o newidiadau yn ystod ei oes.*; einioes life, lifetime

4 cyfnod hanesyddol, e.e. Oes y Cerrig, Oes yr Iâ, yr Oesoedd Canol age, era

5 DAEAREG cyfnod o amser daearegol sy'n israniad o epoc age

hanner oes FFISEG yr amser a gymerir i ymbelydredd isotop ostwng i hanner ei werth gwreiddiol half-life

oes silff COGINIO hyd yr amser y gall bwyd neu ddiod gael eu cadw cyn eu bod yn rhy hen i'w gwerthu neu eu defnyddio shelf life

Oes y Cerrig cyfnod a ddechreuodd tua 6500 CC Stone Age

Oes y Goleuo *hanesyddol* cyfnod yn y ddeunawfed ganrif pan oedd bri ar syniadau yn seiliedig ar y gred y gallai dynoliaeth yn gyffredinol wella'i chyflwr (goleuedigaeth);

tra-arglwyddiaeth rheswm a phwyslais ar ymchwil empirig yn y gwyddorau the Age of Enlightenment

yr Oes Efydd cyfnod a ddechreuodd tua 5000 CC Bronze Age

yr Oes Haearn gw. haearn

yr Oes Iâ un o nifer o gyfnodau pan fu nifer o wledydd y byd dan haen o iâ Ice Age

yr Oesoedd Tywyll cyfnod hanesyddol OC 450–1000 yn fras Dark Ages

Ymadroddion

ar ôl yr oes hen ffasiwn behind the times

oes aur amser delfrydol golden age

oes mul gw. mul

oes yr arth a'r blaidd gw. arth

o flaen yr oes yn flaengar (nodwedd a gymeradwyir, yn enwedig o edrych yn ôl) ahead of the times

yn oes oesoedd am byth for ever and ever

oes² *bf* [bod] ffurf ar 3ydd unigol Amser Presennol 'bod' a ddefnyddir gyda goddrych amhenodol, *A oes te yn dilyn y cyfarfod?*

Sylwch: defnyddir 'oes':

1 mewn brawddeg negyddol os bydd y goddrych yn amhenodol a heb 'yn' yn ei ddilyn, *Nid oes neb yma.*

2 mewn cwestiwn ar ôl 'a' ac 'onid' os bydd y goddrych yn amhenodol a heb 'yn' yn ei ddilyn, *A oes gennyt ti ddigon?* ac yn yr ateb hefyd *Oes.* neu *Na oes.*

Oesoedd Canol *ell* cyfnod arbennig yn hanes Ewrop rhwng diwedd yr Oesoedd Tywyll a dechrau'r Dadeni Dysg, tua OC 1000–1500 the Middle Ages

oesoffagws:esoffagws *eg* (oesoffagysau: esoffagysau) ANATOMEG y rhan o'r llwybr ymborth sydd rhwng y ffaryncs a'r stumog oesophagus

oesol *ans* yn parhau ar hyd yr oesoedd; bythol, parhaol, tragwyddol perpetual

Sylwch: nid yw'n arfer cael ei gymharu.

oestrogen:estrogen *eg* (oestrogenau:estrogenau) BIOCEMEG un ymhlith nifer o hormonau steroid yn hybu nodweddion benywol y corff oestrogen

oestrws:estrws *eg* cyflwr o gyffro rhywiol sy'n digwydd yn gylch rheolaidd pan fydd anifail benyw yn medru beichiogi ac yn barod i gyfathrachu'n rhywiol â'r gwryw heat

oestrwydd:oestrywydd *ell* coed collddail ac iddynt ddail hirgrwn danheddog, blodau a elwir yn wyddau bach, cnau gwydn; hefyd, yn unigol, pren golau caled y coed hyn hornbeam

oestrwydden:oestrywydden *eb* unigol oestrwydd:oestrywydd

ofa *ell* lluosog ofwm

ofaraidd *ans* yn perthyn i ofari neu ofarïau ovarian

ofari *eg* (ofarïau)
1 ANATOMEG (mewn mamolion benyw) un o
bâr o organau atgenhedlu sy'n cynhyrchu wyau
(ofa) a hormonau rhyw ovary
2 BOTANEG rhan isaf carpel blodyn sy'n cynnwys
un neu ragor o ofwlau ovary

ofer *ans* [ofer•] nad yw'n cyflawni dim, yn wast;
anfuddiol, di-fudd, di-werth, gwastraffus futile,
wasteful, vain
mynd yn ofer cael ei wastraffu to go to waste

ofera *be* byw yn ofer; afradloni, afradu,
gwastraffu to laze, to squander
Sylwch: nid yw'r ferf hon yn arfer cael ei rhedeg.

oferedd *eg* y cyflwr o wastraffu amser ac arian
ar bethau di-fudd, ofer, afradlon; afradlondeb,
gwagedd, gwastraff frivolity, vanity

ofergoel *eb* (ofergoelion) cred neu arfer wedi'i
seilio ar ofn ac anwybodaeth neu ar gamargraff
yn hytrach nag ar reswm superstition

ofergoeledd *eg* ofergoeliaeth

ofergoeliaeth *eb* cred mewn ofergoelion, ofn
pethau nad ydym yn eu deall neu bethau dirgel;
hygoeledd superstition

ofergoelus *ans* yn credu mewn ofergoelion
superstitious

oferôl *eb* (oferôls)
1 dilledyn a wisgir dros ddillad eraill i'w
cadw'n lân, fel arfer dyngarîs, neu ddilledyn lle
mae'r trowsus a'r got yn un overall
2 cot hir laes a wisgir dros ddillad eraill overall

oferwr *eg* (oferwyr) rhywun da i ddim, rhywun
segur; afradwr, diogyn, pwdryn, seguryn rake,
waster

ofn *eg* (ofnau) y teimlad a gewch pan fydd perygl
wrth law; arswyd, braw, dychryn dread, fear,
trepidation
cael ofn brawychu to be frightened
codi ofn ar:hela ofn ar arswydo, dychryn
to frighten
mae arnaf fi (arnat ti, arno ef, etc.) ofn
rwy'n ofni to be afraid
ofn drwy fy (dy, ei, etc.) nhin gw. **tin**
parchedig ofn edmygedd a braw yn gymysg,
weithiau ym mhresenoldeb Duw, *Fe blygodd
o flaen y brenin yn llawn parchedig ofn.* awe
rhag ofn rhag i rywbeth (annymunol)
ddigwydd in case

ofnadwy¹ *ans*
1 yn peri ofn neu ddychryn; arswydus,
brawychus, dychrynllyd awful, frightful, terrible
2 gwael iawn; anobeithiol awful, dreadful
ofnadwy o fe'i defnyddir i ddwysáu ystyr
ansoddair, *ofnadwy o ddrud*

ofnadwy² *adf* iawn, *Mae'n boeth ofnadwy.*
awfully, terribly

ofni *be* [ofn•¹]
1 bod yn llawn ofn, *Rwy'n ofni cathod; rwy'n*
ofni am gyflwr pobl ifanc heddiw. (~ **am** ;
~ **i** *rywun* wneud) to be afraid, to fear
2 poeni, gofidio, *Paid ag ofni gofyn os nad wyt*
ti'n deall. to be afraid, to fear
3 ffordd foneddigaidd o ymddiheuro,
Rwy'n ofni y byddwn ni'n hwyr nos yfory.
to be afraid, to fear, to regret

ofnus *ans* llawn ofn; gwangalon, nerfus, petrus,
pryderus fearful, nervous, timid

ofnusrwydd *eg* y cyflwr o fod yn ofnus,
nerfusrwydd fearfulness, timidity

ofwl *eg* (ofwlau) BOTANEG y rhan o ofari
planhigyn hadog sy'n datblygu'n hedyn ar ôl i'r
gamet gael ei ffrwythloni ovule

ofwm *eg* (ofa) BIOLEG gamet benyw anifail, sy'n
gallu datblygu yn unigolyn newydd ar ôl cael ei
ffrwythloni; hadrith ovum

ofydd *eg* (ofyddion) aelod o Orsedd Beirdd Ynys
Prydain sy'n gwisgo'r wisg werdd ovate

ofyliad *eg* (ofyliadau) y broses o ofylu, cyfnod
ofylu ovulation

ofylu *be* bwrw wy (o'r ofari) to ovulate
Sylwch: nid yw'r ferf hon yn arfer cael ei rhedeg.

offal *eg* afu, arennau, calon, ysgyfaint, etc. o
anifail ar ôl ei fwtsiera, a ddefnyddir yn fwyd i
bobl neu anifeiliaid offal

offeiriad *eg* (offeiriaid:offeiriadon)
1 CREFYDD (mewn eglwysi esgobol) un islaw
esgob wedi'i hyfforddi a'i ordeinio i gyflawni
dyletswyddau crefyddol, gweinidog eglwys;
curad, clerigwr, ficer, person, rheithor
clergyman, priest
2 un sy'n cyflawni dyletswyddau cyfatebol
mewn crefyddau eraill priest

offeiriadaeth *eb* (offeiriadaethau) swydd ac
urddau offeiriaid yn gyffredinol priesthood

offeiriades *eb* (offeiriadesau) merch neu wraig
sy'n offeiriad priestess

offeiriadol *ans* yn perthyn i swydd offeiriad,
tebyg i offeiriad neu ei swydd priestly, sacerdotal

offer *ell* lluosog **offeryn**
1 yr holl gyfarpar sy'n cael eu defnyddio mewn
gêm neu gamp, e.e. y wialen, lein, ril, bachau,
plu at ati sy'n cael eu defnyddio i bysgota; gêr
tackle, accoutrements
2 peiriannau, *offer gwresogi*; cyfarpar
equipment, hardware, plant
3 set o beiriannau neu arfau neu daclau sy'n
dibynnu ar ei gilydd i weithio, neu y mae
eu hangen i gwblhau rhyw waith arbennig;
cyfarpar apparatus
4 unrhyw gyfarpar neu daclau y mae eu hangen
i wneud gwaith arbennig, *offer garddio*; arfau,
celfi implements, tools

offeren *eb* (offerennau) CREFYDD gwasanaeth
eglwysig sy'n cynnwys gweinyddu'r Cymun
(Swper yr Arglwydd) mass

Offeren CREFYDD gwasanaeth y Cymun yn yr Eglwys Gatholig Rufeinig a'r Eglwys Uniongred sy'n rhannu'n bum adran: *Kyrie*, 'O Arglwydd bydd drugarog'; *Gloria*, 'Gogoniant i Dduw yn y goruchaf'; *Credo*, 'Credaf'; *Sanctus*, 'Sanctaidd'; ac *Agnus Dei*, 'Oen Duw'; mae'r *Dies Irae*, 'Dydd Digofaint' yn disodli'r *Gloria* a'r *Credo* yn Offeren y Meirw Mass

offertori *eg* CREFYDD (mewn gwasanaeth eglwysig) y ddefod o offrymu'r bara a'r gwin (i Dduw) cyn eu cysegru fel rhan o wasanaeth yr Offeren; offrymiad offertory

offerwr *eg* (offerwyr) gwneuthurwr yr offer cain, manwl gywir a ddefnyddir mewn gweithdy peiriannau toolmaker

offeryn *eg* (offer:offerynnau)
1 teclyn ar gyfer gwneud rhyw waith arbennig, *Offeryn ar gyfer bwrw hoelion i bren yw morthwyl.*; arf, dyfais, erfyn tool, implement
2 rhywbeth fel piano neu feiolin neu gorn sy'n cael ei chwarae neu ei ganu er mwyn cynhyrchu cerddoriaeth instrument
   Sylwch: 'offerynnau' yw'r ffurf arferol wrth sôn am 'instruments', defnyddir 'offer' wrth sôn am 'tools' neu 'implements'

offeryn chwyth gw. chwyth

offeryn statudol (offerynnau statudol) CYFRAITH cyfreithiau a wneir y tu allan i'r Senedd gan weinidogion, fel arfer ond hefyd gan y Cyfrin Gyngor a chyrff stadudol, e.e. awdurdodau lleol statutory instrument

offeryniaeth *eb* (offeryniaethau) CERDDORIAETH natur y defnydd a wneir o offerynnau mewn darn o gerddoriaeth offerynnol instrumentation

offerynnau taro *ell* CERDDORIAETH offerynnau cerddorol (rhai wedi'u tiwnio ac eraill heb eu tiwnio) sy'n cael eu canu drwy eu taro â'r llaw neu â ffon neu gurwr, neu drwy eu hysgwyd, e.e. drymiau, symbalau, seiloffonau, gongiau, clychau a rhuglenni percussion instruments

offerynnol *ans* am gerddoriaeth ar gyfer offerynnau (yn hytrach na lleisiau) instrumental

offerynnwr:offerynnydd *eg* (offerynwyr) un sy'n chwarae neu'n canu offeryn cerdd; canwr, chwaraewr instrumentalist

offrwm *eg* (offrymau) rhywbeth sy'n cael ei gynnig i Dduw, e.e. y casgliad a wneir mewn capel, aberth fel yn **poethoffrwm**; cyfraniad, rhodd sacrifice, offering, offertory

offrymedig *ans* a offrymir, wedi'i offrymu offered

offrymgan *eb* (offrymganiadau) CERDDORIAETH adnod o salm sy'n cael ei chanu cyn yr offertori offertory

offrymiad *eg* (offrymiadau) CREFYDD (mewn gwasanaeth eglwysig) y ddefod o offrymu'r bara a'r gwin (i Dduw) cyn eu

cysegru fel rhan o wasanaeth yr Offeren; offertori offertory

offrymu *be* [offrym•¹] cynnig offrwm i Dduw neu i dduwiau; aberthu, cyflwyno, cyfrannu to offer, to sacrifice

offrymwr:offrymydd *eg* (offrymwyr) un sy'n offrymu; aberthwr, cyfrannwr, rhoddwr offerer

offthalmoleg *eb* MEDDYGAETH astudiaeth feddygol o'r llygad a'i afiechydon ophthalmology

offthalmolegol *ans* MEDDYGAETH yn ymwneud â'r llygad a chlefydau'r llygad ophthalmic

offthalmolegydd *eg* (offthalmolegwyr) arbenigwr mewn offthalmoleg ophthalmologist

offthalmosgop *eg* MEDDYGAETH offeryn ar gyfer archwilio'r retina a rhannau eraill o'r llygad ophthalmoscope

og:oged *eb* (ogau:ogedau:ogedi) peiriant fferm â dannedd neu ddisgiau miniog ar ffrâm ar gyfer llyfnu cae (chwalu wyneb y pridd) ar ôl iddo gael ei aredig harrow

ogam *eb* hen wyddor Wyddelig yn defnyddio system o doriadau ar eu hyd neu ar eu traws ar ddarn o bren neu garreg i ddynodi llythrennau ogam ogham

oged gw. og

ogedu *be* [oged•¹] trin tir ag og, llyfnu tir to harrow

ogfaen *ell* lluosog ogfaenen, yr aeron coch sy'n ffrwyth y rhosyn gwyllt; egroes hips

ogfaenen *eb* unigol ogfaen hip

oglau ffurf lafar ar aroglau

ogof *eb* (ogofâu:ogofeydd) lle gwag, dwfn, naturiol naill ai o dan y ddaear neu ar ochr allt neu glogwyn; ceudwll cave, cavern, grotto

ogofa *be* y gamp o archwilio ogofâu to cave
   Sylwch: nid yw'r ferf hon yn arfer cael ei rhedeg.

ogofeg *eb* DAEAREG astudiaeth wyddonol o ogofâu a'r bywyd a geir ynddynt speleology

ogofwr *eg* (ogofwyr)
1 un sy'n arfer y gamp o archwilio a darganfod ogofâu tanddaearol potholer
2 un sy'n astudio ogofâu o safbwynt gwyddonol speleologist

ogylch *ardd* [o'm cylch, o'th gylch, o'i gylch, o'i chylch, o'n cylch, o'ch cylch, o'u cylch hwy/nhw] o amgylch, oddi amgylch; am around, surrounding

ogystal *ans* fel yn yr ymadrodd *yn ogystal [â]*, hefyd, ychwanegol as well as

ongl *eb* (onglau) y gofod rhwng dwy linell neu ddau blân sy'n cyffwrdd â'i gilydd; mae ongl yn fesur o'r tro sydd rhwng y ddwy linell neu'r ddau blân ac mae'n cael ei mesur mewn graddau angle

   ongl atodol MATHEMATEG un o bâr o onglau y mae eu meintiau yn adio i 180° supplementary angle

ongl gyferbyn MATHEMATEG un o'r ddwy ongl sy'n wynebu ei gilydd yn y pwynt lle mae dwy linell syth yn croestorri opposite angle

ongl gyflenwol MATHEMATEG un o ddwy ongl sy'n adio i wneud cyfanswm o 90°

ongl aflem MATHEMATEG ongl rhwng 90° a 180° obtuse angle

ongl arosgo MATHEMATEG ongl nad yw'n ongl sgwâr, e.e. wrth i linell daro yn erbyn llinell arall heb i'r naill fod yn berpendicwlar i'r llall oblique angle

ongl atblyg MATHEMATEG ongl rhwng 180° a 360° reflex angle

ongl eiledol MATHEMATEG un o'r ddwy ongl hafal a geir ar ochrau cyferbyn i linell syth sy'n croestorri dwy linell baralel alternate angle

ongl gyfagos MATHEMATEG un o bâr o onglau ar yr un ochr i linell syth lle mae llinell syth arall yn ei chroestorri adjacent angle

ongl gyfatebol MATHEMATEG un o ddwy ongl hafal wedi'u ffurfio ar yr un ochr i linell syth sy'n croestorri dwy linell baralel corresponding angle

ongl lem MATHEMATEG ongl rhwng 0° a 90° acute angle

ongl sgwâr MATHEMATEG ongl 90° fel honno ar gornel sgwâr right angle

ongli *be* [ongl•¹] gwneud ongl to angle

onglog *ans*
1 wedi'i greu o onglau neu'n ffurfio onglau neu'n ymwneud ag onglau angular
2 â chorneli miniog angular

onglydd *eg* (onglyddion) dyfais (ar ffurf hanner cylch fel arfer) ar gyfer mesur a thynnu onglau protractor

oherwydd¹ *cysylltair* am y rheswm, o achos; am, canys, gan, oblegid because
Sylwch: defnyddir 'oherwydd' neu 'oblegid' pan fydd y rheswm yn bwysig ac 'am' a 'gan' pan na fydd y rheswm mor bwysig.

oherwydd² *ardd* [o'm herwydd, o'th herwydd, o'i herwydd, o'n herwydd, o'ch herwydd, o'u herwydd] o achos, oblegid because of

ohm *eg* (ohmau) uned fesur safonol o wrthiant trydanol sy'n caniatáu i gerrynt o 1 amper lifo pan geir foltedd o 1 folt ar draws y gwrthiant ohm

ohmedr *eg* FFISEG dyfais ar gyfer mesur gwrthiant trydanol ohmmeter

ohonof gw. o

ôl¹ *eg* (olion)
1 llinell neu nifer o farciau neu arwyddion wedi'u gadael gan anifail, person neu gerbyd sydd wedi mynd heibio, *Roedd ôl yr adar a fu'n chwilio am ddŵr i'w weld yn glir yn yr eira.*; effaith, marc, trywydd track, impression, spoor
2 rhywbeth yn dynodi ansawdd neu argraff

arbennig; rhywbeth sydd wedi digwydd yn y gorffennol, *Mae ôl ymchwil drwyadl ar y traethawd hwn. Mae ôl y dioddef i'w weld yn ei llygaid.*; arwydd, nod mark, sign, stamp

ôl bys (fel arfer yn lluosog, sef *olion bysedd*) y marc sy'n cael ei adael gan groen pen blaen bys, a'r patrwm unigryw o linellau sydd ar groen bysedd pob person fingerprint

ôl troed (olion traed) patrwm troed neu esgid sydd wedi'i adael ar ôl i rywun fynd footprint

ôl troed carbon effaith y carbon deuocsid sy'n cael ei ryddhau i'r amgylchedd o ganlyniad i waith dyn, yn enwedig ei ddefnydd o ddanwyddau ffosil; ffordd o fesur hyn ar gyfer unigolyn, corff neu gymuned carbon footprint

ôl troed ecolegol BIOLEG y tir mae ei angen i gynnal defnydd unigolyn neu gymuned o adnoddau naturiol; fe'i defnyddir i fynegi'r effaith a gaiff dyn ar yr amgylchedd ecological footprint

ôl² *ans* (olau)
1 yn dilyn; dilynol behind
2 cefn, *Coes ôl y ci, Mae o yn y rhes ôl.* back, hind
Sylwch: ceir y ffurf luosog yn *ar ein holau, ar eich olau, ar eu holau.* Y ffurf eithaf 'olaf' yw'r unig ffurf arall.

pen ôl cefn *Eisteddon ni ym mhen ôl y bws.* rear
pen-ôl y rhan o'r corff y mae person yn eistedd arni, gwaelod y cefn; tin backside
Ymadroddion
ar ei hôl hi gw. ar
ar fy (dy, ei, etc.**) ôl** yn dilyn, yn ceisio dal after
ar ôl gw. ar
yn ôl
1 [yn fy ôl, yn dy ôl, yn ei hôl hi, yn ei ôl ef, yn ein hôl, yn eich ôl, yn eu hôl] (dychwelyd) i le y buoch ynddo o'r blaen, *yn ôl ac ymlaen, Daeth yn ôl ar ôl tair blynedd.* back
2 yn y gorffennol, *Gadawodd bum munud yn ôl.* ago, back
3 fel y dywed, chwedl *Yn ôl Mr Jones mae gennyf siawns go lew o lwyddo yn yr arholiad.* according to
y tu ôl i
1 y tu cefn i, *Cuddiodd y tu ôl i'r wal.* behind
2 yn cefnogi, *Paid â phoeni, mae pawb y tu ôl iti.* behind
ôl- (mewn cyfuniad) yn dilyn (mewn trefn neu yn nhrefn amser), e.e. ôl-ddodiad, ôl-nodiad post-

olaf *ans* am yr un neu'r rhai sy'n dod ar ôl pob un arall pan nad oes ragor ohonynt i'w cael; yr un neu'r rhai sy'n dod ar y diwedd yn deg; terfynol last, final
Sylwch:
1 ffurf eithaf yr ansoddair 'ôl';
2 yn wahanol i *olaf*, mae *diwethaf* hefyd

yn golygu 'yr un cyn yr un presennol',
e.e. *yr wythnos diwethaf*, yr wythnos sydd
newydd fod; *wythnos olaf y tymor* yw'r
wythnos sy'n dod ar ddiwedd y tymor.

ôl-argraffiadaeth *eb* arddull arlunio a'r
syniadaeth ynghlwm wrtho a gododd
yn adwaith i bwyslais argraffiadaeth ar
beintio'r hyn oedd i'w weld yn unig; roedd
ôl-argraffiadaeth yn creu celf oedd yn
canolbwyntio ar gynrychiolaeth ffurf ac yn
cynnwys teimladau goddrychol yr artist; mae
Cézanne, Gaugin a Van Gogh yn perthyn i'r
dosbarth hwn o arlunwyr post-impressionism

ôl-daliad *eg* (ôl-daliadau) taliad am (waith) a
wnaed yn y gorffennol back payment

ôl-darth *eg* cymysgedd o nwyon (carbon
deuocsid, nitrogen, ager, mwg, etc.) a geid yn
dilyn tanchwa dan ddaear mewn pwll glo ac a
allai ladd glowyr afterdamp

ôl-drefedigaethol *ans* ar ôl i reolaeth
drefedigaethol ddirwyn i ben post-colonial

ôl-dywyn *eg* (ôl-dywyniadau) llewyrchiad o
olau sy'n weddill, e.e. ar ôl i'r Haul fachlud
afterglow

ôl-ddelw *eb* (ôl-ddelwau) llun sy'n aros ar
rwyden y llygad wedi i'r symbyliad gwreiddiol
ddarfod after-image

ôl-ddodiad:olddodiad *eg* (ôl-
ddodiaid:olddodiaid) GRAMADEG cyfuniad
o lythrennau neu seiniau sy'n cael eu gosod
ar ddiwedd gair i ffurfio gair arall, *Gallwch
ychwanegu'r ôl-ddodiad '-wch' at rai
ansoddeiriau i'w troi yn enwau*, e.e. hardd –
harddwch, eiddil – eiddilwch; terfyniad suffix

ôl-ddyddio *be* gosod dyddiad pellach yn ôl ar
rywbeth, e.e. ysgrifennu dyddiad cynt ar siec
to backdate
Sylwch: nid yw'r ferf hon yn arfer cael ei rhedeg.

ôl-ddyled *eb* (ôl-ddyledion) arian y dylid bod
wedi'i dalu ond sy'n dal yn ddyledus arrears

ôl-effaith *eb* (ôl-effeithiau) canlyniad i rywbeth
sy'n digwydd beth amser ar ôl yr effaith
gychwynnol after-effect, repercussion

ôl-enedigol *ans* yn dilyn genedigaeth postnatal

olew:oel *eg* un o nifer o fathau o hylif sy'n cael
eu defnyddio i losgi, i iro neu ar gyfer coginio;
braster, eli, ennaint, saim oil
olew crai CEMEG olew naturiol, llawn
hydrocarbonau sy'n cael ei bwmpio allan o
grombil y ddaear a'i ffracsiynu mewn purfa
olew i wneud petroliwm crude oil

olewllyd *ans*
1 wedi'i drin ag olew, e.e. brethyn neu bren
oiled
2 ag olew arno neu ynddo oily

olewog *ans* am ddefnydd y ceir olew ohono oily,
oleaginous

olewydd *ell* coed sy'n cael eu tyfu yn y gwledydd
o gwmpas y Môr Canoldir; mae eu ffrwythau
siâp wy yn cael eu defnyddio fel bwyd
a ffynhonnell olew: hefyd, yn unigol, pren
y coed hyn olive

olewydden *eb* unigol olewydd

ôl-foderniaeth *eb* un o amrywiaeth o arddulliau,
cysyniadau neu agweddau sy'n golygu cefnu
ar foderniaeth; fe'i nodweddir gan ymwrthod
ag ideoleg a theori, a bod o blaid plwraliaeth o
werthoedd a thechnegau gan adael popeth yn
agored i'w archwilio o'r newydd postmodernism

ôl-fyddin *eb* (ôl-fyddinoedd) rhan o'r fyddin
sydd â'r cyfrifoldeb am amddiffyn cefn y fyddin
yn ystod enciliad rearguard

ôl-fynedfa *eb* (ôl-fynedfeydd) mynedfa sydd
yn y cefn rear entrance

ôl-fflach *eb* (ôl-fflachiau)
1 golygfa mewn ffilm, nofel, etc. wedi'i gosod
mewn cyfnod cynharach na'r brif stori flashback
2 atgof byw sydyn o ddigwyddiad yn y
gorffennol flashback

ôl-gerbyd *eg* (ôl-gerbydau) cerbyd ar olwynion
wedi'i gynllunio i gael ei dynnu gan gerbyd
arall trailer

ôl-groesi *be* BIOLEG croesi planhigyn neu anifail
ag un o'i rieni, fel arfer un sy'n arddangos
nodweddion enciliol (~ *rhywbeth* â) to backcross

ôl-groesiad *eg* (ôl-groesiadau)
1 BOTANEG planhigyn neu anifail sy'n ganlyniad
i ôl-groesi backcross
2 BIOLEG y weithred neu'r broses o ôl-groesi
backcross

ôl-groniad *eg* (ôl-groniadau) gwaith neu faterion
sydd wedi'u crynhoi ac y mae angen mynd i'r
afael â nhw backlog

ôl-gryniad *eg* (ôl-gryniadau) cryniad llai sy'n
dilyn daeargryn aftershock

ôl-gyflog *eg* codiad cyflog yn cael ei dalu yn awr
ond wedi'i ddyddio o amser yn y gorffennol
back pay

ôl-gynnyrch *eg* (ôl-gynhyrchion)
1 peth sy'n cael ei gynhyrchu, e.e. yn ystod
proses o weithgynhyrchu, yn ychwanegol
i'r prif gynnyrch; isgynnyrch, sgilgynnyrch
by-product
2 ail ganlyniad (annisgwyl) i'r canlyniad
disgwyliedig by-product

olif *eb* (olifau) ffrwyth yr olewydd olive

oligarchiaeth *eb* llywodraeth gan grŵp bach
o bobl, yn enwedig gan grŵp llwgr sy'n
defnyddio'u grym er eu lles eu hunain oligarchy

oligopolaidd *ans* o natur oligopoli oligopolistic

oligopoli *eg* (oligopolïau) ECONOMEG sefyllfa
lle mae nifer bach o gynhyrchwyr neu
werthwyr mawr yn rheoli marchnad benodol
oligopoly

olin *eg* (olinau) llinell neu batrwm a ddangosir ar ddyfais i ddynodi bodolaeth neu natur rhywbeth sy'n cael ei gofnodi neu ei fesur trace

olinydd *eg* (olinyddion) sylwedd a gyflwynir i'r corff neu i system arall er mwyn archwilio proses fiolegol neu gemegol tracer

olion *ell* lluosog ôl[1] remains

ôl-lyngesydd *eg* (ôl-lyngeswyr) swyddog yn y Llynges un radd yn is nag is-lyngesydd rear admiral

ôl-nodyn:ôl-nodiad *eg* (ôl-nodiadau) atodiad byr i ddiwedd llythyr (ysgrifenedig) yn cael ei ddynodi gan y llythrennau ON postscript, PS

ôl-ôl-nodyn nodyn sy'n dilyn ôl-nodyn, OON PPS

ôl-ofal *eg* gofal a roddir i glaf yn dilyn triniaeth feddygol aftercare

ôl-raddedig *ans* am gwrs neu astudiaethau yn dilyn ennill y radd gyntaf postgraduate

olréit *adf* ac *ans* iawn, o'r gorau all right

ôl-rewlifol *ans* DAEAREG yn dilyn y Pleistosen, sef yr Oes Iâ ddiwethaf postglacial

ôl-rifyn *eg* (ôl-rifynnau) rhifyn o gylchgrawn neu bapur newydd cyn yr un diweddaraf back number

olrhain *be* [olrheini•[2]]
1 mynd ar drywydd neu ddilyn hynt rhywbeth; dilyn to follow, to trace, to plot
2 darganfod tarddiad neu wreiddiau rhywbeth; priodoli, tadogi to trace

olrheiniad *eg* (olrheiniadau) y broses o olrhain neu chwilio; chwiliad, ymchwiliad detection, investigation

olrheiniadwy *ans* y gellir ei olrhain traceable

olrheiniwr:olrheinwr *eg* (olrheinwyr) un sy'n olrhain, chwiliwr tracer, detector

olrheiniwr achau gw. ach[1]

ôl-slaes *eg* yr arwydd \ backslash

ôl-sylliad *eg* (ôl-sylliadau) y broses o ôl-syllu; adolwg retrospection

ôl-syllol *ans* yn bwrw golwg yn ôl, e.e. dros fywyd a gwaith artist, *arddangosfa ôl-syllol*; adolygol retrospective

ôl-syllu *be* bwrw golwg am yn ôl, adolygu digwyddiadau'r gorffennol (~ ar) to view in retrospect
Sylwch: nid yw'r ferf hon yn arfer cael ei rhedeg.

ôl troed gw. ôl[1]

ôl-weithredol *ans* (am statud neu benderfyniad cyfreithiol) yn dod i rym o ddyddiad yn y gorffennol retrospective

olwr *eg* (olwyr) (mewn rygbi) chwaraewr neu safle y tu ôl i'r blaenwyr sydd fel arfer yn amddiffyn y rhan o'r maes chwarae sydd yn ymyl pyst eich tîm chi back

olwyn *eb* (olwynion) dyfais ar ffurf cylch gyda ffrâm allanol sy'n troi ar ddarn yn ei chanol (y both); mae'r rhan fwyaf o gerbydau sy'n teithio ar dir yn symud ar olwynion, cânt eu defnyddio hefyd i droi peiriannau; rhod wheel

olwyn crochenydd disg llorweddol sy'n cylchdroi y mae crochenydd yn ei ddefnyddio i droi clai gwlyb yn botiau, bowlenni etc.; troadur potter's wheel

olwyn yrru yr olwyn a ddefnyddir i lywio car neu long; llyw steering wheel
Ymadrodd

wrth yr olwyn yn gyrru neu'n llywio at the wheel

olwyndro *eg* (olwyndroadau) y broses o olwyndroi, canlyniad olwyndroi cartwheel

olwyndroi *be* troi tin-dros-ben ond i'r ochr gyda'r breichiau a'r coesau yn gweithredu fel adenydd olwyn to cartwheel
Sylwch: nid yw'r ferf hon yn arfer cael ei rhedeg.

olwyno *be* [olwyn•[1]] symud fel olwyn, troi ar echel, e.e. sgrym mewn gêm rygbi (~ i) to wheel

olwynog *ans* ac iddo olwynion, yn rhedeg ar olwynion wheeled

olwyr *ell* lluosog olwr

Olympaidd *ans*
1 yn gysylltiedig â'r Gêmau Olympaidd, sef cyfres o gystadlaethau athletaidd rhyngwladol sy'n cael eu cynnal unwaith bob pedair blynedd Olympic
2 tebyg i dduwiau pwysicaf y Groegiaid gynt, neu'n ymwneud â nhw (cartref y duwiau hyn oedd Mynydd Olympos) Olympic

olyniaeth *eb*
1 y weithred o ddilyn y naill ar ôl y llall; cyfres, dilyniant succession
2 nifer (o bobl neu bethau) yn dilyn y naill ar ôl y llall, *Y nesaf yn yr olyniaeth frenhinol yn dilyn y Frenhines Elisabeth II yw'r Tywysog Siarl*.; cyfres, dilyniant, rhes, rhestr succession

olynol *ans* yn dilyn ei gilydd; yn dod y naill ar ôl y llall; o'r bron; canlynol, dilynol, nesaf consecutive, successive

olynu *be* [olyn•[1]] dod ar ôl (rhywun neu rywbeth) fel olynydd; dilyn to follow, to succeed

olynydd *eg* (olynwyr)
1 rhywun neu rywbeth sy'n dilyn neu'n dod ar ôl rhywun neu rywbeth arall; aer, disgynnydd, etifedd successor
2 rhywun sy'n llenwi swydd ei ragflaenydd successor

oll *adf*
1 i gyd, yn gyfan gwbl, yn llwyr, *nyni oll*; *y pethau hyn oll*; cwbl, cyfan, pawb all
2 o gwbl, fel yn *dim oll*, *neb oll* (not) at all
Sylwch: ni ddylech ddefnyddio 'yr oll o': rhaid wrth 'y cwbl o', 'y cyfan o'.

Omanaidd *ans* yn perthyn i Oman, nodweddiadol o Oman Omani

Omaniad *eg* (Omaniaid) brodor o Oman Omani

omaswm *eg* SWOLEG trydedd stumog gyhyrog anifail cnoi cil, rhwng yr abomaswm a'r reticwlwm omasum

omatidiwm *eg* (omatidia) SWOLEG un o'r unedau optegol sy'n rhan o lygad cyfansawdd pryfed a rhai arthropodau ommatidium

ombwdsman:ombwdsmon *eg* (ombwdsmyn) CYFRAITH swyddog llywodraeth wedi'i benodi i dderbyn ac archwilio cwynion gan unigolion yn erbyn gwahanol gyrff cyhoeddus a swyddogol ombudsman

omled:omlet *eg* (omledau:omletau) wyau wedi'u curo sydd wedyn yn cael eu ffrio heb eu curo rhagor, yn y badell ffrio omelette

ON *byrfodd* ôl-nodiad, ôl-nodyn PS

oncoleg *eb* MEDDYGAETH cangen o feddygaeth sy'n astudio ac yn trin canser a thyfiannau oncology

oncolegol *ans* MEDDYGAETH yn ymwneud â chanser a thyfiannau a'u triniaeth oncological

oncolegydd *eg* (oncolegwyr) meddyg sy'n arbenigo mewn oncoleg oncologist

ond *cysylltair*
  1 oni bai am y ffaith, *Roeddwn yn bwriadu ysgrifennu ati ond collais ei chyfeiriad.* but, only
  2 heblaw, oddieithr, ac eithrio, *Ni ddaw neb yma ond yr anifeiliaid gwyllt.* except for, only
  3 yn hytrach, yn lle, *Nid un ond cant!*; eithr but
  4 er hynny, *yn flinedig ond yn hapus* but
  dim ond yn unig, *Pwy sydd 'na? Dim ond fi.* only
  ond odid gw. odid

onest gw. gonest

onestrwydd gw. gonestrwydd

oni¹:onid *geiryn gofynnol*
  1 mae'n cael ei ddefnyddio ar ddechrau cwestiwn pan ddisgwylir ateb cadarnhaol, *Onid oeddech yma ddoe?, Oni welsoch fy mrawd?, Oni fyddwch yn dod?, Onid hon yw'r heol sy'n arwain at y tŷ?* has he/she not?, is it not?
  2 er mwyn troi gosodiad yn gwestiwn, *Hon yw'r ffordd, onid e?* hasn't he/she?, isn't it?
  3 fel ebychiad o syndod *Onid yw hi'n braf am yr amser yma o'r flwyddyn!* is it not
  Sylwch:
    1 collir y 'd' o flaen cytsain ac 'oni' a ddefnyddir o flaen 'h' ac 'i' gytsain;
    2 mae 'oni' yn achosi'r treiglad llaes yn 'c', 'p', 't' a'r treiglad meddal yn achos 'b', 'd', 'g', 'll', 'm', 'rh', ac eithrio yn achos ffurfiau 'bod' weithiau.

oni²:onid:onis *cysylltair* os na, *Nid wyf yn mynd oni chaf fy nhalu.* unless
  Sylwch:
    1 collir y 'd' o flaen cytsain a defnyddir 'oni' o flaen ffurfiau treigledig berfau yn dechrau ag 'g';

    2 mae'n achosi'r treiglad llaes yn 'c', 'p', 't' a threiglad meddal yn achos 'b', 'd', 'g', 'll', 'm', 'rh', ac eithrio yn achos ffurfiau 'bod' weithiau.

hyd oni/onid nes, *Arhoswch yma hyd onid anfonaf amdanoch.* until

oni bai pe na bai were it not [for]

onics *eg* (onicsau) mwyn gwerthfawr, sef math o silica microgrisialog yn cynnwys streipiau o liwiau gwahanol, yn enwedig du a gwyn neu ddu a brown onyx

onn gw. ynn

onnen *eb* (ynn:onn) coeden golddail gyffredin sydd â blagur mawr du yn y gwanwyn a ffrwythau o'r enw allweddau Mair; pren y goeden hon ash

onomasteg *eb* astudiaeth o enwau priod, e.e. enwau lleoedd, enwau pobl, etc. onomastics

onomastig *ans* yn ymwneud ag onomsteg neu'n deillio ohoni onomastic

onomatopeia *eg* yr hyn a gyflawnir gan air neu seiniau sy'n dynwared sŵn yr hyn y mae'n ei enwi, e.e. rhochian, udo, clegar onomatopoeia

onomatopeig *ans* (am air) sy'n swnio'n debyg i'r hyn y mae'n ei enwi onomatopoeic

ontefe ffurf lafar yn y De ar **onid e**

ontogenedd *eg* BIOLEG hanes neu hynt y ffordd y mae organeb unigol yn datblygu ontogeny

ontoleg *eb* ATHRONIAETH cangen o athroniaeth yn ymwneud â natur, ystyr ac arwyddocâd bodolaeth neu'r cyflwr o fod ontology

ontolegol *ans* ATHRONIAETH yn perthyn i ontoleg, nodweddiadol o ontoleg ontological

oocyst *eg* (oocystau) BIOLEG coden sy'n cynnwys sygot a ffurfir gan brotosoa parasitig, e.e. *Plasmodium* sy'n achosi malaria oocyst

oocyt *eg* (oocytau) BIOLEG cell sy'n ymrannu i gynhyrchu celloedd benywol, cell wy anaeddfed oocyte

ooffyt *eg* (ooffytau) BOTANEG y gametoffyt mewn mwsoglau, llysiau a rhedyn oophyte

oogamedd *eg* BIOLEG math o atgenhedlu rhywiol lle mae gamet (cell atgynhyrchu aeddfed) bach, gwryw, sy'n medru symud, yn uno â gamet benyw, mawr, sefydlog oogamy

oogamet *eg* (oogametau) BIOLEG gamet benyw, cell wy fawr, ddisymud a stôr o faeth yn rhan ohoni oogamet

oogenesis *eg* BIOLEG datblygiad wy hyd at aeddfedrwydd oogenesis

ooleg *eb* yr arfer o gasglu ac astudio wyau adar oology

oolegydd *eg* un sy'n casglu ac yn astudio wyau adar oologist

oolit *eg* (oolitau) DAEAREG math o galchfaen sy'n cynnwys pelenni bach calchaidd sy'n debyg i rawn pysgod oolite

o

OON *byrfodd* ôl-ôl-nodyn PPS

oosberm *eg* (oosbermau) BIOLEG wy wedi'i ffrwythloni; sygot oosperm

oosbor *eg* (oosborau) BOTANEG sygot ac iddo waliau trwchus sy'n ffurfio ar ôl i oosffer gael ei ffrwythloni oospore

oosffer *eg* (oosfferau) BIOLEG cell aeddfed fenywol heb ei ffrwythloni, yn enwedig un mewn planhigyn syml fel rhedyn neu fwsogl oosphere

op. *byrfodd* talfyriad o'r gair Lladin *opus*

opa *eg* (opaod) pysgodyn mawr y môr ac iddo gorff lliwgar a chnawd coch seimllyd opah

op. cit. *byrfodd* talfyriad o'r Lladin *opere citato*, sef yn y gwaith y cyfeiriwyd ato

opera *eb* (operâu) CERDDORIAETH drama gerddorol lle mae'r rhan fwyaf o'r geiriau'n cael eu canu opera

operatig *ans* yn perthyn i fyd opera, nodweddiadol o arddull a chrefft byd opera operatic

opereta *eb* (operetau) CERDDORIAETH opera ysgafn, fer operetta

opioid *eg* (opioidau) unrhyw gemegyn sy'n cynhyrchu effeithiau ffisiolegol tebyg i effeithiau opiwm opioid

opiwm *eg* cyffur narcotig yn cynnwys morffin, wedi'i wneud o sudd y pabi opiwm; gellir mynd yn gaeth iddo opium

oportiwnistiaeth *eb* yr arfer o fachu ar gyfle pan fydd yn codi, heb boeni am egwyddorion neu ganlyniadau opportunism

oportiwnydd *eg* (oportiwnwyr) un sy'n bachu ar unrhyw gyfle heb boeni am y canlyniadau opportunist

opsiwn *eg* (opsiynau)
1 rhywbeth y gellir ei ddewis option
2 ECONOMEG hawl i brynu neu werthu rhywbeth am bris penodol o fewn cyfnod penodol option

opteg *eb* FFISEG astudiaeth wyddonol o olau a'r ffordd yr ydym yn ei weld optics

opteg ffibr FFISEG y defnydd o ffibrau tenau tryloyw i drawsyrru signalau golau, ac a ddefnyddir yn bennaf ar gyfer telegyfathrebu neu i archwilio tu mewn y corff fibre optics

optegol *ans* yn perthyn i opteg optical

optegydd *eg* (optegwyr)
1 un sydd â chymhwyster i archwilio'r llygaid i chwilio am glefydau ac i lunio presgripsiwn ar gyfer sbectol a lensys cyffwrdd optician
2 un sy'n gwneud sbectol ac offer optegol neu'n eu gwerthu optician

optig *ans* yn ymwneud â'r llygad neu'r golwg optic

optimaidd *ans* mwyaf ffafriol; gorau optimal

optimeiddio *be* [optimeiddi•²] gwneud mor

berffaith, mor gyflawn neu mor effeithiol ag sy'n bosibl to optimize

optimist:optimydd *eg* (optimistiaid:optimyddion) un sy'n disgwyl y canlyniad gorau i bopeth optimist

optimistaidd *ans* a nodweddir gan optimistiaeth; gobeithiol optimistic, upbeat

optimistiaeth *eb* tuedd i bwysleisio ochr orau pethau, gan ddisgwyl y canlyniad gorau posibl; ffydd, gobaith, hyder optimism

optimwm *eg*
1 cymaint y mae ei angen i gyrraedd rhyw nod, yn enwedig yr hyn y mae ei angen i sicrhau twf ac atgenhedlu organeb arbennig optimum
2 y mwyaf posibl o dan yr amgylchiadau optimum

opws *eg*
1 darn o waith celf yn enwedig os yw'n ddarn mawr; gwaith opus
2 CERDDORIAETH cyfansoddiad neu gasgliad/ ddilyniant o gyfansoddiadau opus
3 CERDDORIAETH y ffurf **op.** sy'n ymddangos o flaen y rhif unigol a roddir i bob darn gan gyfansoddwr penodol opus

oracl *eg* (oraclau)
1 *hanesyddol* man arbennig lle roedd yr Hen Roegiaid yn credu y byddai un o'r duwiau, neu rywun y byddai'r duwiau hyn yn ei ddefnyddio fel cyfrwng, yn ateb cwestiynau gan ddynion oracle
2 *hynafol* ateb i un o'r cwestiynau hyn oracle
3 rhywun sy'n cael ei ystyried neu sy'n meddwl ei fod yn gynghorydd doeth iawn oracle

oraclaidd *ans* o natur oracl oracular

orangwtang *eg* (orangwtangiaid) epa mawr â blew coch sy'n byw yn fforestydd y Dwyrain Pell; 'hen ŵr y coed' yw ystyr ei enw orang-utan

oratorio *eb* (oratorios) CERDDORIAETH gwaith cerddorol hir i gantorion (unawdwyr a chôr fel arfer) a cherddorfa, wedi'i seilio ar destun crefyddol (o'r Beibl gan amlaf); yn wahanol i opera, ni ddisgwylir i'r cantorion actio, e.e. oratorio yw *Messiah* Handel oratorio

orbit *eg* (orbitau)
1 SERYDDIAETH llwybr un corff wybrennol o amgylch un arall, er enghraifft lloeren neu long ofod o amgylch seren neu blaned orbit
2 FFISEG llwybr taith electron o amgylch niwclews atom orbit

orbital *eg* (orbitalau) FFISEG israniad yn lefelau egni atom neu foleciwl lle y ceir o leiaf dau electron orbital

orbitol *ans* FFISEG am gynefin electronau mewn atom a moleciwl orbital

ordeiniad *eg* (ordeiniadau) y broses neu'r gwasanaeth o ordeinio, o urddo rhywun yn offeiriad, gweinidog, arweinydd crefyddol, etc.; cysegriad, eneiniad ordination

ordeiniedig *ans* (am weinidog neu offeiriad) wedi'i ordeinio ordained

ordeinio *be* [ordeini•²]

1 CREFYDD urddo rhywun yn offeiriad, yn weinidog neu'n arweinydd crefyddol; cysegru, eneinio, sefydlu, urddo (~ *rhywun* **yn**) to ordain

2 (am Dduw neu am y gyfraith) gorchymyn, mynnu to ordain

ordinhad *eb* (ordinhadau)

1 y broses o ordeinio (rhywun i swydd), canlyniad ordeinio; defod, seremoni ordination

2 gorchymyn awdurdodedig ordinance, decree

3 un o nifer o ddefodau arbennig yr Eglwys Gristnogol, e.e. bedydd, Cymun, priodas, etc.; sacrament, sagrafen sacrament

ordnans *eg* cangen o wasanaethau'r llywodraeth yn ymwneud â chyflenwadau milwrol (arfau rhyfel, cerbydau, etc.) ordnance

  yr Arolwg Ordnans corff swyddogol llunio mapiau Llywodraeth y Deyrnas Unedig Ordnance Survey

Ordoficiaid *ell* y llwyth Celtaidd a oedd yn byw yn ardal Powys (heddiw) cyn i'r Rhufeiniaid oresgyn y wlad yn y ganrif gyntaf OC Ordovices

Ordofigaidd *ans* DAEAREG yn perthyn i ail gyfnod y gorgyfnod Palaeosöig (488–444 o filiynau o flynyddoedd yn ôl), nodweddiadol o ail gyfnod y gorgyfnod Palaeosöig Ordovician

oren¹ *eg* (orenau)

1 ffrwyth sitrws crwn, cyffredin a'i liw rhwng coch a melyn; mae ganddo groen chwerw ei flas a chnawd melys llawn sudd orange

2 lliw croen oren, lliw sy'n gymysgedd o goch a melyn orange

3 coeden orenau orange tree

oren² *ans* o liw croen oren; melyngoch orange

orenfa *eb* (orenfeydd) tŷ gwydr neu adeilad tebyg lle mae coed orenau'n gallu cael eu tyfu orangery

orff *eg* (orffod) pysgodyn dŵr croyw o liw ariannaidd (mae'r orff euraid yn boblogaidd ac yn cael ei fagu mewn pyllau ac acwaria) ide, orfe

organ¹ *eb* (organau)

1 CERDDORIAETH un o nifer o fathau o offerynnau cerdd sydd â sŵn llawn, cyfoethog; bydd rhai mathau yn cynhyrchu eu nodau drwy i aer gael ei chwythu drwy bibau o wahanol hyd; caiff organ ei chwarae (fel piano) gan chwaraewr sy'n taro seinglawr, ond fe all organ fod â mwy nag un seinglawr gan gynnwys un arbennig i'r traed organ

2 offeryn llai ei faint, heb bibau, sy'n cynhyrchu synau tebyg drwy ddulliau electronig organ

  organ geg offeryn cerdd bach a chwaraeir drwy chwythu neu sugno aer drwyddo harmonica, mouth organ

organ² *eg* (organau) BIOLEG (mewn anifeiliaid a phlanhigion) cyfuniad o nifer o wahanol fathau o feinweoedd, e.e. y galon, yr ysgyfaint, deilen, etc., sy'n cyflawni swyddogaeth arbennig neu'n gwneud gwaith arbennig organ

organaidd *ans* tebyg i organ o ran ei sain

organdi *eg* (math o frethyn) mwslin main, tryloyw, stiff organdie

organeb *eb* (organebau)

1 unrhyw beth byw, gan gynnwys anifeiliaid, planhigion a microbau organism

2 cyfanwaith o gydrannau o'i gymharu â bod byw organism

organig *ans*

1 BIOLEG yn deillio o ddefnydd byw neu'n ymwneud ag ef organic

2 BIOLEG a dyfir drwy ddefnyddio gwrtaith naturiol (sy'n deillio o blanhigion ac anifeiliaid) yn hytrach na gwrtaith cemegol organic

3 CEMEG yn dynodi cyfansoddion sy'n cynnwys carbon ac sy'n gallu deillio o darddiad biolegol neu'n ymwneud â chyfansoddion o'r fath organic

4 MEDDYGAETH (am glefyd) yn effeithio ar adeiledd organ organic

5 FFISIOLEG yn ymwneud ag un o organau'r corff organic

organsa *eg* lliain main tebyg i organdi ond wedi'i wneud o sidan neu neilon organza

organwm *eg* CERDDORIAETH dull syml o gyfansoddi yn perthyn i'r Oesoedd Canol yn cynnwys un neu ragor o leisiau sy'n gyfeiliant i'r alaw organum

organydd *eg* (organyddion) un sy'n canu/ chwarae'r organ organist

organyddes *eb* merch neu wraig sy'n canu'r organ

organyn *eg* (organynnau) BIOLEG rhan o gell ac iddi adeiledd arbennig a swyddogaeth arbennig, e.e. mitocondrion organelle

orgasm *eg* (orgasmau) synhwyriad dwys, pleserus sy'n uchafbwynt i weithred rywiol, e.e. cyfathrach rywiol, neu fastyrbiad orgasm

orgasmig *ans* yn perthyn i orgasm, nodweddiadol o orgasm orgasmic

orgraff *eb* ffordd o sillafu geiriau (yn enwedig y ffordd a ystyrir yn gywir) orthography

orgraffyddol *ans* yn perthyn i orgraff orthographical

oriadurwr *eg* (oriadurwyr) un sy'n gwneud ac yn trwsio watshys watchmaker

oriau *ell* lluosog **awr**

  oriau mân y bore oriau cynnar y bore ar ôl hanner nos the small hours of the morning

  Ymadrodd

  oriau bwy gilydd am oriau maith hours on end

O

oriawr *eb* (oriorau) cloc bach i'w wisgo ar eich arddwrn neu ei gario yn eich poced; watsh watch

oriel *eb* (orielau)
1 neuadd, adeilad neu ystafell (breifat neu gyhoeddus) lle mae gweithiau celfyddydol yn cael eu harddangos (a'u gwerthu'n aml) gallery
2 un o'r lloriau mewnol sy'n ymestyn o waliau cefn neu ochr theatr, sinema, capel, etc.; balconi, galeri gallery

orig *eb* cyfnod byr o amser; ennyd, talm, ysbaid moment, while

origami *eg* traddodiad Japaneaidd o blygu papur i greu ffurfiau atyniadol tra chymhleth origami

oriog *ans* na ellir dibynnu arno, tueddol o newid ei feddwl; anghyson, chwit-chwat, gwamal, mympwyol fickle, moody, temperamental

oriogrwydd *eg* y cyflwr o fod yn oriog; anwadalwch, gwamalrwydd fickleness, capriciousness

orlais gw. awrlais

ornest gw. gornest

ornithin *eg* BIOCEMEG asid amino sy'n chwarae rhan bwysig ym metabolaeth proteinau ornithine

orogeni *eg* DAEAREG y broses o ffurfio mynyddoedd sy'n ganlyniad i wrthdrawiad platiau tectonig cramennol y Ddaear orogeny

orogenig *ans* DAEAREG yn perthyn i orogenesis, nodweddiadol o orogeni orogenic

orograffig *ans* yn ymwneud â mynyddoedd, yn enwedig pethau sy'n cael eu hachosi gan bresenoldeb mynyddoedd, *tywydd orograffig* orographic

orohïan *be hynafol* gwaedd o lawenydd neu o orfoledd

orthodeintydd *eg* (orthodeintyddion) deintydd sy'n arbenigo mewn orthodonteg orthodontist

orthodonteg *eb* MEDDYGAETH cangen o ddeintyddiaeth yn ymwneud â chamffurfiad y dannedd a'r ên a ffyrdd o unioni'u tyfiant orthodontics

orthodontig *ans* MEDDYGAETH yn ymwneud â chamffurfiad y dannedd a'r ên a'u triniaethau orthodontic

orthogonol *ans* MATHEMATEG (am wrthrychau) ar ongl sgwâr i'w gilydd, e.e. *Mae dwy linell sy'n croesi ar ongl sgwâr i'w gilydd yn orthogonol.* orthogonal

orthogonoledd *eg* (orthogonoleddau) MATHEMATEG y berthynas rhwng gwrthrychau neu siapiau sydd ar ongl sgwâr i'w gilydd orthogonality

orthograffig *ans* cynllun a nodweddir gan linellau unionsyth neu onglau sgwâr orthographic

orthopaedeg:orthopedeg *eb* MEDDYGAETH cangen o feddygaeth sy'n ymwneud â chywiro neu atal camffurfiad neu niwed i esgyrn neu gyhyrau'r corff, drwy lawfeddygaeth fel arfer orthopaedics

orthopaedig:orthopedig *ans* MEDDYGAETH yn ymwneud ag orthopaedeg orthopaedic

orthopedeg gw. orthopaedeg

orthopedig gw. orthopaedig

os *cysylltair* ar yr amod, gan dderbyn, gan gymryd, *Fe af i yno yfory os bydd y tywydd yn braf, Os wyf yn cofio'n iawn mae'n dipyn o foi, Os rhywbeth, mae hynny'n well.* if
Sylwch:
1 peidiwch â defnyddio *os* i gyflwyno cwestiwn anuniongyrchol: *'Gofynnais iddo a oedd yn dod'* nid *'os oedd yn dod'*;
2 nid yw'n achosi treiglad;
3 does dim angen 'mai' mewn cymalau fel 'os *(mai)* dyna sy'n gywir', 'os *(mai)* Cymru fydd yn ennill'.

heb os nac oni bai heb unrhyw amheuaeth; yn bendant without doubt

osgiliad *eg* (osgiliadau) FFISEG newid cyson yn rhyw fesur, e.e. lleoliad pendil cloc neu gerrynt trydanol oscillation

osgiliadol *ans* yn osgiliadu, yn perthyn i osgiliad neu osgiliadau oscillating, oscillatory

osgiliadu *be* [osgili•²]
1 symud yn ôl ac ymlaen rhwng dau bwynt; pendilio to oscillate
2 FFISEG achosi amrywiad rheolaidd i briodwedd gwrthrych, e.e. cerrynt trydanol neu ddadleoliad pendil to oscillate

osgiliadur *eg* (osgiliaduron)
1 unrhyw wrthrych neu ddyfais sy'n gallu osgiliadu, e.e. osgiliadur crisial oscillator
2 dyfais electronig i gynhyrchu cerrynt eiledol oscillator

osgilosgop *eg* (osgilosgopau) dyfais sy'n dangos amrywiadau mewn foltedd trydanol yn llinell weladwy ar sgrin oscilloscope

osgled *eg* (osgledau)
1 FFISEG maint dirgryniad neu osgiliad wedi'i fesur o'r cymedr i'r man eithaf amplitude
2 SERYDDIAETH pellter onglog naill ai o'r pwynt dwyreiniol lle mae corff wybrennol yn codi, neu o'r man gorllewinol lle mae'n machlud amplitude

osgo *eg*
1 ffordd o ddal y corff, yn enwedig y pen a'r ysgwyddau, *Er nad oedd yn ein hwynebu ni, roeddem yn gallu dweud oddi wrth ei osgo ei fod yn gynddeiriog.*; agwedd, ymagwedd, ymarweddiad posture, stance, attitude
2 rhywbeth sy'n pwyso i un ochr, sy'n gorwedd ar ongl neu ar oleddf slant, slope

osgoi *be* [osgo•¹⁷ 1 un. pres. osgoaf]
1 dianc rhag, troi o'r neilltu, *Llwyddodd i osgoi cael ei gosbi.* to avoid, to elude

2 cadw draw oddi wrth (rywun neu rywbeth) yn fwriadol, *Rwy'n ceisio osgoi pob athro yn ystod y gwyliau*.; gochel, ymochel to avoid **ffordd osgoi**
1 ffordd dros dro i deithio heibio i rwystr; dargyfeiriad diversion, diversionary route
2 ffordd barhaol i osgoi tagfeydd traffig yng nghanol tref neu ddinas bypass

osigl *eg* SWOLEG darn bach o ddefnydd calcheiddiedig sy'n ffurfio rhan o sgerbwd anifail di-asgwrn-cefn, e.e. seren fôr ossicle

osio *be* [osi•²]
1 gwyro, tueddu (~ **tuag at**) to tend, to tend towards
2 ceisio, cynnig, gwneud cais to attempt, to try

osmiwm *eg* elfen gemegol rhif 76; metel caled, dwys, ariannaidd a ddefnyddir mewn aloion gyda phlatinwm (Os) osmium

osmoreolaeth *eb* BIOLEG (mewn organebau byw) rheolaeth ar wasgedd osmosis drwy reoli lefelau dŵr ac/neu halwynau mwynol yn y corff osmoregulation

osmoreolaethol *ans* BIOLEG yn ymwneud ag osmoreolaeth neu'n deillio ohoni osmoregulatory

osmosis *eg*
1 BIOLEG trylediad moleciwlau dŵr o ardal â chrynodiad uwch o ddŵr i ardal o grynodiad is drwy bilen athraidd ddetholus osmosis
2 proses raddol lle mae unigolyn yn amsugno syniadau neu wybodaeth heb sylweddoli fod hyn yn digwydd osmosis

oson:osôn *eg*
1 ffurf ar ocsigen sy'n cynnwys tri atom ym mhob moleciwl; mae'n nwy egr ac iddo sawr arbennig a gwawr las; mae'n digwydd yn naturiol yn uchel yn yr atmosffer o ganlyniad i adwaith cemegol rhwng ocsigen a golau uwchfioled neu rhwng ocsigen a mellt, e.e. ar ôl storm o fellt a tharanau; mae'n ocsidydd pwerus (O_3) ozone
2 (talfyriad o 'haen oson') haen o aer yn yr atmosffer rhyw 20–30 milltir uwchben y Ddaear sydd â lefel uchel o oson ynddi ac sy'n amddiffyn y Ddaear rhag pelydrau niweidiol yr Haul ozone

osteopath *eg* (osteopathiaid) un sy'n arbenigo mewn osteopatheg; meddyg esgyrn osteopath

osteopatheg *eb* MEDDYGAETH therapi cyflenwol sy'n trin clefydau drwy dylino a llawdrin cyhyrau ac esgyrn y corff osteopathy

ostinato *eg* (ostinati) CERDDORIAETH brawddeg o gerddoriaeth (neu batrwm rhythmig) sy'n cael ei hailadrodd ar yr un traw dro ar ôl tro

ots:ods *eg* gwahaniaeth, *Does dim ots. Ysgrifennodd Syr T. H. Parry-Williams gerdd sy'n dechrau â'r llinell, 'Beth yw'r ots gennyf fi am Gymru?'* care, matter
yn ots *anffurfiol* yn wahanol

ow *ebychiad* mynegiant o syndod neu o ddolur oh

owmal *eg* *hynafol* yr addurn disglair tebyg i wydr sy'n cael ei daenu weithiau ar fetel; enamel enamel

owns *eb* (ownsys:ownsiau) mesur o bwysau sy'n $^1/_{16}$ o bwys neu'n 28.25 gram ounce

owns hylifol mesur o hylif yn gymerth ag $^1/_{20}$ o beint neu 0.0284 rhan o litr fluid ounce

O

P

p¹:P *eb* cytsain ac ugeinfed lythyren yr wyddor Gymraeg; ar ddechrau gair gall dreiglo'n feddal yn *b*, neu dreiglo'n drwynol yn *mh*, neu dreiglo'n llaes yn *ph*, e.e. *dy blentyn di*; *ei phlentyn hi*; *fy mhlentyn i*. p, P
   Sylwch: nid yw enw'r llythyren yn treiglo, 'dwy p'.

p² *adf* ac *ans* CERDDORIAETH talfyriad o'r Eidaleg *piano*, yn dawel

pa *rhagenw gofynnol* fe'i defnyddir o flaen enw (neu ffurfiau rhagenwol) i holi cwestiwn – fel yn *Pa beth?, Pa bryd?, Pa le?, Pa sawl person?, Pa un?*; erbyn hyn mae'r ffurfiau hyn braidd yn hen ffasiwn a'r ffurfiau cywasgedig 'beth', 'pryd', 'ble', 'sawl', 'p'un' neu 'p'run' a ddefnyddir fel arfer what, which
   Sylwch:
   1 'pwy' yw'r ffurf a ddefnyddir o flaen berfau i gyfeirio at bobl, felly, *Pwy sydd 'na?* ond *Pa Geraint?*;
   2 mae'n achosi'r treiglad meddal;
   3 mae'n gwrthsefyll treiglad meddal 'cystrawennol' (*Gofynnodd pa un*) ond mae'n cael ei dreiglo'n rheolaidd gan y geiriau sy'n sbarduno treigladau, e.e. *at ba rai, i ba le, a pha un*, etc.

Pab *eg* (pabau) CREFYDD pennaeth crefyddol yr Eglwys Gatholig Rufeinig Pope

pabaeth *eb*
   1 swydd ac awdurdod y Pab papacy
   2 cyfnod gwasanaeth Pab papacy

pabaidd *ans* yn ymwneud â'r Pab neu ei swydd papal

pabell *eb* (pebyll)
   1 lloches (lle i gysgodi) symudol yn cynnwys fframwaith o bolion a rhaffau y gellir eu gorchuddio â chynfas neu frethyn arbennig tent
   2 math mawr iawn o babell (uchod) a ddefnyddir ar gyfer achlysuron arbennig neu ddigwyddiadau cyhoeddus; pafiliwn marquee, pavilion

pabellu *be* [pabell•¹] codi pabell to pitch a tent

pabi *eg* (pabïau:pabis) un o nifer o fathau o blanhigion sydd â sudd gwyn yn eu coesynnau a blodau mawr coch (er bod lliwiau eraill ar gael hefyd) a hadau du amlwg poppy
   pabi coch y blodyn a wisgir fel arwydd bob blwyddyn o gwmpas 11 Tachwedd i gofio am y rhai a laddwyd yn ystod y ddau Ryfel Byd *Ymadrodd*
   pabi Cymreig pabi bach â blodau melyn neu oren Welsh poppy

pabwyr¹ *eg* ac *ell*
   1 llinyn y tu mewn i gannwyll sy'n llosgi fel y mae'r cwyr/gwêr yn ymdoddi wick
   2 darn o ddefnydd a geir mewn lamp olew sy'n sugno olew ato wrth iddo losgi wick

pabwyr² *ell* brwyn, cawn, cyrs, hesg rushes

pabwyren *eb* unigol **pabwyr²** rush

pabwyrgotwm *eg* cotwm meddal trwchus, yn enwedig defnydd neu frethyn wedi'i wneud o'r defnydd hwn sydd, fel arfer, â phatrwm o dwffiau bach drosto candlewick

pabwyryn *eg* unigol **pabwyr¹** wick

pabydd *eg* (pabyddion) aelod o'r Eglwys Gatholig Rufeinig ac, fel arfer, un sy'n credu mewn goruchafiaeth babyddol papist

pabyddes *eb* (pabyddesau) merch neu wraig sy'n aelod o'r Eglwys Gatholig Rufeinig ac, fel arfer, un sy'n credu mewn goruchafiaeth babyddol papist (female)

pabyddiaeth *eb* CREFYDD corff o Gristnogion â chyfundrefn o esgobion ac offeiriaid a'r Pab yn bennaeth arno; mae ganddo, yn ogystal, wasanaeth yn seiliedig ar yr Offeren a dysgeidiaeth wedi'i datblygu dros y canrifoedd fel dogma anffaeledig, yn enwedig felly, yr Eglwys Gatholig Rufeinig a nodweddid hyd yn ddiweddar gan ei gwasanaeth Lladin Roman Catholicism

pabyddol *ans* yn perthyn i'r Eglwys Gatholig Rufeinig, nodweddiadol o'r Eglwys Gatholig Rufeinig Roman Catholic

pac *eg* (paciau)
   1 nifer o bethau wedi'u casglu ynghyd yn barod i'w cario (ar y cefn, gan amlaf); baich, pecyn, pwn, swp kit, pack
   2 set gyfan o gardiau chwarae (52, fel arfer); cyff pack, deck
   3 yr wyth blaenwr mewn gêm o rygbi pack
   4 nifer mawr, *pac o gelwyddau*; llawer pack
   5 casgliad helaeth o anifeiliaid; buches, cenfaint, cnud, diadell, gre, gyr, mintai, praidd flock, herd, pack
   codi pac gw. **codi**
   hel fy (dy, ei, etc.) mhac gw. **hel**

paced *eg* (pacedau:pacedi) rhyw beth neu bethau wedi'u lapio ynghyd i wneud pecyn bach neu sypyn; cwdyn, pac, parsel, pecyn packet

pacedaid *eg* (pacedeidiau) llond paced packetful

pacin *eg* defnydd a ddefnyddir i gadw pethau brau rhag torri wrth iddynt gael eu trosglwyddo o un man i'r llall packing

pacio *be* [paci•²]
   1 rhoi pethau mewn bagiau, cesys neu gynwysyddion ar gyfer mynd ar wyliau, symud tŷ, etc., neu ar gyfer eu storio to pack
   2 llenwi, gorchuddio neu lapio â defnydd a fydd

yn gwarchod neu ddiogelu yr hyn sydd wedi'i
bacio to pack

defnydd pacio gw. **defnydd**

Pacistanaidd *ans* yn perthyn i Pakistan,
nodweddiadol o Pakistan Pakistani

Pacistaniad *eg* (Pacistaniaid) brodor o Pakistan
Pakistani

paciwr *eg* (pacwyr) un sy'n pacio packer

pacmon *eg* (pacmyn) gŵr a fyddai'n cario pac o
nwyddau o gwmpas y wlad i'w gwerthu pedlar,
hawker, packman

pacrew *eg* darn eang o iâ yn arnofio yn y môr,
wedi'i ffurfio gan ddarnau bach yn rhewi wrth
ei gilydd pack ice

pad *eg* (padiau)
1 darn trwchus o ddefnydd meddal i gadw
rhywbeth rhag cael niwed, i'w wneud yn
fwy cyfforddus i bwyso arno neu i lenwi siâp
arbennig (ynghyd â defnydd caled atgyfnerthol
yn achos padiau cricedwr) pad
2 nifer o ddudalennau o bapur wedi'u dal
ynghyd yn un pen neu ochr pad

padell *eb* (pedyll)
1 un o nifer o wahanol fathau o lestri metel
a ddefnyddir yn aml i goginio; dysgl pan
2 llestr crwn o fetel, plastig, pren neu bridd
sydd â gwaelod gwastad, ochrau ac weithiau
glawr; mae'n debyg i fowlen neu fasn ond ei
fod, fel arfer, yn fwy o faint; basn, noe bowl

padell ffrio padell fas â dolen hir a ddefnyddir
i ffrio bwyd; ffrimpan frying pan

padell pen-glin ANATOMEG yr asgwrn y tu
blaen i'r pen-glin kneecap, patella

padell wely llestr isel sy'n cael ei osod dan
glaf yn gaeth i'w wely er mwyn casglu ei
ymgarthion bedpan

padell yr ysgwydd ANATOMEG y naill neu'r llall
o ddau asgwrn mawr trionglog bob ochr i ran
uchaf yr asgwrn cefn scapula, shoulder blade
Ymadrodd

o'r badell ffrio i'r tân o ddrwg i waeth out of
the frying pan into the fire

padellaid *eb* llond padell bowlful, panful

pader *eg* (paderau)
1 gweddi sy'n dilyn patrwm, *Mae hi'n dweud
ei phader bob nos cyn mynd i'r gwely.* prayers
2 Gweddi'r Arglwydd, 'Ein Tad, yr hwn wyt yn
y nefoedd . . .' paternoster, the Lord's prayer

**dweud pader wrth berson/dysgu pader
i berson** ceisio dysgu rhywbeth i rywun
sy'n gwybod yn well na chi to teach your
grandmother to suck eggs

padera *be* [pader•¹] ailadrodd gweddïau yn aml
mewn ffordd undonog, ddifeddwl

padi *eg* reis cyn ei nithio, cyn i'r eisin gael eu
tynnu paddy

cae padi cae lle mae reis yn cael ei dyfu paddy field

padin *eg*
1 defnydd llanw a ddefnyddir i roi siâp i rywbeth
neu i leihau effaith ergyd ar rywbeth padding
2 rhywbeth di-werth neu ychwanegol a
ddefnyddir i hwyhau darn o ysgrif neu araith
padding

padio¹ *be* [padi•²] llenwi â phadin (~ *rhywbeth*
â) to pad

padio² *be* [padi•²] teithio ar droed gan wneud
sŵn tawel, trwm to pad

padl:padlen *eb* (padlau:padlennau) polyn byr â
darn llydan gwastad ar un pen (neu weithiau'r
ddau ben) a ddefnyddir i wthio a llywio cwch
bach megis canŵ drwy'r dŵr; rhodlen paddle

padlo *be* [padl•¹]
1 gwthio a llywio cwch â phadlen to paddle
2 cerdded (yn droednoeth, fel arfer) mewn
ychydig fodfeddi o ddŵr, e.e. ar lan y môr
to paddle

padog *eg* cae bychan, yn ymyl tŷ neu stabl yn
aml paddock

pae *eg* cyflog, enillion, tâl pay, wage

paediatreg:pediatreg *eb* MEDDYGAETH cangen
o feddygaeth sy'n ymwneud â gofal plant,
eu twf a'u hafiechydon paediatrics

paediatregydd:pediatregydd *eg* (paediatregy
ddion:pediatregyddion) meddyg sy'n arbenigo
mewn paediatreg paediatrician

paediatrig:pediatrig *ans* MEDDYGAETH
yn ymwneud â phaediatreg paediatric

paedoffilia:pedoffilia *eg* trachwant rhywiol
wedi'i gyfeirio tuag at blant paedophilia

paedoffilydd:pedoffilydd *eg* (paedoffilyddion)
un sy'n cael ei ddenu'n rhywiol gan blant bach
paedophile

paella *eg* COGINIO saig o Sbaen yn wreiddiol, yn
cynnwys reis, saffrwm, llysiau, cyw iâr a bwyd
y môr wedi'u coginio mewn padell fawr fas

paen *eg* (paenau) darn o wydr sy'n ffitio mewn
ffrâm ffenestr neu ddrws; cwarel ffenestr pane

paent *eg* (paentiau) cymysgedd o hylif a sylwedd,
y mae modd ei daenu ar rywbeth er mwyn ei
liwio a/neu ei ddiogelu; colur, lliw paint

paentiad defnyddiwch **peintiad**

paentiedig defnyddiwch **peintiedig**

paentio defnyddiwch **peintio**

paentiwr defnyddiwch **peintiwr**

pafiedig *ans* wedi'i balmantu; palmantog paved

pafiliwn *eg* (pafiliynau)
1 adeilad dros dro a ddefnyddir i arddangos
pethau mewn ffeiriau, yn enwedig y babell
y mae prif gystadlaethau a chyngherddau yr
Eisteddfod Genedlaethol yn cael eu cynnal
ynddi; pabell pavilion
2 adeilad yn ymyl maes criced neu faes chwarae
lle y gall chwaraewyr newid a chael hoe pavilion

pafin *eg* (pafinau) *anffurfiol* palmant pavement

p

paffio *be* [paffi•²] bocsio; ymladd â'r dyrnau to box

paffiwr *eg* (paffwyr) bocsiwr; un sy'n ymladd â'i ddyrnau boxer

pagan *eg* (paganiaid) rhywun nad yw'n credu yn Nuw neu 'yn y gwir Dduw'; anghredadun, anghrediniwr, anffyddiwr pagan, heathen

paganaidd *ans* yn perthyn i baganiaeth, nodweddiadol o baganiaeth pagan

paganiaeth *eb* cyflwr neu gred grefyddol nad yw'n seiliedig ar un o grefyddau mawr y byd; anghrediniaeth, anffyddiaeth paganism, heathenism

pagoda *eg* (pagodau)
1 teml Fwdhaidd neu Hindŵaidd ac iddi dŵr aml-lawr â thoeau cywrain yn troi i fyny ar ymyl pob llawr pagoda
2 PENSAERNÏAETH adeilad sy'n efelychu'r arddull hon pagoda

pang *eg* (pangau) teimlad sydyn o boen gorfforol neu feddyliol; gwayw, pangfa, pwl pang, fit, spasm

pangfa *eb* (pangfeydd) teimlad sydyn o boen gorfforol neu feddyliol pang; gwayw, pangfa, pwl fit

pango *be* [pang•¹] *tafodieithol, yn y De* syrthio'n ddiymadferth; llewygu to collapse, to faint

paham gw. **pam**

pai gw. **pi²**

paid *bf* [peidio]
1 *hynafol* mae ef yn peidio/mae hi'n peidio; bydd ef yn peidio/bydd hi'n peidio
2 gorchymyn i ti beidio

paill *eg*
1 llwch mân, melyn sydd i'w gael ar rannau gwryw blodau ac sy'n peri i flodau eraill hadu ar ôl iddo gael ei gario atynt (gan y gwynt, gwenyn, etc.) pollen
2 (yn anaml) blawd, can, fflŵr flour

pair¹ *eg* (peiriau) *hynafol* bowlen fawr agored wedi'i gwneud o fetel ar gyfer berwi pethau dros dân agored; crochan cauldron
Pair Dadeni pair hud yn Ail Gainc y Mabinogi; pe câi un o filwyr Iwerddon ei ladd, byddai'n cael ei daflu i'r pair a byddai'n codi'n fyw drannoeth, ond ni fyddai'n medru siarad the cauldron of rebirth

pair² *bf* [peri] *ffurfiol* mae ef yn peri/mae hi'n peri; bydd ef yn peri/bydd hi'n peri

pais *eb* (peisiau) dilledyn ysgafn y mae merch neu wraig yn ei wisgo o dan sgert neu ffrog; hefyd enw ar ran o'r wisg draddodiadol Gymreig petticoat
codi pais ar ôl piso *anffurfiol* bod yn rhy hwyr yn gwneud rhywbeth to shut the door after the horse has bolted

pais arfau arfau bonedd sy'n nodweddu unigolyn, teulu, corfforaeth neu sir; arfbais coat of arms

paith *eg* (peithiau) gwastadedd eang o borfa ond dim coed (yn enwedig yn America a Phatagonia) pampas, prairie

pâl¹ *eb* (palau) *tafodieithol, yn y De* math o raw â choes hir a llafn llydan o fetel i'w wthio i'r pridd â'r droed; fe'i defnyddir i balu (yn hytrach na rhofio) spade

pâl² *eg* (palod) aderyn môr ac iddo gefn a phen du, brest wen ac wyneb gwyn a phig fawr liwgar (yn debyg i **pâl¹**); mae'n nythu mewn tyllau ar arfordir Cefnfor Iwerydd a rhai ynysoedd Cymru puffin

paladiwm *eg* elfen gemegol rhif 46; metel prin, ariannaidd sy'n debyg i blatinwm ac a ddefnyddir i achludo hydrogen (Pd) palladium

paladr *eg* (pelydr)
1 fflach neu linell o olau; llygedyn, pelydryn ray
2 y gair technegol am ddwy linell gyntaf englyn (gw. hefyd 'asgell')

paladr y wal *eg* planhigyn sy'n tyfu allan o furiau ac sy'n perthyn i deulu'r ddanhadlen pellitory-of-the-wall

palaeo- gw. hefyd **paleo-**

Palaeogen:Paleogen *ans* DAEAREG yn perthyn i gyfnod cyntaf y gorgyfnod Cainosöig (65–23 miliwn o flynyddoedd yn ôl), nodweddiadol o gyfnod cyntaf y gorgyfnod Cainosöig Palaeogene

palaeograffeg:paleograffeg *eb* astudiaeth o hen lawysgrifen, llawysgrifau ac arysgrifau palaeography

Palaeolithig:Paleolithig *ans* ARCHAEOLEG yn perthyn i gyfnod cynharaf Oes y Cerrig pan gâi offer cerrig cyntefig eu defnyddio Palaeolithic

palaeontoleg:paleontoleg *eb* DAEAREG astudiaeth wyddonol o ffosiliau anifeiliaid a phlanhigion palaeontology

Palaeosöig:Paleosöig *ans* DAEAREG yn perthyn i orgyfnod cyntaf y Ffanerosöig (542–299 miliwn o flynyddoedd yn ôl), nodweddiadol o orgyfnod cyntaf y Ffanerosöig Palaeozoic

palalwyf *ell* pisgwydd; hefyd, yn unigol, pren y coed hyn lime, linden

palalwyfen *eb* unigol **palalwyf** lime (tree), linden

palas *eg* (palasau)
1 tŷ mawr crand y mae brenin, brenhines neu esgob yn byw ynddo palace
2 adeilad mawr crand; plasty palace

palasaidd *ans* tebyg i balas o ran maint a moethusrwydd palatial

paldaruo *be* siarad lol, baldorddi, brygawthan to jabber
Sylwch: nid yw'r ferf hon yn arfer cael ei rhedeg.

paledrydd *eg* (paledryddion) gwneuthurwr bwâu a saethau bowyer, fletcher

paleo- gw. hefyd **palaeo-**

Paleogen gw. **Palaeogen**

paleograffeg gw. **palaeograffeg**

Paleolithig gw. **Palaeolithig**

paleontoleg gw. **palaeontoleg**

Paleosöig gw. **Palaeosöig**

Palesteinaidd *ans* yn perthyn i Balesteina, nodweddiadol o Balesteina Palestinian

Palestiniad *eg* (Palestiniaid) un o frodorion Arabaidd Palesteina Palestinian

palet *eg* (paletau)
1 darn o fwrdd tenau y mae artist yn gosod ac yn cymysgu paentiau arno palette
2 CELFYDDYD yr amrediad o liwiau a ddefnyddir gan artist neu mewn llun penodol palette

palf *eb* (palfau)
1 pawen neu droed anifail paw
2 cledr y llaw; ochr fewnol y llaw rhwng y bysedd a'r arddwrn; tor llaw palm

palfais *eb* (palfeisiau) padell yr ysgwydd; y naill neu'r llall o ddau asgwrn mawr trionglog bob ochr i ran uchaf asgwrn y cefn scapula, shoulder blade

palfalu *be* [palfal•¹] teimlo â'r dwylo i geisio dod o hyd i rywbeth na fedrwch ei weld; chwilmanta, swmpo, ymbalfalu to fumble, to grope

palfog *ans* (ym myd natur, am rywbeth) wedi'i wneud fel palf neu gledr gyda phum rhan yn ymestyn ohono (megis bysedd) palmate

palff *eg* fel yn *palff o ddyn*, clamp o ddyn, cwlffyn o ddyn hulk

pali *eg* sidan â brodwaith arno brocaded silk

palindrom *eg* (palindromau) gair neu ymadrodd sy'n darllen yr un ffordd o'r chwith i'r dde ac o'r dde i'r chwith, e.e. *lladd dafad ddall* palindrome

palis:palisâd *eg* (palisau:palisadau)
1 wal neu raniad tenau sy'n rhannu ystafell; gwahanfur, pared partition, wainscot
2 ffens o byst, barrau haearn, etc. ar eu sefyll yn y ddaear ac a ddefnyddir i amgáu darn o dir neu fel amddiffynfa palisade

paliwm *eg*
1 urddwisg sy'n gylch o wlân yn gorwedd ar yr ysgwyddau a gyflwynir gan y Pab i archesgob pallium
2 *hanesyddol* mantell betryal y byddai'r Rhufeiniaid yn ei gwisgo pallium

palmant *eg* (palmantau:palmentydd) llwybr cerdded ag wyneb caled (o gerrig llyfn, fel arfer) sy'n rhedeg gydag ochr stryd neu ffordd, min y ffordd; pafin, ymyl pavement, paving

palmantaidd *ans* tebyg i balmant paved

palmantog *ans* wedi'i balmantu; pafiedig paved

palmantu *be* [palmant•³] gwneud palmant; gorchuddio llwybr neu ochr ffordd â haen galed (o gerrig llyfn, fel arfer) (*~ rhywbeth â*) to pave

palmolew *eg* olew ffrwythau'r balmwydden a ddefnyddir mewn sebon, canhwyllau, etc. palm oil

palmwydd *ell* coed heb lawer o ganghennau ond â llu o ddail hirion ar eu pen yn tyfu yn y trofannau ac mewn mannau cynnes; hefyd, yn unigol, pren y coed hyn palm

palmwydden *eb* unigol **palmwydd**

palp *eg* (palpiau) SWOLEG un o bâr o ddarnau synhwyro neu flasu hir ger ceg arthropod, e.e. cranc neu chwilen palp

palu *be* [pal•¹]
1 troi tir â phâl neu raw, torri a chwalu pridd, *palu'r ardd* to dig
2 gwneud twll drwy symud pridd; cloddio, rhofio, rhychu, tyllu to dig

palu/rhaffu celwyddau gw. **celwydd**

palu ymlaen cadw i fynd to keep at it

palwr *eg* (palwyr) un sy'n palu digger

pall *eg*
1 pen draw, *Does dim pall ar ei egni.*; diwedd, terfyn end, limit
2 bai, diffyg, methiant, nam failure, lapse

pallu *be* [pall•¹]
1 peidio â derbyn, rhoi, gwneud, etc., *Mae hi'n pallu'n lân â bwyta'i bwyd.*; gwrthod, nacáu to refuse
2 darfod, ffaelu, gorffen, methu, *Am y tro cyntaf ers cyn cof, mae'r dŵr yn y ffynnon wedi pallu.* to cease, to fail

pam:paham *adf* Am ba reswm?, I ba bwrpas?; fe'i defnyddir er mwyn gofyn cwestiwn, *Pam rwyt ti yma?* why, wherefore
Sylwch: pam mae (nid *pam fod*) yw'r ffurf safonol.

pâm *eg* (pamau) *hynafol* gwely o bridd, darn o dir wedi'i baratoi ar gyfer plannu hadau blodau neu lysiau neu ddarn o dir lle mae un math o blanhigyn yn tyfu bed

pamffled:pamffledyn *eg* (pamffledi:pamffledau) llyfryn bach â chloriau papur; taflen pamphlet, brochure, tract

pamffledu *be* [pamffled•¹] ysgrifennu neu gyhoeddi neu ddosbarthu pamffledi to pamphleteer

pamffledwr *eg* (pamffledwyr) un sy'n ysgrifennu pamffled(i) sydd, fel arfer, yn ymosod ar rywbeth neu'n cefnogi rhyw safbwynt gwleidyddol pamphleteer

pamffledyn gw. **pamffled**

pampas *eg* paith; gwastadedd eang o borfa ond dim coed (yn enwedig yn America a Phatagonia) pampas

p

pan¹ *cysylltair* yr amser pryd, *Pan ddes i adref,
roedd hi wrthi'n gwneud swper*. when, while
Sylwch:
1 mae'n achosi'r treiglad meddal;
2 mae *pan* yn cael ei ddilyn yn syth gan y ferf –
pan ddaw nid 'pan y daw';
3 *pan yw* oedd yn arfer bod yn gywir ond mae
'pan mae' yn cael ei dderbyn erbyn hyn gan
mai 'pan mae' neu 'pan fydd' sy'n arferol ar
lafar.

pan² *eg* padell, llestr; bowlen toiled pan

pan³ *ans* am frethyn sydd wedi cael ei drin drwy
ei wlychu, ei guro, a'i sychu er mwyn tynnu'r
gwead – yr ystof a'r anwe – yn glòs at ei gilydd
fulling
hanner-pan (yn llythrennol am frethyn heb
ei bannu yn iawn) heb fod yn llawn llathen
half-baked, half-witted

pân *eg* croen blewog anifail, e.e. carlwm; ffwr
pelt

Panamaidd *ans* yn perthyn i Panamá,
nodweddiadol o Panamá Panamanian

Panamiad *eg* (Panamiaid) brodor o Panamá
Panamanian

panasen *eb* unigol **pannas** parsnip

pancosen *eb* (pancos) *tafodieithol, yn y De* crempog,
ffroesen pancake

pancreas *eg* ANATOMEG organ rhwng y stumog
a'r coluddyn bach yn cynnwys chwarennau sy'n
cynhyrchu inswlin a nifer o ensymau ar gyfer
treulio bwyd pancreas

pancreatig *ans* ANATOMEG yn perthyn i'r
pancreas pancreatic

panda *eg* (pandas) mamolyn mawr, du a gwyn,
tebyg i arth sy'n byw yng nghoedwigoedd
bambŵ China panda

pandemig¹ *eg* MEDDYGAETH haint fyd-eang ei
heffaith pandemic

pandemig² *ans* yn ymwneud â haint fyd-eang ei
heffaith pandemic

pandemoniwm *eg* prifddinas Uffern yn *Coll
Gwynfa* Milton, lle gwyllt; anhrefn llwyr
pandemonium

pandy *eg* (pandai) adeilad lle mae brethyn yn
cael ei bannu fulling-mill

paned *talfyriad* ffurf lafar ar **cwpanaid** fel yn
A gymri di baned o de? cup of

panel *eg* (paneli)
1 darn sgwâr neu betryal sy'n rhan o ddrws
neu wal ac sy'n wahanol i'r darnau o'i gwmpas
panel, wainscot
2 bwrdd sydd â chyfarpar rheoli (switshis a
deialau, etc.) arno panel
3 (*yn derbyn ffurf unigol neu luosog berf*)
casgliad neu grŵp o siaradwyr sy'n ateb
cwestiynau neu'n difyrru cynulleidfa (ar y radio
neu ar y teledu, fel arfer) panel

4 (*yn derbyn ffurf unigol neu luosog berf*)
pwyllgor sy'n cael ei ddewis i wneud gwaith
arbennig, *panel comisiynu llyfrau plant* panel

panelog *ans* wedi'i addurno â phaneli panelled

panelu *be* [panel•¹] addurno â phaneli
(~ *rhywbeth* â) to panel

panelwr *eg* (panelwyr) aelod o banel holi panellist

pan-Geltaidd *ans* yn perthyn i'r gwledydd
Celtaidd i gyd pan-Celtic

panig *eg* dychryn sydyn, yn enwedig dychryn
direswm sy'n lledu'n gyflym drwy grŵp o bobl
panic

panigl *eg* (paniglau) BOTANEG fflurben lle mae
coesyn y blodyn yn ymganghennu er mwyn i
flodau dyfu ar goesau byrion yn codi o'r bôn,
e.e. ceirch panicle

panlwch *eg* powdr mân a ddefnyddir i rwystro
inc rhag rhedeg pounce

pannas *ell* lluosog **panasen**, planhigion â
gwreiddyn tew, bwytadwy tebyg o ran ffurf i
foron gwynion parsnips

pannu *be* [pann•¹⁰] gwlychu a churo brethyn
gwlân er mwyn iddo dynnu ato a thewhau
to full
Sylwch: dyblwch yr 'n' ym mhob ffurf ac
eithrio yn y rhai sy'n cynnwys -*as*-.

pannwl *eg* (panylau)
1 pant bach yn y croen, yn enwedig ar y foch
dimple
2 pant bach yn wyneb rhywbeth dent, hollow

pannwr *eg* (panwyr) un sy'n pannu (gwlân) fuller

pannydd *eg* (panyddion) erfyn crwn neu un
â rhigolau, ar gyfer rhoi ffurf neu siâp arbennig
i haearn fuller

panog *eg* planhigyn â dail melfedaidd a
phigynnau o flodau melyn ac sy'n perthyn i
deulu bysedd y cŵn mullein

panorama *eg* (panoramau)
1 llun mawr sy'n amgylchynu'r gwyliwr
panorama
2 darlun y mae'r gwyliwr yn ei weld rhan
ohono ar y tro wrth iddo gael ei agor o'i flaen
panorama
3 golygfa ddi-dor o dirwedd gyfan panorama

panoramig *ans* yn olygfa ddi-dor o dirwedd
gyfan panoramic

pansi *eg* blodyn bach ag wyneb llydan, gwastad,
lliwgar pansy

panso *be* [pans•¹] cymryd gofal mawr wrth
wneud rhywbeth; ymdrafferthu

pant *eg* (pantiau)
1 rhan o arwynebedd sy'n is na'r hyn sydd o'i
gwmpas; tolc dip, hollow, depression
2 cwm, glyn, dyffryn, *pant a bryn* valley, dell,
dingle
3 fel yn *rwy'n mynd bant am y dydd*, ffurf y De
am i ffwrdd, oddi yma

(chwilio) o bant i dalar (chwilio) ym mhob man to hunt high and low

i'r pant y rhed y dŵr i'r sawl sydd ganddo gyfoeth, eiddo, etc. yn barod, y rhoddir mwy

o bant i bentan ym mhob man posibl everywhere

pantiad *eg* (pantiadau) pant bach, tolc, hic, pannwl dent, indentation

pantio *be* [panti•²] gwneud pant yn rhywbeth, gwneud yn geugrwm; mynd yn geugrwm neu'n bantiog to dent, to sag, to sink

pantiog:pantog *ans*

  1 wedi suddo, wedi pantio, e.e. am fochau neu lygaid; ceugrwm hollow

  2 llawn pantiau; anwastad, clonciog, garw pitted

pantle *eg* (pantleoedd) pant bach, cwm bychan; glyn hollow

pantograff *eg* (pantograffau)

  1 teclyn wedi'i wneud o bedwar bar ar ffurf paralelogram ar gyfer copïo mapiau neu ddiagramau ar unrhyw raddfa a ddymunir pantograph

  2 fframwaith y mae modd ei godi neu ei ollwng a geir ar doeau cerbydau trydan er mwyn derbyn cerrynt o wifrau uchel pantograph

pantomeim *eg* (pantomeimiau) adloniant i'r teulu sy'n cael ei berfformio fel arfer adeg y Nadolig ac sydd, gan amlaf, wedi'i seilio ar chwedl neu stori dylwyth teg pantomime

pantri *eg* (pantrïau) ystafell lle mae bwyd a llestri yn cael eu cadw; bwtri larder, pantry

pantheistaidd *ans* yn perthyn i bantheistiaeth, nodweddiadol o bantheistiaeth pantheistic

pantheistiaeth *eb*

  1 CREFYDD y gred mai'r un yw Duw a'r bydysawd, bod popeth sydd yn bod a Duw yn un pantheism

  2 addoli pob duw, o ba grefydd bynnag, yn ddiwahân pantheism

panther *eg* (pantherod) llewpart, yn enwedig un du heb smotiau panther

panylau *ell* lluosog pannwl

panylog *ans* llawn pantiau neu banylau; pantiog, anwastad, clonciog pitted, dimpled, furrowed

panylu *be* [panyl•¹] suddo yn y canol, pantio to become hollow, to sink in the middle

papier mâché *eg* cymysgedd o bapur a glud sy'n caledu wrth sychu a ddefnyddir i lunio blychau ac addurniadau

papila *eg* (papilâu) ANATOMEG darn bach crwn, ymwthiol ar organ neu ar ran o'r corff papilla

papur *eg* (papurau)

  1 defnydd sy'n cael ei lunio yn ddalennau tenau allan o fân ffibrau o goed neu liain ac a ddefnyddir yn bennaf i ysgrifennu arno, i lapio pethau ynddo neu ar gyfer gorchuddio waliau ystafell paper

  2 defnydd o'r math hwn a ddefnyddir i lunio rhywbeth (megis cwpan, plât, etc.) a fydd yn cael ei ddefnyddio unwaith ac yna'i daflu i ffwrdd, *plât papur* paper

  3 papur newydd, *Mae'r* Cymro *yn bapur da.* paper

  4 cwestiynau arholiad neu'r ateb ysgrifenedig i'r cwestiynau hynny, *Sut beth oedd y papur Cymraeg?* paper

  5 darn ysgrifenedig sydd wedi'i baratoi er mwyn ei gyflwyno i arbenigwyr, neu sydd wedi'i lunio gan grŵp arbennig o bobl; dogfen, *Mae John wedi paratoi papur i'w gyflwyno i gyfarfod nesaf y panel.* paper

arian papur gw. **arian²**

papur arian darn o bapur wedi'i orchuddio â haen denau iawn o fetel lliw arian silver paper

papur bro papur misol Cymraeg (fel arfer) sy'n canolbwyntio ar newyddion ardal arbennig ac sy'n cael ei gynhyrchu a'i ddosbarthu gan wirfoddolwyr local community newspaper

papur dargopïo papur cryf, tryloyw wedi'i wneud ar gyfer dargopïo rhywbeth, e.e. llun neu fap, sy'n cael ei roi oddi tano tracing-paper

papur gwlyb a sych papur sgraffinio y gellir ei ddefnyddio â dŵr neu ireidiau eraill i sandio metelau a phlastigion nad oes modd eu sandio'n sych wet and dry paper

papur gwydrog papur wedi'i orchuddio â gronynnau gwydr i sgraffinio a llyfnhau defnyddiau glasspaper

Papur Gwyn adroddiad swyddogol ar destun arbennig gan lywodraeth y Deyrnas Unedig; mae Llywodraeth Cymru hefyd yn cyhoeddi Papurau Gwyn White Paper

Papur Gwyrdd dogfen ymgynghorol gan y llywodraeth yn cyhoeddi bod newidiadau i bolisi a deddfwriaeth yn bosibl Green Paper

papur llwyd papur tew ar gyfer lapio pethau ynddo brown paper

papur newydd

  1 cyhoeddiad sy'n cynnwys newyddion y dydd, erthyglau a hysbysebion; mae'n cael ei ddosbarthu neu ei werthu i'r cyhoedd yn ddyddiol neu'n wythnosol newspaper

  2 tudalennau o'r papur hwn, *sglodion wedi'u lapio mewn papur newydd* newspaper

papur sidan papur tenau, ysgafn i lapio pethau ynddo tissue paper

papur sugno papur meddal, trwchus sy'n amsugno hylif ac a ddefnyddir i sychu inc gwlyb oddi ar bapur ysgrifennu blotting paper

papur tŷ bach papur at sychu eich hun yn lân yn dilyn ymgarthu toilet paper, toilet tissue

papur tywod papur cryf sydd â haen o dywod ar un ochr ac sy'n cael ei ddefnyddio i rwbio pethau (pren, fel arfer) a'u gwneud yn llyfn sandpaper

p

papur wal papur addurnedig a ddefnyddir i orchuddio waliau ystafell wallpaper
Ymadrodd
  ar bapur rhywbeth (megis syniad, cynllun, etc.) sy'n ymddangos yn iawn wedi'i ysgrifennu i lawr ond nad yw wedi cael ei brofi'n ymarferol, *Mae dy syniad yn edrych yn iawn ar bapur.* on paper

papurach *ell* casgliad o bapurau (dibwys, fel arfer) bumf

papurfrwyn *ell*
  1 math o hesg a oedd yn cael ei ddefnyddio gan yr hen Eifftiaid i wneud papur papyrus
  2 y papur hwn a wnaed gan yr hen Eifftiaid papyrus
  3 dogfen a ysgrifennwyd ar y math hwn o bapur papyrus

papuro *be* [papur•¹] gludio papur wrth wal adeilad er mwyn ei haddurno to paper, to wallpaper

papurwr *eg* (papurwyr)
  1 un sy'n gwneud papur papermaker
  2 un sy'n hongian papur wal wallpaper hanger

papuryn *eg* (paprynnau) darn bach o bapur; pamffled paper, piece of paper

Papŵad *eg* (Papwaid) brodor o Papua Guinea Newydd Papuan

Papŵaidd *ans* yn perthyn i Papua Guinea Newydd, nodweddiadol o Papua Guinea Newydd Papuan

papws *eg* BOTANEG y manblu a geir am ffrwythau rhai mathau o blanhigion, e.e. dant y llew, sy'n gymorth i wasgaru'r hadau pappus

pâr¹ *eg* (parau:peiri)
  1 dau beth sy'n debyg iawn i'w gilydd ac sydd wedi'u gwneud i'w defnyddio neu i fod gyda'i gilydd, *pâr o esgidiau, pâr o fenig* pair
  2 rhywbeth ac iddo ddwy ran sydd wedi'u cysylltu â'i gilydd, *pâr o drowsus* pair
  3 cwpwl sy'n gariadon; dau berson a chysylltiad agos rhyngddynt pair, couple
  4 (mewn gêm o gardiau) dau gerdyn o'r un gwerth ond o deuluoedd gwahanol pair

pâr² *bf* [peri] gorchymyn i ti beri

para *be* [parha•¹⁴ 3 un. pres. pery/parha]
  1 (am broses, gweithgaredd neu gyflwr) mynd ymlaen am gyfnod o amser, *Bydd y cyfweliad yn para am hanner awr.* (~ am) to last
  2 (am beiriant, offer, etc.) bod o ddefnydd neu barhau i weithio am gyfnod hir, *Mae'r esgidiau 'ma wedi para'n dda.*; goroesi to last
  3 bod yn ddigon, *Bydd y bwyd yn para tan ddydd Gwener.* to last
  4 dal ati, *Wnaiff e ddim para tan y bore.*; goroesi to last, to survive

para- *rhag* ar wahân i (rywbeth) ond yn rhannu rhai o'r nodweddion, e.e. *parafeddygol, paragyfreithiol, parafilwrol*; lled- para-

Sylwch: nid yw 'para' + cyfaddasiad o air Saesneg yn achosi treiglad yn yr ail elfen, e.e. *paramagnetedd.*

parabl *eg* mynegiant llafar, llif geiriau; iaith, lleferydd utterance

parablu *be* [parabl•³] siarad (gyda'r awgrym o siarad yn hir ac yn gyflym am bethau dibwys); llefaru, sgwrsio, traethu to prattle, to talk

parablus *ans* chwannog i barablu; llafar, siaradus, tafodrydd chattering

parablwr *eg* (parablwyr) un sy'n parablu chatterbox

parabola *eg* (parabolâu) MATHEMATEG cromlin ddau ddimensiwn a lunnir gan bwynt symudol sydd gytbell o bwynt sefydlog a llinell sefydlog; cromlin gonig y mae ei hechreiddiad yn hafal i 1 parabola

parabolig *ans* ar ffurf parabola parabolic

paradeim *eg* (paradeimau)
  1 patrwm, model neu enghraifft nodweddiadol o rywbeth paradigm
  2 gorolwg eang sydd wrth wraidd theorïau neu fethodoleg unrhyw wyddor paradigm

paradocs *eg* (paradocsau)
  1 ymadrodd sydd fel petai'n ei wrth-ddweud ei hun er mwyn pwysleisio rhyw wirionedd, e.e. 'Nes na'r hanesydd at y gwir di-goll/Ydyw'r dramodydd, sydd yn gelwydd oll.' paradox
  2 ymadrodd sy'n ymddangos yn synhwyrol ond nid yw felly, e.e. Dywedodd Cymro, 'Mae pob Cymro yn gelwyddgi.' Felly os yw'r Cymro hwn yn dweud y gwir am 'bob Cymro', mae'n dweud celwydd. Os yw'n dweud celwydd, yna mae ei honiad am 'bob Cymro' yn wir!; gwrthebiaeth paradox
  3 rhywun neu rywbeth sy'n gyfuniad o nodweddion neu briodoleddau gwrthgyferbyniol paradox

paradocsaidd *ans* o natur paradocs paradoxical

paradwys *eb*
  1 lle bendigedig; gwynfa, gwynfyd, nefoedd paradise
  2 Gardd Eden paradise

paradwysaidd *ans* tebyg i baradwys; gwynfydedig, nefolaidd heavenly

paraf *bf* [peri] *ffurfiol* rwy'n peri; byddaf yn peri

parafeddyg *eg* (parafeddygon) un wedi'i hyfforddi i wneud elfennau o waith meddyg, yn enwedig cymorth cyntaf ar adeg o argyfwng, ond sydd heb ennill cymwysterau llawn meddyg paramedic

parafeddygol *ans* yn ymwneud â gwaith neu gymwysterau parafeddyg paramedical

parafilwrol *ans* wedi'i sefydlu ar batrwm milwrol, yn dilyn patrwm milwrol paramilitary

paraffernalia *ell*
  1 taclau neu offer amrywiol; geriach, trugareddau paraphernalia

2 *hanesyddol* gwaddol priodferch, a'r eiddo y gallai ddod ag ef gyda hi, a oedd yn eiddo personol iddi hi paraphernalia

paraffîn *eg* math o olew a ddefnyddir yn danwydd ac a geir o ddistyllu petroliwm; cerosin paraffin

paragraff *eg* (paragraffau) rhaniad mewn darn ysgrifenedig (neu brintiedig) yn cynnwys un neu ragor o frawddegau; mae ei air cyntaf ar linell newydd ac, yn aml, wedi'i osod ychydig yn nes i mewn na gweddill y testun paragraph

Paragwaiad *eg* (Paragwaiaid) brodor o Paraguay Paraguayan

Paragwaiaidd *ans* yn perthyn i Paraguay, nodweddiadol o Paraguay Paraguayan

paralacs *eg* SERYDDIAETH y gwahaniaeth ymddangosiadol rhwng safle'r un corff pan edrychir arno o ddau fan nad ydynt ar linell syth â'r corff, yn enwedig y gwahaniaeth yn safle corff wybrennol wrth ei fesur o ddau bwynt cyferbyn, ar orbit y Ddaear o amgylch yr Haul parallax

paralel[1] *ans* MATHEMATEG am ddwy neu ragor o linellau cyfochrog, neu ddau neu ragor o blanau cyfochrog sy'n cadw'r un pellter oddi wrth ei gilydd parallel

paralel[2] *eg* (paralelau) llinell gyfochrog, llinell baralel parallel

paralel lledred DAEARYDDIAETH llinell ddychmygol o amgylch y Ddaear sy'n gyfochrog â'r cyhydedd parallel of latitude

paralelogram *eg* (paralelogramau) MATHEMATEG pedrochr y mae ei ddau bâr o ochrau cyferbyn yn baralel parallelogram

Paralympaidd *ans* yn gysylltiedig â'r Gêmau Paralympaidd Paralympic

paramagnetedd *eg* priodoledd sylwedd sy'n gallu cael ei fagneteiddio i ryw raddau paramagnetism

paramedr *eg* (paramedrau)
1 ffactor sy'n cyfyngu neu'n gosod ffin ar (weithgarwch) parameter
2 MATHEMATEG cysonyn newidiol y mae ei werth yn nodweddiadol o deulu o bethau, e.e. cromliniau sy'n perthyn i'w gilydd parameter

paranoia *eg*
1 SEICIATREG patrwm o ymddygiad a meddwl sy'n amau cymhellion a gweithredoedd pobl eraill paranoia
2 tuedd afresymol i ddrwgdybio pawb paranoia

paranoid *ans* yn dioddef o baranoia, wedi'i achosi gan baranoia paranoid

paraplegia *eg* MEDDYGAETH parlys hanner gwaelod y corff yn cynnwys y ddwy goes paraplegia

paraplegig *ans* MEDDYGAETH yn ymwneud â pharaplegia, yn dioddef o baraplegia paraplegic

paraseicoleg *eb* astudiaeth o ffenomenau seicolegol, e.e. telepathi neu hypnosis, na ellir eu hegluro'n wyddonol parapsychology

parasit *eg* (parasitiaid) organeb sy'n byw ar organeb arall neu y tu mewn iddi ac sy'n cael maeth ar draul yr organeb letyol parasite

parasitig *ans* yn ymddwyn fel parasit, yn ymwneud â pharasitau parasitic

parasiwt *eg* (parasiwtiau) cyfarpar sy'n debyg (pan fydd ar agor) i ymbarél mawr; fe'i defnyddir i ollwng pobl neu bethau yn ddiogel o awyren parachute

parasiwtio *be* [parasiwti•[2]] disgyn gan ddefnyddio parasiwt to parachute

paratoad *eg* (paratoadau) y gwaith o baratoi ar gyfer rhywbeth sy'n mynd i ddigwydd; arlwy, darpariaeth preparation

paratoadol:paratoawl *ans* yn paratoi, wedi'i wneud ymlaen llaw preparatory

paratôdd *bf* [paratoi] gwnaeth ef/hi baratoi

paratoesom *bf* [paratoi] gwnaethom ni baratoi

paratoi *be* [parato•[17]]
1 gwneud, neu roi, yn barod i ryw bwrpas; arlwyo, darparu, hulio, hwylio (~ am; ~ ar gyfer) to prepare
2 darparu neu hyfforddi i weithredu mewn ffordd arbennig; paratoi plentyn, drwy gyfrwng y Rhyngrwyd, ar gyfer cyfarfod lle y bwriedir cyflawni trosedd rhywiol to groom

paratöwr *eg* (paratowyr) un sy'n paratoi preparer

parathyroid *eg* ANATOMEG un o bedair chwarren fach yn ymyl y thyroid sy'n secretu hormon sy'n rheoli lefelau calsiwm yn y corff parathyroid

parau *ell*
1 lluosog **pâr**
2 gêm rhwng dau bâr o chwaraewyr doubles
3 gêm gardiau lle mae set o gardiau'n cael ei gosod wyneb i waered ar fwrdd; nod y gêm yw dod o hyd i gynifer ag sy'n bosibl o barau o gardiau sy'n cyfateb pairs

paraymatebol *ans* FFISIOLEG yn ymwneud â'r rhan o'r system nerfol awtonomig yn cynnwys nerfau yn deillio o'r ymennydd a rhan isaf madruddyn y cefn sy'n cyflenwi'r organau mewnol, y pibellau gwaed a'r chwarennau parasympathetic

parc *eg* (parcau:parciau)
1 gardd a/neu faes chwarae at ddefnydd y cyhoedd park
2 darn eang o dir o gwmpas plasty park
3 *tafodieithol* cae, dôl, gwaun, gweirglodd, maes field

parc adwerthu datblygiad siopa ar gyrion tref neu ddinas sydd, fel arfer, yn cynnwys llawer o siopau cadwyn mawr retail park

parc cenedlaethol ardal a ddynodwyd gan y llywodraeth ac sy'n cael ei gwarchod

p

dan amodau cyfres o ddeddfau cefn gwlad oherwydd ei phrydferthwch naturiol a'r bywyd gwyllt a'r olion hanesyddol sydd ynddi; Eryri, Arfordir Penfro a Bannau Brycheiniog yw parciau cenedlaethol Cymru national park

parc gwledig darn o dir o gwmpas plasty, yn aml, sydd wedi'i gau i mewn ac sydd ar agor i'r cyhoedd country park

parc thema parc pleser ag un thema ganolog theme park

parcdir *eg* (parcdiroedd) tir agored â chlystyrau o goed a phrysgwydd wedi'u tyfu'n fwriadol i wneud parc parkland

parcio:parco *be* [parci•²]
1 gadael cerbyd am beth amser to park
2 eistedd neu eich gosod ei hun yn barod i dreulio cyfnod o amser, *Mae e wedi'i barcio ei hun yn yr unig sêt gyfforddus sydd yma.* to park

parch *eg*
1 enw da, teimlad o edmygedd tuag at rywun oherwydd y pethau y mae wedi'u gwneud, *Nid wyf yn hoffi'r dyn ond mae gennyf lawer o barch tuag ato a'r hyn y mae wedi'i gyflawni.*; edmygedd, gwerthfawrogiad respect, esteem, veneration
2 sylw, gofal, *Does ganddo ddim parch at y gyfraith.* respect

dillad parch gw. dillad

Parch.:Parchg *byrfodd* talfyriad o *Parchedig*, teitl a ddefnyddir o flaen enw gweinidog yr efengyl Revd
Sylwch: yr arfer yw defnyddio 'y' o flaen 'Parch.' a 'Parchedig'.

parchedicach:parchedicaf:parchediced *ans* [parchedig] mwy parchedig; mwyaf parchedig; mor barchedig

parchedig *ans* [parchedic•] (parchedigion) y teitl a roddir i weinidog, offeiriad neu esgob reverend
Sylwch: yr arfer yw defnyddio 'y' o flaen 'Parch.' a 'Parchedig'.

y Gwir Barchedig CREFYDD y ffordd o gyfarch deon eglwysig the Very Reverend
Ymadrodd

parchedig ofn gw. ofn

parchedigion *ell*
1 gweinidogion ordeiniedig ministers
2 pobl barchedig

Parchg gw. Parch.

parchu *be* [parch•³ 3 un. pres. peirch/parcha] teimlo neu ddangos parch; edmygu, gwerthfawrogi, mawrygu to respect, to revere, to venerate

parchus *ans* [parchus•] (parchusion) yn haeddu parch, yn dangos parch; anrhydeddus, urddasol respectable, respectful

parchus o fe'i defnyddir i ddwysáu ystyr ansoddair, *Roedd y neuadd yn barchus o lawn.*

parchusion *ell* pobl barchus the respectable

parchuso *be* [parchus•¹] mynd neu wneud yn barchus to make respectable

parchusrwydd *eg* y cyflwr o fod yn barchus, o fod â chymeriad a safonau sy'n cael eu derbyn gan y gymdeithas yn gyffredinol respectability

parchwr *eg* (parchwyr) un sy'n parchu respecter

pardwn *eg* (pardynau) gweithred gan lys barn neu frenin yn maddau i rywun am dorri'r gyfraith, naill ai drwy faddau'r weithred neu drwy benderfynu peidio â'i gosbi am y drosedd; gollyngdod, maddeuant, rhyddhad pardon

pardynwr *eg* (pardynwyr) CREFYDD math o bregethwr yn yr Oesoedd Canol a werthai faddeuebau er mwyn codi arian at achosion da pardoner

parddu *eg* llwch neu bowdr du sy'n cael ei ffurfio pan fydd rhywun yn llosgi coed, glo, olew, etc., ac sy'n ymgasglu y tu mewn i simneiau; huddygl grime, smut, soot

pardduo *be* [parddu•¹]
1 dweud neu ysgrifennu pethau drwg a chas am rywun, lladd ar (rywun); athrodi, difenwi to blacken, to malign
2 gorchuddio â pharddu to blacken

parddüwr *eg* (pardduwyr) un sy'n pardduo, difenwr maligner, vilifier

pared *eg* (parwydydd) wal, mur (o fewn tŷ, fel arfer); gwahanfur, palis, rhaniad wall, partition

am y pared (â rhywun neu rywbeth) yr ochr arall i'r wal the other side of the wall

rhyngot ti a mi a'r pared yn gyfrinachol between these four walls, between you, me and the gatepost

parêd *eg* (paredau) ymgynnull ffurfiol aelodau o'r lluoedd arfog o flaen un o'u huchel swyddogion; gorymdaith parade

paredio *be* [paredi•²]
1 *anffurfiol* gorymdeithio'n drefnus, martsio yn orymdaith to parade
2 *anffurfiol* gwneud sioe, arddangos mewn ffordd hunandybus to parade

paredd *eg* (pareddau) MATHEMATEG priodwedd cyfanrif, pa un ai a yw'n odrif neu'n eilrif, *Mae 3 a 7 o'r un paredd.* parity

parencyma *eg*
1 BOTANEG y meinwe cellog a geir yn rhannau meddalach dail, gwreiddiau a mwydion ffrwythau parenchyma
2 ANATOMEG meinwe gweithredol organ yn hytrach na'i feinwe cyswllt neu gynhaliol parenchyma

par excellence *ans* mwy na neb; anad dim

parhad *eg*
1 y weithred o barhau neu o ddal ati; hirhoedledd continuation

2 stori (mewn llyfr, cylchgrawn neu ffilm) sy'n dilyn hynt yr un cymeriadau ag a gafwyd mewn stori flaenorol, *Parhad sydd yma o'r stori ar dudalen 10.*; dilyniant, ychwanegiad sequel
3 para, traul, *Faint o barhad fydd i'r sgidiau newydd yma, wn i ddim.* durability, wear
parhaf *bf* [parhau] rwy'n parhau; byddaf yn parhau
parhaol *ans*
1 yn parhau am byth neu am amser hir; tragwyddol permanent, lasting
2 di-baid, heb ball, di-fwlch perpetual, continuous
3 anniflanedig, di-draul, diddarfod, *Mae'r sgidiau plastig newydd yma i fod yn fwy parhaol na'r hen rai.* durable
parhau:para *be* [parha•[14] 3 *un. pres.* pery/parha]
1 mynd yn ei flaen heb doriad, *Bydd y sylwebaeth yn parhau drwy gydol y gêm.* (~ **am**; ~ *rhywun* **yn**) to continue
2 dal ati i wneud rhywbeth heb doriad, *Bydd y llywodraeth yn parhau i gefnogi llenyddiaeth Cymru.* to continue
3 ailgychwyn, *Bydd y cyngerdd yn parhau ar ôl yr egwyl.* to continue
parhaus *ans* yn mynd rhagddo am amser hir ond gydag ysbaid o bryd i'w gilydd; arhosol, bythol, diddarfod, gwastadol continuous, continuing, sustained
pario *be* [pari•[2]] troi (ergyd o ryw fath, e.e. wrth ymladd â chleddyfau) i'r naill ochr to parry
parion *ell* darnau o rywbeth wedi'i blicio, wedi'i bilio; creifion, naddion peelings, parings
Parisaidd *ans* yn perthyn i Baris, nodweddiadol o Baris Parisian
Parisiad *eg* (Parisiaid) dinesydd Paris Parisian
parlwr *eg* (parlyrau) ystafell eistedd; cegin orau parlour
parlys *eg* MEDDYGAETH clefyd sy'n peri colli rheolaeth ar rai neu ar y cyfan o gyhyrau'r corff paralysis, palsy
parlys un ochr hemiplegia; parlys un ochr i'r corff hemiplegia
parlys ymledol MEDDYGAETH clefyd cronig, cynyddol lle y ceir niwed i bilen fyelin yr edafedd nerf yn yr ymennydd a madruddyn y cefn; mae'r symptomau'n cynnwys diffyg teimlad, lludded difrifol, diffyg cydsymud cyhyrol, a nam ar y lleferydd a'r golwg; sglerosis ymledol MS, multiple sclerosis
parlys yr ymennydd MEDDYGAETH cyflwr sy'n amharu ar y gallu i reoli defnydd o'r cyhyrau; fe'i hachosir gan niwed i'r ymennydd cyn neu yn ystod geni plentyn cerebral palsy
parlysol *ans* yn parlysu, yn merwino paralysing, paralytic
parlysol o fe'i defnyddir i ddwysáu ystyr ansoddair, *parlysol o oer.*

parlysu *be* [parlys•[1]] achosi i gyhyrau'r corff sythu fel nad oes modd eu symud, neu beri colli rheolaeth ar y cyhyrau; achosi i fod yn ddiymadferth; fferru to paralyse
parod *ans* [parot•]
1 am rywbeth sydd wedi cael ei baratoi ac sy'n addas; didrafferth ready
2 am rywun sy'n awyddus, sydd am wneud rhywbeth, *Chwarae teg, mae hi bob amser yn barod i helpu.*; bodlon, cymwynasgar, ewyllysgar ready, willing, obliging
3 cyflym, ffraeth, *ateb parod* quick, prompt, ready
4 COGINIO am fwyd wedi'i goginio ymlaen llaw a'i rewi neu ei oeri instant, ready, takeaway
yn barod erbyn neu cyn rhyw amser penodol, *Er i ni gyrraedd yn gynnar, roedd y lleill yno yn barod.*; eisoes already
parodi *eg* (parodïau) dynwarediad o waith adnabyddus (yn enwedig gwaith gan lenor neu gerddor enwog) sy'n gorbwysleisio rhai pethau er mwyn bod yn ddoniol neu'n ddychanol parody
parodïo *be* [parodï•[8]] creu parodi to parody
Sylwch: does dim angen didolnod pan fydd dwy 'i' yn dilyn ei gilydd, *parodiir.*
parodïol *ans* o natur parodi
parodïwr *eg* (parodiwyr) un sy'n ysgrifennu parodïau parodist
parod i'w wisgo *ans* GWNIADWAITH (am ddilledyn dylunydd) yn cael ei werthu i'w wisgo'n syth yn hytrach nag yn cael ei wneud i ffitio off the peg
parodrwydd *eg* y cyflwr o fod yn barod, yn awyddus; awydd, bodlonrwydd readiness, amenability
parôl *eg* y weithred o ollwng carcharor yn rhydd, yn amodol, cyn diwedd ei ddedfryd parole
parot *eg* (parotiaid) aderyn mawr o'r trofannau a chanddo big fachog gref a phlu lliwgar; mae ganddo lais aflafar ac mae rhai mathau'n gallu dynwared y llais dynol parrot
parotach:parotaf:paroted *ans* [parod] mwy parod; mwyaf parod; mor barod
parrog *eg*
1 traethell hir o raean a thywod neu wastadedd arfordirol wedi'i greu gan y môr bank of pebbles and sand, coastal lowland
2 promenâd, rhodfa'r môr promenade
parsel *eg* (parseli)
1 rhywbeth wedi'i lapio mewn papur ac wedi'i glymu neu ei sicrhau mewn rhyw ffordd arall fel bod modd ei bostio neu ei gludo; bwndel, paced, pecyn, sypyn parcel
2 darn o dir parcel
parselu *be* [parsel•[1]] lapio mewn parsel, gwneud parsel o (rywbeth) to parcel
Parsi *eg* (Parsïaid) CREFYDD un o ddilynwyr crefydd Soroastriaeth a ddihangodd o wlad Persia i Bengal yn India Parsee

parti *eg* (partïon)

1 grŵp o bobl sy'n dod at ei gilydd i greu adloniant (canu, dawnsio, etc.), *parti cerdd dant, parti o blant ysgol*; criw, cwmni party
2 achlysur arbennig pan fydd grŵp o bobl wedi cael eu gwahodd i fwynhau lluniaeth ac adloniant gyda'i gilydd, *parti pen blwydd*; dathliad, gwledd, hwyl party

partisán *eg* (partisaniaid) aelod o grŵp cudd sy'n ymladd y tu ôl i linellau'r gelyn; herwfilwr partisan

partner *eg* (partneriaid)

1 unrhyw un o berchenogion busnes sy'n rhannu elw neu golled y busnes partner
2 ffrind neu gydymaith, *Mae hen bartner imi yn y gwaith yn galw heibio fory.* mate, partner
3 un o bâr neu gwpl, yn enwedig ar gyfer dawnsio neu chwarae gêm, *'Pawb i chwilio am bartner,' meddai'r athrawes.* partner
4 un person mewn perthynas lle mae cwpl yn rhannu eu bywyd ond heb briodi partner

partneriaeth *eb* (partneriaethau)

1 y berthynas rhwng dau neu ragor o bartneriaid, sef y rhai sydd wedi cytuno i rannu elw a cholled busnes rhyngddynt ar ôl buddsoddi eu harian i sefydlu'r busnes partnership
2 unrhyw berthynas lle mae dau neu ragor wedi cytuno i rannu dyletswyddau, cyfrifoldeb, etc. associateship, partnership

partneriaeth sifil uniad, sy'n cael ei gydnabod yn gyfreithlon, rhwng dau berson o'r un rhyw civil partnership

parth *eg* (parthau)

1 ardal, rhan o'r wlad, yn enwedig un â nodweddion arbennig; ardal, bro, cylch, rhanbarth district, domain, zone
2 CYFRIFIADUREG is-set benodol o'r Rhyngrwyd lle mae cyfeiriadau'n rhannu'r un ôl-ddodiad domain
3 FFISEG ardal arwahanol o fagnetedd mewn defnydd fferomagnetig domain
4 BIOCEMEG ardal arwahanol mewn moleciwl neu adeiledd cymhlyg domain
5 BIOLEG categori uchaf dosbarthiad tacsonomaidd sy'n seiliedig ar ddadansoddi deunydd genetig organeb domain
6 MATHEMATEG y set o werthoedd posibl sydd gan newidyn neu newidynnau annibynnol ffwythiant penodol, *Parth y ffwythiant y = 1/x yw pob rhif ar wahân i sero.* domain

parthed *ardd* hen ffasiwn ynglŷn â, mewn perthynas â, *A gaf fi air parthed y cyfarfod nos yfory?*; ynghylch concerning, regarding

paru *be* gosod at ei gilydd neu fynd at ei gilydd i greu pâr; cyplu (~ *rhywun/rhywbeth* â) to pair, to match

    Sylwch: nid yw'r ferf hon yn arfer cael ei rhedeg.

parwyden *eb* (parwydennau) ANATOMEG mur, yn enwedig gwahanfur rhwng dwy bilen neu ddau ddarn o feinwe y tu mewn i'r corff partition, septum

parwydol *ans* ANATOMEG yn ymwneud â muriau ceudodau y tu mewn i'r corff, e.e. *cell barwydol* parietal

parwydydd *ell* lluosog **pared**

pas *eg* MEDDYGAETH ('y pas') clefyd (plant, fel arfer) lle mae pob pwl o beswch yn cael ei ddilyn gan sugniad o anadl i'r ysgyfaint whooping cough

pàs[1] *eb* (pasiau) (mewn gêmau pêl) y weithred o drosglwyddo'r bêl i aelod arall o'r un tîm â chi pass

pàs ymlaen mewn rhai gêmau, rhaid i bàs wyro yn ôl tuag at y derbynnydd; mae pàs sydd o'i flaen yn anghyfreithlon forward pass

pàs[2] *eb* fel yn *cael pàs*, cael taith rad ac am ddim mewn cerbyd; lifft lift

pasbort *eg* (pasbortau) dogfen swyddogol gan lywodraeth yn cadarnhau pwy yw rhywun; mae'n tystio i'w ddinasyddiaeth wrth iddo adael a dychwelyd i'w wlad, ac yn gwarchod y teithiwr ar sail ei ddinasyddiaeth passport

pascal *eg* (pascalau) FFISEG yr uned safonol ryngwladol ar gyfer mesur gwasgedd, yn cyfateb i un newton i bob metr sgwâr; Pa pascal, Pa

Pasg *eg* (Pasgau) yr wŷl grefyddol (ym Mawrth neu Ebrill) pan fydd Cristnogion yn cofio am groeshoeliad Iesu Grist ac yn dathlu ei atgyfodiad Easter

pasgedig *ans* am anifail sydd wedi cael ei besgi neu ei dewhau ar gyfer ei ladd, *llo pasgedig*; bras, tew fattened, fatted

pasiant *eg* (pasiantau) math o ddrama neu sioe lle mae cwmni mawr o chwaraewyr yn cyflwyno darnau o hanes ardal neu wlad; gorymdaith, sioe pageant

pasiffistiaeth *eb* heddychiaeth; gwrthwynebiad i ryfel neu i drais fel ffordd o ddatrys anghydfod; gwrthodiad i ddwyn arfau ar seiliau crefyddol neu foesol pacifism

pasio *be* [pasi•[2]]

1 mynd ymlaen, *Nid oedd y car yn gallu pasio oherwydd y dorf.*; goddiweddyd (~ **heibio**) to pass
2 cyrraedd a mynd heibio; goddiweddyd, *Roedd y car yn teithio dros 70 milltir yr awr pan basiodd e ni.* to overtake, to pass
3 rhoi, estyn, *Pasiwch y bara, os gwelwch yn dda.* to pass
4 (mewn gêmau pêl) taro, cicio neu daflu'r bêl i chwaraewr arall (ar yr un ochr â chi) to pass
5 llwyddo mewn arholiad (o'i gyferbynnu â methu) to pass

6 derbyn, cymeradwyo, *Allaf i ddim pasio'r gwaith yma – mae'n ofnadwy.* to pass

7 (mewn rhai gêmau) dewis peidio â chymryd tro to pass

8 cytuno'n ffurfiol, derbyn yn swyddogol, *Pasiwyd Deddf Addysg newydd yn 1987. Pasiodd y pwyllgor y dylid rhoi £5.00 yr un i'r plant.* to pass

pasio amser gwneud rhywbeth er mwyn i'r amser fynd heibio'n gyflymach, *Rwy'n darllen llawer – mae'n help i basio'r amser.* to pass the time

pasio dŵr piso

passé *ans* ar ei hôl hi

passim *adf* (am gyfeiriadau) wedi'u lleoli drwy'r llyfr neu'r erthygl

past *eg* (pastau)
1 glud tenau a ddefnyddir i ludio papur wal paste
2 unrhyw gymysgedd gwlyb, meddal sy'n hawdd ei daenu neu ei fowldio paste
3 bwyd wedi'i falu'n fân a'i baratoi i'w daenu ar fara paste

past dannedd sylwedd a ddefnyddir i lanhau'r dannedd, sebon dannedd toothpaste

pasta *eg* bwyd (Eidalaidd yn draddodiadol) wedi'i wneud o does o flawd a dŵr mewn amrywiaeth o siapiau ac a ddefnyddir yn ffres neu wedi'i sychu pasta

pastai *eb* (pasteiod) casyn a chlawr o does neu grwst a'i lond o gig neu ffrwythau; mae'n cael ei choginio fel arfer mewn dysgl ddofn; (cymharer â tharten nad yw mor ddwfn â phastai) pie, pasty

pasteiwr *eg* (pasteiwyr) cogydd gwneud pasteiod, tartenni, etc. pastry cook

pastel *eg* (pasteli)
1 creon arlunio wedi'i wneud drwy gymysgu powdr lliw â gwm pastel
2 un o nifer o liwiau golau iawn pastel

pasteuredig *ans* wedi'i basteureiddio pasteurized

pasteureiddiad *eg* y broses o basteureiddio pasteurization

pasteureiddio *be* [pasteureiddi•²] gwresogi (llaeth yn enwedig) mewn ffordd sy'n lladd rhai bacteria niweidiol; mae'n dod o enw'r gwyddonydd o Ffrainc, Louis Pasteur (1822–95), a ddatblygodd y broses to pasteurize

pastio *be* [pasti•²] taenu glud tenau ar hyd rhywbeth; gludio â phast (~ *rhywbeth* **wrth**) to paste

pastwn *eg* (pastynau)
1 darn praff o bren sy'n dewach ar un pen na'r llall ac a ddefnyddir fel arf; clwpa, cnwpa club, cudgel, bludgeon
2 un o'r ffyn arbennig a ddefnyddir i fwrw'r bêl mewn gêm o golff; clwb club

pastynfardd *eg* (pastynfeirdd) bardd heb ddawn, bardd talcen slip, bardd bol clawdd, bardd cocos poetaster

pastynu *be* [pastyn•¹] taro â phastwn; cledro, curo, ffonodio, hemo to club, to cudgel

Patagonaidd *ans* yn perthyn i Batagonia (Y Wladfa), nodweddiadol o Batagonia Patagonian

Patagoniad *eg* (Patagoniaid) brodor o Batagonia Patagonian

pâté *eg* past tew sawrus wedi'i wneud o gynhwysion sydd wedi'u malu'n fân, yn enwedig cig neu bysgod pâté

patent *eg* (patentau) CYFRAITH hawl ffurfiol a roddir am gyfnod penodol i ddyfeiswyr er mwyn sicrhau mai nhw yn unig sy'n cael llunio, gwerthu a marchnata'r ddyfais patent

patina *eg*
1 rhwd gwyrdd ar gopr a ystyrir yn hardd patina
2 sglein dwfn ar bren sy'n deillio o gyfnod hir o ofal a gloywi patina
3 afliwiad neu haenen denau ar wyneb creigiau a hindreuliwyd yn gemegol patina

patio¹ *be* [pati•²]
1 taro'n ysgafn mewn ffordd gyfeillgar neu'n ganmoliaethus neu er mwyn ceisio lleddfu, rhoi da to pat
2 gwastatáu, llyfnhau, neu osod rhywbeth yn ei le to pat

patio² *eg*
1 llawr wedi'i balmantu yn ymyl tŷ patio
2 cwrt mewnol heb do mewn tŷ Sbaenaidd patio

patriarch *eg* (patriarchiaid)
1 hen ŵr sy'n cael ei barchu'n fawr patriarch
2 (yn y Beibl) tadau cynnar yr Hebreaid megis Abraham, Isaac a Jacob patriarch
3 CREFYDD esgob yn yr Eglwys Gatholig Rufeinig sydd nesaf at y Pab patriarch
4 esgob yn yr Eglwys Gristnogol fore neu yn yr Eglwys Ddwyreiniol patriarch

patriarchaeth *eb* cyfundrefn gymdeithasol yn seiliedig ar rôl y tad fel pennaeth y llwyth neu'r teulu gyda'r wraig a'r plant yn gyfreithiol ddarostyngedig i'r tad, gan olrhain achau ac etifeddiaeth drwy linach y tad patriarchy

patriarchaidd *ans* tebyg i batriarch, nodweddiadol o batriarch patriarchal

patrôl *eg* (patrolau)
1 y gwaith o fynd o gwmpas (ardal, adeilad, etc.) i gadw gwyliadwriaeth, i sicrhau diogelwch, neu i gynorthwyo pobl patrol
2 person neu grŵp sy'n gwneud y gwaith hwn (fel arfer milwyr, heddlu, swyddogion, etc.) patrol
3 grŵp o sgowtiaid yn cynnwys 6–8 aelod patrol

patrolio *be* [patroli•²] bod ar batrôl to patrol
Sylwch: nid yw'r ferf hon yn arfer cael ei rhedeg.

patronymig *ans* (am enw) wedi'i ffurfio o enw'r tad neu hynafiad, fel arfer, gan ddefnyddio

p

ffurf megis *ap* yn Gymraeg neu *mac* yn yr
Alban patronymic

patrwm *eg* (patrymau)
1 trefn arbennig sy'n cael ei hailadrodd er
mwyn creu addurn pattern
2 y ffordd y mae rhywbeth yn datblygu neu
yn gweithio tuag at ryw ddiben, *Ar ôl astudio
ei holl waith hyd yn hyn, rwy'n credu bod
patrwm yn dechrau ymddangos.* pattern
3 llun neu ffurf a ddefnyddir yn ganllaw wrth
greu neu wneud rhywbeth, *Gofalwch eich bod
yn dilyn y patrwm neu fydd y darnau ddim
yn ffitio'n iawn.*; eglureb, enghraifft, esiampl,
model pattern
4 cyfarwyddiadau ar gyfer gwau neu grosio
rhywbeth pattern
5 esiampl ragorol, *Roedd ei fywyd yn batrwm
inni i gyd.* example, pattern

patrymedd *eg*
1 patrwm cyson o ddigwyddiadau neu o
weithredoedd, e.e. glaw tymhorol pattern
2 DAEARYDDIAETH newid tymhorol cyson mewn
rhewlif neu gorff arall o iâ, lle mae'n cynyddu
o ganlyniad i eira neu law, neu'n lleihau drwy
feirioli regime

patrymlun *eg* (patrymluniau) patrwm, mowld,
ffurf, e.e. darn tenau o blastig, yn amlinellu
siâp yr hyn y mae angen ei ffurfio ac y gellir ei
ddilyn er mwyn creu patrwm cyson; templed
template

patrymog *ans* a phatrwm arno patterned

patrymu *be* [patrym•¹] gwneud neu ffurfio
patrwm neu batrymau to pattern

pathetig *ans* truenus, gresynus pathetic
pathetig o fe'i defnyddir i ddwysáu ystyr
ansoddair, *pathetig o wael*

pathew *eg* (pathewod) cnofil bach tebyg i
lygoden sydd â chynffon flewog; mae'n byw
yn fforestydd Affrica ac Ewrop ac mae rhai
mathau'n treulio cyfnodau hir yn gaeafgysgu
dormouse

pathogen *eg* (pathogenau) MEDDYGAETH microb
sy'n achosi clefyd pathogen

pathogenig *ans* MEDDYGAETH yn ymwneud â
phathogenau, wedi'i achosi gan bathogenau,
nodweddiadol o bathogenau pathogenic

patholeg *eb* MEDDYGAETH astudiaeth wyddonol
o glefydau'r corff pathology

pathologol *ans*
1 MEDDYGAETH yn ymwneud â phatholeg
pathological
2 wedi'i achosi gan glefyd pathological

patholegydd *eg* (patholegwyr) un sy'n arbenigwr
mewn patholeg, sy'n dehongli'r newidiadau a
achosir gan glefydau i feinweoedd y corffyn ac
sy'n cyflawni archwiliad post-mortem er mwyn
pennu achos marwolaeth pathologist

pathos *eg* (mewn llenyddiaeth neu waith celf)
arddull neu ansawdd sy'n ennyn cydymdeimlad
neu dristwch pathos

pau *eb* (peuoedd) *hynafol* gwlad, bro, *'i'r bur hoff
bau'* land

paun *eg* (peunod) ceiliog rhywogaeth o adar
lliwgar, addurnedig, sydd â chynffon hir a
phatrwm trawiadol o hardd arni pan fydd ar
agor peacock

pawb *ell* pob un person, y bobl i gyd, pob copa
walltog; pobun everybody, everyone
Sylwch: mewn rhai hen ymadroddion mae
'pawb' yn unigol, e.e. *pawb at y peth y bo*;
rhydd i bawb ei farn.
o bawb y syndod fod ef/hi/nhw o bob un yn
gwneud rhywbeth of all people
pawb â'i farn gw. barn
pawb â'i fys lle bo'i ddolur gw. bys
pawb a'i wraig pob un posibl the world and
his wife
pawb at y peth y bo mae gan bob un ddawn
neu ddiddordeb arbennig each to his own

pawen *eb* (pawennau) troed anifail sydd ag
ewinedd neu grafangau; palf paw

pawennu *be* [pawenn•⁹]
1 cyffwrdd neu daro â phawen to paw
2 cyffwrdd neu deimlo mewn ffordd drwsgl,
anghwrtais neu anweddus; mwytho to paw
Sylwch: dyblwch yr 'n' ym mhob ffurf ac
eithrio yn y rhai sy'n cynnwys -*as*-.

pawl *eg* (polion) bar neu lifer crwm ar golyn y
mae ei ben rhydd yn cydio mewn olwyn gocos
neu gliced ddannedd fel y gall yr olwyn neu'r
gliced symud i un cyfeiriad yn unig pawl

pawr *bf* [pori] *hynafol* mae ef yn pori/mae hi'n
pori; bydd ef yn pori/bydd hi'n pori

pawrwellt *eg* math o laswellt â choesyn hir â
phigyn penisel o flodau brome

pe:ped:pes *cysylltair* [*Amhenodol* petawn,
petait, petai, petaem, petaech, petaent;
Gorberffaith petaswn, petasit, petasai, petasem,
petasech, petasent] yr un ystyr ag 'os' ond fe'i
defnyddir i gyflwyno syniad nad yw'n debyg o
fod yn wir neu y mae amheuaeth yn ei gylch ac
mae'n cael ei ddilyn gan yr Amser Amhenodol
Dibynnol neu'r Amser Gorberffaith, *pe gwelech
chi John . . . ond os gwelwch chi John . . .*);
'pe' yw'r ffurf o flaen cytseiniaid, 'ped' o flaen
llafariaid ac mae 'pes' yn cyfeirio at 'ef', 'hi' neu
'nhw', *Pe gwelech chi hi yn awr, ni fyddech yn ei
hadnabod.*; *Ped awn i yno, ni wnelai ddim lles.*;
Pes gwelswn, dywedaswn wrtho. if, though, were
Sylwch:
1 mae'n arfer cael ei ddilyn gan yr Amhenodol
Dibynnol neu gan y Gorberffaith Mynegol,
e.e. *pe bai; pe na baem; ped elem; pe buasai*;
2 ar lafar collir y 'pe' dechreuol, *Tawn i'n*

gallu ateb fe wnawn i hynny.Taswn i'n ddyn
cyfoethog mi fuaswn i'n cefnogi llawer mwy o
achosion da.;
3 nid yw'n achosi treiglad.

pebyll *ell* lluosog **pabell**

pecial *be* chwalu gwynt o'r stumog to belch
Sylwch: nid yw'r ferf hon yn arfer cael ei rhedeg.

pecinî *eg* (pecinîs) ci anwes bach â chot hir a
thrwyn smwt pekinese

pectin *eg* sylwedd a geir mewn ffrwythau aeddfed
ac a ddefnyddir mewn coginio i dewychu jam a
jeli pectin

pecyn *eg* (pecynnau)
1 nifer o bethau wedi'u pacio ynghyd; bwndel,
parsel, pwn, sypyn pack, package
2 yr hyn y mae pethau'n cael eu pacio ynddo;
cwdyn package

pecynnu *be* [pecynn•°] clymu'n becyn neu osod
mewn pecyn; bwndelu to package
Sylwch: dyblwch yr 'n' ym mhob ffurf ac
eithrio yn y rhai sy'n cynnwys *-as-*.

pechadur *eg* (pechaduriaid) un sy'n torri cyfraith
dduwiol; drwgweithredwr, tramgwyddwr
sinner, reprobate

pechadures *eb* merch neu wraig sy'n pechu sinner

pechadurus *ans* yn pechu, llawn pechod, yn
achosi i rywun bechu; annuwiol, cywilyddus,
drwg sinful

pechadurusrwydd *eg* y cyflwr o fod yn
bechadurus sinfulness

pechod¹ *eg* (pechodau)
1 CREFYDD trosedd fwriadol yn erbyn cyfraith
Duw; annuwioldeb sin, sinfulness
2 gweithred anfoesol, *Mae dwyn, llofruddio
a dweud celwydd yn bechodau.*; camwedd sin

pechod² *ebychiad* piti garw, fel yn '*Bechod!*';
gresyn, trueni pity, shame

pechu *be* [pech•¹]
1 torri cyfraith Duw, troseddu yn fwriadol yn
erbyn ewyllys Duw; camweddu (*~ yn erbyn
rhywun*) to sin
2 digio, peri i rywun ddigio, *Mae hi'n gwybod
na alwais i heibio y tro diwethaf y bues i yma –
dw i wedi pechu nawr!*; tramgwyddo to offend,
to alienate

pechwr *eg* (pechwyr) un sy'n pechu (yn enwedig
yn yr ystyr o frifo teimladau) sinner

ped gw. **pe**

pedagogeg *eb* gwyddor, proffesiwn a theori
addysgu pedagogy

pedair gw. **pedwar**

pedal *eg* (pedalau) y rhan o beiriant y mae
rhywun yn ei gwasgu â'i droed/draed er mwyn
rheoli neu yrru'r peiriant pedal

pedalu *be* [pedal•¹] gwasgu pedalau (â'ch traed)
er mwyn gweithio peiriant neu symud ar
beiriant; pedlo to pedal

pedant *eg* (pedantiaid) un sy'n rhoi pwyslais
eithafol ar fanion, sy'n mynnu glynu wrth
reolau ffurfiol; un sy'n gosod manylder
ysgolheigaidd uwchlaw popeth pedant

pedantig *ans* nodweddiadol o bedant;
coegddysgedig pedantic

pedestal *eg* (pedestalau)
1 sylfaen yn cynnal colofn glasurol pedestal
2 sylfaen cerflun pedestal
3 sylfaen gadarn sydd yn dyrchafu ac yn amlygu
pedestal

pedestraidd *ans*
1 cyffredin, diddychymyg, anniddorol pedestrian
2 yn cerdded, yn symud ar droed pedestrian

pediatreg gw. **paediatreg**

pediatregydd gw. **paediatregydd**

pediatrig gw. **paediatrig**

pedicel *eg* (pedicelau) BOTANEG coesyn bach yn
dwyn blodyn neu ffrwyth sy'n rhan o fflurgainc
pedicel

pedicl *eg* (pediclau) ANATOMEG coesyn bach sy'n
cysylltu organ (neu ran arall) â'r corff pedicle

pediment *eg* (pedimentau)
1 PENSAERNÏAETH y darn trionglog o wal lle
mae dau do yn dod ynghyd i greu crib mewn
pensaernïaeth glasurol pediment
2 PENSAERNÏAETH darn o'r un ffurf a
ddefnyddir fel addurn pensaernïol pediment
3 DAEARYDDIAETH llethr raddol wedi'i thorri
drwy greigiau sydd i'w chael wrth odre llethr
serthach ac sy'n ymestyn tuag at lan afon neu
wastatir llifwaddod pediment

pedler *eg* (pedleriaid) rhywun sy'n teithio'r wlad
yn ceisio gwerthu mân nwyddau o ddrws i
ddrws hawker, pedlar

pedlera *be* [pedler•¹]
1 teithio o le i le yn ceisio gwerthu mân
nwyddau to hawk, to peddle
2 ceisio darbwyllo pobl, ceisio cael pobl i dderbyn
(syniad, cynllun, etc.) to hawk, to peddle

pedlo *be* [pedl•¹] gwasgu pedalau (â'ch traed) er
mwyn gweithio peiriant neu symud ar beiriant;
pedalu to pedal

pedoffilia gw. **paedoffilia**

pedoffilydd gw. **paedoffilydd**

pedol *eb* (pedolau) darn o haearn wedi'i blygu i
ffitio carn ceffyl a'i hoelio wrth y carn i'w gadw
rhag treulio horseshoe

pedoli *be* [pedol•¹] hoelio pedol wrth garn ceffyl
to shoe

pedrain *eb* (pedreiniau) rhan ôl anifail (ceffyl,
fel arfer) sy'n cynnwys y coesau hindquarters,
croup

pedrant *eg* (pedrannau) MATHEMATEG un o'r
pedwar chwarter y rhennir cylch, plân neu
gorff iddo gan ddwy linell neu ddau blân sy'n
croesi ei gilydd ar ongl sgwâr quadrant

pedrochr *eg* (pedrochrau) MATHEMATEG ffigur dau ddimensiwn sydd â phedair ochr llinell syth a phedair ongl quadrilateral

pedrochrog *ans* MATHEMATEG am ffigur dau ddimensiwn sydd â phedair ochr llinell syth a phedair ongl quadrilateral

pedrongl *eb* (pedronglau)
  1 ffigur geometrig â phedair ochr, yn enwedig sgwâr neu betryal quadrangle
  2 man sgwâr agored wedi'i amgylchynu ag adeiladau (yn enwedig mewn coleg); sgwâr quad, quadrangle

pedronglog *ans* (am siâp) ac iddo bedair ongl neu gornel quadrangular

pedrybled *eg* (pedrybledau) un o bedwar ac wedi'u geni ar un esgoriad quadruplet

pedryblu *be* [pedrybl•¹] lluosi bedair gwaith to quadruple

pedryn *eg* (pedrynnod) aderyn y môr yn perthyn i adar y ddrycin; mae'n hedfan yn bell iawn o'r tir petrel

pedwar *rhifol*
  1 y rhif sy'n dilyn tri ac yn dod o flaen pump four
  2 y symbol sy'n cynrychioli'r nifer hwn, 4 neu iv four
  3 (gwrywaidd) y nifer hwn o bobl, pethau, etc., *pedwar bachgen*, *pedwar car* four

pedair ffurf fenywaidd **pedwar** a ddefnyddir gydag enw benywaidd neu wrth gyfeirio at un, *pedair seren*, *y pedair* four
  Sylwch:
  1 nid yw'n achosi treiglad i enw sy'n ei ddilyn, *pedair merch*;
  2 mae'n achosi'r treiglad meddal i ansoddair, *pedair gall*;
  3 mae'n gwrthsefyll treiglo ar ôl 'y', *y pedair merch.*

pedwar mesur ar hugain LLENYDDIAETH y Pedwar mesur ar Hugain, cyfundrefn o fesurau mydryddol caeth yn tarddu o hanner cyntaf y bedwaredd ganrif ar ddeg; nifer bach ohonynt a ddefnyddir
  Ymadroddion
  ar fy (dy, ei, etc.) mhedwar ar fy nwylo a'm penliniau on all fours
  pedwar ban byd y byd i gyd the four corners of the Earth
  taro pedwar (mewn gêm o griced) ergyd gan y batiwr sy'n werth pedwar rhediad, lle mae'r bêl yn croesi'r ffin ar ôl bwrw'r ddaear yn gyntaf four

pedwarawd *eg* (pedwarawdau)
  1 CERDDORIAETH *ensemble* lleisiol neu offerynnol sy'n cynnwys pedwar perfformiwr; grŵp o bedwar quartet
  2 darn o gerddoriaeth ar gyfer pedwar perfformiwr quartet

pedwar deg *rhifol* (pedwardegau) y rhif 40; deugain forty

pedwaredd *rhifol*
  1 y rhifol (rhif trefnol benywaidd) nesaf mewn trefn ar ôl 'trydedd' fourth
  2 rhif 4 mewn rhestr o bedair neu fwy, 4edd, *Hi yw'r bedwaredd ferch i gynnig am y swydd.*, *pedwaredd ran* fourth
  Sylwch: mae'n achosi'r treiglad meddal ac yn treiglo ei hunan yn dilyn 'y'.

pedwarplyg *ans*
  1 pedair gwaith cymaint fourfold
  2 (am ddalen) wedi'i blygu pedair gwaith (yn y broses o greu llyfr) sy'n rhoi 32 o ddudalennau quarto
  3 CERDDORIAETH (am amser) yn seiliedig ar bedwar prif guriad yn y bar quadruple

pedwartroedyn *eg* (pedwartroedion) anifail â phedair troed quadruped

pedwar ugain *rhifol* (pedwar ugeiniau) y rhif 80; wyth deg eighty

pedwerydd *rhifol*
  1 y rhifol (rhif trefnol gwrywaidd) nesaf mewn trefn ar ôl 'trydydd' fourth
  2 rhif 4 mewn rhestr o bedwar neu fwy; 4ydd fourth

pedwncl *eg* (pedynclau)
  1 BIOLEG darn tebyg i goesyn y mae ffrwyth neu flodyn yn tyfu arno peduncle
  2 SWOLEG darn tebyg i goesyn sy'n cydio organeb wrth rywbeth, e.e. cragen long wrth waelod cwch neu organ wrth gorff anifail peduncle

pedyll *ell* lluosog **padell**

pefriad *eg* (pefriadau) y broses o befrio; disgleirdeb, sereniad sparkle

pefrio *be* [pefri•²] caneitio, disgleirio, serennu, tywynnu, *Roedd ei llygaid yn pefrio â diriedi.* to twinkle, to sparkle, to scintillate

pefriog:pefriol *ans* yn pefrio, yn disgleirio; byrlymus, bywiog twinkling, sparkling, scintillating

peg *eg* (pegiau)
  1 darn byr o bren neu fetel a ddefnyddir i ddal dau ddarn o bren ynghyd peg
  2 darn byr o bren, metel neu blastig wedi'i osod ar wal neu ddrws i hongian cotiau arno peg
  3 darn praff o bren neu ddarn o fetel bachog sy'n cael ei fwrw i'r ddaear i glymu rhaffau pabell wrtho peg
  4 math o glip pren neu blastig a ddefnyddir i hongian dillad gwlyb ar y lein i sychu peg
  5 math o sgriw y mae tannau offerynnau llinynnol yn cael eu troelli o'i amgylch; gellir troi'r peg i lacio neu dynhau'r tant, a thrwy hyn diwnio'r offeryn peg

pegio *be* [pegi•²] sicrhau â pheg (~ *rhywbeth wrth*) to peg

pegor *eg* fel yn *yr hen begor*; truan poor fellow

pegwn *eg* (pegynau) y naill ben a'r llall o echelin y Ddaear, sef y llinell ddychmygol y mae'r Ddaear yn troi arni; yn enwedig y tiroedd o gwmpas y ddau eithaf hyn pole
    Pegwn magnetig un o ddau fan, y naill gerllaw Pegwn y Gogledd a'r llall gerllaw Pegwn y De, y mae nodwydd cwmpawd yn cyfeirio atynt a lle mae llinellau'r grym magnetig yn fertigol; nid yw lleoliad y pegynau magnetig, sy'n araf newid gydag amser, yn cyfateb i leoliad y ddau begwn daearyddol magnetic Pole
    Pegwn y De y man mwyaf deheuol ar wyneb y Ddaear (neu ar ryw blaned arall) South Pole
    Pegwn y Gogledd y man mwyaf gogleddol ar wyneb y Ddaear (neu ar ryw blaned arall) North Pole

pegynol *ans* yn perthyn i un o ddau begwn y Ddaear polar

pegynu *be* [pegyn•¹] symud, gwahanu neu ymrannu i'r naill begwn neu'r llall to polarize

peico *be* [peic•¹] neidio i ffwrdd yn sydyn; tasgu to jump, to start

peidiad *eg* y broses o beidio, canlyniad peidio; pall cessation

peidio *be* [peidi•² 3 *un. pres.* paid/peidia; 2 *un. gorch.* paid]
    1 dod i ben, *Mae'r glaw wedi peidio.*; darfod, dibennu, gorffen to cease, to stop
    2 gan na ellir gosod 'ni' negyddol o flaen berfenw (geiriau fel 'mynd', 'rhedeg') gellir defnyddio *peidio* i wneud gwaith 'ni', e.e. *Dywedwch wrtho am beidio â mynd.*, *Peidiwch â rhedeg.*, *Wyt ti'n dod neu beidio?* (~ â gwneud) to refrain
    Sylwch: 'peidio â' sy'n fanwl gywir, ond ceir tueddiad ar lafar i ollwng yr â ac yna ni cheir treiglad yn y berfenw: *peidiwch mynd*; *rhaid i ni beidio plygu i hynny*; *peidiwch darllen*; *Bydd yn peidio cefnogi o hyn ymlaen.*

peilon *eg* (peilonau) fframwaith dur sy'n cynnal ceblau trydan pylon

peilot *eg* (peilotiaid)
    1 un sy'n hedfan awyren pilot
    2 un sy'n mynd ar fwrdd llong i'w llywio i borthladd neu drwy gamlas; llywiwr pilot

peillgod *eb* (peillgodau) SWOLEG darn llyfn ar goes ôl gwenynen wedi'i amgylchynu â blew caled lle mae paill yn cael ei gasglu pollen basket

peillgwd *eg* (peillgydau) BOTANEG coden yn yr anther lle mae'r paill yn cael ei gynhyrchu pollen sac

peilliad *eg* (peilliadau) trosglwyddiad paill o anther un planhigyn i stigma planhigyn arall o'r un rhywogaeth pollination

peillio *be* [peilli•²]
    1 trosglwyddo paill o anther un planhigyn i stigma planhigyn arall o'r un rhywogaeth to pollinate
    2 gogrwn neu ridyllio to sieve

peillrif *eg* mynegai yn dynodi faint o baill sydd yn yr awyr, er gwybodaeth i'r rheini sy'n dioddef o effeithiau paill, megis clefyd y gwair pollen count

peint *eg* (peintiau)
    1 mesur cyfaint sy'n cyfateb i 0.57 litr neu i'r wythfed ran o alwyn pint
    2 *anffurfiol* gwydraid (mesur peint) o gwrw pint

peintiad *eg* (peintiadau) darlun wedi'i beintio; darlun, llun, pictiwr painting

peintiedig *ans* wedi'i beintio painted

peintio *be* [peinti•²]
    1 gorchuddio â haen o baent, *peintio waliau'r tŷ*; addurno, coluro, lliwio to paint
    2 tynnu llun drwy ddefnyddio paent, *Roedd am beintio ei llun.*; arlunio to paint
    3 disgrifio rhywbeth mewn geiriau sy'n creu llun yn y dychymyg to paint

peintiwr *eg* (peintwyr)
    1 crefftwr sy'n ennill ei fywoliaeth drwy beintio tai, ceir, adeiladau, etc. painter
    2 artist sy'n arlunio; arlunydd, artist painter

peipen *eb* (peipiau) piben ddŵr neu nwy pipe
    Sylwch: (yn dechnegol) peipen = piben ddŵr/nwy; pib = offeryn cerdd/cetyn ysmygu; pibell = dwythell, sianel yn y corff.

peipio¹ *be* [peipi•²]
    1 trosglwyddo (hylif, nwy, etc.) drwy beipen to pipe
    2 COGINIO gwasgu eisin drwy diwb er mwyn addurno teisen to pipe
    3 trosglwyddo gorchmynion drwy chwiban bosn to pipe

peipio² *eg* GWNIADWAITH cortyn tenau wedi'i orchuddio â defnydd sy'n cael ei ddefnyddio i addurno dillad neu glustogau ac i atgyfnerthu sêm piping

peiran *eg* (peirannau) DAEAREG basn mawr ar ffurf cadair freichiau ac iddo gefnfur serth a chreigiog, wedi'i lunio gan weithgarwch erydol rhewlif yn llifo i lawr llethrau mynydd-dir o dan ddylanwad disgyrchiant cirque, corrie

peirch *bf* [parchu] *hynafol* mae ef yn parchu/ mae hi'n parchu; bydd ef yn parchu/bydd hi'n parchu

peiri *ell* lluosog pâr; parau

peiriandy *eg* (peiriandai) adeilad sy'n cartrefu peiriant neu beiriannau engine house, engine room

peiriannau *ell* lluosog **peiriant** hardware

peirianneg *eb* y gangen o wyddoniaeth, mathemateg a thechnoleg sy'n ymwneud â dylunio, adeiladu a defnyddio peiriannau, injans ac adeiladweithiau engineering

peiriannol *ans* yn cael ei weithredu gan beiriant, yn symud fel pe bai'n cael ei yrru gan beiriant (heb feddwl na theimlo); mecanyddol, peirianyddol mechanical

peiriannydd *eg* (peirianwyr) un sydd â chymwysterau mewn peirianneg; un sy'n dylunio, adeiladu neu'n cyweirio peiriannau, injans neu adeiladweithiau engineer, mechanic

peiriant *eg* (peiriannau)
1 offeryn neu gyfarpar sydd wedi'i wneud gan ddyn, ac sy'n defnyddio egni mecanyddol i gyflawni gwaith arbennig machine
2 dyfais a rhannau symudol iddi sy'n newid egni yn fudiant; injan engine
3 dyfais a ddefnyddir i wneud gwaith yn haws; mewn peiriant, mae un grym (yr ymdrech) yn drech na grym arall (y llwyth); hefyd, mae peiriant yn gallu newid cyfeiriad mudiant peiriannol, *Mae gêr, trosol a phwli yn enghreifftiau o beiriannau.* machine

peiriant ager gw. ager

peiriant chwilio CYFRIFIADUREG rhaglen sy'n chwilio am ac yn adnabod eitemau mewn cronfa ddata sy'n cyfateb i allweddeiriau neu nodau a bennwyd gan ddefnyddiwr; fe'i defnyddir i ddod o hyd i safleoedd penodol ar y Rhyngrwyd search engine

peiriant tanio mewnol peiriant sy'n cynhyrchu pŵer drwy hylosgi tanwydd ag aer mewn siambr danio fewnol; mae hyn yn cynhyrchu nwyon poeth sy'n gyrru cydrannau eraill, e.e. piston, gan drawsnewid egni cemegol yn egni mecanyddol internal combustion engine

peirianwaith *eg* (peirianweithiau)
1 peiriannau yn gyffredinol machinery
2 rhannau gweithio neu symudol mewn peiriant machinery
3 y trefniant neu'r system sy'n cadw rheolaeth ar weithred machinery, mechanism

peirianyddol *ans* yn ymwneud â pheiriant, yn cael ei yrru neu ei gynhyrchu gan beiriant, yn symud (heb feddwl neu'n awtomatig) neu'n swnio'n debyg i beiriant; mecanyddol, peiriannol mechanical

peiriau *ell* lluosog pair

peisgwellt:peiswellt *eg* math o laswellt a dyfir ar gyfer porfa a lawntiau fescue

peisiau *ell* lluosog pais

peiswyn *eg* croen allanol, ysgafn grawn ŷd a waredir wrth ddyrnu; cibau, hedion, us chaff

peithiau *ell* lluosog paith

peithon *eg* (peithoniaid) neidr fawr o'r trofannau; nid yw'n wenwynig ond mae'n lladd ei hysglyfaeth drwy ei gwasgu'n dynn python

peithyn *eg* (peithynau)
1 ffrâm yng ngwŷdd y gwehydd â chyrs neu grib i wahanu'r edafedd sley

2 ffrâm frodio sy'n cadw'r defnydd yn dynn embroidery frame

peithynen *eb* (yn ôl Iolo Morganwg) y ffrâm o bren a ddaliai 'Coelbren y Beirdd'

pêl *eb* (peli)
1 rhywbeth crwn (neu, yn achos rygbi, hirgrwn) a ddefnyddir mewn rhai mathau o gêmau, e.e. criced, hoci, rygbi, etc.; pelen ball
2 pelen gron o sylwedd neu fater; sffêr ball

pêl hirgron pêl rygbi oval ball

Pelagaidd *ans* yn perthyn i Belagiaeth, nodweddiadol o Belagiaeth Pelagian

Pelagiad *eg* (Pelagiaid) un yn arddel Pelagiaeth Pelagian

Pelagiaeth *eg* CREFYDD athrawiaeth (hereticaidd) Pelagiws (*c.*360–420) a wrthododd y syniad o bechod gwreiddiol a thrwy hynny honni bod yr unigolyn yn medru ennill iachawdwriaeth drwy ei ymdrechion ei hun yn hytrach na thrwy ras Duw Pelagianism

pelagra *eg* MEDDYGAETH clefyd a achosir gan ddiffyg fitamin B ac sy'n effeithio ar y croen; mae'n achosi colli archwaeth a niwed i'r system nerfol ganolog pellagra

pelawd *eb* (pelawdau) (mewn criced) y nifer penodol o belenni o un pen i'r llain – chwech, fel arfer – y mae bowliwr yn cael bowlio at fatiwr over

pêl-droed *eb* gêm i ddau dîm yn cynnwys 11 chwaraewr yr un, lle mae pêl yn cael ei chicio ar hyd cae wedi'i farcio yn arbennig a lle mae un tîm yn ceisio sgorio mwy o goliau na'r llall football, soccer
Sylwch: 'pêl droed' yw enw'r bêl a ddefnyddir.

pêl-droediwr *eg* (pêl-droedwyr) un sy'n chwarae pêl-droed footballer, soccer player

pêl-droedwraig *eb* merch neu wraig sy'n chwarae pêl-droed footballer, soccer player

peledu:pledu *be*
1 taflu (pethau) at (rywun neu rywbeth), lluchio (pethau) at (rywun neu rywbeth) (~ *rhywun/ rhywbeth* â) to pelt
2 saethu gronynnau at atomau er mwyn cynhyrchu iönau neu i achosi newidiadau niwclear to bombard
Sylwch: nid yw'r ferf hon yn arfer cael ei rhedeg.

pelen *eb* (pelenni)
1 pêl, *pelen eira* ball
2 pêl fach o ddefnydd meddal megis papur, wedi'i gwneud drwy rolio'r defnydd rhwng y bysedd pellet
3 pêl fach i'w saethu o ddryll pellet
4 (mewn criced) bowliad, y weithred o fowlio pêl at fatiwr ball

pelen lawn (mewn criced) bowliad sy'n glanio yn union o dan fat y batiwr yorker

pelen lydan (mewn criced) pelen a ddyfernir ei

bod yn rhy bell o'r stympiau i'r batiwr fedru'i chwarae wide (ball)

pelen wallus (mewn criced) bowliad anghyfreithlon; mae'n cyfrif fel rhediad ychwanegol i'r tîm sy'n batio os nad yw'r batiwr ei hun wedi llwyddo i sgorio oddi arno no-ball

pelen y droed ANATOMEG y darn cnodiog o dan y fawd troed ball of the foot

pelen y llygad ANATOMEG y llygad cyfan gan gynnwys y rhan sydd y tu mewn i'r pen eyeball

pêl-fas *eb* gêm bat a phêl i ddau dîm o naw aelod yr un, sy'n cael ei chwarae ar faes a phedwar man arbennig (bas) wedi'u marcio arno; rhaid i chwaraewr gyffwrdd â'r pedwar man cyn iddo sgorio rhediad baseball

   Sylwch: 'pêl fas' yw enw'r bêl a ddefnyddir.

pêl-fasged *eb* gêm i ddau dîm o bum chwaraewr yr un; mae pwyntiau'n cael eu sgorio wrth i'r chwaraewyr lwyddo i daflu pêl i mewn i fasged sy'n hongian 3.048 metr (10 troedfedd) o'r llawr ar bob pen i'r cwrt basketball

   Sylwch: 'pêl fasged' yw enw'r bêl a ddefnyddir.

pelferyn *eg* (pelferynnau) un o nifer o belenni bach metel a geir mewn peiriant sy'n caniatáu iddo redeg yn fwy llyfn ball bearing

pelfig *ans* ANATOMEG yn perthyn i'r pelfis pelvic

pelfis *eg*

   1 ANATOMEG ceudod ar ffurf basn sy'n cael ei ffurfio gan y cylch o esgyrn sy'n cynnal aelodau cefn neu waelod fertebratau ynghyd â rhai o esgyrn yr asgwrn cefn pelvis

   2 ANATOMEG y rhan lydan ar frig yr wreter y mae tiwbynnau'r aren yn draenio iddi pelvis

pêl-foli *eb* gêm rhwng dau dîm o chwe aelod bob ochr sy'n taro pêl dros rwyd uchel gan ddefnyddio eu breichiau a'u dwylo yn unig er mwyn cadw'r bêl rhag cyrraedd y llawr volleyball

   Sylwch: 'pêl foli' yw enw'r bêl a ddefnyddir.

pelican *eg* (pelicanod) un o nifer o fathau o adar mawr y môr ac iddynt draed gweog a phig fawr a chod oddi tani a ddefnyddir i storio bwyd pelican

   fel pelican yn yr anialwch yn crwydro'n unig ac ar goll

pelicl *eg* (peliclau) SWOLEG haen denau o groen, e.e. meinwe allanol rhai mathau o brotosoa pellicle

pelmet *eg* (pelmetau) darn addurniadol o bren neu frethyn a ddefnyddir i guddio'r darnau y mae llenni yn cael eu hongian arnynt pelmet

pêl-rwyd *eb* gêm debyg i bêl-fasged, sy'n cael ei chwarae gan ddau dîm o saith o ferched, naill ai dan do fel pêl-fasged neu yn yr awyr agored netball

   Sylwch: 'pêl rwyd' yw enw'r bêl a ddefnyddir.

pelten *eb* ergyd, cernod belt, blow

peltio *be* [pelti•²]

   1 lluchio, taflu (llawer o gerrig, etc.) (~ *rhywun/ rhywbeth* â) to pelt

   2 bwrw glaw yn drwm to pelt (with rain)

pelydr¹ *ell* lluosog paladr

pelydr² *gw.* pelydryn

pelydrau *ell* lluosog pelydryn

pelydriad *eg* FFISEG y weithred o belydru, yn enwedig allyriant egni ar ffurf tonnau neu ronynnau o egni electromagnetig, e.e. golau radiation

pelydrol *ans* yn pelydru; disglair, llachar, tywynnol shining, radiant

pelydru *be* [pelydr•¹] rhyddhau neu daenu gwres neu olau; disgleirio, llewyrchu, tywynnu to radiate, to shimmer

pelydrydd *eg* (pelydryddion) rhywbeth sy'n pelydru (golau, tonnau isgoch, etc.) radiator

pelydryn *eg* (pelydrau) llinell o egni ymbelydrol, e.e. pelydryn o olau; fflach, llygedyn ray, beam, gleam

pelydr X

   1 tonfedd electromagnetig fyr iawn sy'n gallu treiddio drwy nifer o sylweddau di-draidd i olau X ray

   2 llun neu ffotograff o adeiledd mewnol gwrthrych wedi'i greu drwy ddefnyddio pelydrau X; llun felly o ran o'r corff X-ray

pell *ans* [pell•] (pellafion) cryn dipyn o ffordd i ffwrdd o ran lle neu amser, heb fod yn agos; anghysbell, hirbell, oeraidd, pellennig far, distant, remote

   Sylwch: ceir y radd gyfartal ansoddeiriol 'cytbell'

   mynd yn rhy bell gor-ddweud neu or-wneud, mynd dros ben llestri, *Mae e wedi mynd yn rhy bell y tro 'ma – fe fydd yn siŵr o gael ei wahardd o'r ysgol.* to go too far

   o bell o bellter from afar

   o bell ffordd o lawer iawn, o ddigon, *Hi yw'r ferch fwyaf galluog o bell ffordd.* by far

pellach¹ *ans*

   1 mwy pell, *Faint pellach sydd i fynd?*; rhagor further

   2 nes ymlaen, *Bydd yna gyfle bellach ymlaen yn y noson i chwarae gêmau.* later

   3 ychwanegol, *Byddaf yn gwneud ymholiadau pellach cyn dod i benderfyniad.* further

pellach² *adf gw.* bellach

pellafbwynt *eg* (pellafbwyntiau) apoge; y pwynt pellaf o ganol y Ddaear neu unrhyw blaned arall y mae lloeren yn ei gyrraedd wrth i'r lloeren droi o'i hamgylch apogee

pellafoedd:pellafion *ell* y mannau pellaf, y terfynau eithaf extremities

   pellafoedd Daear y mannau mwyaf anghysbell the ends of the Earth

pell bell *adf* pell iawn, *ym mhell bell i ffwrdd* very far

pelled *ans* [pell] mor bell

pellen *eb* (pellenni) pelen o wlân neu edau; pêl ball of wool, orb

pellenigion *ell* pobl neu bethau pellennig the distant

pellenigrwydd *eg* y cyflwr o fod yn bellennig remoteness

pellennig *ans* ymhell o bob man; anghysbell, diarffordd, pell distant, far, remote

pellgyrhaeddol *ans* yn cyrraedd yn bell o ran amser neu ddylanwad; cyrhaeddgar, treiddgar far-reaching

pellhau *be* [pellha•¹⁴] symud i ffwrdd, mynd ymhellach i ffwrdd (yn gorfforol neu'n ffigurol), *y llong yn pellhau dros y gorwel, dau gyfaill yn pellhau*; deithrio, ymbellhau, ymgilio to move away

pellter *eg* (pellterau)
1 hynny o ffordd sydd rhwng dau le, *Beth yw'r pellter rhwng Caerdydd a Llundain?* distance
2 man sydd yn bell i ffwrdd, *Roeddwn yn gallu gweld rhyw ffigur a bag mawr ar ei gefn yn cerdded yn y pellter.* distance

pellwr *eg* (pellwyr) (mewn criced) safle maesu ymhell y tu ôl i'r bowliwr

pellwr agored safle maesu ymhell y tu ôl i'r bowliwr yn yr un hanner maes lle mae bat y batiwr long off

pellwr coes safle maesu ymhell y tu ôl i'r bowliwr yn yr un hanner maes â choesau'r batiwr long on

pen¹ *eg* (pennau)
1 yr aelod o'r corff sy'n cynnwys y llygaid, y trwyn, y clustiau, y geg a'r ymennydd; y rhan uchaf o'r corff dynol a rhan flaenaf rhai anifeiliaid eraill head
2 ANATOMEG (am bobl) y rhan o'r pen uwchben ac y tu cefn i'r llygaid, *Mae gen i ben tost.* head
3 rhan o ddodrefnyn lle mae'r aelod hwn yn cael gorffwys, *pen y gwely* head, top
4 yr ymennydd neu'r meddwl, *Mae ganddo dipyn o ben ar ei ysgwyddau.* head
5 wyneb darn o arian sy'n dangos llun brenin neu frenhines head
6 person neu anifail, *Faint y pen y maen nhw'n ei godi am gael mynd i mewn heddiw?* head
7 rhan uchaf peth, sydd gan amlaf yn wahanol i'r gweddill, *pen hoelen*; copa, top head
8 y darn gwyn a geir i bothell neu bloryn cyn ei fod yn barod i fyrstio head
9 hanner cwrt neu faes chwarae sy'n cael ei amddiffyn gan chwaraewr neu dîm end
10 calon neu du blaen rhai mathau o blanhigion pan fydd nifer o ddail neu flodau yn tyfu gyda'i gilydd, *pennau blodfresych* head

11 y man lle mae rhywbeth yn gorffen neu'n diweddu, *Cydia di yn un pen i'r rhaff ac fe gydia i yn y pen arall.*; diwedd, diweddglo, terfyniad end
12 man uchaf, *pen y mynydd*; brig, copa peak, top
13 y prif, *y pen lleidr* chief, head
14 ceg, *Cau dy ben!*; genau, safn mouth
15 blaen neu du blaen, *pen y rhes* front, head

cur pen gw. cur

pen tost
1 poen yn y pen sy'n parhau, cur pen headache
2 rhywun neu rywbeth sy'n achosi problem headache

Ymadroddion

â'i ben iddo wedi mynd yn adfail, darfodedig finished

am ben [am fy mhen, am dy ben, am ei ben, am ei phen, am ein pennau, am eich pennau, am eu pennau] yn cyffwrdd â, ac yn cael ei gynnal gan yr hyn sydd dano upon

a'm pen yn fy (dy, ei, etc.) mhlu digalon, trist, di-hwyl, isel fy ysbryd down in the mouth

a'm ('th, 'i, etc.) pen yn y gwynt yn ddifeddwl, heb fod yn gyfrifol, penchwiban couldn't care less

ar ben
1 wedi gorffen, wedi dod i derfyn finished
2 ar, *Rho'r bocs 'na ar ben y cwpwrdd.* on
3 yn ychwanegol at, *Cefais £5 am lanhau'r ffenestri a £1 ar ben hynny am fod mor gyflym.* in addition
4 wedi gorffen, wedi darfod, *Mae'r cyfarfod ar ben. Mae hi ar ben arna i.* finished, over

ar ben fy (dy, ei, etc.) nigon
1 wrth fy modd delighted
2 â digon o gyfoeth well off

ar ei ben
1 yn union, *punt a deg ceiniog ar ei ben, ateb cwestiwn ar ei ben* precisely, exactly
2 ar un llwnc, *Yfodd lond gwydraid o'r sudd ar ei ben.* in one go

ar fy (dy, ei, etc.) mhen fy (dy, ei, etc.) hun
1 heb unrhyw un arall alone
2 yn y ffurf **ar ei ben/ei phen ei hun** yn wahanol i bawb arall, tipyn o gymeriad; unigryw by oneself, on his/her own

benben gw. penben

bod dros ben (rhywun) bod y tu hwnt i'w ddeall, *Roedd y bregeth ymhell dros fy mhen i.* over one's head

cadw fy (dy, ei, etc.) mhen peidio â gwylltio neu gynhyrfu to keep one's head

cadw fy (dy, ei, etc.) mhen uwchlaw'r dŵr cadw i fynd (o'r braidd) er gwaetha'r holl anawsterau to keep one's head above water

colli fy (dy, ei, etc.) mhen colli tymer, gwylltio to lose one's head

crafu pen pendroni, ceisio dyfalu to puzzle, to ponder

cymryd yn fy (dy, ei, etc.**) mhen** gw. cymryd

dal pen rheswm gw. dal

dod i ben gw. dod¹

dros ben
1 (yn dilyn yr hyn a oleddfir) yn ormod, yn weddill, *un cinio dros ben* over
2 yn neilltuol, *da dros ben* exceptionally

hen ben gw. hen¹

lled y pen gw. lled¹

llond pen (rhoi/cael) dwrdio, dweud y drefn to tell someone off

mynd a'i ben iddo dadfeilio, methu to collapse, to disintegrate

na phen na chynffon synnwyr, *Methais wneud na phen na chynffon o'r hyn roedd e'n ei ddweud.* head or tail

nerth fy (dy, ei, etc.**) mhen/nerth esgyrn fy mhen** gw. nerth

o ben bwy'i gilydd o un pen i'r llall from end to end

o'm (o'th, o'i, etc.**) pen a'm (a'th, a'i,** etc.**) pastwn** heb help neb arall all on my own

pen ac ysgwydd yn uwch (am rywun) llawer iawn yn well na head and shoulders above

pen bach bachgen neu ddyn â meddwl uchel ohono'i hun; jarff, llanc mawr big-head

pen draw gw. draw

pen punt a chynffon dimai mynd i lawer o gost neu drafferth ynglŷn ag un pen (agwedd) ond heb dreulio digon (o amser/trafferth/arian) ar y pen/agwedd arall

tynnu am fy (dy, ei, etc.**) mhen** gw. tynnu

uwch fy (dy, ei, etc.**) mhen** y tu hwnt i'm deall beyond me

yn ben set yn hwyr glas, y funud olaf last minute

yn y pen draw gw. pen draw

pen² *ans*
1 (o flaen yr hyn a oleddfir) prif, pennaf, e.e. pen-lleidr, pen-cogydd; arch-, carn-, prif, uchaf chief, head
2 (yn dilyn yr hyn a oleddfir) ar y pen, *tŷ pen* end
   Sylwch: ffurf eithaf 'pen' yw 'pennaf'.

pen³ *eg* (pennau) teclyn sy'n defnyddio inc i ysgrifennu neu dynnu llun; beiro, ysgrifbin pen

pen ffelt pen â blaen wedi'i wneud o ffelt felt-tip pen

penadur *eg* (penaduriaid) *hynafol* pendefig, penllywydd, pennaeth, teyrn sovereign

penaduriaeth *eb* (penaduriaethau) swydd, cyfrifoldeb a chyfnod rheoli penadur; penarglwyddiaeth rule, sovereignty

penaethiaid *ell* lluosog pennaeth

penagored *ans* heb gael ei benderfynu, neu heb derfynau iddo; amhendant, amhenodol, diderfyn, eang undecided, open-ended, wide open

penarglwyddiaeth *eb* awdurdod neu ddylanwad sy'n tra-arglwyddiaethu, yn enwedig y ffordd y gall un wlad neu grŵp arwain y gweddill yn y grŵp; awdurdod, sofraniaeth, hegemoni, unbennaeth sovereignty, hegemony

penawdau *ell* lluosog pennawd

penbaladr *adf* o ben bwy'i gilydd, yn gyfan, drwyddi draw, *Chwythodd y gwyntoedd cryfion drwy Gymru benbaladr.* from one end to the other

pen-bandit *eg anffurfiol* pennaeth, arweinydd big chief

penben *ans*
1 am ben neu'r blaen sy'n taro yn gyntaf, *Ceir yn mynd yn benben â'i gilydd.* head-on
2 gyda'r bwriad o wynebu a herio wyneb yn wyneb head-on

benben mewn gwrthdrawiad, yn cweryla'n ffyrnig at loggerheads, head-on

penbleth *eb* rhywbeth sy'n peri dryswch ac ansicrwydd; cyfyng-gyngor, cymhlethdod, dilema, picil dilemma, quandary, puzzle

pen blwydd *eg* (pennau blwydd)
1 y dyddiad y ganed rhywun birthday
2 diwrnod dathlu genedigaeth rhywun neu rywbeth ar ddyddiad arbennig (yn flynyddol, fel arfer) birthday
3 dyddiad arbennig, blwyddyn neu nifer o flynyddoedd i'r diwrnod ar ôl i rywbeth ddigwydd, *pen blwydd priodas* anniversary
   Sylwch: o ddefnyddio cysylltnod 'pen-blwydd' yr ydych yn troi dau enw ar wahân yn un gair cyfansawdd, ac o'r herwydd, mae lluosog gwahanol 'penblwyddi'.

penboeth *ans* (penboethion) eithafol o frwdfrydig; anystywallt, byrbwyll, chwyrn, tanllyd hot-headed, fanatical

penboethni *eg* y cyflwr o fod yn benboeth, enghraifft o fod yn benboeth fanaticism

penboethyn *eg* (penboethiaid) un sy'n afresymol o frwdfrydig, fel arfer dros ryw safbwynt gwleidyddol neu grefyddol; eithafwr, ffanatig fanatic, hothead, zealot

penbwl *eg* (penbyliaid)
1 larfa cynffonog amffibiad (e.e. broga neu lyffant), heb goesau ac sy'n anadlu drwy dagellau tadpole
2 *difrïol* bachgen dwl; hurtyn, lembo, twpsyn fool, idiot, blockhead

pen-bwrdd *ans* fel yn *cyhoeddi pen-bwrdd*, argraffu deunydd print o ansawdd da drwy gyfrwng cyfrifiadur pen-bwrdd wedi'i gysylltu ag argraffydd; bwrddgyhoeddi, cyhoeddi bwrdd gwaith desktop

p

pencadlys *eg* (pencadlysoedd)
 1 y man lle mae pennaeth byddin neu'r heddlu yn cynllunio ac yn rhoi gorchmynion i'w ddynion headquarters
 2 y man lle mae'r rhai sy'n rheoli busnes mawr neu nifer o swyddfeydd gwasgaredig yn gweithio; canolfan headquarters

pencampwr *eg* (pencampwyr) y person gorau mewn cystadleuaeth; buddugwr, enillydd, gorchfygwr, trechwr champion

pencampwraig *eb* merch neu wraig sydd wedi ennill pencampwriaeth champion (female)

pencampwriaeth *eb* (pencampwriaethau) cystadleuaeth arbennig i ddod o hyd i bencampwr championship

pencath *eg* (pencathod) pysgodyn dŵr croyw â chorff tew, pen mawr a darnau barfog sensitif yn tyfu o gwmpas y geg; mae'n byw yn nyfroedd Ewrop ac Asia ac wedi tyfu i hyd o 5 m a phwyso dros 300 kg catfish, wels

pencawna *be* (yn llythrennol, casglu pennau cawn neu gyrs) segura, hel meddyliau; breuddwydio, gwlana, pensynnu to daydream, to idle
 Sylwch: nid yw'r ferf hon yn arfer cael ei rhedeg.

pencerdd *eg* (penceirddiaid) *hanesyddol* bardd o'r radd uchaf; prifardd

penci *eg* (pencwn)
 1 math o siarc bach nurse hound
 2 creadur ystyfnig, hurt
 3 *difriol* bachgen dwl; hurtyn, lembo, twpsyn fool, idiot

pen-cogydd *eg* cogydd o'r radd uchaf, prif gogydd master chef

penchwiban *ans* am rywun â'i ben yn y gwynt, anghyfrifol o ysgafn yn ei ffordd; anwadal, byrbwyll, gwamal, oriog flighty, frivolous, scatterbrained

pendant *ans* heb amheuaeth; diamheuol, diamwys, di-os, sicr positive, definite, decisive

pendantrwydd *eg* y cyflwr o fod yn bendant neu'n ddiamwys; sicrwydd decisiveness, assertiveness

pendefig *eg* (pendefigion) arglwydd, e.e. Pwyll Pendefig Dyfed; penllywydd, pennaeth, tywysog, uchelwr lord, nobleman, thane

pendefigaeth *eb* (pendefigaethau)
 1 pobl o'r dosbarth cymdeithasol uchaf, yn enwedig o deuluoedd â thras fonheddig, h.y. arglwyddi, tywysogion, etc.; uchelwyr aristocracy, nobility
 2 llywodraeth gwlad dan reolaeth aelodau o'r dosbarth hwn; arglwyddiaeth aristocracy

pendefigaidd *ans* nodweddiadol o bendefig; aristocrataidd, aruchel, tywysogaidd aristocratic, noble

pendefiges *eb* (pendefigesau) aelod benyw o bendefigaeth; arglwyddes, boneddiges lady, noblewoman

penderfynedig *ans* â ffiniau neu derfynau wedi'u pennu'n derfynol determinate

penderfyniad *eg* (penderfyniadau)
 1 y broses o benderfynu, canlyniad penderfynu, y gallu i ddod i gasgliad ac yna gweithio yn ddiwyro ar sail y casgliad hwnnw, *Roedd penderfyniad yn amlwg ar ei wyneb pan gododd i siarad*.; casgliad, dedfryd, dyfarniad decision, determination
 2 dewis, dewisiad, ewyllys, *Penderfyniad pwy oedd dod i'r fan hyn?* decision

penderfyniaeth *eb* ATHRONIAETH athrawiaeth sy'n dysgu bod pob gweithred yn deillio o gadwyn o achosion angenrheidiol allanol, ac mai rhith yw ewyllys rhydd determinism

penderfyniedydd *eg* (penderfyniedwyr) un sy'n arddel penderfyniaeth determinist

penderfynol *ans* heb fod yn barod i ildio neu gyfaddawdu; di-ildio, di-droi'n-ôl (~ o wneud) determined, resolute

penderfynu *be* [penderfyn•¹] gwneud dewis neu ddod i gasgliad; pennu (~ gwneud *rhywbeth*) to decide, to determine

penderfynyn *eg* (penderfynynnau)
 1 ffactor sy'n pennu natur neu ganlyniad rhywbeth determinant
 2 BIOLEG (mewn organebau) genyn neu ffactor sy'n pennu nodweddion a datblygiad cell neu gelloedd determinant

pendics *eg* ANATOMEG coden ar ffurf tiwb bychan ynghlwm wrth ben isaf y coluddyn mawr appendix

pendifaddau *ans* heb os nac oni bai, heb unrhyw fath o ansicrwydd, yn ddiau, yn bendant certain, indubitable

pendil *eg* (pendiliau)
 1 pwysau sy'n hongian ac yn symud yn ôl ac ymlaen yn rhydd ac yn ddilyffethair pendulum
 2 rhoden hir a phwysau ar un pen iddi a ddefnyddir i reoli peirianwaith cloc pendulum

pendilio *be* [pendili•²] symud yn ôl ac ymlaen fel pendil; newid safbwynt, symud o un eithaf i'r llall; siglo, simsanu to waver, to oscillate, to vacillate

pendonciwr *eg* (pendoncwyr) ffan (cefnogwr) cerddoriaeth roc drwm ac uchel headbanger

pendramwnwgl:pendraphen *ans*
 1 llwrw/llwyr ei ben, â'i ben yn gyntaf, wyneb i waered head first, headlong
 2 wedi cawlio; anniben, blith draphlith all over the place
 Sylwch: nid yw'n arfer cael ei gymharu.

pen draw *eg* y pen eithaf; diwedd end, upshot
 yn y pen draw yn y diwedd ultimately, eventually

pendrist *ans* trist a phrudd, isel ei ysbryd; digalon, pendrwm, pruddglwyfus sorrowful

pendro *eb*
1 ('y bendro') teimlad bod popeth o'ch cwmpas yn troi, teimlad eich bod yn sigledig ac ar fin cwympo; penddaredd, penysgafnder dizziness, giddiness
2 MEDDYGAETH ('y bendro') teimlad o fod yn sigledig ac ar fin cwympo sy'n cael ei achosi gan edrych i lawr o uchder neu gan glefyd sy'n effeithio ar y glust fewnol vertigo

pendroni *be* [pendron•¹]
1 meddwl yn galed nes bod eich pen yn troi, gan geisio datrys rhywbeth anodd (~ **dros**) to ponder, to puzzle, to ruminate
2 methu cael gwared ar feddyliau neu atgofion trist neu gas; becso, gofidio, poeni to brood

pendrwm *ans*
1 trist a digalon; pendrist, pruddglwyfus sorrowful
2 â gormod o bwysau ar y pen drooping, top heavy

pendrymu *be* [pendrym•¹] eistedd â'ch pen yn pwyso ymlaen ar fin hepian; pendwmpian to doze, to drowse

pendwmpian *be* hanner cysgu; hepian, huno, pendrymu to doze, to drowse
Sylwch: nid yw'r ferf hon yn arfer cael ei rhedeg.

penddaredd *eg* y bendro; teimlad bod popeth o'ch cwmpas yn troi, teimlad eich bod yn sigledig ac ar fin cwympo; penysgafnder dizziness, giddiness

penddelw *eb* (penddelwau) cerflun o ben, gwddf, ysgwyddau a brest person bust

pendduyn *eg* (pendduynnod)
1 darn o sebwm mewn ffoligl blewyn sy'n duo o ganlyniad i ocsidiad blackhead
2 cornwyd; chwydd neu ddolur sy'n crynhoi ar gorff person neu anifail a'i lond o grawn boil

penelin *egb* (penelinoedd)
1 ANATOMEG y cymal lle mae'r fraich yn plygu, yn enwedig pen allanol y cymal; elin elbow
2 darn o ddilledyn sy'n gorchuddio'r cymal hwn elbow
nes penelin nag arddwrn yn y pen draw mae teulu'n nes na chyfeillion blood is thicker than water
wrth fy (dy, ei, etc.**) mhenelin** yn agos iawn, wrth law to hand

penfeddw *ans* â phen ysgafn, a'r bendro arno; chwil, penysgafn light-headed, vertiginous

penfelen *ans* (am ferch, gwraig neu anifail benyw) â gwallt euraidd, *Elen Benfelen* golden haired, flaxen-haired

penfelyn *ans* (am fachgen, dyn neu anifail gwryw) â gwallt euraidd golden haired

penfras *eg* (penfreision) pysgodyn mawr, bwytadwy sy'n byw yng Nghefnfor Iwerydd ac

sydd â darn bach o groen tebyg i farf wrth ei wefus cod

penffestr *eg* (penffestrod) penffrwyn, tennyn halter, headstall

penffordd *eg* (penffyrdd) heol fawr, fel yn yr ymadrodd *lleidr penffordd*; priffordd highway
rhoi (rhywun) ar ben y ffordd rhoi cychwyn da, dangos y ffordd get (someone) on their way

penffrwyn *eg* y rhan o'r ffrwyn sydd yn mynd am ben y ceffyl; penffestr halter, headstall

pengaead *ans* ag un pen wedi'i gau dead end

pengaled *ans* heb fod yn barod i wrando ar gyngor neu i newid ei feddwl; digyfaddawd, penderfynol, penstiff, ystyfnig stubborn, headstrong, obstinate
y bengaled BOTANEG planhigyn cyffredin ac iddo goesyn gwydn a blodyn porffor tebyg i ysgallen common knapweed

pengaledwch *eg* y cyflwr o fod yn bengaled, o fod yn wrthnysig; cyndynrwydd, gwargaledwch, ystyfnigrwydd stubbornness, intractability

pengamedd *eg* MEDDYGAETH cyflwr poenus lle mae'r pen yn mynd i un ochr, yn aml oherwydd bod y cyhyrau yn y gwddf wedi cyfangu torticollis

pen-glin *eg* (pengliniau)
1 cymal canol y goes, y man lle mae'r goes yn plygu; glin, pen-lin knee
2 darn o ddilledyn sy'n gorchuddio'r rhan hon o'r corff; glin knee

penglog *eb* (penglogau) ANATOMEG fframwaith esgyrn y pen a'r wyneb skull

pengoch *ans* â gwallt coch, *Luned Bengoch* red-headed

pengoll *ans*
1 heb ben neu ddiwedd endless, headless
2 LLENYDDIAETH (am linell o farddoniaeth) â rhan olaf y llinell yn ddigynghanedd

pengrych *ans* â gwallt cyrliog curly-headed

Pengrynwr *eg* (Pengrynwyr) *hanesyddol* cefnogwr y Senedd yn erbyn y Brenin Siarl I yn Rhyfel Cartref Lloegr yn yr ail ganrif ar bymtheg Roundhead

pengwin *eg* (pengwiniaid) aderyn du a gwyn nad yw'n gallu hedfan ond sy'n nofiwr da; mae'n byw yn bennaf yn Antarctica penguin

penhwyad *eg* (penhwyaid) pysgodyn dŵr croyw ysglyfaethus a chanddo gorff hir a dannedd hir, miniog pike

peniad *eg* (peniadau) y weithred o daro rhywbeth (pêl droed, fel arfer) â'r pen, canlyniad penio header

penigamp *ans* yn gamp i'w gyflawni, da dros ben; campus, godidog, gorchestol, rhagorol excellent, first-rate, splendid
Sylwch: nid yw'n arfer cael ei gymharu.

penigan *eg* (peniganau) planhigyn â blodau gwyn neu binc persawrus a dail main llwydwyrdd pink

penillion *ell*
  1 lluosog **pennill**
  2 fel yn *canu penillion*, y grefft o osod a
chyflwyno geiriau i gyfeiliant telyn mewn
dull sy'n unigryw i Gymru; cerdd dant
penillion singing
  hen benillion gw. **hen**[1]

penio *be* [peni•[6]] taro rhywbeth (pêl droed, fel
arfer) neu rywun â'r pen to head, to headbutt

peniog *ans* clyfar, â digon yn ei ben; deallus,
doeth, galluog brainy, bright, clever

penis *eg* pidyn; aelod rhywiol allanol anifail
gwryw penis

penisel *ans*
  1 yn plygu'i ben, yn gostwng ei ben drooping
  2 trist a phrudd, isel ei ysbryd; digalon,
pendrwm, pruddglwyfus downcast, glum

penisilin *eg* gwrthfiotig a ddefnyddir i ladd rhai
bacteria sy'n effeithio ar bobl ac ar anifeiliaid
penicillin

pen-lin *eb* (penliniau) ffurf arall ar **pen-glin**

penlinio *be* [penlini•[6]] mynd ar eich penliniau;
gosod eich penliniau ar y llawr (~ **ar**) to kneel

penllad *eg hynafol* y ddiod orau, y rhodd fwyaf,
y lles pennaf summum bonum

penllanw *eg*
  1 yr adeg y mae llanw'r môr ar ei uchaf
high tide
  2 yr adeg y mae dŵr afon ar ei uchaf oherwydd
effaith llanw'r môr high water
  3 *ffigurol* uchafbwynt llwyddiant; anterth, brig,
copa, pinacl peak, climax

penllawr *eg* (penlloriau) y rhodfa rhwng y tŷ a'r
beudy lle y byddai'r gwair neu'r ŷd yn cael ei
gadw mewn tŷ hir Cymreig

penlletwad *eg* (pennau lletwad) pysgodyn bach
dŵr croyw â phen mawr bullhead

penllwyd *ans* a'i wallt yn britho, â gwallt
(neu flew) llwyd grey-haired, hoary

penllwydni *eg* y cyflwr o fod yn benllwyd
hoariness

penllywydd *eg* (penllywyddion) prif reolwr,
Arglwydd Lywydd; pendefig, teyrn
lord president, supremo

pennaeth *eg* (penaethiaid) yr un â'r swydd
uchaf, prif swyddog; cyfarwyddwr,
prifathrawes, prifathro chief, head, principal

pennaf *ans* (ffurf eithaf yr enw 'pen') mwyaf
blaenllaw, cyntaf, uchaf; arch-, carn-, prif,
pwysicaf chief, principal, predominant
  Sylwch: nid yw'n achosi'r treiglad meddal
ac eithrio yn achos rhai enwau benywaidd
(*yn bennaf wraig*).
  yn bennaf oll uwchlaw popeth arall above all

pennau *ell* lluosog **pen**
  rhoi ein pennau ynghyd/at ei gilydd
ymgynghori â'n gilydd to consult one another

pennawd *eg* (penawdau)
  1 y teitl a geir uwchben darn o ysgrifen
heading, headline, caption
  2 y gair ar ddechrau cofnod newydd mewn
cyfeirlyfr headword

pennill *eg* (penillion) nifer penodedig o linellau
o farddoniaeth sy'n llunio rhan o gerdd, cân
neu emyn, ar ffurf sy'n cael ei hailadrodd
mewn rhannau eraill o'r un darn; pill, rhigwm
verse, stanza
  hen bennill gw. **hen**[1]

pennod *eb* (penodau)
  1 un o brif raniadau llyfr (y mae ganddi,
fel arfer, deitl neu rif) chapter
  2 un o brif raniadau cyfres radio neu deledu
episode
  3 cyfnod penodol mewn hanes neu ym mywyd
rhywun chapter

pennoeth *ans* heb ddim ar ei ben bareheaded,
hatless

pennog *eg* (penwaig) pysgodyn bwytadwy sy'n
heigio yn y môr; sgadenyn herring
  pennog coch pennog wedi'i agor, ei halltu a'i
gochi neu ei sychu; sgadenyn coch kipper
  pennog Mair pysgodyn bach bwytadwy y môr
o deulu'r pennog; pilsiard pilchard

pennu *be* [penn•[9]]
  1 penderfynu, dewis, *pennu dyddiad i'r cyfarfod
nesaf*; clustnodi to decide, to allocate, to appoint
  2 disgrifio'n fanwl, sôn yn arbennig ac yn
fanwl, *pennu'r angen am wresogydd*; dynodi,
nodi to specify
  3 dod o hyd i rywbeth a'i leoli yn fanwl o ran
lle neu amser, *pennu lleoliad y Lleuad ar
1 Mawrth* to determine, to allot
  Sylwch: dyblwch yr 'n' ym mhob ffurf ac
eithrio yn y rhai sy'n cynnwys *-as-*.

pennyn *eg* (penynnau) llinell neu ddarn o destun
sy'n ymddangos ar frig pob tudalen (llyfr,
dogfen, gwefan etc.) header

penodai *eg* (penodeion) un sydd wedi'i benodi
appointee

penodau *ell* lluosog **pennod**

penodedig *ans*
  1 wedi'i benodi appointed
  2 wedi'i benderfynu, wedi'i bennu; penodol
fixed, designated, determined

penodi *be* [penod•[1]]
  1 dewis rhywun ar gyfer swydd, safle neu
waith, llenwi swydd, *penodi pennaeth newydd
i'r ysgol*; apwyntio (~ *rhywun* **i, yn**) to appoint
  2 creu neu sefydlu drwy ddewis, *penodi
pwyllgor arbennig i archwilio'r achos*
to appoint

penodiad *eg* (penodiadau) y broses o benodi,
canlyniad penodi; apwyntiad, dewisiad
appointment

penodol *ans* wedi'i bennu'n eglur; arbennig, neilltuol specific, distinct

penodolrwydd:penodoldeb *eg*
1 y cyflwr neu'r ansawdd o fod yn benodol; arbenigwydd, neilltuolrwydd specificity
2 BIOLEG yr ansawdd o berthyn yn benodol i organeb neu rywogaeth arbennig specificity
3 BIOCEMEG priodwedd sylwedd (yn enwedig ensym) sy'n golygu ei fod yn effeithio ar un adwaith neu ar nifer cyfyngedig o adweithiau yn unig specificity

penodwr *eg* (penodwyr) un sy'n penodi appointer

pen-ôl *eg* (penolau) y rhan o'r corff y mae rhywun yn eistedd arni, gwaelod y cefn; tin backside, bottom, buttocks

penrhwym *eg* (penrhwymau)
1 y rhan o ffrwyn ceffyl sy'n clymu o gwmpas y pen a'r gwddf; penffrwyn headstall
2 gorchudd sy'n mynd dros safn anifail i'w gadw rhag cnoi, bwyta neu (yn achos ci) gyfarth muzzle

penrhydd *ans* heb ei ffrwyno, heb ddisgyblaeth, â gormod o ryddid; annisgybledig, anystywallt, dilyffethair, direol loose, unbridled, uncurbed

penrhyddid *eg* rhyddid heb gyfrifoldeb neu ddisgyblaeth; camddefnydd o ryddid i niweidio neu achosi drwg licence, latitude

penrhyn *eg* (penrhynnau) darn o dir uchel sy'n ymestyn i'r môr; gorynys, pentir, trwyn headland, peninsula, cape, promontory

pensaer *eg* (penseiri) un sy'n cynllunio a dylunio adeiladau newydd ac yn goruchwylio'r gwaith er mwyn sicrhau eu bod yn cael eu hadeiladu'n iawn architect

pensaernïaeth *eb*
1 y broses o gynllunio, dylunio a chreu adeiladau ac adeiladweithiau architecture
2 arddull neu fath arbennig o adeiladu, yn enwedig rhywbeth sy'n nodweddiadol o ardal neu wlad arbennig, neu o gyfnod hanesyddol architecture

pensaernïol *ans* yn perthyn i fyd pensaernïaeth architectural

pensafiad *eg* (pensafiadau) y weithred o sefyll ar eich pen (gyda'r breichiau yn cynnal y pwysau, fel arfer) headstand

pensel *eb* (penseli) pensil pencil

pensil *eg* (pensiliau)
1 teclyn hir, pigfain â darn tenau o graffit neu ddefnydd lliw yn ei ganol ar gyfer ysgrifennu neu dynnu llun pencil
2 darn o ddefnydd lliw sy'n edrych fel pensil, ar gyfer tywyllu'r aeliau pencil

pensiwn *eg* (pensiynau) swm o arian sy'n cael ei dalu'n rheolaidd gan wladwriaeth neu gwmni i rywun nad yw'n ennill arian oherwydd henaint neu afiechyd pension

pensiynwr *eg* (pensiynwyr) rhywun sy'n ddigon hen i dderbyn y pensiwn y mae'r wladwriaeth yn ei dalu i hen bobl pensioner, senior citizen

pensiynwraig *eb* menyw sy'n derbyn pensiwn, sy'n ddigon hen i hawlio pensiwn pensioner (female)

penstiff *ans* heb fod yn barod i wrando ar gyngor neu i newid ei feddwl; digyfaddawd, penderfynol, pengaled, ystyfnig stubborn, headstrong, obstinate

pensyfrdan *ans* wedi'i ddrysu, wedi'i hurtio; dryslyd bewildered, light-headed

pensyfrdandod *eg* y cyflwr o fod yn bensyfrdan; dryswch, syfrdandod confusion, bewilderment

pensyfrdanu *be* [pensyfrdan•³] mynd yn bensyfrdan; drysu, mwydro to become confused, to bewilder

pensynnu *be* [pensynn•⁹] hel meddyliau; breuddwydio, gwlana, pencawna, synfyfyrio to daydream
Sylwch: dyblwch yr 'n' ym mhob ffurf ac eithrio yn y rhai sy'n cynnwys -as-.

pensyth *ans* yn sefyll yn unionsyth; unionsgwar, plwm, perpendicwlar perpendicular

pentagon *eg* (pentagonau) MATHEMATEG ffigur dau ddimensiwn sydd â phum ochr llinell syth a phum ongl pentagon

pentagonol *ans* ar ffurf pentagon, ac iddo bum ochr pentagonal

pentagram *eg* (pentagramau) seren bum pigyn sy'n symbol hud a lledrith pentagram

pentan *eg* (pentanau)
1 man cysgodol i eistedd gerllaw'r tân mewn lle tân hen ffasiwn hob, inglenook
2 silff yn ymyl lle tân i wresogi padelli a chadw bwyd yn gynnes hob

Pentateuch *eg* CREFYDD (Iddewiaeth) pum llyfr cyntaf yr Hen Destament, pum llyfr Moses

pentatonig *ans* CERDDORIAETH am raddfa yn seiliedig ar bum nodyn, e.e. y nodau duon ar biano pentatonic

pentathlon *eg*
1 cystadleuaeth athletaidd lle mae pob un yn cystadlu mewn pum camp wahanol, yn enwedig ffensio, saethu, nofio, marchogaeth a rhedeg traws gwlad; pentathlon modern pentathlon
2 cystadleuaeth i ferched lle mae pob un yn cystadlu mewn ras 100 metr dros y clwydi, taflu pwysau, naid hir, naid uchel a ras wibio 200 metr pentathlon

Pentecost *eg* CREFYDD gŵyl Gristnogol yn dilyn y seithfed Sul wedi'r Pasg i gofio tywalltiad yr Ysbryd Glân ar y disgyblion; Llungwyn Pentecost

Pentecostaidd *ans* CREFYDD (am fudiadau Cristnogol) yn gosod pwyslais arbennig ar nodweddion y Pentecost a thywalltiad yr Ysbryd Glân, sef iacháu drwy ffydd, siarad â

p

thafodau, ac yn tueddu i gredu'n llythrennol yn yr ysgrythurau Pentecostal

Pentecostiad *eg* (Pentecostiaid) CREFYDD aelod o'r mudiad Pentecostaidd neu un sy'n credu yn ei ddaliadau Pentecostal

penteulu *eg* (penteuluoedd)
1 pen y teulu; mam, tad head of the family, householder
2 *hanesyddol* pennaeth gosgordd llys y brenin neu bennaeth y milwyr yn gwarchod y brenin (y gwarchodlu)

pentewyn *eg* (pentewynion) darn o bren sy'n llosgi; colsyn, glöyn, marworyn firebrand

pentigilydd *adf* o ben bwy gilydd, bob cam, yn llwyr all the way, completely

pentir *eg* (pentiroedd)
1 darn hir o dir sy'n ymestyn i'r môr; penrhyn, gorynys, trwyn headland, peninsula, promontory, cape
2 un o'r ddau ddarn o dir sy'n cael eu gadael heb eu haredig fel bod lle i droi aradr yn nau ben y cae; talar headland

pentis:penty *eg* (pentisau:pentyau)
1 yn wreiddiol, adeiladwaith tebyg i sièd neu do wedi'i ychwanegu at wal neu adeilad, yn gogwyddo oddi wrtho; cwt lean-to, penthouse
2 aneddle neu le i fyw wedi'i adeiladu ar do adeilad tal iawn penthouse

pentocsid *eg* (pentocsidau) CEMEG cyfansoddyn yn cynnwys pum atom ocsigen ac un elfen (neu grŵp o elfennau) arall pentoxide

pentos *eg* CEMEG un o ddosbarth o siwgrau syml y mae eu moleciwlau'n cynnwys pum atom carbon; mae'r siwgrau pentos yn cynnwys deocsiribos sy'n bresennol yn adeiledd DNA pentose

pentref *eg* (pentrefi:pentrefydd)
1 casgliad o dai ac adeiladau eraill, yn y wlad, fel arfer, sy'n llai na thref village
2 y bobl sy'n byw yn y casgliad hwn o dai a'r gymdeithas y maent yn ei ffurfio village

pentrefan *eg* (pentrefannau) pentref bach iawn hamlet

pentrefol *ans* yn perthyn i bentref, nodweddiadol o bentref village

pentrefwr *eg* (pentrefwyr) un sy'n byw mewn pentref villager

pentwr *eg* (pentyrrau)
1 nifer mawr o bethau wedi'u gosod yn un twmpath; crugyn, llwyth, twmpath, twr pile, heap, stack
2 CYFRIFIADUREG set o leoliadau storio lle mae'r data diweddaraf yn cael eu hadalw'n gyntaf stack

penty gw. **pentis**

pentyrru *be* [pentyrr•[9]] casglu yn llwyth, gosod mwy a mwy o bethau ar ben ei gilydd; cronni, crynhoi, hel to heap, to stack, to amass

Sylwch: dyblwch yr 'r' ym mhob ffurf ac eithrio yn y rhai sy'n cynnwys -*as*-.

pentyrrwr *eg* (pentyrwyr)
1 un sy'n pentyrru collector
2 dyfais sy'n pentyrru (cardiau, etc.) stacker

penuchel *ans* talog, balch, ffroenuchel haughty, lordly

penwaig *ell* lluosog **pennog**
fel penwaig yn yr halen wedi'u pacio'n dynn iawn like sardines

penwan *ans* (penweinion)
1 *tafodieithol, yn y Gogledd* penchwiban, gwirion, llawn dwli silly
2 *tafodieithol, yn y De* crac, cynddeiriog, gwallgof, *Mae'r crwt 'na'n hela fi'n benwan ar adegau.* furious, mad

penweinion *ell* rhai penwan the mad

penwendid *eg* gwendid meddwl; ffolineb, gwiriondeb foolishness, infatuation

penwisg *eb* (penwisgoedd) gwisg (addurnedig, fel arfer) ar gyfer y pen; cwcwll, cwfl, het headdress

penwmbra *eg* (penwmbrâu)
1 SERYDDIAETH yn ystod diffyg ar yr Haul, yr ardal o gysgod y Lleuad ar y Ddaear lle y gwelir diffyg rhannol ar yr Haul penumbra
2 SERYDDIAETH darn goleuach o gwmpas smotyn haul penumbra

penwyn *ans* a'i ben yn wyn, â gwallt gwyn, ag eira ar ei ben, etc. white-headed, hoary

penwynni *eg* gwallt gwyn neu'r cyflwr o fod â gwallt gwyn

penwynnu *be* mynd yn benwyn, troi'n benwyn; britho, gwynnu
Sylwch: nid yw'r ferf hon yn arfer cael ei rhedeg.

penwythnos *eg* (penwythnosau) y cyfnod o nos Wener hyd fore Llun – rhwng diwedd un wythnos o waith a dechrau'r wythnos nesaf weekend

penwythnosol *ans* yn digwydd ar y penwythnos; bob penwythnos

penyd *eg* (penydiau)
1 cosb wirfoddol a dderbynnir er mwyn dangos edifeirwch, er mwyn gwneud yn iawn am ryw ddrwg penance
2 rhywbeth y mae'n rhaid ei wneud er bod yn gas gennych ei wneud penance

penydio *be* [penydi•[2]] gwneud penyd am (rywbeth); gosod penyd ar (rywun) to do penance, to impose penance

penydiol *ans* yn perthyn i benyd, nodweddiadol o benyd; cosbol chastening, penal, penitential

penydwasanaeth *eg* cosb o garchar ynghyd â llafur caled penal servitude

penynnau lluosog **pennyn**

penysgafn *ans*
1 yn teimlo fel petai eich pen yn troi, yn dioddef o'r bendro; chwil, penfeddw dizzy, giddy

2 yn llawn cyffro pleserus; cynhyrfus dizzy, giddy, light-headed

penysgafnder *eg* y cyflwr o fod yn benysgafn; y bendro, penddaredd dizziness, giddiness

peplwm *eg* (peplymau) sgert fer a gysylltir wrth ganol blows neu siaced neu ffrog peplum

pepryn *eg* (peprynnod) un sy'n prepian; clebryn, baldorddwr chatterer

pepsin *eg* BIOCEMEG ensym sy'n catalyddu'r broses o ddadelfennu proteinau yn bolypeptidau yn y stumog pepsin

peptid *eg* (peptidau) BIOCEMEG cyfansoddyn cemegol wedi'i wneud o gadwyn o ddau neu ragor o asidau amino; mae llawer o hormonau a gwrthfiotigau yn beptidau peptide

peptig *ans* BIOLEG yn ymwneud â'r broses o dreulio bwyd, yn enwedig o ran swyddogaeth pepsin yn y broses honno peptic

pêr¹:peraidd *ans* [per•] â sawr, blas neu sŵn dymunol a braf; melys, blasus, swynol delicious, sweet
   y Pêr Ganiedydd gw. caniedydd

pêr² *ell* lluosog peren

peradyl *eg* planhigyn sy'n perthyn i deulu llygad y dydd ac sydd â blodau bach melyn tebyg i ddant y llew hawkbit

peraidd *ans* [pereiddi•] (am sawr, blas neu sŵn) melys, pêr, persain, persawrus delicious, pleasant, fragrant

perarogl *eg* (peraroglau)
1 sawr neu arogl pêr (megis sawr blodau) fragrance, perfume
2 hylif â sawr pêr i'w roi ar y corff; persawr perfume, scent

perarogli *be* [perarogl•¹] arogli neu sawru'n beraidd; persawru to scent

peraroglus *ans* llawn perarogl; aroglus, aromatig, persawrus fragrant, perfumed, sweet-scented

percoladur *eg* (percoladuron) teclyn arbennig ar gyfer gollwng dŵr poeth fesul diferyn drwy goffi wedi'i falu percolator

perchais *bf* [parchu] *ffurfiol* gwnes i barchu

perchen gw. perchennog

perchen-breswylydd *eg* (perchen-breswylwyr) un sy'n berchen ar y tŷ, fflat, etc. mae'n byw ynddo owner-occupier

perchennog:perchen *eg* (perchenogion) un sydd â'r hawl gyfreithiol i feddiannu rhywbeth, y person biau rhywbeth owner, proprietor

perchenogaeth:perchnogaeth *eb* (perchenogaethau) y cyflwr neu'r weithred o berchenogi; meddiannaeth ownership, possession

perchenoges *eb* (perchenogesau) merch neu wraig sy'n berchennog

perchenogi *be* [perchenog•¹] meddiannu'n gyfreithiol, bod ag eiddo, bod yn berchennog

ar rywbeth; cymryd, hawlio, meddu to own, to possess

perchentyaeth *eg*
1 y cyflwr o fod yn berchen ar dŷ home ownership
2 *hanesyddol* cyfrifoldebau, statws a dyletswyddau un oedd yn berchen ar dŷ neu dir o dan gyfundrefn nawdd uchelwyr Cymreig yr Oesoedd Canol

perchentywr *eg* (perchentywyr) un sy'n berchen ar dŷ neu fflat householder

perchi *bf* [parchu] *ffurfiol* rwyt ti'n parchu; byddi di'n parchu

perchyll *ell* lluosog porchell

pereidd-dra *eg* y cyflwr neu'r ansawdd o fod yn bêr; melyster, persawredd, perseinedd fragrance, sweetness

pereiddiach:pereiddiaf:pereiddied *ans* [peraidd] mwy peraidd; mwyaf peraidd; mor beraidd

pereiddio *be* [pereiddi•²] gwneud yn bêr, melysu, *nodau'r eos yn pereiddio'r nos* to sweeten

peren *eb* (pêr) ffrwyth melys, llawn sudd ac iddo waelod crwn, llydan yn culhau tua'r pen; gellygen pear

pererin *eg* (pererinion) un sy'n teithio i fan cysegredig fel gweithred grefyddol; crwydryn, teithiwr pilgrim

pererindod *egb* (pererindodau)
1 taith i le crefyddol pwysig, taith pererin pilgrimage, peregrination
2 taith i le y mae gan rywun feddwl uchel ohono; hynt, siwrnai pilgrimage

pererindota *be* [pererindot•¹] mynd ar bererindod(au); teithio, ymdeithio to go on a pilgrimage
   Sylwch: nid yw'r ferf hon yn arfer cael ei rhedeg.

perfedd *eg* (perfeddion)
1 y rhan o'r corff sy'n cario bwyd o'r stumog; coluddyn, crombil bowel, intestines
2 canol, dyfnder, *perfedd gwlad, perfedd nos* depth, middle
   holi/chwilio perfedd holi (rhywun) yn fanwl ac yn drylwyr to question (someone) thoroughly
   perfeddion nos yn hwyr iawn, oriau mân y bore the wee small hours

perfeddlen *eb* (perfeddlenni) peritonëwm; yr haen o bilen serws a geir ar geudod yr abdomen ac sy'n gorchuddio organau'r abdomen peritoneum

perfeddol *ans* ANATOMEG yn ymwneud â'r ymysgaroedd a'r perfeddion; ymysgarol intestinal, visceral, splanchnic

perfeddwlad *eb*
1 gwlad ymhell o'r môr; canolbarth, cefnwlad heartland, hinterland, interior
2 yr enw ar y pedwar cantref (Rhos, Rhufoniog,

Dyffryn Clwyd a Thegeingl) yng ngogledd-
ddwyrain Cymru

perffaith *ans* [perffeith•]
1 (yn dilyn yr hyn a oleddfir) o'r math gorau
posibl; delfrydol, difai, dinam, difrycheulyd
perfect, faultless
2 (yn dilyn yr hyn a oleddfir) hollol gywir,
Mae ei Gymraeg bron yn berffaith erbyn hyn.;
dilychwin perfect
3 rhywbeth sy'n foddhaol ym mhob ffordd,
Rwy'n berffaith hapus â'r trefniadau.; cwbl,
cyfan gwbl perfect
4 (o flaen yr hyn a oleddfir) diymwad,
anwadadwy, *Mae gennyf berffaith hawl i
fenthyca'r llyfr hwn.* perfect
5 CERDDORIAETH fel yn *cyfwng perffaith*, yn
dynodi tri chyfwng mewn graddfa ddiatonig,
un yn cynnwys tri thôn a hanner tôn, e.e.
C i G, gwrthdro'r cyfwng hwn sef G i C dau
dôn a hanner, wythfed ac unsain perfect
Sylwch: mae'n achosi'r treiglad meddal pan
ddaw o flaen yr hyn a oleddfir.

perffeithiach:perffeithiaf:perffeithied *ans*
[perffaith] mwy perffaith; mwyaf perffaith;
mor berffaith

perffeithiaeth *eb*
1 tuedd i wrthod unrhyw beth sy'n llai na
pherffaith (yn enwedig yn eich gwaith eich hun)
perfectionism
2 ATHRONIAETH athrawiaeth ddiwinyddol
sy'n hawlio bod perffeithrwydd moesol,
ysbrydol neu ddynol mewn bywyd yn bosibl
perfectionism

perffeithio *be* [perffeithi•²] cael gwared ar
feiau, gwneud yn berffaith; caboli, gloywi,
mireinio to perfect

perffeithrwydd *eg*
1 y cyflwr o fod yn berffaith; cywreinrwydd,
mireinder perfection
2 enghraifft berffaith perfection

perffeithydd *eg* (perffeithwyr)
1 un sy'n anelu at berffeithrwydd (yn ei waith)
perfectionist
2 un sy'n cael gwared ar bob nam neu wall,
e.e. Iesu Grist, perffeithydd ein ffydd perfector

perfformiad *eg* (perfformiadau) y weithred o
berfformio, canlyniad perfformio; cyflwyniad
performance

perfformio *be* [perfformi•²] gwneud rhywbeth,
e.e. actio, canu, chwarae offeryn, dawnsio,
gwneud triciau, etc. o flaen cynulleidfa;
cyflwyno to perform

celfyddydau perfformio gw. celfyddyd

perfformiwr *eg* (perfformwyr) un sy'n
perfformio; chwaraewr performer

peri *be* [par•³ *3 un. pres.* pair/pâr/para; *2 un.
gorch.* pâr] bod yn rheswm dros i rywbeth

ddigwydd; achosi, arwain at, creu, gwneud
(~ **i** *rywun* wneud; ~ **i** *rywbeth* ddigwydd)
to cause, to induce

pericardiwm *eg* ANATOMEG coden bilennog o
gwmpas calonnau anifeiliaid ag asgwrn cefn
pericardium

pericarp *eg* BOTANEG y rhan o ffrwyth sy'n
datblygu o fur yr ofari ac sy'n dal yr hadau ar
ôl i'r planhigyn flodeuo neu ddechrau ffrwytho
pericarp

perifferi *eg* (perifferïau) ymyl neu ffin allanol
arwynebedd neu wrthrych; goror, terfyn
periphery

perifferol *ans*
1 wedi'i leoli yn agos at ymyl neu derfyn allanol
(peth neu le); ymylol peripheral
2 BIOLEG agos at arwyneb rhan o gorff anifail
neu blanhigyn peripheral
3 ANATOMEG yn ymwneud â phob rhan
o'r system nerfol ac eithrio'r ymennydd a
madruddyn y cefn peripheral

perifferolyn *eg* (perifferolion) CYFRIFIADUREG
dyfais, e.e. sgrin neu argraffydd, y mae modd
ei chysylltu â chyfrifiadur ac sy'n cynnig
swyddogaethau ychwanegol peripheral

periffrastig *ans* GRAMADEG (am ferf) yn
defnyddio dull cwmpasog, e.e. '*byddwn i wedi
gwenu*' yn hytrach na'r ffurf gryno '*gwenaswn*'
periphrastic

perige *eg* (perigeau) SERYDDIAETH y pwynt yn
orbit corff wybrennol o amgylch y Ddaear,
e.e. lloeren, pan fydd y corff agosaf at ganol y
Ddaear perigee

periglor *eg* (periglorion) CREFYDD offeiriad (ficer
neu reithor, fel arfer) sy'n gyfrifol am blwyf
parson, incumbent

perigloriaeth *eb* (perigloriaethau) CREFYDD
swydd a bywoliaeth periglor incumbency

perihelion *eg* SERYDDIAETH y pwynt yn orbit
planed, comed, etc. lle mae agosaf at yr Haul
perihelion

perimedr *eg* (perimedrau)
1 ymyl allanol ffin perimeter
2 MATHEMATEG hyd llinell ddi-dor sy'n ffin i
ffigur geometrig caeedig perimeter

perinëwm *eg* (perinea) ANATOMEG y rhan
o'r corff rhwng yr anws a'r organau rhyw
perineum

peripatetig *ans* yn teithio o le i le (yn enwedig
athro sy'n teithio o ysgol i ysgol, e.e. athrawon
bro, athrawon sy'n dysgu offeryn cerdd);
crwydrol, cylchynol, teithiol peripatetic

periseicl *eg* (periseiclau) BOTANEG haen denau
o feinwe planhigol rhwng yr endodermis a'r
ffloem pericycle

perisgop *eg* (perisgopau) tiwb hir a drych ym
mhob pen iddo sy'n caniatáu i rywun,

e.e. mewn llong danfor, weld beth sy'n digwydd uwchben periscope

peristalsis *eg* FFISIOLEG y broses lle mae cyhyr sy'n amgáu ceudod (yn enwedig y coluddyn) yn cyfangu'n ddiarwybod i greu cyfres o donnau sy'n gwthio unrhyw ddefnydd sydd yn y ceudod yn ei flaen peristalsis

peritonëwm *eg* ANATOMEG yr haen o bilen serws a geir ar geudod yr abdomen ac sy'n gorchuddio organau'r abdomen peritoneum

peritonitis *eg* MEDDYGAETH cyflwr meddygol lle mae'r peritonëwm yn mynd yn llidus peritonitis

Periwaidd *ans* yn perthyn i Beriw, nodweddiadol o Beriw Peruvian

Periwiad *eg* (Periwiaid) brodor o Beriw Peruvian

perl *eg* (perlau)
1 pelen galed, ariannaid sy'n cael ei ffurfio oddi mewn i rai mathau o bysgod cregyn (yn enwedig wystrys/llymarch) ac ystyrir mai gem werthfawr iawn ydyw pearl
2 rhywbeth gwerthfawr a chain, *perl o ddarlith*; trysor gem

perlen *eb* clatsien, clowten, ergyd clout

perlewyg *eg* (perlewygon) cyflwr cysglyd pan nad ydych yn ymwybodol o'r pethau sydd o'ch cwmpas; llesmair, llewyg trance, rapture

perlit *eg* METELEG cymysgedd laminedig o fferrit a smentit sy'n rhan bwysig o ddur a haearn bwrw pearlite

perlog *ans* wedi'i wneud o berlau neu wedi'i addurno â pherlau; yn disgleirio fel perlau pearly

perlysiau *ell*
1 math o blanhigion persawrus y defnyddir eu dail, eu coesau neu eu hadau i roi blas neu sawr arbennig i fwydydd, neu i wneud moddion herbs
2 llysiau sy'n cael eu paratoi yn bowdr i roi blas arbennig i fwydydd; sbeisys spices

perlysieuydd *eg* (perlysieuwyr) un sy'n casglu, gwerthu neu'n arbenigo yn y defnydd o lysiau a pherlysiau, yn enwedig rhai meddyginiaethol herbalist

perlysiog:perlysiol *ans* llawn perlysiau, sbeislyd, peraroglaidd aromatic, spicy

perllan *eb* (perllannau) darn o dir lle mae coed ffrwythau yn tyfu orchard

perllys *eg* planhigyn gardd â phigynnau o flodau bach o liw gwyrdd/melyn ac iddynt frigerau oren amlwg mignonette

Permaidd *ans* DAEAREG yn perthyn i gyfnod olaf y gorgyfnod Palaeosöig (299–251 miliwn o flynyddoedd yn ôl), nodweddiadol o gyfnod olaf y gorgyfnod Palaeosöig Permian

permitifedd *eg* FFISEG mesur o sut mae maes trydanol yn cael ei effeithio gan sylwedd nad yw'n dargludo cerrynt trydanol permitivity

perocsid *eg* (perocsidau) CEMEG cyfansoddyn yn cynnwys dau atom ocsigen wedi'u bondio oddi mewn i'w foleciwl, neu grŵp arall yn cynnwys cyfran uchel o ocsigen peroxide

hydrogen perocsid gw. hydrogen

perorasiwn *eg* (perorasiynau)
1 diweddglo araith sy'n crynhoi ac yn pwysleisio'r prif bwyntiau peroration
2 araith yn defnyddio llawer o dechnegau rhethregol peroration

perori *be* [peror•¹] gwneud synau cerddorol; canu, cathlu, cwafrio, telori to make music, to sing

peroriaeth *eb* y cyflwr o fod yn bersain; cerddoriaeth, perseinedd euphony, melody, music

perpendicwlar¹ *ans*
1 MATHEMATEG yn ffurfio ongl sgwâr â llinell neu blân penodol perpendicular
2 PENSAERNÏAETH (Perpendicwlar) yn perthyn i arddull bensaernïol a gâi ei ddefnyddio ym Mhrydain o ddiwedd y bedwaredd ganrif ar ddeg hyd at ganol yr unfed ganrif ar bymtheg, ac a gâi ei nodweddu gan ffenestri mawr, fowtiau, a phwyslais ar linellau fertigol English Gothic, Perpendicular
  Sylwch: ceir priflythyren ar ddechrau'r term pensaernïol.

perpendicwlar² *eg* llinell berpendicwlar perpendicular

persain *ans* [persein•] pêr ei sain; melodaidd, perseiniol, soniarus melodious, sweet-sounding, euphonious

persawr *eg* (persawrau)
1 sawr neu arogl (oglau, gwynt) pêr megis sawr blodau perfume, fragrance
2 hylif â sawr pêr i'w roi ar y corff; perarogl perfume, scent

persawru *be* [persawr•³] llenwi'r aer â phersawr, pereiddio ag aroglau to perfume

persawrus *ans* yn sawru'n beraidd, yn gwynto'n dda, ag arogl (oglau) da; aroglus, aromatig, peraroglus scented, fragrant, aromatic

persbectif *eg* (persbectifau)
1 y ffordd y mae rhywbeth yn cael ei bwyso a'i fesur fel bod pob agwedd arno yn cael ei ystyried perspective
2 y gelfyddyd o dynnu llun rhywbeth mewn ffordd sy'n cyfleu pellter, dyfnder a lled y gwrthrych gwreiddiol perspective

per se *adf* yn ei hanfod; fel y cyfryw

perseinedd *eg* y cyflwr o fod yn bersain, ansawdd llais soniarus melodiousness, euphony

perseiniach:perseiniaf:perseinied *ans* [persain] mwy persain; mwyaf persain; mor bersain

perseiniol *ans* pêr ei sain; melodaidd, persain, soniarus euphonious, melodious

Persiad *eg* (Persiaid) *hanesyddol* brodor o Bersia neu o dras Bersiaidd Persian

p

Persiaidd *ans hanesyddol* yn perthyn i Bersia, nodweddiadol o Bersia Persian

persli *eg* un o berlysiau'r ardd; mae ganddo ddail bach cyrliog, gwyrdd a ddefnyddir i roi blas ar fwydydd parsley

person[1] *eg* (personau)
1 un o nifer o bobl; unigolyn, bod dynol person
2 corff dynol a'i ymddangosiad, *Roedd e'n berson twt a thaclus ym mhob ffordd*. person
3 GRAMADEG un o dair ffurf (unigol neu luosog) berfau neu ragenwau a ddefnyddir i ddangos: y siaradwr (fi, ni), *y person cyntaf*; y sawl rydych chi'n siarad â nhw (ti, chi), *yr ail berson*; y sawl rydych chi'n siarad amdanynt (ef, hi, nhw), *y trydydd person* person
person ifanc (pobl ifanc) rhywun ifanc yn y cyfnod rhwng bod yn blentyn a bod yn oedolyn; adolesent adolescent

person[2] *eg* (personiaid) CREFYDD offeiriad yn Eglwys Loegr neu yn yr Eglwys yng Nghymru sy'n gofalu am blwyf parson

personadu *be* esgus bod yn rhywun arall (mewn ffordd anghyfreithlon); dynwared to impersonate
Sylwch: nid yw'r ferf hon yn arfer cael ei rhedeg.

persona non grata *eg* (*personae non gratae*) rhywun annerbyniol

persondy *eg* (persondai) y tŷ y mae person (offeiriad) yn byw ynddo; ficerdy, rheithordy parsonage

personél *eg* gweithlu, corff o weithwyr personnel

personol *ans*
1 yn ymwneud ag unigolyn yn unig; goddrychol, preifat personal
2 am rywbeth beirniadol neu gas sy'n cael ei ddweud am un person yn unig, *Paid â gadael i'r ddadl droi yn ymosodiad personol*. personal

personoleiddio *be* [personoleiddi•[2]]
1 troi dadl neu fater dan sylw at bersonoliaethau neu deimladau, yn hytrach na'i chadw ar lefel gyffredinol neu haniaethol to personalize
2 cynhyrchu (rhywbeth) neu ei addasu yn ôl gofynion unigolyn to personalize
3 sicrhau bod modd adnabod (rhywbeth) fel eiddo unigolyn penodol to personalize

personoli *be* [personol•[1]] priodoli nodweddion dynol i (rywbeth), *Mae'r haul yn gwenu arnom heddiw*. to personify

personoliad *eg* y broses o bersonoli, canlyniad personoli personification

personoliaeth *eb* (personoliaethau) cymeriad rhywun, yr hyn sy'n ei wahaniaethu oddi wrth rywun arall, *Mae ganddi bersonoliaeth gref.*; anian, natur, unigoliaeth personality

perswâd *eg* dawn i ddylanwadu ar eraill, neu eu darbwyllo drwy ddadl, *A elli di ddwyn*

perswâd ar dy dad i ganiatáu i ti ddod gyda ni? persuasion

perswadio *be* [perswadi•[2]]
1 gwneud i rywun deimlo'n sicr; argyhoeddi, darbwyllo (~ *rhywun* i) to persuade, to coax
2 dwyn perswâd ar (rywun), peri i rywun gredu rhywbeth drwy ei gymell neu ei ddarbwyllo; annog, cymell (~ *rhywun* o) to persuade

perswadiwr *eg* (perswadwyr) un sy'n perswadio persuader

pert *ans* [pert•]
1 *tafodieithol, yn y De* atyniadol a deniadol (nid yw'n air mor gryf â 'hardd' neu 'prydferth'); del, glân, tlws, pretty
2 chwim a chelfydd, *cic fach bert* neat, sweet
3 (mewn ffordd wawdlyd) ofnadwy, anghymwys, *Mae e'n un pert i siarad!* fine

pertrwydd *eg* y cyflwr neu'r ansawdd o fod yn bert; glendid, tegwch, tlysni prettiness

perth *eb* (perthi)
1 rhes o lwyni neu goed bychain sy'n ffurfio clawdd; bid, clawdd, gwrych, sietin hedge
2 coeden fach isel; llwyn, prysglwyn, prysgwydden bush

perthnasau *ell* lluosog **perthynas**[1] relatives

perthnasedd *eg*
1 y cyflwr o ba mor berthnasol yw rhywbeth; perthynas, priodoldeb relevance
2 FFISEG yr egwyddor bod deddfau ffiseg yr un fath i bob gwrthrych sy'n symud gyda'r un cyflymder cyson relativity
3 FFISEG damcaniaeth Einstein yn seiliedig ar y ffaith bod buanedd golau mewn gwagle yn gyson ac yn annibynnol ar unrhyw sylwebydd; mae'n arwain at y casgliad bod màs ac egni yn hafal, ac y bydd màs, dimensiwn ac amser yn newid gydag unrhyw gynnydd mewn cyflymder relativity

perthnaseddol *ans* FFISEG yn symud ar fuanedd ychydig yn llai na buanedd golau, pan fydd priodweddau, e.e. màs, yn newid yn unol â damcaniaeth perthnasedd relativistic

perthnasoedd *ell* lluosog **perthynas**[2]

perthnasol *ans* cysylltiedig mewn rhyw ffordd â'r hyn sydd dan sylw; cymwys, cysylltiedig relevant, pertinent

perthnasolaeth *eb* ATHRONIAETH damcaniaeth sy'n hawlio nad yw gwirionedd nac egwyddorion moesol yn absoliwt ond yn hytrach yn amrywio yn ôl yr amgylchiadau relativism

perthnasolrwydd *eg* y cyflwr o ba mor berthnasol neu briodol yw rhywbeth relevance

perthyn *be* [perthyn•[1] 3 *un. pres.* perthyn; 2 *un. gorch.* ni cheir ffurf]
1 bod yn aelod o'r un teulu, *Rwy'n perthyn i Dafydd drwy waed ond mae Ann yn perthyn iddo drwy briodas.* (~ i) to be related

2 bod yn rhan o (rywbeth), bod yn gysylltiedig â (rhywun neu rywbeth), *A oes rhywun yn gwybod lle mae'r clawr sy'n perthyn i'r pot yma?* to belong
3 bod yn aelod o glwb neu gymdeithas, *Wyt ti'n perthyn i'r Urdd?*; ymwneud â to belong
4 bod yn eiddo i rywun, *I bwy mae'r llyfr yma'n perthyn?* to belong
perthyn o bell heb fod yn perthyn yn agos distant relative
Ymadrodd
perthyn drwy'r trwch am deulu lle mae llawer iawn o berthnasau

perthynas¹ *egb* (perthnasau) aelod o'r un teulu relation, relative
   Sylwch: mae cenedl yr enw'n newid yn ôl rhyw yr unigolyn.

perthynas agosaf perthynas fyw neu berthnasau byw agosaf person next of kin

perthynas² *eb*
1 cysylltiad, *Beth yn union yw'r berthynas rhwng costau a chyflogau?*; cyswllt connection, relationship
2 y ffordd y mae pobl yn cytuno (neu'n anghytuno) â'i gilydd, *Sut berthynas sydd rhyngoch chi a'r bobl drws nesa ar ôl i Gareth dorri'r ffenestr?*; cyfathrach, cyfeillach relationship

perthynol *ans*
1 o'i gymharu â rhywbeth arall, mewn perthynas â rhywbeth arall relative
2 CYFRAITH yn perthyn i appurtenant
cymal perthynol gw. **cymal**
   Sylwch: mae'r 'a' yn aml yn diflannu ond mae'r treiglad yn aros.

perwig *eb* (perwigau) gwallt gosod, gwallt ffug periwig, wig

perwyl *eg hen ffasiwn* pwrpas, achos, diben, amcan, *I ba berwyl y daethost i'r tŷ hwn?* purpose

pery *bf* [para] *ffurfiol* mae ef yn para/mae hi'n para; bydd ef yn para/bydd hi'n para

perygl *eg* (peryglon)
1 posibilrwydd o gael niwed, *Perygl! Llifogydd ar y draffordd.*; cyfyngder, enbydrwydd, risg danger, jeopardy, peril
2 rhywbeth sy'n debygol o achosi niwed mawr, *peryglon yfed diod feddwol a gyrru car*; risg danger, risk, hazard

perygl bywyd am rywbeth peryglus iawn more than your life's worth

peryglu *be* [perygl•¹] achosi perygl, rhoi (rhywun neu rywbeth) mewn perygl; bygwth to risk, to endanger, to jeopardize

peryglus *ans* tebygol o achosi niwed mawr; anniogel, enbyd dangerous, risky, hazardous

peryglus o fe'i defnyddir i ddwysáu ystyr ansoddair, *peryglus o agos*

pes gw. **pe**

Pesach *eg* CREFYDD (Iddewiaeth) gŵyl wanwyn i gofio bod Duw wedi pasio dros dai'r Israeliaid pan laddwyd pob mab cyntaf-anedig yn yr Aifft gan orfodi Pharo i ryddhau Israeliaid o'u caethiwed Passover

pesari *eg*
1 math o dabled (o foddion) a roddir yn y wain i drin haint pessary
2 MEDDYGAETH dyfais a roddir yn y wain i gynnal y groth pessary
3 *hynafol* dyfais a roddid yng ngwain merch er mwyn atal cenhedlu pessary

pesgi *be* [pasg•³] mynd yn dew, gwneud yn dew, magu bol, *mochyn yn pesgi ar flawd*; breisgáu, tewhau, tewychu to fatten, to get fat

pesimist *eg* (pesimistiaid)
1 un sy'n credu'r gwaethaf am bopeth, neu am rywbeth arbennig; gwaethafwr, gwaethafydd pessimist
2 un sy'n credu bod drygioni yn drech na daioni pessimist

pesimistaidd *ans* â thuedd i ddisgwyl y gwaethaf, i edrych ar yr ochr dywyllaf pessimistic

pesimistiaeth *eb* athrawiaeth sy'n honni bod y drwg yn drech na'r da ac mai'r byd hwn yw'r gwaethaf o bob byd posibl; negyddiaeth, siniciaeth pessimism

pestl *eg* (pestlau) math o bastwn bach a ddefnyddir i falu a phwyo cemegion neu lysiau mewn dysgl arbennig (morter) pestle

peswch¹:pesychiad *eg* (pesychiadau)
1 y weithred o besychu neu sŵn pesychu cough
2 salwch neu afiechyd pan fydd rhywun yn pesychu'n barhaus cough

peswch² gw. **pesychu**

pesychu:peswch *be* [pesych•¹ 3 *un. pres.* peswch/pesycha; 2 *un. gorch.* peswch/pesycha]
1 gollwng aer o'r ysgyfaint gan wneud sŵn sydyn, cras, yn enwedig oherwydd salwch; pesychu to cough
2 gwneud sŵn fel sŵn peswch; tagu to cough

petai *bf* pe bai

petal *eg* (petalau) un o'r rhannau lliwgar, tebyg i ddail, sy'n ffurfio fflurben blodyn petal

petalog *ans* yn dwyn petalau, tebyg i betal petalled, petal-like

petawn *bf* [bod; petawn i, petaet ti, petai ef/ hi, petaem ni, petaech chi, petaent hwy/petaen nhw] un o ffurfiau amhenodol 'bod' ynghlwm wrth y cysylltair 'pe', *pe bawn i*, etc.

petiol *eg* (petiolau) BOTANEG y coesyn main sy'n cynnal deilen a'i dal wrth goesyn planhigyn petiole

petit bourgeois *ans* nodweddiadol o'r dosbarth canol isaf; ceidwadol, confensiynol

petit four *eg* (*petits fours*) COGINIO teisen fach addurnedig i'w bwyta gyda choffi neu de neu ar ddiwedd pryd

p

petit mal *eg* MEDDYGAETH math o epilepsi lle mae rhywun yn mynd yn anymwybodol am gyfnodau byr iawn, fel arfer heb gwympo na chau'r llygaid

petit point *eg* brodwaith mân iawn

petrisen *eb* (petris) aderyn helwriaeth cymedrol ei faint sydd â chorff crwn a chynffon fer partridge

petrocemegol *ans* yn perthyn i betrocemegolion, nodweddiadol o betrocemegolion petrochemical

petrocemegolyn *eg* (petrocemegolion) cemegyn yn deillio o betroliwm neu nwy naturiol petrochemical

petrol *eg* hylif sy'n cael ei buro (gan amlaf o betroliwm) a'i ddefnyddio'n bennaf yn danwydd mewn peiriant (yn enwedig ceir modur) petrol

petroleg *eb* DAEAREG astudiaeth wyddonol o greigiau, eu cyfansoddiad, eu dosbarthiad, eu hadeiledd a'u hanes petrology

petroliwm *eg* cymysgedd o hydrocarbonau sydd i'w gael mewn cronfeydd dan wyneb y ddaear ac sy'n cael ei ddefnyddio i ddistyllu nifer o wahanol fathau o sylweddau cemegol mewn purfeydd olew petroleum

petrus:petrusgar *ans* [petrus•] araf yn penderfynu, yn ofni penderfynu, yn oedi cyn gwneud rhywbeth; amhenderfynol, anhyderus, ansicr, ofnus hesitant, diffident, faltering

petrusiad *eg* y weithred o betruso doubting, hesitation

petruso *be* [petrus•¹] bod yn araf yn penderfynu, cloffi rhwng dau feddwl; anwadalu, gwamalu, oedi, simsanu (~ **ynghylch**) to doubt, to hesitate, to falter

petruster *eg* ansicrwydd neu amheuaeth ynglŷn â rhywbeth; amhendantrwydd, cyfyng-gyngor, penbleth hesitancy, indecision, misgiving

petryal¹ *eg* (petryalau) MATHEMATEG ffigur dau ddimensiwn sydd â phedair ochr llinell syth a phedair ongl sgwâr; mae sgwâr yn fath arbennig o betryal rectangle, oblong

petryal² *ans* (am ffigur dau ddimensiwn) â phedair ochr llinell syth a phedair ongl sgwâr rectangular, oblong

peth *eg* (pethau)
1 unrhyw wrthrych y mae modd ei weld, ei glywed, ei deimlo, ei flasu, ei arogli neu ei ddychmygu; gwrthrych na all neu na ddylai pobl ei enwi, *Beth yw'r peth 'na sy gen ti?* thing
2 rhywbeth sy'n cael ei drafod neu rywbeth sy'n cael ei ddweud, *Dyna beth cas i'w ddweud am rywun.* thing
3 gweithred, *y peth nesaf fydd eisiau'i wneud* thing
4 rhan o, cyfran o, *Gei di beth o 'nghinio i. Mae peth o'r gwaith yn dda.* some
5 rhyw gymaint, *Mae peth gwaith i'w wneud eto.*

eithaf peth gw. eithaf¹

pa beth cwestiwn, *Pa beth yw dyn?* what

y peth cyntaf yn gynnar; o flaen dim arall first thing

pethau *ell*
1 lluosog peth
2 yr hyn sy'n arbennig ac yn nodweddiadol o Gymru a'r Gymraeg, pan sonnir am 'Y Pethe'
3 amgylchiadau bywyd, sefyllfa, *Sut mae pethau'n mynd? Mae pethau'n gwaethygu.* things

bod o gwmpas fy (dy, ei, etc.**) mhethau** bod yn hollol glir fy meddwl ac yn gallu delio'n iawn â bywyd pob dydd in full possession of one's faculties

gwybod fy (dy, ei, etc.**) mhethau** deall fy ngwaith to know one's onions/business

mynd o gwmpas fy (dy, ei, etc.**) mhethau** cyflawni gorchwylion arferol, gwneud gwaith pob dydd to set about one's tasks

pethau da *tafodieithol* candis, cisys, fferins, losin, melysion, minceg, taffis sweets

petheuach *ell* hen bethau bach; geriach, manion, taclau, trugareddau bits and pieces, frippery, odds and ends

pethma gw. **bethma²**

peunes *eb*
1 iâr y paun; mae ganddi gynffon lai ei maint sy'n llai lliwgar na chynffon y ceiliog peahen
2 *difrïol* merch neu wraig falch, rodresgar

peunod *ell* lluosog paun

peuo *be* anadlu'n fyr ac yn gyflym; dyhefod to pant
Sylwch: nid yw'r ferf hon yn arfer cael ei rhedeg.

pH *eg* CEMEG rhif sy'n disgrifio asidedd neu alcalinedd hydoddiant ar raddfa logarithmig. Mae gwerthoedd pH asidau o dan 7; mae pH 7 yn hydoddiant niwtral; mae gwerthoedd pH alcalïau yn fwy na 7

pi¹:pia *eb* pioden magpie

pi² *eb*
1 π, unfed lythyren ar bymtheg yr wyddor Roeg pi
2 MATHEMATEG gwerth rhifiadol cymhareb cylchedd cylch i'w ddiamedr (3.14159 yn fras) pi
Sylwch: dewiswyd y symbol π gan y mathemategydd o Ynys Môn, William Jones (1674–1749) i gynrychioli'r rhif hwn.

piano¹ *eg* (pianos) offeryn cerdd mawr â seinglawr, sy'n cael ei chwarae gan rywun sy'n taro nodau â'i fysedd; mae'r rheini yn eu tro yn achosi i forthwylion bach y tu mewn i gorff yr offeryn daro rhes o dannau piano, pianoforte

piano² *adf ac ans* CERDDORIAETH yn dawel, tawel

pianydd *eg* (pianyddion) un sy'n chwarae'r piano pianist

piau *bf* (yn y ffurf 'biau' gan amlaf) (sydd) yn berchen ar
Sylwch: John biau'r bêl sy'n gywir ac nid 'John a biau'r bêl' na 'John sydd biau'r bêl'.

pib¹ *eb* (pibau)
 1 tiwb cul a phowlen ar un pen iddo ar gyfer
 ysmygu tybaco; cetyn pipe
 2 offeryn cerdd lle mae'r nodyn neu'r nodau'n
 cael eu cynhyrchu wrth i rywun chwythu drwy
 diwb; chwibanogl, ffliwt pipe, fife
 3 peipen, pibell, piben pipe, tube
 Sylwch: (yn dechnegol) peipen = piben ddŵr/
 nwy; pib = offeryn cerdd/cetyn ysmygu;
 pibell = dwythell, sianel yn y corff.
pib² *eb* ('y bib') dolur rhydd; cyflwr lle mae
 bwyd yn cael ei waredu o'r corff yn rhy gyflym
 ac mewn modd dyfrllyd drwy'r ymysgaroedd;
 rhyddni diarrhoea
pibaid *eb* llond pib (o dybaco) pipeful
pibddawns *eb* (pibddawnsiau) CERDDORIAETH
 math o ddawns fywiog mewn rhythm
 cyfansawdd; yn wreiddiol, dawns i forwyr i
 gyfeiliant pibgorn hornpipe
pibell *eb* (pibellau)
 1 tiwb crwn, gwag o fetel, gwydr, plastig, clai,
 etc. y gall dŵr, nwy, etc. lifo drwyddo; pib
 pipe, duct
 2 tiwb bach cul a phowlen ar un pen iddo ar
 gyfer ysmygu tybaco; cetyn, pib pipe
 3 ANATOMEG tiwb neu ddwythell yn y corff,
 e.e. *pibell waed, pibell wynt* pipe, tube, vessel
 4 BOTANEG tiwb a geir yn system fasgwlar
 planhigyn ac sy'n cludo dŵr neu faetholion o'r
 gwreiddyn vessel
 Sylwch: (yn dechnegol) peipen = piben ddŵr/
 nwy; pib = offeryn cerdd/cetyn ysmygu; pibell
 = dwythell, sianel yn y corff.
pibell fôr pysgodyn y môr â chorff hir, math
 o arfwisg esgyrnog dan y croen a thrwyn
 pibellog pipefish
pibell fwyd llwnc; llwybr bwyd wrth iddo
 fynd o'r geg i'r stumog gullet
pibell wacáu pibell sy'n cael gwared ar y
 nwyon gwastraff, aer, etc. a gynhyrchir gan
 beiriant exhaust, exhaust pipe
pibell waed ANATOMEG unrhyw un o'r tiwbiau
 yn y corff y mae gwaed yn llifo drwyddynt
 blood vessel
pibell wynt tracea; y brif ran yn y system
 o diwbiau sy'n cludo aer i'r ysgyfaint ac o'r
 ysgyfaint; breuant windpipe
pibellaid *eb* (pibelleidiau) llond pibell (o dybaco,
 fel arfer) pipeful
pibellog *ans* ar ffurf pibell pipe-like, tubular
piben *eb* (pibenni) pib, pibell pipe
pibgod *eb* (pibgodau) CERDDORIAETH un o nifer
 o offerynnau cerdd (a gysylltir â'r gwledydd
 Celtaidd yn bennaf) lle mae aer yn cael ei
 gadw mewn cwdyn arbennig cyn cael ei wthio
 drwy bibau i gynhyrchu'r sain nodweddiadol
 bagpipe(s)

pibgorn:pib gorn *eb* (pibgyrn) offeryn chwyth
 yn dyddio o'r ddeunawfed ganrif yn cynnwys
 pib o bren neu asgwrn â chwe thwll i'r bysedd
 ac un i'r bys bawd; mae iddi ddarn o gorn ar
 bob pen a chorsen yn y pen y chwythir iddo
 hornpipe
piblin *eg* (piblinau) rhes hir (milltiroedd) o bibau
 wedi'u cydgysylltu er mwyn cludo dŵr, nwy,
 olew, etc., lein bibell pipeline
pibo *be*
 1 cario drwy bibellau (~ *rhywbeth* i) to pipe
 2 bod â dolur rhydd to have diarrhoea
 Sylwch: nid yw'r ferf hon yn arfer cael ei rhedeg.
pibonwy *ell* cynffonnau pigfain o iâ sy'n cael
 eu ffurfio pan fydd llifeiriant o ddŵr yn rhewi;
 bysedd rhew, clych iâ icicles
pibydd *eg* (pibyddion) un sy'n canu'r bib neu'r
 pibau piper
 y Pibydd Brith gw. 'Y Fantell Fraith' dan
 mantell Pied Piper
pic:picen *eb* (picau:pice) teisen fach gron wedi'i
 chrasu ar y maen Welsh cake
 pice ar y maen teisennau crwn, fflat a chwrens
 ynddynt sy'n cael eu coginio ar radell, fel arfer;
 cacennau cri Welsh cakes
picarésg *ans* nodweddiadol o waith creadigol
 sy'n adrodd anturiaethau arwr sy'n dipyn
 o ddihiryn (e.e. straeon Twm Siôn Cati)
 picaresque
picas *eb* (picasau) erfyn ar ffurf T â choes o bren
 a'r pen yn crymu i ffurfio pig fain o boptu ar
 gyfer hollti craig, glo, concrit, etc. pickaxe
picedu *be* [piced•¹] gwarchod mynedfa ffatri,
 siop, gwaith, etc. ar adeg streicio i rwystro
 pobl eraill rhag mynd i'r gwaith nes bod yr
 anghydfod drosodd to picket
picedwr *eg* (picedwyr) un sy'n cael ei osod i
 warchod mynedfa ffatri, siop, gwaith, etc.
 ar adeg streic (gan Undeb, fel arfer), i rwystro
 pobl eraill rhag mynd i'r gwaith nes bod yr
 anghydfod drosodd picket
picell *eb* (picellau) gwaywffon hir a ddefnyddid
 gan farchogion gynt pike, spear, lance
picellwr *eg* (picellwyr) milwr sy'n ymladd â
 phicell lancer, pikeman
picen gw. pic
picfforch *eb* (picffyrch) math o fforch a
 ddefnyddir ar fferm i godi gwair neu wellt, mae
 ganddi goes hir a dau bigyn cryf o ddur ar ei
 blaen; picwarch pitchfork
picil:picl *eg*
 1 bwyd wedi'i biclo pickle
 2 sefyllfa anodd neu letchwith, *Mae*
 penderfyniad Mr a Mrs Jones i aros gyda ni
 dros y gwyliau wedi ein gosod ni mewn tipyn
 o bicil.; cyfyng-gyngor, dilema, penbleth,
 trafferth fix, pickle

p

picio *be* [pici•²] mynd, dod, gan symud yn
gyflym; brysio, *Rwy'n picio drws nesaf i
fenthyca morthwyl*.; galw, ymweld (~ **heibio**)
to pop by

piclo *be* [picl•¹] COGINIO rhoi bwydydd mewn
finegr neu ddŵr hallt er mwyn eu cadw am
gyfnod hir; cyffeithio to pickle

picnic *eg*
1 gwibdaith gyda bwyd i'w fwyta yn yr awyr
agored picnic
2 pryd o fwyd yn yr awyr agored picnic

picniciwr *eg* (picnicwyr) un sy'n bwyta picnic
picnicker

picolo *eg* (picolos) ffliwt fach sy'n chwarae nodau
wythfed yn uwch na ffliwt arferol piccolo

picot *eg* GWNIADWAITH rhes o fân gylchoedd
addurniadol a geir fel ymyl i ruban neu i ddarn
o les picot

picsel *eg* (picseli) ELECTRONEG un o'r elfennau
unigol sydd, o'u gosod at ei gilydd, yn ffurfio
llun ar sgrin deledu neu sgrin debyg
(e.e. cyfrifiadur) pixel

picseleiddio *be* [picseleiddi•²] troi (delwedd)
yn bicseli yn enwedig er mwyn ei chadw neu
ei harddangos mewn fformat digidol; dangos
(llun rhywun) ar ffurf nifer bach o bicseli mawr
e.e. fel nad oes modd ei adnabod to pixelate

Pict *eg* (Pictiaid) *hanesyddol* aelod o lwyth nad
oedd yn Geltaidd a oedd yn byw yng ngogledd
yr Alban yng nghyfnod y Rhufeiniaid Pict

pictiwr *eg* (pictiyrau) darlun, llun, murlun,
paentiad picture

pictiwrs *eg* gair ar lafar am sinema cinema,
pictures

pictograff:pictogram *eg*
(pictograffau:pictogramau)
1 llun hynafol iawn a dynnid ar furiau ogof
pictograph
2 unrhyw symbol a ddefnyddir mewn system
ysgrifennu yn seiliedig ar luniau pictograph
3 diagram yn cyflwyno data ar ffurf llun
pictograph

pictograffeg *eb* cofnodi digwyddiadau,
syniadau neu deimladau drwy gyfrwng
symbolau yn defnyddio lluniau pictography

picwarch *eb* (picweirch) math o fforch a
ddefnyddir ar fferm i godi gwair neu wellt, mae
ganddi goes hir a dau bigyn cryf o ddur ar ei
blaen; picfforch pitchfork

picwnen *eb* (picwn) pryfyn ehedog ac iddo gorff
rhesog du a melyn; mae'n gallu pigo ac mae'n
adeiladu nythod cymhleth o fwydion coed;
cacynen, gwenynen feirch wasp

pidlen *eb* *aflednais* pidyn; aelod rhywiol allanol
anifail gwryw; cal, penis penis, cock

pidyn *eg* (pidynnau) ANATOMEG aelod rhywiol
allanol anifail gwryw penis

pidyn y gog planhigyn â phigyn tal o flodau'n
tyfu'n dynn wrth ei gilydd oddi mewn i ddeilen
fras; mae'n dwyn ffrwyth ar ffurf aeron coch
cuckoo-pint, lords and ladies

pièce de résistance *eg* uchafbwynt

pied-à-terre *eg* (*pieds-à-terre*) lle a gedwir fel
llety pan fydd angen

pier *eg* (pierau) adeiladwaith o bren a/neu fetel
yn ymestyn o'r tir dros y môr a ddefnyddir fel
glanfa ac/neu er mwyn i bobl gerdded arno'n
hamddenol pier

pietà *eb* CELFYDDYD darlun neu gerflun o'r
Forwyn Fair yn cynnal corff Crist

pietist *eg* (pietistiaid) CREFYDD un sy'n arddel
pietistiaeth pietist

pietistiaeth *eb*
1 y gred ym mhwysigrwydd bywyd o ddefosiwn
i Dduw a duwioldeb pietism
2 CREFYDD symudiad crefyddol a gychwynnai
yn yr Almaen yn yr ail ganrif ar bymtheg
yn pwysleisio astudio'r Beibl a phrofiad
crefyddol personol yn hytrach na defnyddio
gallu ymenyddol ac ymlyniad wrth ddefodau
addoliad ffurfiol pietism

piff *eg* (piffiau) plwc bach (o chwerthin) puff

piffian *be* fel yn *piffian chwerthin*, pwffian
chwerthin to giggle, to titter
Sylwch: nid yw'r ferf hon yn arfer cael ei rhedeg.

pig¹ *eb* (pigau)
1 ceg aderyn; gylfin beak, bill
2 agoriad y mae modd arllwys dŵr neu hylifau
eraill drwyddo, mae'n debyg o ran ffurf i big
aderyn, *pig tebot* spout
3 darn tenau, miniog, *un o bigau fforc* point,
prong, spike

pig yr aran planhigyn llysieuol ac iddo ddail
wedi'u rhannu'n 3–5 segment a blodau porffor
neu fioled pum petal cranesbill
Ymadroddion
cael pig i mewn cael cyfle i ddechrau dweud
neu wneud rhywbeth to get a word in, to get
a sniff at
tynnu pig ar (rywun) gwneud ffŵl o rywun
to make a fool of someone

pig² *ans* blin, cecrus, *Be' sy'n bod? Rwyt ti'n big
iawn heddiw.* touchy

pigdwr *eg* (pigdyrau) tŵr pigfain (eglwys);
meindwr spire

pigddu *ans* (am aderyn) â phig ddu, *brân
bigddu*

pigfain *ans* a blaen siarp iddo; blaenllym, llym,
miniog pointed

pigfelyn:pigfelen *ans* (am aderyn) â phig felen,
aderyn du pigfelen

pigiad:pigad *eg* (pigiadau)
1 dolur, clwyf neu nam sy'n achosi poen sydyn;
brathiad, cnoad, trywaniad sting, prick

2 chwistrelliad o hylif (yn enwedig o foddion neu gyffur i mewn i wythïen waed) injection, inoculation

pigion *ell* detholiadau, dewisiadau, *pigion o raglenni radio'r wythnos* selections

piglas *ans* gwelw, wyneblwyd pallid

pigment *eg* (pigmentau) sylwedd sy'n rhoi lliw i rywbeth arall, yn enwedig powdr a gymysgir â hylif ac a ddefnyddir i gynhyrchu paent, inc neu blastigion lliw pigment

Pigmi *eg* (pigmïaid) aelod o lwyth o bobl sy'n llai nag 1.5 m (pum troedfedd) o daldra Pygmy

pigo *be* [pig•[1]]
1 brathu â cholyn, gwanu, cael neu roi pigiad to sting, to prick, to bite
2 teimlo poen sydyn, fel petaech wedi cael pigiad to sting
3 dewis, dethol, *Dw i wedi cael fy mhigo i dîm yr ysgol.* to choose, to pick, to select
4 tynnu, codi neu dorri blodyn neu ffrwyth, *pigo blodau o'r ardd* to pick
5 codi drwy grafu â'r ewin, *pigo trwyn, pigo crachen* to pick
6 datgloi clo â rhywbeth heblaw allwedd/ agoriad to pick
7 bwrw glaw yn ysgafn, *Mae hi'n dechrau pigo eto.*
8 (am aderyn) taro neu fwyta â'i big to peck
9 galw am (rywun neu rywbeth) a mynd ag ef gyda chi, *Mi biga i di i fyny ar fy ffordd o'r gwaith.*; casglu to pick up
pigo ar dewis (ar gyfer cosb neu gamdriniaeth) to pick on

pigog *ans*
1 â llawer o bigau, yn pigo neu'n brathu, *weiren bigog*; brathog, colynnog, danheddog prickly, spiny, spiked
2 byr ei amynedd, sy'n colli'i dymer yn rhwydd ac yn dweud pethau cas; blin, cecrus, piwis irritable, touchy

pigoglys:sbigoglys:ysbigoglys *eg* llysieuyn sy'n cael ei dyfu am ei ddail llydan, gwyrdd, bwytadwy spinach

pigwr *eg* (pigwyr) un sy'n pigo picker

pigwrn *eg* (pigyrnau)
1 ffêr; y cymal yn y corff sy'n cysylltu'r troed wrth y goes; migwrn, swrn ankle
2 ANATOMEG cell ar ffurf côn sy'n ymateb i liwiau a golau yn retina'r llygad cone

pigyn *eg* (pigau)
1 pen neu flaen llym rhywbeth; apig tip
2 pen bach llym, bachog sy'n tyfu ar rai mathau o blanhigion megis drain neu rosod; colyn, draenen thorn, spike, prick
3 poen y mae rhywun yn ei gael yn ei ochr ar ôl bod yn rhedeg; gwayw stitch

pigyn clust clust dost; poen y tu mewn i'r glust earache
Ymadrodd
ar bigau'r drain gw. drain

pil *eg* (pilion) y croen a geir ar ffrwythau a llysiau, yn enwedig croen ffrwythau fel oren a banana y mae gofyn ei dynnu cyn bwyta'r ffrwyth; crawen, croen, crofen peel

pilastr *eg* (pilastrau) PENSAERNÏAETH colofn addurniadol sgwâr (gan amlaf, ond gall fod yn grwn) sydd yn rhannol ynghudd mewn mur pilaster

pilcod *ell* lluosog **pilcodyn**, pysgod bychain tywyll eu lliw sy'n byw yn rhannau uchaf afonydd; silod minnows

pilcodyn *eg* unigol **pilcod**

pilcota *be* pysgota am bilcod; chwarae a splasio mewn dŵr
Sylwch: nid yw'r ferf hon yn arfer cael ei rhedeg.

pilen *eb* (pilenni)
1 llen denau, hyblyg o ddefnydd a ddefnyddir fel rhwystr neu leinin; caenen membrane
2 ANATOMEG math o groen tenau, meddal a geir y tu mewn i'r corff ac sy'n cysylltu neu'n gorchuddio rhai rhannau ohono membrane
3 BIOLEG haen denau allanol celloedd byw membrane
4 GWNÏADWAITH darn o ddefnydd hyblyg a ddefnyddir i leinio ffabrig neu ei alluogi i anadlu a dal dŵr membrane

pilen ar y llygad cataract; pilen sy'n tyfu ar lens y llygad ac yn amharu ar y gallu i weld; rhuchen cataract

pilen fwcaidd ANATOMEG meinwe epithelaidd sy'n gorchuddio tiwbiau a cheudodau y tu mewn i'r corff (e.e. y coluddion a'r llwybr resbiradol) ac sy'n secretu mwcws mucous membrane

pilen y glust ANATOMEG pilen hirgron, denau sy'n rhannu'r glust allanol oddi wrth geudod y glust ganol; mae'n trosglwyddo'r dirgryniadau a gynhyrchir gan seindonnau drwy'r esgyrnynnau i'r cochlea; tympan y glust eardrum, tympanic membrane

pilen y wain hymen; pilen yn lled-guddio agoriad y wain ac sydd fel arfer yn cael ei thorri yn yr achos cyntaf o gyfathrach rywiol hymen

pilennog *ans* wedi'i orchuddio â philen, o natur neu ansawdd pilen membranous

piler *eg* (pileri) postyn tal o garreg, pren neu fetel (wedi'i wneud, fel arfer, i gynnal rhyw adeiladwaith uwch ei ben); colofn, polyn, post column, pillar

piler cymdeithas un sydd wedi cefnogi a chynnal achos dros sawl blwyddyn; rhywun parchus iawn a pillar of society

pilews *eg* BOTANEG y pen (tebyg i ymbarél o ran ffurf) sy'n cynhyrchu sborau mewn rhai mathau o ffwng, e.e. madarch pileus

pilio:pilo *be* [pili•²] colli croen, tynnu croen neu risgl; crafu, plicio, rhisglo to peel, to pare

pilipala *eg* (pilipalod) glöyn byw; math o bryfyn ac iddo deimlyddion a nobyn ar eu blaenau ar flaen y pen a dau bâr o adenydd (lliwgar, fel rheol); iâr fach yr haf butterfly

pilsen *eb* (pils)
1 pelen fach o foddion i'w llyncu; tabled pill
2 math arbennig o bilsen y mae menywod yn ei chymryd er mwyn atal cenhedlu pill

pilsiard *eg* (pilsiards) pysgodyn bach bwytadwy y môr o deulu'r pennog; pennog Mair pilchard

pilyn *eg* (pilynnau)
1 darn o ddillad o unrhyw fath; dilledyn dress, garment
2 dilledyn wedi'i dreulio'n dyllau; cadach, cerpyn rag
3 BIOLEG gorchudd o groen neu bilen a geir o gwmpas organeb fyw integument

pill *eg* pwt o gân; pennill snatch of song, verse

pin *ell* lluosog **pinwydden** pine trees

pìn *eg* (pinnau)
1 darn tenau, blaenllym o fetel sy'n debyg i hoelen fach ac sy'n cael ei ddefnyddio i gydio ynghyd bapur, brethyn, etc. pin
2 darn o fetel sy'n ymestyn allan o blwg neu gylched gyfannol ac yn ffurfio cysylltiad trydanol â soced neu ran arall o gylched pin
3 rhoden ddur a ddefnyddir i uno pennau esgyrn sydd wedi torri pin
4 peg metel sy'n cadw lifer gweithredu grenâd llaw yn ei le gan ei atal rhag ffrwydro pin
Sylwch: gw. hefyd **pinnau**.

pìn bawd math o bìn ac iddo ben llydan a ddefnyddir i roi papur/poster etc. ar wal, hysbysfwrdd, etc. drawing pin

pìn cau math o bìn â gorchudd, y mae modd ei gau, fel bod blaen miniog y pìn yn ddiogel y tu mewn i'r gorchudd safety pin

pìn gwallt darn main o fetel a ddefnyddir i glymu gwallt hairpin
Ymadrodd
fel pìn mewn papur yn dwt ac yn ddestlus spick and span

pinacl *eg* (pinaclau) pwynt uchaf, man uchaf; anterth, brig, penllanw, uchafbwynt pinnacle, acme

pinafal *eg* (pinafalau)
1 ffrwyth mawr sy'n tyfu mewn gwledydd trofannol ac sy'n debyg o ran ffurf i gôn pinwydden; afal pîn pineapple
2 rhan fwytadwy y ffrwyth, sy'n felyn ac yn llawn o sudd melys pineapple

pinbwyntio *be* [pinbwynti•²] adnabod a lleoli yn fanwl gywir to pinpoint

pinc¹ *ans* lliw coch gwelw pink

pinc² *eg* (pincod) aderyn cân bychan a chanddo big fer, dew ar gyfer bwyta hadau; mae'r ji-binc a'r llinos werdd yn bincod finch

pincas *eg* (pincasau) clustog fach y gwthir pinnau a nodwyddau iddi er mwyn eu cadw'n ddiogel pincushion

pincio *be* [pinci•²]
1 gwisgo'n drwsiadus; ymbincio to dress up, to titivate
2 GWNIADWAITH addurno brethyn neu ledr drwy dorri tyllau neu ymylon igam-ogam ynddo, e.e. drwy ddefnyddio siswrn pincio to pink

pindwll *eg* (pindyllau) twll bach iawn, megis un a wneid gan bìn pinhole

pineol *ans* ANATOMEG fel yn *chwarren bineol*, yn perthyn i'r chwarren fach ger yr ymennydd sy'n cynhyrchu hormon sy'n rheoli'r rhythmau circadaidd mewn anifeiliaid a bodau dynol pineal gland

piner *eg* dilledyn llaes heb lewys na chefn sy'n cael ei wisgo dros ddillad eraill rhag iddynt gael eu baeddu; barclod, brat, ffedog pinafore

pinio *be* [pini•⁶] sicrhau â phìn (~ *rhywbeth* **wrth**) to pin

piniwn¹ *eg* (piniynau) barn unigolyn neu gymdeithas ar ryw destun arbennig; meddwl, safbwynt, tyb opinion

piniwn² *eg* (piniynau) olwyn gêr neu gocsen fach sy'n cydio mewn olwyn ddanheddog fwy neu far danheddog (rac) pinion

pinnau *ell* lluosog **pìn**
ar binnau ar bigau'r drain, yn anghyfforddus o nerfus neu ddisgwylgar nervous, on pins, on tenterhooks

pinocytosis *eg* BIOLEG y ffordd y mae cell yn derbyn hylif drwy amlyncu diferyn ohono a chreu fesigl llawn hylif oddi mewn i'r gell pinocytosis

pinsiad¹ *eg* (pinsiadau) y weithred o binsio (rhywun), canlyniad pinsio pinch, tweak

pinsiad²:pinsiaid *eg* (pinsieidi) cymaint ag y gallwch ei godi rhwng bys a bawd, swm bychan iawn, *pinsiad o halen* pinch

pinsio *be* [pinsi•²]
1 gwasgu (croen rhywun, fel arfer) â'ch bys a'ch bawd neu rhwng dau beth caled, *pinsio bys yn y drws* to pinch
2 teimlo poen mewn ffordd debyg i'r pinsio hwn, *Mae fy wyneb yn dechrau pinsio yn y gwynt oer 'ma.* to sting

pinsiwrn *eg* (pinsiyrnau) erfyn ar gyfer gafael yn dynn, yn debyg ei ffurf i siswrn ond â safnau yn lle llafnau; gefel pincers

pinwydd *ell* coed conwydd bythwyrdd ac iddynt ddail main, pigog (nodwyddau); hefyd, yn unigol, pren y coed hynny pine

pinwydden *eb* unigol **pinwydd**

pioden *eb* (piod) aderyn du a gwyn â chynffon hir, main sy'n perthyn i deulu'r frân; pi magpie

pip *eg* cip, cipolwg peep

piped *eg* (pipedau) tiwb cul y mae modd sugno hylif iddo a'i gadw yno drwy gau pen y tiwb (gellir trosglwyddo cyfaint penodedig o hylif yn gywir iawn i rywle arall wrth ddefnyddio piped) pipette

pipo *be* [pip•¹] edrych yn llechwraidd, taflu cipolwg; ciledrych, cipedrych (~ **ar**) to peep

pirana *eg* (piranaod) pysgodyn bychan o Dde America â dannedd miniog iawn; mae'n eu defnyddio i rwygo'r cnawd oddi ar ei ysglyfaeth piranha

pirwét *eg* (mewn dawnsio bale) troad cyflawn o'r corff gan sefyll ar flaen y droed neu ar fysedd y traed pirouette

piser *eg* (piseri) math o lestr i ddal dŵr, llaeth neu hylif arall, a chanddo (gan amlaf) ddolen neu glust (weithiau ddwy) i'w godi wrthynt; jwg pitcher

pisgwydd *ell* coed â dail ar ffurf calonnau a blodau melyn persawrus; hefyd, yn unigol, pren y coed hyn lime, linden

pisgwydden *eb* unigol **pisgwydd**; palalwyfen lime (tree), linden

pisiad *eg anffurfiol* y weithred o bisio a piss

pisio:piso *be* [pisi•²] *anffurfiol* pasio dŵr, gwneud dŵr, gwaredu troeth o'r corff to pee, to piss, to urinate

fel pisio mochyn yn yr eira *anffurfiol* yn igam-ogam, dros y lle i gyd

pisio bwrw/glaw *anffurfiol* arllwys/tywallt y glaw pissing down

pisio dryw bach yn y môr *anffurfiol* rhywbeth sydd mor ddibwys, nad yw'n mynd i wneud unrhyw wahaniaeth

pisio yn erbyn y gwynt *anffurfiol* am weithred sy'n gwneud mwy o ddrwg nac o les

pistasio *eg* coeden fach sy'n cynhyrchu cnau bwytadwy o liw gwyrdd pistachio

pistil *eg* (pistiliau) BOTANEG organ benywol blodyn yn cynnwys y stigma, y golofnig a'r ofari pistil

piston *eg* (pistonau) plât crwn o fetel neu silindr byr sy'n ffitio'n dynn mewn silindr sydd ychydig yn fwy lle mae'n cael ei wthio i fyny ac i lawr dan rym pwysau neu ffrwydradau; fe'i defnyddir mewn peiriant tanio mewnol i yrru rhannau eraill o'r peiriant a gysylltir ag ef â siafft arbennig o'r enw crancsiafft piston

pistyll *eg* (pistylloedd) ffrwd o ddŵr, ffynnon o ddŵr, e.e. *Pistyll Rhaeadr*; rhaeadr, sgwd spout, waterfall, well

fel pistyll mewn stên am rywun nad yw'n gweddu neu nad yw'n addas i gyflawni tasg a square peg in a round hole

pistyllio:pistyllu *be* [pistyll•¹]
1 llifeirio'n drwm; arllwys, ffrydio, tywallt to pour
2 tywallt/arllwys y glaw, bwrw'n drwm, bwrw hen wragedd a ffyn; diwel, stido to pour

pisyn *eg* (pisynnau:pisys)
1 rhan sy'n cael ei gwahanu oddi wrth y gweddill, *pisyn o gacen*; darn, ychydig piece
2 un o nifer o rannau sydd i'w gosod at ei gilydd, *Mae pisyn o'r cloc yn eisiau.* piece
3 darn mewn rhai mathau o gêmau bwrdd, e.e. gwyddbwyll piece
4 term a ddefnyddir gan fechgyn am ferch ddel/bert a chan ferched am fachgen golygus
5 darn o arian, e.e. pisyn chwech (darn chwe cheiniog mewn hen arian) piece

piti *eg* fel yn *piti garw*, mae'n drueni mawr; bechod, gresyn, trueni it's a great pity

pitïo *be* [pitï•⁸] teimlo trueni dros (rywun neu rywbeth); tosturio to pity
Sylwch: does dim angen didolnod pan fydd dwy 'i' yn dilyn ei gilydd, *pitiir*.

piton *eg* (pitonau) pigyn neu letem o fetel sy'n cael ei wthio i'r graig neu i wyneb o iâ i gynnal rhaff dringwr neu fynyddwr piton

pitran-patran *be* curo ysgafn a chyflym megis sŵn glaw ysgafn ar do to pitter-patter
Sylwch: nid yw'r ferf hon yn cael ei rhedeg.

pitsh *eg* sylwedd tew, du, gludiog a adewir wedi distyllu tar pitch

du bitsh pygddu, yr unlliw â phitsh pitch-black

pitsio¹ *be* [pitsi•²] taflu rhywbeth gyda'r bwriad iddo ddisgyn ar fan arbennig to pitch

pitsio² *be* [pitsi•²] taro; taro nodyn neu osod y cywair priodol to pitch

pitw *ans* bach a dibwys; mân, gwan, tila petty, puny, paltry

pitwidol *ans* ANATOMEG fel yn *chwarren bitwidol*, yn perthyn i'r brif chwarren sy'n gollwng hormonau i'r gwaed; mae wedi'i chysylltu â gwaelod yr ymennydd pituitary

più mosso *adf* ac *ans* CERDDORIAETH yn gyflymach ar unwaith

piw *eg* (piwau) pwrs; organ tebyg i gwdyn neu fag sy'n dal y chwarennau llaeth mewn buwch, dafad neu afr; cadair udder

piwiaid *ell* gwybed mân gnats, midges

piwis *ans* yn colli tymer yn hawdd; blin, dig, pigog grumpy, cantankerous, peevish

piwma *eg* (piwmas) cath wyllt fawr â chot lwyd, felynaidd a geir yng Ngogledd America a rhannau o Dde America puma

piwr *ans* caredig, hynaws, da fine, kind

p

piwritan *eg* un sy'n cadw'n dynn at safonau caeth a difrifol o ymddygiad a moesoldeb; rhywun cul puritan

Piwritan *eg* (Piwritaniaid) CREFYDD (yn yr unfed ganrif ar bymtheg a'r ail ganrif ar bymtheg) un a oedd yn arddel Piwritaniaeth Puritan

piwritanaidd *ans*
1 cul a difrifol puritanical
2 nodweddiadol o Biwritaniaeth puritanical

piwritaniaeth *eb* CREFYDD (yn yr unfed ganrif ar bymtheg a'r ail ganrif ar bymtheg) symudiad yn erbyn unrhyw ddefod grefyddol nad oedd yn cael ei nodi yn y Beibl puritanism

piws *eg* coch tywyll neu borffor tywyll puce

piwtar:piwter *eg*
1 metel llwyd sy'n gymysgedd o alcam a phlwm pewter
2 llestri wedi'u gwneud o'r metel hwn pewter

pizza *eg* COGINIO saig Eidalaidd yn cynnwys haen o fwydydd sawrus ar ben sylfaen o does

pizzicato *adf* (*pizzicati*) CERDDORIAETH cyfarwyddyd i offerynnwr llinynnol blycio'r llinynnau gyda'r bys yn hytrach na defnyddio'r bwa (*pizz.*)

pla *eg* (plâu)
1 unrhyw glefyd neu haint sy'n achosi marwolaeth ac sy'n lledaenu'n gyflym plague, pestilence
2 nifer mawr o rywbeth sy'n gwneud drwg, *pla o lygod* infestation, plague
3 rhywun neu rywbeth sy'n eich poeni neu'n eich cythruddo; poen pest

y Pla Du *hanesyddol* pla a arferai gael ei drosglwyddo gan chwain llygod Ffrengig; tisian, twymyn, pothelli hyll a chwyddi du oedd y symptomau Black Death

plac *eg* (placiau)
1 darn o garreg, llechen neu bren (neu ddefnydd tebyg) a osodir ar fur (fel arfer) i gofnodi achlysur arbennig plaque
2 haen o fwcws a bacteria sy'n crynhoi ar wyneb dant plaque
3 MEDDYGAETH codiad bach clir ar wyneb y corff neu oddi mewn iddo a achosir gan niwed (e.e. niwed i feinwe'r ymennydd yng nghlefyd Alzheimer) neu gan ddefnydd neu sylwedd wedi'i ddyddodi (e.e. braster ar furiau rhydwelïau sy'n arwain at atherosglerosis) plaque
4 BIOLEG (mewn meithriniad celloedd) ardal glir a achosir gan facterioffag sy'n atal twf neu'n difa celloedd plaque

plàd:plod *eg*
1 darn petryal o frethyn â phatrwm o sieciau a wisgir dros yr ysgwydd chwith fel rhan o wisg yr Alban tartan, plaid
2 brethyn a phatrwm tartan arno tartan, plaid

pladres *eb* gwraig fawr nobl (weithiau fel enw difrïol)

pladur *eb* (pladuriau) offeryn â choes a llafn hir ar gyfer torri gwair neu ŷd â llaw scythe

pladuro *be* [pladuri•²] defnyddio pladur i dorri gwair neu ŷd â llaw; lladd gwair to scythe

plaen¹ *eg* (plaenau:plaeniau) erfyn y mae saer coed yn ei ddefnyddio i wastatáu wyneb darn o bren a'i wneud yn llyfn plane

plaen jac plaen maint canolig a ddefnyddir i lyfnhau pren wedi iddo gael ei lifio jack plane

plaen llyfnhau plaen llai a ddefnyddir i orffen arwyneb pren smoothing plane

plaen rabad plaen ag ochr agored a ddefnyddir i dorri rabad mewn pren rebate plane

plaen² *ans* [plaen•]
1 hawdd ei glywed, ei weld neu ei ddeall clear
2 diaddurn, diymffrost, moel, syml, e.e, *Dewison ni bapur plaen, glas tywyll i fynd ar un o'r welydd*. plain
3 heb fod yn hardd nac yn olygus plain
4 (am bapur) heb linellau plain
5 am ffordd (anghwrtais, yn aml) rhywun o fynegi meddwl neu deimlad, *dweud yn blaen* frank, plain
6 (am fwyd) naturiol, wedi'i goginio'n syml, heb sawsiau, etc. plain

plaender:plaendra *eg* y cyflwr o fod yn blaen neu'n ddiaddurn; symledd plainness

plaengan *eb* CERDDORIAETH math o ganu (neu lafarganu) unsain eglwysig o'r Oesoedd Canol lle mae'r alaw yn dilyn rhythmau'r geiriau; siant plainsong

plaenio *be* [plaeni•²] llyfnhau darn o bren â phlaen; plamo to plane

plaeniwr *eg* (plaenwyr) peiriant (trydanol, fel arfer) sy'n llyfnhau coed planer

plagio *be* [plagi•²]
1 achosi trafferth barhaus i (rywun neu rywbeth); bigit(i)an, blino, poeni (~ *rhywun am*) to pester, to plague, to harry
2 gwneud sbort am ben; poeni, pryfocio to tease

plagus *ans* yn poeni, yn blino, yn pryfocio; poenus, trafferthus annoying, bothersome

plaid *eb* (pleidiau) cymdeithas o bobl sy'n rhannu'r un daliadau gwleidyddol party
  Sylwch: mae'n derbyn ffurf unigol neu luosog berf.

Plaid Cymru:Plaid plaid wleidyddol sydd am sicrhau annibyniaeth i Gymru yn Ewrop, ffyniant economaidd a chyfiawnder cymdeithasol Party of Wales

Plaid Genedlaethol yr Alban plaid wleidyddol sydd am sicrhau annibyniaeth i'r Alban Scottish National Party

Plaid Unoliaethwyr Ulster un o bleidiau unoliaethol Gogledd Iwerddon sydd am weld Gogledd Iwerddon yn parhau yn rhan o'r Deyrnas Unedig; mae polisïau'r blaid yn

cael eu hystyried yn fwy cymedrol na rhai yr
Unoliaethwyr Democrataidd Ulster Unionist
Party

Plaid y Democratiaid Cymdeithasol *hanesyddol*
plaid wleidyddol a ffurfiwyd yn 1981 gan
bedwar aelod blaenllaw o'r Blaid Lafur ac a
ddaeth i ben yn 1988 Social Democratic Party

Plaid yr Unoliaethwyr Democrataidd un o
bleidiau unoliaethol Gogledd Iwerddon sydd
am weld Gogledd Iwerddon yn parhau yn rhan
o'r Deyrnas Unedig; daw ei chefnogwyr o'r
gymuneb Brotestannaidd yn bennaf Democratic
Unionist Party

Sinn Féin plaid wleidyddol yng Ngweriniaeth
Iwerddon sydd am weld Iwerddon yn un wlad a
fyddai'n gwbl annibynnol ar y Deyrnas Unedig

UKIP plaid wleidyddol adain dde sy'n credu
y dylai gwledydd y Deyrnas Unedig adael yr
Undeb Ewropeaidd UK Independence Party

y Blaid Geidwadol plaid wleidyddol sy'n
credu mai drwy ryddfenter, sef cystadleuaeth
agored mewn busnes a masnach, y mae sicrhau
economi gref Conservative Party

y Blaid Gomiwnyddol plaid wleidyddol adain
chwith sy'n credu mewn cymdeithas sosialaidd
wedi'i seilio ar egwyddorion Marx a Lenin
Communist Party

y Blaid Lafur plaid wleidyddol sy'n credu
mewn sosialaeth ac sy'n cynrychioli
buddiannau pobl gyffredin Labour Party

y Blaid Ryddfrydol *hanesyddol* un o brif bleidiau
gwleidyddol y Deyrnas Unedig; yn wythdegau'r
ugeinfed ganrif unodd y blaid â Phlaid y
Democratiaid Cymdeithasol i ffurfio un blaid
unedig, sef y Democratiaid Rhyddfrydol
Liberal Party

y Blaid Werdd plaid wleidyddol sy'n hyrwyddo
materion amgylcheddol Green Party

y Democratiaid Rhyddfrydol plaid
wleidyddol sydd am sicrhau economi gryfach
a chymdeithas decach a chreu cyfle i bawb;
fe'i ffurfiwyd o'r Blaid Ryddfrydol a Phlaid
y Democratiaid Cymdeithasol yn wythdegau'r
ugeinfed ganrif Liberal Democrats
Ymadrodd

o blaid [o'm plaid, o'th blaid, o'i blaid,
o'i phlaid, o'n plaid, o'ch plaid, o'u plaid]
cefnogol, bod dros (rywun neu rywbeth),
in favour of

plaleiddiad *eg* (plaleiddiaid) cemegyn
gwenwynig a ddefnyddir i reoli organebau sy'n
cael eu hystyried yn niweidiol i amaethyddiaeth
neu sy'n trosglwyddo clefydau pesticide

plamo *be* [plam•¹] llyfnhau darn o bren â
phlaen; plaenio to plane

plan¹ *eg* (planiau) cynllun, diagram plan

plan² gw. plaen²

plân¹ *eg* (planau)
1 wyneb hollol wastad a llyfn heb drwch iddo
plane
2 MATHEMATEG math o wyneb lle mae unrhyw
linell syth sy'n cysylltu dau bwynt i'w chael
ar yr wyneb hwnnw yn unig plane

plân² gw. **plaen¹**

planar *ans* yn gorwedd ar blân, yn bodoli mewn
dau ddimensiwn planar

planc *eg* (planciau)
1 darn hir, gwastad o bren sy'n amrywio yn ei
drwch o 2.5 cm i 15.2 cm (1 i 6 modfedd) ac
sydd o leiaf 15.2 cm (6 modfedd) o led; astell,
ystyllen plank
2 fel yn *bara planc*, gradell, plât crwn o haearn
bwrw (llechen yn wreiddiol) a dolen ar un pen,
ar gyfer crasu bara a theisennau uwchben tân
agored; llechfaen, maen bakestone

planced *eb* (plancedi) unrhyw orchudd meddal
trwchus, yn enwedig gorchudd trwchus a
ddefnyddir i gadw rhywun yn gynnes yn y
gwely; blanced, carthen, cwrlid, gwrthban
blanket

plancton *ell* organebau microsgopig sy'n arnofio
yn y môr neu mewn dŵr croyw plankton

planed *eb* (planedau) corff wybrennol sy'n troi
o amgylch seren; dyma enwau'r planedau yng
nghysawd ein haul ni yn nhrefn eu pellter o'r
Haul: Mercher, Gwener, Y Ddaear, Mawrth,
Iau, Sadwrn, Wranws, Neifion planet

planed gynradd SERYDDIAETH planed sy'n troi
o amgylch yr Haul primary planet

planedol *ans* yn perthyn i blaned planetary

planhigfa *eb* (planigfeydd)
1 darn mawr o dir lle mae pethau fel te, cotwm,
siwgr, rwber neu fananas yn cael eu tyfu
plantation
2 nifer mawr iawn o goed planedig plantation

planhigol *ans* yn perthyn i blanhigion,
nodweddiadol o blanhigion plant, vegetable

planhigyn *eg* (planhigion)
1 BOTANEG organeb fyw megis coeden,
prysgwydden, gwair, llysieuyn, a mwsogl sydd,
fel arfer, yn tyfu'n barhaol mewn un man, yn
amsugno dŵr a sylweddau anorganig drwy
ei gwreiddiau ac yn defnyddio cloroffyl yn ei
dail drwy gyfrwng proses o ffotosynthesis i
gynhyrchu maetholion plant
2 peth byw â dail, gwreiddiau a choesyn
meddal (o'i gyferbynnu â choeden), *planhigyn
tomato* plant
3 tyfiant neu lysieuyn ifanc sy'n barod i'w
blannu yn rhywle arall, *Plannodd y ffermwr
ganoedd o blanhigion bresych yn y cae
gwaelod.* plant

planisffer *eg* darlun o sffêr ar blân; tafluniad ar
ffurf map sy'n dangos lle mae'r sêr, yn enwedig

p

un sy'n gallu dangos y cytser ar adeg benodol neu mewn lle penodol planisphere

plannu *be* [plann•[10]] gosod (hadau neu blanhigion) yn y ddaear i dyfu; dodi to plant
Sylwch: dyblwch yr 'n' ym mhob ffurf ac eithrio yn y rhai sy'n cynnwys -*as*-.

planograffig *ans* CELFYDDYD yn ymwneud â neu'n dynodi proses brintio lle mae'r arwyneb printio yn wastad, fel mewn lithograffi planographic

plant *ell* lluosog **plentyn**, rhai bach; disgynyddion, epil, hil children

chwarae plant gw. chwarae[2]

plant Alis/Rhonwen *hanesyddol* enwau ar y Saeson; Alis Rhonwen oedd merch chwedlonol Horst, arweinydd y Saeson, a briododd Gwrtheyrn a'i berswadio i roi tir i'w thad

plant Mari Catholigion yn gyffredinol neu'r Gwyddelod yn benodol

planta *be* cenhedlu neu gynhyrchu plant; epilio to procreate
Sylwch: nid yw'r ferf hon yn arfer cael ei rhedeg.

plantos *ell* plant bach kids, little children

planwydd *ell* coed â changhennau llydan, dail tebyg i'r fasarnen a rhisgl carpiog, sy'n cael eu plannu mewn trefi yn aml; hefyd, yn unigol, pren y coed hyn plane

planwydden *eb* unigol **planwydd**

plas *eg* (plasau)
1 tŷ mawr crand y mae brenin, brenhines neu esgob yn byw ynddo; palas palace
2 tŷ mawr (a fyddai yn y gorffennol wedi bod yn gartref i'r sgwier a'i deulu, neu i dirfeddiannwr cyfoethog); cwrt, llys, maenor, plasty country house, mansion

plasebo *eg* (plasebos)
1 MEDDYGAETH math o foddion nad yw'n effeithio'n gorfforol ar glefyd ond a roddir er mwyn tawelu meddwl y claf placebo
2 sylwedd nad yw'n cael effaith therapiwtig a ddefnyddir i fesur effaith sylwedd arall, e.e. wrth brofi cyffuriau newydd placebo

plasma *eg*
1 FFISIOLEG y rhan o waed neu laeth sydd yn hylif (yn hytrach na'r celloedd neu'r braster) plasma
2 FFISEG cyflwr mater sy'n debyg i nwy ond yn cynnwys gronynnau wedi'u gwefru plasma

plasmolysis *eg* BIOLEG proses sy'n digwydd (yn enwedig yng nghelloedd planhigion) pan fydd y protoplasm yn crebachu wrth iddo dynnu i ffwrdd o'r cellfur o ganlyniad i golli gormod o ddŵr plasmolysis

plastai *ell* lluosog **plasty**

plastig[1] *eg* (plastigion) un o nifer o fathau o sylweddau cemegol yn deillio o betroliwm sydd wedi'u datblygu gan ddyn; maen nhw'n hawdd eu mowldio pan fyddant yn feddal ac

maen nhw'n cadw eu ffurf pan fyddant yn galed plastic

plastig[2] *ans*
1 (am rywbeth) hawdd ei lunio a'i blygu i wahanol ffurfiau ac sy'n cadw'r ffurf honno wedyn plastic
2 wedi'i wneud o blastig plastic

plastigrwydd *eg* CEMEG anffurfiad parhaol solid sydd heb dorri dan ddylanwad grym dros dro plasticity

plastigydd *eg* (plastigyddion) sylwedd a ychwanegir at resin i'w wneud yn hyblyg plasticiser

plastr *eg* (plastrau)
1 cymysgedd trwchus o galch, tywod a dŵr (a sment weithiau) sy'n cael ei thaenu ar waliau noeth ac sy'n ffurfio wyneb llyfn, caled pan fydd wedi sychu plaster
2 bandyn sy'n cael ei lynu wrth friw neu ddolur i'w warchod nes ei fod wedi gwella plaster
3 plastr Paris; cymysgedd trwchus o gypswm (powdr gwyn meddal tebyg i galch) a dŵr; mae'n blastig pan fydd yn wlyb ac yn caledu wrth sychu; fe'i defnyddir i fowldio addurniadau neu yn gymysg â chadachau i rwymo esgyrn sydd wedi torri plaster of Paris

cast plastr plastr gwlyb sy'n cael ei fowldio i greu ffurf arbennig pan fydd yn sychu ac yn caledu, e.e. y plastr sy'n amgáu ac yn cynnal asgwrn wedi'i dorri plaster cast
Ymadrodd

yn blastr o yn drwch o, llawn o, *yn blastr o bothelli coch*

plastro *be* [plastr•[1]]
1 taenu plastr ar wal; dwbio (~ **dros**) to daub, to plaster
2 taenu (yn rhy dew fel arfer), *plastro menyn ar y bara* to plaster

plastrwr *eg* (plastrwyr) un sy'n medru'r grefft o blastro plasterer

plasty *eg* (plastai) tŷ mawr, cartref bonheddwr; cwrt, llys, maenor, plas mansion

plât *eg* (platiau)
1 math o ddysgl gron neu hirgron yn wreiddiol ond yn betryal hefyd erbyn hyn, fel arfer â gwaelod gwastad a ddefnyddir i weini bwyd neu i fwyta bwyd oddi arni plate
2 darn tenau, gwastad o fetel, gwydr, plastig, etc. a ddefnyddir wrth adeiladu neu mewn peiriannau plate
3 darn o wydr tenau a chemegion wedi'u taenu drosto sy'n adweithio i olau fel bod modd ei ddefnyddio i dynnu llun (â chamera) plate
4 darn tenau o fetel, gwydr, etc. a chemegion wedi'u taenu drosto sy'n cael ei ddefnyddio i argraffu print neu ddarluniau ohono plate
5 llun ar dudalen o bapur arbennig sy'n wahanol i weddill y llyfr plate

6 darn gwastad, tenau o fetel wedi'i osod ar wal ac enw unigolyn neu gwmni arno plate
7 un o nifer o rannau enfawr, symudol sy'n ffurfio cramen y Ddaear plate
8 y darn tenau o blastig a/neu fetel y mae dannedd gosod yn cael eu glynu wrtho plate
gormod ar fy (dy, ei, etc.**) mhlât** rhy brysur, gormod o bethau i'w gwneud too much on my plate

plataid *eg* (plateidi:plateidiau) llond plât (o fwyd) plateful

platen *eb* (platennau) FFISIOLEG dernyn bychan yn y gwaed sy'n bwysig yn y broses o geulo platelet

platffform *eg* llwyfan gwastad dyrchafedig i bobl neu bethau sefyll arno; llwyfan tebyg yn ymyl rheilffordd er mwyn i deithwyr gamu mewn neu allan o'r cerbydau platform

platinwm *eg* elfen gemegol rhif 78; metel ariannaidd nad yw'n staenio ac a ddefnyddir mewn gemwaith ac fel catalydd mewn adweithiau cemegol (Pt) platinum

platio *be* [plati•²]
1 gorchuddio gwaith metel â haen denau o fetel arall (e.e. aur, arian, crôm, etc.); haenellu (~ *rhywbeth* â) to plate
2 BIOLEG meithrin bacteria a ffyngau ar gyfrwng meithrin, e.e. plât agar to plate

platonaidd *ans* am berthynas gariadus rhwng dau heb serch rhywiol platonic

Platoniaeth *eb* ATHRONIAETH prif nodweddion yr athronydd Groegaidd Platon, sef mai'r meddwl dynol neu'r enaid yw ffynhonnell pob gwirionedd ac na ellir dibynnu ar y corfforol fel sail gwybodaeth Platonism

platŵn *eg* (platynau) israniad o gwmni o filwyr yn cynnwys dwy sgwad, fel arfer platoon

platwydr *eg* gwydr wedi'i rolio a'i gaboli; gwydr plât plate glass

platyhelminth *eg* (platyhelminthau) SWOLEG infertebrat yn perthyn i ffylwm y platyhelminthau; llyngyren fflat neu ledog platyhelminth

playa *eg* (playâu) DAEAREG basn amgaeedig gwastad neu led wastad mewn ardal letgras y mae llyn dros dro yn cronni ynddo o bryd i'w gilydd playa

ple¹ *eg* (pleon)
1 deisyfiad awyddus, cais taer iawn, *'Plîs ga' i fynd i'r ffair?' oedd ple'r plentyn.*; apêl, deisyfiad, erfyniad, ymbil plea
2 (yn gyfreithiol) datganiad gan amddiffynnydd mewn llys barn i ddweud a yw'n euog neu'n ddieuog plea

ple² *adf* pa le, *I ble'r wyt ti'n mynd? Ym mhle mae hwnna?* where?

plecsws *eg* ANATOMEG rhwydwaith o nerfau neu bibellau y tu mewn i'r corff plexus

plectrwm *eg* (plectrymau) darn o blastig neu fetel a ddefnyddir i seinio, dynnu neu bigo tannau gitâr neu offeryn tebyg plectrum

pledio *be* [pledi•²]
1 crefu, erfyn, ymbil, begian (~ **gyda**) to plead
2 gwneud esgus, *Mae'n rhaid imi bledio fy anwybodaeth yn y mater hwn.* to plead
3 dadlau dros, *pledio hawliau'r di-waith* (~ **dros**; ~ **yn erbyn**) to argue, to plead
4 CYFRAITH datgan fel amddiffynnydd mewn llys barn eich bod yn euog neu'n ddieuog to plead

plediwr *eg* (pledwyr) un sy'n pledio mewn llys barn; adfocad, eiriolwr intercessor, pleader

pledren *eb* (pledrenni:pledrennau)
1 ANATOMEG coden gyhyrol yn yr abdomen lle mae troeth yn casglu cyn iddo gael ei ysgarthu o'r corff bladder
2 cwdyn o groen, lledr neu rwber y mae modd ei lenwi ag aer neu hylif a'i osod y tu mewn i bêl droed, pêl rygbi, etc. bladder

pledrennol *ans* ANATOMEG yn ymwneud â'r bledren cystic

pledu gw. peledu¹

plegid fel yn *o'm plegid, o'th blegid,* etc. gw. oblegid

pleidgar *ans* (am rywun) yn ymlynu'n deyrngar wrth blaid, achos neu unigolyn gan wrthod cydnabod unrhyw wendid na nam ynddynt o gwbl partisan

pleidgarwch *eg* y cyflwr o fod yn bleidgar neu enghraifft o fod yn bleidgar partisanship

pleidiau *ell* lluosog **plaid**

pleidiol *ans*
1 o blaid rhywbeth, yn cefnogi, *'pleidiol wyf i'm gwlad'*; cefnogol, ffafriol favourable, in favour of, partial
2 yn ymwneud â phleidiau gwleidyddol, nodweddiadol o bleidiau gwleidyddol party
system bleidiol GWLEIDYDDIAETH system sy'n ymwneud â phleidiau gwleidyddol party system
ymochri pleidiol gw. **ymochri**

pleidiwr *eg* (pleidwyr) un sydd o blaid (rhywun neu rywbeth); cefnogwr supporter

Pleidiwr *eg* (Pleidwyr) aelod o Blaid Cymru neu un sy'n cefnogi'r blaid honno

pleidlais *eb* (pleidleisiau)
1 y weithred o ddewis neu benderfynu drwy bleidleisio vote, ballot
2 mynegiad o farn neu ddymuniad a wneir wrth bleidleisio, *Dros bwy rwyt ti'n mynd i fwrw dy bleidlais yn yr etholiad?* vote
3 yr hawl i bleidleisio, *Ymdrechodd Emmeline Pankhurst yn galed i gael pleidlais i ferched.* vote

pleidleisio *be* [pleidleisi•²] dynodi dewis yn ffurfiol drwy wneud marc ar ddarn o bapur yn gyfrinachol, neu godi llaw neu weiddi o blaid

p

neu yn erbyn mewn cyfarfod; bwrw pleidlais (~ dros; ~ yn erbyn) to vote, to ballot, to poll

pleidleisiwr *eg* (pleidleiswyr) un sy'n pleidleisio neu sydd â'r hawl i bleidleisio voter

pleintydd *eg* (pleintyddion) CYFRAITH un sy'n dwyn achos yn erbyn diffynnydd mewn llys barn; achwynydd plaintiff

pleiotropedd *eg* BIOLEG y cyflwr o fod yn bleiotropig pleiotropy

pleiotropig *ans* BIOLEG (am enyn) yn effeithio ar y ffenoteip mewn mwy nag un ffordd pleiotropic

Pleistosen *ans* DAEAREG yn perthyn i epoc cynharaf y cyfnod Cwaternaidd (1.8 miliwn–11,500 o flynyddoedd yn ôl), nodweddiadol o epoc cynharaf y cyfnod Cwaternaidd, sef pryd yr ymddangosodd bodau dynol (*Homo sapiens*) am y tro cyntaf Pleistocene

plennais *bf* [plannu] *ffurfiol* gwnes i blannu

plenni *bf* [plannu] *ffurfiol* rwyt ti'n plannu; byddi di'n plannu

plentyn *eg* (plant)
1 baban, *Cawson nhw blentyn ar ddydd Nadolig.* child
2 bachgen neu ferch ifanc, *Pwy yw'r plentyn 'na sy'n canu nawr?* child, youngster
3 mab neu ferch, *Plant William Jones Maes-llan yw Dafydd a Lowri.* child
  Sylwch: gw. hefyd **plant**.

plentyn sugno babi sy'n dal i sugno llaeth ei fam suckling child
Ymadroddion
plentyn llwyn a pherth *hynafol* plentyn siawns, plentyn anghyfreithlon
plentyn siawns plentyn anghyfreithlon, plentyn sy'n cael ei eni i wraig ddibriod bastard, illegitimate child

plentyndod *eg* y cyfnod o fod yn blentyn; bachgendod, ieuenctid, maboed, mebyd childhood
ail blentyndod gwendid meddwl a achosir gan henaint second childhood

plentynnaidd *ans* yn ymddwyn fel plentyn, addas i blentyn, anaddas i oedolyn; anaeddfed childish, infantile, puerile
plentynnaidd o fe'i defnyddir i ddwysáu ystyr ansoddair, *plentynnaidd o biwis*

pleser *eg* (pleserau) yr hapusrwydd neu'r boddhad a geir pan fydd rhywun wrth ei fodd; balchder, diddanwch, hyfrydwch, mwynhad pleasure

pleserdaith *eb* (pleserdeithiau) taith fer er mwyn pleser, fel arfer ar gyfer nifer o bobl excursion, outing

pleserus *ans* yn rhoi pleser; braf, difyr, dymunol, hyfryd enjoyable, pleasant

plesio *be* [plesi•²] gwneud (rhywun) yn hapus, rhyngu bodd, *Ydy'r anrheg yn plesio? Mae'n*

un anodd ei blesio.; bodloni, boddhau, tycio to please, to satisfy

plet *eg* (pletiau) ôl plyg wedi'i wasgu i frethyn (neu unrhyw ddefnydd arall) pleat
plet bocs GWNIADWAITH plet sy'n cynnwys dau blyg cyfochrog yn wynebu cyfeiriadau gwahanol ac yn ffurfio band wedi'i godi box pleat
plet cic GWNIADWAITH plet gwrthdro mewn sgert gul sy'n gwneud symud yn haws kick pleat
plet gwrthdro GWNIADWAITH plet bocs wedi'i wrthdroi fel y bydd llawnder y defnydd yn troi tuag i mewn inverted pleat
plet llafn GWNIADWAITH plet cul, tebyg i gyllell, ar sgert, fel arfer un o nifer wedi'i blygu yn yr un cyfeiriad ac yn gorgyffwrdd knife pleat

pletio *be* [pleti•²] plygu rhywbeth gan adael ôl y plyg ynddo to pleat

pletiog *ans* wedi'i bletio, a phletiau ynddo pleated

pleth:plethen *eb* (plethi:plethau) llinyn (o wallt, gan amlaf) wedi'i ffurfio drwy blethu tri neu ragor o linynnau drwy'i gilydd pigtail, plait

plethdorch *eb* (plethdorchau) cylch o ddail neu flodau wedi'u plethu ynghyd i'w wisgo ar y pen, neu ei osod ar fedd neu gofgolofn; coronbleth, torch wreath

plethiad *eg* (plethiadau) y broses o blethu, canlyniad plethu; gwead weaving

plethu *be* [pleth•¹ *3 un. pres.* pleth/pletha; *2 un. gorch.* pleth/pletha] cyfrodeddu neu wau tri neu ragor o linynnau (o wallt, gwellt, etc.) drwy'i gilydd i ffurfio un llinyn sy'n debyg i raff; asio, clymu to braid, to plait
plethu breichiau gosod eich breichiau ynghyd ar y frest to fold one's arms

plethwaith *eg* (plethweithiau) basgedwaith; peth wedi'i wneud o wiail neu wellt wedi'u plethu ynghyd, e.e. basged wickerwork
plethwaith a chlai ffordd o adeiladu gynt yn defnyddio plethwaith o wiail a changhennau wedi'i orchuddio â haen drwchus o glai wattle and daub

plicio *be* [plici•²]
1 tynnu rhywbeth, e.e. pluen, o'i wraidd to pluck
2 tynnu croen, (tatws, afalau, etc.); crafu, pilio, rhisglo to pare, to peel

pliciwr *eg* (plicwyr)
1 cyllell neu declyn ar gyfer tynnu'r croen oddi ar ffrwythau a llysiau peeler
2 un sy'n plicio peeler

plinth *eg* (plinthiau)
1 rhan isaf gwaelod colofn neu gofgolofn plinth
2 bloc sgwâr sy'n sylfaen i rywbeth plinth

plisgo *be* [plisg•¹]
1 tynnu plisgyn neu fasgl; diblisgo, pilio, dirisglo, disbeinio, masglo to shell

2 dechrau colli plisgyn, *paent yn plisgo yn yr haul* to blister, to crack

plisgyn *eg* (plisg)
1 gorchudd caled allanol rhai hadau ac wyau sy'n eu hamddiffyn, *plisgyn wy, pys, cnau*, etc.; cibyn, cod, masgl, rhisgl pod, shell, husk
2 FFISEG lleoliadau orbitalau y tu mewn i atom lle y ceir electronau o egni cyffelyb shell

plismon:plisman *eg* (plismyn) swyddog heddlu; heddwas, heddgeidwad policeman

plismona *be* [plismon•¹] (am heddlu) bod yn gyfrifol am gynnal cyfraith a threfn, e.e. mewn ardal neu ddigwyddiad to police

plismones *eb* (plismonesau) merch neu wraig sy'n aelod o'r heddlu policewoman

plith *eg* canol, mysg midst
blith draphlith yn gymysg oll i gyd
i blith [i'n plith, i'ch plith, i'w plith (does dim ffurfiau unigol)] i ganol into the midst
o blith [o'n plith, o'ch plith, o'u plith (does dim ffurfiau unigol)], o ganol from the midst
ymhlith yng nghanol among

pliwrisi *eg* MEDDYGAETH llid eisbilennau'r ysgyfaint a nodweddir gan boen sy'n gwaethygu wrth besychu neu wrth anadlu'n rhy ddwfn pleurisy

pliwtocrat *eg* (pliwtocratiaid) un sy'n credu mewn pliwtocratiaeth, neu'n rheoli fel rhan o bliwtocratiaeth plutocrat

pliwtocratiaeth *eb* llywodraeth gan ddosbarth o bobl gyfoethog plutocracy

plocyn *eg* (plociau) darn o bren, e.e. darn bach sgwâr i blentyn chwarae ag ef; darn o foncyff coeden block

plod gw. plàd

plopio:plopian *be* [plopi•²] syrthio â sŵn 'plop' to plop

plorod *ell* lluosog **ploryn**, acne acne

ploryn *eg* (plorynnod:plorod) math o bothell fach lawn crawn ar y croen; pendduyn, tosyn pimple, spot

plorynnog *ans* llawn plorod; llinorog pimply

plot *eg* (plotiau)
1 cynllun neu brif stori gwaith llenyddol plot
2 MATHEMATEG graff yn dangos y berthynas rhwng dau newidyn plot

plotio *be* [ploti•²] marcio cwrs neu gromlin yn dilyn pwyntiau penodedig ar siart, graff neu ddiagram to plot

plu *ell* lluosog **pluen** plumage
plu'r gweunydd planhigyn sy'n aelod o deulu'r hesg ac iddo bigau main a thwffyn gwyn o flodyn tebyg i wlân cotwm cotton-grass
Ymadroddion
mynd i blu mynd i'r afael â manylion i'w datrys to get down to the nitty gritty
plu eira darnau eira snowflakes

pluen *eb* (plu)
1 un o'r nifer helaeth o ddarnau ysgafn, tenau sy'n tyfu ar hyd corff ac adenydd aderyn feather, plume
2 rhywbeth tebyg o ran siâp i gleren/pry sy'n cael ei wneud o blu, sidan, edau a bachyn, a'i ddefnyddio yn abwyd gan bysgotwr fly
3 (mewn gêm o golff) sgôr sydd un ergyd yn llai na'r cyfartaledd birdie
4 un darn o eira flake, snowflake
Sylwch: gw. hefyd **plu.**
pluen yn fy (dy, ei, etc.**) nghap** cydnabyddiaeth am gamp a gyflawnwyd, yn seiliedig ar arfer, e.e. gan ddewrion Indiaid America, o ychwanegu pluen at benwisg am bob gelyn a laddwyd a feather in one's cap

plufyn *eg* (pluf) pluen feather, flake

pluo:plufio *be* [plu•¹ *1 llu. pres.* plüwn; *2 llu. pres.* plüwch; *1 un. amhen.* plüwn; *1 llu. gorch.* plüwn; *2 llu. gorch.* plüwch;]
1 tynnu plu, *pluo ieir cyn eu coginio* to pluck
2 gorchuddio â haen o blu to feather
3 bwrw eira'n ysgafn; odi to snow lightly
pluo fy (dy, ei, etc.**) nyth fy hun** sicrhau elw allan o ryw weithgaredd to feather one's own nest

pluog *ans* â chot o blu neu'n edrych fel plu feathered, feathery
da pluog gw. da³

plwc *eg* (plyciau)
1 tyniad byr, cryf, *teimlo plwc ar y wialen bysgota* jerk, pluck, tug
2 ysbaid o amser, *ymhen plwc o amser* while
3 gwroldeb, dewrder courage, pluck
chwythu fy (dy, ei, etc.**) mhlwc** colli pob grym ac egni to run out of steam

plwg *eg* (plygiau)
1 dyfais â phinnau metel sy'n ffitio i dyllau mewn soced trydan plug
2 rhywbeth sy'n cael ei ddefnyddio i lenwi twll, e.e. i gadw dŵr mewn bath plug
plwg tanio dyfais sy'n sgriwio i mewn i beiriant tanio mewnol ac yn cynhyrchu'r wreichionen drydanol sy'n tanio'r cymysgedd o aer a phetrol sy'n gyrru'r peiriant spark plug

plwm¹ *eg* elfen gemegol rhif 82; metel meddal, trwm, hydwyth, ariannaidd; defnyddir llenni ohono ar doeon adeiladau (Pb) lead

plwm² *ans*
1 wedi'i wneud o blwm leaden
2 yn hollol syth o'i ben i'w waelod; fertigol, unionsyth plumb

plwmp *ans* fel yn *siarad yn blwmp ac yn blaen*, heb flewyn ar dafod straight

plwmsen:plymsen *eb* (plwms:plyms) eirinen plum

plwraliaeth *eb*
1 system wleidyddol lle mae nifer o gyrff neu

sefydliadau annibynnol yn cydreoli'r hyn sy'n
digwydd, e.e. y llywodraeth ac undebau llafur,
rheolaeth gan lawer pluralism

2 gwladwriaeth neu gymdeithas lle mae
amrywiaeth eang o grwpiau ethnig, hiliol
neu grefyddol ymreolaethol yn cynnal eu
hunaniaeth pluralism

plws *eg* (plysau) MATHEMATEG arwydd (+) a
ddefnyddir i ddangos bod y rhif sy'n ei ddilyn
i'w adio at y rhif sydd o'i flaen, *Gellir darllen
6 + 3 = 9 fel chwech plws tri yw naw.* plus

Plwton *eg* SERYDDIAETH corblaned y mae ei
horbit yn gorwedd y tu allan i orbit y blaned
Neifion fel arfer; cafodd ei henwi ar ôl duw
isfyd y Rhufeiniaid Pluto

plwtonig *ans* DAEAREG (am graig igneaidd)
wedi'i ffurfio wrth i gronfa fawr o graig dawdd
oeri'n araf a chrisialu yn ddwfn o dan wyneb
y ddaear plutonic

plwtoniwm *eg* elfen gemegol rhif 94; metel
ymbelydrol, dwys, ariannaidd a gynhyrchir o
wraniwm mewn adweithyddion niwclear, ac a
ddefnyddir i gynhyrchu egni niwclear ac arfau
niwclear (Pu) plutonium

plwyf *eg* (plwyfi)

1 ardal sydd dan ofal offeiriad ac sydd ag un
brif eglwys; llan parish

2 yr uned isaf o lywodraeth leol yn y
gorffennol; byddai'n cael ei gweinyddu gan
gyngor plwyf; erbyn hyn mae'r cyngor bro neu
gymuned wedi cymryd lle'r cyngor plwyf parish
ennill fy (dy, ei, etc.**) mhlwyf** cael fy
nghydnabod to win recognition

plwyfol *ans*

1 yn ymwneud ag eglwys y plwyf neu â'r cyngor
plwyf parochial

2 (am rywun) heb fod â diddordeb yn unman
ond ei ardal ei hun, cyfyng ei ddiddordebau
parochial, insular

plwyfoldeb *eg* agwedd neu feddylfryd plwyfol
parochialism

plwyfolion *ell* y bobl sy'n byw oddi mewn i
ffiniau plwyf, trigolion parishioners

plwyfolyn *eg* unigol **plwyfolion** parishioner

plyciau *ell* lluosog **plwc**

plycio *be* [plyci•²] tynnu'n siarp ac yn gryf,
rhoi plwc; teimlo plwc to jerk, to pluck

plyg¹ *eg* (plygion)

1 rhan o ddefnydd neu frethyn sy'n codi fel ton
uwchben darn arall o'r un defnydd fold

2 ôl rhywbeth sydd wedi cael ei blygu crease,
fold

3 y cafn sy'n cael ei ffurfio wrth blygu
rhywbeth fold

4 llinell sy'n cael ei gadael mewn papur neu
frethyn wrth ei blygu a'i wasgu; plet crease,
pleat

5 DAEAREG anffurfiad neu blygiad yng
nghreigiau cramennol y Ddaear a achoswyd
gan rymoedd cywasgol fold
yn ei blyg wedi'i blygu folded, doubled up

plyg² *ans*

1 wedi'i blygu, yn gallu plygu folded, folding

2 FFISEG (am belydrau golau) yn newid cyfeiriad
pan fydd yn mynd ar ongl o un cyfrwng trylow
i gyfrwng tryloyw arall, e.e. o aer i solid (e.e.
gwydr) neu o aer o hylif (e.e. dŵr) refracted

plygain *eg* (plygeiniau)

1 yr adeg o gwmpas toriad gwawr dawn

2 CREFYDD boreol weddi; gwasanaeth crefyddol
boreol, sef gweddïau arbennig ar gyfer y
cyfnod rhwng 12 o'r gloch y nos a 4 o'r gloch
y bore matins

3 gwasanaeth Cymraeg o ganu carolau, yn
wreiddiol, yn gynnar ar fore dydd Nadolig;
erbyn hyn, math o wasanaeth carolau arbennig
a gynhelir fin nos o gwmpas y Nadolig ac a
gysylltir yn enwedig â'r hen sir Drefaldwyn;
byddai'n cael ei alw'n wasanaeth 'pylgain'
yn y De

plygedig *ans* wedi'i blygu folded

plygeiniol *ans* cynnar iawn y bore; bore, boreol
very early

plygell *eb* (plygellau) math o amlen fawr neu
glawr i gadw papurau ynddo folder

plygiad *eg* (plygiadau) y weithred o blygu; plyg
a folding, crease

plygiant *eg*

1 FFISEG y gwyro sy'n digwydd i lwybr
pelydryn, e.e. golau, wrth iddo symud o un
cyfrwng i gyfrwng arall, e.e. symud o aer i
ddŵr refraction

2 FFISEG mesur o'r gwyriad sy'n digwydd mewn
achos o blygiant refraction

3 SERYDDIAETH y newid ymddangosiadol yn
lleoliad corff wybrennol wrth i'r golau sy'n
deillio ohono gael ei wyro gan yr atmosffer
o gwmpas y Ddaear refraction

plygiau *ell* lluosog **plwg**

plygio *be* [plygi•²]

1 gosod plwg trydanol mewn soced to plug into

2 llanw twll neu fwlch â phlwg (~ *rhywbeth* â)
to plug

plygu *be* [plyg•¹ 3 *un. pres.* plyg/plyga; 2 *un.*
gorch. plyg/plyga]

1 gwneud rhywbeth yn gam neu'n grwm (drwy
rym), *Roedd fframin y beic wedi plygu ar ôl
iddo fwrw yn erbyn y wal.* to bend

2 cydio mewn papur, brethyn, defnydd, etc.
a phwyso un hanner ohono ar ben yr hanner
arall, *plygu'r lliain bwrdd* to fold

3 rhoi'ch hunan dan awdurdod (rhywun neu
rywbeth) arall, *plygu i'r drefn*; ymfodloni,
ymgrymu, ymostwng to submit

4 gwyro'r pen neu'r corff; crymu, gwargrymu, moesymgrymu to bow, to stoop

5 FFISEG peri i olau newid cyfeiriad wrth iddo fynd ar ongl o un cyfrwng tryloyw i gyfrwng tryloyw arall, e.e. o aer i solid neu o aer i hylif to refract

6 COGINIO cymysgu cynhwysyn yn ofalus â chynhwysyn arall, yn enwedig drwy godi cymysgedd â llwy er mwyn ei gynnwys heb orfod ei droi na'i guro to fold

plygu gwrych/perth (y grefft o) creu clawdd na fydd anifail yn gallu dianc drwyddo

plygwr *eg* (plygwyr) un sy'n plygu, *plygwyr Papur Bro*, peiriant sy'n plygu folder

plymen *eb*

1 darn o blwm a ddefnyddir fel pwysau, e.e. ar linell bysgota neu mewn cloc lead weight

2 haenen neu dalp, e.e. o iâ; caenen, glasrew, stania slab of ice, verglas

plymiad *eg* (plymiadau) y broses neu'r weithred o blymio; canlyniad plymio 2 plumbing, sounding

plymio *be* [plymi•²]

1 neidio llwyr eich pen (â'ch pen gyntaf); deifio (~ i) to dive, to plummet, to plunge

2 mesur dyfnder môr, afon neu lyn gan ddefnyddio llinyn mesur arbennig a phwysau ar ei flaen to fathom, to plumb, to sound

plymiwr *eg* (plymwyr) un sy'n plymio; deifiwr diver

plymsen gw. **plwmsen**

plymwr *eg* (plymwyr) crefftwr yn y gwaith o drin a chyweirio pibau a'r systemau dŵr a geir mewn adeilad plumber

plysau *ell* lluosog **plws**

po *geiryn* fe'i defnyddir o flaen ansoddair yn y radd eithaf, *gorau po gyntaf*; *po fwyaf y tâl, mwyaf y gwaith* the sooner the better, the . . . the . . .

> *Sylwch:* mae'n achosi'r treiglad meddal.

pob¹ *ans* i gyd, fesul un ac ar wahân, *Gofalwch fod pob plentyn yn cael un.*; holl all, each, every

> *Sylwch:* nid yw 'pob' yn achosi treiglad, *pob dyn a phob merch.*

pob lwc/hwyl/dymuniad da cyfarchion yn dymuno'r gorau i rywun

Ymadroddion

bob yn . . . fesul, *bob yn dipyn, bob yn un/ddau/dri* etc. (bit) by (bit), (one) by (one)

bob yn ail gw. **ail¹**

pob un wan jac gw. **jac**

pob² *ans* wedi'i bobi, wedi'i goginio yn y ffwrn baked

pobi *be* [pob•¹ 3 un. pres. pob/poba; 2 un. gorch. pob/poba] COGINIO coginio mewn ffwrn mewn gwres sych (h.y. heb saim, fel arfer); crasu, digoni to bake

pobiad *eg* (pobiadau)

1 y weithred o bobi, canlyniad pobi baking

2 cymaint o bethau ag sy'n cael eu pobi ar yr un tro, *pobiad o fara* batch, baking

pobl *eb* (pobloedd)

1 personau yn gyffredinol, *Pwy yw'r holl bobl yma? Mae pobl yn dweud bod gaeaf caled i ddod.*; dynolryw, gwerin, pawb folk, people

2 cenedl neu hil, *holl bobloedd Ewrop* people

> *Sylwch:*
> 1 er mai ffurf unigol yw 'pobl' mae'r ystyr yn dorfol ac felly y mae'n digwydd yn aml gyda ffurf luosog ansoddair, e.e. *pobl dlawd* neu *pobl dlodion, pobl ifanc*;
> 2 ceir treiglad afreolaidd yn y ffurf luosog, *y bobloedd* ar gyfer ystyr (1) ond nid felly ar gyfer ystyr (2) (*y pobloedd difreintiedig*).

pobloedd *ell* ffurf luosog **pobl**

> *Sylwch:* 'y bobloedd' sy'n gywir.

poblog *ans* (am ardal neu wlad) â llawer o bobl yn byw yno populous

poblogaeth *eb* (poblogaethau)

1 nifer y bobl sy'n byw mewn lle neu ardal arbennig; trigolion population, populace

2 grŵp o organebau o'r un rhywogaeth sy'n rhyngfridio ac yn byw mewn ardal benodol population

poblogaidd *ans* hoff gan lawer o bobl; ffasiynol, hoffus popular

poblogeiddio *be* [poblogeiddi•²] gwneud (rhywun neu rywbeth) yn boblogaidd to popularize

poblogi *be* [poblog•¹] cyflenwi â phobl; cyfanheddu to populate

poblogrwydd *eg* y cyflwr o fod yn boblogaidd, y cyflwr o fod â llawer iawn o bobl yn eich hoffi neu'n eich edmygu popularity

poblyddwr *eg* (poblyddwyr)

1 aelod o blaid wleidyddol sy'n honni ei bod yn cynrychioli'r bobl gyffredin populist

2 un sy'n credu yn hawliau, doethineb a gwerthoedd y werin populist

3 rhywun sy'n ceisio apelio at bobl gyffredin, y werin populist

pobman *eg* pob man everywhere

pobun *rhagenw* pob un; pawb each, everyone

pobydd *eg* (pobyddion) un sy'n pobi/crasu bara a theisennau, yn enwedig rhywun sy'n ennill bywoliaeth wrth y gwaith hwn baker

poced *eb* (pocedi)

1 peth tebyg i fag bach o liain neu frethyn wedi'i wnïo ar ddilledyn neu oddi mewn iddo, *poced fy nghot* pocket

2 un o chwech o fagiau arbennig a geir ar ymylon bwrdd biliards, pŵl neu snwcer i ddal y peli sy'n cael eu bwrw iddynt pocket

poced glwt GWNIADWAITH poced wedi'i gwneud o ddarn o ddefnydd ar wahân wedi'i gwnïo ar du allan dilledyn patch pocket

pocedaid *eb* (pocedeidiau) llond poced pocketful

pocedu *be* [poced•¹]
1 gosod mewn poced; cadw to pocket
2 meddiannu, perchenogi (ag awgrym o anonestrwydd); bachu, dwyn to pocket
3 bwrw pêl filiards, pŵl neu snwcer i boced; potio to pot

pocer:procer *eg* (poceri:pocerau:proceri:pro cerau) rhoden o fetel ar gyfer procio'r tân er mwyn iddo losgi'n well poker

podlediad *eg* (podlediadau) CYFRIFIADUREG ffeil sain ddigidol sydd ar gael i'w lawrlwytho i gyfrifiadur neu chwaraeydd cyfryngau cludadwy drwy'r Rhyngrwyd podcast

podsol *eg* (podsolau) math o bridd ac iddo isbridd llwyd sydd wedi colli ei liw wrth i ddŵr drwytholchi'r mwynau a oedd ynddo a'u dyddodi mewn haen is podzol

poen *eb* (poenau)
1 y teimlad a gewch pan fydd rhywbeth yn eich brifo neu pan fyddwch wedi cael dolur; gloes, gwayw, gwewyr, loes ache, pain
2 y teimlad o fod yn flin neu'n ddiflas; rhywun neu rywbeth sy'n achosi'r teimlad hwnnw, *Mae John wedi mynd yn dipyn o boen yn ddiweddar.* nuisance, pain-in-the-neck

am fy (dy, ei, etc.**) mhoen** am fy nhrafferth, am fy ymdrechion for my trouble

poendod *eg* achos poen, rhywun neu rywbeth sy'n eich poeni, sy'n peri pryder meddwl, sy'n gwneud ichi deimlo'n flin ac eto nad oes modd cael gwared arno nuisance, pest

poenedigaeth *eb* poen fawr (yn gorfforol neu'n feddyliol); dioddefaint, ing, gwewyr, artaith torment

poeni *be* [poen•¹]
1 gwneud dolur, peri dioddefaint, *Mae fy nghoes yn dal i boeni ar ôl imi gael fy nghicio wrth chwarae pêl-droed.*; brifo to hurt
2 gofidio, pryderu, becso, *Well iti fynd adre nawr, Ann, neu fe fydd dy fam yn dechrau poeni amdanat.* (~ am) to care, to fret, to worry
3 peri trafferth, *'A'r hyn sy'n poeni'r ardal hon yw defaid William Morgan.'*; aflonyddu, blino, cythruddo, tarfu ar to plague, to worry
4 cwyno ac achwyn yn barhaus er mwyn cael eich ffordd eich hun, *Mae hi wedi bod yn poeni, poeni, drwy'r bore, eisiau mynd i'r dref.*; bigit(i)an to nag, to pester
5 gwneud sbort am ben rhywun mewn ffordd angharedig, tynnu coes, *Paid â phoeni dy chwaer!*; bigit(i)an, plagio to provoke, to tease

6 mynd i drafferth, *Paid â phoeni, fe'i casglaf yfory.* to bother

poeni fy (dy, ei, etc.**) enaid (am)** gw. enaid

poenladdwr *eg* (poenladdwyr) MEDDYGAETH cyffur sy'n lleddfu poen analgesic, painkiller

poenleddfol *ans* MEDDYGAETH yn ymwneud ag analgesia (proses feddygol o leddfu poen) analgesic

poenleddfwr *eg* (poenleddfwyr) sylwedd cemegol, e.e. cyffur, i leddfu poen analgesic

poenus *ans* yn brifo/poeni neu'n achosi poen; cignoeth, dolurus, plagus, tost aching, painful, sore

poenus o fe'i defnyddir i ddwysáu ystyr ansoddair, *poenus o swil*

poenwr *eg* (poenwyr) un sy'n poeni, un sy'n gofidio worrier

poenydio *be* [poenydi•²] peri poen ddirfawr i rywun (yn fwriadol, fel arfer, er mwyn ei gosbi neu er mwyn ei orfodi i ddatgelu cyfrinach); arteithio, dirdynnu to torment, to torture

poenydiwr *eg* (poenydwyr) un sy'n poenydio tormentor, torturer

poenyn *eg*
1 un sy'n hoff o dynnu coes tease
2 un sy'n orofalus am ei iechyd; claf diglefyd hypochondriac

poer:poeri *eg* hylif naturiol y geg sy'n gymorth i dreulio ac i lyncu bwyd; glafoerion saliva, spit, spittle

poergarthydd *eg* (poergarthyddion) MEDDYGAETH moddion sy'n ysgogi'r pibellau aer i gynhyrchu fflem ac a ddefnyddir i drin peswch expectorant

poeri *be* [poer•¹ *3 un. pres.* poer/poera; *2 un. gorch.* poer/poera]
1 crynhoi poer neu hylif arall yn y geg a'i chwythu allan â chryn egni to spit
2 hisian, *Cododd y gath ei chefn a dechrau poeri.* to hiss, to spit

poeri a thasgu gwneud sŵn mawr a ffwdan

poeriad:poerad *eg* y weithred o boeri, canlyniad poeri spitting

yr un boeriad â yr un ffunud â the spitting image

poerwr *eg* (poerwyr) un sy'n poeri spitter

poetau *ell* beirdd

poeth *ans* [poeth•] (poethion)
1 cynnes iawn, twym iawn; berwedig, chwilboeth, eirias hot
2 (am flas) yn llosgi'r tafod, *Mae powdr cyrri yn gwneud bwydydd yn boeth iawn.* hot, spicy
3 (mewn gêm) yn agos at ddarganfod rhywbeth sydd wedi cael ei guddio hot

poethder *eg* yr ansawdd o fod yn boeth, gwres mawr, gwres uchel heat, hotness

poethi *be* [poeth•¹]
1 mynd yn boeth, *Gwell iti ddiffodd y peiriant – mae'n dechrau poethi.*; cynhesu, gwresogi, twymo, ymdwymo to get hot
2 gwneud yn boeth, *A wnei di boethi'r dŵr er mwyn imi gael bath?*; twymo, cynhesu, gwresogi to heat
Sylwch: 'gwresogi' yw'r term technegol *to heat.*

poethion *ans* ffurf luosog **poeth**, e.e. danadl poethion

poethoffrwm *eg* (poethoffrymau) (yn y Beibl) aberth a fyddai'n cael ei losgi burnt offering

poethwr *eg* (poethwyr) dyfais sy'n poethi (dŵr, traed, etc.) heater, warmer

pogrom *eg* (pogromau) lladdfa wedi'i threfnu i ddifa pobl o un grŵp ethnig, yn enwedig yr Iddewon; cyflafan pogrom

poicilothermig *ans* SWOLEG am organeb fyw, e.e. broga, y mae tymheredd ei chorff yn amrywio yn ôl tymheredd ei hamgylchfyd poikilothermic

poitsio:poitsian *be* cawlio, gwneud llanastr, cyboli to muck up

pôl *eg* (polau)
1 y pleidleisiau sy'n cael eu bwrw mewn etholiad, *Mae'r pôl yn aml yn uwch pan fydd y tywydd yn braf.* poll
2 fel yn *pôl piniwn*, amcangyfrif o farn y bobl yn gyffredinol, o ganlyniad i holi sampl ohonynt poll
3 FFISEG un o ddwy derfynell batri, y naill yn bositif a'r llall yn negatif, y gellir eu cysylltu â dyfais er mwyn trosglwyddo egni o'r batri i'r ddyfais pole
4 FFISEG (mewn maes magnetig) pwynt sy'n efelychu effaith fagnetig un o begynau'r Ddaear, *pôl magnet* pole

polan *eg* (polaniaid) pysgodyn dŵr croyw yn perthyn i'r eog a'r brithyll sy'n byw mewn rhai llynnoedd yn Iwerddon pollan

polar *ans* FFISEG yn meddu ar bolaredd trydanol neu fagnetig polar

polaredd *eg* FFISEG cyflwr rhyw fesur sy'n gallu bod ar un o ddwy ffurf yn unig, e.e. gwefr bositif ynteu gwefr negatif polarity

polareiddiad *eg* (polareiddiadau) y broses o bolareiddio, canlyniad polareiddio polarization

polareiddio *be* [polareiddi•²]
1 gwahanu yn ddau grŵp gwrthgyferbyniol; pegynu to polarize
2 FFISEG peri i wefrau positif a gwefrau negatif wahanu mewn ynysydd neu ddeuelectryn to polarize
3 FFISEG gorfodi tonnau, e.e. golau, i ddirgrynu mewn un cyfeiriad yn unig to polarize

polarimedr *eg* (polarimedrau) dyfais sy'n mesur i ba raddau y mae golau mewn pelydryn wedi'i bolareiddio polarimeter

polarydd *eg* (polaryddion) FFISEG hidlydd optegol sy'n gadael i olau o bolareiddiad penodol fynd drwyddo ond yn atal golau o bolareiddiadau eraill polarizer

polca *eb*
1 CERDDORIAETH dawns fywiog o darddiad Bohemaidd yn symud fesul tri cham a herc polka
2 CERDDORIAETH cerddoriaeth ar gyfer polca neu gyfansoddiad yn rhythm nodweddiadol polca polka

polder *eg* (polderau) iseldir arfordirol, yn enwedig yn yr Iseldiroedd a Gwlad Belg, wedi'i adennill o'r môr a'i amddiffyn gan forgloddiau polder

polio(myelitis) *eg* MEDDYGAETH afiechyd heintus a achosir gan firws ac a nodweddir gan dwymyn, llid celloedd y brif system nerfol; yn aml mae'n parlysu nerfau a chyhyrau'r corff polio(myelitis)

polion *ell* lluosog **polyn**

polish *eg* sylwedd a ddefnyddir i lanhau, caboli a gosod sglein ar wyneb rhywbeth, e.e. sgidiau neu gelfi polish

polisi *eg* (polisïau)
1 nod neu gynllun gweithredu unigolyn neu grŵp (megis plaid wleidyddol, llywodraeth, cwmni masnachol, etc.) sy'n pennu cyfeiriad eu gweithgarwch, *Polisi'r Cyngor Sir yw cau pob ysgol sydd â llai nag ugain o blant.* policy
2 cytundeb ysgrifenedig â chwmni yswiriant policy
Polisi Amaethyddol Cyffredin cyfres o egwyddorion yn sefydlu targedau amaethyddol unffurf drwy'r Undeb Ewropeaidd, gyda golwg ar gryfhau'r farchnad fewnol a chystadlu yn erbyn gwledydd y tu allan i'r Undeb Common Agricultural Policy

politbiwro *eg* prif bwyllgor polisi a gwaith plaid gomiwnyddol politburo

politicaidd *ans* yn ymwneud â gwleidyddiaeth a phleidiau gwleidyddol; gwleidyddol political

polo *eg* gêm â'i gwreiddiau yn y Dwyrain Pell lle mae dau dîm o bedwar ar gefn ceffylau yn cystadlu i daro pelen o bren i gôl eu gwrthwynebwyr â gordd goes hir o bren polo

poloniwm *eg* elfen gemegol rhif 84; metel ymbelydrol, prin a ddarganfuwyd gan Marie a Pierre Curie (Po) polonium

polycarbonad *eg* (polycarbonadau) plastig gwydn, tryloyw sy'n gwrthsefyll gwres polycarbonate

polyester *eg* (polyesterau)
1 resin synthetig a ddefnyddir i wneud plastigion a ffibrau ar gyfer tecstilau polyester
2 ffabrig wedi'i wneud o ffibrau polyester polyester

p

polyfinyl clorid *eg* CEMEG plastig caled gwyn sy'n meddalu wrth adio plastigydd; fe'i defnyddir mewn pethau fel fframiau ffenestri neu fel gorchudd ceblau trydan polyvinyl chloride, PVC

polyffoni *eg* CERDDORIAETH dull o gyfansoddi cerddoriaeth ar gyfer dau neu ragor o leisiau, neu ddwy linell neu ragor o gerddoriaeth, sy'n annibynnol ar ei gilydd ond yn harmoneiddio â'i gilydd polyphony

polyffonig *ans* CERDDORIAETH (am gerddoriaeth leisiol yn aml) wedi'i hysgrifennu ar gyfer dau neu ragor o leisiau sy'n annibynnol ar ei gilydd ond yn harmoneiddio â'i gilydd polyphonic

polygon *eg* (polygonau) MATHEMATEG ffigur dau ddimensiwn sy'n cynnwys nifer o linellau syth a'r un nifer o onglau, e.e. triongl, petryal, hecsagon polygon

polyhedron *eg* (polyhedronau) MATHEMATEG siâp tri dimensiwn ac iddo wynebau plân, e.e. ciwb, octahedron polyhedron

polymer *eg* (polymerau) CEMEG casgliad o foleciwlau bychain sy'n cyfuno i greu moleciwlau mwy sydd yn eu tro yn ailadrodd patrwm y cyfuno gwreiddiol polymer

polymeras *eg* BIOCEMEG ensym sy'n hanfodol i'r broses o lunio polymer penodol, yn enwedig DNA neu RNA polymerase

polymeriad *eg* CEMEG y broses o bolymeru polymerization

polymeru *be* [polymer•¹] CEMEG cyfuno neu beri i gyfuno i ffurfio polymer to polymerize

polymorff *eg* (polymorffau)
1 un o amryw ffurfiau organeb bolymorffig (e.e. lewcocyt) neu sylwedd polymorffig (e.e. ffosfforws pur) polymorph
2 CEMEG un o amryw ffurfiau crisialog sylwedd polymorffig polymorph
3 FFISIOLEG lewcocyt polymorffig polymorph

polymorffedd *eg*
1 y cyflwr o fod yn bolymorffig; amryffurfedd polymorphism
2 BIOLEG bodolaeth gwahanol ffurfiau ymysg poblogaeth neu gytref, neu o fewn cylchred bywyd organeb, *Mae brenhines a gweithwyr y wenynen fêl yn arddangos polymorffedd.* polymorphism
3 BIOLEG amrywiaeth genetig o fewn poblogaeth, y gall detholiad naturiol weithredu arni polymorphism
4 CEMEG gallu defnydd i grisialu mewn dwy neu ragor o ffurfiau solet, e.e. mae diemwnt a graffit yn bolymorffau carbon polymorphism

polymorffig *ans* ac iddo ffurfiau, gweddau, arddulliau neu gymeriadau amrywiol; amlweddog, amryffurf polymorphic

polyn *eg* (polion) postyn hir, main; gwialen braff, hir o bren neu fetel pole
polyn lein a pheg dyn tal yng nghwmni dyn byr

Polynesaidd *ans* yn perthyn i Polynesia, nodweddiadol o Polynesia Polynesian

Polynesiad *eg* (Polynesiaid) brodor o Polynesia Polynesian

polynomaidd *ans* MATHEMATEG yn cynnwys nifer o dermau, yn enwedig (mewn algebra) termau sy'n cynnwys pwerau un neu ragor o newidynnau e.e. mae $2x^2y^3 + 5xy$ yn fynegiad polynomaidd polynomial

polynomial *eg* (polynomialau) MATHEMATEG mynegiad polynomaidd yn enwedig swm nifer o dermau yn cynnwys gwahanol bwerau'r un newidyn, *Mae $3x^2 + 5x + 6$ yn bolynomial cwadratig.* polynomial

polyp *eg* (polypau)
1 SWOLEG anifail môr di-asgwrn-cefn (e.e. anemoni môr a chwrel) yn perthyn i'r coelenteriaid; mae ei gorff fel tiwb gwag ac mae cylch o dentaclau o gwmpas ei geg polyp
2 MEDDYGAETH cwlwm o gelloedd anarferol o fawr sy'n tyfu o bilen fwcaidd, e.e. tyfiant yn y trwyn polyp

polypeptid *eg* (polypeptidau) BIOCEMEG peptid, e.e. protein bach, sy'n cynnwys deg neu ragor o asidau amino wedi'u bondio ynghyd mewn cadwyn polypeptide

polysacarid *eg* (polysacaridau) BIOCEMEG polymer naturiol yn cynnwys cadwynau hir o foleciwlau siwgr, e.e. startsh a chellwlos polysaccharide

polystyren *eg* resin synthetig ar ffurf sbwng anhyblyg ysgafn polystyrene

polytechnig *eg* sefydliad addysg uwch a fu'n cynnig cyrsiau galwedigaethol hyd at lefel gradd polytechnic

polythen *eg* plastig hyblyg nad yw'n cael ei effeithio gan ddŵr na chemegion ac sy'n cael ei ddefnyddio fel gorchudd, bagiau plastig a phibellau polythene

polywrethan *eg* CEMEG resin synthetig yn cynnwys polymerau o unedau wrethan ac iddynt ystod eang o ddefnydd, e.e. fel adlynion, mewn paent, farnais ac ewyn plastig polyurethane

pomgranad *eg* (pomgranadau) ffrwyth coch sy'n cynnwys llawer iawn o hadau melys y tu mewn i groen caled pomegranate

pompom *eg* pelen addurniadol o wlân pompom

pompren *eb* (pomprennau) pont fechan o bren i gerdded (yn hytrach na gyrru) drosti bridge, footbridge

ponc:poncen *eb* (poncau:ponciau)
1 codiad tir; banc, bryncyn, crug, twyn bank, hillock, hummock

2 llwyfan lled wastad sy'n cael ei chloddio mewn chwarel (lechi) gallery (in a slate quarry)

ponciog *ans* llawn ponciau; twmpathog, bryncynnog hillocky, hummocky

poni *eb* (ponis) ceffyl bach; ebol, eboles pony
   Sylwch: er mai benywaidd yw 'poni', *dwy boni*, nid yw'n treiglo ar ôl 'y', *y poni hon* ond mae'n treiglo'n drwynol ac yn llaes, e.e. *fy mhoni i; ei phoni hi.*

ponsio *be*
   1 gwneud stomp o bethau, ymyrryd â, gwneud cawl, gwneud smonach; drysu to bungle, to muck up
   2 trafferthu, *Paid â phonsio ysgrifennu llythyr – bydd galwad ffôn yn gwneud y tro.* to bother
   Sylwch: nid yw'r ferf hon yn arfer cael ei rhedeg.

pont *eb* (pontydd)
   1 adeiladwaith (o goed, cerrig, haearn, etc.) sy'n mynd â heol, rheilffordd, dŵr neu gamlas ar draws cwm neu afon neu rwystr arall bridge
   2 rhan ar long sydd wedi cael ei chodi'n ddigon uchel fel y gall y swyddog sy'n llywio'r llong weld yn glir ohoni bridge
   3 rhywbeth tebyg i bont o ran ffurf neu swyddogaeth arch, bridge
   4 darn bach o bren ar ffurf pont rhwng y tannau a chorff offeryn cerdd (feiolin, crwth, gitâr, etc.) sy'n trosglwyddo dirgryniadau'r tannau i'w chwyddo y tu mewn i gorff yr offeryn bridge

pont grog math o bont sy'n crogi neu'n hongian wrth wifrau neu farrau sy'n cael eu cynnal gan geblau sy'n rhedeg rhwng dau dŵr, e.e. Pontydd Hafren, Pont Menai suspension bridge

pont yr ysgwydd ANATOMEG y naill neu'r llall o bâr o esgyrn sy'n clymu'r asennau wrth yr ysgwyddau; asgwrn blaen yr ysgwydd collarbone, clavicle

pontffordd *eb* (pontffyrdd) pont sy'n cario un heol neu set o heolydd neu reilffordd dros heol, set arall o heolydd neu reilffordd flyover

pontiad *eg* (pontiadau) y broses o bontio, canlyniad pontio bridging

pontiff *eg* (pontiffiau:pontiffiaid) y Pab pontiff

pontifficeiddio *be* siarad yn ddogmatig ac yn ymhongar (~ **ar**) to pontificate
   Sylwch: nid yw'r ferf hon yn arfer cael ei rhedeg.

pontio *be* [ponti•2]
   1 adeiladu pont ar draws rhywbeth to bridge
   2 creu cysylltiad rhwng dau berson neu ddau syniad (~ **rhwng**) to bridge, to span

pontwn *eg*
   1 math o gwch â gwaelod fflat a ddefnyddir i gynnal pont dros dro neu lanfa sy'n arnofio pontoon
   2 adeiladwaith aerglos sy'n cynnal awyren neu adeiladwaith arall ar wyneb dŵr pontoon

3 gêm o gardiau; hefyd yn y gêm, dau gerdyn â chyfanswm o 21 pontoon

pop[1] *eg* diod felys yn cynnwys nwy byrlymus pop

pop[2] *ans*
   1 am gerddoriaeth gyfoes syml sydd, fel arfer, â churiad cryf ac sy'n boblogaidd am amser byr pop
   2 am ddull o arlunio sy'n tynnu'n gryf ar arddull hysbysebion a chartwnau pop

popeth *eg*
   1 pob peth; y cwbl, y cyfan, swm everything
   2 yr unig beth, y peth mwyaf pwysig, *Dydy arian ddim yn bopeth, cofiwch.* everything

popio *be* [popi•2] saethu allan (gan wneud y sŵn 'pop' weithiau) to pop

poplin *eg* defnydd cotwm cryf, plaen poplin

poplys *eb* un o nifer o wahanol fathau o goed tal, tenau, gosgeiddig â phren meddal poplar

poplysen *eb* unigol poplys poplar

poptu *eg* pob ochr, y naill ochr a'r llall all sides, either side

o boptu gw. o[2]

popty *eg* (poptai)
   1 math o flwch a drws iddo (sy'n rhan o gwcer, fel arfer) y mae modd ei wresogi ar gyfer pobi, rhostio, crasu neu goginio (bara, cig, teisen, etc.); cwcer, ffwrn, stof oven, cooker
   2 y man lle mae pobydd yn gweithio ac yn crasu bara, etc.; bacws, becws bakehouse

popty microdon ffwrn neu bopty sy'n defnyddio microdonnau i goginio neu wresogi bwyd; popty ping microwave oven

popty ping enw poblogaidd ar bopty microdon microwave oven

porc *eg* cig mochyn pork

porc-pei *eb* (porc-peis) pastai fach gron yn cynnwys cig mochyn pork pie

porcyn *ans* (pyrcs) heb ddillad amdano; noeth, noethlymun nude, stark naked

porchell *eg* (perchyll) mochyn ifanc wedi'i besgi piglet, porker

porfa *eb* (porfeydd:porfaoedd)
   1 llystyfiant yn cynnwys planhigion byr â dail hir, cul; mae'n tyfu'n wyllt, yn cael ei chodi'n gnwd glas mewn caeau neu ar gyfer lawntiau; glaswellt, gwelltglas grass
   2 tir pori, man lle mae glaswellt yn cael ei dyfu yn fwyd i anifeiliaid pasture

porfäwr *eg* (porfawyr) ffermwr sy'n magu neu'n pesgi anifeiliaid ar dir pori grazier

porfelaeth *eb* yr arfer o dderbyn anifeiliaid a'u gadael i bori, am dâl agistment

porfelu *be* [porfel•1] rhoi creadur allan i bori to pasture

porffor[1] *eg* lliw tywyll rhwng glas a choch; fioled, indigo purple

porffor² *ans* o liw tywyll rhwng glas a choch purple

pori *be* [por•¹ 3 *un. pres.* pawr/pora; 2 *un. gorch.* pora]
1 (am anifeiliaid – llysysyddion) bwyta porfa; treulio, ymborthi to graze
2 darllen pytiau yma ac acw mewn llyfrau neu gylchgronau (~ **yn**) to browse
3 CYFRIFIADUREG defnyddio rhwydwaith er mwyn darllen neu archwilio ffeiliau to browse

pornograffiaeth *eb* deunydd (llyfrau, lluniau, ffilmiau, rhaglenni cyfrifiadurol, etc.) sy'n portreadu gweithredoedd erotig gyda'r bwriad o ysgogi cyffro rhywiol pornography

pornograffig *ans* yn perthyn i bornograffiaeth, nodweddiadol o bornograffiaeth pornographic

porslen *eg* defnydd ceramig main, lled dryloyw, gwyn a ddefnyddir i lunio llestri porcelain

porter *eg* (porteriaid) dyn (fel arfer) a gyflogir i gario nwyddau a bagiau mewn gwesty neu orsaf drenau porter

portffolio *eg*
1 casyn hyblyg at gario dogfennau, lluniau, darluniau, etc., hefyd cynnwys y casyn portfolio
2 swydd a dyletswyddau aelod o gabinet neu weinidog y llywodraeth portfolio
3 yr amrediad o asedau, stociau a chyfrannau a ddelir gan fuddsoddwr portfolio

portico *eg* PENSAERNÏAETH (yn yr arddull bensaernïol glasurol) cyntedd o do cysgodol a gynhelir gan golofnau o flaen adeilad portico

Portiwgalaidd *ans* yn perthyn i Bortiwgal, nodweddiadol o Bortiwgal Portuguese

Portiwgead *eg* (Portiwgeaid) brodor o Bortiwgal, un o dras neu genedligrwydd Portiwgalaidd Portuguese

portread *eg* (portreadau) darlun o rywun, mewn paent, mewn geiriau neu gan actor; disgrifiad, llun, pictiwr, proffil depiction, portrait, portrayal

portreadaeth *eb* CELFYDDYD y grefft o beintio neu lunio portreadau portraiture

portreadol *ans* yn portreadu representational

portreadu *be* [portread•¹]
1 gwneud darlun neu dynnu llun o rywun neu rywle; amlinellu, darlunio, peintio to paint, to portray
2 disgrifio rhywun neu rywle mewn geiriau neu gyflwyno cymeriad ar lwyfan, *Sut mae Saunders Lewis yn portreadu Blodeuwedd?* to depict, to portray

porth¹ *eg* (pyrth)
1 drws (neu ddrysau) mawr megis drws castell neu eglwys; mynedfa door
2 adeilad agored sy'n cysgodi mynedfa; cyntedd lobby, porch, gateway
3 CYFRIFIADUREG safle ar y Rhyngrwyd sy'n cynnig mynediad neu gyswllt â gwefannau eraill portal
4 CYFRIFIADUREG rhan o offer y mae plwg neu gebl yn cysylltu ag ef port

porth² *eb* (porthau) cysgod ac angorfa i gychod; glanfa, harbwr, porthladd harbour

porth awyr maes awyr â chyfleusterau ar gyfer teithwyr gan gynnwys tollty airport

porthcwlis *eg* PENSAERNÏAETH clwyd drom a gâi ei gollwng ar hyd rhigolau yn nwy ochr porth adeilad i gau'r bwlch portcullis

porthi *be* [porth•¹]
1 bwydo, rhoi ymborth neu fwyd i (rywun neu rywbeth); maethu, ymborthi to feed, to nourish
2 cymeradwyo (pregeth neu araith) yn uchel drwy wneud ebychiadau megis 'Clywch, clywch!', 'Haleliwia!', 'Amen!'

porthi milgi cyn ras ceisio gwneud rhywbeth yn rhy hwyr ac sy'n debyg o wneud mwy o ddrwg nag o les

porthiannus *ans* wedi'i borthi'n dda, a graen da arno, da ei fyd; ffyniannus, llewyrchus, tew well fed

porthiant *eg* bwyd, lluniaeth, maeth, ymborth, yn enwedig bwyd anifeiliaid; ebran feedstuff, food, nourishment

porthladd *eg* (porthladdoedd)
1 darn o ddŵr cysgodol lle mae llongau a chychod yn ddiogel mewn tywydd garw; angorfa, glanfa, hafan harbour
2 darn o ddŵr cysgodol lle mae llongau a chychod yn llwytho ac yn dadlwytho; cei, doc, harbwr port
3 tref â phorthladd yn rhan ohoni port

porthmon *eg* (porthmyn) dyn a fyddai, ers talwm, yn gyrru anifeiliaid (gwartheg, defaid, gwyddau, etc.) i'r farchnad (o Gymru i Loegr yn enwedig); gyrrwr drover

porthmona *be* ennill bywoliaeth fel porthmon *Sylwch:* nid yw'r ferf hon yn arfer cael ei rhedeg.

porthor *eg* (porthorion)
1 un sy'n cael ei gyflogi i gludo pethau a gofalu am y drysau neu am y cyntedd mewn gwesty, ysbyty, ysgol, etc., ceidwad porth; gofalwr, drysor porter, concierge, doorman
2 un sy'n cael ei gyflogi i gario bagiau mewn gorsaf (gorsaf drên, fws, awyren, etc.) porter

porthordy *eg* (porthordai) tŷ porthor porter's lodge

porwr *eg* (porwyr)
1 un sy'n pori; chwilotwr, tyrchwr, ymchwiliwr browser, grazer
2 CYFRIFIADUREG rhaglen â rhyngwyneb ar gyfer dangos ffeiliau HTML a ddefnyddir i bori'r We Fyd-eang browser

pos *eg* (posau)
1 gêm neu gystadleuaeth sy'n anodd ei datrys
puzzle
2 cwestiwn anodd (a doniol yn aml) y mae'n
rhaid i rywun geisio'i ateb, *Beth sydd mor hen
â'r Ddaear ac eto ddim ond yn fis oed?
Y Lleuad.*; problem puzzle, riddle
pos croeseiriau pos geiriau lle rydych yn
ysgrifennu'r atebion i gliwiau mewn sgwariau
wedi'u rhifo; o gwblhau'r cyfan yn gywir mae
modd darllen yr atebion ar draws ac ar i lawr;
croesair crossword puzzle
posel:poset *eg* (yn hanesyddol) diod boeth yn
cynnwys llaeth neu laeth enwyn wedi'i geulo
â chwrw, gwin etc. ynghyd â chynhwysion fel
triog neu berlysiau ac a fyddai'n cael ei hyfed
fel meddyginiaeth posset
posibiliad *eg* (posibiliadau) arwydd y gall rhywun
neu rywbeth fod yn dda, yn ddefnyddiol, yn
fuddiol, etc. yn y dyfodol o gael ei drin yn y
ffordd iawn, *Gallwn ni dderbyn y cynllun
hwn. Mae'r posibiliadau'n enfawr.* possibility
posibilrwydd *eg* y cyflwr o fod yn bosibl, *Oes
'na bosibilrwydd y gallet ti warchod y plant
heno?* possibility, feasibility
posibl *ans*
1 yn gallu digwydd neu fodoli neu gael ei
gyflawni, *Fe wnaf fi bopeth posibl i'th helpu.*;
cyraeddadwy, dichonadwy, ymarferol
(~ **i** wneud) possible, conceivable
2 a allai ddigwydd neu beidio, *Mae'n bosibl yr
af i'r wythnos nesaf ond nid wyf yn siŵr eto.*
feasible, possible
3 derbyniol, yn gwneud y tro, *Dyna un o nifer
o atebion posibl.* possible
'does bosibl! *ebychiad* nid yw'n bosibl surely not
positif *ans*
1 o les ymarferol, *Mae'n rhaid inni ymateb
mewn ffordd bositif i'r cais yma am gymorth.*;
adeiladol, ategol, cadarnhaol positive
2 am rif sy'n fwy na 0 (sero) positive
3 am y math o drydan a geir ar ddarn o wydr
o'i rwbio â sidan positive
4 am lun wedi'i dynnu gan gamera yn
defnyddio ffilm, lle mae'r lliwiau yn naturiol
a heb gael eu gwyrdroi fel yn y negydd positive
5 am brawf meddygol sy'n dangos bod
arwyddion o glefyd yn y corff positive
rhif positif gw. rhif
positifiaeth *eb* ATHRONIAETH athroniaeth
sy'n dysgu bod diwinyddiaeth a dyfaliadau
athronyddol yn ddulliau annigonol o ddod o
hyd i wybodaeth a bod gwir wybodaeth yn
seiliedig ar arsylwi ffeithiau a ffenomenau
naturiol positivism
positifiaeth resymegol ATHRONIAETH
cyfundrefn athronyddol yn pwysleisio mai'r

unig osodiadau ystyrlon yw'r rheini y gellir
eu gwirio neu eu cadarnhau drwy ddulliau
gwyddonol logical positivism
positron *eg* (positronau) FFISEG gronyn isatomig
â'r un màs a'r un maint gwefr ag electron,
ond sydd wedi'i wefru'n bositif positron
post¹ *eg*
1 system swyddogol sy'n casglu a dosbarthu
llythyrau, parseli, etc., *anfon llythyr drwy'r
post* mail, post
2 y llythyrau, parseli, etc. sy'n cael eu casglu
a'u dosbarthu'n rheolaidd gan y post, *Faint o'r
gloch mae'r post yn mynd?* mail, post
Swyddfa'r Post gw. swyddfa
post² *ans* fel yn *yn ddall/yn fyddar bost*, *yn
wirion bost* hollol, cwbl complete, utter
post³ gw. postyn
poster *eg* (posteri) hysbyseb neu ddarlun mawr
a osodir mewn lle cyhoeddus poster
postfarc *eg* (postfarciau) marc post, marc a
ddefnyddir i ddiddymu gwerth stamp a dangos
ym mha le a pha bryd y postiwyd llythyr, pecyn
neu barsel postmark
postfeistr *eg* (postfeistri) yr un sy'n gyfrifol am
swyddfa bost postmaster
postfeistres *eb* (postfeistri) merch neu wraig
sy'n gyfrifol am swyddfa bost postmistress
postgyfuno *be* CYFRIFIADUREG ychwanegu
enwau a chyfeiriadau o gronfa ddata
at lythyrau ac amlenni i hwyluso anfon
gohebiaeth i nifer o gyfeiriadau to mail merge
  Sylwch: nid yw'r ferf hon yn arfer cael ei rhedeg.
postio *be* [posti•²] danfon rhywbeth drwy'r
post naill ai drwy fynd ag ef i swyddfa bost
neu drwy ei osod mewn blwch casglu arbennig;
anfon, hela to post
postman:postmon *eg* (postmyn) un sy'n cael ei
gyflogi i gasglu a dosbarthu'r post postman
post-mortem *eg* (post-mortemau)
1 CYFRAITH (yn dilyn marwolaeth) archwiliad
swyddogol o gorff, er mwyn gwybod beth
achosodd y farwolaeth neu ba newidiadau a
achoswyd gan glefyd post-mortem
2 proses o bwyso a mesur achosion ac effaith
digwyddiad wedi iddo orffen post-mortem
postyn *eg* (pyst) polyn praff, cryf o bren,
o garreg neu o fetel wedi'i osod yn y ddaear neu
ryw sylfaen arall, i gynnal rhywbeth fel arfer
post, bollard
  Sylwch: gw. hefyd **pyst**.
taro'r post i'r pared glywed dweud rhywbeth
wrth rywun pan fo rhywun arall o fewn clyw
fel bod hwnnw/honno'n clywed yr hyn sydd
gennych i'w ddweud
pot *eg* (potiau) llestr crwn, gweddol ddwfn
o bridd, metel, gwydr, plastig, etc. i ddal
rhywbeth, e.e. bwyd, hylif, blodau; jar pot

p

potaid *eg* (poteidiau) llond pot potful

potas:potash *eg* cyfansoddyn cemegol yn cynnwys potasiwm (potasiwm carbonad neu botasiwm hydrocsid, fel arfer) a ddefnyddir gan amaethwyr neu mewn diwydiant potash

potasiwm *eg* elfen gemegol rhif 19; metel alcalïaidd ysgafn, ariannaidd sy'n adweithiol iawn (K) potassium

potel *eb* (poteli)

1 cynhwysydd o wydr neu blastig â gwddf cul ond heb ddolen; costrel bottle

2 diod feddwol, *Mae e wedi bod ar y botel eto.* (on the) bottle

potel ddŵr poeth/twym math o fag rwber y mae modd ei lenwi â dŵr poeth er mwyn cynhesu'r gwely; jar hot-water bottle

potelaid *eb* (poteleidi:poteleidiau) llond potel bottleful

potelu *be* [potel•¹] rhoi rhywbeth (llaeth, gwin, ffrwythau, etc.) mewn potel a'i chau; costrelu, cyffeithio to bottle

potensial *eg*

1 rhywbeth sydd yn medru datblygu neu droi'n wirionedd, rhywbeth â'r gallu i fod yn werthfawr potential

2 FFISEG mesur sy'n ymwneud ag egni màs mewn maes disgyrchiant neu egni gwefr mewn maes trydan potential

3 ECONOMEG (am lefel cynnyrch gwladol) y lefel uchaf y gellir ei chynhyrchu heb achosi cynnydd mewn chwyddiant potential

gwahaniaeth potensial gw. **gwahaniaeth**

potensiomedr *eg* (potensiomedrau)

1 FFISEG dyfais i fesur foltedd anhysbys drwy ei gymharu â foltedd hysbys potentiometer

2 ELECTRONEG gwrthydd ac iddo dair terfynell, lle mae'r derfynell ganol yn llithro dros y gwrthydd, fel bod modd newid foltedd y derfynell ganol rhwng y foltedd ar y ddwy derfynell arall potentiometer

potes *eg* (potesau) *safonol, yn y Gogledd* math o gawl wedi'i wneud drwy ychwanegu llysiau at ddŵr y mae cig wedi cael ei ferwi ynddo; lobsgows broth, soup

lol botes (maip) *tafodieithol, yn y Gogledd* ffolineb, ffwlbri rubbish

potes eildwym cawl eildwym, rhywbeth nad yw'n ffres nac yn flasus rehash

rhyngoch chi a'ch potes mae'n rhaid i chi ddod o hyd i ateb ar eich pennau eich hunain; rhyngoch chi a'ch cawl

potio¹ *be* [poti•²]

1 gosod (planhigyn, fel arfer) mewn padell neu ddysgl o bridd to pot

2 (mewn biliards, etc.) bwrw pêl i un o'r chwe phoced ar ymylon y bwrdd; pocedu to pot

potio² *be* yfed gormod o ddiod feddwol, hel diod; diota, llymeitian, slotian to booze

Sylwch: nid yw'r ferf hon yn arfer cael ei rhedeg.

potiwr *eg* (potwyr) un sy'n potio; diotwr, llymeitiwr, meddwyn, slotiwr tippler

potomedr *eg* (potomedrau) dyfais i fesur cyfradd trydarthu planhigion drwy bennu faint o ddŵr sy'n cael ei amsugno potometer

potsiar *eg* (potsiars) un sy'n potsio; herwheliwr poacher

potsio¹ *be* bachu, maglu neu saethu (anifail, aderyn neu bysgodyn) heb ganiatâd; herwhela to poach

Sylwch: nid yw'r ferf hon yn arfer cael ei rhedeg.

potsio² *be* [potsi•²] COGINIO coginio (wyau, pysgod, etc.) drwy eu mudferwi mewn dŵr, llaeth, isgell, etc.; goferwi to poach

pothell *eb* (pothelli)

1 chwydd poenus ar y croen yn llawn dŵr (neu waed) ac yn cael ei achosi gan losgi, rhwbio, etc.; chwysigen, swigen blister

2 chwydd tebyg, e.e. ar bren wedi'i beintio blister

3 rhywun sy'n boen pain (of a person)

pothellog *ans* wedi'i orchuddio â phothellau blistered, spotty, vesicular

pothellu *be* codi'n bothelli to blister

Sylwch: nid yw'r ferf hon yn arfer cael ei rhedeg.

powan *eg* (powaniaid) pysgodyn dŵr croyw sy'n byw yn rhai o lynnoedd yr Alban, ac sy'n perthyn i'r eog a'r brithyll powan

powdr *eg* (powdrau)

1 sylwedd sy'n bod ar ffurf gronynnau bychain (tebyg i lwch) powder

2 sylwedd o'r math hwn sy'n cael ei roi (gan wragedd, fel arfer) ar groen yr wyneb neu rannau eraill o'r corff powder

3 ffrwydryn a geir yn y ffurf hon, *powdr tanio*; pylor powder

powdraidd *ans* tebyg i bowdr powdery

powdro *be* [powdr•¹] taenu powdr dros rywbeth to powder

powdrog *ans* wedi'i orchuddio â phowdr, tebyg i bowdr powdered, powdery

powdwr defnyddiwch **powdr**

powld *ans* haerllug, digywilydd, eofn audacious, bold, cheeky

powlen gw. **bowlen**

powlennaid *eb* gw. **bowlennaid**

powlio *be* [powli•²] gwthio, rhedeg, rholio, treiglo to bowl, to roll

powlio mynd pydru arni to bowl along

powltis *eg* (powltisau) tafell neu dalp poeth, e.e. o fara llaith neu gymysgedd o lysiau, wedi'i osod ar ddarn llidus o'r corff poultice

pownd *eg* (mewn melin neu ffatri wlân) y sianel neu'r cafn sy'n arwain dŵr at y rhod ddŵr; pynfarch mill-race, mill stream

p.p. *byrfodd* talfyriad o'r Lladin, *per procurationem* ar ran

prae *eg* (praeau) rhywbeth sy'n cael ei hela; ysglyfaeth prey

praff *ans* [praff•]
1 tew a thrwm; bras, ffyrf burly, stout
2 cryf a thrwchus; braisg, cadarn, cydnerth, cyfnerth stout, thick
3 *ffigurol* o bwys; sylweddol important

praffter *eg* braster, tewdra, trwch stoutness, thickness

pragmatiaeth *eb*
1 agwedd bragmatig neu bolisi pragmatig pragmatism
2 ATHRONIAETH athrawiaeth sy'n honni bod gwirionedd neu ystyr syniad yn dibynnu ar ei ganlyniadau ymarferol, a phwrpas meddwl yw cynnig arweiniad i weithredoedd pragmatism

pragmatig:pragmataidd *ans* yn trin materion o ran cyflawni rhywbeth ymarferol yn awr, ar draul eu hystyried o safbwyntiau academaidd, moesol neu esthetig, e.e. trin ffeithiau hanesyddol o safbwynt eu gwersi ymarferol pragmatic

praidd *eg* (preiddiau)
1 nifer o anifeiliaid dof o'r un rhywogaeth (defaid, yn bennaf) gyda'i gilydd; diadell, gyr, haid flock
2 aelodau eglwys sydd dan ofal gweinidog neu offeiriad (bugail) congregation, flock
Sylwch: mae'n derbyn ffurf unigol neu luosog berf.

pram *eg* (pramiau) crud ar olwynion ar gyfer cario babi; coets fach pram

pranc *eg* (pranciau) cast neu ddrygioni chwareus nad yw'n gwneud niwed yn fwriadol escapade, prank

prancio *be* [pranci•²] neidio a dawnsio mewn ffordd fywiog a hapus, *ŵyn bach yn prancio yn yr haul*; dawnsio, dychlamu, llamu, sboncio, to caper, to gambol, to prance

praseodymiwm *eg* elfen gemegol rhif 59; metel arianwyn meddal; ar ffurf aloi mae'n cael ei ddefnyddio fel catalydd yn y diwydiant olew (Pr) praseodymium

prawf¹ *eg* (profion)
1 ffaith neu dystiolaeth sy'n dangos bod rhywbeth yn wir neu'n gywir, *Dyw gair John yn unig ddim yn brawf fod Ifan yn euog.* proof
2 archwiliad neu ddull o ddarganfod a yw rhywun neu rywbeth yn cyrraedd safon arbennig, neu'n ddigon da ar gyfer rhywbeth neu'i gilydd, *prawf gyrru car*; arholiad test
3 nifer o gwestiynau, gorchwylion, etc. wedi'u gosod er mwyn mesur dawn neu wybodaeth rhywun, arholiad bychan; asesiad test
4 archwiliad meddygol byr, *prawf gwaed* test
5 archwiliad i gymeriad, gallu neu ymddygiad

rhywun er mwyn penderfynu a yw'n addas i ddal swydd neu i fod yn aelod o ryw gymdeithas, etc., *Mae pawb sy'n cael eu cyflogi gan y cwmni ar brawf am y chwe mis cyntaf.* probation
6 gêm o rygbi neu griced rhwng dau dîm rhyngwladol test (match)
7 gêm rhwng chwaraewyr sy'n debygol o gael eu dewis a'r rhai a allai gael eu dewis, er mwyn dethol y goreuon trial (match)
8 system o ofalu bod rhywun sydd wedi'i gael yn euog o drosedd yn ymddwyn yn foddhaol, *Penderfynodd yr ynadon beidio â'i anfon i'r carchar ond yn hytrach ei roi ar brawf am ddwy flynedd.* probation
9 (mewn llys barn) treial; y weithred o wrando a dyfarnu ar achos, ar unigolyn neu ar ryw bwynt cyfreithiol mewn llys barn trial
10 MATHEMATEG cyfres o gamau rhesymegol sy'n dangos bod rhyw osodiad yn wir proof

prawf modd ymchwiliad swyddogol i amgylchiadau ariannol rhywun i weld a yw'n gymwys i gael cymorth gan y wladwriaeth means test

prawf² *bf* [profi] *hynafol* mae ef yn profi/mae hi'n profi; bydd ef yn profi/bydd hi'n profi

prebend *eg* (prebendau) CREFYDD cyflog a fyddai'n cael ei dalu gan eglwys gadeiriol neu eglwys golegol i ganon neu aelod o'i chabidwl prebend

prebendari *eg* (prebendariaid) CREFYDD aelod o gabidwl eglwys; un sy'n derbyn prebend prebendary

preblan:preblian *be* clebran, baldorddi; breblian to babble
Sylwch: nid yw'r ferf hon yn arfer cael ei rhedeg.

pregeth *eb* (pregethau)
1 anerchiad (wedi'i seilio fel arfer ar adnod(au) o'r Beibl) yn ystod gwasanaeth crefyddol sermon, homily
2 *anffurfiol* rhybudd neu gyngor hir a difrifol, *Cefais bregeth gan fy nhad am fod yn hwyr yn dod adre o'r parti.*; darlith sermon

y Bregeth ar y Mynydd y teitl a roddir i eiriau Iesu Grist yn efengyl Mathew, pennod 5 the Sermon on the Mount

pregethu *be* [pregeth•¹]
1 lledaenu neges crefydd drwy anerchiadau cyhoeddus, *Pregethai Iesu i'r tyrfaoedd.*; cenhadu, efengylu (~ **ar** destun i *rywun*) to preach
2 traddodi pregeth fel rhan o wasanaeth crefyddol; annerch, cyfarch, llefaru, traethu to preach
3 dweud y drefn (yn gellweirus), *Unwaith roedd ei fam yn dechrau pregethu am effaith teledu ar y plant, doedd dim taw arni.*; dwrdio, swnian to preach, to sermonize

p

pregethwr *eg* (pregethwyr) un sy'n pregethu; areithiwr, cenhadwr, efengylwr, gweinidog preacher

pregethwrol *ans* o natur pregeth, yn perthyn i bregethu neu bregethwr

pregowthan *be* clebran, gwag-siarad to jabber
Sylwch: nid yw'r ferf hon yn arfer cael ei rhedeg.

preiddiau *ell* lluosog **praidd**

preifat *ans*
1 yn perthyn i chi yn unig, *llythyrau preifat*; cyfrinachol, personol private
2 heb fod wedi'i fwriadu ar gyfer pawb, *parti preifat* private
3 nad yw'n dod o dan y llywodraeth, *cwmni preifat* private
4 nad yw'n ymwneud â swydd neu safle cyhoeddus, *bywyd preifat y Frenhines* private
5 am dŷ neu adeilad sydd wedi'i neilltuo, sy'n cael ei guddio, e.e., gan goed, etc., *Mae tŷ Nain yn breifat ond dydy o ddim yn unig chwaith.* private

preifateiddiedig *ans* wedi'i breifateiddio privatized

preifateiddio *be* [preifateiddi•²] dadwladoli; trosglwyddo'r cyfrifoldeb am ddarparu gwasanaeth(au) o'r wladwriaeth neu gorff cyhoeddus i gwmni preifat to privatize, to denationalize

preifatîr *eg* (preifatirs)
1 *hanesyddol* llong arfog a gâi ei chomisiynu gan lywodraeth i ymosod ar longau rhyfel neu longau masnach y gelyn privateer
2 pennaeth neu gapten llong o'r fath privateer

preifatrwydd *eg* y cyflwr o fod yn breifat privacy

preimin *eg* (preiminau)
1 sioe amaethyddol agricultural show
2 cystadleuaeth aredig ploughing match

preimio *be* [preimi•²]
1 paratoi arf neu ffrwydryn i'w saethu neu ffrwydro drwy ddefnyddio ffrwydryn bach neu daniwr (~ *rhywbeth* â) to prime
2 (wrth beintio rhywbeth) gosod y got neu haen gyntaf o baent neu olew i selio'r wyneb to prime
3 gwneud rhywbeth yn barod i waith (drwy ei lenwi neu ei gyflenwi), e.e. llenwi pwmp â dŵr neu lamp ag olew to prime
4 cyfarwyddo rhywun ymlaen llaw to prime

prelad *eg* (preladiaid) gŵr eglwysig o radd uchel, e.e. esgob neu archesgob prelate

preliwd *eg* (preliwdau:preliwdiau)
1 CERDDORIAETH darn byr a berfformir cyn gwaith mwy sylweddol prelude
2 darn byr ar gyfer piano neu unrhyw offeryn ag allweddell(au), *preliwdiau Chopin i'r piano* prelude

premiwm *eg*
1 swm o arian a delir yn gymhelliad sy'n fwy

na chost sefydlog, *Mae'n barod i dalu premiwm er mwyn ei dderbyn erbyn yfory.*; bonws premium
2 cymaint mwy o werth na'r hyn a ddisgwylir, e.e. gwerth uwch a roddir ar gyfrannau premium
3 swm a delir am gytundeb yswiriant premium

pren¹ *eg* (prennau)
1 y defnydd caled y mae boncyff a changhennau coeden wedi'i wneud ohono; coed wood, timber
2 coeden, *'Ar y bryn roedd pren . . .'* tree
3 croes, croesbren cross, wooden cross

pren almon gw. almon

pren crabas gw. crabas

pren eirin coeden blwms plum tree

pren haenog defnydd wedi'i lunio o nifer o haenau tenau o goed wedi'u gludio wrth ei gilydd plywood

pren² *ans* wedi'i wneud o bren, *ceffyl pren* wooden

pren mesur *eg* (prennau mesur) darn hir, cul o bren, metel, plastig, etc. ag ymyl syth wedi'i rannu'n fodfeddi a/neu'n gentimetrau ruler

prennaidd *ans* o natur pren, mor anystwyth neu anhyblyg â darn o bren, *perfformiad prennaidd*; peiriannol, stiff wooden, woody

prennog *ans* wedi'i wneud o ddefnydd ffibrog, caled a geir mewn coed woody

prennyn *eg* (prenynnau) darn hir, tenau o bren a ddefnyddir mewn gwaith basged neu i gynnau tân splint

prentis *eg* (prentisiaid) un sydd wedi cytuno (am gyflog bach, fel arfer) i wasanaethu crefftwr er mwyn dysgu crefft arbennig; disgybl, dysgwr, hyfforddai apprentice, trainee

prentisiaeth *eb*
1 y cyflwr o fod yn brentis apprenticeship
2 y cyfnod y mae rhywun yn brentis apprenticeship
bwrw prentisiaeth treulio cyfnod yn brentis to serve (one's) apprenticeship

prentisio *be* [prentisi•²] rhwymo i fod yn brentis; hyfforddi fel prentis to apprentice

prepian *be* [prepi•²] cario clecs; clebran, clecian, clepian (~ **wrth**) to gossip

prepiwr *eg* un sy'n prepian, un sy'n cario clecs telltale

pres *eg*
1 METELEG metel caled o liw melyn llachar sy'n aloi o gopr a sinc brass
2 CERDDORIAETH yr offerynwyr mewn cerddorfa sy'n chwarae offerynnau metel megis y corn, y trwmped, y trombôn, etc. the brass (section)
3 arian (ceiniogau, punnoedd, etc.) money

Presbyteraidd *ans* yn perthyn i eglwys Brotestannaidd sy'n cael ei llywodraethu gan gorff y mae ei swyddogion i gyd yn gydradd Presbyterian

Presbyteriad *eg* (Presbyteriaid) un sy'n aelod o eglwys Bresbyteraidd; un sy'n arddel Presbyteriaeth **Presbyterian**

Presbyteriaeth *eb* system o lywodraeth eglwysig gan henaduriaid (sydd gan amlaf yn arddel Calfiniaeth) **Presbyterianism**

preseb *eg* (presebau) llestr neu focs hir y mae ceffylau neu wartheg/da yn bwyta ohono; cafn, mansier **crib, manger**

presennol¹ *ans*

1 yn bod yma neu yno, heb fod yn absennol, *Faint o bobl oedd yn bresennol yn yr ymarfer neithiwr?* **present**

2 yn bodoli yn awr, yn gwneud rhywbeth neu'n cyflawni swydd ar hyn o bryd, *Pwy yw llywydd presennol y Gymdeithas?* **present**

3 GRAMADEG am Amser y ferf sy'n cyfeirio at rywbeth sy'n digwydd yn awr, *Mae 'gwnaf' a 'maen nhw'n dod' yn enghreifftiau o ferfau yn yr Amser Presennol.* **present**

Sylwch: nid yw'n arfer cael ei gymharu.

presennol² *eg* GRAMADEG Amser y ferf sy'n cyfeirio at rywbeth sy'n digwydd yn awr, *Ydy'r stori wedi'i hysgrifennu yn y Presennol neu'r Gorffennol?*; yr Amser Presennol **(the) present**

Sylwch: mae ffurfiau cryno presennol y ferf yn cyfleu'r hyn sy'n mynd i ddigwydd yn y dyfodol, e.e. *Ysgrifenna i ato*; *Fe ddarllenaf yr adroddiad*; y ffurfiau cwmpasog a ddefnyddir i gyfeirio at y presennol, *Rydw i'n ysgrifennu llythyr.*; *Mae hi'n darllen yr adroddiad [yn awr, ar y foment yma].*

presenoldeb *eg* y cyflwr o fod yn bresennol, o fod ar gael, o fod yno; gŵydd **presence**

presesiad *eg* (presesiadau) y broses o bresesu **precession**

presesu *be* FFISEG (am echelin gwrthrych sy'n troelli) symud yn araf dros arwyneb côn dychmygol (e.e. top yn troelli neu gyrosgop) **to precess**

Sylwch: nid yw'r ferf hon yn arfer cael ei rhedeg.

presgripsiwn *eg* (presgripsiynau)

1 papur ac arno enw'r moddion y mae meddyg am i fferyllydd ei roi i un o'i gleifion; rhagnodyn **prescription**

2 cyfarwyddyd gan ymarferwr meddygol (doctor, deintydd, optegydd etc.) yn awdurudodi cyflenwi claf â meddygaeth neu driniaeth **prescription**

presidiwm *eg* pwyllgor gwaith parhaol wedi'i ddewis i weithio ar ran corff llywodraethol mwy ei faint mewn gwledydd Comiwnyddol **presidium**

presto *adf* ac *ans* CERDDORIAETH mewn tempo cyflym

preswyl *ans* fel yn *ysgol breswyl*; *neuadd breswyl*, am fan neu adeilad lle mae pobl yn byw ac yn cysgu, yn ymgartrefu (dros dro ac am dâl fel arfer); arhosol **boarding, residential**

Sylwch: nid yw'n arfer cael ei gymharu.

preswylfa *eb* (preswylfeydd) lle i fyw, tŷ annedd; aelwyd, anheddfa, cyfannedd, trigfan **residence, dwelling**

preswyliadwy *ans* y gellir byw neu breswylio yno **inhabitable**

preswyliaeth *eb* y cyflwr o fod yn byw mewn tŷ, o breswylio; deiliadaeth **occupancy**

preswylio *be* [preswyli•²] byw a chysgu mewn man arbennig; anheddu, aros, cyfanheddu, ymgartrefu (~ **yn/mewn**) **to dwell, to live, to reside**

preswylydd:preswyliwr *eg* (preswylwyr: preswylyddion) un sy'n preswylio, rhywun sy'n byw yn rhywle; anheddwr **dweller, inhabitant, resident**

presyddu *be* [presydd•¹] METELEG sodro â phres, neu aloi o arian a phres **to braze**

pric *eg* (priciau) un darn bach o bren, darn o goed tân; cynnud **stick**

pric pwdin un gwan, hawdd dylanwadu arno **cat's paw**

pricio *be* [prici•²] rhoi neu gael pigiad; pigo **to prick**

prid *ans* [prit•] costus, drud, hallt **dear, expensive, costly**

Sylwch: prited; pritach; pritaf.

pridiant *eg* (pridiannau) math arbennig o dâl ar dir **land charge**

pridwerth *eg* (pridwerthi) swm o arian sy'n cael ei dalu er mwyn rhyddhau carcharor (yn enwedig rhywun wedi'i herwgipio) **ransom**

pridd *eg* (priddoedd) haen uchaf arwyneb y ddaear y mae planhigion yn tyfu ynddo; mae fel arfer yn cynnwys cymysgedd o greigiau chwilfriw a defnyddiau organig; daear, deilbridd, gweryd, tir **earth, soil**

pridd y wadd gw. **gwadd¹**

priddeg *eb* astudiaeth wyddonol o briddoedd **pedology, soil science**

priddell *eb* (priddellau) pridd, bedd **earth**

priddfaen *eg* (priddfeini) *llenyddol* bricsen **earthenware brick**

priddglai *eg* (priddgleiau) lom; math o bridd ffrwythlon yn cynnwys clai yn bennaf, tywod, a defnydd organig pydredig **loam**

priddlech *eb* (priddlechi) *llenyddol* teilsen **earthenware tile**

priddlestr *eg* (priddlestri) pot pridd, llestr pridd neu ddarn o lestr pridd **earthenware pot**

priddlyd *ans* wedi'i orchuddio â phridd; o flas, lliw neu oglau pridd **earthy**

p

priddo:priddio *be* [priddi•²] codi twmpath o bridd o gwmpas bonion planhigion (megis tatws); claddu to earth

priddyn *eg* pridd, talp o bridd clod, earth

prif *ans*
1 uchaf neu gyntaf o ran swydd neu bwysigrwydd, *prif gwnstabl*; arch-, carn-, pen- chief, head, prime, principal
2 mwyaf (o ran maint, gradd, etc.), *Siân sydd wedi derbyn y brif ran yn y ddrama.*; gorau, mwyaf, pennaf, pwysicaf main, major
Sylwch:
    1 mae *prif* yn dod o flaen enw ac yn achosi'r treiglad meddal;
    2 nid yw'n cael ei gymharu.

prifardd *eg* (prifeirdd)
1 teitl bardd a enillodd Gadair neu Goron yr Eisteddfod Genedlaethol, *y Prifardd Ceri Wyn*
2 bardd a enillodd Gadair neu Goron yr Eisteddfod Genedlaethol, *Mae Mererid Hopwood hefyd yn brifardd.*; pencerdd

prifathrawes *eb* (prifathrawesau) pennaeth; yr athrawes sy'n gyfrifol am holl addysgu, adnoddau, disgyblion a staff ysgol headmistress, headteacher

prifathrawiaeth *eb* (prifathrawiaethau) swydd a safle prifathro neu brifathrawes headship, principalship

prifathro *eg* (prifathrawon)
1 pennaeth; yr athro sy'n gyfrifol am holl addysgu, adnoddau, disgyblion a staff ysgol headmaster, headteacher
2 pennaeth coleg neu brifysgol principal

prifddinas *eb* (prifddinasoedd) y ddinas lle mae llywodraeth a gweinyddiaeth gwlad yn cael eu canoli capital city, metropolis

prifiant *eg* twf naturiol, iach anifail neu blanhigyn; cynnydd, datblygiad, ffyniant, twf growth
ar ei brifiant yn tyfu growing

prifio *be* [prifi•²] tyfu yn gorfforol, cynyddu yn ei faint fel datblygiad naturiol, iach to grow

prif lenor *eg* (prif lenorion) teitl llenor a enillodd Fedal Ryddiaith yr Eisteddfod Genedlaethol

priflythyren *eb* (priflythrennau) llythyren fawr fel y llythyren a ddefnyddir ar ddechrau enw person neu le, neu ar ddechrau brawddeg, e.e. A, B, C, etc.; llythyren fras capital letter

prifodl *eb* (prifodlau) yr odl a geir ar ddiwedd llinell o farddoniaeth neu uned fydryddol end-rhyme

prifol *ans* MATHEMATEG fel yn *rhif prifol*, un o'r rhifau cyfrif 1, 2, 3, *un, dau, tri*, etc., o'u cyferbynnu â 'cyntaf', 'ail', 'trydydd', etc. (sef rhifau trefnol) cardinal

prifswm *eg* (prifsymiau) CYLLID swm o arian a fenthycir neu a fuddsoddir ac y mae llog yn cael ei dalu arno principal

prif weinidog *eg* (prif weinidogion) arweinydd y blaid lywodraethol a phennaeth Llywodraeth Cymru; arweinydd y blaid lywodraethol a phennaeth llywodraeth San Steffan First minister, premier, prime minister

prif weithredwr *eg* (prif weithredwyr) prif swyddog cyngor neu bwyllgor gweithredol chief executive

prifwyl *eb* yr Eisteddfod Genedlaethol

prifysgol *eb* (prifysgolion) y man lle mae'r lefel uchaf o addysg ar gael university

priffordd *eb* (priffyrdd) heol a ddefnyddir gan drafnidiaeth sy'n teithio i ddau gyfeiriad, ffordd fawr, heol fawr; trafforrdd high road, highway, main road

prima donna *eb* prif gantores (a'i hawl i fynnu cael ei ffordd ei hun)

prima facie *adf* ac *ans* CYFRAITH ar yr olwg gyntaf

primat *eg* (primatiaid) SWOLEG aelod o urdd y primatiaid primate

primatiaid *ell* lluosog **primat**, urdd o famolion yn cynnwys mwncïod, epaod a bodau dynol; fe'u nodweddir gan ddwylo a thraed hyblyg, golwg da ac ymennydd mawr primates

primus inter pares *eg* aelod hŷn neu flaen grŵp o aelodau cydradd

prin¹ *ans* [prinn•] (prinion)
1 (yn dilyn yr hyn a oleddfir) anghyffredin, anarferol, *Fe ddywedodd y bardd R. Williams Parry am y llwynog, 'Llwybreiddiodd ei ryfeddod prin o'n blaen'.*; amheuthun, anaml, anfynych rare
2 (yn dilyn yr hyn a oleddfir) heb fod yn ddigonol ar gyfer yr hyn sydd eisiau; rhywbeth nad oes llawer ohono ar gael; rhywbeth anodd dod o hyd iddo, *Talodd am ein tocynnau ni allan o'i arian prin.* few, scarce, sparse
3 (yn dilyn yr hyn a oleddfir) yn fyr, sydd yn eisiau, *Rydym ddwy bunt yn brin o gyrraedd y cant.* deficient, short
4 (o flaen yr hyn a oleddfir) heb fod llawer, heb fod yn llawn, *Prin ddwsin o bobl oedd yn y gynulleidfa.* barely
go brin mae'n annhebygol, *Go brin y daw hi rhagor.* hardly, unlikely

prin² *adf* o'r braidd, *Er neidio'n uchel, prin cyrraedd y bêl a wnaeth.* hardly, scarcely

prinder *eg* (prinderau) y cyflwr o fod â llai o rywbeth nag sydd ei angen; annigonolrwydd, diffyg, eisiau, pall shortage, lack, scarcity

prinhau *be* [prinha•¹⁴] mynd yn brinnach; diffygio, gostwng, lleihau to become scarce

prinion *ans* ffurf luosog **prin**

prin-mewn-pryd *ans* ECONOMEG am gyfundrefn weithgynhyrchu lle mae'r defnyddiau crai yn cyrraedd ar yr union adeg pan fydd eu hangen

er mwyn lleihau costau storio nwyddau i'r
eithaf just-in-time

prinnach:prinnaf:prinned *ans* [prin] mwy prin;
mwyaf prin; mor brin

print *eg* (printiau)
  1 llythrennau wedi'u hargraffu print
  2 llun neu ddarlun wedi'i argraffu naill ai
o gamera neu drwy ryw broses arall print
  print bras gw. **bras**[1]
  Ymadrodd
  mewn print
  1 wedi'i argraffu ar ffurf llyfr, papur newydd,
etc. in print
  2 (am lyfr) yn dal i fod ar gael o siop neu gan
y cyhoeddwr in print

printiadwy *ans* addas i ymddangos mewn print
printable

printiedig *ans* wedi'i argraffu printed

printio *be* [printi•[2]]
  1 ysgrifennu'n llythrennau annibynnol
(yn hytrach nag ysgrifen) to print
  2 gwneud llun positif o ffilm to print
  3 *anffurfiol* argraffu to print
  4 GWNIADWAITH marcio (arwyneb, fel arfer
defnydd neu ddilledyn) â dyluniad neu batrwm
lliw to print

printiwr *eg* (printwyr) argraffwr, argraffydd
printer

priod[1] *eg* yr un yr ydych chi wedi'i briodi; gŵr
neu wraig (marriage) partner, partner, spouse
  Sylwch: mae'n wrywaidd yn dilyn y fannod
  ond yn newid yn ôl rhyw y sawl y sonnir
  amdano fel arall, *fy mhriod benfelen.*

priod[2] *ans*
  1 (yn dilyn yr hyn a oleddfir) wedi priodi,
dau bâr priod, gŵr priod, gwraig briod
married
  2 (o flaen yr hyn a oleddfir) iawn, priodol,
addas, *popeth yn ei briod le* proper
  3 GRAMADEG (yn dilyn yr hyn a oleddfir) am
enw sy'n cael ei ysgrifennu â phriflythyren ar y
dechrau am ei fod yn cyfeirio at berson, lle neu
wrthrych neilltuol, *Mae 'Cymru' a 'Siôn' yn
enwau priod.* proper
  Sylwch: nid yw'n arfer cael ei gymharu.

priodadwy *ans* (am ferch fel arfer) mewn oed
ac yn rhydd i briodi marriagable

priodas *eb* (priodasau)
  1 y seremoni o uno gŵr a gwraig neu ddau
gymar o'r un rhyw, yn gyfreithlon marriage
  2 y cyflwr o fod yn ŵr a gwraig neu ddau
gymar priod, yn ôl y gyfraith; cwlwm marriage,
matrimony
  3 seremoni grefyddol sy'n uno gŵr a gwraig
neu ddau gymar o'r un rhyw, ac sydd fel arfer
yn cael ei dilyn gan barti (neithior, gwledd
briodas) wedding

priodasol *ans* yn perthyn i briodas, yn deillio
o briodas marital, matrimonial

priod-ddull *eg* (priod-ddulliau) ymadrodd na
allwch ei gyfieithu air am air i iaith arall;
dywediad sy'n nodweddiadol ac yn perthyn i
iaith arbennig, e.e. *gwyn ei byd, gorau glas,
nerth ei ben*; idiom idiom

priodfab:priodasfab *eg* (priodfeibion) dyn ar
ddydd ei briodas bridegroom

priodferch:priodasferch *eb* (priodferched)
merch ar ddydd ei phriodas bride

priodi *be* [priod•[1]]
  1 cymryd person yn ŵr neu'n wraig neu'n
gymar mewn priodas to marry, to wed
  2 (am weinidog, offeiriad neu swyddog)
gweinyddu'r seremoni sy'n arwain at briodas
to marry, to wed
  3 uno dau beth, cael dwy ran i ffitio i'w gilydd,
A lwyddaist ti i briodi'r plwg a'r soced?
to couple, to marry

priodol *ans* yn cwrdd â'r gofynion; addas,
cymwys, dyladwy, teilwng (~ i wneud)
appropriate, proper, suitable

priodoldeb:priodolder *eg* y cyflwr o fod
yn briodol, pa mor addas neu anaddas y
mae rhywbeth; addasrwydd, gwedduster,
perthnasedd aptness, appropriateness, propriety

priodoledd *eb* (priodoleddau) ansawdd neu
arwedd sy'n nodweddiadol, neu sy'n perthyn
yn arbennig i rywun neu rywbeth; cynneddf,
hynodrwydd, nodwedd, teithi attribute,
characteristic

priodoli *be* [priodol•[1]]
  1 credu bod un peth yn ganlyniad i rywbeth
arall, *Mae llwyddiant y plant i'w briodoli
i waith caled yr athrawes.*; olrhain, tadogi
(~ *rhywbeth* i) to attribute
  2 meddwl bod rhywbeth wedi cael ei
gyfansoddi gan rywun, *Mae'r cywydd hwn
yn cael ei briodoli i Dafydd ap Gwilym.*
to ascribe

priodoliad *eg* (priodoliadau) y weithred o
briodoli; tadogaeth attribution, ascription

priodwedd *eb* (priodweddau) rhywbeth
nodweddiadol a briodolir i rywun neu rywbeth;
nodwedd, priodoledd property

prior *eg* (prioriaid)
  1 CREFYDD offeiriad sy'n bennaeth priordy
i fynachod prior
  2 CREFYDD offeiriad sydd nesaf at abad yn ei
statws prior

priordy *eg* (priordai) CREFYDD mynachlog neu
gwfaint sy'n llai ei faint a'i bwysigrwydd nag
abaty priory

priores *eb* (prioresau)
  1 CREFYDD lleian sydd nesaf at abades yn ei
statws prioress

p

2 CREFYDD lleian sy'n bennaeth priordy i leianod prioress

prioriaeth *eb* swydd neu statws prior priorship

pris *eg* (prisiau)

1 y swm o arian sy'n cael ei ofyn am rywbeth wrth ei werthu, neu'r swm y mae'n rhaid ichi ei dalu am rywbeth er mwyn ei brynu; cost price

2 yr hyn mae'n rhaid ei dalu neu ei ddioddef er mwyn cael rhywbeth y mae arnoch ei eisiau, *Roedd gorfod gadael fy mro er mwyn cael gwaith yn bris rhy uchel imi ei dalu.*; tâl price

prisiad:prisiant *eg* (prisiadau:prisiannau) mesur o werth ariannol rhywbeth valuation

prisio *be* [prisi•²]

1 gosod pris ar rywbeth (yn barod i'w werthu) to price, to cost

2 cymharu prisiau, *Rwyf wedi bod yn prisio siwgr mewn gwahanol siopau.* to price

3 amcangyfrif gwerth ariannol rhywbeth to value

prisiwr *eg* (priswyr) un sy'n gosod pris neu amcan ar werth ariannol rhywbeth valuer

prism *eg* (prismau)

1 MATHEMATEG siâp tri dimensiwn ag ymylon paralel, y mae ei ddau ben ar ffurf polygonau cyfath sy'n baralel i'w gilydd ac mae ei wynebau eraill yn baralelogramau, e.e. ciwboid prism

2 darn â'r top a'r gwaelod ar ffurf triongl (o wydr, fel arfer) sy'n rhannu golau yn lliwiau prism

prismatig *ans* tebyg i brism o ran ffurf neu'n nodweddiadol o brism; yn cynnwys prism prismatic

priswahaniaethu *be* [priswahaniaeth•¹] ECONOMEG y weithred o werthu'r un nwydd i brynwyr gwahanol am bris gwahanol yn ôl elastigedd y galw yn y marchnadoedd, e.e. tocynnau drutach i deithwyr dosbarth cyntaf ar drenau; gwahaniaethu prisiau price discrimination

pritach:pritaf:prited *ans* [prid] mwy prid; mwyaf prid; mor brid

problem *eb* (problemau)

1 anhawster sy'n gofyn cael ei ddatrys neu ei oresgyn; cyfyng-gyngor, trafferth problem

2 cwestiwn sy'n disgwyl ateb neu un y gellir ymchwilio iddo, *Rhaid inni orffen y broblem nesaf fel gwaith cartref.*; pos problem

problemataidd:problematig *ans* yn broblem, llawn problemau problematic

problemus *ans* yn peri problem problematic

pro bono *adf* ac *ans* er lles y cyhoedd

proc *eg* (prociau) y weithred o wthio rhywun neu rywbeth â rhywbeth blaenllym (e.e. bys neu brocer), canlyniad procio; gwth, hwb, pwniad poke, prod

procaryot *eg* (procaryotau) BIOLEG organeb ungellog ficrosgopig heb gnewyllyn amlwg neu organynnau pilennog prokaryote

procer gw. pocer

prociad *eg* (prociadau) y broses o brocio, canlyniad procio nudge, poke

procio *be* [proci•²]

1 gwthio neu bwnio (rhywun neu rywbeth) â pheth blaenllym, hefyd yn ffigurol, *procio'r cydwybod* to jab, to poke, to prod

2 rhoi pwniad i'r tân â phrocer neu declyn tebyg to poke

prociwr *eg* (procwyr) un sy'n procio; cynhyrfwr, sbardunwr

procuradur *eg*

1 (yn yr Alban) cyfreithiwr sy'n ymddangos gerbron y llysoedd llai procurator

2 *hanesyddol* (dan yr Ymerodraeth Rufeinig) swyddog ariannol taleithiol procurator

proest *eg* (proestau) math o gyfatebiaeth lle mae'r cytseiniaid ar ddiwedd geiriau yn cyfateb ond y mae'r llafariaid yn amrywio, e.e. *pan – hon, llaeth – doeth*

profadwy *ans* y gellir rhoi prawf arno i weld a yw'n wir, dilys, etc. provable

profeb *eb* (profebau) CYFRAITH copi o ewyllys ynghyd â thystysgrif yn tystio ei bod wedi'i phrofi probate

profedigaeth *eb* (profedigaethau)

1 cyflwr peryglus, *Teitl llawn un o nofelau Daniel Owen yw 'Profedigaethau Enoc Huws'.*; cystudd, gofid, helbul, trallod tribulation

2 marwolaeth rhywun mewn teulu, *Yr ydym yn ysgrifennu atoch i gydymdeimlo â chi yn eich profedigaeth.*; galar bereavement

profi *be* [prof•¹ 3 *un. pres.* prawf/profa; 2 *un. gorch.* profa]

1 dangos heb amheuaeth fod rhywbeth yn wir, *Mae'n anodd iawn profi bod y Brenin Arthur yn berson hanesyddol.* to prove, to demonstrate

2 archwilio er mwyn penderfynu a yw (rhywun neu rywbeth) yn cyrraedd rhyw safon arbennig, *yr eithriad sy'n profi'r rheol, cic uchel i brofi'r cefnwr*; asesu to prove, to test

3 bwyta ychydig o rywbeth i weld a ydych yn hoffi'i flas, *Wnei di brofi tamaid bach o'r hufen iâ rhagorol yma?*; blasu to sample, to taste, to try

4 gwybod drwy wneud, teimlo neu synhwyro rhywbeth (o'i gyferbynnu â gwybod am rywbeth drwy rywun arall); mynd drwy brofiad, *Mae'n hawdd i rywun nad yw wedi profi tlodi ddweud nad yw arian yn bwysig.* to experience

profiad *eg* (profiadau)

1 gwybodaeth neu sgiliau a geir o wneud neu brofi rhywbeth, cyflwr yn deillio o fyw drwy

rywbeth yn hytrach na chlywed neu ddarllen
amdano; adnabyddiaeth, arfer, cynefindra
experience
2 rhywbeth sy'n digwydd i rywun ac sy'n
gadael ei ôl arno, *Roedd cael clywed y
beirdd wrthi'n cystadlu â'i gilydd yn brofiad
bythgofiadwy.*; digwyddiad experience
dysgu drwy brofiadau gw. dysgu
profiadol *ans* â llawer o brofiad; yn deillio o'r
hyn a brofwyd eisoes experienced, veteran
profiannaeth *eb* ffordd o drin troseddwyr
ifainc drwy ohirio dedfryd ar yr amod bod
swyddog profiadol yn arolygu eu hymddygiad
yn rheolaidd probation
profiant *eg* (profiannau) CYFRAITH y weithred o
brofi dilysrwydd cyfreithiol ewyllys probate
profion *ell* lluosog **prawf**
proflen *eb* (proflenni) tudalen (o lyfr, papur,
etc.) sydd i gael ei ddarllen a'i gywiro cyn cael
ei argraffu'n derfynol proof
pro forma *eg* ffurflen safonol
profost *eg* (profostiaid)
1 pennaeth coleg provost
2 prif ynad tref yn yr Alban provost
3 swyddog sy'n gyfrifol am heddlu'r fyddin provost
4 CREFYDD pennaeth cabidwl eglwysig provost
profwr *eg* (profwyr)
1 un sy'n profi (bwyd neu ddiod) taster
2 un sy'n gosod prawf neu'n rhoi prawf ar
rywbeth; archwilydd, arholwr, aseswr, holwr
tester, examiner
proffas *eg* BIOLEG cam cyntaf mitosis a meiosis,
pan fydd cromosomau'n ymddangos ar ffurf
parau o gromatidau ac y bydd yr amlen
gnewyllol yn diflannu prophase
proffes *eb* (proffesau) datganiad o'r hyn y mae
rhywun yn credu ynddo neu'n teimlo'n gryf yn
ei gylch, *proffes ffydd*; addefiad, datganiad,
honiad profession
proffesiwn *eg* (proffesiynau)
1 galwedigaeth sydd fel arfer yn galw am
hyfforddiant arbennig, e.e. bod yn ddoctor,
yn gyfreithiwr, yn athro, yn llyfrgellydd, etc.
profession
2 y corff o bobl sy'n gwneud y math hwn o
waith profession
proffesiynol *ans*
1 yn gweithio yn un o'r proffesiynau
professional
2 yn gwneud gwaith mor raenus a thrwyadl â
rhywun sydd wedi derbyn hyfforddiant i fod yn
aelod o broffesiwn, *Cyflawnodd y consuriwr
ei gampau mewn ffordd broffesiynol iawn.*
professional
3 yn cael ei gyflogi i wneud beth fyddai pobl eraill
yn ei wneud am ddim, *arlunydd proffesiynol,
pêl-droediwr proffesiynol* professional

proffesiynoldeb *eg* y cyflwr o fod yn
broffesiynol professionalism
proffesu *be* [proffes•¹]
1 datgan yr hyn y mae rhywun yn ei gredu
neu'n teimlo'n gryf yn ei gylch; arddel, datgan,
haeru to profess
2 honni, haeru, *Sut mae'n gallu proffesu caru
pawb a bod mor gas wrth ei blant ei hun?*
to claim, to profess
proffeswr *eg* (proffeswyr) un sy'n proffesu
crefydd one who professes, professor
proffidiol *ans* yn dwyn elw neu les;
buddiol, manteisiol beneficial, lucrative,
profitable
proffidioldeb *eg* y cyflwr o fod yn broffidiol
neu'r graddau y mae rhywbeth yn broffidiol
profitability
proffil *eg* (proffiliau)
1 amlinelliad, yn enwedig o wyneb rhywun o'r
ochr; braslun, cernlun profile
2 darlun cryno (ar lun neu mewn geiriau);
portread profile
3 llun yn dangos trawstoriad (o bridd, y ddaear,
adeilad, etc.) profile
proffilio *be* creu darlun cryno (ar lun neu mewn
geiriau) to profile
   Sylwch: nid yw'r ferf hon yn arfer cael ei
   rhedeg.
proffilio genetig BIOLEG dadansoddi DNA
organeb genetic profiling
proffwyd *eg* (proffwydi)
1 CREFYDD (yn y crefyddau Cristnogol, Iddewig
ac Islamaidd) gŵr sy'n cael ei alw gan Dduw
i ddatgan Ei ewyllys, neu i ddysgu pobl am
grefydd prophet
2 bardd neu feddyliwr sy'n dysgu syniad
newydd; daroganwr, gweledydd prophet
3 un sy'n darogan ac yn proffwydo'r dyfodol
prophet
  y Proffwyd CREFYDD Muhammad, sylfaenydd
  y ffydd Islamaidd the Prophet
  y Proffwydi CREFYDD
  1 proffwydi Iddewig y mae eu llyfrau a'u hanes
  yn yr Hen Destament•
  2 llyfrau'r proffwydi hyn (Hosea, Joel, Amos,
  etc.) Prophets
proffwydes *eb* (proffwydesau) merch neu wraig
sy'n broffwyd prophetess
proffwydo *be* [proffwyd•¹]
1 yn wreiddiol, llefaru dros Dduw, datgan
ffydd yn Nuw a dealltwriaeth o'i ewyllys sydd
yn aml yn golygu dweud pethau am y dyfodol
to prophesy
2 erbyn heddiw, rhagfynegi'r dyfodol,
*proffwydo dyddiad yr Etholiad Cyffredinol
nesaf*; darogan, rhag-ddweud, rhagweld
to foretell, to predict

proffwydol *ans*
  1 nodweddiadol o broffwyd neu o broffwydoliaeth prophetic
  2 yn rhagfynegi'r dyfodol prophetic

proffwydoliaeth *eb* (proffwydoliaethau) datganiad sy'n sôn am rywbeth sydd yn mynd i ddigwydd yn y dyfodol, yr hyn sy'n cael ei broffwydo prophecy, prognostication

proffwydwr *eg* (proffwydwyr) un sy'n darogan, sy'n proffwydo prophesier

proffylactig¹ *ans* MEDDYGAETH (am feddyginiaeth, triniaeth, etc.) wedi'i fwriadu i atal afiechyd; clwyrwystrol prophylactic

proffylactig² *eg* MEDDYGAETH math o feddyginiaeth neu driniaeth ar gyfer atal afiechyd prophylactic

progesteron *eg* BIOCEMEG hormon o deulu'r steroidau sy'n paratoi leinin y groth i dderbyn wy wedi'i ffrwythloni progesterone

prognosis *eg* MEDDYGAETH rhagolwg o ffordd y mae afiechyd yn debyg o ddatblygu gyda golwg ar ba mor debygol ydyw y bydd y claf yn gwella o'r clefyd prognosis

prognosticasiwn *eg* cerdd yn darogan beth fydd yn digwydd yn y flwyddyn i ddod prognostication

project:prosiect *eg* (projectau:prosiectau)
  1 cynllun ar gyfer gwaith neu weithgareddau arbennig, *Maen nhw wedi dechrau ar broject newydd i geisio cael canolfan hamdden i'r dref.* project
  2 gwaith y mae plentyn yn ei wneud drwy chwilio a defnyddio gwahanol ffynonellau; cywaith project

proletaraidd *ans* yn ymwneud â'r proletariat proletarian

proletariat *eg* dobarth y gweithwyr diwydiannol nad ydynt yn berchen ar fodd i gynhyrchu pethau eu hunain ac sydd yn gwerthu eu llafur er mwyn ennill bywoliaeth; dosbarth gweithiol, y werin proletariat

prolin *eg* asid amino angenrheidiol mewn adeiledd proteinau proline

prolog *eg* (prologau)
  1 rhagarweiniad neu ddarn sy'n dod ar ddechrau drama, cerdd hir, opera, etc.; cyflwyniad, rhagair, rhagymadrodd prologue
  2 digwyddiad sy'n arwain at rywbeth pwysicach prologue

promenâd *eg* (promenadau)
  1 man i gerdded yn hamddenol, yn enwedig man ar lan y môr; rhodfa promenade
  2 ffigur dawnsio gwerin lle mae'r dawnswyr yn dawnsio mewn gorymdaith wrthglocwedd promenade

promethiwm *eg* elfen gemegol rhif 61; metel ymbelydrol, ansefydlog (Pm) promethium

prop *eg* (propiau)
  1 (mewn rygbi) un o'r ddau flaenwr, sef y prop pen rhydd a'r prop pen tyn, a geir ar y naill ben a'r llall o sgrym gyda'r bachwr rhyngddynt prop
  2 rhywbeth annibynnol sy'n cynnal rhywbeth arall, pren cynnal; cynheiliad prop
  3 (mewn theatr) darn o gelfi neu o gyfarpar llwyfan prop

propaganda *eg* gweithredoedd (gan lywodraeth neu bleidiau gwleidyddol yn aml) sy'n ceisio lledaenu syniadau arbennig neu ennill cefnogaeth neu wrthwynebiad i bethau arbennig propaganda

propagandydd *eg* un sy'n lledaenu propaganda propagandist

propan *eg* CEMEG nwy naturiol trwm a ddefnyddir fel tanwydd propane

propanol *eg* CEMEG hylif alcoholaidd a ddefnyddir fel hydoddydd propanol

propanon *eg* CEMEG hylif di-liw anweddol sy'n cael ei ddefnyddio fel hydoddydd e.e. mewn hylif tynnu paent ewinedd propanone, acetone

propr:propor *ans* gweddaidd, priodol, addas, cymwys decorous, seemly, suitable

pro rata *adf* ac *ans* yn ôl y gyfradd

pros *eg* cyfrwng llenyddiaeth heb odlau na mesur sydd yn debycach i iaith bob dydd nag i farddoniaeth; rhyddiaith prose

prosbectws *eg* (prosbectysau) llyfryn neu bamffledyn yn rhoi manylion am gorff neu sefydliad, e.e. prifysgol, busnes, etc., a rennir ymhlith y rheini sy'n debyg o brynu, neu fuddsoddi neu gymryd rhan prospectus

proseniwm *eg* (mewn theatr) y rhan o'r llwyfan o flaen y llenni proscenium

proses *eb* (prosesau)
  1 unrhyw gyfres o ddigwyddiadau naturiol sy'n ymwneud â pharhad, datblygiad neu newidiadau mewn bywyd neu mewn sylweddau naturiol, *Prosesau cemegol yn y Ddaear a ffurfiodd lo ac olew.* process
  2 cyfres o gamau bwriadol, *y broses o ddysgu darllen* process
  3 ffurf neu ddull o gynhyrchu rhywbeth, *Mae troi plant bach anystywallt yn ddisgyblion ufudd yn broses hir a chaled!* process

prosesu *be* [proses•¹]
  1 cwblhau cyfres o weithrediadau sy'n newid neu'n diogelu to process
  2 datblygu neu argraffu ffilm to process
  3 bwydo (gwybodaeth, rhifau, etc.) i mewn i gyfrifiadur to process
  4 trin bwyd er mwyn creu bwyd parod to process

prosesu geiriau CYFRIFIADUREG defnyddio meddalwedd arbennig er mwyn cadw, trefnu ac argraffu testun geiriol word processing

prosesydd *eg* (prosesyddion) peiriant prosesu processor

prosesydd canolog *eg* (prosesyddion canolog) CYFRIFIADUREG y man lle mae gweithrediadau yn cael eu rheoli a'u gweithredu central processor

prosesydd geiriau *eg* (prosesyddion geiriau) CYFRIFIADUREG meddalwedd ar gyfer paratoi testun geiriol i'w argraffu; defnyddir bysellfwrdd i deipio'r testun, ei gywiro ar sgrin ac yna ei gadw ar ddisg neu ei argraffu word processor

prosiect gw. project

prostad *eg* ANATOMEG chwarren yn amgylchynu gwddf y bledren mewn mamolion gwryw; mae'n cynhyrchu hylif sy'n rhan o'r hadlif prostate

prosthesis *eg* darn gosod (artiffisial) o'r corff sy'n cymryd lle darn sydd yn eisiau, e.e. dant gosod neu goes artiffisial prosthesis

prosthetig *ans* yn perthyn i brosthesis neu i'r broses o osod prosthesis yn ei le prosthetic

protactiniwm *eg* elfen gemegol rhif 91; metel ymbelydrol, prin (Pa) protactinium

proteas *eg* (proteasau) BIOCEMEG ensym sy'n catalyddu ymddatodiad proteinau'n asidau amino protease

protein *eg* (proteinau) BIOCEMEG un o nifer o sylweddau sy'n rhan hanfodol o gelloedd anifeiliaid a phlanhigion; ceir protein (sy'n angenrheidiol i dwf iach y corff) mewn bwydydd megis cig, pysgod, llaeth, caws, wyau, etc.; mae ei adeiledd yn debyg i bolymer o asidau amino protein

pro tem *adf* ac *ans* talfyriad o'r Lladin *pro tempore*, am y tro; dros dro

Proterosöig *ans* DAEAREG yn perthyn i aeon diweddaraf y cyfnod cyn-Gambriaidd (542–2500 miliwn o flynyddoedd yn ôl), nodweddiadol o aeon diweddaraf y cyfnod cyn-Gambriaidd Proterozoic

protest *eb* (protestiadau) datganiad neu weithred yn dangos anfodlonrwydd ynglŷn â rhywbeth, y weithred o wrthdystio; gwrthdystiad, gwrthsafiad, gwrthwynebiad, rali protest, outcry

Protestaniaeth *eb* CREFYDD yr egwyddorion a'r gred Gristnogol a oedd wrth wraidd y Diwygiad Protestannaidd yn yr unfed ganrif ar bymtheg Protestantism

Protestannaidd *ans* yn arddel Protestaniaeth, nodweddiadol o Brotestaniaid Protestant

Protestant *eg* (Protestaniaid) CREFYDD aelod o'r rhan o'r Eglwys Gristnogol a dorrodd yn rhydd o'r Eglwys Gatholig Rufeinig yn yr unfed ganrif ar bymtheg ac sy'n cynnwys erbyn heddiw Annibynwyr, Bedyddwyr, Methodistiaid, yr Eglwys yng Nghymru, etc. Protestant

protestio *be* [protesti•[2]] gwneud protest yn erbyn; gwrthdystio (~ **yn erbyn**) to protest, to remonstrate

protestiwr *eg* (protestwyr) un sy'n protestio; gwrthdystiwr protester

Protictista *eg* BIOLEG teyrnas o organebau ungellog yn cynnwys protosoa, algâu a ffyngau Protictista

protocol *eg* (protocolau)
 1 rheolau sy'n datgan sut y dylai rhywun ymddwyn (ar gyfer diplomyddion, fel arfer) protocol
 2 drafft gwreiddiol dogfen ddiplomyddol protocol
 3 cofnodion ffurfiol cyfarfod diplomyddol protocol
 4 CYFRIFIADUREG set o reolau sy'n galluogi dwy ddyfais i gyfathrebu protocol

proton *eg* (protonau) FFISEG gronyn â gwefr bositif yn niwclews atom proton

protoplasm *eg* BIOLEG defnydd byw cell a'i chnewyllyn protoplasm

protoplast *eg* (protoplastau) BIOLEG protoplasm cell planhigyn, bacteriwm, neu ffwng heb gellfur protoplast

Protosoa *ell* BIOLEG grŵp o ffyla yn perthyn i deyrnas y *Protictista*; maent yn cynnwys llawer o anifeiliaid ungellog, microsgopig, e.e. amoebau Protozoa

prototeip *eg* (prototeipiau)
 1 y model gwreiddiol y mae pob fersiwn diweddarach yn deillio ohono prototype
 2 ffurf lawn maint, weithredol, gyntaf math newydd o beiriant neu ddyfais prototype

prototeipio *be* [prototeipi•[2]] gwneud prototeip o gynnyrch to prototype

prowlan *be* crwydro'n llechwraidd fel pe bai ar drywydd ysglyfaeth to prowl
 Sylwch: nid yw'r ferf hon yn arfer cael ei rhedeg.

prudd *ans* [prudd•] (pruddion) athrist, galarus, gofidus, trist grave, sad, serious, sombre

pruddaidd *ans* isel ei ysbryd, trwm ei ysbryd; digalon, pendrist, prudd, trist gloomy, sad

prudd-der *eg* y cyflwr o fod yn drist ac yn ddigalon; chwithdod, digalonidd, trymder melancholy, sadness, sorrow

pruddglwyfus *ans* yn dioddef iselder ysbryd; anhapus, digalon, pendrist depressed, melancholic

pruddhau *be* [pruddha•[14]] mynd yn drist, gwneud yn drist, tristáu to grieve, to sadden

pruddion *ans* ffurf luosog prudd

prun *rhagenw* pa un which one

pry gw. **pryf**

pryd[1] *eg* (prydiau) amser penodol, adeg arbennig, achlysur, tymor, *Brysia neu fyddwn ni ddim yno mewn pryd.*; amser time
 ar brydiau weithiau, ar adegau at times
 ar hyn o bryd gw. **hyn[1]**
 ar y pryd yr amser hwnnw at the time, simultaneous

cyn pryd yn gynnar early

hen bryd gw. **hen**¹

mewn da bryd ag amser i sbario, hen ddigon prydlon in good time

mewn pryd yn brydlon in time

nid cyn pryd hen bryd, *Mae Jac wedi newid teiar y car, ac nid cyn pryd chwaith.* not before time

o bryd i'w gilydd weithiau from time to time

pryd² *adf* talfyriad o *pa bryd, Pryd wyt ti'n symud i dy gartref newydd?* when

Sylwch: mae'n cael ei gyfyngu i holi cwestiwn yn unig.

pryd³ *cysylltair* pan, *Bydd y cyfarfod am wyth o'r gloch pryd y bydd ein gŵr gwadd yn siarad.* when

Sylwch: mae 'y' yn dilyn y cysylltair hwn, *pryd y bydd yn siarad*

pryd⁴ *eg* (prydau)

1 y bwyd sy'n cael ei fwyta ar un adeg meal

2 yr achlysur o fwyta pryd, *Rydym yn mynd at Dafydd ac Ann am bryd o fwyd heno.* meal

pryd ar glud system lle mae gwirfoddolwyr yn darparu cinio a'i gludo i'r henoed neu rai nad ydynt yn gallu gofalu am eu hunain meals on wheels

pryd parod pryd sy'n cael ei brynu wedi'i baratoi ac nad oes ond angen ei dwymo cyn ei fwyta ready meal, takeaway
Ymadrodd

pryd o dafod llond pen, pregeth a talking to

pryd⁵ *eg* lliw naturiol croen rhywun, *merch ifanc bryd golau;* gwedd, golwg, ymddangosiad complexion

pryd a gwedd y ffordd y mae rhywun neu rywbeth yn edrych neu'n ymddangos ar y tu allan; ffurf, ymddangosiad appearance

Prydain *eb* yn wreiddiol, Cymru, Lloegr a'r Alban; erbyn heddiw defnyddir y term yn llac i olygu y Deyrnas Unedig, sef, Cymru, Lloegr, yr Alban a Gogledd Iwerddon Britain

Prydeindod *eg* y cyflwr o fod yn Brydeinig (yn aml fel gwrthgyferbyniad i Gymreictod) Britishness

Prydeinig *ans*

1 yn perthyn i Brydain, nodweddiadol o Brydain British

2 yn wreiddiol, am yr ynys yn cynnwys Cymru, Lloegr a'r Alban, ond erbyn hyn mae'n cynnwys Gogledd Iwerddon hefyd British

Prydeiniwr *eg* (Prydeinwyr) brodor o Brydain (yn enwedig un sy'n falch o'i Brydeindod) Britisher, Briton

pryder *eg* (pryderon)

1 teimlad o ofid ac ofn, poen meddwl; anesmwythyd, anniddigrwydd, gofid anxiety, worry, unease

2 rhywbeth sy'n achosi teimladau gofidus, *Dim ond un o'n pryderon yw arian.* worry

pryderu *be* [pryder•¹] teimlo'n ofnus a gofidus; becso, gofidio, poeni (~ **am**) to fret, to worry

pryderus *ans* llawn pryder, ar bigau'r drain; anghysurus, annifyr, gofidus, ofnus anxious, worried

prydferth *ans* [prydferth•] hardd ei olwg; glandeg, glwys, mirain beautiful, handsome

prydferthu *be* [prydferth•¹] gwneud yn brydferth; harddu (~ *rhywbeth* â) to adorn, to beautify

prydferthwch *eg* yr ansawdd o fod yn brydferth; ceinder, glendid, harddwch, tegwch beauty, comeliness

prydles *eb* (prydlesau:prydlesi) CYFRAITH cytundeb ysgrifenedig rhwng perchennog a rhywun y mae'n caniatáu iddo ddefnyddio ei eiddo am gyfnod penodol am dâl neu am rent lease

prydlesu *be* [prydles•¹] gosod neu ddal tir, adeilad, etc. ar brydles to lease

prydleswr *eg* (prydleswyr) CYFRAITH perchennog prydles (ar adeilad, fel arfer) leaseholder

prydlon *ans* [prydlon•] mewn da bryd, heb fod yn hwyr, yn digwydd neu'n cyrraedd ar yr amser a drefnwyd prompt, punctual

prydlondeb *eg* y stad o fod yn brydlon, o gyrraedd rhywle neu wneud rhywbeth mewn pryd punctuality

prydweddol *ans* glandeg, golygus, prydferth, teg beautiful, fair, handsome

prydydd *eg* (prydyddion) *llenyddol* un sy'n ysgrifennu barddoniaeth; awenydd, bardd bard, poet

prydyddes *eb* (prydyddesau) *llenyddol* merch neu wraig sy'n prydyddu poetess

prydyddiaeth *eb* *llenyddol* barddas, barddoniaeth, cerdd dafod, mydryddiaeth poetry

prydyddol *ans* *llenyddol* yn perthyn i farddoniaeth neu i fyd barddoniaeth; barddol, barddonol, mydryddol poetic, poetical

prydyddu *be* *llenyddol* cyfansoddi prydyddiaeth; barddoni, canu to compose poetry, to versify

Sylwch: nid yw'r ferf hon yn arfer cael ei rhedeg.

pryddest *eb* (pryddestau) cerdd hir yn un neu ragor o'r mesurau rhydd; rhoddir y Goron yn wobr am bryddest orau'r Eisteddfod Genedlaethol

pryf:pry *eg* (pryfed)

1 un o nifer o fathau o drychfilod hedegog; cleren, cylionyn, gwybedyn fly, insect

2 un o'r math o glêr neu wybed a gewch yn y tŷ; pry ffenest housefly

3 cynrhonyn, *'y pryf yn y pren'* grub, worm

pryf clust:pryf clustiog pryfyn bach hirgul a chanddo bâr o atodion blaen ar ffurf gefel neu binsiwrn; chwilen glust earwig

pryf copyn corryn spider

pryf dillad gwyfyn bach llwydaidd y mae ei larfâu yn bwydo ar decstilau clothes moth

pryf genwair abwyd, abwydyn, mwydyn earthworm

pryf glas un o nifer o bryfed neu drychfilod mân sy'n byw ar nodd planhigion; llysleuen aphid

pryf llwyd

1 mochyn daear, broch badger

2 cleren fawr y mae'r fenyw yn brathu ac yn sugno gwaed ceffylau a mamolion mawr eraill; cleren lwyd horsefly

pryf sidan cynrhonyn y gwyfyn sidan silkworm

pryf teiliwr pryfyn â choesau hir, tenau; jac y baglau, pry'r gannwyll daddy-long-legs

pry ffenestr pryf housefly

pry'r gannwyll:pry teiliwr jac y baglau daddy-long-legs

Ymadrodd

pryf garw tipyn o aderyn slippery customer

pryfed *ell* SWOLEG lluosog **pryfyn**; trychfilod Insecta, insects

pryfedog *ans* llawn cynrhon, yn cael ei fwyta gan gynrhon; cynrhonllyd maggot-ridden, verminous

pryfedu *be* magu pryfed neu gynrhon, bod yn llawn pryfed; cynrhoni to breed maggots

Sylwch: nid yw'r ferf hon yn cael ei rhedeg.

pryfeta *be* [pryfet•¹] chwilio am bryfed neu gynrhon, e.e. ar ddafad

pryfetach *ell*

1 unrhyw fathau o drychfilod sy'n byw ar gorff dyn neu anifail vermin

2 pryfed bach; gwiddon, euddon mites

pryfleiddiad *eg* (pryfleiddiaid) cemegyn a ddefnyddir i ddifa pryfed neu drychfilod insecticide

pryfocio *be* [pryfoci•²]

1 gwneud sbort am ben rhywun yn chwareus neu mewn ffordd gas, tynnu coes; plagio to provoke, to tantalize, to tease

2 gwneud rhywbeth sy'n mynd i achosi i berson neu anifail adweithio drwy golli'i dymer neu droi'n gas; cyffroi, cynhyrfu, cythruddo to provoke

pryfociwr *eg* (pryfocwyr) un sy'n pryfocio provoker

pryfoclyd *ans* yn cythruddo neu'n cynhyrfu pobl; crafog provocative, teasing

pryfyn *eg* (pryfed) SWOLEG arthropod â phen, thoracs, abdomen chwe choes dau deimlydd ac un neu ddau bâr o adenydd sy'n aelod o'r dosbarth *Insecta*; trychfilyn insect

pryfysol *ans* BIOLEG (am anifail neu blanhigyn) yn byw ar bryfed neu drychfilod insectivorous

pryfysydd *eg* (pryfysyddion) SWOLEG anifail sy'n byw ar bryfed, mwydod ac infertebratau eraill insectivore

prŷn¹ *ans hynafol* wedi'i brynu bought

Sylwch: nid yw'n cael ei gymharu.

prŷn² *bf* [prynu] *hynafol* mae ef yn prynu/mae hi'n prynu; bydd ef yn prynu/bydd hi'n prynu

prynedigaeth *eg* gwaredigaeth dyn rhag pechod drwy'r iawn a dalwyd gan Iesu Grist ar y Groes; cadwedigaeth, iachawdwriaeth redemption

prynhawn *eg* (prynhawniau) y cyfnod rhwng hanner dydd a machlud haul afternoon, p.m.

prynhawn ddoe gw. ddoe

y prynhawn ymadrodd a ddefnyddir gydag amser i ddynodi cyfnod ar ôl hanner dydd a chyn chwech o'r gloch y nos, *tri o'r gloch y prynhawn* p.m.

prynhawnol *ans* yn digwydd yn y prynhawn afternoon

pryniad:pryniant *eg* (pryniadau:pryniannau) y broses o brynu, canlyniad prynu; pwrcasiad purchase

pryniad gan reolwyr y weithred o brynu digon o gyfrannau cwmni i'w reoli, yn enwedig gan reolwyr y cwmni ei hun management buyout

prynu *be* [pryn•¹ *3 un. pres.* prŷn/pryn/pryna; *2 un. gorch.* pryn/pryna]

1 cael rhywbeth drwy dalu (arian neu rywbeth gwerthfawr arall) amdano; pwrcasu (~ *rhywbeth* oddi wrth *rywun*) to buy, to purchase

2 (yn y grefydd Gristnogol) rhyddhau o afael pechod, *yr Hwn a'n prynodd rhag pechodau'r byd*; achub, gwaredu to redeem

prynu byrbwyll prynu nwyddau ar hap heb fod wedi meddwl eu prynu ymlaen llaw impulse buying

Ymadrodd

prynu cath mewn cwd gw. cath

prynwr *eg* (prynwyr)

1 unrhyw un sy'n prynu; cleient, cwsmer, prynwr purchaser

2 pennaeth adran sy'n gyfrifol am ddewis y nwyddau i'w gwerthu mewn siop fawr buyer

3 (fel 'Prynwr' â phriflythyren) Iesu Grist; Ceidwad, Gwaredwr, Iachawdwr redeemer

prynwriaeth *eb*

1 y broses o ddiogelu neu hybu buddiannau'r prynwr consumerism

2 diddordeb mwy na'r cyffredin mewn caffael nwyddau; diwylliant prynu consumerism

3 diwylliant prynu consumerism

prysg *ell* mân goed; prysgwydd, celli copse

prysglwyn *eg* (prysglwyni)

1 coedwig fechan o lwyni neu goed bychain; llwyn, perth, prysgwydden coppice, copse, thicket

2 unrhyw fath o blanhigyn prennaidd ac iddo nifer o brif goesynnau neu ganghennau'n tyfu o'i fôn ac sy'n llai na choeden; llwyn, prysgwydden shrub, bush

prysgwydd *ell*

1 brigau, canghennau bach ac isdyfiant ar lawr man coediog; mangoed brushwood, undergrowth
2 drysi, llwyni, mangoed, prysglwyni coppice, copse

prysgwydden *eb* unigol **prysgwydd** shrub

prysur *ans* [prysur•]

1 yn gweithio drwy'r amser, â llawer i'w wneud, *Mae'r pennaeth yn hynod o brysur drwy'r amser.*; bisi, gweithgar, busy
2 (am rywle) llawn prysurdeb neu weithgarwch cyson, *Mae'r stryd yn rhy brysur i'w chroesi.* busy

prysur bwyso fel yn *dydd o brysur bwyso*, dyfarnu difrifol reckoning

prysurdeb *eg* y cyflwr o fod yn brysur, gweithgarwch diwyd, llawer o symud; brys, diwydrwydd bustle, commotion

prysuro *be* [prysur•¹] mynd yn gynt; brysio, cyflymu, ffrystio, hastio (~ i) to hasten, to hurry

PS *byrfodd* talfyriad o'r Lladin *postscriptum*, ysgrifennwyd wedyn

pulpud *eg* (pulpudau) math o lwyfan mewn capel neu eglwys lle mae'r gweinidog neu'r offeiriad yn annerch neu'n pregethu pulpit

pum gw. **pump**

pumawd *eg* (pumawdau)

1 CERDDORIAETH *ensemble* lleisiol neu offerynnol sy'n cynnwys pum perfformiwr quintet
2 darn o gerddoriaeth wedi'i gyfansoddi ar gyfer pum perfformiwr quintet

pum cant *rhifol* y rhif 500 five hundred

pum deg *rhifol* (pumdegau) y rhif 50; hanner cant fifty

pumed *rhifol*

1 y rhifol (rhif trefnol) nesaf mewn trefn ar ôl 'pedwerydd/pedwaredd' fifth
2 rhif 5 mewn rhestr o bump neu fwy; 5ed fifth
3 un rhan o bump ¹/₅ fifth
Sylwch:
1 mae'n achosi'r treiglad meddal o flaen enwau benywaidd (nid felly enwau gwrywaidd);
2 mae'n treiglo'n feddal pan ddaw ar ôl y fannod ac o flaen enw benywaidd (*y bumed ferch*).

pumnalen *eb* planhigyn yn perthyn i deulu'r rhosyn y mae ganddo flodau melyn â phum petal cinquefoil, potentilla

pumochrog *ans* a chanddo bum ochr pentagonal

pump *rhifol* (pumoedd)

1 y rhif sy'n dilyn pedwar ac yn dod o flaen chwech five
2 y symbol sy'n cynrychioli'r nifer hwn, 5 neu v five

pum ffurf ar **pump**
Sylwch:
1 'pum' yw'r ffurf a ddefnyddir o flaen enw neu ansoddair, *pum tocyn*; *y pum gorau*; ond

pump oed a 'pump' yw'r ffurf ar y rhifol pan nad oes enw yn dilyn. *Faint sydd gennych chi? Pump, pump o blant*; ar lafar clywir disodli 'pum' gan 'pump' yn fynych;

2 mae'n achosi'r treiglad trwynol yn achos 'blynedd', 'blwydd' a 'diwrnod' ;

3 er nad yw 'pump' yn treiglo yn dilyn y fannod, os yw'n cyfeirio at air benywaidd y mae'r ansoddair sy'n ei ddilyn yn treiglo'n feddal (*y pum bert*).

pumpunt *eb* (pumpunnoedd) swm o arian neu arian papur sy'n gywerth â phump o bunnau five pounds, fiver

pumwaith:pum waith *adf* pump o weithiau

p'un:p'run *rhagenw gofynnol tafodieithol* pa un, pa ryw un which one

p'un ai . . . neu . . . *Ni wn p'un ai yfory neu drennydd y daw'r saer.* whether . . . or

punnau:punnoedd gw. **punt**

punt *eb* (punnoedd:punnau) uned o arian mewn nifer o wledydd, ond yn enwedig y swm sy'n werth 100 ceiniog ym Mhrydain ac sy'n cael ei ddynodi gan yr arwydd £ pound
Sylwch: fel arfer defnyddir 'punnau' ar gyfer swm penodol o arian (*mil o bunnau*) a 'punnoedd' ar gyfer swm amhenodol, *Mae'n gwario punnoedd bob wythnos ar y loteri.*

pupro *be* [pupr•¹] blasu â phupur, gorchuddio â phupur, taenu megis pupur to pepper

pupryn *eg* pupur melys, ffrwyth (gwyrdd, coch, melyn) y *capiscum* pepper

pupur *eg* (pupurau)

1 powdr â blas poeth a wneir drwy falu aeron sych planhigyn tebyg i winwydden sy'n tyfu yn Ne-ddwyrain Asia pepper
2 llysieuyn poeth neu felys teulu o flanhigion sy'n perthyn i'r tatws ac sy'n cael ei dyfu'n bennaf yng ngwledydd America pepper

pur¹ *ans* [pur•] (purion)

1 heb ei gymysgu â dim arall, *aur pur*; coeth, croyw, digymysg pure
2 heb staen na llygredd, *dŵr pur y ffynnon*; glân, dihalog, difrycheulyd, dilychwin pure
3 heb feddwl neu deimlo pethau drwg neu bechadurus, *pur o galon*; anhalogedig, anllygredig, dihalog, diwair pure
4 (am liw neu seiniau) clir, *nodau pur yr eos* pure
5 (am faes neu destun sy'n cael ei astudio) yn ymarferiad o sgiliau meddyliol yn hytrach na rhywbeth ymarferol, e.e. Mathemateg Bur o'i chyferbynnu â Mathemateg Gymhwysol pure

yn bur fe'i defnyddir ar ddiwedd llythyr ac mae'n cyfateb i 'yn ddiffuant' sincerely

pur² *adf* (yn rhagflaenu'r ansoddair) lled, go, gweddol, eithaf, tra, *'Sut rwyt ti'n teimlo heddiw?' 'Pur dda, diolch.'* fairly, quite
  Sylwch: mae'n achosi'r treiglad meddal ac eithrio yn achos 'll' a 'rh', *pur dda; pur llac.*
purdan *eg* cred yr Eglwys Gatholig Rufeinig mewn man lle mae'r enaid yn cael ei furo (drwy boenedigaeth, fel arfer) cyn ei dderbyn i'r nefoedd purgatory
purdeb *eg* y cyflwr o fod yn bur; croywder, diniweidrwydd, diweirdeb, glendid purity
puredig *ans* wedi'i furo neu ei goethi purified
puredigaeth *eb* (puredigaethau) y broses o furo (moesol neu ysbrydol), canlyniad puro; glanhad defodol purification
purée *eb* COGINIO ffrwythau neu lysiau wedi'u malu neu eu prosesu'n llyfn
pureiddiad *eg* (pureiddiadau) y broses o furo, canlyniad puro; glanhad purification, refining
purfa *eb* (purfeydd) adeilad neu safle â pheiriannau ar gyfer puro metelau, olew, siwgr, etc., *purfa olew* refinery
purion¹ *adf* eithaf da, go lew, *Rwy'n teimlo'n burion erbyn hyn, diolch.*; gweddol, symol all right, not bad
purion² *ans* iawn, i'r dim right
  Sylwch: nid oes treiglad yn dilyn 'purion', *purion trefn.*
puro *be* [pur•¹] gwneud rhywbeth neu rywun yn bur drwy gael gwared ar unrhyw amhuredd; coethi, glanhau (~ *rhywbeth* â) to purify, to cleanse, to refine
purolchi *be* [purolch•¹] glanhau neu furo yn ddefodol to lustrate
purwr:purydd *eg* (puryddion)
  1 un sy'n gosod cryn bwys ar reolau traddodiadol, cywirdeb ffurf neu burdeb iaith neu arddull purist
  2 un sy'n puro refiner
putain *eb* (puteiniaid) rhywun (yn enwedig menyw) sy'n cael tâl am gymryd rhan mewn gweithgareddau rhywiol prostitute, harlot, hooker
puteindra *eg* y weithred neu'r arfer o gyflawni gweithredoedd rhywiol am dâl prostitution
puteindy *eg* (puteindai) adeilad lle mae nifer o buteiniaid yn gweithio (fel arfer i berchennog yr adeilad) brothel
puteiniaeth *eb* byd puteinio prostitution
puteinio *be* [puteini•²]
  1 gweithredu fel putain to prostitute
  2 gwneud defnydd anllad neu annheilwng (o allu arbennig, fel arfer); camddefnyddio to prostitute

puteiniwr *eg* (puteinwyr) gŵr sy'n ymhél â phuteiniaid fornicator
puteinlanc *eg* (puteinlanciau) llanc sy'n gweithio fel putain male prostitute
putsch *eg* ymgais dreisgar i ddymchwel llywodraeth; coup d'état
pwbig *ans* yn yr un man â'r pwbis, y man lle mae'r cedor; cedorol pubic
pwbis *eg* (pwbisau) ANATOMEG y naill neu'r llall o'r ddau asgwrn sy'n ffurfio dwy ochr y pelfis pubis
pwca:pwci *eg* (pwcaod:pwcïod) aelod o'r tylwyth teg; bwgan, coblyn, ellyll goblin, imp
pwd¹ *eg* cyflwr o hwyliau drwg, o fod yn debyg i blentyn pan na chaiff yr hyn y mae arno ei eisiau sulk, huff, pique
pwd² *eg* ('y pwd') enw ar nifer o afiechydon ymhlith anifeiliaid, yn cynnwys braenedd yr afu neu'r llwg mewn defaid, afiechyd llidus y traed mewn gwartheg a defaid, a'r ddarfodedigaeth neu'r diciâu mewn gwartheg foot rot, liver fluke, tuberculosis
pwdel *eg* pwll o ddŵr mwdlyd; stecs mire
pwdin *eg* (pwdinau) y saig felys sy'n dilyn y prif gwrs mewn pryd o fwyd pudding, dessert, afters
pwdin gwaed
  1 selsigen ddu, math o sosej sy'n cael ei sleisio a'i ffrio
  2 yn draddodiadol, ceid pwdin gwaed Cymreig yn defnyddio gwaed mochyn neu ŵydd black pudding
  Ymadrodd
  pwdin o'r un badell llathaid o'r un brethyn a chip off the old block
pŵdl *eg* (pŵdls) ci anwes â chot o flew cyrliog, trwchus sy'n cael ei thrin a'i thorri i siâp arbennig, fel arfer poodle
pwdlyd *ans* parod iawn i bwdu, yn sorri'n rhwydd, wedi llyncu mul; blwng, sarrug moody, petulant, sulky
pwdr *ans* (pydron)
  1 yn pydru neu wedi pydru, yn troi'n ddrwg, *dant pwdr*; braen, mall, pydredig putrefied, putrid, rotten
  2 (am rywun) anfoesol, diffaith, diog, drwg corrupt, rotten
pwdren *eb* merch neu wraig ddiog
pwdryn *eg* un diog nad yw'n awyddus i wneud dim; diogyn, oferwr, seguryn layabout, waster, lazy-bones
pwdu *be* [pwd•¹ *3 un. pres.* pwd/pwda; *2 un. gorch.* pwd/pwda] digio a bod mewn hwyliau drwg (yn blentynnaidd braidd), llyncu mul; digio, sorri to pout, to sulk
pŵer *eg* (pwerau)
  1 grym y gellir ei ddefnyddio i wneud gwaith, gyrru peiriant, etc.; nerth power

2 FFISEG *technegol* cyfradd gwneud gwaith neu drosglwyddo egni yn cael ei fesur fesul wat power

3 MATHEMATEG yr ateb a gewch wrth luosi rhif ag ef ei hun nifer o weithiau, e.e. *Mae 6 i'r pŵer 4 (6⁴) = 6 × 6 × 6 × 6, sef 1296.* power

4 *tafodieithol, yn y De* swm mawr, llawer power

pŵer mawr cenedl bwerus a dylanwadol iawn (defnyddir yn enwedig wrth gyfeirio at UDA a'r cyn-Undeb Sofietaidd pan oedd y gwledydd hynny'n cael eu hystyried y ddwy genedl fwyaf pwerus yn y byd) superpower

pwerau *ell* lluosog pŵer, hawl swyddogol i weithredu (drwy rym cyfreithiol); awdurdod powers

pwerau uchelfraint gw. **uchelfraint**

pwerdy *eg* (pwerdai)
1 adeilad lle mae egni trydanol yn cael ei gynhyrchu powerhouse, power station
2 *ffigurol* ffynhonnell egni a nerth, *Mae John yn chwarae yn ail reng y pac, y pwerdy.* powerhouse

pwerperiwm *eg* MEDDYGAETH cyfnod o bum neu chwe wythnos yn dilyn esgor pan fydd y groth yn dychwelyd i'w maint arferol puerperium

Pwerto Ricaidd *ans* yn perthyn i Puerto Rico, nodweddiadol o Puerto Rico Puerto Rican

Pwerto Riciad *eg* (Pwerto Riciaid) brodor o Puerto Rico Puerto Rican

pwerus *ans* awdurdodol, dylanwadol, grymus, nerthol powerful

pwff¹ *eg* (pyffiau)
1 y weithred o bwffian puff
2 chwa fer, sydyn o wynt, mwg, etc. gust, puff
3 anadl, gwynt, *Rwyf wedi rhedeg allan o bwff.* puff
pwff a drewi a dyna i gyd *di-chwaeth* am un sy'n bygwth llawer ond yn gwneud dim all wind and piss

pwff² *ebychiad* twt, ta waeth blow it

pwffian:pwffio *be* [pwffi•²]
1 anadlu'n gyflym ac yn galed to puff
2 anadlu i mewn ac allan wrth ysmygu (pib, sigarét, etc.) to puff
3 (am fwg neu ager) chwythu neu ollwng yn rheolaidd, *trên yn pwffian i mewn i'r orsaf* to puff

pwfflyd *ans*
1 wedi'i chwyddo, wedi bochio puffed up
2 yn pwffian, yn brin o anadl puffing

pwl *eg* (pyliau)
1 ymosodiad sydyn a byr o hiraeth, chwerthin, dicter, etc.; ffit bout, fit
2 cyfnod o salwch, *Mae'r achosion mwyaf difrifol yn cynnwys pyliau o seicosis.* attack, bout

pŵl¹ *eg* gêm debyg i snwcer sy'n cael ei chwarae â dwy set o saith pêl ynghyd ag un bêl ddu a phêl wen, sef y bêl giw pool

pŵl² *ans* [pyl•]
1 nad yw'n disgleirio, nad yw'n glir nac yn loyw; afloyw, anllathraidd, dilewyrch, tywyll dull, faded, matt
2 heb fod ag awch neu flaen llym iddo, *blaen y fwyall wedi mynd yn bŵl gydag amser* blunt, dull

pwlffacan *be* gwneud ei ffordd gyda chryn ymdrech; stryffaglio to struggle
Sylwch: nid yw'r ferf hon yn arfer cael ei rhedeg.

pwli *eg* (pwlïau) peirianwaith (sef olwyn â rhaff neu gadwyn yn rhedeg drosti) sy'n cael ei ddefnyddio i godi pwysau trwm; chwerfan pulley

pwlofer *eg* dilledyn wedi'i weu sy'n cael ei wisgo am ran uchaf y corff; siwmper pullover

pwls *eg* (pylsiau)
1 curiad y galon; dychlamiad rheolaidd y rhydweliau fel y gyrrir y gwaed drwyddynt pulse
2 dirgryniad unigol sain, golau, cerrynt trydanol etc. pulse

pwll *eg* (pyllau)
1 cylch bas o ddŵr sy'n casglu mewn pant naturiol, *Roedd pyllau mawr o ddŵr ar hyd y cae.* pool, puddle
2 unrhyw wlybaniaeth sydd wedi cronni, *Roedd y chwaraewr yn gorwedd mewn pwll o waed.* pool
3 tanc neu gynhwysydd mawr wedi'i adeiladu a'i lenwi â dŵr ar gyfer nofio/ymdrochi, neu gadw pysgod ynddo, *pwll nofio, pwll pysgod*; pydew pond, pool
4 rhan ddofn o afon lle nad yw'r dŵr yn rhedeg yn gyflym pool
5 twll yn y ddaear lle mae glo yn cael ei gloddio; cloddfa coal mine, pit
Sylwch: gw. hefyd **pyllau**.

pwll glo man lle mae glo yn cael ei gloddio coal mine, pit

pwll tro trobwll whirlpool
Ymadrodd
siarad fel pwll y môr siarad yn ddi-baid

pwmel *eg* (pwmelau)
1 y bwlyn ar ben carn cleddyf pommel
2 rhan flaen cyfrwy sy'n codi'n uwch na'r gweddill ohono pommel

pwmis *eg* DAEAREG craig folcanig, fandyllog, ysgafn, a ddefnyddir naill ai ar ffurf carreg neu ar ffurf powdr i lyfnhau a chaboli pumice

pwmp *eg* (pympiau) peiriant i wthio hylif neu nwy i mewn i rywbeth, drwy rywbeth, neu allan o rywbeth, *pwmp petrol, pwmp stumog* pump

pwmpen *eb* (pwmpenni)
  1 llysieuyn gwyrdd, hirgrwn sy'n gallu tyfu'n fawr iawn marrow
  2 ffrwyth mawr, crwn â chroen oren, caled pumpkin
  3 y weithred o ollwng gwynt (yn swnllyd yn aml) o'r pen ôl; clec, cnec, rhech fart

pwmpio *be* [pwmpi•²]
  1 symud (hylif neu nwy) drwy ddefnyddio pwmp to pump
  2 llenwi neu wagio drwy ddefnyddio pwmp, *pwmpio olwynion y beic* to pump
  3 gweithio pwmp to pump

pwn *eg* (pynnau) llwyth o rywbeth mewn sach; bwndel, bwrn, pecyn, sypyn pack, burden, load

pwnad gw. pwniad

pwnc *eg* (pynciau)
  1 rhywbeth sy'n destun siarad, ysgrifennu neu dynnu llun, *Y pwnc dan sylw heno yw byd natur.*; maes, mater, testun, thema subject, topic
  2 maes o wybodaeth sy'n cael ei astudio mewn ysgol, coleg, dosbarth nos, etc. , *Mae Cemeg yn un o'r pynciau sydd gennym ar ôl cinio.*; testun subject
  pwnc llosg testun y mae llawer o drafod neu anghytuno yn ei gylch a burning issue, hot topic
  y Pwnc (mewn capel neu ysgol Sul) darn o'r ysgrythur y disgwylir i'r rhai sydd wedi'i astudio ei adrodd ac yna ateb cwestiynau arno

pwniad:pwnad *eg* (pwniadau)
  1 ergyd â phenelin; gwth, hergwd, hwb, proc dig, nudge
  2 ergyd â llaw neu ddwrn; clowten, dyrnod, ffustiad punch, thump

pwnio:pwno *be* [pwni•⁶]
  1 bwrw, curo, ergydio, taro, *Pwniodd y drws mor galed nes torri'r clo.* to thump, to wallop
  2 rhoi proc i rywun yn ei ochr â'ch penelin (er mwyn tynnu sylw, fel arfer) to nudge, to dig, to jab, to prod
  3 bwrw rhywbeth nes ei fod yn ffurfio rhyw bast lled sych, *pwno tato*; malu, stwnsio to mash, to pound

pwno *be* [pwn•¹] *tafodieithol, yn y De* bwrw, taro, curo, clatsio, ffusto, ergydio, dyrnu, cledro to hit

pwnsh *eg*
  1 diod boeth sy'n gymysgedd o win, gwirod, sudd ffrwythau a sbeis punch
  2 teclyn i wneud twll neu bant yn rhywbeth punch
  3 prif gymeriad mewn sioe bypedau Pwnsh a Siwan, a fu hefyd yn gymeriad yn nefod y Fari Lwyd Punch
  pwnsh canoli erfyn metel pigfain a ddefnyddir â morthwyl i wneud pantiad mewn metel fel y gall dril dorri twll ynddo heb lithro centre punch

Ymadrodd
  fel y pwnsh am blentyn bach iachus, wrth ei fodd

pwnsio *be* [pwnsi•²] defnyddio pwnsh i wneud twll neu bant to punch

pwpa *eg* (pwpae) pryfyn hanner ffordd rhwng bod yn larfa a chyrraedd ei lawn dwf; mae gorchudd caled neu feddal yn ei guddio; chwiler pupa

pwrcas:pwrcasiad *eg* (pwrcasau) y broses o bwrcasu, canlyniad pwrcasu; rhywbeth a bwrcaswyd purchase

pwrcasu *be* [pwrcas•³] talu arian am rywbeth er mwyn ei gael; prynu (~ *rhywbeth* **gan** *rywun i rywun*) to purchase

pwrcaswr *eg* (pwrcaswyr) un sy'n pwrcasu; prynwr purchaser

pwrpas *eg* (pwrpasau) rheswm dros wneud rhywbeth; amcan, arfaeth, bwriad, perwyl aim, object, purpose
  i bwrpas yn berthnasol, yn ymwneud â'r pwnc dan sylw, *Siaradodd yn fyr ac i bwrpas.* to the point
  o bwrpas yn fwriadol on purpose

pwrpasol *ans* â phwrpas neu fwriad clir; bwriadol, unswydd suitable, purposeful

pwrs *eg* (pyrsau)
  1 cwdyn bach i ddal arian purse
  2 swm o arian a gynigir fel gwobr, e.e. mewn gornest baffio purse
  3 organ tebyg i gwdyn neu fag sy'n dal y chwarennau llaeth mewn buwch, dafad neu afr; cadair, piw udder
  4 *anffurfiol* ceillgwd; y cwdyn o gnawd sy'n dal y ceilliau mewn mamolion; sgrotwm scrotum

pwrswifant *eg* swyddog herodrol un cam yn is na herodr pursuivant

pwt¹ *eg* (pytiau)
  1 rhywbeth bach byr, '*Mi dderbyniais bwt o lythyr . . .*'; darn, tamaid bit, snippet
  2 ergyd bach, pwniad, *Rho bwt i'r ferch 'na – mae hi'n cysgu eto.* nudge, poke
  3 term o anwyldeb wrth siarad â phlentyn, *Beth sy'n bod, pwt?*; bychan, cwb little one, poppet

pwt² *ans*
  1 bach, byr, pitw tiny
  2 dirybudd, sydyn, *Gorffennodd y gyngerdd yn bwt gyda phawb yn disgwyl rhagor.* abrupt, short, sudden
  sorri'n bwt pwdu'n deg, pwdu'n llwyr

pwten *eb* merch fach (annwyl)

pwti *eg* math o sment ar ffurf past meddal, seimlyd a ddefnyddir i selio gwydr mewn ffrâm ffenestr neu ddrws putty

pwtian:pwtio *be* [pwti•²] rhoi pwt, rhoi ergyd; pwnio, gwthio (~ *rhywun* â) to nudge, to poke

pwtyn *eg* un bach (annwyl)

pwy *rhagenw gofynnol* fe'i defnyddir naill ai ar ei ben ei hun neu o flaen berfau i holi am berson, *Pwy yw hon? Llyfr pwy yw hwn?* who
> *Sylwch:*
> 1 mae'n ymddangos iddo achosi'r treiglad meddal ond 'pwy a' yw'r ffurf lawn ffurfiol, a'r 'a' sy'n achosi'r treiglad, *Pwy ddaw gyda ni?* sef 'Pwy a ddaw gyda ni?';
> 2 mae'n gwrthsefyll y treiglad meddal cystrawennol (*Gofynnodd pwy oedd e'*) ond yn treiglo yn dilyn y geiriau unigol sy'n achosi treiglad, *At bwy yr anfonwyd y neges? I bwy mae e'n perthyn?*

pwy bynnag
1 unrhyw un, *Fe af i â phwy bynnag sydd eisiau mynd.* whoever
2 dim ots pwy, *Byddai'r siop yma'n llwyddiant pwy bynnag fyddai'n ei rhedeg.* whoever

pwyad *eg* (pwyadau) ergyd galed, curiad grymus; trawiad blow, pounding, smash

Pwylaidd *ans* yn perthyn i Wlad Pwyl, nodweddiadol o Wlad Pwyl Polish

Pwyles *eb* (Pwylesau) merch neu wraig o Wlad Pwyl

Pwyliad *eg* (Pwyliaid) brodor o Wlad Pwyl neu o dras Bwylaidd Pole

pwyll *eg*
1 y cyflwr o fod yn wyliadwrus a chymryd gofal; doethineb caution
2 gallu i gymryd amser i ystyried mater yn ddwys ac yna dod i gasgliad neu ateb doeth; arafwch, cymedroldeb discretion, deliberation, prudence
3 synnwyr cyffredin, iechyd meddwl, *Nid yw'r hen ŵr yn ei iawn bwyll yn dilyn y ddamwain.* sanity, sense

cymryd pwyll gw. cymryd
gan bwyll (bach)
1 yn araf ac yn ofalus, *Fe awn ni i lawr gan bwyll bach i weld beth sy'n digwydd.*
2 *ebychiad* arhoswch funud, arafwch! *Gan bwyll, Ifan! Rydych chi wedi mynd yn rhy bell yn awr.* hang on

pwyll piau hi y mae gofyn bod yn ofalus ac yn amyneddgar

yn fy (dy, ei, etc.) iawn bwyll heb fod yn wallgof, yn gall in one's right mind

pwyllgor *eg* (pwyllgorau) grŵp o bobl wedi'u dewis neu eu hethol i ystyried neu drafod mater(ion) penodol; cyfarfod, cynulliad committee
> *Sylwch:* mae'n derbyn ffurf unigol neu luosog berf.

pwyllgora *be* [pwyllgor•¹] mynychu neu gynnal pwyllgorau

pwyllgorwr *eg* (pwyllgorwyr) aelod o bwyllgor committee member

pwyllo *be* [pwyll•¹] cymryd pwyll, arafu er mwyn ystyried rhywbeth neu osgoi damwain to pause, to consider

pwylltreisio *be* [pwylltreisi•²] SEICOLEG cyflyru meddwl rhywun mewn ymgais fwriadol i newid syniadau sylfaenol a phlannu credoau newydd (yn lle'r rhai a arddelir yn barod) to brainwash

pwyllog *ans* araf ond sicr; darbodus, doeth, gofalus, ystyriol cautious, deliberate, prudent

pwynt *eg* (pwyntiau)
1 pwrpas, amcan, bwriad, *Ni allaf weld unrhyw bwynt mewn parhau.* point, purpose
2 man arbennig, o safbwynt lle neu ddatblygiad, *Mae'r trafodaethau wedi cyrraedd pwynt tyngedfennol.* point, stage
3 syniad, manylyn, nodwedd, *Dywedodd yr athro fod angen iddo ehangu ar y pwyntiau a wnaeth yn ei draethawd.*; eitem, mater point
4 testun, pwnc, canolbwynt (dadl, araith, etc.), *Cadwch at y pwynt, ddyn!* point, topic
5 y pwynt degol, arwydd (.) sy'n gwahanu rhifau cyfan oddi wrth ddegolion, *2.43 dau pwynt pedwar tri* decimal point, point
6 uned sgorio mewn rhai gêmau, *Enillon ni o 12 pwynt i 3.* point
7 (ar gwmpawd) un o'r 32 marc sy'n dynodi cyfeiriad point (of the compass)
8 cyfwng onglog rhwng dau bwynt olynol ar gwmpawd, sef wythfed ran o ongl sgwâr, *Symudwn ni 12 pwynt i'r Gogledd.* point

pwynt arnawf CYFRIFIADUREG modd o gyflwyno rhifau fel dwy res o ddidau, y naill yn cynrychioli digidau'r rhif a'r llall yn cynrychioli esbonydd sy'n pennu lleoliad y pwynt radics floating point

pwyntil *eg* (pwyntilau)
1 teclyn ar gyfer ysgrifennu, rhigoli neu i ddilyn rhigol, e.e. i greu arysgrifen drwy ysgythru clai neu gŵyr stylus
2 blaen metel carrai esgid tag

pwyntilio *be* [pwyntili•²] tynnu llun gan ddefnyddio dotiau to stipple

pwyntio *be* [pwynti•²]
1 dangos neu dynnu sylw at rywbeth (â'ch bys, gan amlaf), *pwyntio at y sêr*; dynodi cyfeiriad; dynodi (~ **at**) to point
2 anelu, *pwyntio trwyn y car at y môr* to point
3 (mewn wal) llenwi'r bylchau rhwng briciau â sment to point

pwyntio bys gw. bys

pwyntydd *eg* (pwyntyddion) rhywbeth a ddefnyddir i bwyntio pointer

pwyo *be* bwrw yn galed ac yn gryf; bwrw, curo, ergydio, pwnio to batter, to beat, to hammer
  Sylwch: nid yw'r ferf hon yn arfer cael ei rhedeg.
pwys¹ *eg* (pwysi) mesur safonol o bwysau yn cyfateb i tua 0.454 cilogram (neu 16 owns); lb pound
pwys² *eg*
  1 un o ddau neu ragor o **pwysau¹**
  2 pwysigrwydd, pwyslais, gwerth, *Mae'r athrawes yn rhoi pwys mawr ar waith destlus.* emphasis
  ar bwys
  1 [ar fy mhwys, ar dy bwys, ar ei bwys, ar ei phwys, ar ein pwys, ar eich pwys, ar eu pwys], gerllaw, yn agos, *Mae Siôn yn byw ar bwys yr ysgol.* near
  2 oherwydd, *Alla' i ddim dod heno ar bwys yr holl waith sy gen i.* because of
  codi pwys codi cyfog to make nauseous
  o bwys pwysig, *'Rydw i wedi anghofio dod â llaeth.' 'Paid â phoeni. Dydy o ddim o bwys.'* important
pwysau¹ *ell* lluosog **pwys²**, darnau o fetel o drymder penodol; pwysynnau weights
pwysau² *eg*
  1 pa mor drwm yw rhywun neu rywbeth, *Mae hi'n ceisio colli pwysau.* weight
  2 cyfundrefn arbennig i ddynodi faint mae rhywbeth yn ei bwyso, *pwysau metrig* weight
  3 gorthrymder, gofid, *Roedd rhaid iddo roi'r gorau i'r swydd oherwydd pwysau'r gwaith.* pressure, stress, weight
  4 FFISEG cryfder tyniad grym disgyrchiant y Ddaear ar wrthrych, *Mae pwysau gwrthrych yn seiliedig ar rym disgyrchiant (y Ddaear) a màs y peth.* weight
  bod dan bwysau bod mewn sefyllfa lle rydych fwy neu lai'n cael eich gorfodi i wneud rhywbeth, *Rydw i dan bwysau bob dydd yn y gwaith.* to be under pressure
  magu pwysau tewhau to put on weight
  taflu fy (dy, ei, etc.) mhwysau ceisio gorfodi eraill i wneud yr hyn yr ydych chi eisiau to throw one's weight about
  tynnu fy (dy, ei, etc.) mhwysau ymuno gydag eraill i gyflawni eich rhan o'r gwaith, gwneud cyfran deg o ryw orchwyl to pull one's weight
  wrth fy (dy, ei, etc.) mhwysau gan bwyll bach, yn fy amser fy hun in one's own good time
pwysedd *eg* gwasgedd; y grym parhaus sy'n cael ei gynhyrchu pan fydd un peth yn pwyso yn erbyn rhywbeth arall pressure
  pwysedd gwaed MEDDYGAETH pwysedd gwaed yn y system cylchrediad gwaed sydd ynghlwm wrth rym a chyfradd curiad y galon a diamedr ac elastigedd muriau'r rhydwelïau blood pressure

pwysfan trethiant *eg* ECONOMEG rhaniad baich trethi rhwng y prynwyr a'r gwerthwyr, e.e. pan fydd y llywodraeth yn gosod treth ychwanegol o bum ceiniog y litr ar betrol, a phris y petrol ond yn codi tair ceiniog, bydd effaith y dreth yn cael ei rhannu rhwng y cwsmeriaid a'r cwmnïau olew incidence of tax
pwysfawr *ans* o bwys mawr, pwysig iawn; yn pwyso'n drwm; difrifol, pellgyrhaeddol, trwm onerous, important
pwysi¹ *ell* lluosog pwys¹
pwysi² *eg* (pwysïau) casgliad bach o flodau; blodeuglwm, swp, tusw bouquet, nosegay, posy
pwysiad *eg* (pwysiadau) pwyslais neu flaenoriaeth, *Dyma fydd pwysiad y cydrannau: Tasgau ymchwiliol (pwysiad 6%); Profion llafar (pwysiad 5%).* weighting
pwysicach:pwysicaf:pwysiced *ans* [pwysig] mwy pwysig; mwyaf pwysig; mor bwysig
pwysig *ans* [pwysic•] (pwysigion)
  1 yn golygu llawer, o bwys, yn haeddu sylw; arwyddocaol, sylweddol important
  2 â dylanwad, *Mae'n ŵr pwysig, felly byddwch yn ofalus rhag ofn i chi ei ddigio.*; awdurdodol important
pwysigion *ell* lluosog pwysigyn VIPs
pwysigrwydd *eg*
  1 y cyflwr o fod yn bwysig; difrifoldeb importance
  2 arwyddocâd, gwerth importance, value, consequence
pwysigyn *eg* (pwysigion) un sy'n credu ei fod yn bwysig pompous person
pwyslais *eg* (pwysleisiau) grym arbennig sy'n cael ei roi i eiriau neu fanylion wrth siarad neu ysgrifennu er mwyn dangos eu pwysigrwydd; acen emphasis, stress
pwyslath *eb* mantol lle mae'r hyn a bwysir yn cael ei grogi ar fraich fer trosol a gwrthfantol yn cael ei symud ar hyd graddfa ar fraich hwy nes cyrraedd man cydbwysedd; clorian scales, steelyard
pwysleisio *be* [pwysleisi•²] gosod pwyslais ar (rywbeth); tanlinellu to emphasize, to stress
pwyso *be* [pwys•¹]
  1 mesur pwysau rhywbeth drwy ddefnyddio peiriant, *Wnei di bwyso 250 gram o flawd imi, os gweli di'n dda?*; cloriannu, mantoli, tafoli to weigh
  2 bod o ryw bwysau penodol, *Rwy'n pwyso llai nag arfer.* to weigh
  3 lled-orffwys, gorffwys ar oleddf, *Pwysa'r beic yn erbyn y wal nes dy fod yn barod i fynd.* to lean
  4 gwasgu, *Ond iti bwyso'r botwm coch bydd y cyfan yn diffodd.* to press

p

5 plygu eich corff tuag at neu dros (rywun neu rywbeth), *Paid â phwyso dros ymyl y bont neu fe gwympi di.* to lean

pwyso a mesur ystyried yn ofalus y manteision a'r anfanteision to weigh up

pwyso ar gosod pwysau ar rywun neu rywbeth, *Pwysodd yr heddlu arno i ddatgelu'r cyfan. Pwysodd ar ei raw i siarad â ni.* to lean on

pwyso fy (dy, ei, etc.) ngeiriau ystyried yn ofalus yr hyn yr ydych yn ei ddweud to consider one's words

pwysol *ans* wedi'i drefnu yn y fath fodd fel y bydd gan rywun neu rywbeth fantais neu anfantais weighted

pwysoli *be* lluosi â ffactor a ddewisir i roi ei phriod bwysigrwydd i ryw elfen to weight, weighting

Sylwch: nid yw'r ferf hon yn arfer cael ei rhedeg.

pwyswr *eg* (pwyswyr) un sy'n pwyso; swyddog pwyso'r dramiau glo mewn pwll weigher, weighman

pwysyn *eg* (pwysynnau) pwysau penodol wedi'u safoni ar gyfer pwyso pethau weight

pwyth[1]:pwythyn *eg* (pwythau)
1 GWNIADWAITH symudiad nodwydd ac edau i mewn i frethyn mewn un man ac allan mewn man arall wrth wnïo stitch, tack
2 yr edefyn sy'n cael ei adael yn y brethyn ar ôl gwneud hyn stitch
3 un o'r dolennau o edafedd sydd ar eich gweill pan fyddwch yn gwau stitch
4 (yn feddygol) y darn o edafedd sy'n gwnïo ymylon clwyf at ei gilydd stitch

pwyth[2] *eg*
1 *hanesyddol* (ad-daliad) anrheg briodas
2 y ffordd y mae briciau wedi'u gosod mewn wal er mwyn sicrhau nad yw'r rhaniadau rhwng y briciau yn digwydd yn yr un man mewn dwy res bond
3 *hynafol* tâl, gwobr

talu'r pwyth
1 (yn wreiddiol) talu'n ôl mewn diolch (e.e. am anrheg briodas)
2 talu drwg yn ôl am ddrwg, dial to retaliate, to repay

pwytho *be* [pwyth•[1]] gwnïo pethau ynghyd drwy ddefnyddio nifer o bwythau; brodio, cyweirio (~ *rhywbeth* â) to sew, to stitch

pwythyn gw. **pwyth[1]**

pybyr *ans* awyddus iawn; brwdfrydig, eiddgar, rhonc, selog enthusiastic, staunch

pydew *eg* (pydewau) twll wedi'i gloddio'n ddwfn yn y ddaear er mwyn codi dŵr neu olew ohono; ffynnon, pwll well, pit

pydlo *be* gweithio clai, tywod a dŵr ynghyd yn gymysgedd tew, dwrglos to puddle

Sylwch: nid yw'r ferf hon yn arfer cael ei rhedeg.

pydlwr *eg* (pydlwyr) un sy'n pydlo puddler

pydradwy *ans* yn gallu pydru, yn gallu dadfeilio; bioddiraddadwy biodegradable

pydredig *ans* yn pydru, wedi pydru; braen, mall, pwdr rotting

pydredd *eg* y broses o bydru, rhywbeth sydd wedi pydru; llwydni, llygredd, madredd, malltod decay, putrefaction, rot

pydron *ans* ffurf luosog **pwdr**

pydru *be* [pydr•[1]] yr hyn sy'n digwydd i rywbeth ar ôl iddo farw, mynd yn ddrwg; braenu, dadfeilio, madreddu to putrefy, to rot

pydru arni dal ati'n ddyfal, *Rwy'n pydru arni i geisio gorffen y nofel hon.*; dyfalbarhau to keep at it, to persevere

pydru mynd dal ati, mynd yn araf ond yn gyson to plod along

pyffiau *ell* lluosog **pwff**

pyg *eg* un o nifer o sylweddau du, tew, gludiog a ddefnyddir i wneud to (yn enwedig to fflat) yn ddwrglos pitch

pŷg *ans*
1 braidd yn frwnt/budr; wedi colli'i liw soiled, faded
2 (am y tywydd) diflas, llwydaidd murky

pygddu *ans* du, tywyll iawn dusky, pitch-black

pyglyd *ans* o natur pyg; du, brwnt, gludiog grimy

pyngad:pyngo *be* tyfu'n glystyrau trymlwythog, toreithiog (am ffrwythau, fel arfer) to abound

Sylwch: nid yw'r ferf hon yn arfer cael ei rhedeg.

pyjamas *eg* siaced a throwsus i'w gwisgo yn y gwely pyjamas

pylach:pylaf:pyled *ans* [pŵl] mwy pŵl; mwyaf pŵl; mor bŵl

pylgain gw. **plygain**

pyliau *ell* lluosog **pwl**

pylni *eg* y cyflwr o fod yn bŵl; afloywder bluntness, dullness

pylor *eg* (pylorau) *hynafol* sylwedd sy'n bod ar ffurf gronynnau bychain tebyg i lwch; powdr, yn enwedig powdr gwn powder

pylori *be* [pylor•[1]] troi'n bowdr drwy ei bwyo a'i guro; chwilfriwio, malurio (~ *rhywbeth* â) to pulverize

pylsadu *be* chwyddo a lleihau mewn ffordd rythmig; curo to pulsate

Sylwch: nid yw'r ferf hon yn arfer cael ei rhedeg.

pylsadur *eg* teclyn (e.e. ar beiriant godro) sy'n pylsadu pulsator

pylseren *eb* (pylser) SERYDDIAETH seren niwtron sy'n pylsadu'n rheolaidd â thonnau radio ac yn allyrru pelydriad electromagnetig pulsar

pylu *be* [pyl•[1]]
1 colli min, colli awch, *hen bladur wedi pylu gydag amser*, colli disgleirdeb; cymylu, tywyllu to blunt, to dim

2 colli gloywder, colli disgleirdeb to dull,
to pale, to tarnish
3 colli golwg, colli min yr ymennydd, *llygaid yn
dechrau pylu, meddwl yn pylu* to dim, to fade
pylydd *eg* (pylyddion) dyfais drydanol a ddefnyddir
i ostegu sain neu i bylu golau (yn enwedig
mewn stiwdio neu theatr) dimmer, fader
pyllau *ell* lluosog **pwll**
  pyllau pêl-droed ffurf o fetio ar ganlyniadau
  gêmau pêl-droed football pools
pyllog *ans* llawn tyllau, pyllau neu bantiau
pitted, uneven
pyllu *be* [pyll•¹] mynd yn bantiog, yn dolciog
neu'n llawn o fân dyllau to pit
pympiau *ell* lluosog **pwmp**
pymtheg¹:pymtheng *rhifol* y rhif 15;
un deg pump fifteen
  Sylwch:
  1 y ffurf *pymtheng* a ddefnyddir o flaen geiriau
  sy'n cychwyn ag 'm', *pymtheng munud,
  pymtheng milltir, pymtheng mil* a'r ffurf
  'pymthengwaith';
  2 mae'n achosi'r treiglad trwynol yn 'blynedd',
  'blwydd' a 'diwrnod', *pymtheng niwrnod.*
  (siarad) pymtheg yn y dwsin siarad llawer
  iawn, siarad yn gyflym (to talk) nineteen to
  the dozen
pymtheg² *eg* tîm cyfan o chwaraewyr rygbi, *Mae'r
dewiswyr wedi enwi pymtheg Cymru sy'n
wynebu Ffrainc ddydd Sadwrn nesaf.* fifteen
pymthegfed *rhifol*
  1 y rhifol (rhif trefnol) nesaf mewn trefn ar
  ôl 'pedwerydd ar ddeg/pedwaredd ar ddeg'
  fifteenth
  2 rhif 15 mewn rhestr o bymtheg neu fwy;
  15fed fifteenth
  3 un rhan o bymtheg ¹/₁₅ fifteenth
  Sylwch:
  1 mae'n achosi'r treiglad meddal o flaen enwau
  benywaidd (nid felly enwau gwrywaidd);
  2 mae'n treiglo'n feddal pan ddaw ar ôl
  y fannod ac o flaen enw benywaidd,
  y bymthegfed ferch
pymthengwaith *adf* pymtheg o weithiau fifteen
times
pync *ans* yn dilyn arddull a fu'n boblogaidd
ymhlith pobl ifanc ym Mhrydain yn saithdegau
ac wythdegau'r ugeinfed ganrif; arddull a
olygai ymwrthod yn chwyrn â'r sefydliad
a mabwysiadu math arbennig o ganu pop
gwrthsefydliadol ac anarchaidd a gwisgo dillad
a thrin y gwallt yn lliwgar ac mewn ffordd
anarferol punk
pynciau *ell* lluosog **pwnc**
pyncio *be* [pynci•²]
  1 (am adar) canu; perori, telori, tiwnio to sing,
  to tweet, to warble

2 holi pwnc, holi cwestiynau ar ddarn o'r
ysgrythur (y Pwnc) i rai sydd wedi'i astudio
to catechize
pynciol *ans* yn ymwneud â thestun arbennig neu
bwnc penodol topical
pyndit *eg* (pynditiaid) un sy'n doethinebu, yn
rhoi sylwadau awdurdodol ar gwestiynau'r
dydd pundit
pynfarch *eg* (pynfeirch)
  1 ceffyl ar gyfer cario paciau o bethau packhorse
  2 (mewn melin neu ffatri wlân) y sianel neu'r
  cafn sy'n arwain dŵr at y rhod ddŵr; pownd
  mill leat, mill race
  3 llyn y felin millpond
pynnau *ell* lluosog **pwn**
pyped *eg* (pypedau)
  1 math o ddol neu degan y mae modd symud ei
  goesau, ei freichiau, etc. drwy dynnu gwifrau
  neu edau marionette, puppet
  2 tegan y gallwch ei wisgo am eich llaw a'i
  symud â'ch bysedd puppet
  3 *ffigurol* rhywun sy'n cael ei reoli'n llwyr gan
  rywun arall neu rywrai eraill, *Pyped oedd
  Arlywydd y wlad yn ystod y cyfnod hwnnw
  – y Fyddin oedd yn rheoli mewn gwirionedd.*
  puppet
pypedwr *eg* (pypedwyr) un sy'n gweithio
pypedau puppeteer
pyramid *eg* (pyramidiau)
  1 MATHEMATEG siâp tri dimensiwn y mae ei
  sylfaen ar ffurf polygon ac y mae ei wynebau
  eraill yn drionglau sy'n cwrdd yn yr apig
  pyramid
  2 adeilad anferth o gerrig ar y ffurf hon a
  ddefnyddid i gladdu brenhinoedd a breninesau
  ynddo (yn yr Aifft yn enwedig) neu unrhyw
  adeiladwaith hynafol ar y ffurf hon, e.e. yng
  Nghanolbarth America pyramid
pyramidaidd *ans* ar ffurf pyramid pyramidical
pyrcs *ans anffurfiol* ffurf luosog **porcyn**; noethlymun
pyrit *eg* mwyn sylffid cyffredin, melyn neu
euraid ei liw ac iddo loywder metelig, *aur
ffyliaid* fool's gold, pyrites
pyroclastig *ans* DAEAREG yn ymwneud â
chreigiau chwilfriw a ffurfiwyd o ganlyniad i
echdoriad folcanig pyroclastic
pyromania *eg* SEICOLEG awydd aflywodraethus
i gynnau tanau pyromania
pyromaniac *eg* SEICOLEG un sy'n dioddef o
byromania pyromaniac
pyromedr *eg* (pyromedrau) FFISEG dyfais i
fesur tymheredd gwrthrych drwy'r egni
electromagnetig (pelydriad isgoch gan amlaf)
sy'n cael ei allyrru gan y gwrthrych,
e.e. tymheredd ffwrnais pyrometer
pyromedreg *eb* FFISEG yr wyddor o fesur
tymereddau uchel iawn pyrometry

p

pyrometrig *ans* FFISEG yn perthyn i byromedreg
pyrometric

pyrsau *ell* lluosog pwrs

pyrth *ell* lluosog porth

pyrwydd *ell* coed conwydd bythwyrdd sy'n tyfu
yng ngwledydd oer y Gogledd ac a ddefnyddir
fel coed addurniadol; hefyd, yn unigol, pren y
coed hyn spruce

pyrwydden *eb* unigol pyrwydd

pys *ell* lluosog pysen
  1 hadau gwyrdd meddal bwytadwy peas
  2 y planhigion dringo y mae'r masglau neu'r
  codennau sy'n cynnwys yr hadau hyn yn tyfu
  arnynt peas

pys slwtsh gw. slwtsh

Ymadrodd

Sul y pys gw. Sul

pysen *eb* unigol pys pea

pysgodfa *eb* (pysgodfeydd) lle i ddal neu fagu
pysgod fishery, fishing ground

pysgodyn *eg* (pysgod)
  1 fertebrat gwaed oer sy'n byw mewn dŵr;
  mae'n defnyddio ei gynffon a'i esgyll i nofio,
  ac mae'n anadlu drwy ei dagellau fish
  2 cig pysgodyn fel bwyd, *pysgodyn a sglodion –
  'sgod a sglods'* fish

pysgod cregyn unrhyw anifeiliaid
di-asgwrn-cefn sy'n byw mewn cregyn dan
ddŵr, yn enwedig rhai bwytadwy, e.e. cocos,
crancod shellfish

pysgodyn aur pysgodyn bach sy'n cael ei gadw
mewn powlen neu danc yn y cartref neu mewn
pwll addurniadol yn yr ardd goldfish

pysgodyn cleddyf pysgodyn mawr bwytadwy
y môr ac iddo big hir yn debyg i gleddyf wedi'i
ffurfio o esgyrn yr ên swordfish

pysgodyn darn arian pysgodyn bwytadwy
y môr â chorff hirgrwn o liw melynwyrdd a
smotyn tywyll ar bob ochr iddo John Dory

pysgodyn haul pysgodyn mawr y môr â chorff
hirgrwn a all gyrraedd hyd o 3 metr a phwyso
mwy na 2000 kg sunfish

pysgodyn hwyliog pysgodyn o'r un teulu â'r
pysgodyn cleddyf ond bod ganddo ddannedd,
cen ac asgell fawr fel hwyl ar ei gefn; gall godi'r
hwyl i deithio'n llyfn neu ei gostwng er mwyn
nofio yn gyflymach sailfish

pysgodyn ystlys-arian pysgodyn bach
y môr ac iddo linyn arian bob ochr i'w gorff
sand smelt, silverside

Ymadrodd

pysgodyn allan o ddŵr rhywun ar goll, allan
o'i gynefin a fish out of water

pysgota *be* [pysgot•¹]
  1 ceisio dal pysgod, *cwch pysgota, gwialen
  bysgota* (~ **am**) to fish, to angle
  2 dal pysgod, *Mae'r afon hon wedi cael ei
  gorbysgota.* to fish

pysgota mewn dŵr llwyd manteisio neu elwa
ar sefyllfa anodd to fish in troubled waters

pysgotwr *eg* (pysgotwyr) un sy'n ceisio dal
pysgod, naill ai am fywoliaeth neu o ran sbort
fisherman, angler

pyslo *be* [pysl•¹] *anffurfiol* pendroni (~ **uwchben**)
to puzzle

pyst *ell* lluosog postyn

pyst dan yr haul pelydrau gweladwy o olau o
dan yr Haul (sy'n arwydd o law) sunbeams

pystylad *be* taro'r llawr yn galed â'r droed
(yn enwedig felly am geffyl neu wartheg), *Mae'r
buarth yn ofnadwy ar ôl i'r gwartheg bystylad
drwy'r holl faw.*; bracsan, bracso, damsang,
sathru to stamp, to trample
  Sylwch: nid yw'r ferf hon yn arfer cael ei rhedeg.

mae hi'n pystylad y glaw mae hi'n arllwys y
glaw it's teeming with rain

pytaten *eb* (pytatws) llysieuyn y mae ei
gloron llawn startsh sy'n tyfu dan ddaear, yn
ffynhonnell bwysig o fwyd ; caiff ei thrin a'i
choginio mewn sawl ffordd, e.e.berwi, ffrïo,
rhostio, etc.; taten potato

pytatws gw. tatws

pytiau *ell* lluosog pwt

pytio *be* [pyti•²] taro pêl golff yn ysgafn tuag at
y twll ar lain golff to putt

pytiwr *eg* (pytwyr)
  1 ffon golff arbennig at y gwaith o bytio putter
  2 chwaraewr golff sy'n pytio putter

pythefnos *egb* (pythefnosau) cyfnod o ddwy
wythnos, *Rwy'n mynd i'r Rhyl am bythefnos
o wyliau yr haf yma.* fortnight
  Sylwch: nid yw 'diwethaf' yn treiglo'n feddal
  ar ôl 'pythefnos'.

pythefnosol *ans* bob pythefnos fortnightly
  Sylwch: nid yw'n arfer cael ei gymharu.

pythefnosolyn *eg* (pythefnosolion) rhywbeth,
e.e. cylchgrawn, sy'n ymddangos bob pythefnos
fortnightly publication

Ph

ph:Ph *eb*
1 cytsain ac unfed lythyren ar hugain yr
wyddor Gymraeg; fe'i defnyddir ar ddechrau
rhai geiriau benthyg
2 mae'n dreiglad llaes *p*, e.e. ei phen
Pharisead *eg* (Phariseaid)
1 CREFYDD yn wreiddiol, aelod o fudiad
Iddewig a ddaeth i fodolaeth yn yr ail ganrif CC
er mwyn amddiffyn safonau uchaf y grefydd
Iddewig, ond a oedd yn enwog am ei ymlyniad
caeth at y ddeddf Iddewig, ysgrifenedig a
thraddodiadol, erbyn amser Iesu Grist Pharisee
2 erbyn heddiw, rhywun hunangyfiawn
a rhagrithiol; rhagrithiwr, rhagrithwraig
hypocrite
Phariseaidd *ans* yn perthyn i'r Phariseaid a'u
credoau neu'n nodweddiadol ohonynt Pharisaical
Pharo *eg*
1 y teitl a roddid ar frenin yr Aifft gynt Pharaoh
2 *difriol* enw a roddir ar ŵr blin neu greulon
twll dy din di, Pharo! *di-chwaeth* cer i grafu!
up yours, mate!
Philipinaidd *ans* yn perthyn i Ynysoedd
y Philipinau, nodweddiadol o Ynysoedd
y Philipinau Philippine
Philipiniad *eg* (Philipiniaid) brodor o Ynysoedd
y Philipinau neu o dras Philipinaidd Philippine,
Philippino
Philistaidd *ans* yn perthyn i'r Philistiaid neu'n
nodweddiadol ohonynt Philistine
Philistiad *eg* (Philistiaid)
1 brodor o Philistia, gwlad yn ne-orllewin
Palesteina y mae sôn amdani yn
Hen Destament y Beibl Philistine
2 rhywun sy'n ymwrthod â safonau neu
werthoedd academaidd neu ddiwylliannol
Philistine
Phoeniciad *eg* (Phoeniciaid) brodor o wlad
hynafol Phoenicia ar arfordir Syria Phoenician

Q

Q.E.D. *byrfodd* talfyriad o'r Lladin *quod erat
demonstrandum*, fel y profwyd
quiche *eb* COGINIO tarten agored wedi'i llenwi
fel arfer â bwydydd sawrus wedi'u tewhau ag
wyau
quid pro quo *eg* tâl neu gymwynas o'r un
gwerth
qui vive (rhybudd) (byddwch) yn wyliadwrus
Qur'an *eg* CREFYDD llyfr cysegredig y
Mwslimiaid; llyfr sanctaidd a ddatguddiwyd
gan Dduw drwy'r archangel Gabriel i
Muhammad; Corân Koran
Qur'anaidd *ans* CREFYDD yn perthyn i'r *Qur'an*
q.v. *byrfodd* talfyriad o'r Lladin *quod vide*,
yn golygu 'gweler' ac yn cyfeirio at wybodaeth
mewn rhan arall o destun

R

r:R *eb*
1 cytsain ac ail lythyren ar hugain yr wyddor Gymraeg; ar ddechrau gair, gall fod yn ganlyniad treiglo *gr* a *rh* yn feddal, e.e. *gwraig rymus, dwy raw.* r, R
2 CERDDORIAETH yr ail nodyn yng ngraddfa nodiant y system sol-ffa, re r, ray
'r *y fannod* gw. **y²**
    Sylwch:
    1 dyma'r ffurf ar y fannod pan fydd yn dilyn llafariad, *i'r tŷ, o'r ddinas, y ci a'r gath*;
    2 mae'n achosi'r treiglad meddal mewn enwau benywaidd ac eithrio yn achos 'll' a 'rh';
    3 ond yn achos ansoddair sy'n cyfeirio at enw benywaidd ac yn dilyn ''r' gellir treiglo 'll' a 'rh' yn feddal neu beidio (*Ceir tair afon a hon yw'r letaf/ lletaf*);
    4 fe'i ceir weithiau mewn ffurfiau fel *'rarglwydd mawr!*; *'rargian fawr!*; pan fydd wedi datblygu i fod yn rhan o'r gair sy'n ei ddilyn.
rabad *eg* (rabadau) CREFYDD cafn wedi'i dorri allan o ymyl darn o bren i greu lle i dafod cyfatebol mewn darn arall o bren (er mwyn creu uniad) rabbet, rebate
rabbi:rabi *eg* (rabïaid:rabiniaid) CREFYDD athro ac arweinydd Iddewig, rabi rabbi
rabedu *be* [rabed•¹] torri rabad, creu uniad rabad to rabbet
rabi gw. **rabbi**
rabinaidd *ans*
    1 CREFYDD yn perthyn i rabïaid, nodweddiadol o rabïaid rabbinical
    2 yn perthyn i rabïaid yr Oesoedd Canol a'r wyddor Hebraeg a ddefnyddid bryd hynny rabbinic
rabiniaeth *eb* CREFYDD athrawiaethau a thraddodiadau rabïaid y Talmud rabbinism
rabsgaliwn *eg* (rabsgaliwns) un drwg; gwalch rapscallion, rascal
rac *eb* (raciau)
    1 fframwaith i ddal gwair, silwair, etc., ar gyfer anifeiliaid; rhastal rack
    2 fframwaith i ddal, storio neu arddangos pethau; rhestl, rhesel, clwyd rack
    3 bar danheddog sy'n cydio mewn olwyn ddanheddog (piniwn) rack
raced *eb* (racedi) rhwydwaith tyn o dannau mewn ffrâm o bren, carbon neu fetel, a ddefnyddir i daro pêl neu wennol (badminton); bat racket
racem *eb* (racemau) BOTANEG fflurgainc lle

bydd blodau'n tyfu ar goesynnau byrion ar hyd prif goesyn y planhigyn gyda'r blodau hynaf ar y gwaelod, e.e. bysedd y cŵn neu lili'r dyffrynnoedd raceme
racemad *eg* CEMEG cyfansoddyn cemegol racemig racemate
racemaidd *ans* BOTANEG yn tyfu ar ffurf racem racemose
racemig *ans* CEMEG am fath arbennig o gymysgedd yn cynnwys yr un maint o ffurf y cyfansoddyn sy'n gwyro pelydriad golau i'r chwith ag sydd o'r ffurf sy'n gwyro pelydriad golau i'r dde gyda'r canlyniad nad oes iddo actifedd optegol racemic
racw *eg* math o lestri pridd Japaneaidd raku
racŵn *eg* (racwnod) mamolyn cigysol â blew llwyd, trwyn hir a chylchoedd du ar ei gynffon sy'n byw yn fforestydd Gogledd a Chanolbarth America raccoon
rachis *eg* (rachisau)
    1 BOTANEG coesyn gweiryn neu goesyn planhigyn â choesynnau blodau'n tyfu'n agos i'w gilydd rachis
    2 SWOLEG coes pluen rachis
radar *eg* system neu offer sy'n anfon signalau radio allan er mwyn darganfod union safle gwrthrych arbennig (sydd, fel arfer, yn symud) radar
radical¹ *eg* (radicaliaid) person radicalaidd radical
radical² *eg* (radicalau) CEMEG grŵp o atomau sy'n gweithredu fel uned ac sydd i'w cael mewn nifer o gyfansoddion radical
    radical rhydd CEMEG moleciwl di-wefr (tra adweithiol) ag un electron falens digymar sy'n bodoli am gyfnod byr iawn cyn ymffurfio'n foleciwl sefydlog free radical
radicalaidd *ans*
    1 yn cefnogi newid llwyr a thrylwyr, yn enwedig yn y byd gwleidyddol radical
    2 am rywbeth sydd wedi cael ei newid yn llwyr neu sy'n golygu newid llwyr radical
radicaleiddio *be* [radicaleiddi•²] gwneud (rhywun/rhywrai neu rywbeth) yn radicalaidd to radicalize
radicaliaeth *eb* egwyddorion, arferion ac athroniaeth y sawl sy'n credu mewn newidiadau gwleidyddol llwyr a thrylwyr radicalism
radics *eg* (radicsau)
    1 gwreiddyn neu fan cychwyn rhywbeth radix
    2 MATHEMATEG rhif sy'n sylfaen i system rifo neu logarithmau, *10 yw radics y system ddegol*; bôn radix
radio *eg*
    1 y broses o ddanfon a derbyn signalau drwy'r awyr drwy ddefnyddio tonnau electromagnetig radio

2 teclyn i dderbyn synau wedi'u darlledu yn y ffordd hon radio, wireless

3 y diwydiant darlledu (drwy'r radio) radio

radiograff *eg* (radiograffau) math o lun (ffotograff) a dynnir gan belydrau nad ydynt yn deillio o olau, e.e. pelydrau X neu belydrau gama radiograph

radiograffeg *eb* yr wyddor sy'n darparu ac yn dehongli radiograffau radiography

radiograffydd *eg* (radiograffwyr) un sy'n dehongli radiograffau radiographer

radioleg *eb* MEDDYGAETH yr wyddor o ddefnyddio pelydrau X ac ymbelydredd, etc., i adnabod a thrin afiechydon radiology

radiolegol *ans* yn ymwneud â radioleg neu driniaeth radioleg radiological

radiolegydd *eg* (radiolegwyr) meddyg sy'n arbenigo mewn radioleg radiologist

radiomedreg *eb* FFISEG cangen o wyddoniaeth sy'n mesur gwahanol agweddau ar olau yn ôl egni a phŵer y golau radiometrics

radiometrig *ans* FFISEG yn ymwneud â radiomedreg radiometric

radioseryddiaeth *eb* SERYDDIAETH cangen o seryddiaeth yn ymwneud â thonnau radio sy'n deillio o gyrff wybrennol radioastronomy

radiotherapi *eg* MEDDYGAETH y broses o drin afiechydon drwy ddefnyddio pelydrau X neu ddefnyddiau ymbelydrol radiotherapy

radiwm *eg* elfen gemegol rhif 88; metel ymbelydrol disglair gwyn prin a ddefnyddir i drin rhai clefydau megis canser (Ra) radium

radiws *eg* (radiysau)

1 MATHEMATEG llinell syth o ganol cylch i'w ymyl neu o ganol sffêr i'w wyneb neu hyd y llinell honno; hanner diamedr radius

2 ANATOMEG y tewaf a'r byrraf o'r ddau asgwrn sy'n ymestyn o'r penelin i'r arddwrn radius

radon *eg* elfen gemegol rhif 86; nwy nobl ymbelydrol trwm nad yw'n adweithio'n gemegol a ffurfir wrth i radiwm ddadfeilio, ac a gysylltir yn naturiol ag ardaloedd gwenithfaen (Rn) radon

radwla *eg* (radwlâu) SWOLEG rhan o gorff malwod, gwichiaid, etc. sy'n debyg i rathell a dannedd bychain drosto ac a ddefnyddir i rwygo bwyd a'i dynnu i'r geg radula

rafin *eg* (rafins) un sy'n byw bywyd ofer layabout

rafioli *ell* codau bach sgwâr o basta yn cynnwys cig, pysgod, caws neu lysiau wedi'u briwio; hefyd y parseli bach hyn mewn saws tomato ravioli

raffia *eg* math o gortyn meddal sydd wedi'i wneud o ddail y balmwydden ac sy'n cael ei ddefnyddio i glymu planhigion neu i wau hetiau, matiau, etc. raffia

raffl *eb* (rafflau) ffordd o godi arian drwy werthu nifer mawr o docynnau wedi'u rhifo;

bydd un (neu ragor) ohonynt yn cael ei ddewis ar hap i ennill gwobr raffle

rafflo *be* [raffl•[1]] cynnig rhywbeth yn wobr mewn raffl lle mae pobl yn prynu tocynnau yn y gobaith o'i ennill to raffle

rafft *eb* (rafftiau) math o gwch gwastad wedi'i wneud o bren, rwber neu blastig, neu o nifer o foncyffion coed wedi'u clymu ynghyd raft

rafftio *be* [raffti•[2]] teithio neu gludo ar rafft to raft

rag *eb* (ragiau) gorymdaith neu gyfres o ddigwyddiadau hwyliog gan fyfyrwyr i godi arian ar gyfer elusennau rag

raga *eg* CERDDORIAETH un o raddfeydd traddodiadol hynafol cerddoriaeth India

raglan *ans* GWNIADWAITH (am lawes) yn un darn hyd at wddf dilledyn, heb sêm ysgwydd raglan

ragoût *eg* COGINIO stiw cig a llysiau wedi'i sesno'n dda

raison d'être *eg* (*raisons d'être*) y prif reswm dros fodolaeth (rhywbeth)

rali *eb* (ralïau)

1 cyfarfod cyhoeddus mawr rally

2 ras geir ar ffyrdd cyhoeddus rally

3 (mewn gêm o dennis, etc.) ymdrech hir rhwng y gwrthwynebwyr i ennill pwynt rally

ralïwr *eg* (ralïwyr) un sy'n cymryd rhan mewn rali rallyist

Ramadan *eg* CREFYDD (Islam) nawfed mis y flwyddyn Fwslimaidd pan fydd disgwyl i'r Mwslim ymprydio'n gaeth o godiad haul hyd at ei fachlud

ramp *eg* (rampiau)

1 rhodfa esgynedig neu lethr yn arwain o un lefel i lefel arall ramp

2 poncen neu gefnen ar ffordd er mwyn rheoli cyflymder cerbydau ramp, speed bump

randibŵ *eg* cyffro a mwstwr mawr jamboree, razzmatazz

ransh *eb* (ransiau) fferm fawr yn magu gwartheg, ceffylau neu ddefaid, e.e. yng Ngogledd America ac Awstralia ranch

ransio *be* rhedeg ransh to ranch

rap *egb* (rapiau) darn o eiriau rhythmig, yn aml yn cynnwys odl ar gyfer rapio; perfformiad rapio rap

rapio *be* [rapi•[2]] llafarganu darn (sy'n odli fel arfer) yn gyflym i gyfeiliant cerddoriaeth to rap

rapiwr *eg* (rapwyr) un sy'n cyfansoddi neu'n perfformio darnau rap rap artist, rapper

ras *eb* (rasys) cystadleuaeth i weld pwy sydd gyflymaf race

ras ffos a pherth

1 (i athletwyr) ras (3,000 metr fel arfer) lle mae'r rhedwyr yn gorfod goresgyn 35 naid, rhai ohonynt yn hir a'r lleill yn uchel steeplechase

2 (i geffylau) ras â thua 15 naid gwahanol i'w goresgyn steeplechase

ras glwydi ras lle mae'r rhedwyr yn neidio dros gyfres o rwystrau race over hurdles

ras gyfnewid ras lle mae pob aelod o dîm (4 aelod fel arfer) yn rhedeg (nofio etc.) rhan o'r ras relay race

Ymadrodd

ar ras wyllt yn rhuthro helter skelter, in a rush

rasel *eb* (raseli) teclyn ar gyfer torri neu grafu blew oddi ar groen, teclyn siafio/eillio; ellyn, llafn razor

rasem defnyddiwch **racem**

rasio *be* [rasi•²]

1 cystadlu mewn ras to race

2 symud yn gyflym, *Gwelais gar yn rasio heibio i'r tŷ.* (~ o rywle i rywle) to race, to speed

3 defnyddio i gystadlu mewn ras (e.e. ceffyl, milgi, beic, car, etc.), *Ydyn nhw'n bwriadu rasio'r ceffyl ddydd Sadwrn?* to race

rasiwr *eg* (raswyr) un sy'n rasio racer

Rastaffariad *eg* (Rastaffariaid) aelod o fudiad crefyddol a gwleidyddol a gododd ymhlith pobl ddu Jamaica ac ynysoedd India'r Gorllewin; credant yng ngwaredigaeth yr hil ddu yn dilyn sefydlu mamwlad yn Ethiopia a rhoddir bri arbennig i Haile Selassie a fu'n Ymerawdwr Ethiopia hyd 1975 (o *Ras Tafari*, teitl yr Ymerawdwr) Rastafarian

ratatouille *eg* COGINIO saig o Brofens yn wreiddiol, yn cynnwys llysiau megis winwns, tomatos, pupurau, etc., wedi'u coginio a'u stiwio mewn olew

ratio decidendi *eb* CYFRAITH rheolaeth cyfraith y mae penderfyniad barnwrol yn seiliedig arni

ratlin *eg* y mochyn bach lleiaf mewn torllwyth; cardodwyn, tin y nyth runt

ratlo *be* [ratl•¹]

1 gwneud cyfres o synau bach byr y naill ar ôl y llall yn gyflym; clecian, cloncian (~ **yn erbyn**) to rattle

2 tarfu ar rywun i'r graddau ei fod yn troi'n nerfus ac yn ansicr to rattle

re *eg* CERDDORIAETH yr ail nodyn yng ngraddfa nodiant y system sol-ffa, r ray, r

real *ans* yn bodoli mewn gwirionedd, e.e. y gwrthrych real yn hytrach na'r llun a geir ohono mewn drych; diriaethol, dirweddol, gwir real

realaeth *eb*

1 yr arfer o ganolbwyntio ar ffeithiau neu bethau fel y maent yn hytrach na theori neu gredo realism

2 ymlyniad mewn celfyddyd neu lenyddiaeth at y syniad o gyflwyno bywyd a natur yn union fel y maent heb eu newid na'u delfrydu realism

3 ATHRONIAETH y syniad bod gwrthrychau y gellir eu synhwyro yn bodoli mewn ffordd

sy'n annibynnol ar unrhyw ganfyddiad ohonynt gan feddwl dynol realism

realaidd *ans*

1 yn debyg i'r hyn sy'n real realistic

2 yn dynwared realaeth realist, realistic

realistig *ans*

1 yn meddu ar syniadau synhwyrol ac ymarferol o'r hyn sy'n bosibl realistic

2 yn cyflwyno pethau mewn ffordd sy'n gywir ac yn debyg i fywyd realistic

realiti *eg*

1 yr ansawdd neu'r cyflwr o fod yn real, o wir fodoli; dirwedd reality

2 cyflwr pethau fel y maent yn hytrach nag fel y maent yn ymddangos neu fel y dymunir iddynt fod reality

realydd *eg* (realyddion) un sy'n arddel neu'n arfer realaeth realist

rebel *eg* (rebeliaid) rhywun sy'n ymladd (yn ffyrnig fel arfer) yn erbyn (rhywun neu rywbeth mewn) awdurdod; gwrthryfelwr rebel

recherché *ans* prin a chywrain; wedi'i ddewis yn ofalus

reciwsant *eg* (reciwsantiaid) CREFYDD un a wrthodai ufuddhau i ddeddf gwlad yn gorchymyn mynychu gwasanaethau Eglwys Loegr yng Nghymru a Lloegr yn y cyfnod rhwng yr unfed ganrif ar bymtheg a'r ddeunawfed ganrif (pabydd gan amlaf) recusant

record *eb* (recordiau)

1 (mewn cystadleuaeth) y gorau hyd yn hyn record

2 disg o blastig y cedwir cyfresi o signalau sain arno; disg record

3 cofnod, *Cadw record o beth sydd wedi digwydd.* record

recorder *eg* (recorders) offeryn cerdd sy'n cael ei ganu drwy chwythu i mewn iddo ac sy'n cynhyrchu sain debyg i ffliwt recorder

recordiad *eg* (recordiadau) sain (e.e. araith neu ddarn o gerddoriaeth) sydd wedi cael ei recordio, perfformiad wedi'i recordio recording

recordio *be* [recordi•²]

1 cadw sain neu rywbeth gweladwy (e.e. ar dâp neu ddisg neu ffurf electronig arall) fel bod modd ei weld neu ei glywed eto to record

2 (am beiriant neu ddyfais fesur) mesur a nodi'r canlyniadau, *Mae'r peiriant ar ben to'r ysgol yn recordio pa mor gryf yw'r gwynt.*; cofnodi to record

recordydd *eg* (recordyddion) dyfais sy'n recordio recorder

recriwt *eg* (recriwtiaid) un sydd wedi cael ei recriwtio, yn enwedig rhywun sydd newydd ymuno â'r lluoedd arfog neu newydd-ddyfodiad i weithle; adflwr recruit

recriwtio *be* [recriwti•²] sicrhau gwasanaeth rhywun, denu (rhywun neu rywrai) i ymuno

â'r lluoedd arfog neu i fod yn aelod o
gymdeithas neu fudiad to recruit

rectwm *eg* (recta:rectymau) ANATOMEG rhan
olaf y coluddyn mawr sy'n diweddu yn yr anws
rectum

Rechabiad *eg* (Rechabiaid) aelod o deulu yn
y Beibl a ymwrthodai ag yfed gwin ac â byw
mewn tai Rechabite

reductio ad absurdum *eg* ATHRONIAETH
proses o brofi bod rhywbeth yn anghywir
drwy ddangos y canlyniadau gwirion sy'n
dilyn o dderbyn ei fod yn gywir, e.e. nid yw'r
gosodiad 'dim ond gosodiadau a wireddir yn
wyddonol sy'n ystyrlon' yn ystyrlon am na ellir
ei wireddu'n wyddonol

refersiwn *eg* (refersiynau)
1 CYFRAITH y rhan o ystad sy'n dal yn eiddo i
berchennog yr ystad wedi iddo wneud grant o
ystad lai allan ohono reversion
2 CYFRAITH diddordeb o fudd personol at
y dyfodol, pan fydd eiddo yn dychwelyd i
berchenogaeth yr un sydd wedi gwneud y
grant (neu ei etifeddion), fel arfer yn dilyn
marwolaeth yr un sydd wedi gwneud grant;
atchweliad reversion

refferendwm *eg* (refferenda) cyfle i holl
bleidleiswyr gwlad neu ardal bleidleisio ar
gwestiwn penodol, e.e. A ddylai'r tafarnau fod
ar agor ar y Sul? referendum

regalia *ell* teyrndlysau brenhinol neu
addurndlysau dinesig regalia

reiat *eb* torcyfraith gan dorf o bobl; terfysg
torfol riot
cadw reiat creu terfysg mawr to run riot

reid *eg* (reids) cludiad ar gefn neu oddi
mewn i rywbeth, e.e. cerbyd, ceffyl, etc.
ride

reidio *be* [reidi•²] eistedd a theithio ar gefn
anifail, neu mewn peiriant neu ar gefn peiriant,
beic etc.; marchogaeth to ride

reiffl *eg* (reifflau) dryll sy'n cael ei ddal yn dynn
yn erbyn yr ysgwydd; mae ganddo faril hir sy'n
gwneud i fwled droelli a thrwy hynny deithio'n
sythach at y targed; gwn rifle

reiol *ans* brenhinol, ysblennydd magnificent,
royal

reion *eg* ffibr neu ddefnydd a wneir drwy drin
cellwlos yn gemegol a'i wthio drwy fân dyllau
rayon

reis *eg*
1 math o rawn a dyfir fel bwyd mewn mannau
poeth a gwlyb rice
2 hadau'r planhigion hyn sy'n cael eu coginio
a'u bwyta rice

reit *adf* eithaf, digon, *Rwy'n teimlo'n reit dda,
diolch yn fawr.* quite
  Sylwch: mae'n achosi'r treiglad meddal

relái *eg* (releiau)
1 ELECTRONEG dyfais drydanol sy'n rheoli
darnau trydanol eraill yn awtomatig, e.e.
switsh, yn ôl newidiadau yng ngherrynt neu
foltedd cylched drydanol relay
2 FFISEG cyfuniad o dderbynnydd a
throsglwyddydd radio a ddefnyddir i dderbyn
darllediadau radio neu deledu ac yna eu
hailddarlledu relay

remandio *be* [remandi•²]
1 CYFRAITH anfon achos llys yn ôl am ragor o
gyfreitha to remand
2 cadw yn y ddalfa neu anfon rhywun yn ôl
i'r ddalfa i ddisgwyl achos llys neu am ragor o
gosb to remand

rendrad *eg* sment neu blaster a ddefnyddir i
blastro waliau allanol adeilad rendering

rendro *be* [rendr•¹] gorchuddio wal â haen
warchodol o sment neu blaster to render

rendsina *eg* math o bridd ffrwythlon tywyll ei
liw ac ynddo lawer o galch rendzina

rêp *eg* planhigyn yn perthyn i deulu'r
bresych a dyfir er mwyn ei ddail sy'n fwyd
i anifeiliaid ac am ei hadau sy'n cynnwys
olew rape

repertoire *eg* yr holl ganeuon, dramâu,
dawnsfeydd, etc. y mae perffformiwr neu
gwmni yn eu gwybod ac yn gallu eu perfformio
repertoire

reprograffeg *eb* y broses o atgynhyrchu deunydd
graffig, e.e. drwy lungopïo reprography

reredos *eg* (reredosau) PENSAERNÏAETH
sgrin addurniadol (o bren cerfiedig neu feini)
y tu ôl i'r allor mewn eglwys reredos

resbiradaeth *eb* BIOCEMEG (mewn celloedd)
y broses o ryddhau egni o glwcos a sylweddau
eraill respiration

resbiradaeth aerobig BIOCEMEG (mewn
celloedd) y broses o ryddhau egni o glwcos
a sylweddau eraill gan ddefnyddio ocsigen
aerobic respiration

resbiradaeth anaerobig BIOCEMEG
(mewn celloedd) y broses o ryddhau egni
o glwcos a sylweddau eraill sy'n digwydd heb
bresenoldeb ocsigen anaerobic respiration

resbiradaeth artiffisial MEDDYGAETH y broses
o adfer neu gynnal resbiradaeth rhywun drwy
ddefnyddio peiriant, dull anadlu ceg wrth
geg neu drwy ymdrechion corfforol artificial
respiration

resbiradol *ans* BIOLEG yn ymwneud â
resbiradaeth, y prosesau cemegol a chorfforol
sy'n sicrhau bod celloedd yn derbyn yr
ocsigen angenrheidiol i fyw ac yn gwaredu'r
carbon deuocsid sy'n cael ei ffurfio o'u mewn
respiratory

llwybr resbiradol gw. **llwybr**

resbiradu *be* [resbirad•¹] (am gell neu feinwe) cyflawni resbiradaeth to respire

resin *eg* (resinau)
  1 sylwedd golau/melyn gludiog sy'n cael ei gynhyrchu gan rai mathau o goed (e.e. ffynidwydd) ac a ddefnyddir i wneud paent a moddion resin
  2 un o nifer o fathau o blastig wedi'u gwneud gan ddyn resin
  3 resin coed ar ffurf solet neu bowdr a ddefnyddir gan gampwyr gymnasteg er mwyn gwella'u gafael ar eu hoffer neu gan offerynwyr llinynnol ar rawn eu bwâu rosin

reslo *be* [resl•¹] (rhwng dau fel arfer) ymladd lle mae'r naill yn ceisio taflu'r llall i'r llawr a'i ddal yno; ymaflyd codwm to wrestle

reslwr *eg* (reslwyr) ymarferwr ymaflyd codwm wrestler

restio *be* [resti•²] arestio; dal a chadw mewn dalfa drwy awdurdod y gyfraith to arrest

reticwlwm *eg* SWOLEG ail stumog grwybrog anifail cnoi cil rhwng y rwmen a'r omaswm reticulum

retina *eg* (retinâu) ANATOMEG yr haen o dderbynyddion yng nghefn y llygad sy'n canfod golau retina

reu *eg* y cyffur mariwana, ffurf ar ganabis grass

ria *eg* (riâu) moryd neu ddyffryn arfordirol wedi'i foddi o ganlyniad i godiad yn lefel y môr ria

rib *eg* fel yn *trowsus rib*, defnydd rhesog; melfaréd corduroy

ribofflafin *eg* BIOCEMEG fitamin B₂ sy'n bresennol mewn llysiau gwyrdd, burum, afu a llaeth riboflavin

riboniwcleig gw. RNA

ribosom *eg* (ribosomau) BIOCEMEG gronyn bach iawn yn cynnwys RNA a phroteinau cysylltiedig a geir yng nghytoplasm celloedd byw ac sy'n bwysig yn synthesis proteinau ribosome

rifolfer *eg* (rifolfers) dryll llaw â silindr sy'n caniatáu saethu nifer o weithiau cyn ei ail-lwytho â bwledi; dryll, gwn revolver

riff¹ *eg* (riffiau)
  1 cefnen o graig, cwrel neu dywod a welir ar wyneb y môr neu'n agos iddo reef
  2 cefnen o gwrelau wedi'i chreu mewn dŵr môr bas, trofannol gan secretiadau polypau morol ac iddynt sgerbydau o galsiwm carbonad (coral) reef

riff² *eg* (riffiau) CERDDORIAETH brawddeg gerddorol fer sy'n cael ei hailadrodd, yn benodol yng nghyd-destun jazz riff

riffio *be* [riffi•²] MORWRIAETH lleihau arwynebedd hwyl sy'n agored i'r gwynt drwy ei rholio neu ei phlygu, *Gwell inni riffio'r hwyliau, cyn i'r tywydd trwm ddod.* to reef

rìg *eg* (rigiau) dyfais neu ddarn o offer a ddyluniwyd i bwrpas penodol, e.e. rìg goleuo, rìg drilio am olew/nwy rig

rigin *eg* y rhaffau a'r cadwynau a ddefnyddir ar long i gynnal a rheoli'r hwyliau a'r hwylbrennau rigging

rigio *be* [rigi•²]
  1 cydosod a chyweirio (cyfarpar llong hwylio, awyren, etc.) yn barod i'w gosod ar waith to rig
  2 trefnu neu ddylanwadu ar rywbeth yn dwyllodrus, *rigio canlyniad etholiad* to rig

rigmarôl *eg* stori hir ddisynnwyr; truth, ffregod rigmarole

rigor mortis *eg* MEDDYGAETH anystwythder y corff yn dilyn marwolaeth

rigowt *eg* anffurfiol set o ddillad i'w gwisgo gyda'i gilydd outfit, rig-out

rihyrsal *eb* (rihyrsals) cyfarfod i ddysgu ac ymarfer ar gyfer perfformiad; ymarfer rehearsal

ril:rilen *eb* (riliau:rils)
  1 silindr y mae modd weindio hyd o wifren, lein bysgota, tâp recordio, etc. arno reel
  2 un fach o'r rhain i ddal edau reel
  3 dawns fywiog a geir yn yr Alban, Iwerddon a Chymru; cerddoriaeth ar gyfer y math hwn o ddawns reel

rîm *eb* (rimau) pecyn o bapur, 500 dalen fel arfer ream

rinsio *be* [rinsi•²] golchi sebon oddi ar ran o'r corff, dillad, etc.; golchi heb ddefnyddio sebon, tynnu drwy'r dŵr to rinse

RIP *byrfodd* talfyriad o'r Lladin *requiescat in pace*, gorffwysed mewn hedd

riposte *eg* gwrthwaniad cyflym gan ffensiwr

riprap *eg* cerrig rhydd sy'n cael eu defnyddio i ffurfio sylfaen morglawdd neu strwythur arall riprap

risg *eb* (risgiau) y posibilrwydd o golled neu niwed; antur, menter, perygl risk

risgio *be* [risgi•²] cymryd risg; mentro to risk

risol *eb* (risols) cylch neu belen o gig wedi'i friwio a'i gymysgu â bwydydd mân eraill a'i ffrio rissole

risotto *eg* (risottos) COGINIO saig o'r Eidal yn wreiddiol, yn cynnwys reis wedi'i goginio mewn isgell o gig neu bysgod ynghyd â phupurau a winwns

riteirio *be* [riteiri•²] *anffurfiol* ymddeol (~ o) to retire

ritornello *eg* (ritornelli) CERDDORIAETH adran offerynnol sy'n ailymddangos mewn aria faróc, neu adran i ensemble llinynnol mawr mewn concerto baróc

riwbob gw. rhiwbob

riwl:riwler *eb* (riwliau:riwleri) darn hir, cul o ddefnydd caled, e.e. pren, metel neu blastig, sydd ag ymylon syth a modfeddi a/neu gentimetrau wedi'u nodi arno; fe'i defnyddir i dynnu llinellau syth neu i fesur hyd; ffon fesur, pren mesur ruler

RNA *eg* BIOCEMEG asid riboniwcleig, sef cemegyn a geir mewn celloedd byw; mae tri math ac mae pob un yn rhan o broses synthesis proteinau RNA

robin goch *eg* aderyn cyffredin â chefn brown a bron goch robin

robot *eg* (robotiaid)
1 peiriant sy'n gallu gweithredu'n awtomatig, yn arbennig un sy'n cael ei reoli gan gyfrifiadur robot
2 peiriant sy'n gweithredu fel petai'n berson robot

roboteg *eb* y gangen o dechnoleg sy'n ymwneud â dylunio, gwneud a defnyddio robotau robotics

roc *eg*
1 fel yn *roc a rôl*, cerddoriaeth boblogaidd o bumdegau'r ugeinfed ganrif a nodweddir gan guriadau trwm, amlwg, cymalau syml o alawon a ailadroddir yn aml ac a chwaraeir ar offerynnau electronig; sigl a swae rock
2 fel yn *india-roc*, ffon o losin neu dda-da lliwgar a melys rock

roced *eb* (rocedi)
1 math o dân gwyllt sy'n cael ei saethu yn uchel i'r awyr gan ollwng fflamau lliw rocket
2 taflegryn wedi'i yrru fel hyn rocket
3 peiriant silindrog sy'n cael ei yrru gan nwyon ffrwydrol ac a ddefnyddir i saethu gwennol ofod neu gapsiwl i'r gofod rocket

rocio *be* chwarae cerddoriaeth roc neu ddawnsio i gerddoriaeth roc to rock
Sylwch: nid yw'r ferf hon yn arfer cael ei rhedeg.

rococo *ans* CELFYDDYD am arddull dra addurnedig cyfnod olaf y baróc

rod *eb* (rodiau) darn o bren, metel neu blastig ar ffurf gwialen, yn enwedig darn o fetel felly sy'n rhan o beiriant; rhoden rod, spindle

rodni *eg* (rodnis) *anffurfiol* oferwr, seguryn waster

rôl *eb* (rol[i]au)
1 ymddygiad unigolyn neu'r rhan gymdeithasol y disgwylir i unigolyn ei chymryd, a bennir gan amlaf gan statws yr unigolyn yn ei gymuned; swyddogaeth role
2 rhan (mewn drama, ffilm, etc.) role

roloc *eg* (rolocs) dyfais ar ffurf U a geir ar ddwy ochr cwch rhwyfo sy'n derbyn y rhwyfau ac yn gweithredu fel ffwlcrwm pan dynnir ar y rhwyfau rowlock

Romani[1] *ebg* sipsi Romany
Romani[2] *ebg* iaith y Sipsiwn Romany
Romani[3] *ans* yn perthyn i'r Sipsiwn a'u hiaith Romany
Romáwns *ans* yn perthyn i'r grŵp o ieithoedd Indo-Ewropeaidd sy'n tarddu o'r Lladin,

e.e. Ffrangeg, Sbaeneg, Eidaleg, Catalaneg, Portiwgaleg Romance

rondo *eg* (rondoau) CERDDORIAETH ffurf gerddorol lle yr ailadroddir y brif thema rhwng gwahanol themâu eraill; fe'i ceir yn aml fel un symudiad mewn sonata, concerto neu symffoni rondo

rosari *eb* (rosarïau) llaswyr; y cylch o leiniau a ddefnyddir i gyfrif gweddïau yn yr Eglwys Gatholig rosary

rosét *eb* (rosetiau) trefniant o rubanau ar ffurf blodeuyn a wisgir i nodi llwyddiant mewn cystadleuaeth neu gefnogaeth i blaid neu garfan arbennig rosette

rostrwm *eg* (rostra) llwyfan fach y mae person yn sefyll arni i wneud araith, arwain cerddorfa, derbyn gwobr, etc rostrum

rotor *eg* (rotorau)
1 darn o beiriant sy'n troi o gwmpas pwynt sefydlog rotor
2 un o'r llafnau sy'n troi gan beri i hofrennydd godi rotor

rotsiwn *eg* *tafodieithol* fel yn *a welaist ti rotsiwn beth*, talfyriad ar lafar o 'erioed ffasiwn', y fath such a

roux *eg* COGINIO cymysgedd o fraster (yn enwedig menyn) a blawd sy'n cael ei ddefnyddio'n sail i saws

rownd[1] *eb* (rowndiau)
1 tro mewn cystadleuaeth, *Cafodd y tîm ei drechu yn rownd gyntaf cystadleuaeth y Cwpan.* round
2 nifer y diodydd sy'n cael eu prynu ar un adeg ar gyfer cwmni o bobl, *Tro pwy yw hi i brynu rownd?* round
3 cyfres o ymweliadau fel y rhai y mae'r dyn llaeth/llefrith yn eu gwneud, *rownd laeth* round

rownd derfynol y rownd olaf final (round)
rownd gyn-derfynol y rownd cyn y rownd olaf semi-final (round)
rownd o-gyn-derfynol y rownd cyn y rownd gyn-derfynol; rownd yr wyth olaf quarter-final (round)
rownd yr wyth olaf y rownd cyn y rownd gyn-derfynol; rownd o-gyn-derfynol quarter-final (round)

rownd[2] *ans* ar ffurf cylch neu bêl; crwm, crwn round

rownd[3] *ardd* o gwmpas, o gylch, oddi amgylch
1 yn amgylchynu, *Mae 'na fur rownd y ddinas.* around
2 o gwmpas, *Es i â'r bobl rownd y tŷ.* around

rownderi *ell* gêm syml ar batrwm pêl-fas rounders

rowndio *be* [rowndi•[2]] mynd o gwmpas, mynd o amgylch to go around

ruban gw. rhuban

rubato *eg* (*rubati*) CERDDORIAETH amrywiad yng nghyflymder neu rythm y gerddoriaeth er mwyn cyfoethogi'r mynegiant ond heb darfu ar y tempo cyffredinol

rutherfordiwm *eg* elfen gemegol rhif 104; metel ansefydlog iawn yn deillio o wrthdrawiadau atomig egni uchel (Rf) rutherfordium

rŵan *adf safonol, yn y Gogledd* yn awr, yr awr hon, nawr now

Rwandaidd *ans* yn perthyn i Rwanda, nodweddiadol o Rwanda Rwandan, Rwandese

Rwandiad *eg* (Rwandiaid) brodor o Rwanda Rwandan

rwbel *eg* cerrig neu friciau wedi torri debris, rubble

rwbela *eb* MEDDYGAETH clefyd heintus tebyg i'r frech goch sy'n achosi peswch, dolur i'r gwddf, brech ar y croen a chyfogi; gall achosi niwed cynhwynol i epil os digwydd yn ystod tri mis cyntaf beichiogrwydd y fam rubella, German measles

rwber *eg*

1 sylwedd sy'n cael ei ffurfio drwy ddulliau cemegol neu o nodd coeden arbennig; mae'n cadw dŵr allan, mae'n hyblyg iawn ac â gafael dda ar gyfer teiars rubber

2 darn o'r defnydd hwn sy'n cael ei ddefnyddio i ddileu marciau pensil; dilëwr eraser, rubber

rwbidiwm *eg* elfen gemegol rhif 37; metel alcalïaidd, ariannaidd, prin ac adweithiol iawn (Rb) rubidium

rwden *eb* (rwdins) planhigyn sy'n cael ei ddyfu am ei wreiddyn mawr oren neu felyn, bwytadwy; meipen, swedsen (weithiau erfinen) swede

rwdlan:rwdlian *be* siarad dwli; browlan, clebran, cyboli to natter, to talk nonsense

Sylwch: nid yw'r ferf hon yn arfer cael ei rhedeg.

rwdlyn *eg* un sy'n rwdlan; clebrwr chatterer

rwlét *eg* gêm hapchwarae lle bydd pobl yn betio ar ba rif neu liw y bydd pêl yn glanio ar olwyn sy'n troelli, wedi i'r olwyn aros roulette

Rwmanaidd *ans* yn perthyn i România, nodweddiadol o România Romanian, Rumanian

Rwmaniad *eg* (Rwmaniaid) brodor o wlad România, un o dras neu genedligrwydd Rwmanaidd Romanian, Rumanian

rwmen *eg* SWOLEG stumog gyntaf anifail cnoi cil; mae'n derbyn bwyd wedi'i gil-gnoi, cyn ei drosglwyddo i'r reticwlwm rumen

Rwsiad *eg* (Rwsiaid) brodor o Ffederasiwn Rwsia, un o dras neu genedligrwydd Rwsiaidd Russian

Rwsiaidd *ans* yn perthyn i Ffederasiwn Rwsia, nodweddiadol o Ffederasiwn Rwsia Russian

rwtsh *eg* lol, sothach, dwli, *Paid â gwrando arno, mae'n siarad rwtsh.* rubbish

rwtheniwm *eg* elfen gemegol rhif 44; metel caled, arianwyn sy'n gatalydd tebyg i blatinwm (Ru) ruthenium

rwyf gw. wyf

ryc *eb* (ryciau) (mewn rygbi) sgarmes a ffurfir pan fydd y bêl ar y llawr ruck

rycio *be* [ryci•²] creu ryc, brwydro am y bêl mewn ryc to ruck

rŷg *eb* (rygiau)

1 math o garped neu fat (o wlân fel arfer) a roddir ar y llawr rug

2 math o flanced drwchus i'w lapio o'ch cwmpas pan fyddwch yn teithio rug

rygbi *eg* gêm sy'n cael ei chwarae â phêl hirgron gan ddau dîm o saith, tri ar ddeg neu bymtheg o chwaraewyr gyda'r bwriad bod un tîm yn sgorio mwy o bwyntiau na'r tîm sy'n gwrthwynebu rugby

rym *eg* gwirod a ddistyllir o driagl neu o sudd a geir o wiail siwgr rum

rysáit *eb* (ryseitiau) rhestr o gyfarwyddiadau ar gyfer paratoi neu goginio saig arbennig recipe

Rh

rh¹:Rh *eb* cytsain a thrydedd lythyren ar hugain yr wyddor Gymraeg; ar ddechrau gair, gall dreiglo'n feddal yn *r*, e.e. *ei raw ef*.

Rh² *byrfodd* rhesws Rh

rhaca *egb* (rhacanau) *tafodieithol, yn y De* teclyn gardd tebyg i grib mawr ar ben coes a ddefnyddir i grynhoi gwair, dail, etc., neu i wastatáu pridd chwâl; cribin rake

rhacanu *be* [rhacan•³] casglu ynghyd â rhaca; cribinio neu wastatáu (pridd) â rhaca neu gribin to rake

rhacs *ell* lluosog rhecsyn
1 darnau bychain o hen lieiniau; carpiau, clytiau, yfflon rags
2 dillad wedi'u treulio'n yfflon, *Mae'i chot hi'n rhacs.* tatters

rhacs jibidêrs yn yfflon, yn chwilfriw in tatters

rhacsan:rhacsio *be* [rhacs•¹] torri'n rhacs, rhwygo, darnio, llarpio to cut to tatters

rhacsiog:rhacsog *ans* wedi treulio'n garpiau neu'n glytiau; bratiog, carpiog, clytiog ragged, tattered

rhacsyn *gw.* rhecsyn

rhactal *eg* (rhactalau) addurn pres ar harnais pen ceffyl (headband) horse brass

rhad¹ *ans* [rhat•] heb fod yn costio llawer o arian, heb fod yn ddrud, am ddim *Mae'r siop yn eu gwerthu nhw'n rhad.*; rhesymol cheap, inexpensive

rhad ac am ddim heb gostio dim, am ddim free, free of charge

rhad² *eg* (rhadau) *hynafol* bendith, ffafr, gras blessing

rhad arnaf fi (ti, ef, etc.**)** trueni amdanaf, druan ohonof God help me

rhadbost *eg* post di-dâl, lle y telir cost y postio gan y sefydliad yr anfonir y llythyr ato freepost

rhadffôn *ans* am ffôn di-dâl lle mae'r costau ffonio yn cael eu talu gan y sefydliad sy'n derbyn yr alwad freephone

rhadlon *ans* [rhadlon•] (am rywun) o natur agored, hwyliog a charedig; boneddigaidd, graslon, hawddgar, hynaws genial, gracious, outgoing

rhadlonrwydd *eg* natur radlon; graslonrwydd, hynawsedd, lledneisrwydd benevolence, graciousness

rhadwedd *egb* CYFRIFIADUREG meddalwedd cyfrifiadurol sydd ar gael yn rhad ac am ddim freeware

rhaeadr *eb* (rhaeadrau:rhëydr) llifeiriant o ddŵr sy'n syrthio dros greigiau neu glogwyn; ffrwd, pistyll, sgwd cascade, cataract, waterfall

rhaeadru *be* [rhaeadr•¹]
1 disgyn a llifo fel rhaeadr to cascade
2 ffurfio cadwyn o ddigwyddiadau, o signalau neu o wybodaeth, lle mae'r un blaenorol yn achosi i'r nesaf ddigwydd to cascade

rhafl(i)ad *eg* (rhafliadau) y broses o raflo fraying

rhaflo *be* [rhafl•¹] (am ymyl darn o frethyn) ymddatod, treulio to fray

rhaflog *ans* wedi'i raflo frayed

rhafnwydden *eb* (rhafnwydd) un o deulu o brysgwydd pigog buckthorn

rhaff *eb* (rhaffau)
1 cortyn cryf, tew; tennyn rope, cable
2 cortyn neu linyn tew, troellog o rywbeth, *rhaff o winwns/nionod, rhaff o berlau* rope, string

rhoi digon o raff i rywun ei grogi ei hun gadael i rywun barhau yn ei ffolineb gan wybod y bydd hynny'n ei arwain i drybini to give someone enough rope to hang himself/herself

rhoi rhaff i'm ('th, 'w, etc.**) dychymyg/teimladau/tafod** caniatáu iddynt grwydro'n ddilyffethair to give vent to

rhaffaid *eb* (rhaffeidi) rhes o bethau sydd wedi'u clymu wrth raff neu sy'n ymddangos fel pe baent wedi'u clymu (winwns, etc.) string

rhaffo:rhaffu *be* [rhaff•³] clymu â rhaff; gosod pethau at ei gilydd fel eu bod yn edrych fel rhaff, *rhaffu winwns/nionod* to rope, to string together

rhaffu celwyddau palu celwyddau, dweud rhes o gelwyddau yn rhwydd to string together a pack of lies

rhag¹ *ardd* [rhagof fi, rhagot ti, rhagddo ef (fe/fo), rhagddi hi, rhagom ni, rhagoch chi, rhagddynt hwy (rhagddyn nhw)]
1 yn dilyn berfau megis *achub, amddiffyn, arbed, arswydo, atal, cadw, cuddio, cysgodi, dianc, diogelu, ffoi, gwared, ymguddio*, oddi wrth, *Fel y dywed Gweddi'r Arglwydd, 'gwared ni rhag drwg'.* from
2 yn lle, fel na, *Mae'n well inni fynd yn awr rhag inni gael ein dal gan y storm.* (~ i) lest
3 yn erbyn, *Rhaid inni glymu rhywbeth dros y twll rhag y glaw.* against, as protection from *Sylwch:* nid yw'n achosi treiglad.

rhag blaen *gw.* blaen¹

rhag ofn *gw.* ofn

rhag² *byrfodd* rhagddodiad

rhag- *rhag* (mae'n cael ei ddefnyddio ar ddechrau gair i olygu) rhywbeth sy'n dod yn gyntaf, o flaen rhywbeth arall, e.e. *rhagymadrodd, rhag-ddweud* ante-, fore-, pre- *Sylwch:* mae'r 'rhag' hwn yn achosi'r treiglad meddal.

rh

rhagaeddfed *ans* yn dangos aeddfedrwydd anarferol yn gynnar precocious

rhagaeddfedrwydd *eg* y cyflwr o fod yn rhagaeddfed neu enghraifft ohono precociousness

rhagair *eg* (rhageiriau) cyflwyniad (sy'n cael ei ysgrifennu yn aml gan rywun heblaw'r awdur) i lyfr; prolog, rhagarweiniad, rhaglith, rhagymadrodd foreword, introduction, preface

rhagamcaniad *eg* (rhagamcaniadau) amcangyfrif o sut y gall rhywbeth edrych at y dyfodol yn seiliedig ar y sefyllfa neu'r duedd bresennol; amcanestyniad projection

rhagamcanu *be* [rhagamcan•³] cynllunio, brasamcanu neu amcangyfrif ar gyfer y dyfodol to project

rhagamod *eg* (rhagamodau) amod neu delerau y mae'n rhaid eu cyflawni ymlaen llaw precondition, prerequisite

rhagarcheb *eb* (rhagarchebion) rhywbeth sydd wedi cael ei ragarchebu reservation

rhagarchebu *be* [rhagarcheb•¹] gosod archeb o flaen llaw; trefnu bod (sedd, tocyn etc.) yn cael ei ch/gadw ar gyfer rhywun penodol to reserve

rhagarfaeth *eb* CREFYDD yr athrawiaeth fod popeth wedi'i ragordeinio gan Dduw, yn enwedig iachawdwriaeth yr etholedig rai predestination

rhagarfaethu *be* [rhagarfaeth•¹] trefnu rhagarfaeth, trefnu rhagluniaeth (gan Dduw); rhagordeinio to predestine

rhagarfog *ans* wedi'i ragarfogi forearmed

rhagarfogi *be* [rhagarfog•¹] arfogi ymlaen llaw, paratoi ar gyfer digwyddiad to forearm

rhagargoel *eb* (rhagargoelion) y teimlad fod rhywbeth ar fin digwydd premonition, presentiment

rhagarweiniad *eg* (rhagarweiniadau)
1 rhywbeth sy'n arwain i mewn (i lyfr, perfformiad, araith, pregeth, etc.); cyflwyniad, rhaglith, rhagymadrodd introduction, prologue
2 adran agoriadol cân neu ddarn o gerddoriaeth; prolog introduction

rhagarweiniol *ans* yn cyflwyno, yn arwain i mewn i, yn dod o flaen y prif beth; cychwynnol, dechreuol preliminary, introductory, prefatory

rhagbaratoad *eg* (rhagbaratoadau)
1 paratoad ymlaen llaw preparation
2 mesur a gymerir ymlaen llaw i atal rhywbeth peryglus, amhleserus neu anghyfleus rhag digwydd precaution

rhagbaratoadol:rhagbaratoawl *ans* yn paratoi ar gyfer rhywbeth arall preparatory

rhagbaratoi *be* [rhagbarato•¹⁷] paratoi ymlaen llaw to prepare in advance

rhagbenodedig *ans* wedi'i bennu neu wedi'i osod ymlaen llaw preset, predetermined

rhagboethi *be* [rhagboeth•¹] poethi (darn o fetel, ffwrn, etc.) i wres penodedig cyn ei drin neu ei ddefnyddio to preheat

rhagbrawf *eg* (rhagbrofion) prawf (mewn eisteddfod, mabolgampau, etc.) i ddewis pa gystadleuwyr fydd yn cymryd rhan yn y prawf terfynol prelim, heat, preliminary test

rhagbrofi *be* [rhagbrof•¹] profi ymlaen llaw, cael rhagflas to have a foretaste, to pilot

rhagchwarae *be* ysgogi erotig cyn cyfathrach rywiol foreplay
Sylwch: nid yw'r ferf hon yn arfer cael ei rhedeg.

rhagchwiliad *eg* (rhagchwiliadau) arolwg ymlaen llaw er mwyn casglu gwybodaeth, yn enwedig arolwg milwrol o dir y gelyn reconnaissance

rhagchwilio *be* [rhagchwili•²] cynnal rhagchwiliad to reconnoitre

rhagdal:rhagdaliad *eg* (rhagdaliadau) tâl (cyfan) ymlaen llaw prepayment

rhagdalu *be* [rhagdal•³] gwneud rhagdal, talu ymlaen llaw (~ am) to prepay

rhagdir *eg* (rhagdiroedd) y tir o flaen rhywbeth neu sydd yn y blaen foreground, foreland

rhagdrefnu *be* [rhagdrefn•¹] trefnu ymlaen llaw to prearrange

rhagdueddiad *eg* (rhagdueddiadau) tuedd tuag at agwedd, weithred neu gyflwr neilltuol predisposition, susceptibility

rhagdwr *eg* (rhagdyrau) twr gwylio ar ran flaen mur amddiffynnol; gwylfa barbican, watchtower

rhagdyb *eb* (rhagdybiau:rhagdybiaethau) rhagdybiad assumption, presupposition

rhagdybiad *eg* (rhagdybiadau) syniad, gosodiad, etc., yr ydych yn cymryd yn ganiataol ei fod yn wir; rhagdyb assumption

rhagdybiaeth *eb* (rhagdybiaethau)
1 ateb posibl wedi'i gynnig i egluro ffenomen neu amgylchiadau arbennig, etc. hypothesis, preconception
2 gosodiad sy'n cael ei gynnig fel sylfaen i ddadl resymegol hypothesis
3 CYFRAITH agwedd a gymerir tuag at rywbeth os nad oes dim i'w wrth-ddweud presumption

rhagdybio:rhagdybied *be* [rhagdybi•²] *3 un. pres.* rhagdyb/rhagdybia; *2 un. gorch.* rhagdyb/rhagdybia] dod i gasgliad rhesymegol gan gymryd yn ganiataol bod yr hyn y seilir y casgliad arno yn wir; credu, meddwl, tybio to assume, to preconceive, to presuppose

rhagdybiol *ans* yn seiliedig ar ragdybiaeth presumptive

rhagddangos *be* [rhagddangos•¹] awgrymu, cyflwyno neu ddangos delwedd, tebygrwydd neu amlinelliad o rywbeth sy'n mynd i ymddangos to prefigure

rhagddi:rhagddo *gw.* rhag

rhagddodi *be* [rhagddod•¹] gosod o flaen (yn enwedig am air, llythyren neu rif a osodir o flaen un arall) to prefix

rhagddodiad *eg* (rhagddodiaid) GRAMADEG elfen sy'n cael ei gosod ar ddechrau gair i newid neu i oleddfu ei ystyr, e.e. *rhag-* yn *rhagair*, *di-* yn *diystyru*, *gwrth-* yn *gwrthblaid*; defnyddir *rhag* fel byrfodd amdano yn y geiriadur hwn prefix

rhagddor *eb* (rhagddorau) hanner gwaelod drws deuddarn

rhag-ddweud *be* [rhagddywed•¹] *3 un. pres.* rhagddywed; *2 un. gorch.* rhagddywed dweud beth sy'n mynd i ddigwydd yn y dyfodol; darogan, proffwydo, rhagweld to foretell

rhagddyddio *be* [rhagddyddi•²] dyddio rhywbeth yn gynharach na'r gwir ddyddiad to predate

rhagddywededig *ans* y soniwyd amdano o'r blaen aforementioned

rhageiriau *ell* lluosog **rhagair**

rhagenw *eg* (rhagenwau) GRAMADEG gair y gellir ei ddefnyddio yn lle enw, e.e. *ti, hi, ni*, yn lle dweud *daeth y ferch* gellir dweud *daeth hi*. pronoun

rhagenw annibynnol cysylltiol GRAMADEG [minnau, tithau, yntau, hithau, ninnau, chwithau/chithau, hwythau/nhwythau] rhagenw a ddefnyddir i gysylltu â rhyw elfen enwol arall neu i gyferbynnu â hi, *Yr oedd ei brawd ar un ochr a hithau ar y llall.* conjunctive independent personal pronoun

   Sylwch: mae'r rhagenwau hyn yn gallu sefyll ar eu pen eu hunain mewn brawddeg.

rhagenw annibynnol dwbl GRAMADEG [myfi, tydi, efe, hyhi, nyni, chwychwi, hwynt-hwy] rhagenw a ddefnyddir i bwysleisio'r person a nodir, *Myfi sy'n magu'r baban.* reduplicated independent personal pronoun

   Sylwch: mae'r rhagenwau hyn yn gallu sefyll ar eu pen eu hunain mewn brawddeg.

rhagenw annibynnol syml GRAMADEG [fi, ti, ef, hi, ni, chi, ni, hwy/hwynt/nhw] *Hi yw chwaer y rhedwr.* simple independent personal pronoun

   Sylwch: mae'r rhagenwau hyn yn gallu sefyll ar eu pen eu hunain mewn brawddeg.

rhagenw atblygol GRAMADEG [fy hun(an), dy hun(an), ei hun(an), ein hun(ain), eich hun(ain), eu hun(ain)] rhagenw a ddefnyddir i ôl-gyfeirio at oddrych y ferf neu i bwysleisio enw neu ragenw, *Dylech eich cynnal eich hunain. Aeth i'w dŷ ei hun.* reflexive pronoun

rhagenw dangosol GRAMADEG [hwn(nw), hon(no), hyn(ny), y rhain, y rheini] mae'n cyfeirio at un neu ragor (o bethau neu bersonau) sy'n agos neu y sonnir amdanynt ar y pryd, *Mam y plentyn yw hon, a hwn yw ei dad.* demonstrative pronoun

rhagenw dibynnol ategol cysylltiol GRAMADEG [finnau/innau, tithau/dithau, yntau, hithau, ninnau, chithau/chwithau, hwythau/nhwythau] e.e. *Rhedais i a rhedaist tithau; Mae arnom ninnau angen gwyliau, yn ogystal â nhw.* affixed conjunctive dependent personal pronoun

   Sylwch: rhaid i'r rhagenwau hyn gael eu rhagflaenu neu eu dilyn gan eiriau eraill.

rhagenw dibynnol ategol syml GRAMADEG [i/fi, di/ti, ef/ fe/e/fo/o, hi, ni, chi/chwi, hwy/ hwynt/nhw] rhagenw sy'n ategu neu'n pwysleisio ffurf bersonol berf, ffurf bersonol arddodiad, y rhagenw blaen a'r rhagenw mewnol, *gwelais i; drosti hi; ein llyfrau ni; fe'i helpodd hi* affixed simple dependent personal pronoun

   Sylwch: rhaid i'r rhagenwau hyn gael eu rhagflaenu neu eu dilyn gan eiriau eraill.

rhagenw dibynnol blaen GRAMADEG [fy, dy, ei, ein, eich, eu]

1 geiriau yn dynodi cyswllt neu feddiant, *fy nghap, ei mam*; rhagenw blaen rhydd prefixed dependent personal pronoun

2 yn dynodi gwrthrych berfenw, *Rwy'n dy garu.*; rhagenw blaen rhydd prefixed dependent personal pronoun

   Sylwch: rhaid i'r rhagenwau hyn gael eu rhagflaenu a'u dilyn gan eiriau eraill.

rhagenw dibynnol mewnol GRAMADEG ['m, 'th, 'i, 'w, -s, 'n, 'ch, 'u, -s] mae'r rhagenwau dibynnol mewnol yn digwydd yn yr un cysylltiadau â'r rhagenw blaen ond yn digwydd ar ôl geiriau sy'n gorffen â llafariad ac eithrio berfenwau, *Rwy'n caru fy nhad a'm mam.* (nid 'caru'm tad'), *Rwy'n caru dy chwaer.* (nid 'caru'th chwaer')

1 yn dynodi cyswllt neu feddiant, *fy oren a'm hafal, fy mam a'm tad*; rhagenw blaen clwm infixed dependent personal pronoun

2 yn cyfleu gwrthrych berf, *Ni'th welais.* Mae '-s' yn cyfleu 3ydd unigol neu 3ydd lluosog ar ôl 'ni', 'na', 'oni' a 'pe' *Nis gwelais/nis gwelsom yn y briodas.*; rhagenw blaen clwm infixed dependent personal pronoun

   Sylwch: rhaid i'r rhagenwau hyn gael eu rhagflaenu a'u dilyn gan eiriau eraill.

rhagenw gofynnol GRAMADEG y rhagenwau gofynnol yw:

1 'pwy' a ddefnyddir wrth gyfeirio at berson, *Pwy yw hon? Pwy a ysgrifennodd y llythyr?* interrogative pronoun

2 'pa' a ddefnyddir gydag enw neu'r hyn a ddefnyddir yn lle enw, *Pa athro, pa ddisgybl? Pa un welsoch chi ddoe?* interrogative pronoun

rhagenw meddiannol GRAMADEG [eiddof, eiddot, eiddo, eiddi, eiddom, eiddoch, eiddynt] rhagenw'n dynodi meddiant, *Eiddot ti yw fy nghalon.* possessive pronoun

rh

rhagenw perthynol rhagenw ('a', 'y(r)', 'na(d)') sy'n clymu prif gymal wrth isgymal relative pronoun

rhagenwol *ans* GRAMADEG yn perthyn i ragenw, yn cymryd lle rhagenw pronominal

rhagetholiadau *ell* GWLEIDYDDIAETH (yn UDA) yr etholiadau cyntaf i benodi cynadleddwyr ar gyfer cynhadledd plaid neu i ddewis yr ymgeiswyr ar gyfer prif etholiad, yn enwedig un arlywyddol primaries, primary elections

rhagfarn *eb* (rhagfarnau) barn wedi ei llunio o flaen llaw heb wybodaeth ddigonol bias, prejudice

rhagfarn hiliol y weithred o gymryd yn erbyn rhywun ar sail lliw ei groen, neu oherwydd ei fod yn perthyn i hil wahanol racial prejudice

rhagfarn oed yr arfer o wahaniaethu yn annheg rhwng pobl ar sail eu hoedran ageism

rhagfarnllyd *ans* â rhagfarn neu ragfarnau, seiliedig ar ragfarn; cul, cyfyng, unllygeidiog biased, bigoted, prejudiced

rhagfarnu *be* [rhagfarn•³] dod i gasgliad am rywun neu rywbeth o flaen llaw, heb wybodaeth ddigonol to prejudge

rhagflaenol *ans* yn arwain neu'n mynd ar y blaen; blaenorol, cynharach, rhagarweiniol preceding, antecedent

rhagflaenu *be* [rhagflaen•¹]
1 dod o flaen rhywun yn nhrefn pwysigrwydd, statws neu radd; blaenori, blaenu to precede, to antecede
2 mynd, dod neu ddigwydd o flaen neu ynghynt; arwain to precede

rhagflaenydd:rhagflaenwr *eg* (rhagflaenwyr) deiliad cynt swydd (o safbwynt ei olynydd); rhagredegydd predecessor, antecedent, forerunner

rhagflas *eg* (rhagflasau) profiad bach ymlaen llaw (o rywbeth a fydd yn digwydd yn nes ymlaen), tamaid i aros pryd; cipolwg foretaste

rhagfoddion *eg* y cyffuriau a roddir i'r claf i'w baratoi i dderbyn anaesthetig cyn llawdriniaeth feddygol premedication

rhagfur *eg* (rhagfuriau)
1 banc neu glawdd llydan sy'n amddiffyn dinas neu gastell; gwrthglawdd rampart
2 mur cryf ar gyfer amddiffyn dinas neu gastell; gwrthglawdd, magwyr bulwark

rhagfwriadol:rhagfwriadus *ans* yn deillio o benderfyniad ymlaen llaw, wedi'i nodweddu gan gynllunio bwriadus premeditated

rhagfwriadu *be* [rhagfwriad•³] ystyried pob agwedd ymlaen llaw cyn gweithredu to premeditate

rhagfwyhadur *eg* (rhagfwyhaduron) ELECTRONEG dyfais electronig sy'n mwyhau signal gwan iawn cyn ei allyrru i brif fwyhadur preamplifier

rhagfynegi *be* [rhagfyneg•¹]
1 dweud ymlaen llaw; darogan, proffwydo, rhagweld to foretell
2 datgan yr hyn a fydd yn digwydd dan amgylchiadau penodol, e.e. y tywydd pe bai'r tymheredd yn aros yn ddigyfnewid to predict

rhagfynegiad *eg* (rhagfynegiadau) y broses o ragfynegi, canlyniad rhagfynegi prediction

Rhagfyr *eg* y deuddegfed a'r olaf o fisoedd y flwyddyn December

mis Rhagfyr 'ym mis Rhagfyr' nid *yn Rhagfyr* December

rhagfyrhau *be* [rhagfyrha•¹⁴] CELFYDDYD (wrth arlunio) byrhau neu leihau maint manylyn mewn darlun yn ôl rheolau persbectif, er mwyn cyfleu syniad o ddyfnder to foreshorten

rhagfyriad *eg* (rhagfyriadau) y broses o ragfyrhau, canlyniad rhagfyrhau foreshortening

rhagffurfiedig *ans* wedi'i gynhyrchu'n rhannau mewn ffatri ymlaen llaw fel y gellir eu gosod at ei gilydd yn rhwydd, e.e. adeilad prefabricated

rhagffurfio *be* [rhagffurfi•²] gosod ffurf neu siâp ar wrthrych ymlaen llaw, cael rhywbeth yn lled agos i'w ffurf derfynol to preform

rhag-gynhyrchu *be* [rhag-gynhyrch•¹] gweithio ar gynnyrch, yn arbennig ffilm neu raglen i'w darlledu, cyn dechrau'r gwaith cynhyrchu go iawn pre-production

rhaghysbyseb *eb* (rhaghysbysebion) cyfres o ddarnau wedi'u dethol o ffilm neu raglen i'w hysbysebu cyn ei rhyddhau trailer

rhaghysbysiad *eg* (rhaghysbysiadau) hysbysiad ymlaen llaw preliminary notice

rhaglaw *eg* (rhaglawiaid:rhaglofiaid)
1 un sy'n llywodraethu ar dalaith neu wlad ar ran brenin neu lywodraeth ganolog; llywodraethwr governor, proconsul, viceroy
2 un sy'n gweithredu ar ran neu yn lle rhywun sydd â mwy o awdurdod; dirprwy lieutenant

rhaglawiaeth *eb* (rhaglawiaethau) swydd neu lywodraeth rhaglaw governorship, proconsulship, vice-regency

rhaglen *eb* (rhaglenni)
1 rhestr o berfformwyr, cerddorion, athletwyr, etc., ynghyd â'r pethau y byddant yn eu perfformio; agenda programme
2 un o nifer o wahanol fathau o adloniant sy'n cael eu darlledu ar radio neu deledu neu sydd ar gael ar lein, *Beth yw dy hoff raglen deledu?* programme
3 perfformiad cyfan neu sioe, yn enwedig un sy'n cynnwys nifer o wahanol eitemau, *Ydych chi wedi penderfynu ar y rhaglen ar gyfer y cyngerdd Nadolig?* programme
4 cynllun penodol o'r camau sydd eu hangen i gyflawni rhywbeth, *Mae'r rhaglen adeiladu*

yn dibynnu'n llwyr ar yr arian a fydd ar gael.; amserlen programme, schedule

5 CYFRIFIADUREG cyfres o gyfarwyddiadau cod sy'n rheoli sut mae cyfrifiadur neu beiriant arall yn gweithio program
Sylwch: 'program' yw'r ffurf Saesneg wrth gyfeirio at gyfrifiaduron.

rhaglen nodwedd rhaglen (ar lwyfan, radio, teledu, etc.) yn cynnwys amrywiaeth o eitemau ar thema arbennig feature programme

rhaglenadwy *ans* y gellir ei raglennu programmable

rhaglennu *be* [rhaglenn•⁹]
1 cynnwys mewn rhaglen to programme
2 ysgrifennu rhaglen gyfrifiadurol to program
Sylwch:
1 dyblwch yr 'n' ym mhob ffurf ac eithrio yn y rhai sy'n cynnwys *-as-*;
2 'program' yw'r ffurf Saesneg wrth gyfeirio at gyfrifiaduron.

rhaglennwr:rhaglennydd *eg* (rhaglenwyr) person sy'n datblygu rhaglenni cyfrifiadurol neu raglenni radio a theledu programmer

rhaglith *eb* (rhaglithoedd) gosodiad neu ddatganiad rhagarweiniol, yn enwedig i ddeddf, statud neu gyfansoddiad, yn datgan pam mae ei angen/hangen a'r hyn y disgwylir iddo/iddi ei gyflawni; prolog, rhagair, rhagymadrodd preamble

rhaglofiaid *ell* lluosog **rhaglaw**

rhaglun *eg* (rhagluniau) rhagflas neu gyfle i weld tameidiau o rywbeth sydd eto i ddod, yn enwedig ddisgrifiad cryno o ffilm neu raglen sydd ar fin cael ei rhyddhau preview

rhagluniaeth *eb* gofal a llywodraeth Duw dros ei bobl, *Diolch i ragluniaeth, nid oedd neb yn y tŷ pan redodd y lorri i lawr y rhiw ac i mewn drwy ffenestr yr ystafell fyw.*; amcan, arfaeth, cynllun, rhagarfaeth providence

rhagluniaethol *ans* yn digwydd yn ôl trefn rhagluniaeth neu drwy ymyrraeth rhagluniaeth; ffodus providential

rhaglyw *eg* (rhaglywiaid) un sy'n teyrnasu yn lle brenin (oherwydd ei fod yn rhy ifanc, yn absennol neu'n analluog fel arfer) regent

rhagnodedig *ans* wedi'i ragnodi prescribed

rhagnodi *be* [rhagnod•¹]
1 nodi neu ddweud ymlaen llaw to foretell
2 llunio rhagnodyn, rhoi presgripsiwn to prescribe

rhagnodol *ans* yn gorfodi rheol neu ddull prescriptive

rhagnodyn *eg* (rhagnodiadau) presgripsiwn; papur ac arno enw'r moddion y mae meddyg am i fferyllydd ei roi i un o'i gleifion prescription

rhagobennol *ans* GRAMADEG cyn y goben, yn ymddangos o flaen y sillaf olaf ond un antepenultimate (syllable)

rhagod *eg* (rhagodion) ymosodiad dirybudd o guddle ambush

rhagof *gw.* **rhag**

rhagofal *eg* unigol **rhagofalon** precaution

rhagofalon *ell* gweithredoedd neu baratoadau a wneir ymlaen llaw er mwyn osgoi perygl, pryder, afiechyd, etc. precautions

rhagofyniad *eg* (rhagofyniadau) rhywbeth y mae'n rhaid wrtho cyn y gall rhywbeth arall ddigwydd neu gael ei wneud prerequisite

rhagolwg *eg* (rhagolygon) golwg ar y dyfodol neu ystyriaeth o'r hyn sy'n debygol o ddigwydd; cipolwg, proffwydoliaeth, rhagflas outlook, prospect

rhagolygon y tywydd patrwm y tywydd sydd ar y ffordd weather forecast

rhagor¹ *eg*
1 mwy, chwaneg, ychwaneg, *Mae arno eisiau rhagor o fwyd. A gaf fi ragor o bwdin, plîs?* (~ **o**) more
2 *hen ffasiwn* gwahaniaeth, rhagoriaeth, '*Canys y mae rhagor rhwng seren a seren mewn gogoniant.*' distinction

rhagor² *adf* mwyach, yn fwy, eto, e.e. *Nid wyf yn bwriadu mynd yno rhagor.* again, ever
Sylwch: nid yw'r 'rhagor' adferfol yn treiglo.

rhagorach:rhagoraf *ans* [rhagorol] mwy rhagorol; mwyaf rhagorol
Sylwch: ffurf gymharol o'r enw *rhagor¹*.

rhagordeiniad *eg* (rhagordeiniadau) y weithred o ragordeinio neu o benderfynu ymlaen llaw predestination

rhagordeiniedig *ans* wedi'i ragordeinio predestined

rhagordeinio *be* [rhagordeini•²] pennu ymlaen llaw, ordeinio ymlaen llaw; rhagarfaethu to predestine, to predetermine, to preordain

rhagorfraint *eb* (rhagorfreintiau)
1 rhyddid rhag gorfod gwneud rhywbeth, neu fantais arbennig sy'n perthyn i grŵp neu unigolyn; hawl privilege
2 meddiant ar hawliau yn deillio o dras neu swydd uchel neu gyfoeth; anrhydedd privilege

rhagori *be* [rhagor•¹]
1 bod yn dda iawn, bod yn rhagorol, *Mae e'n rhagori fel chwaraewr hoci.* (~ **ar**) to excel, to outdo
2 bod yn drech na, bod yn well na, *Mae hi'n rhagori ar weddill y dosbarth mewn mathemateg.* (~ **ar**) to excel, to surpass

rhagoriaeth *eb* (rhagoriaethau) yr ansawdd neu'r cyflwr o fod yn anghyffredin o alluog neu lwyddiannus mewn rhyw faes, o fod yn well na neb arall; camp, godidowgrwydd, gorchest, uchafiaeth excellence, distinction

rh

rhagorol *ans* da dros ben, yn rhagori; godidog, gorchestol, penigamp, ysblennydd excellent, superb

Sylwch: y ffurfiau 'rhagorach' a 'rhagoraf' yw'r unig ddwy ffurf gymharol.

rhagorol o fe'i defnyddir i ddwysáu ystyr ansoddair *rhagorol o wych*

rhagosod *be* [rhagosod•¹] gosod ymlaen llaw to preset

rhagosodedig *ans*

1 wedi'i osod ymlaen llaw preset
2 CYFRIFIADUREG am ddewis a ddefnyddir yn awtomatig gan raglen gyfrifiadurol pan na ddewisir unrhyw un arall default

rhagosodiad *eg* (rhagosodiadau)
1 gosodiad y derbynnir ei fod yn wir premise
2 RHESYMEG gosodiad y seilir dadl neu resymiad arno premise

rhagras *eb* (rhagrasys) un rownd neu ragbrawf mewn ras lle mae'r cystadleuwyr yn gorfod rhedeg o leiaf dwy rownd heat

rhagredegydd *eg* (rhagredegyddion) un sy'n dynodi dyfodiad rhywun neu rywbeth; rhagflaenydd forerunner, precursor

rhagrith *eg* (rhagrithion) cyflwr lle mae rhywun yn cymryd arno ei fod yn fwy rhinweddol neu'n well nag ydyw mewn gwirionedd; ymddygiad dauwynebog; ffalster, hoced, twyll hypocrisy, cant, humbug

rhagrithio *be* [rhagrithi•²] bod yn llawn rhagrith neu ymddwyn mewn ffordd ragrithiol, bod yn ddauwynebog; ffalsio, gwenieithu, twyllo

rhagrithiol *ans* llawn rhagrith, heb fod yn ddidwyll nac yn ddiffuant; dauwynebog, ffals, ffuantus, gwenieithus hypocritical, insincere

rhagrithiwr *eg* (rhagrithwyr) rhywun rhagrithiol, un sy'n cymryd arno ei fod yn well nag ydyw mewn gwirionedd; celwyddgi, twyllwr hypocrite, humbug

rhagrybudd *eg* (rhagrybuddion) rhybudd ymlaen llaw forewarning

rhagrybuddio *be* [rhagrybuddi•²] rhybuddio ymlaen llaw (~ *rhywun* o) to forewarn

rhagsiambr *eb* (rhagsiambrau) PENSAERNÏAETH ystafell fach yn arwain at y brif ystafell antechamber

rhagweithiol *ans* yn creu neu'n rheoli sefyllfa yn hytrach na dim ond ymateb iddi proactive

rhagweladwy *ans* am rywbeth y mae modd bod yn ymwybodol ohono cyn iddo ddigwydd foreseeable, predictable

rhagweld:rhag-weld *be* [rhagwel•⁴ 3 *un. pres.* rhagwêl; 2 *un. gorch.* rhagwêl] gweld neu sylweddoli bod rhywbeth yn mynd i ddigwydd; gweld ymlaen llaw beth sy'n mynd i ddigwydd; darogan, rhagfynegi to envisage, to foresee, to predict

rhagwelediad *eg* y broses o ragweld, canlyniad rhagweld foresight

rhagwth *eg* (rhagwthion) y weithred o ragwthio, canlyniad rhagwthio lunge

rhagwthio *be* [rhagwthi•²] camu neu wthio ymlaen yn rymus to lunge

rhagwybodaeth *eb* canlyniad rhagweld neu ragdybio'n gywir sut y bydd pethau'n datblygu foreknowledge, precognition, prescience

rhagymadrodd *eg* (rhagymadroddion) eglurhad gan awdur neu areithiwr ar ddechrau llyfr neu araith ynglŷn â'i bwrpas a'i amcanion; cyflwyniad, prolog, rhagair, rhagarweiniad introduction

rhagymadroddi *be* [rhagymadrodd•¹] llunio neu adrodd sylwadau agoriadol to preface

rhagymadroddol *ans* yn perthyn i ragymadrodd, nodweddiadol o ragymadrodd introductory, prefatory

rhagymosodiad *eg* (rhagymosodiadau) achub y blaen ar elyn drwy ymosod arno er mwyn llesteirio neu atal ei ymosodiad yntau pre-emptive strike

rhagymwybodol *ans* bod yn ymwybodol o rywbeth cyn iddo ddigwydd prescient

rhagysgrifiadol *ans* (am iaith) yn deddfu ynghylch yr hyn sy'n gywir ac yn anghywir, *geiriadur rhagysgrifiadol* prescriptive

rhagystyriaeth *eb* (rhagystyriaethau) y broses o ystyried neu feddwl am (rywbeth) ymlaen llaw, neu ganlyniad y broses honno forethought

rhai *rhagenw* fe'i defnyddir:
1 yn lle enw lluosog, *Mae rhai yn credu.*; nifer, rhywfaint some
2 yn lle enw lluosog er mwyn peidio â'i ailadrodd, *Dyma fy llyfrau i. Ble mae'ch rhai chi?*
3 yn amhendant yn lle rhifol o flaen 'o', *rhai o'r gweithwyr* some
4 yn ansoddeiriol i gyfeirio at nifer bychan, *rhai ardaloedd, rhai dynion*; ychydig some
5 i ffurfio rhagenwau dangosol, *Defnyddiwch y rhai sydd wrth law* those

Sylwch: nid yw'n achosi treiglad.

y rhai hyn y rhain, *Ai'r rhai hyn yw'r rhai olaf?* these

y rhai hynny y rheini, *Ai'r rhai hynny yw'r bobl?* those

y rhai yna y rheina, *Ai'r rhai yna yw dy rai di?* those

rhaib *eb* (rheibiau)
1 swyn, yn enwedig yr hyn y byddai dyn hysbys neu wrach yn ei gonsurio i niweidio neu ddwyn anlwc ar anifail neu berson; cyfaredd, dewiniaeth, hudoliaeth, lledrith bewitching, jinx, spell
2 awydd afresymol; gwanc, trachwant greed

rhaid *eg* [rheitied; rheitiach; rheitiaf] (rheidiau)
rhywbeth sy'n angenrheidiol neu'n orfodol,
rhywbeth na ellir ei hepgor na'i osgoi; angen,
anghenraid, gorfodaeth, rheidrwydd (~ **i** *rywun*
wneud) necessity
  Sylwch:
  1 mae 'nid rhaid' ac 'ni raid' yn gywir;
  2 pan fo 'rhaid' yn ei ddilyn, gellir hepgor yr
  'yn' traethiadol yn dilyn ffurfiau 'bod', ond os
  felly, yr arfer yw treiglo 'rhaid' yn feddal,
  e.e. *Bu'n rhaid imi fynd., Bu raid mynd.,*
  A oes yn rhaid inni fynd?, A oes raid?;
  3 ceir y ffurfiau *rheitied, rheitiach, rheitiaf.*
does dim rhaid i mi (i ti, iddo ef, etc.) (I) don't
have to, it's not necessary
mae'n rhaid gen i rwy'n siŵr, *Mae'n rhaid*
gen i fod y cyfarfod wedi'i drefnu fisoedd yn ôl.
I'm sure
mae'n rhaid i mi (i ti, iddo ef, etc.) I have to,
I must
nid oes/oedd raid Sylwch ar y treiglad.
rhaid cropian cyn cerdded gw. cropian
rhaid i mi (ti, ef, etc.) **beidio** (I) must not
rhaid wrth gorfod cael, *Rhaid wrth ryw*
gymaint o dywydd da os ydym yn gobeithio
cerdded bob cam. is required
rhaidd *eb* (rheiddiau) y naill a'r llall o'r cyrn
fforchog sy'n tyfu allan o ben carw neu elc antler
rhain *rhagenw dangosol* mwy nag un 'hwn' neu
'hon'; y rhai yma, y rhai hyn these
  Sylwch: mae angen *y* neu *'r* o flaen **rhain.**
rhaith *eb* (rheithiau) *hynafol* deddf, rheol, barn right
rhamant *eb* (rhamantau)
  1 stori garu romance
  2 yr ansawdd arbennig sy'n perthyn i
  ramantiaeth, *rhamant bywyd yn y gorllewin*
  gwyllt romance
y Tair Rhamant LLENYDDIAETH tair hen
stori Gymraeg am y Brenin Arthur a thri o'i
farchogion, Owain, Geraint a Pheredur
Rhamantaidd *ans* yn perthyn i Ramantiaeth,
nodweddiadol o Ramantiaeth Romantic
Rhamantiaeth *eb* (ym myd y celfyddydau, yn
enwedig cerddoriaeth a llenyddiaeth) mudiad
yn pwysleisio gwerthfawrogiad o'r teimlad yn
hytrach na'r meddwl, o brydferthwch naturiol
yn hytrach na'r hyn a grëwyd gan ddyn,
gwerthfawrogiad o ddawn yr unigolyn a'i
ryddid Romanticism
rhamantu *be* [rhamant•¹]
  1 coleddu syniadau rhamantus to romanticize
  2 cyflwyno rhywbeth mewn ffordd ramantus,
  yn gamarweiniol fel arfer to romanticize
rhamantus *ans*
  1 nodweddiadol o ramantau; yn apelio at y
  dychymyg; emosiynol, teimladol romantic
  2 yn ymwneud â byd serch a chariad romantic

rhampio *be* fel yn *rhedeg a rhampio,* tasgu,
neidio, prancio to caper, to frolic
  Sylwch: nid yw'r ferf hon yn arfer cael ei rhedeg.
rhan¹ *eb* (rhannau)
  1 un o'r darnau sy'n ffurfio cyfanwaith, cyfran
  o rywbeth ond nid y cyfan, *Mae rhannau o'r*
  llun yn eisiau.; elfen part
  2 siâr, dogn, *Dydw i ddim wedi cael fy rhan i*
  o'r deisen eto!; cwota, cyfran portion, share
  3 un o nifer o raniadau cyfartal sy'n llunio
  cyfanwaith, *Rhowch un rhan o sudd oren i*
  bedair rhan o win.; uned part, portion, section
  4 cyfraniad i weithgaredd neu ddyletswydd,
  A beth oedd dy ran di yn yr holl helynt yma?
  part, role
  5 safbwynt, barn, *Fe allen nhw gadw'r cyfan*
  o'm rhan i. part
  6 cymeriad mewn drama sy'n cael ei chwarae
  gan actor, *Pwy sy'n chwarae rhan Joseff yn*
  nrama'r Nadolig? part, role
  7 y geiriau mae'n rhaid eu dysgu i chwarae
  cymeriad arbennig, *Wyt ti wedi dysgu dy ran*
  eto? part
  8 (mewn cerddoriaeth) y llinell o gerddoriaeth
  sy'n perthyn i un llais neu un offeryn mewn
  darn i nifer o leisiau a/neu offerynnau, *Cadw di*
  at dy ran di a phaid â dilyn neb arall. part
  9 ffawd, dyfodol, *Does neb ohonom yn gallu*
  rhagweld yr hyn a ddaw i'n rhan yn y dyfodol.
  fate, lot
rhan ymadrodd GRAMADEG unrhyw un o'r
dosbarthiadau y mae gair yn aelod ohono yn
ôl ei ddefnydd (*Mae enw, berf ac ansoddair yn*
rhannau ymadrodd.) part of speech
Ymadroddion
ar ran [ar fy rhan, ar dy ran, ar ei ran, ar ei
rhan, ar ein rhan, ar eich rhan, ar eu rhan] yn
lle on behalf of
o ran
  1 mor bell â, mewn perthynas â (*Er mai*
  Dafydd oedd y gorau yn y dosbarth o ran
  gallu, doedd yr un o'r athrawon yn ei hoffi am
  ei fod mor ddigywilydd.) as regards
  2 [o'm rhan, o'th ran, o'i ran, o'i rhan, o'n
  rhan, o'ch rhan, o'u rhan] for my (your, his etc.)
  part
  3 yn rhannol in part
rhan² *bf* [rhannu] *hynafol* mae ef yn rhannu/
mae hi'n rhannu; bydd ef yn rhannu/bydd hi'n
rhannu
rhanadwy *ans*
  1 y gellir ei rannu divisible
  2 MATHEMATEG am gyfanrif y mae'n bosibl ei
  rannu â chyfanrif arall heb adael gweddill,
  Mae 24 yn rhanadwy ag 8. divisible
rhanadwyedd *eg* y cyflwr (mathemategol) o fod
yn rhanadwy divisibility

rh

rhan-amser *adf* ac *ans* heb fod yn amser-llawn, yn cymryd rhan yn unig o amser rhywun (yn enwedig am swydd neu gyflogaeth) part-time

rhanbarth *eg* (rhanbarthau) rhan o wlad neu o'r byd, *Mae llawer o bobl yn credu mai rhanbarth o Loegr yw Cymru.*; ardal, goror, parth region, area, zone

rhanbarthiaeth *eb*
1 ymwybyddiaeth o ranbarth a theyrngarwch iddo regionalism
2 gweinyddiaeth yn seiliedig ar gyfundrefn o ranbarthau regionalism

rhanbarthol *ans* yn ymwneud â rhanbarth, nodweddiadol o ranbarth divisional, regional

rhanbartholi *be* [rhanbarthol•¹] (am wlad, ardal) trefnu yn rhanbarthau to regionalize, regionalization

rhandal:rhandaliad *eg* (rhandaliadau) swm o arian y cytunir ei dalu'n rheolaidd fel ffordd o ad-dalu swm mwy instalment

rhandir *eg* (rhandiroedd)
1 darn bach o dir mewn ardal adeiledig y mae cyngor neu gorff arall yn ei rentu i bobl gael ei arddio; llain allotment
2 *hanesyddol* (yn y cyfreithiau Cymreig) etifeddiaeth o ran neu gyfran o dir; treftad, treftadaeth patrimony, portion, tract

rhandy *eg* (rhandai) ystafell neu gyfres o ystafelloedd mewn adeilad, y mae pobl yn byw ynddynt annexe, apartment

rhanddeiliad *eg* (rhanddeiliaid) un sy'n cyfranogi o system neu wasanaeth, *Rhieni, plant a llywodraethwyr yw rhai o randdeiliaid y gyfundrefn addysg.*; budd-ddeiliad stakeholder

rhanedig *ans* wedi'i rannu; gwahanedig, ysgar divided, fragmented

rhangan *eb* (rhanganiadau:rhanganeuon) CERDDORIAETH cân (ddigyfeiliant fel arfer) ar gyfer dau neu ragor o leisiau lle mae un o'r lleisiau'n canu'r alaw part-song

rhangymeriad *eg* (rhangymeriadau) GRAMADEG ffurf ar y ferf (yn Saesneg ac mewn ieithoedd eraill) sy'n gallu cyflawni swydd ansoddair a bod yn rhan o ferfau cyfansawdd, e.e. *barking dog*, *burnt toast* participle

rhaniad *eg* (rhaniadau)
1 y weithred o rannu neu wahanu'n rhannau, canlyniad rhannu, *Roedd rhaniad clir yn y dosbarth rhwng y rheini oedd eisiau mynd i lan y môr a'r rheini oedd am fynd i'r theatr.*; gwahaniad, gwahaniaeth, hollt division
2 un o rannau rhywbeth; cyfran, rhan division
3 y llinell ar eich pen lle mae'ch gwallt wedi'i rannu; rhes wen parting
4 pleidlais yn y Senedd lle mae pawb sydd o blaid yn mynd i un man i fwrw eu pleidlais

a phawb sydd yn erbyn yn mynd i fan arall division
5 MATHEMATEG y weithred neu'r broses o rannu; sym rhannu division
6 BOTANEG un o brif gategorïau dosbarthiad tacsonomaidd; mae'n is na theyrnas ond yn uwch na dosbarth, ac yn cyfateb i 'ffylwm' ym maes swoleg division

rhaniad llafur yr arfer o rannu'r gwahanol dasgau a dyletswyddau mewn cwmni neu sefydliad fel bod pob unigolyn yn canolbwyntio ar un dasg benodol ac o ganlyniad yn gostwng cost cynhyrchu division of labour

rhannau *ell* lluosog **rhan**

rhannol *ans* mewn rhan (ond nid yn gyfan); lled in part
Sylwch: nid yw'n arfer cael ei gymharu.

rhannu *be* [rhann•¹⁰]
1 gwahanu yn rhannau, dosbarthu yn grwpiau, *Rhannodd yr athro'r dosbarth yn ddau dîm ar gyfer y cwis.*; datgysylltu (~ *rhywbeth* â) to divide, to part
2 rhoi cyfran o'r hyn sydd gennych i rywun arall, *Cofia rannu dy losin gyda'r plant eraill.* to share
3 MATHEMATEG darganfod faint o weithiau mae un rhif wedi'i gynnwys mewn rhif arall; rhannu rhif rhwng nifer penodol, *Beth yw 21 wedi'i rannu'n dair rhan? 21 ÷ 3 = 7* to divide
4 defnyddio gydag eraill, *Rwy'n ofni y bydd raid ichi rannu ystafell wely.* to share
5 dosbarthu ymhlith grŵp, *Wnewch chi rannu'r copïau 'ma ymhlith y gerddorfa, os gwelwch yn dda?* to distribute
6 bod yn achos anghydfod neu anghytundeb, *Mae'r cwestiwn o wahaniaethu ar sail hil yn rhannu'r gymdeithas.* to divide, to split
7 mynd i gyfeiriad gwahanol, *Mae'r afon yn rhannu'n dair yma.* to divide
8 dweud wrth, *Wyt ti'n bwriadu rhannu'r jôc gyda ni?* to share
9 (yn y Senedd) pleidleisio drwy wahanu yn ddwy garfan, y naill dros a'r llall yn erbyn to divide
Sylwch: dyblwch yr 'n' ym mhob ffurf ac eithrio yn y rhai sy'n cynnwys -*as*-.

rhannwr *eg* (rhanwyr)
1 un sy'n rhannu neu'n dosbarthu sharer
2 math o sgrin neu bared sy'n rhannu ystafell divider

rhannydd *eg* (rhanyddion)
1 person neu ddyfais sy'n rhannu rhywbeth cyfan yn rhannau divider
2 MATHEMATEG rhif y rhennir rhif arall (y rhannyn) ag ef, e.e. *Yn y sym 24 ÷ 8 = 3, y rhannydd yw 8 a'r rhannyn yw 24.* divisor

rhannydd foltedd ELECTRONEG cyfres o wrthyddion neu gynwysyddion sy'n rhannu'r foltedd mewn cylched, fel bod rhannau o'r gylched yn derbyn yr union foltedd sydd ei angen arnynt voltage divider

rhannyn *eg* (rhanynnau) MATHEMATEG rhif a rennir â rhannydd dividend

rhanwedd *eb* CYFRIFIADUREG meddalwedd cyfrifiadurol sy'n cael ei ddosbarthu mewn ffordd anffurfiol ac sydd ar gael yn rhad ac am ddim i'w werthuso, ond y disgwylir tâl amdano os parheir i'w ddefnyddio shareware

rhasgl *eg* (rhasglau) math o blaen bach â charn bob ochr iddo a ddefnyddir i lyfnhau arwynebau crwm spokeshave

rhasglu *be* [rhasgl•¹] defnyddio rhasgl i lyfnhau neu siapio darn o bren to smooth, to shape

rhastl:rhastal *eb* (rhastlau) rac (o bren neu haearn) a gâi ei gosod ar wal i ddal gwair neu fwyd anifeiliaid, yr oedd modd ei chodi a'i gwneud yn fwy anodd i gael bwyd ohoni, neu ei gostwng a'i gwneud yn haws i gael rhagor o fwyd; rhesel, rhestl cratch, rack

    codi'r rhastal lleihau ymborth, torri i lawr ar rywbeth (wrth godi'r rhastal nid yw anifail yn gallu cyrraedd cymaint o fwyd)

rhatach:rhataf:rhated *ans* [rhad] mwy rhad; mwyaf rhad; mor rhad

rhath *eg hanesyddol* bryncyn a chaer ar ei ben, twmpath ag adeiladwaith amddiffynnol, *Y Rhath*, Caerdydd; mwnt, tomen motte

rhathell *eb* (rhathellau) erfyn saer coed sydd â llafn hir o fetel a phigau drosto ar gyfer llyfnhau darn o bren neu fetel; crafwr, sgrafell rasp, file

rhathellu *be* [rhathell•¹] crafu â rhathell to file, to rasp

rhathiad *eg* (rhathiadau) man neu gyflwr lle mae rhywbeth wedi'i rathu, wedi'i rwbio i ffwrdd (croen fel arfer) chaffing

rhathu *be* [rhath•¹] rhwbio/rhwto nes bod rhywbeth yn treulio to chafe

rhaw *eb* (rhawiau:rhofiau) teclyn â choes hir a llafn llydan ar gyfer codi a symud pridd neu ddefnydd rhydd oddi ar y llawr; pâl ar gyfer rhofio shovel

rhawd *eb* cwrs, gyrfa, hanes, hynt career, course

rhawg:yrhawg *adf hynafol* am gyfnod sylweddol o amser for a long time

    ymhen yrhawg yn y diwedd, ymhen hir a hwyr eventually

rhawiaid gw. rhofiaid

rhawn *eg* y blew garw sy'n tyfu ym mwng neu yng nghynffon ceffyl; fe'i defnyddid i wneud bwa ffidil ac fel padin celfi horsehair

    na rhych na rhawn na phen na chynffon nor head nor tail

rhecsyn:rhacsyn *eg* unigol **rhacs**; bretyn, cadach, cerpyn, clwt rag

rhech *eb* (rhechod) *di-chwaeth* y weithred o ollwng gwynt (yn swnllyd yn aml) o'r pen-ôl; clec, cnec, pwmpen fart

rhech a rhwd *di-chwaeth* fel yn *dim ond rhech a rhwd*, yn ymddangosiadol, heb sylwedd all wind and piss

rhech dafad *di-chwaeth* rhywbeth neu rywun sydd dda i ddim a fart in a thunderstorm

rhechu:rhechain *be* [rhech•¹] *di-chwaeth* taro rhech, gollwng gwynt o'r anws; bramio, bremain to fart

rhechwr *eg* (rhechwyr) *di-chwaeth* un sy'n rhechu farter

rhedadwy *ans* (yn ramadegol am ran ymadrodd) y mae modd ei ffurfdroi, e.e. am ferfau ac arddodiaid conjugated, declinable

rhedeg *be* [rhed•¹ 3 un. pres. rhed/rheda; 2 un. gorch. rhed/rheda]
1 symud â chamau cyflym, fel bod y ddwy droed weithiau'n gadael y llawr yr un pryd, *Bydd gofyn iti redeg os wyt ti am ddal y trên.* to run
2 teithio cryn bellter yn y ffordd yma, *Rwy'n mynd allan i redeg.* to run
3 (am bobl neu anifeiliaid) rasio, *Rwyf am aros i weld y ceffyl yma'n rhedeg.* to race, to run
4 symud yn gyflym, *Dychrynodd y fam am ei bywyd pan welodd goets fach y babi yn rhedeg i lawr y llechwedd.* to run
5 gweithio'n effeithiol neu yn y ffordd briodol, *Mae'r car yn rhedeg yn llyfn.* to run, to work
6 gweithio mewn ffordd arbennig, *Mae'r system wresogi ganolog yn rhedeg ar nwy.* to run
7 (am gerbyd sy'n gwasanaethu'r cyhoedd) teithio, *Mae'r bysys yn rhedeg ar yr awr.* to run
8 (am hylif, tywod, etc.) llifo, *Pwy sydd wedi gadael y tap yn rhedeg? Mae fy nhrwyn i'n rhedeg eto.* to flow, to run
9 parhau, ymestyn, *llwybr yn rhedeg gydag ymyl yr afon* to run
10 bod yn berchen ar gar a'i yrru, *Wyt ti'n rhedeg car y dyddiau yma?* to run
11 bod yn gyfrifol am rywbeth a sicrhau ei fod yn gweithio, *Pwy sy'n rhedeg y busnes pan wyt ti ar dy wyliau?* to manage, to run
12 (am blanhigion) hadu, gwasgaru, e.e. *Mae'r rhiwbob wedi rhedeg.*
13 GRAMADEG rhestru gwahanol ffurfiau'r ferf sy'n dynodi pa nifer, pa berson a pha Amser y cyfeirir atynt to conjugate

rhedeg a rasio rhuthro o gwmpas

Ymadroddion

rhedeg ar dilorni, beirniadu criticize, to run down

rhedeg yr yrfa byw bywyd

rhedegfa *eb* (rhedegfeydd) man ar gyfer rhedeg ras; trac racecourse, racetrack

rhedegog *ans* yn rhedeg (yn enwedig yn yr ystyr o lifo), e.e. *dŵr rhedegog*; llifeiriol running

rhedegydd *eg* (rhedegwyr) un sy'n cario neges; negeseuydd courier

rhedfa *eb* (rhedfeydd)
  1 llain arbennig ar gyfer cynnal rasys, trac rasio racetrack, running track
  2 llain i awyrennau esgyn a glanio runway

rhediad *eg* (rhediadau)
  1 (mewn criced) pwynt sy'n cael ei ennill gan chwaraewr wrth iddo redeg o un wiced i'r llall run
  2 goleddf, cyfeiriad, cwrs, *rhediad y tir* slope
  3 grym a chyfeiriad llifeiriant, *rhwyfwyr yn brwydro yn erbyn rhediad y llif* flow, current
  4 cyfres o ddigwyddiadau (da neu ddrwg) yn dilyn ei gilydd, *Mae'r clwb wedi cael rhediad da yn y gystadleuaeth hyd yn hyn.* run, sequence
  5 (mewn gêm o gardiau) cyfres o gardiau a'u rhifau'n dilyn mewn trefn run
  6 casgliad o bethau sy'n cael eu hargraffu, cynhyrchu, etc. run
  7 GRAMADEG amrywiad ar ffurfiau berfol sy'n dangos y Modd, yr Amser, y nifer a'r person a ddynodir; ffurfdroad conjugation

rhediadol *ans* GRAMADEG yn ffurfdroi, y gellir ei redeg (am ferf, arddodiad, etc.) conjugated, inflected

rhedlif *eg* (rhedlifau) hylif sy'n cael ei ollwng, *rhedlif clust* discharge

rhedwr *eg* (rhedwyr) un sy'n rhedeg, yn enwedig mewn rasys runner

rhedyn *ell* lluosog **rhedynen** bracken

rhedynen *eb* (rhedyn) planhigyn gwyrdd diflodau a chanddo ffrondau deiliog tebyg i blu o ran eu siâp fern

rhefr *eg* (rhefrau) anws; yr agoriad yng nghefn y corff y mae ymgarthion yn mynd drwyddo o system dreulio'r corff anus

rhefrol *ans* yn perthyn i'r rhefr anal

rhefru *be* malu awyr; dweud y drefn; dwrdio to harangue, to rant, to jabber
  Sylwch: nid yw'r ferf hon yn arfer cael ei rhedeg.

rheffyn *eg* (rheffynnau) rhaff fach neu raff fer; cortyn, llinyn, tennyn rope

rheg *eb* (rhegfeydd) gair neu eiriau anweddus sy'n cael eu defnyddio i felltithio; cabledd, llw, melltith curse, swear word

rhegen yr ŷd *eb* (rhegynnod yr ŷd) aderyn y meysydd ŷd sydd â sgrech gras iawn corncrake

rhegfeydd *ell* lluosog **rheg**

rhegi *be* [rheg•[1] 3 *un. pres.* rheg/rhega; 2 *un. gorch.* rheg/rhega] defnyddio rheg, pentyrru rhegfeydd; damnio, diawlio, melltithio, tyngu to curse, to swear

rhegi a thaeru bytheirio rhegfeydd a melltithion to rant and rage

rhegwr *eg* (rhegwyr) un sy'n rhegi curser, swearer

rheng *eb* (rhengoedd)
  1 rhes neu linell o bobl (milwyr, plismyn, etc.) yn sefyll ysgwydd wrth ysgwydd rank, row
  2 gradd o werth neu bwysigrwydd, *Fel gwyddonydd, mae e yn y rheng flaenaf.*; gradd, lefel, safon rank
  3 (mewn gêm o rygbi) un o'r tair rhes o flaenwyr a gewch mewn sgarmes, *y rheng flaen, yr ail reng a'r rheng ôl* row

rheibiau *ell* lluosog **rhaib**

rheibies *eb* merch neu wraig sy'n rheibio witch

rheibio *be* [rheibi•[2]]
  1 gosod swyn neu raib ar rywbeth fel ei fod yn anlwcus neu'n aflwyddiannus, *Mae'r peiriant yma wedi'i reibio.*; cyfareddu, hudo, lledrithio, swyngyfareddu to bewitch, to jinx
  2 anrheithio, difrodi, distrywio to ravage

rheibiwr *eg* (rheibwyr)
  1 un sy'n bwrw hud, un sy'n rheibio; dewin, dyn hysbys, swynwr wizard
  2 un sy'n rheibio; anrheithiwr, difrodwr, ysbeiliwr plunderer

rheibus *ans*
  1 (am anifail yn aml) yn dwyn cymaint ag sy'n bosibl (drwy drais yn aml); ysglyfaethus predatory, rapacious
  2 anniwall, barus, gwancus, trachwantus greedy, voracious

rheidiau *ell* lluosog **rhaid**

rheidiol *ans* fel yn *angenrheidiol*, mae'n rhaid wrtho; gorfodol, hanfodol necessary, requisite

rheidiolaeth *eb* ATHRONIAETH yr athrawiaeth bod popeth wedi'i bennu gan achosion blaenorol, ac felly nad oes y fath beth ag ewyllys rydd necessitarianism

rheidrwydd *eg*
  1 grym neu ddylanwad sy'n gorfodi rhywun i wneud rhywbeth; dyled, gorfodaeth, rhwymedigaeth compulsion
  2 rhywbeth y mae'n rhaid ei wneud; rhaid necessity

rheidus *ans* mewn angen; anghenus needy

rheidden *eb* (rheiddennau)
  1 SWOLEG un o freichiau seren fôr neu anifail tebyg ray
  2 BOTANEG blodigyn unigol a geir hyd ymyl fflurben blodyn fel llygad y dydd ray

rheidden greiddiol *eb* BOTANEG un o nifer o letemau o feinwe yn cynnwys celloedd byw sy'n ymledu rhwng y meinwe sy'n cludo maeth a'r meinwe sy'n cludo dŵr ym mywyn coesyn planhigyn medullary ray

rheiddiadur *eg* (rheiddiaduron)
1 teclyn y mae ager neu ddŵr poeth yn llifo
drwyddo er mwyn gwresogi adeilad radiator
2 teclyn tebyg â thrydan yn ei wresogi radiator
3 dyfais sy'n cadw peiriant (e.e. car) rhag
twymo'n ormodol drwy wasgaru gwres yn
gyflym radiator

rheiddiau *ell* lluosog **rhaidd**

rheiddiol *ans*
1 â darnau wedi'u trefnu fel pelydrau neu
radiysau yn deillio o fan canolog radial
2 yn perthyn i reidden [rheidden], nodweddiadol
o reidden radial
3 (am deiar) gyda'r cordiau cryfhau ar ongl
sgwâr i'r gwadn radial

rheilen *eb* (rheiliau)
1 bar (o bren neu fetel) wedi'i osod yn sownd i
hongian rhywbeth arno, i gydio ynddo neu
i gadw rhywun neu rywbeth yn ddiogel;
canllaw rail
2 un o bâr o gledrau, sef y barrau dur y mae
trên yn rhedeg ar hyd-ddynt; cledr, trac rail

rheilffordd *eb* (rheilffyrdd)
1 cledrau i drenau redeg ar hyd-ddynt railway
track
2 cyfundrefn neu system sy'n cynnwys
y cledrau, y trenau, y gorsafoedd a'r bobl
sy'n gweithio ynddyn nhw neu arnyn nhw,
Rheilffordd Gwili railway

rheilffordd grog rheilffordd sy'n cael ei
chynnal ar gledrau neu geblau uwchben y tir
aerial railway

rheina *tafodieithol* gw. **rheini**[1]

rheini:rheiny *rhagenw dangosol* mwy nag un
'honno' neu 'hwnnw', *Gall y rheini ohonoch
chi sydd am siopa fynd i'r dref am awr*;
y rhai hynny, y rhai acw, y rheina those
Sylwch:
1 mae angen y neu 'r o flaen y ffurfiau hyn;
2 'rheini' yw'r ffurf safonol.

rheinws *eg* lle i gadw carcharor; carchar, dalfa,
jêl clink, lock-up

rheitiach:rheitiaf:rheitied *ans* [rhaid] mwy
angenrheidiol; mwyaf angenrheidiol; mor
angenrheidiol

rheithfarn *eb* (rheithfarnau) CYFRAITH
penderfyniad swyddogol rheithgor ar ddiwedd
prawf llys barn; dedfryd, dyfarniad verdict

rheithgor *eg* (rheithgorau) grŵp o bobl (12 fel
arfer) wedi'u dewis i wrando ar achos mewn
llys barn a phenderfynu a yw'r un sydd wedi'i
gyhuddo yn euog neu beidio jury
Sylwch: mae'n derbyn ffurf unigol neu luosog
berf.

rheithiwr *eg* (rheithwyr) aelod o reithgor juror

rheithor *eg* (rheithorion:rheithoriaid) CREFYDD
offeiriad sy'n gyfrifol am blwyf rector

rheithordy *eg* (rheithordai) y tŷ y mae rheithor
yn byw ynddo; persondy rectory

rheithoriaeth *eb* (rheithoriaethau) CREFYDD
swydd neu urddau rheithor rectorate,
rectorship

rhelyw *eg*
1 y gweddill, yr hyn sydd dros ben neu ar ôl;
gwarged remainder, the rest
2 erbyn hyn fe all olygu y mwyafrif, y rhan
fwyaf
Sylwch: mae angen y neu 'r o flaen y ffurf hon.

rhemp *eb* rhywbeth sydd wedi mynd dros ben
llestri, *Mae siarad Saesneg wedi mynd yn
rhemp yn yr ysgol.*; gormod, gormodedd excess,
rampant, rife

camp a rhemp gw. **camp**

rhenc *eb* (rhenciau) un o nifer o resi (o seddau) tier

rheniwm *eg* elfen gemegol rhif 75, metel
trosiannol, ariannaidd, prin (Re) rhenium

rhennais *bf* [rhannu] *ffurfiol* gwnes i rannu

rhenni *bf* [rhannu] *ffurfiol* rwyt ti'n rhannu;
byddi di'n rhannu

rhent *eg* (rhenti) tâl cyson am gael byw neu
redeg busnes yn rhywle neu ddefnyddio
rhywbeth sy'n perthyn i rywun arall rent

rhentu *be* [rhent•[1]]
1 talu i rywun yn gyson am gael defnyddio
rhywbeth o'i eiddo, *Erbyn hyn, mae'n well
gennyf rentu teledu yn hytrach na'i brynu.*;
hurio, llogi to rent
2 derbyn arian cyson gan rywun am gael
defnyddio rhywbeth o'ch eiddo, *Mi fyddaf yn
rhentu'r tŷ i fyfyrwyr tra byddaf i ffwrdd.*;
hurio to rent

rhentwr *eg* (rhentwyr) CYLLID person sy'n byw
ar incwm y mae'n ei dderbyn o fuddsoddiadau
neu eiddo rentier

rheol *eb* (rheolau)
1 rheoliad neu egwyddor yn pennu ymddygiad
neu ddull gweithredu mewn maes penodol o
weithgarwch; cyfarwyddyd, deddf, gorchymyn
rule, regulation
2 arfer i'w dilyn; norm, safon, trefn rule
Sylwch: 'deddf' yw'r gair a ddefnyddir am
reolau gwyddonol.

fel rheol yn gyffredinol, fel arfer, *Fel rheol,
rydym yn mynd i'r pictiwrs ar nos Sadwrn.*
as a rule

rheolaeth *eb*
1 y grym i reoli pobl neu bethau, i ddylanwadu
ar y ffordd y mae rhywbeth yn digwydd neu'n
cael ei wneud; disgyblaeth, trefn control
2 y weithred o reoli busnes neu gwmni,
canlyniad rheoli; gweinyddiaeth management
3 yr wyddor neu'r cyfuniad o sgiliau sydd eu
hangen i reoli cwmni neu grwpiau o weithwyr
yn effeithiol management

rh

rheolaeth cyfraith CYFRAITH yr egwyddor bod pawb a phob sefydliad yn ddarostyngedig i gyfraith ac yn atebol iddi rule of law

rheolaethol *ans* yn ymwneud â rheolaeth a rheoli managerial, controlling

rheolaidd *ans* yn digwydd yn gyson, dro ar ôl tro a chydag ysbaid tebyg o amser rhwng pob tro; cyson, defodol, gwastadol regular

Rheolau'r Ffordd Fawr *ell* y rhestr swyddogol o reolau ar gyfer y rhai sy'n defnyddio ffyrdd/heolydd y Deyrnas Unedig Highway Code

rheoledig *ans* yn cael ei reoli neu ei reoleiddio controlled, regulated

rheoleidd-dra *eg* y broses o reoleiddio, canlyniad rheoleiddio; cysondeb, sefydlogrwydd regularity

rheoleiddiad *eg* (rheoleiddiadau) y weithred neu'r broses o reoleiddio neu gael eich rheoleiddio regulation

rheoleiddio *be* [rheoleiddi•²]
1 rheoli neu gadw trefn yn ôl rheol neu reolau arbennig to regulate
2 addasu neu wneud mân newidiadau i'r ffordd y mae rhywbeth yn gweithio (o ran amser, llif, gradd, etc.) to regulate

rheoleiddiol *ans* yn rheoleiddio neu'n nodweddiadol o reoleidd-dra regulatory

rheoleiddiwr *eg* (rheoleiddwyr) un a benodir, fel arfer gan y wladwriaeth, i reoleiddio'r ffordd y mae busnes yn cael ei redeg neu wasanaeth yn cael ei ddarparu regulator

rheolfa *eb* (rheolfeydd) ystafell reoli, man archwilio a rheoli checkpoint, control point

rheolfan *eg* (rheolfannau) rheolfa

rheoli *be* [rheol•¹]
1 bod ag awdurdod dros wlad neu bobl, yn enwedig yn achos llywodraeth, *Er bod gan y Deyrnas Unedig frenhines, y llywodraeth sy'n ei rheoli.*; arglwyddiaethu, llywodraethu to govern, to rule
2 cadw trefn ar fusnes neu swyddfa, *Mae 'na gyfarfod o'r tîm rheoli yfory.*; goruchwylio, gweinyddu to administer, to manage, management
3 peri bod (rhywun neu rywbeth) yn ufuddhau i chi, cadw trefn, *Doedd y myfyriwr ddim yn gallu rheoli Dosbarth 9B.*; disgyblu, stiwardio to control
4 dal rhywbeth yn ôl; cadw rhywun neu rywbeth dan reolaeth, *Rheola dy hun!* to restrain
5 dangos y ffordd, *rheoli traffig*; arwain, cyfarwyddo, cyfeirio to direct
6 penderfynu natur rhywbeth, *Mae grym y llanw'n cael ei reoli gan symudiad y Lleuad.* to govern
7 trefnu bod rhywbeth yn gweithio ar gyflymder addas, yn ôl y galw; pennu amser, gradd, cyflymder, etc., *Mae'r holl waith yn cael ei reoli gan gyfrifiadur.* to control, to regulate

rheoliad *eg* (rheoliadau)
1 rheol awdurdodol yn ymwneud â manylion a gweithdrefnau regulation
2 rheol neu orchymyn a chanddo rym cyfreithiol regulation

rheoliadur *eg* (rheoliaduron)
1 dyfais electronig ar gyfer ysgogi cyhyr y galon a rheoli ei gyfangiadau pacemaker
2 ANATOMEG rhan o organ neu o'r corff sy'n rheoli unrhyw weithgarwch ffisiolegol rhythmig pacemaker

rheolus *ans* dan reolaeth; rheolaidd, trefnus orderly, regular

rheolwaith *eg* (rheolweithiau)
1 trefn arferol o wneud rhywbeth, ffordd awtomatig o gyflawni gweithred bob dydd routine
2 CYFRIFIADUREG rhaglen gyfrifiadurol ddigyfnewid routine

rheolwr *eg* (rheolwyr)
1 un sy'n rheoli cwmni neu fusnes neu dîm o chwaraewyr; arolygwr, goruchwyliwr, meistr, pennaeth manager
2 un sy'n rheoli gwlad; arweinydd, llywodraethwr, llywydd ruler

rheolwraig *eb* merch neu wraig sy'n rheoli

rheolwr-gyfarwyddwr *eg* (rheolwyr-gyfarwyddwyr) prif gyfarwyddwr cwmni managing director

rheolydd *eg* (rheolyddion)
1 rhan o beiriant sy'n rheoli neu'n addasu'r ffordd y mae'r peiriant neu ran ohono yn gweithio regulator
2 arbrawf neu berson a ddefnyddir wrth gymharu neu wirio canlyniadau arbrawf neu arolwg control

rheostat *eg* (rheostatau) rheolydd cerrynt trydanol sy'n gweithio drwy gynyddu neu leihau gwrthiant trydanol rheostat

rhes *eb* (rhesi:rhesau)
1 rhestr neu linell ddestlus o bobl neu bethau ochr yn ochr, neu'r naill un y tu ôl i'r llall, *Mae eich sedd chi yn y drydedd res.*; cyfres, rheng row, terrace, tier
2 bandyn neu linell (o liw fel arfer), *Roedd rhesi duon yn rhedeg i lawr y ffrog wen.* stripe

rhes wen rhaniad yn y gwallt parting

rhesel *eb* (rheseli) ffrâm a barrau, silffoedd neu begiau arno ar gyfer dal, trefnu neu gadw pethau; rhastl, rhastal rack

rhesinen *eb* (rhesins) un o nifer o rawnwin wedi'u sychu raisin

rhesog *ans*
1 yn streipiau, ac arno stribedi striped, banded

2 ac iddo rigolau neu rychau; caerog ribbed, ridged
3 ANATOMEG am feinwe rhai mathau o gyhyrau lle y ceir rhychau golau a thywyll am yn ail striated

rhestr *eb* (rhestri)
1 cyfres o enwau neu bethau wedi'u hysgrifennu (fel arfer) y naill ar ôl y llall er mwyn eu cofio, e.e. *rhestr siopa*; catalog, cofrestr, tabl list, inventory, roster
2 *tafodieithol, yn y De* rhes row
rhestr fer rhestr wedi'i chwtogi o ymgeiswyr (am swydd, mewn cystadleuaeth neu am wobr) y dewisir un llwyddiannus ohoni shortlist
rhestr gyflogau rhestr o weithwyr cwmni a'u cyflogau; cyflogres payroll
rhestredig *ans* wedi'i restru listed
rhestru *be* [rhestr•[1]] ysgrifennu neu drefnu mewn rhestr, *Rhestrwch eich hoff fwydydd.*; enwi, trefnu to list
rheswm *eg* (rhesymau)
1 yr hyn sy'n achosi rhywbeth neu sy'n peri iddo ddigwydd, *Beth yw'r rheswm am yr holl sŵn 'ma?*; achos (~ **am, dros**) cause, reason
2 yr esboniad neu'r eglurhad pam mae rhywbeth wedi digwydd neu'n mynd i ddigwydd, *Beth yw eich rheswm am adael?* explanation, reason
3 y gallu i feddwl, deall a dod i gasgliad synhwyrol, *Rwy'n methu'n lân â gweld unrhyw reswm yn ei ddadleuon.* reason
allan o bob rheswm/y tu hwnt i bob rheswm yn hollol afresymol out of the question
dal pen rheswm gw. dal
mae rheswm yn dweud mae'n amlwg it stands to reason
wrth reswm yn naturiol, wrth gwrs naturally, of course

rhesws *ans* BIOCEMEG (fe'i defnyddir ar ffurf y byrfodd 'Rh' gan amlaf, e.e. *ffactor Rh*) un o nifer o sylweddau a geir yng nghelloedd coch gwaed dynol a gwaed rhai mwncïod a ddefnyddir i bennu grwpiau gwaed; gall y gwrthgyrff a gynhyrchir wrth gymysgu grwpiau gwaed anghydnaws, e.e. yn ystod beichiogrwydd neu wrth drallwyso gwaed, achosi marwolaeth rhesus
rhesws-bositif BIOCEMEG am waed sy'n cynnwys y ffactor rhesws rhesus positive
rhesws-negatif BIOCEMEG am waed nad yw'n cynnwys y ffactor rhesws rhesus negative

rhesymeg *eb*
1 gwyddor rhesymu yn ôl dulliau ffurfiol logic
2 ffordd o resymu neu o osod meddyliau at ei gilydd i lunio casgliad logic, rationale
rhesymegol *ans* yn cydymffurfio â rheolau rhesymeg, neu am gasgliad sy'n deillio o

ddilyniant dilys o feddyliau logical, coherent, rational
rhesymegwr:rhesymegydd *eg* (rhesymegwyr) un sy'n arbenigo mewn astudio rhesymeg, un sy'n meddwl yn rhesymegol logician
rhesymiad *eg* (rhesymiadau) y broses o resymu reasoning
rhesymol *ans*
1 yn ymddwyn yn synhwyrol; call, pwyllog, ystyriol reasonable
2 am brisiau neu ddâl teg sydd heb fod yn ormodol; canolig, cymedrol, gweddol, rhad reasonable
rhesymoldeb *eg* y cyflwr neu'r ansawdd o fod yn rhesymol; cymedroldeb, pwyll reasonableness
rhesymoli *be* [rhesymol•[1]]
1 gwneud i rywbeth gydymffurfio â rhesymeg neu ymddangos yn rhesymegol to rationalize
2 cyflwyno ateb yn seiliedig ar natur yn hytrach nag ar bethau goruwchnaturiol to rationalize
rhesymoliad *eg* (rhesymoliadau) y broses o resymoli, canlyniad rhesymoli rationalization
rhesymoliaeth *eb*
1 yr arfer o apelio at reswm fel yr awdurdod pennaf mewn materion crefyddol rationalism
2 ATHRONIAETH yr athrawiaeth bod deall yn gryfach sail na theimladau ac emosiynau ar gyfer gwybod neu benderfynu rhywbeth rationalism
rhesymolrwydd *eg* y cyflwr o fod yn rhesymol reasonableness
rhesymolwr *eg* (rhesymolwyr) un sy'n arddel rhesymoliaeth rationalist
rhesymu *be* [rhesym•[1]]
1 meddwl (gam wrth gam) to reason
2 darbwyllo drwy ddadl, dal pen rheswm, *Mae'n ofer ceisio rhesymu ag ef tra bydd fel hyn.*; dadlau, pledio, trafod to argue, to reason
rhesymwaith *eg* sail resymegol penderfyniad neu ddull o weithredu rationale
rhethreg *eb*
1 celfyddyd trin geiriau i argyhoeddi pobl ar lafar neu'n ysgrifenedig; areitheg, huodledd rhetoric, oratory
2 mynegiant ffuantus, siarad neu ysgrifennu yn unig er mwyn creu effaith, e.e. rhethreg wag rhetoric
rhethregol *ans*
1 yn perthyn i rethreg, nodweddiadol o rethreg rhetorical
2 yn defnyddio iaith rwysgfawr a phwysig rhetorical
rhethregwr:rhethregydd *eg* (rhethregwyr) un hyddysg mewn rhethreg; areithiwr rhetorician
rhew *eg* (4 rhewogydd)
1 dŵr sydd wedi rhewi'n gorn; iâ ice

2 tywydd pan fydd y tymheredd yn is na rhewbwynt dŵr; cyflwr y ddaear neu'r aer pan fydd wedi rhewi, *Mae rhew yn gallu lladd planhigion.* frost

3 cyfnod o dywydd fel hyn, *Mae'r rhagolygon yn awgrymu y bydd y rhew yn parhau am wythnos arall o leiaf.* frost

4 (*lluosog* rhewogydd) llwydrew neu farrug caled (yn cynnwys iâ mewn mannau) *Byddwch yn ofalus, mae yna drwch o rew ar y llwybr.* frost

rhew du haen beryglus o iâ caled, llithrig, anweledig ar ffordd/heol black ice

rhewbwynt *eg* (rhewbwyntiau)

1 y tymheredd (0°C) pan fydd dŵr yn troi'n iâ freezing point

2 y tymheredd pan fydd hylif arbennig yn rhewi freezing point

rhewedig *ans* wedi'i rewi'n gorn frozen

rheweiddiad *eg* y broses o reweiddio, canlyniad rheweiddio refrigeration

rheweiddio *be* [rheweiddi•²] oeri rhywbeth (bwyd yn fwyaf arbennig), er mwyn ei gadw rhag pydru neu ddifetha to refrigerate

rhewgell:rhewgist *eb* (rhewgelloedd:rhewgistiau) math o gwpwrdd neu focs ar gyfer rhewi bwydydd a'u cadw am gyfnodau hir deep freeze, freezer

rhewi *be* [rhew•³]

1 (am hylif, yn enwedig dŵr) caledu'n iâ neu gael ei droi'n iâ oherwydd oerfel mawr, *Mae hyd yn oed y môr wedi rhewi.* to freeze

2 caledu oherwydd yr oerfel, *Cafodd y gêm bêl-droed ei gohirio am fod y cae wedi rhewi.* to freeze

3 methu gweithio'n iawn oherwydd oerfel neu iâ, *Mae peiriant y car wedi rhewi.* to freeze

4 (am y tywydd) bod yn is na'r tymheredd pan fydd dŵr yn troi'n iâ (0°C) *Rhewodd yn galed neithiwr.*; barugo, llwydrewi to freeze

5 bod yn oer iawn, *Mae hi'n rhewi yn yr ystafell hon.* to freeze

6 aros yn stond, methu mynd yn ei flaen, *Rhewodd yr actor ar ganol brawddeg. Mae'r cyfrifiadur wedi rhewi eto.* to freeze

7 cadw bwyd ar dymheredd isel iawn rhag iddo bydru, e.e. *cyw iâr wedi'i rewi* to freeze

8 peidio â chodi na gostwng cyflogau neu brisiau am gyfnod arbennig to freeze

9 gwahardd (asedau, cyfrifon banc, etc.) rhag cael eu defnyddio to freeze

rhewlif *eg* (rhewlifau) DAEAREG afon o iâ daearol amrywiol iawn ei ffurf sy'n llifo ar i waered dan ddylanwad disgyrchiant glacier

rhewlifedig *ans* DAEAREG a orchuddir neu a orchuddiwyd gan rewlif neu len iâ glaciated

rhewlifeg *eb* DAEAREG astudiaeth wyddonol o ddosbarthiad ac ymddygiad eira ac iâ ar wyneb y Ddaear glaciology

rhewlifiant *eg* (rhewlifiannau)

1 METEOROLEG y newid sydyn sy'n digwydd pan fo dafnau o ddŵr yn troi'n grisialau iâ ym mhen uchaf cwmwl cwmwlws datblygol glaciation

2 DAEAREG cyfnod rhewlifol pan fo rhewlifau a llenni iâ'r ardaloedd alpaidd a phegynol yn ymestyn ac yn gorchuddio rhannau sylweddol o arwyneb y Ddaear glaciation

rhewlifol *ans* DAEAREG yn nodweddu rhewlif neu wedi'i achosi gan rewlif a llen iâ glacial

rhewlyn *eg* (rhewlynnoedd) llyn rhewlifol glacial lake

rhewllyd *ans* oer iawn, mor oer fel ei bod yn rhewi, yn gafael; fferllyd, oerias, rhynllyd freezing, frosty, icy

rhewydd *eg* (rhewyddion)

1 moddion at ostwng tymheredd y corff refrigerant

2 sylwedd cemegol sy'n gallu newid yn rhwydd o fod yn hylif i fod yn nwy ac a ddefnyddir mewn oergelloedd a rhewgelloedd refrigerant

rhewyn *eg* (rhewynnau) nant fechan rill

rhewynt *eg* (rhewyntoedd) gwynt rhewllyd ice-cold wind

rhëydr *ell* lluosog **rhaeadr**

rhi *eg* (rhiau) *hynafol* brenin, arglwydd king, lord

rhiain *eb* (rhianedd) *llenyddol* merch; bun, geneth, morwyn damsel, maiden

rhiaint *ell* lluosog **rhiant**

rhialtwch *eg* sbort a sbri swnllyd, miri a llawenydd llawn cyffro; asbri, cyfeddach, hwyl festivity, merrymaking, revelry

rhiant *eg* unigol **rhieni**, mam neu dad parent

rhiant-gell *eb* (rhiant-gelloedd) BIOLEG cell sy'n rhoi bodolaeth i gelloedd eraill, e.e. drwy ymrannu i gynhyrchu dwy neu ragor o epilgelloedd; mamgell parent cell

rhibidirês *eb* rhes neu gadwyn hir heb fawr o drefn arni rigmarole, string

rhibyn *eg* (rhibynnau) rhes hir, gul; stribyn row, streak

rhic *eg* (rhiciau) toriad ar ffurf V yn ymyl neu wyneb rhywbeth notch

rhicio *be* [rhici•²] torri rhic, gwneud bwlch to nick, to notch, to score

rhidennu *be* gosod rhidens neu weithredu fel rhidens to fringe

Sylwch: nid yw'r ferf hon yn arfer cael ei rhedeg.

rhidens *ell* ymyl addurnedig megis darnau o edafedd yn hongian ar waelod llen, lliain bwrdd, etc.; eddi fringe

rhidyll *eg* (rhidyllau) math o rwyd fetel neu blastig mewn ffrâm, ar gyfer gwahanu talpiau mawr oddi wrth dalpiau bychain neu lwch, neu ar gyfer hidlo talpiau mewn hylif; gogor, gogr, hidl filter, riddle, sieve

rhidyllu *be* [rhidyll•¹] gollwng (pethau solet fel arfer) drwy ridyll er mwyn eu gwahanu, *rhidyllu am aur*; gogrwn, hidlo, nithio, peillio (~ *rhywbeth* **drwy**) to riddle, to sift, to sieve, to pan

rhieingerdd *eb* (rhieingerddi) cân serch, cân yn moli merch

rhieni *ell* lluosog **rhiant**
  1 eich tad a'ch mam parents
  2 tadau a mamau, *cymdeithas rhieni ac athrawon yr ysgol* parents

rhif *eg* (rhifau)
  1 y gair neu'r symbol sy'n dangos nifer neu faint, *Mae 2, 3 a 4 yn rhifau rhwng 1 a 5. Cewch rif weithiau ar ben tudalen ac weithiau ar ei waelod.*; ffigur, rhifolyn figure, number
  2 o ddefnyddio'r gair 'rhif' o flaen rhifolyn, mae'n gallu cyfleu maint neu drefn arbennig, *Rydym yn byw yn rhif 5.* number
    Sylwch: mae *nifer* fel arfer yn cyfeirio at swm neu gyfanswm, a *rhif* yn cyfeirio at ffigur.

rhif anghymarebol MATHEMATEG rhif na ellir ei fynegi yn gymhareb sy'n cynnwys dau gyfanrif, *Mae π a √2 yn rhifau anghymarebol.* irrational number

rhif atomig CEMEG nifer y protonau neu nifer yr electronau mewn atom niwtral, a threfn yr elfennau yn y tabl cyfnodol atomic number

rhif ciwb MATHEMATEG y canlyniad a ddaw o luosi rhif ag ef ei hun ddwywaith, *Rhif ciwb 2 yw 8 (sef 2 × 2 × 2).* cube number

rhif cyfan rhif heb ffracsiynau; cyfanrif whole number

rhif cymarebol MATHEMATEG rhif y gellir ei fynegi yn gymhareb dau gyfanrif, ffracsiwn rational number

rhif cymysg MATHEMATEG rhif yn cynnwys cyfanrif a ffracsiwn bondrwm, e.e. $3\frac{1}{8}$, $5\frac{3}{4}$ mixed number

rhif cysefin MATHEMATEG cyfanrif (ac eithrio 1) nad oes iddo ond dau ffactor, sef y rhif ei hun ac 1, *Mae 2, 3, 5, 7, 11 ac 13 yn rhifau cysefin ond nid felly 1, 4, 6, 8.* prime number

rhif màs FFISEG cyfanswm y nifer o brotonau a niwtronau mewn niwclews mass number

rhif negatif MATHEMATEG rhif sy'n llai na sero negative number

rhif positif MATHEMATEG rhif sy'n fwy na sero positive number

rhif prifol MATHEMATEG rhif yn dynodi maint neu nifer, e.e. 'un', 'dau', 'tri', sy'n wahanol i rifau trefnol fel 'cyntaf', 'ail', 'trydydd' cardinal number

rhif sgwâr MATHEMATEG y canlyniad a ddaw o luosi rhif ag ef ei hun, *Rhif sgwâr 3 yw 9 (sef 3 × 3).* square number

rhif trefnol MATHEMATEG rhif yn pennu lle rhywbeth mewn cyfres, e.e. 'cyntaf', 'ail', 'trydydd' ('trydedd') ordinal number *Ymadrodd*

rhif y gwlith gw. gwlith

rhifadwy *ans* MATHEMATEG y gellir eu rhifo countable, enumerable

rhifadwyedd *eg* MATHEMATEG y cyflwr o fod yn rhifadwy countability

rhifedi *eg ac ell* swm neu nifer, ail elfen *dirifedi*; llawer, nifer number

rhifedd *eg* y gallu i ddefnyddio rhifau a deall egwyddorion sylfaenol rhifyddeg numeracy

rhifiad *eg* (rhifiadau)
  1 y broses o bennu pa nifer; cyfrif enumeration
  2 rhestr yn gosod un ar ôl y llall enumeration

rhifiadol *ans* yn ymwneud â rhifau, wedi'i fynegi'n rhifau; rhifol numeric, numerical

rhifiadur *eg* (rhifiaduron) MATHEMATEG y rhif uwchben y llinell mewn ffracsiwn ac sy'n nodi pa sawl un sydd o'r rhif a gynrychiolir gan yr enwadur, e.e. 3 yn ³/₈ numerator

rhifo *be* [rhif•¹]
  1 rhoi rhif i, *Mae'r seddau wedi'u rhifo o un i gant.* to number
  2 cyfrif; adrodd y rhifolion (1, 2, 3, etc.) mewn trefn, er enghraifft er mwyn canfod sawl gwrthrych sydd o'ch blaen, *Hen fenyw fach Cydweli/Yn gwerthu losin du,/Yn rhifo deg am ddime/Ond un ar ddeg i mi.* to count

rhifog *ans* yn deall egwyddorion sylfaenol rhifyddeg ac yn gallu defnyddio rhifau i gyfrif numerate

rhifol¹:rhifolyn *eg* (rhifolion) arwydd sy'n cael ei ddefnyddio i gynrychioli rhif, e.e. rhifolion Hindŵ–Arabaidd: 1, 2, 3, 10, 50; rhifolion Rhufeinig: I, II, III, X, L numeral

rhifol² *ans* yn perthyn i rifau, yn cael ei fynegi ar ffurf rhifau; rhifiadol numeric

rhifoledig *ans* CERDDORIAETH â rhifau o dan ran y bas yn dynodi cordiau figured

rhif PIN *eg* (rhifau PIN) rhif cyfrinachol, pedwar digid fel arfer, a roddir i unigolyn gan fanc, etc. er mwyn dilysu trafodion electronig, e.e. talu biliau PIN number

rhifydd *eg* (rhifyddion) dyfais sy'n nodi nifer neu swm counter

rhifyddeg *eb*
  1 gwyddor rhifau arithmetic
  2 y gangen o fathemateg sy'n ymwneud â chyfrifiadau sylfaenol fel adio, tynnu, lluosi a rhannu arithmetic

rh

rhifyddeg pen y gwaith o gyfrifo rhifau
yn y pen heb ysgrifennu rhifau i lawr neu
ddefnyddio cyfrifiannell mental arithmetic

rhifyddol *ans* yn ymwneud â rhifyddeg,
yn defnyddio rhifyddeg arithmetical

rhifyn *eg* (rhifynnau) (am gylchgrawn) un o'r
rhannau sy'n cael eu cyhoeddi issue, number,
instalment

rhigod *eg* ffrâm o bren yr oedd modd cloi'r pen
a'r dwylo ynddi er mwyn cosbi rhywun yn
gyhoeddus; cyff i'r pen a'r dwylo pillory

rhigodi *be* gosod mewn rhigod fel cosb
to pillory
Sylwch: nid yw'r ferf hon yn arfer cael ei rhedeg.

rhigol *eb* (rhigolau)
1 llwybr neu rych cul iawn ar gyfer cyfeirio
rhywbeth, *Faint o rigolau sydd ar wyneb
record hir? Un.*; cwys, rhych, sianel groove, rut
2 *ffigurol* cyflwr rhywun sy'n gwneud yr un peth
(diflas, fel arfer) drwy'r amser, heb fentro ar
ddim byd newydd rut
3 ANATOMEG rhych cul, yn enwedig ar wyneb
yr ymennydd sulcus
4 DAEAREG math o rych ar wyneb craig
wedi'i greu gan rym erydol rhewlif neu len iâ
groove

rhigoli *be* torri rhigol to groove
Sylwch: nid yw'r ferf hon yn arfer cael ei rhedeg.

rhigoliad *eg* y broses o rigoli, canlyniad rhigoli
furrowing, rutting

rhigolog *ans* wedi'i rigoli; caerog, rhychiog
grooved

rhigolydd *eg* (rhigolyddion) dyfais torri rhigolau,
plaen rabad rebating plane, router

rhigwm *eg* (rhigymau) pennill neu gân nad yw'n
ceisio bod yn farddoniaeth fawr ac sydd yn aml
yn ddoniol doggerel, jingle, rhyme

rhigymu *be* [rhigym•¹] cyfansoddi rhigymau neu
benillion ysgafn; mydryddu to versify

rhigymwr *eg* (rhigymwyr) un sy'n cyfansoddi
rhigymau neu benillion ysgafn; crachfardd
poetaster, rhymester

rhingyll *eg* (rhingylliaid)
1 swyddog yn y fyddin neu'r awyrlu sydd
ymhlith yr uchaf o'r swyddogion hynny nad
ydynt wedi'u penodi drwy gomisiwn wedi'i
arwyddo gan bennaeth y llywodraeth; gellir
ei adnabod fel arfer oddi wrth y tair streipen
ar ffurf V, y naill uwchben y llall, ar lewys ei
lifrai; sarsiant sergeant
2 swyddog heddlu rhwng cwnstabl ac
arolygydd; mae arwyddion tebyg ar ei lifrai
yntau/hithau sergeant

rhimyn *eg* (rhimynnau)
1 ymyl allanol rhywbeth; cantel rim
2 streipen, *rhimyn o siocled o gwmpas ei cheg*;
llain, *rhimyn o dir* strip

rhin *egb* (rhiniau)
1 daioni neu nodd cuddiedig neu gyfrinachol;
y peth hanfodol (da) y mae'r gweddill yn deillio
ohono; rhinwedd essence, virtue
2 ymwybod â theimlad o hyfrydwch charm,
enchantment

rhinc *eb* (rhincod) sŵn gwichlyd, cras, annymunol
sy'n peri'r deincod

rhincian *be*
1 fel yn *rhincian dannedd*, gwneud sŵn drwy
falu eich dannedd yn erbyn ei gilydd mewn
gofid neu dymer; crensian dannedd, ysgyrnygu
dannedd; rhygnu, ysgyrnygu to gnash, to grind
2 gwneud sŵn fel drws gwichlyd yn cael ei agor
to creak
Sylwch: nid yw'r ferf hon yn arfer cael ei rhedeg.

rhinflas *eg* trwyth neu flas hanfodol planhigyn,
llysiau, cnau, etc. wedi'i ynysu yn nodd neu rin
cyddwysedig essence

rhiniog:hiniog *eg* (rhiniogau:hiniogau) carreg y
drws; trothwy doorstep, threshold

rhiniol *ans*
1 ac iddo rin neu naws ddirgel ac arbennig,
dŵr rhiniol magical, mystical
2 â theimlad o hyfrydwch enchanting

rhinitis *eg* MEDDYGAETH llid ym mhilen fwcaidd
y trwyn rhinitis

rhinoseros *eg* (rhinoserosod) mamolyn mawr
trwm o Asia ac Affrica; mae ganddo groen
trwchus ac un corn neu ddau ar ei drwyn
rhinoceros

rhinwedd *egb* (rhinweddau)
1 daioni moesol, *Roedd ei gonestrwydd
diniwed yn rhinwedd prin yn y cwmni
arbennig hwnnw.*; rhin virtue
2 nodwedd i'w chanmol, *Un o rinweddau'r
drefn newydd yw y bydd llawer llai o waith
cartref.* virtue

yn rhinwedd oherwydd, o ganlyniad i, *Rwy'n
cael mynd am ddim yn rhinwedd fy swydd fel
ysgrifennydd y gymdeithas.* by virtue

rhinweddol *ans* llawn daioni, yn arddangos
nodweddion da, yn gwneud lles; bucheddol,
egwyddorol, iachaol, moesol virtuous,
efficacious

rhip *eg* (rhipiau) teclyn hogi pladur neu gryman
ar ffurf coes hir o bren wedi'i orchuddio â
bloneg a graean neu dywod strickle

rhipyn *eg* (rhipynnau) rhiw fer; allt, tyle incline

rhisgl *eg*
1 gorchudd allanol coeden bark
2 gorchudd allanol, naturiol rhai ffrwythau
neu lysiau; crawen, croen, masgl, pil peel, rind

rhisglo *be* [rhisgl•¹]
1 ffurfio croen tebyg i risgl
2 tynnu'r rhisgl, bod y rhisgl yn cwympo i
ffwrdd; crafu, pilio, plicio to peel

rhisom *eg* (rhisomau) BOTANEG rhan o goesyn planhigyn sy'n tyfu dan y ddaear; mae'n tewhau wrth grynhoi bwyd, ac yn cynhyrchu blagur a gwreiddiau rhizome

rhith *eg* (rhithiau)
1 gwedd allanol, ffurf allanol, *Ymddangosodd y tywysog yn rhith broga.*; diwyg, ymddangosiad form, guise, illusion, semblance
2 darlun dychmygol yn y meddwl, llun lledrithiol; dychymyg, ffansi, ffugiad, ymddangosiad hallucination, illusion
3 bwgan, drychiolaeth, ysbryd apparition, phantom
   rhith wy:rhith y ceiliog calasa chalaza

rhithawdur *eg* (rhithawduron) un sy'n ysgrifennu llyfr ar ran rhywun arall (enwog fel arfer) gan adael i ddarllenwyr dybio mai'r person enwog yw'r awdur ghost writer

rhithdyb *eb* (rhithdybiau) SEICOLEG cyflwr meddyliol annormal a nodweddir gan gred anghywir am yr hunan neu am bobl neu bethau eraill a hynny yn groes i bob ffaith delusion

rhithdduwiol:rhithgrefyddol *ans* ymddangosiadol dduwiol/grefyddol (heb fod felly mewn gwirionedd) sanctimonious

rhithganfod *be* [20] SEICOLEG gweld rhywbeth mewn ffordd nad yw'n cyfateb i realiti oherwydd rhyw newid goddrychol ym meddwl yr un sy'n dirnad y peth; camganfod to experience an illusion

rhithganfyddiad *eg* (rhithganfyddiadau) SEICOLEG ffordd o weld rhywbeth nad yw'n cyfateb i realiti oherwydd newid goddrychol ym meddwl yr un sy'n canfod y peth illusion

rhith-gof *eg* CYFRIFIADUREG cof sy'n ymddangos fel petai'n cael ei gadw ym mhrif storfa'r cyfrifiadur er bod y rhan fwyaf ohono'n cael ei gynnal gan ddata a gedwir mewn storfa eilaidd virtual memory

rhithgrefyddol gw. rhithdduwiol

rhithio *be* [rhithi•²] galw i fodolaeth yn ymddangosiadol; consurio, dewinio, rheibio, ymffurfio (~ *rhywbeth* o) to conjour up

rhithiol *ans* tebyg i rith neu gysgod; ffug, lledrithiol, twyllodrus, ymddangosiadol hallucinatory, illusory

rhithiolaeth *eb* CELFYDDYD technegau arlunio fel y defnydd o gysgod ac o bersbectif i greu argraff o dri dimensiwn illusionism

rhithlun *eg* (rhithluniau) METEOROLEG rhith optegol a achosir wrth i olau gael ei blygu drwy haenau o aer yn rhan isaf yr atmosffer; fe'i nodweddir gan newidiadau fertigol mawr yn eu tymheredd, mae'n gwneud i bethau pell ymddangos yn agos ac i bethau eraill (fel dŵr) ymddangos pan nad ydynt yno o gwbl mewn gwirionedd; lleurith mirage

rhithweledigaeth *eb* (rhithweledigaethau) canfyddiad goddrychol o wrthrychau neu realiti nad yw'n bod, yn deillio o anhwylder meddwl, e.e. mewn ymateb i rai cyffuriau hallucination

rhithweledigaethol *ans* (am sylwedd neu gyffur) yn achosi rhithweledigaethau hallucogenic

rhithwir *ans*
1 (drwy rym meddalwedd a chyfrifiaduron) yn ymddangos ac yn ymateb fel petai iddo fywyd neu fodolaeth virtual
2 FFISEG wedi'i lunio yn y man lle mae'n ymddangos bod pelydrau golau yn dod ynghyd, yn hytrach nag yn y man lle mae hynny'n digwydd mewn gwirionedd virtual

rhithwiredd *eg* y cyflwr neu'r ansawdd o fod yn rhithwir verisimilitude

rhithwirionedd *eg* delwedd dri dimensiwn a gynhyrchir gan gyfrifiadur y mae modd rhyngweithio â hi mewn ffordd ymddangosiadol gorfforol drwy ddefnyddio peiriannau electronig arbenigol virtual reality

rhithyn *eg* yr ychydig lleiaf; gronyn, iot, mymryn, tamaid, jot, particle

rhiw *eb* (rhiwiau) ffordd/heol neu lwybr sy'n mynd (yn raddol) ar i fyny neu ar i lawr; allt, llechwedd, llethr, tyle hill, slope, acclivity

rhiwbob:riwbob *eg* planhigyn gardd â dail llydan a choesynnau coch neu wyrdd a ddefnyddir i wneud tarten, jam, etc. rhubarb

rhiwmatoleg *eb* MEDDYGAETH cangen o feddygaeth sy'n ymwneud â chryd cymalau, arthritis ac anhwylderau eraill cymalau, cyhyrau a gewynnau'r corff rheumatology

rho *bf* [rhoi] gorchymyn i ti roi; dyro

rhoces:rhocen *eb* (rhocesi:rhocenni) *tafodieithol, yn y De* merch ifanc; croten, geneth, hogen, llances girl, lass

rhocyn *eg* (rhocynnod) *tafodieithol, yn y De* bachgen; còg, crwt, gwas, hogyn, mab boy, lad

rhoch *eb* y sŵn sy'n cael ei wneud gan fochyn grunt

rhochian *be*
1 (am fochyn) gwneud sŵn tebyg i chwyrnu to grunt
2 (am bobl) chwyrnu; gwneud sŵn yng nghefn y gwddf drwy anadlu'n drwm wrth gysgu to grunt, to snore
   Sylwch: nid yw'r ferf hon yn arfer cael ei rhedeg.

rhochlyd *ans* yn rhochian croaking, snorting

rhod *eb* (rhodau)
1 *hynafol* olwyn, yn enwedig olwyn sy'n gyrru melin ddŵr; troell wheel
2 cylch, cylchdro, orbit circle, cycle, orbit
   rhod ddŵr rhod ar ffurf dwy olwyn yn cynnwys cyfres o gafnau neu fwcedi; mae grym y dŵr wrth lenwi'r rhain ac yna, wrth

rh

iddynt gael eu gwacáu, yn troi rhod sydd yn
ei thro yn troi echel sy'n gyrru peirianwaith
water wheel

troad y rhod gw. **troad**

Ymadrodd

o rod i rod o genhedlaeth i genhedlaeth

rhoden *eb* (rhodenni) gwialen hir, denau o bren,
metel neu blastig rod

rhodfa *eb* (rhodfeydd) llwybr neu bafin llydan
ar gyfer cerddwyr, yn enwedig mewn trefi
glan y môr; tramwyfa promenade, avenue,
boulevard

rhodianna *be* [rhodiann•¹⁰]
  1 mynd am dro, cerdded ling-di-long (~ **ar hyd**)
  to stroll
  2 teithio o gwmpas er mwyn ymweld â phobl
  to pay visits
  Sylwch: dyblwch yr 'n' ym mhob ffurf ac
  eithrio yn y rhai sy'n cynnwys *-as-*.

rhodio *be* [rhodi•²] *llenyddol* mynd am dro,
  *Gwelais fachgen a merch yn rhodio law
  yn llaw.*; cerdded, crwydro, troedio to stroll,
  to walk

rhodiwm *eg* elfen gemegol rhif 45; metel caled,
dwys, arianwyn sy'n gatalydd tebyg i blatinwm
(Rh) rhodium

rhodiwr *eg* (rhodwyr) un sy'n rhodio; cerddwr,
heiciwr, teithiwr wanderer

rhodlen:rhodl *eb* (rhodlenni:rhodlau)
  1 rhwyf fach, polyn a llafn ar ei ben ar gyfer
  rhwyfo cwch oar, scull
  2 polyn byr sydd â llafn llydan naill ai ar
  un pen neu ar ei ddau ben ac sy'n cael ei
  ddefnyddio i yrru canŵ paddle

rhodli *be* [rhodl•¹]
  1 defnyddio rhodlau i yrru cwch neu ganŵ
  to paddle
  2 defnyddio rhwyf yng nghefn cwch rhwyfo
  i lunio ffurf y rhif 8 yn y dŵr i yrru'r cwch
  yn ei flaen to scull

rhodlong *eb* (rhodlongau) llong sy'n cael ei
gyrru gan ager a naill ai rhodlenni ar y naill
ochr a'r llall yng nghanol y llong, neu un
rhodlen yng nghefn y llong paddle steamer

rhodlwr *eg* (rhodlwyr) un sy'n rhodlo (cwch)
paddler

rhododendron *eg* (rhododendrons) un o nifer
o fathau o lwyni bythwyrdd a chanddo ddail
mawr a chlystyrau o flodau lliwgar tebyg i
glychau bach rhododendron

rhodopsin *eg* BIOCEMEG pigment porffor-
goch sy'n ymateb i olau ac a geir yn retinâu
pysgod y môr a'r mwyafrif o famolion; mae'n
hyrwyddo'r gallu i weld pan nad oes llawer o
olau rhodopsin

rhodres *eg* balchder rhy amlwg; snobyddiaeth,
trahauster, ymffrost ostentation, pomp

rhwysg a rhodres nodweddion seremoni
fawreddog pomp and circumstance

rhodresa *be* [rhodres•¹] ymddwyn yn
rhodresgar, torsythu, eich dangos eich hun
to strut, to swagger, to swank

rhodresgar *ans* am rywun sy'n or-hoff o'i
ddangos ei hun neu ryw ddawn sydd ganddo;
neu am rywbeth sy'n tynnu gormod o sylw ato'i
hun; ffroenuchel, hunanbwysig, mawreddog,
ymffrostgar bumptious, ostentatious, pompous

rhodreswr *eg* (rhodreswyr) un sy'n rhodresa
braggart

rhodd *eb* (rhoddion) rhywbeth sy'n cael ei roi
yn rhad ac am ddim; anrheg, calennig,
cyfraniad, offrwm gift, present, bequest

Rhodd Mam hyfforddlyfr ar ffurf cyfres o
gwestiynau ac atebion yn seiliedig ar y Beibl;
holwyddoreg

rhoddaf *bf* [rhoi] rhof; rwy'n rhoi; byddaf yn rhoi

rhoddedig *ans* a roddir gan rywun, wedi'i
gyflwyno given

rhoddi *be* [rhodd•¹ 3 *un. pres.* rhydd/dyry;
2 *un. gorch.* rho/dyro] defnyddir ffurfiau cryno
rhoddi ond **rhoi** yw'r ffurf ar y berfenw a
ddefnyddir gan amlaf; ystyrir *rhoddi* yn ffurf
lenyddol/farddonol neu gyfreithiol.

rhoddwr *eg* (rhoddwyr) un sy'n rhoi; cyfrannwr,
offrymwr giver, donor

rhof *bf* [rhoi] rhoddaf; rwy'n rhoi; byddaf yn rhoi

rhofiaid:rhawiaid *eb* (rhofieidiau) llond rhaw
shovelful

rhofiau *ell* lluosog **rhaw**

rhofio *be* [rhofi•²]
  1 defnyddio rhaw i godi neu i symud rhywbeth;
  cloddio, palu, turio, tyllu to shovel
  2 symud neu godi rhywbeth fel petai â rhaw,
  Paid â rhofio dy fwyd. to shovel

rhofiwr *eg* (rhofwyr) un sy'n rhofio shoveller

rhoi¹:rhoddi *be* [rhodd•¹ 3 *un. pres.* rhy/rhydd/
rhodda; 2 *un. gorch.* rho]
  1 cyflwyno rhywbeth i rywun i'w gadw neu
  ei ddefnyddio, *Rhoddais fy hen lyfrau i gyd
  i lyfrgell y coleg.*; trosglwyddo (~ *rhywbeth i
  rywun*) to give
  2 cyflwyno yn anrheg, anrhegu, *Rydym yn
  bwriadu rhoi llyfr iddo ar ei ymddeoliad.*
  (~ *rhywbeth i*; ~ *at rywun*; ~ *rhywbeth yn*
  e.e. anrheg) to give, to present
  3 talu, *Faint roist ti am y llun yma?* to give,
  to pay
  4 cynhyrchu, *Mae gwartheg yn rhoi llaeth inni
  a gwenyn yn rhoi mêl.* to give, to provide
  5 caniatáu, *Rhoddodd yr athro fis i'r plant i
  gwblhau'r cywaith.*; gadael to give
  6 neilltuo amser, *Maen nhw wedi rhoi oriau o
  waith i'r prosiect.* to give
  7 cynnig, cyflwyno, *rhoi cyngerdd* to give

8 gwneud rhywbeth yn sydyn, *rhoi bloedd, rhoi naid* to give
9 gosod rhywbeth mewn man arbennig, *Rhowch y pot i lawr fan hyn.*; dodi, estyn, lleoli to put
10 nodi, ysgrifennu, *Rhoddwch groes gyferbyn â'ch dewis.* to place
11 dweud, egluro, esbonio, *Bu'n rhaid iddo roi ei resymau dros beidio â gwneud ei waith cartref.* to give
12 methu dal pwysau, ymollwng dan bwysau, *Gobeithio na fydd y gadair yma'n rhoi odanaf.* to collapse, to give

    Sylwch: defnyddir ffurfiau cryno *rhoddi* ond 'rhoi' yw'r ffurf ar y berfenw a ddefnyddir gan amlaf; ystyrir *rhoddi* yn ffurf lenyddol/farddonol neu gyfreithiol.

rhoi ar waith cychwyn, dechrau launch, start
Ymadroddion
rhoi benthyg benthyca to lend, to loan
rhoi bod i creu to give life to
rhoi cynnig ar ymgeisio to have a go
rhoi genedigaeth i cael babi, esgor ar to give birth to
rhoi/gosod o'r neilltu peidio â defnyddio to put to one side
rhoi gwybod hysbysu to inform
rhoi heibio rhoi'r gorau i to give up
rhoi i gadw gw. cadw¹
rhoi o'r naill ochr:rhoi i'r naill ochr cadw, rhoi i gadw to put to one side
rhoi'r gorau i gorffen, diweddu, dibennu, *Rwyf wedi rhoi'r gorau i chwarae pêl-droed.* to give up
rhoi yn ôl dychwelyd to give back

rhoi² *bf* [rhoi] rwyt ti'n rhoi; byddi di'n rhoi
rhôl *eb* (rholiau) dogfen ysgrifenedig wedi'i rholio, yn enwedig dogfen yn rhestru neu'n cofnodi'n swyddogol; sgrôl roll, scroll
rholbren *eg* (rholbrennau) darn o bren, gwydr, etc. ar ffurf tiwb ar gyfer gwasgu toes i'w wneud yn llyfn ac yn denau rolling pin
rholer:rholiwr *eg* (rholeri) silindr o bren neu fetel neu blastig sy'n troi ac y mae pethau'n cael eu symud drosto neu silindr a ddefnyddir i bwyso ar rywbeth i'w wasgu neu ei siapio roller
rholiad *eg* (rholiadau) ymarfer gymnasteg lle mae'r corff yn ymffurfio'n bêl er mwyn rholio yn ôl neu ymlaen roll
rholio:rholian *be* [rholi•²]
    1 symud drwy droi drosodd a throsodd (fel y mae pêl neu olwyn yn ei wneud); powlio, treiglo (~ *i lawr*) to roll
    2 troi rhywbeth drosodd a throsodd nes ei fod fel pêl neu diwb, *Rholiodd y map yn rholyn hir.*; torchi (~ *i fyny*) to roll

3 gwneud rhywbeth yn fflat drwy wthio rhywbeth ar ffurf silindr yn ôl ac ymlaen drosto, *Pan oedd e'n fach, roedd Dafydd wrth ei fodd yn rholio'r toes i'w fam.* to roll
rholiwr *eg* gw. rholer
rholyn *eg* (rholiau)
    1 darn o rywbeth gwastad wedi'i rolio'n diwb, e.e. rholyn o bapur wal neu ddefnydd roll
    2 saig o fwyd wedi'i lapio mewn darn gwastad, e.e. o does, o deisen, o gig neu o bysgod roll
rhomboid *eg* MATHEMATEG paralelogram nad yw'n rhombws rhomboid
rhombws *eg* (rhombi) MATHEMATEG paralelogram sydd â phedair ochr yr un hyd, e.e. ffurf diemwnt rhombus
rhonc *ans* wedi ymrwymo'n llwyr (gan awgrymu nad oes troi arno), i'r carn, *Mae Sam yn Dori rhonc.*; diledryw, hollol, llwyr, pybyr extreme, out-and-out, rank
rhoncian *be* gwegian, igam-ogamu, simsanu to lurch, to stagger
    Sylwch: nid yw'r ferf hon yn arfer cael ei rhedeg.
rhonwellt *eg* math o wellt neu borfa cat's tail grass, timothy grass
rhos *eb* (rhosydd) darn agored (uchel yn aml) o dir â phrysgwydd a hesg a phorfa arw yn tyfu drosto, tir nad yw'n cael ei ffermio'n aml oherwydd ei fod yn dir gwael; ffridd, gwaun moor, heath, fell
rhosmari *eg* llwyn â blodau lliw lelog golau a dail persawrus a ddefnyddir wrth baratoi bwyd ac i gynhyrchu olew sy'n sylfaen i bersawr rosemary
rhosod *ell* lluosog rhosyn
rhost *ans* wedi'i rostio roast
    Sylwch: nid yw'n cael ei gymharu.
rhostio *be* [rhosti•²]
    1 COGINIO coginio bwyd (yn enwedig cig) mewn ffwrn/popty poeth iawn ac mewn gwres sych to roast
    2 yn ffigurol *rhostio yn yr haul* to roast
rhostir *eg* (rhostiroedd) tir agored, lled wastad, â phridd gwael; gweundir heath, heathland, moorland
rhostog *eg* (rhostogion) aderyn hirgoes mawr sydd â phig hir yn troi at i fyny godwit
rhosyn *eg* (rhosynnau:rhosod)
    1 un o amryw fathau o lwyni neu goed bychain sydd â choesynnau pigog a blodau lliwgar, persawrus rose
    2 blodyn y llwyni hyn rose
    rhosyn Saron prysgwydden ymlusgol â blodau melyn llachar rose of Sharon
    rhosyn y mynydd prysgwydden sy'n tyfu yng ngwledydd gogleddol y byd ac a dyfir er mwyn

rh

ei blodau trawiadol crwn o liw coch, pinc neu
wyn peony

rhu:rhuad *eg* (rhuadau) sŵn mawr, isel sy'n
para'n hir, *rhu llew, rhu rhaeadr*; bugunad, llef
roar, bellow

rhuban:ruban *eg* (rhubanau:rubanau)
  1 darn hir, cul o ddefnydd a ddefnyddir i glymu
  pethau neu fel addurn ribbon, streamer
  2 darn bach hir o ddefnydd tebyg i ddynodi teitl
  neu anrhydedd arbennig; ysnoden ribbon

rhubanog *ans*
  1 wedi'i addurno â rhubanau beribboned
  2 tebyg i ruban (hir, cul ac weithiau'n troi a
  throelli) ribbon-like

rhuchen *eb* (rhuchennau) cataract; pilen sy'n
  tyfu ar lens y llygad ac yn amharu ar y gallu
  i weld; pilen ar y llygad cataract

rhuchio *be* [rhuchi•²] fel yn *rhuchio tato*, codi
  pridd at wrysg tato wrth iddynt dyfu to earth

rhudd *ans* [rhudd•] (rhuddion) *llenyddol*
  coch, fflamgoch crimson, ruddy

rhuddem *eb* (rhuddemau) mwyn corwndwm o
  liw coch tywyll ar ffurf gem werthfawr ruby

rhuddfelyn *ans* melyngoch, o liw oren neu gopr
  tawny

rhuddgoch *ans* coch tywyll porfforaidd, lliw
  gwaed crimson

rhuddiad *eg* SERYDDIAETH yr hyn sy'n digwydd
  pan fo tonfeddi pelydriad electromagnetig
  (gan gynnwys golau) a allyrrir gan seren neu
  alaeth yn mynd yn hwy wrth i'r seren neu'r
  alaeth symud yn gyflym oddi wrth y Ddaear;
  gellir cael rhuddiad hefyd o ganlyniad i faes
  disgyrchiant cryf iawn red shift

rhuddin *eg*
  1 y rhan galed sydd yng nghanol boncyff
  coeden, calon y pren heartwood
  2 *ffigurol* cymeriad (da) rhywun, aeddfedrwydd
  cymeriad; asgwrn cefn, cadernid, calon mettle,
  spirit

rhuddion¹ *ans* ffurf luosog **rhudd**

rhuddion² *ell* darnau o fwyd yn cynnwys llawer
  o ffibr, e.e. blawd garw, eisin, bran, plisg, etc.
  (sy'n ysgogi symudiad y coluddion) roughage

rhuddliw *eg* powdr lliw coch a ddefnyddir i
  liwio'r bochau rouge

rhuddo *be* llosgi neu grasu rhywbeth nes iddo
  newid ei liw; cochi, deifio to scorch, to singe
    Sylwch: nid yw'r ferf hon yn arfer cael ei rhedeg.

rhuddygl *eg* ac *ell* llysieuyn gardd y mae ei
  wreiddyn coch neu wyn yn cael ei fwyta'n
  amrwd oherwydd ei flas poeth radish

Rhufeines *eb*
  1 *hanesyddol* merch neu wraig a oedd yn un o
  ddinasyddion yr Ymerodraeth Rufeinig a oedd
  yn ei bri yn y ganrif gyntaf OC
  2 merch neu wraig o ddinas Rhufain

Rhufeiniad *gw.* **Rhufeinwr**

Rhufeinig *ans*
  1 *hanesyddol* yn ymwneud â'r Ymerodraeth
  Rufeinig Roman
  2 yn ymwneud â dinas Rhufain Roman

rhif Rhufeinig un o'r llythrennau sy'n sefyll
  am rif yn y gyfundrefn rifiadol Rufeinig: I = 1,
  V = 5, X = 10, L = 50, C = 100, D = 500,
  M = 1,000 Roman numeral

teip rhufeinig enw ar wyneb teip roman type

yr wyddor Rufeinig yr wyddor a ddatblygwyd
  yn hen ddinas Rhufain ar gyfer ysgrifennu
  Lladin ac a defnyddir gan y rhan fwyaf o
  ieithoedd Ewropeaidd heddiw Roman alphabet

Rhufeinwr:Rhufeiniad *eg* (Rhufeinwyr:
  Rhufeiniaid)
  1 *hanesyddol* dinesydd o'r Ymerodraeth
  Rufeinig a oedd yn ei bri yn y ganrif gyntaf OC
  Roman
  2 brodor o ddinas Rhufain Roman

rhufell *eb* (rhufellod) pysgodyn dŵr croyw o liw
  arian ond â chefn gwyrdd ac esgyll cochion;
  cochiad roach

rhugl *ans* [rhugl•]
  1 (am siarad neu ysgrifennu) rhwydd a llyfn;
  didrafferth, huawdl fluent
  2 deheuig a medrus proficient

rhugledd *eg* symudiad llyfn, diymdrech fluidity

rhuglen *eg* (rhuglenni)
  1 tegan plentyn yn cynnwys graean mewn
  cynhwysydd sydd yn clecian wrth gael ei
  ysgwyd rattle
  2 tafod ystwyth o bren sy'n taro'n swnllyd
  yn erbyn cocsen wrth iddo gael ei droi; fe'i
  defnyddir yn aml gan gefnogwyr pêl-droed
  rattle

rhugliad *eg* (rhugliadau)
  1 MEDDYGAETH sŵn rhuglo, e.e. y sŵn a glywir
  yn yr ysgyfaint drwy stethosgop sy'n
  nodweddiadol o niwmonia, ffibrosis, etc.
  crepitation
  2 MEDDYGAETH sŵn fel crensian dau ben
  asgwrn sydd wedi torri yn rhwbio yn erbyn ei
  gilydd crepitation

rhuglo *be*
  1 gwneud cyfres o synau bach byr y naill ar ôl
  y llall yn gyflym to rattle
  2 treulio drwy effaith ffrithiant; rhathu, rhwbio
  to rub, to chafe
    Sylwch: nid yw'r ferf hon yn arfer cael ei rhedeg.

neidr ruglo math o wiber Americanaidd y mae
  ganddi gynffon â chyfres o fodrwyau esgyrnog
  sy'n gallu dirgrynu gan wneud sŵn rhuglo
  rattlesnake

rhuo *be* [rhu•¹ 1 *llu. pres.* rhûwn; 2 *llu. pres.*
  rhûwch; 1 *un. amhen.* rhûwn; 1 *llu. gorch.*
  rhûwn; 2 *llu. gorch.* rhûwch] gwneud sŵn fel

llew, gwneud sŵn mawr, isel sy'n para'n hir;
bloeddio, brochi, bugunad, bytheirio to bellow,
to roar

rhusio *be* [rhusi•²] cael ofn, gwneud yn nerfus;
dychryn to start, to take fright

rhusiog *ans* hawdd ei gynhyrfu, hawdd ei
ddychryn; cynhyrfus, nerfus, ofnus skittish

rhuthr:rhuthrad *eg* (rhuthradau)
1 symudiad sydyn, cyflym; brys, ffrwst, hast
rush, stampede
2 brwydr, cyrch, ymosodiad assault

rhuthro *be* [rhuthr•¹]
1 gweithredu ar frys, *Bydd gofyn i ti ruthro os
wyt ti'n bwriadu gorffen heno.*; brysio, ffrystio
to hurry, to rush
2 symud yn gyflym i gyfeiriad arbennig,
Rhuthrodd pawb i lawr y grisiau.; gwibio
(~ o rywle i rywle) to rush, to dash, to career
3 gwneud rhywbeth ar frys (ac oherwydd
hynny yn wael, fel arfer); hastio to rush
4 ymosod yn sydyn gyda'i gilydd, *Rhuthrodd
y blaenwyr tuag at y lein.*; carlamu, cythru
to charge, to rush

rhuthrog *ans* llawn rhuthr rushing

rhüwr *eg* (rhuwyr) un sy'n rhuo roarer

rhwbiad *eg* (rhwbiadau)
1 math o lun a geir wrth osod papur dros
ysgythriad metel neu gerflun a rhwbio'r papur â
sialc neu graffit er mwyn codi'r ddelwedd tano,
rhwbiadau pres rubbing
2 y broses o rwbio, canlyniad rhwbio rubbing

rhwbio *be* [rhwbi•²]
1 symud un peth yn erbyn peth arall gan
bwyso'n eithaf caled, *Paid â rhwbio dy lygaid,
mae'n eu gwneud nhw'n waeth.* to rub
2 llithro dau beth yn llyfn yn erbyn ei gilydd,
rhwbio dwylo to rub
3 cael dolur oherwydd hyn, *Mae'r esgid yn
rhwbio.* to rub, to chafe
4 gosod (hylif, past, etc.) ar rywbeth yn y ffordd
yma, *rhwbio cwyr ar ddresel*; sgrwbio to rub
rhwbio allan defnyddio rwber i ddileu marciau
pensil to rub out

rhwd *eg*
1 yr haen goch sy'n ffurfio ar haearn a rhai
metelau eraill o ganlyniad i adwaith cemegol
rhwng dŵr, aer a'r metel rust
2 lliw yr haen hon rust

rhwdu *tafodieithol, yn y De* gw. **rhydu**

rhwng *ardd* [rhyngof fi, rhyngot ti, rhyngddo ef
(fe/fo), rhyngddi hi, rhyngom ni, rhyngoch chi,
rhyngddynt hwy (rhyngddyn nhw)]
1 gair sy'n gosod rhywun neu rywbeth oddi
mewn i ffiniau amser neu le, *Eisteddais
rhyngddynt. Cyrhaeddodd rhwng dau a thri
o'r gloch y bore.*; ynghanol, ymhlith between,
betwixt

2 yn cysylltu â, *gwasanaeth bysiau rhwng
Caerfyrddin ac Aberystwyth* between
3 a rhan gan bob un, *Mi wnaethom ni orffen
y deisen rhyngom ni.* between
4 gair a ddefnyddir wrth gymharu dau beth,
Beth yw'r gwahaniaeth rhwng hwn a hwn?
between
Sylwch:
1 nid yw 'rhwng' yn treiglo'n feddal;
2 'a' (cysylltair) nid 'â' (arddodiad) sy'n dilyn
'rhwng'

rhwng dau feddwl yn ansicr, heb benderfynu
in two minds
rhyngoch chi a'ch cawl mae'n rhaid i chi
ddod o hyd i ateb ar eich pennau eich hunain;
rhyngoch chi a'ch potes
rhyngoch chi a fi a'r wal yn gyfrinachol
between you, me and the gatepost

rhwto *be* [rhwt•¹] *tafodieithol, yn y De* rhwbio to rub

rhwth *ans* (rhythion) ar agor led y pen, fel
yn *cegrwth* neu *llygadrwth*; agored gaping,
wide open
Sylwch: nid yw'n cael ei gymharu.

rhwyd *eb* (rhwydau:rhwydi)
1 defnydd tyllog, wedi'i lunio o gortyn, edafedd
neu wifrau wedi'u gweu neu eu cyfrodeddu net
2 darn ohono sy'n cael ei ddefnyddio at ddiben
penodol, e.e. i ddal pysgod, i rannu cwrt tennis
neu fadminton neu i orchuddio ffrâm gôl
pêl-droed neu hoci net
3 dyfais i ddal rhywbeth, *rhwyd bysgota* net

rhwyden *eb* (rhwydenni) retina; yr haen o
dderbynyddion yng nghefn y llygad sy'n canfod
golau retina

rhwydo *be* [rhwyd•¹]
1 dal (pysgod yn enwedig) mewn rhwyd
(~ *rhywbeth* **yn**) to net, to snare
2 (mewn pêl-droed, pêl-rwyd, hoci, etc.) cicio,
taflu neu daro pêl i'r rhwyd; sgorio to net

rhwydog *ans* tebyg i rwyd, wedi'i wneud o rwyd
net-like

rhwydol *ans* â llinellau neu wythiennau'n croesi
i greu patrwm tebyg i rwyd, *deilen rwydol*
reticulate

rhwydwaith *eg* (rhwydweithiau)
1 cyfundrefn o linellau, tiwbiau, gwifrau, etc.
sy'n croesi ei gilydd ac sy'n cysylltu â'i gilydd,
rhwydwaith o heolydd/lonydd bach cefn gwlad
network
2 grŵp neu system lle mae'r aelodau sy'n perthyn
iddo wedi'u cysylltu mewn rhyw ffordd network
3 grŵp o orsafoedd radio neu deledu mewn
gwahanol lefydd sy'n defnyddio llawer o'r un
rhaglenni network
4 CYFRIFIADUREG nifer o gyfrifiaduron,
peiriannau neu weithrediadau wedi'u cysylltu
â'i gilydd network

rh

rhwydweithio *be* [rhwydweithi•²]
  1 cydgysylltu cyfrifiaduron er mwyn medru gweithio ar y cyd to network
  2 creu cysylltiadau rhwng rhai â'r un diddordebau er mwyn rhannu syniadau, gwybodaeth a chymorth to network

rhwydwr *eg* (rhwydwyr)
  1 un sy'n hela neu bysgota â rhwyd
  2 un sy'n gweithio rhwydau, gwneuthurwr rhwydau net maker

rhwydd *ans* [rhwydd•]
  1 y mae modd ei wneud neu ei feistroli heb lawer o drafferth; didrafferth, diymdrech, hawdd easy
  2 didrafferth, cyfleus, hwylus, *Bydd yn rhwyddach inni gael bwyd yn y dref cyn mynd adref.* easy
  3 am rywun y mae'n hawdd ymwneud neu gydweithio ag ef neu hi easy
  4 rhywbeth dilyffethair, heb unrhyw gyfyngu arno, *Cefais rwydd hynt i wneud fel y mynnwn.* free
  5 llyfn, llithrig, *Mae'n siaradwr rhwydd.*; brac, esmwyth, slic fluent
  yn rhwydd braf free and easy

rhwyddhau *be* [rhwyddha•¹⁴] gwneud yn rhwyddach; galluogi, hwyluso, hyrwyddo to make easier

rhwyddineb *eg* pa mor rhwydd neu hawdd yw gwneud rhywbeth; cyfleustra, hawster, hwylustod, symledd ease, facility

rhwyf *eb* (rhwyfau) polyn hir â llafn ar ei ben sy'n cael ei ddefnyddio i yrru cwch neu gwrwgl drwy'r dŵr; rhodl fawr oar

rhwyflong *eb* (rhwyflongau) gali; llong fawr, isel yn cael ei gyrru gan gyfuniad o hwyliau a rhwyfwyr oedd yn gaethweision neu'n droseddwyr gan amlaf; câi ei defnyddio i ymladd brwydrau ac i gludo nwyddau galley

rhwyfo *be* [rhwyf•¹]
  1 defnyddio pâr neu barau o rwyfau er mwyn gyrru cwch drwy'r dŵr to row
  2 symud yn aflonydd, *breichiau'r plentyn yn rhwyfo yn ei gwsg*

rhwyfus *ans* heb fedru bod yn llonydd nac yn gysurus, *Roedd y plentyn yn rhwyfus drwy'r nos pan oedd gwres arno.*; aflonydd, anesmwyth, anniddig, diorffwys fractious, restless

rhwyfwr *eg* (rhwyfwyr) un sy'n rhwyfo cwch oarsman, rower

rhwyg:rhwygiad *eg* (rhwygiadau)
  1 man lle mae papur, defnydd, etc. wedi rhwygo; toriad tear
  2 gwahaniad, hollt, rhaniad, ymraniad, *Rhwyg rhwng adain chwith y blaid a'i hadain dde.* division, rift, split

rhwygedig *ans* wedi'i rwygo torn

rhwygo *be* [rhwyg•¹]
  1 defnyddio grym i dynnu rhywbeth yn ddau neu fwy o ddarnau, *Roedd John yn gallu rhwygo llyfr ffôn yn ddau.*; torri to rip, to tear
  2 gwneud rhwyg mewn, *Rhwygodd fy sgert wrth i mi ei dal ar yr hoelen.*; darnio, dryllio to rip, to tear
  3 defnyddio grym i dynnu rhywbeth ymaith, *Ymaflodd yn y plentyn a'i rwygo o freichiau'i fam.* to tear, to wrench

rhwyll *eb* (rhwyllau)
  1 defnydd neu adeiladwaith ar ffurf rhwyd neu ridyll; rhwydwaith mesh
  2 y gofod a amgylchynir gan edau neu fetel, etc. mewn rhwyd mesh

rhwyllen *eb* (rhwyllenni) brethyn ysgafn, tenau, y gellir gweld drwyddo gauze

rhwyll-lif *eb* (rhwyll-lifiau) llif â llafn main, ystwyth a ddefnyddir i dorri patrymau cywrain mewn pren tenau; llif ffret, ffretlif fretsaw

rhwyllog *ans*
  1 llawn tyllau (fel rhidyll) honeycombed
  2 ar ffurf delltwaith; delltog latticed

rhwyllwaith *eg*
  1 y grefft o dorri patrymau addurnedig o ddarnau o bren fretwork
  2 darn tenau o goed â phatrymau wedi'u torri ynddo fretwork
  3 rhywbeth sy'n debyg i'r patrymau hyn, *rhwyllwaith o linellau a chysgodion* fretwork, tracery

rhwym¹ *eg* (rhwymau)
  1 rhywbeth sy'n cael ei ddefnyddio i glymu neu gaethiwo, e.e. cadwyn, gefyn, *Datododd rwymau'r carcharor.*; cadwyn, cyffion, hual bond
  2 rhywbeth sy'n uno, *rhwymau teuluol* bond, tie
  3 cyfrifoldeb, *rhwymau gwaith* tie

rhwym² *ans*
  1 wedi'i rwymo; caeth, sownd, ynghlwm bound
  2 a chyfrifoldeb neu raid arno, *Yn anffodus rwy'n rhwym o fynd i'r parti nos Sadwrn.* (~ o) bound to, have to
  3 yn methu gwagio'r coluddion yn ddigon aml, yn dioddef o rwymedd constipated

rhwymedi *eg* (rhwymedïau) CYFRAITH (mewn achosion sifil) cyfrwng y gall llys barn ei ddefnyddio i orfodi hawl neu gosbi er mwyn sicrhau cyfiawnder remedy

rhwymedig *ans*
  1 (am lyfr neu rifynnau o gylchgrawn) wedi'u rhwymo, dan rwymyn; ynghlwm bound
  2 wedi'i rwymo i gytundeb, yn rhwym o wneud rhywbeth; ymrwymedig bound

rhwymedigaeth *eb* (rhwymedigaethau)
  1 rhywbeth (e.e. addewid, cytundeb, eich cydwybod, gofynion cyfreithiol, etc.)

sy'n eich rhwymo i ffordd arbennig o
weithredu; gorfodaeth, rheidrwydd obligation
2 CYLLID yr arian sy'n ddyledus gan gwmni neu
unigolyn; dyled liability

rhwymedd *eg* y cyflwr o fethu gwagio'r
coluddion yn ddigon aml constipation

rhwymiad *eg* (rhwymiadau) gorchudd sy'n cydio
tudalennau ynghyd i greu llyfr binding

rhwymo *be* [rhwym•¹]
1 clymu ynghyd, *Rhwymwch ddwylo'r
carcharor.*; cawio (~ *rhywbeth* â; ~ *rhywun/
rhywbeth* **wrth**) to bind, to tie
2 clymu â rhwymyn, *Byddwch yn ofalus wrth
rwymo'i glwyfau.* to bandage, to swaddle
3 gosod ynghyd a chynnwys y tu mewn i glawr,
rhwymo llyfr to bind
4 achosi rhwymedd to constipate

rhwymwr *eg* (rhwymwyr)
1 un sy'n rhwymo llyfrau bookbinder
2 (yn y lluosog) cwmni rhwymo llyfrau
bookbinders

rhwymydd *eg* (rhwymwyr) peiriant rhwymo
(llyfrau) binder

rhwymyn *eg* (rhwymynnau)
1 stribyn o ddefnydd sy'n cael ei glymu am
glwyf neu anaf bandage, dressing
2 bandyn o rywbeth sy'n rhwymo neu'n clymu
ynghyd; band band
3 GWNIADWAITH defnydd wedi'i dorri neu
ei wehyddu mewn stribed ac a ddefnyddir i
rwymo ymylon darn o ddefnydd binding

rhwymyn tynhau MEDDYGAETH unrhyw
ddyfais sy'n cywasgu rhydweli yn y fraich
neu'r goes er mwyn lleihau llif y gwaed
tourniquet

rhwysg *eg* arddangosiad balch, awdurdodol
(ar achlysur cyhoeddus neu swyddogol
fel arfer), *holl rwysg seremoni'r cadeirio*;
godidowgrwydd, gogoniant, gwychder,
ysblander pageantry, pomp

rhwysg a rhodres gw. rhodres

rhwysgfawr *ans* llawn rhwysg; mawreddog,
rhodresgar, ymffrostgar ostentatious, pompous

rhwystr *eg* (rhwystrau) rhywbeth sy'n rhwystro,
sy'n llesteirio; anhawster, atalfa, llestair,
tramgwydd barrier, hindrance, obstruction

rhwystrad *eg* (rhwystradau) y weithred o
rwystro, canlyniad rhwystro; atalfa, llestair,
tagiad hindrance, obstruction

rhwystredig *ans*
1 wedi eich llesteirio rhag cyflawni neu fentro
ar rywbeth frustrated
2 llawn rhwystredigaeth frustrated

rhwystredigaeth *eb*
1 y cyflwr o fod yn rhwystredig frustration
2 SEICOLEG cyflwr dwys, parhaol o ansicrwydd
neu anfodlonrwydd yn deillio o broblemau

sydd heb eu datrys neu anghenion sydd heb
eu diwallu, yn fwyaf arbennig tyndra ac
anfodlonrwydd yn deillio o anghenion rhywiol
sydd heb eu diwallu frustration

rhwystriant *eg* (rhwystriannau) FFISEG rhwystr
i lif cerrynt eiledol mewn cylched drydanol;
mae'n debyg i wrthiant ond yn cymryd gwedd
y cerrynt a'r foltedd i ystyriaeth impedance

rhwystro *be* [rhwystr•¹]
1 cadw rhywun rhag gwneud rhywbeth;
ffrwyno, llesteirio (~ *rhywun/rhywbeth* **rhag**)
to hinder, to prevent, to frustrate
2 cadw rhag mynd, rhag llifo; atal, cau to block,
to restrain

rhwystrol *ans* â thuedd i rwystro; llesteiriol
barrier, obstructive

rhwystrwr *eg* (rhwystrwyr) un sy'n rhwystro
hinderer, obstructor

rhy¹ *adf* mwy na digon, i raddau mwy nag sydd
ei angen neu nag sy'n fuddiol, *rhy fawr, rhy
lawen, rhy ryfedd*; gormod over, too
Sylwch: mae'n achosi'r treiglad meddal
(gan gynnwys 'll' a 'rh').

rhy² *bf* [rhoi] *hynafol* mae ef yn rhoi/mae hi'n rhoi;
bydd ef yn rhoi/bydd hi'n rhoi

rhybed *eg* (rhybedion) pìn o fetel ar gyfer
sicrhau platiau metel wrth ei gilydd rivet

rhybed pop rhybed a leolir â dryll arbennig
i gydio platiau metel wrth ei gilydd os un
ochr yn unig i'r gwaith y gellir ei chyrraedd
pop rivet

rhybedog *ans* wedi'i sicrhau â rhybedion;
a rhybedion drosto riveted

rhybedu *be* [rhybed•¹] sicrhau â rhybedion
to rivet

rhybudd *eg* (rhybuddion)
1 cyngor bod rhywbeth drwg yn mynd i
ddigwydd, *Ar ôl yr holl law trwm cafwyd
rhybudd bod yr afon ar fin gorlifo.*; siars (~ **o**)
warning
2 rhywbeth sy'n dweud neu'n dangos sut i osgoi
rhywbeth drwg, *Dyma'r rhybudd olaf: dim
pêl-droed os na fyddwch yn blant da.* caution,
warning
3 gwybodaeth ymlaen llaw bod rhywbeth
yn mynd i ddigwydd, *Bu raid imi annerch y
cyfarfod ar fyr rybudd.* notice
4 gwybodaeth ffurfiol sy'n dweud na fydd
rhywun yn parhau neu'n cael parhau i fyw neu
weithio mewn man arbennig, *Bydd angen mis o
rybudd os ydych am adael. Cefais fis o rybudd
i adael.* notice

rhybuddio *be* [rhybuddi•²]
1 dweud bod rhywbeth drwg yn mynd i
ddigwydd, neu ddweud sut i osgoi rhywbeth
drwg; gorchymyn, gwysio (~ *rhywun* **rhag**)
to warn, to caution, to alert

rh

2 dweud am ryw ddigwyddiad neu angen a fydd yn codi, rhoi gwybod, *Dylem rybuddio Mr Morgan drws nesaf ein bod yn mynd ar ein gwyliau am bythefnos.*; cynghori, paratoi to warn

rhybuddiol *ans* yn rhybuddio cautionary

rhybuddiwr *eg* (rhybuddwyr) rhywun neu rywbeth sy'n rhybuddio warner

rhych *egb* (rhychau)

1 cwys sy'n cael ei hagor mewn pridd gan aradr neu gan arddwr yn barod i hau ynddi, *Mae angen agor un rhych i blannu'r tatws ac un arall i hau'r ffa.* furrow, trench

2 y llwybr cul, dwfn sy'n cael ei adael gan olwyn; rhigol rut

3 y rhigol ym mhen sgriw i dderbyn pen sgriwdreifer groove, slot

4 rhigol neu gafn cul fel y rhai mewn melfared neu ar groen hen bobl wrinkle, groove

uniad tafod a rhych gw. **uniad**

Ymadrodd

na rhych na gwellt na phen na chynffon, dim synnwyr nor head nor tail

rhychedig *ans* wedi'i orchuddio â rhigolau tebyg i linellau main (e.e. ar y croen neu ar wyneb creigiau) striated

rhychiog:rhychog *ans*

1 a rhychau drosto corrugated, fluted

2 a gwrymiau neu linellau drosto, e.e. am dir neu greigiau, am ddefnydd fel melfaréd neu do sinc wrinkled, furrowed

rhychu *be* [rhych•[1]] torri rhych, torri'n sianeli neu'n rhigolau; ceibio, cloddio, palu to groove, to trench

rhychwant *eg* (rhychwantau)

1 hyd pont, bwa, etc. rhwng dwy golofn span

2 y pellter rhwng y bys bawd a blaen y bys bach pan fydd eich llaw wedi'i hymestyn i'r eithaf – 0.23 metr span

3 yr hyn sy'n cael ei gynnwys rhwng dau eithaf (o ran amser, lle, diddordebau, etc.), *Mae'r casgliad hwn o'i lyfrau yn dangos pa mor eang oedd rhychwant ei ddiddordebau.*; amrediad, ehangder span

rhychwantu *be* [rhychwant•[1]]

1 llunio pont dros rywbeth neu gysylltu dau begwn â phont; croesi to span

2 cynnwys oddi mewn i gyfnod penodol neu le arbennig, *Roedd ei yrfa fel chwaraewr rygbi yn rhychwantu deuddeng mlynedd.*; cwmpasu, pontio to encompass, to span

rhyd *eb* (rhydau) man mewn afon lle mae'r dŵr yn ddigon bas ichi fedru cerdded drwyddo neu groesi mewn car, etc. heb ddefnyddio pont ford

rhyderig gw. **rhydderig**

rhydio[1] *be* [rhydi•[2]] croesi rhyd to ford

rhydio[2] *be* gofyn hwrdd; maharena to be in heat
Sylwch: nid yw'r ferf hon yn arfer cael ei rhedeg.

rhydlyd *ans* wedi rhydu, a rhwd drosto rusty

rhydu:rhwdu *be* [rhyd•[1]] gorchuddio neu gael ei orchuddio â haen o rwd to rust

rhydweli *eb* (rhydwelïau) ANATOMEG pibell sy'n cludo gwaed ocsigenedig o'r galon i weddill y corff artery

rhydwelïol *ans* ANATOMEG yn perthyn i rydweli neu rydwelïau arterial

rhydwelïyn *eg* (rhydwelïynnau) ANATOMEG pibell waed fach sy'n ymestyn o rydweli ac yn uno â chapilarïau arteriole

rhydwythiad *eg* (rhydwythiadau) CEMEG y broses o rydwytho; canlyniad rhydwytho reduction

rhydwytho *be*

1 CEMEG peri i (sylwedd) ollwng atomau ocsigen, tynnu ocsigen oddi wrth sylwedd to reduce

2 CEMEG cyfuno â hydrogen, peri ychwanegu atomau o hydrogen to reduce

3 CEMEG ychwanegu un neu ragor o electronau (at atom, moleciwl, ïon, etc.) to reduce
Sylwch: nid yw'r ferf hon yn arfer cael ei rhedeg.

rhydwythol *ans* nodweddiadol o rydwytho, yn achosi rhydwytho reductive

rhydwythydd *eg* (rhydwythyddion) sylwedd sy'n achosi rhydwythiad, fel arfer drwy gyfrannu electronau reducing agent

rhydyllu *be* [rhydyll•[1]] gwneud twll neu res o fân dyllau yn rhywbeth; trydyllu to perforate

rhydd[1] *ans*

1 heb ei gaethiwo, heb ei glymu, nad yw dan reolaeth, *Rhedwch! Mae'r llew wedi dianc ac mae'n rhydd yn y dref.* free, loose

2 heb fod wedi'i glymu nac ar gael wedi'i bacio, *Yn y siop bwydydd cyflawn mae popeth yn rhydd mewn sachau yn hytrach nag wedi'i bacio'n barod.* loose

3 heb fod yn dynn, *Mae gennyf ddant rhydd.*; llac loose

4 wedi'i wneud o ddarnau nad ydynt yn dynn nac yn sownd, *Byddwch yn ofalus – mae cefn y llyfr yn dod yn rhydd.* loose

5 (am y coluddion) yn caniatáu gwaredu ymgarthion y corff yn rhwydd, neu'n rhy rwydd fel yn *dolur rhydd* loose

6 heb fod yn atebol i neb nac yn cael ei lywodraethu gan rywun arall, *Cymru rydd*; anghyfyngedig free, liberated

7 heb fod yn brysur, nad yw'n gweithio, neu am amser nad yw wedi'i neilltuo ar gyfer gorchwyl arbennig, *Does gennyf ddim un noson rydd yr wythnos hon.* free

8 heb fod amgylchiadau'n ei rwystro, *Ar ôl i'r*

plant dyfu, byddwn yn llawer iawn mwy rhydd i fynd i bethau gyda'r nos. free
9 wedi'i wneud yn eithriad, nad yw'n cael ei orfodi, *Ar hyn o bryd, mae dillad plant yn rhydd o unrhyw dreth.* exempt, free
10 (ystafell, adeilad, etc.) nad yw'n cael ei defnyddio/ddefnyddio, *Ydy'r pwll nofio'n rhydd dydd Sadwrn?* free
dolur rhydd gw. dolur
Ymadrodd
gwers rydd gw. gwers
rhydd² *bf* [rhoddi] *ffurfiol* mae ef yn rhoddi/ mae hi'n rhoddi; bydd ef yn rhoddi/bydd hi'n rhoddi; dyry
rhyddarbed *be* [rhyddarbed•¹] CYFRAITH sicrhau yn erbyn colled, niwed neu ddyled yn y dyfodol; yswirio yn erbyn to indemnify
rhyddarbediad *eg* (rhyddarbediadau) CYFRAITH gwarant rhag cosbau neu ddyledion sydd wedi crynhoi indemnity
rhydd-ddaliad *eg* (rhydd-ddaliadau) CYFRAITH daliadaeth (sef perchenogaeth) tir neu eiddo drwy feddiant cyfreithiol heb unrhyw gyfyngiad neu rwystr freehold
rhydd-ddaliadol *ans* yn cael ei feddu fel rhydd-ddaliad freehold
rhydd-ddeiliad *eg* (rhydd-ddeiliaid) un sy'n dal tir neu eiddo rhydd-ddaliadol freeholder
rhydderig:rhyderig *ans* (am famolion benyw, buwch a hwch gan amlaf) yn barod am gyfathrach rywiol; gwasod, llodig in heat
rhyddewyllysiaeth *eb* GWLEIDYDDIAETH athroniaeth wleidyddol sydd o blaid yr ymyrraeth wladol leiaf posibl ym mywydau'r dinasyddion libertarianism
rhyddewyllysiwr *eg* (rhyddewyllyswyr)
1 un sy'n credu mewn ewyllys rhydd (yn hytrach na rhagluniaeth)
2 un sy'n credu mewn rhyddid dilyffethair o ran meddwl a gweithredu libertarian
rhyddfarn *eb* (rhyddfarnau) CYFRAITH dyfarniad bod rhywun sydd wedi'i erlyn yn ddieuog o'r drosedd; rhyddhad o gyhuddiad cyfreithiol acquittal
rhyddfarnu *be* [rhyddfarn•³] rhyddhau o gyhuddiad cyfreithiol, dyfarnu'n ddieuog to acquit
rhydd-feddyliwr *eg* (rhydd-feddylwyr) un sy'n dod i gasgliadau ar sail rheswm yn annibynnol ar awdurdodau, yn enwedig un sy'n drwgdybio neu'n ymwrthod â dogma crefyddol freethinker
rhyddfraint *eb* (rhyddfreiniau)
1 rhyddid cymdeithasol, gwleidyddol a chyfreithiol emancipation, franchise
2 hawl, a gyflwynir fel anrhydedd, i ddinasyddiaeth lawn dinas; dinasfraint freedom of the city

rhyddfreiniad *eg*
1 rhyddhad o gaethiwed, erledigaeth, etc. emancipation
2 hawl i bleidleisio ynghyd â breintiau dinasyddiaeth enfranchisement
rhyddfreinio *be* [rhyddfreini•²]
1 rhyddhau o gaethiwed, erledigaeth, anfanteision cyfreithiol, etc. to emancipate
2 cyflwyno hawliau dinesydd, yn enwedig yr hawl i bleidleisio mewn etholiadau cyhoeddus, yn enwedig etholiad seneddol to enfranchise
rhyddfreiniol *ans* wedi'i ryddfreinio emancipated, enfranchised
rhyddfreiniwr *eg* (rhyddfreinwyr) un sy'n meddu ar hawliau llawn dinesydd freeman
rhyddfrydiaeth *eb* egwyddorion a daliadau rhyddfrydol liberalism
Rhyddfrydiaeth *eb* GWLEIDYDDIAETH system wleidyddol sy'n credu mewn rhyddid i'r unigolyn ac yn ymroi i wella cymdeithas a diwydiant drwy sicrhau nad oes gormod o rym yn mynd i ddwylo'r llywodraeth na chwaith i unrhyw un grŵp arall, e.e. cyflogwyr neu undebau Liberalism
rhyddfrydig *ans*
1 o blaid gwybodaeth gyffredinol eang, ehangu'r meddwl a rhoi pob cyfle i bobl eu mynegi eu hunain, neu unrhyw beth sy'n arwydd o hyn; agored, eangfrydig, haelfrydig liberal
2 hael, mawrfrydig generous
rhyddfrydol¹ *ans*
1 yn barod i barchu syniadau a theimladau pobl eraill liberal
2 yn barod i dderbyn rhyw gymaint o newid mewn materion crefyddol neu wleidyddol liberal
Rhyddfrydol² *ans* yn ymwneud â rhyddfrydiaeth, nodweddiadol o ryddfrydiaeth, e.e. *Y Blaid Ryddfrydol* Liberal
Rhyddfrydwr *eg* (Rhyddfrydwyr) aelod o'r blaid Ryddfrydol Liberal
rhyddhad *eg*
1 y weithred o ryddhau, canlyniad rhyddhau; achubiaeth, gwaredigaeth, ymwared liberation, release
2 teimlad eich bod wedi cael eich rhyddhau rhag effaith rhywbeth a fu'n ofid neu a fu'n eich llesteirio; gollyngdod, maddeuant, pardwn relief
rhyddhaol *ans*
1 yn rhyddhau cathartic, liberating
2 yn achosi i'r corff weithio, yn rhyddhau'r coluddion aperient
rhyddhau *be* [rhyddha•¹⁴] gollwng yn rhydd; datglymu, datod, gwaredu, llacio (~ *rhywun/ rhywbeth* o; ~ *rhywun/rhywbeth* **rhag**) to free, to loosen, to release

rh

rhyddhawr *eg* (rhyddhawyr)
1 un sy'n rhyddhau, yn enwedig un sy'n rhyddhau gwlad o orthrwm neu deyrnasiad gan wlad arall liberator
2 rhywbeth sy'n rhyddhau, e.e. rhywbeth sydd wedi mynd yn sownd

rhyddheais *bf* [rhyddhau] *ffurfiol* gwnes i ryddhau

rhyddiaith *eb* iaith ysgrifenedig sy'n cael ei threfnu'n frawddegau a pharagraffau (o'i chyferbynnu â barddoniaeth), e.e. mae nofelau, storïau, llythyrau ac erthyglau papur newydd yn enghreifftiau o ryddiaith; pros prose

rhyddid *eg*
1 y cyflwr o fod yn rhydd, *Mae perffaith ryddid gennyt i fenthyca unrhyw un o'r llyfrau hyn.* freedom, liberty
2 rhai hawliau sy'n cael eu cyflwyno fel anrhydedd, *Cyflwynwyd rhyddid y ddinas iddo.* freedom
3 yr hawl i ddweud, gwneud neu ysgrifennu fel y mynnwch, *rhyddid y wasg* freedom

rhyddieithol *ans*
1 wedi'i ysgrifennu mewn rhyddiaith prosaic
2 heb liw na dychymyg barddoniaeth; cyffredin, di-fflach prosaic

rhyddni *eg* dolur rhydd; cyflwr lle mae bwyd yn cael ei waredu o'r corff yn rhy gyflym ac mewn modd dyfrllyd drwy'r ymysgaroedd; y bib diarrhoea

rhyfedd *ans* [rhyfedd•]
1 anodd ei dderbyn neu ei ddeall, *Dyna fachgen rhyfedd yw Tomos.*; chwithig, dieithr, gwahanol strange, weird
2 nad yw'n rhan o'n profiad, *Gwelais beth rhyfedd ar y ffordd adre o'r cyfarfod neithiwr.*; anghyffredin, anarferol, annisgwyl bizarre, strange
3 heb fod yn teimlo'n dda, *Mae fy mhen yn teimlo'n rhyfedd.* odd, queer
rhyfedd gennyf fi (gennyt ti, ganddo ef, etc.) fel arfer yn yr ymadrodd negyddol *Does dim rhyfedd gen i; rwy'n synnu, rwy'n rhyfeddu* I find it strange
rhyfedd o fe'i defnyddir i ddwysáu ystyr ansoddair, *rhyfedd o dda*
rhyfedd wyrth cwbl anghredadwy some miracle or other

rhyfeddod *eg* (rhyfeddodau)
1 teimlad o syndod yn gymysg ag edmygedd a chwilfrydedd; anghynefindra, dieithrwch, hynodrwydd amazement, wonder
2 rhywun neu rywbeth sy'n achosi teimlad o'r fath marvel, wonder
Saith Rhyfeddod Cymru 1. Pistyll Rhaeadr 2. Tŵr eglwys Wrecsam 3. Yr Wyddfa 4. Coed yw Owrtyn (Overton) 5. Ffynhonnau Gwenffrewi 6. Pont Llangollen 7. Clychau

Gresffordd (Gresford) the Seven Wonders of Wales
Saith Rhyfeddod yr Hen Fyd 1. Pyramidiau'r Aifft 2. Gerddi Crog Babilon 3. Cerflun y duw Zeus yn Olympia, Groeg 4. Teml y dduwies Diana yn Effesus 5. Beddrod y Brenin Mausolus yn Halicarnasws 6. Y cerflun pres anferth (Colossus) o Helios (Apollo), duw'r Haul, yn Rhodos (Rhodes) 7. Goleudy Pharos yn Alexandria Seven Wonders of the World *Ymadrodd*
digon o ryfeddod! rhywbeth rhyfeddol a wonder

rhyfeddol *ans*
1 anarferol o dda neu alluog; arbennig, godidog, gwych, rhagorol (~ o) wonderful, phenomenal
2 yn achosi teimladau o ryfeddod; anhygoel, aruthrol, syfrdanol, trawiadol amazing, marvellous, wonderful

rhyfeddu *be* [rhyfedd•¹] bod yn llawn o deimladau o syndod, edmygedd a chwilfrydedd, *Bob tro rwy'n ei glywed, rwy'n rhyfeddu at ei ddawn.*; syfrdanu, synnu (~ at) to amaze
(gwneud rhywbeth) yn dda i'w ryfeddu amazingly well

rhyfel *eg* (rhyfeloedd)
1 ymladd ag arfau rhwng cenhedloedd neu wledydd; cad, ymladdfa war
2 cyfnod neu hyd yr ymladd hwn, *Rhyfel 1914–18* war
rhyfel cartref rhyfel rhwng grwpiau gelyniaethus o'r un wlad sy'n cael ei ymladd oddi mewn i'r wlad honno civil war
y Rhyfel Mawr *hanesyddol* y Rhyfel Byd Cyntaf, 1914–18 The Great War 1914–18

rhyfela *be* [rhyfel•¹] cychwyn a pharhau i frwydro, ymladd rhyfel (~ yn erbyn) to wage war

rhyfelfarch *eg* (rhyfelfeirch) march rhyfel, cadfarch charger, war horse

rhyfelgar *ans* parod i fynd i ryfel, yn bygwth rhyfel; milwriaethus, ymladdgar, ymosodol warlike

rhyfelgarwch *eg* ysbryd neu anian ryfelgar aggressiveness, belligerence, warmongering

rhyfelgi *eg* (rhyfelgwn) un rhyfelgar warmonger

rhyfelgri *eg* bloedd ryfel battle cry, war cry

rhyfelgyrch *eg* (rhyfelgyrchoedd)
1 cyfres gysylltiedig o ymosodiadau neu ddigwyddiadau milwrol yn ystod cyfnod o ryfel; ymgyrch filwrol campaign
2 ymdeithgan; cân ryfel, *Rhyfelgyrch Gwŷr Harlech* march

rhyfelwisg *eb* (rhyfelwisgoedd) gwisg o fetel y byddai gwŷr arfog yn arfer ei gwisgo ers talwm er mwyn eu hamddiffyn eu hunain mewn brwydr neu ryfel; arfogaeth, arfwisg armour

rhyfelwr *eg* (rhyfelwyr)
1 *llenyddol* milwr warrior
2 un sy'n brwydro dros ei lwyth, '*ei gwrol ryfelwyr*'; brwydrwr, ymladdwr warrior

rhyferthwy *eg*
1 storm fawr o wyntoedd cryfion a glaw; drycin, storm, tymestl tempest
2 llifeiriant cryf, rhuthr dyfroedd, cenlli; dygyfor torrent

rhyfon *ell* ffrwythau meddal, blasus sy'n tyfu ar lwyni bychain yn bwysi o aeron cochion, duon neu wynion yn ôl natur y llwyn; cwrens currants

rhyfyg *eg* balchder a hunanbwysigrwydd digywilydd; beiddgarwch, digywilydd-dra, haerllugrwydd, hyfdra arrogance, hubris, presumption

rhyfygu *be* [rhyfyg•¹] ymddwyn yn llawn rhyfyg to dare, to presume

rhyfygus *ans* llawn rhyfyg; digywilydd, eofn, haerllug, wynebgaled arrogant, presumptuous

rhyg *eg*
1 planhigyn tebyg i wenith sy'n gallu tyfu mewn pridd gwael ac ar dymheredd isel rye
2 grawn y planhigyn hwn (sy'n cael ei falu'n fflŵr/blawd) rye

rhygnu *be* [rhygn•¹]
1 gwneud sŵn cras, annymunol wrth i un peth grafu yn erbyn rhywbeth arall (e.e. meini melin); rhincian, ysgyrnygu to grate, to rasp
2 dweud yr un peth drosodd a throsodd (achwyn fel arfer), canu'r un hen dôn gron, *Roeddwn i wedi hen flino ar y prifathro yn rhygnu ymlaen am yr arholiadau o hyd.* (~ **ymlaen**) to harp on
rhygnu arni siarad yn hir mewn ffordd lafurus to drone on
Ymadrodd
rhygnu byw byw bywyd caled, undonog

rhygwellt *eg* un o amryw fathau o weiriau a dyfir er mwyn eu maeth ryegrass

rhygyngu *be* (am geffyl) symud yn gyflym ond nid mor gyflym â charlamu to canter
Sylwch: nid yw'r ferf hon yn arfer cael ei rhedeg.

rhyng- *rhag* (mae'n cael ei ddefnyddio ar ddechrau gair i olygu) rhwng, ymysg, yng nghanol, e.e. *rhyngweithio, rhyngwladol* inter-
Sylwch: mae'n achosi'r treiglad meddal.

rhyngadrannol *ans* yn cael ei gynnal mewn mwy nag un adran neu'n ymwneud â gwahanol adrannau (yn yr un cwmni neu sefydliad addysgiadol fel arfer) interdepartmental

rhyngalaethog *ans* yn digwydd neu wedi'i leoli yn y gofod rhwng galaethau intergalactic

rhyngasennol *ans* ANATOMEG wedi'i leoli rhwng yr asennau intercostal

rhyngbersonol *ans* yn ymwneud â pherthynas pobl â'i gilydd neu â chyfathrebu rhwng pobl interpersonal

rhyngblanedol *ans* yn digwydd yn y gofod rhwng planedau interplanetary

rhyngbleidiol *ans* yn digwydd ar y cyd rhwng dwy neu ragor o bleidiau inter-party

rhyngbriodi *be* [rhyngbriod•¹] priodi ag aelod o'r un teulu neu dylwyth to intermarry

rhyngchwartel *gw.* amrediad rhyngchwartel

rhyngdoriad *eg* (rhyngdoriadau) MATHEMATEG pwynt lle mae llinell syth neu gromlin yn croesi un o'r echelinau cyfesurynnol intercept

rhyngdorri *be* [rhyngdorr•⁹] MATHEMATEG cynnwys neu ffinio (rhan o ofod neu gromlin) rhwng dau bwynt neu ddwy linell to intercept
Sylwch: dyblwch yr 'r' ym mhob ffurf ac eithrio yn y rhai sy'n cynnwys *-as-*.

rhyngddi *gw.* rhwng

rhyngddibyniaeth *eb* y cyflwr o fod yn ddibynnol ar ei gilydd interdependence

rhyngddisgyblaethol *ans* yn perthyn i ddwy neu ragor o ddisgyblaethau academaidd interdisciplinary

rhyngenwadol *ans* CREFYDD yn perthyn i ddau neu ragor o'r enwadau neu'n digwydd ar y cyd rhyngddynt interdenominational

rhyngfoleciwlaidd *ans* CEMEG yn digwydd rhwng moleciwlau intermolecular

rhyngfridio *be*
1 bridio neu achosi i fridio ag anifail o wahanol hil neu rywogaeth; croesfridio to interbreed
2 bridio o fewn poblogaeth gyfyngedig to interbreed
Sylwch: nid yw'r ferf hon yn arfer cael ei rhedeg.

rhyng-Geltaidd *ans* ar y cyd rhwng y gwledydd Celtaidd pan-Celtic

rhyng-gellol *ans* yn digwydd rhwng celloedd neu a geir yn y bylchau rhwng celloedd intercellular

rhyng-genedlaethol *ans* yn digwydd ar y cyd rhwng cenhedloedd; cydwladol, rhyngwladol international

rhyng-gipio *be* [rhyng-gipi•²]
1 rhwystro ac atal (rhywun neu rywbeth) rhag cyrraedd (rhywle) to intercept
2 (mewn rygbi, pêl-droed, etc.) cael gafael ar bêl sy'n cael ei phasio i wrthwynebydd to intercept

rhyng-golegol *ans* yn digwydd ar y cyd rhwng colegau, *eisteddfod ryng-golegol* intercollegiate

rhyng-gyfandirol *ans* yn ymestyn rhwng cyfandiroedd neu'n gallu teithio rhwng cyfandiroedd, *taflegryn rhyng-gyfandirol* intercontinental

rh

rhyng-gymunedol *ans* yn digwydd ar y cyd rhwng cymunedau

rhynglywodraethol *ans* yn digwydd ar y cyd rhwng llywodraethau intergovernmental

rhyngof gw. **rhwng**

rhyngol *ans*

1 (o ran amser) yn digwydd yn yr amser rhwng digwyddiadau intervening

2 (o ran gofod) yn gorwedd rhwng dau beth intermediate

rhyngosod *be*

1 MATHEMATEG amcangyfrif gwerth rhwng gwerthoedd eraill mewn cyfres, yn aml wrth ddefnyddio graff llinell to interpolate

2 newid neu lygru testun drwy osod deunydd newydd neu wahanol yn ei ganol to interpolate

  Sylwch: nid yw'r ferf hon yn arfer cael ei rhedeg.

cwrs rhyngosod cwrs lle y cynigir cyfnodau o hyfforddiant a phrofiad ymarferol am yn ail sandwich course

rhyngosodiad *eg* (rhyngosodiadau) y broses o ryngosod (1 a 2) interpolation

rhyngrewlifol *ans* DAEAREG yn digwydd rhwng dau gyfnod o rewlifiant, e.e. y cyfnodau rhyngrewlifol hynny a nodweddai'r cyfnod Pleistosen interglacial

rhyngrwyd *eb* CYFRIFIADUREG (*Y Rhyngrwyd*) y rhwydwaith cyfrifiadurol sy'n galluogi defnyddiwr cyfrifiadur i gysylltu â chyfrifiaduron ar draws y byd ac sy'n cynnig amrediad o wasanaethau gwybodaeth a chyfathrebu Internet

rhyngserol *ans* yn digwydd yn y gofod rhwng y sêr interstellar

rhyngu bodd *be* [rhyng•¹] gwneud yn hapus; bodloni, boddhau, plesio, tycio to please, to satisfy

rhyngweithio *be* [rhyngweithi•²] gweithredu neu ddylanwadu ar ei gilydd, yn enwedig y rhannu gwybodaeth rhwng cyfrifiadur a'i ddefnyddiwr pan fydd rhaglen gyfrifiadurol yn cael ei rhedeg to interact

rhyngweithiol *ans* yn rhyngweithio interactive

rhyngwladol *ans* yn ymwneud â mwy nag un wlad; byd-eang, cydwladol, rhyng-genedlaethol international

rhyngwladoliaeth *eb*

1 y cyflwr neu'r broses o fod yn rhyngwladol internationalism

2 y weithred o annog cydweithrediad a dealltwriaeth rhwng cenhedloedd internationalism

rhyngwr *eg* (rhyngwyr) fel yn *rhyngwr bodd*, un sy'n rhyngu bodd

rhyngwyneb *eg* (rhyngwynebau)

1 wyneb sy'n pennu ffin gyffredin rhwng dwy haen, dau gyfnod neu ddwy system interface

2 y man y mae dwy system wahanol yn dod ynghyd ac yn cyfathrebu â'i gilydd, *rhyngwyneb rhwng dyn a pheiriant* interface

3 dyfais neu raglen sy'n caniatáu i ddefnyddiwr gyfathrebu â chyfrifiadur neu sy'n cysylltu dau ddarn o feddalwedd neu o galedwedd interface

rhyngwynebu *be* creu rhyngwyneb rhwng dau beth to interface

  Sylwch: nid yw'r ferf hon yn arfer cael ei rhedeg.

rhyn *ans* anystwyth, anhyblyg, di-ildio rigid, stiff

rhyndod *eg* (rhyndodau) y weithred o grynu neu o rynnu; cryd, cryndod, ysgryd chilling, shivering

rhynion *ell* ceirch wedi'u plisgo ond heb eu malu, neu wedi'u bras falu hulled oats

rhynllyd *ans*

1 yn crynu oherwydd oerfel neu afiechyd; crynedig, fferllyd, iasoer, rhewllyd shivering

2 oer iawn raw

rhynllyd o fe'i defnyddir i ddwysáu ystyr ansoddair, *rhynllyd o oer*

rhynnu *be* [rhynn•⁹] bod yn anghyffordus o oer a chrynedig; fferru, rhewi, sythu to freeze, to shiver

  Sylwch: dyblwch yr 'n' ym mhob ffurf ac eithrio yn y rhai sy'n cynnwys -as-.

rhyolit *eg* DAEAREG craig igneaidd fân-grisialog a gwydrog ei gwedd sy'n cyfateb i wenithfaen o ran ei chyfansoddiad rhyolite

rhysedd *eg* gogoniant, gwychder, rhodres, moethusrwydd glory, splendour

rhythion *ans* ffurf luosog **rhwth**

rhythm *eg* (rhythmau) (mewn barddoniaeth a cherddoriaeth) patrwm bwriadol (celfydd) o guriadau, *Cefais fy swyno gan rythm hudol y gerddoriaeth.*; sigl rhythm

rhythmig *ans* llawn rhythm rhythmical

rhython *ell* molysgiaid bychain, bwytadwy sy'n byw mewn cregyn ffurf calon; maent i'w cael ar draethau lle mae digon o dywod neu mewn mwd yng ngenau afon; cocos cockles

rhythu *be* [rhyth•¹] edrych (ar rywun neu rywbeth) â'ch llygaid led y pen ar agor (yn llygadrwth) (~ **ar**) to stare

rhyw¹ *egb* (rhywiau)

1 y cyflwr o fod yn wryw neu'n fenyw gender, sex

2 yr holl bobl sy'n perthyn naill ai i'r rhyw fenywaidd neu i'r rhyw gwrywaidd, *y rhyw deg* gender, sex

3 y weithred o gyfathrach rywiol sex

  Sylwch: mae'n wrywaidd yn dilyn y fannod ond yn newid yn ôl y gwrthrych fel arall (*y rhyw deg*).

o'r iawn ryw gw. **iawn¹**

rhyw² *ans*

1 yn cyfeirio'n benodol at rywun neu rywbeth arbennig nad ydych am ei enwi, *Mi wn am ryw ferch sy'n mynd i nofio am awr bob bore cyn mynd i'r ysgol.* some

2 yn cyfeirio at rywun nad ydych yn ei adnabod neu rywbeth na wyddoch ddim amdano, *Mae 'na ryw ddyn wrth y drws.* some

Sylwch:

1 mae'n achosi'r treiglad meddal;

2 nid yw'n cael ei gymharu ac eithrio'r radd gyfartal 'cyfryw';

3 wrth siarad, mae goslef y llais yn dangos y gwahaniaeth rhwng ystyron 1 a 2.

rhyw gymaint gw. **cymaint¹**

rhywbeth¹ *eg* (rhyw bethau)

1 peth penodol nad yw'n cael ei enwi, *Rwy'n siŵr fy mod wedi anghofio rhywbeth.* something

2 rhan, cyfran, *Mae rhywbeth o'i dad yn y ffordd y mae'n gwenu.* something, anything

rhywbeth rywbeth (mewn brawddegau negyddol) unrhyw beth (*Er mai dim ond drama fach i'r teulu yw hi, wnaiff rhywbeth rywbeth mo'r tro ar gyfer y gwisgoedd.*) any old thing, just anything

rhywbeth² *adf* i raddau, ychydig, *Rhaid cyfaddef ei bod hi a'i chwaer rywbeth yn debyg o ran golwg.*; lled something

rhywbryd *adf*

1 rhyw amser neu'i gilydd, *Dewch draw i'n gweld ni rywbryd.* sometime

2 rhyw amser amhenodol, *Gelwais heibio rywbryd yn ystod yr haf.* sometime

rhywedd *eg* rhyw (unigolyn) gan bwysleisio'r gwahaniaethau cymdeithasol a diwylliannol yn hytrach na'r gwahaniaethau biolegol rhwng dynion a menywod gender

hunaniaeth rhywedd gw. **hunaniaeth**

rhywfaint¹ *eg* peth, ychydig, *A oes gennyt rywfaint o newid?* some amount

rhywfaint² *adf* rhyw gymaint, *Mae hi rywfaint yn nes at ddatrys y dirgelwch.*; peth, rhai, ychydig some, somewhat

rhywfodd *adf* mewn ffordd nad yw'n glir, rhyw ffordd neu'i gilydd, *Mae'r gwalch bach rywfodd neu'i gilydd wedi llwyddo i gael ei ben yn sownd yn y bwced!*; rhywsut somehow

rhywiaeth *eb*

1 y gred bod rhyw unigolyn yn pennu gwerth, gallu a lle yr unigolyn mewn cymdeithas, a bod un rhyw (y gwryw gan amlaf) yn well na'r llall sexism

2 gwahaniaethu yn annheg rhwng pobl ar sail eu rhyw, yn enwedig rhagfarn dynion yn erbyn gwragedd sexism

rhywiaethol *ans* nodweddiadol o rywiaeth, yn enghraifft o rywiaeth sexist

rhywiog *ans* da o'i fath ac at ei bwrpas, *iaith rywiog*; cryf, graenus, iach, pwrpasol

rhywiogrwydd *eg* y cyflwr o fod yn rhywiog, safon uchel; cryfder

rhywiol *ans*

1 yn ymwneud â rhyw sexual

2 yn creu cyffro ar sail ei ryw neu ei rhyw; nwydus, nwydwyllt, poeth sexual, sexy

3 BIOLEG (am atgenhedlu) yn ymwneud ag ymasiad gametau sexual

rhywioldeb *eg*

1 y cyflwr o fod â rhyw sexuality

2 y graddau y mae un yn atyniadol yn rhywiol sexuality

3 cyfeiriadedd rhywiol, e.e. gwahanrywiol neu gyfunrywiol sexuality

rhywle *adf* mewn lle neu i le amhenodol, neu heb ei enwi, *Rhoddais fy sbectol i lawr fan hyn yn rhywle.* somewhere, anywhere

rhywle rywle (mewn brawddegau negyddol) unrhyw le just anywhere

rhywogaeth *eb* (rhywogaethau) BIOLEG grŵp o boblogaethau o organebau sy'n gallu rhyngfridio â'i gilydd i gynhyrchu epil ffrwythlon; mae'n un o brif gategoriau dosbarthiad tacsonomaidd ac fe'i hadnabyddir wrth enw Lladin binomaidd, e.e. *Felix sylvestris* (cath wyllt) species

rhywogaethol *ans* yn perthyn i rywogaeth, nodweddiadol o rywogaeth generic

rhywrai *ell* mwy o bobl na **rhywun**

rhywsut *adf* mewn rhyw ffordd neu'i gilydd, *Mae'n rhaid inni ddianc o fan hyn rywsut.*; rhywfodd somehow

rhywsut rywsut/rywfodd yn ddiofal any old how, slapdash

Ymadrodd

rhywsut neu'i gilydd mewn ffordd nad yw'n glir one way or another

rhywun *eg* (rhywrai)

1 person nad yw'n cael ei enwi, '*Mawredd mawr, 'steddwch i lawr,/Mae rhywun wedi dwyn fy nhrwyn!*'; un, unigolyn someone, a person

2 person pwysig, *On'd yw hi'n meddwl ei bod hi'n rhywun?* somebody

rhywun neu'i gilydd gw. **gilydd**

rhywun rywun (mewn brawddegau negyddol fel arfer) unrhyw un just anyone

rh

S

s:S *eb*

1 cytsain a phedwaredd lythyren ar hugain yr wyddor Gymraeg s, S

2 CERDDORIAETH y pumed nodyn yng ngraddfa nodiant y system sol-ffa, so s, soh

-s *rhagenw dibynnol mewnol* (3ydd unigol neu luosog) fe'i defnyddir i gyfleu gwrthrych ymadrodd berfol yn dilyn *ni, na, oni* a *pe*, 'ef', 'hi', 'nhw/hwy', *Nis gwelais (ef, hi, hwy). Ni allaf farnu'r llyfr am nas darllenais.; Byddaf yn siomedig onis derbyniaf.* her, him, it, them

   Sylwch: cyfyngir y rhagenw mewnol hwn i gyweiriau tra ffurfiol a'r duedd bellach yw defnyddio rhagenw syml yn dilyn y ferf, e.e. 'Ni welais ef' yn lle *Nis gwelais*. Nid oes angen 'ef' neu 'hi', mae 'nis gwelais hi' yn anghywir.

Sabath gw. **Saboth**

Sabathydd *eg*

1 un sy'n arddel ac yn hyrwyddo Sabathyddiaeth Sabbatarian

2 un sy'n cadw'r Saboth ar ddydd Sadwrn yn unol â'r pedwerydd o'r Deg Gorchymyn Sabbatarian

Sabathyddiaeth *eb* y gred a'r arfer na ddylid gweithio neu chwilio am ddifyrrwch ar y Sul Sabbatarianism

sabl *eg* anifail yn perthyn i deulu'r wenci sy'n byw yng nghoedwigoedd Asia; mae'n cael ei hela am ei ffwr gwerthfawr sy'n frown mor dywyll fel ei fod yn ymddangos yn ddu sable

Saboth:Sabath *eg* (Sabothau:Sabathau)

1 y seithfed dydd o'r wythnos, sy'n cael ei gadw'n gysegredig gan Iddewon a Christnogion Sabbath, Shabbat

2 y cyfnod o 6 o'r gloch nos Wener hyd 6 o'r gloch nos Sadwrn yw diwrnod cysegredig yr Iddewon Sabbath, Shabbat

3 Dydd Sul yw diwrnod cysegredig y rhan fwyaf o Gristnogion (i goffáu'r diwrnod y daeth y disgyblion o hyd i'r bedd gwag lle y cafodd Iesu Grist ei osod ar ôl iddo gael ei groeshoelio) Sabbath

sabothol *ans* am y cyfnod rhydd y mae darlithydd neu weithiwr yn ei gael i ganolbwyntio ar ymchwil neu i deithio heb orfod dysgu neu wneud ei waith arferol (unwaith bob saith mlynedd, fel arfer) sabbatical

Sabothol *ans* yn digwydd ar ddydd Sul, yn perthyn i'r Sul Sabbatical

sabr *eg* (sabrau)

1 cleddyf trwm â llafn sy'n crymu a ddefnyddir gan wŷr meirch sabre

2 math o gleddyf ffensio ysgafn ac iddo ddarn ar y carn yn amddiffyn cefn y llaw sabre

sac *eg* fel yn *cael y sac*, diswyddiad sack

sacarin *eg*

1 sylwedd cemegol melys a ddefnyddir weithiau yn lle siwgr saccharin

2 rhywbeth sy'n rhy felys saccharin

sacarinaidd *ans* rhy felys, cyfoglyd o felys

sacerdotaidd *ans*

1 CREFYDD yn perthyn i offeiriad, yn ymwneud â'r offeiriadaeth sacerdotal

2 CREFYDD yn ymwneud ag athrawiaeth sy'n honni swyddogaethau aberthol neu rymoedd goruwchnaturiol i offeiriaid ordeiniedig sacerdotal

sacio *be* [saci•²] *anffurfiol* diswyddo to sack

saco *be* [sac•¹] *tafodieithol, yn y De* gwthio, stwffio, sachu, sechi to shove, to stuff

sacrament *eg* (sacramentau) un o nifer o seremonïau Cristnogol cysegredig sy'n cynnig lles ysbrydol, e.e. bedyddio, y Cymun, etc.; ordinhad, sagrafen sacrament

sacramentaidd *ans* tebyg i sacrament, yn perthyn i sacrament, o natur sacrament; sagrafennol sacramental

sacristan *eg* (sacristaniaid)

1 un sy'n gyfrifol am y gysegrfa mewn eglwys sacristan

2 clochydd eglwys sacristan

sacrwm *eg* (sacra) ANATOMEG yr asgwrn mawr trionglog ar waelod y cefn sy'n cynnwys pum fertebra wedi tyfu ynghyd sacrum

sacsoffon *eg* (sacsoffonau) offeryn cerdd wedi'i wneud o fetel ond sy'n defnyddio corsen sengl i gynhyrchu'r sain; fe'i defnyddir yn bennaf mewn bandiau jazz, bandiau milwrol a bandiau dawns saxophone

sacsoffonydd *eg* (sacsoffonwyr) un sy'n chwarae sacsoffon saxophonist

Sacson *eg* (Sacsoniaid) *hanesyddol* aelod o lwyth Germanaidd a oresgynnodd rannau o Loegr yn y bumed ganrif ac a ymunodd â llwythau eraill i greu'r Eingl-Sacsoniaid Saxon

Sacsonaidd *ans hanesyddol* yn perthyn i'r Sacsoniaid a'u hiaith Saxon

sach *eb* (sachau) math o fag mawr neu gwdyn mawr wedi'i wneud yn wreiddiol o ddefnydd garw ond erbyn hyn o blastig neu bapur trwchus; ffetan sack

sach gysgu cwdyn mawr trwchus o ddefnydd cynnes y mae rhywun yn cysgu ynddo pan fo'n gwersylla neu'n cysgu yn yr awyr agored sleeping bag

sachabwndi *eg tafodieithol, yn y De* sach wedi'i chlymu'n anniben fel gair dilornus am rywun a golwg flêr arno

sachaid *eb* (sacheidiau) llond sach sackful

sachaidd *ans* tebyg i sach, o ansawdd sachlïain

sachlïain *eg* math o ddefnydd garw, pigog wedi'i wneud o lin neu gywarch ar gyfer gwneud sachau sackcloth

sachlïain a lludw byddai'r Iddewon yn arfer gwisgo sachlïain a thaenu lludw am eu pennau fel arwydd o edifeirwch neu alar; defnyddir yr ymadrodd heddiw am rywun sy'n llawn edifeirwch sackcloth and ashes

sachu:sechi *be* [sach•¹] gwthio i (sach), stwffio; hwpo to cram, to stuff

sad *ans* [sad•]
1 heb fod yn rhwydd ei symud na'i newid; ansigladwy, di-sigl, diysgog, safadwy firm, stable
2 heb fod yn fympwyol, heb newid ei feddwl heb reswm da; dibynadwy, diwyro dependable
3 (am sylwedd cemegol) nad yw'n newid i ffurf arall yn naturiol, sy'n tueddu i gadw ei ffurf wreiddiol stable

sadio *be* [sadi•²] gwneud neu ddod yn sad neu'n sefydlog; callio, difrifoli, sobreiddio, ymsefydlogi to stabilize, to steady

sadistaidd *ans* yn cael boddhad (rhywiol) drwy achosi poen sadistic

    sadistaidd o fe'i defnyddir i ddwysáu ystyr ansoddair, *sadistaidd o greulon*

sadistiaeth *eb* SEICIATREG tuedd i gael boddhad (rhywiol) drwy achosi poen i eraill (yn gorfforol neu'n feddyliol) sadism

sadistydd *eg* un sy'n chwannog i gael boddhad (rhywiol) drwy achosi poen i eraill sadist

sadiwr:sadydd *eg* (sadyddion) dyfais sy'n cadw rhywbeth yn sefydlog neu'n gyson; sefydlogydd stabilizer

sadomasocistaidd *ans* yn perthyn i sadomasocistiaeth, nodweddiadol o sadomasocistiaeth sadomasochistic

sadomasocistiaeth:sadomasociaeth *eb* SEICIATREG cyflwr annormal lle y ceir sadistiaeth a masocistiaeth yn yr un unigolyn sadomasochism

sa' draw gw. sefyll

sadrwydd *eg* y cyflwr o fod yn sad; cadernid, cysondeb, sefydlogrwydd stability, steadiness

Sadwcead *eg* (Sadwceaid) aelod o blaid uchelwrol, offeiriadol y sonnir amdani yn amser Iesu Grist fel carfan a ymwrthodai â rhai o gredoau'r Phariseaid, e.e. mewn atgyfodiad ac angylion Sadducee

Sadwrn¹ *eg* (Sadyrnau) y seithfed dydd o'r wythnos Saturday

    dydd Sadwrn y seithfed dydd o'r wythnos a'r olaf (yn dilyn dydd Gwener) Saturday

Sadwrn² *eg* y chweched blaned o'r Haul a nodweddir gan nifer y cylchoedd llydain, gwastad o'i chwmpas; cafodd ei henwi ar ôl duw amaeth y Rhufeiniaid Saturn

sadydd¹ *eg* (sadyddion) un sy'n ymarfer sadistiaeth; sadist sadist

sadydd² gw. sadiwr

Sadyrnaidd *ans* nodweddiadol o'r duw Sadwrn (a roes ei enw i'r blaned) Saturnian

Sadyrnol *ans* yn digwydd ar ddydd Sadwrn

saer *eg* (seiri)
1 yn wreiddiol, crefftwr oedd yn adeiladu â defnydd arbennig, *saer maen*, *saer coed*, neu oedd yn adeiladu rhywbeth o fath arbennig, *saer llongau*, *saer troliau* wright
2 erbyn heddiw, saer coed, crefftwr mewn pren carpenter

saer dodrefn/celfi un sy'n gwneud dodrefn/celfi cabinetmaker

saer llongau un sy'n adeiladu llongau shipwright

saer maen un sy'n torri, caboli ac yn defnyddio cerrig i adeiladu; masiwn stonemason

saer olwynion:saer troliau *hanesyddol* saer oedd yn gwneud ac yn trwsio olwynion wheelwright

saernïaeth *eb* y grefft sy'n amlwg yn y ffordd y mae rhywbeth wedi cael ei ffurfio neu ei roi at ei gilydd; adeiladwaith, crefftwaith, gwead, lluniad construction, craftsmanship, workmanship

saernïo *be* [saernï•⁸] llunio neu adeiladu drwy osod pethau at ei gilydd yn grefftus; creu, cynllunio, ffurfio to construct, to fashion

    Sylwch: does dim angen didolnod pan fydd dwy 'i' yn dilyn ei gilydd, *saerniir*.

saernïwr *eg* (saerniwyr) un sy'n creu (mewn ffordd grefftus); lluniwr fashioner

saeryddiaeth *eb* fel yn *Saeryddiaeth Rydd*, egwyddorion hen frawdoliaeth gyfrinachol y Seiri Rhyddion sy'n cynnal cyd-aelodau ac yn ceisio meithrin perthynas dda rhyngddynt (free)masonry

Saesneg¹ *ebg* iaith Lloegr yn wreiddiol, ond erbyn hyn, iaith sy'n cael ei siarad yn llawer o wledydd eraill y byd hefyd English

    Sylwch: mae enw'r iaith yn fenywaidd ond os sonnir am fath arbennig o Saesneg, mae'n wrywaidd, *Saesneg modern*.

Saesneg² *ans* yn cael ei fynegi yn Saesneg English

Saesnes *eb* (Saesnesau) merch neu wraig o Loegr, un o dras neu genedligrwydd Seisnig Englishwoman

Saeson *ell* lluosog Sais

saets *eg* llysieuyn y defnyddir ei ddail llwydlas i ychwanegu blas at fwyd ac i wneud moddion ar ffurf te sage

saeth *eb* (saethau) arf hir, cul, crwn, blaenllym o bren (neu ddefnydd megis plastig neu fetel erbyn heddiw) sy'n cael ei saethu o fwa arrow

saethdwll *eg* (saethdyllau) PENSAERNÏAETH bwlch neu adwy mewn mur amddiffynnol (e.e. tŵr neu gastell) sy'n fwy ar y tu mewn na'r tu allan ac y gellir anelu saethau drwyddo; cloerdwll loophole, embrasure

saethflew *ell* blew garw, gwyn anifeiliaid (a gymysgir â gwlân mewn carped, er enghraifft) kemp

saethiad *eg* (saethiadau) y broses o saethu, canlyniad saethu shooting, squirt

saethlys *eg* planhigyn dŵr croyw â dail ar ffurf pen saeth arrowhead

saethol *ans*
  1 ANATOMEG yn ymwneud â'r asiad rhwng y ddau asgwrn sy'n ymestyn o flaen y benglog i'w chefn (yr esgyrn parwydol) sagittal
  2 ANATOMEG wedi'i leoli ar linell neu blân sy'n ymestyn ar hyd canol y corff sagittal

saethu *be* [saeth•¹]
  1 gollwng (bwled, saeth, etc.) yn rhydd ag egni to shoot
  2 tanio (arf), *saethu dryll* to fire, to shoot
  3 bwrw neu ladd ag ergyd o ddryll, *Cafodd ei saethu yn ei goes.* to shoot
  4 tanio megis o ddryll, *saethu cwestiynau at y siaradwr* to shoot
  5 symud yn gyflym, *Saethodd y car i ganol yr heol.* to shoot, to rocket
  6 (mewn chwaraeon) ceisio sgorio gôl to shoot
  7 tyfu'n gyflym, *Mae'r planhigion wedi saethu i fyny ar ôl y glaw.* to shoot
  8 tynnu lluniau (ffilm neu deledu), *Rydym yn saethu yng Nghaerdydd yfory.* to shoot

saethwr *eg* (saethwyr) un sy'n saethu marksman, shot

saethydd *eg* (saethyddion) un sy'n saethu saethau o fwa (ar gyfer adloniant, cystadleuaeth neu, yn y gorffennol, mewn brwydr) archer
  y Saethydd y patrwm seryddol a'r cytser *Sagittarius* Sagittarius

saethyddiaeth *eb* y gamp o saethu bwledi, saethau, etc. at darged archery, marksmanship

saethyn *eg* (saethynnau) peth sy'n cael ei daflu neu ei saethu missile, projectile

saf *bf* [sefyll] gorchymyn i ti sefyll

safadwy *ans*
  1 yn sefyll yn gadarn; anorthrech, diysgog, sad, sefydlog firm, stable, steadfast
  2 (am ddŵr) yn sefyll (fel merddwr) standing

safaf *bf* [sefyll] rwy'n sefyll; byddaf yn sefyll

safana *eg* (safanau) glaswelltir trofannol eang, ynghyd â rhywfaint o goed a llwyni gwasgaredig, fel arfer savannah

safbwynt *eg* (safbwyntiau) ffordd o edrych ar rywbeth, y farn y mae rhywun yn dod iddi wrth edrych ar rywbeth o un cyfeiriad arbennig; barn, meddwl, piniwn, tyb standpoint, viewpoint

safiad *eg* (safiadau)
  1 ymdrech gref i amddiffyn (rhywun neu rywbeth) neu i wrthwynebu ymosodiad, *safiad Gwenllïan yn erbyn y Normaniaid yng Nghydweli* stand
  2 y weithred o sefyll yn gadarn dros rywbeth rydych yn credu ynddo, *Y mae safiad y pwyllgor dros yr hawl i ddefnyddio'r Gymraeg yn destun edmygedd.* stance, stand

safio *be* [safi•²]
  1 achub, arbed to save
  2 cynilo arian to save

safle *eg* (safleoedd)
  1 man arbennig, lle penodol, y man y mae adeilad yn sefyll arno, *Ai hwn yw safle'r llyfrgell newydd?*; lleoliad location, site
  2 (mewn gêmau) y lle y mae rhywun yn chwarae mewn tîm, *Oherwydd yr anaf i'r maswr, bu raid symud John i'r safle hwnnw er mai cefnwr yw e fel arfer.* position
  3 y man lle mae rhywun neu rywbeth wedi'i leoli mewn perthynas â phobl neu bethau eraill o'i gwmpas, *Beth yw ei safle yn y cwmni?*; sefyllfa position, rank, standing

safle actif BIOCEMEG rhan benodol o ensym lle mae swbstrad yn ffitio active site

safle tir glas safle datblygu yn y wlad neu ar dir agored nad oes neb wedi datblygu arno o'r blaen greenfield site

safle tir llwyd safle datblygu lle mae adeiladau hŷn yn cael eu dymchwel neu eu hadnewyddu cyn dechrau datblygiad newydd brownfield site

safn *eb* (safnau)
  1 ceg (anifail, fel arfer); genau, pen jaws, mouth
  2 y darn y mae modd ei agor a'i gau mewn feis neu dyndro jaw

safnglo:safnrhwym *eg* peth a wthir i'r geg i'w chadw ar agor neu i atal lleferydd gag

safngrwn *eg* (safngrynion) anifail y môr sy'n perthyn o bell i'r llysywen bendoll ac sy'n defnyddio'i geg grwn i lynu wrth bysgod eraill a'u trywanu hagfish

safnrhwth *ans* â'r geg yn agored led y pen; cegrwth, syfrdan agape, open-mouthed

safnrhythu *be* [safnrhyth•¹]
  1 dylyfu gên; ymagor to yawn
  2 agor y geg led y pen (a bloeddio) to bellow

safon *eb* (safonau)
  1 lefel o allu neu o ddawn a ddefnyddir i fesur pethau eraill wrthi, *Beth yw safon y plant sy'n cael eu derbyn i'r gerddorfa?*; lefel, norm level, norm, standard
  2 ansawdd derbyniol, lefel ddisgwyliedig, foddhaol o allu neu lwyddiant, *Roedd yr ymgeiswyr i gyd yn gallu ysgrifennu Cymraeg o safon.*
  3 rhyw fesur sydd wedi'i osod (ar gyfer pwysynnau, purdeb, etc.); gradd standard

safon byw ansawdd bywyd (materol) rhywun, yn dibynnu ar faint o arian sydd ganddo standard of living

Safon Uwch ADDYSG (yn y Deyrnas Unedig, ac eithrio yn yr Alban) cymhwyster mewn pwnc penodol sy'n cael ei sefyll, fel arfer, gan ddisgybl rhwng 16 a 18 oed Advanced (A) level

Safon Uwch Gyfrannol ADDYSG (yn y Deyrnas Unedig, ac eithrio yn yr Alban) rhan gyntaf cymhwyster Safon Uwch; UG Advanced Subsidiary (AS) level

safonedig ans wedi'i lunio i gydymffurfio â safon arbennig (o ran maint, ffurf, adeiledd, cynnwys, etc.); unffurf standardized

safoni be [safon•¹] gwneud i bethau gydymffurfio ag un safon; gwneud pethau'n debyg i'w gilydd; categoreiddio, cymedroli, cysoni to standardize, to moderate, moderation

safonol ans
1 yn cydymffurfio â safon gydnabyddedig; clodwiw, cymeradwy, teilwng standard
2 o safon dda neu'n gosod safonau newydd, *Clywsom berfformiad safonol o'i drydedd symffoni.*; arbennig
3 a dderbynnir yn gyffredinol, *Mae'n llyfr safonol yn ei faes.*; cywir, derbyniol standard

safri:safri fach eb llysieuyn bach gwyrdd o deulu'r farddanhadlen (marddanhadlen) a ddefnyddir i ychwanegu blas at gig neu at lysiau, etc. savory, winter savory

saff ans [saff•]
1 *anffurfiol* heb berygl; croeniach, dianaf, diogel safe
2 heb amheuaeth; diamheuol, pendant, sicr certain
yn saff i chi gallwch fod yn siŵr, *Bydd yn y dafarn heno, yn saff ichi.*
yn saff o yn sicr o, *Maen nhw'n saff o ddod, i ti.*

saffari eg taith i hela neu i wylio anifeiliaid gwylltion yn eu cynefin (yn Nwyrain Affrica, fel arfer) safari

saffir eg mwyn corwndwm o liw glas tryloyw ar ffurf gem werthfawr sapphire

saffrwm:saffrwn eg
1 blodyn melyn, porffor neu wyn â choesyn byr, sy'n blodeuo fel arfer yn gynnar yn y gwanwyn crocus
2 stigmâu melyngoch y blodyn wedi'u sychu a'u defnyddio i roi blas neu liw ar fwydydd neu mewn meddyginiaeth saffron

saga eb (sagâu)
1 un o chwedlau traddodiadol Llychlyn a Gwlad yr Iâ; hanes gorchestion arwyr neu hynt a helynt teulu dros gyfnod o amser saga
2 stori hir sy'n llawn o ddigwyddiadau cyffrous saga

sagrafen eb (sagrafennau)
1 un o nifer o seremonïau Cristnogol cysegredig sy'n cynnig lles ysbrydol, e.e. bedyddio, y Cymun, etc.; ordinhad, sacrament sacrament
2 CREFYDD (y Sagrafen) y Cymun Bendigaid, Swper yr Arglwydd Eucharist, the Lord's Supper

sagrafennol ans yn perthyn i sagrafen, nodweddiadol o sagrafen; sacramentaidd sacramental

sang eb (sangau) fel yn *dan ei sang*, yn llawn i'r ymylon

sang-di-fang:siang-di-fang adf anniben tost; pendramwnwgl, blith draphlith higgledy-piggledy, upside down

sangiad eg (sangiadau)
1 GRAMADEG toriad ar rediad arferol y frawddeg Gymraeg, e.e. *Mae ceffyl yma yw'r* ffurf arferol, ond os newidir y drefn i *Mae yma geffyl*, ceir sangiad interpolation
2 LLENYDDIAETH gair neu ymadodd sy'n torri ar rediad ymadrodd drwy gynnwys ynddo rywbeth sy'n gysylltiedig, i ryw raddau neu'i gilydd, o ran ystyr ond heb fod yn rhan ramadegol, e.e.
A chawn, *mewn llannerch yno,*
Hwyl o weld y byffaló
– *allan o 'Y Sŵ' gan Emrys Roberts*
parenthesis
Sylwch: mae enw, ansoddair a berfenw sy'n dilyn sangiad fel arfer yn treiglo'n feddal.

sangu:sengi be [sang•³] sathru dan draed, *Os wyt ti'n mynnu mynd allan, gofala nad wyt ti'n sangu ar draed y bobl sy'n eistedd ar ben y rhes.*; damsang (~ **ar**) to tread

Sahel eg ardal o dir lletgras sy'n ymestyn ar draws Gweriniaeth Canolbarth Affrica o Sénégal i Ethiopia Sahel

saib:seibiant eg (seibiau:seibiannau)
1 toriad bach neu fwlch yn rhediad rhywbeth (gweithgarwch, ymgom, etc.), toriad er mwyn gorffwys; cyfwng, egwyl, gosteg, rhaniad break, pause, respite, rest
2 CERDDORIAETH ysbaid o dawelwch mewn darn o gerddoriaeth, wedi'i farcio gan arwydd sy'n dangos hyd y cyfnod tawel rest

saif bf [sefyll] *ffurfiol* mae ef yn sefyll/mae hi'n sefyll; bydd ef yn sefyll/bydd hi'n sefyll

saig eb (seigiau) dysglaid o fwyd, yn enwedig un o gyfres o seigiau wedi'u paratoi ar gyfer pryd o fwyd neu wledd; cwrs dish

sail eb (seiliau)
1 sylfaen y mae adeilad yn cael ei godi arno; daear, gwaelod, llawr basis, base
2 yr hyn y mae cred, arfer, gweithred neu ffordd o fyw wedi'i seilio arno; craidd, egwyddor, hanfod, rheswm foundation, ground
3 ELECTRONEG y rhan ganol mewn transistor

S

deubegwn, sy'n gwahanu'r allyrrydd a'r casglydd base

ar (y) sail am y rheswm, *Cawsant eu derbyn i'r gystadleuaeth ar sail eu perfformiad yng nghyngerdd yr ysgol*. on the grounds

saim *eg* (seimiau)

1 bloneg meddal ar ôl iddo gael ei doddi, braster meddal ar gyfer iro; gwêr, olew fat, grease

2 y braster a'r sudd a geir wrth i ddarn o gig gael ei rostio dripping

sain¹ *eb* (seiniau)

1 rhywbeth y gellir ei glywed, sy'n achosi adwaith yn y glust (rhywbeth mwy arbenigol a cherddorol neu beraidd na sŵn) sound

2 ansawdd sŵn sy'n cael ei glywed, *Treiddiodd sain hir, glir i ganol y dorf.*; goslef, ynganiad sound, tone

cynghanedd sain gw. **cynghanedd**

sain, cerdd a chân llên a cherddoriaeth Cymru

sain²:saint *eg* mewn enwau lleoedd ffurf ar **sant**, e.e. *Sain Tathan* saint

saint *ell*

1 lluosog **sant**

2 rhai sydd wedi byw bywyd Cristnogol neu sy'n byw bywyd crefyddol, anhunanol, rhinweddol ac a ystyrir yn aelodau o 'gymdeithas y saint'

cwdyn y saint gw. **cwdyn**

Saïraidd *ans* yn perthyn i Weriniaeth Ddemocrataidd Congo (a adnabuwyd fel Zaire o 1971 hyd 1997) Zairean

Saïriad *eg* (Saïriaid) brodor o Weriniaeth Ddemocrataidd Congo (a adnabuwyd fel Zaire o 1971 hyd 1997) Zairean

Sais *eg* (Saeson) brodor o Loegr, un o dras neu genedligrwydd Seisnig Englishman

saith *rhifol*

1 y rhif sy'n dilyn chwech ac yn dod o flaen wyth seven

2 y symbol sy'n cynrychioli'r nifer hwn, 7 neu vii seven

3 y nifer hwn o bobl, pethau, etc., *saith bachgen, saith coeden*

Sylwch: mae'n achosi'r treiglad trwynol yn 'blynedd', 'blwydd' ac weithiau 'diwrnod'; yr oedd yn arfer achosi'r treiglad meddal yn achos 'cant', 'ceiniog', 'punt' a 'pwys' ac fe'i cedwir, e.e. yn 'y saith gelfyddyd'.

Saith Rhyfeddod Cymru gw. **rhyfeddod**

Saith Rhyfeddod yr Hen Fyd gw. **rhyfeddod**

Ymadroddion

saith gwaeth yn waeth o lawer

y saith gelfyddyd gw. **celfyddyd**

saith deg *rhifol* (saithdegau) deg a thrigain, 70 seventy

sake *eg* gwirod Siapaneaidd wedi'i ddistyllu o reis

sâl¹ *ans* [sal•]

1 *safonol, yn y Gogledd* yn dioddef o afiechyd, yn teimlo'n dost; anhwylus, claf, gwael, tost ill, queasy, sick

2 gwael ei ansawdd, heb gyrraedd y safon, da i ddim; brith, coch, di-raen poor, shoddy

sâl² gw. **sêl¹**

salaam *eg* cyfarchiad parchus mewn gwledydd Arabaidd yn cynnwys moesymgrymu gyda'r llaw neu fysedd yn cyffwrdd â'r pen

salad *eg* (saladau) cymysgedd o lysiau (amrwd ac wedi'u coginio) sy'n cael eu bwyta'n oer gan amlaf, ynghyd (weithiau) â phasta, cig, pysgodyn, reis, caws, wyau, etc. salad

salad ffrwythau cymysgedd o ffrwythau (amrwd) fruit salad

salamander *eg* (salamanderau) amffibiad tebyg i fadfall; genau-goeg y credid gynt ei fod yn gallu gwrthsefyll tân salamander

salami *eg* math o selsig o'r Eidal sy'n cynnwys cig, garlleg a llawer o sesnin; mae'n boblogaidd yn Ewrop a Phrydain fel *antipasto* neu *hors d'oeuvre* salami

salina *eg* (salinâu)

1 morfa heli salina

2 dyddodyn neu ddyddodion halwynog mewn morfeydd heli; fel arfer, defnyddir y term i ddisgrifio'r fath ddyddodion yn Ne America, Canolbarth America a de-orllewin Unol Daleithiau America salina

salíwt *eg*

1 y broses o saliwtio, canlyniad saliwtio salute

2 gweithred o ddathlu neu o deyrnged drwy danio gynnau salute

saliwtio *be* [saliwti•²]

1 cyfarch uwch swyddog yn y gwasanaethau milwrol mewn ffordd gydnabyddedig, e.e. drwy godi'r llaw at ochr y pen; cydnabod to salute

2 anrhydeddu drwy gyfrwng seremoni filitaraidd ffurfiol to salute

salm *eb* (salmau)

1 (daw'r gair o'r Roeg am offeryn sy'n debyg i delyn) cân a genid yn wreiddiol i gyfeiliant offeryn llinynnol fel y rhai a geir yn 'Llyfr y Salmau' yn y Beibl psalm

2 cân o fawl neu fyfyrdod i bethau, personau, sefydliadau yn null Salmau'r Beibl psalm

salmau cân Salmau'r Beibl wedi'u haddasu i batrymau mydryddol fel y gellir eu canu fel emynau metrical psalms

salm-dôn *eb* (salmdonau) CERDDORIAETH y dôn y mae salm yn cael ei chanu arni chant

salmonela *eg* BIOCEMEG un o nifer o facteria sy'n achosi afiechydon, yn enwedig gwenwyn bwyd salmonella

salmydd *eg* (salmyddion) awdur salm neu salmau (yn draddodiadol, y Brenin Dafydd yn y Beibl) psalmist

salmyddiaeth *eb* y weithred o ganu salmau neu emynau fel rhan o addoliad cyhoeddus psalmody

salon *ebg*

1 ystafell dderbyn grand iawn salon

2 cyfarfod ffasiynol o lenorion, cerddorion, arlunwyr, gwleidyddion, etc. a gynhelid yng nghartrefi pobl amlwg yn ystod yr ail ganrif ar bymtheg a'r ddeunawfed ganrif salon

3 siop yn ymwneud â thrin gwallt neu harddu'r corff salon

saltring *eb* (saltringau) hen offeryn cerdd â thannau sy'n cael eu taro â dau forthwyl bychan yn nwylo'r chwaraewr; mae'n debyg i ddwsmel psaltery

salw *ans* [salw•] heb fod yn hardd nac yn lluniaidd; anhardd, anolygus, hagr, hyll drab, ugly

salwch *eg* y cyflwr o fod yn sâl; afiechyd, anhwylder, tostrwydd illness, sickness

salwch môr y profiad o deimlo'n sâl, a all arwain at chwydu, wrth deithio ar gwch neu long ar y môr seasickness

salwch teithio y profiad o deimlo'n sâl, a all arwain at chwydu, wrth deithio travel sickness

salŵn *eg*

1 (mewn tafarn) bar yfed mwy cyfforddus na'r bar cyhoeddus saloon (bar)

2 car a tho iddo, a ffenestri ar bob ochr a chist ar wahân, a lle i bedwar neu bump o bobl saloon

3 tŷ tafarn mawr cyhoeddus (a oedd yn gyffredin yng 'Ngorllewin Gwyllt' Gogledd America) saloon

sallwyr *eg* (sallwyrau) 'Llyfr y Salmau', yn enwedig copi o Salmau'r Beibl ar gyfer addoliad cyhoeddus psalter

Samariad *eg* (Samariaid)

1 brodor o wlad Samaria Samaritan

2 aelod o gymdeithas sy'n cynnig cyngor (dros y ffôn, fel arfer) i bobl mewn argyfwng neu mewn cyflwr o anobaith Samaritan

y Samariad Trugarog gŵr a estynnodd gymorth ac elusen i elyn a thestun un o ddamhegion Iesu Grist Good Samaritan (the)

samariwm *eg* elfen gemegol rhif 62; metel caled, ariannaidd sy'n amsugnydd niwtronau ac a ddefnyddir mewn magnetau pwerus (Sm) samarium

samba *eb* CERDDORIAETH dawns o Frasil, â'i gwreiddiau yn Affrica, a berfformir gan seindorf

Sambiad *eg* (Sambiaid) brodor o Zambia Zambian

Sambiaidd *ans* yn perthyn i Zambia, nodweddiadol o Zambia Zambian

samit *eg* math o sidan drudfawr a geid yn yr Oesoedd Canol ag aur neu arian wedi'i wehyddu drwyddo samite

samizdat *eg* llenyddiaeth y mae gwladwriaeth yn ei gwahardd, yn enwedig y llenyddiaeth a gynhyrchwyd ac a ddosbarthwyd yng ngwledydd Comiwnyddol dwyrain Ewrop

Samoad *eg* (Samoaid) brodor o Samoa Samoan

Samoaidd *ans* yn perthyn i Samoa, nodweddiadol o Samoa Samoan

samofar *eg* (samofarau) dyfais berwi dŵr i wneud te o Rwsia; mae ganddo wresogydd mewnol sy'n cadw'r dŵr yn boeth samovar

samona *be* hela neu bysgota'r eog (yn gyfreithlon neu'n anghyfreithlon)

Sylwch: nid yw'r ferf hon yn arfer cael ei rhedeg.

samosa *eg* COGINIO pecyn trionglog o does wedi'i ffrio sy'n cynnwys cig neu lysiau sbeislyd

sampan *eg* (sampanau) cwch rhwyfo bach ac iddo waelod gwastad a ddefnyddir ar afonydd ac mewn porthladdoedd yn y Dwyrain Pell sampan

sampl *eb* (samplau)

1 rhan fechan sy'n cynrychioli'r cyfan; nifer bach neu ddigwyddiad sy'n rhoi syniad o'r cyfan; darn, sbesimen, ychydig sample, specimen

2 darn bach arbrofol o rywbeth (a roddir am ddim, fel arfer); enghraifft, esiampl sample

3 MATHEMATEG cyfran o boblogaeth o bethau (e.e. pobl, adar, ceir neu afalau) a ddefnyddir yn sail i amcangyfrif priodweddau'r boblogaeth gyfan sample

sampler *eg* (sampleri) darn addurniadol o frodwaith (yn cynnwys llythrennau neu benillion) er mwyn dangos amrywiaeth o bwythau a dawn y sawl a'i lluniodd sampler

samplu *be* [sampl•¹]

1 cymryd sampl neu samplau; profi to sample

2 CERDDORIAETH derbyn enghraifft neu enghreifftiau o seiniau gwahanol mewn cyfrwng electronig a'u defnyddio'n sylfaen i greu rhywbeth newydd to sample

samurai *eg* *hanesyddol* aelod o ddosbarth milwrol grymus yng nghyfnod ffiwdal Japan

samwn *eg* *anffurfiol* eog salmon

San *amrywiaeth ar* **sant**

sân *eg* rhwyd bysgota hir y mae un ymyl ohoni yn cael ei gadw ar wyneb y dŵr a'r ymyl arall â phwysau arno er mwyn iddi hongian yn y dŵr; byddai'r ddau ben iddi yn cael eu tynnu ynghyd gan ddal unrhyw bysgod rhyngddynt seine

sanau *ell* lluosog **hosan**

sancsiwn *eg* (sancsiynau)

1 cosb am anufuddhau i ddeddf neu reol sanction

2 unigol sancsiynau sanction

sancsiynau *ell* mesurau economaidd neu filwrol a ddefnyddir i geisio gorfodi gwladwriaeth i newid polisi neu i gydymffurfio â chyfraith ryngwladol sanctions

Sanct *eg* yr Un sanctaidd, Duw

sanctaidd *ans* [sancteiddi•] wedi'i gysegru neu ei sancteiddio i Dduw neu gan Dduw; bendigaid, cysegredig, gwynfydedig, nefol hallowed, holy, sacred

sancteiddhad *eg* gwaith yr Ysbryd Glân yn sancteiddio sanctification

sancteiddiach:sancteiddiaf:sancteiddied *ans* [sanctaidd] mwy sanctaidd; mwyaf sanctaidd; mor sanctaidd

sancteiddio *be* [sancteiddi•²] gosod ar wahân ar gyfer Duw, gwneud yn sanctaidd; gwaredu o bechod; bendithio, cysegru, dwyfoli to sanctify

sancteiddrwydd *eg* y cyflwr neu'r ansawdd o fod yn sanctaidd; cysegredigrwydd, defosiwn, duwioldeb holiness, sanctity

sandal *eb* (sandalau) esgid ysgafn, agored sydd â strapiau'n cau am y droed sandal

sandio *be* [sandi•²] llyfnu a chaboli wyneb rhywbeth (e.e. darn o bren), drwy ei rwbio â phapur tywod, â thywod ei hun neu â phapur tebyg i bapur tywod, e.e. papur gwydrog to sand

sandiwr *eg* peiriant sandio sander

sangfroid *eg* hunanfeddiant, pwyll

Sanhedrin *eg* CREFYDD llys uchaf crefyddol a chyfreithiol yr Iddewon gynt, gyda'r archoffeiriad yn bennaeth arno; fe'i defnyddir yn wawdlyd am unrhyw gorff a welir yn ceisio bod yn dra awdurdodol Sanhedrin

San Marinaidd *ans* yn perthyn i San Marino, nodweddiadol o San Marino San Marinese

San Mariniad *eg* (San Mariniaid) brodor o San Marino San Marinese

Sansgrit *ebg* iaith hynafol, gysegredig India a'r Hindŵiaid Sanskrit

sant *eg* (saint:seintiau)
  1 gŵr sy'n cael ei gydnabod gan yr Eglwys Gristnogol, ar ôl iddo farw, yn berson arbennig o sanctaidd (lluosog: seintiau) saint
  2 un sydd wedi byw bywyd Cristnogol neu sy'n byw bywyd crefyddol, anhunanol a rhinweddol a ystyrir yn aelod o 'gymdeithas y saint' saint
  3 un o'r mynaich crwydrol, megis Dewi, Teilo ac Illtud, a fu'n cenhadu yng Nghymru yn y chweched ganrif, gan sefydlu clasau neu fynachlogydd Celtaidd (lluosog: seintiau:saint) saint
  Sylwch: gw. hefyd **saint**.

santes *eb* (santesau)
  1 merch neu wraig sy'n cael ei chydnabod yn sant ar ôl ei marwolaeth saint
  2 merch neu wraig dda a rhinweddol

santhoffyl *eg* BIOCEMEG pigment melyn neu frown a geir mewn planhigion ac sy'n achosi i ddail newid lliw yn yr hydref xanthophyll

Sao Tomaidd *ans* yn perthyn i São Tomé a Príncipe, nodweddiadol o São Tomé a Príncipe

Sao Tomiad *eg* (Sao Tomiaid) brodor o São Tomé a Príncipe

saproffyt *eg* BIOLEG organeb saproffytig saprophyte

saproffytig *ans* BIOLEG (am organeb) yn derbyn ei faeth o feinwe marw neu bydredig planhigion neu anifeiliaid saprophytic

Sarasen *eg* (Saraseniaid) un o'r Mwslimiaid a ymladdai yn erbyn byddinoedd y Cristnogion adeg y Croesgadau Saracen

sarcastig *ans* coeglyd, gwawdlyd sarcastic

sardîn *eg* (sardîns:sardinau) pennog Mair ifanc neu unrhyw fath o sgadenyn bach ifanc sardine

Sardinaidd *ans* yn perthyn i Sardinia, nodweddiadol o Sardinia Sardinian

Sardiniad *eg* (Sardiniaid) brodor o Sardinia neu o dras Sardinaidd Sardinian

sardonig *ans* dirmygus ddoniol; coeglyd, gwawdlyd sardonic

sarff *eb* (seirff)
  1 neidr (yn enwedig un fawr) serpent
  2 rhywun sy'n twyllo neu'n arwain rhai ar gyfeiliorn serpent
  y Sarff y patrwm seryddol a'r cytser *Scorpio* Scorpio

sarffaidd *ans* yn dolennu neu'n gwingo fel sarff; nadraidd serpentine, sinuous

sarffes *eb* merch neu wraig gas, dwyllodrus, ddichellgar

sarff-faen *eg* (sarff-feini)
  1 serpentinit; craig fetamorffig ledwyrdd sy'n cynnwys mwynau serpentin ac arni farciau tebyg i farciau neidr serpentinite
  2 serpentin; mwyn lledwyrdd, brith sy'n cynnwys magnesiwm silicad ac a geir mewn serpentinit serpentine

sarhad *eg* y broses o sarhau (rhywun), canlyniad sarhau; cywilydd, gwaradwydd, gwarth, sen insult, slur

sarhau *be* [sarha•¹⁴] dweud neu wneud rhywbeth er mwyn brifo teimladau rhywun, bod yn anfoesgar wrth rywun; bychanu, dilorni, gwaradwyddo, gwarthruddo to affront, to insult, to slight

sarhaus *ans* yn achosi gwarth neu gywilydd; bychanus, difenwol, difrïol, gwaradwyddus insulting, contemptuous, disrespectful
  sarhaus o fe'i defnyddir i ddwysáu ystyr ansoddair, *yn sarhaus o ddirmygus*

sari *eg* (sarïau) gwisg draddodiadol merched a gwragedd India sy'n gorchuddio'r pen ac yn cyrraedd y traed sari

sarn *eb* (sarnau)
  1 heol neu lwybr sy'n uwch na'r tir o'i gwmpas, fel arfer mae'n croesi tir corslyd neu afon; cawsai causeway

2 (â grym ansoddeiriol) am rywun neu rywbeth sydd wedi'i sarnu dan draed neu'n ffigurol, *ei gobeithion yn sarn*; chwilfriw

Sarn Helen enw chwedlonol ar y ffyrdd Rhufeinig a geir yng Nghymru

sarnu *be* [sarn•¹]
1 troedio'n drwm ar ben rhywbeth, *sarnu dan draed*; sangu, sathru (*~ rhywbeth* **dros**) to trample
2 chwalu, torri, distrywio, *Mae hwnna wedi sarnu'r cynlluniau i gyd.* to spoil, to destroy
3 *tafodieithol, yn y De* colli, tywallt, *Gofala na fyddi di'n sarnu hwnna dros dy ddillad gorau.* to spill

sarong *eb* (sarongau) math o sgert a wisgir gan ddynion a merched Ynysoedd Môr y De sarong

sarrug *ans* mewn tymer ddrwg, byr ei amynedd; blin, blwng, cas, pwdlyd churlish, sullen, surly

sarsiant *eg* (sarsiantiaid)
1 swyddog heddlu rhwng cwnstabl ac arolygydd sergeant
2 rhingyll yn y lluoedd arfog sergeant

sarugrwydd *eg* y cyflwr o fod yn sarrug sullenness, surliness

sasiwn *eb* (sasiynau) cyfarfod o swyddogion a gweinidogion gwahanol henaduriaethau'r Presbyteriaid i drafod materion cyfundebol; cymdeithasfa
Sylwch: mae'n derbyn ffurf unigol neu luosog berf.

Satan *eg* y Diafol the Devil
dos yn fy ôl i, Satan! *ebychiad* ymadrodd yn deisyf am gael osgoi temtasiwn get thee behind me, Satan

satanaidd *ans* yn perthyn i Satan, nodweddiadol o Satan; cythreulig, diawledig, dieflig satanic

sataniaeth *eb* ymlynu wrth Satan neu ei addoli drwy lurgunio a gwyrdroi seremonïau Cristnogol satanism

satin¹ *eg* defnydd sidanaidd sy'n disgleirio ar yr wyneb ond yn bŵl ei gefn; sidan satin

satin² *ans*
1 yn disgrifio arwyneb llyfn satin
2 GWNIADWAITH (am wehyddu) pan fydd naill ai'r anwe neu'r ystof yn amlwg ar arwyneb y defnydd satin weave

satswma *eg* (satswmas) oren mandarin bach melys, heb hadau satsuma

sathr *eg* y weithred o sathru, canlyniad sathru; ôl troed, sathriad, troediad treading

sathredig *ans*
1 (am iaith) wedi dirywio, heb fod yn gain nac yn hardd nac yn gywir; aflednais, di-chwaeth, gwael debased, hackneyed, vulgar
2 wedi'i droedio (yn aml); arferol, cyffredin, ystrydebol customary, familiar

sathriad *eg* (sathriadau) y weithred o sathru, canlyniad sathru; ôl troed, sathr, troediad trampling, treading

sathru *be* [sathr•³]
1 rhoi eich troed ar rywbeth, cerdded dros rywbeth a'i wasgu i'r llawr neu i'r baw; bracsan, damsang, mathru, pystylad (*~ ar*) to crush, to trample, to tread
2 distrywio, lladd, *sathru ar obeithion rhywun* to ride roughshod over, to trample
sathru ar gorn/gyrn (rhywun) cythruddo rhywun to step on someone's corns

sathrwr *eg* (sathrwyr) un sy'n sathru trampler, treader

sauerkraut *eg* COGINIO saig o fresych wedi'i halltu, o'r Almaen yn wreiddiol

sauté *ans* COGINIO wedi'i ffrio'n gyflym mewn ychydig o fraster poeth

savoir faire *eg* ymwybyddiaeth o'r ymddygiad priodol beth bynnag yw'r amgylchiadau

Sawdïad *eg* (Sawdiaid) dinesydd Saudi Arabia neu o'i theulu brenhinol Saudi

Sawdïaidd *ans* yn perthyn i wlad Saudi Arabia, nodweddiadol o Saudi Arabia Saudi

sawdl *egb* (sodlau)
1 rhan gefn y droed heel
2 y rhan o hosan sy'n ffitio am gefn y droed neu'r rhan o esgid sydd o dan y rhan hon o'r droed heel
cicio sodlau gw. cicio
dan y sawdl dan fawd rhywun, yn was i rywun under the heel
ni fyddaf i (fyddi di, fydd ef, etc.)
uwchlaw bawd sawdl ni ddaw ddim ohonof never amount to anything
o'r corun i'r sawdl gw. corun
troi ar fy sawdl:rhoi tro ar fy (dy, ei, etc.) sawdl troi a gadael ar unwaith to turn on one's heels

sawdur gw. sodr

sawdd *bf* [soddi] *hynafol* mae ef yn soddi/mae hi'n soddi; bydd ef yn soddi/bydd hi'n soddi

sawl¹ *rhagenw gofynnol*
1 talfyriad o *pa sawl*, *Sawl un oedd yn y cwrdd y bore 'ma?*; faint how many
2 mewn ymadroddion (braidd yn hynafol erbyn hyn) megis *Gwnewch yn dda i'r sawl a'ch casâ*; y rhai however many, whomsoever
Sylwch: nid yw'n achosi treiglad.

sawl² *ans* llawer (ond nid y cyfan), nifer da; amryw many, several

sawna *eg* ystafell neu adeilad ar gyfer ymdrochi mewn ager neu chwysu mewn gwres sych yn ôl dull y Ffiniaid sauna

sawr *eg* (sawrau)
1 yr hyn a glywir gan y trwyn; arogl, gwynt aroma, odour, scent

2 yr hyn a glywir (neu a brofir) gan y tafod; blas *flavour, savour, tang*

sawrlysiau *ell* cymysgedd o lysiau a pherlysiau (wedi'u torri'n fân, fel arfer) *aromatic herbs, fines herbes*

sawru *be* [sawr•[1] *3 un. pres.* sawr/sawra; *2 un. gorch.* sawr/sawra]
1 clywed neu synhwyro â'r trwyn; arogleuo, arogli, gwyntio *to smell*
2 clywed neu brofi â'r tafod; blasu *to savour, to taste*
3 synhwyro (rhywbeth drwg, fel arfer), *Nid wyf yn hoffi'r cynnig yma – mae'n sawru o gynllwyn.* *to smack of, to smell*
4 cynhyrchu arogl; arogli, gwynto (~ o) *to smell*

sawrus *ans*
1 yn arogli ac yn blasu'n dda; amheuthun, blasus, danteithiol *savoury*
2 â blas tebyg i gaws neu i gig, etc. (o'i gyferbynnu â rhywbeth melys) *savoury*

saws:sos *eg* (sawsiau) un o nifer o fathau o hylif (melys neu sawrus) sy'n cael eu taenu (yn boeth neu'n oer) dros fwyd neu sy'n cael eu bwyta gyda bwyd, *saws mintys*; blaslyn, enllyn *sauce*
saws coch:sos coch cetsyp wedi'i wneud â thomatos *tomato sauce*

sba *eb* (sbâu)
1 ffynnon lesol, ffynhonnell o ddŵr a mwynau llesol ynddo *spa*
2 lle ffasiynol wedi'i godi er mwyn i bobl elwa o'r dyfroedd hyn *spa*

sbadics *eg* BOTANEG sbigyn o flodau bach sy'n tyfu'n dynn yn ei gilydd ar goesyn cnodiog ac sy'n cael ei orchuddio â fflurwain, e.e. pidyn y gog a blodau tebyg *spadix*

sbaddu gw. **ysbaddu**

sbaddwr gw. **ysbaddwr**

Sbaenaidd *ans* yn perthyn i Sbaen, nodweddiadol o Sbaen *Spanish*

Sbaenes *eb* (Sbaenesau) merch neu wraig o Sbaen, un o dras neu genedligrwydd Sbaenaidd *Spaniard*

Sbaenwr *eg* (Sbaenwyr) brodor o Sbaen, un o dras neu genedligrwydd Sbaenaidd *Spaniard*

sbageti defnddiwch **spaghetti**

sbam *eg*
1 CYFRIFIADUREG e-bost di-alw-amdano a anfonir at unigolyn fel rhan o ymgyrch e-bostio torfol *spam*
2 enw ar gig tun arbennig, wedi'i wneud yn bennaf o ham *spam*

sbaner *eg* (sbaneri) teclyn i dynhau neu ddatod nytiau *spanner*

sbanish *eg* darn hir o licris neu ddarn o wreiddyn licris a fwyteir fel da-da neu fferins *liquorice stick*

sbâr *ans*
1 yn fwy na'r gwir angen, y mae modd gwneud hebddo, dros ben *spare*
2 a gedwir o'r neilltu i'w ddefnyddio pan fydd angen, *olwyn sbâr* *spare*

sbardun:ysbardun *eg* (sbardunau:ysbardunau)
1 dyfais finiog ar ffurf U y mae marchog yn ei gwisgo ar gefn sawdl ei esgid i bigo ei geffyl a'i annog i fynd yn gynt *spur*
2 falf sy'n rheoli llif y tanwydd (petrol) i beiriant tanio mewnol (e.e. mewn car), ac sydd felly'n effeithio ar gyflymder y peiriant *throttle*
3 dyfais mewn car, fan, etc. sy'n peri i'r cerbyd fynd yn gynt *accelerator*
4 *ffigurol* symbyliad, rhywbeth sy'n annog neu'n gorfodi rhywun i weithredu, *Weithiau, mae arian yn gallu bod yn sbardun effeithiol iawn i gael rhywbeth wedi'i wneud.*; anogaeth, ysgogiad *incentive, stimulus*
5 DAEARYDDIAETH cefnen sy'n ymestyn ar i waered o grib mynydd *spur*

sbardun blaendor DAEARYDDIAETH (ar lechweddau dyffryn) sbardun y mae ei ben isaf wedi'i dorri ymaith gan rym erydol rhewlif dyffryn gan greu llethr serth iawn *truncated spur*

sbardun pleth DAEARYDDIAETH ymblethiad llethrau dyffryn a achosir pan fo afon yn dilyn cwrs troellog ar hyd llawr dyffryn siâp V; mae pob sbardun yn gorgyffwrdd â'r sbardun agosaf gan guddio'r olygfa i fyny ac i lawr y dyffryn *interlocking spur*

Ymadrodd

sbardun a ffrwyn cyfarpar yr oedd eu hangen er mwyn rheoli ceffyl, y naill rhag iddo fynd yn rhy araf a'r llall i'w gadw rhag rhedeg yn wyllt *carrot and stick*

sbarduno:ysbarduno *be* [sbardun•[1]]
1 defnyddio sbardunau i wneud i geffyl symud yn gynt *to spur*
2 ysgogi (rhywun) i weithio'n galetach neu'n gyflymach; procio, symbylu *to spur, to spur (on)*

sbarian:sbario *be* ymarfer paffio heb fwrw o ddifrif *to spar*
Sylwch: nid yw'r ferf hon yn arfer cael ei rhedeg.

sbario *be* [sbari•[2]]
1 medru cynnig rhywfaint o rywbeth y mae digon ohono i rywun sy'n brin ohono, *Elli di sbario cwpanaid o laeth? Does dim digon gennyf i frecwast.*; fforddio *to spare*
2 gwneud heb, *A gaf i fenthyg y car i sbario imi orfod cerdded i'r dref?*; arbed, hepgor, peidio *to spare*

sbarion *ell*
1 lluosog **sbaryn** *leftovers*
2 yn fwy penodol, bwyd sydd ar ei ôl heb ei fwyta *leftovers*

sbarras *ell* ceibrau; rhan o fframwaith to sy'n cynnal y gorchudd a ddefnyddir rafters

Sbartaidd *ans hanesyddol* nodweddiadol o ddinas Sparta yng Ngroeg a'i dinasyddion; (am le) diaddurn, llwm, moel; (am bobl) dewr, di-ildio, gwydn Spartan

sbaryn *eg* (sbarion) darn (bach, fel arfer) o rywbeth sy'n weddill, rhywbeth dros ben remnant

sbastig *ans*
1 ANATOMEG (am gyflwr) yn cael ei nodweddu gan gyhyr neu gyhyrau sy'n cyfangu'n sydyn ac yn ddirybudd spastic
2 MEDDYGAETH am wendid cyhyrol yn deillio o barlys yr ymennydd sy'n achosi parlys ac yn amharu ar y gallu i reoli defnydd o'r cyhyrau spastic

sbatwla *eg* (sbatwlâu) un o nifer o fathau o offer a nodweddir gan lafn gwastad nad yw'n finiog ac a ddefnyddir i gymysgu bwyd, paent, etc. spatula

sbec *eb* golwg sydyn; cipdrem, cipolwg, pip, trem peep

sbecian *be* cymryd pip, taflu cipolwg to peep
Sylwch: nid yw'r ferf hon yn arfer cael ei rhedeg.

sbeciwr *eg* (sbecwyr) un sy'n sbecian peeper

sbectol *eb* (sbectolau) dau ddarn o wydr arbennig wedi'u gosod mewn ffrâm a wisgir gan rywun i'w alluogi i weld yn well glasses, spectacles
sbectol haul sbectol a gwydr neu blastig tywyll ynddi sy'n diogelu'r llygaid rhag yr haul sunglasses
Ymadrodd
sbectol tin/waelod potel:sbectol pot jam sbectol â lensys trwchus

sbectroffotomedr *eg* (sbectroffotomedrau) CEMEG dyfais sy'n mesur dwysedd y gwahanol donfeddi sydd mewn golau, e.e. uwchfioled, isgoch, etc., neu faint o'r mathau hyn o olau a amsugnir neu a allyrrir gan gemegyn spectrophotometer

sbectrograff *eg* (sbectrograffau) FFISEG dyfais sy'n gwasgaru pelydriad, e.e. pelydriad electromagnetig neu seindonnau, i sbectrwm ac yn llunio cofnod o'r sbectrwm hwnnw spectrograph

sbectrol *ans*
1 FFISEG yn perthyn i sbectrwm spectral
2 FFISEG (am fesur ffisegol) yn perthyn i un donfedd o belydriad spectral

sbectromedr *eg* (sbectromedrau) FFISEG dyfais ar gyfer dadansoddi pelydriad electromagnetig, gan amlaf drwy greu graff o arddwysedd yn erbyn tonfedd; sbectrosgop spectrometer
sbectromedr màs CEMEG dyfais sy'n gwahanu isotopau, moleciwlau a defnyddiau moleciwlaidd yn ôl eu màs mass spectrometer

sbectromedreg *eb* FFISEG y defnydd o sbectromedrau i ddadansodi sbectra spectrometry

sbectrosgop *eg* (sbectrosgopau) FFISEG dyfais ar gyfer dadansoddi pelydriad electromagnetig, gan amlaf drwy greu graff o arddwysedd yn erbyn tonfedd; sbectromedr spectroscope

sbectrosgopeg *eb* cangen o ffiseg a chemeg sy'n astudio'r berthynas rhwng pelydrau electromagnetig a mater, e.e. pelydrau X neu olau spectroscopy

sbectrosgopig *ans* FFISEG yn ymwneud â sbectrosgopeg, *dadansoddiad sbectrosgopig* spectroscopic

sbectrwm *eg* (sbectra)
1 y lliwiau sylfaenol – coch, oren, melyn, gwyrdd, glas, indigo a fioled – y mae golau'n rhannu iddynt wrth iddo basio drwy brism gwydr neu drwy ddiferion glaw (gan ffurfio enfys) spectrum
2 *technegol* plot o arddwysedd yn erbyn tonfedd ar gyfer amrediad o donfeddi, e.e. golau neu donnau sain spectrum
3 yr amrywiaeth neu'r cwmpas sydd oddi mewn i ffiniau eithaf rhywbeth; amrediad spectrum

sbectrwm allyrru FFISEG y patrwm o linellau neu fandiau llachar a welir pan fydd y pelydriad electromagnetig sy'n cael ei allyrru gan sylwedd neu wrthrych yn cael ei ddadansoddi gan sbectromedr emission spectrum

sbectrwm amsugno FFISEG y patrwm o linellau tywyll a welir pan fydd pelydriad electromagnetig yn mynd drwy gyfrwng amsugno mewn sbectromedr absorption spectrum

sbecyn *eg* (sbeciau) brycheuyn, smotyn speck

sbeng *eb* gwawd a sen gibe, sneer

sbengllyd *ans* llawn sen; gwawdlyd sarcastic, sneering

sbeis *eg* (sbeisys)
1 un o nifer o berlysiau (llysiau arbennig wedi'u malu'n bowdr, fel arfer) a ddefnyddir i roi blas arbennig ar fwyd spice
2 rhywbeth sy'n ychwanegu diddordeb neu gyffro spice

sbeislyd *ans* llawn sbeis; (neu'n ffigurol) yn ychwanegu diddordeb a chyffro at sefyllfa spicy

sbeit[1] *eb* awydd maleisus i wneud drwg neu niwed i rywun; atgasedd, gwenwyn, malais spite

sbeit[2] *eg* mewn enwau lleoedd gall fod yn ffurf ar ysbyty, sef lloches a godwyd ar gyfer teithwyr

sbeitio *be* [sbeiti•[2]] gwneud neu geisio gwneud drwg i rywun mewn modd maleisus to spite

sbeitlyd *ans* llawn sbeit, a wneir mewn modd maleisus; cas, gwenwynllyd, maleisus spiteful

sbel:sbelen *eb*
1 cyfnod di-dor (hir, fel arfer) o amser heb ffiniau pendant, *Mae sbel ers imi ei gweld hi ddiwethaf.* period, time

2 cyfnod o orffwys oddi wrth ryw orchwyl cyn mynd yn ôl ato, *Cymer di sbel nawr ac fe af fi ymlaen â'r gwaith tan y byddi di'n barod i ailgychwyn.*; egwyl, ennyd, hoe, saib break, breather, spell

3 cryn bellter, *Mae sbel (o ffordd) i fynd eto.*

sbens *eb* twll dan y grisiau, cwtsh dan staer

sberm *eg* (sbermau)

1 un o'r celloedd neu'r hadau sy'n cael eu cynhyrchu gan organau rhywiol anifail gwryw (gan gynnwys dyn), ac sy'n medru ffrwythloni wy anifail benyw a thrwy hynny greu bywyd newydd sperm

2 BIOLEG gamet gwryw sperm

sbermatogenesis *eg* BIOLEG y broses sy'n arwain at ddatblygiad sbermatosoa aeddfed spermatogenesis

sbermatosoa *ell* (sbermatosoa) BIOLEG gametau gwryw, aeddfed a mudol anifail, y ffrwythlonir yr ofwm ganddynt; maent yn debyg o ran golwg i benbyliaid bach gydag un neu ragor o fflagela ar gyfer nofio spermatozoa

sbermleiddiad *eg* (sbermleiddiaid) sylwedd sy'n lladd sberm, yn enwedig un a ddefnyddir i atal cenhedlu spermicide

sbesial *ans* tra arbennig special

sbesiffig *ans*

1 yn rhywogaeth fiolegol specific

2 FFISEG yn gysonyn mympwyol yn ymwneud fel arfer â maintioli mewn perthynas â màs, cyfaint neu arwynebedd, *Cynhwysedd gwres sbesiffig yw'r egni sydd ei angen i newid tymheredd 1 kg o sylwedd gan 1°C.* specific

sbesimen *eg* (sbesimenau)

1 gwrthrych neu eitem sy'n cynrychioli prif nodweddion grŵp neu gyfanwaith; enghraifft, sampl specimen

2 sampl o waed, troeth, etc. a gymerir i'w harchwilio'n feddygol specimen

sbidio *be* gyrru modur yn gyflym iawn, yn gynt na'r cyflymder cyfreithlon; goryrru to speed
   Sylwch: nid yw'r ferf hon yn arfer cael ei rhedeg.

sbienddrych gw. ysbienddrych

sbigod *eg* (sbigodau)

1 plwg a ddefnyddir i gau twll mewn casgen spigot

2 rhan o dap ar faril neu gasgen sy'n rheoli llif yr hylif spigot

sbigoglys gw. pigoglys

sbigyn *eg* (sbigynnau) BOTANEG cwlwm neu bigyn o lawer o fflurbennau sy'n tyfu ynghlwm wrth goesyn hir spike

sbinio *be*

1 troi'n gyflym heb gydio, e.e. olwynion ar borfa wlyb to spin

2 rhoi gogwydd neu ddehongliad arbennig

(gwleidyddol, fel arfer) ar ddarn o wybodaeth, rhoi sbin ar (rywbeth) to spin

3 pysgota gan ddefnyddio pluen droelli
   Sylwch: nid yw'r ferf hon yn arfer cael ei rhedeg.

sbinol *ans* yn ymwneud â'r asgwrn cefn spinal

sbio *be*

1 gw. ysbïo to spy

2 *tafodieithol, yn y Gogledd* edrych to look

sbiragl *eg* (sbiraglau)

1 SWOLEG twll anadlu a geir ar hyd thoracs ac abdomen rhai pryfed spiracle

2 SWOLEG y naill neu'r llall o ddwy agen y dagell weddilliol y tu ôl i lygad pysgodyn cartilagaidd spiracle

sbiral *eb* (sbiralau) MATHEMATEG llwybr pwynt sy'n troi o amgylch tarddbwynt neu echelin ganolog wrth symud naill ai tuag ati neu oddi wrthi yn barhaus; siâp tri dimensiwn tebyg i sbring neu edafedd sgriw spiral

sbirochaet *eg* (sbirochaetau) BIOLEG math o facteriwm hyblyg ar ffurf sbiral, yn enwedig yr un sy'n achosi syffilis spirochaete

sbïwr defnyddiwch ysbïwr

sblasio *be* [sblasi•²]

1 chwarae, cicio, neidio mewn dŵr gan beri i ddiferion dasgu to splash

2 (am hylif) gwasgaru'n ddafnau neu'n donnau; tasgu to splash

sbleisio *be* [sbleisi•²]

1 cydio un rhaff wrth raff arall drwy blethu pen y naill wrth ben y llall to splice

2 cydio ynghyd ddau ben darnau o ffilm neu dâp neu ddarnau o bren wrth lapio'r naill ben dros y llall a'u rhwymo ynghyd â thâp arbennig to splice

sbliff:sbliffen *eb* sigarét sy'n cynnwys canabis neu fariwana spliff

sblint *eg* (sblintiau)

1 darn anhyblyg (o bren neu blastig) ar gyfer cadw rhan o'r corff sydd wedi cael niwed, e.e. asgwrn wedi'i dorri, rhag symud splint

2 *tafodieithol, yn y Gogledd* darn bach tenau, pigog o bren, plastig, etc. wedi'i dorri o ddarn mwy; fflawen splinter

sbloet *eg* anffurfiol gweithred sy'n gofyn am allu anghyffredin i'w chyflawni; camp, gorchest exploit, feat

sbo *geiryn tafodieithol* talfyriad o 'I suppose so', am a wn i, mae'n debyg gennyf fi; decini, gwlei, mwn I suppose

sbocsen *eb* (sbôcs) braich olwyn, adain olwyn spoke

sbon *ans* fel yn *newydd sbon*, yn hollol newydd brand new, spanking

sbonc *eb* (sbonciau) egni, bywiogrwydd; llam, naid bounce, leap

sboncen *eb* gêm dan do lle mae dau chwaraewr

yn defnyddio racedi i fwrw pêl fach rwber yn erbyn waliau cwrt caeedig squash

sboncio *be* [sbonci•²]
1 (am bêl) neidio neu dasgu'n ôl, ar ôl cael ei bwrw yn erbyn llawr neu wal to bounce
2 gwneud rhywbeth tebyg i'r hyn a wna pêl ar ôl cael ei bwrw yn erbyn llawr neu wal, e.e. *llyffant yn sboncio*; bownsio, llamu, prancio to bounce

sbonciwr:sboncyn *eg* (sboncwyr) pryfyn sboncio, yn enwedig locust ifanc hopper
sboncyn y gwair:sioncyn y gwair ceiliog y rhedyn grasshopper

sboner *eg* (gair y De) bachgen sy'n gariad i wejen boyfriend

sbôr *eg* (sborau) BIOLEG cell atgynhyrchu sy'n nodweddiadol o rai mathau o blanhigion, ffyngau a phrotosoa ac sy'n rhoi bod i unigolyn newydd heb ymasiad rhywiol spore

sborangiwm *eg* (sborangia) BOTANEG cynheilydd lle mae sborau anrhywiol yn cael eu cynhyrchu sporangium

sborion *ell* fel yn *ffair sborion*, pethau nad oes mo'u hangen mwyach (a werthir i godi arian); crafion, gweddillion, naddion jumble

sboroffyt *eg* (sboroffytau) BOTANEG aelod o genhedlaeth o blanhigion sy'n amrywio o genhedlaeth i genhedlaeth yn y dull y mae'n atgynhyrchu; mae'r genhedlaeth hon yn datblygu o gametau, a fydd yn cynhyrchu'r sborau anrhywiol y bydd y gametoffytau yn datblygu ohonynt; yn y planhigion mwyaf dyma gorff gweladwy'r planhigyn sporophyte

sborogoniwm *eg* (sborogonia) BOTANEG sboroffyt mwsogl yn cynnwys coesyn a chynheilydd ar ei ben (lle mae sborau'n cael eu cynhyrchu) sy'n codi o'r gametoffyt; mae'n aros ynghlwm wrth y planhigyn sporogonium

sbort *egb* digrifwch, miri, sbri, difyrrwch, *Cawsom lawer o sbort ar daith yr ysgol eleni.*; cellwair, chwarae fun
gwneud sbort am ben (rhywun) gwawdio, chwerthin am ben, cael hwyl am ben to make fun of
sbort a sbri hwyl fawr fun and games

sbotolau *eg* (sbotoleuadau)
1 llafn o olau a ddefnyddir i oleuo rhywun neu rywbeth yn llachar, e.e. ar lwyfan neu wrthrych ar stondin spotlight
2 golau wedi'i gynllunio i daflu llafn cul, llachar o olau spotlight

sbotweldio *be* [sbotweldi•²] uno dau ddarn o fetel drwy weldio mewn sawl man bychan â gwasgedd mawr a cherrynt trydan to spot-weld

sbri *eg* hwyl (swnllyd, fel arfer); difyrrwch, miri, rhialtwch, sbort fun, hilarity, spree

sbrigyn *eg* (sbrigynnau) blaen brigyn neu ddarn bach o goeden neu blanhigyn ac arno ychydig o ddail neu flodau spray, sprig

sbring *eg* (sbringiau:sbrings) dyfais sy'n dychwelyd i'w ffurf wreiddiol ar ôl cael ei hymestyn neu ei chywasgu neu ei phlygu i ffurf arall, *Sbringiau sy'n gwneud matres gwely yn feddal a theithio mewn car yn gyfforddus.* spring

sbringfwrdd *eg* (sbringfyrddau) math o fwrdd cryf, hyblyg y mae campwyr yn ei ddefnyddio i neidio oddi arno er mwyn codi'n uwch springboard

sbrint *eg* (sbrintiau)
1 gwibiad; ras fer, gyflym sprint
2 cyfnod byr o redeg yn gyflym, yn enwedig ar ddiwedd ras sprint

sbrintio *be* [sbrinti•²] rhedeg yn gyflym iawn, yn enwedig mewn ras fer; gwibio to sprint

sbriws *ans* trwsiadus, twt, taclus, smart, *Roedd Wncwl Dai yn edrych yn sbriws iawn yn ei wasgod, dici-bô, het a menig.* dapper, debonair, spruce

sbroced *eg* (sbrocedi) dant ar ymyl olwyn sy'n cydio mewn cadwyn neu mewn tyllau mewn stribed ffilm, tâp neu bapur sprocket

sbwng *eg* (sbyngau)
1 un o nifer o fathau o greaduriaid môr sy'n tyfu y tu mewn i sgerbwd caled a'i lond o dyllau bychain sponge
2 darn o'r sgerbwd hwn neu ddarn o rwber neu blastig tebyg iddo a ddefnyddir i ymolchi sponge
3 teisen ysgafn, felys sponge
4 ffurf ysgafn ar blastig neu rwber wedi'i wneud drwy galedu ewyn hylif foam

sbŵl *eg* (sbwliau)
1 cylch â thwll yn ei ganol, fel arfer (ar gyfer dirwyn tâp, gwifren drydan, ffilm, etc. arno) spool
2 llond un o'r pethau uchod, *sbŵl o ffilm* spool

sbwriel *eg* defnydd wast; ffrwcs, gwastraff, gwehilion, sothach refuse, rubbish, trash

sbwrlas *eg* (sbwrlasau) polyn ar ongl i'r prif bolyn mewn ffens; mae'n dal y straen ac yn atal y prif bolyn rhag plygu; ateg prop, puncheon

sbwylio *be* [sbwyli•²]
1 gwneud neu ddod yn ddi-werth; andwyo, difetha, niweidio to mar, to spoil
2 difetha plentyn (neu anifail) drwy roi gormod o faldod iddo a gadael iddo gael ei ffordd ei hun drwy'r amser to spoil

sbyddu *be* tafodieithol, yn y Gogledd (ffurf ar ysbyddu) dihysbyddu

sbyngaidd *ans* tebyg i sbwng spongy

sbyngau *ell* lluosog sbwng

scandiwm *eg* elfen gemegol rhif 21; metel gwyn, ariannaidd, adweithiol iawn (Sc) scandium

Schadenfreude *eg* cyflwr o gael blas ar drafferthion rhywun arall

seans *eg* (seansau) cyfarfod lle mae rhywun yn ceisio cysylltu ag ysbrydion y meirw *séance*

sebon *eg* (sebonau)
  1 sylwedd wedi'i ffurfio drwy gymysgu braster ac alcali; caiff ei ddefnyddio, ynghyd â dŵr, i ymolchi (neu i olchi pethau eraill); calen *soap*
  2 trosiad am 'gweniaith', iaith sy'n seboni; gorganmoliaeth soft *soap*

seboneiddiad *eg* CEMEG y broses o seboneiddio, canlyniad seboneiddio *saponification*

seboneiddio *be* [seboneiddi•²]
  1 CEMEG troi braster neu olew yn sebon a glyserol drwy ddefnyddio alcali *to saponify*
  2 CEMEG trawsnewid ester yn alcohol a halwyn drwy ddefnyddio alcali *to saponify*

seboni *be*
  1 gorchuddio â sebon *to lather*
  2 dweud pethau caredig, a chanmol rhywun er mwyn ceisio dylanwadu arno neu ei berswadio i wneud rhywbeth; ffalsio, gorganmol, gwenieithu *to flatter, to soft-soap, to wheedle*
  Sylwch: nid yw'r ferf hon yn arfer cael ei rhedeg.

sebonllyd *ans*
  1 tebyg i sebon *soapy*
  2 yn gwenieithu, yn seboni; ffuantus, gwenieithus, rhagrithiol *flattering, soapy, unctuous*

sebonwr *eg* (sebonwyr) un sy'n seboni neu'n gwenieithu; gwenieithwr *flatterer, sycophant, toady*

sebra *eg* (sebraod) anifail gwyllt o Affrica sy'n debyg i geffyl; mae ganddo streipiau du neu frown tywyll a gwyn dros ei gorff *zebra*

sebwm *eg* BIOCEMEG y sylwedd olewog a gynhyrchir gan chwarennau yn y croen sy'n iro'r blew a'r croen ei hun *sebum*

sec *byrfodd* secant *sec*

secant *eg* (secantau)
  1 MATHEMATEG llinell syth sy'n torri cromlin mewn o leiaf dau le *secant*
  2 MATHEMATEG (ffwythiant ongl lem mewn triongl ongl sgwâr) cymhareb hyd yr hypotenws â hyd yr ochr gyfagos i'r ongl; sec *secant*

seciwlar *ans* heb fod yn ymwneud â chrefydd neu faterion crefyddol; bydol, dynol, lleyg *secular*

seciwlareiddio *be* [seciwlareiddi•²]
  1 troi'n seciwlar *to secularize*
  2 newid defnydd adeilad o ddefnydd crefyddol i ddefnydd arall nad yw'n grefyddol *to secularize*

seciwlariaeth *eb* anwybyddiaeth o arferion crefyddol neu ymwrthodiad â nhw *secularism*

secondiad *eg* (secondiadau) y broses o secondio, canlyniad secondio *secondment*

secondio *be* [secondi•²] trosglwyddo aelod o staff sefydlog un sefydliad i weithio dros dro

mewn sefydliad arall (~ *rhywun* o rywle i) *to second*

secretiad *eg* (secretiadau) sylwedd sy'n cael ei secretu *secretion*

secretin *eg* BIOCEMEG hormon sy'n cael ei ryddhau gan y dwodenwm; ei brif waith yw ysgogi'r pancreas i secretu sudd sy'n niwtralu asid *secretin*

secretu *be* BIOLEG (am anifail, planhigyn, chwarren, etc.) cynhyrchu a rhyddhau sylwedd *to secrete*
  Sylwch: nid yw'r ferf hon yn arfer cael ei rhedeg.

secstant *eg* (secstantau) offeryn ar gyfer mesur yr ongl rhwng yr Haul neu seren a'r gorwel; gellir defnyddio hyn i ddarganfod lledred *sextant*

sect *eb* (sectau) ymraniad crefyddol newydd a chymharol fychan; carfan, enwad *sect*

sector *eg* (sectorau)
  1 rhan o faes gweithgarwch, *Mae llywodraeth Geidwadol yn gosod llawer iawn mwy o bwyslais ar y sector preifat na'r sector cyhoeddus.* *sector*
  2 MATHEMATEG y rhan o gylch sydd rhwng dwy linell syth (dau radiws) sy'n arwain o ganol y cylch i'w ymyl *sector*

sectyddiaeth *eb* ymlyniad gormodol neu eithafol wrth un enwad crefyddol; enwadaeth *sectarianism*

sectyddol *ans* yn ffafrio un enwad ar draul eraill *sectarian*

secwin *eg* (secwinau) un o nifer o ddisgiau bychain disglair sy'n cael eu gwnïo ar ddillad i'w haddurno *sequin*

sech *ans* ffurf fenywaidd *sych*

sechi *gw.* sachu

sedd *eb* (seddau:seddi)
  1 man neu ddodrefnyn i eistedd arno; côr, eisteddle, sêt *seat*
  2 lle ar gyfer aelod o gorff swyddogol, *sedd yn y senedd, sedd ar y cyngor* *seat*

seddu *be* gosod ar sedd *to seat*
  Sylwch: nid yw'r ferf hon yn arfer cael ei rhedeg.

sef *cysylltair* hynny yw, nid amgen, *A fyddwch yn gallu bod yma ar y 27ain, sef dydd Llun nesaf?* *namely, that is*

sefais *bf* [sefyll] *ffurfiol* gwnes i sefyll

sefnig *eb* oesoffagws; y rhan o'r llwybr ymborth sydd rhwng y ffaryncs a'r stumog; esoffagws *oesophagus*

sefydledig *ans*
  1 fel yn *Eglwys Sefydledig*, sef eglwys wedi'i sefydlu'n swyddogol dan ddeddf gwlad *established*
  2 (am gwmni) un sydd eisoes mewn bodolaeth ac yn weithredol *incumbent*

sefydliad *eg* (sefydliadau)
  1 cymdeithas neu gwmni mawr, *Sefydliad y Merched*; corff, corfforaeth, mudiad, urdd *organization, institute, foundation*

2 yr adeilad sy'n gartref i gymdeithas o'r fath institute, institution
3 y weithred o sefydlu, canlyniad sefydlu establishment, institution
y Sefydliad y cymdeithasau neu'r cwmnïau sy'n rheoli bywyd cyhoeddus nad ydynt yn hoff o unrhyw newidiadau the Establishment
sefydliadaeth *eb*
1 cyfundrefn gyhoeddus o ofal am y methedig, troseddwyr a'r rhai dibynnol institutionalism
2 damcaniaeth economaidd sy'n pwysleisio rôl sefydliadau cymdeithasol a'u dylanwad ar yr economi institutionalism
3 CREFYDD pwyslais ar sefydliadau eglwysig (ar draul agweddau eraill) institutionalism
sefydliadol *ans* yn perthyn i sefydliad, nodweddiadol o sefydliad institutional
sefydliadu *be*
1 gosod rhywun dan ofal sefydliad cyhoeddus megis ysbyty seiciatrig, cartref henoed, etc. to institutionalize
2 datblygu cymeriad a phriodoleddau sy'n nodweddiadol o bobl a geir mewn sefydliadau cyhoeddus megis cartrefi henoed, ysbytai meddwl, etc. to institutionalize
Sylwch: nid yw'r ferf hon yn arfer cael ei rhedeg.
sefydlog *ans* yn mynd i barhau yn yr un lle; digyfnewid, disymud, safadwy fixed, set, settled
pwyllgor sefydlog pwyllgor parhaol sy'n cyfarfod yn rheolaidd standing committee
sefydlogi *be* [sefydlog•¹]
1 gwneud yn sefydlog; sadio to stabilize
2 cadw awyren yn sefydlog yn yr awyr (drwy ddefnydd sefydlogydd) to stabilize
3 cyfyngu ar amrywiaeth (prisiau, etc.) to stabilize
4 CEMEG (am blanhigyn neu ficro-organeb) newid nitrogen o'r aer yn gyfansoddyn sefydlog (e.e. amonia) gan facteria yn y pridd to fix
5 creu darlun parhaol ar ddarn o ffilm drwy waredu cemegion ansefydlog to fix
polisi sefydlogi CYLLID set o fesurau ariannol a chyllidol a ddefnyddir gan lywodraeth i geisio sefydlogi lefelau cynnyrch a chyflogaeth stabilization policy
sefydlogrwydd *eg* y cyflwr o fod yn sefydlog; cysondeb, sadrwydd stability
sefydlogydd *eg* (sefydlogyddion)
1 un o nifer o wahanol ddyfeisiadau i leihau symudiad o ochr i ochr mewn awyren neu long, ar feic plentyn, etc.; sadiwr, sadydd stabilizer
2 CEMEG sylwedd a ychwanegir at ffrwydryn, paent, bwyd, etc. er mwyn atal newidiadau yn eu cyflwr cemegol neu ffisegol stabilizer
sefydlogyddion awtomatig CYLLID nodweddion o'r economi, e.e. budd-daliadau a threthi, sy'n helpu i gadw lefelau incwm

a gwariant yn sefydlog heb fod angen i'r llywodraeth gymryd penderfyniadau arbennig automatic stabilizers
sefydlu *be* [sefydl•¹]
1 creu (sefydliad), cychwyn cymdeithas neu fusnes; dechrau, sylfaenu to establish, to inaugurate, to institute
2 cyflwyno gweinidog (yr Efengyl) newydd i'w braidd drwy wasanaeth arbennig; ordeinio to install
3 cyflwyno (rhywun) i bwnc, swydd newydd, etc.; anwytho to induct, induction
4 cytuno a gosod yn ffurfiol, *Mae angen i ni sefydlu beth yn union fydd y berthynas rhyngoch chi fel chwaraewyr a fi fel rheolwr.*; penderfynu to establish, to settle
sefydlydd *eg* (sefydlwyr) un sy'n sefydlu rhywbeth; cychwynnydd, sylfaenydd, ysgogydd founder
sefydlyn *eg* (sefydlynnau)
1 sylwedd sy'n sefydlogi neu'n setio, e.e. cemegyn sy'n cadw persawr rhag anweddu'n rhy gyflym neu farnais sy'n amddiffyn lluniadau creon fixative
2 MATHEMATEG nodwedd fathemategol nad yw'n newid pan weithredir trawsffurfiad penodol invariant
sefyll *be* [saf•³ 3 *un. pres.* saif/safa; 2 *un. gorch.* saf]
1 eich cynnal eich hun ar eich traed, aros ar eich traed, *Rydw i wedi blino sefyll.* to stand
2 codi ar eich traed, *Cofiwch sefyll pan ddaw'r pennaeth i mewn.* to stand
3 bod mewn cyflwr arbennig, *Sut mae pethau'n sefyll nawr?* to stand
4 aros heb newid na symud, *peiriannau'n sefyll yn segur* to stand
5 aros mewn grym, *Mae'r cynnig yn sefyll o hyd, os oes gennyt ddiddordeb.* to stand
6 eich cynnig eich hun mewn etholiad, *Pwy sy'n sefyll dros y gwahanol bleidiau ar ynys Môn?* to stand
7 aros (cyn mynd ymlaen), *A wnei di ofyn i'r bws sefyll wrth y drws, os gweli di'n dda?*; oedi, stopio, tario to halt, to stop
8 pallu neu fethu mynd, *Mae'r cloc wedi sefyll ar hanner awr wedi saith.*; peidio to stop
9 cael eich arholi neu eich gosod ar brawf mewn llys barn, *sefyll arholiad; sefyll ei brawf* to sit (an examination), to stand
10 aros dros nos, *Rwy'n sefyll gyda fy chwaer pan fyddaf yn mynd i Gaerdydd.* to stay
gwybod lle rwy'n sefyll gw. gwybod
sa'-draw
1 ffon fer â chadwyn a bach ar ei blaen a ddefnyddid i gydio yn y fodrwy yn nhrwyn tarw wrth ei arwain

2 ffon fforchog a ddefnyddid i ddal drain, danadl, etc. wrth eu torri â chryman

3 carreg wedi'i gosod wrth fôn postyn neu gornel adeilad i gadw olwynion cerbydau rhag eu taro

4 gorchymyn i gadw i'r naill ochr

sefyll allan bod yn amlwg to stand out

sefyll allan yn erbyn gwrthwynebu dros gyfnod to stand against

sefyll am cynrychioli to stand for

sefyll ar fy (dy, ei, etc.**) ngwadnau/sodlau fy hun** bod yn annibynnol to stand on my own two feet

sefyll ar fy (dy, ei, etc.**) nhraed fy hun** bod yn annibynnol to stand on one's own two feet

sefyll dros cynrychioli, *Mae'n gas gennyf y dyn yna a phopeth y mae'n sefyll drosto.* to stand for

sefyll i fyny/lan am/dros arddel ac amddiffyn to defend (a particular standpoint), to stand for

sefyll i lawr rhoi'r gorau i to stand down

sefyll i reswm bod yn hollol resymol to stand to reason

sefyll yn fy (dy, ei, etc.**) ngolau fy hun** gweithredu mewn ffordd a fydd yn peri anfantais a cholled i mi fy hun

sefyll yn y bwlch gw. bwlch

sefyllfa *eb* (sefyllfaoedd) y cyflwr neu'r man y mae rhywun neu rywbeth wedi'i gyrraedd mewn perthynas â phethau eraill ar ryw adeg arbennig, *Hoffwn fedru bod o gymorth ond nid wyf mewn sefyllfa i helpu.*; amgylchiadau, safle position, situation

sefyllian *be* sefyll o gwmpas heb bwrpas na diben; hamddena, loetran, lolian, segura (~ o gwmpas) to dawdle, to dilly-dally, to loiter
Sylwch: nid yw'r ferf hon yn arfer cael ei rhedeg.

seff:sêff *eb*

1 cynhwysydd sefydlog o fetel neu le arbennig ar gyfer cadw pethau'n ddiogel, rhag cael eu dwyn safe

2 (cyn dyddiau'r oergell) cwpwrdd cadw bwyd ac iddo un ochr yn fetel rhwyllog er mwyn gadael aer i mewn a chadw pryfed allan safe

seffalig defnyddiwch ceffalig

segment *eg* (segmentau)

1 un o'r rhannau y gellir rhannu rhywbeth iddi segment

2 SWOLEG un o unedau anatomegol corff anelid, e.e. mwydyn neu arthropod segment

3 MATHEMATEG cyfran o gylch sy'n cael ei thorri ymaith gan gord, neu gyfran o sffêr sy'n cael ei thorri ymaith gan blân segment

segmentiad *eg*

1 y weithred o rannu rhywbeth yn segmentau; y cyflwr o fod wedi'i rannu'n segmentau segmentation

2 SWOLEG (am gelloedd) y broses o rannu'n segmentau, yn enwedig rhaniad cell unigol i greu llawer o gelloedd, e.e. wrth i wy ddatblygu segmentation

segmentu *be* rhannu neu ymrannu'n segmentau to segment
Sylwch: nid yw'r ferf hon yn arfer cael ei rhedeg.

sego *eg* startsh sych ar ffurf powdr wedi'i wneud o fywyn y balmwydden; fe'i defnyddir mewn mathau o bwdin llaeth sago

segur *ans* [segur•] heb fod yn gweithio, heb waith i'w wneud; diog, di-waith idle, unemployed, unoccupied

segura *be* gwneud dim byd, gwastraffu amser; hamddena, loetran, lolian, sefyllian to idle, to laze
Sylwch: nid yw'r ferf hon yn arfer cael ei rhedeg.

segurdod *eg* y cyflwr o fod yn segur; diogi, llonyddwch, syrthni idleness

seguryd *eg* bywyd esmwyth, pleserus; esmwythyd, hawddfyd ease, idleness

seguryn *eg* (segurwyr) un sy'n segur, un nad yw'n gweithio; diogyn sy'n pallu gweithio; diogyn, oferwr, pwdryn idler

sengi gw. sangu

sengl *ans*

1 yn cynnwys un rhan yn unig single

2 heb bartner; dibriod single

3 (ystafell) ac ynddi wely ar gyfer un person single

4 (am record) ac arni un gân bob ochr single
Sylwch: nid yw'n ffurf fenywaidd er ei bod yn ymddangos felly; nid yw'n cael ei gymharu.

senglau *ell*

1 mwy nag un person sengl, yn enwedig rhai sy'n chwilio am gymar singles

2 gêm i ddau unigolyn, e.e. tennis singles

seiadu *be* dod ynghyd i rannu profiad a sgwrsio (fel mewn seiat)
Sylwch: nid yw'r ferf hon yn arfer cael ei rhedeg.

seiat *eb* (seiadau)

1 CREFYDD yn wreiddiol, cyfarfod a gynhelid mewn cartrefi gan arweinwyr y diwygiad Methodistaidd yng Nghymru yn y ddeunawfed ganrif session

2 erbyn heddiw, cyfarfod crefyddol ganol wythnos mewn eglwysi Presbyteraidd, cwrdd gweddi; cyfeillach session

seiat holi cyfarfod lle mae unigolyn neu banel o bobl yn ateb cwestiynau gan gynulleidfa

seiber- *rhag* CYFRIFIADUREG yn ymwneud â thechnoleg gwybodaeth, y Rhyngrwyd a rhithwirionedd, e.e. *seiberfwlio* cyber-

seiberfwlio *be* [seiberfwli•²] bwlio drwy ddefnyddio dull electronig, e.e. e-bost, neges destun

seibernetaidd *ans* yn ymwneud â seiberneteg cybernetic

seiberneteg *eb* astudiaeth wyddonol o'r ffordd y mae systemau awtomatig yn cyfathrebu a chael eu rheoli, yn enwedig wrth gymharu cyfundrefnau nerfol y corff â chyfundrefnau mecanyddol neu electronig cybernetics

seiberofod *eg* CYFRIFIADUREG amgylchfyd haniaethol telegyfathrebu, yn enwedig felly ym maes cyfrifiaduron; y byd rhithwir cyberspace

seibiannau *ell* lluosog **seibiant**

seibiant gw. **saib**

seibiau *ell* lluosog **saib**

seibio *be* cymryd seibiant, e.e. mewn darn o gerddoriaeth to pause, to rest
    Sylwch: nid yw'r ferf hon yn arfer cael ei rhedeg.

seic- *rhag* yn ymwneud â'r meddwl a phrosesau meddyliol, e.e. *seicdreiddiad* psych-

seicdreiddiad *eg* SEICOLEG dull o ddadansoddi prosesau meddyliol anymwybodol a thrin anhwylderau meddyliol drwy wneud i'r claf fod yn ymwybodol ohonynt wrth siarad yn ddilyffethair am brofiadau ei blentyndod a'i freuddwydion psychoanalysis

seicdreiddio *be* [seicdreiddi•²] SEICOLEG dadansoddi prosesau meddyliol gan ddefnyddio seicdreiddiad to psychoanalyse

seicdreiddiwr *eg* (seicdreiddwyr) un sy'n ymarfer seicdreiddiad psychoanalyst

seicedelig *ans*
    1 nodweddiadol o gyffuriau sy'n newid cyflwr ymwybyddiaeth person ac yn achosi rhithweledigaethau psychedelic
    2 yn efelychu effeithiau'r cyffuriau hyn drwy greu lliwiau llachar sy'n troelli, ynghyd â delweddau neu synau afreal a rhyfedd psychedelic

seiciatreg *eb* cangen o feddygaeth sy'n astudio ac yn trin afiechyd meddwl psychiatry

seiciatrig:seiciatryddol *ans* yn perthyn i seiciatreg, nodweddiadol o seiciatreg, e.e. triniaeth seiciatrig psychiatric

seiciatrydd *eg* (seiciatryddion) meddyg wedi'i hyfforddi mewn seiciatreg psychiatrist

seicig *ans*
    1 yn gorwedd y tu allan i wyddorau'r byd naturiol, yn deillio o'r ysbrydol neu'r ocwlt psychic
    2 am rywun sy'n ymateb i ffenomenau y tu hwnt i'r byd naturiol psychic

seiclig *ans*
    1 ac eithrio'r term Bioleg, defnyddiwch **cylchol**
    2 BIOLEG yn digwydd mewn cylchoedd (o amser neu ddigwyddiadau) cyclic

seiclo *be* [seicl•¹] gyrru beic (â'r traed); beicio (~ o rywle i rywle) to bicycle, to cycle

seiclon *eg* (seiclonau) METEROLEG storm o law trwm iawn a gwyntoedd cryfion, dinistriol fel arfer, sy'n troi o gwmpas canol o wasgedd isel dwys yn y trofannau; mae'r gwyntoedd yn chwythu mewn cyfeiriad gwrthglocwedd yn hemisffer y Gogledd ac mewn cyfeiriad clocwedd yn hemisffer y De cyclone

seiclonig *ans* yn ymwneud â seiclon cyclonic

seiclorama *eg* (seicloramau) mur neu ddarn mawr o ddefnydd wedi'i dynnu'n dynn o gwmpas cefn set llwyfan, y gellir rhoi cefndir arno cyclorama

seiclostom *eg* (seiclostomau) SWOLEG dosbarth o anifeiliaid hynafol sy'n debyg i lyswennod ond sydd â chegau heb ddannedd a ddefnyddir i sugno cyclostome

seiclotron defnyddiwch **cylchotron**

seicogenesis *eg* SEICOLEG achos seicolegol sydd wrth wraidd afiechyd meddwl neu aflonyddwch ymddygiadol psychogenesis

seicogenig *ans* SEICOLEG yn deillio o achos seicolegol (yn hytrach nag achos corfforol) psychogenic

seicolawdriniaeth *eb* (seicolawdriniaethau) SEICIATREG llawdriniaeth i'r ymennydd a ddefnyddir i drin anhwylder meddwl psychosurgery

seicoleg *eb*
    1 astudiaeth o'r meddwl a'r ffordd y mae'n gweithio, ac o ymddygiad fel mynegiant o'r meddwl psychology
    2 cangen o faes sy'n canolbwyntio ar un agwedd ar weithgarwch dynol, e.e. seicoleg addysg psychology

seicoleg gestalt SEICOLEG mudiad sy'n ceisio egluro ymddygiad a chanfyddiadau bodau dynol yn eu cyfanrwydd yn hytrach na'u dadansoddi'n ansoddol gestalt psychology

seicolegol *ans*
    1 yn ymwneud â'r meddwl psychological
    2 yn defnyddio seicoleg psychological

seicolegwyr *ell* lluosog **seicolegydd**

seicolegydd:seicolegwr *eg* (seicolegwyr) meddyg neu arbenigwr ym maes seicoleg psychologist

seicopath *eg* (seicopathiaid) rhywun sy'n dioddef o anhwylder meddwl cronig ac ymddygiad difrifol a nodweddir gan ddiffyg cyfrifoldeb cymdeithasol, ymddygiad treisgar a myfiaeth eithafol; un sy'n dioddef o salwch meddwl sy'n ei wneud yn beryglus ac yn dreisgar psychopath

seicopathig *ans* yn ymwneud â seicopath, nodweddiadol o seicopath psychopathic

seicosis *eg* SEICIATREG anhwylder meddwl sy'n newid cymeriad ac ymddygiad person ac yn gwanhau ei gysylltiad â'r byd real psychosis

seicosomatig *ans* (am afiechyd corfforol) yn deillio o gyfuniad o achosion corfforol a meddyliol, e.e. clefyd sy'n cael ei achosi neu

S

ei waethygu gan broblemau emosiynol neu
bwysau gwaith psychosomatic

seicotig *ans* nodweddiadol o seicosis; yn dioddef
o seicosis psychotic

seicotherapi *eg* SEICIATREG ffordd o drin
anhwylderau meddyliol neu emosiynol drwy
ddefnyddio dulliau seicolegol (yn hytrach na
rhai meddygol) psychotherapy

seidin *eg* (seidins) darn byr o reilffordd sy'n
gysylltiedig â'r brif lein, ac a ddefnyddir ar
gyfer llwytho, dadlwytho a chadw cerbydau
segur siding

seidr *eg* diod feddwol wedi'i gwneud o sudd
afalau cider

seiffr *eg* (seiffrau)
1 sero, dim cipher
2 allwedd i destun wedi'i ysgrifennu mewn cod
cipher

seigiau *ell* lluosog **saig**

seiliau *ell* lluosog **sail**

seiliedig *ans* wedi'i seilio (ar) (~ **ar**) based

seilio *be* [seili•²] gosod ar sail neu seiliau;
sefydlu, sylfaenu (~ *rhywbeth* **ar**) to base

seilo *eg* (seilos)
1 tŵr tal, silindrog o bren, concrit neu fetel
ar gyfer gwneud a storio silwair neu ar gyfer
storio grawn silo
2 ffos neu bydew ar gyfer gwneud silwair silo
3 pydew neu fath o diwb mawr tanddaearol ar
gyfer cadw taflegrau silo

seiloffon *eg* (seiloffonau) offeryn cerdd wedi'i
wneud o ddarnau gwastad o bren sy'n seinio
pan fyddant yn cael eu taro â morthwyl
arbennig xylophone

seiloffonydd *eg* un sy'n chwarae'r seiloffon
xylophonist

seimiau *ell* lluosog **saim**

seimio *be* [seimi•²] taenu saim dros; iro to grease

seimllyd:seimlyd *ans*
1 llawn saim, o'r un ansawdd â saim, *gwallt
seimllyd*; bras greasy, oily
2 *difriol* am un sy'n seboni neu'n gwenieithu
unctuous

seimoniaeth *eb* yr arfer (a ystyrir yn bechod) o
brynu a gwerthu swyddi neu freintiau eglwysig
simony

seinber *ans* melodaidd, persain, perseiniol,
soniarus melodious

seindon *eb* (seindonnau) FFISEG
ton o newidiadau mewn gwasgedd a gynhyrchir
gan gorff sy'n dirgrynu; gall deithio drwy
nwy (e.e. aer), hylif neu solid, a dyma yw sail
synnwyr clyw sound wave

seindorf *eb* (seindorfeydd) grŵp o bobl
yn chwarae offerynnau pres (trwmpedi,
trombonau, etc.) neu chwyth (ffliwt, clarinét,
obo, etc.); band band

seindorf arian seindorf (heb chwythbrennau)
y mae ei hofferynnau o liw arian; band arian
silver band

seindorf bres seindorf (heb chwythbrennau)
yr oedd ei hofferynnau'n wreiddiol wedi'u
gwneud o bres, ond erbyn hyn gall yr
offerynnau fod wedi'u gwneud o wahanol
fetelau; band pres brass band

seindwll *eg* (seindyllau) twll a geir mewn
seinfwrdd, e.e. y ddau ar ffurf y llythyren 'f' yn
arwyneb feiolin, er mwyn gwella'i gyseiniant
soundhole

seineg *eb* astudiaeth o brosesau cynhyrchu
seiniau llafar phonetics

seinegol *ans* ffonetig; yn ymwneud â natur ac
ansawdd seiniau llafar phonetic

seinegydd *eg* (seinegwyr) un sy'n arbenigo ym
maes seineg phonetician

seinfwrdd *eg* (seinfyrddau) darn tenau o bren
mewn offeryn cerdd (e.e. bol feiolin), mae'n
dirgrynu ac o ganlyniad yn atgyfnerthu sain
yr offeryn soundboard

seinglawr *eg* (seingloriau) CERDDORIAETH
yr allweddellau a geir ar organ, harpsicord
neu offerynnau tebyg; allweddell manual,
keyboard

seiniau *ell* lluosog **sain**

seinio *be* [seini•²]
1 gwneud sain neu seiniau; cynanu, llefaru,
lleisio, ynganu to sound
2 mynegi fel sain neu mewn ffordd glir,
glywadwy, *Seiniwn fuddugoliaeth.*; atseinio,
canu, diasbedain to pronounce, to sound
seinio fy (dy, ei, etc.**) nghlodydd fy hun**
ymffrostio, canmol fy hun to blow one's own
trumpet

seintiau *ell* lluosog **sant**

seintwar *eb* *hynafol* y rhan fwyaf cysegredig
mewn adeilad Cristnogol, sef gerbron yr allor
mewn eglwys; cysegr, noddfa sanctuary

seinydd *eg* (seinyddion) blwch (o bren, fel arfer)
yn cynnwys cyfarpar sy'n troi egni trydanol yn
donfeddi sain ac a ddefnyddir i atgynhyrchu
seiniau clywadwy mewn neuadd neu ystafell
speaker, loudspeaker

seinyddiaeth *eb* ffonoleg; astudiaeth wyddonol
o seiniau llafar iaith neu ieithoedd phonology

Seioniaeth *eb*
1 *hanesyddol* (cyn 1948) mudiad i ailsefydlu
cartref cenedlaethol yr Iddewon ym
Mhalesteina Zionism
2 mudiad sy'n gweithio i ddatblygu ac i
amddiffyn cenedl Iddewig yn Israel Zionism

Seionydd *eg* (Seionyddion) un sy'n cefnogi
Seioniaeth Zionist

seiren¹ *eb* (seirenau)
1 yn ôl chwedlau Groeg, un o grŵp o ferched

a ddenai forwyr i ddistryw drwy eu canu
hudolus siren

2 merch neu wraig â dawn beryglus i ddenu
dynion; hudoles siren

seiren² *eb* (seirenau) dyfais sy'n creu sŵn uchel,
hir i rybuddio pobl o berygl siren

seirff *ell* lluosog **sarff**

seiri *ell* lluosog **saer**

Seiri Rhyddion dynion sy'n perthyn i
gymdeithas hynafol ddirgel sy'n helpu'i gilydd
(a phobl eraill), sy'n trin ei gilydd fel brodyr
ac sy'n defnyddio ymadroddion ac arwyddion
cyfrinachol Freemasons

seismig *ans*

1 yn ymwneud â daeargrynfeydd, dirgryniadau
naturiol a'r rheini a achosir o ganlyniad i
weithgarwch dynol seismic

2 *ffigurol* ag effaith aruthrol neu o ddylanwad
enfawr seismic

seismoleg *eb* DAEAREG astudiaeth wyddonol o
ddaeargrynfeydd gan gynnwys eu tarddiad, eu
hymlediad a'r technegau posibl i'w rhagfynegi
seismology

seismomedr *eg* (seismomedrau) DAEARYDDIAETH
dyfais i fesur a chofnodi manylion
daeargrynfeydd, e.e. eu grym, eu cyfeiriad a
pha mor hir maent yn para seismometer

Seisnicach:Seisnicaf:Seisniced *ans* [Seisnig]
mwy Seisnig; mwyaf Seisnig; mor Seisnig

Seisnig *ans* [Seisnic•] yn perthyn i'r Saeson,
nodweddiadol o'r Sais neu o'r Saesneg English

Seisnigaidd *ans* tebyg i Sais neu i'r Saesneg
Anglicized

Seisnigeiddio *be* [Seisnigeiddi•²] troi neu wneud
yn Saesneg neu'n Seisnigaidd to Anglicize

seito- gw. **cyto-**

seitogeneteg defnyddiwch **cytogeneteg**

seitoleg defnyddiwch **cytoleg**

seitoplasm defnyddiwch **cytoplasm**

seithawd *eg* (seithawdau)

1 CERDDORIAETH *ensemble* lleisiol neu offerynnol
sy'n cynnwys saith perfformiwr septet

2 CERDDORIAETH darn o gerddoriaeth wedi'i
gyfansoddi ar gyfer saith perfformiwr septet

seithfed *rhifol*

1 y rhifol (rhif trefnol) nesaf mewn trefn ar ôl
'chweched' seventh

2 rhif 7 mewn rhestr o saith neu fwy, 7fed
seventh

3 un rhan o saith ¹/₇ seventh
Sylwch: mae'n achosi'r treiglad meddal o
flaen enwau benywaidd (nid felly enwau
gwrywaidd) *y seithfed wers.*

y seithfed nef

1 yn ôl Iddewiaeth ac Islam mae saith nef,
pob un yn rhagori ar yr un o'i blaen, a'r
seithfed yw'r orau a'r fwyaf dyrchafedig

2 cyflwr o hapusrwydd eithriadol seventh
heaven

seithliw *ell* fel yn yr ymadrodd *seithliw'r enfys*

seithochrog *ans* heptagonol; ar ffurf heptagon
heptagonal

seithuctod *eg* y cyflwr o fod yn seithug;
rhwystredigaeth frustration, futility

seithug *ans* di-fudd, *siwrnai seithug*; da i ddim,
diamcan, dibwrpas, ofer pointless, vain, wasted

seithwaith *adf* saith gwaith seven times

sêl¹:sâl² *eb*

1 arwerthiant, gwerthiant, ocsiwn sale

2 cynnig arbennig o nwyddau am brisiau
gostyngol sale

sêl² *eb* parodrwydd (i weithio'n galed neu
i ddioddef dros rywbeth); arddeliad,
brwdfrydedd, eiddgarwch, taerineb (~ dros)
zeal, ardour

sêl³ *eb* (seliau)

1 arwydd (crwn, fel arfer) ac arno batrwm i
gynrychioli prifysgol, llywodraeth neu rywun
dylanwadol seal

2 darn o gŵyr neu fetel meddal y mae'r
patrwm hwn wedi'i wasgu iddo, fel arfer ar
ryw ddogfen swyddogol yn perthyn i gorff neu
unigolyn sy'n berchen ar sêl arbennig seal

sêl Selyf planhigyn â choesynnau bwaog,
dail llydan a blodau penisel gwyrdd a gwyn
Solomon's seal

sêl y Proffwydi CREFYDD (Islam) yr olaf o'r
proffwydi, sef Muhammad
Ymadrodd

sêl bendith caniatâd (ers talwm byddai'n cael
ei gyflwyno'n ffurfiol) seal of approval

Selandwr Newydd *eg* (Selandwyr Newydd)
brodor o Seland Newydd New Zealander

seld *eb* (seldau)

1 dodrefnyn/celficyn i ddal llestri, cyllyll a
ffyrc, etc. a chanddo silffoedd agored o'r
hanner i fyny a droriau yn y canol ac weithiau
gypyrddau danynt; dresel dresser

2 dodrefnyn/celficyn ar ffurf bwrdd hir a
chypyrddau oddi tano i ddal llestri, gwydrau,
etc. sideboard

seleniwm *eg* elfen gemegol rhif 34; anfetel
crisialog, llwyd sy'n lled-ddargludydd (Se)
selenium

selenteriad defnyddiwch **coelenteriad**

seler *eb* (selerau:seleri:selerydd) ystafell dan
ddaear (ar gyfer storio neu gadw pethau) cellar

seleri *eg* llysieuyn gardd â choesau gwyrdd golau
a ddefnyddir mewn salad neu i wneud cawl;
helogan celery

selfais *eg*

1 GWNIADWAITH ymyl arbennig ar ddarn o
ffabrig wedi'i wehyddu er mwyn sicrhau nad
yw'r ffabrig yn ymddatod selvage, selvedge

2 ar rai mathau o bapur wal, ymyl yr oedd yn rhaid ei dorri ymaith cyn papuro selvage, selvedge

seliad *eg* (seliadau) canlyniad selio rhywbeth seal

seliedig *ans* wedi'i selio sealed

selio *be* [seli•²]

1 gosod sêl ar rywbeth (~ *rhywbeth* â) to seal

2 cau peth a gosod rhywbeth drosto fel na ellir ei agor heb dorri'r hyn sydd drosto to seal

3 dod i gytundeb ffurfiol, *selio bargen*; cytuno to seal

seliwloid defnyddiwch **cellwloid**

seliwlos defnyddiwch **cellwlos**

seliwr *eg* (selwyr)

1 sylwedd a ddefnyddir i lenwi twll neu grac, *seliwr rheiddiadur car* sealant

2 hylif a daenir ar arwyneb, e.e. briciau neu fwrdd sy'n mynd i gael ei beintio, i gadw paent neu farnais rhag cael ei amsugno'n ormodol sealer

selocach:selocaf:seloced *ans* [selog] mwy selog; mwyaf selog; mor selog

seloffan *eg* defnydd lapio tenau, tryloyw wedi'i wneud o gellwlos cellophane

selog *ans* [seloc•] (selogion) llawn sêl; brwdfrydig, eiddgar, pybyr, ymroddedig ardent, zealous

selogion *ell* rhai selog, cefnogwyr brwd regulars, supporters

selom defnyddiwch **coelom**

selot *eg* (selotiaid)

1 aelod o sect Iddewig, eithafol, a frwydrai yn erbyn goresgyniad y Rhufeiniaid yn y ganrif gyntaf OC zealot

2 penboethyn, eithafwr zealot

selsigen *eb* (selsig) tiwb o groen tenau wedi'i lenwi â chymysgedd o gig, briwsion bara neu rawn a llysiau, naill ai wedi'i goginio neu'n barod i'w goginio; sosej sausage

sêm *eb* (semiau)

1 GWNIADWAITH llinell o bwythau sy'n cydio ynghyd ymylon dau ddarn o frethyn wrth ei gilydd; gwnïad seam

2 llinell neu wrym a achosir gan uniad o'r fath seam

semaffor *eg* ffordd o ddanfon negeseuon yn defnyddio cod sy'n seiliedig ar leoliad dwy fraich (naill ai ar ffurf peiriant neu wrth i rywun ddal dwy faner yn y naill law a'r llall) semaphore

semanteg *eb*

1 cangen o ieithyddiaeth sy'n ymwneud ag ystyr (gair, brawddeg, etc.) semantics

2 RHESYMEG cangen o semioteg sy'n ymwneud â'r berthynas rhwng arwyddion a symbolau a'r hyn y maent yn eu cynrychioli semantics

3 dehongliad o fân wahaniaethau yn ystyron geiriau semantics

4 dull o fanteisio ar amwysedd geiriau; ffordd o greu ensyniadau, e.e. mewn propaganda semantics

semantig *ans* yn perthyn i semanteg, yn ymwneud ag ystyron geiriau semantic

semen *eg* hylif sy'n cynnwys sberm neu had, a gynhyrchir gan system rywiol anifeiliaid gwryw ac a drosglwyddir i'r fenyw yn ystod cyfathrach rywiol; had semen

semenol *ans*

1 yn cynnwys had seminal

2 *ffigurol* yn cynnwys hadau datblygiadau neu syniadau newydd seminal

semenu *be* BIOLEG trosglwyddo had i system atgenhedlu benyw mewn ffordd naturiol (e.e. cyfathrach rywiol) neu drwy ddulliau artiffisial to inseminate

Sylwch: nid yw'r ferf hon yn arfer cael ei rhedeg.

seminar *eb* (seminarau) dosbarth neu gyfarfod ar gyfer trafod ac ymchwilio seminar

semioteg *eb* ATHRONIAETH damcaniaeth sy'n ymwneud ag arwyddion a symbolau a'u swyddogaeth mewn ieithoedd naturiol ac artiffisial, gan gynnwys astudiaeth o'u perthynas ramadegol (cystrawen), eu hystyr (semanteg) a'u perthynas â'r bobl sy'n eu defnyddio (pragmatiaeth) semiotics

Semitig *ans* yn ymwneud â theulu o ieithoedd yn cynnwys Hebraeg, Arabeg ac ieithoedd Asyria, Babilon a Phoenicia gynt Semitic

seml *ans* ffurf fenywaidd **syml**

semolina *eg* grawn ŷd wedi'i falu'n fân a ddefnyddir i wneud pasta a bwydydd llaeth semolina

sen *eb* (sennau)

1 y weithred o ddannod neu edliw; bai, cerydd, gwaradwydd rebuke, reproof

2 diffyg parch; amarch, dirmyg, gwawd, sarhad insult, snub

senario *eb* amlinelliad neu grynodeb o ddrama, e.e. opera, ffilm, teledu, neu o brosiect neu o weithgareddau arfaethedig neu o ddigwyddiadau rhagweladwy scenario

senedd *eb* (seneddau)

1 corff o bobl y mae nifer ohonynt neu'r cyfan ohonynt wedi cael eu hethol gan ddinasyddion gwlad i lunio cyfreithiau parliament

2 ym Mhrydain, y prif gorff sy'n llunio cyfreithiau ac sy'n cynnwys y Brenin neu'r Frenhines, yr Arglwyddi ac Aelodau Seneddol wedi'u hethol gan y bobl parliament

3 y lleiaf o'r ddau gorff sy'n llunio cyfreithiau yn Awstralia, Canada, Ffrainc, Unol Daleithiau America a rhai gwledydd eraill senate

4 cyngor llywodraethol Rhufain dan y Rhufeiniaid senate

5 cyngor llywodraethol rhai prifysgolion a cholegau senate

  Sylwch: mae'n derbyn ffurf unigol neu luosog berf.

y Senedd cartref siambr ac ystafelloedd pwyllgora Cynulliad Cenedlaethol Cymru; fe'i hagorwyd yn 2006

seneddol *ans* yn perthyn i'r senedd, yn ymwneud â'r senedd parliamentary

  Aelod Seneddol gw. aelod

seneddwr *eg* (seneddwyr) aelod o senedd(3) senator

Senegalaidd *ans* yn perthyn i Sénégal, nodweddiadol o Sénégal Senegalese

Senegaliad *eg* (Senegaliaid) brodor o Sénégal Senegalese

senoffobia *eg* ofn estroniaid a'u diwylliannau a chasineb tuag atynt xenophobia

senoffobig *ans* yn dioddef o senoffobia, nodweddiadol o senoffobia xenophobic

senon *eg* elfen gemegol rhif 54; nwy nobl nad yw'n adweithio'n gemegol ac a ddefnyddir mewn rhai mathau o lampau trydan arbennig (Xe) xenon

sensiteiddio *be* achosi i rywbeth ymateb i ysgogiadau penodol to sensitize

sensitif *ans*

  1 hawdd ei frifo neu ei ddigio; croendenau, hydeiml, teimladwy sensitive

  2 yn adweithio neu'n ymateb yn gyflym iawn i rywbeth o'r tu allan, *croen sensitif* sensitive

  3 (am bwnc) yn gofyn sensitifrwydd neu hydeimledd i'w drafod sensitive

  4 (am wybodaeth) wedi'i chadw'n ddirgel neu'n gyfyngedig i ychydig iawn o unigolion er mwyn peidio â pheryglu diogelwch gwladwriaeth, busnes, hawliau unigolyn, etc. sensitive

sensitifedd *eg*

  1 (am organebau neu organau) y gallu i synhwyro ac ymateb i symbyliad, *Roedd ei sensitifedd i wair newydd ei dorri mor llym fel ei fod yn dechrau tisian cyn i neb arall ei arogli hyd yn oed.* sensitivity

  2 mesur sy'n dangos pa mor effeithiol y mae radio'n ymateb i donfeddi sy'n cael eu darlledu sensitivity

sensitifrwydd *eg*

  1 y cyflwr o fod yn sensitif, *Dangosodd y nyrs sensitifrwydd mawr wrth drin y claf a'i deulu.* sensitivity

  2 manwl gywirdeb peiriant mesur, *Roedd sensitifrwydd y mesurydd newydd yn llawer mwy na'r llall ac yn codi'r newid lleiaf yng nghuriad y galon.* sensitivity

  3 ymddangosiad neu fynegiant o deimladau coeth, aruchel neu farn chwaethus, uchel-ael, *Cafwyd ymateb dwys gan y gynulleidfa i*

sensitifrwydd dehongliad y gerddorfa o'r darn trist hwn. sensitivity

sensor *eg* (sensoriaid) un sy'n arfer sensoriaeth, naill ai'n swyddogol neu mewn ffordd answyddogol censor

sensoriaeth *eb* y weithred o sensro, o ddileu yr hyn a ystyrir yn ddrwg neu'n niweidiol mewn llyfrau, ffilmiau, dramâu, etc., neu o'u hatal rhag cael eu cyhoeddi, eu darllen neu eu perfformio, canlyniad sensro censorship

sensro *be* [sensr•ⁱ] gweithredu sensoriaeth to censor, to expurgate

sentimentaliaeth *eb*

  1 parodrwydd i adael i deimladau reoli yn hytrach na rheswm neu angen, *Sentimentaliaeth yn unig a barodd iddo beidio â gwerthu'i hen gartref.* sentimentality

  2 apêl at y teimladau neu'r emosiwn, *Nid oedd y ffilm yn ddim ond un swp o sentimentaliaeth bur.* sentimentality

sentriol defnyddiwch **centriol**

sentrosom defnyddiwch **centrosom**

sepal *eg* (sepalau) BOTANEG un o'r darnau bychain, tebyg i ddail, sy'n ffurfio calycs blodyn; weithiau maent yr un lliw â'r petalau, ac weithiau maent yn ffurfio cwpan bychan gwyrdd wrth fôn y petalau sepal

sepia *eg*

  1 sylwedd tebyg i inc brown tywyll a gynhyrchir gan ystifflog sepia

  2 ffotograff o liw brown sy'n debyg i sepia ar gefndir gwyn sepia

septig *ans* (am glwyf neu ran o'r corff) wedi'i heintio â bacteria; yn madreddu septic

  tanc septig (tanciau septig) tanc (tanddaearol, gan amlaf) lle mae carthion yn cael eu gadael i ddadelfennu drwy actifedd bacteriol cyn draenio drwy suddfan dŵr septic tank

septwm *eg* (septymau) gwahanfur; parwyden sy'n gwahanu dau geudod yn y corff, e.e. rhwng y ffroenau neu rhwng siambrau'r galon septum

sêr *ell*

  1 lluosog seren

  2 cylchoedd saim ar wyneb cawl (neu fwyd tebyg)

sera *ell* lluosog serwm

serac *eg* (seracau) DAEAREG esgair finiog neu bigyn o iâ a ffurfir lle mae crefasau rhewlif yn croesi ar draws ei gilydd yng nghanol cwymp iâ sérac

seraff *eg* (seraffiaid) un o'r chwe angel nesaf at Dduw, neu un o angylion y radd uchaf o naw gradd a nodweddir gan eu purdeb a'u tanbeidrwydd seraph

seraffaidd *ans* nodweddiadol o seraffiaid; angylaidd seraphic

serameg:cerameg *eb*
  1 y grefft o lunio crochenwaith, briciau neu arlunwaith o glai a'i danio nes ei fod yn galed ceramics
  2 y pethau, e.e. llestri, teils, sydd wedi cael eu ffurfio yn y dull hwn ceramics
  Sylwch: ysgrifennwch yr hyn yr ydych yn ei ynganu.

seramig:ceramig *ans* yn ymwneud â'r broses o gynhyrchu rhywbeth (crochenwaith, briciau, etc.) o ddefnydd anfetelig, e.e. clai, drwy ei grasu ar dymheredd uchel ceramic
  Sylwch: ysgrifennwch yr hyn yr ydych yn ei ynganu.

Serbaidd *ans* yn perthyn i Serbia, nodweddiadol o Serbia Serbian

Serbiad *eg* (Serbiaid) brodor o Serbia neu o dras Serbiaidd Serbian

serch[1] *eg* teimlad cryf, rhamantus o hoffi rhywun yn fawr iawn; anwyldeb, cariad (~ at) love, affection

serch[2] *ardd* er, er gwaethaf, *Nid wyf yn meddwl dim llai ohono serch hynny.* although, despite, in spite

serchog:serchus *ans* agos atoch, hawdd ei garu; cariadus, caruaidd, hygar affectionate, lovable, pleasant

sêr-ddewin *eg* (sêr-ddewiniaid) un sy'n astudio sêr-ddewiniaeth; astrolegwr astrologer

sêr-ddewines *eb* (sêr-ddewinesau) merch neu wraig sy'n astudio sêr-ddewiniaeth

sêr-ddewiniaeth *eb* astudiaeth o'r dylanwad y mae rhai yn honni y mae'r sêr a'r planedau'n ei gael ar ein bywydau bob dydd; astroleg astrology

serebelwm defnyddiwch **cerebelwm**

serebrol defnyddiwch **cerebrol**

serebrwm defnyddiwch **cerebrwm**

seremoni *eb* (seremonïau) achlysur neu weithgarwch i nodi neu i ddathlu achlysur crefyddol, cymdeithasol neu ddiwylliannol arbennig (yn breifat neu'n gyhoeddus), *seremoni wobrwyo, seremoni cadeirio'r bardd*; defod ceremony

seremonïol *ans* yn perthyn i seremoni, nodweddiadol o seremoni, yn pwysleisio trefn, ffurfioldeb a manylder; defodol, ffurfiol, rheolaidd ceremonial

seren *eb* (sêr)
  1 corff wybrennol sy'n cynhyrchu ei olau ei hun, *Seren yw'r Haul.* star
  2 unrhyw gorff (gan gynnwys planed) sy'n ymddangos fel smotyn o olau yn yr awyr yn y nos star
  3 ffurf ac iddi bump neu ragor o bwyntiau star
  4 corff wybrennol sy'n rhan o'r sidydd ac a ddefnyddir gan sêr-ddewiniaid i ragweld y dyfodol star

  5 yr arwydd * asterisk
  6 arwydd a ddefnyddir gyda'r rhifolion 1–5 i ddynodi safon rhywbeth, *Mae'n westy pum seren, felly fe fydd yn siŵr o fod yn ddrud.* star
  7 perfformiwr medrus ac adnabyddus, *Daeth yn seren enwog ar ôl ymddangos ar raglen deledu.* star

seren Fethlehem blodyn o deulu'r lili â dail main a blodau fel sêr bychain star of Bethlehem

seren fôr anifail môr â phump o freichiau ar ffurf seren starfish

seren ganhwyllau ffrâm yn hongian o'r nenfwd â lle i ddal nifer o ganhwyllau chandelier

seren gynffon comed comet

seren wib gronynnau o graig a llwch, sy'n llosgi'n llachar am ychydig os digwydd iddynt syrthio drwy atmosffer y Ddaear meteor, shooting star

  Ymadrodd
seren bren rhywbeth di-werth, da i ddim a chocolate teapot

serenâd *eg* (serenadau)
  1 CERDDORIAETH cân (neu fath arall o gerddoriaeth) i'w chanu 'dan bared' gyda'r nos (gan fab i'w gariad); nosgan serenade
  2 CERDDORIAETH darn o gerddoriaeth ar gyfer grŵp bach o offerynwyr serenade

serenllys *eg* planhigyn â choesyn main a blodau bach gwyn, serennog ac sy'n perthyn i deulu'r penigan; botwm crys stitchwort

serennog:serog *ans* â llawer iawn o sêr; yn serennu starry

serennu *be* [serenn•[9]] disgleirio fel sêr neu seren, *Roedd llygaid y plentyn bach yn serennu pan welodd yr holl anrhegion.*; caneitio, pefrio, pelydru, tywynnu to sparkle, to star, to twinkle
  Sylwch: dyblwch yr 'n' ym mhob ffurf ac eithrio yn y rhai sy'n cynnwys -*as*-.

serennyn *eg* planhigyn cyfandirol â sypynnau o flodau bach gwyn; defnyddid ei fwlb i wneud moddion peswch squill

serf:serfiad *eb* (serfiau) (mewn tennis, sboncen, badminton, etc.) y weithred o serfio (pêl, gwennol, etc.) service

serfigol defnyddiwch **cerfigol**

serfio *be* [serfi•[2]] (mewn tennis, sboncen, badminton, etc.) cychwyn y chwarae drwy fwrw'r bêl neu'r wennol i ran arbennig o'r cwrt to serve

serfiwr *eg* (serfwyr) un sy'n serfio server

seriff *eg* (seriffau) llinell fach yn deillio o ben uchaf ac isaf llythyren ac yn troi ar ongl i gorff y llythyren serif

serigraffig *ans* CELFYDDYD am ddyluniad wedi'i argraffu sy'n cael ei greu â sgrin sidan serigraphic

serio *be* [seri•[2]]
  1 llosgi wyneb cnawd, e.e. drwy gyffwrdd

â rhywbeth poeth iawn (~ *rhywbeth* **ar**)
to cauterize, to sear
2 COGINIO coginio darn o gig yn gyflym
ar y tu allan i'w selio to sear

sero *eg* (seroau)
1 MATHEMATEG y rhif 0, sy'n golygu 'dim'
ar ei ben ei hunan, ond sydd hefyd yn sail i'r
drefn ddegol o ysgrifennu rhifau, e.e. ystyr
307 yw tri chant, dim deg, saith uned;
gwagnod nought, zero
2 y pwynt rhwng + a – ar raddfa ganradd neu
Celsius; rhewbwynt dŵr (0°C) zero
sero absoliwt y tymheredd isaf sy'n bosibl
mewn egwyddor (–273.15°C) pan fo mudiad
gronynnau gwres yn finimol absolute zero

serofed *ans* MATHEMATEG 0 fel rhif trefnol
zeroth

seroffyt *eg* (seroffytau) BOTANEG planhigyn,
e.e. cactws, sydd wedi addasu i fyw a thyfu
mewn amodau lle nad oes llawer o ddŵr ar gael
xerophyte

seroffytig *ans* BOTANEG (am blanhigyn) nad oes
angen llawer o ddŵr arno xerophytic

serog gw. serennog

serograffeg *eb* dull o lungopïo yn defnyddio
effaith golau ar arwyneb electronig sy'n
dargludo golau; mae'r ddelwedd yn cael ei
sefydlogi drwy ddefnyddio powdr arbennig
sydd, o gael ei boethi, yn glynu wrth y papur
xerography

serotonin *eg* BIOCEMEG cemegyn yn yr
ymennydd sy'n effeithio ar sut mae negeseuon
yn cael eu hanfon o'r ymennydd i'r corff ac
sydd hefyd yn effeithio ar sut mae person yn
teimlo serotonin

serothermig *ans* SWOLEG (am anifail neu
blanhigyn) a nodweddir gan ei allu i fyw mewn
gwres a sychder mawr xerothermic

serpentin *eg* mwyn lledwyrdd, brith sy'n
cynnwys magnesiwm silicad ac a geir mewn
serpentinit serpentine

serpentinit *eg* DAEAREG craig fetamorffig
ledwyrdd sy'n cynnwys mwynau serpentin ac
arni farciau tebyg i farciau neidr serpentinite

serth *ans* [serth•] (am ddarn o dir, fel arfer)
yn codi neu'n disgyn yn sydyn; llethrog
precipitous, sheer, steep

serthedd *eg* iaith anweddus, fasweddol;
anlladrwydd, maswedd bawdiness, ribaldry

serthrwydd *eg* y cyflwr o fod yn serth,
y graddau y mae rhywbeth yn serth steepness

serwm *eg* (sera)
1 FFISIOLEG yr hylif o liw ambr sy'n ymwahanu
oddi wrth y gwaed pan fydd y gwaed yn ceulo
serum
2 MEDDYGAETH y rhan o waed anifail a
chwistrellir i'r gwaed i wneud diagnosis neu i

roi imiwnedd yn erbyn pathogen neu docsin
serum

serws *ans* BIOLEG fel yn *hylif serws*, hylif tenau,
dyfrllyd a geir yn y bilen sy'n gorchuddio rhai o
organau mewnol y corff serous

seryddiaeth *eb* astudiaeth wyddonol o'r Haul,
y sêr, y Lleuad, etc. astronomy

seryddol *ans* yn perthyn i'r sêr neu seryddiaeth
astronomical

seryddwr *eg* (seryddwyr) un sy'n arbenigo
mewn seryddiaeth astronomer

sesiwn *eb* (sesiynau)
1 amser sy'n cael ei dreulio at ddiben arbennig,
sesiwn recordio; cyfarfod, gweithdy, seiat
session
2 CYFRAITH cyfarfod o un o lysoedd barn
Cymru a Lloegr; eisteddiad session
sesiwn lawn sesiwn y mae pob aelod o
gynhadledd, gwers, etc. yn ei mynychu plenary
session

sesnin *eg* unrhyw sylwedd megis halen neu
berlysiau a ychwanegir at fwyd i wella ei flas
seasoning

sesno *be* ychwanegu sesnin at fwyd to season
Sylwch: nid yw'r ferf hon yn arfer cael ei rhedeg.

seston *eb* (sestonau) tanc dŵr, yn enwedig un
sy'n cyflenwi dŵr i dŷ cyfan neu'r tanc sy'n dal
dŵr ar gyfer toiled cistern

set *eb* (setiau)
1 grŵp o bethau sy'n perthyn yn naturiol i'w
gilydd, *set o gardiau, set wyddbwyll* set
2 grŵp o bobl o'r un oedran neu â'r un
diddordebau, *Mae e'n perthyn i'r set 'na sy'n
chwarae snwcer bob nos yn y clwb.* clique, set
3 teclyn trydan, *set deledu* set
4 (mewn theatr) y cefndir a'r celfi sy'n cael
eu gosod ar lwyfan ar gyfer perfformiad o
ddrama, neu'r cefndir ar gyfer darn o ffilm set
5 rhan o ornest dennis sy'n cynnwys o leiaf
chwe gêm set
6 MATHEMATEG casgliad o elfennau wedi'i
ddiffinio gan reol benodol neu drwy restru'r
aelodau, e.e. *y set o rifau sy'n fwy na 5, y set o
bobl sy'n yfed cwrw, y set {3, 9, 579}* set

sêt *eb* (seti) côr, sedd, stôl pew, seat
sêt fawr y sedd hir o flaen y pulpud mewn capel
lle mae'r diaconiaid (blaenoriaid) yn eistedd

setio *be* [seti•²] trefnu mewn set, *Mae'r
disgyblion yn cael eu setio ar gyfer gwersi
mewn rhai pynciau.* to set

setl *eb* (setlau) sedd hir o bren â chefn uchel
a chypyrddau oddi tani; sgiw, sgrin settle

setliad *eg* (setliadau)
1 y broses o gyflwyno eiddo drwy gyfrwng
ewyllys neu weithred settlement
2 yr eiddo a drosglwyddir yn y fordd hon
settlement

S

setlo *be* [setl•¹]
　1 cyrraedd casgliad terfynol, *setlo'r mater* to clear up, to settle
　2 teimlo'n gartrefol; cartrefu, ymgartrefu to settle

seth *ans* ffurf fenywaidd **syth**

sewin *eg* (sewiniaid) math o frithyll sydd, fel yr eog, yn mudo o'r môr i'r afonydd; brithyll y môr sea trout, sewin

sforzando *adf* ac *ans* CERDDORIAETH cyfarwyddyd i roi pwyslais sydyn (*sf* neu *sfz*)

sffêr *eb* (sfferau)
　1 pelen gron o sylwedd neu fater; cronnell, pêl sphere
　2 MATHEMATEG siâp tri dimensiwn y mae pob pwynt ar ei arwyneb yr un pellter o'i ganol sphere
　sffêr wybrennol SERYDDIAETH sffêr ddychmygol sy'n cynnwys yr holl gyrff neu wrthrychau wybrennol, gyda'r sylwedydd yn ei chanol celestial sphere

sfferig *ans* yr un siâp â sffêr spherical

sfferoid *eg* (sfferoidau) MATHEMATEG siâp tri dimensiwn ar ffurf sffêr estynedig neu sffêr gywasgedig; math arbennig o elipsoid, *Mae pêl rygbi yn sfferoid ar ffurf sffêr estynedig, a siâp y byd yn sfferoid ar ffurf sffêr gywasgedig.* spheroid

sfferoidol *ans* MATHEMATEG yr un siâp â sfferoid spheroidal

sfferomedr *eg* (sfferomedrau) dyfais ar gyfer mesur crymedd arwyneb spherometer

sffincter *eg* (sffinctrau) ANATOMEG cylch o gyhyr sy'n medru cadw agoriad yn y corff ar gau, e.e. yr anws neu'r bledren sphincter

sgadenyn:ysgadenyn *eg* (sgadan:ysgadan) pysgodyn ariannaidd, bwytadwy sy'n nofio mewn heigiau yn y môr; pennog herring
　sgadenyn coch sgadenyn wedi'i agor, ei halltu a'i gochi neu ei sychu; pennog coch kipper

sgafell *eb* (sgafellau)
　1 wyneb llorweddol yn ymestyn o fur, clogwyn, etc.; silff ledge
　2 silff dan y môr ledge, shelf
　sgafell gyfandirol DAEAREG y darn o dir dan orchudd môr bas sy'n goleddu'n raddol rhwng arfordir cyfandir a phen uchaf y llethr cyfandirol continental shelf

sgaffaldau *ell* fframwaith o bolion a phlanciau i weithwyr sefyll arno scaffolding

sgalar¹ *eg* (sgalarau) FFISEG maint, e.e. màs neu amser, sydd â maintioli ond heb gyfeiriad scalar
　lluoswm sgalar gw. lluoswm

sgalar² *ans* FFISEG (am faint) yn meddu ar feintioli yn unig a heb fod ganddo gyfeiriad scalar

sgaldanu *be* [sgald•¹]
　1 (am y croen, fel arfer) llosgi â hylif poeth iawn neu ager to scald
　2 glanhau neu drin â dŵr berwedig neu ager to scald
　Sylwch: nid yw'r ferf hon yn arfer cael ei rhedeg.

sgaldian:sgaldio *be* [sgaldi•²] sgaldanu to scald

sgampi *ell* pryd o fwyd (neu saig) wedi'i seilio ar gorgimychiaid mawrion scampi

sgan *eg* (sganiau)
　1 y weithred o sganio scan
　2 archwiliad meddygol yn defnyddio sganiwr scan
　3 delwedd a gynhyrchir gan sganiwr scan

sgandal *eg* (sgandalau) digwyddiad neu weithred sy'n peri gwrthwynebiad neu ddigofaint cyffredinol ac sy'n dwyn sen ar y rhai a gysylltir â'r peth scandal

Sgandinafaidd *ans* yn perthyn i wledydd Sgandinafia, nodweddiadol o wledydd Sgandinafia Scandinavian

Sgandinafiad *eg* (Sgandinafiaid) brodor o Sgandinafia, sef gwledydd Denmarc, Norwy, Sweden a Gwlad yr Iâ Scandinavian

sganio *be* [sgani•⁶]
　1 bwrw llygad dros (rywbeth) to scan
　2 archwilio'r corff neu ran o'r corff yn fanwl gan ddefnyddio dyfeisiadau darllen math arbennig o belydriad (uwchsonig, gwres, pelydrau X) neu ddefnyddiau ymbelydrol to scan
　3 archwilio neu wneud copi electronig o wrthrych neu ddelwedd drwy asesu un smotyn neu bicsel ar y tro, mewn rhesi paralel to scan
　4 archwilio darn o dâp neu ddisg i weld a oes unrhyw beth wedi'i recordio arno to scan

sganiwr *eg* (sganwyr) peiriant sy'n sganio scanner
　sganiwr gwastad dyfais ag arwyneb gwydr gwastad i sganio dogfennau neu wrthrychau eraill i gynhyrchu delwedd ddigidol ohonynt flatbed scanner

sgaprwth *ans* blêr, anniben, garw, amrwd rough, uncouth

sgapwla *eg* padell yr ysgwydd; y naill neu'r llall o ddau asgwrn mawr trionglog bob ochr i ran uchaf yr asgwrn cefn; palfais scapula

sgarff *eb* (sgarffiau) darn o ddefnydd i'w wisgo am y gwddf, y pen neu'r ysgwyddau scarf

sgarffio *be* uno dau ddarn o bren fel eu bod yn edrych yn debyg i un darn hir syth, e.e. wrth osod darn newydd o bren yn lle darn sydd wedi pydru to scarf
　Sylwch: nid yw'r ferf hon yn arfer cael ei rhedeg.

sgarmes:ysgarmes *eb* (sgarmesoedd:ysgarmesoedd) (mewn rygbi) uned nerthol wedi'i chreu gan chwaraewyr o'r

ddau dîm o gwmpas y chwaraewr sydd â'r bêl
yn ei feddiant maul

sgarmesu:ysgarmesu *be* [sgarmes•¹]
(mewn rygbi) ffurfio sgarmes to maul

sgarmeswr *eg* (sgarmeswyr) un sy'n sgarmesu
mauler

sgarp *eg* (sgarpiau) clogwyn uchel neu lethr
serth cymharol ddi-dor sy'n derfyn i lwyfandir
neu ucheldir lled wastad; tarren scarp

sgatoleg *eb*
1 diddordeb byw mewn carthion a charthu
scatology
2 BIOLEG astudiaeth fiolegol o ysgarthion
gan gynnwys carthion wedi'u ffosileiddio,
e.e. er mwyn gwybod ar beth roedd anifail
yn bwydo scatology

sgatolegol *ans* â diddordeb mewn budreddi a
phethau anweddus a masweddol (yn enwedig
mewn llenyddiaeth) scatalogical

sgawt *eg* fel yn yr ymadrodd *mynd ar sgawt*,
mynd i weld pa wybodaeth y gallwch ei chasglu
go for a butcher's

sgeintio gw. ysgeintio

sgematig *ans* ar ffurf diagram neu amlinelliad
schematic

sgeptig *eg* (sgeptigiaid)
1 un sy'n amau a yw gwybodaeth sicr yn
bosibl; amheuwr sceptic
2 un sy'n arddel sgeptigiaeth sceptic

sgeptigaidd:sgeptigol *ans* llawn sgeptigiaeth;
amheus, drwgdybus sceptical

sgeptigiaeth *eb*
1 agwedd ar amheuaeth neu ddiffyg
ymddiriedaeth yn gyffredinol neu am rywbeth
penodol scepticism
2 ATHRONIAETH dull athronyddol o bwyso a
mesur sy'n golygu nad ydych yn dod i gasgliad
am rywbeth nad oes modd ei brofi'n ffurfiol ac
yn drwyadl scepticism
3 amheuaeth am rai o egwyddorion sylfaenol
crefydd (e.e. bywyd tragwyddol, arweiniad
ysbrydol, etc.) scepticism

sgerbwd:ysgerbwd *eg* (sgerbydau:ysgerbydau)
1 y fframwaith o esgyrn sy'n cynnal cyrff pobl
ac anifeiliaid skeleton
2 model o'r esgyrn hyn wedi cael ei osod at ei
gilydd (i'w ddefnyddio gan fyfyrwyr meddygol)
skeleton
3 corff marw; celain, corpws carcass
4 fframwaith sy'n cynnal rhywbeth, *Nawr
mae sgerbwd y sièd yn ei le, mater hawdd fydd
hoelio'r gweddill wrtho.* skeleton

sgerbydol gw. ysgerbydol

sgersli-bilîf *ebychiad* anghredadwy! I don't
believe it

sgert:sgyrt *eb* (sgertiau:sgyrtiau) dilledyn
allanol a wisgir gan ferched o'u canol i lawr skirt

sgetsh *eb* (sgetshys)
1 drama fer iawn, un ddoniol fel arfer sketch,
skit
2 llun wedi'i wneud yn frysiog; amlinelliad,
braslun sketch

sgi *eg* (sgis:sgiau)
1 un o bâr o lafnau hir o bren, metel neu blastig
â phen blaen sy'n troi i fyny; caiff y sgis eu
rhoi'n sownd wrth waelod esgidiau er mwyn
llithro arnynt ar draws eira ski
2 dyfais debyg i sgi eira sy'n galluogi rhywun i
gael ei dynnu ar hyd wyneb y dŵr neu beiriant
i yrru ar wyneb y dŵr ski

sgil *eg* fel yn yr ymadrodd *yn sgil*, y tu ôl i,
yng nghysgod

sgìl *eg* (sgiliau) y gallu i wneud rhywbeth yn
dda; dawn neu fedr sy'n dod o ymarfer neu o
wybodaeth arbennig, *Y ffordd orau i feithrin
sgiliau darllen yw drwy ddarllen rhyw gymaint
bob dydd.*; crefft, deheurwydd, hyfedredd,
medr skill

sgil effaith *eb* (sgileffeithiau)
1 effaith eilaidd annymunol o ganlyniad
i driniaeth feddygol neu i gymryd cyffur
consequence, side effect
2 effaith neu ganlyniad isradd, yn enwedig un
anfwriadol side effect

sgilgar *ans* yn medru sgil neu sgiliau; dawnus,
deheuig, medrus skilful

sgilgynnyrch *eg* (sgilgynhyrchion) cynnyrch
eilaidd sy'n atodol i'r prif gynnyrch mewn
adwaith neu broses gynhyrchu by-product

sgim *ans* am hylif y mae beth bynnag a oedd yn
arnofio ar ei wyneb wedi cael ei godi, *llaeth
sgim* skimmed

sgimio *be* [sgimi•²]
1 codi haen o rywbeth oddi ar wyneb hylif (codi
hufen oddi ar wyneb llaeth, fel arfer) to skim
2 casglu fel petai drwy sgimio, *sgimio papur
am newyddion lleol*; cipddarllen to skim

sgio *be* [sgi•¹ 2 un. pres. sgii; amh. pres. sgiir;
2 un. amhen. sgiit; amh. amhen. sgiid]
1 teithio dros eira ar sgis to ski
2 cymryd rhan yn y gamp o sgio to ski

sgip *eb* (sgipiau) cynhwysydd mawr, metel,
symudol (ar gyfer rwbel, gwastraff, etc.) skip

sgipio *be* [sgipi•²]
1 symud yn eich blaen drwy neidio'n ysgafn
ar un droed ac yna ar y llall (~ **dros**) to skip
2 neidio dros raff sy'n cael ei throi mewn cylch
dros ben a than draed (rhywun neu rywrai)
to skip

sgism *eg* (sgismau) ymraniad (yn yr eglwys neu
mewn plaid wleidyddol) yn ddwy garfan sy'n
gwrthwynebu ei gilydd; toriant schism

sgist *eg* (sgistau) DAEAREG craig fetamorffig
grisialog a nodweddir gan drefn gyfochrog

S

y mwynau sydd ynddi; o ganlyniad mae'n dueddol o hollti'n haenau cymharol denau schist

sgit *eb* (sgitiau) sgets theatraidd ddychanol; parodi skit

sgitls *ell* ceilys; gêm lle mae chwaraewyr yn defnyddio pêl i geisio bwrw i lawr naw o geilys skittles

sgitsoffrenia *eg* SEICIATREG anhwylder meddwl a nodweddir gan golli gafael ar realiti, dirywiad personoliaeth a rhithdybiau schizophrenia

sgitsoffrenig *ans* yn dioddef o sgitsoffrenia neu o rai o nodweddion sgitsoffrenia schizophrenic

sgiw¹ *eb* (sgiwion) sedd hir o bren â chefn uchel a chypyrddau oddi tani; setl, sgrin settle

sgiw² *eb* (sgiwiau) gogwydd tuag at un grŵp neu bwnc penodol skew
  ar sgiw heb fod yn syth, ar ogwydd neu'n droellog, *Mae'r silffoedd hyn ar sgiw i gyd.* askew, twisted

sgiwen *eb* (sgiwennod) un o deulu o adar mawr y môr sy'n hedfanwyr cryf ac yn ymosod ar adar llai gan eu gorfodi i ollwng unrhyw bysgodyn maent wedi'i ddal skua

sgiwer *eg* (sgiwerau) ffon denau o bren neu fetel sy'n debyg i wäell i ddal cig wrth iddo gael ei goginio; cigwain skewer

sgïwr *eg* (sgiwyr) un sy'n sgio skier

sgïwraig *eb* merch neu wraig sy'n sgio skier

sglaffio *be* [sglaffi•²] rhofio bwyd, bwyta'n farus; claddu, llowcio, traflyncu to scoff, to stuff

sglaffiwr *eg* (sglaffwyr) un sy'n sglaffio (bwyd); bolgi, glwth glutton

sglefrfwrdd *eg* (sglefrfyrddau) bwrdd sglefrio; bwrdd cul tua 60 cm o hyd sy'n rholio ar olwynion bach; gall rhywun deithio arno yn ei gwrcwd neu gan sefyll skateboard

sglefrfyrddio *be* [sglefrfyrddi•²] gyrru bwrdd sglefrio ag un droed neu deithio arno to skateboard

sglefrfyrddiwr *eg* (sglefrfyrddwyr) un sy'n sglefrfyrddio skateboarder

sglefriad *eg* (sglefriadau) y weithred o sglefrio, enghraifft o sglefrio skating

sglefrio *be* [sglefri•²] gleidio neu lithro'n bwrpasol, yn enwedig ar iâ, mewn esgidiau arbennig â llafnau miniog (~ **ar**) to skate

sglefriwr *eg* (sglefrwyr) un sy'n sglefrio (ar iâ, fel arfer) skater

sglefrolio *be* [sglefroli•²] sglefrio ar set o olwynion wedi'i gosod dan bob esgid to roller-skate

sglefroliwr *eg* (sglefrolwyr) un sy'n sglefrolio rollerskater

sglein *eg*
  1 wyneb llyfn, disglair wedi'i greu drwy rwbio'n ddyfal, *Roedd yn bleser gweld y sglein ar ei sgidiau.* shine, gloss, polish
  2 ansawdd caboledig, *Roedd sglein ar eu*

perfformiad neithiwr.; disgleirdeb, graen, gwychder polish
  3 hylif (syryp) a daenir dros fwyd ac sy'n sychu'n haen dryloyw glaze

sgleinio *be* [sgleini•²]
  1 rhoi wyneb llyfn, disglair ar rywbeth drwy ei rwbio'n ddyfal; caboli, cwyro, gloywi to polish, to shine
  2 disgleirio, tywynnu, *gwydr yn sgleinio yn yr haul* to shine
  3 gorchuddio (bwyd, crochenwaith, etc.) â haen o rywbeth sy'n disgleirio to glaze

sgleiniwr *eg* (sgleinwyr) rhywun neu rywbeth sy'n achosi sglein, e.e. ar esgidiau polisher, shiner

sglentio *be* braidd gyffwrdd, cyffwrdd yn ysgafn wrth fynd heibio to glance, to skim
  Sylwch: nid yw'r ferf hon yn arfer cael ei rhedeg.

sglera *eg* (sglerâu) ANATOMEG y bilen wen ffibrog sy'n ffurfio rhan allanol pelen y llygad sclera

sglerencyma *eg* BOTANEG meinwe cynhaliol wedi'i wneud o gelloedd â muriau lignaidd a geir mewn planhigion datblygedig; weithiau mae'n cynnwys mwynau sclerenchyma

sglerosis *eg*
  1 MEDDYGAETH proses o galedu annormal ym meinwe'r corff; clefyd a achosir gan y broses hon sclerosis
  2 BOTANEG proses o galedu a achosir gan lignin ac sy'n arferol mewn planhigion sclerosis
  sglerosis ymledol clefyd cronig, cynyddol lle y ceir niwed i bilen myelin edefyn nerf yn yr ymennydd a madruddyn y cefn; mae'r symptomau'n cynnwys diffyg teimlad, lludded difrifol, diffyg cydsymud cyhyrol, a nam ar y lleferydd a'r golwg; parlys ymledol MS, multiple sclerosis

sglerotig *ans*
  1 MEDDYGAETH (am feinwe'r corff) yn amlygu sglerosis sclerotic
  2 ANATOMEG yn perthyn i'r sglera sclerotic

sglodion *ell* lluosog **sglodyn** chips

sglodyn *eg* (sglodion)
  1 COGINIO tafell hir, denau o daten (pytaten) amrwd wedi'i choginio mewn saim chip
  2 darn bychan o bren, un o nifer o naddion; fflaw chip
  3 FFISEG uned electronig yn cynnwys nifer mawr o gydrannau electronig bychain, er enghraifft transistorau a gwrthyddion chip
  'sgod a sglods pryd o fwyd o dafarn datws, sef siop sy'n gwerthu pysgod a sglodion fish'n' chips

sglyfaeth *gw.* ysglyfaeth

sglyfaethus *gw.* ysglyfaethus

sgolastig *ans* yn ymwneud â sgolastigiaeth scholastic

sgolastigiaeth *eb* ATHRONIAETH symudiad yng ngwareiddiad Cristnogol y gorllewin rhwng y nawfed ganrif a'r ail ganrif ar bymtheg a gyfunai athrawiaeth awdurdodol yr awduron Cristnogol cynharaf (megis Awstin Sant) ag athroniaeth gwlad Groeg, yn enwedig athroniaeth Aristoteles scholasticism

sgolecs *eg* SWOLEG pen blaen llyngyren, yn cynnwys bachau a sugnyddion glynu scolex

sgoliosis *eg* tro neu gamder i un ochr yr asgwrn cefn; cefnwyrni scoliosis

sgolop *eg* (sgolopiau) GWNIADWAITH un o gyfres o hanner cylchoedd (neu batrwm tebyg) a geir ar ymyl darn o frethyn neu ddilledyn scallop

sgolopio *be* torri darn o frethyn yn sgolopiau neu lunio patrwm tebyg to scallop
   Sylwch: nid yw'r ferf hon yn arfer cael ei rhedeg.

sgolor:ysgolor *eg* (sgolorion)
  1 un hyddysg iawn mewn maes arbennig, rhywun sydd wedi cael llawer iawn o addysg scholar
  2 *hen ffasiwn* plentyn sy'n dda yn yr ysgol, *Mae'n dipyn o sgolor.* bright pupil

sgon *eb* (sgonau) teisen fach feddal, gron, yn debyg ei hansawdd i fara scone

sgôr[1] *eb* (sgorau) cyfanswm y goliau, pwyntiau, rhediadau, etc. a geir mewn gêm neu gystadleuaeth score

sgôr[2] *eb* (sgorau)
  1 CERDDORIAETH darn ysgrifenedig o gerddoriaeth ar gyfer grŵp o berfformwyr sy'n cynnwys pob rhan unigol yn cydredeg, y naill o dan y llall score
  2 darn o gerddoriaeth ar gyfer ffilm neu ddrama score

sgôr[3] *eb* (sgorion) grŵp neu set o 20 score

sgorbwtig *ans* MEDDYGAETH yn ymweud â'r llwg, wedi'i effeithio gan y llwg scorbutic

sgoria *eg*
  1 METELEG y sorod neu'r gwastraff a geir ar ôl puro mwynau neu doddi metelau dross, scoria
  2 DAEAREG darn o ddefnydd folcanig, gwydrog, pothellog sy'n ddwysach ac yn dywyllach na phwmis; mae'n ymdebygu weithiau i sorod neu ludw scoria

sgorio:sgori *be* [sgori•[2]]
  1 ennill gôl, pwynt, rhediad, etc. mewn gêm, camp neu gystadleuaeth to score
  2 cadw cofnod swyddogol o'r sgôr fel y mae gêm yn mynd yn ei blaen to score
  3 gwneud pwynt llwyddiannus neu drawiadol mewn dadl to score

sgoriwr:sgorwr *eg* (sgorwyr)
  1 un sy'n sgorio scorer
  2 un sy'n cadw sgôr scorekeeper, scorer

sgorpion *eg* (sgorpionau) anifail bach sy'n perthyn i'r un dosbarth â'r corryn; yn ei gynffon mae ganddo golyn a all fod yn wenwynig scorpion

sgorpionllys *eg* enw ar y gwahanol fathau o'r blodyn a adwaenir fel nâd-fi'n-angof; maent yn aelodau o deulu tafod yr ych forget-me-not

sgorpion môr *eg* (sgorpionau môr) pysgodyn moroedd y Gogledd â chefn ac esgyll pigog, pen mawr a cheg lydan sculpin

sgorwr *gw.* sgoriwr

Sgoten *eb anffurfiol* Albanes Scot

Sgotyn *eg anffurfiol* Albanwr Scot

sgothi *gw.* ysgothi

sgowt *eg* (sgowtiaid)
  1 milwr a ddanfonir o flaen gweddill y fyddin i geisio casglu gwybodaeth am y gelyn scout
  2 un sy'n chwilio am chwaraewyr addawol ar ran tîm arbennig, e.e. ym myd pêl-droed scout
  3 aelod o fudiad y Sgowtiaid, a sefydlwyd yn wreiddiol i hyfforddi bechgyn i edrych ar eu holau eu hunain ac i helpu eraill scout

sgrafangu *be* [sgrafang•[3]] symud yn gyflym lan rhiw neu lethr gan ddefnyddio'r dwylo a'r traed to scramble

sgrafell *eb* (sgrafelli)
  1 teclyn neu ddyfais ar gyfer crafu, e.e. papur oddi ar wal, paent oddi ar bren, llaid oddi ar waelod esgid; crafwr, rhathell scraper
  2 erfyn ar gyfer cribo cot ceffyl curry comb

sgrafelliad *eg* (sgrafelliadau)
  1 ôl gwaith sgrafell; crafiad abrasion
  2 DAEAREG math o erydiad sy'n digwydd wrth i dywod, cerigos neu glogfeini gael eu llusgo ar draws arwyneb craig neu eu hyrddio yn ei erbyn abrasion

sgrafellu *be*
  1 cael gwared ar sylwedd sydd yn glynu wrth wyneb rhywbeth drwy dynnu offeryn â min drosto, neu ddefnyddio'r un broses i lyfnhau wyneb; crafu (~ *rhywbeth* â) to scrape
  2 brwsio neu lanhau cot anifail (yn enwedig ci neu geffyl) to groom
  3 DAEAREG erydu, crafu neu gaboli arwyneb craig wrth i dywod, cerigos neu glogfeini gael eu llusgo ar ei draws to abrade
   Sylwch: nid yw'r ferf hon yn arfer cael ei rhedeg.

sgraffiniad *eg* (sgraffiniadau) crafiad, *Daeth Siân adre a sgraffiniad cas ar ei phen-glin.* scratch

sgraffinio *be* [sgraffini•[6]] crafu, cripio to scrape

sgraffito *eg* CELFYDDYD math o addurnwaith a grëir wrth grafu drwy'r haen uchaf o liw er mwyn datgelu'r lliw oddi tano sgraffito

sgram *eb tafodieithol* pryd blasus, bwyd da, enllyn beanfeast, grub

sgrap *eg* darnau o bethau wedi'u gweithgynhyrchu nad oes eu hangen rhagor, yn enwedig darnau metel scrap

S

sgrapio *be* [sgrapi•²] gwneud yn sgrap; diddymu, gwaredu to scrap

sgrapo *be* [sgrap•¹] *tafodieithol, yn y De* crafu to scratch

sgrech *eb* (sgrechiadau:sgrechfeydd) gwaedd sydyn ar nodyn uchel; cri, gwaedd, gwawch, llef scream, screech, shriek

    sgrech y coed aderyn lliwgar, swil y goedwig sy'n perthyn i deulu'r frân; fe'i nodweddir gan ei ben-ôl gwyn a'r clwt o blu glas a du ar ei adenydd jay

    Ymadrodd

    mynd yn sgrech arnaf fi (arnat ti, arno ef, etc.) wedi mynd yn drech na fi to be up against it

sgrechain:sgrechian *be* [sgrech•¹] gweiddi ar nodyn uchel, *sgrechian chwerthin* (~ ar) to scream, to screech, to shriek

sgrechlyd *ans* yn sgrechain neu'n chwannog i sgrechain screeching

sgrepan gw. ysgrepan

sgreten gw. ysgreten

sgri *eg* (sgrïau) DAEAREG crynhoad o gerrig rhydd, onglog ac amrywiol eu maint wrth droed clogwyn sydd fel rheol yn ffurfio llethr scree

sgrialu *be* [sgrial•³] symud yn gyflym neu geisio symud yn gyflym gan wasgaru pethau i bob man; chwyrnellu to scrabble, to scramble, to scurry

sgriblan:sgriblo *be* [sgribl•¹] ysgrifennu'n gyflym ac yn anniben, gwneud marciau diystyr tebyg i ysgrifen, fel y gwna plentyn bach (~ *rhywbeth* **ar**) to scribble

sgrifell *eb* teclyn â phigyn main ar ei flaen ar gyfer marcio pren neu fetel scriber

sgrifennu gw. ysgrifennu

sgrin *eb* (sgriniau)

    1 ffrâm wedi'i gorchuddio â defnydd i guddio (rhywun neu rywbeth) rhag gwres, oerfel, etc. neu rhag cael ei weld, *Gosododd y nyrsys sgrin o gwmpas y gwely.* screen

    2 arwynebedd gwastad, golau a ddefnyddir i daflunio ffilmiau, sleidiau, lluniau, diagramau, etc. arno screen

    3 wyneb allanol rhyw ddyfais electronig sy'n dangos gwybodaeth neu lun, *sgrin deledu* screen

    4 sgiw, setl settle

    sgrin gyffwrdd CYFRIFIADUREG dyfais arddangos sy'n caniatáu i'r defnyddiwr ryngweithio â chyfrifiadur drwy gyffwrdd â gwahanol fannau ar y sgrin touchscreen

    sgrin hollt sgrin sinema, teledu neu gyfrifiadur sy'n dangos dwy neu fwy o fframiau yr un pryd split screen

sgrin-brintio *be* [sgrin-brinti•²] argraffu llun neu ddelwedd ar arwyneb, e.e. papur neu ffabrig, drwy wasgu inc drwy sgrin o ddefnydd main screen-printing

sgrinio *be* [sgrini•⁶]

    1 dangos ffilm i'r cyhoedd to screen

    2 gwirio mewn ffordd drefnus, e.e. er mwyn gwahanu yn grwpiau, i ddod o hyd i ymgeiswyr teilwng, i ganfod anhwylder neu afiechyd, etc. to screen

sgrinlun *eg* (sgrinluniau) CYFRIFIADUREG llun o'r hyn a dynnir ar sgrin cyfrifiadur, ffôn. etc. screenshot

sgript *eb* (sgriptiau) ffurf ysgrifenedig ar araith, drama, darllediad, ffilm, etc. script

sgriptio *be* [sgripti•²] creu neu ysgrifennu sgript to script

sgriptiwr *eg* (sgriptwyr) un sy'n llunio sgript scriptwriter

sgriw *eb* (sgriwiau) dyfais debyg i hoelen ond sydd ag edefyn neu rigol ar hyd ei hymyl sy'n ei dal yn ei lle screw

    sgriw hunandapio sgriw sy'n gallu torri edau yn y defnydd y caiff ei sgriwio iddo self-tapping screw

    sgriw pren sgriw bigfain y gellir ei gyrru i bren â thyrnsgriw wood screw

    sgriw set sgriw heb ben a ddefnyddir i gymhwyso neu gloi rhannau peiriant set screw

sgriwdreifer *eg* (sgriwdreifers) offeryn neu declyn â llafn sy'n ffitio i ben sgriw fel bod modd ei throi; tyrnsgriw screwdriver

sgriwio *be* [sgriwi•²]

    1 cydio dau beth ynghyd â dwy neu ragor o sgriwiau (~ *rhywbeth* **wrth**) to screw

    2 troi a thynhau sgriw neu rywbeth sy'n symud yn yr un ffordd â sgriw to screw

    3 gwyro neu droi rhywbeth o'i ffurf arferol, *sgriwio'r bêl wen heibio i'r un ddu ar fwrdd snwcer* to screw

sgrôl *eb* (sgroliau)

    1 dogfen ysgrifenedig ar ffurf rholyn o bapur neu o femrwn scroll

    2 addurn ar ffurf darn o bapur neu o femrwn wedi'i rolio, yn enwedig yr addurn ar ben isaf offerynnau llinynnol o deulu'r ffidil scroll

sgrolio *be* [sgroli•²] symud testun i fyny neu i lawr sgrin cyfrifiadur (~ *rhywbeth* **i fyny/i lawr**) to scroll

sgrotwm *eg* ceillgwd; y cwdyn o gnawd sy'n dal y ceilliau mewn mamolion scrotum

sgrwbio *be* [sgrwbi•²] glanhau rhywbeth drwy ei rwbio'n egnïol (â brws caled); rhwbio, sgwrio to scrub

sgrym *eb* (sgrymiau) (mewn rygbi) sgarmes drefnus lle mae blaenwyr y ddau dîm yn gwthio yn erbyn ei gilydd â'u pennau i lawr, er mwyn ceisio bachu'r bêl sy'n cael ei thaflu i'r bwlch rhwng traed y ddwy reng flaen scrum

sgrymio *be* [sgrymi•²] ffurfio sgrym, ymgiprys am y bêl mewn sgrym to scrum, to scrummage

sgrytian *be* crynu a rhincian, fel dannedd rhywun sy'n oer neu'n ofnus to chatter
Sylwch: nid yw'r ferf hon yn arfer cael ei rhedeg.

sgubell *gw.* ysgubell

sgubo *gw.* ysgubo

sgubwr *gw.* ysgubwr

sgut *ans* cyflym, heini nimble, quick
yn sgut am yn hoff iawn o, *Mae hi'n sgut am bwdin mwyar duon.*

sgutor *gw.* ysgutor

sguthan *gw.* ysguthan

sgwad *eb* (sgwadiau)
1 grŵp bach o bobl yn gweithio fel tîm; carfan squad
2 nifer bach o filwyr wedi'u cynnull ar gyfer tasg arbennig neu ar gyfer ymarfer squad
3 adran mewn heddlu sy'n arbenigo mewn delio â math arbennig o droseddau squad

sgwadron *eb* (sgwadronau) uned o 10–18 awyren yn yr awyrlu squadron

sgwâr¹ *egb* (sgwariau)
1 MATHEMATEG ffigur dau ddimensiwn â phedair ochr syth o'r un hyd sy'n ffurfio pedair ongl 90° (sef ongl sgwâr) square
2 darn o ddefnydd o'r siâp hwn square
3 darn o dir agored wedi'i amgylchynu ag adeiladau; maes, pedrongl square
4 MATHEMATEG y rhif a gewch wrth luosi rhif penodol ag ef ei hun, *Sgwâr 4 yw 16.* square
5 lle amgaeedig ar gyfer gornest baffio neu ymaflyd codwm ring
ongl sgwâr *gw.* ongl
rhif sgwâr *gw.* rhif
sgwâr hud cyfres o rifau ar ffurf sgwâr lle mae'r rhifau ym mhob rhes a'r rhifau ym mhob colofn yn rhoi'r un cyfanswm magic square

sgwâr² *ans*
1 â phedair ochr syth o'r un hyd sy'n ffurfio pedair ongl 90° (sef ongl sgwâr) square
2 yr un siâp â sgwâr, *Mae ganddi wyneb sgwâr.* square
3 (am arwynebedd) cywerth â nifer penodol o sgwariau o faint arbennig, e.e. un metr wrth un metr, sef metr sgwâr square

sgwâr³:sgwâr profi *eg* (sgwariau) erfyn ar ffurf L neu T a ddefnyddir i wirio neu i lunio onglau sgwâr; sgwaryn square, try square
sgwâr canoli erfyn a ddefnyddir i nodi canol defnyddiau crwn megis hoelbren neu roden fetel centre square
sgwâr meitro erfyn a ddefnyddir i farcio onglau uniad meitrog mitre square
sgwâr peiriannydd erfyn a ddefnyddir i farcio onglau sgwâr ar fetel engineer's square

sgwario *be* [sgwari•²] MATHEMATEG lluosi rhif penodol ag ef ei hun, codi i'r pŵer 2, e.e. 5 × 5 = 25 to square

sgwarnog ffurf lafar ar ysgyfarnog

sgwaryn *eg* (sgwarynnau)
1 teclyn ar ffurf triongl ag un ongl sgwâr a ddefnyddir i dynnu llinellau syth ac onglau sgwâr yn fanwl gywir set square
2 teclyn ar ffurf y llythyren L neu T a ddefnyddir gan grefftwr i sicrhau bod darn o bren neu wal, er enghraifft, yn syth neu'n sgwâr; sgwâr³ square

sgwash *eg* diod felys o sudd ffrwythau squash

sgwatio *be* [sgwati•²] meddiannu tir heb hawl; ymgartrefu mewn adeilad gwag heb fod yn berchennog arno na thalu rhent i'r perchennog to squat

sgwatiwr *eg* (sgwatwyr) un sy'n sgwatio squatter

sgwba-ddeifio *be* [sgwba-ddeifi•²] plymio o dan y dŵr gan ddefnyddio offer anadlu to scuba-dive, scuba diving

sgwd:ysgwd *eg* (sgydau) cwymp o ddŵr; ffrwd, pistyll, rhaeadr waterfall, cascade, cataract

sgweier:ysgweier (sgweieriaid) yswain squire

sgwib *eb* (sgwibiau) ffrwydryn bach sy'n poeri a thasgu cyn ffrwydro squib

sgwlcan *be* symud o gwmpas yn y dirgel neu ymguddio mewn ofn neu am eich bod am gyflawni rhyw ddrwg; llechu to lurk, to skulk
Sylwch: nid yw'r ferf hon yn arfer cael ei rhedeg.

sgwlyn *eg* anffurfiol athro, prifathro ysgol headmaster, schoolmaster

sgwner *eb* (sgwneri) MORWRIAETH llong hwylio ac iddi ddau neu ragor o hwylbrennau a hwyliau blaen-ac-ôl, lle mae'r hwylbren blaen yn llai na'r prif hwylbren schooner

sgwpio *be* [sgwpi•²] gwagio drwy ddefnyddio tun, llwy â bowlen ddofn neu eich dwylo, etc. to scoop

sgwriad *eg* y broses o sgwrio, canlyniad sgwrio scouring, scrubbing

sgwrio *be* [sgwri•²] glanhau rhywbeth drwy ei rwbio'n galed â defnydd garw neu frws bras, *sgwrio'r rhiniog â thywod*; sgrwbio (~ *rhywbeth* â) to scour

sgwrs *eb* (sgyrsiau)
1 siarad cyfeillgar rhwng pobl sy'n rhannu newyddion, teimladau, etc.; clonc, gair, ymddiddan, ymgom chat, conversation
2 anerchiad anffurfiol, *Roedd ei sgyrsiau radio ymhlith y pethau gorau a wnaeth.*; ymdriniaeth talk
tynnu sgwrs â dechrau siarad â to start a conversation

sgwrsio *be* [sgwrsi•²] cael sgwrs, cael gair, cael clonc; siarad, ymddiddan, ymgomio to chat, to converse, to talk

sgwrsiwr *eg* un sy'n sgwrsio; siaradwr, ymgomiwr conversationalist

S

sgwter *eg* (sgwteri)
1 tegan â dwy olwyn y mae plentyn yn gallu sefyll arno a symud yn ei flaen drwy wthio un droed yn erbyn y llawr scooter
2 beic bach isel dwy olwyn â modur i'w yrru a darn llydan ar y blaen i amddiffyn y coesau scooter

sgydau *ell* lluosog **sgwd**

sgync *eg* (sgyncod) drewgi; anifail bach Americanaidd â blew sy'n streipiau du a gwyn ac sy'n medru chwistrellu hylif drewllyd o chwarren wrth ei ben-ôl skunk

sgyrsiau *ell* lluosog **sgwrs**

sgyrt gw. **sgert**

sgyrtin *eg* math o ystyllen gul sy'n cael ei gosod ar hyd gwaelod wal (mewn ystafell neu dŷ) skirting board

shahadah *eg* CREFYDD (Islam) y gredo y mae'r Mwslim yn ei harddel, 'Un Duw sydd, Allah, a Muhammad yw ei broffwyd.'

Shakespearaidd *ans* yn perthyn i Shakespeare neu ei gyfnod, yn debyg i arddull Shakespeare neu am rywun sy'n arbenigwr yn ei waith neu ei actio Shakespearian
soned Shakespearaidd gw. **soned**

Shi'a *eg* CREFYDD (Islam) un o ddwy brif gangen Islam (Sunni yw'r llall)

Shïad *eg* (Shiaid) CREFYDD aelod o sect Islamaidd sy'n derbyn mab yng nghyfraith Muhammad fel gwir olynydd cyntaf y proffwyd Shi'ite

shifft *eb* (shifftiau)
1 cyfnod penodol o waith, *shifft nos*; stem shift
2 y gweithwyr sy'n gweithio yn ystod y cyfnod hwn shift

Shinto *eg* CREFYDD crefydd frodorol Japan sy'n cynnwys addoli duwiau byd natur a'r ymerawdwr fel un o ddisgynyddion duwies yr Haul Shinto

shwt ma'i gw. **sut**

si *eg* (sïon)
1 stori sy'n cael ei lledaenu ac nad oes neb yn siŵr a yw'n wir ai peidio, *Mae si ar led ei fod wedi gadael ei wraig.*; achlust, sôn rumour
2 sibrwd, siffrwd, sisial whisper
si/sŵn ym mrig y morwydd hanes nad oes neb yn siŵr a yw'n wir ai peidio, awgrym o ddatblygiad newydd ar gerdded rumour has it

siabi *ans*
1 â golwg ddilewyrch, o ansawdd gwael, di-raen, llwm shabby
2 gwael, dan din shabby

siaced *eb* (siacedi)
1 cot fer â llewys; crysbais, sircyn jacket
2 gorchudd, clawr papur (llyfr) jacket
siaced lwch siaced bapur a roddir am lyfr (clawr caled) i'w ddiogelu a'i gadw'n lân;

mae llun (weithiau) ar y clawr a gwybodaeth am y llyfr a'r awdur ar ei gefn dust jacket
y siaced fraith gw. **braith**

siachmat *eg* (mewn gwyddbwyll) symudiad sy'n ymosod yn uniongyrchol ar frenin fel ei bod yn amhosibl iddo ddianc na chael ei warchod; mae'r symudiad yn ennill y gêm i'r ymosodwr; siec checkmate

siafiad *eg* y broses o siafio, canlyniad siafio; eilliad shave

siafins *ell* anffurfiol naddion shavings
siop siafins lle anniben tost, lle di-drefn i'w ryfeddu
tân siafins rhywbeth sy'n fflamio'n gryf am ychydig ac yna'n diflannu flash in the pan

siafio:siafo *be* [siafi•²] crafu neu dorri blew yn agos iawn i'r croen â rasal neu lafn miniog iawn; eillio to shave

siafiwr (siafwyr) rhywun neu rywbeth sy'n siafio, e.e. siafiwr trydan shaver

siafft *eb* (siafftau:siafftiau)
1 darn hir, cul, crwn o bren megis coes saeth shaft
2 un o freichiau trol neu gerbyd sy'n cael ei dynnu gan anifail neu anifeiliaid; llorp shaft
3 bar neu drosol sy'n troi, neu y mae olwyn yn troi arno er mwyn trosglwyddo egni drwy beiriant; gwerthyd shaft
4 twnnel hir, fertigol (megis siafft pwll glo sy'n arwain o wyneb y ddaear i waelod y pwll) shaft

siag *eg* math o faco cryf, garw, wedi'i dorri'n fân shag

siang-di-fang gw. **sang-di-fang**

siâl *eg* (sialau) DAEAREG craig waddod, fân-ronynnog, holltadwy sy'n ffurfio wrth i haenau o glai neu fwd gael eu cywasgu dros gyfnodau hir o amser shale

sialc *eg* (sialcau:sialciau)
1 DAEAREG calchfaen llwydwyn a chymharol feddal sy'n cynnwys gweddillion anifeiliaid a phlanhigion mân iawn a ymgasglodd, fesul haen, ar waelod y môr chalk
2 darn meddal o galch (gwyn neu wedi'i liwio) ar gyfer ysgrifennu ar fwrdd du chalk

sialcog *ans* yn cynnwys sialc, neu yn debyg i sialc o ran ansawdd neu flas chalky

sialens *eb* (sialensau) anffurfiol her challenge

Siämaidd gw. **Tai**

siaman *eg* (siamaniaid) offeiriad siamaniaeth, y credir bod ganddo fynediad, drwy lesmair, i fyd o ysbrydion (er mwyn gwella afiechydon a darogan y dyfodol); swynfeddyg shaman

siamaniaeth *eb* CREFYDD crefydd rhai pobloedd gogledd Asia a Gogledd America yn seiliedig ar fyd yn llawn ysbrydion da a drwg, duwiau ac ysbrydion y cyndeidiau y mae'r siaman yn medru dylanwadu arnynt shamanism

siambr *eb* (siambrau)
1 ystafell fawr chamber
2 ystafell gynnal dadleuon mewn senedd chamber
3 CYFRAITH (siambrau) swyddfeydd y mae bargyfreithiwr neu fargyfreithwyr yn eu defnyddio, yn enwedig yn Ysbytai'r Brawdlys chambers
4 man amgaeedig y tu mewn i beiriant neu yn y corff chamber
5 ceudod tanddaearol mawr chamber
siambr sorri cornel y bydd plentyn yn cael ei hanfon iddi am fod yn ddrwg

siambrlen *eg* (siambrleniaid)
1 prif swyddog llys brenin neu dŷ bonheddwr chamberlain
2 trysorydd rhai mathau o gorfforaethau chamberlain

siamffer *eg* (siamfferi) ymyl (addurnedig) wedi'i dorri i lunio dwy ongl letraws, e.e. wrth greu ongl o 45° ar ymyl sgwaryn o bren chamfer

siamffro *be* [siamffr•¹] torri i ffwrdd ymyl 90° o ochr darn o bren er mwyn creu goleddf addurniadol o 45° (siamffer) to chamfer

siami *eg*
1 lledr wedi'i wneud o groen math o afrewig Ewropeaidd, y *chamois* chamois
2 clwtyn o'r defnydd hwn neu ddefnydd tebyg, at olchi a chaboli (car neu ffenestri) chamois

Siamiad *gw.* **Tai**

siampên:siampaen *eg* gwin gwyn pefriog a wnaed yn yr hen ranbarth Ffrengig Champagne champagne

siampŵ *eg* (siampâu) sebon ar ffurf hylif a ddefnyddir i olchi gwallt, carpedi, etc. shampoo

siampwio *be* [siampwi•²] golchi â siampŵ to shampoo

siandi *eg* diod sy'n gymysgedd o gwrw (neu lager) a lemonêd shandy

siandri *eb* (siandris) hen gar sy'n crafu mynd jalopy
siandri dywod car bach cryf â theiars llydan a fwriadwyd yn wreiddiol ar gyfer tir garw neu draeth beach buggy

sianel *eb* (sianeli:sianelau)
1 gwely afon neu wely llifeiriant o ddŵr; cwter, ffos channel
2 rhan ddyfnaf afon neu borthladd; llwybr llongau drwy'r môr channel
3 culfor sy'n cysylltu dau fôr; culfa channel
4 cyfres neu fand o donfeddi radio a ddefnyddir i ddarlledu rhaglenni teledu neu radio channel
5 gorsaf deledu neu'r rhaglenni a ddarlledir ganddi, *Sianel Pedwar Cymru* channel

sianelu *be* [sianel•¹] cyfeirio (megis drwy sianel) (~ *rhywbeth* **drwy**) to channel

Siani flewog *eb* lindysyn bach blewog caterpillar, woolly bear

Siani lusg *eb* planhigyn dringo â blodau melyn sy'n tyfu ar dir corsiog ac yn perthyn i deulu'r friallen creeping Jenny

siant *eb* (siantau) enghraifft o gydadrodd yn rhythmig, e.e. ar gyfer addoliad neu gan dyrfa o gefnogwyr; côr-gân, llafargan chant

sianti¹ *eb* (siantis) CERDDORIAETH math o gân y byddai morwyr yn ei chanu pan fyddent wrth eu gwaith shanty

sianti² *eb* math o gwt neu gaban garw shanty

siantio *be* [sianti•²] cydadrodd neu lafarganu siant; corganu to chant

siantri *eg*
1 CREFYDD gwaddoliad (arian neu eiddo) i dalu offeiriad i lafarganu (siantio) offerennau dros enaid (rhoddwr y gwaddoliad, fel arfer) chantry
2 capel a waddolir yn y ffordd hon chantry

siâp *eg* (siapau:siapiau)
1 ymddangosiad allanol rhywbeth; amlinelliad, ffigur, ffurf, gwedd shape, figure
2 llun neu ymddangosiad mewn dau ddimensiwn – uchder a lled shape
dim siâp (ar rywun neu rywbeth) anobeithiol, dim golwg neu arwydd bod rhywun neu rywbeth yn mynd i ddod i ben â'r gwaith

Siapanead *gw.* **Japanead**

siapio:siapo *be* [siapi•²]
1 rhoi siâp neu ffurf benodol i rywbeth to shape
2 fel yn yr ymadrodd tafodieithol *mae'n dechrau siapo nawr*, dod yn well, gwella to take shape

siapus *ans* hardd neu ddeniadol ei ffurf; deniadol, golygus, gosgeiddig, lluniaidd shapely

siâr *eb* (siariau)
1 y rhan sy'n perthyn i rywun neu sydd i'w chyflawni gan rywun, *Mae gofyn i ti wneud dy siâr di o'r gwaith, cofia.*; cwota, cyfran, dogn share
2 cyfranddaliad (mewn cwmni, etc.) share

siarabáng *egb* (siarabangs, siarabanciau) *hanesyddol* bws cynnar a oedd yn cael ei ddefnyddio ar gyfer tripiau pleser, fel arfer charabanc

siarad *be* [siarad•¹ *3 un. pres.* sieryd/siarada; *2 un. gorch.* siarad/siarada]
1 dweud geiriau, mynegi syniadau ar lafar yn uchel, defnyddio'r llais; llefaru, sgwrsio, ymddiddan, ymgomio (~ â *rhywun* am *rywbeth*) to speak, to talk, to converse
2 medru iaith arbennig, *Wyt ti'n gallu siarad Ffrangeg?* to speak
gwag siarad siarad ofer, na fydd yn arwain at wneud dim empty talk, tittle-tattle, verbiage
mân siarad clebran, cloncian, hel straeon chatter, gossip
mewn ffordd o siarad ar un ystyr, ar ryw olwg in a manner of speaking

S

siarad dros
1 siarad ar ran (rhywun), *Roedd yr Ysgrifennydd Cartref yn siarad dros y Prif Weinidog.*
2 o blaid, *siaradodd dros heddwch*
siarad drwy fy (dy, ei, etc.**) het** siarad dwli, siarad nonsens to talk through one's hat
siarad fel melin bupur siarad yn ddiddiwedd
siarad fel pwll y môr gw. pwll
siarad o'r fron/o'r frest siarad yn deimladwy, heb baratoi ymlaen llaw to speak from the heart
(siarad) pymtheg yn y dwsin gw. pymtheg¹
siarad siop siarad am waith to talk shop
siarad yn fras
1 siarad yn gyffredinol
2 siarad yn aflednais, yn gwrs lewd
siaradus *ans* (am rywun) hoff iawn o siarad ac sy'n gwneud llawer ohono, fel pwll y môr; llafar, parablus, tafodrydd talkative, garrulous
siaradwr *eg* (siaradwyr)
1 rhywun sy'n siarad, sydd wrthi'n siarad speaker
2 un sy'n traddodi araith neu rywun sy'n gallu siarad (yn gyhoeddus) yn dda; areithiwr, llefarydd, sgwrsiwr, ymgomiwr speaker
3 un sy'n siarad iaith arbennig speaker
siaradwraig *eb* merch neu wraig sy'n siarad (iaith arbennig, ar destun arbennig, etc.)
siarc *eg* (siarcod) pysgodyn mawr â chorff hir ac esgyll amlwg ar ei gefn; mae'n bwyta pysgod eraill a phobl hefyd (weithiau) yn achos y rhywogaethau ffyrnicaf; morgi shark
siarcol *eg* math o garbon ar ffurf sylwedd du sy'n cael ei ffurfio drwy fudlosgi pren mewn cynhwysydd caeedig; fe'i defnyddir i luniadu neu fel tanwydd; golosg charcoal
siaredais *bf* [siarad] *ffurfiol* gwnes i siarad
siario *be* [siari•²] *anffurfiol* rhannu (~ *rhywbeth* â) to share
siarp *ans* [siarp•]
1 ac awch arno, â blaen llym; awchlym, miniog sharp
2 â meddwl cyflym, *plentyn bach siarp*; ciwt sharp
3 (am eiriau) yn brathu neu'n gwneud dolur sharp
4 â blas sur, tebyg i asid; egr, sur sour, tart
5 (am dro) sydyn, cas sharp
6 (wrth ganu â'r llais neu offeryn) allan o diwn, uwchben y traw neu'r nodyn cywir sharp
siars *eb* (siarsau) cyfrifoldeb am ofal (rhywun neu rywbeth); cyfarwyddyd, gorchymyn, rhybudd charge, warning
siarsio *be* [siarsi•²] sôn am rywbeth drwg a allai ddigwydd a dweud sut i'w osgoi, *Cafodd y plant eu siarsio i beidio â siarad â phobl ddieithr.*; cynghori, gorchymyn, rhybuddio (~ *rhywun* i) to warn, to charge

siart *eg* (siartau:siartiau)
1 map, yn enwedig map o ddarn o'r môr chart
2 poster ac arno luniau a gwybodaeth chart
3 taflen sy'n cyflwyno gwybodaeth drwy gyfrwng lluniau, diagramau neu dablau; graff, grid chart
siart bar graff ar ffurf barrau fertigol a llorwedd bar chart
siart bloc graff ar ffurf blociau fertigol block chart
siart cylch graff ar ffurf cylch wedi'i rannu yn sectorau pie chart
siart llif llun yn defnyddio symbolau (triongl, diemwnt, petryal, etc.) wedi'u cysylltu â llinellau yn dangos fesul cam sut i gyflawni rhyw waith (cymhleth, fel arfer); llifsiart flow chart
siarter *eg* (siartrau) CYFRAITH dogfen swyddogol sy'n rhestru hawliau, rhyddfreiniau, etc., *siarter hynafol y dref*; breinlen charter
y Siarter/Freinlen Fawr *hanesyddol* Magna Carta; siarter a seliwyd yn 1215 rhwng y Brenin John a'i farwniaid sy'n gosod sail ar gyfer amddiffyn hawliau'r unigolyn yn Lloegr Magna Carta
Siartiaeth *eb* *hanesyddol* egwyddorion a gweithredoedd corff o ddiwygwyr cymdeithasol ym Mhrydain yn y bedwaredd ganrif ar bymtheg, a oedd yn hawlio gwell amodau gwaith a mwy o ddemocratiaeth i weithwyr Chartism
siartio *be* [siarti•²] gosod allan gynllun neu arddangos rhywbeth megis ar siart to chart
siartredig *ans* (am rywun) sydd wedi llwyddo yn yr arholiadau angenrheidiol i'w gynnwys ar restr o bobl gymwys neu broffesiynol mewn maes arbennig, *llyfrgellydd siartredig* chartered
Siartydd *eg* (Siartwyr) *hanesyddol* un o gefnogwyr Siartiaeth yn y bedwaredd ganrif ar bymtheg Chartist
siasbi *eg* (siasbis) darn o blastig, metel (neu gorn, yn wreiddiol) i helpu eich sawdl i lithro i mewn i esgid shoehorn
siasi *eg* (siasïau) ffrâm sylfaenol cerbyd ag olwynion chassis
siasio *be* addurno metel drwy ei dolcio ag offer nad ydynt yn torri drwy'r metel to chase
Sylwch: nid yw'r ferf hon yn arfer cael ei rhedeg.
siawns *eb*
1 y grym sydd fel petai'n gwneud i bethau ddigwydd heb achos, hap a damwain; ffawd, lwc, tynged chance
2 posibilrwydd y gall rhywbeth ddigwydd, amgylchiadau ffafriol, *Siawns y gwelwn ein gilydd yma y flwyddyn nesaf eto.*; cyfle chance
plentyn siawns gw. plentyn

siawnsri *eg* (siawnsrïau) CYFRAITH adran yn yr uchel lys sydd ag awdurdod dros achosion llys yn seiliedig ar gyfiawnder naturiol chancery

sibol:sibwl:sibwn:sifwn *ell* winwns ifanc a dynnir cyn i'r oddf ffurfio'n llawn shallots, spring onions

siboleth *eb* (sibolethau) unrhyw hen ddywediad neu ddysgeidiaeth a fu'n bwysig unwaith ond nad yw'n golygu llawer erbyn hyn shibboleth

sibrwd[1] *be* [sibryd•[1] 3 *un. pres.* sibrwd/sibryda; 2 *un. gorch.* sibrwd/sibryda] siarad â llawer o anadl ond ychydig o'r llais, *Sibrydodd y neges yn ei chlust.*; murmur, siffrwd, sisial to whisper

sibrwd[2] *eg* (sibrydion)
1 y broses o sibrwd, canlyniad sibrwd, siarad yn dawel; murmur, siffrwd, sisial whisper
2 hanes nad oes neb yn gwybod a yw'n wir ai peidio, *Mae yna sibrydion ei fod yn ymddeol yn gynnar.*; achlust, si whisper
3 hefyd yn ffigurol, *sibrwd y gwynt drwy'r coed* whisper

sibrydaf *bf* [sibrwd] rwy'n sibrwd; byddaf yn sibrwd

sibwn:sibwl gw. sibol

sic *adf* fel hyn (nodyn mewn cromfachau i nodi union ffurf y gair/geiriau, fel arfer os yw'n ffurf anarferol), e.e. *Iolo Morganwg* (sic)

sicr:siŵr:siwr *ans* [sicr•]
1 heb amheuaeth yn ei gylch; diamheuol, diwrthdro, diymwad, pendant (~ o) certain, sure
2 wedi'i sicrhau; ansigledig, diysgog firm, sound
bid siŵr yn sicr certainly, to be sure

sicredig *ans* CYLLID â hawl i feddiannu ased pan na fydd benthyciad yn cael ei ad-dalu secured

sicrhad *eg* y broses o sicrhau, canlyniad sicrhau; ategiad, cadarnhad, gwarant assurance

sicrhau *be* [sicrha•[14]]
1 gwneud yn siŵr, gofalu nad oes amheuaeth ynglŷn â rhywbeth, *A wnei di ffonio i sicrhau bod yna seddau i ni ar yr awyren?*; dilysu, gwarantu, gwirio to ensure, to assure
2 clymu, cau, tynnu ynghyd, *Defnyddiodd bìn bach i sicrhau'r rhosyn wrth ei blows.*; clensio (~ *rhywbeth* **wrth**) to fasten, to fix

sicrhau ansawdd y broses o sicrhau bod gwasanaeth neu gynnyrch yn rhagorol quality assurance

sicrwydd *eg* y cyflwr o fod yn sicr, o fod yn siŵr, o fod wedi cael addewid; pendantrwydd assurance, certainty, sureness

sidan *eg* (sidanau)
1 edefyn main sy'n cael ei wau gan fath arbennig o lindys (pryf sidan) silk, satin
2 y defnydd llyfn, moethus sy'n cael ei wau o edafedd y pryf sidan silk
papur sidan gw. papur

sidanaidd *ans* mor feddal, mor llyfn neu mor ddisglair â darn o sidan; gloyw, llyfn silken, silky

sidell *eb* (sidelli) ffurf fel troell neu batrwm tebyg, e.e. o ddail yn troelli am goes planhigyn whorl

sider *eg* darn o ddefnydd wedi'i wau, sy'n debyg i rwyd fain a chywrain; les lace

sideru *be* [sider•[1]] gwau darn o ddefnydd rhwyllog tebyg i rwyd fain a chywrain to make lace

sidydd *eg*
1 cylch dychmygol yn y gofod yn ymestyn bob ochr i lwybr yr Haul ac yn cynnwys llwybrau'r planedau a'r Lleuad; caiff ei rannu'n 12 arwydd sy'n cael eu henwi ar ôl patrymau'r cytser zodiac
2 cylch sy'n darlunio hyn ac a ddefnyddir gan sêr-ddewiniaid zodiac

siec[1] *eb* (sieciau) gorchymyn ysgrifenedig sy'n dweud wrth fanc am dalu swm arbennig o arian o gyfrif rhywun i'r person neu i'r sefydliad sy'n cael ei enwi ar y siec cheque

siec[2] *eg* (sieciau)
1 patrwm o sgwariau check
2 (mewn gwyddbwyll) safle'r brenin pan fydd ymosodiad uniongyrchol arno; bygythiad check

sied *eg* (o dan y gyfundrefn ffiwdal) dychweliad tir i arglwydd neu i'r wladwriaeth yn achos marwolaeth deiliad heb neb cymwys i'w etifeddu escheat

sièd *eb* (siediau) adeilad bach (o bren yn aml) ar gyfer storio pethau; cwt, pentis shed

sielac *eg* math o resin amddiffynnol a gynhyrchir gan drychfilyn (lac) a ddefnyddir i wneud farnais shellac

sielo *eg* (sieloau) CERDDORIAETH yr aelod isaf ond un o offerynnau llinynnol y gerddorfa; mae'n cael ei ddal rhwng pengliniau'r sawl sy'n ei chwarae a defnyddir bwa (fel arfer) i seinio'r nodau; soddgrwth cello, violoncello

siencyn:sincyn *eg* bara neu dost wedi'i fwydo mewn te (neu ddŵr poeth) gyda menyn a siwgr neu halen a phupur

sierardeiddio *be* METELEG gosod haen o sinc ar ddarn o fetel drwy orchuddio'r metel â llwch sinc a'i boethi am rai oriau ar dymheredd ychydig yn llai na thymheredd toddi sinc to sherardize
Sylwch: nid yw'r ferf hon yn arfer cael ei rhedeg.

sieri *eg* (sierïau) math o win cadarn yn amrywio o liw melyn golau i frown tywyll sherry

Sierra Leonaidd *ans* yn perthyn i Sierra Leone, nodweddiadol o Sierra Leone Sierra Leonian

Sierra Leoniad *eg* (Sierra Leoniaid) brodor o wlad Sierra Leone Sierra Leonian

sieryd *bf* [siarad] *hynafol* mae ef yn siarad/mae hi'n siarad; bydd ef yn siarad/bydd hi'n siarad

sietin *eb* (sietinau) *tafodieithol, yn y De* rhes o lwyni neu goed bach sy'n ffurfio clawdd; bid, gwrych, perth hedge

S

siew *eb* (siewau:siewiau) perfformiad cyhoeddus, 'Ac mae Siôn a Siân yn mynd tua'r siew/I weled y teiger a gweled y llew.'; arddangosfa, sioe show

sifalri *eg*
1 *hanesyddol* (yn yr Oesoedd Canol) nodweddion neu briodoleddau marchog, sef bod yn feistr ar ei arfau, amddiffyn yr Eglwys, ei arglwydd, ei ddilynwyr, y werin bobl a'r gwan, a bod yn gwrtais mewn brwydr chivalry
2 ymddygiad cwrtais chivalry

sifil *ans*
1 yn ymwneud â'r boblogaeth yn gyffredinol (nad yw'n grefyddol, nad yw'n perthyn i'r lluoedd arfog), *llywodraeth sifil, gwasanaeth sifil* civil
2 yn ymwneud â phob dinesydd, *hawliau sifil*; dinesig, gwladol civil

gwasanaeth sifil canghennau parhaol, gweinyddol y wladwriaeth ac eithrio'r gwasanaethau milwrol, y farnwriaeth a'r gwleidyddion etholedig civil service

sifiliad *eg* (sifiliaid) dinesydd nad yw'n aelod o'r lluoedd arfog na'r heddlu civilian

siffon *eg* (siffonau)
1 tiwb wedi'i blygu fel bod modd tynnu neu sugno hylif i fyny un rhan ac yna'i adael i redeg i lawr yr ail ran i lefel is gan rym gwasgedd aer siphon
2 potel lle mae hylif (dŵr) yn cael ei gadw dan wasgedd nwy carbon deuocsid, sy'n gwthio'r hylif o'r botel pan ollyngir peth o'r gwasgedd siphon

siffrwd *be* [siffryd•¹ 3 un. pres. siffrwd; 2 un. gorch. siffrwd] gwneud sŵn tebyg i ddail sych yn rhwbio yn erbyn ei gilydd neu bapur yn cael ei symud yn ysgafn; sibrwd, sisial to rustle

sigâr *eb* (sigarau) rholyn eithaf trwchus o ddail tybaco heb eu torri, ar gyfer ei ysmygu cigar

sigarennau *ell* ffurf luosog **sigarét**

sigarét *eb* (sigarennau:sigaretau) tiwb cul o dybaco mân wedi'i rolio mewn papur tenau yn barod i'w ysmygu cigarette

sigl *eg* symudiad yn ôl ac ymlaen shake, swinging

sigl a swae cerddoriaeth boblogaidd o'r 1950au a nodweddir gan guriadau trwm amlwg, cymalau syml o alawon a ailadroddir yn aml ac a chwaraeir ar offerynnau electronig; roc a rôl rock and roll

siglad:sigliad *eg* (sigladau:sigliadau) symudiad chwyrn yn ôl ac ymlaen neu i fyny ac i lawr; ysgydwad shaking, oscillation

sigl-di-gwt *eg* aderyn bach du a gwyn neu lwyd a melyn, â chynffon hir sy'n symud i fyny ac i lawr drwy'r amser wrth iddo gerdded; siglen wagtail

sigledig *ans* heb fod yn sicr, nad yw'n gadarn; ansad, ansefydlog, crynedig, simsan shaky, tottering, wobbly

siglen¹ *eb* (siglennydd:siglenni)
1 sedd sy'n hongian wrth raffau neu gadwynau fel bod plentyn yn gallu siglo yn ôl ac ymlaen arni swing
2 cors sy'n tueddu i godi'n uwch tuag at ei chanol ac sydd wedi'i hamgylchynu â thir sych; cors, gwern, mignen, sugnen marsh, quagmire

siglen² *eb* (siglennod) aderyn bach du a gwyn neu ddu, llwyd a melyn, â chynffon hir sy'n symud i fyny ac i lawr drwy'r amser wrth iddo gerdded; sigl-di-gwt wagtail

siglen felen aderyn bach y corsydd y mae gan y ceiliog wyneb a chefn melynwyrdd a bol melyn llachar yellow wagtail

siglen fraith aderyn bach du a gwyn sy'n siglo'i gynffon i fyny ac i lawr yn ddi-baid pied wagtail

siglen lwyd aderyn bach glannau afonydd; mae gan y ceiliog gefn llwyd a bol melyn grey wagtail

sigliad gw. siglad

siglo *be* [sigl•¹]
1 symud i fyny ac i lawr neu o un ochr i'r llall yn gyflym, *Roedd y daeargryn mor gryf nes bod y tŷ yn siglo.*; crynu, dirgrynu to shake, to rock
2 ysgwyd neu symud rhywbeth i fyny ac i lawr neu o un ochr i'r llall, *siglo llaw, siglo ei gynffon* to shake, to wag
3 *ffigurol* peri bod rhywbeth yn gwegian, *Does dim a all siglo ei ffydd.*; ysgwyd to shake

signal *eg* (signalau)
1 ystum, gweithred neu sain sy'n cyflwyno gwybodaeth neu gyfarwyddyd signal
2 golau neu semaffor a osodir ar ymyl rheilffordd i roi cyfarwyddiadau neu rybuddion i yrwyr trenau signal
3 FFISEG tonfedd radio sy'n cael ei thrawsyrru neu ei derbyn, neu ysgogiad trydanol sy'n cael ei drawsyrru neu ei dderbyn signal

sigo:ysigo *be* [sig•¹]
1 gwneud niwed i un o gymalau'r corff wrth iddo gael ei droi neu ei dynnu'n galed to sprain
2 plygu dan bwysau, *Paid ag eistedd ar y bwrdd yna – mi fydd yn siŵr o sigo dan dy bwysau di!* (~ **dan**) to buckle, to sag

Singaporaidd *ans* yn perthyn i Singapore, nodweddiadol o Singapore Singaporean

Singaporiad *eg* (Singaporiaid) brodor o Singapore Singaporean

Sikhiaeth *eb* CREFYDD crefydd fonotheïstaidd a sefydlwyd yn y Punjab yn India yn y bymthegfed ganrif gan Gwrw Nanak Sikhism

sil:silod *ell*
1 pysgod ifanc, yn enwedig eogiaid neu frithyllod newydd ddeor; mag, pilcod small fry
2 mân bysgod tywyll eu lliw sy'n byw yn rhannau uchaf afonydd minnows

3 wyau anifeiliaid y dŵr, megis pysgod neu frogaod, sy'n cael eu dodwy gyda'i gilydd yn glwstwr meddal; grawn, grifft, gronell spawn

sil *eg* fel yn *sìl ffenestr*, darn gwastad o bren neu garreg ar waelod ffenestr sill, ledge

sildyn:silcyn:silidón *eg* pilcodyn; pysgodyn bach tywyll ei liw sy'n byw yn rhannau uchaf afonydd minnow

silfa *eb* (silfeydd) man lle mae pysgod yn bwrw eu sil spawning ground

silff *eb* (silffoedd)
1 darn hir, cul, gwastad, e.e. o bren, sydd wedi'i sicrhau wrth wal neu sydd mewn ffrâm briodol, i ddal pethau, *silff lyfrau* shelf
2 rhywbeth yr un siâp neu ffurf â silff, *silff o graig wrth ymyl clogwyn* ledge, shelf
silff-ben-tân y silff sy'n rhan o fframyn lle tân mantelpiece

silffaid *eb* (silffeidiau) llond silff shelf-full

silica *eg* (silicâu) silicon deuocsid, cyfansoddyn caled, di-liw, anadweithiol mewn dŵr, sydd i'w gael yn naturiol mewn nifer o wahanol ffurfiau crisialog (megis cwarts) a mân-grisialog (megis callestr) silica

silicad *eg* sylwedd yn cynnwys silicon ac ocsigen a geir yn rhan o adeiledd y rhan fwyaf o greigiau a thywodydd y byd silicate

silicon *eg* elfen gemegol rhif 14; fe'i ceir, wedi'i gyfuno ag ocsigen, mewn tywod a chreigiau; dyma ddefnydd sylfaen sglodion silicon (Si) silicon

silicôn *eg* (siliconau) CEMEG polymer o gadwynau silicon ac ocsigen ynghyd â grwpiau organig; fe'i defnyddir fel olew, gwêr neu rwber sy'n gwrthsefyll cemegion a thymheredd uchel silicone

silicosis *eg* MEDDYGAETH cyflwr yr ysgyfaint lle mae'r meinwe ffibraidd wedi cynyddu'n aruthrol o ganlyniad i anadlu llwch yn cynnwys silica, e.e. llwch glo neu lwch cerrig, sy'n achosi prinder anadl silicosis

silidón gw. **sildyn**

silindr *eg* (silindrau)
1 MATHEMATEG siâp tri dimensiwn ag ymylon paralel y mae ei ddau ben ar ffurf cylch neu'n hirgrwn cylinder
2 gwrthrych neu gynhwysydd ar y ffurf hon, yn enwedig tiwb caeedig cylinder
3 siambr y mae piston yn symud y tu mewn iddi mewn peiriant (fel arfer injan stêm neu beiriant tanio mewnol) cylinder

silindrog:silindraidd *ans* yr un siâp â silindr cylindrical

silio *be* (am bysgod) bwrw eu grawn neu sil to spawn
Sylwch: nid yw'r ferf hon yn arfer cael ei rhedeg.

silod gw. **sil**

siltio *be* [silti•²] llanw â gwaddod sy'n fwy garw na chlai ond heb fod mor arw â thywod to silt

silwair *eg* porfa neu weiriau eraill wedi'u torri, heb eu sychu, a'u cadw dan amgylchiadau anaerobig mewn seilo yn fwyd gaeaf i wartheg silage

silwét *eg* (silwetau)
1 cynrychioliad o rywun neu rywbeth sy'n dangos y siâp a'r amlinelliad yn unig, yn enwedig un wedi'i liwio'n ddu neu wedi'i dorri o ddefnydd du a'i osod ar gefndir golau silhouette
2 amlinelliad o'r corff yn erbyn cefndir golau silhouette

Silwraidd *ans*
1 *hanesyddol* yn perthyn i'r Silwriaid Silurian
2 DAEAREG yn perthyn i drydydd cyfnod y gorgyfnod Palaeosöig (444–416 miliwn o flynyddoedd yn ôl), nodweddiadol o drydydd cyfnod y gorgyfnod Palaeosöig, sef pryd yr ymddangosodd planhigion tir am y tro cyntaf Silurian

Silwriaid *ell hanesyddol* y llwyth Celtaidd a oedd yn byw yn ardal Gwent a Morgannwg (yr enwau diweddar) cyn i'r Rhufeiniaid oresgyn y wlad yn y ganrif gyntaf OC Silures

sillaf:sill *eb* (sillafau:sillau) gair neu ran o air sy'n cynnwys llafariad, *Un sillaf sydd yn 'sill' ond mae dwy yn 'sillaf'.* syllable

sillafiad *eg* (sillafiadau) y ffordd y mae gair wedi'i sillafu spelling

sillafog *ans* yn cynnwys nifer o sillafau syllabic

sillafu *be* [sillaf•³]
1 enwi llythrennau gair yn eu trefn to spell
2 llunio geiriau cywir o gasgliad o lythrennau, *Nid 'sullafi' yw'r ffordd gywir o sillafu 'sillafu'.* to spell
gwirydd sillafu gw. **gwirydd**

sillafwr *eg* (sillafwyr) rhywun neu rywbeth (dyfais) sy'n sillafu speller

sillgoll *eb* collnod; atalnod (') i ddangos bod llythyren neu lythrennau'n eisiau, e.e. *colli'ch ffordd, p'nawn* apostrophe

Simbabwaidd *ans* yn perthyn i Zimbabwe, nodweddiadol o Zimbabwe Zimbabwean

Simbabwead *eg* (Simbabweaid) brodor o Zimbabwe Zimbabwean

simnai:simdde *eb* (simneiau) y rhan o adeilad sy'n codi yn uwch na'r to ac sy'n cario ymaith y mwg neu'r nwy o'r tanau yn yr adeilad; corn mwg, corn simdde chimney

simpansî gw. **tsimpansî**

simpl *ans* o safon isel; distadl, gwan mean, under par

simsan *ans* [simsan•] heb fod yn sad, na ellir dibynnu arno; ansad, ansefydlog, ansicr, sigledig shaky, unsteady, rickety

simsanrwydd *eg*
1 y cyflwr o fod yn simsan; ansadrwydd, ansefydlogrwydd, anwadalwch unsteadiness
2 atacsia; methiant i reoli neu gydlynu symudiadau'r cyhyrau, sy'n symptom o rai anhwylderau nerfol ataxia, ataxy

simsanu *be* [simsan•³]
1 symud mewn ffordd ansicr, sy'n awgrymu eich bod ar fin cwympo; gwegian to teeter, to totter, to wobble
2 bod yn betrus neu'n ansicr eich meddwl, cloffi rhwng dau feddwl; anwadalu, cloffi, gwegian, petruso to waver

simŵm *eg* (simwmau) DAEARYDDIAETH gwynt poeth, llychlyd, sych sy'n chwythu ar draws diffeithwch gogledd Sahara adeg stormydd seiclonig simoom

sin¹ *eb* cylch o weithgarwch neu ddiddordeb arbennig, *y sin roc* scene

sin² *eg* (sinau) MATHEMATEG (ffwythiant ongl lem mewn triongl ongl sgwâr) cymhareb hyd yr ochr gyferbyn i'r ongl â hyd yr hypotenws sine

sinach *eg* (sinachod) hen ddyn cas, piwis, anghynnes, annymunol, drwg ei hwyl; llechgi, snech, snichyn creep

sinamon *eg*
1 sbeis persawrus o risgl coeden o deulu'r llawryf sy'n tyfu yn rhannau trofannol cyfandir Asia cinnamon
2 y goeden â'r rhisgl arbennig hwn cinnamon

sinc¹ *eg* elfen gemegol rhif 30; metel glas golau a ddefnyddir mewn aloion ac fel haen ychwanegol ar ben dalennau o fetel neu hoelion, etc. (Zn) zinc

sinc² *eg* (sinciau) basn mawr sydd wedi'i sicrhau wrth wal a'i gysylltu â phibau dŵr sink

sincyn gw. siencyn

sinema *eb* (sinemâu)
1 theatr ar gyfer dangos ffilmiau cinema
2 y diwydiant ffilmiau a'r gelfyddyd o wneud ffilmiau cinema

sinematig *ans* yn ymwneud â'r sinema, *Mae cyfoeth o ddeunydd ffotograffig a sinematig ar gael am gyfnod adeiladu'r neuadd.* cinematic

sinic:sinig *eg* (siniciaid)
1 un sy'n amau a yw pobl yn ddidwyll neu a oes ganddynt unrhyw gymhelliad heblaw am hunan-les cynic
2 un yn arddel athroniaeth siniciaeth cynic

sinicaidd:sinigaidd *ans* nodweddiadol o sinic neu am weithred sy'n cadarnhau safbwynt sinic cynical

siniciaeth:sinigiaeth *eb*
1 natur neu agwedd siniciaid; negyddiaeth, pesimistiaeth cynicism
2 ATHRONIAETH ysgol o feddylwyr hynafol y Groegiaid a gredai mai rhinwedd yw'r prif

ddaioni a'r ffordd o'i chyrraedd yw drwy feistroli chwantau a dyheadau'r cnawd

sinsir *eg* rhisom â blas cryf a phoeth a ddefnyddir wrth goginio ginger

sinteru *be* METELEG cyfuno metelau neu aloion ar ffurf powdr drwy eu gwresogi i dymheredd is na'r toddbwynt (ac yn aml eu cywasgu) a'u troi yn solidau to sinter
Sylwch: nid yw'r ferf hon yn arfer cael ei rhedeg.

sinws *eg* (sinysau)
1 ANATOMEG ceudod mewn asgwrn neu ym meinwe'r corff, yn enwedig un o'r lleoedd gwag ymhlith esgyrn y pen sy'n agor i mewn i'r trwyn sinus
2 MEDDYGAETH llwybr neu bibell heintiedig sy'n arwain o le heintiedig y tu mewn i'r corff ac yn crawni ar arwyneb allanol y corff sinus

sïo *be* [sï•⁸] gwneud sŵn fel canu tawel neu fel gwenynen yn hedfan; hwmian, mwmial, sibrwd, suo to murmur, to hum, to drone
Sylwch: does dim angen didolnod pan fydd dwy 'i' yn dilyn ei gilydd, *siir.*

siobyn *eg* cwlwm o blu neu o unrhyw beth yn cynnwys bonion wedi'u clymu ynghyd; tusw, twffyn crest, tassel, tuft

sioc *eg* (siociau)
1 teimlad cryf sy'n cael ei achosi gan rywbeth annisgwyl (ac annymunol, fel arfer), *Roedd y sioc yn ormod iddi a llewygodd.* shock
2 rhywbeth sy'n achosi'r teimlad hwn, *Roedd ei farwolaeth yn sioc i'r ardal gyfan.*; braw, ysgytiad shock
3 effaith ysgytwol cerrynt trydan yn teithio drwy'r corff; ysgytiad shock
4 MEDDYGAETH cyflwr o wendid yn dilyn damwain neu niwed i'r corff shock

siocladdwr:siocleddfwr *eg* (siocladdwyr:siocleddfwyr) dyfais sy'n amsugno egni dirgryniadau ac ysgytiadau, yn enwedig mewn peiriant a cherbyd modur, ac felly'n lleddfu effaith y sioc shock absorber

siocled *eg* (siocledi)
1 sylwedd brown, caled, melys wedi'i wneud o hadau'r goeden cacao chocolate
2 losin, da-da, melysyn (brown neu wyn) wedi'i wneud o'r sylwedd hwn chocolate
3 powdr brown melys wedi'i wneud o'r un sylwedd, ac sy'n cael ei ddefnyddio i flasu bwydydd neu ddiodydd chocolate

sioe *eb* (sioeau)
1 perfformiad cyhoeddus, adloniant neu ddifyrrwch (cerddorol yn aml); cynhyrchiad, siew show
2 casgliad o arddangosiadau a chystadlaethau, yn enwedig rhai amaethyddol, e.e. Sioe Frenhinol Amaethyddol Cymru show

sioe gerdd drama neu ffilm sy'n cynnwys llawer o ganu a dawnsio musical *Ymadroddion*

digon o sioe pert, atyniadol a picture

sioe a swae (yn llawn o) sŵn a lliw â thipyn o fynd razzmatazz

siofinaidd *ans* yn arddel siofinistiaeth, nodweddiadol o siofinistiaeth chauvinistic

siofinistiaeth *eb* gorffafriaeth neu orymlyniad annheg at un achos neu grŵp ar draul eraill, e.e. gor-ffafriaeth i ddynion ar draul merched neu wragedd chauvinism

siofinydd:siofinist *eg* (siofinyddion:siofinistiaid) un sy'n arddel siofinistiaeth neu'n ymddwyn mewn ffordd siofinaidd chauvinist

siôl *eb* (siolau) darn o ddefnydd sy'n cael ei wisgo am ysgwyddau neu am ben gwraig, neu'n cael ei lapio am fabi shawl

siom *eb* (siomau) canlyniad methu bodloni gobeithion, *Cafodd siom fawr pan glywodd nad oedd wedi'i ddewis i chwarae.*; dadrithiad disappointment, dismay

siom ar yr ochr orau syndod fod pethau wedi datblygu yn well na'r disgwyl a pleasant surprise

siomedig *ans* wedi cael siom neu'n achosi siom disappointed, disappointing

siomedigaeth *eb* (siomedigaethau) siom (ond gydag awgrym bod hon yn fwy difrifol) disappointment

siomi *be* [siom•¹] methu bodloni gobeithion rhywun neu rywbeth, cael siom, cael cawell to be disappointed, to disappoint

siomiant *eg* (siomiannau) siom, siomedigaeth disappointment

sionc *ans* [sionc•] gwisgi (yn gorfforol ac yn feddyliol); bywiog, cyflym, heini, nwyfus active, jaunty, nimble

sioncio *be* [sionci•²] dod yn fwy sionc; sirioli, bywhau, bywiogi to brighten up

Siôn Corn *eg* hen ŵr â barf hir, gwyn sy'n gwisgo dillad coch ac sy'n dod ag anrhegion i blant adeg y Nadolig Father Christmas, Santa Claus

sioncrwydd *eg* y cyflwr o fod yn sionc; bywiogrwydd, chwimder, hoen, nwyf liveliness, briskness, alacrity

sioncyn y gwair *eg* (sioncod y gwair) pryfyn sy'n perthyn i'r un teulu â'r locust ac sy'n nodedig oherwydd ei allu i sboncio ymhell a'i 'gân' arbennig yn yr haf; ceiliog y rhedyn grasshopper

Sioni *eg* (Sionis) enw direidus ar ddyn o'r de, yn enwedig un o'r cymoedd glo

Sioni bob ochr un gwamal yn cefnogi'r ddwy ochr mewn dadl neu anghydfod; un anwadal double-dealer

Sioni Winwns un o'r gwerthwyr wynwns o Lydaw

siop *eb* (siopau)
1 ystafell neu adeilad lle mae nwyddau'n cael eu cadw a'u gwerthu'n rheolaidd shop
2 man lle mae pethau'n cael eu llunio neu eu cyweirio neu eu trwsio, *siop waith* workshop
siarad siop gw. siarad

siopa *be* [siop•¹] ymweld â siop neu siopau i brynu nwyddau (~ **am**) to shop

siopleidr *eg* (siopladron) un sy'n dwyn/lladrata eiddo oddi wrth siop yn ystod oriau agor y siop shoplifter

siopwr *eg* (siopwyr)
1 un sy'n cadw siop (y perchennog, fel arfer); marsiandwr, masnachwr shopkeeper
2 un sy'n siopa shopper

siopwraig *eb*
1 merch neu wraig sy'n cadw siop shopkeeper
2 merch neu wraig sy'n siopa shopper

Sioraidd *ans*
1 nodweddiadol o gyfnod brenhinoedd Lloegr Siôr I–IV (1714–1830) Georgian
2 PENSAERNÏAETH nodweddiadol o bensaernïaeth y cyfnod a'i adeiladau neoglasurol, cain a syber Georgian

siort:sort *eb* math, teip, *y siort orau* sort, type, kind

siorts *ell* trowsus byr/cwta/bach shorts

siot *eb* bara ceirch wedi'i fwydo mewn llaeth; brywes

sip¹ *eg* (sipiau) dyfais a ddefnyddir i gau ac agor (dilledyn, fel arfer); mae'r dannedd bach yn gallu cael eu cau ynghyd neu eu rhyddhau drwy symud darn bach gwastad i fyny neu i lawr ar hyd-ddynt zip

sip² *eg* (sipiau) *anffurfiol* llymaid sip

sipian¹:sipio *be* [sipi•²] cau sip to zip

sipian²:sipio *be* [sipi•²] *anffurfiol* llymeitian to sip

siprys *eg* cymysgedd o geirch a haidd mixed corn
siarad siprys siarad cymysgedd o Gymraeg a Saesneg

sipsi *egb* (sipsiwn) aelod o lwyth o bobl â gwallt du sy'n hanu'n wreiddiol o India efallai ac sydd yn awr yn crwydro o le i le mewn carafannau a cherbydau eraill; crwydryn, teithiwr gypsy
Sylwch: mae cenedl yr enw'n newid yn ôl rhyw yr unigolyn.

sir *eb* (siroedd) un o'r prif ardaloedd gweinyddol ym Mhrydain; caiff ei gweinyddu gan gyngor o aelodau sydd wedi cael eu hethol, sef y cyngor sir. Ffurfiwyd yr hen siroedd Môn, Caernarfon, Meirionnydd, y Fflint, Aberteifi a Chaerfyrddin wedi buddugoliaeth Edward I dros Lywelyn ap Gruffudd yn 1282, ac ychwanegwyd siroedd Penfro, Morgannwg, Brycheiniog, Maesyfed, Dinbych, Trefaldwyn a Mynwy at y rhain ar ôl Deddfau Uno 1536 a 1542. Yn 1974 cwtogwyd ar nifer y siroedd i wyth ond yn dilyn

yr ad-drefnu yn 1995 ffurfiwyd 14 o siroedd ac 8 bwrdeistref sirol.; swydd county, shire
Sylwch: yr hen drefn oedd bod enwau yn dilyn enw benywaidd mewn perthynas enidol, yn treiglo'n feddal ond nid dyma'r drefn heddiw. Mae *Sir Benfro; Sir Ddinbych; Sir Gaerfyrddin; Sir Fôn*, etc. yn dilyn yr hen drefn a'r siroedd newydd fel *Sir Powys, Sir Ceredigion*, etc. yn arfer y drefn bresennol.

sirconiwm *eg* elfen gemegol rhif 40; metel caled o liw llwyd ariannaidd a ddefnyddir mewn adweithyddion niwclear fel amsugnydd niwtronau (Zr) zirconium

sircyn:syrcyn *eg* (sircynau) *hanesyddol* siaced hir heb lewys, yn enwedig un o ledr y byddai dynion yn ei gwisgo yn yr unfed ganrif ar bymtheg a'r ail ganrif ar bymtheg; crysbais jerkin

siriol *ans* [siriol•] yn achosi hapusrwydd, llawn hapusrwydd; afieithus, hapus, llawen, llon cheerful, bright, glad

sirioldeb *eg* hapusrwydd, llawenydd, llonder cheerfulness, conviviality

sirioli *be* [siriol•¹] dod yn fwy sionc; adfywio, llawenhau, llonni, ymlawenhau to cheer up, to gladden

sirol *ans* yn ymwneud â sir, yn gweithredu drwy sir gyfan county
Sylwch: nid yw'n arfer cael ei gymharu.

sirosis *eg* MEDDYGAETH un o nifer o glefydau'r afu/iau sy'n arwain at ddifa celloedd yr afu cirrhosis

sirydd:siryf¹ *eg* (siryddion:siryfion) prif swyddog sir a benodir gan y Brenin neu'r Frenhines (o'i gyferbynnu â'r prif swyddog a benodir gan y cyngor sir); mae ganddo ddyletswyddau yn y llys yn ogystal â dyletswyddau seremonïol high sheriff

siryf *eg* (siryfion) swyddog sirol yn Unol Daleithiau America sy'n sicrhau bod gorchmynion llys yn cael eu cyflawni ac sy'n gofalu am gyfraith a threfn sheriff

siryfiaeth *eb* swydd a chyfrifoldebau sirydd neu'r cyfnod o fod yn sirydd sheriffdom, shrievalty

sisial¹ *be* [sisial•¹]
1 siarad â llawer o anadl ond ychydig o'r llais; murmur, siffrwd (~ wrth) to whisper
2 hefyd yn ffigurol, '*Sisialai'r awel fwyn dros fryn a dôl.*'; sibrwd to whisper

sisial² *eg* (sisialon) y broses o sisial, canlyniad sisial; murmur, sibrwd, siffrwd whisper

Sisilaidd *ans* yn perthyn i Sicilia (ynys Sicily), nodweddiadol o Sicilia Sicilian

Sisiliad *eg* (Sisiliaid) brodor o Sicilia (ynys Sicily) Sicilian

sislan:sislo *be* [sisl•¹] y sŵn hisian a wneir gan fwyd wrth iddo gael ei ffrio neu ei rostio to sizzle

si-so *eg* ystyllen yn pwyso ar yr hyn sy'n ei chynnal yn ei chanol, fel bod modd i naill ben yr ystyllen symud i fyny a'r llall i lawr; tegan tebyg lle mae plant yn eistedd, un ar y naill ben a'r llall ar y pen arall ac yn symud, bob yn ail, i fyny ac i lawr see-saw

Sistersaidd *ans* CREFYDD yn perthyn i Urdd y Sistersiaid, nodweddiadol o Urdd y Sistersiaid Cistercian

Sistersiad *eg* (Sistersiaid) CREFYDD aelod o urdd o fynachod a sefydlwyd yn Cîteaux, Ffrainc yn 1098 gan Robert, abad Molesme, fel cangen fwy caeth o urdd y Benedictiaid Cistercian

siswrn *eg* (sisyrnau)
1 dau lafn miniog wedi'u cysylltu yn y canol gyda lle i roi bys bawd a bys arall yn un pen; maent yn agor ar ffurf X ac yn torri (papur, gwallt, defnydd, etc.) wrth gael eu cau scissors
2 (yn rygbi) y weithred o sisyrnu scissors movement

sisyrnu *be* [sisyrn•¹] (am ddau beth sy'n) croesi'i gilydd fel llafnau siswrn neu sy'n agor a chau fel siswrn, yn enwedig ar faes rygbi pan fydd dau chwaraewr o'r un ochr yn croesi'i gilydd gyda'r chwaraewr blaen yn trosglwyddo'r bêl i'r chwaraewr y tu ôl iddo

sitar *eg* (sitarau) math o liwt o India â gwddf hir a nifer amrywiol o dannau sitar

siten *eb* dalen o bapur neu femrwn neu ddarn gwastad tenau o blastig neu fetel sheet

sitrig:citrig *ans* fel yn *asid sitrig*, asid a geir o sudd lemon, leim neu ffrwythau sur eraill, neu drwy eplesu siwgrau (proses sy'n digwydd oddi mewn i'r corff); mae ganddo flas siarp citric
Sylwch: ysgrifennwch yr hyn yr ydych yn ei ynganu.

sitrws:citrws *eg* (sitrysau) un o nifer o goed, pigog yn aml, o genws sy'n cynnwys coed lemon, oren, leim a grawnffrwyth ac a dyfir er mwyn eu ffrwythau bwytadwy llawn sudd citrus
Sylwch: ysgrifennwch yr hyn yr ydych yn ei ynganu.

sither *eg* (sitherau) offeryn cerdd â rhyw 30–40 o dannau, yn debyg i delyn ar ei hochr, sy'n cael ei ganu â'r bysedd ac â phlectrwm zither

siw *eg* fel yn *heb siw na miw*, sŵn peep, sound

siwed *eg* COGINIO math o fraster caled a geir o amgylch arennau a lwynau anifail ac a ddefnyddir i goginio suet

siwgr *eg* (siwgrau)
1 sylwedd melys (gwyn neu frown) a ddefnyddir mewn bwydydd ac sy'n cael ei buro o fetys siwgr neu gansenni siwgr sugar
2 BIOCEMEG unrhyw un o ddosbarth o garbohydradau melys grisialaidd hydawdd (e.e. glwcos, swcros, etc.) a geir mewn organebau byw sugar

clefyd siwgr gw. **clefyd**

siwgr coch siwgr brown brown sugar

siwgraidd *ans* melys iawn, gorfelys sugary, syrupy

siwgro *be* [siwgr•[1]] melysu â siwgr, taenu siwgr dros (rywbeth) to sugar

siwio *be* [siwi•[2]] dwyn achos cyfreithiol yn erbyn (rhywun) (~ *rhywun* **am**) to sue

siwmper *eb* (siwmperi) dilledyn wedi'i weu sy'n cael ei wisgo am ran uchaf y corff; pwlofer jumper, pullover, sweater

siwps *ans* gwlyb diferu, fel clwtyn gwlyb soaking wet

siŵr:siwr gw. **sicr**

siwrnai[1] *eb* (siwrneiau:siwrneion) taith eithaf pell; hynt, pererindod, tro journey

siwrnai[2] *adf* tafodieithol, *yn y De* unwaith, cyn gynted, yn syth ar ôl (i rywbeth arall ddigwydd), *Siwrnai cyrhaeddwn ni'r dre, cawn baned.* once

siwrwd *ell* darnau wedi'u rhacsio, darnau sy'n weddill; sorod dross

siwt *eb* (siwtiau)
  1 set o ddillad allanol yn cynnwys siaced a throwsus neu sgert suit
  2 dilledyn neu ddillad at bwrpas arbennig suit
  3 unrhyw un o bedair set o dri ar ddeg o gardiau chwarae suit (of cards)

siwtio *be* [siwti•[2]] ateb i'r dim; gweddu, rhyngu bodd, taro, tycio to suit

siyntio *be* [siynti•[2]]
  1 symud trên o un set o gledrau i gledrau eraill; defnyddio trên i wthio cerbydau o drac i drac to shunt
  2 defnyddio peiriant i wthio rhywbeth i gyfeiriad arall to shunt

slab:slabyn *eg* (slabiau) darn trwchus, gwastad, pedair ochrog o fetel, llechen, coed, bwyd, etc. slab

slac *eg* diffyg tyndra; llacrwydd slack
  dal y slac yn dynn gw. **dal**

slaes *eg*
  1 y weithred o geisio torri rhywbeth ag ergyd gwyllt, ysgubol slash
  2 toriad hir a achosir gan ergyd o'r math uchod slash
  3 hollt neu doriad addurniadol mewn gwisg slash

slafaidd *ans*
  1 yn gweithio'n galed fel caethwas neu'n ymddwyn fel caethwas slavish
  2 yn cael ei gopïo yn fanwl heb unrhyw ymgais i newid dim na bod yn wreiddiol, *Roedd yn dilyn pob awgrym gan ei dad yn slafaidd.* slavish

slaffio *be* [slaffi•[2]] bwyta'n eiddgar, stwffio bwyd, claddu bwyd; sglaffio to gorge, to guzzle

slag *eg* METELEG yr hyn sy'n weddill ar ôl puro metel; gwastraff slag

slalom *eg* (slalomau) ras sgio yn erbyn amser gan

igam-ogamu rhwng rhwystrau; ras debyg mewn math arall o chwarae, e.e. canŵio slalom

slamio *be* [slami•[2]] cau'n glep; clepian to slam

slapio *be* [slapi•[2]] taro neu roi ergyd cyflym â chledr y llaw to slap

slât:slaten *eb* (slatiau:slats) llechen do slate

slawer dydd gw. **dydd**

slebog *eb difriol* merch neu wraig anniben, anhrefnus, fudr; pwdren slob

slecs *ell* darnau bach o lo
  mynd fel slecs am rywbeth y mae tipyn o fynd arno going like hot cakes

sled *eg* (slediau) cerbyd wedi'i wneud i lithro ar eira, car llusg sledge, sleigh, toboggan

sledio *be* [sledi•[2]] gyrru sled (~ **lawr**) to sledge

slefren fôr *eb* (slefrod môr) creadur y môr a chanddo gorff tryloyw fel darn o jeli ar ffurf cloch neu soser a thentaclau sy'n pigo/brathu jellyfish

slei *ans* dan din; cyfrwys, dichellgar, llechwraidd, twyllodrus, sly
  slei bach mewn ffordd gyfrwys on the sly

sleid *eb* (sleidiau)
  1 sgwaryn o wydr sydd â rhywbeth wedi'i osod arno er mwyn ei astudio dan ficrosgop slide
  2 tryloywder ar gyfer ei daflunio (gan daflunydd) ar sgrin slide
  3 *anffurfiol* llithren slide
  4 CERDDORIAETH (yn achos trombôn) math o diwb sy'n llithro ar hyd tiwb arall ac yn caniatáu i'r trombôn newid traw nodyn slide
  5 clip gwallt sy'n cau hairslide

sleifio *be* [sleifi•[2]] symud yn dawel ac yn gyfrinachol fel pe baech chi'n ofnus neu am guddio, mynd o lech i lwyn; llithro to creep, to slink

sleisen *eb* (sleisys) darn tenau wedi'i dorri oddi ar ddarn mwy, *sleisen o gig moch*; tafell, tocyn slice, rasher

sleisio *be* [sleisi•[2]] torri yn dafellau (am fara neu gig, fel arfer); tafellu to slice

slic *ans* llithrig (am dafod, y meddwl, llawr, etc.); brac, llyfn, rhwydd slick, slippery

slicrwydd *eg* y cyflwr o fod yn slic; llithrigrwydd, rhwyddineb slickness, glibness

slip[1] *eg* (slipiau) darn bach o bapur slip

slip[2] *eg* (slips) (mewn criced) safle maeswr heb fod ymhell y tu ôl i'r batiwr ar yr ochr agored sy'n galluogi'r maeswr i ddal pêl a gyffyrddwyd gan y batiwr slip

slobran *be*
  1 gadael i boer gwympo o'r gwefusau; driflan, ewynnu, glafoeri to slobber
  2 gwlychu yn y ffordd hon to slobber
  Sylwch: nid yw'r ferf hon yn arfer cael ei rhedeg.

Slofacaidd *ans* yn perthyn i Slofacia, nodweddiadol o Slofacia Slovakian

S

Slofaciad *eg* (Slofaciaid) brodor o wlad Slofacia, un o dras neu genedligrwydd Slofacaidd Slovakian

Slofenaidd *ans* yn perthyn i Slofenija (Slofenia), nodweddiadol o Slofenija Slovene, Slovenian

Slofeniad *eg* (Slofeniaid) brodor o wlad Slovenija (Slofenia), un o dras neu genedligrwydd Slofenaidd Slovene, Slovenian

slofi *be anffurfiol* arafu to slow, to slow down
   Sylwch: nid yw'r ferf hon yn arfer cael ei rhedeg.

slogan *eg* (sloganau)
   1 ymadrodd a ailadroddir yn aml ac yn fwriadol er mwyn hyrwyddo safbwynt neu blaid slogan
   2 ymadrodd byr, bachog a ddefnyddir wrth hysbysebu neu hyrwyddo (rhywbeth) slogan

slotian *be* yfed diod feddwol yn aml ac yn rheolaidd; diota, llymeitian, potio to drink, to tipple
   Sylwch: nid yw'r ferf hon yn arfer cael ei rhedeg.

slotiwr *eg* (slotwyr) un sy'n yfed gormod o ddiod feddwol yn aml; diotwr, llymeitiwr, meddwyn, potiwr drunkard, sot

slumyn gw. ystlum

slŵp *eb* (slwpiau) math o long hwylio fach ac iddi un hwyl fawr yn ei chanol â hwyliau bach ar bob pen sloop

slwtsh *eg* eira tawdd slush
   pys slwtsh mushy peas

slym *eg* (slymiau) ardal o ddinas lle mae'r amodau byw yn wael iawn a'r adeiladau mewn cyflwr drwg slum

slyri *eg*
   1 cymysgedd tenau o laid, sment a dŵr slurry
   2 cymysgedd o ddail a throeth, yr hylif sy'n dod o domen; biswail slurry

smacio *be* [smaci•²] taro rhywun neu rywbeth yn gyflym gyda chledr y llaw neu mewn ffordd sy'n creu sŵn tebyg i sain 'smac' to smack

smala:ysmala *ans* cellweirus, comig, digrif, doniol amusing, comical, droll

smaldod:ysmaldod *eg* arabedd, direidi, doniolwch, hiwmor jest, banter

smalio:ysmalio *be*
   1 bod yn ddigrif, bod yn gomig; cellwair to joke
   2 esgus gwneud rhywbeth, cymryd arnoch; actio, cogio, ffugio to pretend, to fake, to feign
   Sylwch: nid yw'r ferf hon yn arfer cael ei rhedeg.

smeltio *be* [smelti•²] *anffurfiol* mwyndoddi to smelt

sment *eg* (smentiau)
   1 powdr llwyd sy'n gymysgedd o galch a chlai, o gael ei gymysgu â dŵr mae'n sychu fel carreg cement
   2 un o nifer o adlynion sy'n sychu'n galed iawn ac sy'n cael eu defnyddio i lenwi tyllau (e.e. mewn dant, pren pwdr, etc.) cement

sment balsa glud sy'n sychu'n gyflym a ddefnyddir i uno pren ysgafn neu gydrannau citiau model balsa cement

sment hydoddydd hylifol cymysgedd o hydoddyddion a resinau plastig a ddefnyddir i uno plastigion liquid solvent cement

smentio *be* [smenti•²] gludo neu lynu ynghyd â sment; hefyd yn ffigurol, *smentio cyfeillgarwch* to cement

smentit *eg* METELEG ffurf galed a brau ar haearn carbid a geir mewn dur a haearn bwrw cementite

smocio *be* [smoci•²] *anffurfiol* ysmygu to smoke

smocwaith *eg* brodwaith addurnedig lle mae darnau o frethyn yn cael eu tynnu ynghyd a'u cadw yn eu lle â phwythau addurniadol; crychwaith smocking

smonach:smonath *eb* llanastr, *Mae wedi gwneud smonach o bethau nawr.*; cawl, stomp, annibendod, ffradach mess

smorgasbord *eg* COGINIO bwffe yn cynnig amrywiaeth o fwydydd a seigiau, cynnes ac oer (o Sweden yn wreiddiol)

smotiog *ans* a smotiau drosto; brith spotted, spotty

smotyn *eg* (smotiau)
   1 cylch (bach neu fawr) sy'n lliw gwahanol i'r hyn sy'n ei amgylchynu spot
   2 man bach brwnt; blotyn, brycheuyn, nam speck, spot, fleck
   3 math o bothell fach lawn crawn ar y croen; ploryn pimple, spot
   4 (mewn pêl-droed) y man lle y cymerir y gic gosb penalty spot

smwclaw *eg tafodieithol* glaw mân drizzle

smwddio *be* [smwddi•²] cael gwared ar y crychau mewn dillad, etc. â haearn smwddio; stilo to iron

smwt *ans* (am drwyn) bach, byr, fflat, pwt snub

smyglo *be* [smygl•¹] mynd â nwyddau o un wlad i wlad arall yn anghyfreithlon, yn enwedig drwy beidio â thalu'r dreth ddyledus to smuggle

smyglwr *eg* (smyglwyr) un sy'n smyglo smuggler, bootlegger

smygu defnyddiwch ysmygu

snâm:syrnâm *eg tafodieithol, yn y Gogledd* cyfenw, steil surname

snecian:snecio *be* [sneci•²] symud neu weithredu mewn dull llechwraidd; sleifio, llercian to sneak

snech:snich:snichyn *eg* un sy'n snecian; llechgi sneak

sniffian:snwffian *be* [sniffi•²]
   1 tynnu anadl i'r trwyn mewn ffordd swnllyd, yn enwedig cyfres o anadliadau byr, cyflym to sniff, to snivel, to snuffle
   2 gwneud hyn er mwyn arogli rhywbeth to sniff
   3 tynnu anadl i'r trwyn yn swnllyd pan fyddwch yn llawn annwyd neu'n llefain to sniffle

snipio *be* [snipi•²] defnyddio siswrn i dorri'n fân
ac yn fuan to snip

snipiwr tun *eg* (snipwyr tun) gwellaif i dorri
llenni metel tin snips

snisin *eg* powdr wedi'i wneud o dybaco i'w
anadlu i mewn drwy'r trwyn snuff

snob *eg* rhywun sy'n edrych i lawr ar bobl nad
oes ganddynt arian, eiddo, swydd dda, etc.;
hen drwyn snob

snobyddiaeth *eb*
  1 yr arfer o beidio â chymysgu â phobl a ystyrir
  yn islaw i chi (oherwydd nad oes ganddynt
  arian, eiddo, swydd dda, etc.); rhodres,
  trahauster snobbery
  2 yr arfer o frolio gormod ar eich gwybodaeth
  neu eich chwaeth mewn rhyw faes arbennig;
  ymffrost snobbishness

snobyddlyd *ans* yn ymddwyn fel snob snobbish

snorcel *eg* (snorceli)
  1 tiwben sy'n caniatáu derbyn a gollwng aer y
  mae modd ei godi uwchben wyneb y dyfroedd
  o long danfor snorkel
  2 unrhyw ddyfais debyg, yn enwedig un ar ffurf
  y llythyren J sy'n caniatáu i nofiwr anadlu pan
  fydd ei wyneb o dan y dŵr snorkel

snwcer *eg* gêm sy'n cael ei chwarae ar fwrdd
biliards gan ddefnyddio 15 o beli coch a chwe
phelen o liwiau eraill yn ogystal â'r bêl daro
(y bêl wen) snooker

snwffian gw. sniffian

so *eg* CERDDORIAETH y pumed nodyn yng
ngraddfa nodiant y system sol-ffa, s soh, s

sobr *ans* [sobr•]
  1 heb fod yn ysgafn nac yn gellweirus, *Daeth y
  bechgyn i mewn â golwg sobr ar eu hwynebau.*;
  difrifol, dwys, ofnadwy serious, sober, staid
  2 heb fod yn feddw sober
  sobr o fe'i defnyddir i ddwysáu ystyr
  ansoddair, *Roedd e'n berfformiad sobr o wael.*

sobreiddiol *ans* yn peri i rywun sobreiddio
sobering

sobri:sobreiddio *be* [sobr•¹] peidio â bod
yn feddw, dod at eich coed, troi o fod yn
gellweirus ac yn anghyfrifol i fod o ddifrif ac
yn gyfrifol; callio, sadio to sober

sobrwydd *eg* y cyflwr o fod yn sobr;
cymedroldeb, difrifoldeb, dwyster, pwyll
sobriety, abstemiousness

socan eira *eb* (socanod eira) bronfraith fudol,
Ewropeaidd â phen llwyd ac adenydd brown
fieldfare

soced *eg* (socedau)
  1 lle gwag y mae rhywbeth fel bwlb neu blwg
  trydan yn ffitio ynddo socket
  2 lle gwag y mae rhywbeth, e.e. rhan o'r corff
  neu ran o beiriant, yn ffitio ynddo; agoriad,
  crau socket

socian *be* [soci•²]
  1 gwlychu'n stecs, *Rwy'n socian.* to soak
  2 trwytho, rhoi yng ngwlych to soak

Socrataidd *ans* ATHRONIAETH nodweddiadol o'r
athronydd Groegaidd Socrates a'i ddilynwyr,
yn enwedig eu ffordd o godi amheuon am
syniadau a gymerwyd yn ganiataol, drwy
holi cwestiynau yn dadlennu diffyg seiliau'r
syniadau hyn ac ar yr un pryd yn dangos bod
gan bobl wybodaeth gynhenid o beth yw'r
gwirionedd heb sylweddoli hynny Socratic

soda *eg* un o nifer o sylweddau yn cynnwys
sodiwm, e.e. soda golchi soda

sodiwm *eg* elfen gemegol rhif 11; metel
alcaliaidd, meddal, ariannaidd sy'n adweithiol
iawn ac a geir yn naturiol mewn halen a nifer
o fwynau eraill (Na) sodium

sodiwm hydrocsid CEMEG cyfansoddyn
alcaliaidd cryf a ddefnyddir mewn llawer o
brosesau diwydiannol, e.e. gwneud sebon
a phapur; soda brwd sodium hydroxide
Ymadrodd

sodiwm clorid CEMEG yr enw cemegol ar halen
cyffredin sodium chloride

sodlau *ell* lluosog sawdl
tyn ar sodlau yn agos iawn at hard on the
heels of

sodli:sodlo *be* [sodl•¹]
  1 trwsio sawdl esgid neu osod un newydd
  yn lle'r un sydd wedi treulio to heel
  2 taro pêl am yn ôl â'r sawdl to back heel

sodomeiddio *be* [sodomeiddi•²] cyflawni
gweithred o sodomiaeth to sodomize

sodomiaeth *eb* cyfathrach rywiol lle mae'r
pidyn yn treiddio i anws gwryw, benyw neu
anifail buggery, sodomy

sodr:sawdur *eg* (sodrau) METELEG metel meddal
(aloi o blwm a thun, fel arfer) sy'n hawdd ei
doddi a'i ddefnyddio wedyn i lynu metelau
eraill wrth ei gilydd solder

sodro *be* [sodr•¹] METELEG asio dau beth
metel wrth ei gilydd drwy ddefnyddio sodr
to solder

soddedig *ans* wedi suddo dan y dŵr submerged

soddgrwth *eg* (soddgrythau) sielo; yr aelod isaf
ond un o offerynnau llinynnol y gerddorfa;
mae'n cael ei ddal rhwng pengliniau'r sawl sy'n
ei chwarae a defnyddir bwa (fel arfer) i seinio'r
nodau cello, violoncello

soddi *be* [sodd•¹ *3 un. pres.* sawdd; *2 un. gorch.*
ni cheir ffurf] gorchuddio â dŵr neu hylif arall
(~ *rhywbeth* **yn**) to submerge

soeglyd *ans* trwm, meddal a gwlyb; yn
annymunol o wlyb, *brechdanau soeglyd, tir
soeglyd*; clatsh, llaith, stecs soggy, saturated

sofiet *eg* (sofietau) cyngor etholedig,
llywodraethol neu weinyddol mewn gwlad

Gomiwnyddol, e.e. hen Undeb y Gweriniaethau Sosialaidd Sofietaidd soviet

sofietaidd *ans* yn perthyn i sofiet, nodweddiadol o sofiet soviet

sofl *ell* bonion o wellt neu ŷd sy'n aros ar ôl i'r cnwd gael ei fedi; cawn stubble

sofliar *eb* (soflieir) aderyn bach cynffonfyr yn debyg i betrisen fach quail

sofran[1] *eg* (sofraniaid) penarglwydd, yn enwedig brenin neu frenhines; teyrn sovereign

sofran[2] *ans*
1 (am wladwriaeth) ac iddi sofraniaeth sovereign
2 (am ddyled) yn perthyn i wladwriaeth sovereign (debt)

sofraniaeth *eb* (sofraniaethau) yr hawl a'r rhyddid i deyrnasu neu lywodraethu sovereignty

sofren *eb* (sofrenni) darn o aur a oedd yn werth £1.00 sovereign

soffa *eb* (soffas) celficyn/dodrefnyn cyfforddus â chefn a breichiau gyda lle i ddau neu dri neu fwy eistedd arno neu le i un orwedd arno sofa, settee, couch

soffistigedig *ans*
1 wedi'i ddatblygu mewn ffordd astrus, *dyfais soffistigedig*; cymhleth sophisticated
2 yn hyddysg yn ffordd y byd a'i bethau; addysgedig, bydol-ddoeth, diwylliedig sophisticated

soffistigedigrwydd *eg* y cyflwr o fod yn soffistigedig sophistication

soffydd *eg* (soffyddion)
1 athro proffesiynol yn dysgu athroniaeth, rhethreg a'r ffordd o fyw yn llwyddiannus, yng ngwlad Groeg gynt sophist
2 athronydd sy'n defnyddio dadleuon cyfrwys, soffistigedig ond gwag sophist

soffyddiaeth *eb* ATHRONIAETH rhesymeg neu ddadleuon sy'n ymddangos yn ddilys ac yn rhesymegol ond sy'n seiliedig ar gamresymu neu dwyll cyfrwys sophistry

soia *eg* math o ffeuen o Asia a dyfir er mwyn ei holew a'r hadau maethlon eu hunain soya

solar *ans* am egni pelydrol a allyrrir gan yr Haul solar

solenoid *eg* (solenoidau)
1 ELECTRONEG coil o wifren ar ffurf silindr sy'n creu maes magnetig pan fydd cerrynt trydanol yn rhedeg drwyddo; mae'n newid egni trydanol yn egni mecanyddol solenoid
2 ELECTRONEG dyfais sy'n creu maes magnetig pan fydd cerrynt trydanol yn rhedeg drwy goil o wifren; fe'i defnyddir i roi grym ar fagnet neu ddarn haearn (neu ddur) ac fe'i defnyddir yn aml mewn falf, sef falf-solenoid solenoid

solet *ans*
1 heb fod yn nwy nac yn hylif, heb fod angen cynhwysydd i'w gadw yn ei siâp, *darn solet o fenyn* solid

2 heb ganol gwag, heb fod yn au solid
3 llond ei groen; a golwg gryf, iach arno solid
4 cadarn, di-syfl, sad, *Roedd yn ddrws solet wedi'i wmeud o bren trwchus.* solid
5 (am amser) di-dor, parhaol, *Bu wrthi am ddwyawr solet yn gwneud ei waith cartref.* solid
6 y cyfan wedi'i wneud o'r un defnydd, heb ei gymysgu â dim byd arall, *Roedd y tapiau yn yr ystafell ymolchi wedi'u gwneud o aur solet.*; pur solid

sol-ffa *eg* CERDDORIAETH system o ddarllen cerddoriaeth lle mae pob nodyn yn y raddfa gerddorol yn cael un o'r enwau canlynol: do, re, mi, fa, so, la, ti (d r m f s l t) sol-fa

solffatara *eg* (solffatarau) DAEAREG mygdwll y mae nwyon folcanig sylffwraidd ac ager yn llifo allan ohono solfatara

solffeuo *be* CERDDORIAETH canu sol-ffa
Sylwch: nid yw'r ferf hon yn arfer cael ei rhedeg.

solid *eg* (solidau)
1 corff neu sylwedd solet solid
2 bwyd nad yw'n hylif, *Ymhlith cynhwysion eraill mae siocled yn cynnwys solidau coco a solidau llaeth.*
3 *technegol* rhywbeth nad yw'n hylif nac yn nwy, nad oes angen cynhwysydd arno i'w gadw yn ei siâp solid
4 MATHEMATEG gwrthrych tri dimensiwn solid

solidariaeth *eb* undod ymhlith pobl yn seiliedig ar y diddordebau, safonau neu amcanion maent yn eu rhannu solidarity

solipsiaeth *eb* ATHRONIAETH damcaniaeth yn seiliedig ar y syniad mai'r hunan yw'r unig wir fodolaeth a bod popeth arall wedi'i lunio gan yr hunan solipsism

Somali *eg* (Somaliaid) brodor o Somalia Somali

Somaliaidd *ans* yn perthyn i wlad Somalia, nodweddiadol o Somalia Somali

somatig *ans* yn perthyn i'r corff a'i gelloedd (yn hytrach na'r meddwl) somatic

sôn[1] *be* [soni•[6]] rhoi gwybod, *Wnei di sôn wrthyn nhw am y parti pan gei di gyfle?*; crybwyll, dweud (~ **wrth** *rywun* **am** *rywbeth*) to mention, to tell
heb sôn am heb grybwyll not to mention
tewch â sôn gw. tewi

sôn[2] *eg* hanes, newyddion, mân-siarad, arwydd, *A oes unrhyw sôn bod y babi ar y ffordd eto?*; achlust, murmur, si, sibrwd mention, sign, talk
yn ôl pob sôn yn ôl y sibrydion a'r straeon sydd o gwmpas allegedly, reputedly

sonata *eb* (sonatau) CERDDORIAETH darn i un offeryn neu ddau (ac un ohonynt yn biano, fel arfer) yn cynnwys tri neu bedwar symudiad sonata

soned *eb* (sonedau) LLENYDDIAETH ffurf un pennill ar farddoniaeth sy'n cynnwys 14 llinell gyda deg sillaf ym mhob llinell; mae dau fath o soned – y math Petrarchaidd sydd â phatrwm odli *a b b a, a b b a, c ch d, c ch d*, sef wythawd a chwechawd, a'r math Shakespearaidd sydd â phatrwm odli *a b a b, c ch c ch, d dd d dd, e e* sonnet

sonedwr *eg* (sonedwyr) un sy'n cyfansoddi sonedau

son et lumière *eg* math o sioe gyda'r nos yn defnyddio sain a goleuadau i gyflwyno hanes heneb, e.e. castell neu blasty

soniarus *ans* yn gwneud sŵn cerddorol pleserus; melodaidd, persain tuneful, melodious, sonorous

sonig *ans*
1 FFISEG (am donfedd neu ddirgryniad) ag amledd o fewn clyw clust dynol sonic
2 FFISEG yn perthyn i donfeddi sain sonic

sonni *bf* [sôn¹] rwyt ti'n sôn; byddi di'n sôn

sopen¹ *eb* (sopenni)
1 ceuled a maidd (yn deillio o wneud caws); ceulion curds and whey
2 swp o wair neu wellt bundle

sopen² *ans* gwlyb iawn soaking
gwlyb sopen gwlyb diferu soaking wet

soporiffig *ans* yn achosi cwsg soporific

soprano *eb* (lleisiau soprano:sopranos)
1 llais cantores (neu weithiau fachgen) sy'n canu yng nghwmpas uchaf y llais soprano
2 cantores (neu weithiau fachgen) sy'n canu yng nghwmpas uchaf y llais soprano

sopyn *eg* (sopynnau) tas fach o ŷd mewn cae; yn draddodiadol, mae'n cynnwys 96 o ysgubau; stwc stook

sorllyd *ans* wedi digio, wedi llyncu mul; dig, piwis, pwdlyd, sarrug miffed, sulky, sullen

Soroastriaeth *eb* CREFYDD crefydd o wlad Persia a sefydlwyd gan y proffwyd Zarathustra yn y chweched ganrif CC; Avesta yw ei llyfr cysegredig, Ahura Mazda yw'r un duw sy'n brwydro yn erbyn yr ysbryd drwg Ahriman Zoroastrianism

sorod *ell*
1 METELEG yr amhuredd sy'n codi i'r wyneb pan fydd metel yn cael ei doddi dross
2 y gweddillion sy'n aros yng ngwaelod potel neu lestr gwin o dan y gwin clir; dyma'r defnydd y mae'r gwin wedi'i wneud ohono; gwaddod, gwaelodion, gweddillion dregs, lees

sorri *be* [sorr•⁹ *3 un. pres.* syrr; *2 un. gorch.* syrr] llyncu mul, gweld yn chwith, bod yn ddig; digio, ffromi, pwdu (~ **wrth**) to be in a huff, to pout, to sulk, to take offence
Sylwch: dyblwch yr 'r' ym mhob ffurf ac eithrio yn y rhai sy'n cynnwys *-as-*.

sorri'n bwt gw. pwt²
sort gw. siort
sorth *ans* ffurf fenywaidd swrth

sos gw. saws
sosban *eb* (sosbannau:sosbenni) crochan neu gynhwysydd metel dwfn â dolen ar un ochr, a ddefnyddir i ferwi llysiau, etc. saucepan
sosbannaid:sosbennaid *eb* (sosbaneidiau) llond sosban saucepanful
sosej *eb* (sosejys) selsigen; tiwb o groen tenau wedi'i lenwi â chymysgedd o gig, briwsion bara neu rawn a llysiau, naill ai wedi'i goginio neu'n barod i'w goginio sausage
soser *eb* (soseri) math o ddysgl fach gron, fel arfer, â phant yn ei chanol i ddal cwpan saucer
soser hedegog un o nifer wrthrychau hededog ar ffurf cylch y tybir gan rai eu bod yn cael eu llywio gan greaduriaid o fydoedd eraill flying saucer
soseraid *eb* (sosereidiau) llond soser saucerful
sosialaeth *eb* system wleidyddol (weithiau'n cynnwys Comiwnyddiaeth) wedi'i seilio ar y gred bod pobl yn gyfartal, y dylai cyfoeth gael ei rannu rhwng pawb yn ôl yr angen a phrif ddiwydiannau gwlad gael eu rheoli gan y llywodraeth socialism
sosialaidd *ans* yn perthyn i'r syniad o sosialaeth, nodweddiadol o sosialaeth socialist
sosialydd *eg* (sosialwyr) un sy'n credu mewn sosialaeth neu sy'n aelod o un o bleidiau gwleidyddol Ewrop sy'n dilyn syniadau sosialaidd, e.e. y Blaid Lafur ym Mhrydain socialist
Sosin *eg* (Sosiniaid) *anffurfiol* Undodwr Unitarian
Sosiniaeth *eb anffurfiol* Undodiaeth Unitarianism
soterioleg *eb* CREFYDD astudiaeth o athrawiaeth iachawdwriaeth a rhan Iesu Grist ynddi soteriology
sotto voce *adf ac ans* dan eich anadl
sotyn *eg anffurfiol* meddwyn drunkard, sot
sothach *eg* rhywbeth di-werth, *Beth yw'r sothach 'na rydych chi'n ei fwyta?*; ffrwcs, rwtsh, sbwriel, sorod junk, rubbish, trash
sownd *ans*
1 wedi'i sicrhau'n ddiogel; diogel, saff, tyn, ynghlwm stuck, fast
2 (am gwsg) trwm a digyffro fast, sound
3 â barn ddibynadwy, *Bachgen sownd iawn yw John.*; diogel, gonest, sad sound, steady
spaghetti *eg* bwyd o'r Eidal ar ffurf llinynnau hir o basta
Sri Lancaidd *ans* yn perthyn i Sri Lanka, nodweddiadol o Sri Lanka Sri Lankan
Sri Lanciad *eg* (Sri Lanciaid) brodor o Sri Lanka Sri Lankan
St *byrfodd* sant St
stabl *eb* (stablau)
1 adeilad lle mae ceffylau yn cael eu cadw a'u bwydo stable

2 nifer o geffylau rasio â'r un perchennog neu hyfforddwr stable

3 man lle mae ceffylau rasio yn cael eu hyfforddi stable

stablad:stablan *be* damsang, sathru dan draed, pystylad to trample, to tread underfoot
Sylwch: nid yw'r ferf hon yn arfer cael ei rhedeg.

stac *eg* (staciau) DAEARYDDIAETH piler neu graig unigol wedi'i gwahanu oddi wrth glogwyn ac yn codi'n syth allan o'r môr stack

stad:ystad *eb* (stadau)
1 cyflwr rhywun neu rywbeth, *Mae'r plasty wedi dirywio i stad ddifrifol.* state
2 cyflwr cyffrous, cythryblus, *Roedd hi mewn tipyn o stad wedi iddi glywed am y ddamwain.* state
3 darn o dir yn y wlad sy'n gysylltiedig, fel arfer, â thŷ mawr neu blas estate
4 darn o dir lle mae tai, siopau neu ffatrïoedd wedi cael eu hadeiladu gyda'i gilydd, *stad o dai cyngor* estate
5 CYFRAITH y cyfan o eiddo rhywun estate

stadiwm *eb* (stadiymau:stadia) maes chwarae â rhesi o seddau (ac weithiau le i sefyll) o'i gwmpas stadium

staen *eg* (staeniau)
1 smotyn neu farc ar rywbeth stain
2 hylif ar gyfer lliwio neu dywyllu coed stain
3 rhywbeth sy'n llychwino neu'n difetha; nam mark, stain
4 BIOLEG llifyn arbennig a ddefnyddir i liwio meinwe organig fel y gellir gweld ei adeiledd o dan ficrosgop stain

staenia gw. **stania**

staeno:staenio *be* [staeni•²]
1 marcio neu faeddu rhywbeth; afliwio, llychwino to stain
2 lliwio neu dywyllu â hylif neu gemegyn to stain

staer *eb* (staerau) grisiau sy'n arwain i'r llofft mewn tŷ neu adeilad stairs
twll/cwtsh dan staer cwpwrdd neu ystafell fach o dan y grisiau; sbens
Ymadrodd
lan staer i fyny'r grisiau, lan lofft upstairs

staes *eb*
1 dilledyn isaf i fenywod yn estyn o'r fron i'r cluniau ac wedi'i lunio a'i gyfnerthu i osod ffurf ddeniadol ar y corff corset
2 dilledyn tebyg, i ddynion neu wragedd, i gynnal y cefn neu ran o'r corff yn achos anaf neu anffurfiad corfforol corset

stafell gw. **ystafell**

staff *eg* y grŵp o weithwyr sy'n gwneud y gwaith mewn sefydliad neu fusnes staff, personnel
Sylwch: mae'n derbyn ffurf unigol neu luosog berf.

staffio *be* [staffi•²]
1 cyflenwi â staff to staff
2 gweithredu fel aelod o staff to staff

stâl *eb* (stalau) rhaniad ar gyfer un anifail (mewn beudy neu stabl neu ystafell) stall

stalactid *eg* (stalactidau) DAEAREG colofn o galsit, amrywiol iawn ei maint a'i ffurf, yn hongian o do ogof galchfaen; mae'n cael ei chreu wrth i ddŵr sy'n diferu o'r to ddyddodi ei lwyth hydawdd o galsiwm carbonad stalactite

stalagmid *eg* (stalagmidau) DAEAREG colofn o galsit, amrywiol iawn ei maint a'i ffurf, yn codi o lawr ogof galchfaen; mae'n cael ei chreu wrth i ddŵr sy'n diferu o'r to ddyddodi ei lwyth hydawdd o galsiwm carbonad ac weithiau mae'n ymuno â stalactid gan ffurfio colofn ddi-dor yn ymestyn o'r llawr i'r to stalagmite

stalwyn *eg* (stalwyni) ceffyl gwryw yn ei lawn dwf; march stallion

stamp *eg* (stampau:stampiau)
1 darn bach o bapur sy'n cael ei werthu mewn swyddfeydd post a rhai siopau a'i ludio ar lythyrau neu barseli mae angen eu postio stamp
2 darn bach tebyg i hwn sy'n cael ei ludio ar ddogfennau i ddangos bod y dreth briodol wedi'i thalu stamp
3 teclyn ar gyfer gwasgu neu argraffu ei ôl ar rywbeth stamp
4 ôl y teclyn yma, neu ôl sydd wedi cael ei adael ar rywbeth, *Gadawodd ei stamp ar y pentref er na fu'n byw yno'n hir.*; marc, nodwedd stamp

stampio:stampo *be* [stampi•²]
1 taro â gwaelod y droed, curo traed (~ ar) to stamp
2 gadael ôl ar rywbeth drwy wasgu teclyn arbennig arno, *Stampiodd ei enw ar bob llyfr yn ei gasgliad.* to stamp

stanc *eg* (stanciau)
1 polyn o bren neu fetel sy'n cael ei fwrw i'r ddaear, e.e. er mwyn dal ffens stake
2 *hanesyddol* polyn neu bostyn y byddai rhywun yn cael ei glymu wrtho er mwyn ei ladd (drwy ei losgi fel arfer) stake

stania:staenia *eg* haenen neu dalp o iâ; plymen sheet ice

stapl *eb* (staplau) stwffwl staple

staplo *be* styffylu to staple

staplwr:staplydd *eg* (staplwyr) teclyn bach llaw (fel arfer) ar gyfer staplo; styffylwr stapler

starfio:starfo *be* [starfi•²]
1 *anffurfiol* llwgu, newynu to starve
2 *tafodieithol* dioddef o'r oerfel; oeri, rhewi, rhynnu, sythu to freeze

starn *eb* (starnau) cefn neu ran ôl cwch neu long stern

startsh *eg*
1 carbohydrad gwyn, di-flas a geir mewn planhigion gwyrdd, ac sy'n rhan bwysig o fwydydd fel tatws, reis, grawn, etc. starch
2 powdr wedi'i wneud o hwn a ddefnyddir i stiffáu dillad starch

startsio *be* [startsi•²] stiffáu (dilledyn) â startsh to starch

stateg *eb* MECANEG y gangen o fecaneg sy'n ymwneud â gwrthrychau mewn cyflwr o ddisymudedd a grymoedd sydd mewn ecwilibriwm statics

statig:static *ans*
1 FFISEG am systemau lle nad oes dim yn newid gydag amser nac unrhyw beth yn symud, e.e. grymoedd statig a thrydan statig static
2 am y trydan a gynhyrchir gan ffrithiant static
3 am ymyriant trydanol sy'n amharu ar signalau telathrebu (radio, teledu, etc.) static
4 CYFRIFIADUREG (am broses neu newidyn) na ellir ei newid yn ystod cyfnod penodol static

stator *eg* (statorau) rhan ansymudol generadur trydan, modur, tyrbin neu beiriant arall y mae rhannau eraill yn symud o'i gwmpas stator

statud:ystatud *eb* (statudau)
1 CYFRAITH deddf gan gorff deddfwriaethol a gofnodir yn ffurfiol ganddo mewn dogfen statute
2 rheol barhaol gan gorfforaeth neu sylfaenydd corfforaeth yn ymwneud â gweinyddiaeth fewnol y gorfforaeth statute
3 atodiad i gytundeb rhyngwladol (sydd, fel arfer, yn sefydlu asiantaeth a phennu ei maes gorchwyl) statute

statudol:ystatudol *ans* a geir mewn statud neu gyfraith ysgrifenedig; cyfreithiol, deddfol statutory

status quo *eg* y sefyllfa fel y mae, y sefyllfa sydd ohoni

statws *eg* stad neu gyflwr sy'n penderfynu eich lle mewn sefydliad neu gymdeithas, *Mae'r swydd newydd sydd ganddo o statws uwch na'r un o'r blaen.*; amlygrwydd, pwysigrwydd status

stêc:stecen *eb* tafell drwchus o gig (cig eidion, fel arfer) sy'n addas i'w grilio neu ei ffrio steak

stecs *eg tafodieithol* mwd, llaca, *yng nghanol y stecs*; gwlybaniaeth, *yn wlyb stecs*

steil¹ *eg*
1 ansawdd uchel (o ran ymddygiad, gwisg, pryd a gwedd, etc.), *Roedd ganddi dipyn o steil.* style
2 ffasiwn (yn enwedig mewn dillad) style
3 rhywbeth cyffredinol sy'n nodweddiadol o grŵp neu gyfnod neu unigolyn arbennig; dull style
4 *anffurfiol* arddull style

steil² *eg tafodieithol, yn y De* cyfenw (ar lafar yn y De); snâm surname

steilio *be* [steil•²] cynllunio neu drefnu rhywbeth gan ddilyn dull arbennig, *steilio gwallt* to style

steilydd *eg* (steilwyr) un sy'n rhoi steil ar (wallt, fel arfer) stylist, styler

stelcian *be*
1 llithro'n llechwraidd; llechu to skulk
2 dilyn rhywun yn llechwraidd to stalk
Sylwch: nid yw'r ferf hon yn arfer cael ei rhedeg.

stelciwr *eg* (stelcwyr) un sy'n stelcian, sy'n sefyllian neu'n loetran weithiau gan geisio peidio â'i ddangos ei hun stalker, lurker

stem *eb* (stemiau) cyfnod o waith (bore, prynhawn neu nos) a weithir gan grŵp o weithwyr, *Dw i ar y stem nos yr wythnos 'ma.*; shifft shift, stint

stêm *eg* dŵr berw wedi anweddu, *injan stêm*; ager, anwedd steam

stemio *be*
1 defnyddio stêm i goginio neu i feddalu rhywbeth to steam
2 gollwng stêm to steam
Sylwch: nid yw'r ferf hon yn arfer cael ei rhedeg.

stêm-roler *eb* (stêm-roleri) peiriant ager mawr â rholer trwm a ddefnyddir i wastatáu wyneb y ffordd wrth adeiladu neu atgyweirio heolydd steamroller

stên *eb* (stenau) jwg tal, fel arfer â dwy ddolen, ar gyfer dal dŵr, llaeth, gwin, etc.; piser pitcher

stenaid *eb* llond stên

stensil *eg* (stensiliau) darn o ddefnydd anhydraidd (plastig, papur, metel, etc.) y torrir patrwm neu lythrennau ynddo; gellir wedyn ei orchuddio â phaent, inc, etc. er mwyn atgynhyrchu'r patrwm ar arwynebedd dan y stensil stencil

stensilio *be* [stensili•²] gwneud patrwm neu lythrennau drwy ddefnyddio stensil (~ *rhywbeth* **ar**) to stencil

stent *eb* arolwg neu brisiad o dir neu eiddo at ddibenion trethu neu ddogfen yn cynnwys yr wybodaeth hon
Stent Lloegr *hanesyddol* Llyfr Domesday; stent (arolwg o diroedd) a orchmynnwyd gan Gwilym Goncwerwr tua 1086 the Domesday Book

step *eb* (stepiau:steps)
1 gris; math o silff neu wyneb gwastad mewn cyfres a ddefnyddir i ddringo neu ddisgyn o un cam i'r llall step
2 cam dawnsio, *step y glocsen* step
3 (steps) math o ysgol ddwbl sy'n agor ac y gellir ei dringo heb fod y pen yn pwyso yn erbyn wal steps

stepio *be* [stepi•²]
1 camu, cymryd camau to step
2 cyflawni camau dawnsio arbennig to step

stereoffonig *ans* am seiniau a atgynhyrchir gan beiriant i roi'r argraff eu bod yn dod o bob cyfeiriad, fel y seiniau gwreiddiol stereophonic

Sylwch: nid yw'n cael ei gymharu.

stereograff *eg* (stereograffau) pâr o ffotograffau o'r un peth wedi'u tynnu ychydig o bellter oddi wrth ei gilydd er mwyn creu effaith tri dimensiwn wrth edrych arnynt drwy stereosgop neu sbectol arbennig stereograph

stereosgop *eg* (stereosgopau) dyfais optegol â dau sylladur ar gyfer creu effaith tri dimensiwn o edrych ar stereograff stereoscope

stereoteip *eg* (stereoteipiau) rhywun neu rywbeth sy'n cydymffurfio â darlun meddyliol neu syniad gor-syml a goleddir yn gyffredinol, e.e. y gwladwr diwylliedig a'r byddigions trahaus stereotype

stereoteipio *be* [stereoteipi•²] ystyried neu gynrychioli fel stereoteip to stereotype

sterics *ell anffurfiol* cyflwr o gyffro afreolus; hysteria hysterics

sterling *eg*
1 mesur o ansawdd y metel arian (sef ei fod o burdeb o 92.5%) sterling
2 arian cyfred y Deyrnas Unedig sterling

sternwm *eg* (sterna)
1 ANATOMEG asgwrn tenau, gwastad sy'n rhedeg i lawr canol y frest y mae'r asennau ynghlwm wrtho sternum
2 SWOLEG y plât fentrol trwchus ar bob un o segmentau corff arthropod sternum

steroid *eg* (steroidau) BIOCEMEG unrhyw un o nifer o gyfansoddion cemegol yn cynnwys pedwar cylch o atomau carbon, e.e. rhai hormonau, alcaloidau a fitaminau, sydd ag effeithiau ffisiolegol pwysig steroid
steroid anabolig dosbarth o hormonau steroid synthetig a ddefnyddir yn anghyfreithlon i wella perfformiad athletwyr a chwaraewyr eraill anabolic steroid

sterol *eg* (sterolau) BIOCEMEG un o nifer o alcoholau annirlawn solet, e.e. colesterol, yn perthyn i steroidau ac a geir ym meinweoedd brasterog anifeiliaid a phlanhigion sterol

stesion *eb* (ffurf lafar) gorsaf station

stethosgop *eg* (stethosgopau) dyfais sy'n galluogi meddyg i wrando ar ysgyfaint a churiad calon cleifion stethoscope

sticer *eg* (sticeri) darn o bapur gludiog y gellir ei lynu wrth rywbeth sticker

sticil:sticill *eb* (sticillau) grisiau o bren (neu weithiau o gerrig) wedi'u codi y naill ochr a'r llall i glawdd neu wal er mwyn i bobl fedru eu croesi; camfa stile

stid *eb tafodieithol, yn y Gogledd* cosfa, crasfa, cweir beating

stido *be* bwrw, taro
Sylwch: nid yw'r ferf hon yn arfer cael ei rhedeg.
stido bwrw arllwys y glaw, bwrw glaw yn drwm iawn

stiff *ans* [stiff•]
1 heb fod yn hawdd ei blygu; anhyblyg, anhydwyth, anystwyth stiff
2 am ran o'r corff sy'n achosi poen wrth ei symud, *Mae fy nghoesau'n stiff ar ôl i mi gerdded yr holl ffordd o'r orsaf.* stiff
3 ffurfiol, heb fod yn gyfeillgar stiff

stiffáu *be* [stiffha•¹⁴] gwneud yn stiff neu fynd yn stiff; anystwytho, stiffio to stiffen

stiffio *be* [stiffi•²] gwneud yn stiff neu mynd yn stiff; anystwytho, stiffáu to become stiff, to stiffen

stiffrwydd *eg* y cyflwr o fod yn stiff; anystwythder, anhyblygrwydd stiffness

stigma *eg* (stigmâu)
1 anghymeradwyaeth gymdeithasol tuag at bobl nad ydynt yn cydymffurfio stigma
2 BOTANEG (mewn blodyn) y rhan o'r pistil sy'n derbyn gronynnau paill yn ystod peilliad stigma

stigmata *ell* marciau yn debyg i archollion y Crist croeshoeliedig sy'n ymddangos ar gorff pobl y credir eu bod yn arbennig o sanctaidd fel arwydd o gymeradwyaeth Duw stigmata

stileto *eg* (stiletos)
1 dagr bach yn debyg i roden â llafn cul, hir stiletto
2 sawdl hir, pigfain ar esgid merched, neu esgid yn cynnwys sawdl o'r math stiletto

stilgar *ans* chwannog i holi cwestiynau; busneslyd nosy, inquisitive

stiliard *eb* math o fantol lle mae'r hyn a bwysir yn cael ei grogi o'r fraich fer a bod darn gwrthbwyso yn cael ei symud ar hyd y fraich hir sydd wedi'i raddoli, nes cyrraedd cyflwr o gydbwysedd steelyard

stilio *be* fel yn *holi a stilio*, gofyn cwestiynau to probe, to question
Sylwch: nid yw'r ferf hon yn arfer cael ei rhedeg.

stiliwr *eg* (stilwyr) chwiliedydd; dyfais a ddefnyddir i fesur, i archwilio neu i brofi rhywbeth probe

stilo *be tafodieithol, yn y De* smwddio dillad to iron
Sylwch: nid yw'r ferf hon yn arfer cael ei rhedeg.

stipwl *eg* (stipylau) BOTANEG atodyn yn debyg i ddeilen fach y ceir pâr ohonynt (neu un weithiau) wrth fôn deilen ar goesyn planhigyn stipule

stiw *eg*
1 pryd o gig a llysiau, etc. wedi'u coginio gyda'i gilydd mewn hylif stew
2 bwyd sydd wedi cael ei goginio'n araf ac yn

dawel mewn hylif oddi mewn i lestr caeedig, *stiw afalau* stew

stiward *eg* (stiwardiaid)
1 rhywun sy'n gofalu am gyflenwadau bwyd a diod i glwb neu goleg steward
2 un o nifer o bobl sy'n gweini ar deithwyr ar fwrdd llong neu awyren steward
3 un o nifer o bobl sy'n gyfrifol am drefnu rasys ceffylau steward
4 rhywun a gyflogir i ofalu am dŷ a thiroedd, e.e. fferm; goruchwyliwr steward
5 un sy'n cadw trefn ar bobl sy'n cyrraedd a gadael maes neu adeilad, *stiward yn y Babell Lên* steward

stiwardiaeth *eb*
1 swydd a chyfrifoldebau stiward, cyfnod gwasanaeth stiward; arolygiaeth, goruchwyliaeth, llywyddiaeth stewardship
2 cyfrifoldeb unigolyn i fyw ei fywyd a gofalu am ei eiddo gan dalu dyledus barch i hawliau eraill; cyfrifoldeb i edrych ar ôl y byd (ar ran Duw); goruchwyliaeth stewardship

stiwardio *be* [stiwardi•²]
1 gwarchod neu gadw gofal ar le i sicrhau bod gan bobl neu gerbydau hawl i fod yno to steward
2 (mewn eisteddfod, cyngerdd, etc.) tywys pobl i'w seddau, gofalu am agor a chau drysau a sicrhau nad oes neb yn camymddwyn to steward

stiwdio *eb* (stiwdios)
1 ystafell waith arlunydd, ffotograffydd, etc. studio
2 ystafell lle mae rhaglenni radio neu deledu yn cael eu darlledu neu eu recordio studio
3 ystafell neu safle arbennig lle mae ffilmiau'n cael eu gwneud studio

stiwio *be* [stiwi•²]
1 COGINIO coginio cig neu ffrwythau drwy eu mudferwi to stew
2 gadael i de fynd yn gryf ac yn chwerw drwy ei adael i fwydo neu fwrw ei ffrwyth am (ormod o) amser to stew

stoc *eb* (stociau)
1 cyflenwad o rywbeth yn barod i'w ddefnyddio, *A oes gen ti stoc o goed tân yn barod ar gyfer y gaeaf?*; stôr stock
2 cyflenwad o nwyddau sydd ar gael i'w gwerthu, *A oes digon o stoc ar y silffoedd?* stock
3 casgliad o anifeiliaid fferm, e.e. da/gwartheg, moch, defaid, sy'n cael eu cadw i'w magu; da byw livestock
4 yr arian (cyfalaf) y mae cwmni yn berchen arno wedi'i rannu'n gyfrannau stock
5 CYLLID arian a roddir ar fenthyg i'r llywodraeth neu i gwmni ar gyfradd llog penodol stock

stoc arian cyfanswm yr arian parod sydd mewn cylchrediad ynghyd â'r arian a gedwir gan unigolion a chyrff cyhoeddus a phreifat mewn cyfrifon banc

stoc cyfalaf cyfanswm gwerth holl isadeiledd (yr adeiladau, peiriannau ac offer) a ddefnyddir i gynhyrchu nwyddau a gwasanaethau capital stock

stocastig *ans* MATHEMATEG am broses a ddisgrifir gan ddosraniad tebygolrwydd hap stochastic

stocio *be* [stoci•²] cadw stoc o rywbeth, cael stoc i mewn to stock

stof *eb* (stofau) dyfais gaeedig ar gyfer coginio neu wresogi sy'n gweithio drwy losgi glo, olew, nwy, trydan, etc. stove, cooker

stöic *eg* un sy'n honni nad yw na phleser na phoen yn dylanwadu arno; rhywun yn meddu ar hunanreolaeth lem stoic

stoicaidd *ans* yn cadw teimladau neu ymateb i bleser neu boen dan reolaeth lem; dioddefgar, goddefgar stoic, stoical

Stoïciad *eg* (Stoïciaid) ATHRONIAETH aelod o ysgol o athroniaeth Roegaidd a sefydlwyd gan Zeno, yn honni mai gwybodaeth sy'n arwain at hapusrwydd a sylfaen doethineb yw meistroli'r hunan a phlygu i drefn cyfraith naturiol Stoic

stoïciaeth *eb* athroniaeth Zeno a'r Stoïciaid stoicism

stoichiometreg *eb* CEMEG astudiaeth o'r berthynas rhwng meintiau cymharol sylweddau sy'n ffurfio cyfansoddyn neu a geir mewn adwaith cemegol stoichiometry

stoichiometrig *ans* CEMEG yn perthyn i stoichiometreg, nodweddiadol o stoichiometreg stoichiometric

stôl *eb* (stolion:stolau) cadair, yn enwedig cadair fach heb gefn na breichiau stool, chair
syrthio rhwng dwy stôl oedi gormod wrth geisio penderfynu rhwng dau ddewis a methu'r ddau to fall between two stools

stolio *be* [stoli•²] achosi i rywbeth (megis peiriant) sy'n rhedeg yn llyfn, beidio (yn ddisymwth ac yn annisgwyl, fel arfer) to stall

stolon *eg* (stolonau)
1 BOTANEG coesyn neu ymledydd ymgripiol yn tyfu o waelod planhigyn, e.e. mefusen, y mae planhigion newydd yn tyfu ohoni stolon
2 BIOLEG edefyn o ffwng, e.e. llwydni ar fara, sy'n lledu ar hyd wyneb y peth y mae'n tyfu arno stolon

stoma *eg* (stomata)
1 SWOLEG adwy neu dwll bach yng nghorff anifail syml, e.e. sbwng stoma
2 BOTANEG un o'r mandyllau bach a geir yn epidermis deilen neu goesyn planhigyn, ac sy'n

caniatáu cyfnewid nwyon rhwng yr atmosffer a meinweoedd mewnol y planhigyn stoma

3 MEDDYGAETH agoriad parhaol artiffisial ym mur yr abdomen yn ganlyniad i driniaeth lawfeddygol stoma

stomatitis *eg* MEDDYGAETH llid yn leinin y geg stomatitis

stomp[1] *eb* annibendod, cawl, llanastr, smonach mess, bungle

stomp[2] *eb* (stompiau)

1 dawns jazz a nodweddir gan guro'r traed stomp

2 ymryson ar lafar, rhwng timau o feirdd (cydnabyddedig ac eraill), awduron, cantorion, etc. sy'n cyfateb mewn ffordd ysgafn i ymryson neu 'dalwrn' y beirdd 'cydnabyddedig' slam

stompio *be* gwneud stomp neu lanastr; trochi, baeddu to make a mess, to mess up

Sylwch: nid yw'r ferf hon yn arfer cael ei rhedeg.

stôn *eb* (stonau) mesur o bwysau yn cyfateb i bedwar pwys ar ddeg, 14lbs stone

stond *ans* fel yn *sefyll yn stond*, sefyll yn yr un man, sefyll yn hollol lonydd stock-still

stondin *eb* (stondinau) math o ford neu siop agored i werthu nwyddau mewn marchnad, sioe, ffair, etc. stall, stand, booth

stondinwr *eg* (stondinwyr) perchennog stondin neu rywun sy'n defnyddio stondin i werthu neu arddangos pethau stallholder

stop *eg* (stopiau)

1 y weithred o stopio, y cyflwr o fod wedi stopio, *Mae 'r bws wedi dod i stop o'r diwedd. Mae wedi bod ar stop ers hanner awr.* halt, stop

2 lle i fws, trên, etc. aros (yn rheolaidd, fel arfer) i dderbyn a gollwng teithwyr; arhosfan stop

3 CERDDORIAETH (mewn organ) dyfais fecanyddol sy'n cau neu'n agor pibau ac yn newid answdd y sain (ac weithiau'r traw mewn offerynnau eraill) stop

stopio *be* [stopi•[2]]

1 rhoi'r gorau i wneud (rhywbeth), *Mae hi isio stopio symygu.*; peidio to stop, to cease

2 dod i stop, *Stopiodd y bws ger Neuadd y Ddinas.*; aros, sefyll to stop

3 atal, rhwystro, *Dydych chi ddim yn gallu fy stopio rhag mynd.* to stop, to prevent

stôr *eb* (storau) cyflenwad digonol o rywbeth wrth gefn; stoc stock, store, fund

storc *eg* (storciau) aderyn tal â chorff gwyn ac ymylon du i'w adenydd; mae ganddo wddf hir, pig hir a choesau hir cochaidd; ciconia stork

stordy *eg* (stordai) adeilad i gadw neu storio nwyddau ynddo; storfa, storws, warws storehouse, warehouse

storfa *eb* (storfeydd)

1 casgliad o nwyddau wedi'u cadw at ddefnydd yn y dyfodol store

2 man cadw pethau (boed yn adeilad neu ran o gyfrifiadur) nes bod eu hangen repository, storehouse

stori *eb* (storïau:storiâu:straeon)

1 hanes digwyddiad (neu ddigwyddiadau) gwir neu ddychmygol, *Gallwn wrando drwy'r nos ar Wncwl Twm a'i straeon.*; cyfarwyddyd, chwedl, hanes story

2 celwydd (fel mae'n cael ei ddefnyddio gan blant), *Mae John yn dweud straeon eto.* lie, story

3 naratif, adroddiad, cynllun neu blot llyfr, drama, ffilm, etc. story

4 deunydd sy'n addas i erthygl mewn papur newydd story

bwrdd stori gw. **bwrdd**

stori fer LLENYDDIAETH ffurf lenyddol sy'n tueddu i gwmpasu un cymeriad mewn perthynas ag un digwyddiad o'i chymharu â nofel sy'n ymwneud â llawer mwy o gymeriadau a sefyllfaoedd short story

stori gefn hanes neu gefndir sy'n cael ei greu ar gyfer cymeriad ffuglennol mewn ffilm, drama neu raglen deledu backstory

Ymadroddion

torri'r stori'n fyr/torri stori hir yn fyr cwtogi to cut a long story short

troi'r stori newid y testun yr ydych yn ei drafod to change the subject

storio *be* [stori•[2]]

1 cadw cyflenwad o (rywbeth) to store

2 cadw (rhywbeth) nes y bydd ei angen to store

storïol *ans*

1 yn ymwneud ag adrodd hanes; naratif narrative

2 nodweddiadol o stori; naratif narrative

storïwr *eg* (storïwyr) un sy'n adrodd straeon; cyfarwydd raconteur, storyteller

storm:storom *eb* (stormydd) tywydd garw (glaw, gwyntoedd cryfion a mellt a tharanau); drycin, rhyferthwy, tymestl storm, tempest

storm eira gwynt oer, cryf sy'n dod â llwyth o eira gydag ef; lluwchwynt blizzard

stormus *ans*

1 (am y tywydd) yn storom; brochus, garw, gwyntog, tymhestlog stormy, tempestuous

2 am fynegiant swnllyd o deimladau cryfion, *Bywyd byr a stormus a gafodd.*; terfysglyd stormy, tempestuous

storom *eb* ffurf arall ar **storm**

storws *eg* (storysau) adeilad i gadw neu storio pethau ynddo; stordy, storfa, warws store

strach *eb* y cyflwr o fod yn bryderus, o fod mewn helynt neu helbul; cawl, helbul, helynt, trafferth fix, hassle

straegar *ans* hoff o gario clecs

straen *eg* (straeniau)

1 cyflwr (rhywun neu rywbeth) a wthir y tu hwnt i'r hyn sy'n dderbyniol neu hyd yn oed yn bosibl, *Ni all hi barhau fel hyn – bydd y straen yn ormod iddi.* strain, stress

2 yr hyn sy'n achosi'r cyflwr yma, *Mae'r gwaith yn ormod o straen iddo.* strain, stress

3 tyndra, *Ydy'r rhaff yn ddigon cryf i ddal y straen?* strain

4 niwed i'r corff drwy wneud iddo weithio'n rhy galed, *straen ar y galon* strain, stress

5 yr aflunio sy'n digwydd i rywbeth corfforol o ganlyniad i ddiriant strain

straeon *ell* lluosog **stori**

stranc *eb* (stranciau)

1 gweithred sy'n twyllo neu'n camarwain rhywun; cast, tric, twyll, ystryw prank, trick

2 cic, ergyd, gwaedd, ymdrech (pethau y mae plentyn bach yn eu gwneud pan nad oes arno eisiau mynd i rywle neu wneud rhywbeth) tantrum, hysterics

strancio *be* [stranci•²] cicio a gweiddi a bwrw a llefain, *Roedd sŵn y plentyn bach yn strancio wedi tynnu sylw pawb yn y siop.*; gwylltio to struggle, to throw a tantrum

strap:strapen *eb* (strapiau) darn hir, cul o ddefnydd, e.e. lledr, a ddefnyddir i sicrhau neu ddal rhywbeth yn ei le strap

strapio *be* [strapi•²]

1 sicrhau neu glymu ag un neu ragor o strapiau (~ *rhywbeth* **wrth**) to strap

2 curo â strapen to strap

3 rhwymo rhan o'r corff sydd wedi cael niwed â rhwymau to bandage, to strap

strategaeth *eb* (strategaethau)

1 yr wyddor o gynllunio symudiadau byddinoedd a lluoedd arfog mewn rhyfel strategy

2 cynllun a baratoir er mwyn ceisio cyflawni nod arbennig neu er mwyn ceisio ennill rhyfel, gêm, cystadleuaeth, etc. strategy

strategol *ans* yn ymwneud â strategaeth neu a fydd yn cryfhau neu'n helpu cynllun strategic

strategydd *eg* (strategwyr) un sy'n arbenigo mewn strategaeth strategist

stratigraffeg *eb* DAEAREG astudiaeth wyddonol yn ymwneud â holl nodweddion a phriodweddau creigiau haenedig yn enwedig eu hoed cymharol stratigraphy

stratigraffig *ans* yn ymwneud â stratigraffeg neu'n deillio ohoni stratigraphic

stratosffer *eg* (stratosfferau) METEOROLEG un o haenau consentrig yr atmosffer rhwng y troposffer (islaw) a'r mesosffer (uwchlaw) y mae ei huchder yn amrywio rhwng tua 10 km a 50 km stratosphere

stratwm *eg* (strata) DAEAREG un o gyfres o haenau cymharol unffurf o sylwedd, e.e. haen o graig waddod neu o bridd stratum

streic *eb* (streiciau) cyfnod pan fydd gweithwyr yn gwrthod gweithio oherwydd anghydfod rhwng gweithwyr a chyflogwyr (ynglŷn â chyflog, amgylchiadau gwaith, oriau gwaith, etc.) strike

streicio *be* [streici•²] mynd ar streic, gwrthod gweithio oherwydd anghydfod (~ **yn erbyn**) to strike

streiciwr *eg* (streicwyr) gweithiwr cyflogedig ar streic striker

streipen *eb* (streipiau) llinell neu fand cul o liw o ansawdd gwahanol i'r darnau ar bob ochr iddi stripe

strem *eg* holl nerth gwynt neu rym natur full force

stremp *eb* (strempiau)

1 cawl, llanastr, stomp mess

2 cast, tro, ystryw prank, trick

strempio *be* gwneud stomp, gwneud llanastr neu gawl o rywbeth to muck up

Sylwch: nid yw'r ferf hon yn arfer cael ei rhedeg.

streptococws *eg* (streptococi) BIOLEG math o facteria ansymudol, parasitig sy'n achosi nifer o afiechydon, e.e. niwmonia a'r dwymyn goch streptococcus

streptomeisin *eg* MEDDYGAETH gwrthfiotig a gynhyrchir gan facteriwm a arferai gael ei ddefnyddio i drin y ddarfodedigaeth streptomycin

stribed:stribedyn *eg* (stribedi) darn hir, cul o rywbeth, *stribed ffilm* strip

stribed deufetel stribed o ddau fetel sy'n ymledu ar raddfa wahanol wrth iddynt gael eu gwresogi gan achosi i'r stribed blygu mewn gwres; fe'i defnyddir mewn cylchedau trydan, e.e. thermostat bimetallic strip

strimio *be* [strimi•²] torri (porfa, etc.) â pheiriant sy'n defnyddio darn cryf o linyn plastig neu wifren fetel yn troelli'n gyflym (yn lle llafn) to strim

strim-stram-strellach *adf* yn bendramwnwgl, blith draphlith helter-skelter, higgledy-piggledy, topsy-turvy

strimyn *eg* (strimynnau) stribed neu lain o dir strip (of land)

stripio *be* [stripi•²] tynnu dillad, gorchudd, haen o sylwedd, etc., oddi ar (rywun neu rywbeth); dadwisgo, diosg, ymddihatru to strip

stripiwr *eg* (stripwyr) gŵr sy'n dadwisgo o flaen pobl am arian stripper

stripwraig *eb* merch neu wraig sy'n dadwisgo o flaen pobl am arian stripper, stripteaser

strobosgop *eg* (strobosgopau) FFISEG dyfais i arsylwi a mesur mudiant (sy'n cylchdroi neu'n dirgrynu yn bennaf) drwy ganiatáu gwylio gwrthrych symudol yn ysbeidiol, e.e. drwy ddisg â thyllau yn ei ymyl, sy'n troi, a thrwy hynny creu'r argraff bod y gwrthrych wedi arafu neu wedi peidio â symud stroboscope

S

strôc *eb* (strociau)
 1 symudiad neu ergyd ag arf mewn brwydr neu
 â bat mewn gêm, e.e. tennis neu griced; trawiad
 stroke
 2 llinell unigol â brws neu ysgrifbin wrth
 beintio neu ysgrifennu stroke
 3 gweithred anghyffredin o fedrus neu
 feiddgar; camp, gorchest stroke
 4 symudiad cyfan piston i un cyfeiriad stroke
 5 MEDDYGAETH anabledd sydyn sy'n taro'r
 ymennydd wrth i lif y gwaed gael ei atal; gall
 achosi anymwybyddiaeth neu barlys seizure,
 stroke

stroclyd *ans* am ddarn o gelfyddyd sy'n ceisio yn
 rhy amlwg i gyflawni tipyn o orchest; ffuantus
 contrived, showy

strodur *eb* (stroduriau) math o gyfrwy (ceffyl)
 i gynnal siafftau trol neu gludo paciau saddle

stroffig *ans* (am gyfansoddiad lleisiol neu gorawl)
 â cherddoriaeth pob pennill yr un fath strophic

strontiwm *eg* elfen gemegol rhif 38; metel
 alcalïaidd, meddal, ariannaidd; mae'r isotop
 Sr-90 yn ymbelydrol ac yn gallu disodli
 calsiwm mewn esgyrn (Sr) strontium

strwythur *eg* (strwythurau) trefniant a
 chydberthynas elfennau sy'n ffurfio cyfanwaith
 neu system, *strwythur cyflogau, strwythur
 iaith*; adeiledd structure

strwythuredig *ans* yn meddu ar strwythur,
 ac iddo strwythur structured

strwythuro *be* [strwythur•¹] gosod trefn neu
 strwythur ar rywbeth to structure

strwythurol *ans* yn ymwneud â strwythur,
 wedi'i achosi gan strwythur structural

stryd *eb* (strydoedd) heol/ffordd a thai neu
 adeiladau ar hyd-ddi a phalmant i gerdded
 arno, fel arfer street

 stryd fawr prif stryd tref, yn enwedig y safle
 traddodiadol ar gyfer y rhan fwyaf o siopau,
 banciau a busnesau eraill high street

stryffaglio *be* [stryffagli•²] gwneud gwaith caled
 o rywbeth; bustachu, bwnglera to struggle

stumio gw. ystumio

stumog *eb* (stumogau)
 1 ANATOMEG organ mewnol lle mae bwyd yn
 dechrau cael ei dreulio; yn achos dyn a nifer
 o famolion eraill, mae'n rhan chwyddedig o'r
 llwybr ymborth ac yn cysylltu'r coluddyn bach
 â'r oesoffagws; mae'n un o bedair rhan gyffelyb
 mewn anifail cnoi cil, e.e. buwch; bol, cylla,
 crombil stomach
 2 ANATOMEG y rhan o'r corff islaw'r frest ac
 uwchben y coesau sy'n cynnwys yr organ hwn;
 tor stomach

 **does gennyf fi (gennyt ti, ganddo ef, etc.)
 ddim stumog am** nid wyf yn teimlo fel, does
 gennyf ddim awydd i (I) have no stomach for

stumogi *be*
 1 cael yn flasus neu fedru'i dreulio to stomach
 2 dioddef, *Alla i ddim stumogi ei agwedd tuag
 at ei gydweithwyr.* to stomach
  Sylwch: nid yw'r ferf hon yn arfer cael ei
  rhedeg.

sturmant *eg* (sturmantau) offeryn cerdd bach
 ar ffurf telyn a osodir rhwng y dannedd;
 cynhyrchir y sain drwy dynnu tafod o fetel
 â'r bysedd; biwba, giwga Jew's harp

stwbwrno gw. stybyrno

stwc *eg* (stycau) nifer o ysgubau wedi'u gosod
 i bwyso yn erbyn ei gilydd mewn cae i sychu;
 sopen stook

stwco *eg*
 1 cymysgedd o dywod, sment ac ychydig o
 galch a daenir yn wlyb dros furiau allanol lle
 mae'n sychu yn orchudd caled stucco
 2 plastr main a gâi ei ddefnyddio yn sylfaen
 i ffresgo mewn pensaernïaeth glasurol, neu
 ganrifoedd yn ddiweddarach i efelychu carreg
 nadd stucco

stwcyn *eg* dyn bach cydnerth stocky little man

stwffin *eg*
 1 defnydd wedi'i dorri'n fân a'i ddefnyddio i
 lenwi rhywbeth (e.e. tegan meddal) stuffing
 2 cymysgedd blasus a roddir mewn darn o gig,
 ffowlyn/cyw iâr, etc. cyn ei goginio stuffing

stwffio *be* [stwffi•²]
 1 llenwi â stwffin (~ *rhywbeth* â) to stuff
 2 gwthio, hwpo peth i mewn i rywbeth arall
 (~ *rhywbeth* i) to stuff, to cram, to push
 3 bwyta gormod, *Stwffiodd ei hun nes ei fod
 yn sâl.*; claddu, llowcio, sglaffio to gorge

stwffwl *eg* (styffylau)
 1 math o glip sy'n dal darnau o bapur ynghyd
 staple
 2 hoelen ar ffurf y llythyren U a ddefnyddir
 i ddal gwifren yn ei lle staple

stwmp¹ *eg* (stympiau) (mewn criced) un o'r tair
 ffon bren sy'n gwneud wiced stump

 stwmp canol y stwmp sydd rhwng y ddau arall
 middle stump

 stwmp coes y stwmp sydd ar yr un ochr â
 choesau'r batiwr leg stump

 stwmp pellaf y stwmp sydd ar yr un ochr â
 bat y batiwr off stump

stwmp² gw. stwnsh

stwmpo gw. stwnsio

stwna:stwnan *be* bod wrthi'n ddiamcan;
 pilcota to potter
  Sylwch: nid yw'r ferf hon yn arfer cael ei rhedeg.

stwnsh:stwmp *eg* llysiau (wedi'u coginio, fel
 arfer) sydd wedi cael eu malu i wneud sylwedd
 meddal; lwts mash, hash

stwnsio:stwmpio *be* [stwmpi•²] malu
 (llysiau, fel arfer) yn stwnsh to mash

stŵr *eg* sŵn uchel a chyffro; dadwrdd, dwndwr, mwstwr, twrw din, row, rumpus
  cael stŵr cael drwg, derbyn cerydd, cael eich dwrdio to be told off

stwrllyd *ans* yn cadw mwstwr, llawn stŵr; croch, cyflafar, swnllyd, trystfawr noisy, rowdy

stwrsiwn:styrsiwn *eg* (styrsiynod) pysgodyn bwytadwy mawr iawn sy'n byw ym moroedd ac afonydd tymherus hemisffer y Gogledd; gwneir cafiar o'i ronell sturgeon

stybyrno:stwbwrno *be* [stybyrn•¹] troi'n styfnig, ystyfnigo to turn stubborn

styden *eb* (stydiau)
  1 math o ddyfais a ddefnyddid i sicrhau coler crys (yn lle botwm a thwll botwm) stud
  2 math o addurn, a phen crwn neu fflat iddo, a wisgir yn y clustiau neu'r trwyn stud

stydi *eb* ystafell mewn tŷ ar gyfer astudio a chadw llyfrau study

styffylau *ell* lluosog **stwffwl**

styffylu *be* [styffyl•¹] sicrhau â styffylau to staple

styffylwr *eg* (styffylwyr) teclyn ar gyfer styffylu (un bach llaw, fel arfer); staplwr stapler

styllen gw. ystyllen

stympiau *ell* lluosog **stwmp**

stympio *be* [stympi•²] (mewn criced) disodli'r catiau drwy gyffwrdd â'r stympiau â'r bêl pan fydd y batiwr y tu allan i'r cris batio to stump

stynt *eb* (styntiau) camp anodd neu anarferol a ddefnyddir i dynnu sylw stunt, caper

styntiwr *eg* (styntwyr) person a gyflogir i gyflawni styntiau; yn enwedig un sy'n cyflawni styntiau yn lle actorion mewn ffilm stuntman

styrsiwn gw. stwrsiwn

su *eg* (suon) sŵn isel sy'n debyg i fwmian gwenyn; murmur buzz, hum

subito *adf* CERDDORIAETH yn sydyn, yn ddisymwth, ar unwaith

sub judice *ans* yn dal i gael ei ystyried o dan y gyfraith; heb benderfyniad

sub rosa *adf* ac *ans* yn gyfrinachol, cyfrinachol

sucan *eg* math o uwd oer wedi'i wneud o flawd ceirch garw wedi'i wlychu mewn dŵr oer dros nos, ei hidlo, ei ferwi a'i adael i oeri a thewychu; llymru caudle

sudd *eg* (suddion) yr hylif a ddaw o ffrwythau, llysiau, cig, rhannau planhigion, etc.; nodd, sug juice, sap

suddedig *ans*
  1 wedi suddo sunken, submerged
  2 (am blanhigion) yn tyfu yn rhannol neu'n gyfan gwbl dan ddŵr submerged

suddfan dŵr *eg* (suddfannau dŵr) pwll y mae dŵr yn draenio'n araf drwyddo i'r pridd soakaway

suddgost *eb* (suddgostau) ECONOMEG cost nad oes modd ei hadfer neu ei hadennill,

e.e. yr arian y mae cwmni'n ei wario ar hysbysebu wrth geisio sefydlu troedle mewn marchnad newydd sunk cost(s)

suddiad *eg* (suddiadau)
  1 canlyniad suddo, goleddfiad i lawr dip, declivity
  2 y broses o suddo immersion

suddlon *ans*
  1 (am ffrwythau) llawn sudd succulent
  2 (am blanhigyn) â dail neu goesyn sy'n fras ac yn ir succulent

suddo *be* [sudd•¹]
  1 mynd neu achosi i rywbeth fynd o dan yr wyneb, o'r golwg neu i waelod dyfnder o ddŵr, *Suddodd y llong yng nghanol y storm.* to sink, to founder, to submerge
  2 buddsoddi (gyda'r awgrym fod hynny'n cael ei wneud mewn ffordd annoeth), *Suddodd Enoc Huws ei arian ym mwynglawdd Capten Trefor.* to invest (rashly), to sink
  3 achosi i bêl fynd i dwll neu boced mewn gêmau megis snwcer neu golff to putt, to pot, to sink

sug *eg* (sugion) sudd; yr hylif a ddaw o ffrwythau, llysiau, cig, rhannau planhigion, etc. juice

sugndraeth *eg* (sugndraethau) haen neu drwch o dywod mân llawn dŵr sy'n hylifo dan bwysau neu os yw'n cael ei ddirgrynu; traeth byw, traeth gwyllt quicksand

sugnedd *eg* (sugneddau)
  1 y broses o dynnu aer neu hylif allan o rywbeth (fel bod nwy neu hylif arall yn cymryd eu lle, neu i greu gwactod fel bod solid yn glynu wrth solid arall oherwydd gwasgedd yr aer y tu allan), hefyd canlyniad y broses hon suction
  2 siglen, cors, mignen quagmire

sugnen *eb* siglen, cors, mignen; sugnedd quagmire

sugniad:sugnad *eg* (sugniadau) y weithred o sugno

sugno *be* [sugn•¹]
  1 tynnu (hylif, fel arfer) i'r geg gan ddefnyddio'r tafod, y gwefusau a chyhyrau'r bochau a'r gwefusau i ffurfio twll bach i dynnu'r hylif drwyddo to suck
  2 bwyta rhywbeth drwy ei ddal yn y geg a'i lyfu â'r tafod, *sugno lolipop* to suck
  plentyn sugno gw. plentyn

sugnolyn *eg* (sugnolynnau)
  1 BIOLEG organeb sy'n caniatáu i anifail neu blanhigyn lynu wrth wyneb (rhywbeth) drwy rym sugnedd sucker
  2 cwpan o rwber sy'n glynu wrth wyneb drwy rym sugnedd sucker

sugnwr:sugnydd *eg* (sugnwyr) un sy'n sugno neu'n yfed sucker
  sugnydd llwch dyfais drydanol sy'n glanhau (lloriau, carpedi, etc.) drwy sugno baw a llwch oddi arnynt; hwfer vacuum cleaner

S

sui generis *ans* unigryw; ar ei ben ei hun

Sul *eg* (Suliau) fel yn *dydd Sul*, y dydd cyntaf o'r wythnos a'r diwrnod y mae Cristnogion yn ei gadw'n gysegredig Sunday, Sabbath

dydd Sul dydd cyntaf yr wythnos a'r diwrnod y mae Cristnogion yn ei gadw'n gysegredig Sunday

Ymadroddion

Sul, gŵyl a gwaith drwy'r amser, bob dydd

Sul y Blodau CREFYDD y dydd Sul cyn y Pasg pryd y croeswyd Iesu Grist i Jerwsalem; ar y Sul hwn mae'n arfer gan bobl osod blodau ar feddau aelodau o'r teulu Palm Sunday

Sul y pys diwrnod na ddaw byth

Sulgwyn *eg* CREFYDD Sul y Pentecost, 50 diwrnod ar ôl y Pasg pan ddaeth yr Ysbryd Glân ar y disgyblion yn yr oruwch ystafell; gwyliau sy'n gysylltiedig â'r Sul hwnnw Whitsun, Pentecost

Sunni *eg* (Islam) un o ddwy brif gangen Islam (Shi'a yw'r llall)

suntur *eg* pridd graeanog neu isbridd a llawer o raean ynddo gravelly soil

suo *be* [su•[1]] gwneud sŵn fel canu tawel neu fel gwenynen yn hedfan to murmur, to hum, to drone3; sibrwd, mwmial, hwmian, sïo to murmur, to hum, to drone

suo-gân *eb* (suoganau) CERDDORIAETH cân i suo plentyn i gysgu; hwiangerdd lullaby

suoganu *be* [suogan•[3]] canu'n dawel, canu suo-gân (~ i) to hum, to sing a lullaby

sur *ans* [sur•] (surion)

1 heb fod yn felys, *Mae'r grawnffrwyth 'ma'n sur.*; egr, chwerw, siarp sour, tart

2 (am laeth, gwin, etc.) heb fod yn ffres, wedi troi sour, rancid

3 am rywun byr ei amynedd a gwael ei dymer, sych a di-wên; diserch, sarrug, sychlyd sour, acid

suran *eb* ac *ell* un o nifer o blanhigion sy'n tyfu dan goed, mae *suran y coed* yn gyffredin mewn coetir llaith sorrel, wood sorrel

surbwch *ans* (am rywun) sur heb synnwyr digrifwch churlish, surly

surdoes *eg* unrhyw sylwedd sy'n gwneud i does godi; burum, eples, lefain yeast, leaven

surion *ans* lluosog *sur*, *afalau surion*

surni *eg* y cyflwr o fod yn sur; chwerwder, egrwch sourness

suro *be* [sur•[1]]

1 (am laeth, gwin, etc.) troi'n sur, mynd yn ddrwg to turn sour

2 (am bobl neu berthynas) gwneud neu droi'n sur; chwerwi, digio, ffromi to sour, to turn sour

suryn *eg* dyn cas, blin, piwis, dihiwmor grouch

sushi *eg* COGINIO peli neu roliau o reis oer mewn finegr wedi'u cyfuno â darnau eraill o fwyd, yn enwedig pysgod amrwd

sut *adf*

1 pa fodd, ym mha ffordd, *Sut cawsoch chi'ch dal? Sut rwyt ti?* how

2 pa fath, *Sut ddiwrnod gest ti?* what sort *Sylwch:* mae'n achosi'r treiglad meddal pan ddaw o flaen enwau ond dim treiglad o flaen berfau, ond gan fod 'y'/'yr' yn cael ei hepgor ar lafar, rhoddir yr argraff nad yw'n achosi treiglad.

sut bynnag *ta* p'un anyway, however

sut mae hi? cyfarchiad wrth gyfarfod â rhywun hello

sw *ebg* (sŵau) parc lle mae anifeiliaid (o wledydd tramor, fel arfer) yn cael eu cadw a'u dangos i'r cyhoedd; gerddi swolegol zoo

swaden *eb* ergyd, clipsen, bonclust slap, blow, clout

swae gw. sigl a swae

Swasiad *eg* (Swasiaid) brodor o Swaziland

Swasïaidd *ans* yn perthyn i Swaziland, nodweddiadol o Swaziland

swastica *eb* symbol neu addurn hynafol ar ffurf croes â phob braich gyhyd ac wedi'u hymestyn yn llorweddol; y ffurf hon gyda'r ymestyniadau i gyfeiriad clocwedd oedd arwyddlun Natsïaid Trydydd *Reich* yr Almaen swastika

swatio *be* [swati•[2]]

1 eistedd a'ch coesau wedi'u tynnu i mewn odanoch; cyrcydu to squat

2 eich gwneud eich hun yn glyd ac yn gynnes, *swatio o dan y blancedi yn y gwely*; cwtsio to snuggle

3 gorwedd yn glyd, *Mae Eglwys Gadeiriol Tŷ Ddewi yn swatio ar lawr Glyn Rhosyn.*

swberin *eg* sylwedd cymhleth cwyraidd a geir mewn rhai planhigion, yn enwedig y dderwen gorc suberin

swbstrad *eg* (swbstradau)

1 haen waelodol neu sylfaenol, e.e. defnydd sy'n darparu'r arwyneb ar gyfer cylched brintiedig substrate

2 BIOCEMEG y sylwedd y mae ensym yn gweithredu arno fel catalydd substrate

swci *ans* am anifail sy'n cymryd llaeth neu fwyd o law rhywun, fel arfer am ei fod wedi colli'i fam, *oen swci*; dof, hywedd, llywaeth suckling, tame

swclen *eb* (swclod) eboles ifanc filly

swclyn *eg* (swclod) ebol ifanc colt, foal

swcr:swcwr *eg* cymorth, gofal, trugaredd, ymgeledd succour

swcro *be* [swcr•[1]] helpu rhywun mewn trafferth, bod yn gefn i; cefnogi, cynorthwyo, ymgeleddu to succour

swcros *eg* CEMEG siwgr a geir yn sudd nifer mawr o blanhigion ac sy'n rhoi'r sylwedd melys, crisialog i ni sucrose

swch *eb* (sychau) llafn llydan aradr ploughshare, share

swch eira y llafn a geir ar flaen lorïau neu drenau i glirio eira; aradr eiria snowplough

Swdanaidd *ans* yn perthyn i Sudan, nodweddiadol o Sudan Sudanese

Swdaniad *eg* (Swdaniaid) brodor o Sudan Sudanese

Swedaidd *ans* yn perthyn i Sweden, nodweddiadol o Sweden Swedish

Swediad *eg* (Swediaid) brodor o wlad Sweden, un o dras neu genedligrwydd Swedaidd Swede

swedsen *eb* (swêds) rwden, erfinen, meipen swede

swfenîr *eg* (swfenîrs) peth sy'n atgoffa rhywun o le neu achlysur arbennig souvenir, memento

swffragét *eb* (swffragetiaid) *hanesyddol* merch neu wraig a oedd yn pwyso am estyn etholfraint (yr hawl i bleidleisio) i ferched, ac yn enwedig un a ddefnyddiai ddulliau treisgar dros yr achos ym Mhrydain ar ddechrau'r ugeinfed ganrif (tua 1903–18) suffragette

swffragydd *eg* (swffragwyr) un sy'n ymgyrchu er mwyn cynnig i grŵp penodol yr hawl i bleidleisio mewn etholiadau gwleidyddol suffragist

swigen *eb* ffurf lafar ar **yswigen:chwysigen** blister, bubble

swigen mochyn pledren mochyn a gâi ei defnyddio fel pêl droed ers llawer dydd pig's bladder
Ymadrodd
rhoi pìn yn swigen (rhywun) rhoi taw ar rywun bostfawr sy'n llawn o hunanbwysigrwydd

swil *ans* [swil•] nerfus iawn yng nghwmni pobl eraill; anhyderus, gwylaidd, ofnus, petrus shy, bashful, demure

swildod *eg* y cyflwr o fod yn swil; gostyngeiddrwydd, gwyleidd-dra, lledneisrwydd shyness, timidity, reticence, inhibition

swilio *be* troi'n swil to become shy
Sylwch: nid yw'r ferf hon yn arfer cael ei rhedeg.

Swisaidd:Swistirol *ans* yn perthyn i'r Swistir, nodweddiadol o'r Swistir Swiss

Swisiad *eg* (Swisiaid) brodor o'r Swistir, un o dras neu genedligrwydd Swisaidd Swiss

switio:switian *be* (am adar) trydar, twitian to chirp
Sylwch: nid yw'r ferf hon yn arfer cael ei rhedeg.

switsh *eg* (switshys)
1 dyfais sy'n cael ei gwasgu i gynnau/gychwyn neu i ddiffodd rhywbeth (trydanol, fel arfer) switch
2 CYFRIFIADUREG dyfais sy'n anfon pecynnau data i ran briodol o'r rhwydwaith switch
3 CYFRIFIADUREG newidyn mewn rhaglen sy'n actifadu neu'n dadactifadu ffwythiant penodol mewn rhaglen switch

switshfwrdd *eg* (switshfyrddau) panel yn cynnwys nifer o switshys, fel arfer, ar gyfer aelod o staff i gyfnewid neu i drosglwyddo galwadau ffôn switchboard

switsio *be* [switsi•²]
1 cynnau/cychwyn neu ddiffodd rhywbeth drwy ddefnyddio switsh (~ *rhywbeth* **arno**; ~ *rhywbeth* **i ffwrdd**) to switch
2 symud yn sydyn o un peth i beth arall; newid to switch

switsio pecynnau CYFRIFIADUREG trosglwyddo pecynnau o un system gyfrifiadurol i un arall gan ddefnyddio dyfais fel switsh neu lwybrydd packet switching

swlcws *eb* (swlci) ANATOMEG un o'r rhychau cul ar wyneb yr ymennydd sulcus

swltan *eg* (swltanau) sofran (brenin) gwladwriaeth Fwslimaidd sultan

swltana *eb* (swltanas) rhesinen fach, frown, ddi-had a ddefnyddir, wedi'i sychu, mewn teisen sultana

swltaniaeth *eb* teyrnas neu deyrnasiaeth swltan sultanate

swllt *eg* (sylltau) darn o hen arian bath gwerth pum ceiniog; hyd at 1971 roedd yn werth 12 hen geiniog shilling

swm¹ *eg* (symiau)
1 y cyfanswm a geir wrth adio a thynnu rhifau, *Swm 2 + 2 − 3 yw 1.*; crynswth sum
2 maint rhywbeth, *Roedd ganddo swm mawr o arian yn ei boced.* amount, sum

swm a sylwedd hanfod, testun, *Swm a sylwedd ei araith oedd ei fod am i'r Saeson adael cefn gwlad Cymru.* the long and short of it

swm² *eg* (symiau) MATHEMATEG sym; tasg neu broblem mewn rhifyddeg (adio, tynnu, lluosi, rhannu), *Faint o symiau wnest ti heddiw?* sum

Swmatraidd *ans* yn perthyn i Sumatera (ynys Sumatra), nodweddiadol o Sumatera Sumatran

Swmatriad *eg* (Swmatriaid) brodor o Sumatera (ynys Sumatra) Sumatran

swmbwl *eg* (symbylau) ffon bigfain oedd yn arfer cael ei ddefnyddio i bigo ychen i'w cadw i weithio goad, prod

swmp¹ *eg*
1 maint mawr, maintioli bulk
2 y rhan fwyaf, *Mae swmp y gwaith wedi'i orffen, dim ond manion sydd ar ôl.*; crynswth bulk

swmp² *eg* (swmpau) gwaelod peiriant tanio mewnol sy'n cynnwys cronfa o olew a ddefnyddir gan y system iro sump

swmpo *be* [swmp•¹] teimlo maint neu bwysau rhywbeth

swmpus *ans* sylweddol o ran maint a chynnwys, *llyfr swmpus*; mawr, trwchus bulky, substantial

sŵn *eg* (synau)

1 sain ddiystyr, aflafar sy'n cael ei chlywed mewn unrhyw le; seiniau sy'n amharu ar dderbyniad rhaglenni radio neu deledu neu alwadau ffôn noise, racket

2 sain angherddorol sy'n anodd ei disgrifio neu sy'n anarferol, *Mae sŵn od yn dod o injan y car.* noise, sound

3 yn gyffredinol, unrhyw beth sy'n cael ei glywed ar wahân i nodau cerddorol neu siarad ystyrlon, *sŵn traed; sŵn y glaw ar y ffenestr* sound

swnian:swnan *be* rhygnu ymlaen ynglŷn â rhywbeth; achwyn, grwgnach, pregethu to nag
Sylwch: nid yw'r ferf hon yn arfer cael ei rhedeg.

swnio:swno *be* [swni•⁶] ymddangos o'r hyn y mae rhywun yn ei glywed; rhoi argraff drwy gyfrwng sŵn to sound

swnllyd *ans* llawn sŵn neu'n gwneud llawer o sŵn; aflafar, croch, cyflafar, trystfawr noisy, blaring, loud

swnt *eg* (swntiau)

1 darn gweddol eang o fôr ag arfordir o gwmpas y rhan fwyaf ohono sound, strait

2 darn o ddŵr, lletach na chulfor, sy'n cysylltu dau fôr â'i gilydd strait

swnyn *eg* (swnwyr) dyfais electronig sy'n gwneud sŵn i dynnu sylw buzzer

swog *eg* (swogs) talfyriad o 'swyddog', yn enwedig swyddog mewn gwersyll ieuenctid

swoleg *eb* astudiaeth wyddonol o anifeiliaid zoology

swolegol *ans* yn perthyn i swoleg, nodweddiadol o swoleg zoological

swolegwr:swolegydd *eg* (swolegwyr gwyddonydd sy'n arbenigo mewn swoleg zoologist

swp *eg* (sypiau) casgliad o rywbeth; bagad, cwlwm, twr heap, pile, batch

yn swp o annwyd yn llawn annwyd full of cold

yn swp sâl (am annwyd neu anhwylder neu salwch stumog dros dro, fel arfer) mor sâl fel na allwch feddwl yn glir na gwneud fawr dim; yn sâl fel ci

swp-brosesu *be* [swp-broses•¹] CYFRIFIADUREG dull o brosesu data sy'n casglu deunydd ynghyd a'i brosesu; fe'i defnyddir yn helaeth ym myd diwydiant batch-processing

swper *egb* (swperau) pryd olaf y dydd sy'n cael ei fwyta yn yr hwyr supper
Sylwch: mae'n wrywaidd yn y Gogledd ac yn fenywaidd yn y De.

swpar chwaral cinio poeth ar derfyn diwrnod o waith, prif bryd bwyd chwarelwr
Ymadrodd

swper yr Arglwydd gw. arglwydd

swpera *be* [swper•¹] bwyta swper

swp-gynhyrchu *be* [swp-gynhyrch•¹] cynhyrchu

nifer bach o nwyddau unfath yr un pryd to batch produce

swpremwm *eg* (swpremymau) MATHEMATEG y rhif lleiaf sydd cyfuwch â, neu'n fwy na phob rhif mewn set benodol o rifau; arffin uchaf leiaf least upper bound, supremum

swrd *eg* (syrdiau) MATHEMATEG isradd anghymarebol, e.e. mae √2, sef ail isradd 2, yn swrd surd

swreal *ans* afreal, yn perthyn i fyd breuddwydion surreal

swrealaeth *eb* CELFYDDYD arddull a mudiad mewn celf a llenyddiaeth ar ddechrau'r ugeinfed ganrif lle mae'r llenor neu'r arlunydd yn cysylltu delweddau a gwrthrychau heb gyswllt, mewn ffordd ryfedd neu amhosibl, tebyg i freuddwyd; nod swrealaeth oedd rhyddhau awen greadigol y dychymyg a'r isymwybod surrealism

swrealaidd *ans* yn perthyn i swrealaeth, nodweddiadol o swrealaeth surrealistic

swrealydd *eg* (swrealyddion) un sy'n arddel swrealaeth neu ddulliau swrealaidd surrealist

Swrinamaidd *ans* yn perthyn i Surinam, nodweddiadol o Surinam Surinamese

Swrinamiad *eg* (Swrinamiaid) brodor o Surinam Surinamer, Surinamese

swrn *eg* (syrnau)

1 ffêr; y cymal yn y corff sy'n cysylltu'r troed wrth y goes; migwrn, pigwrn ankle

2 y chwydd yn union uwchben y carn ar gefn coes ceffyl lle mae twffyn o flew yn tyfu; egwyd fetlock

swrth *ans* [swrth•]

1 yn dangos gwrthwynebiad neu anfodlonrwydd mewn ffordd dawel, ddi-wên dros gyfnod o amser; blwng, diserch, sarrug, swta sullen, blunt

2 cysglyd, diegni, dioglyd, marwaidd sleepy, drowsy, lethargic

sws *eg* (swsys) gair am gusan neu am gusan plentyn kiss

swsian:swsio *be* [swsi•²] *tafodieithol, yn y Gogledd* cusanu to kiss

swta *ans* (am ddull o siarad, ymddwyn, etc.) byr, cwta, sydyn, *Pan ofynnais a oedd gobaith am waith dros y gwyliau, cefais ateb digon swta ganddo.*; swrth abrupt, brusque, curt

swydd *eb* (swyddi:swyddau)

1 gwaith (mewn swyddfa neu adeilad arbennig, fel arfer), yr hyn y mae rhywun yn ei wneud i ennill bywoliaeth; galwedigaeth, gyrfa job, occupation

2 safle mewn cwmni neu gymdeithas, etc. sy'n cael ei lenwi gan swyddog, *Rwy'n gwybod ei fod yn gweithio yn yr amgueddfa ond beth yw ei swydd?* position, post

3 hen air am sir, e.e. swydd Henffordd

[Herefordshire]; swydd Efrog [Yorkshire])
county

swydd wag swydd heb ei llenwi vacancy
Ymadrodd

yn unswydd am un rheswm yn unig, *Rydw i
wedi dod yma yn unswydd i dy weld di.*
for the sole purpose

swydd-ddisgrifiad *eg* (swydd-ddisgrifiadau)
rhestr ffurfiol o'r dyletswyddau y disgwylir i
ddeiliad swydd eu cyflawni, disgrifiad swydd
job description

swyddfa *eb* (swyddfeydd)
1 man trafod busnes, neu fan lle mae'r gwaith
ysgrifenedig sy'n ymwneud â busnes neu waith
cyhoeddus yn cael ei wneud office
2 man lle mae gwasanaeth yn cael ei gynnig,
swyddfa'r post, swyddfa docynnau office
3 adran o lywodraeth San Steffan, *y Swyddfa
Gartref, y Swyddfa Dramor* office
4 ystafell waith swyddog neu swyddogion office

swyddfa bost man, yn enwedig adeilad, a
ddefnyddir ar gyfer darparu gwasanaethau
post post office

swyddfa gofrestru swyddfa cofrestrydd
genedigaethau, marwolaethau a phriodasau;
gellir cynnal gwasanaeth priodas yno
registry office

swyddfa'r heddlu swyddfa neu bencadlys
heddlu lleol, gorsaf yr heddlu police station

Swyddfa'r Post y gorfforaeth sy'n gyfrifol am
wasanaethau'r post Post Office

swyddog *eg* (swyddogion)
1 rhywun sydd mewn swydd o gyfrifoldeb yn
y llywodraeth, mewn cwmni neu fusnes neu
lywodraeth leol, neu mewn cymdeithas, *Mae
gan bron bob cymdeithas o leiaf tri swyddog,
sef cadeirydd, ysgrifennydd a thrysorydd.*
officer, official
2 rhywun sydd â swydd o awdurdod yn y
lluoedd arfog, *Mae capten, rhingyll a chadfridog
i gyd yn swyddogion yn y fyddin.* officer

swyddog tollau gw. **toll**

swyddogaeth *eb* (swyddogaethau) yr hyn
y mae rhywun neu rywbeth i fod i'w wneud,
Beth yw swyddogaeth y botwm yma?;
amcan, ffwythiant, gwaith, pwrpas, rôl role,
function

swyddogaethol *ans* ynghlwm wrth swydd neu
swyddogaeth functional

swyddogaetholdeb *eb*
1 athrawiaeth, e.e. mewn pensaernïaeth, sy'n
dysgu y dylai'r diwyg ddilyn neu godi o'r
defnydd a wneir o wrthrych functionalism
2 theori sy'n ystyried gwerth pethau yn
ôl pa mor ymarferol ddefnyddiol ydynt
functionalism
3 theori sy'n pwyso a mesur pa mor

gyd-ddibynnol yw sefydliadau a phatrymau
cymdeithas, a sut maent yn cydweithio i
ddiogelu undod diwylliannol a chymdeithasol
functionalism

swyddogol *ans* yn cynrychioli awdurdod neu
â grym cyfreithiol y tu ôl iddo, *Dim ond pobl
â thocynnau swyddogol sy'n cael parcio yma.*
official

swyn *eg* (swynion)
1 gair neu weithred hudolus, ledrithiol,
yn ymwneud â hud a lledrith; cyfaredd,
dewiniaeth, hudoliaeth, rhaib charm, spell
2 gwrthrych a wisgir i amddiffyn rhywun rhag
drwg neu i ddod â lwc dda charm, talisman
3 rhin, ansawdd hyfryd neu naws sy'n apelio'n
fawr at rywun, *Mae rhyw swyn i mi yn
unrhyw beth sy'n perthyn i'r môr.*; cyfaredd
attraction, charm

swynfeddyg *eg* (swynfeddygon) (ymysg Indiaid
Gogledd America a rhai pobloedd eraill) un
y credir bod ganddo bwerau gwella hudol;
siaman medicine man, shaman

swyngan *eb* (swynganeuon) geiriau sy'n cael eu
llafarganu fel rhan o swyn incantation

swyngwsg *eg* cyflwr yn debyg i gwsg y mae
rhywun sydd wedi'i hypnoteiddio yn mynd iddo
trance, hypnotic state

swyngyfaredd *eb* (swyngyfareddion) y defnydd
o swynion i greu hud a lledrith; cyfaredd,
dewiniaeth, lledrith, rhaib enchantment, sorcery

swyngyfareddol *ans* yn amlygu swyngyfaredd;
swynol, cyfareddol enchanted, enchanting

swyngyfareddu *be* [swyngyfaredd•¹] cyfareddu
drwy ddefnyddio hud a lledrith; dewinio, hudo,
lledrithio, rheibio to enchant

swyngyfareddwr *eg* (swyngyfareddwyr)
dyn sy'n arfer swyngyfaredd; dewin, dyn
hysbys, hudwr sorcerer

swyno *be* [swyn•¹]
1 gosod cyfaredd ar (rywun neu rywbeth);
cyfareddu, hudo, lledrithio, rheibio to bewitch,
to enchant, to entrance
2 llenwi rhywun â theimlad o hyfrydwch,
*Cafodd y gynulleidfa ei swyno gan
berfformiad y ferch fach.*; cyfareddu, denu
to captivate, to charm, to enchant

swynog (swynogydd) gw. **myswynog**

swynol *ans* yn swyno; cyfareddol, hudolus,
lledrithiol, persain charming, captivating
swynol o fe'i defnyddir i ddwysáu ystyr
ansoddair, *swynol o bert*

swynwr *eg* (swynwyr) un sy'n hyddysg mewn
swynion, un sy'n ymarfer hud a lledrith;
dewin, dyn hysbys, hudwr sorcerer, magician,
enchanter

swynwraig *eb* merch neu wraig sy'n hyddysg
mewn swynion, un sy'n ymarfer hud a lledrith;

dewines, gwiddon, gwrach, hudoles sorceress,
magician, enchantress

sy gw. **sydd**

syber *ans* coeth, diwylliedig, gwych, urddasol
refined, genteel, seemly

syberwyd *eg hen ffasiwn* y cyflwr o fod yn
syber; urddas, boneddigeiddrwydd, gwychder
refinement, seemliness

sybsidiaredd *eg* CYFRAITH egwyddor yng
Nghyfraith yr Undeb Ewropeaidd sy'n
sefydlu bod rhaid i benderfyniadau gael eu
gwneud ar y lefel briodol (boed hynny'n
lleol, yn rhanbarthol, yn genedlaethol neu'n
Ewropeaidd); cyfrifolaeth subsidiarity

sycamorwydd *ell* masarn sycamore

sycamorwydden *eb* unigol **sycamorwydd**;
masarnen

sych *ans* [sych• *b* sech] (sychion)
1 heb fod yn wlyb; hysb dry
2 ag angen dŵr neu ddiod; sychedig dry,
thirsty
3 (am fara) heb fenyn arno neu heb fod yn ffres
dry, stale
4 (am win neu rywbeth i'w yfed) heb fod yn
felys dry
5 (am y tywydd) heb law na gwlybaniaeth dry
6 anniddorol ac undonog, *llyfr sych*; dieneiniad
boring, dry
7 dihiwmor, *Hen un sych yw Mr Williams
drws nesaf.* dry
8 (am hiwmor) doniol heb ymddangos felly;
tawel, cynnil dry
9 (am le) nad yw'n gwerthu diod feddwol dry
sych gorcyn mor sych â chorcyn completely dry
sych grimp sych tu hwnt dry as dust

sychau *ell* lluosog **swch**

sychdarthiad *eg* (sychdarthiadau) CEMEG
y broses o sychdarthu, canlyniad sychdarthu
sublimation

sychdarthu *be* CEMEG newid o gyflwr o fod yn
solet i fod yn anwedd heb droi yn hylif ar y
ffordd to sublimate, to sublime
Sylwch: nid yw'r ferf hon yn arfer cael ei rhedeg.

sychder:sychdwr *eg*
1 y cyflwr o fod heb ddigon o ddŵr, o fod heb
ddŵr dryness
2 cyfnod hir heb law, *Nid yw'r sychder yr
ydym ni yn ei brofi yn y wlad hon o bryd i'w
gilydd yn ddim o'i gymharu â'r sefyllfa mewn
rhannau o Affrica.*; craster, crinder drought

syched *eg* teimlad o sychder yn y geg a achosir
gan yr angen am ddiod thirst
bod â syched arnaf fi (arnat ti, arno ef, etc.)
eisiau rhywbeth i yfed to be thirsty
torri syched gorffen bod yn sychedig; yfed
to slake one's thirst

sychedig *ans* a syched arno thirsty

sychedu *be* [syched•¹] bod â syched am rywbeth
(~ **am**) to thirst

sychfonheddig *ans* crach fonheddig;
snobyddlyd, ffroenuchel snobbish

sychiad:sychad *eg* y weithred o sychu, canlyniad
sychu wipe

sychion *ans* ffurf luosog **sych**, *esgyrn sychion*
arian sychion gw. **arian²**

sychlanhau *be* [sychlanha•¹⁴] glanhau dillad
neu frethyn gan ddefnyddio cemegion (rhai yn
cynnwys clorin, fel arfer) yn lle dŵr to dry-clean

sychlyd *ans* braidd yn sych, yn tueddu i fod yn
sych dry

sychnant *eb* (sychnentydd) wadi; dyffryn afonol,
yn aml ar ffurf ceunant, mewn ardal gras neu
letgras sydd gan amlaf yn sych ac eithrio yn
dilyn glaw trwm, ysbeidiol wadi

sychrewi *be* [sychrew•¹] dadhydradu bwyd
wedi'i rewi (fel arfer) mewn gwactod er mwyn
ei gadw rhag pydru to freeze-dry

sychu *be* [sych•¹ 3 *un. pres.* sych/sycha;
2 *un. gorch.* sych/sycha]
1 gwneud neu droi'n sych to dry
2 rhwbio rhywbeth er mwyn cael gwared ar
faw, gwlybaniaeth, etc., *A phaid â defnyddio
llawes dy got i sychu dy drwyn.*; mopio
(~ *rhywbeth* â) to wipe
3 cadw bwydydd drwy dynnu'r dŵr allan
ohonynt, *ffrwythau wedi'u sychu*; dysychu
to dry

sychwr:sychydd *eg* (sychwyr:sychyddion)
1 rhywbeth sy'n sychu, e.e. drwy echdynnu
neu amsugno gwlybaniaeth dryer
2 sylwedd cemegol sy'n prysuro'r broses o
sychu (paent, farnais, etc.) dryer
3 dyfais (drydanol, fel arfer) ar gyfer sychu
(dillad, gwallt, etc.) drwy ddefnyddio aer
cynnes neu drwy droelli dryer
4 stribyn rwber sy'n cael ei weithio gan
beiriant i sychu ffenestr car (windscreen)
wiper

sydyn *ans* yn digwydd yn gyflym iawn ac yn
annisgwyl, *Cododd yn sydyn a gadael yr
ystafell.*; chwim, disymwth, dirybudd sudden,
abrupt, quick

sydynrwydd *eg* cyflymder annisgwyl
suddenness, abruptness, swiftness

sydd:sy *bf* [bod] 3ydd unigol Amser Presennol
perthynol 'bod' *Pwy sydd yna? Wyt ti wedi
cwrdd â'r teulu sy'n dod i fyw drws nesaf?*
that is, which is, who is
Sylwch:
1 fe'i defnyddir mewn cymal perthynol
goddrychol cadarnhaol *Dyma'r rhai sydd
yn cymryd rhan.*
2 ac sydd sy'n gywir (nid *a* sydd);
3 wrth ysgrifennu'n ffurfiol, ni ddylech

ddefnyddio 'sydd' mewn cymal negyddol, e.e. *Dyma'r plant sy yn y gerddorfa. Dyma'r plant nad ydynt yn y gerddorfa.*;
4 pan ollyngir 'yn' yn dilyn 'sydd' o flaen ansoddair, mae'r treiglad meddal yn aros, e.e. *hyn sydd dda.*

syfïen *eb* (syfi)
1 planhigyn sy'n tyfu'n agos i'r llawr ac sy'n dwyn ffrwythau melys, coch, bwytadwy (y llwyn mefus gwyllt o'i gyferbynnu â llwyn mefus y gerddi) wild strawberry
2 un o ffrwythau'r planhigyn hwn; mefusen wild strawberry

syfliad *eg*
1 CYFRIFIADUREG symudiad didau mewn cyfrifiadur hyn a hyn o leoedd i'r chwith neu i'r dde fel rhan o broses gyfrifiadurol, e.e. lluosi shift
2 CERDDORIAETH symudiad y llaw ar hyd brân (bwrdd bysedd) offeryn llinynnol shift

syflyd *be* [syfl•¹ 3 *un. pres.* syfl/syfla; *2 un. gorch.* ni cheir ffurf] symud, cyffroi to move, to stir

syfrdan *ans* wedi'i barlysu gan ryfeddod, ofn, braw, etc.; cegrwth, hurt, syn shocked, dumbfounded, stunned

syfrdandod *eg* y cyflwr o fod yn syfrdan, teimlad yn cyfuno syndod a hurtrwydd; pensyfrdandod amazement, astonishment

syfrdanol *ans* yn peri syndod neu ryfeddod mawr; anhygoel, aruthrol, rhyfeddol, trawiadol amazing, astounding, stunning
syfrdanol o fe'i defnyddir i ddwysáu ystyr ansoddair, *syfrdanol o gyflym*

syfrdanu *be* [syfrdan•¹]
1 bod mor syn fel na allwch wneud dim, *Roedd pobl y pentref wedi'u syfrdanu pan glywsant am y ddamwain.*; synnu to stun, to astonish, to dumbfound
2 rhyfeddu, bod yn llawn syndod pleserus, *Roedd y prifathro wedi'i syfrdanu gan ymateb hael y rhieni.* to astonish, to dumbfound
3 achosi syndod mawr neu ryfeddod, *Syfrdanodd y gynulleidfa â'i rybuddion am yr hyn a allai ddigwydd pe na baent yn gweithredu ar unwaith.*; dychryn, ysgwyd to dumbfound, to shock

syffilis *eg* MEDDYGAETH clefyd heintus cronig a drosglwyddir gan amlaf drwy gyswllt rhywiol syphilis

sygot *eg* (sygotau) BIOLEG cell sy'n ymffurfio o ganlyniad i ymasiad gamet gwryw a gamet benyw zygote

sylem *eg* BOTANEG y meinwe sy'n cludo dŵr a maetholion o'r gwreiddiau i bob rhan o blanhigyn, ac sydd hefyd yn ffurfio'r rhannau lignaidd sy'n cynnal y planhigyn xylem

sylfaen *ebg* (sylfeini)
1 adeiladwaith a osodir mewn tyllau a sianelau wedi'u cloddio yn y ddaear a fydd yn cynnal waliau adeilad; sail, is-haen foundation
2 yr hyn y mae rhywbeth wedi'i seilio arno; gwaelod, hanfod, sail basis
y Cyfnod Sylfaen ADDYSG y cwricwlwm statudol ar gyfer pob plentyn 3 i 7 oed yng Nghymru Foundation Phase

sylfaenol *ans*
1 gwaelodol, y mae popeth arall yn deillio ohono, *Maen nhw'n anghytuno'n sylfaenol ynglŷn â llawer o bethau.*; gwreiddiol fundamental
2 yn fwy pwysig nag unrhyw un peth arall; am rywbeth y mae popeth arall wedi'i adeiladu neu ei seilio arno, *Dyma gyfres o ymarferion sylfaenol y bydd gofyn i ti eu meistroli.*; anhepgor, hanfodol, elfennaidd basic, primary

sylfaenu *be* [sylfaen•¹] gosod ar sail; dechrau, sefydlu, seilio (~ *rhywbeth* ar) to base, to found

sylfaenydd:sylfaenwr *eg* (sylfaenwyr) un sy'n sefydlu rhywbeth, un sy'n dechrau rhywbeth; cychwynnydd, sefydlwr, sefydlydd founder

sylfeini *ell* lluosog **sylfaen**

sylffad *eg* CEMEG halwyn neu ester o asid sylffwrig, e.e. y gwrtaith *amoniwm sylffad* sulfate

sylffwr *eg* elfen gemegol rhif 16; fe'i ceir mewn sawl gwahanol ffurf (ond yn enwedig ar ffurf powdr melyn); mae'n cael ei ddefnyddio yn y diwydiant rwber ac mae'n un o'r elfennau sy'n hanfodol i fywyd (S) sulphur
sylffwr deuocsid CEMEG nwy gwenwynig ac iddo arogl cryf, annymunol sulphur dioxide

sylffwraidd *ans* tebyg i sylffwr, nodweddiadol o sylffwr, *mwg sylffwraidd drewllyd* sulphurous

sylffwrig *ans* yn cynnwys sylffwr, *asid sylffwrig* sulphuric

sylw *eg* (sylwadau)
1 rhywbeth sydd wedi cael ei weld a'i gofnodi, *Hoffwn dderbyn dy sylwadau ar ein taith erbyn dydd Gwener.*; cofnod, nodyn comment, observation
2 dywediad, ymadrodd, *'Pan gyll y call, fe gyll ymhell', oedd unig sylw fy nhad ar y mater.*; gosodiad, mynegiad comment, observation, remark
3 y weithred o ganolbwyntio ar (rywun neu rywbeth) drwy edrych neu wrando arno, *Ga i'ch sylw chi am eiliad?* attention, heed
4 gofal, ystyriaeth arbennig, *Byddai hi'n pwdu'n lân petai rhywun arall yn cael mwy o sylw na hi.*; cyhoeddusrwydd, hid, hysbysrwydd attention

S

sylw naill ochr gw. **naill**
talu sylw canolbwyntio to pay attention
sylwebaeth *eb* (sylwebaethau) disgrifiad
(ar lafar) o gêm, digwyddiad, etc., yn enwedig
ar y radio neu'r teledu commentary
sylwebu *be* [sylweb•¹] traddodi sylwebaeth
(~ ar) to commentate
sylwebydd *eg* (sylwebyddion) un sy'n rhoi
sylwebaeth; darlledwr, gohebydd,
newyddiadurwr commentator
sylwedydd *eg* (sylwedyddion) un sy'n sylwi
(yn hytrach na gweithredu neu gymryd rhan);
arsyllwr, gwyliwr observer
sylwedd *eg* (sylweddau)
1 defnydd, math o fater, *sylwedd cemegol*
matter, substance
2 y rhan bwysig, rhywbeth o bwys, *Doedd
dim o sylwedd yn ei araith*.; ansawdd, cryfder
substance
3 calon y peth heb y manylion ymylol, *swm a
sylwedd*; hanfod, craidd gist, essence, substance
sylweddiad *eg* y broses o sylweddoli, canlyniad
sylweddoli realization
sylweddol *ans* mawr (o ran maint, gwerth neu
bwysigrwydd); pwysig, swmpus substantial,
significant
sylweddoli *be* [sylweddol•¹]
1 deall a chredu (ffaith), *Doeddwn i ddim wedi
sylweddoli ei bod hi mor hwyr*.; amgyffred,
deall, dirnad to realize
2 gwireddu (breuddwyd neu addewid), *Mae'n
dal yn ifanc a heb sylweddoli ei wir botensial*.
to realize
sylweddoliad *eg* amgyffred, dealltwriaeth,
dirnadaeth realization
sylwgar *ans* (am un) sy'n dda am sylwi ar
bethau; craff, llygatgraff, treiddgar observant,
perceptive
sylwi *be* [sylw•¹] gweld a nodi, gwylio'n ofalus,
dal sylw, *Sylwais i ddim eu bod wedi cael llenni
newydd.* (~ ar) to observe, to note, to notice
sylladur:sylliadur *eg* (sylladuron) y lens neu'r
cyfuniad o lensiau sydd agosaf at y llygaid
mewn dyfais optegol, e.e. telesgop neu
ficrosgop eyepiece
sylltau *ell* lluosog **swllt**
syllu *be* [syll•¹]
1 edrych yn syth ar rywbeth, yn aml â'r
llygaid led y pen ar agor; llygadrythu (~ ar; ~ i)
to stare
2 edrych yn hir ac yn fyfyrgar ar rywbeth, *syllu
ar y sêr*; craffu, gwylio, llygadu to gaze, to peer,
to scan
syllwr *eg* (syllwyr) un sy'n syllu starer, observer
sym *eb* (symiau) MATHEMATEG tasg neu broblem
mewn rhifyddeg (adio, tynnu, lluosi, rhannu),
sym dynnu, sym adio sum

symbal *eg* (symbalau) un o ddau blât crwn o
fetel sy'n cael eu taro yn erbyn ei gilydd i greu
seiniau cerddorol cymbal
symbiosis *eg*
1 BIOLEG cyflwr lle mae dwy organeb dra
gwahanol i'w gilydd yn byw yn agos at ei
gilydd, yn enwedig cyflwr lle mae'r berthynas
o fantais i'r ddwy ohonynt symbiosis
2 perthynas debyg rhwng pobl neu grwpiau
cyd-ddibynnol; cyd-ddibyniaeth symbiosis
symbiotig *ans* yn byw mewn symbiosis;
cyd-ddibynnol symbiotic
symbol *eg* (symbolau)
1 ffurf neu wrthrych sy'n cynrychioli person,
syniad, gwerth, etc., *Mae'r ddraig goch yn
symbol o Gymru.*; arwydd, arwyddlun symbol
2 arwydd neu gyfuniad o lythrennau a/neu
rifau sydd ag ystyr arbennig, *H_2O yw'r symbol
cemegol am ddŵr.* symbol
symbolaeth:symboliaeth *eb*
1 yr arfer o ddefnyddio symbolau neu o roi
ystyr symbolaidd i bethau symbolism
2 arddull a mudiad o feirdd, llenorion
ac artistiaid yn Ffrainc tua'r 1880au a
adweithiodd yn erbyn realaeth; defnyddiai'r
mudiad iaith a delweddau symbolaidd i gyfleu
syniadau, emosiynau a chyflyrau meddwl
cyfriniol symbolism
symbolaidd *ans* yn gweithredu fel symbol,
yn cael ei ddynodi gan symbol neu'n gwneud
defnydd helaeth o symbolau; arwyddluniol
symbolic
symbolwr:symbolydd *eg* (symbolwyr) aelod
o'r mudiad a arddelai symbolaeth yn Ffrainc
ar ddiwedd y bedwaredd ganrif ar bymtheg
symbolist
symbylau *ell* lluosog **swmbwl**
gwingo yn erbyn y symbylau ymadrodd
beiblaidd sy'n darlunio ych neu asyn yn brwydro
(yn aflwyddiannus) yn erbyn y ffon bigfain a
ddefnyddid i'w gadw i weithio; gorfod dal ati
yn erbyn yr ewyllys to kick against the pricks
symbyliad *eg* (symbyliadau)
1 cymhelliad i wneud rhywbeth, neu i
wneud mwy neu i wneud yn well, *Rwy'n
gobeithio y bydd yr addewid o wyliau yn
Ffrainc yn symbyliad i Ifan weithio ar gyfer
ei arholiadau.*; anogaeth, sbardun, ysgogiad
encouragement, incentive, motivation
2 BIOLEG (am organebau) newid yn yr
amgylchedd mewnol neu allanol sy'n arwain at
ymateb, *Mae poen a golau yn enghreifftiau o
symbyliad.* stimulus
symbylu *be* [symbyl•¹] ysgogi (rhywun neu
rywbeth) i wneud rhywbeth arbennig;
cymell, hybu, procio, ysbarduno (~ rhywun i)
to encourage, to stimulate, to motivate

symbylydd *eg* (symbylwyr)
1 un sy'n ysgogi neu symbylu; anogwr, cymhellwr, ysgogydd motivator
2 sylwedd (cyffur, fel arfer) sy'n cynyddu effeithiolrwydd neu'n codi lefel weithredu rhan o'r corff stimulant

symffoni *eb* (symffonïau) CERDDORIAETH darn hir ar gyfer cerddorfa, sydd fel arfer yn cynnwys pedwar symudiad gwrthgyferbyniol symphony

symffonig *ans* CERDDORIAETH nodweddiadol o symffoni o ran graddfa, hyd, natur neu ansawdd symphonic

symiant *eg* (symiannau) effaith gynyddol cyfres o ysgogiadau nad ydynt yn unigol yn ddigon i greu adwaith ond gyda'i gilydd maent yn llwyddo i wneud hynny summation

symiau *ell* lluosog **swm** a **sym**

syml *ans* [syml• *b* seml]
1 naturiol, dirodres, *patrwm syml*; diaddurn, diymffrost, plaen simple
2 rhwydd ei ddeall, heb fod yn anodd nac yn astrus, *darn syml i'r piano*; anghymhleth simple
3 yn y ffurf sylfaenol, heb unrhyw reolau na nodweddion arbennig na chymhlethdodau, *Eglurwch y peth i mi mewn termau syml, uniongyrchol.*; elfennol, moel simple
4 pur, digymysg, diledryw, *gosodiad syml* simple
5 cyffredin, arferol, heb ddim yn arbennig ynglŷn ag ef/hi, *Pobl syml oeddynt.* simple

symledd gw. **symlrwydd**

symleiddiad *eg* (symleiddiadau) y broses o symleiddio, canlyniad symleiddio simplification

symleiddio *be* [symleiddi•²] gwneud neu ddod yn fwy syml to simplify

symlrwydd:symledd *eg* y cyflwr o fod yn syml; diniweidrwydd, hawster, plaender, rhwyddineb simplicity

symol *ans*
1 (am bethau yn gyffredinol) heb fod yn arbennig o dda; cyffredin, cymedrol, go lew, gweddol fair, middling
2 gwael ei iechyd, difrifol wael; claf, sâl seriously ill, unwell

sympathetig *ans*
1 yn cydymdeimlo sympathetic
2 yn bodoli neu'n gweithredu drwy gysylltiad neu gyd-ddibyniaeth sympathetic

symposiwm *eg* (symposia)
1 cyfarfod lle mae nifer o arbenigwyr yn cyflwyno papurau byr yn ymdrin â maes arbennig neu nifer o feysydd cysylltiedig symposium
2 casgliad o sylwadau tebyg wedi'u cyhoeddi mewn llyfr neu gylchgrawn symposium

symptom *eg* (symptomau)
1 MEDDYGAETH priodwedd yn dynodi clefyd, yn enwedig un mae'r claf yn gallu'i hadnabod symptom
2 unrhyw beth sy'n dynodi bodolaeth rhywbeth arall symptom

symptomatig *ans* yn arddangos symptom neu symptomau symptomatig

symud *be* [symud•¹ 3 *un. pres.* symud/symuda; 2 *un. gorch.* symud/symuda]
1 newid lle neu achosi i newid lle, *Pwy symudodd y gadair?* to move
2 newid neu achosi newid, *Nid ydym yn barod i symud ar y pwynt hwn.* to budge, to move
3 newid tŷ neu waith, *Rydym yn symud yn ôl i'r gogledd ar ddiwedd y mis.* to move
4 (mewn gêmau megis gwyddbwyll) newid safle (darn), *Ti sydd i symud.* to move
5 mynd ymlaen, *O'r diwedd mae pethau'n dechrau symud ynglŷn â chael adeilad newydd.* to move, to progress

symudadwy *ans* y gellir ei symud; symudol movable, manoeuvrable

symudedd *eg*
1 y gallu i symud mobility
2 (yn gymdeithasol) y broses o symud rhwng dosbarthiadau cymdeithasol, swyddi neu leoliadau mobility

symudiad *eg* (symudiadau)
1 y cyflwr o fod yn symud, *Roedd symudiad y llong yn fy ngwneud yn sâl.* motion, movement
2 y weithred o symud, *Roedd symudiadau'r actor yn cyfleu cymeriad y trempyn i'r dim.* move, movement
3 gweithred arbennig neu ffordd arbennig o symud, *symudiad mewn gwyddbwyll* move, movement
4 newid neu ddatblygiad, *Mae symudiad ar droed i gasglu sbwriel bob dydd.* movement
5 (yn y lluosog fel arfer) lleoliad a gweithgareddau rhywun ar adeg benodol, *Roedd gan yr heddlu ddiddordeb mawr yn symudiadau'r gwrthdystwyr.* movement
6 CERDDORIAETH un o brif raniadau cyfansoddiad cerddorol megis symffoni, concerto, sonata, etc. movement

symudliw *eg* effaith lliwiau yn symud i greu patrwm fel enfys, e.e. swigen sebon neu liwiau plu rhai adar iridescence

symudlun *eg* ffilm wedi'i gwneud drwy roi nifer helaeth o luniau llonydd unigol at ei gilydd gan roi'r argraff fod y cymeriadau'n symud animated picture

symudol *ans* yn symud, y gellir ei symud, *cartref symudol*; crwydrol, mudol, teithiol mobile, movable

S

symudyn *eg* (symudion) darn ysgafn (o waith celf, fel arfer) yn cynnwys cydrannau rhydd sy'n symud mewn awel ac weithiau'n taro'i gilydd i greu sŵn persain mobile

syn *ans* [synn•] wedi'i synnu, yn enwedig fel yn *edrych yn syn*; cegrwth, hurt, syfrdan amazed, surprised, astonished

synagog *eg* (synagogau) CREFYDD canolfan addoliad ac addysg i fechgyn Iddewig synagogue

synaps *eg* (synapsau) FFISIOLEG y bwlch microsgopig rhwng dwy nerfgell y mae ysgogiad nerfol yn gorfod ei groesi wrth symud o un nerfgell i'r nerfgell nesaf synapse

synapsis *eg* (synapses) BIOLEG ymasiad cromosomau homologaidd ar ddechrau meiosis synapsis

synaptig *ans* FFISIOLEG yn ymwneud â'r synaps neu'r synapsau rhwng nerfgelloedd synaptic

synau *ell* lluosog **sŵn**

synclin *eg* (synclinau) DAEAREG plyg ar ffurf cafn mewn dilyniant o greigiau lle mae'r haenau y naill ochr a'r llall i echelin y plyg yn gogwyddo at ei gilydd syncline

syncretiaeth *eb* cais (aflwyddiannus, fel arfer) i gyfuno athrawiaethau neu arferion gwahanol grefyddau neu ysgolion athronyddol syncretism

syndicaliaeth *eb*
1 athrawiaeth chwyldroadol yn annog gweithwyr i gymryd rheolaeth o'r economi a'r llywodraeth drwy weithredu'n uniongyrchol, e.e. drwy streic gyffredinol syndicalism
2 ECONOMEG trefn economaidd lle mae'r gweithwyr yn berchen ar ddiwydiannau ac yn eu rheoli syndicalism

syndicat *eg* (syndicatau)
1 grŵp o bobl neu gyrff sydd yn dod ynghyd i gyflawni darn arbennig o fusnes, e.e. prynu ceffyl rasio syndicate
2 busnes sy'n crynhoi newyddion neu ddarnau i'w cyhoeddi a'u gwerthu i nifer o gyhoeddiadau ar y tro syndicate

syndod *eg* y teimlad a achosir gan rywbeth hollol annisgwyl; teimlad o ryfeddod sydd, fel arfer, yn gysylltiedig ag edmygedd a chwilfrydedd; rhyfeddod (~ o) surprise, amazement

syndrom *eb* (syndromau)
1 MEDDYGAETH grŵp o arwyddion a symptomau sy'n cyd-ddigwydd ac sy'n nodweddiadol o annormaledd neu nam meddygol syndrome
2 cyfres o emosiynau, gweithredoedd, etc. sy'n ffurfio patrwm cydnabyddedig syndrome

syndrom Asperger cyflwr ar y sbectrwm awtistig a nodweddir gan ddiffyg yn y gallu i gynnal perthynas ag eraill, mynegiant pedantig a detholiad cul ac obsesiynol o ddiddordebau Asperger's syndrome

synergedd *eg* gweithred ar y cyd rhwng dau neu ragor o sylweddau, rhannau neu asiantaethau, e.e. cyffuriau a chyhyrau, y mae effaith y canlyniad ar y cyd yn fwy na chyfanswm effaith y gweithredoedd yn annibynnol ar ei gilydd synergism, synergy

synfyfyrdod *eg* (synfyfyrdodau) y weithred o synfyfyrio reverie

synfyfyrgar *ans* yn tueddu i synfyfyrio, yn syfyfyrio; myfyrgar pensive

synfyfyrio *be* [synfyfyri•²] meddwl yn ddwys ac yn galed am rywbeth; myfyrio (~ **uwchben**) to contemplate, to meditate, to muse

synfyfyriol *ans* yn synfyfyrio, nodweddiadol o synfyfyrdod; breuddwydiol, myfyrgar pensive, musing

synfyfyrion *ell* myfyrdodau, meddyliau musings

synhwyraidd *ans* yn perthyn i'r synhwyrau neu synhwyriad, yn ymwneud â'r synhwyrau neu synhwyriad sensory

synhwyrau *ell* lluosog **synnwyr**

synhwyriad *eg* (synwyriadau)
1 y broses o synhwyro, canlyniad synhwyro sensation
2 teimlad corfforol neu ganfyddiad sy'n ganlyniad i rywbeth sy'n digwydd i'r corff neu'n ei gyffwrdd sensation

synhwyro *be* [synhwyr•¹]
1 teimlo, canfod (rhywbeth nad yw'n amlwg) drwy'r synhwyrau, *Roedd y ci yn synhwyro bod rhywbeth o'i le a gwrthododd fynd yn ei flaen.*; to sense, to feel
2 arogli, clywed, ffroeni, sniffian to smell, to sniff

synhwyrol *ans* yn gwneud synnwyr; call, rhesymol, ystyriol sensible, rational

synhwyrus *ans* yn ymateb i brofiadau yn deillio o'r synhwyrau, yn enwedig profiadau esthetig; hydeiml, sensitif, teimladwy sensitive, sensuous

synhwyrydd *eg* (synwyryddion) dyfais, e.e. synhwyrydd pH, sy'n mesur priodwedd ffisegol sensor

syniad *eg* (syniadau)
1 darlun sy'n cael ei greu yn y meddwl, *Mae gennyf syniad da ar gyfer y sioe Nadolig.*; drychfeddwl idea, thought
2 cynllun, awgrym, *A oes gan unrhyw un syniad sut y gallwn ni ddod allan o'r lle 'ma?* idea
3 barn, *Mae ganddo syniadau cryf iawn ynglŷn â ble y dylen ni fod yn mynd.* idea, opinion, view
4 teimlad cryf mai dyma'r gwirionedd, *Mae gennyf syniad go lew ym mhle'r ydyn ni.*; gwybodaeth, amcan; clem guess, idea
5 delfryd neu ddarlun delfrydol, *Fy syniad i o wyliau braf yw gorweddian yn yr haul yn gwneud dim.*; delwedd idea
6 meddwl, cysyniad, *Mae ganddo lawer o syniadau anodd yn ei lyfr.* idea, concept

syniadaeth *eb* y ffordd y mae syniadau yn
ymffurfio yn y meddwl; corff o syniadau
conception

syniadol *ans* yn perthyn i fyd syniadau conceptual

synied:synio *be* [syni•⁶] dychmygu, dyfalu,
meddwl, tybio to imagine, to think
Sylwch: nid yw'r ferf hon yn arfer cael ei rhedeg.

synnach:synnaf:synned *ans* [syn] mwy syn;
mwyaf syn; mor syn

synnu *be* [synn•⁹] teimlo'n llawn syndod
neu wneud i rywun deimlo'n llawn syndod;
rhyfeddu, syfrdanu (~ **at**) to surprise, to amaze,
to astonish, to be amazed
Sylwch: dyblwch yr 'n' ym mhob ffurf ac
eithrio yn y rhai sy'n cynnwys -as-.

synnu a rhyfeddu rhyfeddu'n fawr iawn
to be astonished
Ymadrodd

**synnen i fochyn/synnwn i daten/synnwn i
ddim** ni fyddai'n syndod o gwbl i mi (pe bai . . .)
I wouldn't be at all surprised

synnwyr *eg* (synhwyrau)
1 y gallu i weld, clywed, blasu, arogli neu
deimlo rhywbeth sense
2 dealltwriaeth, dirnadaeth, ystyr, *A oes
unrhyw un yn gallu gwneud synnwyr o hyn?*;
dirnadaeth sense
3 y ddawn i feddwl a dod i gasgliadau doeth ac
ymarferol, *synnwyr cyffredin*; doethineb, pwyll
judgement, sense
4 teimlad (anodd iawn ei ddiffinio), *synnwyr
digrifwch* sense

synnwyr cyffredin synnwyr da, pwyll a
rheswm wrth ymwneud â materion ymarferol
common sense
Ymadrodd

synnwyr y fawd:synnwyr bawd dyfalu,
yn lle gwirio; mesur yn fras rule of thumb

synod *eg* (synodau) CREFYDD cyngor eglwysig
ffurfiol a elwir ynghyd i drafod materion
eglwysig synod, convocation

synofaidd *ans* ANATOMEG yn ymwneud â synofia,
yn cynnwys neu'n secretu synofia synovial

synofia *eg* ANATOMEG yr hylif tew, gludiog,
tryloyw sy'n iro cymalau'r corff synovia

synoptig *ans*
1 yn cyflwyno gorolwg cyffredinol synoptic
2 fel arfer mae'n cyfeirio at dri llyfr cyntaf y
Testament Newydd (efengylau Mathew,
Marc a Luc) sy'n rhoi hanes bywyd a
gweinidogaeth Iesu Grist synoptic

syntheseiddio *be* cyfuno neu gynhyrchu drwy
synthesis to synthesize
Sylwch: nid yw'r ferf hon yn arfer cael ei rhedeg.

syntheseinydd *eg* offeryn cerdd electronig
ar ffurf allweddell, fel arfer, sy'n cynhyrchu
amrywiaeth eang o synau synthesizer

syntheseisiedig *ans* (am sain) wedi'i chreu gan
syntheseinydd synthesized

synthesis *eg* (synthesisau)
1 y broses o greu cyfanwaith allan o elfennau
unigol; cyfosodiad, cyfuniad synthesis
2 CEMEG y broses o greu sylwedd drwy gyfuno
ei elfennau neu ei gyfansoddion symlach, neu
drwy ddadelfennu cyfansoddyn cymhleth i
gyfansoddion symlach synthesis
3 ATHRONIAETH cam olaf dadl resymegol sy'n
cyfuno'r gosodiad (y thesis) a'r wrthddadl
(yr antithesis) synthesis

synthetig *ans*
1 wedi'i lunio drwy gyfuno gwahanol bethau,
yn enwedig drwy gyfuno gwahanol sylweddau
cemegol synthetic
2 annaturiol, artiffisial, ffug synthetic

synwyriadau *ell* lluosog **synhwyriad**

synwyrusrwydd *eg* y cyflwr o fod yn
synhwyrus; hydeimledd sensibility, sensitivity

synwyryddion *ell* lluosog **synhwyrydd**

sypiau *ell* lluosog **swp**

sypio *be* [sypi•²] casglu ynghyd yn sypiau;
bwndelu, crynhoi to bundle

sypyn *eg* (sypynnau) nifer o bethau wedi'u clymu
neu eu lapio gyda'i gilydd; bagad, bwndel,
clwstwr, pecyn bunch, bundle, batch

sypynnu *be* casglu'n sypynnau; bwndelu, byrnio,
byrnu to bale, to bundle
Sylwch: nid yw'r ferf hon yn arfer cael ei rhedeg.

Syr *eg*
1 teitl a ddefnyddir o flaen enw marchog neu
farwnig, e.e. *Syr Thomas Parry-Williams* Sir
2 cyfarchiad ar ddechrau llythyr ffurfiol,
Annwyl Syr Sir
3 ffordd barchus o gyfarch gŵr sy'n hŷn na chi
neu un yr ydych chi'n atebol iddo, e.e. milwr
wrth swyddog yn y fyddin, plentyn ysgol wrth
athro, etc. Sir

syrcas *eb* (syrcasau)
1 cwmni o berfformwyr medrus ac anifeiliaid
wedi'u hyfforddi i berfformio'n gyhoeddus
(yn draddodiadol, mewn pabell fawr, symudol)
circus
2 perfformiad cyhoeddus neu sioe gan grŵp fel
hyn circus
3 *hanesyddol* lle agored a seddau o'i gwmpas yn
Rhufain a'i hymerodraeth lle y byddai rasys,
chwaraeon, etc. yn cael eu cynnal circus

syrdau *ell* lluosog **swrd**

syrfëwr *eg* (syrfewyr) *anffurfiol* tirfesurydd
surveyor

syrffed *eg* gormodedd o rywbeth sy'n peri
diflastod; undonedd glut, surfeit

syrffedu *be* [syrffed•¹] diflasu ar ôl cael gormod
o rywbeth, cael llond bol ar rywbeth; alaru,
blino (~ **ar**) to be fed up, to surfeit

S

syrffio *be* [syrffi•²]
  1 gorwedd neu sefyll ar fwrdd syrffio a theithio ar frig y tonnau i gyfeiriad y traeth to surf
  2 symud o wefan i wefan ar y Rhyngrwyd to surf

syrffiwr *eg* (syrffwyr) un sy'n syrffio surfer

Syriad *eg* (Syriaid) brodor o wlad Syria Syrian

Syriaidd *ans* yn perthyn i wlad Syria, nodweddiadol o Syria Syrian

syrio *be* galw 'syr' ar rywun
  Sylwch: nid yw'r ferf hon yn arfer cael ei rhedeg.

syrlwyn *eg* (syrlwynau) darn neu olwyth o gig eidion rhwng yr asennau a'r lwynau sirloin

syrnau *ell* lluosog **swrn**

syrr¹ *bf* [**sorri**] *hynafol* mae ef yn sorri/mae hi'n sorri; bydd ef yn sorri/bydd hi'n sorri

syrr² *bf* [**sorri**] *hynafol* gorchymyn i ti sorri

syrthiad *eg* (syrthiadau) y weithred o syrthio; codwm, cwymp, disgyniad, dymchweliad fall, tumble

syrthiedig *ans* wedi syrthio fallen

syrthio *be* [syrthi•²]
  1 disgyn yn naturiol dan bwysau neu wrth golli cydbwysedd, *Syrthiodd y llun oddi ar y silff-ben-tân.*; cwympo, codymu, llithro to fall
  2 disgyn o fod yn sefyll, *Syrthiodd ar ei liniau o'i blaen.* to fall
  3 symud i gyflwr gwahanol, *syrthio i gysgu*; cwympo to fall
  4 hongian yn rhydd, *Roedd ei wallt yn syrthio dros ei ysgwyddau.* to fall
  5 marw mewn brwydr neu ryfel, *Roedd cofgolofn ar sgwâr y pentref i'r rhai a syrthiodd yn y Rhyfel Mawr.* to fall
  6 (am yr wyneb) cymryd arno olwg drist, siomedig to fall
  7 digwydd, *Mae'r Nadolig yn syrthio ar ddydd Gwener eleni.* to fall
  8 cwympo i lefel is o ran gwerth, maint neu uchder, *Mae lefel y dŵr yn y gronfa yn syrthio.* to fall
  9 cael ei orchfygu, *Syrthiodd y ddinas i ddwylo'r gelyn.* to fall
  syrthio ar fy (dy, ei, etc.**) mai** gw. **bai¹**
  syrthio rhwng dwy stôl gw. **stôl**

syrthni *eg* cyflwr cysglyd; blinder, diogi, llesgedd, lludded drowsiness, lethargy, listlessness

syryp:syrup *eg* (syrypau)
  1 hylif tew, melys a geir drwy hydoddi siwgr mewn dŵr berwedig syrup
  2 diod dew, felys, weithiau yn cynnwys moddion syrup
  3 hylif tew, gludiog sy'n cael ei gynhyrchu wrth buro siwgr cansen syrup

system *eb* (systemau)
  1 nifer o ddarnau neu unedau cysylltiedig sy'n cydweithio mewn uned gymhleth, *system garthffosiaeth*; cyfundrefn system
  2 trefn reolaidd, dull o wneud rhywbeth, *Mae ganddyn nhw system fenthyca newydd yn y llyfrgell.* system

system bleidiol gw. **pleidiol**

system dryc *hanesyddol* trefn a oedd yn gorfodi gweithwyr i dderbyn cyflog mewn nwyddau, a oedd yn fanteisiol i'r cyflogwr fel arfer truck system

system weithredu CYFRIFIADUREG meddalwedd sy'n rheoli system gyfrifiadurol operating system

system Ysbail GWLEIDYDDIAETH arfer plaid wleidyddol lwyddiannus o roi swyddi cyhoeddus o bwys i'w chefnogwyr Spoils system

systematig *ans* yn meddu ar system drefnus, reolaidd systematic
  enw systematig enw safonedig ar elfen gemegol, cyfansoddyn, aelod o grŵp tacsonomaidd biolegol neu ar seren neu gorff wybrennol systematic name

systole *eg* (systolau) FFISIOLEG cyfnod curiad y galon pan fydd cyhyr y galon yn cyfangu ac yn gwthio gwaed i'r rhydwelïau systole

syth *ans* [syth• *b* seth] (sythion)
  1 heb blygu, heb fod yn gam, *llinell syth*; diwyro, diymdroi, uniongyrchol straight, direct, erect
  2 gwastad, union, *Ydy'r silff yma'n syth?* straight
  3 heb golli amser, ar unwaith; diaros, di-oed immediate
  4 (am wyneb neu olwg) heb fod yn gwenu, *Roedd hi'n anodd cadw wyneb syth pan dorrodd y gadair odano.* straight
  yn syth:yn syth bìn yn union, ar unwaith, *Gofala dy fod yn dod adre yn syth ar ôl y gêm!* directly, straight away

sythder *eg* fel yn *sythder angau*, anystwythder y corff yn dilyn marwolaeth rigor mortis

sythion *ans* ffurf luosog **syth**

sythu¹ *be* [syth•¹] gwneud yn syth; unioni to straighten

sythu² *be* [syth•¹] teimlo'n oer iawn, *Rwy'n gobeithio na fydd hi'n hir, rwyf bron â sythu fan hyn.*; fferru, rhewi, rhynnu to freeze

sythwelediad *eg* y gallu i amgyffred rhywbeth neu i ddod i gasgliad heb orfod mynd drwy broses o ymresymu neu o bwyso a mesur y dystiolaeth sydd ar gael; craffter, mewnwelediad intuition, insight

sythweledol *ans* yn deillio o sythwelediad, nodweddiadol o sythwelediad intuitive

syw *ans* llawen, siriol merry

T

1 cytsain a phumed lythyren ar hugain yr
wyddor Gymraeg; ar ddechrau gair, gall
dreiglo'n feddal yn *d*, neu dreiglo'n llaes yn *th*
neu dreiglo'n drwynol yn *nh*, e.e. *ei dad,
ei thad, fy nhad* t, T

2 CERDDORIAETH y seithfed nodyn yng
ngraddfa nodiant y system sol-ffa, ti t, te

t. *byrfodd* (tt.) tudalen p.

ta *cysylltair* bynnag; fel yn:
  ta beth beth bynnag whatever
  ta pryd pryd bynnag whenever
  ta p'un pa un bynnag whichever
  ta pwy pwy bynnag whoever
  ta waeth gw. gwaeth

'ta ffurf lafar ar **ynteu**

tab *eg* (tabiau)

1 rhan (fach) o rywbeth sy'n ymestyn neu'n
bargodi fel dolen neu labed, e.e. dolen i'w
thynnu i agor tun neu glust ar gerdyn sy'n
gymorth i'w ffeilio tab

2 (mewn theatr) y llen sy'n cau ar draws bwa'r
prosceniwm tab

tabernacl *eg* (tabernaclau) y babell y byddai'r
Iddewon yn ei defnyddio i addoli ynddi yn
ystod eu taith drwy'r anialwch a chyn iddynt
adeiladu'r deml yn Jerwsalem (daeth yn enw
cyffredin ar gapeli yng Nghymru) tabernacle

tabernaclu *be* gwneud cartref, byw to dwell
  Sylwch: nid yw'r ferf hon yn arfer cael ei rhedeg.

tabl *eg* (tablau)

1 rhestr o ffeithiau neu ffigurau wedi'u gosod
mewn trefn table

2 rhestr o'r atebion (a ddysgir ar y cof yn yr
ysgol gynradd) a geir o luosi'r rhifau rhwng 1
a 12 ag un arall o'r rhifau rhwng 1 a 12 table
  tabl cyfnodol gw. cyfnodol

tablaidd *ans* ar ffurf tabl tabular

tabled *eb* (tabledi:tabledau)

1 darn gwastad, caled o ryw sylwedd arbennig,
gan amlaf darn bach felly o foddion; pilsen tablet

2 math o gyfrifiadur bach y gellir ei ddal yn y
dwylo; llechen tablet

3 darn llyfn o garreg neu o fetel a geiriau
wedi'u naddu arno tablet

4 darn llyfn o gŵyr neu o glai y byddai pobl yn
ysgrifennu arno yn yr hen amser tablet

table d'hôte *eb* COGINIO pryd o fwyd mewn
bwyty sy'n cael ei gynnig am bris penodol,
heb gynnig llawer o ddewisiadau

tablen *eb* *tafodieithol* cwrw, yn enwedig cwrw
cartref beer

yn dablen sêr *tafodieithol, yn y De* wedi meddwi'n
gaib sloshed

tablenna *be tafodieithol, yn y De* yfed llawer o
gwrw to tipple
  Sylwch: nid yw'r ferf hon yn arfer cael ei rhedeg.

tabliad *eg* y broses o dablu, canlyniad tablu
tabulation

tablu *be* [tabl•¹] gosod ar ffurf tabl to tabulate

tabŵ *eg* (tabŵau, tabws)

1 yn wreiddiol, rheolau crefyddol neu
gymdeithasol neu swyngyfareddol arbennig
a oedd yn gwahardd pobl rhag enwi neu
gyffwrdd â rhywun neu rywbeth a gâi ei ystyried
yn rhy sanctaidd neu'n rhy gythreulig taboo

2 arferiad cryf gan gymdeithas i beidio â
gwneud rhywbeth neu i beidio â sôn amdano
taboo

tabwrdd *eg* (tabyrddau) drwm bach sy'n cael ei
guro â'r llaw neu'r bysedd tabor

tabyrddu *be* [tabyrdd•¹] curo tabwrdd neu
ddrwm to drum

tabyrddwr *eg* (tabyrddwyr) un sy'n curo
tabwrdd neu ddrwm; drymiwr drummer

tac *eg* (taciau)

1 hoelen fach â chlopa neu ben llydan tack

2 GWNIADWAITH pwyth bras, hir a ddefnyddir
i glymu ffabrigau wrth ei gilydd cyn eu gwnïo'n
derfynol tack

3 MORWRIAETH llwybr igam-ogam llong
hwyliau sy'n hwylio i mewn i'r gwynt tack

4 yr hawl i bori anifeiliaid ar ddarn o dir am
gyfnod penodol ac am dâl, *defaid tac* tack

tacio *be* [taci•²]

1 hoelio â thaciau (~ *rhywbeth* **wrth**) to tack

2 GWNIADWAITH gwnïo â phwythau bras, hir
(cyn gwnïo'n derfynol) to tack

3 MORWRIAETH hwylio llong hwyliau yn
igam-ogam i mewn i'r gwynt to tack

tacistosgop *eg* (tacistosgopau) dyfais a
ddefnyddir i gyflwyno gwrthrychau o flaen
y llygad am gyfnod byr ond mesuredig
tachistoscope

tacl:tacladl *eg* (taclau:tacladau) y weithred o
daclo gwrthwynebydd tackle

taclau *ell*

1 lluosog **teclyn** a **tacl**

2 yr holl fân offer sydd yn gysylltiedig â
rhywbeth, e.e. y wialen, y rilen, y rhwyd,
yr abwyd, etc. sydd gan bysgotwr; arfau, celfi,
cyfarpar, gêr tackle, kit, paraphernalia

3 *anffurfiol* pobl ddrygionus scallywags

taclo *be* [tacl•¹] (mewn pêl-droed, rygbi, hoci,
etc.) ceisio cipio'r bêl oddi ar wrthwynebydd
neu ei atal rhag symud gyda'r bêl to tackle

taclus *ans* [taclus•] heb fod yn anniben, fel pìn
mewn papur; cymen, destlus, trwsiadus, twt
neat, tidy, shipshape

t

taclusiad *eg* y broses o dacluso, canlyniad tacluso tidying

tacluso *be* [taclus•¹] gwneud yn drefnus; cymhennu, cymoni, trefnu, twtio to tidy, to smarten

taclusrwydd *eg* y cyflwr o fod yn daclus neu'n drefnus; cymhendod, destlusrwydd, trefn, twtrwydd neatness, tidiness

taclwr *eg* (taclwyr) (mewn pêl-droed, rygbi, hoci, etc.) chwaraewr sy'n taclo chwaraewr arall tackler

tacograff *eg* (tacograffau) dyfais sy'n mesur buanedd cerbyd (masnachol yn bennaf) dros gyfnod penodol o amser tachograph

tacsi *eg* (tacsis) car y mae pobl yn talu am gael eu cludo ynddo; cab taxi

tacsidermi *eg* y grefft o drin crwyn anifeiliaid, eu stwffio a'u harddangos fel eu bod yn edrych mor naturiol â phosibl taxidermy

tacsidermydd *eg* (tacsidermyddion) arbenigwr yn y grefft o dacsidermi taxidermist

tacsonomaidd *ans* yn perthyn i dacsonomeg taxonomic(al)

tacsonomeg *eb* astudiaeth wyddonol o egwyddorion trefnu pethau yn ddosbarthiadau, yn enwedig cynllun dosbarthu anifeiliaid a phlanhigion yn ôl eu perthynas (dybiedig) naturiol taxonomy

tact *eg* y gallu i ymdrin â phobl yn ddoeth heb godi eu gwrychyn tact, savoir faire

tacteg *eb* (tactegau)
1 yn wreiddiol, y ffordd yr oedd milwyr yn cael eu gosod neu eu symud mewn brwydr fel rhan o strategaeth; erbyn heddiw fe'i defnyddir am unrhyw sefyllfa lle mae un person/ochr yn ceisio trechu'r llall/lleill tactic
2 y ddawn o ddefnyddio'r hyn sydd ar gael i gyflawni'r hyn sydd ei angen tactic

tactegol *ans* yn perthyn i dacteg, yn deillio o dacteg tactical

tactegydd *eg* (tactegwyr) un (arbenigwr) sy'n llunio tacteg tactician

Tachwedd *eg* yr unfed mis ar ddeg, y mis du; yr ystyr wreiddiol, mae'n debyg, oedd 'tynnu tua'r diwedd', sef bod y flwyddyn yn dod i'w therfyn November
mis Tachwedd 'ym mis Tachwedd' nid *yn Nhachwedd* November

tad *eg* (tadau)
1 rhiant gwryw father
2 fel yn y weddi *Ein Tad . . .*, cyfeiriad at Dduw gan Gristnogion Father
3 teitl o barch at offeiriad, yn enwedig yn yr Eglwys Gatholig Rufeinig, *Y Tad Fitzgerald* father
4 fel yn y *tadau Methodistaidd*, sylfaenydd, un o'r hynafiaid father

tad bedydd gw. bedydd

tad yng nghyfraith tad y person yr ydych wedi ei briodi/ei phriodi, tad eich priod father-in-law

tad-cu *eg* (tadau-cu) *safonol, yn y De* tad un o'ch rhieni, gŵr mam-gu; taid grandfather

tadladdiad *eg* y weithred o ladd eich tad patricide

tadmaeth *eg* (tadau maeth) y tad mewn teulu sy'n codi plentyn rhywun arall, ond heb dderbyn cyfrifoldeb cyfreithiol llawn amdano fel y byddai rhywun sydd wedi mabwysiadu plentyn foster father

tadogaeth *eb*
1 y cyflwr o fod yn dad; tadolaeth fatherhood, paternity
2 y weithred neu'r broses o dadogi; priodoliad ascription

tadogi *be* [tadog•¹]
1 bod yn dad i (rywun neu rywbeth) to father
2 awgrymu bod rhywbeth wedi'i greu neu ei gyfansoddi gan rywun, *Mae'r cywydd hwn wedi'i dadogi ar Ddafydd ap Gwilym er nad oes prawf pendant mai ef oedd yr awdur.*; olrhain, priodoli (~ *rhywbeth* **ar**) to attribute, to ascribe
3 CYFRAITH sefydlu o flaen barnwr pwy yw tad plentyn (anghyfreithlon) to affiliate

tadol *ans* yn ymddwyn fel tad, yn meddu ar nodweddion tad fatherly, paternal

tadolaeth *eb* y cyflwr o fod yn dad; tadogaeth fatherhood, paternity

taen *eg* fel yn *ar daen*, ar wasgar, wedi'i ledaenu spread out

taenedig *ans* (am ddiagram) yn dangos cydrannau gwrthrych yn eu lleoliad arferol ond wedi'u gwahanu ychydig oddi wrth ei gilydd exploded

taenelliad *eg* (taenelliadau)
1 ychydig o rywbeth wedi'i wasgaru yma a thraw neu wedi'i daenu ar rywbeth; gwasgariad, taeniad spreading, sprinkling
2 cawod ysgafn sprinkling
3 *hynafol* bedydd (drwy ysgeintio dŵr) baptism

taenellu *be* [taenell•¹] gwasgaru defnynnau bychain o ddŵr fel y bydd offeiriad neu weinidog wrth fedyddio babi; bedyddio, gwlitho, ysgeintio (~ *rhywbeth* **â** ; ~ *rhywbeth* **ar**) to sprinkle

taenellwr *eg* (taenellwyr) rhywun neu rywbeth sy'n taenellu

taenellydd *eg* (taenellyddion) dyfais neu beiriant sy'n taenellu (dŵr gan amlaf), e.e. er mwyn diffodd tân neu er mwyn dyfrio porfa sprinkler

taenfa *eb* cnwd (gwair, ŷd, brwyn, etc.) wedi'u torri ac yn gorwedd yn rhesi dros y cae scattering

taeniad *eg* (taeniadau) y broses o daenu, canlyniad taenu; gwasgariad, heuad spreading

taenlen *eb* (taenlenni) CYFRIFIADUREG
meddalwedd cyfrifiadurol sy'n caniatáu
cyflwyno data rhifyddol mewn rhesi a
cholofnau a'u cyfrifo'n gyflym spreadsheet

taenu *be* [tann•^{10}]
1 chwalu ar led, gwasgaru, lledaenu, ysgeintio
(~ *rhywbeth* â ; ~ *rhywbeth* ar) to spread,
to sprinkle
2 peri bod un peth yn gorchuddio rhywbeth
arall, *taenu'r lliain bwrdd*, *taenu menyn ar
fara*; lledaenu to spread

taenwr *eg* (taenwyr) rhywun neu rywbeth sy'n
taenu applicator, spreader

taeog^1 *eg* (taeogion)
1 *hanesyddol* (o dan y gyfundrefn ffiwdal) un nad
oedd yn gaethwas llwyr ond a oedd yn gorfod
aros a gweithio ar dir ei feistr; gŵr caeth serf,
vassal
2 erbyn heddiw, un sy'n derbyn cyflwr o
gaethiwed, un nad yw'n barod i frwydro
am ei ryddid serf
cymhleth y taeog gw. **cymhleth**^{2}

taeog^2 *ans* yn amlygu nodweddion gŵr caeth;
gwasaidd, taeogaidd servile

taeogaeth *eb* *hanesyddol* y gyfundrefn ffiwdal
a ddefnyddiai daeogion; caethwasanaeth
serfdom

taeogaidd *ans* yn ymddwyn fel taeog,
tebyg i daeog; gwasaidd, iswasanaethgar
servile

taeogrwydd *eg* cyflwr ac agwedd meddwl
taeog; gwaseidd-dra servility

taer *ans* [taer•] difrifol o frwdfrydig, o ddifrif,
*Roedd yn daer am imi ddod gydag ef, cyn iddi
fynd yn rhy hwyr.*; brwd, dwys, dyfal, selog
insistent, earnest, impassioned
taer angen angen dybryd, dirfawr angen
profound need

taerineb *eg* y cyflwr neu'r ansawdd o fod yn
daer; angerdd, arddeliad, argyhoeddiad,
eiddgarwch earnestness, fervency, vehemence

taeru *be* [taer•^{1}] dadlau'n daer, datgan ag
argyhoeddiad, dweud yn gadarn; haeru, honni,
maentumio, mynnu to insist, to assert

taerwr *eg* (taerwyr) un sy'n taeru asserter

tafarn *ebg* (tafarnau)
1 *hanesyddol* yn wreiddiol, math o westy lle
byddai rhywun yn gallu cael pryd o fwyd a diod
ac aros dros nos; llety inn, tavern
2 erbyn heddiw, lle i bobl gael prynu ac
yfed diod feddwol, tŷ tafarn; tafarndy pub,
public house
Sylwch: mae'n fenywaidd yn y Gogledd ac yn
wrywaidd yn y De.

tafarn datws siop sy'n gwerthu pysgod a
sglodion wedi'u coginio ac yn barod i'w bwyta;
siop sglodion fish and chip shop

tafarndy *eg* (tafarndai) tŷ tafarn; tafarn tavern,
inn, public house

tafarnwr *eg* (tafarnwyr) dyn sy'n cadw tŷ tafarn
publican, innkeeper, landlord

tafarnwraig *eb* gwraig sy'n cadw tŷ tafarn
publican, landlady

tafell *eb* (tafellau:tafelli) tamaid fflat, lled denau
wedi'i dorri o ddarn mwy, e.e. sleisen neu haen
o fara neu ryw fwyd arall slice, rasher

tafellog *ans* wedi'i rannu'n dafellau neu wedi'i
wneud o dafellau; haenog sliced, stratified

tafellu *be* [tafell•^{1}] torri'n dafellau neu'n haenau;
sleisio to slice

tafl:ffon dafl *eb* (taflau:ffyn tafl) llinyn
a darn o ledr yn ei ganol i ddal carreg;
mae dau ben y llinyn yn cael eu dal â'r bysedd
wrth droelli'r garreg yn gyflym cyn ei gollwng
yn rhydd â chryn ergyd, *Ffon dafl oedd yr
arf a ddefnyddiodd Dafydd i ladd Goliath.*
sling

tafladwy *ans* wedi'i gynllunio i'w ddefnyddio
unwaith ac yna ei daflu i ffwrdd disposable,
discardable

taflegryn *eg* (taflegrau) roced fawr y mae'n
bosibl ei hanelu a'i llywio tuag at darged
arbennig, yn enwedig y math sy'n gallu cario
arfau niwclear missile, projectile
taflegryn balistig taflegryn sy'n cael ei yrru a'i
gyfeirio i gychwyn ond sy'n syrthio drwy rym
disgyrchiant ar ei darged ballistic missile

tafleisiaeth *eb* ffordd o gynhyrchu'r llais sy'n
rhoi'r argraff ei fod yn dod o rywle heblaw
o geg y lleisydd, yn enwedig os oes gan y
tafleisydd ddol sy'n ymddangos fel pe bai'n
siarad ventriloquism

tafleisydd:tafleisiwr *eg*
(tafleisyddion:tafleiswyr) rhywun sy'n gallu
gwneud i'w lais swnio fel petai'n dod o rywle
arall heblaw ei enau ei hun ventriloquist

taflen *eb* (taflenni) tudalen o bapur (weithiau
wedi'i blygu) yn cyflwyno gwybodaeth; dalen,
pamffledyn leaflet, pamphlet, handout

tafliad *eg* (tafliadau)
1 y weithred o daflu; lluchiad throw
2 y pellter y mae rhywbeth wedi cael ei daflu,
*Enillodd y gystadleuaeth â thafliad o dros
50 metr.* throw
3 gwyriad yn rhediad llyfn neu syth olwyn cast

taflod *eb* (taflodydd)
1 y llofft neu'r oriel mewn beudy neu ysgubor
lle roedd gwair yn cael ei gadw, llofft stabl;
galeri, granar loft, hayloft
2 ANATOMEG to'r geg y tu ôl i'r dannedd ac
uwchben y tafod palate

taflod hollt MEDDYGAETH cyflwr cynhwynol lle
y ceir bwlch neu hollt yn nhaflod y genau;
yn aml ceir gwefus hollt hefyd cleft palate

taflu *be* [tafl•[3] *3 un. pres.* teifl/tafla; *2 un. gorch.* tafla]

1 codi rhywbeth a'i hyrddio drwy'r awyr; lluchio to throw, to fling

2 symud y corff neu ran o'r corff yn gyflym ac yn nerthol, *taflu dwrn* to throw

3 bwrw pluen i'r dŵr â gwialen bysgota to cast

4 cael gwared ar rywbeth, *Rwyf wedi taflu'r hen esgidiau duon 'na i'r bin.*; lluchio to discard, to throw away

5 llunio darn o grochenwaith ar olwyn crochenydd to throw

6 gwneud i (rywbeth neu rywun) gwympo fel mewn gornest ymaflyd codwm to throw

7 rholio dis to throw

8 lluchio rhywbeth i'r awyr er mwyn iddo gael ei ddal to toss

9 creu llun neu gysgod drwy gyfeirio neu rwystro golau; bwrw to cast, to project

taflu i fyny chwydu to throw up

Ymadrodd

taflu dŵr oer lladd unrhyw frwdfrydedd to throw cold water on an idea or action

tafluniad *eg* (tafluniadau)

1 y broses o daflunio, canlyniad taflunio projection

2 ffordd o gyflwyno arwyneb crwm (e.e. wyneb y Ddaear) ar arwyneb gwastad (e.e. map) projection

taflunio *be* [tafluni•[6]]

1 defnyddio peiriant i ddangos lluniau ar sgrin (~ *rhywbeth* **ar**) to project

2 creu tafluniad to project

taflunio cefn y dechneg o daflunio llun ar gefn sgrin i roi'r argraff bod yr actorion yn y blaendir yn symud back-projection

taflunydd *eg* (taflunyddion) peiriant ar gyfer taflunio llun ar sgrin projector

taflwybr *eg* (taflwybrau) FFISEG llwybr taflegryn neu wrthrych symudol arall drwy ofod trajectory

tafod *eg* (tafodau)

1 (mewn bodau dynol) organ cyhyrol yn y geg a ddefnyddir i flasu bwyd ac i hwyluso llefaru tongue

2 organ cyfatebol mewn anifeiliaid eraill tongue

3 unrhyw beth sydd yr un siâp â'r tafod, e.e. y rhan o esgid sy'n gorwedd o dan y careiau; llain o dywod neu ro sy'n ymwthio i'r môr tongue, spit

4 tafod tegell, sef y darn yng ngwaelod tegell trydan sy'n gwresogi'r dŵr element

tafod y neidr rhedynen a phigyn yn debyg i dafod neidr yn tyfu arni adder's-tongue

tafod yr hydd math o redynen nad yw ei dail wedi'u rhannu'n ddarnau hart's-tongue fern

tafod yr ych planhigyn llysieuol â blodau gleision a dail bras sy'n cael ei ddefnyddio i roi blas ar fwydydd a diodydd borage

uniad tafod a rhych gw. uniad

Ymadroddion

â'm (â'th, â'i, etc.**) tafod yn fy (dy, ei,** etc.**) moch** cymryd arnaf, esgus bod, heb fod o ddifrif tongue-in-cheek

ar dafod leferydd gw. lleferydd

ar flaen fy nhafod

1 bron dweud, ar fin dweud

2 ar fin cofio on the tip of one's tongue

blas tafod gw. blas

cael tafod cael cerydd to be given a talking to

dal fy (dy, ei, etc.**) nhafod** gw. dal

heb flewyn ar fy (dy, ei, etc.**) nhafod** (dweud) yn blwmp ac yn blaen fair and square

pryd o dafod gw. pryd[4]

rhoi tafod drwg i (rywun) dwrdio, dweud y drefn to scold

tafod tew methiant i seinio 'r'; siarad yn floesg (e.e. wedi meddwi)

tafodi *be* [tafod•[1]]

1 dweud y drefn, rhoi pryd o dafod i rywun; ceryddu, cystwyo, difrïo, dwrdio to scold

2 CERDDORIAETH defnyddio'r tafod i roi cychwyn i sain ar offeryn chwyth to tongue

tafodi dwbl CERDDORIAETH symud y tafod ddwy ffordd, am yn ail, (e.e. *tycy/tycy/tycy*) er mwyn chwarae darnau cyflym ar offeryn chwyth to double tongue

tafodi trebl CERDDORIAETH (ffordd o) symud y dafod (e.e. *tycyty/tycyty/tycyty* neu *tytycy/tytycy/tytycy*) er mwyn medru chwarae darnau cyflym ar offeryn chwyth to triple tongue

tafodiaith *eb* (tafodieithoedd) ffurf arbennig ar iaith lafar un ardal sy'n wahanol i iaith lafar ardal arall dialect

tafodieitheg *eb* IEITHYDDIAETH astudiaeth academaidd o dafodieithoedd dialectology

tafodieithol *ans* yn perthyn i dafodiaith, nodweddiadol o dafodiaith colloquial

tafodig *eg* wfwla; darn o gnawd (tebyg i dafod bach) yng nghefn y daflod feddal sy'n hongian uwchben y mynediad i'r gwddf; cloch yr ymadrodd uvula

tafod-leferydd *eg* yr iaith sy'n cael ei siarad yn gyffredinol gan drwch y bobl, iaith lafar speech

tafodrwym *ans*

1 MEDDYGAETH am gyflwr lle mae'r tafod wedi'i gyfyngu oherwydd byrder y meinwe sy'n ei gysylltu â gwaelod y geg tongue-tied

2 yn methu siarad yn rhydd oherwydd swildod tongue-tied

tafodrydd *ans* yn siarad gormod; cegog, parablus, siaradus talkative, glib, garrulous

tafol[1] *eb* (tafolau) peiriant pwyso; clorian, mantol scales

tafol² *ell* unrhyw un o amryw o fathau o blanhigion cyffredin sy'n tyfu mewn caeau ac yn ymyl y ffordd; mae ganddo ddail llydan ac mae'n gallu lleddfu peth ar bigiad danadl poethion dock

dail tafol gw. dail

tafolen *eb* unigol **tafol** dock (plant)

tafoli *be* [tafol•¹] pwyso a mesur gwerth rhywbeth naill ai mewn clorian neu'n ffigurol, *Mae gan gwmnïau teledu bobl sy'n tafoli poblogrwydd eu rhaglenni ar sail ymateb y cyhoedd.*; arfarnu, beirniadu, cloriannu, mantoli to balance, to assess, to weigh up

tafoliad *eg* y broses o dafoli, canlyniad tafoli assessment

taffeta *eg* defnydd plaen o ansawdd sidanaidd a ddefnyddir mewn ffrogiau **taffeta**

taffi *eg* (taffis)
1 math o losin neu dda-da brown, gludiog wedi'i wneud drwy ferwi siwgr, menyn a dŵr gyda'i gilydd; cyflaith toffee
2 **taffis** candis, cisys, fferins, losin, melysion, minceg, pethau da sweets

tag *eg* (tagiau) CYFRIFIADUREG nod neu gyfres o nodau sy'n cael eu hychwanegu at ddarn o destun neu at ddata er mwyn eu hadnabod neu eu categoreiddio tag

TAG *byrfodd* ADDYSG Tystysgrif Addysg Gyffredinol GCE

tagell *eb* (tagellau)
1 darn llac o groen yn hongian o dan wddf anifail, aderyn neu berson jowl
2 un o'r pâr o organau anadlu sydd gan bysgod a rhai amffibiaid, sef meinwe fasgwlar sy'n cymryd ocsigen o'r dŵr sy'n llifo drosti gill

tagellog *ans*
1 (am berson) a chanddo dagell jowled
2 (am bysgodyn) a chanddo dagellau branchial

tagfa *eb* (tagfeydd)
1 diffyg ar anadlu oherwydd bod yna rwystr i lifeiriant yr anadl choking
2 unrhyw ddiffyg symud sy'n peri bod pethau'n crynhoi ac yn creu rhwystr, *tagfa draffig* jam, blockage, bottleneck

tagiad *eg* (tagiadau) y weithred o dagu; canlyniad tagu choking, suffocation

taglys *eg* planhigyn dringo â blodau gwyn neu binc ar ffurf twndis, y mae rhai mathau ohonynt yn chwyn sy'n lledaenu'n gyflym; cwlwm y cythraul bindweed

tagu *be* [tag•¹]
1 achosi i berson (neu anifail) fethu anadlu neu ei orfodi i frwydro am anadl drwy wasgu ei gorn gwddf; llindagu, mogi, mygu (~ *rhywun* â) to choke, to strangle, to throttle
2 sefyll neu stopio'n sydyn ac yna ailgychwyn a stopio eto, e.e. *siaradwr yn tagu ar ei eiriau*

neu *car yn tagu pan fydd rhywun yn ceisio ei gychwyn ar fore oer* to choke, to stall, to stutter
3 methu anadlu'n iawn, *Mae arnaf ofn iti dagu â'r lolipop 'na.* to choke
4 *tafodieithol, yn y Gogledd* pesychu to cough

brawd mogi/mygu yw tagu gw. **brawd¹**

tagydd *eg* (tagyddion) dyfais sy'n rheoli'r cymysgedd o betrol ac aer ym mheiriant car wrth danio'r peiriant choke

tangiad *eg* (tangiadau)
1 MATHEMATEG llinell syth neu blân sy'n cyffwrdd (ond heb groesi) cromlin neu arwyneb tangent
2 MATHEMATEG (ffwythiant ongl lem mewn triongl ongl sgwâr) cymhareb hyd yr ochr gyferbyn â'r ongl â hyd yr ochr gyfagos iddi; tan tangent

tangiadol *ans* MATHEMATEG o natur tangiad tangential

tangnefedd *egb* heddwch sy'n deillio o lonyddwch mewnol neu ysbrydol; hedd, tawelwch peace, serenity, tranquillity

tangnefeddus *ans* llawn tangnefedd, yn peri tangnefedd peaceful, serene, tranquil

tangnefeddwyr *ell*
1 pobl sy'n peri tangnefedd neu sydd wedi cyrraedd stad o dangnefedd peacemakers
2 pobl sy'n credu mewn heddychiaeth a chyfiawnder; heddychwyr peacemakers

Tahitaidd *ans* yn perthyn i ynys Tahiti, nodweddiadol o ynys Tahiti Tahitian

Tahitiad *eg* (Tahitiaid) brodor o ynys Tahiti, un o dras neu genedligrwydd Tahitaidd Tahitian

tai¹ *ell* lluosog tŷ

Tai² *eg* (Taiaid) gw. **Thai**

taid *eg* (teidiau) *safonol, yn y Gogledd* tad un o'ch rhieni, gŵr nain; tad-cu grandfather

taiga *eg* coedwig gonifferaidd yn yr hemisffer gogleddol rhwng y twndra a'r glaswelltiroedd tymherus taiga

tail *eg* ysgarthion anifail (e.e. ceffyl neu fuwch) wedi'u cymysgu â gwellt (neu redyn ar dir uchel) i wneud gwrtaith; achles, biswail, tom dung, manure

tair gw. tri

taith *eb* (teithiau) yr amser y mae'n ei gymryd i fynd o un man i fan arall, neu'r pellter rhyngddynt; siwrnai, tro journey

ar daith yn teithio o le i le on tour

Taiwanaidd *ans* yn perthyn i Taiwan, nodweddiadol o Taiwan Taiwanese

Taiwaniad *eg* (Taiwaniaid) brodor o Taiwan Taiwanese

Tajic *eg* (Tajiciaid) brodor o Tajikistan Tadzhik, Tajik

Tajicaidd *ans* yn perthyn i Tajikistan, nodweddiadol o Tajikistan Tadzhik, Tajik

t

tal *ans* [tal•] (am berson fel arfer) uwch na'r cyffredin tall

tâl¹:taliad *eg* (taliadau)
1 pris a godir am rywbeth; ffi charge, payment
2 arian a delir i berson proffesiynol, neu gorff proffesiynol neu gyhoeddus am gyngor neu wasanaeth; comisiwn, taliad fee, remuneration
tâl mynediad tâl am fynd i mewn i rywle (e.e. i sinema neu gyngerdd) entrance fee

tâl² *bf* [talu] *ffurfiol* mae ef yn talu/mae hi'n talu; bydd ef yn talu/bydd hi'n talu
(ni) thâl hi ddim does dim gwerth, does dim diben, wnaiff hi mo'r tro it's no use

tâl³:tal *eg mewn enwau lleoedd* pen, blaen, e.e. *Tal-y-llyn*

taladwy *ans*
1 (am dderbynneb neu fil) y mae angen ei dalu, parod i'w dalu; dyledus payable
2 (am siec) yn dynodi'r unigolyn neu'r cwmni yr ydych yn talu'r siec iddo payable
Sylwch: nid yw'n cael ei gymharu.

talai *eg* (taleion) yr un y dylid talu swm o arian (neu siec) iddo payee

talaith *eb* (taleithiau) un o brif raniadau llywodraethol rhai gwledydd, *Yn yr un ffordd ag y mae Cymru wedi'i rhannu'n siroedd, mae Unol Daleithiau America wedi'i rhannu'n daleithiau fel California, Texas, etc.*; cwmwd, ardal, cymdogaeth, rhanbarth province, state
talaith bendil GWLEIDYDDIAETH talaith yn UDA lle mae gan ddwy brif blaid wleidyddol gefnogaeth debyg ymhlith yr etholwyr ac a ystyrir yn allweddol wrth benderfynu canlyniad cyffredinol etholiad arlywyddol swing state

talar *eb* (talarau) y rhimyn o dir ar bob pen i gae, neu gwysi sy'n cael eu gadael a'u haredig yn olaf er mwyn cael lle i droi ar dir glân cyn cychwyn aredig y gŵys nesaf; pentir headland
dod i ben y dalar
1 gorffen rhyw orchwyl
2 tynnu at ddiwedd oes

talc *eg* mwyn meddal, gwyn neu wyrdd golau, sydd yn teimlo fel sebon wrth ei ddal rhwng y bysedd; fe'i defnyddir i wneud y powdr talc talc

talcen *eg* (talcenni:talcennau)
1 y rhan o'r wyneb sydd uwchben yr aeliau forehead
2 fel yn *talcen glo*, y man lle mae glowyr yn gweithio ar y glo; ffas lo coalface
3 fel yn *talcen tŷ*, ochr neu ben tŷ lle mae'r wal a'r to yn cwrdd ar ffurf triongl gable, gable end
ei bwrw yn ei thalcen ateb rhywbeth i'r dim to hit the nail on the head
talcen caled rhywbeth sy'n mynd i olygu llawer o waith caled ac ymdrech cyn bod gobaith llwyddo

talcen slip fel yn *bardd talcen slip*, cyffredin iawn, gwael, ffwrdd-â-hi

troi ar ei dalcen troi wyneb i waered to turn upside-down

yfed (diod) ar ei dalcen yfed ar un llwnc to down in one gulp

talcendo *eg* (talcendoeon) to ag ymyl neu ymylon miniog o'r crib i'r bondo lle mae'r ddwy ochr yn dod ynghyd hip roof

talcwm *eg* powdr mân, meddal wedi'i wneud o'r mwyn talc; caiff ei roi ar y corff, yn enwedig ar ôl ymolchi talcum

talch *eg* unigol **teilchion**

talchu *be* [talch•¹] torri'n deilchion, torri'n chwilfriw to shatter

taldra *eg* uchder naturiol person; maintioli height, stature

taleb *eb* (talebau) darn o bapur sy'n dweud bod swm o arian wedi cael ei dderbyn; derbynneb, ticed receipt, voucher

taleithiau *ell* lluosog **talaith**

taleithiol *ans* yn perthyn i dalaith, nodweddiadol o dalaith provincial

talent *eb* (talentau)
1 dawn neu fedrusrwydd o safon anghyffredin o uchel; gall fod yn gynhenid neu wedi'i dysgu; gallu, medr, sgil talent
2 rhywun sydd â'r ddawn arbennig yma, *Bydd cyngerdd yn y neuadd nos yfory a pherfformiadau gan dalentau lleol.* talent

talentog *ans* yn meddu ar ddawn neu fedrusrwydd o safon anghyffredin o uchel; dawnus, galluog, medrus talented, gifted

tâl-feistr *eg* (tâl-feistri) swyddog sy'n gyfrifol am dalu cyflogau paymaster

talfyredig *ans* wedi'i dalfyrru abbreviated, abridged

talfyriad *eg* (talfyriadau) rhywbeth (ysgrifenedig gan amlaf) sydd wedi cael ei gwtogi drwy ddefnyddio llai o eiriau; crynhoad, crynodeb, cwtogiad, cywasgiad abbreviation, abridgement

talfyrru *be* [talfyrr•⁹] gwneud (darn ysgrifenedig fel arfer) yn fyrrach drwy ddefnyddio llai o eiriau; byrhau, crynhoi, cwtogi, cywasgu to shorten, to abbreviate, to abridge
Sylwch: dyblwch yr 'r' ym mhob ffurf ac eithrio yn y rhai sy'n cynnwys *-as-*.

talgrynnu *be* [talgrynn•⁹] MATHEMATEG lleihau nifer y degolion mewn rhif, *Wrth dalgrynnu 3.14159 i ddau le degol, cewch 3.14; wrth dalgrynnu £17.31 i'r bunt agosaf, cewch £17* to round off
Sylwch: dyblwch yr 'n' ym mhob ffurf ac eithrio yn y rhai sy'n cynnwys *-as-*.

talgrynnu i fyny MATHEMATEG os 5, 6, 7, 8, neu 9 yw'r digid cyntaf y mae'n rhaid ei hepgor, yna rhaid talgrynnu i fyny, e.e. 2,289 wedi'i dalgrynnu i'r cant agosaf yw 2,300 to round up

talgrynnu i lawr MATHEMATEG os 0, 1, 2, 3 neu 4 yw'r digid cyntaf y mae'n rhaid ei hepgor, yna rhaid talgrynnu i lawr, e.e. 2,343 wedi'i dalgrynnu i'r cant agosaf yw 2,300 to round down

tali fel yn *byw tali* gw. **byw**

taliad gw. tâl¹

talïaidd *ans* yn meddu ar olwg urddasol, hardd; yn ymddangos yn rhywun moesgar fine, smart

talisman *eg* (talismanau) **1** rhywbeth ag arwydd arno sy'n ei wneud yn amddiffyniad rhag drwg ac anlwc talisman **2** rhywbeth y credir ei fod yn creu hud a lledrith talisman

talm:talwm *eg* (talmau) cyfnod o amser; cetyn, ysbaid period **er ys talm/ers talm/ers talwm/es talwm** amser maith yn ôl, ers llawer dydd, slawer dydd this long time

Talmud *eg* CREFYDD (Iddewiaeth) y casgliad awdurdodol o gyfreithiau, traddodiadau a chwedlau hynafol sy'n seiliedig ar y *Mishnah*, sef y traddodiad cyfreithiol llafar Iddewig Talmud

talog *ans* bywiog, sionc a braidd yn ddigywilydd; haerllug jaunty, rakish

talogrwydd *eg* y cyflwr o fod yn dalog; hunanhyder, sioncrwydd self-confidence, jauntiness, cockiness

talp *eg* (talpiau) darn byr, tew (o rywbeth); cnap, cnepyn, cwlff, lwmpyn chunk, lump

talpiog *ans* llawn talpau; anwastad, clapiog lumpy, chunky

talpyn:telpyn *eg* (talpau) **1** talp bach, darn bach, cnepyn bach, *Rho dalpyn arall o lo ar y tân.* small lump **2** chwyddiant ar y corff, *Mae ganddo dalpyn bach cas lle y trawodd ei ben yn erbyn y drws.*; chwydd, chwyddi, lwmp lump

talsyth *ans* tal a syth; union, unionsyth upright, erect

talsythu *be* [talsyth•¹] sefyll yn dalsyth to stand upright

talu *be* [tal•³ 3 *un. pres.* tâl/tala; 2 *un. gorch.* tâl] **1** rhoi arian am nwyddau neu am waith (~ *rhywbeth* i *rywun* am *rywbeth*) to pay **2** setlo dyled (yn ariannol neu'n ffigurol), *Rwyf wedi talu fy nyledion i gyd. Mae'r lleidr yn talu am ei droseddau drwy gael ei garcharu am dair blynedd.* to pay **3** gwneud elw, *Mae'n rhaid i'r siop yma dalu os ydym am aros mewn busnes.* to pay **4** rhoi o wirfodd fel yn *talu sylw* to pay **5** mynegi, datgan, *talu diolch, talu gwrogaeth* to pay

(ni) thâl hi ddim gw. tâl²

talu drwy fy (dy, ei, etc.) nhrwyn talu'n hallt, talu'n ddrud to pay through the nose

talu fy (dy, ei, etc.) ffordd to pay one's way

talu i lawr gw. lawr¹

talu'n hallt talu'n ddrud

talu'r ffordd bod er lles, bod er mantais, *Os ydych am brynu rhywbeth nad ydych yn gwybod llawer amdano, mae'n talu'r ffordd i holi rhywun sy'n berchen ar un yn barod.* to pay

talu'r gymwynas olaf mynd i angladd rhywun to pay one's last respects

talu'r pwyth/talu'r pwyth yn ôl **1** (yn wreiddiol) talu'n ôl mewn diolch (e.e. am anrheg briodas) **2** talu drwg yn ôl am ddrwg; dial to pay back

talwm gw. talm

talwr *eg* (talwyr) un sy'n talu payer

talwrn *eg* (talyrnau) **1** darn o dir glas; maes grassland **2** maes chwarae hen gêmau fel cnapan, a'r man y byddai ceiliogod yn ymladd **3** adeilad arbennig ar gyfer ymladd ceiliogod, *Byddai'r ceiliog yn cael ei gario i ganol y talwrn.* cockpit **4** man agored lle byddai grawn yn cael eu ffusto, llawr dyrnu threshing floor **5** cystadleuaeth cyfansoddi barddoniaeth; ymryson poetic contest

talwrn teirw lle amgaeedig ar gyfer ymladd teirw, a seddau o'i amgylch fel bod tyrfa'n gallu eistedd i wylio'r chwarae bullring

talwrn y beirdd cystadleuaeth rhwng dau neu ragor o dimau o feirdd *Sylwch:* mewn 'talwrn', mae'r beirdd yn cael eu tasgau ymlaen llaw; mewn 'ymryson' rhaid cwblhau'r tasgau ar y pryd.

tamaid *eg* (tameidiau) darn bach o rywbeth mwy; cetyn, dryll, mymryn, pisyn bit, fragment, morsel **ennill fy (dy, ei, etc.) nhamaid** gw. ennill¹ **tamaid bach** rhyw gymaint, ychydig, *tamaid bach yn hwyr, tamaid bach yn bell* little bit **tamaid i aros pryd** byrbryd neu, yn ffigurol, rhagflas o beth sydd i ddod taste of things to come

tamale *eg* COGINIO math o uwd trwchus o México yn cynnwys briwgig, sesnin a blawd india corn wedi'i stemio neu wedi'i bobi mewn plisg india corn

tamarind *eg* coeden o'r trofannau yn perthyn i deulu'r pys ac a nodweddir gan bren caled melyn, blodau coch a melyn a ffrwyth a ddefnyddir wrth goginio ac i wneud moddion tamarind

t

tamarisg *eb* prysgwydden sy'n tyfu yn y trofannau; mae ganddi ddail bychain, cul a thoreth o flodau bach pinc neu wyn tamarisk

tambwrîn *eg* (tambwrinau) offeryn cerdd i'w daro â'r llaw neu'r bysedd, wedi'i lunio o gylch o bren a chroen yn dynn ar ei wyneb a disgiau metel yn tincial o gwmpas ymyl y cylch tambourine

tameidiach *ell* darnau bach mân, dibwys bits and pieces

tameidiog *ans* heb fod yn gyflawn, heb ei orffen, nad yw wedi'i roi at ei gilydd bitty, scrappy, fragmented

tampio:tampan *be*
1 tasgu lan a lawr; bownsio, sboncio to bounce, to tamp
2 gwylltio'n gacwn to be tamping mad
Sylwch: nid yw'r ferf hon yn arfer cael ei rhedeg.

tamprwydd *eg* *tafodieithol, yn y Gogledd* lleithder damp, dampness

tan¹ *ardd* [tanaf fi, tanat ti, tano ef (fe/fo), tani hi, tanom ni, tanoch chi, tanynt hwy (tanyn nhw)]
1 (man neu le sy'n) is, *cwpwrdd dan stâr* beneath, under
2 llai na, *Mae'r pris dan bum punt erbyn hyn.* under
3 mewn swydd is; yn atebol neu'n gyfrifol i (rywun), *Rwy'n lwcus iawn i fod yn astudio dan yr athro hwn.* under
4 yr un pryd â; gan, *Awn dan ganu.*
Sylwch:
1 mae'n achosi'r treiglad meddal
2 fel arfer y ffurf *dan* a ddefnyddir ond y gytsain wreiddiol sy'n cael ei threiglo ar ôl 'a' (*a* than).

tan ofal:t/o:d/o yn y ffurf t/o fe'i defnyddir wrth gyfeirio rhywbeth drwy'r post at rywun a fydd yn barod i dderbyn yr hyn a bostir ar ran y person yr anfonir y post ato, e.e. *Y Bnwr Nudd Lewis, t/o Geraint Lewis, Nant yr Efail, etc*. care of, c/o

tan² *cysylltair* hyd at, nes cyrraedd, *Does dim rhaid imi fod adre tan 10 o'r gloch.* until
Sylwch: mae 'tan' yn achosi'r treiglad meddal (*tan ddydd Gwener*).

tân *eg* (tanau)
1 yr hyn a geir pan fydd rhywbeth yn llosgi â mwg a fflamau a gwres mawr fire
2 llwyth o danwydd wedi'i gynnau ar gyfer gwresogi neu goginio, etc. fire
3 teclyn sy'n defnyddio nwy neu drydan i wresogi ystafell, yn enwedig lle y gallwch weld ffynhonnell y gwres fire

noson tân gwyllt gw. noson

tân gwyllt
1 cynwysyddion bychain, tiwbiau o bapur fel arfer, a'u llond o bowdr sy'n ffrwydro â sŵn mawr neu sy'n llosgi â goleuadau llachar a lliwgar er diddanu gwylwyr fireworks
2 (mewn ymadroddion fel *lledodd y newyddion fel tân gwyllt*) yn gyflym iawn wildfire

tân iddwf MEDDYGAETH clefyd a nodweddir gan lid coch ar y croen ac a achosir gan facteriwm; fflamwydden, iddwf erysipelas
Ymadroddion

ar dân
1 (yn llythrennol) ynghyn, yn llosgi alight
2 (yn ffigurol) i) yn llawn brwdfrydedd ii) yn ddiamynedd oherwydd pryder, awydd, etc., *Mae ar dân am glywed y canlyniadau.* eager, enthusiastic, full of fire

tân ar groen (rhywun) yn gas gan rywun, *Mae gorfod ymarfer y piano yn dân ar ei groen.*

tân siafins gw. siafins

tân yn y bol brwdfrydedd, parodrwydd i frwydro'n galed fire in the belly

yn dân golau yn wenfflam ablaze

tanamcangyfrif *be* [tanamcangyfrif•¹] amcangyfrif bod rhywun neu rywbeth yn llai o faint neu o bwysigrwydd nag ydynt mewn gwirionedd to underestimate

tanbaent *eg* (tanbaentiau) haen o baent a ddefnyddir yn sylfaen i haen arall o baent undercoat

tanbaid *ans* [tanbeit•] (tanbeidion)
1 poeth iawn; eirias, gwynias fiery, flaming, incandescent
2 llawn angerdd; brwd, penboeth, ymfflamychol fervent, intense

tanbeidio *be* [tanbeidi•²]
1 taflu gwres a/neu olau heb fwg, fel y gwna marwor; disgleirio to glow
2 mynd yn ddisglair; gloywi to glow, to burn

tanbeidrwydd *eg*
1 y gwres a'r golau sy'n cael eu cynhyrchu gan dân mawr ac sydd bron yn annioddefol; disgleirdeb, llacharedd incandescence
2 brwdfrydedd mawr iawn sydd bron yn annioddefol; angerdd, nwyd, taerineb fervour

tanbeitiach:tanbeitiaf:tanbeitied *ans* [tanbaid] mwy tanbaid; mwyaf tanbaid; mor danbaid

tanbrisio *be* [tanbrisi•²] gosod gwerth rhy isel ar (rywbeth neu rywun); gosod pris rhy isel ar rywbeth to underprice, to underrate, to undervalue

tanc *eg* (tanciau)
1 cynhwysydd ar gyfer cadw hylif neu nwy tank
2 cerbyd rhyfel sydd ag un dryll mawr, ac sy'n symud ar draciau metel tebyg i ddwy strapen fawr o ddur tank

tancer *eg* (tanceri) llong, awyren, wagen reilffordd neu lorri ar gyfer cludo maint sylweddol o nwy neu hylif, *tancer olew* tanker

tanchwa *eb* (tanchwaoedd) ffrwydrad dinistriol sy'n digwydd pan fydd nwyon yn chwyddo'n gyflym iawn mewn tân mawr; neu'r un effaith ond gymaint yn fwy eto mewn ffrwydrad niwclear; ffrwydrad, taniad explosion

tandem *eg* beic ar gyfer dau, gyda'r naill yn eistedd y tu ôl i'r llall tandem

tandorri *be* [tandorr•⁹]
1 torri hollt ym moncyff coeden er mwyn pennu'r cyfeiriad y bydd yn syrthio wrth iddi gael ei chwympo to undercut
2 bwrw o dan bêl mewn ffordd sy'n achosi i'r bêl fownsio'n uchel a thuag yn ôl wrth iddi lanio to undercut
Sylwch: dyblwch yr 'r' ym mhob ffurf ac eithrio yn y rhai sy'n cynnwys -as-.

tanddaearol *ans* wedi'i leoli dan y ddaear underground, subterranean

tanddatblygedig *ans* heb gael ei ddatblygu i'r eithaf underdeveloped

tanddefnyddio *be* [tanddefnyddi•²] peidio â defnyddio rhywbeth yn ddigon aml neu beidio â gwneud defnydd digonol ohono to underutilize

tanddwr *ans* wedi'i leoli neu wedi'i addasu i weithredu dan wyneb y dŵr underwater

tanerdy *eg* (tanerdai) man lle mae crwyn anifeiliaid yn cael eu troi'n lledr tannery

tanfaethedig *ans* yn derbyn neu wedi derbyn llai o fwyd nag sydd ei angen i dyfu'n iach undernourished

tanfaethu *be* [tanfaeth•¹] cadw'n brin o faeth to undernourish

tanfor *ans* yn bod dan y môr, a ddefnyddir dan y môr submarine, undersea
Sylwch: nid yw'n cael ei gymharu.

tanforwr *eg* (tanforwyr) llongwr llong danfor submariner

tanffordd *eb* (tanffyrdd) ffordd neu heol sy'n croesi tan heol arall neu reilffordd; twnnel underpass

tangloddio *be* [tangloddi•²] palu neu gloddio dan rywbeth (gyda'r bwriad gan amlaf o'i wanhau); tanseilio to undermine

tango *eg* (tangos)
1 CERDDORIAETH dawns frodorol o Buenos Aires yn wreiddiol; fe'i nodweddir gan rythmau penodol, ystumiau arbennig a seibiannau sydyn tango
2 CERDDORIAETH darn o gerddoriaeth wedi'i ysgrifennu yn amser ac arddull y ddawns tango

tangyflawni *be* [tangyflawn•¹] methu cyflawni'r cyfan o'r hyn y medrir ei gyflawni to underachieve

tangyflogaeth *eb* y cyflwr economaidd pan nad yw'r gweithlu cyfan yn gyflogedig underemployment

taniad *eg* (taniadau)
1 y weithred o gynnau a llosgi, gan amlaf â ffrwydrad; tanchwa ignition
2 ergyd dryll firing

tanio *be* [tani•⁶]
1 rhoi ar dân, yn ffigurol hefyd fel yn *tanio'r dychymyg*; cynnau, ennyn, ffaglu, fflamio to light, to ignite
2 rhoi cymysgedd o aer a phetrol ar dân mewn peiriant tanio mewnol (e.e. car) to start, to ignite
3 (am wn) ergydio, saethu to fire, to discharge
4 (am grochenwaith, briciau, etc.) crasu mewn odyn to fire

taniwr *eg* (tanwyr) y person sy'n gyfrifol am sicrhau bod digon o danwydd ar y tân mewn peiriant ager fel llong neu drên fireman, stoker

tanjerîn *eg* (tanjerinau:tanjerîns)
1 ffrwyth sitrws tebyg i oren ond yn llai ei faint; mae ei groen yn fwy llachar ac yn fwy llac tangerine
2 lliw orengoch y tanjerîn tangerine
3 y goeden y mae'r ffrwyth yn tyfu arni tangerine tree

tanlinelliad *eg* y broses o danlinellu, canlyniad tanlinellu underlining, emphasis

tanlinellu *be* [tanlinell•¹]
1 pwysleisio neu dynnu sylw at bwysigrwydd gair neu grŵp o eiriau drwy dynnu llinell odanynt to underline
2 gosod pwyslais ar rywbeth, *'Mae'n rhaid imi danlinellu pa mor bwysig yw sicrhau bod pob rhan o'ch beic yn gweithio'n iawn,' meddai'r hyfforddwr.* to emphasize, to underline

tanlwybr *eg* (tanlwybrau) llwybr, math o dwnnel dan stryd, ar gyfer cerddwyr fel arfer, ond hefyd ar gyfer pibau dŵr, nwy, trydan, etc. subway

tanlli *ans*
1 yn wreiddiol, 'yr un lliw â thân', tanlliw; disglair, llachar
2 yna, y marc a gâi ei losgi ar gefn anifail neu ar eiddo i ddynodi perchenogaeth brand
3 yna, daeth i olygu mor newydd â phosibl, mor newydd â'r nod perchenogaeth, *newydd sbon danlli* brand new

tanllwyth *eg* (tanllwythi) tân mawr, llwyth o dân; coelcerth blazing fire

tanllyd *ans*
1 yn llosgi'n fflamau neu'n edrych yn debyg i dân, *gwallt coch tanllyd*; fflamboeth, gwenfflam, ynghyn fiery
2 yn cynddeiriogi'n gyflym, yn gwylltio'n rhwydd, hawdd ei danio fiery
3 (am sylwadau) yn cynddeiriogi, yn gwylltio inflammatory

tannaf *bf* rwy'n taenu; byddaf yn taenu

tannau *ell* lluosog tant

tannin *eg* cemegion organig cymhleth a geir mewn dail, ffrwythau a rhisgl coed, a ddefnyddir ar gyfer lliwio (fel inc) ac i droi croen anifail yn lledr tannin

tannu *be* [tann•[10]] gosod yn llyfn ac yn esmwyth, *tannu gwely, tannu dillad ar y lein*; lledaenu, taenu, trefnu to make (the bed), to spread

tanodd *adf* oddi tano; dan, islaw below, underneath

Tansanïad *eg* (Tansanïaid) brodor o Tanzania Tanzanian

Tansanïaidd *ans* yn perthyn i Tanzania, nodweddiadol o Tanzania Tanzanian

tanseilio *be* [tanseili•[2]]
  1 cloddio dan seiliau rhywbeth er mwyn ei wanhau; gwanhau, tangloddio to undermine, to scupper
  2 gwneud yn llai grymus neu effeithiol yn raddol ac mewn ffordd lechwraidd, fel arfer, tynnu gwynt o hwyliau to undermine, to subvert

tansi *eg* planhigyn yn perthyn i deulu llygad y dydd ac iddo sypiau o flodau bach melyn persawrus; mae'n cael ei ystyried yn chwyn tansy

tansugno *be* DAEAREG yr hyn sy'n digwydd pan fydd un haen o gramen y Ddaear (y gramen gefnforol), yn suddo neu'n cael ei gwthio dan haen arall (y gramen gyfandirol) gan achosi daeargrynfeydd ac echdoriadau folcanig to subduct
  Sylwch: nid yw'r ferf hon yn arfer cael ei rhedeg.

tant *eg* (tannau) CERDDORIAETH un o linynnau offeryn cerdd llinynnol, e.e. telyn neu feiolin; llinyn string
  cerdd dant gw. cerdd
  tannau'r llais ANATOMEG plygiadau yn leinin pilennog y laryncs sy'n creu hollt yn y glotis y mae anadl yn gallu dirgrynu eu hymylon er mwyn cynhyrchu'r llais vocal cords
  taro tant dweud neu wneud rhywbeth y mae llawer yn cytuno ag ef to strike a chord

tantalwm *eg* elfen gemegol rhif 73; metel caled, llwyd/ariannaidd a ddefnyddir mewn pinnau uno esgyrn mewn llawfeddygaeth (Ta) tantalum

tantro *be* dweud y drefn; arthio, dwrdio, pregethu, rhefru to rant, to scold, to rail
  Sylwch: nid yw'r ferf hon yn arfer cael ei rhedeg.

tanwariant *eg* y weithred o danwario underspend

tanwario *be* [tanwari•[5]] gwario llai o arian na'r hyn a amcangyfrifwyd neu a ddyrannwyd to underspend

tanwedd *eb* rhimyn o dân a welir yn y nos y credir ei fod yn rhagfynegi marwolaeth

tanwydredd *eg* sylwedd a daenir ar grochenwaith cyn gorffen y darn â haen o wydredd caled underglaze

tanwydd *eg* (tanwyddau)
  1 defnydd fel coed, glo neu olew sy'n cael ei losgi er mwyn cynhyrchu gwres a/neu egni firewood, fuel, propellant
  2 defnydd sy'n gallu cynhyrchu egni niwclear fuel

tanwyr *ell* lluosog **taniwr**

tanysgrifiad *eg* (tanysgrifiadau)
  1 y weithred o danysgrifio subscription
  2 swm o arian sy'n cael ei dalu (ymlaen llaw fel arfer) am nwyddau neu wasanaeth am gyfnod penodedig, e.e. *tanysgrifiad blwyddyn am gylchgrawn* subscription

tanysgrifio *be* [tanysgrifi•[2]]
  1 cyfrannu arian yn rheolaidd tuag at rywbeth; cefnogi, cyfranogi (~ i) to subscribe
  2 talu ymlaen llaw am dderbyn rhywbeth yn rheolaidd, e.e. cylchgrawn, gwasanaeth teledu, etc. to subscribe
  3 talu am gael bod yn aelod o ryw gymdeithas am gyfnod arbennig; ymaelodi to subscribe

tanysgrifiwr *eg* (tanysgrifwyr) un sy'n tanysgrifio subscriber

Tao *eg*
  1 ATHRONIAETH y gynghanedd greadigol y mae dilynwyr Taoaeth yn credu sy'n rheoli'r bydysawd Tao
  2 ATHRONIAETH llwybr buchedd gyfiawn a ddysgid gan yr athronydd Tsieineaidd Confucius Tao

Taoaeth *eb* cred athronyddol/grefyddol ddwyreiniol sy'n ymgais i ddod o hyd i'r 'ffordd' i fywyd dedwydd drwy bledio gweithredu yn unol â natur nid yn ei herbyn; hefyd crefydd sydd wedi codi allan o hyn, sy'n chwilio am hir oes a hapusrwydd drwy ddulliau hud a lledrith Taoism

tap[1] *eg* (tapiau) teclyn ar gyfer rheoli llif hylif neu nwy o bibell neu faril, etc. tap

tap[2] *eg* (tapiadau) curiad neu drawiad ysgafn tap

tap[3] *eg* erfyn ar gyfer torri twll ag edau ynddo mewn defnydd, e.e. i lunio nyten tap

tâp *eg* (tapiau)
  1 darn hir, cul o ddefnydd ar ffurf bandyn tape
  2 stribyn hir, cul o blastig wedi'i orchuddio â haenen o ddefnydd magnetig sy'n cael ei ddefnyddio i recordio sain neu luniau fideo tape
  3 recordiad sain neu fideo, *Gawn ni fenthyg rhai o'ch tapiau pop dros y gwyliau?* tape

tâp mesur math arbennig o dâp ag unedau hyd (pellter) wedi'u nodi arno er mwyn mesur pethau tape measure

tapddawnsio *be* [tapddawnsi•[2]] CERDDORIAETH dawns stepio i rythm cerddorol; mae'n cael ei pherfformio gan ddawnsiwr sy'n gwisgo esgidiau â darnau metel ar eu blaen a'u gwaelod

er mwyn medru tapio rhythmau yn eglur
to tap-dance

taped *eb* (tapedi) (mewn peiriant) lifer neu fraich
symudol sy'n symud neu sy'n cael ei symud gan
un rhan, e.e. cam, ac yn cyffwrdd â rhan arall i
drawsyrru mudiant tappett

tapestri *eg* (tapestrïau) math o frethyn trwm
yn cynnwys darlun neu batrwm addurniadol
cymhleth a wehyddir â llaw; brithlen tapestry

tapetwm *eg* (tapeta)
1 BOTANEG haen o feinwe maethlon yn y
sborangiwm, yn enwedig y tu mewn i anther
tapetum
2 SWOLEG darn adlewyrchol yng nghoroid
llygaid nifer o anifeiliaid sy'n gwneud iddynt
ddisgleirio yn y tywyllwch tapetum

tapio[1] *be* [tapio•[2]] curo neu daro'n ysgafn yn
erbyn rhywbeth, *tapio'r drwm* to tap

tapio[2] *be* [tapio•[2]] recordio naill ai sain neu
sain a llun ar dâp magnetig (~ *rhywbeth* **ar**)
to tape-record

tapio[3] *be* [tapio•[2]] cysylltu dyfais â ffôn er mwyn
gallu gwrando ar y sgwrs yn ddirgel to tap
(a telephone)

tapio[4] *be* [tapio•[2]] torri twll ag edau ynddo mewn
defnyddiau fel metel, pren neu blastig to tap

tapio[5] *be* [tapio•[2]] defnyddio tâp i ludo neu lynu
to tape

tapioca *eg* grawn wedi'u gwneud drwy falu
gwreiddiau'r planhigyn casafa; fe'u defnyddir
i wneud pwdin llaeth/llefrith tapioca

tapir *eg* (tapiriaid:tapirod) anifail y nos yn
perthyn i'r ceffyl a'r rhinoseros a geir ym
Malaysia ac America drofannol; mae ganddo
drwyn hir ystwyth tapir

taplas *eb* (taplasau) *hanesyddol* adloniant o
ddawnsio, canu ac yfed revelry

tapo *be tafodieithol, yn y De* gosod gwadn newydd
ar esgid; gwadnu to sole
Sylwch: nid yw'r ferf hon yn arfer cael ei rhedeg.

tapr *eg* (taprau)
1 y ffordd y mae ffurf hir yn culhau neu'n
ymffurfio'n raddol yn bwynt taper
2 cannwyll fain o gŵyr taper

tâp-recordydd *eg* (tâp-recordyddion) peiriant
ar gyfer recordio seiniau ar dâp ac yna eu
hatgynhyrchu tape recorder

tapro *be* [tapr•[1]] ymffurfio'n dapr, mynd yn
bigfain; gwneud yn bigfain to taper

tar *eg* sylwedd du, gludiog sy'n cael ei
ddefnyddio i wneud heolydd, i gadw coed rhag
pydru, etc. tar

taradr *eg* (terydr) arf saer sy'n cael ei ddefnyddio
i wneud tyllau mawr mewn pren neu yn y
ddaear; agorell, ebill, tyllwr, tyllydd auger

taradr y coed un o nifer o wahanol fathau o
adar â phig hir, gref sy'n gwneud tyllau mewn

coed ac sy'n bwydo ar y pryfed a geir yn y
tyllau hyn; cnocell y coed woodpecker

taran *eb* (taranau) y sŵn sy'n dilyn mellt mewn
storm o fellt a tharanau; twrf, trwst thunder,
thunderclap

taranfollt *eb* (taranfolltau) *llenyddol* mellten a
sŵn taran yr un pryd; llucheden thunderbolt

taraniad *eg* (taraniadau) sŵn mawr fel taran;
trwst, taran roar, thundering

taranllyd *ans* (o ran tywydd) yn debygol o
daranu; (am lais) tebyg i daran thundery,
thunderous

taranllyd o fe'i defnyddir i ddwysáu ystyr
ansoddair, *taranllyd o uchel*

tarantella *eb* CERDDORIAETH dawns gyflym
o'r Eidal

tarantwla *eg* (tarantwlaod) un o nifer o fathau
o bryfed cop mawr blewog, araf eu symudiad
sy'n gallu brathu (ond sydd heb fod yn arbennig
o wenwynig) tarantula

taranu *be* [taran•[3]]
1 gwneud tyrfau neu daranau to thunder
2 gwneud synau uchel, bygythiol, yn enwedig
felly am siaradwr, pregethu (yn erbyn rhywbeth
fel arfer), *Roedd y cynghorydd ar ei draed yn
taranu yn erbyn y cynllun i symud teuluoedd
o'u cartrefi.*; bytheirio, rhuo to thunder, to rage,
to rave

taranwr *eg* (taranwyr) un sy'n taranu, un sy'n
areithio'n rymus thunderer

tarddair *eg* (tarddeiriau) IEITHYDDIAETH gair y
mae gair arall yn deillio ohono; gwreiddair
etymon, root word

tarddbwynt *eg* (tarddbwyntiau) MATHEMATEG
(ar graff) y man y mae'r echelinau'n croesi ac y
mae gwerth y newidynnau'n 0 origin

tarddell *eb* (tarddellau) llygad ffynnon ddŵr
neu hylif arall, y man y mae dŵr, olew, etc. yn
ffrydio o'r ddaear; blaen, tarddle source, spring

tarddiad *eg* (tarddiadau) y man y mae rhywbeth
yn deillio ohono, e.e. ffynhonnell ffrwd o ddŵr,
ystyr gair etc.; dechrau, ffynhonnell, gwraidd,
tarddle source, origin, derivation

tarddiadol *ans* yn dod allan o rywbeth, yn
deillio o rywbeth originating, derived

tarddiant *eg* (tarddiannau) rhywbeth fel dŵr neu
bloryn ar y croen sy'n byrlymu i'r wyneb eruption

tarddle *eg* (tarddleoedd) y man y mae rhywbeth
yn tarddu neu'n deillio ohono; ffynhonnell
point of origin, source

tarddlin *eb* (tarddlinau) DAEAREG llinell
ddychmygol ar wyneb y tir lle mae'r lefel
trwythiad yn dod i gysylltiad â'r wyneb,
a lle y ceir nifer o darddellau dŵr spring line

tarddu *be* [tardd•[1] 3 *un. pres.* tardd/tardda;
2 *un. gorch.* tardd/tardda] dod allan o; codi,
cychwyn, dechrau, deillio to spring, to originate

t

tarfiad *eg* (tarfiadau) gweithred o darfu; aflonyddiad, cynnwrf disturbance

tarfu *be* [tarf•³ 3 *un. pres.* teirf/tarfa] torri ar draws, (*Mae'n ddrwg gennyf darfu ar eich hwyl ond mae gennyf gyhoeddiad pwysig.*); aflonyddu, chwalu (~ **ar**) to interrupt, to scare, to scatter, to disrupt

tarfwr *eg* (tarfwyr) un sy'n tarfu ar (heddwch); aflonyddwr, cynhyrfwr disrupter, troubler, agitator

targed *eg* (targedau)
1 unrhyw beth y mae saethau, bwledi, taflegrau, etc. yn cael eu hanelu ato; amcan, gôl, nod target
2 cyfanswm neu nod neu ganlyniad y mae rhywun yn awyddus i'w gyrraedd target
3 rhywun neu rywbeth y mae pobl yn ei watwar neu yn cael hwyl am ei ben; cocyn hitio butt, target

targedu *be* [targed•¹] gosod yn darged to target

tarian *eb* (tarianau)
1 darn llydan o bren, metel, lledr neu blastig sy'n cael ei ddefnyddio i amddiffyn (milwr, aelod o'r heddlu, etc.) rhag saethau, ergydion, cerrig, etc.; bwcler shield
2 model bach o un o'r rhain sy'n dwyn arfbais neu sy'n cael ei wisgo fel bathodyn, etc. crest, shield
3 gwobr ar ffurf tarian sy'n cael ei chyflwyno i'r buddugwr mewn cystadleuaeth shield

tarian geg gorchudd i'r dannedd a wisgir gan chwaraewr gêmau er mwyn diogelu'r dannedd gumshield

tariandir *eg* (tariandiroedd) DAEAREG darn enfawr sefydlog o gramen y Ddaear yn cynnwys creigiau cyn-Gambriaidd yn bennaf, sy'n rhan annatod o bob cyfandir shield, craton

tariff *eg* rhestr o brisiau penodol sy'n cael eu codi gan fusnes, yn enwedig gwesty neu fwyty tariff

tario *be* [tari•²] llusgo traed; aros, oedi, sefyll to tarry

tarmacio *be* [tarmaci•²] gosod haen gywasgedig o gymysgedd o dar a graean a bitwmen (tarmacadam) ar wyneb heol neu ffordd to tarmac

tarneisio *be* [tarneisi•¹] colli neu beri i golli gloywedd, yn arbennig yn sgil cysylltiad ag aer neu leithder to tarnish

taro *be* [traw•³ 3 *un. pres.* tery/trawa; *llu. gorff.* trawsom etc.; 2 *un. gorch.* taro]
1 bwrw yn erbyn rhywbeth caled neu ddod i gyffyrddiad â rhywbeth caled, *Syrthiodd yn ddiymadferth ar ôl taro'i ben yn erbyn y trawst.* to bump, to strike
2 bwrw, ergydio, curo, *Nid oes gan athrawon hawl i daro plant.* to hit, to strike

3 gwneud neu ymosod yn sydyn neu'n annisgwyl, *Fe'u trawyd yn fud. Cafodd ei daro'n sâl yn sydyn.* to strike
4 cynnau wrth fwrw yn erbyn rhywbeth caled, *taro matshen* to strike
5 (am rywun neu am beiriant) gwneud sŵn wrth fwrw rhywbeth yn fwriadol, *y cloc yn taro chwech* to strike
6 cael effaith neu wneud argraff ar rywun, *Sut mae'r ystafell hon yn dy daro?* to strike
7 rhoi, dodi (â rhyw awgrym o frys), *Trawodd yr arian i gyd mewn bocs a'i guddio yn y cwpwrdd.*
8 ysgrifennu'n gyflym, *Taro hwn i lawr yn dy lyfr cyn iti ei anghofio.* to jot
9 bod yn addas, bod yn gyfleus, *Dydy'r coch a'r melyn ddim yn taro'n iawn gyda'i gilydd.*; gweddu, siwtio to suit
10 dod i'r meddwl, *Wnaeth hi mo 'nharo i y byddwn i wedi blino cymaint ar ôl y daith.* to occur, to strike
11 cyrraedd cytundeb, *taro bargen* to strike
12 CERDDORIAETH fel yn *taro nodyn* gosod traw (nodyn) to pitch

taro ar
1 dod o hyd i rywun neu rywle yn ddamweiniol, *Digwyddais daro ar Siân wrth siopa.* to come across
2 cael, darganfod, *Fe drawodd ar syniad hollol wreiddiol.* to hit upon

taro chwech gw. chwech

taro deuddeg gw. deuddeg

taro i mewn galw ar ymweliad byr to pop in

taro'r hoelen ar ei phen gw. hoelen

taro'r post i'r pared glywed gw. postyn

taro tant gw. tant

tarren *eb* (tarenni:tarennydd)
1 bryn serth, bryn creigiog; bryncyn, clogfaen, clogwyn hillock
2 sgarp; clogwyn uchel neu lethr serth gymharol ddi-dor sy'n derfyn i lwyfandir neu ucheldir lled wastad escarpment, scarp

tarsol *ans* ANATOMEG yn perthyn i'r tarsws tarsal

tarsws *eg* ANATOMEG y grŵp o saith o esgyrn bach yn y droed sy'n ffurfio'r ffêr a'r sawdl tarsus

tartarig *ans* fel yn *asid tartarig*, asid organig, crisialog a geir mewn grawnwin anaeddfed ac sy'n sgilgynnyrch gwneud gwinoedd; fe'i defnyddir mewn powdr codi ac wrth goginio tartaric (acid)

tarten *eb* (tartennau:tartenni)
1 casyn bas, agored o does yn cynnwys jam neu ffrwythau, *tarten jam*; cacen, teisen tart
2 pastai fas yn llawn ffrwythau neu jam, *tarten afalau* pie, tart

tarth *eg* (tarthau) ffurf weladwy hylif (fel dŵr) pan fydd yn troi'n nwy, yn enwedig pan fydd yn codi o afon neu'n llenwi cwm; caddug, mwrllwch, niwl, tawch mist, vapour

tarthu *be* troi'n darth, codi'n darth; mygu to fume, to vaporize

Sylwch: nid yw'r ferf hon yn arfer cael ei rhedeg.

tarugo *be tafodieithol* gwneud neu fynd yn ddolurus (yn enwedig am y croen mewn tywydd oer), dioddef o losg eira to become sore, to make sore

Sylwch: nid yw'r ferf hon yn arfer cael ei rhedeg.

tarw *eg* (teirw) anifail gwryw yn ei lawn dwf sy'n perthyn i deulu'r ych; cymar buwch a thad llo bull

tarw dur (teirw dur) peiriant cryf iawn a ddefnyddir i wthio pethau trwm (e.e. llwyth o bridd neu goeden) bulldozer

Ymadrodd

tarw potel *anffurfiol* y broses o drosglwyddo semen neu had tarw i wain buwch mewn dull artiffisial artificial insemination

tarwden *eb* MEDDYGAETH clefyd cyffwrdd-ymledol ar ffurf cylchoedd bach coch, coslyd (ar groen y pen neu'r traed fel arfer) a achosir gan fath o ffwng ringworm

tarwden y traed MEDDYGAETH clefyd sy'n heintio'r croen rhwng bysedd y traed athlete's foot

tas *eb* (teisi) yn enwedig *tas wair*, llwyth uchel o wair neu wellt sy'n debyg i siâp tŷ ac sy'n cael ei gadw yn yr awyr agored nes bod ei angen; beisgawn, bera haystack, rick

tasel *eg* (taselau) addurn ar ffurf tusw o edafedd yr un hyd wedi'u clymu ynghyd ar un pen a'i hongian wrth lenni, cwrlid, belt, etc. tassel

tasg *eb* (tasgau) gwaith y mae'n rhaid ei gyflawni; gorchwyl task, job

tasgfeistr *eg* (tasgfeistri) un sy'n pennu tasgau, yn enwedig un sy'n pennu anhawster y tasgau i'w cyflawni taskmaster

tasglu *eg* (tasgluoedd) grŵp o bobl (yn y lluoedd arfog fel arfer) sy'n cael eu galw ynghyd i gyflawni tasg arbennig task force

tasgu *be* [tasg•¹]

1 (am hylif neu fwd) gwasgaru neu gael ei wasgaru yn ddafnau; neidio, sblasio (~ dros) to splash

2 cynhyrfu rhywbeth nes ei fod yn neidio neu'n ysgeintio (weithiau'n ffigurol), *Cafodd aelodau'r tîm bryd o dafod gan eu hyfforddwr nes eu bod yn tasgu.* to jump, to start

Tasmanaidd *ans* yn perthyn i ynys Tasmania, nodweddiadol o Dasmania Tasmanian

Tasmaniad *eg* (Tasmaniaid) brodor o ynys Tasmania Tasmanian

tast *eg*

1 *anffurfiol* blas; un o'r pum synnwyr, sef yr hyn a glywir â'r tafod taste

2 chwaeth, *Dyw'r ffrog 'na ddim at fy nhast i.* taste

tasu:teisio *be* gwneud tas, codi'n deisi to rick

Sylwch: nid yw'r ferf hon yn arfer cael ei rhedeg.

Tatar *eg* (Tatariaid) brodor o Weriniaeth Tatarstan Tatar

taten *eb* (tatws) llysieuyn y mae ei gloron llawn startsh yn ffynhonnell fwyd bwysig; mae'n cael ei thrin a'i choginio mewn llawer ffordd, e.e. i wneud creision, sglodion, etc.; pytaten potato

Sylwch: gw. hefyd **tatws**

dim taten o ots:hidio dim taten dim ots o gwbl, yn malio dim don't care in the least

tato *tafodieithol, yn y De* tatws

tatw *tafodieithol, yn y Gogledd* tatws

tatŵ¹ *eg* (tatŵs) llun neu batrwm ar y croen a wneir drwy dyllu'r croen a llenwi'r mân dyllau hyn â lliw tattoo

tatŵ² *eg* (tatŵs)

1 galwad (ar fiwgl neu ddrwm) i rybuddio milwyr ei bod yn bryd dychwelyd i'r gwersyll tattoo

2 ymarferiad gan luoedd arfog a gyflwynir ar ffurf adloniant yr hwyr tattoo

tatws:tato:tatw *ell*

1 lluosog **taten**

2 y planhigion y mae'r tatws yn rhan o'u gwreiddiau potatoes

tatws had:tatws hadyd tatws bychain sy'n cael eu cadw i'w hau ar gyfer y cnwd nesaf seed potatoes

tatws pêr cloron pinc â blas melys sweet potatoes

tatws pob tatws wedi'u pobi heb eu pilio/plicio; tatws trwy'u crwyn baked potatoes, jacket potatoes

tatws rhost tatws wedi'u coginio mewn saim yn y ffwrn roast potatoes

tatws stwnsh tatws wedi'u malu ar ôl eu berwi mashed potatoes

tatws trwy'u crwyn tatws wedi'u pobi heb eu pilio/plicio; tatws pob baked potatoes, jacket potatoes

tau *bf* [tewi] *hynafol* mae ef yn tewi/mae hi'n tewi; bydd ef yn tewi/bydd hi'n tewi

taw¹ *eg* diffyg sŵn; distawrwydd, gosteg, llonyddwch silence

rhoi taw ar rywun gwneud i rywun fod yn dawel to shut (someone) up

taw piau hi rhybudd i beidio â sôn am rywbeth mum's the word

taw² *bf* [tewi] gorchymyn i ti dewi, bydd dawel; ust

taw³ *cysylltair* gallwch roi pwyslais arbennig ar ran o frawddeg drwy ei gosod yn syth ar ôl y ferf a defnyddio'r ffurf *taw* yn y De neu *mai* yn fwy cyffredinol i gysylltu'r ddwy ran, e.e. cymharwch *gwn fod John yno* a *gwn taw John oedd yno*; mai that it is, that it was
 Sylwch: nad yw'r ffurf negyddol; nid yw 'taw nid' yn dderbyniol yn ysgrifenedig.

TAW⁴ *byrfodd* Treth ar Werth VAT

tawaf *bf* [tewi] rwy'n tewi; byddaf yn tewi

tawch *eg* ffurf weladwy hylif pan fydd yn troi'n nwy, gan gynnwys weithiau ei aroglau annymunol, arogl llaith, drwg; anwedd, niwl, tarth reek, vapour

tawdd¹ *ans* (toddion) am rywbeth, e.e. metel, sydd wedi'i doddi, sydd wedi'i boethi â gwres mawr nes ei fod ar ffurf hylif molten

tawdd² *bf* [toddi] *ffurfiol* mae ef yn toddi/mae hi'n toddi; bydd ef yn toddi/bydd hi'n toddi

tawddlestr *eg* (tawddlestri) crwsibl; llestr sy'n gallu gwrthsefyll gwres mawr a ddefnyddir i doddi neu galchynnu sylweddau ynddo crucible

tawedog *ans* heb lawer i'w ddweud; di-ddweud, distaw, dywedwst, tawel incommunicative, reticent, taciturn

tawel *ans* [tawel•]
 1 heb fawr ddim sŵn na mwstwr, *Ewch i chwarae'n dawel i rywle.*; distaw, di-drwst, di-stŵr quiet, silent
 2 heb gyffro na chythrwfl, *Mae'r llyn yn dawel heddiw.*; llonydd, digyffro calm, still, tranquil
 3 (am liwiau) heb fod yn llachar muted, quiet
 yn dawel bach
 1 yn ddistaw bach on the quiet
 2 yn gyfrinachol, 'rhyngom ni', *Cefais wybod yn dawel bach eu bod yn bwriadu symud oddi yma cyn diwedd yr haf.* confidentially

tawelu *be* [tawel•¹]
 1 gwneud i rywun neu rywbeth fod yn dawel neu'n llonydd, *Llwyddodd Ann i dawelu'r ceffyl o'r diwedd.*; distewi, dofi, gostegu, llonyddu to calm, to quieten, to placate
 2 newid yn raddol o fod yn swnllyd neu'n wyllt i fod yn fwy tawel, *Tawelodd y gwynt ar ôl y storm.*; ymdawelu to grow calm, to subside
 3 gostegu'n raddol cyn diflannu to fade

tawelwch *eg* y cyflwr o fod yn dawel, diffyg sŵn a chyffro; distawrwydd, gosteg, hedd, tangnefedd calm, quiet, stillness

tawelydd *eg* (tawelyddion)
 1 teclyn sy'n lleihau sŵn ergyd gwn silencer
 2 teclyn sy'n lleihau sŵn pibell wacáu car neu gerbyd silencer
 3 MEDDYGAETH cyffur a ddefnyddir i leddfu tyndra meddyliol neu ofid tranquillizer

tawelyddiaeth *eb* CREFYDD athrawiaeth gyfriniol sy'n dysgu bod tangnefedd yn deillio o ostegu neu ladd yr ewyllys a chanolbwyntio yn oddefol ar y duwdod quietism

tawlbwrdd *eb* (tawlbyrddau) yn wreiddiol, gêm debyg i wyddbwyll, ond erbyn hyn clawr gwyddbwyll neu ddrafftiau chessboard, draughtboard

tawnod *eg* (tawnodau) CERDDORIAETH (mewn cerddoriaeth ysgrifenedig) arwydd yn dynodi cyfnod penodol o dawelwch rest

tawtoleg *eb* (tawtolegau)
 1 ailadroddiad diangen gair, syniad neu osodiad, e.e. *Eisteddai yn unig ar ei phen ei hun.* tautology
 2 RHESYMEG gosodiad sy'n wir drwy ddiffiniad, e.e. *Can ceiniog yw punt.*, lle mae'r 'yw' a ddefnyddir bob amser yn 'yw' diffiniol tautology

tawtomeredd *eg* CEMEG perthynas rhwng cyfansoddion cemegol sy'n rhannu'r un cyfansoddiad ond sydd ag adeiledd gwahanol neu briodweddau cemegol gwahanol, ond lle mae'r gwahanol ffurfiau (isomerau) yn ymgyfnewid yn rhwydd fel eu bod, fel arfer, yn bodoli mewn cyflwr o gydbwysedd tautomerism

tawtomerig *ans* CEMEG yn perthyn i dawtomeredd, wedi'i nodweddu gan dawtomeredd tautomeric

te *eg*
 1 llwyn sy'n cael ei dyfu yn ne a dwyrain Asia er mwyn ei ddail tea
 2 diod sy'n cael ei gwneud drwy arllwys dŵr berwedig ar ddail y llwyn hwn wedi iddynt gael eu sychu a'u malu tea
 3 cwpanaid o'r ddiod yma, *Tri the, os gwelwch yn dda.* (cup of) tea
 4 pryd bach ysgafn sy'n cael ei fwyta yn y prynhawn tea
 5 diod feddyginiaethol sy'n cael ei gwneud drwy drwytho dail llysiau neu wreiddiau llysiau mewn dŵr berwedig, *te dail wermod* (herb) tea

te breci gw. breci

te coch te heb laeth black tea

te deg/ddeg seibiant i gael paned o de ganol bore elevenses

te tramp te lle y rhoddir y dail te (neu erbyn hyn y bag te) yn rhydd mewn cwpan ac arllwys dŵr berwedig drostynt

'te ffurf lafar ar **ynteu**

tebot *eg* (tebotau) llestr neu bot arbennig ar gyfer gwneud te a'i arllwys ohono teapot

tebotaid:tebotiaid *eg* (teboteidi) llond tebot pot of tea

tebycach:tebycaf:tebyced *ans* [tebyg] mwy tebyg; mwyaf tebyg; mor debyg

tebyg¹ *ans* [tebyc•] bron yr un peth â rhywun neu rywbeth arall, yr un ffunud â; cyfatebol, cyffelyb, fel, megis (~ i *rywun/rywbeth*; ~ o *wneud*) like, similar, akin

mae'n debyg
1 mae ef/hi bron yr un peth â *(Mae'n debyg i'w fam.)*
2 mae'n ymddangos, y tebyg yw *(Mae'n debyg ei bod hi'n disgwyl inni fynd.)*
tebyg at ei debyg ymadrodd sy'n cael ei ddefnyddio (weithiau'n gellwerus) pan fydd dau beth neu ddau berson tebyg yn closio at ei gilydd birds of a feather
tebyg² *eg* tebygolrwydd, *Y tebyg yw na fydd ef yma yfory.* likelihood
yn ôl pob tebyg y peth mwyaf tebygol (a fydd yn digwydd) in all probability
tebygol *ans* pa mor bosibl yw rhywbeth neu faint o siawns sydd i rywbeth ddigwydd, yn ôl pob golwg, *Mae'n debygol y bydd Alan allan o'r ysbyty erbyn y penwythnos.* likely, probable
tebygolrwydd *eg* (tebygolrwyddau)
1 y graddau y mae rhywbeth yn debygol o fod neu o ddigwydd; argoel likelihood, probability
2 MATHEMATEG mesur o ba mor debygol ydyw y bydd rhywbeth yn digwydd, wedi'i fynegi gan amlaf fel ffracsiwn rhwng 0 (rhywbeth sy'n gwbl amhosibl) ac 1 (rhywbeth sy'n sicr o ddigwydd); gall y mesur fod yn seiliedig ar gymhareb nifer y gweithiau y digwyddodd y peth mewn cyfres o brofion a chyfanswm y profion a gynhaliwyd yn y gyfres probability
tebygrwydd *eg* y cyflwr o fod yn debyg (i rywun neu rywbeth), o fedru cael eich cyffelybu i rywun neu rywbeth; cydweddiad, cyfatebiaeth, cytundeb likeness, resemblance, similarity
tebygu *be* [tebyg•¹]
1 meddwl, ystyried, tybio, *Mae hon, debygwn i, yn enghraifft dda o'r peth.* to think
2 cyffelybu, cymharu, *Mae'n cael ei debygu i'w dad.* to liken
tecach:tecaf:teced *ans* [teg] mwy teg; mwyaf teg; mor deg
tecáu *be* [teca•¹⁵]
1 gwneud yn deg; harddu, prydferthu to beautify, to adorn
2 (am y tywydd) codi'n braf; brafio to become fine
tecell gw. **tegell**
tecil gw. **tegil**
teclyn *eg* (taclau)
1 unrhyw offeryn, arf neu erfyn (bach fel arfer) a ddefnyddir i gyflawni rhyw waith arbennig; dyfais tool, implement
2 rhyw ddarn bach (nad ydych yn gwybod ei enw) sy'n cyflawni swyddogaeth arbennig mewn peiriant gadget, thingummy
teclyn clywed dyfais fach mwyhau sain a wisgir yn y glust; mae'n galluogi person sy'n drwm ei glyw i glywed hearing aid

tecstil *eg* (tecstil(i)au) GWNIADWAITH defnydd wedi'i wehyddu; brethyn textile
tecstio *be* [tecsti•²] anfon neges ysgrifenedig ar ffôn symudol (~ *rhywbeth* at rywun) to text
tectoneg *eb* DAEAREG cangen o ddaearег sy'n astudio adeiledd, yn enwedig adeiledd cramen y Ddaear a'r plygion a'r ffawtiau a geir ynddi, ynghyd â'r prosesau a'r grymoedd a'u creodd tectonics
tectonig *ans* DAEAREG yn ymwneud â phlygion a ffawtiau yn adeiledd cramen y Ddaear ynghyd â'r prosesau a'r grymoedd a'u creodd tectonic
techneg *eb* (technegau)
1 ffordd neu ddull o gyflawni gweithgarwch sy'n gofyn am fedrusrwydd arbennig technique
2 medrusrwydd arbennig mewn celfyddyd, camp neu weithgarwch technegol; crefft technique
technegol *ans*
1 yn ymwneud â maes, celfyddyd neu grefft arbennig ac â'r technegau sy'n perthyn iddynt technical
2 yn ymwneud â'r gwyddorau diwydiannol neu â'r ffordd y mae peiriannau'n gweithio technical
3 yn gofyn am wybodaeth arbenigol i'w ddeall, *Termau technegol yw 'allbwn' a 'goben'.* technical
4 o ddilyn y rheolau yn fanwl gywir, *Yn dechnegol, nid ydym i fod i weithio ar ôl hanner awr wedi pump.*
technegydd:technegwr *eg* (technegwyr) gweithiwr gwyddonol mewn diwydiant sy'n meddu ar sgiliau arbennig; un sy'n arbenigo mewn manylion ymarferol, technegol technician
technetiwm *eg* elfen gemegol rhif 43; metel ymbelydrol nad yw'n digwydd yn naturiol ond sy'n cael ei greu; defnyddir ei isotop-99 mewn diagnosis meddygol (Tc) technetium
technoleg *eb* (technolegau) maes o wybodaeth sy'n ymwneud â dulliau gwyddonol a thechnolegol ac â sut mae modd eu cymhwyso i fod o ddefnydd i ddiwydiant a busnes technology
technolegol *ans* yn ymwneud â thechnoleg, nodweddiadol o dechnoleg technological
technolegydd *eg* (technolegwyr) arbenigwr ym maes technoleg technologist
tedi *eg* arth fach feddal sy'n degan plant (fe'i henwyd ar ôl yr Arlywydd Americanaidd Theodore Roosevelt (1858–1919), heliwr eirth) teddy
teflais *bf* [taflu] ffurfiol gwnes i daflu
teflyn *eg* (teflynnau) rhywbeth sy'n cael ei daflu projectile
teg *ans* [tec•]
1 heb fod yn dwyllodrus; yn dilyn y rheolau; cywir, didwyll, gonest, union fair
2 cyfiawn a diduedd; amhleidiol, di-dderbyn-wyneb, diragfarn fair, just, impartial

3 (am y tywydd) braf, cynnes, heulog fine
4 *llenyddol* (am ferch neu wraig) hardd, prydferth, pert, tlws fair
5 mewn ymadroddion megis *methu'n deg, ar y gwaelod yn deg,* llwyr, cyfan gwbl, eithaf utterly
araf deg gan bwyll, arafwch! not so fast
chwarae teg gw. chwarae²
gair teg gw. gair
trwy deg ceisio perswadio yn hytrach na gorfodi by fair means
tegan *eg* (teganau) peth i blant chwarae ag ef toy
tegeirian *eg* (tegeirianau) un o deulu o blanhigion sy'n aml â blodau lliwgar ar ffurf anghyffredin; blodyn un o'r planhigion hyn orchid
tegell *eg* (tegellau:tegelli) cynhwysydd ar gyfer berwi dŵr, sydd â chlawr, pig a dolen i gydio ynddi kettle
tegellaid *eg* (tegelleidiau) llond tegell kettleful
tegil:tecil *eg tafodieithol, yn y De* tecell
tegwch *eg*
1 yr ansawdd neu'r cyflwr o fod yn deg, *Er tegwch â Mair, nid hi oedd ar fai.*; cyfiawnder fairness, justice, impartiality
2 y cyflwr o fod yn deg o ran golwg; ceindra, harddwch, pertrwydd, prydferthwch beauty
3 tywydd braf, *Enfys y pnawn, tegwch a gawn.*
tei *egb* (teiau:teis) darn cul o ddefnydd sy'n cael ei wisgo am y gwddf a'i glymu â chwlwm tie
teiach *ell* tai (gydag arlliw o wawd) hen dai bychain
teiar *eg* (teiars) bandyn trwchus o rwber, â'i lond o wynt gan amlaf, sy'n ffitio'n dynn o gwmpas ymyl olwyn tyre
teidi *ans*
1 twt a thaclus, cymen tidy
2 boddhaol, nid ansylweddol, *swm bach teidi o arian* tidy
teidiau *ell*
1 lluosog taid
2 cyndeidiau, hynafiaid ancestors
teidio *be* [teidi•²] twtio, tacluso, cymoni to tidy
teifl *bf* [taflu] *hynafol* mae ef yn taflu/mae hi'n taflu; bydd ef yn taflu/bydd hi'n taflu
teiffoid *eg* MEDDYGAETH twymyn heintus, facteriol sy'n achosi llid perfeddol llym a smotiau cochion hyd y frest a'r abdomen typhoid
teiffŵn *eg* (teiffwnau) METEOROLEG storm drofannol sy'n digwydd ym Môr De China typhoon
teigr *eg* (teigrod) anifail mawr, gwyllt â chot felenfrown â streipiau du, yn perthyn i deulu'r gath tiger
teigr yr ardd gwyfyn mawr coch a brown ag adenydd rhesog a smotiau gwyn drostynt tiger moth
teigres *eb* (teigresi) teigr benyw tigress

teilchion *ell* lluosog talch, darnau mân; cyrbibion, drylliau, jibidêrs, ysgyrion fragments
teilio *be* [teili•²] gorchuddio â theils to tile
teiliwr *eg* (teilwriaid) un sy'n gwneud dillad yn ôl y gofyn (i ddynion yn bennaf) tailor
teiliwr Llundain nico, asgell aur, eurbinc goldfinch
teilo *be* gwasgaru tail to manure
Sylwch: nid yw'r ferf hon yn arfer cael ei rhedeg.
teilsen *eb* (teils) un darn tenau o grochenwaith, plastig, carreg, etc., sy'n cael ei ddefnyddio ynghyd â darnau eraill tebyg i orchuddio llawr, wal neu do tile
teilwng *ans* [teilyng•] cymwys, neu'n haeddu (rhywbeth); addas, cymeradwy, haeddiannol, hyglod (~ o) deserved, deserving, worthy
teilwra *be* [teilwr•¹]
1 dilyn galwedigaeth teiliwr, ennill bywoliaeth drwy dorri a gwnïo defnydd er mwyn gwneud dillad (dynion fel arfer) to tailor
2 gwneud rhywbeth yn addas ar gyfer sefyllfa arbennig; addasu, cymhwyso to tailor
teilwraidd *ans* yn ymwneud â dillad a chrefft y teiliwr sartorial
teilwres *eb* (teilwresau) merch neu wraig sy'n gwneud dillad (menywod fel arfer) neu'n trwsio dillad; gwniadwraig seamstress
teilwriaeth *eb*
1 busnes teiliwr tailoring
2 crefft teiliwr a'r ffordd y mae dillad wedi'u gwneud i orwedd ar gorff person tailoring
teilwriaid *ell* lluosog teiliwr
teilyngach:teilyngaf:teilynged *ans* [teilwng] mwy teilwng; mwyaf teilwng; mor deilwng
teilyngdod *eg* y cyflwr o fod yn haeddu gwerthfawrogiad neu glod neu wobr; haeddiant merit, worthiness
teilyngu *be* [teilyng•¹] bod yn deilwng o; haeddu to deserve
teim *eg* llysieuyn bach â dail peraroglus o deulu'r mintys, sy'n cael ei ddefnyddio i roi blas ar fwydydd thyme
teimlad *eg* (teimladau)
1 un o'r pum synnwyr – yr un sy'n cael ei amgyffred drwy'r croen, wrth gyffwrdd â rhywbeth feeling
2 y gallu i deimlo pethau, *Doedd ganddo ddim teimlad yn ei ddwylo gan mor oer oeddynt.* feeling
3 rhywbeth wedi'i amgyffred drwy'r corff neu drwy'r meddwl, *teimlad o euogrwydd;* ymwybyddiaeth feeling
4 cred neu farn nad yw wedi'i seilio ar reswm, *Roedd ganddo deimlad anesmwyth nad oedd popeth yn iawn.* feeling
5 emosiwn cryf, *Roedd e'n methu parhau gan ei fod dan ormod o deimlad.* feeling, sentiment

dan deimlad dan bwysau'r emosiynau emotional

teimladau ochr sensitif i natur person, *Rydych chi wedi brifo'i theimladau drwy ei hanwybyddu.* feelings

teimladol *ans* yn cyffwrdd â'r teimladau/emosiynau; emosiynol, hydeiml, sensitif emotional, sentimental

teimladwy *ans* yn dangos yr emosiynau'n glir; hydeiml, sensitif, synhwyrus impassioned, sensitive, touching

teimlo *be* [teiml•¹]
1 cyffwrdd rhywbeth â'ch bysedd, *teimlo ansawdd y defnydd*; clywed to feel
2 profi cyffyrddiad neu symudiad, *Teimlais i hi'n mynd heibio.*; ymglywed to feel
3 bod yn ymwybodol, profi'n gorfforol neu'n feddyliol, *Wyt ti'n teimlo'n sâl?* to feel
4 credu (mewn ffordd afresymol), *Teimlai nad oedd hi'n ei garu mwyach.* to feel
5 profi neu fod yn ymwybodol drwy'r synhwyrau neu'r emosiynau, *Teimlodd Emrys ei cholli i'r byw.* to feel

teimlo ar fy (dy, ei, etc.**) nghalon** gw. calon

teimlydd *eg* (teimlyddion) SWOLEG atodyn hir, tenau a geir (yn un o bâr fel arfer) ar bennau rhai mathau o bryfed a chramenogion ac sy'n eu helpu i synhwyro pethau o'u cwmpas feeler, antenna

teios *ell* nifer o dai bychain

teip *eg* (teipiau)
1 math neu grŵp arbennig o bobl neu bethau; categori, dosbarth type
2 rhywun neu rywbeth sy'n cael ei ystyried yn nodweddiadol o'r grŵp type
3 un neu ragor o ddarnau o bren neu fetel a llythyren wedi'i cherfio ar un pen; o incio'r pennau hyn a'u gwasgu ar bapur, mae ffurfiau'r llythrennau'n cael eu hargraffu ar y papur print, type
4 geiriau wedi'u hargraffu, *llond tudalen o deip mân* print

teipiadur *eg* (teipiaduron) peiriant sy'n argraffu wrth i fysellau a llythrennau ar eu pennau daro ruban ac inc arno yn erbyn darn o bapur, gan adael ôl y llythyren ar y papur typewriter

teipiedig *ans* wedi'i deipio typed

teipio *be* [teipi•²] yn wreiddiol, argraffu gan ddefnyddio teipiadur; erbyn heddiw, gan ddefnyddio bysellfwrdd cyfrifiadur to type

teipograffaidd *ans* yn digwydd neu'n cael ei ddefnyddio mewn teipograffeg typographical

teipograffeg *eb* trefn, arddull, golwg a diwyg deunydd wedi'i gysodi mewn teip typography

teipoleg *eb* astudiaeth o deipiau (mathau a grwpiau), a dosbarthiad ar gyfer gwahanol fathau o deipiau typology

teipydd *eg* (teipyddion) un sy'n cael ei gyflogi i deipio typist

teipyddes *eb* (teipyddesau) merch neu wraig sy'n cael ei chyflogi i deipio typist

teipysgrif *eb* (teipysgrifau) copi o unrhyw beth sydd wedi cael ei deipio typescript

teir- *rhifol* tair, e.e. *teirawr; teirsill*

teiran *ans* CERDDORIAETH (am ddarn o gerddoriaeth) yn cynnwys tair adran lle mae adrannau 1 a 3 yn debyg ac adran 2 yn wrthgyferbyniol ternary

teirf *bf* [tarfu] *hynafol* mae ef yn tarfu/mae hi'n tarfu; bydd ef yn tarfu/bydd hi'n tarfu

teirgwaith *adf* tair gwaith three times, thrice

teirtroed *ans* yn meddu ar dair troed neu dair coes; trithroed three-legged

teirw *ell* lluosog **tarw**

teisban *eg* (teisbannau) cwrlid, cwilt, gwrthban counterpane, quilt

teisen *eb* (teisennau) cymysgedd (wedi'i goginio fel arfer) o flawd, siwgr, wyau, ynghyd ag amrywiaeth o bethau blasus eraill fel cwrens, jam, siocled, etc.; cacen, tarten cake

teisen ffenestr teisen sbwng ddeuliw wedi'i gorchuddio â marsipán Battenberg cake

teisen lap teisen bob dydd yn cynnwys cyrens neu swltanas sy'n cael ei chrasu ar blât neu mewn tun yn y ffwrn

teisennau Berffro math o fisgïen wedi'i gwneud o fenyn, blawd a siwgr; cacen Aberffraw shortbread

teisi *ell* lluosog **tas**

teisio gw. **tasu**

teitl *eg* (teitlau)
1 yr enw arbennig a ddefnyddir i adnabod llyfr, ffilm, llun, darn o gerddoriaeth, etc. title
2 gair neu enw sy'n cael ei gyflwyno i rywun i'w ddefnyddio o flaen ei enw iawn i ddangos safle, swydd neu gymhwyster, e.e. y Bonwr, Doctor, Arglwyddes, etc. title
3 (mewn rhai cystadlaethau) yr anrhydedd a roddir i'r pencampwr title

teits *ell* darn o wisg sy'n glynu'n dynn wrth y croen ac yn ymestyn o'r traed at y wasg tights

teitheb *eb* (teithebau) arnodiad ar basbort gan yr awdurdodau priodol yn caniatáu i'r deiliad fynd yn ei flaen visa

teithi *ell* yr hyn sy'n gwneud (iaith neu ffordd o feddwl yn bennaf) unigolyn neu grŵp o bobl yn wahanol i unigolyn arall neu bobl eraill; hynodrwydd, nodweddion, priodoleddau characteristics, traits

teithiau *ell* lluosog **taith**

teithio *be* [teithi•²] mynd o le i le, mynd ar daith; crwydro, trafaelu, tramwyo to travel

teithiol *ans* yn teithio, yn medru teithio, a fwriedir i deithio; crwydrol, cylchynol, peripatetig, symudol travelling, peripatetic

t

teithiwr *eg* (teithwyr)
1 un sy'n teithio, yn enwedig un sy'n cael ei gludo mewn car, trên, awyren, etc.; ffordolyn passenger, traveller
2 un sy'n symud o le i le; crwydryn, nomad, pererin, sipsi traveller, wayfarer

teithlen *eb* (teithlenni) taflen ar gyfer cofnodi faint o amser a dreuliodd gyrrwr yn gyrru a faint o filltiroedd a yrrodd log sheet

teithlyfr *eg* (teithlyfrau) llawlyfr o wybodaeth i deithwyr (am wlad neu ardal arbennig) guidebook

telaid *ans* teg neu hardd iawn; cain, prydferth beautiful

telais *bf* [talu] *ffurfiol* gwnes i dalu

telathrebu *be* derbyn a throsglwyddo negeseuon (mewn print neu ar lafar) gan ddefnyddio gwifrau ffôn to telecommunicate
Sylwch: nid yw'r ferf hon yn cael ei rhedeg.

telecs *eg* (telecsau)
1 dull cyfathrebu yn defnyddio argraffyddion yn gysylltiedig â llinell ffôn gyhoeddus, lloeren, etc. a chyfnewidfeydd awtomatig telex
2 neges (wedi'i hargraffu) a drosglwyddwyd gan ddefnyddio'r system hon telex

telediad *eg* (telediadau) y broses o ddarlledu rhaglen deledu, canlyniad darlledu; darlLediad teledu broadcast, transmission

telediw *ans* o'r ansawdd gorau; hardd, prydferth, cain elegant, fair

teledu *eg*
1 ffordd o ddarlledu lluniau a sain drwy gyfrwng ysgogiadau trydanol television
2 y rhaglenni sy'n cael eu darlledu yn y ffordd yma, *drama deledu* television
3 y set deledu, sef y cyfuniad o sgrin ac uchelseinydd a'r perfeddion technegol sy'n derbyn telediad television set
4 yr holl ddiwydiant sydd ynghlwm wrth greu a darlledu rhaglenni teledu television

teledu cylch cyfyng system deledu sy'n gweithio mewn ardal gyfyng, e.e. mewn adeilad cyhoeddus, i'w ddiogelu rhag troseddau closed-circuit television

teleffon *eg* (teleffonau)
1 *hen ffasiwn* modd o gysylltu neu gyfathrebu dros bellteroedd mawr drwy gyfrwng offer trydanol telephone
2 *hen ffasiwn* ffôn; yr offeryn sy'n cael ei ddefnyddio i gyfathrebu yn y ffordd hon telephone

telegraff *eg* (telegraffau) dyfais trosglwyddo negeseuon o bell sy'n defnyddio signalau mewn cod, e.e. drwy gyfannu a thorri cylched drydanol telegraph

telegram *eg* (telegramau) neges a anfonid drwy'r system delegraff ac a drosglwyddid i'r derbynnydd ar ffurf nodyn ysgrifenedig neu nodyn wedi'i deipio; brys neges telegram

telemetreg *eb* FFISEG y defnydd o donnau radio, llinellau ffôn, etc. i ddarlledu mesuriadau o beiriant mesur i beiriant arall sy'n cofnodi'r mesuriadau telemetry

teleoleg *eb*
1 ATHRONIAETH athrawiaeth sy'n hawlio mai'r ffordd orau o egluro'r drefn a geir yn y byd yw derbyn bodolaeth Cynllunydd neu Greawdwr teleology
2 ATHRONIAETH y gred mai drwy dderbyn pethau yn nhermau eu bwriad yn hytrach na'u hachos y gellir egluro rhai ffenomenau orau, ac mai 'diwedd' gweithred sy'n penderfynu ei gwerth moesol teleology

teleolegol *ans* yn perthyn i deleoleg teleological

telepathi *eg* proses o gyfathrebu uniongyrchol rhwng dau feddwl heb ddefnyddio'r synhwyrau yr ydym yn gwybod amdanynt telepathy

telepathig *ans* yn perthyn i fyd telepathi, yn medru cyfathrebu drwy ddefnyddio telepathi telepathic

telerau *ell*
1 amodau cytundeb neu gyfamod terms
2 amodau yn ymwneud â thaliadau neu brisiau, *Cefais delerau da iawn gan y garej a werthodd y car imi.* terms
3 y berthynas rhwng dau neu ragor o bobl, *Erbyn hyn mae'r ddau deulu ar delerau da â'i gilydd.* terms

telerau masnach ECONOMEG cymhareb prisiau cyfartalog allforion â phrisiau cyfartalog mewnforion terms of trade

telesgop *eg* (telesgopau) ysbienddrych; offeryn ar gyfer edrych ar bethau pell a gwneud iddynt edrych yn fwy ac yn nes telescope

telesgopig *ans*
1 yn ymwneud â thelesgop, tebyg i delesgop telescopic
2 wedi'i lunio fel y bydd un darn yn llithro i mewn i'r darn nesaf ato (fel y mae rhai mathau o delesgop) telescopic
Sylwch: nid yw'n cael ei gymharu.

teletestun *eg* dull o ddarlledu gwybodaeth ar ffurf testun printiedig y mae modd ei dderbyn ar set deledu addas teletext

teleweithio *eg* gweithio gartref neu mewn canolfan deleweithio gan ddefnyddio'r Rhyngrwyd, e-byst a'r ffôn teleworking

teli *bf* [talu] *ffurfiol* rwyt ti'n talu; byddi di'n talu

teloffas *eg* (teloffasau) BIOLEG cam olaf meiosis a mitosis, pan fydd y cromatidau wedi cyrraedd pegynau'r gell a'r bilen gnewyllol yn ailffurfio o'u cwmpas i roi dau epil gnewyll telophase

telor *eg* (teloriaid:telorion) un o nifer o fathau o adar mân sy'n bwyta pryfed ac sydd â chân hir, glir yn amrywio o gwmpas un nodyn warbler

telor penddu telor y mae gan y ceiliog gapan du a'r iâr gapan cochddu blackcap

telor y coed telor â bron felen a streipen felen uwchben ei lygaid, sy'n byw mewn coedydd a fforestydd wood warbler

telor y cyrs aderyn cân, di-liw braidd a geir mewn corslwyni reed warbler

telor yr ardd aderyn cân mudol, di-liw a geir mewn tir coediog garden warbler

telor yr helyg aderyn bach, mudol, di-liw a chanddo gân soniarus willow warbler

telori *be* [telor•¹] canu fel telor (sy'n awgrymu canu'n llon a hapus gan amlaf); cathlu, cwafrio, perori, pyncio to warble

telpyn gw. talpyn

telwriwm *eg* elfen gemegol rhif 52; lled-fetel brau, ariannaidd (Te) tellurium

telyn *eb* (telynau) offeryn cerdd ar ffurf triongl mawr, agored a thannau'n ymestyn o'i ben i'w waelod; i ganu'r delyn rydych yn plycio'r tannau â'ch bysedd harp

telyneg *eb* (telynegion) darn (byr, fel arfer) o farddoniaeth ar fesur rhydd, sy'n cyfleu teimlad neu sylw personol lyric

telynegol *ans* o ansawdd telyneg lyrical

telynegwr *eg* (telynegwyr) un sy'n cyfansoddi telynegion lyric-poet

telynor *eg* (telynorion) un sy'n canu'r delyn harpist

telynores *eb* (telynoresau) merch neu wraig sy'n canu'r delyn harpist

telynori *be* canu'r delyn to play the harp
Sylwch: nid yw'r ferf hon yn arfer cael ei rhedeg.

teml *eb* (temlau)
1 CREFYDD yr enw a roddir mewn rhai crefyddau ar yr adeilad lle bydd eu dilynwyr yn addoli; addoldy, cysegr temple
2 lle mawr, hardd sy'n debyg i'r disgrifiad a geir yn y Beibl o deml Solomon temple

tempera *eg* dull o arlunio sy'n defnyddio lliw wedi'i gymysgu â sylwedd tew, e.e. glud neu felynwy, yn hytrach nag olew tempera

templed *eg* (templedi)
1 patrwm, mowld, ffurf, e.e. darn tenau o blastig sy'n amlinellu siâp yr hyn y mae angen ei ffurfio ac y gellir ei ddilyn er mwyn creu patrwm cyson; patrymlun template
2 BIOCEMEG adeiledd moleciwlaidd cyfansoddyn sy'n gweithredu fel patrwm ar gyfer adeiledd moleciwl arall template

tempo *eg* (tempi) CERDDORIAETH cyflymder darn penodol o gerddoriaeth; amseriad tempo

tempro:tempru *be* [tempr•¹] tymheru; paratoi (clai neu fetel, fel arfer) ar gyfer y lefel briodol o galedwch neu wytnwch drwy ei drin mewn ffordd arbennig to temper

tempru *be* [tempr•¹] *tafodieithol, yn y De* gadael (e.e. dillad llaith) i sychu mewn lle cynnes neu yn yr awyr agored; caledu, crasu, eirio to air

temtasiwn *egb* (temtasiynau) y broses o demtio, yr hyn sy'n eich temtio; atyniad, tynfa temptation

temtio *be* [temti•²] denu neu geisio denu rhywun i wneud rhywbeth annoeth neu rywbeth na ddylai ei wneud; atynnu, hudo, llithio, swyno (~ *rhywun* i) to tempt

temtiwr *eg* (temtwyr) un sy'n temtio tempter

tenant *eg* (tenantiaid) un sy'n talu rhent am adeilad, tir, etc.; deiliad, meddiannwr, preswyliwr tenant

tenantiaeth *eb*
1 y defnydd y mae rhywun yn ei wneud o adeilad neu dir y mae'n ei rentu; deiliadaeth tenancy
2 y cyfnod y mae rhywun yn denant ar adeilad neu dir; daliadaeth, prydles tenancy

tenau *ans* [teneu•] (teneuon)
1 heb fod yn dew, heb lawer o floneg; heb ddigon o floneg; main thin, slim
2 heb fod yn drwchus, *tafell denau o fara menyn*; cul, cyfyng thin
3 (am hylif) dyfrllyd, *cawl tenau*; gwan thin, watery
4 heb fod yn niferus, *Mae fy ngwallt wedi mynd yn denau iawn mewn mannau.*; prin sparse
5 heb sylwedd, *cyfrol denau, pregeth denau* slight, superficial
6 hawdd gweld drwyddo, *niwl tenau, ffrog denau* thin
7 wedi treulio, wedi colli ei drwch, *Mae'r got yma'n dechrau mynd yn denau.* threadbare

tendans *eg* fel yn *dawnsio tendans ar (rywun)*, bod ar gael i ymateb i bob galwad neu ddymuniad

tendio *be* [tendi•²]
1 gweini ar, gofalu am, *Mae wedi bod gartref yn tendio ar ei dad er pan aeth hwnnw'n sâl.*; gwarchod (~ **ar**) to tend
2 bod yn ofalus, gwylio, *Tendiwch rhag ofn ichi syrthio.*; gofalu to take care, to watch

tendon *eg* (tendonau) ANATOMEG llinyn ystwyth, heb fod yn elastig, o feinwe ffibrog cryf sy'n cydio cyhyr wrth asgwrn tendon

tendr *eg* (tendrau) cynnig ffurfiol, ysgrifenedig am gytundeb i gyflenwi nwyddau neu i gyflawni gwaith tender

tendril *eg* (tendrilau) BOTANEG y rhan o blanhigyn dringo sy'n bachu neu'n cydio yn yr hyn sy'n ei gynnal tendril

tendro *be* [tendr•¹] llunio neu gyflwyno tendr (~ **am**) to tender

t

tenement *eg* (tenementau) adeilad mawr wedi'i rannu'n fflatiau, a geir fel arfer ym mannau tlotaf dinasoedd mawr tenement

teneuach:teneuaf:teneued *ans* [tenau] mwy tenau; mwyaf tenau; mor denau

teneuad *eg* (teneuadau)
1 y broses o deneuo, canlyniad teneuo thinning, attenuation
2 FFISEG lleihad yn nwysedd rhywbeth, yn enwedig aer neu nwy rarefaction

teneuo *be* [teneu•[1]]
1 gwneud neu fynd yn denau; culhau, meinhau to become thin, to thin
2 tynnu'r rhai mwyaf eiddil, e.e. o drwch o fân blanhigion, er mwyn i'r lleill gael tyfu'n well to thin
3 (am dorf, poblogaeth, etc.) mynd yn llai niferus to dwindle
4 FFISEG (am aer, nwy, etc.) gwneud neu fynd yn llai dwys to rarefy

teneuon *ans* ffurf luosog tenau

teneuwch *eg* y cyflwr o fod yn denau thinness, leanness

teneuydd *eg* (teneuyddion) hylif anweddol a ddefnyddir yn bennaf i deneuo paent thinner

tenewyn *eg* (tenewynnau) ochr (anifail fel arfer), rhwng yr asennau a'r glun; ystlys, lwyn flank

tennis *eg* gêm i ddau unigolyn neu ddau bâr sy'n wynebu ei gilydd ac yn defnyddio racedi i fwrw pêl yn ôl ac ymlaen dros rwyd sy'n rhannu'r cwrt chwarae tennis

tennis bwrdd gêm dan do yn seiliedig ar dennis ond yn defnyddio batiau bach a phêl fach ysgafn ar fwrdd wedi'i rannu â rhwyd table tennis

tennyn *eg* (tenynnau)
1 darn o raff neu gortyn a ddefnyddir i glymu anifail wrth bostyn fel nad yw'n gallu symud ymhellach na hyd y rhaff; llinyn, rheffyn leash, tether, halter
2 darn o raff neu gortyn line, rope

dod i ben fy (dy, ei, etc.) nhennyn cyrraedd y pen eithaf, methu dioddef dim rhagor to reach the end of one's tether

tenor[1] *eg* (tenoriaid)
1 y cwmpas uchaf y mae llais dyn yn arfer ei ganu tenor
2 canwr sydd â'i lais yn gorwedd yn y cwmpas hwn tenor
3 llinell o gerddoriaeth ar gyfer canwr sy'n denor neu ar gyfer rhai mathau o offerynnau tenor

tenor[2] *ans* am lais, offeryn neu linell o gerddoriaeth yng nghwmpas tenor neu ar gyfer tenor tenor

tensiwn *eg* (tensiynau) straen, tyndra tension

tensor *eg* (tensorau) ANATOMEG cyhyryn sy'n tynhau neu'n estyn rhan o'r corff tensor

tentacl *eg* (tentaclau)
1 atodyn hirfain a ddefnyddir gan anifail i deimlo, cydio neu symud; braich tentacle
2 *ffigurol* lledaeniad llechwraidd dylanwad a rheolaeth (e.e. mewn mudiad neu gymdeithas) tentacle

te-parti *eg* (te-partis) parti, e.e. parti pen-blwydd, a gynhelir amser te (ar gyfer plant fel arfer) tea party

têr *ans llenyddol* pur, clir, glân, disglair, hardd beautiful, refined

terabeit *eg* (terabeitiau) CYFRIFIADUREG uned o ddata cyfrifiadurol sy'n cyfateb i
1 filiwn o filiynau (2^{40} yn fanwl gywir) beit; TB terabyte

terapin *eg* (terapiniaid) crwban bach dŵr croyw terrapin

teras *eg* (terasau)
1 rhes o dai ynghlwm wrth ei gilydd terrace
2 darn o dir gwastad wedi'i dorri allan o ochr mynydd neu fryn terrace
3 darn o dir (wrth ochr tŷ) sydd wedi'i balmantu ac sy'n cael ei ddefnyddio pan fydd y tywydd yn deg terrace

terasu *be* creu teras (neu derasau y naill uwchben y llall) to terrace
Sylwch: nid yw'r ferf hon yn arfer cael ei rhedeg.

teratogen *eg* (teratogenau) BIOLEG unrhyw ffactor amgylcheddol, e.e. cyffur, sy'n achosi annormaledd mewn ffoetws neu embryo teratogen

terbiwm *eg* elfen gemegol rhif 65; metel ariannaidd; fe'i defnyddir yn y diwydiant sy'n ymwneud â lled-ddargludyddion (Tb) terbium

terfais *bf* [tarfu] *ffurfiol* gwnes i darfu

terfan *eb* (terfannau) MATHEMATEG rhif y mae'r gwahaniaeth rhyngddo a gwerth ffwythiant arbennig yn nesáu at sero fel y mae gwerth newidyn annibynnol yn nesáu at ryw rif penodol limit

terfel *eg* mêl clir, tryloyw, mêl wedi'i hidlo clarified honey

terfenydd *eg* cyflwr buwch etc, pan fydd yn ei gwres

terfyn *eg* (terfynau)
1 y man lle mae rhywbeth yn gorffen neu'n diweddu; diwedd, ffin, goror, ymyl end
2 y ffin eithaf, *Mae gwyddonwyr yn defnyddio llongau gofod i archwilio terfynau ein galaeth.* boundary, limit

ar derfyn yn y diwedd at the end of

terfyn amser yr amser neu'r dyddiad y mae'n rhaid i rywbeth gael ei orffen deadline

terfynedig *ans* a therfyn iddo, a chanddo ffiniau finite

terfynell *eb* (terfynellau)
1 un o'r ddau bwynt lle mae cyfarpar trydan yn

cael ei gysylltu â'r gwifrau mewn cylched, e.e. y pwyntiau [+] a [-] mewn batri terminal
2 CYFRIFIADUREG dyfais a ddefnyddir i fewnbynnu data a chyfarwyddiadau i system gyfrifiadurol ac sy'n arddangos yr allbwn terminal

terfynfa *eb* (terfynfeydd)
1 y naill ben neu'r llall i daith ar drên, llong neu awyren lle y ceir cyfleusterau i dderbyn teithwyr neu nwyddau terminal
2 man yng nghanol tref neu ddinas sy'n cysylltu bws neu drên â maes glanio awyrennau terminal

terfyngylch *eg* (terfyngylchoedd) gorwel, terfyn, cylchyn horizon, boundary, circumference

terfyniad *eg* (terfyniadau)
1 y broses o derfynu, canlyniad terfynu; diwedd, diweddglo, gorffeniad close, ending
2 GRAMADEG darn y gallwch ei ychwanegu at ddiwedd gair i newid ei swyddogaeth neu ei ystyr, *Crëir ffurf luosog 'tad' drwy ychwanegu'r terfyniad '-au' ato.* ending

terfynol *ans*
1 yn dod ar y diwedd; olaf final
2 na ellir ei newid, wedi'i benderfynu, *Dyna fy sylwadau terfynol ar y testun.* final

terfynu *be* [terfyn•¹] dod i ben, dod â rhywbeth i ben; darfod, dibennu, diweddu, gorffen to terminate, to end, to conclude

terfynus *ans* MATHEMATEG yn terfynu, ac iddo derfyn terminating
  degolyn terfynus gw. degolyn

terfysg *eg* (terfysgoedd)
1 cyffro a chynnwrf tyrfa fawr o bobl; affráe, cythrwfl tumult
2 ymladd gan dyrfa afreolus; brwydr, gwrthryfel riot, insurgency, insurrection
3 tyrfau, taranau thunder

terfysgaeth *eb* y defnydd a wneir o drais er mwyn ennill grym gwleidyddol; brawychiaeth terrorism

terfysglyd *ans* llawn terfysg; cythryblus, stormus, tymhestlog riotous, stormy, thunderous

terfysgu *be*
1 ymladd a chreu cynnwrf gan lawer iawn o bobl mewn llefydd cyhoeddus, codi helynt, peri anhrefn; cythryblu, gwrthryfela, ymrafaël to riot
2 defnyddio dulliau treisgar er mwyn ennill grym gwleidyddol to terrorize
  Sylwch: nid yw'r ferf hon yn arfer cael ei rhedeg.

terfysgwr *eg* (terfysgwyr)
1 rhywun sy'n cymryd rhan mewn terfysg rioter
2 rhywun sy'n defnyddio dulliau treisgar er mwyn ennill grym gwleidyddol; gwrthryfelwr, rebel terrorist

term *eg* (termau)
1 gair neu briod-ddull a ddefnyddir mewn maes arbennig o wybodaeth a chanddo ystyr penodol yn y maes hwnnw term
2 MATHEMATEG pob un o'r meintiau mewn cyfres, dilyniant neu fynegiad mathemategol term

termad *eg* y weithred o dermo, canlyniad termo dressing-down

terminoleg *eb*
1 corff o dermau neu eirfa dechnegol a ddefnyddir mewn maes arbenigol terminology
2 yr wyddor o fathu termau terminology

termo *be* dweud y drefn; ceryddu, cystwyo, dwrdio, tantro (~ *rhywun am*) to scold
  Sylwch: nid yw'r ferf hon yn arfer cael ei rhedeg.

terodactyl *eg* (terodactyliaid) aelod o deulu o ymlusgiaid ag adenydd di-blu, yn perthyn i gyfnod y dinosoriaid ac sydd erbyn hyn wedi hen ddarfod o'r tir pterodactyl

terra firma *eg* tir sych

terwyn *ans* ffyrnig, tanbaid, dewr fierce, brave

tery *bf* [taro] *hynafol* mae ef yn taro/mae hi'n taro; bydd ef yn taro/bydd hi'n taro

terydr *ell* lluosog taradr

teryll *ans* llym, treiddgar, didrugaredd piercing

tes *eg*
1 gwres a chynhesrwydd yr haul; heulwen heat, sunshine
2 y niwlen a geir ar ddiwrnodau poeth iawn haze

tesog *ans* araul, gwresog, heulog, twym sunny

testament *eg* (testamentau)
1 y naill neu'r llall o ddau brif raniad y Beibl; yn yr 'Hen Destament', ceir tri deg naw o lyfrau yn cofnodi hanes cynnar Israel ac yn y 'Testament Newydd', ceir dau ddeg saith o lyfrau yn adrodd hanes Iesu Grist a'r Eglwys Fore testament
2 yn wreiddiol, cyfamod rhwng Duw a chenedl Israel (yr hen destament) ac wedyn cyfamod Duw â phawb sy'n credu yn Iesu Grist (y testament newydd)

testosteron *eg* BIOCEMEG hormon steroid a gynhyrchir gan y ceilliau ac sy'n gyfrifol am y nodweddion rhywiol gwrywol eilaidd, e.e. barf dyn testosterone

testun *eg* (testunau)
1 rhywbeth sy'n derbyn sylw, e.e. mewn ymgom neu sgwrs; maes, mater, pwnc, thema subject, topic
2 maes o wybodaeth sy'n cael ei astudio, *Faint o destunau sydd ar yr amserlen heddiw?*; pwnc subject
3 achos, *Roedd ei wallt yn destun gwawd.* subject
4 pwnc neu le sy'n cael ei gyflwyno mewn darlun subject
5 adnod neu ymadrodd o'r Beibl neu lyfr crefyddol sy'n cael ei ddefnyddio yn sail i bregeth neu drafodaeth text

t

6 rhan ysgrifenedig llyfr neu lawysgrif text

neges destun gw. neges

Ymadrodd

testun sbort rhywbeth neu rywun y mae pobl yn chwerthin am ei ben laughing stock

tetanedd *eg* MEDDYGAETH cyflwr corfforol a nodweddir gan sbasmau ysbeidiol yn y cyhyrau ac a achosir gan ddiffyg calsiwm yn y gwaed tetany

tetanws *eg* MEDDYGAETH clefyd heintus lle mae gwenwyn wedi'i ollwng gan facteria sydd wedi mynd i mewn i'r corff drwy friw heb ei drin (fel arfer), gan achosi i gyhyr (yr ên gan amlaf) gloi yn dynn tetanus

tête-à-tête *eg* sgwrs fach breifat

tetra- *rhag* pedwar, e.e. *tetrahedron* tetra-

tetrahedrol *ans* ac iddo bedwar wyneb trionglog tetrahedral

tetrahedron *eg* (tetrahedronau) MATHEMATEG siâp tri dimensiwn ac iddo bedwar wyneb trionglog tetrahedron

tetrarch *eg* (tetrarchiaid)

1 *hanesyddol* llywodraethwr chwarter talaith yn yr Ymerodraeth Rufeinig tetrarch

2 rheolwr isradd sy'n atebol i awdurdod uwch tetrarch

teth *eb* (tethi)

1 pen blaen chwarren laeth mewn mamolion benyw a sugnir gan rai ifainc; y darn cyfatebol ar fron y gwryw nipple, teat

2 darn plastig tebyg ei siâp a roddir ar flaen potel er mwyn i fabi allu sugno drwyddo teat

3 teclyn plastig sy'n cael ei roi i fabi i'w sugno dummy

teulu *eg* (teuluoedd)

1 (yn derbyn ffurf unigol neu luosog berf) unrhyw nifer o bobl sy'n perthyn drwy waed neu briodas, yn enwedig tad a mam a'u plant; tylwyth family

2 grŵp yn cynnwys dau riant a'u plant, *Oes gennych chi deulu?* family

3 yr holl bobl sy'n byw yn yr un tŷ household

4 yr holl bobl sydd wedi disgyn o'r un hynafiaid, *teulu dyn* family

5 casgliad o bethau sydd â'r un nodweddion neu briodoleddau, *teulu o ieithoedd* family

6 BIOLEG un o brif gategorïau dosbarthiad tacsonomaidd, mae'n is nag urdd ac yn uwch na genws family

cynllunio teulu gw. cynllunio

teuluaidd:teuluol *ans* yn ymwneud â'r teulu neu'r cartref, *ffrae deuluol* ancestral, domestic, familial

tew *ans* [tew•] (tewion)

1 (am anifeiliaid neu bobl) â llawer o floneg neu ormod o floneg ar y corff; boliog, bras, corffog fat, corpulent

2 trwchus a llawn, *Mae ganddo waled dew yn ei got.* fat

3 â chryn bellter rhwng ei ddwy ochr gyferbyniol, heb fod yn denau, *llyfr tew* thick

4 (am hylif) heb fod yn ddyfrllyd, *cawl tew*; trwchus thick

5 (am lais) heb fod yn eglur, *siarad yn dew* thick

6 anodd gweld drwyddo, *mwg tew* thick

7 adnabyddus, hysbys, *Mae'r stori'n dew ar hyd y lle mai hi sy'n cael y swydd.* well known

tewdra:tewder *eg* y cyflwr o fod yn dew, y graddau y mae rhywbeth yn dew; braster, praffter, trwch fatness, thickness, corpulence

tewhau *be* [tewha•[14]]

1 gwneud yn dew; pesgi, tewychu to fatten

2 mynd yn dew; breisgáu, tyfu to get fat

3 gwneud hylif (e.e. grefi) yn fwy trwchus; troi llaeth yn gaws neu hufen yn fenyn; cawsio, ceulo to thicken

tewi *be* [taw•[3] 3 un. pres. tau/tawa; *llu. gorff.* tawsom etc.; *2 un. gorch.* taw]

1 gwneud yn ddistaw; distewi, gostegu, llonyddu, tawelu to silence

2 mynd yn ddistaw, rhoi'r gorau i siarad neu ddadlau; ymdawelu to become silent, to cease

tewch â sôn *ebychiad* peidiwch â dweud you don't say

tewion *ans* ffurf luosog tew

tewychiad *eg* y broses o dewychu, o fynd yn dew neu o wneud yn dew; ceulad, cawsiad thickening, coagulation, condensation

tewychu *be* [tewych•[1]]

1 tewhau, brasáu, *Mae Mam yn defnyddio blawd i dewychu'r grefi.* to thicken, to fatten

2 am nwy sy'n troi'n hylif neu hylif sy'n dechrau caledu neu fynd yn solet to thicken, to coagulate, to condense

tewychydd *eg* (tewychyddion) sylwedd a ddefnyddir i dewychu (bwydydd megis saws neu gytew) thickener

teyrn *eg* (teyrnedd)

1 rheolwr gormesol; awtocrat, unben tyrant, autocrat

2 *hanesyddol* rheolwr goruchaf gwlad neu ardal; arglwydd, brenin, sofran monarch, ruler

teyrnas *eb* (teyrnasoedd)

1 gwlad sy'n dod dan awdurdod brenin, brenhines neu dywysog; brenhiniaeth, tywysogaeth kingdom, realm, dominion

2 BIOLEG y grŵp tacsonomaidd mwyaf wrth ddosbarthu yn ôl adeiledd neu forffoleg; caiff organebau byw eu rhannu'n bum teyrnas kingdom

y Deyrnas Unedig *hanesyddol*

1 Cymru, Lloegr, yr Alban a Gogledd Iwerddon the United Kingdom

2 rhwng 1801 a 1922, Cymru, Lloegr, yr Alban ac Iwerddon the United Kingdom

teyrnasiad *eg* (teyrnasiadau) y cyfnod y mae
brenin, brenhines neu dywysog yn teyrnasu
reign, dominion, rule

teyrnasiaeth *eg* cyfundrefn lle mae un pennaeth
yn unig yn teyrnasu monarchy

teyrnasu *be* [teyrnas•¹]
1 bod yn frenin, brenhines neu dywysog,
Teyrnasu mae'r frenhines, nid llywodraethu.
(~ dros) to reign
2 bod yn bennaeth, yn brif awdurdod neu'n
rheolwr ar ryw faes arbennig, *Yn y gegin,
Mrs Jones sy'n teyrnasu.*; arglwyddiaethu,
llywodraethu, rheoli (~ ar) to rule, to reign

teyrndlysau *ell* y goron, y deyrnwialen, etc.
a ddefnyddir mewn seremoni goroni
crown jewels, regalia

teyrnfradwr *eg* (teyrnfradwyr) un sy'n euog
o deyrnfradwriaeth traitor

teyrnfradwriaeth *eb* CYFRAITH y drosedd o
fradychu teyrnas neu lywodraeth high treason

teyrngar *ans* [teyrngar•]
1 (am rywun) ffyddlon a chywir i'w wlad a'i
frenin neu ei frenhines, heb fod yn fradwr loyal
2 ffyddlon (i rywun neu rywbeth), *Bu'r
chwaraewyr yn deyrngar iawn i gapten y tîm.*
faithful, loyal

teyrngarwch *eg* ffyddlondeb a chefnogaeth i
frenin, gwlad, syniad, etc.; defosiwn, ymlyniad
faithfulness, loyalty, allegiance

teyrnged *eb* (teyrngedau)
1 *hanesyddol* arian neu roddion a delid gan un
brenin neu wlad i frenin neu wlad arall am
heddwch rhwng y ddwy wlad neu am nawdd y
wlad arall; gwrogaeth tribute, compliment
2 rhywbeth a ddywedir, a wneir neu a roddir
fel arwydd o barch neu edmygedd; gwrogaeth
tribute, homage

teyrnladdiad *eg* CYFRAITH y drosedd o ladd
teyrn, e.e. brenin neu frenhines regicide

teyrnladdwr *eg* (teyrnladdwyr) un sy'n cyflawni
teyrnladdiad regicide

teyrnwialen *eb* (teyrnwiail) y ffon fer (sy'n aml
yn drwch o emau) y mae brenin neu frenhines
yn ei chario mewn seremonïau brenhinol sceptre

TG *byrfodd* technoleg gwybodaeth IT

TGAU *byrfodd* ADDYSG Tystysgrif Gyffredinol
Addysg Uwchradd GCSE

Thai¹:Tai *eg* (Thaiaid:Taiaid) brodor o Wlad
Thai, un o dras neu genedligrwydd Thai Thai

Thai²:Tai *ans* yn perthyn i Wlad Thai,
nodweddiadol o Wlad Thai Thai

ti¹:chdi :di *rhagenw annibynnol syml* yr un yr
ydych yn siarad ag ef neu hi; ail berson unigol;
fe'i defnyddir fel dibeniad i'r goddrych, *Ti yw'r
rhedwr cyntaf.*, ac fel gwrthrych berf gryno,
Clodforwn di. you, thou
Sylwch: y ffurf 'ti' sy'n cael ei defnyddio wrth

siarad â ffrind neu berson yr ydych yn ei
adnabod yn dda, *Ti, Jac, yw fy ffrind gorau.*;
'chi' gyda pherson nad ydych yn ei adnabod neu
fel arwydd o barch, *Ai chi sy'n ein dysgu, Miss
Jones?* 'Ti' a ddefnyddir wrth gyfarch Duw,
Ti, Dduw, a folwn.

Ti Duw Thou

ti²:di *rhagenw dibynnol ategol syml* unigol
'chwi/chi', *A glywaist ti'r newyddion? Gennyt
ti mae'r arian i gyd.*
Sylwch: 'di' a ddefnyddir bob tro ar ôl berf,
ac eithrio pan fydd ffurf y ferf yn diweddu
yn '-t', *Ceni di.*; *A glywaist ti?.*

ti³ *eg* CERDDORIAETH y seithfed nodyn yng
ngraddfa nodiant y system sol-ffa, t te, t

ti⁴ *eg* (tiau)
1 y man ar gwrs golff lle mae'r bêl yn cael ei
tharo wrth ddechrau chwarae pob twll tee
2 math o beg bach y mae modd gosod pêl golff
ar ei ben cyn taro'r bêl o'r ti tee

Tibetaidd *ans* yn perthyn i Tibet, nodweddiadol
o Tibet Tibetan

Tibetiad *eg* (Tibetiaid) brodor o Tibet neu un o
dras Dibetaidd Tibetan

tibia *eg* ANATOMEG asgwrn mewnol (mwyaf) y ddau
asgwrn rhwng y pen-glin a'r ffêr tibia, shin bone

tic *eg* (ticiau)
1 rhan gyntaf 'tic-toc', sef sŵn cerddediad cloc;
un o dipiadau cloc tick
2 symbol (✓) i ddynodi cywirdeb rhywbeth
sydd wedi'i ysgrifennu neu i nodi dewis ar
ffurflen, etc. tick

tîc *eg* coeden fawr â phren caled melynaidd sy'n
tyfu yn nwyrain India teak

ticbryf *eg* (ticbryfed) chwilen fach sy'n tyllu i
bren marw a phren mewn hen adeiladau ac yn
gwneud sŵn tician deathwatch beetle

ticed *eg* (ticedi)
1 darn o bapur neu gerdyn wedi'i argraffu sy'n
dangos bod gan rywun hawl i ryw wasanaeth
arbennig (taith bws, sedd mewn neuadd, etc.);
tocyn ticket
2 darn o bapur neu gerdyn wedi'i glymu wrth
rywbeth er mwyn dangos ei bris; tocyn tag,
ticket
3 hysbysiad swyddogol ar bapur i yrrwr am
drosedd yn ymwneud â'r car; tocyn ticket

tician *be* [tici•²] gwneud sŵn tic-toc rheolaidd;
tipian to tick

ticio *be* [tici•²]
1 marcio (rhywbeth) â thic to tick
2 gwneud sŵn tic-toc rheolaidd; tician to tick

ticlis *ans* (am sefyllfa) braidd yn anodd;
lletchwith ticklish

tid *eb* (tidau) yn wreiddiol math o raff, ond
erbyn heddiw nifer o gylchoedd metel wedi'u
cysylltu yn un rhes hir; cadwyn, tres chain

tikka *eg* COGINIO saig o India sy'n cynnwys sbeisys ac iogwrt a darnau bach o gig neu lysiau wedi'u piclo a'u rhostio

til¹ *eg* (tiliau) (mewn siop, banc, bwyty etc.) y drâr lle mae'r arian yn cael ei gadw till

til² *eg* (tiliau) clog-glai; gwaddod rhewlifol yn cynnwys clogfeini, cerigos a darnau o greigiau o bob lliw a llun ynghyd â thywod, silt a/neu glai boulder clay, till

tila *ans*
1 heb fod o fawr o werth; di-fudd, di-werth, ffrit, pitw insignificant, paltry
2 heb unrhyw rym nac egni; eiddil, gwan feeble, flimsy
3 bach, cloff, gwanllyd, llesg puny

tîm *eg* (timau:timoedd) grŵp o bobl sy'n chwarae, gweithio neu actio gyda'i gilydd team
Sylwch: mae'n derbyn ffurf unigol neu luosog berf.

tin *eb* (tinau) *anffurfiol* y rhan o'r corff dynol yr ydych yn eistedd arno, a lle mae'r ymgarthion yn gadael y coluddyn; pen ôl bum, arse

tin dros ben ffordd o rolio'r corff drwy gadw'r ên yn dynn wrth y frest a gwthio gyda'r coesau somersault
Ymadroddion

dan din llechwraidd, bradwrus underhand

llyfu tin gw. llyfu

ofn drwy fy (dy, ei, etc.**) nhin** ofn mawr scared witless

tin y nyth y cyw melyn olaf, ieuengaf y teulu last of the brood

tinben *adf* fel yn **tinben-drosben** blith-draphlith topsy-turvy

tinboeth *ans anffurfiol* (am ferch neu wraig) chwantus, nwydwyllt randy

tinc *eg*
1 sŵn metelaidd ysgafn a phleserus clink, ring, tinkle
2 arlliw, awgrym, arwydd, *Mae tinc o gynghanedd yn ei farddoniaeth.*; adlais hint, trace

tincer *eg* (tinceriaid) gŵr a fyddai'n teithio o le i le yn trwsio ac yn gwneud paniau metel a sosbenni tinker

tincial *be* gwneud sŵn tebyg i sŵn cloch fach neu nifer o glychau bychain, *dŵr yn tincial dros y cerrig* to jingle, to tinkle
Sylwch: nid yw'r ferf hon yn arfer cael ei rhedeg.

tindaflu *be* [tindafl•¹] brasgamu'n dalog er mwyn tynnu sylw a dangos dicter neu ddiffyg amynedd; fflownsio to flounce

tindin *adf* tin wrth din, cynffon wrth gynffon back(side) to back(side)

tindres *eb* (tindresi) strapen o ledr cryf sy'n mynd o amgylch pedrain (pen ôl) ceffyl siafft ac sy'n gadael iddo wthio am yn ôl breeching

tindro *eb*
1 (mewn ceffylau) cefn anghyffredin o bantiog swayback
2 (mewn ŵyn bach) parlys sy'n cael ei achosi gan ddiffyg copr swayback

tin-droi *be* gwastraffu amser neu gymryd amser mawr i symud o un man i fan arall; chwilbawa, loetran, sefyllian to dawdle, to dither
Sylwch: nid yw'r ferf hon yn arfer cael ei rhedeg.

tindrwm *ans* trwm ei ben ôl; lletchwith, trwsgl awkward, pear-shaped

tinfain *ans* fel yn *cot dinfain*, cot â chynffon, h.y. gwisg ffurfiol i ddynion â dau ddarn hir yn hongian yn y cefn

tinitus *eg* MEDDYGAETH cyflwr lle mae sŵn yn canu yn y clustiau tinnitus

tinsel *eg* edafedd disglair sy'n cael eu defnyddio i addurno (coeden Nadolig, fel arfer) tinsel

tinslip *ans* penisel, wedi'i siomi, a'i grib wedi torri sheepish

tintur *eg* (tinturiau) moddion wedi'i wneud drwy hydoddi cyffur mewn alcohol; trwyth tincture

tio *be* [ti•¹] (mewn golff) gosod pêl ar fath o beg arbennig yn barod i'w tharo wrth ddechrau chwarae am dwll to tee

tip *eg* (tipiau)
1 mynydd o lo mân neu weddillion y gwaith o gloddio am lo; tomen (coal) tip
2 man lle mae gwastraff neu sbwriel yn cael ei adael; tomen tip

tipi *eg* (tipis) math o babell o grwyn, rhisgl, etc. ar fframwaith o bolion a gâi ei lunio gan Indiaid Gogledd America tepee

tipian *be* [tipi•²] gwneud sŵn tic-toc rheolaidd; tician to tick

tipiau *ell*
1 lluosog **tip**
2 lluosog **tipyn** fel yn *tynnu'n dipiau, malu'n dipiau*; cyrbibion, teilchion, yfflon bits, smithereens

tipyn *eg* (tipynnau)
1 tamaid, ychydig, mymryn, '*Mae gennyf dipyn o dŷ bach twt.*' little
2 maint mwy nag a ddisgwylir, *Mae ganddo dipyn o ffordd i fynd eto.* quite a bit
3 mewn ymadroddion megis '*y tipyn bardd*', '*fy nhipyn cyflog*', mae iddo ystyr wawdlyd neu chwareus

cryn dipyn llawer, tipyn go lew quite a bit

tipyn go lew llawer quite a bit
Ymadroddion

bob yn dipyn:o dipyn i beth fesul cam, yn araf deg, yn raddol bit by bit, little by little

fesul tipyn gw. fesul

tipyn bach ychydig iawn, mymryn a little

tir *eg* (tiroedd)
1 rhan sych, galed ein byd sydd uwchlaw'r moroedd; daear land
2 rhannau o wyneb y ddaear sydd â'r un nodweddion, *tir uchel, tir coediog, tir corsiog* land, terrain
3 pridd, daear, *Sut dir ydy hwn?*; gweryd ground
4 daear neu dir sy'n eiddo i rywun, *tir y Goron* land
5 daear neu dir a ddefnyddir ar gyfer ffermio, *tir âr* land
tir âr darn o dir wedi'i aredig neu dir sy'n rhan o gylchdro amaethyddol arable land
tir coch tir wedi'i aredig ploughed land
tir glas tir a phorfa arno grassland
tir mawr y prif gorff o dir heb ei ynysoedd mainland
tir sych y tir o'i gyferbynnu â'r môr, ac awgrym o ddiogelwch ynglŷn ag ef dry land
Ymadroddion
ar dir y byw gw. byw³
colli tir methu yn y frwydr yn erbyn afiechyd, *Mae'n sâl iawn ac yn colli tir bob diwrnod.* to lose ground
dal fy (dy, ei, etc.**) nhir** gw. dal
ennill tir gw. ennill¹
torri tir newydd arloesi, mabwysiadu syniadau neu ddulliau newydd to break new ground
tirddaliadaeth *eb* CYFRAITH y weithred, yr hawl neu'r cyfnod o fod yn dal tir land tenure
tirf *ans* yn tyfu'n ffres ac yn gryf; ffrwythlon, ir, toreithiog luxuriant, verdant
tirfeddiannwr *eg* (tirfeddianwyr) un sy'n berchen ar dir neu diroedd landowner
tirfesuriaeth *eg* yr wyddor o amlinellu ffurf, maint a lleoliad (darn o dir) drwy fesur llinellau ac onglau gan ddefnyddio technegau geometreg a thrigonometreg surveying
tirfesurydd *eg* (tirfesurwyr) un y mae ei waith yn gofyn ei fod yn mesur ac yn mapio tir surveyor
tirffurf *eg* (tirffurfiau) siâp neu ffurf nodweddiadol darn o dir landform
tirio *be* [tiri•²]
1 gollwng i'r ddaear, gosod ar y ddaear, *Methodd y blaenwr dirio'r bêl yn y gêm ryngwladol ac felly ni ddyfarnwyd y cais.* to ground
2 (am long neu awyren, fel arfer) cyrraedd tir yn ddiogel; glanio to beach, to land
tiriog *ans* â llawer o dir, yn berchen ar lawer o dir; cyfoethog landed
tiriogaeth *eb* (tiriogaethau)
1 darn o dir, yn enwedig darn dan awdurdod llywodraeth arbennig; talaith, trefedigaeth dominion, territory
2 darn o dir y mae person neu anifail neu grŵp arbennig yn ei hawlio iddyn nhw eu hunain domain, territory

tiriogaethol *ans*
1 (am anifail neu berson) chwannog i amddiffyn ei diriogaeth territorial
2 (am fyddin) yn cynnwys gwirfoddolwyr wedi'u trefnu'n lleol er mwyn cael corff disgybledig o bobl wrth gefn y gellir galw arnynt mewn argyfwng territorial
tirion *ans* [tirion•]
1 caredig, parod i roi cymorth i eraill (~ **wrth**) gentle
2 tawel neu ysgafn ei symudiad, *awel dirion* gentle
3 addfwyn, cariadus, llariaidd, mwyn pleasant
4 yn cydymdeimlo â gofidiau a thrallodion pobl eraill; tosturiol, trugarog compassionate
5 maddeugar, graslon gracious, lenient
tiriondeb *eg* y cyflwr neu'r casgliad o nodweddion sy'n peri i rywun neu rywbeth gael ei ystyried yn dirion; addfwynder, caredigrwydd, dyngarwch, trugaredd compassion, gentleness, tenderness
tirlenwi *be* [tirlanw•³] claddu gwastraff er mwyn ei waredu yn enwedig drwy ddefnyddio hen byllau to landfill
tirlithriad *eg* (tirlithriadau) symudiad sydyn o greigiau a phridd i lawr llethr landslide
tirlun *eg* (tirluniau)
1 golygfa eang o dir landscape
2 CELFYDDYD llun yn darlunio ardal o dir landscape
tirlunio *be* [tirluni•⁶] gwella golwg darn o dir drwy newid ei dirwedd, plannu coed a phrysgwydd etc. to landscape
tirmon *eg* (tirmyn) gŵr sy'n gyfrifol am gynnal a chadw tir, e.e. cae chwarae etc. groundsman
tirnod *eg* (tirnodau) *hanesyddol* ffin tir neu rywbeth yn nodi'r ffin landmark
tirol *ans* yn ymwneud â'r tir; amaethyddol, daearol agrarian, landed
tirwedd *eb* (tireddau) ffurf y tir, cymeriad arwyneb y Ddaear landscape, relief
tirweddu *be* [tirwedd•¹] gwella golwg darn o dir drwy newid ei ffurf, plannu coed a llwyni, etc. to landscape
tisian *be* ffrwydro gwynt o'r trwyn a'r geg (oherwydd gogleisio/cosi yn y trwyn, fel arfer), taro trew; twsian, untrew to sneeze
   Sylwch: nid yw'r ferf hon yn arfer cael ei rhedeg.
titaniwm *eg* elfen gemegol rhif 22; metel caled, cryf, ysgafn, llwyd-ariannaidd, fe'i defnyddir yn eang mewn aloion ysgafn (Ti) titanium
titr *eg* (titrau) CEMEG crynodiad o hydoddiant wedi'i fesur drwy ditradu titre
titradiad *eg* (titradiadau) CEMEG y broses o ditradu, canlyniad titradu titration
titradu *be* [titrad•¹] darganfod crynodiad hydoddiant neu gryfder sylwedd penodol

mewn hydoddiant drwy ddod o hyd i gyfaint
hydoddiant o grynodiad penodol sy'n gywerth
â chyfaint penodol o'r hydoddiant a brofir
to titrate

titw *eg* (titŵod) un o nifer o adar cân bach o
wledydd Ewrop tit

titw barfog aderyn cân bach â chynffon hir
sy'n byw yn yr hesg; mae ganddo gorff brown
golau ac mae gan y ceiliog ben llwydlas a
mwstash du bearded tit

titw cynffon hir aderyn cân bach â phlu du,
gwyn a phinc a chynffon hir, fain long-tailed tit

titw mwyaf aderyn cân cyffredin â phen du a
gwyn, cefn gwyrdd a bron felen great tit

titw penddu aderyn cân bach â chefn llwyd,
pen a gwddf du a bochau gwynion coal tit

titw'r helyg aderyn cân bach â chapan du, pŵl
a chlwt golau ar yr adain; mae'n byw mewn
coedlannau gwlyb yng Nghymru a Lloegr ac
weithiau yn yr Alban willow tit

titw'r wern aderyn cân bach â chapan du a
thwffyn du dan y big, cefn brown golau a bol
gwyn marsh tit

titw tomos las aderyn cân bach cyffredin â
phen glas, cefn gwyrdd a glas a bola melyn
blue tit

tithau¹ *rhagenw annibynnol cysylltiol* ti hefyd,
ti o ran hynny, ti ar y llaw arall, *Fi yw'r athro,
tithau yw'r disgybl., Rwy'n ei glywed ef, ond
rwy'n dy weld dithau.* you too, even you,
you for your part, you on the other hand

tithau² *rhagenw dibynnol ategol cysylltiol*
e.e. *Roeddwn i gartref yn trwsio dy sanau tra
oeddet tithau yn dy swyddfa!*

tiwb *eg* (tiwbiau)
   1 piben gron, gau (wag) o fetel, gwydr, rwber,
   etc. tube
   2 cynhwysydd meddal ar yr un ffurf, ar gyfer
   past dannedd neu baent tube
   3 rheilffordd danddaearol Llundain tube

tiwb Fallopio ANATOMEG un o'r ddau diwb yng
nghorff gwraig y mae'r ofa yn teithio drwyddo
Fallopian tube

tiwb prawf tiwb bach, gwydr sy'n gaeedig
yn un pen ac sy'n cael ei ddefnyddio mewn
arbrofion gwyddonol test-tube

tiwba *eg* (tiwbâu) yr offeryn pres mwyaf a
dyfnaf ei sain; mae ganddo o leiaf tair a hyd
at chwech o falfiau sy'n cynhyrchu nodau isel
iawn ac mae ei gloch yn llorweddol wrth iddo
gael ei chwarae tuba

tiwbaidd *ans* ar ffurf tiwb tubular

tiwben *eb* tiwb bach, cul

tiwbin *eg* (tiwbinau) tiwb hir neu gyfres o
diwbiau tubing

tiwbyn *eg* (tiwbynnau) tiwb bach, cul,
yn enwedig un felly o fewn y corff tubule

tiwlip *eg* (tiwlipau) blodyn trawiadol ar ffurf
cwpan lliwgar yn perthyn i deulu'r lili tulip

tiwmor *eg* (tiwmorau) tyfiant; chwydd sy'n
cael ei achosi gan gynnydd aruthrol yn nifer
celloedd meinwe ond nad yw'n cyflawni
unrhyw swyddogaeth ac eithrio tyfu'n
ddi-rwystr ac yn annibynnol ar y meinwe
y mae'n deillio ohono; gall fod yn falaen neu'n
anfalaen tumour

tiwn *eb* (tiwniau) alaw; nifer o nodau cerddorol
yn dilyn ei gilydd i greu patrwm boddhaol o
seiniau; cainc, cân, melodi, tôn tune

tiwn gron gw. tôn gron
Ymadrodd

allan o diwn/mewn tiwn taro'r traw
anghywir/cywir out of tune/in tune

tiwna *eg* pysgodyn mawr sy'n perthyn i'r un
teulu â mecryll, sy'n byw mewn moroedd
cynnes ac sy'n boblogaidd fel bwyd tuna

tiwnio *be* [tiwni•²]
   1 CERDDORIAETH newid traw offeryn nes ei
   fod yn gywir neu o'r un traw ag offeryn neu
   offerynnau eraill; cyweirio to tune
   2 pyncio, canu, chwibanu, telori, '*yr adar bach
   yn tiwnio*' to sing, to whistle
   3 newid (derbynnydd cylchedau, e.e. radio,
   teledu) i amledd y signal sydd ei angen to tune

Tiwnisaidd *ans* yn perthyn i Tunisia,
nodweddiadol o Tunisia Tunisian

Tiwnisiad *eg* (Tiwnisiaid) brodor o Tunisia
Tunisian

tiwniwr *eg* (tiwnwyr) un sy'n tiwnio (piano neu
organ fel arfer) tuner

tiwtor *eg* (tiwtoriaid) un sydd â'r cyfrifoldeb
o ddysgu a chynnig arweiniad i rywun arall
(iau neu lai profiadol, fel arfer); addysgwr,
darlithydd, hyfforddwr, mentor tutor

tiwtora *be* [tiwtor•¹] dysgu a wneir gan diwtor
to tutor

tlawd *ans* [tlot•] (tlodion)
   1 ag ychydig iawn o arian ac felly â safon byw
   isel; anghenus, amddifad, llwm poor
   2 heb fod yn ddigonol o ran maint neu ansawdd
   neu gryfder; gwael, pitw, tila impoverished

tlawd a balch a byw mewn gobaith gw. balch

yr hen dlawd! druan ag ef/â hi! the poor thing

tlodaidd *ans* lled dlawd, tlawd yr olwg
shabby

tlodi¹ *eg* y cyflwr o fod yn dlawd, yr hyn sy'n
peri i rywun neu rywbeth gael ei alw'n dlawd
poverty, destitution, impoverishment

tlodi cymharol ECONOMEG tlodi unigolyn neu
deulu sy'n byw ar incwm sy'n is na 60% o'r
incwm cyfartalog cyfredol relative poverty

tlodi tanwydd ECONOMEG sefyllfa lle mae
teulu'n gwario mwy na 10% o'i incwm ar
danwydd ar gyfer y cartref fuel poverty

tlodi² *be* gwneud (rhywun neu rywbeth) yn dlawd drwy gymryd y pethau gwerthfawr oddi arno to make poor

tlodion¹ *ans* ffurf luosog **tlawd** paupers

tlodion² *ell* nifer o bobl dlawd paupers

tlos *ans* ffurf fenywaidd **tlws**, *merch fach dlos*

tlotach:tlotaf:tloted *ans* [tlawd] mwy tlawd; mwyaf tlawd; mor dlawd

tloten *eb* merch neu wraig dlawd

tloty *eg* (tlotai) *hanesyddol* adeilad, wedi'i godi a'i gynnal gan arian cyhoeddus, lle y gallai tlodion fyw a chael bwyd; wyrcws poorhouse, workhouse

tlotyn *eg* (tlodion) rhywun tlawd iawn pauper

tlws¹ *eg* (tlysau)
1 carreg neu fwyn gwerthfawr wedi'i gaboli a'i osod fel addurn mewn modrwy, breichled, etc.; gem gem, jewel
2 addurn bychan neu garreg nad yw'n werthfawr ond a wneir i edrych yn werthfawr trinket
3 gwobr neu gydnabyddiaeth ar ffurf medal neu gerflun, *Tlws Mary Vaughan Jones am gyfraniad i lenyddiaeth plant*; gwobr award, medal, trophy

tlws² *ans* [tlys• *b* tlos] (tlysion) pert, prydferth pretty, attractive

tlysach:tlysaf:tlysed *ans* [tlws] mwy tlws; mwyaf tlws; mor dlws

tlysau *ell* lluosog **tlws¹** jewellery

tlysion *ans* ffurf luosog **tlws²**

tlysni *eg* harddwch, yr hyn sy'n gwneud i rywbeth neu rywun gael ei alw'n dlws; glendid, pertrwydd, tegwch prettiness

to¹ *eg* (toeon)
1 y gorchudd allanol ar ben adeilad roof
2 y top neu'r gorchudd sy'n ffurfio pen uchaf pabell neu gar, etc. roof
to bach acen grom, e.e. ar y llafariaid yw *tŷ, iâr* circumflex accent
to gwellt thatch, thatched roof
Ymadroddion
dan do y tu mewn indoors
heb do dros/uwch fy (dy, ei, etc.**) mhen** heb gartref without a roof over one's head
rhoi'r ffidil yn y to gw. **ffidil**

to² *eg*
1 pobl sydd tua'r un oedran, *y to ifanc*; cenhedlaeth, cyfoedion generation
2 y cyfnod sy'n ymestyn o enedigaeth person hyd nes y bydd yn medru cael teulu, 25–30 o flynyddoedd fel arfer, *Magwyd to ar ôl to o blant disglair yn y tŷ hwn.*; cenhedlaeth generation
y to sy'n codi y to ifanc, y genhedlaeth nesaf

t/o gw. **tan ofal**

toc¹ *adf* cyn bo hir, yn y man, ymhen y rhawg; chwap soon, presently, anon

toc² *eg* darn o fara menyn; tafell, tocyn piece, slice

tociad *eg* (tociadau) y broses o docio, canlyniad tocio trim

tocio *be* [toci•²]
1 torri'n ôl; byrhau, clipio, cwtogi, hacio (~ **ar**) to clip, to trim, to prune
2 torri ymylon llun er mwyn creu llun gwell neu un a fydd yn ffitio gofod penodol to crop

tocsaemia:tocsemia *eg* MEDDYGAETH gwenwyniad y gwaed gan docsinau'n deillio o haint bacteriol toxaemia

tocsicoleg *eb* cangen o wyddoniaeth yn ymwneud â gwenwynau a'u heffeithiau toxicology

tocsin *eg* (tocsinau) BIOCEMEG gwenwyn a gynhyrchir gan organeb ac sy'n gweithredu fel antigen yn y corff toxin

tocyn¹ *eg* (tocynnau)
1 darn o bapur neu gerdyn wedi'i argraffu sy'n dangos bod gan rywun hawl i ryw wasanaeth arbennig (taith bws, sedd mewn neuadd, etc.); ticed ticket, token
2 darn o bapur neu gerdyn wedi'i glymu wrth rywbeth er mwyn dangos ei bris; ticed tag
3 hysbysiad swyddogol ar bapur i yrrwr am drosedd yn ymwneud â'i gar; ticed ticket
tocyn tymor tocyn yn caniatáu teithio am gyfnod penodol neu fynediad i gyfres o ddigwyddiadau penodol season ticket

tocyn² *eg*
1 *tafodieithol, yn y De* tafell o fara menyn; sleisen slice
2 bwyd (brechdanau, fel arfer) a gymerir gan rywun i'r gwaith i'w fwyta yno

tocynnwr *eg* (tocynwyr) un sy'n casglu tocynnau (ar fws, trên, etc.) bus conductor, ticket collector

toddadwy *ans* y gellir ei doddi; hydawdd soluble

toddbwynt *eg* (toddbwyntiau) y tymheredd angenrheidiol i doddi peth solet melting point

toddedig *ans* wedi toddi melted, dissolved

toddi *be* [todd•¹ *3 un. pres.* tawdd/todda; *2 un. gorch.* todda]
1 troi'n hylif neu gael ei wneud yn hylif, wrth gael ei wresogi, fel arfer; dadlaith, dadmer, meddalu, meirioli to melt
2 ymgolli mewn cefndir o liwiau, seiniau neu deimladau tebyg, *Doedd dim modd gweld y llwynog wedi iddo gyrraedd y goedwig a thoddi i'r cefndir.* to blend
3 hydoddi; troi rhywbeth yn hylif drwy ei gymysgu â hylif, *toddi halen mewn dŵr* to dissolve
4 ymdoddi; troi o fod yn solid i fod yn hylif to melt
Sylwch: (yn dechnegol) toddi = solid yn troi'n hylif o gael ei wresogi; ymdoddi = troi o fod

yn solid i fod yn hylif; hydoddi = sylwedd
hydawdd yn troi'n hylif o gael ei gymysgu
â hylif.

toddiant *eg* (toddiannau) y broses o doddi,
canlyniad toddi liquefaction

toddion *ell* braster wedi'i doddi; saim dripping

toddyn *eg* planhigyn y corsydd sy'n dal a threulio
pryfed; mae ei ddail tew, golau yn secretu hylif
gludiog sy'n dal pryfed common butterwort

toëdig *ans* a tho drosto roofed

toes *eg* (toesau) blawd neu gan (ynghyd â rhai
pethau eraill weithiau) wedi'i gymysgu â dŵr ar
gyfer gwneud bara, teisen, etc. dough, pastry

toesen *eb* (toesenni) teisen fach gron wedi'i ffrio
mewn saim a'i gorchuddio â siwgr doughnut

togl *eg* (toglau)
1 ELECTRONEG switsh trydanol sy'n cael ei
weithio drwy symud lifer ymestynnol i fyny
ac i lawr toggle
2 CYFRIFIADUREG bysell neu orchymyn a
weithredir yn yr un ffordd ond sy'n cael effaith
wrthgyferbyniol ar achlysuron olynol toggle

toglo *be* [togl•¹] CYFRIFIADUREG diffodd
nodwedd, swyddogaeth, etc. neu ei rhoi
ar waith drwy wasgu'r un fysell, neu'r un
cyfuniad o fysellau, yn olynol, *Drwy wasgu'r
bysellau hyn gallwch doglo rhwng teip italig
a theip rhufeinig.* to toggle

Togoad *eg* (Togoaid) brodor o Togo Togolese

Togoaidd *ans* yn perthyn i Togo, nodweddiadol
o Togo Togolese

toi *be* [to•¹⁶ *1 un. pres.* toaf; *3 un. pres.* toa;
2 un. gorch. toa] gorchuddio rhywbeth â tho,
gosod to ar dŷ to roof

toile *eg* GWNIADWAITH fersiwn cynnar o
brototeip sydd wedi'i wneud mewn defnydd
rhad er mwyn ei brofi a'i berffeithio

toiled *eg* (toiledau)
1 cyfarpar ar gyfer derbyn a chael gwared ar
ymgarthion dynol toilet
2 ystafell neu adeilad yn cartrefu'r cyfarpar
yma; tŷ bach, lle chwech toilet

toili:toulu *eg* (touluod) cynhebrwng ysbrydion,
gorymdaith angladdol gan ysbrydion sydd, yn
ôl traddodiad gwerin, yn darogan marwolaeth

tolach *be tafodieithol, yn y De* anwesu, anwylo,
chwarae â, maldodi (~ â) to fondle
Sylwch: nid yw'r ferf hon yn arfer cael ei rhedeg.

tolc *eg* (tolcau:tolciau) pant ar wyneb rhywbeth
llyfn, wedi'i greu gan bwysau neu ergyd; clonc,
pant dent

tolcio *be* [tolci•²] gwneud tolc neu dolciau to dent

tolciog *ans* llawn tolciau, a tholciau drosto
dented, battered

tolchen *eb* (tolchennau) darn o hylif organig
(yn enwedig gwaed) sydd wedi dechrau caledu
neu geulo clot, thrombus

tolcheniad *eg* y broses o dolchennu clotting,
coagulation

tolchennu *be* [tolchenn•⁹] (am hylifau organig,
yn enwedig gwaed) newid o fod yn hylif i fod
yn ffurf solet, drwy adwaith cemegol fel arfer
to clot, to coagulate
Sylwch: dyblwch yr 'n' ym mhob ffurf ac
eithrio yn y rhai sy'n cynnwys *-as-*.

tolio *be* [toli•²] cwtogi neu dorri i lawr ar
gyflenwad o rywbeth er mwyn gwneud arbedion;
bod yn ddarbodus (~ ar) to stint, to save

toll *eb* (tollau)
1 CYLLID treth sy'n cael ei thalu am yr hawl i
ddefnyddio ffordd, harbwr, pont, etc. toll, levy
2 math o dreth sy'n cael ei thalu ar nwyddau
sy'n cael eu mewnforio i wlad; ecséis duty, toll,
excise, tariff
swyddog tollau swyddog sy'n gweinyddu
neu'n casglu'r tollau a godir ar fewnforion
customs officer

tollau *ell* CYLLID trethi sy'n cael eu talu ar
nwyddau sy'n cael eu mewnforio i wlad customs
duties

tollborth *eg* (tollbyrth) clwyd neu rwystr a
osodir ar draws ffordd fel nad oes neb yn gallu
teithio ar hyd-ddi heb dalu toll; tyrpeg toll gate,
turnpike

tollfa *eb* (tollfeydd) adeilad neu swyddfa lle y
cesglir tollau, trethi, etc.; tollty custom house,
excise office

tolli *be* codi toll ar (rywbeth); trethu to levy,
to levy a duty
Sylwch: nid yw'r ferf hon yn arfer cael ei rhedeg.

tollti *be* [tywallt•³] arllwys, tywallt, *Tolltwch
y gymysgedd dros y ffrwythau.* (~ rhywbeth
dros) to pour

tollty *eg* (tolltai) adeilad o eiddo'r Llywodraeth
(mewn porthladd fel arfer) lle mae tollau'n cael
eu casglu; tollfa custom house

tom *eb* ysgarthion anifeiliaid, e.e. ceffylau,
gwartheg ac ieir, a ddefnyddir i ffrwythloni'r
tir; achles, baw, biswail, tail dung, manure

tomato *eg* (tomatos)
1 math o blanhigyn â blodau bach melyn
tomato (plant)
2 ffrwyth coch bwytadwy'r planhigyn hwn
tomato

tomen *eb* (tomenni:tomennydd)
1 pentwr o dom; tomen dail dunghill, muck-heap
2 unrhyw fath o bentwr neu grugyn,
e.e. tip glo; cruglwyth, tip, twmpath, twyn
mound, dump, heap
tomen gladdu ARCHAEOLEG math o fryn bach
wedi'i greu i orchuddio bedd burial mound
Ymadroddion
ar fy (dy, ei, etc.) nhomen fy hun yn ei faes ei
hun, yn y lle y mae'n awdurdod on his own patch

ar y domen ar y clwt, wedi'i daflu o'r neilltu on the scrap-heap

tomi *be* [tom•¹]

1 gwasgaru tom to muck-spread

2 gollwng tom; bawa, cachu to defecate

tomlyd *ans* llawn tom; bawlyd, brwnt filthy, mucky

tomograffeg *eb* FFISEG techneg sganio sy'n arddangos manylion croestoriad drwy gorff dynol neu wrthrych solet arall drwy ddefnyddio pelydrau X neu uwchsain tomography

ton¹ *eb* (tonnau)

1 ymchwydd o ddŵr yn symud ar hyd wyneb môr neu lyn mawr; gwaneg wave, ripple, billow

2 cudyn o'r gwallt sy'n edrych yn debyg i un o donnau'r môr; cwrl, cyrlen, llyweth wave

3 FFISEG cynnwrf neu osgiliad sy'n teithio o un man i fan arall ac yn trosglwyddo egni wrth wneud hyn wave

ton gario FFISEG tonffurf amledd uchel y gellir ei modylu er mwyn trosglwyddo signal ag amledd llawer is carrier wave

ton unfan FFISEG ton mewn cyfrwng lle mae dadleoliad pob pwynt yn y cyfrwng yn ddigyfnewid o ran amser, ond lle mae dadleoliad pwyntiau gwahanol yn y cyfrwng yn newid rhwng uchafswm positif ac uchafswm negatif; mae'r don unfan yn cael ei chreu gan gyfuniad o ddwy don sy'n symud i gyfeiriadau dirgroes ond sydd â'r un osgled a'r un amledd stationary wave

ton² *eg* (tonnau) tir heb ei aredig, e.e. *Ton-teg*; gwndwn leyland, sward

tôn¹ *eb* (tonau)

1 nifer o nodau cerddorol yn dilyn ei gilydd i greu patrwm boddhaol o seiniau; alaw, cainc, melodi, tiwn tune

2 rhan gerddorol emyn o'i chyferbynnu â'r geiriau, emyn-dôn tune

tôn gron

1 CERDDORIAETH cân i dri neu ragor o leisiau lle mae pob llais yn canu'r un alaw ond yn dechrau canu y naill ar ôl y llall round

2 rhywbeth sy'n cael ei ailadrodd hyd syrffed, e.e. cais neu gŵyn, *Paid â gofyn i mi eto am anifail anwes – rwyt ti fel tôn gron.*

tôn² *eg* (tonau)

1 CERDDORIAETH newid mewn traw sy'n werth dau hanner tôn, e.e. C–D (d–r mewn sol-ffa) tone

2 ffordd arbennig o fynegi (rhywbeth), *Nid oeddwn yn hoffi tôn ei lais.*; goslef tone

3 CERDDORIAETH ansawdd sain gerddorol; pa mor bur neu foddhaol y caiff rhyw sain ei chynhyrchu tone

4 CELFYDDYD (mewn paentiad) ansawdd penodol disgleirdeb, dyfnder neu arlliw lliw tone

tonc *eb* sŵn tincial, yn debyg i nifer o glychau bychain yn canu tinkle

mynd i gael tonc (ar y piano) mynd i ganu'r piano to have a tinkle (on the piano)

tonfedd *eb* (tonfeddi)

1 FFISEG (am donnau) y pellter rhwng dau bwynt olynol lle mae'r dadleoliad yn union yr un peth wavelength

2 y nodwedd sy'n penderfynu ar ba donnau radio y caiff darllediad ei anfon; mae pob gorsaf yn darlledu ar donfedd wahanol a rhaid tiwnio'r radio neu'r teledu i'w derbyn wavelength

ar yr un donfedd yn gytûn, yn deall pethau yn yr un ffordd on the same wavelength

tonffurf *eb* (tonffurfiau) FFISEG siâp ton neu'r patrwm sy'n cynrychioli dirgryniad y gellir ei bortreadu drwy blotio graff o ddadleoliad yn erbyn newidyn arall, e.e. gwasgedd yn erbyn pellter ar gyfer ton sain ar amser penodol waveform

Tongaidd *ans* yn perthyn i ynysoedd Tonga, nodweddiadol o Tonga Tongan

Tongiad *eg* (Tongiaid) brodor o un o ynysoedd Tonga, un o dras neu genedligrwydd Tongaidd Tongan

toniad *eg* (toniadau) symudiad tonnog undulation

toniant *eg* (toniannau) codiad i fyny ac yna i lawr ond heb fod yn gyson; anwadaliad fluctuation

tonig *eg*

1 unrhyw beth sy'n gwella iechyd neu'n cryfhau neu'n codi calon rhywun; balm tonic

2 moddion neu gyffur ar gyfer cryfhau'r corff pan fydd yn wan; ffisig tonic

tonnau *ell* lluosog ton¹ᵃ ²

tonnen *eb* (tonenni)

1 croen (ar wyneb rhywbeth); crachen, cramen, crofen, crwst crust, rind

2 cors, siglen, mignen bog, fen

tonni *be* [tonn•⁹] symud yn donnau, codi fel tonnau; dygyfor, ymchwyddo to billow, to ripple, to undulate

Sylwch: dyblwch yr 'n' ym mhob ffurf ac eithrio yn y rhai sy'n cynnwys -*as*-.

tonnog *ans*

1 yn edrych yn debyg i donnau neu'n symud fel tonnau; cyrliog wavy

2 (am dir) llawn twmpathau; bronnog, bryncynnog rolling

tonsil *eg* (tonsiliau) ANATOMEG un o'r ddau ddarn bach hirgrwn sy'n tyfu ar ddwy ochr y gwddf yng nghefn y geg tonsil

tonsilitis *eg* MEDDYGAETH llid ar y tonsiliau tonsillitis

tonsur *eg* (tonsurau)

1 y ddefod yn yr Eglwys Gatholig Rufeinig o dderbyn gŵr yn offeiriad neu'n aelod o un o urddau'r mynaich drwy eillio ei ben tonsure

2 y darn wedi'i eillio ar gorun (offeiriad neu fynach) tonsure

tonydd *eg* (tonyddion) CERDDORIAETH nodyn cyntaf graddfa ddiatonig (beth bynnag ei chywair) tonic

tonyddeiddio *be* [tonyddeiddi•²] CERDDORIAETH cyffwrdd â chywair arall am gyfnod byr iawn; trawsgyweirio tonicization

tonyddiaeth *eb* CERDDORIAETH y codi a'r gostwng a geir mewn traw, ac ansawdd y nodau o safbwynt bod mewn tiwn neu beidio intonation

tonyddol *ans* CERDDORIAETH yn ymwneud â thonyddiaeth tonal

top *eg* (topiau)
1 y man uchaf; brig, copa, pen top
2 wyneb uchaf rhywbeth, *Mae angen ailbeintio top y bwrdd.* top
3 caead neu gap, *Rho'r top yn ôl ar y botel.* top
4 tegan sy'n gallu chwyrlïo yn ei unfan ac sydd weithiau'n gwneud sŵn top
5 dilledyn i'w wisgo ar ran uchaf corff merch top

topograffeg *eb* DAEARYDDIAETH yr astudiaeth o siâp a nodweddion arwyneb y Ddaear a hefyd planedau, lleuadau, etc. topography

topograffi *eg* nodweddion ar wyneb y Ddaear neu ran ohono, gan gynnwys elfennau'r dirwedd ffisegol a dynol topography

topograffig *ans* yn perthyn i faes topograffeg, yn ymwneud â nodweddion arwyneb y Ddaear neu ran ohono, gan gynnwys elfennau'r dirwedd ffisegol a dynol topographic

topoleg *eb* (topolegau) MATHEMATEG cangen o fathemateg yn ymwneud â phriodweddau geometrig nad yw newid yn siâp a maint ffigurau yn effeithio arnynt topology

topolegol *ans* yn defnyddio topoleg, nodweddiadol o dopoleg topological

topyn *eg* (topynnau) math o gaead sy'n debyg i gorcyn mewn potel ond ar gyfer cau twll casgen neu ffiolau gwydr mewn labordy bung

tor¹ *eb* (torrau)
1 y rhan o'r corff sy'n cynnwys y stumog a'r perfeddion; bol, bola belly, underside
2 torllwyth; nifer o foch bach wedi'u geni yr un pryd i'r un hwch; torraid litter
tor llaw cledr; ochr fewnol y llaw rhwng y bysedd a'r arddwrn; palf palm

tor² *eg* agoriad neu raniad a geir wrth i rywbeth dorri neu gael ei dorri; toriad break
tor priodas methiant priodas, ymddatodiad perthynas mewn priodas marriage breakdown

tor³ *bf* [torri]
1 *ffurfiol* mae ef yn torri/mae hi'n torri; bydd ef yn torri/bydd hi'n torri
2 gorchymyn i ti dorri

y Torah *eg* (Iddewiaeth) cyfraith Duw a ddatgelwyd i Moses ac a gofnodwyd yn y Pentateuch

toramod *eg* (toramodau) CYFRAITH y weithred o dorri amodau cytundeb breach of condition

torasgwrn *eg* (toresgyrn) MEDDYGAETH toriad mewn asgwrn fracture

torbwt *eg* (torbytiaid) pysgodyn mawr bwytadwy Ewropeaidd sy'n byw yn y môr; mae'n debyg i leden ac yn byw ger y glannau yn bennaf turbot

torbwynt *eg* (torbwyntiau) dyddiad, man neu gyfnod pan fydd rhywbeth yn gorffen neu'n cael ei dorri cut-off point

torcalonnus *ans* trist neu druenus iawn; athrist, galarus, prudd, trist heartbreaking

torcyfraith *eg* gweithred o anufuddhau i'r gyfraith neu o beidio â chyflawni gofynion deddf gwlad breach of law

torch *eb* (torchau) cylch o ddefnydd wedi'i blygu neu wedi'i blethu (yn enwedig fel addurn); coler, coronbleth, plethdorch coil, torc, wreath
torch llawes y rhimyn trwchus o ddefnydd ar lawes dilledyn sy'n ffitio am eich arddwrn cuff
torch o flodau cylch o flodau wedi'u plethu ynghyd wreath, garland
Ymadrodd
tynnu torch cystadlu â rhywun; ymryson

torchedig *ans* wedi'i dorchi wreathed

torchi *be* [torch•¹] rholio rhywbeth i ffurfio cylch neu gyfres o gylchoedd, troi yn dorch, to coil, to roll, to wreathe
torchi llewys gw. llewys

torchog *ans* wedi'i ddolennu yn dorch; dolennog coiled

tordres *eb* (tordresi) strapen neu rwymyn o ledr sy'n cael ei dynnu'n dynn dan fola (tor) ceffyl neu asyn, er mwyn sicrhau'r cyfrwy neu'r llwyth ar ei gefn; cengl girth

torddu *ans* am frid o ddefaid â bol du black-bellied

torddwr *eg* (torddyfroedd)
1 adeiladwaith ar ffurf lletem ar biler yn cynnal pont; morglawdd breakwater
2 dŵr yn torri dros neu yn erbyn rhywbeth swash

toredig *ans* wedi torri; darniog, drylliog, twn broken, cracked, fractured

toreidiau *ell* ffurf luosog **torraid**

toreithiog *ans*
1 mwy na digon (o bethau neu bobl); bras, ffrwythlon abundant, plentiful, superabundant
2 yn cynhyrchu llawer o epil neu ffrwythau neu hadau, *cnwd toreithiog*; cynhyrchiol, epilgar, epiliog, ffrwythlon fertile
3 yn byrlymu â syniadau ac yn cynhyrchu llawer, *awdur toreithiog*; cyforiog prolific

toreth *eg* llawer iawn o rywbeth; amlder, digonedd, gwala, helaethrwydd abundance, profusion

torf *eb* (torfeydd) nifer mawr o bobl wedi casglu ynghyd; lliaws, llu, tyrfa crowd, throng
> *Sylwch:* mae'n derbyn ffurf unigol neu luosog berf.

torfol *ans* yn perthyn i holl aelodau grŵp, nodweddiadol o holl aelodau grŵp collective, mass

enw torfol gw. enw
> *Sylwch:* er ei bod yn bosibl defnyddio berf unigol wrth gyfeirio'n ôl at enw torfol, e.e. *Roedd y tîm yn llwyddiannus – aeth i'r rownd derfynol.*, mae'n fwy arferol defnyddio berf luosog wrth gyfeirio'n ôl, *Roedd y tîm yn llwyddiannus – aethant i'r rownd derfynol.*

torfynyglu *be* torri'r pen ymaith; torri gwddf to behead, to cut the throat
> *Sylwch:* nid yw'r ferf hon yn arfer cael ei rhedeg.

torgest *eb* (torgesti) torlengig; ymwthiad rhan o organ drwy wal y ceudod sy'n ei chynnwys yn enwedig yn yr abdomen hernia, rupture

torgoch *eg* (torgochiaid) pysgodyn dŵr croyw sy'n debyg i'r brithyll char

torheulo *be* [torheul•[1]] eistedd neu orwedd yng ngwres yr haul er mwyn troi lliw'r croen yn frown; bolaheulo, bolheulo to sunbathe, to bask

Tori *eg* (Torïaid) aelod o'r Blaid Geidwadol neu un o'i chefnogwyr Tory

toriad *eg* (toriadau)
1 y cyflwr o fod wedi'i dorri; cwt break, cut
2 gostyngiad, lleihad, *toriad mewn grantiau* cut
3 y ffordd y mae dillad yn cael eu gwneud, *Rwy'n hoffi toriad ei siwt.* cut
4 llun o rywbeth fel pe bai o'r ochr wedi iddo gael ei dorri o'r pen i'r gwaelod; trychiad section
5 darn o blanhigyn yr ydych yn ei dorri a'i blannu er mwyn iddo dyfu yn blanhigyn newydd sy'n glôn o'r planhigyn gwreiddiol cutting
6 darn o wybodaeth neu lun wedi'i dorri o gylchgrawn neu bapur newydd cutting
7 gwahaniad, bwlch, *toriad llwyr â'r gorffennol* break

toriad cesaraidd MEDDYGAETH toriad llawfeddygol ym muriau'r abdomen a'r groth er mwyn geni plentyn caesarian section

toriad dydd cyfnod wrth i'r haul godi daybreak
Ymadrodd

yn nhoriad fy (dy, ei, etc.**) mogail** yn rhan annatod o (rywbeth neu rywun) through and through

Torïaidd *ans* GWLEIDYDDIAETH yn perthyn i'r Torïaid, nodweddiadol o'r Torïaid Tory, Conservative

toriant *eg* (toriannau)
1 rhwyg neu raniad mewn plaid neu grŵp; sgism schism, scission
2 y broses o dorri, canlyniad torri, yn enwedig torri bond cemegol scission

torion *ell*
1 gwellt neu wair wedi'u torri'n fân fel bwyd anifeiliaid chaff
2 darnau o beth wedi'i dorri; casgliad o ddarnau wedi'u torri allan o bapurau newydd cuttings

torlan *eb* (torlannau:torlennydd) glan afon neu fôr, yn enwedig lle mae'r dŵr wedi golchi ei seiliau i ffwrdd gan adael darn o dir uwchben y dŵr; ceulan, glan

glas y dorlan gw. glas[1]

torlannol *ans* yn byw neu'n digwydd ar lan afon (neu gorff arall o ddŵr) riparian

torlengig *eg* MEDDYGAETH ymwthiad rhan o organ drwy wal y ceudod sy'n ei chynnwys yn enwedig yn yr abdomen hernia, rupture

torllwyth:torraid *eb* (torllwythau:torllwythi: toreidiau) nifer o foch bach wedi'u geni yr un pryd i'r un hwch; tor litter, farrow

tormaen *eg* (tormeini) planhigyn sy'n tyfu ar dir creigiog neu sy'n cael ei dyfu mewn gerddi cerrig am ei flodau bach pert saxifrage

tornado *eg* (tornados) METEOROLEG colofn o aer yn ymledu o ychydig fetrau i 100 km, yn cylchdroi'n gyflym iawn o amgylch craidd o wasgedd aer isel iawn; mae'n ddinistriol iawn, yn cael ei nodweddu gan gymylau du ar ffurf twndis a gwyntoedd ffyrnig ar i lawr, ac mae'n gyffredin yng nghanolbarth Unol Daleithiau America tornado

torogen:trogen *eb* (torogod:trogod) un o nifer o wahanol fathau o fân bryfed parasitig louse, tick

torpido *eg* (torpidos) math o daflegryn sy'n gallu ei yrru ei hun dan ddŵr i ddistrywio llongau torpedo

torraid gw. torllwyth

torrau *ell* lluosog tor[1]

torri *be* [torr•[9] 3 *un. pres.* tyr/tor/torra; 2 *un. gorch.* tor/torra]
1 chwalu yn ddarnau, neu gael ei chwalu yn ddarnau (gan ergyd, pwysau, etc.), *torri gwydr* to break
2 agor neu wahanu rhywbeth gan ddefnyddio llafn miniog neu offeryn, *torri bara menyn* to cut
3 chwalu neu ffrwydro gan bwysau oddi mewn, *Torrodd y pibau dŵr oherwydd y rhew.* to break, to burst
4 byrhau ag offeryn miniog, *torri gwallt* to cut
5 (am ddant babi) ymddangos drwy'r cnawd, *torri dant* to cut
6 (am wasanaethau cyhoeddus) cwtogi, lleihau, *torri gwasanaeth y llyfrgell* (~ ar) to cut
7 mynd â rhywbeth ymaith er lles y gweddill, *Maen nhw wedi torri darnau treisiol y ffilm.* to cut
8 cymynu, cwympo, *torri coeden i lawr* to chop, to fell

9 cynaeafu, lladd (gwair), *torri mawn* to cut, to mow

10 rhannu pac o gardiau yn ddau cyn cychwyn chwarae to cut

11 cerdded neu yrru ar draws yn hytrach nag o gwmpas, *torri cornel* to cut

12 gwneud record (o gerddoriaeth) to cut

13 gwahanu neu gael eich gwahanu oddi wrth rywbeth, *Mae e wedi torri â'r eglwys.* to break, to sever

14 gwneud niwed neu gael niwed nes bod rhywbeth yn ddi-werth neu heb fod yn gweithio'n iawn, *Mae'r cloc wedi torri.*; ffaelu, methu to break

15 anufuddhau, methu cadw addewid neu gadw at reol, cyfraith, cytundeb, etc., *torri'r gyfraith* to break

16 gwthio'ch ffordd i mewn neu allan, *lladron yn torri i mewn i Swyddfa'r Post* to break (in)

17 dod â rhywbeth dan reolaeth, *torri ceffyl i mewn*; disgyblu to break (in)

18 rhagori ar, *torri record mewn campau* to break

19 terfynu, gorffen, *Torrwyd ar y distawrwydd gan bwff o chwerthin.* to break

20 ymddangos yn raddol ac yn araf, *Mae'r wawr yn torri.* to break

21 methu, gwaelu, *Torrodd ei iechyd.* to fail

22 newid yn ansawdd llais, o fod yn llais bachgen i fod yn llais dyn, *Torrodd ei lais pan oedd yn 15 oed.*; newid sydyn yn ansawdd y llais, *Torrodd ei llais dan deimlad.* to break

23 datrys cyfrinach, *torri cod y gelyn* to break

24 aros (am seibiant neu wyliau), *Mae'n well inni dorri am ginio nawr.*; oedi to break

25 newid (er gwaeth, gan amlaf) *tywydd yn torri* to break

26 (am unigolyn neu gwmni) mynd yn fethdalwr to become bankrupt, to fail, to fold

27 rhwygo, fel yn *torri'n rhydd* to break
 Sylwch: (ac eithrio *tyr* a *tor*) dyblwch yr 'r' ym mhob ffurf ac eithrio yn y rhai sy'n cynnwys *-as-*.

torri ar draws ymyrryd to interrupt

torri asgwrn cefn gorffen y rhan fwyaf neu'r rhan fwyaf anodd o ddarn o waith to break the back of

torri bedd cloddio bedd, agor bedd to dig a grave

torri calon
1 wylo'n hidl, llefain to sob
2 ildio, digalonni to break one's heart

torri crib gwneud yn fwy gostyngedig to bring down a peg or two

torri Cymraeg â siarad â

torri cyt edrych yn smart ac yn ffasiynol to cut a dash

torri dadl cyrraedd ateb derbyniol to settle a dispute

torri enw arwyddo, llofnodi to sign

torri fy (dy, ei, etc.) ngwddf gw. gwddf

torri fy (dy, ei, etc.) mol bod ag awydd cryf ofnadwy i ddweud neu wneud rhywbeth

torri gair gw. gair

torri gwynt gollwng nwyon o'r stumog neu o'r coluddion to burp, to belch, to break wind

torri i lawr gw. lawr[1]

torri'r garw gw. garw[1]

torri syched gw. syched

torri tir newydd gw. tir

torrog *ans* (am hwch neu ast fel arfer) beichiog pregnant (sow, bitch, etc.)

torrol *ans* abdomenol; yn perthyn i'r tor, nodweddiadol o'r tor abdominal

torrwr *eg* (torwyr) un sy'n torri, *torrwr beddau* cutter, digger

tors gw. tortsh

torso *eg* (torsoau) y corff heb y pen na breichiau na choesau, yn enwedig fel cerflun neu ddarlun; bongorff torso

torsyth *ans* yn torsythu swaggering

torsythu *be* [torsyth•[1]] cerdded yn dal ac yn syth gan wthio'r fron allan a cheisio ymddangos yn bwysig to strut, to swagger

tortila *eb* (tortilas)
1 COGINIO math o omled tenau, poeth o Sbaen yn cynnwys briwgig neu gaws tortilla
2 math o grempog o México yn cynnwys llenwad sawrus tortilla

tortrics *eg* (tortricsod) gwyfyn bach y mae ei lindys yn byw y tu mewn i ddail wedi'u rholio tortrix

tortsh:tors *eg* (tortshys)
1 darn o bren yn cynnwys resin neu â defnydd llosgadwy ynghlwm wrtho sy'n cael ei gario i daflu golau torch
2 lamp fach drydan a weithir gan fatri torch
3 dyfais yn llosgi nwy sy'n cynhyrchu fflam boeth ar gyfer weldio torch

torth *eb* (torthau) bara (neu gacen/teisen) wedi'i ffurfio a'i goginio yn un darn mawr loaf

torthi *be* ceulo, troi yn dolchen (am waed) to clot, to coagulate
 Sylwch: nid yw'r ferf hon yn arfer cael ei rhedeg.

torwen *ans* am frid o ddefaid â bol gwyn white-bellied

torws *eg* (torysau)
1 PENSAERNÏAETH mowldin ar siâp modrwy, yn enwedig ar waelod colofnau mewn pensaernïaeth glasurol torus
2 MATHEMATEG arwyneb neu solid ar siâp modrwy, e.e. tiwb mewnol teiar car, toesen torus

tosau *ell* lluosog tosyn

tost¹ *eg* tafell o fara wedi'i chrasu a'i brownio toast

fel tost:fel tostyn yn gynnes (ac yn gyfforddus) like toast

tost² *ans* [tost•]

1 *safonol, yn y De* poenus, dolurus, *pen tost*; erch, garw, niweidiol sore

2 heb fod yn iach; anhwylus, claf, gwael, sâl ill

3 (am afiechyd) llym acute

tost³ *adf tafodieithol, yn y De* iawn, ofnadwy, *anniben tost*

tostedd gw. tostrwydd

tostio *be* [tosti•²] brownio, e.e. bara neu gaws, drwy ei osod o flaen neu dan wres to toast

tostiwr *eg* (tostyddion) dyfais drydanol sy'n crasu tafell o fara i wneud tost toaster

tostrwydd:tostedd *eg* y cyflwr o fod yn dost neu'n sâl neu gyfnod o salwch; afiechyd, gwaeledd illness, soreness

tosturi *eg* cydymdeimlad â rhywun sy'n dioddef ac awydd i'w gynorthwyo; trueni, trugaredd compassion, pity

tosturio *be* [tosturi•²] teimlo trueni dros (rywun neu rywbeth); cydymdeimlo, gresynu, trugarhau (~ wrth) to pity

tosturiol *ans* yn tosturio, yn mynegi neu'n dangos tosturi, yn cydymdeimlo; gofalus, meddylgar, trugarog, ystyriol compassionate, merciful

tosyn *eg* (tosau) ymchwydd ar y croen; ploryn pimple

totalitaraidd *ans* yn perthyn i system wleidyddol lle mae unigolyn neu un blaid yn rheoli'r cyfan ac yn gwahardd unrhyw wrthwynebiad neu wrthblaid totalitarian

totalitariaeth *eb* cyfundrefn wleidyddol dotalitaraidd totalitarianism

totem *eg* (totemau) anifail neu blanhigyn a ddefnyddir yn arwyddlun o deulu neu lwyth er mwyn atgoffa pobl o'u tylwyth a'r berthynas gyfriniol (rhwng grŵp neu unigolyn) â'r arwyddlun hwn; darlun neu gerflun o hwn totem

totemiaeth *eb* cred mewn perthynas gyfriniol (rhwng grŵp neu unigolyn) â thotem totemism

toulu gw. toili

tour de force *eg* (*tours de force*) gorchest

töwr *eg* (towyr) un sy'n gosod to ar adeilad roofer, thatcher

towt *eg* (towtiaid)

1 un sy'n pwyso ar bobl i brynu tout

2 un sy'n gwerthu tocynnau am grocbris ar gyfer digwyddiad nad oes tocynnau swyddogol ar ôl iddo tout

towtio:towtian *be* mynd o gwmpas yn canmol i'r entrychion er mwyn ceisio gwerthu neu hyrwyddo to tout

Sylwch: nid yw'r ferf hon yn arfer cael ei rhedeg.

tra¹ *adf* (yn rhagflaenu ansoddair) pur, eithaf, rhy, *Mae'r tabledi hyn yn dra effeithiol. Bu'n dra charedig wrthyf.* very, extremely, hyper-

Sylwch: mae'r 'tra' hwn yn achosi'r treiglad llaes.

tra² *cysylltair* yn ystod yr amser, cyhyd, *'Tra bo dŵr y môr yn hallt . . .'* while, whilst

Sylwch:

1 ni ddaw *y, yr* na *'r* rhwng *tra* a'r ferf;

2 (erbyn heddiw) nid oes treiglad yn dilyn y 'tra' hwn (*tra pery'r iaith Gymraeg*).

tra-arglwyddiaeth *eb*

1 dull o lywodraethu lle mae'r awdurdod eithaf i gyd yn nwylo un person, e.e. fel yn ninasoedd gwladwriaethol hen wlad Groeg; dominyddiaeth, gormes, gorthrwm tyranny

2 (yn achos cynghrair) penarglwyddiaeth neu ormes un aelod dros y lleill; hegemoni hegemony

3 pŵer neu ddylanwad dros rywun neu rywbeth, y cyflwr o gael eich rheoli yn yr un modd domination

tra-arglwyddiaethu *be* [tra-arglwyddiaeth•¹] bod yn deyrn ar (bobl); dominyddu, gormesu, goruchafu (~ ar) to tyrannize, to dominate, to domineer

trabludd *eg* (trabluddiau) trafferth, helynt, gwrthdaro agitation, commotion

trac *eg* (traciau)

1 heol anwastad; llwybr track

2 llwybr arbennig wedi'i baratoi ar gyfer rhywun neu rywbeth, *trac rasio ceir*; rhedegfa track

3 y llinell neu'r olion sydd wedi'u gadael gan rywun neu rywbeth; trywydd track

4 llinellau haearn (cledrau) y rheilffordd; cledr, rheilen track

5 y cylch neu'r gwregys o blatiau haearn sydd dros olwynion rhai cerbydau trymion track

tracea *eg* (traceau)

1 ANATOMEG y brif ran yn y system o diwbiau sy'n cludo aer i'r ysgyfaint ac o'r ysgyfaint trachea

2 BOTANEG un o'r tiwbiau cludo yn sylem planhigion trachea

3 SWOLEG un o nifer o diwbiau sy'n cludo aer i'r meinweoedd yng nghorff pryfyn trachea

traceid *eg* (traceidiau) BOTANEG cell hir, diwbaidd â muriau prennaidd yn sylem rhai planhigion sy'n cludo dŵr drwy'r planhigyn tracheid

traceol *ans* yn perthyn i'r tracea, yn gweithredu fel tracea tracheal

tracio *be* [traci•²] dilyn ôl; olrhain to track

tractor *eg* (tractorau) cerbyd cryf sy'n cael ei ddefnyddio i dynnu peiriannau a chyflawni tasgau ar fferm tractor

tracwisg *eb* (tracwisgoedd) siaced a throwsus o ddefnydd cynnes a wisgir gan athletwyr

t

wrth ymarfer ond nid pan fyddant yn cystadlu tracksuit

trach *ardd* fel yn *trach fy (dy, ei, etc.) nghefn*, wysg fy nghefn backwards

trachefn *adf* unwaith yn rhagor; eilchwyl, eilwaith, eto again, afresh
  Sylwch: drachefn a thrachefn sy'n gywir nid 'eto ac eto'.

tracht gw. **dracht**

trachwant *eg* (trachwantau) awydd cryf iawn i gael llawer mwy o rywbeth nag mae ei angen neu sy'n deg, yn enwedig o arian neu o rym neu o fwyd; blys, glythineb, gwanc greed, avarice

trachwantu *be* [trachwant•³] dyheu yn ormodol; awchu, blysio, chwenychu to covet, to lust

trachwantus *ans* llawn trachwant; anniwall, barus, blysgar, gwancus avaricious, greedy

trachywir *ans* manwl gywir, lle mae pob manylyn yn union fel y dylai fod precise
  Sylwch: nid yw'n cael ei gymharu.

trachywiredd *eg* y cyflwr o fod yn drachywir precision

tradwy *adf* ymhen tri diwrnod, ar y trydydd dydd ar ôl heddiw

traddodeb *eb* (traddodebau) CYFRAITH gorchymyn neu warant yn gwysio diffynnydd i ymddangos gerbron llys uwch commitment order, committal

traddodi *be* [traddod•¹]
  1 adrodd neu ddweud (araith, pregeth, beirniadaeth mewn eisteddfod, etc.); areithio, cyflwyno, mynegi, pregethu to deliver
  2 CYFRAITH gorchymyn neu ddedfrydu rhywun i fod dan ofal neu reolaeth rhywun arall, e.e. mewn carchar neu ysbyty seiciatrig, *Cafodd y gŵr euog ei draddodi i dri mis o garchar.* to commit

traddodiad *eg* (traddodiadau)
  1 y ffordd y mae arferion a chredoau yn cael eu trosglwyddo o'r naill genhedlaeth i'r llall; arfer, defod tradition
  2 arferiad neu gred sy'n cael ei throsglwyddo yn y ffordd hon; arfer, confensiwn tradition
  3 corff o arferion neu gredoau sy'n cael eu trosglwyddo, *y traddodiad llafar* tradition

traddodiadol *ans* yn perthyn i draddodiad, yn glynu wrth draddodiad; clasurol traditional

traddodwr *eg* (traddodwyr) un sy'n traddodi (darlith) deliverer

traean *eg* trydedd ran, un rhan o dair, ¹/₃ one-third

traed *ell* lluosog troed; gwaelod, godre
  a'i draed dan y bwrdd gw. **bwrdd**
  â'm (â'th, â'i, etc.) traed ar y ddaear am rywun call, ymarferol, y gwrthwyneb i 'rhywun penchwiban' with my feet firmly on the ground
  â'm (â'th, â'i, etc.) traed yn rhydd heb fod yn atebol i neb independent

  ar flaenau fy (dy, ei, etc.) nhraed yn ddisgwylgar on my toes
  aros ar fy (dy, ei, etc.) nhraed gw. **aros**
  cael fy (dy, ei, etc.) nhraed danaf dechrau llwyddo, ymsefydlogi to find one's feet
  cwympo/disgyn/syrthio ar fy (dy, ei, etc.) nhraed bod yn ffodus to land on my feet
  dan draed
  1 dan awdurdod llwyr, boed yn gyfiawn neu'n anghyfiawn, *Cenedl dan draed y gelyn.* under the heel
  2 yn y ffordd, *Cer o dan draed.* underfoot
  hel ei draed mynd heb bwrpas, heb fod yn mynd i unlle arbennig to mooch about
  llusgo traed gw. **llusgo**
  rhoi fy (dy, ei, etc.) nhraed lan:i fyny ymlacio, eistedd neu orwedd i lawr to put one's feet up
  sefyll (rhywbeth) ar ei draed rhoi rhywbeth i sefyll yn syth, *Rho'r botel i sefyll ar ei thraed.* to stand upright
  teimlo gwres fy (dy, ei, etc.) nhraed:cael gwres fy (dy, ei, etc.) nhraed gorfod rhedeg yn gyflym, gorfod ymdrechu to know you've been in a race
  traed brain ysgrifen anniben, aflêr, annealladwy
  traed chwarter i dri splay-footed
  traed moch cawl, stomp, heb unrhyw fath o reolaeth, *Mae'r trefniadau wedi mynd yn draed moch.* mess
  traed o bridd gwendid sylfaenol mewn rhywun mawr ei rwysg feet of clay
  traed oer ofn, amheuon cold feet
  wrth draed (athro) (cael hyfforddiant ac addysg) gan unigolyn arbennig at the feet of
  yn nhraed fy (dy, ei, etc.) sanau gw. **hosan**

traenio gw. **draenio**

traeth *eg* (traethau) glan môr neu lyn, yn enwedig os yw'n dywodlyd ac yn cael ei ddefnyddio ar gyfer torheulo a nofio; marian, morlan, traethell, tywyn beach, sands, strand
  traeth awyr:awyr draeth METEOROLEG cwmwl *cirrocumulus* neu *altocumulus* tenau, toredig wedi'i drefnu yn batrymau cymesur sy'n debyg i'r patrwm ar gefn macrell; gwallt y forwyn mackerel sky
  traeth byw:traeth gwyllt sugndraeth; haen neu drwch o dywod mân llawn dŵr sy'n hylifo dan bwysau neu os yw'n cael ei ddirgrynu quicksand

traethawd *eg* (traethodau)
  1 darn byr o ryddiaith ar un testun fel arfer; erthygl, ysgrif composition, essay
  2 darn hir o ryddiaith wedi'i ysgrifennu ar destun arbennig ar gyfer gradd prifysgol; thesis dissertation, thesis

traethell *eb* (traethellau) traeth bach, darn o dir yn ymyl llyn, neu ar lan afon, neu ar lan môr; marian, tywyn beach, shore, strand

traethiad *eg* (traethiadau)
1 dull o adrodd stori neu gyflwyno digwyddiadau mewn llyfr neu ar ffurf ysgrifenedig; mynegiant, naratif narrative
2 GRAMADEG y rhan o frawddeg neu gymal sy'n cynnwys berf ac sy'n traethu am y goddrych, e.e. yn y frawddeg *Mae John yn gryf, John* yw'r goddrych ac *mae yn gryf* yw'r traethiad predicate

traethiadol *ans*
1 wedi'i adrodd; naratif narrative
2 GRAMADEG yn perthyn i'r traethiad predicative

traethlin *eb* (traethlinau) y man lle mae corff o ddŵr yn cwrdd â'r glannau; hefyd y tir sy'n ymylu'r dŵr shoreline

traethu *be* [traeth•¹] siarad neu ddweud yn awdurdodol; adrodd, areithio, cyhoeddi, datgan, pregethu (~ **ar** *rywbeth*; ~ **i** *rywun*) to speak, to relate, to preach

traethwr:traethydd *eg* (traethwyr) un sy'n traethu narrator

trafaelu *be* [trafael•¹]
1 mynd o le i le; teithio, tramwyo to travel
2 mynd yn gyflym iawn, *Roeddem yn trafaelu pan gawsom ein dal gan yr heddlu.* to speed, to travel

trafaelwr:trafaeliwr *eg* (trafaelwyr) un sy'n mynd o ddrws i ddrws neu o siop i siop yn ceisio gwerthu nwyddau travelling salesman

trafertin *eg* (trafertinau) DAEAREG gwaddod mân-grisialog o galsiwm carbonad gwyn, hufen neu frown golau ei liw sy'n cael ei ddyddodi'n gemegol o doddiant travertine

traflyncu *be* [traflync•¹] bwyta'n gyflym ac yn wancus; claddu, llowcio, sglaffio, stwffio to devour, to gorge

trafnidiaeth *eb* symudiad pobl neu gerbydau ar hyd y ffyrdd, llongau ar hyd moroedd, awyrennau yn yr awyr, etc.; traffig traffic, transport

trafod *be* [trafod•¹]
1 siarad am rywbeth to discuss
2 siarad â rhywun er mwyn ceisio cyrraedd cytundeb (~ *rhywbeth* **â** *rhywun*) to negotiate
3 pwyso a mesur; ymdrin, ymresymu to discuss
4 rheoli, cadw dan reolaeth, *Mae'r ferch ifanc yn deall yn iawn sut i drafod ei merlen.* to handle
5 teimlo neu drin rhywun neu rywbeth â'r dwylo, *Byddwch yn ofalus wrth drafod y llestri.*; cwrdd, cyffwrdd to handle

trafodaeth *eb* (trafodaethau) y broses o drafod, canlyniad trafod; ymgom lle mae cyfnewid barn rhwng dau neu ragor o siaradwyr, gyda'r bwriad (weithiau) o gyrraedd cytundeb; dadl, sgwrs, ymdriniaeth discussion, negotiation, debate

trafodion *ell*
1 cofnodion o weithgarwch a gweithgareddau cymdeithas neu grŵp arbennig o bobl (wedi'u cyhoeddi fel arfer); penderfyniadau, trafodaethau proceedings, transactions
2 materion busnes, cyfres o weithgareddau ariannol neu o weithgareddau busnes transactions

trafferth *eb* (trafferthion)
1 anhawster, poen meddwl, *Cefais drafferth i agor y drws.*; helbul, problem, trwbl bother, trouble, difficulty
2 sefyllfa lle mae rhywun yn cael ei ddrwgdybio o wneud rhywbeth, *Mae e mewn trafferth gyda'r heddlu eto.* trouble
3 ymdrech (i gwblhau rhywbeth, i gael rhywbeth yn fanwl gywir, etc.), *Mae hi wedi mynd i dipyn o drafferth i gael y llyfrau hyn iti.* trouble
4 niwsans, *Dim ond trafferth fuost ti imi erioed.* trouble

trafferthu *be* [trafferth•¹]
1 mynd i drafferth, cymryd gofal arbennig, *Yn anffodus, wnes i ddim trafferthu darllen y cyfarwyddiadau.*; boddran, ffwdanu, hidio, poeni to bother, to take trouble
2 peri trafferth, creu problemau neu anawsterau, *Awn ni ddim i'w trafferthu nhw yr amser yma o'r nos.* to trouble

trafferthus *ans* am rywun neu rywbeth sy'n creu trafferthion; plagus, poenus troublesome, irksome

traffig *eg* ceir, lorïau, bysys, etc. sydd ar yr ffordd ar unrhyw adeg; trafnidiaeth traffic

traffordd *eb* (traffyrdd) heol neu ffordd lydan iawn ar gyfer cerbydau yn unig, wedi'i llunio er mwyn i'r cerbydau hyn gael teithio'n bell ynghynt motorway

tragwyddol:tragywydd *ans* a fydd yn para am byth; anfarwol, bythol, diddiwedd, oesol eternal
Sylwch: nid yw'n cael ei gymharu.
o dragwyddol bwys pwysig iawn eternally important
tragwyddol heol rhyddid dilyffethair untrammelled freedom

tragwyddoldeb *eg*
1 cyfnod diddiwedd o amser eternity
2 y cyfnod o amser sy'n dilyn marwolaeth eternity

tragywydd gw. tragwyddol
hyd yn dragywydd am byth bythoedd for ever and ever

traha *eg* balchder anfoesgar; haerllugrwydd, rhodres, snobyddiaeth, ymffrost arrogance

trahaus *ans* am rywun sy'n meddwl ei fod yn well (na rhywun arall/na bron pawb arall)

t

a dangos hynny yn ei ymddygiad; balch, dirmygus, ffroenuchel, sarhaus arrogant, haughty, overbearing

trahauster *eg* y cyflwr o fod yn drahaus; rhyfyg arrogance, haughtiness, presumption

trai *eg*
1 llif y môr yn cilio o'r lan; distyll *ebb*
2 crebachiad, dirywiad, gostyngiad, lleihad, *Mae yna drai cyson yn y nifer sy'n mynd i'r capel.* decrease

ar drai yn gwanhau, yn cilio ebbing, in decline

distyll y trai man isaf y trai low-water

traidd *bf* [treiddio] *ffurfiol* mae ef yn treiddio/ mae hi'n treiddio; bydd ef yn treiddio/bydd hi'n treiddio

trais *eg*
1 y defnydd o gryfder corfforol i niweidio neu i ddychryn pobl; gormes, gorthrwm force, violence
2 y drosedd o orfodi cyfathrach rywiol ar rywun yn erbyn ei ewyllys rape
3 difwyniad, halogiad, llygriad defilement, rape

trallod *eg* (trallodion) rhywbeth sy'n achosi gofid; adfyd, cyfyngder, cystudd, ing tribulation, woe

trallodi *be* [trallod•1] cynhyrfu yn feddyliol neu'n ysbrydol, achosi pryder; blino, poeni to trouble, to afflict

trallodus *ans*
1 yn peri gofid; adfydus, blinderus, gofidus, truenus troublesome, harrowing
2 llawn trallod; galarus, gofidus disconsolate, distressed, troubled

trallodwr *eg* (trallodwyr) un sy'n achosi trallod troubler, afflicter

trallwysiad *eg* (trallwysiadau) MEDDYGAETH y weithred o drallwyso, canlyniad trallwyso (gwaed, etc.) transfusion

trallwyso *be* [trallwys•1] MEDDYGAETH rhoi gwaed (neu gynhyrchion gwaed) a gafwyd gan un person yng nghorff person arall to transfuse

tram *eg* (tramiau)
1 cerbyd i gario pobl; mae'n debyg i fws ond ei fod yn rhedeg ar gledrau tram
2 cerbyd bach yn debyg i focs ar olwynion sy'n cario glo ar hyd cledrau tram

tramffordd *eb* (tramffyrdd) cledrau tramiau, llwybr tramiau tramway

tramgwydd:tramgwyddiad *eg* (tramgwyddau:tramgwyddiadau)
1 rhywbeth sydd yn y ffordd ac sy'n achosi i rywun faglu, *maen tramgwydd*; anfantais, rhwystr hindrance
2 yr hyn sy'n peri i rywun dramgwyddo; camwedd offence
3 torcyfraith nad oes angen rheithgor i'w ystyried cyn dedfrydu; trosedd offence

tramgwyddaeth *eb* ymddygiad gwrthgymdeithasol neu anghyfreithlon,

yn enwedig ymddygiad o'r fath gan bobl ifanc yn deillio o anawsterau ymaddasu'n seicolegol neu'n gymdeithasol delinquency

tramgwyddo *be* [tramgwydd•1] achosi i rywun fod yn anhapus; camymddwyn, digio, pechu, tresmasu (~ yn erbyn) to offend

tramgwyddus *ans*
1 â thuedd i dramgwyddo; euog delinquent
2 yn peri ffieidd-dod ac atgasedd offensive

tramgwyddwr *eg* (tramgwyddwyr) un sy'n tramgwyddo; drwgweithredwr, ffelon, troseddwr delinquent, offender

tramor *ans* yn dod o wlad arall (dros y dŵr gan amlaf); dieithr, estron foreign, overseas
Sylwch: nid yw'n cael ei gymharu.

tramorwr *eg* (tramorwyr) rhywun sy'n dod o wlad arall (dros y dŵr); estron foreigner

tramp:trampyn:trempyn *eg* (tramps:trampiaid)
1 rhywun tlawd, digartref sy'n symud o le i le; cardotyn, crwydryn tramp, vagrant
2 fel yn *ar dramp*, ar daith, yn pererindota

trampio:trampo *be*
1 symud o le i le (ar droed fel arfer); teithio to tramp
2 sathru dan draed to stamp
Sylwch: nid yw'r ferf hon yn arfer cael ei rhedeg.

trampolîn *eg* (trampolinau) darn o ffabrig cryf wedi'i glymu wrth ffrâm fetel â sbringiau; fe'i defnyddir i fownsio'n uchel ac i gyflawni campau acrobatig trampoline

tramwyfa *eb* (tramwyfeydd) ffordd (gul) yn cynnig mynediad; coridor, llwybr, rhodfa gangway, passage

tramwyo *be* [tramwy•1] teithio ar draws, symud yn ôl ac ymlaen; crwydro, llwybreiddio, trafaelu, ymlwybro to traverse, to travel

tramwywr *eg* (tramwywyr) un sy'n tramwyo; teithiwr traveller, traverser

tranc *eg* diwedd bywyd; angau, dihenydd, marwolaeth death, demise, extinction

trannoeth *eb* ac *adf* y diwrnod wedyn; ar y dydd canlynol the next day
Sylwch: 'drannoeth' yw ffurf adferfol 'trannoeth', *Pan gyrhaeddodd Dewi drannoeth, roedd hi'n falch o'i weld.*

drannoeth y ffair gw. drannoeth

transgript gw. trawsgript

transh *eg anffurfiol* ffos trench

transistor *eg* (transistorau) ELECTRONEG teclyn bach sy'n rheoli rhediad cerrynt trydanol mewn pethau fel radio, teledu, cyfrifiaduron, etc. transistor

trap *eg* (trapiau)
1 offeryn i ddal creaduriaid; magl trap
2 cynllun i ddal neu dwyllo rhywun trap
3 cerbyd ysgafn â dwy neu bedair olwyn sy'n cael ei dynnu gan geffyl trap

4 dyfais y mae milgi yn cael ei ollwng yn rhydd ohoni ar gychwyn ras trap

trapesiwm *eg* (trapesiymau)
1 MATHEMATEG pedrochr â phâr o ochrau paralel trapezium
2 ANATOMEG un o wyth asgwrn y carpws a'r un sydd wrth fôn y bys bawd trapezium

trapesoid *eg* (trapesoidau)
1 MATHEMATEG pedrochr heb bâr o ochrau paralel trapezoid
2 ANATOMEG un o wyth asgwrn y carpws a'r un sydd wrth fôn y bys blaen trapezoid

trapio *be* [trapi•²] dal mewn trap; maglu
to trap

trapîs *eg* bar byr sy'n cael ei gynnal gan ddwy raff ac a ddefnyddir gan acrobatiaid ar gyfer eu campau trapeze

traphlith *adf* fel yn **blith draphlith**, wyneb i waered topsy-turvy

traphont *eb* (traphontydd) pont sy'n cynnal heol neu reilffordd ar draws cwm neu ddyffryn viaduct
  traphont ddŵr pont sy'n cludo camlas ar draws cwm neu ddyffryn aqueduct

tras *eb* y llinyn sy'n cysylltu cenedlaethau o'r un teulu; ach, hil, llinach ancestry, lineage, pedigree
  o dras
  1 yn disgyn o descended from
  2 o linach uchel ei thras of noble descent, well bred

traserch *eg* teimlad cryf iawn o serch; nwyd passion

trasiedi *eb* (trasiedïau)
1 digwyddiad ofnadwy neu anhapus; argyfwng, galanas, trychineb tragedy
2 drama ddwys sy'n gorffen, fel arfer, â marwolaeth drychinebus y prif gymeriad tragedy

trasiedïwr *eg* (trasiediwyr)
1 un sy'n ysgrifennu trasiedïau tragedian
2 actor sy'n arbenigo mewn trasiedïau tragedian

traul *eb* (treuliau)
1 y pris sy'n cael ei dalu am rywbeth, yr hyn y mae rhywbeth yn ei gostio; cost expense
2 ôl treulio neu wisgo, *Mae ôl traul ar y carped wedi iddo fod ar y llawr am ddwy flynedd.*; erydiad wear
3 y broses o fwyta neu yfed digestion, consumption
diffyg traul gw. diffyg
nwyddau traul gw. nwyddau
Ymadrodd
ar draul ar gost rhywun neu rywbeth arall, *Mae'n dod yn fwy clir nawr ein bod wedi byw yn gyfforddus yn y wlad hon ar draul pobl o wledydd eraill a oedd yn llai ffodus na ni.*
at the expense of

traw¹ *eg* CERDDORIAETH pa mor uchel neu isel yw lleoliad nodyn cerddorol pitch

traw² *adf* ffurf ar **draw** a geir mewn ymadrodd fel *yma a thraw*

trawaf *bf* [taro] rwy'n taro; byddaf yn taro

trawfforch *eb* (trawffyrch) CERDDORIAETH teclyn ar ffurf U â phigyn ar ei waelod; wrth achosi i ddwy goes yr 'u' ddirgrynu (drwy eu taro) a phwyso y pigyn blaen ar fwrdd, seinir nodyn o draw trachywir y mae modd tiwnio iddo; fforch draw tuning fork

trawiad *eg* (trawiadau)
1 y weithred o daro, canlyniad taro; ergyd strike, stroke
2 un peth yn bwrw rhywbeth arall; clap, clec, cnoc, ergyd blow
3 sŵn cloc yn taro'r awr stroke
4 FFISEG croestoriad llinell, neu rywbeth megis pelydryn sy'n symud ar hyd un llinell syth, ag arwyneb arall incidence
  trawiad ar y galon MEDDYGAETH cyflwr meddygol difrifol lle mae'r cyflenwad gwaed i'r galon yn cael ei atal heart attack

trawiadol *ans* yn tynnu sylw oherwydd ei fod yn anarferol neu'n atyniadol; cofiadwy, gwefreiddiol, rhyfeddol striking, impressive

trawma *eg* (trawmâu)
1 cyflwr o ddiffyg trefn meddyliol wedi'i achosi gan bwysau meddyliol neu gorfforol neu gan sioc trauma
2 MEDDYGAETH anaf neu niwed i feinwe byw wedi'i achosi gan rywbeth o'r tu allan, *trawma llawfeddygol* trauma

trawmatig *ans* a achosir gan drawma; erchyll, ofnadwy traumatic

trawol *ans* FFISEG (am olau neu am fath arall o belydryn) yn taro neu'n disgyn ar rywbeth incident

träwr *eg* (trawyr) un sy'n taro, un sy'n curo beater, knocker, striker

traws *ans* (trawsion) yn croesi, yn torri'n groes; croes, cyndyn, gwrthnysig, gwrthwynebus cross
  Sylwch: nid yw'n cael ei gymharu.
cynghanedd draws gw. cynghanedd
traws gwlad am rywun neu rywbeth sy'n digwydd neu'n cael ei gynnal drwy groesi tir, *ras draws gwlad* cross-country, overland
Ymadrodd
ar draws
1 ar fy nhraws, ar dy draws, ar ei draws, ar ei thraws, ar ein traws, ar eich traws, ar eu traws, o un ochr i'r llall, *Rhwyfodd ar draws yr afon.* across
2 ar yr ochr draw, *Y tŷ ar draws y ffordd.* across
3 cyfarwyddyd ynglŷn â diwyg deunydd argraffedig sy'n dynodi bod ei led yn fwy na'i uchder landscape

t

trawsacen *eb* (trawsacenion) CERDDORIAETH
amrywiad ar y rhythm arferol drwy
bwysleisio'r acenion gwannaf syncopation

trawsacennu *be* [trawsacenn•⁹] CERDDORIAETH
newid y rhythm arferol drwy bwysleisio'r
acenion gwannaf to syncopate
  Sylwch: dyblwch yr 'n' ym mhob ffurf ac
eithrio yn y rhai sy'n cynnwys *-as-*.

trawsblanedig *ans* wedi'i drawsblannu
transplanted

trawsblaniad *eg* (trawsblaniadau)
  1 y broses o drawsblannu transplant
  2 rhywbeth wedi'i drawsblannu, e.e.
trawsblaniad calon transplant

trawsblannu *be* [trawsblann•¹⁰]
  1 codi planhigyn a'i blannu yn rhywle arall
to transplant
  2 MEDDYGAETH symud (meinwe byw neu organ)
a'i fewnblannu mewn rhan arall o'r corff neu
yng nghorff person arall to transplant
  Sylwch: dyblwch yr 'n' ym mhob ffurf ac
eithrio yn y rhai sy'n cynnwys *-as-*.

trawsbwyth *eg* (trawsbwythau) GWNIADWAITH
pwyth bras lletraws ar draws ymyl darn o
ddefnydd i'w gadw rhag ymddatod overcast
stitch

trawsbwytho *be* [trawsbwyth•¹] GWNIADWAITH
gwnïo pwythau bras lletraws ar draws ymyl
darn o ddefnydd i'w gadw rhag ymddatod
to overcast

trawsddodi *be* [trawsddod•¹] MATHEMATEG
newid lleoliad symbol neu grŵp o symbolau
o un ochr hafaliad algebraidd i'r ochr arall,
e.e. wrth drawsddodi 3 o'r naill ochr i'r
hafaliad $x + 3 = 8$ i'r ochr arall, cawn $x = 8 - 3$
to transpose

trawsddodiad *eg* (trawsddodiadau)
MATHEMATEG y broses o drawsddodi, canlyniad
trawsddodi transposition

trawsddygiadur *eg* (trawsddygiaduron)
ELECTRONEG dyfais sy'n trawsnewid
amrywiadau mewn maint ffisegol, e.e.
gwasgedd neu ddisgleirdeb, yn signal trydanol,
ac i'r gwrthwyneb transducer

trawsenw *eg* (trawsenwau) GRAMADEG gair neu
ymadrodd a ddefnyddir yn lle rhywbeth a
gysylltir yn agos ag ef, e.e. 'Caerdydd' am
'Llywodraeth Cynulliad Cymru' metonym

trawsenwad *eg* GRAMADEG rhan ymadrodd lle
mae'r enw ar un o briodoleddau rhywbeth yn
cael ei ddefnyddio fel enw am y peth ei hun,
Cafwyd croeso cynnes ar yr aelwyd, lle mae
'aelwyd' yn cyfeirio at y cartref i gyd a'r bobl
sy'n byw yno metonymy

trawsergyd *egb* (trawsergydion) (mewn criced)
y weithred o daro'r bêl â'r bat bron yn
llorweddol cut shot

trawsfeddiannu *be* [trawsfeddiann•¹⁰]
meddiannu heb hawl, drwy drais;
camfeddiannu, cipio, dwyn to usurp
  Sylwch: dyblwch yr 'n' ym mhob ffurf ac
eithrio yn y rhai sy'n cynnwys *-as-*.

trawsfeddiannwr *eg* (trawsfeddianwyr) un sy'n
ceisio trawsfeddiannu neu un sydd wedi
trawsfeddiannu usurper

trawsfudiad (trawsfudiadau) MATHEMATEG
y broses o drawsfudo, canlyniad trawsfudo
translation

trawsfudo *be* [trawsfud•¹]
  1 symud o un man neu o un cyflwr i un arall
to translate
  2 MATHEMATEG symud holl bwyntiau
gwrthrych yr un pellter ac i'r un cyfeiriad heb i
hynny newid y gwrthrych mewn unrhyw ffordd
arall to translate

trawsffiniol *ans* ar draws ffiniau cross-border

trawsffurfiad *eg* (trawsffurfiadau)
  1 newid amlwg yn natur, golwg neu ffurf
rhywbeth transformation
  2 MATHEMATEG proses lle mae ffurf, siâp,
mynegiad neu ffwythiant yn cael ei drawsnewid
yn ffurf, siâp, mynegiad neu ffwythiant arall
transformation

trawsffurfio *be* [trawsffurfi•²]
  1 newid yn llwyr o un ffurf i ffurf arall,
e.e. pan fydd lindys yn troi yn löyn byw;
achosi i (rywbeth) newid to metamorphose,
to transform
  2 MATHEMATEG newid ffurf, siâp, mynegiad
neu ffwythiant yn ffurf, siâp, mynegiad, neu
ffwythiant arall (*~ rhywbeth o rywbeth* **yn**)
to transform

trawsgludiad *eg* (trawsgludiadau)
  1 y broses o drawsgludo pobl, yn garcharorion
neu'n gaethweision, o'u gwlad eu hunain i wlad
arall transportation
  2 CYFRAITH dogfen gyfreithiol sy'n trosglwyddo
teitl eiddo o un perchennog i berchennog arall,
canlyniad trawsgludo conveyance deed

trawsgludo *be* [trawsglud•¹]
  1 cario neu gludo (pobl, nwyddau, etc.) o un lle
i le arall to transport
  2 CYFRAITH (yn gyfreithiol) trosglwyddo teitl
eiddo o un perchennog i berchennog arall
to convey

trawsgrifiad *gw.* **trawsysgrifiad**

trawsgrifio *be* [trawsgrifi•²]
  1 llunio copi ysgrifenedig (o rywbeth wedi'i
argraffu neu wedi'i ysgrifennu); copïo
to transcribe
  2 creu copi ysgrifenedig (o araith, recordiad,
etc.); adysgrifio to transcribe
  3 creu copi ysgrifenedig o ddarn o gerddoriaeth
to transcribe

trawsgript:transgript *eg* (trawsgriptiau) CYFRAITH copi o gofnod cyfreithiol; adysgrif, trawsysgrifiad transcript

trawsgwricwlaidd *ans* ADDYSG yn cynnwys cwricwla mewn mwy nag un pwnc addysgol, *Roedd uned yr Ail Ryfel Byd yn cynnig cyfle i blant wneud gwaith trawsgwricwlaidd yn y dosbarth.* cross-curricular

trawsgyweiriad *eg* (trawsgyweiriadau) CERDDORIAETH y broses o drawsgyweirio, canlyniad trawsgyweirio modulation

trawsgyweirio *be* [trawsgyweiri•²] CERDDORIAETH newid o un cywair i gywair arall, *Mae'r darn yn trawsgyweirio o G i D ym mar 24.*; trawsnodi to modulate

trawshaenog *ans* DAEAREG am haenau mewn stratwm sy'n gorwedd ar ongl i'r prif blân haenu cross-bedded, cross-stratified

trawsheintiad *eg* (trawsheintiadau) canlyniad trosglwyddo haint, e.e. i glaf mewn ysbyty, rhwng gwahanol rywogaethau o anifeiliaid neu blanhigion etc. cross infection

trawsieithu *be* [trawsieith•¹] defnyddio mwy nag un iaith i gyfathrebu ar yr un pryd, *Bydd disgwyl i chi drawsieithu yn yr arholiad.* translanguaging

trawsion *ans* ffurf luosog **traws**

trawsiwerydd *ans*
1 yn croesi neu'n ymestyn ar draws yr Iwerydd (Cefnfor Iwerydd) transatlantic
2 nodweddiadol o Unol Daleithiau America a'i phobl transatlantic

trawsleoliad *eg* (trawsleoliadau)
1 BOTANEG cludiant mwynau, siwgrau, etc. ar ffurf hydoddiant o un rhan o blanhigyn i ran arall translocation
2 BIOLEG trosglwyddiad rhan o gromosom i safle newydd ar yr un cromosom neu ar gromosom gwahanol translocation

trawslif¹ *eb* (trawslifiau) llif â'i dannedd wedi'u gosod er mwyn medru torri ar draws graen neu wead y pren cross-cut saw

trawslif² *eg* (trawslifau) DAEARYDDIAETH nant neu ffrwd y mae ei chwrs, sydd ar ongl sgwâr i gydlif, yn dilyn llwybr hawdd ei erydu, e.e. brigiad creigiau llai gwydn neu ffawt subsequent stream

trawslin *ans* yn gorwedd ar ongl sgwâr i linell syth sy'n rhannu corff neu organeb yn gymesur transverse

trawslun *eg* (trawsluniau) BIOLEG cyfres o samplau cwadrad wedi'u cymryd ar hyd llinell sy'n gallu dangos amlder a dosbarthiad rhywogaethau mewn cynefin transect

trawslythrennu *be* [trawslythrenn•⁹] cynrychioli sain gair drwy gyfrwng llythrennau agosaf gwyddor neu iaith arall, e.e. *China* a *Tsieina* to transcribe, to transliterate
Sylwch: dyblwch yr 'n' ym mhob ffurf ac eithrio yn y rhai sy'n cynnwys -as-.

trawsnewid *be* [trawsnewidi•²]
1 newid neu beri newid mewn ffurf, cymeriad, ffordd o weithredu neu bwrpas to convert, to transform
2 newid priodweddau cemegol neu ffisegol sylweddau to convert, to transmute
3 newid (gwerth neu fesur) o un system o unedau i system arall o unedau to convert

trawsnewidiad *eg* (trawsnewidiadau) y broses o drawsnewid, canlyniad trawsnewid; cyfnewidiad, metamorffosis transformation, metamorphosis

trawsnewidiol *ans* yn mynd drwy'r broses o drawsnewid transitional

trawsnewidydd *eg* (trawsnewidyddion)
1 person neu beth sy'n trawsnewid rhywbeth converter
2 METELEG y ffwrnais a ddefnyddir ym mhroses Bessemer o wneud dur converter

trawsnodi *be* [trawsnod•¹] CERDDORIAETH ysgrifennu neu chwarae darn o gerddoriaeth neu gyfres o nodau mewn cywair gwahanol i'r darn gwreiddiol, *Mae'r darn i'r corn Ffrengig yn G ond mae'r corn Ffrengig ei hun yn F, felly rhaid trawsnodi un tôn i fyny.*; trawsgyweirio to transpose

trawsosod *be* [trawsosod•¹]
1 symud o un man i fan arall, newid trefn to transpose, to reverse
2 (mewn cerddoriaeth) trawsgyweirio to transpose

trawsryweddol *ans* am berson nad yw ei hunaniaeth yn cydymffurfio'n ddiamwys â'r cysyniad traddodiadol o rywedd gwryw neu fenyw transgender

trawsrywiol *ans* (am berson) yn perthyn i un rhyw ond yn dyheu am berthyn i'r rhyw arall transsexual

traws-sylweddiad *eg* CREFYDD credo'r Eglwys Gatholig Rufeinig bod y bara a'r gwin yn trawsnewid yn gorff a gwaed Crist (er yn aros yn ddigyfnewid eu golwg) wrth iddynt gael eu cysegru yn ystod gwasanaeth y Cymun transubstantiation

trawst *eg* (trawstiau) un o'r coed neu'r prennau mawr sy'n cynnal to neu nenfwd adeilad beam, joist, rafter

trawstaith *eb* (trawsteithiau)
1 llwybr ar draws neu dros (rywbeth) traverse
2 symudiad cydran peiriant o un ochr i'r llall traverse

trawsteithio *be* [trawsteithi•²] symud neu deithio ar draws (rhywbeth) to traverse

t

trawstoriad *eg* (trawstoriadau)
1 llun o rywbeth ar ôl iddo gael ei dorri ar draws; trychiad cross section
2 rhan sy'n cynrychioli'r cyfan, *trawstoriad o gymdeithas yn gyffredinol* cross section

trawstrefa *be* symud anifeiliaid (defaid, gwartheg, etc.) yn ôl y tymor i'r mynydd (hafod) neu i dir isel (hendref); hafota a hendrefa transhumance
Sylwch: nid yw'r ferf hon yn arfer cael ei rhedeg.

trawswch *eg* (trawsychau) *llenyddol* mwstas(h) moustache

trawswisgo *eg* yr arfer o wisgo dillad sy'n perthyn fel arfer i'r rhyw arall, er mwyn boddhad rhywiol transvestism

trawswladol *ans* yn gweithredu ar draws ffiniau cenedlaethol transnational

trawsyriant *eg* (trawsyriannau)
1 y broses o drawsyrru, canlyniad trawsyrru transmission
2 cyfuniad o gydrannau yn cynnwys cydiwr, gerau newid buanedd, a'r camsiafft sy'n trosglwyddo'r grym o beiriant (car) i'r echelau transmission

trawsyrru *be* [trawsyrr•⁹] peri i olau, sain, data, egni, etc. deithio drwy gyfrwng to transmit
Sylwch: dyblwch yr 'r' ym mhob ffurf ac eithrio yn y rhai sy'n cynnwys *-as-*.

trawsysgrifiad:trawsgrifiad *eg* (trawsysgrifiadau: trawsgrifiadau) copi ysgrifenedig, fersiwn ysgrifenedig neu mewn print o rywbeth a gyflwynwyd yn wreiddiol mewn cyfrwng arall (ffilm, sain, etc.); adysgrif, trawsgript transcript

trawydd *eg* (trawyr) offeryn a ddefnyddir i daro (rhywbeth) beater

tre *gw.* tref

trebl *eg* (treblau) y llais uchaf mewn côr neu mewn teulu o offerynnau treble

treblu *be* [trebl•¹] gwneud yn dair gwaith cymaint, *Pan ostyngodd pris teithio ar y bws fe dreblodd y nifer a oedd yn defnyddio'r gwasanaeth.* to treble, to triple

trech *ans*
1 cryfach, yn fwy nerthol, yn fwy grymus, *Roedd y Ffrancod yn drech na Chymru yn y gêm rygbi ryngwladol.*; arobryn, gorchfygol stronger, superior
2 gormod i ymdopi ag ef, *Mae'r gwaith wedi mynd yn drech na fi heno: bydd yn rhaid ei adael tan yfory.*
Sylwch: ffurf gymharol yw 'trech', ceir y ffurf *trechaf*, ond does dim ffurf gysefin; ni cheir ffurfiau yn cynnwys 'mor', 'mwy', 'mwyaf'.

trechedd *eg*
1 BIOLEG y graddau y mae un anifail neu blanhigyn yn dylanwadu neu'n rheoli cymuned ecolegol dominance

2 BIOLEG (mewn genynnau) priodwedd un o bâr o alelau sy'n ei mynegi ei hun yn y ffurf heterosygaidd ar draul y llall dominance

trechiad *eg* y broses o drechu, canlyniad trechu defeat

trechol *ans*
1 yn trechu; gorchfygol conquering
2 BIOLEG fel yn *alel trechol*, yn dynodi nodweddion etifeddol sy'n ymddangos yn llawn mewn heterosygot dominant

trechu *be* [trech•¹] bod yn drech na; curo, gorchfygu, goresgyn, maeddu to defeat, to overpower, to subdue

trechwr *eg* (trechwyr) un sy'n drech na'i wrthwynebwyr, un sy'n gorchfygu; gorchfygwr victor

tref *eb* (trefi:trefydd)
1 casgliad neu gyfuniad mawr o dai ac adeiladau eraill lle mae pobl yn byw ac yn gweithio town
2 canolfan fasnach neu ganolfan siopa, *Wyt ti'n dod i'r dre gyda ni?* town
3 y bobl sy'n byw yn y dref, *Mae'r holl dref yn erbyn y datblygiad.* town
4 fel yn yr ymadrodd *tua thre* sef tuag adref; cartref home
5 *hanesyddol* yn wreiddiol, fferm fawr wedi'i chreu ar ôl clirio'r coed a thrin y tir; wedyn, y tir o gwmpas cartref y pennaeth town, tun
Sylwch: yr hen drefn oedd bod enwau yn dilyn enw benywaidd mewn perthynas enidol, yn treiglo'n feddal ond nid dyma'r drefn heddiw. Mae *Trefaldwyn, Tre Ddinbych, Tregaron*, etc. yn dilyn yr hen drefn ac enwau newydd fel *Tretomas* a *Tre Taliesin* yn arfer y drefn bresennol.

trefedigaeth *eb* (trefedigaethau) gwlad neu ardal y mae pobl o wlad arall yn dod i fyw ynddi ac yn ei rheoli; gwladfa, gwladychfa colony

trefedigaethedd *eg* gwladychiaeth; y polisi neu'r arfer o ddefnyddio mewnfudwyr i feddiannu gwlad er mwyn sicrhau rheolaeth wleidyddol dros wlad arall a'i hecsbloetio'n economaidd colonialism

trefedigaethol *ans* yn perthyn i drefedigaeth, nodweddiadol o drefedigaeth; gwladychol colonial

trefedigaethu *be* sefydlu trefedigaeth neu drefedigaethau; cyfanheddu, gwladychu, ymsefydlu to colonize
Sylwch: nid yw'r ferf hon yn arfer cael ei rhedeg.

trefgordd *eb* (trefgorddau)
1 maestref neu dref a neilltuwyd ar gyfer pobl ddu yn unig o dan gyfundrefn apartheid township
2 *hanesyddol* hen uned weinyddol a oedd yn rhan o blwyf township

treflan *eb* (treflannau) tref fach township, settlement

treflun *eg* (trefluniau) golwg gyffredinol tref townscape

trefn *eb*

1 y cyflwr neu'r stad lle mae pethau wedi'u gosod yn daclus yn eu lle, *Rhaid cael y lle 'ma i drefn cyn i Mam gyrraedd.* order, regime

2 y modd y mae pethau'n cael eu rhestru, neu'n cael eu rhoi yn eu lle cywir, *trefn yr wyddor* order

3 y cyflwr neu'r sefyllfa lle mae rheolau a deddfau yn bodoli a phawb yn ufuddhau iddynt, *Sut un yw'r athro newydd am gadw trefn?* order

4 y ffordd arbennig y mae cyfarfod neu achos cyfreithiol yn cael ei gynnal, *Rwy'n ofni eich bod allan o drefn.* order, procedure

5 dull, modd, ffordd, *O ddydd Llun ymlaen y drefn newydd fydd . . .* order, arrangement

cyfraith a threfn gw. cyfraith

Ymadroddion

diolch i'r drefn yn rhagluniaethol providentially

dweud y drefn gw. dweud

mewn trefn/allan o drefn

1 popeth yn ei briod le/heb fod yn ei briod le in order/out of order

2 (mewn cyfarfod) yn ufuddhau/yn anufuddhau i drefn y cyfarfod; yn dderbyniol/yn annerbyniol in order/out of order

y Drefn trefn rhagluniaeth, cynllun Duw divine providence

trefnedig *ans* wedi'i osod mewn trefn ordered

trefniad *eg* (trefniadau)

1 y broses o drefnu, canlyniad trefnu; rhywbeth sydd wedi cael ei gynllunio i ddigwydd neu ymddangos mewn ffordd arbennig, *Rwyf wedi gwneud trefniadau i siarad â'r pennaeth.*; gosodiad arrangement

2 CYFRIFIADUREG y ffordd y mae data wedi cael eu trefnu mewn dilyniant penodedig sort

trefniadaeth *eb* ffordd o drefnu rhywbeth, y camau a ddilynir i gyflawni rhywbeth organization, procedure

trefniadol *ans* yn ymwneud â threfniadaeth (yn enwedig trefniadaeth llys barn) procedural

trefniant *eg* (trefniannau) CERDDORIAETH y ffordd y mae darn o gerddoriaeth wedi cael ei osod, *trefniant i'r piano o Symffoni Rhif 5 Beethoven*; gosodiad arrangement

trefnol *ans* MATHEMATEG am rif sy'n dangos lleoliad neu drefn mewn set, *cyntaf, ail, trydydd* ordinal

trefnolion *ell* rhifau trefnol ordinal numbers, ordinals

trefnu *be* [trefn•¹]

1 cynllunio a pharatoi rhywbeth, *Wnewch chi drefnu bod cwpanaid o de i bawb ar ddiwedd y cyfarfod?* to organize

2 gwneud trefniad(au), *Fe wnaethom ni drefnu i gyfarfod y tu allan i'r banc.* to arrange

3 dosbarthu neu osod mewn trefn neu fodd arbennig, *trefnu blodau, trefnu llyfrau*; coladu, rhestru to organize, to arrange, to order

4 gosod darn o gerddoriaeth to arrange

trefnus *ans*

1 yn dangos ôl trefn; cymen, destlus, taclus, trwsiadus orderly, tidy, coherent

2 am rywun sy'n dda am drefnu neu sy'n hoff o drefn; rheolaidd methodical, orderly

trefnusrwydd *eg* y cyflwr o fod yn drefnus; cymhendod, destlusrwydd, taclusrwydd orderliness

trefnydd *eg* (trefnyddion) un sy'n gyfrifol am drefnu rhywbeth neu un sydd â dawn trefnu organizer, arranger

trefnydd angladdau ymgymerwr undertaker

trefol *ans* yn perthyn i dref, nodweddiadol o dref; dinesig urban

trefolaeth *eb* nodweddion a phriodoleddau rhai sy'n byw mewn trefi a maestrefi (o'u cymharu, e.e., â rhai sy'n byw yng nghefn gwlad) urbanism

trefoledig *ans* yn amlygu neu'n mabwysiadu trefolaeth urbanized

trefoli *be*

1 gwneud neu droi'n drefoledig to urbanize

2 gwneud (ardal wledig) yn fwy trefol to urbanize

Sylwch: nid yw'r ferf hon yn arfer cael ei rhedeg.

treftad *eg* eiddo a etifeddir oddi wrth eich tad (neu ragflaenydd iddo); rhandir, treftadaeth inheritance, patrimony

treftadaeth *eb*

1 rhywbeth y mae rhywun yn ei etifeddu; cyfran, cynhysgaeth, etifeddiaeth, gwaddol inheritance, patrimony, heritage

2 cyflwr o fywyd neu stad o fyw, e.e. y teulu neu'r gymdeithas y mae rhywun yn cael ei eni iddi; diwylliant, traddodiad heritage

3 rhai pethau unigryw sy'n perthyn i genedl neu ardal ac sy'n cael eu gwarchod a'u trosglwyddo o un genhedlaeth i'r nesaf heritage

treftadol *ans* yn perthyn i dreftadaeth, wedi'i etifeddu inherited

trengi *be* [treng•¹] gorffen byw; darfod, marw, trigo to die, to perish

treiad *eg* (treiadau) y broses o dreio; trai ebbing

treial *eg* (treialon)

1 prawf ar berfformiad neu addasrwydd rhywun neu rywbeth, e.e. *treialon cŵn defaid, treial cyffuriau*; prawf trial

2 CYFRAITH gwrando a barnu achos mewn llys barn; prawf trial

t

treialu *be* [treial•¹] rhoi rhywbeth ar brawf er mwyn derbyn barn pobl cyn llunio'r peth terfynol to trial

treidd-dwll *eg* (treidd-dyllau) twll hir, cul yn y ddaear, yn enwedig un a dyllir wrth geisio dod o hyd i ddŵr, nwy, olew, etc., twll turio borehole

treiddgar *ans*
1 yn treiddio i rywbeth neu drwyddo penetrating, shrill
2 (am olwg, cwestiynau, sylwadau, etc.) craff, sylwgar, llym, *Mae ganddo feddwl treiddgar – mae'n anodd iawn ei guro mewn dadl.* perceptive, piercing

treiddgarwch *eg*
1 y cyflwr o fod yn dreiddgar; craffter astuteness, insight
2 (am sain) y cyflwr o fod yn uchel, tenau a threiddgar; meinder shrillness

treiddiad *eg* (treiddiadau)
1 y broses o dreiddio penetration
2 y pellter neu'r dyfnder y mae peth yn treiddio iddo penetration

treiddio *be* [treiddi•² 3 *un. pres.* traidd/treiddia; 2 *un. gorch.* traidd/treiddia]
1 torri i mewn neu drwy rywbeth; athreiddio, gwanu, trydyllu, tyllu (~ **i** ; ~ **at**) to penetrate
2 deall, *Mae'n honni ei fod wedi treiddio i gyfrinach yr oesoedd.* to penetrate
3 (am aroglau, hylif, syniadau, teimladau, etc.) lledaenu drwy bob rhan o (rywbeth neu rywun) to permeate, to pervade

treiddiol *ans* yn treiddio penetrating

treiffl *eg* cymysgedd o deisen neu gacen wedi'i orchuddio â hufen neu gwstard, weithiau mae'n cynnwys jeli hefyd; melys gybolfa trifle

treigl *eg* (treiglau) cwrs, hynt, llwybr, taith passage

treigl amser y ffordd y mae amser yn mynd heibio the passage of time

treiglad¹ *eg* (treigladau) GRAMADEG newid cytseiniol sy'n digwydd ar ddechrau gair a'r 'h' sy'n ymddangos o flaen llafariaid, dan amodau arbennig mutation

treiglad caled dyma ddisgrifiad traddodiadol (anghywir) o'r hyn sy'n digwydd mewn achosion fel, *nos da, wythnos diwethaf, glastwr*, lle mae presenoldeb 's', yn gwrthsefyll y treiglad meddal disgwyliedig

treiglad llaes y treiglad a geir pan fydd 'c' yn troi'n 'ch'; 'p' yn troi'n 'ph'; a 't' yn troi'n 'th' aspirate mutation, spirant mutation

treiglad meddal y treiglad a geir pan fydd llythrennau caled yn meddalu: 'c' yn 'g'; 'p' yn 'b'; 't' yn 'd'; 'g' yn diflannu; 'b' yn 'f'; 'd' yn 'dd'; 'll' yn 'l'; 'm' yn 'f'; 'rh' yn 'r' soft mutation

treiglad trwynol y treiglad a geir pan fydd 'c' yn troi'n 'ngh'; 'p' yn troi'n 'mh'; 't' yn troi'n 'nh'; 'g' yn troi'n 'ng'; 'b' yn troi'n 'm'; 'd' yn troi'n 'n' nasal mutation

treigliad:treiglad² *eg* (treigliadau)
1 y weithred o dreiglo, o rolio, o symud drwy droi drosodd a throsodd, *treigliad y tonnau ar draeth*, canlyniad treiglo; troad roll
2 y broses o fynd heibio, *treigliad y blynyddoedd* passing

treiglo¹ *be* [treigl•¹] newid cytseiniaid ar ddechrau gair dan amodau arbennig; achosi treiglad; dilyn rheolau treiglo to mutate

treiglo² *be* [treigl•¹ 3 *un. pres.* treigl/treigla; 2 *un. gorch.* treigl/treigla] mynd heibio, llifo'n araf, peri treigliad; powlio, rholio, troi to roll, to trickle, to trundle

treillio *be* [treilli•²] pysgota â threillrwyd (~ **am**) to trawl

treillong *eb* (treillongau) llong bysgota sy'n dal pysgod drwy dreillio amdanynt trawler

treillrwyd *eb* (treillrwydau) rhwyd geglydan sy'n cael ei thynnu ar hyd gwaelod y môr i ddal pysgod dragnet

treinio *be* [treini•²]
1 dysgu sgiliau arbennig i rywun; hyfforddi to train
2 sicrhau bod planhigyn yn tyfu i gyfeiriad arbennig drwy ei dorri, ei glymu, etc. to train
3 paratoi ar gyfer cystadleuaeth neu brawf; hyfforddi, ymarfer, *treinio ar gyfer y gêm fawr* to train

treio *be* [trei•¹ 2 *un. pres.* treii; *amh. pres.* treiir; 2 *un. amhen.* treiit; *amh. amhen.* treiid] gwanychu neu leihau fel y môr ar ôl y llanw, bod ar drai; adlifo, cilio, ymgilio to ebb, to recede

treip *eg* stumog buwch neu goluddion mochyn wedi'u paratoi fel bwyd tripe

treiplaen *eg* (treiplaenau) y plaen (llyfnhau pren) mwyaf a ddefnyddir gan saer coed; plaen hir trying plane

treisgar *ans* llawn trais violent

treisgarwch *eg* y cyflwr o fod yn dreisgar a'r canlyniad iddo; trais violence

treisiad *eb* (treisiedi) heffer; buwch ifanc; anner heifer

treisicl *eg* (treisiclau) beic tair olwyn tricycle

treisio *be* [treisi•²]
1 ymosod yn rhywiol, gorfodi cyfathrach rywiol ar rywun yn erbyn ei ewyllys to rape, to ravish
2 defnyddio grym corfforol i niweidio neu ddychryn pobl; gormesu, gorthrymu to oppress
3 difwyno, halogi, llygru to violate

treisiol *ans* yn cyflawni trais neu'n bygwth treisio; gormesol, troseddol, ymosodol violent

treisiwr *eg* (treiswyr) un sy'n treisio; gormeswr, gorthrymwr rapist, oppressor

trem *eb* (tremau) y weithred o edrych; cip,
cipolwg, edrychiad, sbec glance, look

tremio:tremu *be* [tremi•²]
1 edrych yn galed; craffu, gwylio, syllu (~ i)
to gaze, to look
2 bwrw golwg gyflym, cymryd cip to glance

tremolo *eg* (tremolos)
1 CERDDORIAETH effaith gerddorol grynedig
neu siglog a grëir drwy ailadrodd yr un nodyn
yn gyflym neu drwy neidio yn ôl ac ymlaen
rhwng dau nodyn cyfagos yn gyflym tremolo
2 cwafrio clywadwy yn y llais tremolo
3 dyfais ar organ i greu cryndod cerddorol
tremolo

trempyn gw. tramp

tremu gw. tremio

tremyg *eg* (tremygau) *hanesyddol* (yn y cyfreithiau
Cymreig) y weithred o ddiystyru hawliau'r
diffynnydd; amarch i lys barn contempt of court

trên *eg* (trenau)
1 rhes o gerbydau sy'n cael eu tynnu ar hyd
cledrau rheilffordd gan injan train
2 yr injan sy'n tynnu'r cerbydau hyn engine, train

trennydd *eg* ac *adf* y diwrnod ar ôl yfory, y
diwrnod ar ôl trannoeth a'r diwrnod cyn
tradwy; ar y diwrnod ar ôl yfory, ymhen dau
ddiwrnod the day after tomorrow
Sylwch: 'drennydd' yw ffurf adferfol 'trennydd'.

trepanio *be* [trepani•⁶] MEDDYGAETH gwneud
twll llawfeddygol drwy asgwrn y benglog
to trepan

tres *eb* unigol **tresi**

tresbasu gw. tresmasu

tresglen *eb* (tresglennod) bronfraith fawr â llais
cras a hoffter o aeron yr uchelwydd; brych y
coed mistle thrush

tresgl y moch *eg* planhigyn cyffredin o deulu'r
rhosyn â blodau melyn a ddefnyddir mewn
meddygaeth lysieuol i drin y dolur rhydd ac
afiechydon eraill tormentil

tresi *ell* lluosog **tres**
1 y cadwynau neu'r strapiau lledr sy'n sicrhau
cert neu gerbyd wrth yr anifail sy'n ei dynnu;
harnais harness, traces
2 cudynnau pert o wallt tresses

tresi aur coeden ardd â chudynnau hir o flodau
melyn sy'n cynhyrchu hadau gwenwynig; euron
laburnum
Ymadrodd

cicio dros y tresi gw. cicio

tresiad *eg* curfa, cweir, chwipiad beating

tresio *be* fel yn *tresio bwrw*, bwrw glaw'n drwm
iawn; bwrw hen wragedd a ffyn, pistyllio
to pelt, to rain cats and dogs, to rain heavily
Sylwch: nid yw'r ferf hon yn arfer cael ei rhedeg.

tresmasiad *eg*
1 y weithred o dresmasu trespass

2 treiddio y tu hwnt i'r ffiniau arferol neu
briodol encroachment, incursion

tresmasu:tresbasu *be* [tresmas•¹]
1 mynd ar dir preifat heb ganiatâd to trespass
2 mynd ymhellach nag y mae gennych hawl
i fynd; camweddu, tramgwyddo to encroach,
to infringe

tresmaswr *eg* (tresmaswyr) rhywun sy'n
tresmasu, person sy'n mynd i mewn i dir ac
adeiladau yn anghyfreithlon trespasser, intruder

trestl *eg* (trestlau) trawsbren a choesau oddi
tano y mae dau neu ragor ohonynt yn cael eu
defnyddio i gynnal bwrdd trestle

treswaith *eg* (tresweithiau)
1 gwaith addurnedig y saer maen (a welir,
e.e., ar frig ffenestri Gothig); delltwaith tracery
2 patrwm tebyg o linellau, e.e. ar adain
trychfilyn neu o farrug tracery

tretio *be* [treti•²]
1 rhoi rhywbeth pleserus (gwrthrych neu
brofiad) i rywun to treat
2 talu dros rywun to treat
3 trin, trafod to treat

treth *eb* (trethi)
1 CYLLID swm o arian sy'n cael ei dalu i
lywodraeth leol neu lywodraeth ganolog ar sail
cyflog neu eiddo neu fel rhan o bris nwyddau;
ardoll, ardreth, toll rate, tax
2 rhywbeth sy'n golygu tipyn o ymdrech i'w
gyflawni, neu sydd wedi mynd yn ormod o
faich, *Mae'r bachgen yna yn dreth ar amynedd
dyn*. tax

treth anuniogyrchol ECONOMEG treth
sy'n cael ei gosod ar wariant ar nwyddau
a gwasanaethau, e.e. treth ar sigarennau a
Threth ar Werth indirect tax

Treth ar Werth CYLLID (TAW) swm ychwanegol
y mae'r llywodraeth yn ei roi ar ben pris
rhai mathau o nwyddau a gwasanaethau
value added tax (VAT)

treth etifeddu CYLLID treth ar eiddo neu
arian a dderbynnir fel rhodd neu a etifeddir
inheritance tax

treth gorfforaeth CYLLID treth ar elw cwmni
cyfyngedig business tax, corporation tax

treth gyfrannol ECONOMEG treth sy'n tynnu'r
un gyfran allan o incwm neu wariant pawb
proportional tax

treth incwm gw. incwm

treth uniongyrchol ECONOMEG treth sy'n cael
ei gosod ar bobl neu gwmnïau unigol, e.e. treth
incwm neu'r dreth gorfforaeth direct tax

treth y pen CYLLID swm penodol o arian sy'n
cael ei godi ar bob oedolyn beth bynnag yw ei
sefyllfa ariannol capitation tax, poll tax

trethadwy *ans* y telir treth arno neu y disgwylir
talu treth arno taxable

t

trethdalwr *eg* (trethdalwyr) un sy'n talu treth taxpayer, ratepayer

trethiad *eg* (trethiadau) y broses o godi treth, canlyniad codi treth; toll, treth taxation

trethu *be* [treth•¹]
1 codi treth ar (rywun neu rywbeth) to tax
2 gofyn llawer, bod yn fwrn; blino, llethu to tax

treulfwyd *eg* FFISIOLEG yr hylif trwchus sy'n cael ei ollwng o'r stumog i'r coluddyn bach ac sy'n cynnwys bwyd wedi'i dreulio'n rhannol a suddion gastrig chyme

treuliad *eg*
1 ôl treulio neu wisgo; erydiad, traul wear
2 BIOLEG y broses o dreulio bwyd digestion

treuliadwy *ans* (am fwyd) y gellir ei dreulio digestible

treuliant *eg*
1 ECONOMEG y defnydd o adnoddau neu nwyddau consumption
2 term cyffredinol i ddisgrifio'r holl brosesau (hindreuliad, cludiant ac erydiad) sy'n treulio neu'n erydu wyneb y Ddaear denudation

treuliau *ell* ffurf luosog traul; yr hyn y mae'n rhaid ei dalu am rywbeth, ad-daliad o'r hyn rydych wedi'i wario (ar deithio, llety, bwyd, etc.), *Rwy'n gobeithio y bydd y cwmni'n fodlon talu fy nhreuliau i fynd i America.* expenses

treulio *be* [treuli•²]
1 bwrw neu hela amser to spend
2 mynd i gyflwr gwael drwy ddefnydd aml; breuo, cyrydu, erydu, gwisgo to wear
3 BIOLEG newid bwydydd yn sylweddau y gall y corff eu defnyddio; mae ensymau yn y llwybr ymborth yn catalyddu ymddatodiad moleciwlau mawr, anhydawdd o garbohydradau, proteinau a brasterau yn foleciwlau llai, hydawdd y gall y corff eu hamsugno to digest
Sylwch: treulio amser ond gwario arian.

trew *eg* tisian, tisiad sneeze

trewi *bf* [taro] *ffurfiol* rwyt ti'n taro; byddi di'n taro

trewyn *eg* un o sawl math o blanhigyn o deulu'r friallen sydd â choesau deiliog a blodau melyn neu wyn loosestrife

tri *rhifol* (trioedd)
1 y rhif sy'n dilyn dau ac sy'n dod o flaen pedwar three
2 y symbol sy'n cynrychioli'r nifer hwn, 3 neu iii three
3 (gwrywaidd) y nifer hwn o bobl, pethau, etc., *tri bachgen, tri char* three
Sylwch:
1 mae elfen a oleddir gan 'tri' yn treiglo'n llaes, *y tri chi, tri phen, y tri chyntaf* (the three firsts);
2 pan fydd 'tri' yn sefyll dros enw, ni threiglir yr elfen oleddol sy'n dilyn *y tri cyntaf adref* (the first three).

tair ffurf fenywaidd **tri** a ddefnyddir gydag enw benywaidd neu wrth gyfeirio at un, *tair merch, y tair* three
Sylwch:
1 nid yw'n achosi treiglad i enw sy'n ei ddilyn, *tair cadair, tair merch*;
2 mae'n achosi'r treiglad meddal i ansoddair, *tair ddisglair*;
3 mae'n gwrthsefyll treiglo ar ôl 'y', *y tair merch, y tair gall.*

triad *eg* (triadau) CERDDORIAETH cord sy'n cynnwys tri nodyn triad

triagl:triog *eg* hylif tew, tywyll, gludiog, melys sy'n cael ei gynhyrchu yn y broses o buro siwgr treacle, molasses

triaglaidd *ans* o natur triagl; gludiog treacly, sticky

triaglog *eb* planhigyn â blodau bach coch, pinc neu wyn a gwreiddyn meddyginiaethol valerian

triaidd *ans*
1 wedi'i ffurfio o dair rhan, e.e. symudiad mewn gwaith cerddorol; teiran ternary
2 MATHEMATEG am gyfundrefn wedi'i seilio ar y rhif 3 ternary

Triasig *ans* DAEAREG yn perthyn i gyfnod cyntaf y gorgyfnod Mesosöig (251–200 miliwn o flynyddoedd yn ôl), nodweddiadol o gyfnod cyntaf y gorgyfnod Mesosöig, sef pryd yr ymddangosodd y dinosoriaid cyntaf ac ymlusgiaid eraill Triassic

triathlon *eg* cystadleuaeth athletaidd lle mae pob un yn cystadlu mewn tair camp, sef ras pellter hir, nofio a seiclo triathlon

triawd *eg* (triawdau)
1 CERDDORIAETH darn o gerddoriaeth ar gyfer tri offeryn neu dri llais trio
2 *ensemble* lleisiol neu offerynnol sy'n cynnwys tri pherfformiwr; unrhyw grŵp o dri trio

triban *eg* (tribannau)
1 mesur arbennig mewn barddoniaeth lle mae'r pennill yn cynnwys pedair llinell gyda saith sill yr un yn llinellau 1, 2 a 4 ac wyth sill yn llinell 3, gydag odl gyrch rhwng diwedd llinell 3 a chanol llinell 4
2 symbol ar ffurf tri thriongl gwyrdd a arferai gael ei ddefnyddio fel bathodyn Plaid Cymru

tribiwn *eg* (tribiwniaid) swyddog yn Rhufain gynt a gâi ei ethol gan y werin i'w hamddiffyn rhag penderfyniadau mympwyol gan ynadon tribune

tribiwnlys *eg* (tribiwnlysoedd) CYFRAITH llys barn wedi'i sefydlu i drafod rhyw fater arbennig ac sydd â'r awdurdod i weithredu ynghylch y mater hwnnw tribunal

tric *eg* (triciau)
1 gweithred y mae angen medrusrwydd neu ddawn arbennig i'w chyflawni (yn enwedig un

sy'n llwyddo i ddrysu neu dwyllo cynulleidfa) trick

2 gweithred sy'n twyllo neu'n camarwain rhywun, tro gwael trick

3 rhywbeth a wneir i beri i rywun edrych yn dwp; cast, stranc, twyll, ystryw trick

trichanmlwyddiant *eg* (trichanmlwyddiannau) dathliad pen blwydd trichant o flynyddoedd tercentenary

trichorn *eg* (trichyrn) dinosor llysysol mawr oedd â thri chorn a chwfl neu grib o esgyrn am ei wddf triceratops

tridarn *ans*
1 yn cynnwys tair eitem tripartite
2 ac iddo dair rhan fel yn *cwpwrdd tridarn*

tri deg *rhifol* (tridegau) y rhif 30; deg ar hugain thirty

tridiau *ell* tri diwrnod, *Dewch yn ôl i 'ngweld i ymhen tridiau.*

tridiau'r deryn du a dau lygad Ebrill diwrnodau olaf Mawrth a dechrau Ebrill (ond hynny o dan yr hen galendr Iŵl)

trigain *rhifol* y rhif 60; chwe deg, hanner cant a deg sixty
Sylwch: mae'n achosi'r treiglad trwynol yn 'blynedd', 'blwydd' a 'diwrnod', *trigain mlwydd oed.*

trigeinfed *ans*
1 y rhifol (rhif trefnol) nesaf mewn trefn ar ôl 'pum deg nawfed' sixtieth
2 rhif 60 mewn rhestr o drigain neu fwy; 60fed sixtieth
Sylwch:
1 mae'n achosi'r treiglad meddal o flaen enwau benywaidd (nid felly enwau gwrywaidd);
2 mae'n treiglo'n feddal pan ddaw ar ôl y fannod ac o flaen enw benywaidd (*y drigeinfed ferch*).

trigfan:trigfa *eb* (trigfannau: trigfeydd) lle i fyw, tŷ annedd; anheddfa, bod, preswylfa dwelling, domicile

trigfannu:trigiannu *be* [trigfann•¹⁰] byw, cartrefu, preswylio, trigo (~ *yn*) to dwell
Sylwch: dyblwch yr 'n' ym mhob ffurf ac eithrio yn y rhai sy'n cynnwys -*as*-.

trigo *be* [trig•¹ 3 *un. pres.* trig/triga; 2 *un. gorch.* trig/triga]
1 byw yn rhywle; anheddu, cartrefu, cyfanheddu, preswylio to dwell, to reside
2 *tafodieithol, yn y De* (am anifeiliaid a phlanhigion, nid am bobl) marw, trengi, darfod to die

trigolion *ell* y bobl neu'r creaduriaid sy'n byw yn rhywle, sy'n preswylio mewn man arbennig; ardalwyr, poblogaeth, preswylwyr inhabitants, residents

trigonometreg *eb* MATHEMATEG cangen o fathemateg yn ymwneud ag astudio'r berthynas

rhwng hyd ochrau triongl a maint ei onglau trigonometry

trigonometrig *ans* yn ymwneud â thrigonometreg trigonometric

trihedrol *ans* ac iddo dri wyneb neu arwyneb trihedral

tril *eg* (triliau) CERDDORIAETH y weithred o drilio neu enghraifft ohoni trill

trilio *be* [trili•²] CERDDORIAETH chwarae'n gyflym yn ôl ac ymlaen rhwng dau nodyn cyfagos to trill

triliwn *eg* (triliynau) miliwn biliwn, 10^{18} trillion

trilobit *eg* (trilobitiaid) anifail môr di-asgwrn-cefn yr oedd rhigolau ar hyd ei gorff a oedd yn rhannu'n dri darn, sef pen, thoracs a chynffon; nid yw wedi goroesi ond fe'i ceir ar ffurf ffosil trilobite

trilliw¹ *ans* fel yn *cath drilliw*, sef cath a chymysgedd o frown, du a melyn yn ei chot tabby, tortoiseshell

trilliw² *eg* un o sawl math o blanhigyn o deulu'r fioled â blodau o liw glas neu borffor yn gymysg â melyn neu wyn heartsease, pansy

trimad:trimiad *eg* y weithred o drimio, canlyniad trimio trim

trimio *be* [trimi•²]
1 tocio er mwyn gwneud yn ddestlus ac yn gymen; torri to trim
2 addurno, *trimio'r goeden Nadolig* to trim

trimisol *ans* yn digwydd bob tri mis, yn parhau am dri mis quarterly, trimonthly

trimiwr *eg* (trimwyr)
1 un sy'n rhannu pwysau nwyddau, e.e. llwyth o lo, yn wastadol ar long (er mwyn cael cydbwysedd) trimmer
2 dyfais ar gyfer trimio trimmer
3 ELECTRONEG teclyn mewn cylched drydanol sy'n tiwnio'r gylched i'r amlder priodol trimmer

trin¹ *be* [trini•⁶ 3 *un. pres.* trin/trinia]
1 ymddwyn tuag at, ymwneud â, trafod, *Mae gofyn trin Mr Jones yn ofalus.* to treat
2 ystyried, meddwl am, *Fe wnaeth hi drin ein cais fel jôc.* to treat
3 ceisio gwella drwy ddulliau meddygol, *Mae'r nyrs yn dod bob dydd i drin y briw ar ei goes.* to treat
4 rhoi (sylwedd) drwy broses gemegol neu ddiwydiannol er mwyn ei newid, *carthion yn cael eu trin mewn gweithfeydd arbennig* to treat
5 trefnu, glanhau neu baratoi, *trin gwallt* to dress
6 paratoi'r tir yn barod i blannu cynnyrch to cultivate
7 delio â, bod yn gyfrifol am, *Mae'n rhy ifanc eto i drin arian.* to handle

8 defnyddio offer, gwybodaeth, etc. yn ddeheuig, *trin cyllell a fforc*, *trin data* to manipulate
9 dweud y drefn; dwrdio to scold
trin a thrafod trafod, siarad am to discuss
trin² *eb* *hynafol* brwydr, *trannoeth y drin* battle
trindod *eb*
1 un grŵp o dri trinity
2 CREFYDD (y Drindod) cred Cristnogion uniongred am natur y Duwdod sef bod y Tad, y Mab a'r Ysbryd Glân yn dri pherson ond yn un Duw Trinity
tringar *ans*
1 (am anifail) hawdd ei drin; hydrin, hydyn docile
2 sensitif i deimladau pobl eraill, llawn tact tactful, sensitive
triniad *eg* y gwaith o drin (y tir) cultivation, dressing
triniaeth *eb* (triniaethau)
1 y ffordd neu'r modd y mae rhywun neu rywbeth yn cael ei drin; ymdriniaeth treatment
2 dull neu foddion a ddefnyddir i drin rhywun yn feddygol treatment
triniaeth lawfeddygol torri i mewn i'r corff er mwyn gwella neu gael gwared ar ddarn afiach neu glwyfedig operation
Trinidadaidd *ans* yn perthyn i ynysoedd Trinidad a Tobago, nodweddiadol o ynysoedd Trinidad a Tobago Trinidadian
Trinidadiad *eg* (Trinidadiaid) brodor o ynys Trinidad Trinidadian
trinnir *bf* [trin] *ffurfiol* mae rhywun neu rywbeth yn cael ei drin; bydd rhywun neu rywbeth yn cael ei drin
trio *be* [tri•¹ 2 un. pres. trii; *amh. pres.* triir; *2 un. amhen.* triit; *amh. amhen.* triid] gwneud eich gorau; ceisio, ymdrechu to try
triod *eg* (triodau) ELECTRONEG falf thermionig â thri electrod triode
trioedd *ell* ffurf luosog **tri**; casgliad o bethau fesul tri a geir yn ein hen lenyddiaeth, *Tri Hael Ynys Prydain, Nudd, Mordaf a Rhydderch* triads
triog gw. **triagl**
triongl *eg* (trionglau)
1 MATHEMATEG siâp dau ddimensiwn â thair llinell syth a thair ongl triangle
2 (mewn cerddoriaeth) offeryn taro ar ffurf triongl triangle
triongli *be*
1 rhannu ardal yn drionglau at ddibenion tirfesur to triangulate
2 mesur a mapio (ardal) gan ddefnyddio triongliant to triangulate
  Sylwch: nid yw'r ferf hon yn arfer cael ei rhedeg.
triongliant *eg* (triongliannau)
1 y mesurau angenrheidiol i bennu'r rhwydwaith o drionglau y rhennir unrhyw

ran o wyneb y Ddaear iddi yn ôl egwyddorion tirfesuriaeth; unrhyw weithred yn defnyddio trigonometreg i ganfod lleoliad pwyntiau sefydlog y mae'r pellter rhyngddynt yn hysbys triangulation
2 y broses o driongli, canlyniad triongli triangulation
trionglog *ans* ar siâp triongl, tebyg i driongl triangular
trip *eg* (tripiau)
1 taith o un man i fan arall; gwibdaith trip
2 taith reolaidd, neu daith â phwrpas arbennig trip
tripled *eg* (tripledi)
1 un o dri o blant (neu epil) sy'n cael eu geni i'r un fam ar yr un adeg triplet
2 CERDDORIAETH grŵp o dri nodyn cerddorol sydd gyda'i gilydd yn gywerth â hyd dau nodyn arferol o'r un math triplet
triphlyg *ans*
1 (am rywbeth) a thair rhan iddo triple
2 CERDDORIAETH (am amser) yn seiliedig ar dri phrif guriad yn y bar triple
coron driphlyg gw. **coron¹**
trist *ans* [trist•] (tristion)
1 yn teimlo neu'n dangos galar neu brudd-der; alaethus, anhapus, athrist, galarus sad, tragic
2 am rywbeth sy'n achosi'r teimladau hyn sad, sorrowful
tristâf *bf* [tristáu] rwy'n tristáu; byddaf yn tristáu
tristáu *be* [trista•¹⁵] gwneud yn drist neu fynd yn drist; galaru, hiraethu, wylofain to sadden
tristion *ans* ffurf luosog **trist**
tristwch *eg* y cyflwr o fod yn drist, yr hyn sy'n achosi i rywun fod yn drist; digalondid, galar, gofid, ing sadness, sorrow
tritiwm *eg* CEMEG isotop ymbelydrol, trwm o hydrogen (³H); mae'r niwclews yn cynnwys dau niwtron ac un proton tritium
trithroed *ans* yn meddu ar dri throed neu dair coes; teirtroed three-legged
triw *ans* ffyddlon, teyrngar, *Roedd Gelert yn driw i'w feistr.* faithful, loyal, true
triwant *eg* (triwantiaid) un sy'n cadw draw o'r ysgol heb ganiatâd truant
chwarae triwant cadw draw o'r ysgol heb ganiatâd; mitsio to play truant
triwantiaeth *eb* y weithred o gadw draw o'r ysgol heb ganiatâd truancy
tro *eg* (troeon)
1 un symudiad mewn cylch cyfan, *Rhowch un tro arall i'r cawl.*; troad turn, stir
2 newid cyfeiriad, *Mae yna hen dro cas yn yr heol fan hyn.*; cornel, troad, trofa bend, curve, turning
3 lle neu amser mewn trefn benodol,

Rwyt ti wedi colli dy dro i chwarae â'r cyfrifiadur newydd. turn

4 gweithred â chanlyniad da neu ddrwg, *Hen dro gwael oedd gadael i'r bws fynd hebddo.* turn

5 newid, gwahaniaeth, *Ar ôl etifeddu'r holl arian fe ddaeth tro ar fyd yr hen ŵr.* change

6 datblygiad annisgwyl, newid, *tro yng nghynffon stori* twist

7 amser, *Un tro pan oeddwn yn ifanc . . .* time

8 gwibdaith (ar droed neu mewn car), *Rwy'n mynd allan am dro.*; siwrnai, taith outing, spin, walk

9 taith hir, *Tro yn yr Eidal* journey, tour

10 cylch o drac rhedeg lap

aros fy (dy, ei, etc.**) nhro** gw. aros

tro cynffon gath Z bend

tro da cymwynas good turn

tro llygad MEDDYGAETH aliniad annormal llygad, sy'n achosi gwyriad parhaol yng nghyfeiriad golwg y llygad squint, strabismus *Ymadroddion*

ambell dro weithiau, ambell waith occasionally

am y tro gw. am[2]

ar dro weithiau, o dro i dro sometimes

ar fyr o dro gw. ar

ar y tro bob yn (*Un ar y tro, os gwelwch yn dda.*) at a time

dro ar ôl tro yn aml, yn fynych time and again

dros dro heb fod yn barhaol temporarily, temporary, transient

drwodd a thro ar y cyfan by and large

ers tro byd ers amser mawr for ages

gwneud y tro gw. gwneud[1]

hen dro gw. hen[1]

mewn fawr o dro mewn ychydig iawn o amser in no time

o dro i dro o bryd i'w gilydd from time to time

tro gwael gw. gwael[1]

tro pedol newid polisi i'r gwrthwyneb U-turn

tro trwstan gw. trwstan

tro yn ei gynffon gw. cynffon

troad *eg* (troadau)

1 newid cyfeiriad, *troad yn yr heol*; gwyriad, tro bend, swing, turning

2 y pwynt pan fydd rhywbeth yn troi neu pan fydd newid yn digwydd, *ar droad y ganrif*; *troad y rhod* turn

troad y rhod newid tymor change of season

troadur *eg* (troaduriau) disg llorweddol sy'n cylchdroi y mae crochenydd yn ei ddefnyddio i ddroi clai gwlyb yn botiau, bowlenni etc.; olwyn crochenydd potter's wheel

trobwll *eg* (trobyllau) cerrynt neu lif o ddŵr mewn afon neu fôr sy'n troi'n gyflym ac yn gallu sugno pethau i mewn iddo; fortecs, pwll tro whirlpool, vortex, maelstrom

trobwynt *eg* (trobwyntiau) amser pan fo newid pwysig yn digwydd turning point, watershed

trocharaenu *eg* proses ddiwydiannol i osod araen dros ddefnydd drwy ei drochi mewn cynhwysydd o ddeunydd araenu dip coating

trochfa *eb* (trochfeydd) canlyniad neidio neu syrthio dros eich pen i mewn i ddŵr; boddfa dip, soaking

trochi *be* [troch•[1]]

1 *tafodieithol, yn y Gogledd* rhoi mewn dŵr; nofio, golchi, dipio to bathe, to dip, to immerse

2 *tafodieithol, yn y De* gwneud yn frwnt; baeddu, difwyno, llygru to dirty, to soil

trochiad *eg* (trochiadau) y weithred o drochi, o ollwng neu o ostwng rhywbeth nes bod hylif yn ei orchuddio'n llwyr, canlyniad trochi dip, immersion

bedydd drwy drochiad gw. bedydd

trochion *ell* y cymysgedd o sebon a dŵr sy'n creu byrlymau gwynion; ewyn foam, lather, suds

trochioni *be* cynhyrchu ewyn neu drochion; ewynnu to foam, to lather
Sylwch: nid yw'r ferf hon yn arfer cael ei rhedeg.

trochwr *eg* (trochwyr) un sy'n neidio neu'n plymio i'r dŵr dipper, diver

trochydd *eg* (trochyddion) aderyn brown â bron wen sydd i'w weld gan amlaf mewn nentydd ac afonydd bach mynyddig dipper, diver

troed[1] *ebg* (traed)

1 y rhan symudol o'r corff ar waelod y goes islaw'r ffêr foot

2 y rhan o hosan sy'n gorchuddio'r droed foot
Sylwch: fel arfer mae'n fenywaidd pan fydd yn cyfeirio at ran o'r corff (troed dde) ond yn wrywaidd wrth gyfeirio at rywbeth difywyd (troed pladur) gw. 'troed[2]'.

troed glap (traed clapiog) MEDDYGAETH troed glwb; nam ar y droed sy'n golygu nad yw'r gwadn yn gallu gorwedd yn wastad ar y llawr club foot

troed glwb/clwb MEDDYGAETH nam ar y droed sy'n golygu nad yw'r gwadn yn gallu gorwedd yn wastad ar y llawr club foot

troed (g)weog troed lle mae gwe o groen yn cysylltu'r bysedd webbed foot

troed y ceiliog glaswellt tal ar gyfer pori a gwneud gwair cock's-foot

troed y golomen planhigyn yn perthyn i deulu'r blodyn ymenyn ac sydd â blodau trawiadol yn cynnwys sbardunau hir yn ymestyn am yn ôl columbine

troed yr aderyn blodyn bach gwyn o deulu'r bysen â phatrwm fel gwythiennau cochion drosto a chodennau hadau tebyg eu siâp i droed aderyn bird's-foot

troed-yr-ŵydd gwyn chwyn cyffredin â blodau gwyrdd a chen gwyn ar y coesyn a'r dail fat hen

Ymadroddion
ar droed ar waith afoot
rhoi fy (dy, ei, etc.) nhroed i lawr
1 bod yn bendant to put one's foot down
2 gwasgu arni, mynd yn gyflym (mewn cerbyd) to put one's foot down
rhoi fy (dy, ei, etc.) nhroed ynddi gwneud camgymeriad lletchwith to put one's foot in it
troed² *eg*
1 gwaelod, *ar droed y tudalen* foot
2 rhan isaf rhywbeth, yr eithaf arall i'r pen, *troed y gwely* foot
3 sylfaen, gwaelod, bôn, *wrth droed y mynydd* base, foot
troedfainc *eb* (troedfeinciau) stôl isel i bwyso'r traed arni footstool
troedfedd *eb* (troedfeddi) (mesur o hyd) deuddeng modfedd neu tua 0.305 metr foot
troedffordd *eb* (troedffyrdd) llwybr troed footpath
troëdig *ans*
1 wedi profi tröedigaeth converted
2 ffiaidd, cyfoglyd sickening
tröedigaeth *eb* (tröedigaethau) y broses o dderbyn cred grefyddol neu wleidyddol nad oedd rhywun yn ei derbyn cyn hynny a chanlyniad y broses honno conversion
troedio *be* [troedi•²]
1 cerdded â chamau penderfynol; brasgamu, camu to stride, to pace, to trudge
2 cerdded ar, dros neu ar hyd; llwybreiddo, rhodio, ymlwybro to tread, to walk
3 gosod un droed o flaen y llall mewn ffordd arbennig fel mewn dawns, stepio to step
troedio dŵr cadw'ch pen uwchlaw'r dŵr mewn dyfroedd dyfnion to tread water
Ymadrodd
ei throedio hi cerdded (yn hytrach na theithio mewn ffordd arall) to go on foot, to hoof it
troedlath *eb* (troedlathau) dyfais sy'n cael ei gwthio gan y traed er mwyn gweithio peiriant pedal, treadle
troedle *eb* (troedleoedd) man diogel i sefyll arno (yn enwedig wrth ddringo) foothold
troednodyn *eg* (troednodiadau) nodyn (mewn print llai fel arfer) ar waelod tudalen footnote
troednoeth *ans* heb ddim am ei draed barefoot, barefooted
troedrydd *ans* (am unigolyn neu gwmni) rhydd i symud lle y mynno a gwneud fel y mynno footloose
troedwaith *eg* y modd y mae rhywun yn symud ei draed, yn enwedig wrth chwarae pêl-droed, dawnsio a bocsio footwork
troedyn *eg* (troedynnau) llinell neu ddarn o destun sy'n ymddangos ar waelod pob tudalen (llyfr, dogfen, gwefan, etc.) footer

troell *eb* (troellau)
1 peiriant a arferai gael ei ddefnyddio i nyddu gwlân yn y cartref, olwyn nyddu spinning wheel
2 symudiad cyfan mewn cylch; cylchdro, tro turn, whirl
troellen *eb* (troellennau)
1 darn o droell nyddu ar ffurf drwm sy'n gweithredu fel pwli i'r strapen sy'n gyrru'r werthyd whorl
2 trefniant tebyg ym myd natur, e.e. cylch o flodau o gwmpas coes neu bwynt arall; cylch o wallt yng nghanol y corun whorl
troelli *be* [troell•¹]
1 nyddu gwlân ar droell to spin
2 symud mewn cylch yn gyflym; gogr-droi, chwyrlïo to whirl, to spin, to corkscrew
3 troi mewn cylchoedd neu ddolenni to wind
troellog *ans*
1 heb fod yn syth, *Byddwch yn ofalus – mae'r heol yn gul ac yn droellog fan hyn.*; dolennog, igam-ogam winding, twisting, sinuous
2 yn troi o amgylch tarddbwynt neu echelin ganolog wrth symud naill ai tuag ati neu oddi wrthi yn barhaus spiral
3 am siâp cromlin sy'n troelli mewn tri dimensiwn yn debyg i sbring neu edafedd sgriw spiral
troellwr *eg* (troellwyr)
1 stondin (dal llyfrau, cardiau, etc.) sy'n troi spinner
2 dyfais sy'n gwneud ei gwaith drwy droelli, e.e. troellwr (sychu) dillad spinner
3 (mewn criced) bowliwr sy'n troelli'r bêl spinner
4 person sy'n cyflwyno ac yn chwarae cerddoriaeth boblogaidd ar y radio, mewn clwb neu mewn parti disc jockey, DJ
troes *bf* [troi] *ffurfiol* gwnaeth ef/hi droi
troetsych *ans* â thraed sych dry-footed
troeth *eg* hylif melynaidd sy'n cael ei storio yn y bledren cyn ei ollwng drwy'r wrethra; mae'n gyfrwng i'r corff gael gwared ar y sylweddau gwastraff sy'n cael eu tynnu o'r gwaed gan yr arennau urine
troethgur *eg* cyflwr meddygol pan fydd gwaredu troeth o'r corff yn anodd neu'n boenus dysuria
troethi *be* [troeth•¹] cael gwared ar droeth o'r corff to micturate, to urinate
trofa *eb* (trofâu:trofeydd) tro, troad bend, turn
trofan *eg* (trofannau) (ar fapiau) un o'r ddau baralel lledred o amgylch y byd, y naill 23¹/₂° i'r gogledd o'r cyhydedd (Trofan Cancr) a'r llall 23¹/₂° i'r de o'r cyhydedd (Trofan Capricorn) sy'n nodi'r mannau pellaf o'r cyhydedd lle y gall yr Haul fod yn uniongyrchol uwchben tropic
y trofannau y rhan o'r Ddaear sy'n gorwedd rhwng Trofan Cancr a Throfan Capricorn the tropics

y trofannau tawel y doldrymau; y moroedd meirwon the doldrums

trofannol *ans* yn perthyn i'r trofannau, nodweddiadol o'r trofannau (yn enwedig yr hinsawdd boeth) tropical

trofar *eg* (trofarrau) bar o fetel sy'n gweithredu fel sbring dirdro yn hongiad rhai mathau o geir a cherbydau torsion bar

trofaus *ans* yn dilyn llwybrau troellog, heb fod yn syth nac yn uniongyrchol convoluted

trofeydd *ell* lluosog **trofa**

trofwrdd *eg* (trofyrddau)
1 dyfais (wedi'i suddo i'r ddaear) y gellir gyrru trenau arni a'u troi i gyfeiriad newydd ar set arall o gledrau turntable
2 y plât neu'r peiriant cyfan y mae record yn cael ei chwarae arno turntable

troffig *ans* BIOLEG yn ymwneud â bwyd a maeth trophic

tro-ffrio *be* ffrio (cig, pysgod, llysiau) yn gyflym mewn olew poeth iawn gan droi a symud y darnau o fwyd yn ddi-baid to stir-fry
Sylwch: nid yw'r ferf hon yn arfer cael ei rhedeg.

trogen gw. **torogen**

troi *be* [tro•[16] *3 un. pres.* try]
1 symud mewn cylch o gwmpas pwynt penodol, *olwyn yn troi* to turn, to revolve, to screw
2 newid cyfeiriad, anelu at gyfeiriad arbennig, *Mae'r heol yn troi i'r chwith.* to swing, to turn
3 newid golwg neu natur, *Mae'r bara wedi troi'n frown yn y gwres.* (~ **yn** ; ~ *rhywun/ rhywbeth* **yn**) to turn
4 suro, *Mae'r llaeth wedi troi.* to turn sour
5 teimlo'n anghyfforddus neu wneud yn gyfoglyd, *Mae mwg sigarennau yn troi arnaf.* to turn
6 gwneud i (rywun neu rywbeth) fynd; anfon, gyrru, *Mae'r gwartheg yn cael eu troi allan i bori yn y gwanwyn.* to turn (out)
7 newid wyneb i waered, *Rwyf wedi troi matras y gwely.* to turn
8 gwneud dolur i aelod o'r corff wrth ei dynnu, *troi fy mhigwrn* to twist
9 newid gwir ystyr neu fwriad geiriau, *Paid â throi fy ngeiriau!* to twist
10 cymysgu hylif neu gymysgedd meddal gan ddefnyddio llwy fel arfer, *troi te* to stir
11 cael eich argyhoeddi i dderbyn cred arbennig, *Mae e wedi troi'n Eglwyswr selog.* to convert
12 aredig, palu, *troi'r tir* to plough, to dig, to till
13 mynd heibio i amser arbennig, *Mae hi wedi troi hanner nos.* to turn
14 dymchwel, *troi'r drol* to turn (upside down), to upset

ei throi hi mynd, cychwyn ymaith, *Mae'n hwyr – rhaid imi ei throi hi.* to get going

troi allan
1 dod allan (o'r tŷ) i gyfarfod, cyngerdd, etc., *Mae nifer da wedi troi allan ac ystyried pa mor oer yw hi.* to turn out
2 symud (rhywun) allan o (rywle) to evict

troi ar
1 ymosod ar (yn ffigurol) to turn on
2 codi cyfog ar to sicken, to turn one's stomach

troi a throsi bod yn anesmwyth ac yn aflonydd (yn enwedig yn y gwely) to toss and turn, to wriggle

troi dalen newydd gw. **dalen**

troi efo pob awel bod yn anwadal

troi heibio paratoi corff marw i gael ei gladdu to lay out (for burial)

troi i lawr
1 lleihau uchder sain neu rym rhywbeth to turn down (sound, power)
2 gwrthod to turn down

troi i mewn taro i mewn ar ymweliad, *Mae nifer o bobl ddieithr wedi troi i mewn atom heno – croeso iddyn nhw i gyd.* to call in

troi lan *anffurfiol*
1 cyrraedd, ymddangos, *A yw John wedi troi lan eto?* to turn up
2 cynyddu uchder sain neu rym rhywbeth to turn up (sound, power)

troi'r tu min (at rywun) gw. **min**

trol *eb* (troliau) un o nifer o fathau o gerbydau dwy neu bedair olwyn a fyddai'n cael eu tynnu gan geffyl neu eu gwthio neu eu tynnu gan ddyn; cart, gambo, men cart

rhoi'r drol/cart o flaen y ceffyl rhoi'r effaith o flaen yr achos, gwneud rhywbeth o chwith to put the cart before the horse

troi'r drol gwneud llanastr to upset the apple cart

troli *eg* (trolïau)
1 un o nifer o fathau o gerti isel, yn enwedig un sy'n cael ei wthio â'r llaw trolley
2 bwrdd bach ar olwynion ar gyfer cario bwyd neu ddiod trolley

trolif *eg* (trolifogydd)
1 llif dŵr yn rhedeg yn groes i'r prif lifeiriant, trobwll bach eddy
2 FFISEG hylif neu nwy (e.e. dŵr neu aer) sy'n troelli o ganlyniad i lifo heibio i rwystr, e.e. adain awyren eddy
3 FFISEG cerrynt trydanol yn troelli mewn dargludydd pan fydd y dargludydd mewn maes magnetig sy'n newid gydag amser; mae hyn yn peri gwastraff egni drwy gynhyrchu gwres eddy

trolifo *be* (am aer, dŵr neu fwg) symud yn gylchoedd to eddy

trolio:trolian *be* [troli•[2]] treiglo, rholio to trundle, to roll

troliwr *eg* (trolwyr) gyrrwr trol neu gart; certmon carter

trom *ans* ffurf fenywaidd **trwm**, *Mae'n gath fawr, drom.*

trombôn *eg* (trombonau) offeryn pres â thiwb neu sleid sy'n cael ei symud i fyny ac i lawr er mwyn newid o nodyn i nodyn trombone

trombonydd *eg* (trombonwyr) un sy'n chwarae'r trombôn trombonist

trôns *eg* (tronsiau) math o drowsus (byr) ysgafn y mae dynion a bechgyn yn ei wisgo o dan eu dillad uchaf pants, underpants

trontol *eb* (trontolion) *tafodieithol* dolen cwpan neu jwg; clust, dryntol handle
  codi trontolion gosod y ddwy law ar y wasg gyda'r breichiau yn ffurfio dwy ddolen arms akimbo

tropedd *eg* (tropeddau) BIOLEG tuedd naturiol organebau byw i dyfu mewn ymateb i symbyliad, e.e. y ffordd y mae planhigion yn tyfu neu'n plygu tuag at olau tropism

tropoffin *eg* METEOROLEG y ffin rhwng y troposffer a'r stratosffer ar uchder o tua 18 km uwchlaw'r cyhydedd a tua 6 km uwchlaw'r pegynau tropopause

troposffer *eg* METEOROLEG haen isaf yr atmosffer sy'n gorwedd dan y stratosffer, tua 16 km uwchlaw'r cyhydedd a thua 9 km uwchlaw'r pegynau; mae'r rhan fwyaf o'r systemau tywydd i'w cael yn yr haen hon troposphere

trorym *eg* (trorymoedd) FFISEG mesur o effaith grym neu gyfundrefn o rymoedd sy'n (tueddu i) achosi cylchdro torque

tros gw. dros

trosadwy gw. trosiadwy

trosben *eg* (trosbennau) naid (ar y llawr neu yn yr awyr) lle mae rhywun yn troi ei gorff yn llwyr, gyda'r traed yn symud mewn cylch yn uwch na'r pen a throsto, cyn disgyn yn dwt ar y llawr somersault

trosbennu *be* [trosbenn•⁹] cyflawni trosben to somersault
  Sylwch: dyblwch yr 'n' ym mhob ffurf ac eithrio yn y rhai sy'n cynnwys *-as-*.

trosblyg *eg* (trosblygion) DAEAREG plyg ac iddo arwyneb echelinol sy'n goleddu ac un ystlys wyneb i waered overfold, overturned fold

trosbrintio *be* [trosbrinti•²] printio deunydd ychwanegol ar stamp neu arwyneb arall sydd â rhywbeth wedi'i argraffu arno yn barod to overprint

trosedd *egb* (troseddau)
  1 CYFRAITH gweithred sy'n torri'r gyfraith; camwedd, camwri, drwgweithred, ysgelerder crime, offence, felony
  2 gweithred sy'n torri rheol, mewn gêm, fel arfer infringement, foul, transgression

troseddeg *eb* CYFRAITH astudiaeth wyddonol o drosedd a chosb fel ffenomen gymdeithasol criminology

troseddol *ans*
  1 yn drosedd neu'n ymwneud â throsedd; anghyfreithiol, anghyfreithlon criminal
  2 yn ymwneud â chyfraith trosedd criminal

troseddu *be* [trosedd•¹]
  1 torri'r gyfraith drwy gyflawni gweithred anghyfreithlon; camweddu (~ yn erbyn) to commit an offence, to offend
  2 torri cyfraith grefyddol; pechu to transgress
  3 torri rheol mewn gêm a bod yn agored i gosb oherwydd hynny

troseddwr *eg* (troseddwyr) un sy'n troseddu; drwgweithredwr, ffelon, pechadur, tramgwyddwr criminal, culprit, miscreant

trosffordd *eb* (trosffyrdd) lefel uchaf dwy ffordd (heol, rheilffordd, etc.) sy'n croesi'i gilydd flyover

trosgais *eg* (trosgeisiau) (mewn rygbi) cais â phwyntiau wedi'u hychwanegu wedi i'r bêl gael ei throsi o fan ar y cae gyferbyn â man sgorio'r cais converted try

trosglwyddadwy *ans* y mae modd ei drosglwyddo i feddiant rhywun arall; aralladwy transferable

trosglwyddeb *eb* (trosglwyddebau) dogfen gyfreithiol yn trosglwyddo hawliau eiddo conveyance

trosglwyddiad *eg* (trosglwyddiadau)
  1 y broses o drosglwyddo, canlyniad trosglwyddo conveyance, transference
  2 aralliad; y broses o drosglwyddo hawliau perchenogaeth eiddo alienation
  3 CYFRAITH y weithred o drosglwyddo teitl eiddo o un perchennog i berchennog arall conveyance

trosglwyddo *be* [trosglwydd•¹]
  1 symud (rhywun neu rywbeth) o un swydd neu leoliad i un arall (~ *rhywbeth* o rywle i) to transfer
  2 cludo neu gario (rhywun neu rywbeth) o un man i fan arall, *Gwifrau sy'n trosglwyddo trydan o'r orsaf drydan i'r tai.* to convey, to transport
  3 symud grym neu egni o un rhan o beiriant i ran arall to transmit

trosglwyddydd *eg* (trosglwyddyddion)
  1 dyfais sy'n darlledu signalau radio, teledu, etc. transmitter
  2 y rhan o offeryn, e.e. ffôn neu delegraff, sy'n danfon y signalau transmitter

trosglwyddyn *eg* (trosglwyddion) troslun; llun ar bapur arbennig sy'n caniatáu iddo gael ei drosglwyddo i arwyneb arall transfer

trosgyfeiriad *eg* y broses o drosgyfeirio, canlyniad trosgyfeirio sublimation

trosgyfeirio *be* SEICOLEG troi mynegiant cyntefig o drachwant neu gynhyrfiad yn ffurf fwy

derbyniol yn gymdeithasol neu'n ddiwylliannol
to sublimate

   Sylwch: nid yw'r ferf hon yn arfer cael ei rhedeg.

trosgynnol *ans*

   1 yn mynd y tu hwnt i brofiadau uniongyrchol, yn perthyn i'r ysbrydol transcendental

   2 MATHEMATEG am rif nad yw'n bodloni unrhyw hafaliad polynomaidd; mae π yn enghraifft o rif trosgynnol transcendental

trosgynoliaeth *eb* ATHRONIAETH y gred athronyddol nad yr hyn yr ydym mewn cysylltiad ag ef drwy ein synhwyrau corfforol yw'r gwir realiti, bod gwir realiti y tu hwnt i'n synhwyrau ac efallai i'n meddwl, ac o ganlyniad na allwn wybod dim amdano transcendentalism

troshaen *eb* (troshaenau)

   1 rhywbeth wedi'i fwriadu i'w osod dros ben rhywbeth arall, e.e. haen addurniadol o bren, neu o bapur addurnedig i'w osod ar ben papur plaen overlay

   2 tryloywder yn cynnwys lluniadau neu ddyluniadau i'w gosod ar ben rhywbeth arall overlay

troshaenu *be* [troshaen•¹] gosod troshaen neu ddarparu troshaen (~ *rhywbeth* â) to overlay

trosi *be* [tros•¹]

   1 troi, newid to turn

   2 newid iaith, cyfieithu (nid fesul gair ond er mwyn cyfleu ystyr) to translate

   3 (mewn rygbi) llwyddo i gicio'r bêl rhwng y pyst ar ôl sgorio cais gan gyrraedd cyfanswm o saith pwynt, *trosi cais* to convert

   troi a throsi gw. troi

trosiad *eg* (trosiadau)

   1 cyfieithiad sy'n cyfleu'r ystyr (heb gyfieithu pob gair o angenrheidrwydd) adaptation, translation

   2 (mewn rygbi) cic sy'n trosi cais ac yn sgorio dau bwynt conversion

   3 *llenyddol* gair neu ymadrodd sy'n disgrifio rhywbeth drwy ei gymharu â rhywbeth arall ond heb ddefnyddio geiriau megis 'yn debyg i' neu 'fel', e.e. *Mae'n gawr o ddyn, ac yn un o hoelion wyth y capel.* metaphor

trosiadwy:trosadwy *ans* ECONOMEG (am asedau) y gellir eu trosi'n arian neu (yn hanesyddol) yn aur convertible

trosiannol *ans* yn newid o un cyflwr i gyflwr arall, yn trawsnewid transitional

trosiant *eg* (trosiannau)

   1 cyfanswm gwerthiant cwmni mewn cyfnod penodol turnover

   2 maint y busnes a wnaed, e.e. nifer y cyfranddaliadau a brynwyd ac a werthwyd ar y gyfnewidfa stoc turnover

   3 CYFRAITH camwedd lle mae eiddo person arall yn cael ei drin mewn ffordd sy'n gwarafun

i'r perchennog ei hawliau drosto, neu gymryd, cael gwared ar neu gadw eiddo'r hawlydd ar gam conversion

trosiant llafur nifer y bobl a gyflogir i lenwi lle gweithwyr sy'n gadael; hefyd, cymhareb y nifer hwn â nifer y rhai a gyflogir staff turnover

trosleisio *be* [trosleisi•²] gosod trac sain ar ffilm, gosod trac newydd, e.e. yn Gymraeg, yn lle'r gwreiddiol; creu trac sain drwy gyfuno dau neu ragor o draciau to dub

troslun *eg* (trosluniau) darlun sy'n cael ei drosglwyddo o un arwyneb (papur fel arfer) i arwyneb arall; trosglwyddyn transfer

trosodd gw. drosodd

trosol *eg* (trosolion) MECANEG bar haearn (neu bren) ag un pen yn fflat fel lletem sy'n cael ei ddefnyddio fel lifer i godi neu symud rhywbeth trwm; rhoddir un pen dan y peth trwm neu yn ei erbyn, a phwyso yn galed ar y pen arall ac mae'r bar yn troi ar ryw bwynt arbennig (y ffwlcrwm) crowbar, lever

trosoledd *eg* (trosoleddau) y ffordd y mae trosol yn gweithredu a'r manteision mecanyddol a ddaw yn sgil hynny leverage

trosoli *be* [trosol•¹] symud neu godi gyda throsol to lever

trostir *adf* ac *ans* (am deithio neu daith) ar draws tir (yn hytrach nag ar y môr neu yn yr awyr) overland

troswnïo *be* [troswnï•⁸] amylu; gwnïo dros (ddau ymyl darn o ddefnydd) â mân bwythau to oversew

   Sylwch: does dim angen didolnod pan fydd dwy 'i' yn dilyn ei gilydd, *troswniir.*

troswr *eg* (troswyr)

   1 un sy'n trosi (testun); cyfieithydd, dehonglwr, lladmerydd adapter, translator

   2 un sy'n trosi pêl rygbi converter

troswydro *be* gosod ail wydriad (addurniadol) ar ben haen o wydr to overglaze

   Sylwch: nid yw'r ferf hon yn arfer cael ei rhedeg.

trotian *be* [troti•²] (am geffyl neu anifail â phedair coes) symud ar gyflymder rhwng cerdded a charlamu; tuthio to trot

trotiwr *eg* (trotwyr) ceffyl sydd wedi'i hyfforddi i drotian trotter

Trotsgïaeth *eb* yr egwyddorion economaidd, gwleidyddol a chymdeithasol a bregethwyd gan Leon Trotsky, yn enwedig ymlyniad wrth y syniad o chwyldro parhaus, byd-eang yn hytrach na sosialaeth un wlad Trotskyism

trothwy *eg* (trothwyon)

   1 darn o bren neu garreg sy'n ffurfio sylfaen drws, carreg y drws, stepen drws; rhiniog doorstep, threshold

   2 y pwynt lle mae rhywbeth yn dechrau digwydd neu'n cael effaith threshold

t

ar drothwy ar gychwyn, yn ymyl, *ar drothwy darganfyddiad mawr* on the threshold, on the verge

trothwyol *ans* SEICOLEG yn ymwneud â'r man neu'r ffin lle mae teimlad neu ymdeimlad yn rhy wan i'w brofi liminal

trowsus *eg* (trowsusau) dilledyn allanol â dwy goes sy'n ymestyn o'r canol naill ai at y pengliniau neu at y pigyrnau/fferau; trywser, trywsus trousers

trowsus nofio trowsus byr iawn y mae dynion a bechgyn yn ei wisgo i nofio swimming trunks

trowynt *eg* (trowyntoedd) chwyrlwynt; colofn o aer yn chwyldroi'n gyflym o amgylch craidd o wasgedd isel; awel dro whirlwind

truan[1] *ans* [truan•] (truain) yn ennyn trueni a chydymdeimlad; adfydus, anffodus, gresynus poor, wretched
  Sylwch: nid yw'n cael ei gymharu.

druan ag ef:druan bach:druan ohono poor thing

truan[2] *egb* (trueiniaid) rhywun sy'n peri i bobl deimlo trueni drosto, yr hen dlawd; anffodusyn, creadur poor fellow, wretch
  Sylwch: mae cenedl yr enw'n amrywio yn ôl rhyw yr unigolyn.

trueni[1] *eg*
1 cydymdeimlad â dioddefaint eraill; tosturi pity
2 sefyllfa drist neu anghyfleus, *Mae'n drueni nad oedd yn gallu cyrraedd mewn pryd.*; gresyn pity

trueni[2] *ebychiad* piti garw; bechod, gresyn what a pity

truenus *ans*
1 mewn cyflwr gwael o ran amodau byw neu iechyd, *Mae'r tlodion yn Calcutta yn byw mewn amgylchiadau truenus.*; adfydus, blinderus, gofidus, trallodus piteous, wretched
2 gwael iawn o ran safon neu ansawdd, *Roedd yn berfformiad truenus.* lamentable, pitiful
3 am wrthrych trueni neu dosturi piteous
truenus o fe'i defnyddir i ddwysáu ystyr ansoddair, *truenus o dlawd*

trugaredd *egb* (trugareddau)
1 parodrwydd i faddau, i beidio â chosbi; caredigrwydd, tiriondeb mercy, clemency
2 cydymdeimlad â thrallodion neu broblemau pobl eraill ac awydd i'w cynorthwyo yn hytrach na'u cosbi; tosturi, trugarogrwydd, ymgeledd compassion
drwy drugaredd diolch byth mercifully

trugareddau *ell* mân bethau, mân offer; geriach, manion, petheuach, taclau bric-a-brac, paraphernalia

trugarhau *be* [trugarha•14] bod yn drugarog, dangos trugaredd; cydymdeimlo, gresynu, tosturio (~ **wrth** *rywun*) to have mercy upon

trugarocach:trugarocaf:trugaroced *ans* [trugarog] mwy trugarog; mwyaf trugarog; mor drugarog

trugarog *ans* [trugaroc•] yn amlygu trugaredd; addfwyn, tirion, tosturiol, ystyriol merciful, compassionate, humane

trugarogion *ell* rhai trugarog the merciful

trugarogrwydd *eg* caredigrwydd a chariad; cydymdeimlad, tosturi, trugaredd loving-kindness

trulliad *eg* (trulliaid) *hynafol* y prif was a fyddai'n gweini diodydd mewn tŷ butler

trum *ebg* (trumiau) rhan hir, gul sy'n uwch na'r hyn sydd o'i gwmpas, e.e. copa neu ben mynydd neu do; bron, cefn, crib, esgair ridge, hogback, saddleback

trumbren *eg* (trumbrennau) cilbren; y pren neu'r set o blatiau sy'n rhedeg ar hyd gwaelod cwch neu long ac sy'n sylfaen i weddill yr adeiladwaith keel

trumwedd *eb* cysgod, ôl, amlinelliad aneglur o rywbeth a fu, e.e. y cysgod lle bu llun ar wal trace, vestige

truth *eg* (truthiau) stori hir, gymhleth heb fawr o siâp na synnwyr; brygawthan, ffregod rigmarole

trwbadŵr *eg* (trwbadwriaid) canwr teithiol yn ne Ffrainc yn y ddeuddegfed ganrif a'r drydedd ganrif ar ddeg troubadour

trwbl *eg* helbul, helynt, trafferth, trybini trouble
bod mewn trwbl bod mewn sefyllfa lle rydych yn cael eich cyhuddo o fod wedi gwneud cam neu gyflawni trosedd in trouble
chwilio am drwbl ymddwyn mewn ffordd sy'n mynd i greu anhawster neu berygl i chi eich hun to look for trouble

trwblus *ans* yn achosi trwbl, mewn trwbl, yn llawn gofid; trafferthus troublesome, troubled

trwco *be* [trwc•1] *tafodieithol, yn y De* rhoi rhywbeth o'ch eiddo chi i rywun arall am rywbeth o'i eiddo ef neu hi; cyfnewid, ffeirio (~ *rhywbeth* **am**) to swap, to exchange, to barter

trwch *eg* (trychion)
1 maint, praffter, tewder, *trwch blewyn* thickness
2 haen, lled, *Lapiwyd y parsel mewn sawl trwch o bapur.* coating, layer
i drwch blewyn/i drwch y blewyn gw. blewyn
o drwch asgell gwybedyn yn agos iawn, iawn by the skin of my teeth
o drwch blewyn o fewn ychydig bach, *Enillodd y ceffyl y ras o drwch blewyn.* by a hair's breadth, by a whisker
o fewn trwch blewyn gw. blewyn
trwy'r trwch yn gymysg mixed up
yn drwch yn haen dew neu'n gasgliad trwchus thick

trwchus *ans*

1 â chryn bellter rhwng ei ddwy ochr gyferbyniol, heb fod yn denau, *darn trwchus o bren*; swmpus thick

2 llydan, heb fod yn fain (am rywbeth crwn neu am linell), *gwifren drwchus* thick, bulky

3 anodd gweld drwyddo, *niwl trwchus* dense, thick

4 (am wallt neu flew) y mae digon ohono/ohonynt, heb fod yn denau thick

5 (am hylif) heb fod yn denau nac yn ddyfrllyd, *hufen trwchus* thick

trwm *ans* [trym• *b* trom] (trymion)

1 am rywbeth y mae ei bwysau yn ei wneud yn anodd ei godi heavy, burdensome

2 o faint neu rym anarferol, *glaw trwm* heavy

3 difrifol, dwys, *pregeth drom* heavy

4 anodd symud drwyddo neu anodd ei drin, *Mae'r pridd yn rhy drwm i'w balu ar ôl yr holl law.* heavy

5 yn defnyddio mwy nag arfer o rywbeth neu'n ei ddefnyddio ynghynt na'r arfer, *Mae hi'n drwm iawn ar esgidiau.* heavy

6 trist, '*Y bardd trwm dan bridd tramor . . .*' sad

7 yn gofyn am lawer o ymdrech a gwaith caled (yn gorfforol neu'n feddyliol); beichus heavy

trwm fy (dy, ei, etc.) nghlyw gw. clyw[1]

trwmgalon *ans* â chalon drom; digalon, trist heavy-hearted

trwmgwsg *eg* cwsg trwm iawn deep sleep

trwmped *eg* (trwmpedi) offeryn pres wedi'i lunio o diwb hir o fetel gyda falfiau i'w gwasgu i newid y traw; utgorn trumpet

trwmpedwr *eg* (trwmpedwyr) un sy'n chwarae'r trwmped trumpeter

trwnc *eg* (trynciau)

1 bocs mawr; cist trunk

2 trwyn hir, cyhyrog yr eliffant trunk

trwoch:drwoch gw. trwy

trwodd:drwodd *adf*

1 i mewn (i rywbeth) yn un pen, ymyl neu ochr ac allan yn y pen, ymyl neu ochr arall, *Mae'r dŵr wedi dod drwodd o'r ardd.* through

2 o'r dechrau hyd y diwedd, *Wyt ti wedi darllen y llythyr drwodd?* through

3 (ar y ffôn) cysylltu â rhywun arall, *A elli di fy rhoi i drwodd i Mr Jones?* through

drwodd a thro gw. tro

trwser:trywser *eg* (trwseri:trywseri) trowsus; dilledyn allanol â dwy goes sy'n ymestyn o'r canol naill ai at y pengliniau neu at y pigyrnau/fferau trousers

trwsgl *ans* [trwsgl•]

1 yn symud yn lletchwith, heb fod yn symud yn rhwydd nac yn osgeiddig; afrosgo, anhylaw, trwstan clumsy, ponderous

2 anfedrus, heb fod yn gain nac yn grefftus; anghelfydd, chwithig clumsy

trwsiadus *ans* cymen, destlus, taclus, twt smart, dapper

trwsio *be* [trwsi•[2]]

1 cyweirio neu atgyweirio (twll, toriad, bai, etc.); adfer, clytio to mend, to fix

2 gwneud yn daclus, yn ddestlus ac yn dwt; cymoni, tacluso, twtian to smarten

trwsiwr *eg* (trwswyr) un sy'n cyweirio pethau (clociau, ceir, etc.); adnewyddwr, atgyweiriwr mender, repairer

trwst *eg* (trystau)

1 sŵn mawr; cythrwfl, dadwrdd, mwstwr, twrw din, uproar

2 sŵn tyrfau, taranau thunder

trwstan *ans* â dwy law chwith; afrosgo, lletchwith, trwsgl, ysgaprwth awkward, blundering

tro trwstan digwyddiad sy'n peri embaras i rywun awkward moment

trwy gw. drwy

trwyadl *ans* manwl gywir; cynhwysfawr, gofalus, manwl, trylwyr thorough, exhaustive, painstaking, rigorous

trwybwn *eg* (trwybynnau) swm neu nifer yr eitemau sy'n mynd drwy system neu broses throughput

trwydded *eb* (trwyddedau) papur swyddogol sy'n rhoi caniatâd i rywun wneud rhywbeth (ar ôl talu swm o arian fel arfer), *trwydded yrru, trwydded bysgota*; caniatâd, cennad, hawl licence, permit, dispensation

trwyddedig *ans* wedi ennill trwydded naill ai drwy dalu amdani a/neu drwy lwyddo mewn arholiadau licensed, qualified

   Sylwch: nid yw'n cael ei gymharu.

trwyddedu *be* [trwydded•[1]] rhoi trwydded neu ennill trwydded; awdurdodi, caniatáu (~ *rhywun* i) to license

trwyddedwr *eg* (trwyddedwyr) unigolyn neu gorff sy'n trwyddedu licenser

trwyddi:drwyddi gw. trwy

trwylif *eg* llif hylif neu aer drwy rywbeth, e.e. llif dŵr i lawr llethr drwy'r pridd throughflow

trwyn *eg* (trwynau)

1 y rhan o wyneb person neu anifail sydd uwchben y geg ac sy'n cael ei ddefnyddio i anadlu ac i arogli nose

2 y rhan sydd (yn ffigurol) yn cael ei gwthio i fusnes pobl eraill, *Cadwa di dy drwyn allan o'm busnes i.* nose

3 y rhan gyfatebol mewn anifail snout, muzzle

4 pen blaen peipen, *Anela drwyn y beipen ddŵr at y car.* nozzle

5 darn o dir sy'n ymwthio i'r môr cape, headland, promontory

6 pen blaen rhywbeth (car, awyren, etc.) nose

cadw/dal trwyn (rhywun) ar y maen cadw rhywun i weithio heb unrhyw seibiant to keep someone's nose to the grindstone

dan fy (dy, ei, etc.**) nhrwyn** yn hawdd iawn ei weld, er nad wyf wedi sylwi arno under one's nose

hen drwyn
1 rhywun snobyddlyd, ffroenuchel snob
2 rhywun â'i drwyn/thrwyn ym musnes pawb nosy parker

troi trwyn ar edrych yn ddirmygus ar (rywun neu rywbeth) to turn one's nose up at

trwyn wrth gynffon/trwyn wrth din am dagfa draffig bumper to bumper

wysg fy (dy, ei, etc.**) nhrwyn** gw. wysg

trwyno be [trwyn•¹] codi neu ddefnyddio'r trwyn i synhwyro; arogli to sniff

trwynol ans yn perthyn i drwyn, nodweddiadol o drwyn; yn swnio fel petaech yn siarad drwy'ch trwyn, *treiglad trwynol* nasal

trwynsur ans dirmygus, ffroenuchel, trahaus haughty, snooty

trwyn y llo eg math arbennig o flodyn gardd; mae'r blodau coch, gwyn neu felyn yn debyg i wyneb draig neu ffroenau llo snapdragon

trwyth eg (trwythau)
1 hylif ar gyfer coluro neu ddefnydd meddygol allanol lotion
2 yr hylif a geir yn ganlyniad i drwytho rhywbeth decoction, infusion
3 moddion wedi'i wneud drwy hydoddi cyffur mewn alcohol; tintur tincture

trwythiad eg (trwythiadau)
1 y broses o drwytho, canlyniad trwytho infusion
2 gollyngiad hylif yn araf a pharhaus i mewn i wythïen infusion

lefel trwythiad arwyneb uchaf dŵr daear mewn creigiau neu waddodion mandyllog a/neu athraidd, gan gynnwys pridd; mae popeth o dan y lefel trwythiad yn ddwrlawn water table

trwytho be [trwyth•¹]
1 gadael rhywbeth mewn hylif yn ddigon hir i'w feddalu, ei lanhau neu ennyn blas; rhoi yng ngwlych; gwlychu, mwydo (~ *rhywbeth* yn) to saturate, to steep
2 dod neu wneud yn gyfarwydd iawn â rhywbeth, *Mae wedi'i drwytho'i hun yn rheolau'r gêm. Maen nhw'n trwytho'r plant yn y Gymraeg yn y Cylch Meithrin.* to immerse, to steep
3 MEDDYGAETH gadael i hylif lifo i wythïen neu i feinwe to infuse

trwytholchi be [trwytholch•¹] gollwng hylif (dŵr fel arfer) i hidlo dros neu drwy rywbeth i wahanu'r elfennau hydawdd a geir mewn sylwedd to leach

try bf [troi] *ffurfiol* mae ef yn troi/mae hi'n troi; bydd ef yn troi/bydd hi'n troi

trybedd eb (trybeddau) stondin â thair coes a ddefnyddir i gynnal rhywbeth tripod

trybeilig ans *tafodieithol, yn y Gogledd* ofnadwy, *yn ddrwg drybeilig*; difrifol, dychrynllyd, melltigedig, sobr awful

trybeilig o fe'i defnyddir i ddwysáu ystyr ansoddair, *trybeilig o wael*

trybestod eg cyffro, cynnwrf, ffwdan, helbul commotion, fuss, turmoil

trybini eg helbul, trafferth, trallod, trwbl, *mewn trybini o hyd* trouble, misfortune

tryblith eg anhrefn, cawl, dryswch, penbleth confusion, muddle

tryc eg (tryciau)
1 cerbyd agored sy'n cael ei ddefnyddio i gario nwyddau ac sy'n cael ei dynnu ar y rheilffordd gan drên truck
2 lorri eithaf mawr ar gyfer cario nwyddau truck

trycaid eg (tryceidiau) llond tryc truckload

trychedig ans wedi'i drychu, wedi'i fyrhau; cwta truncated

trychfa eb llwybr ar gyfer cledrau, camlas neu heol wedi'i gloddio drwy dir uchel cutting

trychfil:trychfilyn eg (trychfilod) pryfyn; arthropod â phen, thoracs, abdomen, chwe choes, dau deimlydd ac un neu ddau bâr o adenydd sy'n aelod o'r dosbarth *Insecta* insect

trychiad eg (trychiadau)
1 llun o rywbeth fel pe bai o'r ochr wedi iddo gael ei dorri o'r pen i'r gwaelod; toriad section
2 llun adeiledd mewnol rhywbeth fel pe bai wedi'i dorri drwyddo section
3 MATHEMATEG y siâp dau ddimensiwn a geir wrth dorri gwrthrych tri dimensiwn ar hyd plân section
4 MEDDYGAETH y broses lawdriniaethol o drychu neu ganlyniad y broses honno amputation

trychineb egb (trychinebau)
1 anffawd neu drallod mawr a disymwth sy'n achosi dioddefaint; argyfwng, galanas, trasiedi catastrophe, disaster
2 methiant llwyr, *Roedd eu perfformiad o Blodeuwedd yn drychineb.* disaster

trychinebedd eg DAEAREG y theori bod newidiadau daearegol mawr wedi digwydd o ganlyniad i ysgogiadau a phrosesau sydyn a chwyrn yn hytrach nag yn raddol dros gyfnod hir o amser catastrophism

trychinebus ans nodweddiadol o drychineb neu mor ddrwg neu wael nes ei fod yn debygol o beri trychineb; arswydus, enbyd disastrous, catastrophic, calamitous

trychinebus o fe'i defnyddir i ddwysáu ystyr ansoddair, *Roedd e'n berffformiad trychinebus o wael.*

trychion *ell* lluosog **trwch**

trychlun *eg* (trychluniau) CELFYDDYD darlun o rywbeth fel pe bai'r cyfanwaith solet wedi cael ei dorri drwyddo a rhan wedi'i thynnu i ffwrdd sectional drawing

trychu *be* [trych•¹] MEDDYGAETH torri ymaith (aelod o'r corff) drwy lawdriniaeth to amputate

trydan *eg*
1 FFISEG cyfres o ffenomenau'n deillio o fodolaeth gronynnau wedi'u gwefru (electronau a phrotonau) naill ai ar ffurf statig neu yn ddynamig ar ffurf cerrynt electricity
2 cyflenwad o gerrynt trydanol a ddefnyddir fel ffynhonnell pŵer, e.e. i wresogi a goleuo adeilad electricity

trydaniad *eg* (trydaniadau) y broses o drydanu, canlyniad trydanu electrification

trydanladdiad *eg* y broses o ddienyddio rhywun drwy ei ladd â thrydan; marw o ganlyniad i effeithiau trydan electrocution

trydanol *ans*
1 yn defnyddio neu'n cael ei gynhyrchu gan drydan, yn ymwneud â thrydan electric, electrical
2 cyffrous iawn, *Cafodd ei araith effaith drydanol ar y gynulleidfa.*; gwefreiddiol, iasol electric, electrical

trydanu *be* [trydan•¹]
1 gyrru cerrynt trydan drwy rywbeth; trydaneiddio to electrify
2 newid (rhywbeth) i system sy'n defnyddio cerrynt trydan, *trydanu'r rheilffyrdd* electrification, to electrify
3 anfon ias o gyffro drwy rywun; cyffroi, gwefreiddio to electrify

trydanwr *eg* (trydanwyr) un sy'n ennill bywoliaeth drwy osod, cynnal a chadw, ac atgyweirio cyfarpar a chylchedau trydan electrician

trydar¹ *eg* sŵn adar mân

trydar² *be*
1 gwneud synau byr uchel, tebyg i sŵn adar mân neu rai mathau o drychfilod; canu, chwibanu, gwichian, telori to twitter, to chirp, to tweet
2 cyfathrebu ar y Rhyngrwyd gan adael negeseuon byr i unrhyw un gael eu darllen to tweet
Sylwch: nid yw'r ferf hon yn arfer cael ei rhedeg.

trydarthiad *eg* BOTANEG y broses o drydarthu transpiration

trydarthu *be* [trydarth•³] BOTANEG (am blanhigyn neu ddeilen) colli dŵr ar ffurf anwedd drwy'r stomata to transpire

trydedd *rhifol*
1 y rhifol (rhif trefnol benywaidd) nesaf mewn trefn ar ôl 'ail' third

2 rhif 3 mewn rhestr o dair neu fwy, 3edd, *Hi yw'r drydedd ferch i gynnig am y swydd.*, *trydedd ran* third
Sylwch: yn achos enwau benywaidd, mae'n achosi'r treiglad meddal, ac yn treiglo'n feddal rhwng y fannod ac enw benywaidd.

trydydd *rhifol*
1 y rhifol (rhif trefnol gwrywaidd) nesaf mewn trefn ar ôl 'ail' third
2 rhif 3 mewn rhestr o dri neu fwy; 3ydd third

trydydd isradd MATHEMATEG rhif, o'i luosi ag ef ei hun ddwywaith, sy'n rhoi yn ateb y rhif y mae'n drydydd isradd iddo, *3 yw trydydd isradd 27 gan fod 3 × 3 × 3 = 27; 4 yw trydydd isradd 64, 4^3 = 64, $\sqrt[3]{64}$ = 4* cube root

trydydd person ffurf ar ferf (neu arddodiad) sy'n dynodi'r un y mae sôn amdano (yn hytrach na'r un sy'n siarad neu'r un y siaredir ag ef). *Mae ef/hi* yw trydydd (person) unigol 'bod', *maent hwy* yw trydydd (person) lluosog 'bod', *arni hi* ac *arno ef* yw trydydd person unigol yr arddodiad *ar* third person
Ymadrodd

y trydydd byd y gwledydd hynny yn y byd nad ydynt wedi cael eu datblygu'n ddiwydiannol ac na fuont yn y gorffennol yn hollol bleidiol i'r Dwyrain comiwnyddol na'r Gorllewin cyfalafol the third world

trydyddol *ans* (am addysg) addysg bellach ac uwch tertiary

trydyllog *ans* wedi'i drydyllu perforated, pierced

trydyllu *be* [trydyll•¹] creu rhes o dyllau, e.e. ar hyd ymyl stampiau post to perforate

tryddiferu *be* [tryddifer•¹] (am hylif) gollwng yn araf megis drwy fandyllau to ooze, to seep

tryfalu *be* GWAITH COED asio dau ddarn o bren drwy ddefnyddio uniad cynffonnog to dovetail
Sylwch: nid yw'r ferf hon yn arfer cael ei rhedeg.

tryfer *eb* (tryferi) arf neu bicell â thri phigyn i drywanu pysgod, tebyg i'r un a gariai Neifion, duw'r môr gaff, harpoon, trident

tryferu *be* [tryfer•¹] trywanu pysgodyn gan ddefnyddio tryfer to harpoon

tryfrith *ans* yn heigio o, llawn o, yn berwi o teeming

trylediad *eg*
1 adlewyrchiad golau oddi ar wyneb garw diffusion
2 trawsyriant golau drwy ddefnydd tryleu (lled dryloyw) diffusion
3 y broses lle mae sylwedd yn llifo o ardal o grynodiad uchel i ardal o grynodiad isel oherwydd symudiadau naturiol a digymell gronynnau'r sylwedd; mae llif iönau mewn hylif, llif electronau mewn solid neu lif nwy arbennig mewn aer a thrylediad ocsigen o'r ysgyfaint i lif y gwaed yn enghreifftiau diffusion

t

tryledol *ans* yn tryledu diffuse

tryledu *be* [tryled•¹] achosi trylediad, trylediad ar waith to diffuse

tryledwr *eg* (tryledwyr)
1 dyfais, e.e. adlewyrchydd, ar gyfer lledaenu golau'n gyson diffuser
2 sgrin (o wydr neu o ddefnydd) i leddfu golau llachar, e.e. mewn ffotograffiaeth diffuser
3 adeiledd o onglau afreolaidd (mewn stiwdio sain) ar gyfer torri ar atseiniau diffuser

tryleu *ans* yn trawsyrru a thryledu golau, fel na ellir gweld pethau y tu draw i ffynhonnell y golau translucent

tryleuedd *eg* y cyflwr o fod yn lled dryloyw neu'n dryleu translucency

trylifiad *eg* y broses o drylifo percolation

trylifo *be*
1 gollwng hylif drwy sylwedd hydraidd (powdr yn aml) er mwyn echdynnu sylwedd hydawdd; hidlo to filter, to percolate
2 DAEARYDDIAETH y modd y mae dŵr daear yn llifo ar i waered drwy graciau, bregion a mandyllau mewn pridd a chreigiau to percolate
Sylwch: nid yw'r ferf hon yn arfer cael ei rhedeg.

tryloyw *ans* [tryloyw•] (tryloywon) y gellir gweld drwyddo; clir, croyw, eglur transparent, limpid

tryloywder *eg* (tryloywderau)
1 y cyflwr o fod yn dryloyw transparency
2 darn bach o ffilm ffotograffig y mae modd taflu ei lun ar sgrin drwy belydru golau cryf drwyddo, neu unrhyw ddarn o ddefnydd tryloyw sy'n cael ei ddefnyddio ar daflunydd slide, transparency

tryloywon¹ *ell* pethau tryloyw, yn enwedig sleidiau tryloyw transparencies

tryloywon² *ans* ffurf luosog **tryloyw**

trylwyr *ans* [trylwyr•] manwl gywir a chydwybodol, llwyr iawn; cyflawn, gofalus, manwl, trwyadl thorough, exhaustive, painstaking

trylwyredd *eg* y cyflwr o fod yn drylwyr, yn fanwl gywir a chydwybodol; cywirdeb, gofal, manylrwydd thoroughness

trymach:trymaf:trymed *ans* [trwm] mwy trwm; mwyaf trwm; mor drwm

trymaidd:trymllyd *ans* am rywbeth, e.e. tywydd, sy'n gwasgu'n drwm; clòs, llethol, mwll, mwrn close, heavy, muggy

trymder *eg*
1 yr hyn sy'n gwneud rhywun neu rywbeth yn drwm; pwysau heaviness
2 pwysau emosiynol neu ysbrydol sy'n peri anhapusrwydd; tristwch sadness
3 cyflwr o deimlo'n flinedig ac yn gysglyd; syrthni drowsiness

trymhau *be* [trymha•¹⁴] mynd yn drymach to get heavier, to grow heavier

trymion *ans* ffurf luosog **trwm**, *ceffylau trymion*

trymlwythog *ans* â llwyth mawr, trwm burdened, heavy laden

trymllyd *gw.* **trymaidd**

trympiau *ell* mewn pac o gardiau ceir pedwar teulu neu osgordd o gardiau â symbol arbennig i bob teulu: calon, pastwn, rhaw a diemwnt; mewn rhai gêmau caiff un teulu ei ddewis i fod yn drech na'r tri arall – cardiau'r teulu hwn yw'r trympiau trumps

trympio *be* [trympi•³] (mewn gêm o gardiau) defnyddio cerdyn o'r osgordd a ddewiswyd ar ddechrau'r gêm i fod yn drech na'r tair gosgordd arall to trump

trynciau *ell* lluosog **trwnc**

trynewid¹ *be* [trynewidi•²] MATHEMATEG ailosod mewn trefn wahanol, *Gellir trynewid llythrennau'r symbol ABC i greu chwe chyfuniad gwahanol: ABC, ACB, BCA, BAC, CAB ac CBA.* to permutate

trynewid² *eg* (trynewidion) MATHEMATEG y weithred o newid trefn set o eitemau, a chanlyniad y newid hwnnw permutation

trynion *eg* (trynionau) pin neu golyn crwn (pâr ohonynt fel arfer) y mae modd i rywbeth (e.e. canon) droi arno trunnion

trypsin *eg* BIOCEMEG ensym treulio sy'n dadelfennu proteinau yn y coluddyn bach trypsin

tryptoffan *eg* BIOCEMEG un o asidau amino angenrheidiol bywyd a geir yn y rhan fwyaf o broteinau tryptophan

tryryw *ans* o dras, o frid neu waed da, o rywogaeth dda; diledryw thoroughbred

trysor *eg* (trysorau)
1 cyfoeth ar ffurf aur, arian neu emau gwerthfawr; da, ffortiwn, golud treasure
2 unrhyw beth gwerthfawr iawn treasure
3 *ffigurol* rhywun annwyl iawn neu werthfawr iawn treasure

trysordy *eg* (trysordai) adeilad lle mae pethau gwerthfawr yn cael eu cadw; trysorfa treasure house

trysorfa *eb* (trysorfeydd) cronfa o drysor wedi'i chadw at ryw ddiben; casgliad, stôr, trysordy treasury

trysori *be* [trysor•¹] gwerthfawrogi'n fawr, ystyried rhywbeth yn drysor to treasure

y Trysorlys *eg* adran gyllid llywodraeth y Deyrnas Unedig sy'n casglu, yn rheoli ac yn gwario arian cyhoeddus (the) Treasury, (the) Exchequer

trysorydd *eg* (trysoryddion) swyddog sy'n gyfrifol am arian cymdeithas, cwmni, mudiad, etc. treasurer

trystau *ell* lluosog **trwst**

trystfawr *ans* yn cadw sŵn mawr; aflafar, croch, cyflafar, swnllyd thunderous, noisy, sonorous

trystiog *ans* yn creu trwst; stwrllyd, swnllyd
noisy, rowdy

trythyll *ans hynafol* llawn chwantau rhywiol
aflednais; anllad, anniwair, masweddus salacious

trythyllwch *eg hynafol* y cyflwr o fod yn
drythyll; anfoesoldeb, anlladrwydd, trachwant
promiscuity, debauchery, wantonness

trywaniad *eg* (trywaniadau) y broses o
drywanu, canlyniad trywanu; brathiad, ergyd,
gwaniad stabbing

trywanu *be* [trywan•³]
1 gwneud twll ag erfyn neu rywbeth â blaen
miniog; brathu, cnoi to pierce
2 taro (rhywun neu rywbeth) yn gryf â blaen
arf miniog; anafu, gwanu, treiddio to stab
3 (am olau, sain, poen, etc.) dod i'r clyw neu i'r
golwg yn ddirybudd, yn ddisymwth to pierce

trywanwr *eg* (trywanwyr) un sy'n trywanu
stabber

trywel *eg* (tryweli)
1 erfyn bach ar gyfer taenu sment, morter, etc.
trowel
2 erfyn bach ar gyfer gwneud tyllau bach mewn
pridd a chodi neu blannu planhigion, etc. trowel

trywser gw. trowsus

trywydd *eg* (trywyddau)
1 nifer o arwyddion neu olion wedi'u gadael
gan rywun neu rywbeth sydd eisoes wedi mynd
heibio; ôl, trac track, spoor
2 llwybr, cyfres o arwyddion heb fod yn eglur
iawn sy'n arwain i gyfeiriad arbennig trail
ar y trywydd iawn yn mynd i'r cyfeiriad iawn,
yn mynd ati i ddatrys problem yn y ffordd iawn
on the right track

tsar *eg* (tsariaid)
1 *hanesyddol* teitl ymerawdwr Rwsia cyn 1917 tsar
2 un yn meddu ar gryn dipyn o rym neu
awdurdod; pennaeth asiantaeth llywodraeth,
e.e. tsar cyffuriau tsar

Tsiadaidd *ans* yn perthyn i Tchad, nodweddiadol
o Tchad

Tsiadiad *eg* (Tsiadiaid) brodor o Tchad

Tsiecaidd *ans* yn perthyn i'r Weriniaeth Tsiec,
nodweddiadol o'r Weriniaeth Tsiec Czech

Tsieciad *eg* (Tsieciaid) brodor o'r Weriniaeth
Tsiec (Tsiecoslofacia gynt), un o dras neu
genedligrwydd Tsiecaidd Czech

Tsiecoslofaciad *eg* (Tsiecoslofaciaid) brodor o
Tsiecoslofacia gynt Czech

Tsieinead *eg* (Tsieineaid) brodor o China, un o
dras neu genedligrwydd Tsieineaidd Chinese

Tsieineaidd *ans* yn perthyn i China,
nodweddiadol o China Chinese

tsieni¹ *eg*
1 defnydd gwyn, caled a wneir drwy danio clai
arbennig ar wres uchel iawn china
2 llestri o'r defnydd hwn china

tsieni² *ans* wedi'i wneud o'r defnydd hwn china
Sylwch: nid yw'n cael ei gymharu.

Tsilead *eg* (Tsileaid) brodor o Chile Chilean

Tsileaidd *ans* yn perthyn i Chile, nodweddiadol
o Chile Chilean

tsimpansî *eg* (tsimpansïaid) epa o Affrica sy'n
llai o faint na gorila chimpanzee

tsipio *be* [tsipi•²] taro neu gicio pêl mewn arc
uchel nad yw'n cario'n bell to chip

tsips *ell* sglodion, ysglodion chips

tswnami *eg* (tswnamïau) ton fôr anferth
(15m o uchder neu fwy ger y glannau) a achosir
gan gynnwrf fel daeargryn tanddwr grymus
neu dirlithriad tanddwr enfawr tsunami

tu *eg* ardal, ochr, rhan, ystlys side
o du ei dad o ochr ei dad on his father's side
tu allan gw. allan²
tu cefn gw. cefn
tu chwith allan gw. chwith¹
tu draw ochr bellaf far side
tu hwnt gw. hwnt
tu nôl ymlaen back to front
tu ôl tu cefn i behind
y tu acw/y tu arall draw'r ffordd honno;
yr ochr arall other side
y tu mewn/y tu fewn heb fod y tu allan inside,
interior
y tu yma yr ochr hon this side

tua *ardd*
1 i gyfeiriad arbennig, heb gyrraedd unman
arbennig towards
2 yn wynebu rhyw gyfeiriad arbennig, *Roedd
hi'n eistedd â'i chefn tuag ataf.* towards
3 bron â bod, o gwmpas, *Roedd tua thri chant
o bobl yn y gynulleidfa.* about
4 am, ynglŷn â, *Nid oeddwn yn hoffi ei agwedd
tuag at ferched.* towards
5 er budd, *Roedden nhw'n casglu tuag at yr
ysgol.* towards
6 yn fras, o ran cyfnod, *Bu farw tua 1756.* circa
Sylwch:
1 o flaen llafariad mae 'tua' yn gallu troi'n 'tuag';
2 erbyn hyn cyfyngir 'tuag' i'r ystyr 'i gyfeiriad',
e.e. *tuag adre*, tra cedwir 'tua' hyd yn oed o
flaen llafariad, pan fydd yn golygu 'o gwmpas',
e.e. *tua ugain munud wedi wyth*;
3 mae'n achosi'r treiglad llaes, *tua thre*;
4 mae'n gwrthsefyll treiglad meddal ond yn
treiglo'n llaes, *hanner cant o ddynion a thua
ugain o ferched*.

tuag at towards

tua thre *tafodieithol, yn y De* adref ('sia thre'
yw'r ynganiad) homewards

tuchan *be* gwneud sŵn dwfn yn dynodi
poen neu anfodlonrwydd; ceintach, cwyno,
grwgnach, ochain to groan, to grumble
Sylwch: nid yw'r ferf hon yn arfer cael ei rhedeg.

t

tud *eg hynafol* gwlad country

tudalen *egb* (tudalennau)
1 un ochr i un ddalen o bapur mewn llyfr neu bapur newydd page
2 tu cefn a thu blaen (dwy ochr) un ddalen o bapur mewn llyfr neu bapur newydd; dalen page

gosodiad y tudalen gw. gosodiad

tudalen cartref:tudalen gartref
CYFRIFIADUREG (ar safle cyfrifiadurol) tudalen cyntaf gwefan; hafan home page

tudalen deitl tudalen ar ddechrau llyfr sy'n cynnwys y teitl ac enw'r awdur a'r cyhoeddwr; dalen deitl, wynebddalen title page

tudalen gwe:tudalen we *egb* (tudalennau gwe) dogfen hyperdestun sy'n rhan o'r We Fyd-eang web page

tudaleniad *eg* (tudaleniadau) y broses o dudalennu, canlyniad tudalennu pagination

tudalennu *be* [tudalenn•⁹] rhifo tudalennau llyfr a'u gosod mewn trefn to paginate
Sylwch: dyblwch yr 'n' ym mhob ffurf ac eithrio yn y rhai sy'n cynnwys -as-.

Tuduriaid *ell* llinach frenhinol Lloegr rhwng 1485 a 1603 (a oedd â'i gwreiddiau ym Mhenmynydd, Môn) Tudors

tuedd *eb* (tueddiadau)
1 teimlad neu awydd i ddatblygu neu ymddwyn mewn ffordd arbennig, *Y duedd heddiw yw cael teuluoedd llai o faint.* tendency, trend, inclination
2 medr naturiol, *Er ei bod yn astudio'r gwyddorau mae ganddi duedd naturiol tuag at y celfyddydau.*; gogwydd, tueddfryd tendency, aptitude
3 agwedd sy'n ffafrio rhywbeth yn erbyn rhywbeth arall; gogwydd, rhagfarn bias

tueddfryd *eg* tuedd i wneud neu i fod yn bleidiol i rywbeth; anian, gogwydd, meddylfryd, ymarweddiad inclination, bias, aptitude

tueddiad *eg* (tueddiadau) teimlad neu awydd i ddatblygu neu ymddwyn mewn ffordd arbennig; tuedd tendency

tueddol *ans* â thuedd arbennig, yn tueddu at rywbeth neu rywun; chwannog, pleidiol (~ o wneud) inclined, liable, susceptible

tueddu *be* [tuedd•¹] bod â thuedd tuag at (rywun neu rywbeth), gwyro tuag at (rywun neu rywbeth); gogwyddo, ochri (~ i wneud; ~ at) to be inclined to, to tend to

tugel *eg* (tugelion) pleidlais ddirgel ballot

tulath *eb* (tulathau) dist, nenbren, trawst beam, joist

tumon *eg* COGINIO fel yn *tumon eidion*, golwyth o gig eidion yn cynnwys dwy lwyn ynghyd â'r asgwrn cefn baron of beef

tun¹ *eg* (tuniau)
1 elfen gemegol rhif 50; metel meddal, ariannaidd (Sn) tin
2 blwch, bocs can, tin can

tun² *ans* wedi'i wneud o dun, wedi'i orchuddio â haen o dun tin
Sylwch: nid yw'n cael ei gymharu.

tunelli *ell* lluosog tunnell

tunio *be* [tuni•⁶] METELEG gorchuddio rhywbeth â haen o dun to tin

tunnell *eb* (tunelli) mesur o bwysau sy'n gywerth â 2,240 pwys yn y Deyrnas Unedig (neu 2,000 pwys yn Unol Daleithiau America) ton

tunnell fetrig (tunelli metrig) mesur o bwysau sy'n gywerth â 1,000 cilogram tonne

tunplat *eg* (tunplatiau) METELEG darn tenau o ddur neu haearn wedi'i orchuddio â thun tinplate

turio *be* [turi•²] gwneud twll drwy balu, *A yw'r cwmni olew yn mynd i ailgychwyn turio am olew oddi ar arfordir Cymru?*; hefyd yn ffigurol; cloddio, rhofio, tyrchu, tyllu to burrow, to bore, to root

turn *eg* (turniau) peiriant sy'n troi darn o bren neu fetel yn gyflym yn erbyn erfyn neu offeryn miniog er mwyn gosod siâp ar y pren neu'r metel lathe

turnio *be* [turni•²] gosod ffurf neu siâp arbennig ar ddarn o goed neu fetel drwy ddefnyddio turn to turn

turniwr *eg* (turnwyr) rhywun sy'n defnyddio turn i droi a gosod ffurf ar ddarn o goed neu fetel turner

turnwriaeth *eb* crefft y turniwr neu ei gynnyrch turnery

turtur *eb* (turturod) math o golomen wyllt sydd â llais mwyn turtle dove

tusw *eg* (tuswau) casgliad neu sypyn o flodau (neu bethau tebyg i dusw o flodau); blodeuglwm, cwlwm, pwysi bouquet, bunch, posy

tuth *eg* (tuthiau) cam ar gyflymder rhwng cerdded a charlamu trot

tuthio *be* [tuthi•²] (am geffyl neu anifail â phedair coes) symud ar gyflymder rhwng cerdded a charlamu; trotian to trot

Twareg *eg* (Twaregiaid) aelod o bobl grwydrol Fwslimaidd sy'n byw yn anialwch y Sahara ac o'i chwmpas Tuareg

twb:twba:twbyn *eg* (tybau:tybiau)
1 llestr mawr, agored o bren neu fetel ar gyfer golchi neu i ymolchi ynddo; baddon, bàth tub
2 math o silindr gwag a'i ddau ben yn gaeedig, wedi'i wneud o ystyllod pren wedi'u rhwymo â bandiau dur; mae'n bolio tuag at y canol; baril, casgen, celwrn, cerwyn barrel, tub, vat

twb y dail pysgodyn dŵr croyw yn perthyn i deulu'r carp chub

twbercwl *eg* (twbercylau) MEDDYGAETH
nam cnepynnaidd ar feinwe'r corff
(yn enwedig yn yr ysgyfaint) sy'n nodweddiadol
o dwbercwlosis tubercle

twbercwlin *eg* MEDDYGAETH protein di-haint a
echdynnir o fasilws twbercwl ac a ddefnyddir
i adnabod a yw twbercwlosis yn bresennol
(mewn dyn neu anifail) tuberculin

twbercwlosis *eg* MEDDYGAETH clefyd
heintus a achosir gan facteria a nodweddir
gan y cnepynnau (twbercylau) sy'n tyfu ym
meinwe'r corff (yn enwedig yr ysgyfaint)
tuberculosis, TB

twc *eg* (tyciau) GWNIADWAITH plyg wedi'i wnïo
i mewn i ddarn o frethyn neu ddilledyn fel
addurn, neu er mwyn ei gwtogi neu ei dynnu i
mewn tuck

twca *eg* (twceiod) cyllell fawr, e.e. cyllell i dorri
darn mawr o gig carving knife, cleaver

twf *eg*
1 y weithred o dyfu, neu'r graddau y mae
rhywbeth yn tyfu neu'n datblygu, *Bu twf
nodedig yn y coed hyn ers y llynedd.*; ffyniant,
prifiant, tyfiant growth, expansion
2 cynnydd mewn nifer neu faint, *twf sydyn
yn nifer aelodaeth y gymdeithas*; amlhad,
datblygiad growth
yn ei lawn dwf wedi gorffen tyfu fully grown

Twfalwaidd *ans* yn perthyn i Tuvalu,
nodweddiadol o Tuvalu Tuvaluan

Twfalwiad *eg* (Twfalwiaid) brodor o Tuvalu
Tuvaluan

twffyn *eg* (twffiau) tusw neu sypyn o wallt neu
borfa, etc. sy'n tyfu'n agos at ei gilydd neu sydd
wedi'u clymu'n dynn yn y bôn; tusw, siobyn
tuft, tussock

twgu gw. dwgu

twng *bf* [tyngu] *hynafol* mae ef yn tyngu/mae hi'n
tyngu; bydd ef yn tyngu/bydd hi'n tyngu

twngsten *eg* elfen gemegol rhif 74; metel caled
a chanddo ymdoddbwynt uchel (3410°C) a
ddefnyddir yn gymysg â dur i wneud aloion
(W) tungsten

twlc *eg* (tylcau:tylciau) adeilad bach i gadw
mochyn neu anifail arall; cut, cwb, cwt pigsty

twll *eg* (tyllau)
1 lle gwag yn rhywbeth solet hole
2 cartref anifail bach, *twll cwningen* burrow, hole
3 *anffurfiol* lle diflas i fyw neu weithio ynddo
hole
4 *anffurfiol* sefyllfa anodd, *Mae'n rhaid i chi fy
helpu. Rwyf mewn tipyn bach o dwll.* hole
5 (mewn golff) y lle gwag ar y lawnt y mae'n
rhaid bwrw'r bêl i mewn iddo hole
6 canlyniad gwthio rhywbeth â blaen miniog
i mewn i ddefnydd meddal, e.e. teiar beic
puncture

7 FFISEG safle microsgopig mewn sylwedd
(yn enwedig lled-ddargludydd) sydd wedi colli
electron ac sydd felly'n gweithredu fel gwefr
bositif hole

twll arwain twll bach a gaiff ei ddrilio i
arwain ebill dril mwy o faint pilot hole

twll botwm twll mewn dilledyn sy'n caniatáu
cau neu agor y dilledyn drwy wthio botwm i
mewn i'r twll neu allan ohono buttonhole

twll cliriad twll mewn defnydd sy'n ddigon
mawr i adael i edafedd sgriw neu follt fynd
drwyddo ond nid pen y sgriw neu follt
clearance hole

twll clo twll y mae allwedd neu agoriad yn cael
ei roi ynddo er mwyn agor neu gau clo keyhole

twll du SERYDDIAETH gwrthrych seryddol a
nodweddir gan faes disgyrchiant cryf na all
mater na phelydriad ddianc ohono black hole
Ymadrodd
twll dy din di, Pharo! gw. Pharo

twmfar *eg* (twmfarrau) bar y gellir ei osod ar
ongl sgwâr i sbaner bocs er mwyn tynhau nyten
tommy bar

twmffat *eg* (twmffatau)
1 llestr ar ffurf tiwb sy'n llydan yn un pen ac yn
gul iawn y pen arall, ac a ddefnyddir i arllwys
hylif neu bowdr i mewn i botel neu dun â
gwddf main neu agoriad cul; twndis funnel
2 hurtyn, lembo, nionyn, penbwl dolt

twmpath *eg* (twmpathau)
1 bryn bach; bryncyn, cnwc, ponc mound
2 crugyn, llwyth, pentwr, twr pile
twmpath dawns dawns lle mae dawnsfeydd
gwerin Cymreig yn cael eu dawnsio barn dance

twmpathog *ans* wedi'i orchuddio â thwmpathau
bumpy, hillocky, hummocked

twmplen *eb* (twmplenni)
1 darn o does wedi'i ferwi yn barod i'w fwyta â
chig neu wedi'i goginio mewn cawl dumpling
2 math o deisen neu bastai felys wedi'i gwneud
o does â ffrwythau o'i mewn dumpling

twmwlws *eg* (twmwli) gwyddfa; math o fryn
bach wedi'i greu, e.e. i orchuddio bedd tumulus

twndis *eg* (twndisiau) llestr ar ffurf tiwb sy'n
llydan yn un pen ac yn gul iawn y pen arall, ac
a ddefnyddir i arllwys hylif neu bowdr i mewn
i botel neu dun sydd â gwddf main neu agoriad
cul; twmffat funnel

twndra *eg* (twndrâu) gwastadedd oer, eang,
di-goed yn ardaloedd Arctig Ewrop, Asia a
Gogledd America, lle mae'r isbridd wedi'i
rewi'n barhaol tundra

twnelu *be* [twnel•¹] cloddio neu dyllu twnnel
(~ tan) to tunnel

twnnel *eg* (twnelau:twneli) ffordd neu lwybr
tanddaearol, weithiau'n cario heol neu
reilffordd dan fynydd neu afon tunnel

t

twp *ans* [twp•] *anffurfiol* heb unrhyw synnwyr, dim rhwng ei glustiau; dwl, ffôl, hurt stupid, daft, foolish

twpdra *eg* y cyflwr o fod yn dwp; annoethineb, ffolineb, gwiriondeb stupidity, foolishness

twpsen *eb* (twpsod) *anffurfiol* merch neu wraig dwp; ffwlcen fool, dimwit

twpsyn *eg* (twpsod) *anffurfiol* dyn neu fachgen twp; clown, ffŵl, hurtyn, lembo fool, dimwit

twr¹ *eg* (tyrrau)
1 clwstwr, crugyn, llwyth, pentwr heap
2 llu, tyrfa, torf crowd
3 brigiad cymharol fach o graig yn codi uwchlaw copa neu lechwedd esmwyth tor

twr² *bf* [tyrru] *hynafol* mae ef yn tyrru/mae hi'n tyrru; bydd ef yn tyrru/bydd hi'n tyrru

tŵr *eg* (tyrau) adeilad uchel, gweddol fain sydd naill ai'n sefyll ar ei ben ei hun neu'n rhan o gastell, eglwys, etc. tower, keep

tŵr Babel yn y Beibl ceir yr hanes am ddynion yn ceisio adeiladu tŵr a fyddai'n cyrraedd y nef ond bod Duw, er mwyn rhwystro'r gwaith, wedi achosi i ddynion siarad â'i gilydd mewn ieithoedd gwahanol fel nad oeddynt bellach yn deall ei gilydd the tower of Babel

Twrc *eg* (Twrciaid) brodor o Dwrci, un o dras neu genedligrwydd Twrcaidd Turk

Twrcaidd *ans* yn perthyn i Dwrci, nodweddiadol o Dwrci Turkish

twrcen *eb* twrci benyw

twrci *eg* (twrcïod) aderyn helwriaeth mawr â phen moel, yn wreiddiol o Ogledd America; mae'n cael ei fagu erbyn hyn am ei gig sy'n boblogaidd iawn adeg y Nadolig turkey

twrch *eg* (tyrchod) mochyn gwryw; baedd boar
y Twrch Trwyth baedd gwyllt y ceir hanes ei hela gan y Brenin Arthur a'i filwyr yn y chwedl *Culhwch ac Olwen*

twrch daear *eg* (tyrchod daear) anifail bach a chanddo lygaid bychain, trwyn hir a chot o ffwr brown, melfedaidd; mae'n cloddio twnelau tanddaearol â'i goesau cryfion ac yn byw ar bryfed a chynrhon; gwadd mole

twrf *gw.* twrw

twrio *be* [twri•²] troi wyneb i waered, chwilio dan bethau, *Rwyf wedi twrio drwy'r papurau i gyd ond heb ddod o hyd iddo.*; chwilmanta, palu, tyllu, ymbalfalu to burrow, to rummage

twristaidd *ans* nodweddiadol o dwristiaeth, ar gyfer twristiaid tourist, touristic

twristiaeth *eb* y busnes o ddarparu gwyliau, teithiau, gwestyau, etc. ar gyfer ymwelwyr a phobl sy'n teithio er mwyn pleser tourism

twristiaid *ell* ymwelwyr, teithwyr ar eu gwyliau neu er mwyn pleser tourists

twrnai *eg* (twrneiod) un sy'n cynghori pobl yn broffesiynol ynglŷn â materion cyfreithiol ac yn dadlau eu hachos mewn llys barn; cyfreithiwr attorney, lawyer

Twrnai Cyffredinol CYFRAITH y prif swyddog cyfreithiol sy'n cynrychioli'r Goron neu'r wladwriaeth mewn achosion cyfreithiol ac yn cynnig cyngor cyfreithiol i'r llywodraeth Attorney General

twrnamaint *eg* (twrnameintiau)
1 cyfres o gystadlaethau lle mae enillydd un gystadleuaeth yn cystadlu yn erbyn enillydd cystadleuaeth arall nes dod o hyd i'r pencampwr neu'r pencampwyr tournament
2 (yn yr Oesoedd Canol) cystadleuaeth o fedr a dewrder rhwng marchogion joust, tournament

twrw:twrf *eg* (tyrfau)
1 sŵn mawr; cynnwrf, dadwrdd, mwstwr, trwst noise, roar, tumult
2 trwst, taranau thunder
mwy o dwrw nag o daro bygythiadau heb weithredu all talk, no action

twsian *be* ffrwydro gwynt o'r trwyn a'r geg (oherwydd gogleisio/cosi yn y trwyn, fel arfer), taro trew; tisian (~ **dros**) to sneeze
Sylwch: nid yw'r ferf hon yn arfer cael ei rhedeg.

twt¹ *ans* [twt•] cymen, destlus, taclus, trefnus tidy, neat, dapper

twt² *ebychiad* tewch â sôn, fel yn *twt lol! twt twt!* rubbish, tut
twt twt y baw! lol, sothach! rubbish!

twtio:twtian *be* [twti•²] gwneud yn dwt ac yn daclus, gwneud yn ddestlus; cymhennu, cymoni, tacluso, trefnu to tidy, to titivate

twtrwydd *eg* y cyflwr o fod yn dwt; deheurwydd, taclusrwydd, destlusrwydd, cymhendod tidiness, neatness

twtsh *eg* (twtshys)
1 *anffurfiol* cyffyrddiad touch
2 rhywbeth ysgafn o'i fath, *twtsh o annwyd* touch
3 manylyn effeithiol a pherthnasol (yn enwedig mewn cyfansoddiad artistig) touch

twtsio *be* [twtsi•²]
1 cyffwrdd to touch
2 trafod, gyda'r syniad o newid neu ymyrryd, *Wnes i ddim twtsio'i lyfrau.* to touch

twyll *eg* y broses o dwyllo, canlyniad twyllo; anonestrwydd, celwydd, dichell, hoced deceit, dishonesty, fraud

twylliad *eg* y weithred o dwyllo, canlyniad twyllo deception

twyllo *be* [twyll•¹]
1 gwneud i rywun gredu rhywbeth nad yw'n wir; camarwain, ffugio to deceive, to swindle
2 ymddwyn yn anonest er mwyn ennill, e.e. mewn gêm; cafflo to cheat
3 llwyddo i gamarwain rhywun drwy chwarae tric arno; dallu to fool

twyllodrus *ans*
  1 heb fod fel y mae'n ymddangos; anonest,
  celwyddog, ffals deceptive
  2 yn debygol o'ch twyllo neu o'ch camarwain;
  castiog, cyfrwys, dichellgar, ystrywgar
  deceitful, treacherous, underhand
  twyllodrus o fe'i defnyddir i ddwysáu ystyr
  ansoddair, *twyllodrus o rwydd*

twyllresymeg *eb* RHESYMEG y broses o
  dwyllresymegu; caswistiaeth sophistry, casuistry,
  fallacy

twyllresymegu *be* RHESYMEG camgymhwyso
  egwyddorion cyffredinol i achosion penodol
  wrth ddadlau (ym meysydd moeseg neu'r
  gyfraith fel arfer) to use clever arguments
  to deceive
  Sylwch: nid yw'r ferf hon yn arfer cael ei rhedeg.

twyllresymiad *eg* (twyllresymiadau) enghraifft
  o dwyllresymeg sophism, fallacy

twyllresymwr *eg* (twyllresymwyr) un sy'n
  twyllresymegu sophist, casuist

twyllwr *eg* (twyllwyr) un sy'n twyllo;
  bradwr, celwyddgi, godinebwr, rhagrithiwr
  cheat, swindler

twym *ans* [twym•]
  1 â chryn dipyn o wres, sy'n fwy poeth na
  chynnes; gwresog, heulog, tesog hot, warm
  2 (am ddadl neu anghytuno) brwd, cynhyrfus,
  taer, *Mae'n dechrau mynd yn dwym yno nawr.*
  heated
  na'i dwym na'i oer (am rywun) amharod i
  ddangos ei deimladau na chwaith ei safbwynt
  ar unrhyw fater, *Mae Marc yn cadw'n ddistaw*
  iawn ar y mater, mae'n anodd gwybod na'i
  dwym na'i oer.

twymder *eg* cynhesrwydd, gwres, tes
  heat, warmth

twymgalon *ans* â chymeriad cynnes;
  caredig, croesawgar, cyfeillgar, rhadlon
  kindly, warm-hearted

twymiad *eg* (twymiadau) y weithred neu'r
  broses o dwymo, canlyniad twymo warming

twymo *be* [twym•¹] gwneud yn gynnes neu
  ddod yn gynnes, cynyddu mewn gwres;
  cynhesu, gwresogi, poethi, ymdwymo
  to become warm, to heat
  Sylwch: 'gwresogi' yw'r term technegol *to heat*

twymydd *eg* (twymyddion) rhywbeth sy'n
  twymo, sy'n cynhyrchu gwres heater

twymyn *eb* (twymynau)
  1 cyflwr meddygol lle mae afiechyd yn achosi
  gwres uchel iawn yn y corff; cryd, gwres,
  ysgryd fever
  2 unrhyw un o nifer o afiechydon sy'n achosi'r
  cyflwr hwn fever
  twymyn doben ('y dwymyn doben') clwyf (y)
  pennau; clefyd firaol sy'n effeithio ar blant yn

bennaf ac yn achosi chwydd yn chwarennau
poer yr wyneb mumps
  twymyn donnog clefyd heintus ymhlith
  gwartheg, defaid, geifr a moch, sy'n gallu cael
  ei drosglwyddo i bobl, e.e. drwy yfed llaeth
  wedi'i heintio; mae'r symptomau'n cynnwys
  twymyn, annwyd a phen tost; brwselosis
  brucellosis
  twymyn goch MEDDYGAETH ('y dwymyn
  goch') clefyd heintus bacteriol sy'n effeithio ar
  blant yn bennaf ac a nodweddir gan dwymyn a
  brech fflamgoch; clefyd coch scarlet fever
  twymyn y chwarennau MEDDYGAETH clefyd
  firaol, heintus sy'n achosi chwyddiant yn
  y chwarennau lymff a lludded cyffredinol
  glandular fever
  twymyn y gwair alergedd i lwch neu baill sy'n
  achosi llid ym mhilenni mwcws y trwyn a'r
  llygaid hay fever
  Ymadrodd
  y dwymyn dwtio yr awydd neu ysfa i lanhau'r
  tŷ (the urge) to spring clean

twymynol *ans* llawn twymyn, llawn gwres
  febrile, feverish

twyn *eg* (twyni) twmpath (o dywod fel arfer);
  bryncyn, crug, ponc down, dune, hillock

twyndir *eg* (twyndiroedd) tir sy'n debyg i dwyni
  downland

tŷ *eg* (tai)
  1 adeilad i bobl fyw ynddo house
  2 adeilad ar gyfer rhyw swyddogaeth arbennig,
  colomendy, tŷ cwrdd house
  3 rhaniad mewn ysgol ar gyfer cystadlu mewn
  eisteddfod neu chwaraeon; llys house
  4 cwmni neu fusnes dan reolaeth un teulu,
  yn enwedig felly gwmni cyhoeddi, *tŷ cyhoeddi*
  house
  5 adeilad mawr a ddefnyddir ar gyfer masnach
  house
  6 man cyhoeddus lle mae pobl yn gallu cyfarfod,
  tŷ tafarn house
  Sylwch: tŷ yw'r man lle mae person yn byw
  neu yn preswylio, *cartref* yw'r lle y mae
  person yn teimlo'n rhan ohono.
  effaith tŷ gwydr gw. effaith
  tŷ bach math o sedd arbennig er mwyn i
  rywun gael gwared ar ysgarthion y corff; lle
  chwech lavatory, toilet
  tŷ cwrdd capel chapel, meeting house
  tŷ Dduw y Deml yn Jeriwsalem the house of God
  tŷ gwydr adeilad o wydr neu blastig tryloyw
  ar gyfer tyfu planhigion glasshouse, greenhouse
  tŷ haf tŷ nad yw'n gartref parhaol i'w
  berchennog ond sy'n cael ei ddefnyddio ar
  adegau o wyliau yn unig holiday home
  Tŷ'r Arglwyddi GWLEIDYDDIAETH yr ail o
  ddwy ran Senedd y Deyrnas Unedig sy'n

t

cynnwys esgobion ac arglwyddi nad ydynt yn cael eu hethol gan ddinasyddion y gwledydd; nid oes gan Dŷ'r Arglwyddi yr un awdurdod â Thŷ'r Cyffredin the House of Lords

Tŷ'r Cyffredin GWLEIDYDDIAETH y rhan o Senedd y Deyrnas Unedig sy'n cynnwys aelodau a etholwyd gan ddinasyddion y gwledydd the House of Commons

Tŷ'r Cynrychiolwyr GWLEIDYDDIAETH tŷ isaf Cyngres UDA a chyrff deddfwriaethol rhai gwledydd eraill House of Representatives

tŷ unnos *hanesyddol* yn ôl hen arfer, byddai gan unrhyw un a allai godi tyddyn ar dir comin dros nos, fel bod mwg yn codi o'r corn simnai erbyn y bore, hawl i fyw ynddo a ffermio ychydig o'r tir o'i gwmpas

Ymadrodd

cadw tŷ bod yn gyfrifol am redeg tŷ to keep house

tyb *eg* (tybiau) barn, *Nid oedd yn nofel dda o gwbl yn ei thyb hi.*; daliad, meddwl, piniwn, safbwynt opinion, assumption, surmise

tybaco *eg* planhigyn o America y mae ei ddail yn cael eu paratoi mewn ffordd arbennig i'w hysmygu, eu cnoi neu eu cymryd fel snisin; baco tobacco

tybau:tybiau *ell* lluosog **twb** neu **twba**

tybed *adf* ys gwn i I wonder

tybiad *eg* (tybiadau)

  1 agwedd neu gred yn seiliedig ar dystiolaeth neu seiliau rhesymol; barn, damcaniaeth, theori presumption

  2 casgliad cyfreithiol ynglŷn â ffaith na wyddys i sicrwydd a yw'n wir neu beidio presumption

tybiaeth *eb* (tybiaethau) tybiad; amcan, cred, damcaniaeth, safbwynt assumption, presumption, supposition

tybiedig *ans* a dderbynnir heb lawer o dystiolaeth; damcaniaethol, dychmygol, honedig supposed, alleged, putative

  Sylwch: nid yw'n cael ei gymharu.

tybio:tybied *be* [tybi•² 3 *un. pres.* tyb/tybia; 2 *un. gorch.* tyb/tybia] derbyn neu gredu mai fel hynny y bydd pethau; amau, dychmygu, dyfalu, meddwl to presume, to suppose, to assume

  tybiwn i yn fy marn i, byddwn i'n credu, *Hwn, dybiwn i yw'r lle.* I would suppose

tycia *bf* fel yn y ffurf *ni thycia iti fynd*, ni fydd unrhyw bwrpas i ti fynd (of no) avail

tyciau *ell* lluosog **twc**

tycio *be* [3 *un. pres.* tycia; 3 *un. gorff.* tyciodd; 3 *un. amherff.* tyciai; 3 *un. gorb.* tyciasai] bod o werth neu o gymorth, gwneud y tro (yn enwedig mewn brawddeg negyddol), *Ceisiais bob ffordd ei chael i fynd i'r ysgol, ond nid oedd dim yn tycio.*; plesio, rhyngu bodd, siwtio to avail, to succeed

Sylwch: ac eithrio ffurfiau'r 3ydd unigol, nid yw'r ferf hon yn cael ei rhedeg.

tydi¹ *rhagenw annibynnol dwbl* ffurf ddwbl ar y rhagenw 'ti', sy'n pwysleisio ti (a neb arall); ti dy hun, y ti you yourself

  Sylwch: ar y *-di* y mae'r acen wrth ynganu'r gair.

tydi² *talfyriad anffurfiol* talfyriad o 'onid ydy(w)', *Tydi bywyd yn boen?* isn't it?

tyddyn *eg* (tyddynnod:tyddynnau) fferm fach iawn, tŷ ac ychydig o dir yn perthyn iddo, tŷ annedd yng nghefn gwlad; bwthyn, daliad, ffermdy smallholding, homestead, croft

tyddynnwr *eg* (tyddynwyr) perchennog tyddyn, ffermwr â thŷ ac ychydig o dir; cotÿwr smallholder, crofter

tyfadwy *ans* y gellir ei dyfu growable

tyfbwynt *eg* (tyfbwyntiau) BOTANEG y meristem ar frig cyffyn planhigyn lle mae cellraniad a gwahaniaethiad yn digwydd growing point

tyfiant *eg* (tyfiannau)

  1 y weithred o dyfu neu faint y mae rhywbeth yn tyfu; amlhad, cynnydd, datblygiad, twf growth

  2 rhywbeth sydd wedi tyfu, *Ciciodd y bêl i mewn i'r tyfiant yn ymyl yr afon.* growth, vegetation

  3 MEDDYGAETH chwydd sy'n cael ei achosi gan gynnydd aruthrol yn nifer celloedd meinwe ond nad yw'n cyflawni unrhyw swyddogaeth ac eithrio tyfu'n ddi-rwystr ac yn annibynnol ar y meinwe y mae'n deillio ohono; gall fod yn falaen neu'n anfalaen tumour

tyfu *be* [tyf•¹ 3 *un. pres.* tyf/tyfa; 2 *un. gorch.* tyf/tyfa]

  1 (am bethau byw) cynyddu yn eu maint yn naturiol, *porfa yn tyfu wedi'r glaw*; graenio, tewhau (~ *rhywun/rhywbeth* **yn**) to grow

  2 (am blanhigion) bod a datblygu'n naturiol, *Mae mefus gwyllt yn tyfu yma.* to grow

  3 peri neu achosi i blanhigion dyfu, *Mae'n bwriadu tyfu tomatos.* to grow, to cultivate

  4 cynyddu mewn nifer, rhif, maint, etc., *Mae'r pentre'n tyfu'n dref.*; amlhau, lluosogi to grow, to increase

  tyfu i fyny:tyfu lan newid o fod yn fachgen neu'n ferch i fod yn ddyn neu'n ddynes; aeddfedu, prifio to grow up

tyfwr *eg* (tyfwyr) un sy'n tyfu grower

tyffoid gw. **teiffoid**

tyg *eg* (tygiau) tynfad; cwch neu fad bach pwerus a ddefnyddir i lywio neu i dynnu llongau tug

tynged *eb* (tynghedau)

  1 yr hyn y mae'n rhaid iddo ddigwydd; ffawd, rhan destiny, fate, lot

  2 grym sy'n penderfynu beth fydd yn digwydd i rywun destiny, fate

tyngedfennaeth:tyngedfeniaeth *eb* tynghediaeth fatalism

tyngedfennol *ans* am rywbeth sy'n penderfynu
tynged neu ffawd rhywun neu rywbeth;
allweddol, hanfodol, hollbwysig fateful,
crucial

tynghediaeth:tynghedaeth *eb* ATHRONIAETH
yr athrawiaeth sy'n hawlio nad yw dynion yn
medru newid hynt eu bywydau gan fod y cyfan
wedi'i ragordeinio (gan Dduw); erbyn heddiw, y
syniad mai gwrthrychau ffisegol yw personau,
ac felly bod achos(ion) i bob dim a wnânt yn
deillio o'r genynnau a etifeddwyd ganddynt neu
o amgylchfyd eu magwraeth fatalism

tynghedu *be* [tynghed•¹] pennu tynged, trefnu
neu gael ei drefnu ymlaen llaw; arfaethu,
condemnio (~ **i**) to be destined, to be fated

tyngu *be* [tyng•¹ 3 *un. pres.* twng/tynga; 2 *un.
gorch.* tynga]
  1 addo'n ffurfiol neu drwy gymryd llw (~ **i**
Dduw; ~ **wrth** *rywbeth*) to swear
  2 datgan yn bendant, *Mae'n tyngu iddo'i gweld
hi echnos.* to swear
  3 *tafodieithol, yn y Gogledd* diawlio, melltithio to swear
  tyngu a rhegi bytheirio rhegfeydd a melltithion
to damn and blast
  Ymadrodd
  tyngu anudon CYFRAITH dweud celwydd dan
lw to perjure

tyngwr *eg* (tyngwyr) un sy'n tyngu swearer

tylciau *ell* lluosog **twlc**

tyle *eg* *tafodieithol, yn y De* rhiw, (g)allt, codiad,
rhipyn ascent, hill, slope

tylino *be* [tylin•¹]
  1 cymysgu (blawd a dŵr i wneud bara) drwy eu
gwasgu â'r dwylo to knead
  2 gwasgu'r corff neu gorff rhywun arall â'r
dwylo yn yr un modd er mwyn llacio'r cyhyrau;
mwytho to massage

tylinwr *eg* (tylinwyr) un sy'n rhwbio neu'n
tylino'r corff (er mwyn llaesu gwynegon,
helpu'r corff i ymlacio, gwella ansawdd y
cyhyrau, etc.) masseur

tylinwraig *eb* (tylinwyr) merch neu wraig sy'n
tylino (corff person) masseuse

tylwyth *eg* (tylwythau) teulu a pherthnasau gan
gynnwys hynafiaid; cyff, gwehelyth, llinach,
tras family, kindred
  tylwyth teg bodau bychain (arallfydol)
chwedlonol y mae Gwyn ap Nudd yn frenin
arnynt fairies

tylwythol *ans* yn perthyn i dylwyth,
nodweddiadol o dylwyth neu ddosbarth;
generig generic

tyllau *ell* lluosog **twll**

tyllfedd *eb* (tyllfeddau) diamedr mewnol tiwb;
calibr bore

tylliad *eg* (tylliadau) y broses o dyllu, canlyniad
tyllu boring, perforation

tyllog *ans* a thwll ynddo neu'n llawn tyllau,
wedi'i drydyllu perforated

tyllu *be* [tyll•¹] gwneud neu dorri twll yn
rhywbeth; cloddio, drilio, mwyngloddio, palu
to bore, to burrow, to excavate

tylluan *eb* (tylluanod) un o nifer o fathau o adar
ysglyfaethus y nos sydd â llygaid mawr ac sy'n
hedfan yn ddistaw; gwdihŵ owl
  tylluan fach tylluan fach dew sydd â llygaid
melyn a phlu llwydfrown a smotiau gwyn
drostynt little owl
  tylluan frech tylluan gyffredin â chefn llwyd
neu lwydfrown a bol golau tawny owl
  tylluan wen tylluan liw golau â chefn smotiog
orenfrown ac wyneb gwyn siâp calon barn owl

tyllwr *eg* (tyllwyr)
  1 person sy'n tyllu borer
  2 un o nifer o wahanol fathau o declynnau ar
gyfer gwneud twll neu dyllau (mewn papur,
defnydd, coed, lledr, etc.); ebill, gimbill,
mynawyd, taradr punch

tyllydd *eg* (tyllwyr) taradr, dyfais ar gyfer ebillio
borer

tymer *eb* (tymherau)
  1 agwedd neu gyflwr meddwl, *Sut dymer sydd
arno heddiw?*; hwyl, natur, naws mood, temper
  2 cyflwr dig, crac, cas, *Mae John mewn tymer
heddiw.* temper
  cadw tymer aros yn siriol ac yn dawel to keep
one's temper
  colli tymer gw. **colli**

tymestl *eb* (tymhestloedd)
  1 storm o wynt a glaw, tywydd mawr; drycin,
rhyferthwy, storm storm, tempest
  2 METEOROLEG gwynt cryf iawn yn chwythu
rhwng 62 km a 74 km yr awr ac yn mesur 8
ar raddfa Beaufort gale

tymheredd *eg* (tymereddau) pa mor boeth neu pa
mor oer yw rhywun neu rywbeth temperature

tymheru *be* [tymher•¹] caledu aloi, e.e. dur,
drwy ei wresogi am amser penodedig ac yna ei
oeri'n sydyn; anelio to temper

tymherus *ans* am hinsawdd neu am ran o'r byd
lle nad yw'r tywydd fel arfer yn eithafol o boeth
nac yn eithafol o oer; cymedrol temperate

tymhestloedd *ell* lluosog **tymestl**

tymhestlog *ans* am rywun neu rywbeth
(yn llythrennol neu'n ffigurol) sy'n creu tymestl
neu sydd i'w gael yng nghanol tymestl, *môr
tymhestlog*; brochus, drycinog, garw, stormus
stormy, tempestuous, blustering

tymhorol *ans*
  1 yn digwydd fesul tymor, yn ôl galw'r
tymhorau; amserol seasonal
  2 yn addas neu'n briodol ar gyfer y tymor,
yn digwydd yn ei bryd seasonable
  3 yn ymwneud ag amser (yn hytrach na

t

thragwyddoldeb neu ofod); yn ymwneud â'r byd sydd ohoni temporal

tymor *eg* (tymhorau)

  1 unrhyw un o bedair rhan y flwyddyn (gwanwyn, haf, hydref, gaeaf) season

  2 cyfnod o'r flwyddyn pan wneir rhywbeth arbennig neu pan fydd rhywbeth arbennig yn digwydd, *tymor wyna, tymor pêl-droed* season

  3 un o gyfnodau neu raniadau blwyddyn ysgol neu goleg; sesiwn term

  4 cyfnod penodedig o amser, *Mae ein cytundeb yn rhedeg am dymor o bum mlynedd.* term

tymor byr dros gyfnod byr o amser short-term

tymor hir dros gyfnod hir o amser long-term

tymp *eg* amser penodedig (yn enwedig amser geni); cyfnod appointed time

tympanau:timpani *ell* set o ddrymiau wedi'u cyweirio i nodau gwahanol a chwaraeir gan un chwaraewr mewn cerddorfa neu fand timpani

tympan y glust *eg* (tympanau'r glust) pilen y glust; pilen hirgron, denau sy'n rhannu'r glust allanol oddi wrth geudod y glust ganol; mae'n trosglwyddo'r dirgryniadau a gynhyrchir gan donnau sain drwy'r esgyrnynnau i'r cochlea eardrum, tympanic membrane

tyn[1] *ans* [tynn•] (tynion)

  1 wedi'i gau, wedi'i sicrhau, neu wedi'i glymu nes ei fod yn anodd ei ryddhau, *Mae Dad bob amser yn cau'r tap mor dynn fel na fedraf ei agor.*; cyfyng, caeedig tight, fast

  2 wedi'i ymestyn mor bell ag sy'n bosibl, *Rwyf wedi magu cymaint o bwysau nes bod fy nillad i gyd yn dynn iawn.* tight, taut

  3 llawn, heb unrhyw le rhydd o ran amser neu le, *Bydd yn dynn arnom i gyrraedd yr orsaf mewn pryd. Roedd y bobl wedi'u gwasgu'n dynn i mewn i'r cerbyd.* tight

  4 cybyddlyd, nad yw'n hael; anhael, crintach miserly, niggardly, tight-fisted

  5 heb lawer o arian, *Roedd hi'n dynn arno ar ôl newid y car.*

  6 cadarn, disyfl, *Gosodwyd y postyn yn dynn yn ei le.* firm

  Sylwch: os yw *tyn* yn treiglo'n *dynn* dyblir yr 'n' er mwyn gwahaniaethu rhyngddo a *dyn* (mor *dynn* ond mwy *tyn*; mwyaf *tyn*).

tyn[2]:**ty'n** *eg* mewn enwau lleoedd talfyriad o 'tyddyn', e.e. *Tyn-y-groes*

tyndra:tynder *eg*

  1 y graddau y mae tant, cortyn, rhaff, etc. yn dynn; tensiwn tension

  2 maint y grym sy'n ymestyn rhywbeth neu'r effaith sy'n cael ei chreu pan fydd grymoedd yn tynnu'n groes i'w gilydd tension, tightness

  3 straen nerfol; gofid, pryder strain, tension

  4 perthynas bryderus, ansicr, rhwng gwledydd neu unigolion; anghytuno tension

tyndra cyn mislif teimladau o densiwn cyn mislif premenstrual tension

tyndro *eg* (tyndroeon) math o sbaner â safn symudol wrench

tyndroi *be* defnyddio tyndro i droi nyten to wrench

  Sylwch: nid yw'r ferf hon yn arfer cael ei rhedeg.

tyner *ans* [tyner•]

  1 heb fod yn galed nac yn wydn; meddal delicate, tender

  2 addfwyn, caredig, tirion, *calon dyner* (~ **wrth**) gentle, tender

  3 poenus, tost *(Mae gennyf smotyn tyner ar fy mraich lle y llosgais i.)* tender

  4 (am y tywydd) mwyn mild

tyneru *be* [tyner•¹] gwneud yn dyner neu droi'n dyner; meddalu, mwyneiddio to soften, to tenderize

tynerwch *eg* addfwynder, caredigrwydd, mwynder, tirioneb tenderness, gentleness

tynerydd *eg* (tyneryddion) rhywbeth a ddefnyddir i wneud rhywbeth yn fwy meddal, yn fwy tyner tenderizer

tynfa *eb* (tynfeydd) rhywbeth sy'n tynnu neu'n denu; apêl, atyniad, atynfa attraction, draw

tynfad *eg* (tynfadau) cwch neu fad bach pwerus a ddefnyddir i lywio neu dynnu llongau; tyg tug

tynfaen *eg* (tynfeini) darn o fagnetit neu fwyn magnetig arall y mae'n bosibl ei ddefnyddio fel magnet; magnetit lodestone

tynhad *eg* y broses o dynhau, canlyniad tynhau tightening

tynhau *be* [tynha•¹⁴] gwneud yn dynn neu'n dynnach (~ *rhywbeth* â) to tighten

tyniad *eg* (tyniadau)

  1 (mewn gwyddoniaeth) grym sy'n ceisio tynnu rhywbeth yn ei flaen pull

  2 MATHEMATEG y weithred neu'r broses o dynnu; sym dynnu subtraction

tyniant *eg* (tyniannau)

  1 y naill neu'r llall o ddau rym sy'n tynnu i gyfeiriadau gwrthgyferbyniol gan dueddu i achosi i ddefnydd neu sylwedd ymestyn tension

  2 MEDDYGAETH y defnydd o dynnu cyson (drwy ddefnyddio pwysau a phwli) ar esgyrn wedi'u torri neu gyhyrau wrth iddynt wella ac a ddefnyddir hefyd mewn achosion o anffurfiad neu nam corfforol traction

tynion *ans* ffurf luosog **tyn**

tynlath *eb* (tynlathau) trawst a ddefnyddir i gydio yng ngwaelodion y prif drawstiau (mewn to) i'w cadw rhag lledu neu wanhau tie beam

tynnach:tynnaf:tynned *ans* [tyn] mwy tyn; mwyaf tyn; mor dynn

tynnol *ans*

  1 yn ymwneud â thyniant tensile

  2 yn tynnu i ffwrdd subtractive

tynnu *be* [tynn•⁹ *3 un. pres.* tyn/tynna; *2 un.*
gorch. tyn/tynna]
  1 llusgo rhywbeth y tu ôl i chi; halio to pull,
  to draw
  2 symud (rhywun neu rywbeth) drwy ei ddal a'i
  lusgo, *tynnu'r drws i'w gau* to pull, to draw
  3 peri i rywun neu rywbeth symud i gyfeiriad
  arbennig, *tynnu rhywun i'r naill ochr* to draw
  4 symud rhywbeth atoch yn gyflym, *Mae angen*
  tynnu'r cortyn i gychwyn yr injan. to pull, to tug
  5 ymestyn a gwneud drwg i rywbeth, *Mae wedi*
  tynnu cyhyr yn ei goes. to pull
  6 cael gwared ar rywbeth drwy ei symud, *Mae*
  angen tynnu'r dant drwg yna. to extract
  7 wrth daro pêl, ei bwrw i'r chwith o'r cyfeiriad
  a fwriadwyd, e.e. wrth gicio pêl rygbi am y pyst
  to pull
  8 dadorchuddio arf yn barod i'w ddefnyddio,
  tynnu cleddyf to draw
  9 (am bobl) anadlu i mewn, *tynnu anadl* to draw
  10 peri i waed lifo, *tynnu gwaed* to draw
  11 casglu hylif mewn llestr, *tynnu dŵr o*
  ffynnon to draw
  12 mynd â rhywbeth neu dderbyn (rhywbeth)
  neu gymryd (rhywbeth), *codi arian allan o*
  gyfrif banc to draw
  13 plygu bwa yn barod i saethu saeth to draw
  14 gwneud llun â phensil neu ysgrifbin to draw
  15 gwneud llun gan ddefnyddio camera
  to take (a photograph)
  16 cynhyrchu neu ganiatáu awel o wynt, *Mae'r*
  tân yn tynnu'n dda heno. to draw
  17 agor neu gau, *tynnu'r llenni* to draw
  18 diosg, *tynnu dillad, tynnu oddi amdanaf*
  (~ *rhywbeth* **oddi am**) to strip, to take off
  19 codi a symud, *tynnu clawr y sosban*
  to lift
  20 codi, pigo, cynaeafu, *tynnu pys* to pick,
  to pluck
  21 denu, bod yn atyniad, *Mae'r golau'n tynnu*
  pryfed. to attract, to draw
  22 sugno, anadlu mwg tybaco to draw
  23 ymwthio, symud, *Tynnodd y car allan o'm*
  blaen. to pull
  24 MATHEMATEG cymryd rhif o rif arall
  neu gyfrifo'r gwahaniaeth rhwng dau rif,
  Pump tynnu dau yw tri (5 – 2 = 3). to subtract
    Sylwch: dyblwch yr 'n' ym mhob ffurf ac
    eithrio yn y rhai sy'n cynnwys -*as*-; os yw
    'tyn' yn cael ei dreiglo, mae'n troi yn 'dynn'.
tynnu ar ôl ymdebygu to take after
Ymadroddion
cyd-dynnu cydweithio, cytuno to cooperate
tynnu allan tynnu yn ôl, rhoi'r gorau i
to withdraw
tynnu am (am amser neu oedran) bron â bod
yn getting on for

tynnu am fy (dy, ei, etc.**) mhen** denu
beirniadaeth to bring on one's head
tynnu ar elwa ar adnoddau sydd wrth gefn,
gallu tynnu ar flynyddoedd o brofiad to draw
upon
tynnu at lleihau, *Mae'r got yma wedi tynnu ati*
wrth ei golchi. to shrink
tynnu blewyn cwta gw. blewyn
tynnu blewyn o drwyn gw. blewyn
tynnu byrra docyn ffordd o benderfynu rhwng
nifer o bobl lle mae'r un sy'n tynnu'r gwelltyn
neu'r papur byrraf yn gorfod cyflawni rhyw
orchwyl (annymunol neu beryglus) neu'n cael
gwobr arbennig to draw lots
tynnu coes gw. coes¹
tynnu drwyddi gwella o afiechyd er nad oedd
hynny i'w ddisgwyl to pull through
tynnu dŵr o'r dannedd
  1 (am fwyd) addo bod yn flasus iawn to make
  one's mouth water
  2 (yn gyffredinol) awgrymu bod pleser mawr
  i ddod
tynnu ewinedd o'r blew rhoi cychwyn arni
to get on with it
tynnu fy (dy, ei, etc.**) mhwysau** gw. pwysau²
tynnu gwynt o hwyliau (rhywun) tarfu
ar rywun sy'n mynd ati yn llawn egni a
brwdfrydedd to take the wind out of one's sails
tynnu het/cap (i) cydnabod ag edmygedd
to doff one's hat to
tynnu'i draed ato marw (to end up) feet first
tynnu i lawr dymchwel to pull down
tynnu i mewn
  1 (am gar) arafu, symud i'r ochr ac aros to
  pull in
  2 (am stumog) sugno i mewn to draw in
  3 (am ddilledyn) gwneud yn llai llac to take in
tynnu llinell gosod ffin na ddylid ei chroesi
to draw the line
tynnu llun gw. llun¹
tynnu llwch dwstio, glanhau to dust
tynnu'n groes gw. croes²
tynnu oddi ar (am werth rhywbeth) gwneud
yn llai to detract
tynnu raffl dewis enillydd raffl ar hap a
damwain to draw
tynnu (rhywun) yn fy (dy, ei, etc.**) mhen**
achosi anghydfod neu gweryla to bring upon
my head
tynnu sgwrs dechrau siarad â rhywun to draw
into conversation
tynnu sylw mynd â sylw oddi wrth y lle y dylai
fod to distract
tynnu tir tan draed tanseilio to pull the carpet
from under one's feet
tynnu tuag adref bod bron â chyrraedd adref
tynnu wyneb gwneud ystumiau to pull a face

t

tynnu ymlaen heneiddio neu fynd yn hwyr to be getting on

tynnu yn ôl cilio, gadael to withdraw

tynnu ystumiau gwneud wynebau to make faces, to pull a face

wedi'i dynnu drwy'r drain gw. **drain**

tyno *eg* (tynoau) fel yn *uniad mortais a thyno* gw. **uniad**

tyr *bf* [torri] *ffurfiol* mae ef yn torri/mae hi'n torri; bydd ef yn torri/bydd hi'n torri

tyrau *ell* lluosog **twr**

tyrbin *eg* (tyrbinau) peiriant lle mae llif cyflym o hylif neu o nwy yn gyrru olwyn a llafnau arni i gynhyrchu pŵer turbine

Tyrcmenistanaidd *ans* yn perthyn i Turkmenistan, nodweddiadol o Turkmenistan

Tyrcmenistaniad *eg* (Tyrcmenistaniaid) brodor o Turkmenistan

tyrchfa *eb* (tyrchfeydd) twll yn y ddaear wedi'i wneud gan anifail i fyw ynddo a chodi rhai bach; daear, gwâl, twll burrow

tyrchod *ell* lluosog **twrch**

tyrchu *be* [tyrch•¹] cloddio, fel twrch neu dwrch daear, chwilio; chwilota, ffureta, turio, tyllu to burrow

tyrchwr *eg* (tyrchwyr) un sy'n tyrchu, yn enwedig un sy'n turio er mwyn dal tyrchod; chwilotwr, gwaddotwr, porwr, ymchwiliwr digger, mole-catcher

tyrd:tyred *bf* [dod] gorchymyn i ti ddod; dere

tyrfa *eb* (tyrfaoedd:tyrfâu) nifer mawr o bobl wedi casglu ynghyd; lliaws, llu, torf crowd, multitude

Sylwch: mae'n derbyn ffurf unigol neu luosog berf.

tyrfau *ell* lluosog **twrw**, y sŵn mawr sy'n dilyn mellt; taranau, trystau thunder

tyrfedd *eg* (tyrfeddau)

1 METEOROLEG cyflwr yr atmosffer lle mae trolifau neu geryntau cryfion o aer yn codi ac yn gostwng yn gyffredin turbulence

2 cyflwr hylif neu nwy pan na fydd yn rhedeg yn llyfn ac yn esmwyth turbulence

tyrfell *eg* (tyrfelli) dyfais ar gyfer troi a chynhyrfu, e.e. dillad mewn peiriant golchi agitator

tyrfo:tyrfu *be* [tyrf•¹] cynhyrchu tyrfau neu daranau; taranau to thunder

tyrfol *ans* am dyrfedd awyr, nwy neu hylif turbulent

tyrnsgriw *eg* (tyrnsgriwiau) sgriwdreifer; erfyn saer a llafn arno sy'n ffitio i agen ar ben sgriw er mwyn ei throi screwdriver

tyrosin *eg* BIOCEMEG asid amino a geir mewn llawer o broteinau ac sy'n bwysig yn y broses o syntheseiddio rhai hormonau tyrosine

tyrpant *eg* olew tenau a ddefnyddir i gael gwared ar baent oddi ar ddillad neu frws paent, etc., neu i deneuo paent turpentine

tyrpeg *eg* *hanesyddol* clwyd a fyddai'n cael ei gosod ar draws heol/ffordd i gadw rhai nad oeddynt wedi talu toll rhag defnyddio'r heol; tollborth turnpike

tyrrau *ell* lluosog **twr**¹

tyrru *be* [tyrr•⁹ 3 *un. pres.* twr/tyrra; 2 *un. gorch.* twr/tyrra]

1 casglu yn dwr at ei gilydd; crynhoi, cynnull, heidio, ymgasglu (~ ynghyd) to cluster, to crowd together, to flock

2 gosod yn grugyn, y naill ar ben y llall; pentyrru to heap, to amass

Sylwch: dyblwch yr 'r' ym mhob ffurf ac eithrio yn y rhai sy'n cynnwys -*as-*.

tyst *eg* (tystion)

1 un a oedd mewn man arbennig ac a welodd rywbeth yn digwydd, *tyst i'r ddamwain* witness

2 CYFRAITH un sy'n rhoi tystiolaeth i lys ar lw witness

3 un sy'n bresennol ar adeg paratoi dogfen swyddogol ac sy'n ei harwyddo, *tyst i ewyllys* witness, attestor

tysteb *eb* (tystebau) rhodd sy'n cael ei chyflwyno i rywun yn arwydd o barch, diolchgarwch, etc.; casgliad, geirda testimonial

tystio:tystiolaethu *be* [tysti•²]

1 datgan yn ôl profiad neu gred bersonol, datgan dan lw, e.e. mewn llys barn, er mwyn dilysu ffaith; ardystio to testify

2 bod yn dyst, neu gyflwyno tystiolaeth (~ i rywbeth) to testify, to witness

tystiolaeth *eb* (tystiolaethau)

1 datganiad ffurfiol o'r hyn yr ydych wedi bod yn dyst ohono testimony

2 unrhyw wybodaeth sy'n tystio i wirionedd, neu'n profi ffaith neu ddatganiad; ffeithiau, prawf evidence

tystiolaethu gw. **tystio**

tystlythyr *eg* (tystlythyrau) llythyr sy'n tystio i gymeriad a gallu rhywun (yn enwedig gan gyflogwr pan fydd y person hwnnw'n cynnig am swydd); geirda testimonial

tystysgrif *eb* (tystysgrifau)

1 dogfen swyddogol sy'n tystio bod rhyw ffaith neu ffeithiau yn gywir, *tystysgrif geni* certificate

2 dogfen swyddogol sy'n tystio bod rhywun wedi pasio arholiad certificate, diploma

tywallt *be* [tywallt•³ 2 *un. gorch.* tywallt] (gair y Gogledd sy'n cyfateb i **arllwys** yn y De)

1 llifo'n gyflym ac yn gyson; arllwys, dylifo, gollwng, gorlifo to pour, to decant

2 llenwi cwpan neu wydr â diod o debot neu jwg to pour

3 bwrw glaw yn drwm iawn; arllwys, diwel, pistyllio to pour

tywalltiad *eg* (tywalltiadau) y weithred o
dywallt neu arllwys, canlyniad tywallt;
arllwysiad, eneiniad pouring, outpouring

tywarchen *eb* (tyweirch:tywyrch) pridd neu
ddarn o ddaear ynghyd â'r borfa/glaswellt sy'n
tyfu arno; clotsen, clotsyn turf, clod, sod
dan y dywarchen yn y bedd under the sod

tyweirch *ell* lluosog **tywarchen**

tywel *eg* (tywelion) darn o bapur neu ddefnydd
ar gyfer sychu gwlybaniaeth (oddi ar groen,
neu lestri, etc.), lliain sychu towel

tywell *ans* ffurf fenywaidd (anarferol) **tywyll**

tywod *ell* gronynnau mân o gerrig a chregyn
wedi'u chwalu a geir yn bennaf ar draethau ac
mewn anialdiroedd; swnd sand

tywodfaen *eg* (tywodfeini) DAEAREG math o
graig wedi'i ffurfio o dywod sandstone

tywodlyd *ans* a thywod drosto neu ynddo
sandy

tywodlys *eg* planhigyn sy'n tyfu ar dir
tywodlyd ac sy'n perthyn i deulu'r penigan
sandwort

tywydd *eg* cyflwr y gwynt, y glaw, yr eira,
yr heulwen, etc. ar unrhyw adeg; hin weather
Sylwch: er bod *tywydd* yn wrywaidd, byddwn
yn sôn amdano fel *hi*, e.e. *Mae hi'n braf.*
Mae hi'n bwrw glaw.
tywydd mawr gw. **mawr**

tywyll *ans* [tywyll• *b* tywell]
1 heb olau dark
2 yn tueddu at dduwch, heb fod yn olau (o ran
lliw); afloyw, anllathraidd, dilewyrch, pŵl dark
3 trist, anobeithiol, *Rhaid peidio ag edrych ar
yr ochr dywyll drwy'r amser.* black, dark
4 anodd ei ddeall, *barddoniaeth dywyll*;
aneglur, annealladwy obscure

tywyllu *be* [tywyll•¹]
1 gwneud neu droi'n dywyll; cymylu, duo, nosi,
pylu to darken, to blacken
2 gwneud yn anodd ei weld; cysgodi to obscure
tywyllu cyngor drysu pethau to confuse
the issue
tywyllu drws y tŷ (mewn ymadroddion
negyddol) ymweld â'r tŷ, croesi'r rhiniog i
mewn i'r tŷ, *Nid yw wedi tywyllu drws ei
gartref ers pum mlynedd.*

tywyllwch *eg* y cyflwr o fod heb olau neu o fod
yn dywyll, *gweld yn y tywyllwch* dark, darkness

tywyn¹ *eg* twyn o dywod glan môr; marian,
morlan, traeth, traethell sand dune, seashore

tywyn² *eg* (tywynion) disgleirdeb, gloywder,
tywyniad glow

tywyniad *eg* y broses o dywynnu shining

tywynnu *be* [tywynn•⁹] taflu golau, *Mae'r
sêr yn tywynnu yn y tywyllwch.*; disgleirio,
llewyrchu, pefrio, serennu to shine, to gleam,
to glimmer
Sylwch: dyblwch yr 'n' ym mhob ffurf ac
eithrio yn y rhai sy'n cynnwys -as-.

tywyrch *ell* lluosog **tywarchen**

tywys *be* [tywys•¹ *3 un. pres.* tywys/tywysa;
2 un. gorch. tywys/tywysa] dangos y ffordd;
arwain, blaenori, cyfarwyddo to guide, to lead
ci tywys ci wedi'i hyfforddi i arwain rhywun
dall guide dog

tywysen *eb* (tywysennau) pen planhigyn
sy'n cael ei dyfu am ei rawn, e.e. ŷd neu lafur
ear of corn

tywysog *eg* (tywysogion)
1 mab neu berthynas agos i frenin neu frenhines
prince
2 gŵr sy'n teyrnasu ar wlad fach neu
wladwriaeth; pendefig prince
Beirdd y Tywysogion gw. **beirdd**

tywysogaeth *eb* (tywysogaethau) gwlad y mae
tywysog yn teyrnasu arni principality

tywysogaidd *ans* am briodoleddau a gysylltir
â thywysog; cwrtais, pendefigaidd, urddasol,
ysblennydd princely
tywysogaidd o fe'i defnyddir i ddwysáu ystyr
ansoddair, *tywysogaidd o hael*

tywysoges *eb* (tywysogesau)
1 merch neu berthynas agos i frenin neu
frenhines princess
2 gwraig i dywysog princess

tywysydd:tywyswr *eg* (tywyswyr)
1 un sy'n dangos y ffordd; arweinydd guide,
leader
2 un sy'n dangos pobl i'w lle (mewn neuadd,
eglwys, etc.) usher

t

Th

th:Th *eb* cytsain a chweched lythyren ar hugain yr wyddor Gymraeg; ar ddechrau gair, gall fod yn ganlyniad treiglo *t* yn llaes, *ei thŷ hi.*

'th *rhagenw dibynnol mewnol*
1 (ail berson unigol genidol) yn eiddo i ti, yn perthyn i ti, *dy gi a'th gath*; dy thine, your
2 (ail berson unigol) fe'i defnyddir i gyfleu gwrthrych ymadrodd berfol, *Ni'th welais.* ac fel gwrthrych o flaen berfenw, *dy weld a'th glywed*; ti thee, you
  Sylwch:
  1 mae'n achosi'r treiglad meddal, *dy ffôn a'th gyfrifiadur*;
  2 defnyddir ''th'' genidol ar ôl *a, â, gyda, tua, efo, na, i, o, mo, gyda'th ganiatâd*;
  3 defnyddir ''th'' gwrthrychol ar ôl 'a' a 'na' (perthynol) ac ar ôl y geirynnau a arferir o flaen berfau, *Pwy a'th welodd? Ni'th welais ddoe. Mi'th dderbyniaf acw. Oni'th glywais*;
  4 'dy' sy'n dilyn berfenw neu enw (*ci dy ewythr, codi dy bac*).

thalamws *eg* y naill neu'r llall o ddwy ran o freithell ar flaen yr ymennydd sy'n trosglwyddo gwybodaeth synhwyraidd thalamus

thaliwm *eg* elfen gemegol rhif 81; metel meddal, ariannaidd, gwenwynig (Tl) thallium

thalws *eg* (thali) BOTANEG corff planhigyn (e.e. alga) nad yw'n ymrannu'n goesyn, dail, gwreiddiau, etc. ac nad yw'n tyfu o un pwynt penodol thallus

theatr *eb* (theatrau)
1 adeilad neu le arbennig ar gyfer perfformio dramâu neu gyflwyniadau dramatig theatre
2 gwaith pobl sy'n ysgrifennu neu'n cynhyrchu dramâu neu sy'n actio ynddynt, *y theatr gyfoes* theatre
3 ystafell arbennig mewn ysbyty lle mae llawfeddygon yn trin cleifion theatre

theatraidd *ans*
1 yn ymwneud â'r theatr, nodweddiadol o'r theatr theatrical
2 wedi'i orwneud, fel petai ar lwyfan; annaturiol, ffuantus, ffug theatrical, histrionic

theistiaeth *eb* CREFYDD y gred mewn Duw neu dduwiau theism

thema *eb* (themâu)
1 testun sgwrs neu ddarn ysgrifenedig; byrdwn, cenadwri, neges, pwnc theme
2 alaw neu ddarn byr o gerddoriaeth sy'n sail i ddarn hwy; byrdwn theme

thematig *ans* yn cynnwys thema neu themâu thematic

theocrataidd *ans* yn perthyn i theocratiaeth, nodweddiadol o theocratiaeth theocratic

theocratiaeth *eb* llywodraeth gwlad drwy arweiniad dwyfol neu gan swyddogion sy'n derbyn arweiniad dwyfol; gwladwriaeth a lywodraethir yn y dull hwn theocracy

theodiciaeth *eb* CREFYDD cangen o ddiwinyddiaeth sy'n amddiffyn rhagluniaeth Duw yn wyneb drygioni a phechod, e.e. drwy gymodi'r cysyniad o Dduw sy'n holl gariadus a hollalluog â dioddefaint y diniwed theodicy

theodolit *eg* (theodolitau) dyfais a ddefnyddir gan dirfesurwyr i fesur onglau llorweddol a fertigol theodolite

theoffani *eg* ymddangosiad (gweledol) Duw theophany

theorem *eb* (theoremau) MATHEMATEG gosodiad cyffredinol y mae modd ei brofi drwy ymresymu theorem

theori *eb* (theorïau) eglurhad o egwyddorion pwnc neu wyddor theory

theosoffi *eg* athroniaeth am Dduw a'r byd sy'n pwysleisio gwerth profiadau cyfriniol theosophy

therapi *eg* (therapïau) ffordd o drin anafiadau neu salwch heb ddefnyddio moddion, cyffuriau na thriniaeth lawfeddygol therapy

therapi galwedigaethol therapi sy'n cynnig cymorth i berson fyw'n annibynnol yn ei gartref ei hun occupational therapy

therapi genynnau therapi sy'n trin clefyd genetig drwy amnewid neu guddio genyn diffygiol â genyn sy'n gweithio gene therapy

therapi lleferydd therapi sy'n trin pobl â phroblemau iaith a lleferydd speech therapy

therapiwteg *eb* MEDDYGAETH cangen o feddygaeth sy'n ymwneud â chymhwyso meddyginiaeth i'r clefyd therapeutics

therapiwtig *ans*
1 yn cael effaith dda ar y meddwl neu'r corff therapeutic
2 MEDDYGAETH yn ymwneud â thrin clefyd neu salwch therapeutic

therapydd *eg* (therapyddion) un sy'n arbenigo mewn therapi, yn enwedig un wedi'i hyfforddi mewn math arbennig o therapi, e.e. therapydd iaith a lleferydd therapist

therm *eg* (thermau) uned Brydeinig i fesur faint o nwy a ddefnyddir (mewn tŷ, swyddfa, ffatri, etc.) therm

thermionig *ans*
1 ELECTRONEG yn ymwneud â gwefrau sy'n symud oherwydd gwres, e.e. *allyriant thermionig*, sef y broses lle mae electronau'n gadael sylwedd (e.e. metel) ar dymheredd uchel thermionic
2 ELECTRONEG (am ddyfais) yn defnyddio allyriant thermionig i gludo gwefr, e.e. *falf*

thermionig, dyfais sy'n gyrru llif o electronau thermionig i gyfeiriad penodol thermionic

thermistor *eg* (thermistorau) ELECTRONEG gwrthydd trydanol y mae ei wrthiant yn newid wrth i'r tymheredd newid ac a ddefnyddir i fesur a rheoli tymheredd, e.e. i atal cyfrifiadur rhag gorboethi thermistor

thermocromig *ans* CEMEG (am sylwedd) yn newid lliw mewn ffordd gildroadwy wrth gael ei wresogi neu ei oeri thermochromic

thermocwpl *eg* (thermocyplau) ELECTRONEG uniad o ddau ddargludydd, e.e. dau far neu ddwy wifren o fetelau annhebyg wedi'u cyplysu, er mwyn cynhyrchu cerrynt thermodrydanol a ddefnyddir i fesur gwahaniaethau tymheredd thermocouple

thermodrydan *eg* FFISEG trydan sy'n cael ei gynhyrchu gan wahaniaeth tymheredd mewn dargludydd neu led-ddargludydd, e.e. trydan a gynhyrchir mewn cylched sy'n cynnwys dau fetel gwahanol gyda'r cysylltiadau rhwng y ddau fetel ar dymheredd gwahanol thermoelectricity

thermodrydanol *ans* FFISEG yn ymwneud â'r berthynas rhwng gwahaniaeth tymheredd a thrydan mewn dargludydd neu led-ddargludydd, yn enwedig pan ddaw dau fetel annhebyg ynghyd thermoelectric

thermodynameg *eb* FFISEG cangen o ffiseg sy'n ymwneud â gwres, tymheredd, egni a gwaith, e.e. newid egni gwres yn egni mecanyddol neu drydanol thermodynamics

thermodynamig *ans* FFISEG yn ymwneud â thermodynameg thermodynamic

thermograff *eg* FFISEG dyfais sy'n cofnodi gwahaniaethau mewn gwres neu belydriad isgoch ar draws arwynebedd penodol neu dros gyfnod penodol o amser thermograph

thermograffeg *eb*
1 proses argraffu sy'n defnyddio gwres, yn enwedig lle mae powdr yn cael ei gynhesu i ffurfio llythrennau sgleiniog y mae eu hwynebau'n codi'n uwch nag wyneb y papur thermography
2 FFISEG techneg sy'n mesur y pelydriad isgoch a allyrrir gan wrthrych i greu delwedd o dymheredd a phriodweddau gwrthrych, e.e. er mwyn astudio arwyneb y Ddaear o'r gofod neu er mwyn canfod tyfiant yn y corff thermography

thermograffig *ans* FFISEG yn ymwneud â thermograffeg thermographic

thermogram *eg* (thermogramau) FFISEG cofnod ffotograffig sy'n deillio o thermograff thermogram

thermogydiad *eg* (thermogydiadau) FFISEG man cyswllt dau fetel annhebyg mewn

thermocwpl a lle y cynhyrchir cerrynt thermodrydanol thermojunction

thermol[1] *ans* yn ymwneud â gwres thermal
  Sylwch: nid yw'n cael ei gymharu.

thermol[2] *eg* (thermolau) METEOROLEG cerrynt o aer cynnes sy'n codi'n fertigol yn yr atmosffer ac a ddefnyddir gan adar, gleiderau etc. thermal

thermomedr *eg* (thermomedrau) dyfais ar gyfer cofnodi a dangos tymheredd thermometer

thermomedreg *eb* FFISEG yr wyddor o fesur tymheredd thermometry

thermometrig *ans* FFISEG yn perthyn i thermomedreg, yn defnyddio thermomedreg thermometric

thermoniwclear *ans* FFISEG yn ymwneud â phrosesau niwclear i gynhyrchu gwres thermonuclear
  Sylwch: nid yw'n cael ei gymharu.

thermopil *eg* ELECTRONEG dyfais sy'n cyplysu nifer o thermocyplau, er mwyn cynyddu'r trydan y mae'n bosibl ei gynhyrchu, neu er mwyn mesur gwres pelydrol thermopile

thermoplastig[1] *ans* CEMEG (am sylwedd) yn troi'n blastig wrth ei wresogi gan galedu eto pan fydd yn oer thermoplastic

thermoplastig[2] *eg* (thermoplastigion) CEMEG sylwedd thermoplastig thermoplastic

thermos *eg* fflasg wactod thermos

thermosgop *eg* (thermosgopau) ELECTRONEG dyfais sy'n dynodi newidiadau mewn tymheredd drwy newidiadau cyfatebol mewn cyfaint, e.e. yn achos nwy thermoscope

thermosodol *ans* (am ddeunydd plastig) yn wreiddiol feddal ond yn newid yn blastig caled parhaol wrth ei wresogi thermosetting

thermostat *eg* (thermostatau) dyfais sy'n rheoli tymheredd ac sy'n ymateb yn awtomatig i newid mewn tymheredd gan gynnau neu ddiffodd offer megis oergelloedd neu systemau gwres canolog thermostat

thesawrws *eg* (thesawri)
1 casgliad o eiriau wedi'u trefnu yn ôl eu hystyr (yn hytrach nag yn nhrefn yr wyddor) thesaurus
2 rhestr o benawdau testunol ynghyd â chroesgyfeiriadau ar gyfer dosbarthu neu osod trefn ar gasgliad o lyfrau, dogfennau neu gorff o wybodaeth thesaurus

thesis *eg* (thesisau)
1 dadl neu farn sy'n cael ei chyflwyno a'i chynnal gan ddadleuon rhesymegol thesis
2 traethawd ar waith ymchwil thesis

thiamin *eg* BIOCEMEG fitamin B_1 sy'n allweddol mewn metabolaeth carbohydradau thiamine

thicsotropedd *eg* CEMEG y briodwedd sydd gan rai sylweddau, e.e. paent neu saws tomato sy'n ludiog fel arfer ac sy'n golygu eu bod yn troi'n fwy o hylif wrth iddynt gael eu cynhyrfu thixotropy

thoracs *eg* (thoracsau)

1 ANATOMEG y rhan o'r corff rhwng y gwddf a'r abdomen; hefyd y ceudod sy'n cynnwys y galon a'r ysgyfaint thorax

2 SWOLEG y rhan ganol o gorff pryfyn rhwng y pen a'r abdomen; hefyd y rhan gyfatebol mewn cramenogion a chorynnod thorax

thorasig *ans* yn ymwneud â'r thoracs, wedi'i leoli yn y thoracs thoracic

thoriwm *eg* elfen gemegol rhif 90; metel ymbelydrol gwyn (Th) thorium

threonin *eg* un o asidau amino angenrheidiol bywyd a geir mewn proteinau a hormonau threonine

thrombosis *eg* MEDDYGAETH tolcheniad gwaed mewn rhan o'r system cylchrediad gwaed thrombosis

thrombosis coronaidd MEDDYGAETH rhwystr i lif y gwaed i'r galon sy'n achosi tolcheniad gwaed yn y rhydweli goronaidd coronary thrombosis

thrombws *eg* (thrombysau) MEDDYGAETH tolchen sy'n ffurfio mewn pibell waed gan aros yn y fan a'r lle a rhwystro llif y gwaed drwy'r corff thrombus

throtl *eg* (throtlau) sbardun; falf sy'n rheoli llif y tanwydd (petrol) i beiriant tanio mewnol (e.e. mewn car), ac sydd felly'n effeithio ar gyflymder y peiriant throttle

thus *eg* sylwedd gludiog a geir o rai mathau o goed ac sy'n rhoi mwg peraroglus pan gaiff ei losgi (mewn defodau crefyddol fel arfer) frankincense

thuser *eb* (thuserau) llestr llosgi arogldarth, yn enwedig un y mae modd ei ysgwyd o ochr i ochr mewn defodau crefyddol censer

thwliwm *eg* elfen gemegol rhif 69; metel meddal, llwydaidd (Tm) thulium

thymin *eg* BIOCEMEG un o'r pedwar bas yn adeiledd DNA a (T) yn y cod genynnol thymine

thymws *eg* ANATOMEG chwarren a geir yng ngwddf fertebratau; mae'n bwysig yn natblygiad system imiwnedd y corff ac mae'n crebachu wrth i fodau dynol gyrraedd glasoed thymus

thyristor *eg* (thyristorau) ELECTRONEG math o ddyfais led-ddargludol sy'n gallu switsio rhwng dau gyflwr sefydlog, ac a ddefnyddir i reoli cerrynt a foltedd uchel thyristor

thyrocsin *eg* y prif hormon a gynhyrchir gan y chwarren thyroid thyroxine

thyroid *eg* ANATOMEG chwarren endocrin fawr wrth fôn y gwddf; mae'n dylanwadu ar dwf a datblygiad y corff drwy secretu hormonau sy'n rheoli cyfradd fetabolaidd y corff thyroid

U

u:U *eb* u bedol, llafariad a seithfed lythyren ar hugain yr wyddor Gymraeg u, U

'u *rhagenw dibynnol mewnol*

1 (trydydd person lluosog genidol) yn eiddo iddynt hwy (iddyn nhw), yn perthyn iddynt hwy (iddyn nhw), *eu grawnwin a'u hafalau;* eu their

2 (trydydd person lluosog) fe'i defnyddir i gyfleu gwrthrych ymadrodd berfol, *y rhai a'u gwelodd ac a'u henwodd* ac fel gwrthrych berfenw, *Dyma'r ffeiliau y mae angen eu darllen a'u hargraffu.*; nhw, hwy them

Sylwch:

1 defnyddir "u" genidol ar ôl llafariad neu ddeusain, *o'u cartref, y merched a'u chwiorydd, gyda'u plant, bwyta'u bwyd* ac eithrio'r arddodiad 'i' lle y ceir "w", *i'w tai, i'w gwaith;*

2 defnyddir "u" gwrthrychol ar ôl ar ôl 'a' a 'na' (perthynol) ac ar ôl y geirynnau a arferir o flaen berfau, *Pwy a'u gwelodd? Dyma'r llyfrau y'u prynais.*;

3 ceir 's' yn hytrach nac 'u' gyda 'ni', *Nis gwelais wedi'r cyfan.*;

4 dilynir "u" gan 'h' o flaen llafariad, *Ni ddaw dim daioni o'u hanghofio.*

ubain *be* llefain yn uchel; crochlefain, griddfan, oernadu, wylofain to moan, to sob, to wail

Sylwch: nid yw'r ferf hon yn arfer cael ei rhedeg.

UCAC *byrfodd* Undeb Cenedlaethol Athrawon Cymru

uchaf *ans* mwyaf uchel; arch-, carn-, pen-, prif highest, uppermost, topmost

uchafbwynt *eg* (uchafbwyntiau)

1 manylyn pwysig sy'n sefyll allan, *rhaglen deledu yn dangos uchafbwyntiau'r gystadleuaeth* highlight

2 y rhan o stori, ffilm, cyfres o ddigwyddiadau, syniadau, etc. sydd fwyaf grymus, diddorol neu effeithiol ac sydd (fel arfer) yn digwydd tua'r diwedd, *Uchafbwynt y noson i mi oedd y sioe tân gwyllt ar y diwedd.* climax, pinnacle

3 y man neu'r pwynt uchaf posibl; anterth, coron, pen, penllanw maximum, zenith, height

4 MATHEMATEG pwynt ar gromlin neu arwyneb sy'n uwch na'r pwyntiau wrth ei ymyl; macsimwm maximum

uchafiaeth *eb* (uchafiaethau) y cyflwr o fod yr uchaf, y pennaf (o ran pwysigrwydd, gradd neu drefn), y trechaf; goruchafiaeth, meistrolaeth, rhagoriaeth primacy

uchafion *ell* y mannau uchaf; entrychion heights

uchafswm *eg* (uchafsymiau) y swm mwyaf (o arian, fel arfer) maximum

uchafu *be* [uchaf•³] mwyhau neu gynyddu gymaint ag sy'n bosibl to maximize

uchder *eg* (uchderau)
1 y pellter o waelod rhywbeth i'w gopa neu o'i draed i'w ben, *Allwch chi feddwl am ffordd o fesur uchder yr adeilad heb orfod dringo i'w do?*; maint, taldra height
2 man neu safle uchel, *Buom yn gwylio'r gêm o uchder mawr.* height
3 *technegol* pellter (yr Haul, y Lleuad, seren, awyren, etc.) uwchben wyneb y Ddaear altitude
4 lefel y sain; sŵn loudness, volume, level

uchel *ans* [cyfuwch; uwch; uchaf] (uchafion)
1 (yn dilyn yr hyn a oleddfir) yn mesur cryn dipyn o'i waelod i'w gopa, heb fod yn isel, *adeilad uchel*; tal high
2 (yn dilyn yr hyn a oleddfir) ymhell uwchben wyneb y ddaear neu lefel y môr, wedi'i ddyrchafu, *uchel yn yr awyr*; fry high
3 (yn dilyn yr hyn a oleddfir) pwysig o ran safle neu swyddogaeth, *swydd uchel yn y llywodraeth* high
4 (yn dilyn yr hyn a oleddfir) am rywbeth yr ydych yn meddwl llawer ohono, *safonau uchel*, *uchel ei barch*; da iawn high
5 (yn dilyn yr hyn a oleddfir) mwy na'r uchder neu'r lefel arferol, *Mae'r afon yn uchel ar ôl yr holl law.* high
6 (yn dilyn yr hyn a oleddfir) drud, *cost uchel bwyd* high
7 (yn dilyn yr hyn a oleddfir) mawr o ran rhif, *Cafodd farciau uchel yn yr arholiad.* high
8 (yn dilyn yr hyn a oleddfir) yn cynhyrchu llawer o sŵn, heb fod yn dawel, *Cadwodd miwsig uchel y parti fi ar ddihun drwy'r nos.*; croch, swnllyd, trystfawr loud
9 (o flaen yr hyn a oleddfir) ceidwadol *uchel eglwysig* high
10 CERDDORIAETH (yn dilyn yr hyn a oleddfir) agos at y ffin (o ran uchder) rhwng y synau y gellir eu clywed a'r synau na ellir eu clywed, *nodyn uchel ar y ffliwt*; yn agos at eithaf uchaf llais neu offeryn, *Mae nodyn uchel iawn ar diwba yn nodyn cymedrol ar drwmped.* high
Sylwch:
1 nid yw 'uchel', fel arfer, yn cyfeirio at faint pethau byw, 'tal' yw'r gair a ddefnyddir am y rhain;
2 mae'n achosi'r treiglad meddal pan ddaw (yn ei ffurf gysefin) o flaen yr hyn a oleddfir.

uchel-ael *ans* (am rywun) â gwybodaeth fwy na'r cyffredin am y celfyddydau neu am y byd academaidd, rhywbeth sy'n arwydd o'r wybodaeth hon (ac sy'n gallu ymylu ar fod yn snobyddlyd) highbrow

uchelder *eg* (ucheldrau)
1 lle neu gyflwr uchel neu ddyrchafedig; ban, brig, copa, entrych height, high place
2 teitl brenin, brenhines, tywysog neu dywysoges highness

ucheldir *eg* (ucheldiroedd) darn mynyddig o dir, tir uchel; bannau, mynydd-dir upland, highland, height

ucheldirol *ans* yn perthyn i ucheldir, nodweddiadol o ucheldir highland

ucheldrem *ans* ffroenuchel, trwynsur, trahaus, rhodresgar haughty

ucheldynnol *ans* (am fetel) cryf iawn o dan dyniant high-tensile

Ucheleglwysig *ans* CREFYDD yn arddel parhad Cristnogaeth Gatholig, awdurdod esgobion, a lle pwysig defodau a sacramentau yng ngwasanaethau'r Eglwys Anglicanaidd High Church

Ucheleglwyswr *eg* (Ucheleglwyswyr) un sy'n arddel syniadau a defodau Ucheleglwysig

Ucheleglwyswraig *eb* merch neu wraig sy'n arddel syniadau a defodau Ucheleglwysig

Ucheleglwysyddiaeth CREFYDD traddodiad yn yr Eglwys Anglicanaidd sy'n arddel parhad Cristnogaeth Gatholig, awdurdod esgobion, a lle pwysig defodau a sacramentau yng ngwasanaethau'r eglwys High Church

uchelfa *eb* (uchelfeydd) man uchel high place

uchelfan *eg* (uchelfannau) lle uchel, tir uchel, codiad tir high ground, high place
ar fy (dy, ei, etc.) uchelfannau yn fy hwyliau gorau in the best of spirits

uchelfraint *eb* (uchelfreintiau)
1 hawl, braint neu awdurdod unigryw prerogative
2 hawl brenin neu frenhines neu bennaeth gwladwriaeth prerogative
pwerau uchelfraint CYFRAITH hawliau sofran nad oes arnynt, mewn theori, unrhyw gyfyngiad, ond gan amlaf wedi'u dirprwyo i'r llywodraeth neu i'r farnwriaeth prerogative powers

uchelfreiniol *ans* yn ymwneud ag uchelfraint, yn deillio o uchelfraint prerogative

uchelgaer *eb* (uchelgaerau:uchelgeyrydd) cadarnle neu amddiffynfa, yn enwedig un sy'n gwarchod dinas; caer citadel

uchelgais *egb* (uchelgeisiau)
1 awydd cryf am lwyddiant, grym, cyfoeth, etc.; dyhead ambition
2 yr hyn y mae rhywun yn dyheu amdano; chwant, chwenychiad, deisyfiad ambition

uchelgeisiol *ans*
1 llawn uchelgais; awyddus, eiddgar ambitious, aspiring
2 (am rywbeth) y mae'n rhaid wrth ymdrech neu ddawn arbennig i sicrhau ei lwyddiant, *cynllun uchelgeisiol* ambitious

u

uchelgyhuddiad *eg* (uchelgyhuddiadau)
CYFRAITH y broses o uchelgyhuddo
impeachment

uchelgyhuddo *be* [uchelgyhudd•¹] CYFRAITH
dwyn cyhuddiad yn erbyn; (yn Unol Daleithiau
America) dwyn cyhuddiad o gamymddygiad
mewn swydd, yn erbyn swyddog cyhoeddus
to impeach

uchelion¹ *ell* mannau uchel

uchelion² *ans* ffurf luosog uchel

uchelradd:uchelryw *ans* o dras fonheddig,
uchelwrol blue-blooded, high-born

uchelseinydd *eg* (uchelseinyddion) darn o
gyfarpar sy'n newid ysgogiadau trydanol yn
sain, ac weithiau'n chwyddo'r sain honno a'i
gwneud yn fwy eglur loudspeaker

uchelwr *eg* (uchelwyr)
1 aelod o ddosbarth uchaf cymdeithas sydd, fel
arfer, yn dwyn teitl, gŵr bonheddig; barwn,
bonheddwr, pendefig nobleman, patrician
2 *hanesyddol* un o'r perchenogion tir a ffurfiai
haen uchaf y gymdeithas Gymraeg ar ôl colli
annibyniaeth Cymru yn 1282 a chyn y Deddfau
Uno yn 1536

uchelwrol *ans* yn ymwneud ag uchelwr
neu uchelwyr, nodweddiadol o uchelwyr;
arglwyddaidd, boneddigaidd, pendefigaidd
noble, patrician

uchelwydd *eg* planhigyn parasit sy'n tyfu ar
goed; mae ganddo ddail gwyrdd golau ac aeron
bach gwyn ac fe'i defnyddir fel addurn adeg y
Nadolig mistletoe

uchelwyl *eb* (uchelwyliau) dydd i ddathlu gŵyl
festival, gala, high day

uchelwyr *ell* ffurf luosog uchelwr
Beirdd yr Uchelwyr gw. beirdd

uchod *adf*
1 i fyny, uwchben above
2 yn uwch ar yr un tudalen neu ar dudalen
cynt, *gweler uchod*; blaenorol above

UDA *byrfodd* Unol Daleithiau America USA

udfil *eg* (udfilod) hyena; anifail ysglyfaethus,
gwyllt, tebyg i gi, sydd â chyfarthiad fel
chwerthiniad ac sy'n byw yng ngwledydd Asia
ac Affrica hyena

udiad *eg* (udiadau) dolef, nâd, gwaedd, oernad
howl, wail

udo *be* [ud•¹] gwneud sŵn tebyg i flaidd neu
sŵn hir cwynfanllyd ci; nadu, oernadu, ubain
to howl, to bay

udwr *eg* (udwyr) un sy'n udo howler

UFA *byrfodd* unrhyw fater arall AOB

ufel *eg* *hynafol* tân, gwreichion fire

ufudd *ans* parod i ufuddhau, yn gwneud
yr hyn y cafodd orchymyn i'w wneud;
darostyngedig, gostyngedig, gwasaidd (~ i)
obedient, dutiful

ufudd-dod *eg* y cyflwr o fod yn ufudd;
gostyngeiddrwydd, gwrogaeth, ymostyngiad
obedience, compliance, acquiescence

ufuddhau *be* [ufuddha•¹⁴] gwrando a
gwneud yr hyn y dywedir wrthych chi am ei
wneud, *Gofalwch ufuddhau i'ch athrawon!*;
cydymffurfio, ymostwng (~ i) to obey, to comply

ufuddheais *bf* [ufuddhau] *ffurfiol* gwnes i ufuddhau

uffern¹ *eb* (uffernau)
1 (yn ôl crefyddau Cristnogol ac Islamaidd)
man lle mae eneidiau pobl ddrwg yn cael eu
cosbi ar ôl iddynt farw; y fagddu hell
2 man neu gyflwr o ddioddefaint mawr hell
3 *anffurfiol* fe'i defnyddir i gryfhau ymadrodd,
Mae'n uffern o gar cyflym! hell

uffern² *ebychiad* rheg bloody hell

uffernol¹ *ans*
1 yn perthyn i uffern, nodweddiadol o uffern,
neu sy'n addas ar gyfer uffern, ofnadwy iawn;
dychrynllyd hellish, infernal
2 gwael iawn; trychinebus awful, shocking,
terrible

uffernol o fe'i defnyddir i ddwysáu ystyr
ansoddair, *uffernol o anodd*

uffernol² *adf* iawn, ofnadwy, sâl *uffernol*
terribly

ugain *rhifol* (ugeiniau) y rhif 20; dau ddeg,
sgôr twenty
Sylwch:
1 mae'n achosi treiglad trwynol yn 'blynedd',
'blwydd' a 'diwrnod', *ugain mlwydd oed*;
2 'hugain' a geir yn y ffurfiau cyfansawdd yn
dilyn 'ar', *un ar hugain, dau ar hugain,* etc.

Ugandaidd *ans* yn perthyn i Uganda,
nodweddiadol o Uganda Ugandan

Ugandiad *eg* (Ugandiaid) brodor o Uganda
Ugandan

ugeinfed *rhifol*
1 y rhifol (rhif trefnol) nesaf mewn trefn ar
ôl 'pedwerydd ar bymtheg/pedwaredd ar
bymtheg' twentieth
2 rhif 20 mewn rhestr o ugain neu fwy; 20fed
twentieth
3 un rhan o ugain (¹/₂₀) twentieth
Sylwch: mae'n achosi'r treiglad meddal o
flaen enwau benywaidd (nid felly enwau
gwrywaidd) *yr ugeinfed wers.*

ultra vires *adf ac ans* CYFRAITH y tu hwnt i'ch
hawliau neu i awdurdod cyfreithiol

ulw *ell*
1 y llwch a'r gronynnau mân sy'n weddill ar
ôl i rywbeth gael ei losgi'n llwyr; lludw ashes,
cinders
2 mewn ymadroddion megis *llosgi'n ulw,
meddwi'n ulw* yn llwyr, yn gyfan gwbl utterly

un¹ *rhifol*
1 y rhif sy'n dod o flaen dau one

2 y symbol sy'n cynrychioli'r nifer hwn, 1 neu i one

3 y nifer hwn o bobl, pethau, etc., *un ferch, un car* one

Sylwch:

1 mae'n achosi'r treiglad meddal mewn enwau benywaidd (ac eithrio rhai sy'n dechrau ag 'll' a 'rh')

2 mae *blwyddyn* a *blwydd* yn treiglo'n drwynol mewn rhifolion cyfansawdd, e.e. *un mlynedd ar ddeg; un mlwydd ar hugain oed.*

un ai . . . ynteu . . . naill ai . . . ynteu . . . either . . . or . . .

yn un ac un fesul un one by one

yr un pobo apiece, each

yr un ohonynt (mewn brawddeg negyddol) neb, *Nid oedd yr un ohonynt ar gael pan oeddwn yn chwilio am rywun i warchod y plant.* (not) one of them

un² *ans*

1 digyfnewid bob tro, *Mae'n parcio yn yr un lle bob bore.* same

2 am y peth neu'r person sydd eisoes wedi'i grybwyll, *Fe wnest ti'r un camgymeriad yr wythnos diwethaf.* same

3 tebyg ym mhob ffordd, heb fod yn wahanol nac wedi'i newid, *Mae hi'r un ffunud â'i thad.* same

4 o'r union fath, *Rydym ein dau o'r un feddwl.* one, same

5 rhyw, *Bydd rhaid galw yno un dydd Sadwrn.* one

6 (yn dilyn yr hyn a oleddfir) eithaf, *Mae'r clwb ar waelod un y gynghrair.* very

Sylwch:

1 pan ddaw 'un' o flaen enw yn golygu 'tebyg', mae'n achosi'r treiglad meddal ar ddechrau enwau gwrywaidd a benywaidd, e.e. *yr un gerddediad, yr un gymesuredd;*

2 ond pan fydd 'un' yn golygu 'yr union un' dim ond enwau benywaidd sy'n treiglo, e.e. *o'r un rywogaeth; byw yn yr un tŷ.*

un ai naill either

yr un un the same one

un³ *egb*

1 rhywun neu rywbeth sy'n wrywaidd neu'n fenywaidd yn ôl yr hyn y mae 'un' yn ei gynrychioli, e.e. am *ferch, un fach,* am *fachgen, un mawr,* am *afon, un lydan,* am *dorth, un rad;* rhywun, rhywbeth one

2 math penodol, *Os wyt ti'n sôn am Seiri Rhyddion, rwy'n credu ei fod e'n un a bod ei frawd yn un arall.* one

3 (mewn ymadroddion yn dynodi pris, mesur, etc.) am bob eitem, e.e. *ceiniog yr un* each

Sylwch: mae 'll' a 'rh' mewn enwau benywaidd yn treiglo'n feddal ar ôl yr 'un' yma.

unawd *eg* (unawdau) CERDDORIAETH darn i'w chwarae neu ei ganu gan un person neu offeryn (gyda chyfeiliant, fel arfer) solo

unawdol *ans* yn perthyn i unawd, nodweddiadol o unawd solo

unawdydd *eg* (unawdwyr) un sy'n canu neu'n chwarae unawd soloist

unben *eg* (unbeniaid) pennaeth llywodraeth gwlad sydd â'r awdurdod i gyd yn ei ddwylo ei hun; awtocrat dictator, despot, autocrat

unbenaethol *ans*

1 nodweddiadol o unbennaeth; awtocratig dictatorial, autocratic

2 yn ymddwyn fel unben; awtocratig autocratic, despotic, dictatorial

unbennaeth *eb*

1 llywodraeth gan unben; awtocratiaeth dictatorship, autocracy

2 gwlad sy'n cael ei llywodraethu gan unben; awtocratiaeth autocracy, dictatorship

3 y gred wleidyddol y dylai awdurdod a grym fod yn nwylo un arweinydd yn unig; absoliwtiaeth absolutism

unbennes *eb* merch neu wraig sy'n unben

uncorn:ungorn *eg* (uncyrn) anifail chwedlonol tebyg i geffyl claerwyn a chorn yng nghanol ei ben unicorn

undeb *eg* (undebau)

1 y cyflwr o fod mewn cytundeb, o fod wedi uno, *Mewn undeb mae nerth.;* cymdeithas unity

2 nifer o wledydd neu daleithiau wedi'u cyfuno; cynghrair union

3 undeb llafur; grŵp o weithwyr wedi dod ynghyd i warchod eu buddiannau a thrafod fel un gyda'u cyflogwyr; cynghrair union

4 corff swyddogol neu gymdeithas sy'n cysylltu nifer o ganghennau, eglwysi, etc., sy'n perthyn i'r un mudiad, *Undeb y Bedyddwyr;* cyfundeb union

Undeb Ewropeaidd sefydliad economaidd a gwleidyddol (wedi'i leoli ym Mrwsel) y mae nifer o wledydd Ewrop yn perthyn iddo; UE European Union, EU

undebaeth *eb* (ymlyniad wrth) egwyddorion undebau llafur a bod yn aelod o undeb llafur unionism

undebol *ans*

1 yn ymwneud ag undeb o weithwyr, *Mater undebol yw hwn, nid rhywbeth i unigolion ei benderfynu.* union

2 yn digwydd pan ddaw dau neu ragor o bobl neu gyrff ynghyd, *Cynhelir gwasanaeth undebol gan yr holl gapeli ddydd Sul nesaf.* united, interdenominational

Sylwch: nid yw'n cael ei gymharu.

undeboli *be* [undebol•¹] dod neu achosi i ddod yn aelodau o undeb unionization, to unionize

u

undebwr *eg* (undebwyr) un sy'n aelod o undeb, un sy'n cefnogi'r syniad o undeb unionist
undod *eg* (undodau)
  1 y cyflwr o fod wedi uno; unoliaeth unity
  2 cyfanwaith sydd wedi'i greu drwy gyfuno nifer o rannau neu ddarnau; cyfuniad unity
Undodaidd *ans* yn perthyn i Undodiaeth, nodweddiadol o Undodiaeth Unitarian
Undodiaeth *eb* CREFYDD cred grefyddol sy'n gwrthod y Drindod a'r honiad mai Duw oedd Iesu Grist Unitarianism
Undodwr *eg* (Undodwyr:Undodiaid) aelod o enwad yr Undodiaid, un sy'n credu mewn Undodiaeth Unitarian
Undodwraig *eb* merch neu wraig sy'n aelod o enwad yr Undodiaid, un sy'n credu mewn Undodiaeth Unitarian
un-dôn:undon *eb*
  1 un nodyn cerddorol sy'n cael ei ailadrodd nad yw'n newid ei draw monotone
  2 cyfres o seiniau llafar nad ydynt yn newid eu cywair monotone
undonedd *eg* diffyg amrywiaeth, y cyflwr o fod yn anniddorol a di-fflach; syrffed monotony, tedium
undonog *ans* heb unrhyw amrywiaeth; anniddorol, diflas, marwaidd boring, monotonous
undydd *ans* yn para diwrnod, *ysgol undydd* day, one-day
undduwiaeth *eb* yr athrawiaeth a'r gred nad oes ond un Duw monotheism
uned *eb* (unedau)
  1 un peth cyfan unit
  2 grŵp o bobl neu bethau sy'n ffurfio cyfanwaith ond sydd fel arfer yn rhan o rywbeth mwy, *uned feddygol y coleg, uned deg yn eich llyfrau gwyddoniaeth*; adran, rhan section, unit
  3 MATHEMATEG un fel rhif neu faint, *Mae'r rhif 37 yn cynnwys 3 deg a 7 uned.* unit
  4 maint a dderbynnir fel safon, *Mae'r metr yn un o'r unedau mesur safonol rhyngwladol (SI).* unit
uned arddangos weledol teclyn tebyg i set deledu sy'n dangos yr hyn sy'n cael ei gynhyrchu gan gyfrifiadur vdu, visual display unit
uned brosesu ganolog prif ran (neu galon) y cyfrifiadur sy'n rheoli'r holl rannau eraill central processing unit, cpu
unedig *ans* wedi'i gyfuno, wedi dod ynghyd fel un, *Y Cenhedloedd Unedig*; cyfun, cytûn, unfryd, unfrydol united
unedol *ans*
  1 heb ei rannu, yn gyfan unitary
  2 â phwerau rhannau cyfansoddiadol unigol wedi'u trosglwyddo i gorff canolog unitary

unfaint *ans* cymaint â rhywbeth arall equal
unfalent *ans* CEMEG â falens o 1 univalent
unfan *eg* yr un man, yr un lle same place
  yn fy (dy, ei, etc.) unfan llonydd, disymud, *Safodd hi yn ei hunfan am chwarter awr.* stationary, still
unfarn *ans* am grŵp o bobl sydd i gyd yn gytûn ar rywbeth; cytûn, unfryd, unfrydol unanimous
unfath *ans* fel yn *gefeilliaid unfath*, yn union yr un ffurf, yr un peth yn union; unffurf identical
  Sylwch: nid yw'n cael ei gymharu.
unfathiant *eg* (unfathiannau) MATHEMATEG trawsffurfiad nad yw'n newid gwrthrych identity
unfed *rhifol* cyntaf, mewn rhifau megis *unfed ar ddeg, unfed ar bymtheg, unfed pen blwydd ar hugain* first
  Sylwch: mae'n achosi'r treiglad meddal yn achos enw benywaidd.
  yr unfed awr ar ddeg y funud olaf, yr eiliad olaf posibl the eleventh hour
unflwydd *ans* yn parhau am un flwyddyn yn unig annual
unfryd:unfrydol *ans*
  1 am farn neu benderfyniad gan grŵp o bobl o'r un farn; cytûn, unedig unanimous
  2 (am ddatganiadau, cytundebau, etc.) wedi'u cytuno neu eu cefnogi gan bawb yn yr un ffordd; unfarn unanimous
  yn unfryd unfarn yn unfrydol of one accord
unfrydedd *eg* y cyflwr neu'r stad o fod yn unfryd unfarn; cytgord, cytundeb unanimity
unfrydol *gw.* unfryd
unffordd *ans* yn symud mewn un cyfeiriad yn unig, yn caniatáu symudiad i un cyfeiriad yn unig, *heol un-ffordd* one-way
  Sylwch: nid yw'n cael ei gymharu.
unffurf *ans* yr un fath, yr un ffunud, *Roedd yr holl ffenestri yn unffurf eu maint a'u siâp.*; unfath, unwedd uniform
unffurfiaeth *eb* y cyflwr o fod yn unffurf, o ddilyn yr un rheolau, o ddilyn yr un patrwm, o fod yr un drwyddi draw uniformity, sameness
ungellog:ungell *ans* BIOLEG (am organeb) yn cynnwys un gell yn unig unicellular
ungnwd *ans* (am ddefnydd o dir) yn tyfu un cnwd ac un cnwd yn unig monoculture
ungor *ans* heb ei gordeddu untwisted
ungorn *eg gw.* uncorn
uniad *eg* (uniadau)
  1 y weithred o uno neu o asio, canlyniad uno; asiad, cydiad, cyfuniad joining
  2 man lle mae dau beth yn cael eu huno (yn enwedig am ddau ddarn o bren neu fetel neu blastig) joint
uniad bagl uniad gwaith coed tebyg i uniad mortais a thyno a ddefnyddir yn aml wrth wneud celfi/dodrefn bridle joint

uniad bisged uniad gwaith coed a ffurfir drwy osod disg pren hirgrwn mewn slotiau yn y ddau ddarn o bren sydd i'w huno, a'u gludio i greu uniad taclus a glân biscuit joint

uniad bloc uniad datgysylltiol a ffurfir drwy wasgu bloc yn erbyn dau ddarn o ddefnydd (o bren fel arfer) i ffurfio cornel a'i sgriwio i'w le block joint

uniad crib uniad gwaith coed a ffurfir drwy dorri set o doriadau petryal cyfatebol mewn dau ddarn o bren a'u gludio wrth ei gilydd comb joint

uniad cynffonnog uniad clymu dau ddarn o bren ynghyd lle y ceir tyno ar ffurf cynffon wennol yn ffitio i fortais yr un ffurf dovetail joint

uniad haneru uniad gwaith coed a ffurfir drwy dorri hanner trwch dau ddarn o bren a'u cydosod fel eu bod yn gorgyffwrdd halving joint

uniad mortais a thyno uniad gwaith coed cryf a ffurfir drwy dorri pen un darn o bren i siâp tafod (tyno) i ffitio i dwll (mortais) mewn darn arall o bren mortise and tenon joint

uniad tafod a rhych dull o uno estyll o bren lle mae tafod ar un ochr i estyllen yn ffitio i rigol mewn estyllen arall tongue and groove joint

uniadu *be* GWAITH COED cydio darnau (o bren, fel arfer) ynghyd drwy ddefnyddio uniad neu uniadau to join
  Sylwch: nid yw'r ferf hon yn arfer cael ei rhedeg.

uniaethiad *eg* y broses o uniaethu â (rhywun neu rywbeth) identification with

uniaethu *be* [uniaeth•¹] teimlo eich bod yn rhannu profiad â (rhywun neu rywbeth); cydymdeimlo â (~ â) to identify with

uniaith *ans*
  1 yn medru un iaith yn unig, yn defnyddio un iaith yn unig monoglot, monolingual
  2 wedi'i ysgrifennu mewn un iaith yn unig monoglot, monolingual

unig *ans*
  1 am rywbeth sydd ar ei ben ei hun; anghyfannedd, anghyraeddadwy, anghysbell, ynysig lone, lonely, solitary
  2 (yn dilyn yr hyn a oleddfir) am y tristwch o fod heb gwmni neu gyfeillion, *Plentyn unig oedd John.*; hiraethus lonely
  3 (yn dilyn yr hyn a oleddfir) am fannau heb bobl neu fannau diarffordd, *traethell unig* lonely
  4 (o flaen yr hyn a oleddfir) am rywun neu rywbeth nad oes un tebyg iddo, neu am rywun neu rywbeth nad oes un arall yr un fath ag ef, *Dyma'r unig lyfr gan T. Llew Jones sydd heb fod ar fenthyg ar hyn o bryd.* only, sole

5 (o flaen yr hyn a oleddfir) am blentyn heb frodyr na chwiorydd, *Mae hi'n unig blentyn.* only, sole
  Sylwch: mae'n achosi'r treiglad meddal pan ddaw o flaen yr hyn a oleddfir.

unig fasnachwr ECONOMEG busnes sy'n perthyn i un person ac yn cael ei reoli ganddo heb fodolaeth gyfreithiol ar wahân i'w berchennog sole trader

unig-anedig *ans* unig blentyn only child

unigedd *eg* (unigeddau) y cyflwr o fod yn unig, o fod heb gwmni (ond nid o reidrwydd yn drist); anghyfanhedd-dra isolation, solitude

unigeddau mannau diarffordd ac unig, lleoedd unig

unigol *ans*
  1 ar wahân, fesul un, *Yn ogystal â bod yn gasgliad da, mae'r llyfrgell yn cynnwys llyfrau unigol gwych hefyd.*; gwahanol individual
  2 addas i bob un ar wahân, *Rhaid rhoi sylw unigol i bob un o'r grŵp.* individual
  3 GRAMADEG am air neu ffurf sy'n cynrychioli dim ond un, *'Ci' yw ffurf unigol 'cŵn', 'deilen' yw ffurf unigol 'dail'.* singular

unigoliaeth *eb* natur y cymeriad unigryw sy'n gwneud unigolyn yn wahanol i bawb arall; cymeriad, hunaniaeth, natur, personoliaeth individuality

unigolydd *eg* (unigolyddion) rhywun sy'n amlygu annibyniaeth arbennig yn ei ffordd o feddwl neu ei ymddygiad individualist

unigolyddiaeth *eb*
  1 ATHRONIAETH athrawiaeth sy'n gosod budd yr unigolyn yn sylfaen i system o foesoldeb individualism
  2 damcaniaeth gymdeithasol sy'n pwysleisio annibyniaeth wleidyddol a chymdeithasol yr unigolyn ac yn annog menter, gweithredoedd a diddordebau'r unigolyn individualism

unigolyddol *ans* yn ymwneud ag unigolydd, nodweddiadol o unigolydd a'i ymddygiad; arwahanol individualistic

unigolyn *eg* (unigolion) person fel bod unigryw; dyn, meidrolyn, rhywun individual

unigrwydd *eg* y cyflwr o fod yn unig, o fod heb gwmni (a'r tristwch sy'n gallu bod yn rhan o hynny) loneliness, seclusion, solitude

unigryw *ans* hollol wahanol i bawb neu bopeth arall, yr unig un o'i fath, nad oes ei debyg i'w gael (â'r awgrym ei fod yn werthfawr oherwydd hynny); arbennig, dihafal, digyffelyb, digymar unique

unigrywiaeth *eb* y cyflwr o fod yn unigryw uniqueness

unigyn *eg* (unigynnau) peth neu berson unigol wedi'i neilltuo drwy ddewis neu drwy'i ynysu isolate

u

union *ans*
1 (yn dilyn yr hyn a oleddfir) heb fod yn gam, *Heol sy'n arwain yn union at ganol y ddinas.*; syth, diwyro direct, erect, straight
2 (yn dilyn yr hyn a oleddfir) gonest, cyfiawn, teg, *Roedd yn ŵr union ei farn.* upright
3 (o flaen yr hyn a oleddfir) penodol, *Dyma'r union lun yr oeddwn i'n chwilio amdano.*; cyfewin, cysáct exact, precise
ar fy (dy, ei, etc.) union yn syth, heb oedi, *Cer i'r gwely ar dy union!* directly, straight away
yn union
1 ar ei ben, *Mae'r cyfan yn dod i £10 yn union, Mr Jones.*
2 yn hollol, rwyt ti'n hollol gywir, *Ac rydych chi'n disgwyl i bawb fod yn barod erbyn hanner awr wedi saith? Yn union!*
3 ar unwaith, yn fuan iawn, *Byddaf gyda chi yn union.* directly, exactly, precisely, straight away
uniondeb:unionder *eg* y cyflwr o fod yn union; cyfiawnder, cywirdeb, gonestrwydd rectitude, uprightness
uniongred *ans* yn derbyn neu'n cynrychioli'r gred swyddogol sy'n cael ei chaniatáu a'i chymeradwyo; cywir, unplyg orthodox
yr Eglwys Uniongred gw. eglwys
uniongrededd *eg* y cyflwr o fod yn uniongred; unplygrwydd orthodoxy
uniongyrchedd *eg* y cyflwr o fod yn uniongyrchol directness
uniongyrchol *ans* yn arwain o un peth neu un lle i'r llall heb oedi na gwyro, yn cysylltu'n union â'i gilydd, *Mae perthynas uniongyrchol rhwng cau'r ysgol a chau'r siop.*; di-oed, diwyro, syth direct
unioni *be* [union•¹]
1 gwneud yn syth, gwneud yn union; sythu to straighten
2 newid rhywbeth anghywir neu anghyfiawn fel ei fod yn iawn neu'n gyfiawn, *unioni cam* to put right, to rectify
3 cywiro gwyriad, *O weld bod y cwch yn gwyro yn ormodol i'r chwith, dyma'r capten yn unioni'i hynt.* to redress, to straighten
4 (am ddarn o brint) sicrhau bod yr ochr chwith a'r ochr dde yn llinellau union, syth to justify
5 FFISEG troi cerrynt eiledol yn gerrynt union to rectify
unioniad *eg*
1 y broses o unioni, canlyniad unioni rectification
2 FFISEG y broses o droi cerrynt eiledol yn gerrynt union rectification
unionlin *ans* yn symud mewn llinell syth neu'n ffurfio llinell syth; syth rectilinear

unionsgwar *ans* yn ffurfio ongl sgwâr â phlân y gorwel neu â llinell arall; unionsyth, fertigol perpendicular
unionsyth *ans*
1 yn sefyll yn berpendicwlar, yn sefyll i fyny'n syth; fertigol, plwm, talsyth upright, vertical
2 heb wamalu, yn blaen, *Gofynnais iddo'n unionsyth.* point-blank
unionydd *eg* dyfais ar gyfer troi cerrynt eiledol yn gerrynt union drwy ei gyfyngu i un cyfeiriad yn unig rectifier
unllaw *ans* yn defnyddio un llaw yn unig one-handed, single-handed
unlle *eg*
1 un man same place
2 (yn dilyn cymhariaeth) unrhyw le, *Mae'n waeth yma nag unlle.* anywhere
unlled *ans* yr un lled
unllin *ans* MATHEMATEG (am bwyntiau) yn gorwedd ar hyd yr un llinell syth collinear
unllinedd *eg* MATHEMATEG y cyflwr o fod yn unllin collinearity
unlliw *ans* yr un lliw i gyd, neu am nifer o bethau o'r un lliw, *Adar o'r unlliw a hedant i'r unlle.* monochrome
unllygeidiog *ans*
1 ag un llygad yn unig one-eyed
2 (am rywun) ag un peth yn unig ar ei feddwl ac yn methu gweld dim byd arall ond yr un peth hwnnw; cul, cyfyng, rhagfarnllyd, unochrog blinkered
unman *eg* unrhyw le, unrhyw fan (mewn brawddeg negyddol), *Aethon ni ddim i unman ar ein gwyliau eleni.* anywhere
unnos *ans* yn digwydd dros nos, yn ystod cyfnod o un noson, *tŷ unnos, grawn unnos*
uno *be* [un•¹]
1 asio ynghyd i wneud un; cyfuno, cyplysu, ieuo, integreiddio (~ *rhywbeth* â) to amalgamate, to join, to unite
2 gweithredu ynghyd i ddiben, *Unwn yn y canu.* to join
3 priodi, *uno'r ddeuddyn hyn* to unite (in marriage)
y Deddfau Uno gw. deddf
unochrog *ans*
1 (am rywun) yn gweld un ochr i ddadl neu gwestiwn yn unig; annheg, rhagfarnllyd, unllygeidiog one-sided
2 ag un ochr lawer yn gryfach neu'n fwy amlwg na'r llall; anghyfartal, anghytbwys biased, lopsided, one-sided
3 yn effeithio ar un ymhlith nifer neu'n cael ei weithredu gan un ymhlith nifer, *penderfyniad unochrog i ddiddymu arfau niwclear* unilateral
unodl *ans* fel yn *englyn unodl union*, sef ag un brif odl yn rhedeg drwyddo
unoed *ans* o'r un oed the same age

unol *ans*
1 unedig, ar y cyd united
2 cytûn, unfarn, unfryd united
yn unol â *ffurfiol* mewn ufudd-dod, yn ôl,
*Yn unol â'ch dymuniad, amgaeaf y dogfennau
canlynol.* in accordance with
unoli *be* [unol•¹] gwneud yn uned; uno to unify
unoliad *eg* y broses o uno, canlyniad uno
unification
unoliaeth *eb* (unoliaethau) y cyflwr o fod wedi
uno, o fod fel un, *unoliaeth barn*; undod,
unfrydedd unity
unoliaethwr *eg* (unoliaethwyr) (yng Ngogledd
Iwerddon) un sy'n bleidiol i'r uno rhwng Prydain
a Gogledd Iwerddon ac sydd, fel arfer, yn un
o Brotestaniaid Gogledd Iwerddon unionist
unpeth *eg* unrhyw beth anything
unplyg *ans* (am rywun) ag un prif amcan ac
sy'n ymdrechu i'w gyflawni, yn enwedig amcan
megis cyfiawnder, tegwch, bywyd da; diwyro,
uniongred, union single-minded, upright
unplygrwydd *eg* y cyflwr o fod yn unplyg, o
wrthod cael eich troi oddi wrth eich amcan, o
fod yn bendant, o fod yn ddiffuant; cywirdeb,
didwylledd, gonestrwydd single-mindedness,
integrity, sincerity
unrhyw *ans*
1 am un neu am nifer, ond does dim ots pa un/
rai, *Dewiswch unrhyw beth a ddymunwch.* any
2 am un, am rai neu am y cyfan ond heb fod yn
rhy benodol, *A oes gen ti unrhyw hen deganau
ar gyfer ffair yr ysgol?* any
3 o'r math arferol, *Nid unrhyw chwaraewr yw
hwn ond un o fawrion byd y bêl.* any (old)
4 o'r graddau lleiaf neu o'r maint lleiaf, *A yw
hwn o unrhyw werth iti?* any
5 cymaint byth ag sy'n bosibl, *Byddaf yn falch
o unrhyw gymorth a gaf.* any
6 pob un, pawb, *Mae unrhyw blentyn yn
gwybod hynny.* any
Sylwch: mae'n dod o flaen enw ac yn achosi'r
treiglad meddal.
unrhywiol *ans*
1 yn perthyn i un rhyw, cyfyngedig i un rhyw
unisexual
2 BIOLEG naill ai'n wryw neu'n fenyw, nad yw'n
ddeurywiol unisexual
3 BOTANEG (am flodyn) yn cynnwys brigerau
neu bistiliau ond nid y ddau unisexual
unsad *ans* FFISEG (am gylched neu ddyfais
drydanol) yn bodoli yn sefydlog mewn un stad
neu ffurf yn unig monostable
unsain *ans* CERDDORIAETH am ddau neu fwy o
bobl yn canu neu'n chwarae'r un nodyn neu
nodau ar yr un pryd unison
unsill:unsillafog *ans* am air ac ynddo un sillaf
yn unig, e.e. na; diawl; het monosyllabic

unswydd *ans* fel yn *yn unswydd,* gydag un
bwriad yn unig, *Daethant yr holl ffordd yn
unswydd er mwyn cyflwyno anrheg i'r côr.*;
bwriadol, pwrpasol express, sole intention
untrac *ans*
1 ag un trac, e.e. rheilffordd single-track
2 ag un peth ar ei feddwl one-track
untrew *eg* fel yn *taro untrew,* tisian sneeze
untroed:untroediog *ans* yn meddu ar un goes
neu droed one-legged
unwaith *adf* un tro, un waith yn unig; siwrnai
once
ar unwaith heb oedi, nawr, rŵan immediately,
abruptly, at once
unwaith yn y pedwar amser gw. amser
unwedd *ans* yr un peth â; cyffelyb, tebyg,
unffurf like
unwr *eg* (unwyr) un sy'n uno uniter
unwreiciaeth *eb* yr arfer o briodi ond un wraig
ar y tro monogamy
urdd *eb* (urddau)
1 CREFYDD cymdeithas o bobl sy'n byw
bywyd crefyddol, *Urdd y Brodyr Llwydion*;
brawdoliaeth, cymrodoriaeth order
2 cymdeithas o bobl sydd â'r un diddordebau
neu amcanion, *Urdd y Graddedigion*; clwb,
cylch guild
3 *hanesyddol* undeb o grefftwyr neu fasnachwyr i
ddiogelu safonau crefft arbennig a buddiannau'r
aelodau, *Urdd y Gofaint Aur*; gild guild
4 un o'r tair adran (gwyn, gwyrdd neu las)
y mae aelodau Gorsedd Beirdd Ynys Prydain yn
perthyn iddi
5 BIOLEG un o brif gategorïau dosbarthiad
biolegol pethau byw; mae'n is na dosbarth
ac yn uwch na theulu order
Urdd Gobaith Cymru mudiad i blant a phobl
ifanc a sefydlwyd gan Ifan ab Owen Edwards
yn 1922
urdd marchog y fraint a gyflwynir gan frenin
neu frenhines Lloegr i ŵr a gaiff wedyn ei alw'n
'Syr' knighthood
Ymadrodd
urddau sanctaidd CREFYDD swydd offeiriad,
bod â hawl i weinyddu yng ngwasanaethau'r
Eglwys holy orders
urddas *eg*
1 ymddygiad ffurfiol, digyffro; gweddeidd-dra
dignity
2 gwir foneddigeiddrwydd o ran cymeriad,
ymddygiad a golwg; gwychder, mawredd nobility
urddasol *ans*
1 llawn urddas; breiniol, dyrchafedig,
pendefigaidd dignified, noble, stately
2 am achlysur sy'n cyflawni ac yn cyflwyno
urddas; anrhydeddus, ysblennydd dignified,
stately, august

u

urddedig *ans* wedi'i urddo ordained

urddiad *eg* y seremoni neu'r broses o urddo; ordeiniad ordination

urddo *be* [urdd•¹] derbyn neu wneud rhywun yn aelod o urdd (drwy seremoni arbennig, fel arfer), cyflwyno anrhydedd i rywun, derbyn (rhywun) i anrhydedd; anrhydeddu, arwisgo, breinio, gorseddu (~ *rhywun yn*) to dub, to invest, to ordain

urddwisg *eb* (urddwisgoedd)
1 gwisg swyddogol neu seremonïol vestment
2 CREFYDD unrhyw un o'r gwisgoedd ffurfiol a ddefnyddir gan offeiriad mewn defod neu wasanaeth eglwysig vestment

Uruguayaidd *gw.* Wrwgwaiaidd

us *eg ac ell*
1 croen allanol, ysgafn grawn ŷd, e.e. gwenith a barlys; hedion, peiswyn, torion chaff
2 ffurf luosog usyn glumes
3 pethau neu weddillion diwerth

ust:hust *ebychiad* bydd(wch) yn dawel! taw/tewch! hush, sh

ustus *eg* (ustusiaid) CYFRAITH barnwr neu ynad, yn enwedig barnwr yn y Goruchaf Lys magistrate, justice

Ustus Heddwch *gw.* Ynad Heddwch

usuriaeth *eb* yr arfer o fenthyca arian gan godi crocbris o log neu log anghyfreithlon o uchel ar yr ad-daliad usury

usuriwr *eg* (usurwyr) un sy'n arfer usuriaeth userer

usyn *eg* (us) BOTANEG darn syth fel eisinyn wrth fôn y blodyn mewn glaswellt neu borfa glume

utgorn *eg* (utgyrn)
1 offeryn pres wedi'i lunio o diwb hir o fetel gyda falfiau i'w gwasgu i newid y traw; trwmped trumpet
2 hen offeryn cerdd seremonïol a chrefyddol ar ffurf tiwb hir o bres neu fetel yn agor ar ffurf cloch yn un pen a lle i chwythu drwyddo yn y pen arall; corn clarion, trumpet
3 fersiwn modern o'r offeryn seremonïol, e.e. y rhai a ddefnyddir yn seremonïau'r Orsedd yn yr Eisteddfod Genedlaethol; corn clarion, trumpet

uwch *ans*
1 mwy uchel
2 mwy academaidd, yn gofyn am fwy o allu, hyfforddiant neu drefniant, *Canolfan Uwchefrydiau Cymreig a Cheltaidd* advanced, higher
3 swyddog â mwy o ofal neu gyfrifoldeb, *uwch-gynhyrchydd, uwch-lyfrgellydd* senior

uwchallgyrchydd *eg* (uwchallgyrchyddion) allgyrchydd sy'n troelli ar gyflymder uchel iawn ac sy'n gwahanu moleciwlau biolegol neu ronynnau a'u hachosi i ddisgyn i waelod hylif, er mwyn medru eu mesur (o ran maint neu bwysau) ultracentrifuge

uwcharolygydd *eg* (uwcharolygwyr) swyddog yn yr heddlu un cam yn uwch nag arolygydd chief superintendent

uwchben *ardd* [uwch fy mhen, uwch dy ben, uwch ei ben, uwch ei phen, uwch ein pennau, uwch eich pennau, uwch eu pennau]
1 mewn lle uwch neu i le uwch, *y cymylau uwchben*; fry, uchod above, overhead
2 yn uwch na, *hedfan uwchben y cymylau* above, over
3 dros, *Roedd y golau wedi'i leoli yn union uwchben y ford.* over

uwchben fy (dy, ei, etc.**) nigon** yn fodlon iawn; wrth fy modd

uwchbridd *eg* (uwchbriddoedd) yr haen uchaf organig o bridd y mae gwreiddiau planhigion yn tyfu ynddi, a'r haen a droir wrth aredig y tir topsoil

uwch-bwyllgor *eg* (uwch-bwyllgorau) pwyllgor sefydlog Tŷ'r Cyffredin sy'n trafod materion penodol, e.e. y rheini sy'n ymwneud â Chymru grand committee

uwchdaflunydd *eg* (uwchdaflunyddion) dyfais sy'n taflunio (drwy ddrych), ar sgrin neu wal, lun wedi'i fwyhau o dryloywder a osodir ar y taflunydd overhead projector

uwchdechnolegol *ans* yn ymwneud â thechnoleg gymhleth, newydd ym maes electroneg high-tech

uwchdenor *eg* (uwchdenoriaid) dyn â llais tenor uwch na thenor arferol ac sy'n debycach i alto gwrywaidd countertenor

uwchdir *eg* (uwchdiroedd) tir uchel, yn enwedig os yw'n bell o'r môr; ucheldiroedd upland

uwchdôn *eb* (uwchdonau) CERDDORIAETH tôn gerddorol sy'n rhan o'r gyfres harmonig uwchben y nodyn sylfaenol ac y gellir ei glywed yr un pryd â'r nodyn sylfaen overtone

uwchdonydd *eg* CERDDORIAETH ail nodyn graddfa ddiatonig supertonic

uwchddargludedd *eg* FFISEG cyflwr mewn rhai metelau ac aloion ar dymheredd isel iawn, pan fydd pob gwrthiant i gerrynt trydanol yn diflannu superconductivity

uwchddargludydd *eg* (uwchddargludyddion) METELEG metel neu aloi sydd, ar dymheredd yn agos iawn i sero absoliwt, yn colli pob gwrthiant i gerrynt trydanol superconductor

uwch-ego *eg* (uwch-egoau) SEICIATREG (mewn seicdreiddiad) un o dair rhan yr ymennydd nad yw'n llwyr ymwybodol; mae'n datblygu o berthynas plentyn â'i rieni, ac yn ymwneud â rheolau ymddygiad yr unigolyn ac yn gweithredu fel cydwybod drwy wobrwyo a chosbi superego

uwchelin *eg* hwmerws; asgwrn hir pen ucha'r fraich yn ymestyn o'r ysgwydd i'r penelin humerus

uwchfarchnad *eb* (uwchfarchnadoedd) siop fawr iawn lle byddwch chi'n casglu'r nwyddau eich hun cyn talu amdanynt supermarket

uwchfioled *ans* fel yn *golau uwchfioled*, golau sydd y tu hwnt i ffin fioled y sbectrwm gweladwy ultraviolet

uwchganolbwynt *eg* (uwchganolbwyntiau) DAEAREG y man ar wyneb y Ddaear yn syth uwchben tarddiad neu ganolbwynt daeargryn epicentre

uwch-gapten *eg* (uwch-gapteiniaid)
1 swyddog ym myddin Prydain sydd un cam yn is nag is-gyrnol a'r swyddog cyfatebol yn y llynges major
2 swyddog uwch ei safle na chapten yn y fyddin (neu awyrlu Unol Daleithiau America) major

uwch-genedlaethol *ans* yn perchen ar bŵer neu ddylanwad sy'n mynd y tu hwnt i ffiniau neu lywodraethau cenedlaethol supranational

uwch-genedlaetholdeb *eg* GWLEIDYDDIAETH dull o wneud penderfyniadau mewn cymunedau gwleidyddol amlryngwladol lle mae pŵer yn cael ei drosglwyddo i awdurdod gan lywodraethau'r aelod-wladwriaethau supranationalism

uwchgynghrair *eb* (uwchgynghreiriau) cynghrair sy'n cynnwys y gorau o'r goreuon premier league

uwchgynhadledd *eb* (uwchgynadleddau) cynhadledd ar gyfer penaethiaid llywodraethau (prif weinidogion, etc.) summit conference

uwchiaith *eb* GRAMADEG ffurf ar iaith neu gyfundrefn o symbolau a ddefnyddir i drafod iaith (neu gyfundrefn o symbolau) arall metalanguage

uwchlaw *ardd* yn uwch na, dros ben; uwchben (~ **i** *rywun neu rywle*) above

uwchlaw pob dim yn fwy pwysig na dim arall above all

uwchlwnc *eg* ffaryncs; rhan o'r bibell fwyd rhwng y geg a'r oesoffagws pharynx

uwchnofa *eb* (uwchnofâu) SERYDDIAETH seren sy'n ffrwydro ac yn mynd yn llawer mwy llachar am gyfnod o rai wythnosau neu fisoedd supernova

uwcholwg *eg* (uwcholygon) lluniad neu gynllun wedi'i dynnu ar blân, e.e. golwg ar wrthrych oddi uchod plan view

uwchradd *ans* fel yn *ysgol uwchradd* (o'i chyferbynnu ag *ysgol gynradd*), ysgol i blant dros 11 oed secondary

uwchraddio *be* [uwchraddi•²] newid rhai priodweddau a chodi pris (cyfrifiadur, etc.) heb wella'i ansawdd sylfaenol to upgrade

uwch-ringyll *eg* (uwch-ringylliaid) swyddog yn y fyddin sydd un safle'n uwch na rhingyll, ac yn llenwi'r bwlch rhwng y swyddogion sydd wedi derbyn comisiwn a'r rheini nad ydynt wedi derbyn comisiwn sergeant major

uwchsain[1] *eg* (uwchseiniau) FFISEG sain ag amledd sy'n uwch na'r hyn y mae'r glust ddynol yn gallu ei ganfod (h.y. yn uwch na 20,000 hertz); fe'i defnyddir yn aml i greu delweddau meddygol, e.e. sgan uwchsain ar fenyw feichiog ultrasound

uwchsain[2] *ans* FFISEG (am amledd tonnau sain) yn uwch na therfyn uchaf clyw dynol ultrasound, ultrasonic

uwchsonig *ans* FFISEG (am awyren neu wrthrych arall) yn teithio ar fuanedd uwch na buanedd sain supersonic

uwchwaddod *eg* CEMEG hylif sy'n gorwedd ar ben gwaddod yn dilyn proses o waddodi, allgyrchu, etc. supernatant

uwchysgrif:uwchysgrifen *eb* (uwchysgrifau) llythyren, rhif neu symbol uwchben a osodir, gan amlaf, ar ochr dde llythyren arall, e.e. a^3 superscript

uwd *eg* bwyd meddal wedi'i wneud drwy ferwi llaeth (neu ddŵr) yn gymysg â blawd ceirch porridge

uwd bariwm gw. bariwm

Uzbekistanaidd gw. Wsbecistanaidd

V

v:V *eb* nid yw'n cael ei hystyried yn llythyren o fewn yr wyddor Gymraeg ond daw ar ddechrau geiriau benthyg

vade mecum *eg* llawlyfr

velouté *eg* COGINIO math o gawl 'melfedaidd' wedi'i wneud drwy gymysgu menyn, blawd ac isgell iâr, llo neu borc

verboten *ans* gwaharddedig (gan awdurdod)

vers libre *eg* y wers rydd; barddoniaeth nad yw'n dilyn patrymau traddodiadol

vibrato *eg* CERDDORIAETH cryndod neu amrywiadau bach, cyflym yn y traw wrth ganu neu ganu rhai offerynnau cerddorol, gan gynhyrchu tôn gryfach neu fwy cyfoethog

v. inf. *byrfodd* talfyriad o'r Lladin *vide infra*, â'r ystyr 'gweler isod'

vin ordinaire *eg* (*vins ordinaires*) gwin rhad, pob dydd

vis-à-vis *ardd* mewn perthynas â

viva *ebychiad* hir oes!

vivace *adf* ac *ans* CERDDORIAETH mewn tempo cyflym iawn a bywiog

viva voce *eg* arholiad llafar

volte-face *eg* tro pedol (o ran dadl neu safbwynt)

vox pop *byrfodd* talfyriad o'r Lladin *vox populi*, llais y bobl

vs *ardd* talfyriad o'r Lladin *versus*, yn erbyn

W

w:W *eb*

1 llafariad ac wythfed lythyren ar hugain yr wyddor Gymraeg; ar ddechrau gair, gall fod yn ganlyniad treiglo g yn feddal, e.e. *dau ŵr* w, W

2 fel llafariad bur mae iddi'r un ynganiad â'r 'w' yn 'wrth' ac 'wrlyn'

3 fel lled-lafariad ('w' gytsain) mae iddi'r un ynganiad â'r 'w' yn 'wel' a 'wiced'
   Sylwch: 'ac' a ddefnyddir o flaen 'w' gytsain ac 'w' lafariad.

w' *ebychiad tafodieithol, yn y De* talfyriad o '(g)ŵr', *Dere mlaen w'.* mun

'w *rhagenw dibynnol mewnol*

1 (trydydd person unigol a lluosog genidol) yn eiddo iddo ef; yn eiddo iddi hi; yn eiddo iddynt hwy/iddyn nhw, *Awn ni i'w tai nhw – i'w thŷ hi yn gyntaf ac yna i'w dŷ ef.*; ei . . . (ef); ei . . . (hi); eu . . . (nhw) his, her, its, their

2 (trydydd person unigol a lluosog) fe'i defnyddir i gyfleu gwrthrych ymadrodd berfol, *Awn ni i'w weld e, ond awn ni ddim i'w gweld hi.*; ef, hi, hwy/nhw him, her, it, them
   Sylwch:
   1 dim ond ar ôl 'i' y defnyddir ''w';
   2 mae ''w' gwrywaidd yn achosi'r treiglad meddal, mae ''w' benywaidd yn achosi'r treiglad llaes ac ychwanegu 'h' o flaen llafariad, nid yw ''w' lluosog yn achosi treiglad ond mae'n achosi ychwanegu 'h' o flaen llafariad.

wâc *eb tafodieithol, yn y De* tro walk
  wâc laeth y cylch y byddai busnes llaeth (yn Llundain yn enwedig) yn ei gyflenwi â llaeth bob dydd milk round

wad:whad *eb tafodieithol, yn y De* ergyd, clatsien, trawiad blow, slap

wadi *egb* (wadïau) DAEARYDDIAETH dyffryn afonol, yn aml ar ffurf ceunant, mewn ardal gras neu letgras sydd gan amlaf yn sych ac eithrio yn dilyn glaw trwm, ysbeidiol; sychnant wadi

wadin *eg*

1 defnydd trwchus, meddal, a ddefnyddir i bacio pethau, i lenwi tyllau neu at ddefnydd meddygol wadding

2 gwlân cotwm cotton wool

wado:whado *be* [wad•¹] *tafodieithol, yn y De* bwrw, clatsio, curo, waldio to beat, to wallop
  wada/whada bant ymlaen â thi get on with it

waeth fel yn *waeth inni heb* gw. **gwaeth**

waffer *eb* (wafferi)

1 bisged denau, grimp, felys, yn enwedig un a fwyteir gyda hufen iâ wafer

2 afrlladen; y darn tenau o fara croyw a gysegrir yng ngwasanaeth y Cymun communion wafer

waffl *egb* (wafflau) teisen o gytew ac iddi wyneb fel bisged waffle

wagen *eb* (wagenni) cerbyd â phedair olwyn ar gyfer cludo llwythi trymion; mae'n cael ei thynnu, fel arfer, gan geffyl, lorri neu injan drên; cart, gwagen, men, trol truck, wagon
  wagen do cert ceffyl a gorchudd drosto y gellir byw ynddo covered wagon

wal *eb* (waliau:welydd)
  1 adeiladwaith o gerrig neu friciau, wedi'i godi er mwyn amgáu, rhannu, cynnal (nenfwd neu do) neu amddiffyn (rhywbeth); mur wall
  2 ymyl tŷ, ystafell neu rywbeth arall sydd â gwacter o'i fewn wall
  3 unrhyw beth sy'n debyg i wal neu fur o ran golwg neu ddefnydd wall
  mynd i'r wal methu, mynd yn fethdalwr to go to the wall

walabi *eg* (walabïaid) anifail bach o Awstralia sy'n perthyn i deulu'r cangarŵ wallaby

walblad *eb* (walbladau) trawst (o bren, fel arfer) yn gorwedd ar hyd pen mur sy'n sylfaen i sicrhau trawstiau'r to iddo wallplate

walbon *eg*
  1 defnydd cornaidd a geir mewn platiau hyd at 4 metr o hyd y tu mewn i gern uchaf rhai mathau o forfilod sy'n eu defnyddio i ridyllu plancton o'r môr o'u cwmpas whalebone
  2 haen denau o'r defnydd hwn (neu ddefnydd artiffisial tebyg) a ddefnyddir i stiffáu coleri, etc. whalebone

waldio *be* [waldi•²] taro rhywun neu rywbeth yn galed iawn; bwrw, clatsio, curo, wado to beat, to wallop

waled *eb* (waledau)
  1 math o fag bach gwastad wedi'i lunio o ledr, fel arfer, sy'n ffitio i boced i ddal arian papur, cardiau credyd neu ddogfennau tebyg wallet
  2 plygydd neu gasyn gwastad i ddal papurau wallet

walrws *eg* (walrysod) mamolyn mawr sy'n perthyn i'r morlo ac sy'n byw yng nghefnfor Arctig; mae ganddo ddau ddant hir, llym yn wynebu tuag i lawr; morfarch walrus

walts *eb* (waltsiau)
  1 CERDDORIAETH dawns ffurfiol â thri churiad i'r bar a phatrwm troedio o gam a cham a chau waltz
  2 CERDDORIAETH cerddoriaeth ar gyfer walts neu gyfansoddiad yn rhythm nodweddiadol walts waltz

waltsio *be* [waltsi•²] CERDDORIAETH dawnsio walts to waltz

Walwniad *eg* (Walwniaid) brodor o ardal yn nwyrain a de Gwlad Belg ac ardaloedd cyfagos yn Ffrainc lle y siaredir Walwneg Walloon

warantî *eb* (warantïau)
  1 gwarant ysgrifenedig warranty
  2 (mewn cytundeb yswiriant) gwarant; ymrwymiad gan y sawl a yswirir bod datganiadau a wneir ganddo yn wir ac y cyflawnir amodau y byddai eu torri yn ddirymu'r cytundeb warranty

ward *eb* (wardiau)
  1 ystafell mewn ysbyty â gwely neu welyau ynddi ward
  2 etholaeth neu raniad gwleidyddol mewn dinas neu dref fawr ward

warden *eg* (wardeniaid)
  1 un sydd â chyfrifoldeb am ofalu (am rywbeth); ceidwad, gwarcheidwad warden
  2 swyddog â dyletswyddau gweinyddol neu arolygol arbennig, e.e. warden traffig warden

wardeniaeth *eb* swyddogaeth a chyfrifoldebau warden wardenship

wardrob *eb* (wardrobau) cwpwrdd dillad wardrobe

warpio *be* [warpi•²] troi ar ŵyr, mynd yn gam (am rywbeth, e.e. darn o bren a fu unwaith yn llyfn ac yn wastad); camu, ystumio to warp

warws *eg* (warysau) adeilad neu ystafell ar gyfer storio nwyddau; stordy, storfa, storws warehouse

wasier *eb* (wasieri) cylch tenau o fetel, rwber neu blastig fel arfer, a ddefnyddir mewn uniadau mecanyddol i wasgaru gwasgedd, i sicrhau bod uniadau'n dynn neu eu hatal rhag gollwng washer

wast *eg* defnydd sydd wedi cael ei ddefnyddio, nad yw'n dda i ddim bellach; gwastraff waste

wastad *adf* bob tro, yn rheolaidd, *Mae John wastad yn hwyr.* always

wat *eg* (watiau) uned fesur safonol o bŵer; mae'n cyfateb i un Joule o egni bob eiliad neu i'r pŵer trydanol pan fydd foltedd o 1 folt yn peri i gerrynt o 1 amper lifo; W watt, W

watedd *eg* FFISEG y swm o bŵer sydd ei angen ar beiriant wedi'i fynegi'n watiau wattage

watsh *eb* (watshys) cloc bach a wisgir ar yr arddwrn neu sy'n cael ei gario mewn poced; oriawr watch

Wcreinaidd *ans* yn perthyn i Ukrain, nodweddiadol o Ukrain Ukranian

Wcreiniad *eg* (Wcreiniaid) brodor o Ukrain, un o dras neu genedligrwydd Wcreinaidd Ukranian

wch chi *ebychiad* talfyriad ar lafar o 'a wyddoch chi?'

weber *eg* (weberau) uned fesur safonol o fflwcs magnetig weber

webin *eg* math o dâp cul o wead tyn ar gyfer dal

w

pwysau, a ddefnyddir i wneud gwahanol fathau o strapiau webbing

wedi *ardd*

1 ar ôl (o ran amser), *dau ddiwrnod wedi'r Nadolig, hanner awr wedi chwech*

2 mewn ymadroddion megis *coeden wedi cwympo, tocynnau wedi'u dychwelyd*

3 yn rhediad periffrastig (neu hir) y ferf, *Mae ef wedi gweld.*

Sylwch: 'ac wedi' sy'n gywir, nid 'a wedi'.

wedi hynny yn dilyn, ar ôl, *Aethom i Gaerdydd i ddechrau ac wedi hynny aethom ymlaen i Lundain.*; nesaf, wedyn after that, then

wedyn *adf*

1 ar ôl hynny, wedi hynny, *Mae'n rhaid inni gael esgidiau yn gyntaf, ond fe awn ni i'r siop deganau wedyn.* afterwards

2 yn dilyn hynny, *A beth a ddaeth wedyn?; Y noson wedyn.*; nesaf next, then

Sylwch: 'ac wedyn' sy'n gywir, nid 'a wedyn'.

na chynt na chwedi/chwedyn hen ffurfiau ar 'wedyn' sydd wedi goroesi mewn rhai ymadroddion nor before nor after

Wehrmacht eg lluoedd arfog yr Almaen 1921–45

weindio *be* [weindi•²] tynhau rhannau symudol drwy droi rhywbeth, *weindio cloc*; dirwyn (~ *rhywbeth o gwmpas*) to wind

weipar *eg* (weipars) stribyn o rwber y mae modd ei osod ar waith o du mewn cerbyd i lanhau neu sychu ochr allanol ffenestr (flaen neu ôl) wiper

weipen *eb* (weips) fel yn *taflu weips at* (rywun), sen, sarhad, drygair sideswipe, snide remark

weiren *eb* edefyn o fetel; gwifren wire

weiren bigog math o wifren a phigau byr, bachog wedi'u gwasgaru drosti barbed wire

weiren gaws weiren denau a ddefnyddir i dorri caws cheese wire

weiriad *eg* y broses o weirio, canlyniad weirio; cyfundrefn o wifrau yn cylchredeg trydan wiring

weirio:weiro *be* [weiri•²] cysylltu gwifrau ynghyd, yn enwedig mewn system drydan; gwifro (~ *rhywbeth* **wrth**) to wire

weithian *adf* o'r diwedd, o'r awrhon; bellach, at last

weithiau *adf* ar adegau, ambell waith, o dro i dro occasionally, sometimes

wejen *eb* merch sy'n gariad i sboner girlfriend

wel *ebychiad* mynegiant o syndod, amheuaeth, etc. well!

weldiad:weld *eg* (weldiadau) uniad sydd wedi'i weldio; asiad weld

weldiad bôn uniad o ddau ddarn o ddefnydd (e.e. darnau o fetel) nad ydynt yn gorgyffwrdd wedi'i greu drwy weldio; bôn-asiad, bôn-uniad butt weld

weldio *be* [weldi•²] uno dau ddarn neu gydran o fetel drwy ddefnyddio gwres i doddi eu harwynebau a'u huno drwy wasgu neu forthwylio (~ *rhywbeth* **wrth**) to weld

weldio arc dull o weldio sy'n defnyddio'r gwres a gynhyrchir gan arc trydan i uno metelau arc welding

weldio mig dull o weldio sy'n defnyddio egni trydanol i doddi'r metelau sydd i'w huno mig welding

weldiwr *eg* (weldwyr) un sy'n arbenigwr ar weldio welder

wele *ebychiad* 'Gwêl yma!' behold

Sylwch: mae'n achosi'r treiglad meddal.

welington *eb* (welingtons) esgid dal o rwber sy'n gwrthsefyll dŵr, esgid law; bwtsiasen wellington

welydd *ell* lluosog **wal**

wermod lwyd *eb* planhigyn â blas chwerw a ddefnyddir weithiau fel moddion neu mewn rhai mathau o wirodydd; wermwd wormwood

wermwd lwyd *eg* ffurf ar **wermod lwyd** wormwood

Wesleaeth *eb* CREFYDD athrawiaeth a threfniadaeth yr Eglwys Fethodistaidd a sefydlwyd gan John Wesley ac a nodweddir gan symud gweinidogion o ardal i ardal yn rheolaidd Wesleyanism

wfwla *eg* (wfwlâu)

1 ANATOMEG darn o gnawd (tebyg i dafod bach) yng nghefn y daflod feddal sy'n hongian uwchben y mynediad i'r gwddf uvula

2 unrhyw ddarn tebyg a geir yn un o organau'r corff, e.e. wrth geg y bledren uvula

wfft *ebychiad* ebychiad yn dilorni ac yn gwrthod ystyried (y fath beth), *Naw wfft i'r fath ddwli!* stuff and nonsense

dau wfft iddo:dwbwl wfft iddo tut-tut

wfftio:wfftian *be* [wffti•²] gwrthod ystyried, *Mae fy nhad yn wfftio'r syniad fy mod i am fod yn ddawnsiwr proffesiynol.*; anwybyddu, gwawdio to dismiss, to pooh-pooh

whad gw. **wad**

whado gw. **wado**

whilber *eb* (whilberi) cerbyd bach i ddal llwyth, ag un olwyn neu ddwy y tu blaen a dwy fraich y tu ôl fel y gall un person godi a gwthio'r llwyth; berfa wheelbarrow

whilberaid *eg* (whilbereidiau) llond whilber, llwyth whilber barrowful, barrowload

whilibawan *be* tafodieithol, yn y De tin-droi

Sylwch: nid yw'r ferf hon yn arfer cael ei rhedeg.

whisgi *eg* gwirod neu ddiod feddwol wedi'i gwneud o rawn wedi'i fragu; chwisgi whisky

whit-what gw. **wit-wat**

wic *eg* (wiciau)

1 cortyn yng nghanol cannwyll neu stribyn

o ddefnydd llac ei wead mewn lamp sy'n
amsugno hylif i'w frig (megis paraffîn, olew
neu wêr) drwy weithred gapilari wrth iddo
losgi; pabwyr wick

2 (mewn lamp olew) darn o ddefnydd sy'n
amsugno olew wrth iddo losgi a goleuo;
pabwyr wick

wiced *eb* (wicedi) (mewn criced)

1 y naill neu'r llall o'r ddwy set o stympiau y
mae'r bowliwr yn anelu'r bêl atynt wrth fowlio
wicket

2 cyfnod neu dro batiwr i fatio, *Mae
Morgannwg wedi colli tair wiced am hanner
cant o rediadau.* wicket

wicedwr *eg* (wicedwyr) (mewn criced) y maeswr
sy'n sefyll neu'n cyrcydu y tu ôl i'r wiced yn
barod i ddal y bêl wicketkeeper

Wiener Schnitzel *eg* COGINIO tafell denau o gig
llo a briwsion bara drosti ac wedi'i ffrio

Wi-Fi *byrfodd* (Wireless Fidelity) casgliad o
safonau technegol sy'n caniatáu trawsyrru data
dros rwydweithiau di-wifr Wi-Fi

wig *eg* (wigiau) gwallt ffug wedi'i drefnu i
guddio rhan foel o'r pen neu i guddio gwallt
naturiol; gwallt gosod wig

wigwam *eg* (wigwamiau) math o babell rhai o
lwythau brodorol Gogledd America â ffrâm
fwaog o goed wedi'i orchuddio â chrwyn a
rhisgl wigwam

wilia *be tafodieithol, yn y De* chwedleua
    Sylwch: nid yw'r ferf hon yn arfer cael ei rhedeg.

winc *eb* chwinciad, amrantiad wink

wincian:wincio *be* [winci•²]

1 cau ac agor un llygad yn gyflym fel
arwydd, *Winciodd arno i ddangos nad oedd
yn meddwl yr hyn yr oedd yn ei ddweud.*
(~ ar) to wink

2 goleuo a diffodd yn gyflym am yn ail, e.e. fel
goleuadau melyn car yn dynodi i ba gyfeiriad y
mae am droi to wink

winsh *eb* (winshys)

1 dyfais â weithredir gan fodur neu â llaw i
godi neu i lusgo, yn enwedig un â drwm sy'n
dirwyn rhaff neu gadwyn sy'n sownd wrth y
llwyth sy'n cael ei symud winch

2 cranc neu ddolen i roi mudiant i beiriant,
e.e. carreg hogi winch

winsio *be* [winsi•²] codi neu lusgo gan
ddefnyddio winsh to winch

winwnsyn *eg* (winwns) llysieuyn gwyn neu
borffor, crwn a sawr cryf iddo, a ddefnyddir yn
aml wrth goginio onion

wit-wat:whit-what *ans* am rywun na allwch chi
ddibynnu arno; chwit-chwat, di-ddal, gwamal,
oriog fickle, unreliable

wlna *eg* (wlnâu) ANATOMEG yr hwyaf o'r ddau
asgwrn a geir mewn elin ddynol ulna

wlpan *eg* cwrs dwys dysgu iaith, yn enwedig
cwrs Cymraeg yn seiliedig ar dechnegau dysgu
Hebraeg ulpan

wlser *eg* (wlserau) briw; dolur agored, llidus ar y
croen neu mewn meinwe, e.e. yn y geg, neu yn
y stumog ulcer

wltimatwm *eg* y cynnig terfynol, y cyfle olaf,
yn enwedig mewn sefyllfa lle y bydd trafod yn
gorffen a gweithredu uniongyrchol, e.e. rhyfel,
yn dechrau ultimatum

wltrabasig *ans* DAEAREG am graig igneaidd
sy'n cynnwys mwynau haearn a magnesiwm
yn bennaf a chyfran fach o silica a ffelsbar
ultrabasic

wltramicrosgop *eg* (wltramicrosgopau) FFISEG
dyfais sy'n defnyddio golau gwasgaredig i
astudio gronynnau sy'n rhy fach i'w gweld dan
ficrosgop arferol ultramicroscope

wltramicrosgopig *ans*

1 rhy fân i'w weld dan ficrosgop arferol
ultramicroscopic

2 yn ymwneud ag wltramicrosgop
ultramicroscopic

wmami *eg* (gair benthyg o'r Siapanaeg sy'n
golygu 'blas dymunol') math arbennig o flas ar
fwyd (yn ogystal â melys, sur, hallt a chwerw)
sy'n cyfateb i flas monosodiwm glwtamad
umami

wmbel *eg* (wmbelau) BOTANEG cwlwm o flodau
lle mae coesynnau'r blodau'n codi o un man
canolog i lunio cylch gwastad neu grwm o
flodau, e.e. teulu'r persli umbel

wmbredd *eg* maint anferth, *Mae peth wmbredd
o waith i'w wneud cyn y bydd y lle yn
barod.*; amlder, digonedd, llawer, llwyth
abundance, pile

wnionyn gw. wynionyn

wnsial *ans* am lythyren wedi'i ysgrifennu yn null
llawysgrifau Groeg a Lladin o'r bedwaredd i'r
wythfed ganrif uncial

woblin *eg* bwrlwm o swigod sebon a dŵr a geir
wrth gymysgu'r ddau; trochion, ewyn lather,
soapsuds

woc *eb* (wociau) COGINIO padell ffrio fetel siâp
powlen sydd fel arfer yn cael ei defnyddio i
dro-ffrio bwyd Tsieineaidd wok

wraniwm *eg* elfen gemegol rhif 92; metel
ymbelydrol, ariannaidd a ddefnyddir yn
danwydd mewn adweithyddion niwclear (U)
uranium

Wranws *eg* SERYDDIAETH y seithfed blaned o'r
Haul; cafodd ei henwi ar ôl duw nefoedd y
Rhufeiniaid Uranus

wrasil *eg* BIOCEMEG un o'r prif fasau yn adeiledd
RNA uracil

wrea *eg* BIOCEMEG cyfansoddyn cemegol yn
cynnwys nitrogen sy'n hydoddi mewn dŵr

W

ac sy'n cael ei ffurfio yng nghamau olaf dadelfeniad protein; fe'i ceir yn nhroeth rhai mamolion urea

wreas *eg* BIOCEMEG ensym sy'n catalyddu ymddatodiad wrea yn amoniwm carbonad urease

wreter *eg* (wreterau) ANATOMEG dwythell sy'n cludo troeth o un o'r arennau i'r bledren ureter

wrethra *eg* (wrethrâu) ANATOMEG dwythell sy'n cludo troeth o'r bledren ac allan o'r corff mewn mamolion; yn achos y gwryw mae hefyd yn cludo semen urethra

wrlyn *eg* chwydd, yn enwedig lwmpyn sy'n codi ar ôl ichi fwrw eich pen yn erbyn rhywbeth caled lump, swelling

wrn *eg* (yrnau)
1 llestr addurnedig i ddal llwch rhywun sydd wedi marw a'i gorff wedi'i amlosgi urn
2 cynhwysydd mawr fel drwm ar gyfer gwresogi dŵr, te, coffi, etc. urn

wroleg *eb* MEDDYGAETH cangen o feddygaeth sy'n ymwneud â'r system o bibellau troeth yn y corff urology

wrticaria *eg* MEDDYGAETH cyflwr sy'n ganlyniad i alergedd, lle y ceir talpau coch neu wyn sy'n cosi ar y croen urticaria

wrth *ardd* [wrthyf fi, wrthyt ti, wrtho ef (fe/fo), wrthi hi, wrthym ni, wrthych chi, wrthynt hwy (wrthyn nhw)]
1 mewn cyffyrddiad â, *dawnsio foch wrth foch* by, to
2 yn ymyl, ar bwys, *Arhoswch wrth y drws.*; ger, gerllaw by
3 drwy, *Enillodd ei bywoliaeth wrth ysgrifennu llyfrau.* by
4 mewn mesuriadau, *ystafell ddeg metr wrth wyth metr* by
5 oddi wrth, gan from
6 tuag at; i (rywun neu rywbeth), *Dywedwch wrtho. Trugarha wrthynt. Mae hi'n garedig wrth hen bobl.* to, towards
7 mewn cymhariaeth â, *Nid yw'r daith heddiw yn ddim wrth beth sydd o'n blaenau ni yfory.* up to
8 yn ystod, tra, '*Wrth ddychwel tuag adref / Mi glywais gwcw lon . . .*' (~ *i rywun* wneud (*berfenw*)) while
9 oherwydd, *Wrth ein bod mor dlawd, cawsom grant tuag at ddillad.* because
10 yn ymwneud (yn broffesiynol) â rhywbeth, e.e. *gŵr wrth gerdd, gŵr wrth gyfraith*
Sylwch: mae'n achosi'r treiglad meddal.
rhaid wrth gw. rhaid
wrth fy (dy, ei, etc.) modd gw. bodd
wrth raid er mwyn ateb yr angen, *ychydig o arian wedi'i safio wrth raid*
wrthyf fy hun ar fy mhen fy hun on my own

wrthyf gw. wrth
Wrwgwaiad *eg* (Wrwgwaiaid) brodor o Uruguay Uruguayan
Wrwgwaiaidd *ans* yn perthyn i Uruguay, nodweddiadol o Uruguay Uruguayan
Wsbecistanaidd *ans* yn perthyn i Uzbekistan, nodweddiadol o Uzbekistan Uzbek
Wsbecistaniad *eg* (Wsbecistaniaid) aelod o bobl Dyrcaidd yn byw yn bennaf yn Uzbekistan Uzbek
wstid *eg* edafedd hir, llyfn o wlân a ddefnyddir i greu defnydd cryf heb geden worsted
wtra:wtre *eb* (wtregydd) *tafodieithol* heol neu ffordd fach; beidr, lôn, llwybr, heolig lane
wtrigl *eg* (wtriglau)
1 BIOLEG unrhyw un o'r codennau bach amrywiol (tebyg i bwrs neu boced) a geir mewn anifeiliaid a phlanhigion utricle
2 ANATOMEG y fwyaf o siambrau'r glust ganol utricle
wy *eg* (wyau)
1 y peth sy'n cael ei ddodwy gan y fenyw ymhlith adar, pysgod, ymlusgiaid, pryfed ac anifeiliaid eraill; mae epil neu un bach yn deor (neu'n datblygu) ohono egg
2 cynnwys un o'r rhain (yn enwedig o eiddo iâr) a ddefnyddir fel bwyd egg
3 ofwm; y gell atgenhedlol fenywol mewn anifeiliaid a phlanhigion egg
wy addod wy tsieni, sy'n cael ei adael mewn nyth i symbylu iâr i ddodwy nest egg
wy clwc wy wedi mynd yn ddrwg addled egg
wybren:wybr *eb* (wybrennau) *hen ffasiwn* yr awyr uwch ein pennau, y gofod y mae'r Haul a'r Lloer a'r sêr a'r cymylau i'w gweld ynddo; ffurfafen, nefoedd, nen sky, heavens, firmament
wybrennol *ans* yn ymwneud â'r awyr weladwy, yr Haul a'r sêr celestial
wyddodydd *eg* (wyddodyddion) SWOLEG rhan arbennig o gorff pryfyn a physgodyn benyw ar gyfer gollwng wyau yn eu lle ovipositor
yr wyddor gw. gwyddor
wyf:ydwyf *bf* [bod] 1af unigol Amser Presennol 'bod' I am
wyfa *eb* (wyfeydd) ofari; (mewn mamolion benyw) un o bâr o organau atgenhedlu sy'n cynhyrchu wyau (ofa) a hormonau rhyw ovary
wyffurf *ans* yr un siâp ag wy oval, ovoid
wygell *eb* (wygelloedd) ofari; (mewn mamolion benyw) un o bâr o organau atgenhedlu sy'n cynhyrchu wyau (ofa) a hormonau rhyw ovary
wylo *be* [wyl•¹] colli dagrau; crio, llefain, wylofain (~ *dros*) to cry, to weep
wylo'n hidl llefain yn lli to weep copiously
wylofain *be* llefain yn uchel, wylo a thristáu; galaru, griddfan to lament
Sylwch: nid yw'r ferf hon yn arfer cael ei rhedeg.

wylofus *ans* yn wylo, dagreuol; prudd doleful, tearful

wylun[1] *ans* ar lun wy; wyffurf ovate

wylun[2] *eg* (wyluniau) gwyfyn mawr brown, sy'n hedfan yn y dydd eggar

ŵyn *ell* lluosog **oen**

    ŵyn Melangell ysgyfarnogod; yn ôl yr hanes cafodd ysgyfarnog, a oedd yn cael ei hela, loches gan y Santes a ddaeth yn nawddsant anifeiliaid gwylltion

wyna *be* (am ddafad) geni, bwrw oen to lamb

    Sylwch: nid yw'r ferf hon yn arfer cael ei rhedeg.

    tymor wyna lambing season

wyneb *eg* (wynebau)

    1 rhan flaen y pen o'r ên i'r talcen; gwedd, pryd face, countenance

    2 golwg, *tynnu wyneb*; gwep face

    3 ochr allanol rhywbeth solet, *wyneb llyfn*; arwynebedd, arwedd face, surface

    4 blaen, top neu ochr bwysicaf rhywbeth, *Rhowch y llun ar y llawr a'i wyneb i fyny.* face

    5 natur neu faint teip face

    6 rhan allanol, *wyneb y ddaear*; arwynebedd surface

    7 haen denau, allanol facade, surface

    8 digywilydd-dra, haerllugrwydd, hyfdra, rhyfyg effrontery, impudence

    ar yr wyneb yn ymddangosiadol, heb fod yn ddwfn superficial

    bod â digon o wyneb bod yn ddigon eofn; bod yn ddigon digywilydd to be cheeky enough

    cadw wyneb syth peidio â gwenu to keep a straight face

    crafu'r wyneb bwrw golwg arwynebol heb edrych yn ddwfn i mewn i rywbeth to scratch the surface

    dangos fy (dy, ei, etc.) wyneb mynychu, bod yn bresennol to put in an appearance, to show one's face

    derbyn wyneb parchu rhywun oherwydd ei swydd, ei gyfoeth neu ei olwg ac nid am yr hyn ydyw

    tynnu wyneb hir bod â golwg drist ar ei wyneb make a long face

    wyneb i waered

    1 â rhan uchaf rhywbeth oddi tano yn lle ar yr wyneb; â gwaelod rhywbeth wyneb i fyny

    2 dros bob man, yn flêr neu'n anniben topsy-turvy, upside down

    wyneb yn wyneb yn wynebu ei gilydd face-to-face

wyneb-bwyth *eg* (wyneb-bwythau)

    GWNIADWAITH un o res o bwythau wedi'u hwyneb-bwytho topstitch

wyneb-bwytho *be* GWNIADWAITH pwytho rhes o bwythau ar ochr allanol dilledyn yn ymyl sêm, rhywbeth addurnol, fel arfer to topstitch

    Sylwch: nid yw'r ferf hon yn arfer cael ei rhedeg.

wynebddalen *eb* tudalen ar ddechrau llyfr sy'n cynnwys y teitl ac enw'r awdur a'r cyhoeddwr; dalen deitl title page

wynebddarlun:wyneblun *eg* llun yn rhagflaenu ac, fel arfer, yn wynebu'r ddalen deitl frontispiece

wynebgaled *ans* digywilydd, eofn, haerllug, hy barefaced, impudent

wynebgaledwch *eg* y cyflwr o fod yn wynebgaled; haerllugrwydd, digywilydd-dra impudence, cheek, brazenness

wyneblun gw. **wynebddarlun**

wynebu *be* [wyneb•[1]]

    1 troi blaen yr wyneb neu'r corff i gyfeiriad arbennig, neu fod â'r tu blaen yn edrych i gyfeiriad arbennig, *Mae'r ystafell yma'n wynebu'r gogledd.*; edrych, syllu to face

    2 cyfarfod yn agored heb geisio osgoi, mynd i'r afael â, *Mae hi wedi penderfynu wynebu ei phroblemau yn hytrach na cheisio dianc oddi wrthynt.* to face

    3 yn dod i'n rhan yn y dyfodol, *Yr hyn sy'n ein hwynebu yw methiant llwyr, os parhawn ni yn yr un ffordd.* to face

wynebwerth *eg*

    1 y gwerth a nodir ar wyneb stamp, cyfranddaliad, etc. face value

    2 gwerth arwynebol (a all fod yn wahanol i'r gwir werth) face value

wynebyn *eg* (wynebynnau)

    1 GWNIADWAITH leinin ar ymyl dilledyn sy'n ei gyfnerthu ac sy'n addurn, e.e. coler, cyffiau, etc. facing

    2 DAEAREG dyddodyn yn cynnwys cymysgedd o dywod a/neu glai a cherrig onglog sy'n casglu, drwy broses o rewi a dadmer, ar ymyl llen iâ ac yn cael ei symud ar i waered head

wynepryd *eg* pryd a gwedd wyneb rhywun; golwg, gwedd, ymddangosiad features

wynionyn ffurf lafar ar 'winwnsyn'

wynwns (ffurf lafar) **winwns**

ŵyr *eg* (wyrion)

    1 plentyn i fab neu ferch rhywun grandchild

    2 mab i fab neu ferch rhywun grandson

wyrcws *eg hanesyddol* adeilad, wedi'i godi a'i gynnal ag arian cyhoeddus, lle gallai tlodion fyw a chael bwyd; tloty workhouse

wyres *eb* (wyresau) merch i fab neu ferch rhywun granddaughter

wysg *eg* ôl, llwybr; llwrw wake

    wysg fy (dy, ei, etc.) nghefn a'm tu ôl ymlaen backwards

    wysg fy (dy, ei, etc.) mhen ar ruthr headlong

w

wysg fy (dy, ei, etc.**) nhrwyn**
1 (mynd) lle y mynnaf to follow my nose
2 yn anfodlon, yn groes i'r ewyllys against
my will
wystrysen *eb* (wystrys) un o nifer o fathau o
folysgiaid dwygragennog â chregyn anwastad;
mae rhai mathau yn fwytadwy (yn amrwd) ac
mae rhai yn gallu cynhyrchu perl oyster
wyth *rhifol* (wythau)
1 y rhif sy'n dilyn saith ac yn dod o flaen naw
eight
2 y symbol sy'n cynrychioli'r nifer hwn,
8 neu viii eight
3 y nifer hwn o bobl, pethau, etc., *wyth merch,
wyth car* eight
   Sylwch: mae'n achosi'r treiglad trwynol yn
'blynedd', 'blwydd' ac weithiau 'diwrnod';
yr oedd yn arfer achosi'r treiglad meddal yn
achos 'cant', 'ceiniog', 'punt' a 'pwys'.
wythawd *eg* (wythawdau)
1 ensemble offerynnol neu leisiol sy'n cynnwys
wyth unigolyn octet
2 darn o gerddoriaeth wedi'i gyfansoddi ar
gyfer wyth o gantorion neu offerynwyr octet
3 darn o farddoniaeth yn cynnwys wyth llinell;
rhan gyntaf soned octet
wythbar canol *eg* CERDDORIAETH darn byr
(wyth bar o hyd, fel arfer) yng nghanol cân
boblogaidd sy'n wahanol i weddill y gân
middle eight
wythblyg *ans* maint tudalen a geir drwy blygu
dalen safonol deirgwaith er mwyn creu wyth
tudalen (cefn wrth gefn) octavo
wyth deg *rhifol* (wythdegau) y rhif 80; pedwar
ugain eighty
wythfed¹ *rhifol*
1 y rhifol (rhif trefnol) nesaf mewn trefn ar ôl
'seithfed' eighth

2 rhif 8 mewn rhestr o wyth neu fwy; 8fed
eighth
3 un rhan o wyth, ⅛ eighth
   Sylwch: mae'n achosi'r treiglad meddal o
flaen enwau benywaidd (nid felly enwau
gwrywaidd), yr *wythfed wers.*
wythfed² *eg* (wythfedau) CERDDORIAETH
y pellter rhwng dau nodyn cerddorol o'r un
enw, yr wyth gris sydd rhwng nodyn cerddorol
penodol a'r nodyn nesaf o'r un enw octave
wythnos *eb* (wythnosau)
1 cyfnod o saith niwrnod, yn enwedig y cyfnod
o ddydd Sul i ddydd Sadwrn week
2 y cyfnod o wyth niwrnod o un diwrnod un
wythnos i'r un diwrnod yr wythnos ar ôl hynny,
Byddwn gartref wythnos i ddydd Sul. week
3 y cyfnod o ryw bum niwrnod y mae rhywun
yn arfer ei weithio (fel arfer, dydd Llun i ddydd
Gwener) heb gynnwys y penwythnos week
wythnos diwethaf drwy hir arfer y mae'r 'd'
yn gwrthsefyll treiglo yn dilyn 's'
wythnos gwas newydd cyfnod cychwynnol
rhywun newydd i'w swydd sy'n frwdfrydig ac
yn newid pethau a new broom sweeps clean
wythnosol *ans* yn digwydd bob wythnos neu
fesul wythnos weekly
wythnosolyn *eg* (wythnosolion) cylchgrawn
neu bapur newydd sy'n ymddangos unwaith yr
wythnos weekly
wythonglog *ans* (am siâp) ag wyth ochr ac
wyth ongl octagonal
wythwaith *adf* wyth gwaith
wythwr *eg* (wythwyr) y blaenwr mewn gêm o
rygbi sy'n gwisgo'r rhif 8 ar gefn ei grys; clo
number eight

Y

y¹:Y *eb* llafariad a nawfed lythyren ar hugain yr wyddor Gymraeg; ar ddechrau gair, gall fod yn ganlyniad treiglo *g* yn feddal, e.e. *ei yrfa newydd* y, Y

y²:yr:'r *y fannod* fe'i defnyddir:

1 i gyfeirio at rywun neu rywbeth arbennig, penodol, *Mae gennym fan a char. Y fan yn wyn a'r car yn las.* the

2 o flaen rhywbeth nad oes ond un ohonynt, e.e. *yr Haul, y flwyddyn 1987* the

3 i awgrymu mai'r hyn sy'n ei dilyn yw'r gorau neu'r pwysicaf o'i fath, *Dyma iti 'y' llyfr yn y maes.* the

4 i droi ansoddair yn enw, *y da a'r drwg, y byw a'r meirw* the

5 gydag enw unigol i'w gyffredinoli, *Mae'r gath yn greadur dof ond mae'r tarw yn greadur gwyllt.* the

6 i gyfleu sefyllfa gyffredinol, *yn y gwely, yn y gwaith*

7 i ddangos safon, pris, mesur, etc., *deng milltir ar hugain yr awr, punt y pâr, hanner can ceiniog y llath* per

8 gydag enwau gwledydd yn dechrau â llafariad, *yr Eidal, yr Alban, yr Ariannin, yr Almaen, yr Aifft,* OND 'America', 'Ewrop', 'India', 'Iwerddon'

9 o flaen enwau ieithoedd, *y Gymraeg, y Ffrangeg, yr Almaeneg*

10 o flaen teitlau, *y doctor, y Parch, y Barnwr, yr Arglwyddes*

11 o flaen enwau amryw o wyliau, *y Nadolig, y Pasg, y Sulgwyn*

12 o flaen enwau'r tymhorau (heb briflythyren), *y gwanwyn, yr haf, yr hydref, y gaeaf*

13 yn Gymraeg, o flaen yr ail enw mewn ymadrodd genidol, *mam y plant, hwyl yr eisteddfod, cath y ferch.*

Sylwch:

1 defnyddiwch 'yr' o flaen llafariaid ac o flaen 'h', 'y' o flaen pob cytsain ac o flaen 'w' gytseiniol, *y wyrth, y wythïen,* OND *yr Wyddfa, yr wy;* defnyddiwch 'r' ar ôl llafariad, *dringo'r ysgol, i'r tŷ;*

2 yn achos enwau, nid yw 'll' na 'rh' yn treiglo ar ôl y, *y llong, y rhaw,* ond gellir treiglo 'll' a 'rh' neu beidio os yw 'y' yn cael ei dilyn gan ansoddair sy'n cyfeirio at enw benywaidd, *tair afon, y letaf/lletaf yw hon;*

3 ni ddylid defnyddio 'y' o flaen enwau afonydd (ac eithrio *Y Fenai* ac *Yr Iorddonen*) mewn Cymraeg ffurfiol, cywir;

4 nid oes angen priflythyren pan ddaw'r fannod o flaen enw lle yng nghanol brawddeg, *Gwelodd y Bala yn ymddangos o'r niwl.*

y³:yr *geiryn rhagferfol* fe'i defnyddir:

1 o flaen ffurfiau'r ferf 'bod' (yn yr Amser Presennol a'r Amser Amherffaith) i gadarnhau'r ferf sy'n ei ddilyn, *y mae, yr wyf, yr oeddwn* (mewn iaith lai ffurfiol o flaen ffurfiau 'bod' mae'n talfyrru'n *rwyf, roedd,* etc.)

2 ar ddechrau cymal enwol sy'n cyfeirio at y dyfodol, *Gwn y byddaf yn ei weld yn y ffair. Gobeithiai y byddai'n ei gweld hi yn y ffair.*

y⁴:yr *rhagenw perthynol* fe'i defnyddir i gyflwyno cymal sy'n disgrifio'r gair neu'r geiriau sy'n dod o flaen yr *y* neu'r *yr, Y dyn yr oedd gan yr heddlu ddiddordeb ynddo. Yr ysgol yr arferwn i fynd iddi. Dyna pryd y meddyliais am y peth gyntaf.*

Sylwch:

1 nid yw'n sbarduno treiglad;

2 mae'n cyflwyno cymal genidol, *Dyma'r ferch y lladdwyd ei chwaer., Hwn yw'r arlunydd y prynais ei luniau.;*

3 mae'n cyflwyno'r perthynol dan reolaeth arddodiad, *llyfr y prynais ganddo, y tŷ y'm ganwyd ynddo;*

4 fe'i defnyddir pan fydd y perthynol yn adferfol (yn cyflwyno amser, lle neu ddull), *y diwrnod y caewyd holl siopau'r dref, dyma le y suddodd y llong.*

yb *byrfodd* y bore a.m.

ych¹ *eg* (ychen)

1 tarw wedi'i ddisbaddu sy'n cael ei gadw fel anifail gwaith ac ar gyfer ei gig; bustach, eidion ox, steer

2 un o nifer o fathau o anifeiliaid gwyllt sy'n debyg i'r ych dof; bual ox

ych² *bf* [bod] ffurf lafar ar 'ydych', *Pwy ych chi?*

ych³ *ebychiad* fel yn *ych a fi,* adwaith sydyn i rywbeth cas, annifyr ugh

ych a fideo fideo yn cynnwys lluniau o ryw a thrais a digwyddiadau brawychus video nasty

ychwaith gw. chwaith

ychwaneg gw. chwaneg

ychwanegedd *eg* CYLLID yr egwyddor o fewn yr Undeb Ewropeaidd nad yw'r Undeb yn cyfrannu arian at broject mewn aelod-wladwriaeth oni bai bod yr aelod-wladwriaeth hithau yn cyfrannu additionality

ychwanegiad *eg* (ychwanegiadau)

1 y broses o ychwanegu neu ganlyniad y broses honno, rhywbeth sydd wedi cael ei ychwanegu at rywbeth arall; datblygiad, dilyniant, estyniad, parhad addition, supplement, enhancement

2 (mewn criced) rhediad sy'n cael ei sgorio heb daro'r bêl â bat ac a briodolir i'r tîm sy'n batio yn hytrach na'r batiwr unigol extra

y

ychwanegion *ell* pethau ychwanegol extras

ychwanegol *ans* wedi'i ychwanegu, *Mae'r newyddion drwg diweddaraf yn faich ychwanegol ar y teulu bach.*; atodol extra, additional, added

ychwanegu *be* [ychwaneg•¹]
1 gosod (rhywbeth) gyda rhywbeth arall er mwyn cynyddu'i werth, maint, pwysigrwydd, etc.; adio, amlhau, atodi, (~ *rhywbeth* at) to add, to augment, to supplement
2 dweud hefyd, *Dylwn i ychwanegu ein bod yn hapus iawn â'r cynllun.*; datblygu, helaethu to add

ychwanegyn *eg* (ychwanegion)
1 sylwedd a ychwanegir at sylwedd arall er mwyn ei gadw rhag pydru neu er mwyn iddo weithredu'n fwy effeithiol neu i newid ei briodwedd mewn rhyw ffordd additive
2 adran o ddeunydd atodol ar ddiwedd dogfen neu lyfr; atodiad, codisil appendix, supplement

ychydig¹ *eg* nifer bach, tamaid bach, *Ychydig o bobl oedd yn y gynulleidfa.*; diferyn, mymryn, pisyn, tamaid, (~ o) few
  Sylwch: nid yw'n achosi treiglad.

ychydig² *ans* am rywbeth nad oes llawer ohono, am nifer bach, tamaid bach, *Ychydig fwyd sy'n weddill.*; prin few, little
  Sylwch:
  1 mae'r 'ychydig' yma yn achosi'r treiglad meddal pan ddaw o flaen enw;
  2 ni cheir ond y ffurf gyfartal *mor ychydig.*

ychydig³ *adf* rhyw gymaint, tipyn bach, dim llawer, *Allwch chi symud draw ychydig?* bit, little
  Sylwch: nid yw'r 'ychydig' yma yn achosi treiglad pan ddaw o flaen ansoddair.

ŷd *eg* (ydau) un o nifer o fathau o blanhigion grawn, ynghyd â'r grawn, yn enwedig gwenith ond hefyd haidd, ceirch, etc.; llafur cereal, corn
hen ŷd y wlad y werin ddelfrydol old country folk
ŷd yn ei loes ŷd y mae'i ddail yn melynu

ydfran *eb* (ydfrain) aderyn o deulu'r frân sy'n nythu mewn cytrefi ar frigau coed rook

ydi gw. ydy

ydlan *eb* (ydlannau) *hanesyddol* buarth neu iard (ger ysgubor, yn aml) lle byddai gwair neu ŷd yn cael ei gadw; hefyd grawn cyn cael ei storio; cadlas rickyard

ydrawn *eg* grawn ŷd grain, corn

ydw:ydwyf *bf* [bod]
1 rwyf fi'n bod; wyf I am
2 ateb cadarnhaol i'r cwestiwn '(A) wyt ti . . .?', '(A) ydych chi . . .?'; *ydw* yw'r ffurf gyffredin bellach, a chlywir ffurfiau fel *odw, yndw,* etc. ar lafar yes

ydwyf gw. wyf

ydy:ydi *bf* ffurfiau llafar ar **ydyw**

ydych:ych² *bf* [bod] rydych chi yn bod

ydys:ys² *bf* [bod] *ffurfiol* ffurf Amhersonol Presennol bod one is

ydyw gw. yw¹

Yemeni¹ *eg* (Yemenïaid) brodor o Yemen Yemeni

Yemeni² *ans* yn perthyn i Yemen, nodweddiadol o Yemen Yemeni

yf *bf* [yfed]
1 *ffurfiol* mae ef yn yfed/mae hi'n yfed; bydd ef yn yfed/bydd hi'n yfed
2 gorchymyn i ti yfed

yfadwy *ans* y gellir ei yfed drinkable, potable

yfed *be* [yf•¹ 3 un. pres. yf/yfa; 2 un. gorch. yf/yfa]
1 llyncu diod; drachtio to drink
2 yfed diod feddwol (yn rhy aml ac yn ormodol), codi'r bys bach; diota, llymeitian, potio, slotian to drink, to imbibe, to tipple

yfory:fory *eg* ac *adf* y diwrnod ar ôl heddiw; ar neu yn ystod y diwrnod ar ôl heddiw tomorrow
yfory nesaf peth cyntaf y bore wedyn very next day

yfwr *eg* (yfwyr) un sy'n yfed (diod feddwol yn enwedig); diotwr, llymeitiwr, potiwr, slotiwr drinker

yfflon *ell* yr hyn a geir pan fydd rhywbeth wedi cael ei falu'n gyrbibion, darnau bychain; cyrbibion, rhacs, tameidiau, teilchion smithereens

yng *ardd* ffurf wedi'i threiglo o **yn**, *yng Nghaerdydd, yng Nghymru, ynghylch*

ynganiad *eg* (ynganiadau) y broses o ynganu, canlyniad ynganu, y ffordd y mae rhywun yn ynganu gair neu iaith; cynaniad, geiriad, lleferydd, mynegiant pronunciation, diction

ynganu:yngan *be* [yngan•³ 3 un. pres. yngan/yngana]
1 dweud, llefaru, mynegi, siarad, *Dydy hi ddim wedi yngan gair drwy'r nos.* to speak, to utter
2 gwneud sŵn gair neu lythyren, *Mae'r gantores yn ynganu'n glir.*; cynanu, lleisio, seinio to enunciate, to pronounce

ynghanol *adf* [yn fy nghanol, yn dy ganol, yn ei ganol, yn ei chanol, yn ein canol, yn eich canol, yn eu canol] yn y canol; rhwng, ymhlith, ymysg in the middle of

ynghau *adf* wedi cau, wedi cloi, *Roedd wedi anghofio mai dydd Sul oedd hi a phan gyrhaeddodd y dref cafodd fod y siopau i gyd ynghau.* closed, shut

ynghlwm *adf* wedi'i glymu (yn gorfforol neu'n ffigurol), *carrai esgid ynghlwm wrth ei gilydd, bod ynghlwm wrth ryw orchwyl neu waith;* rhwym, sownd (~ **wrth**) bound, tied up

ynghrog *adf* yn hongian, yn crogi, *Mae basgedaid o flodau lliwgar tu hwnt ynghrog uwchben y drws.* hanging

ynghudd *adf* wedi cuddio, o'r golwg, *Methodd ddod o hyd i'r plant a oedd ynghudd yn eu gwâl ddirgel.*; anweledig, cudd, cuddiedig hidden

ynghwsg *adf* yn cysgu, wedi cysgu, *Mae'r crwban yn treulio misoedd y gaeaf ynghwsg o fewn ei gragen.* asleep, sleeping

ynghyd *adf* yn ogystal â, ac yng nghwmni, gyda'i gilydd, *Fe ddaeth Elwyn ac Enid ynghyd â'r plant a'r wyrion. Eisteddwn ynghyd ar y soffa.* (~ â) together

ynghylch *ardd* [yn fy nghylch, yn dy gylch, yn ei gylch, yn ei chylch, yn ein cylch, yn eich cylch, yn eu cylch] yn ymwneud â, ynglŷn â, mewn cysylltiad â, *Hoffwn eich gweld ynghylch y trefniadau ar gyfer dydd Sadwrn.*; parthed about, concerning, regarding

ynghyn *adf* wedi cynnau, yn llosgi, *Ydy'r tân ynghyn eto?*; fflamboeth, tanllyd alight

ynghynt *adf*
1 yn gynt, o'r blaen before, formerly
2 yn gyflymach faster

ynglŷn *adf* ynghylch, mewn cysylltiad â (~ â) about, concerning, regarding

YH *byrfodd* CYFRAITH Ynad Heddwch JP

yli *bf* [gweld] *tafodieithol, yn y Gogledd* 'wele!', edrych 'ma! look here!

ylwch *bf* [gweld] *tafodieithol, yn y Gogledd* 'welwch!', edrychwch 'ma! look here!

ym *ardd* ffurf wedi'i threiglo o **yn**, *ym Maesteg, ymhell*

ym- *rhag* fe'i defnyddir o flaen berf i ddangos bod yr hyn sy'n digwydd yn effeithio ar y person neu'r peth sy'n ei wneud, e.e. *ymaelodi* (eich gwneud eich hun yn aelod), *ymatal* (eich atal eich hun rhag gwneud rhywbeth)

ŷm *bf* [bod] (ffurf ar 'ydym') rydym ni'n bod

yma¹ *adf*
1 yn y fan hon, yn y lle hwn, *Pwy fydd yma ymhen can mlynedd?*; presennol here
2 ateb plentyn wrth i athro alw enwau plant y dosbarth er mwyn cael gweld pwy sy'n bresennol, *Meirion Evans? Yma!*; presennol present
Sylwch:
1 mae'n ymddangos ei fod yn achosi treiglad yn dilyn ffurfiau 'bod' (a rhai berfau eraill) ond sangiad sy'n achosi'r treiglad, *Mae yma rywun i'ch gweld chi.*;
2 o ran dynodi pellter, mae 'yma' ychydig yn nes nac 'yna' sydd ei hun yn nes nac 'acw'.
hyd yma tan nawr up to now
nac yma nac acw heb fod yn berthnasol, *Dyw'r ffaith ei fod dros ei hanner cant nac yma nac acw.* neither here nor there
yma ac acw fan hyn a fan draw here and there
yma a thraw gw. **draw**

yma² *ans* dangosol anffurfiol am rywun neu

rywbeth sy'n agos neu y sonnir amdano ar y pryd, *y cwpwrdd yma, y ffôn yma, y llenni yma*; hon, hwn, hyn this, these

ymadael:ymado *be* [ymadaw•³ 3 un. pres. ymedy/ymadawa; *llu. gorff.* ymadawsom etc.; 2 un. gorch. ymado/ymadawa]
1 mynd o rywle, mynd ymaith, *Rhowch un gân fach eto cyn ymadael.*; ffarwelio, ffoi, gadael (~ â) to depart, to leave
2 gwahanu, *Rwy'n deall eu bod wedi ymadael â'i gilydd.* to part, to separate
3 marw, fel yn *ymadael â'r fuchedd hon* to depart

ymadawaf *bf* [ymadael] rwy'n ymadael; byddaf yn ymadael

ymadawedig *ans* wedi marw; diweddar deceased, departed

ymadawiad *eg* (ymadawiadau) y broses o ymadael; diflaniad, ecsodus, enciliad, neilltuaeth departure, parting

ymadawol *ans* wrth ffarwelio, wrth ymadael parting, outgoing

ymadewi *bf* [ymadael] *ffurfiol* rwyt ti'n ymadael; byddi di'n ymadael

ymadfer *be* [ymadfer•¹] cryfhau ac adennill iechyd yn raddol yn dilyn salwch to convalesce, to recuperate
cyfradd ymadfer gw. **cyfradd**

ymadferiad *eg* y broses neu'r cyfnod o ymadfer convalescence

ymadferol *ans* yn ymadfer convalescent

ymado gw. **ymadael**

ymadrodd *eg* (ymadroddion) gosodiad byr neu fynegiant mewn geiriau, *Mae 'codi trontolion' yn ymadrodd pert i ddisgrifio gosod eich dwylo ar eich gwasg.*; dywediad, geiriad, mynegiant, priod-ddull expression, phrase
rhan ymadrodd gw. **rhan¹**

ymadroddi *be* mynegi mewn ffordd groyw ar lafar; adrodd, llefaru, traethu to speak
Sylwch: nid yw'r ferf hon yn arfer cael ei rhedeg.

ymadroddus *ans* yn siarad yn goeth, huawdl eloquent

ymaddasiad *eg* (ymaddasiadau) y broses o ymaddasu acclimatization, rehabilitation

ymaddasol *ans* yn ymaddasu adaptive

ymaddasu *be* [ymaddas•¹]
1 cyfarwyddo â hinsawdd arbennig; cynefino (~ â) to acclimatize
2 cynefino â sefyllfa newydd drwy eich cymhwyso eich hun to adapt
plentyn heb ymaddasu plentyn sy'n methu cynefino â hinsawdd neu sefyllfa arbennig maladjusted child

ymaelodi *be* [ymaelod•¹] (eich) gwneud eich hun yn aelod, dod yn aelod; cofrestru, ymrestru, ymuno (~ â) to become a member, to join

ymafael gw. **ymaflyd**

y

ymaflwr *eg* (ymaflwyr) un sy'n ymafael, un sy'n ymgodymu grappler, wrestler

ymaflyd:ymafael *be* [ymafl•³ 3 *un. pres.* ymeifl/ymafla] dal gafael yn, cydio yn (~ **yn**) to seize, to take hold

ymaflyd codwm gw. codwm

ymagor *be* [ymagor•¹ 3 *un. pres.* ymegyr/ymagora]
1 dylyfu gên, agor ceg; safnrythu to yawn
2 agor, ymestyn, *y ddaear yn ymagor o'i flaen* to open, to unfold
3 BOTANEG hollti digymell ffrwyth, anther, sborangiwm, etc. ar hyd llinell naturiol wedi iddynt aeddfedu to dehisce
4 FFISIOLEG (am bibellau gwaed) mynd yn fwy to dilate

ymagwedd *eb* teimlad, emosiwn neu agwedd feddyliol tuag at sefyllfa neu ffaith attitude, approach

ymagweddu *be* [ymagwedd•¹]
1 magu teimlad, emosiwn neu agwedd feddyliol arbennig tuag at (rywun neu rywbeth) (~ **at**) to take an attitude
2 magu teimlad neu agwedd feddyliol ffuantus neu ffug tuag at rywbeth to posture

ymaith *adf*
1 i ffwrdd, nid yma, *Cymerwch ef ymaith.*; bant away, hence
2 i ffwrdd oddi wrthych, *Gwthiodd y nyrsys ymaith a cherdded ar ei ben ei hun.* off
3 (ewch) i ffwrdd!, cer, ewch away

ymarbed *be* [ymarbed•¹] peidio â'i gor-wneud hi er mwyn gallu gwneud rhywbeth arall to save oneself

ymarfer¹ *be* [ymarfer•¹ 3 *un. pres.* ymarfer; 2 *un. gorch.* ymarfer]
1 gwneud rhywbeth drosodd a throsodd er mwyn ei berffeithio, *Bydd gofyn iti ymarfer y piano am hanner awr bob nos os wyt ti am wella.* to practise, to rehearse, to train
2 gwneud rhywbeth (sy'n gofyn am wybodaeth neu ddawn arbennig), *Pan dorrodd y tractor roedd Mr Rees yn falch iawn o'r cyfle i ymarfer yr hen grefft o ladd gwair â phladur.* to practise

ymarfer² *eg* (ymarferion)
1 y broses o ymarfer, o berfformio rhywbeth drosodd a throsodd er mwyn ei berffeithio, *Bydd ymarfer i'r côr nos Lun ac i'r côr a'r gerddorfa nos Fercher.*; rihyrsal practice, rehearsal
2 rhywbeth i'w feistroli drwy fynd drosto a throsto er mwyn dysgu sgil neu sgiliau arbennig exercise

ymarfer corff gweithgarwch sy'n ystwytho'r corff a'i gadw'n heini physical exercise

ymarferiad *eg* (ymarferiadau) gw. **ymarfer²**

ymarferol *ans*
1 yn ymwneud â gweithgarwch (o'i gyferbynnu â theori neu syniadau), *Rydym yn gwneud llawer o waith ymarferol yn y gwersi crefft.*; defnyddiol hands-on, practical
2 y gellir ei wneud neu ei gyflawni, *A yw'n ymarferol i bawb gyfarfod bob nos Fawrth am weddill y gaeaf?* possible, practical, realistic

ymarferoldeb *eg* pa mor ymarferol neu beidio yw rhywbeth practicality, feasibility, viability

ymarferwr:ymarferydd *eg* (ymarferwyr) un sy'n arfer sgiliau practitioner, practician

ymarfogi *be* [ymarfog•¹] dechrau casglu arfau ynghyd to arm

ymarhous *ans* amyneddgar iawn; dioddefgar, goddefgar, pwyllog patient

ymaros *be* [ymarhos•¹¹] sefyll yn ddisyfl er gwaethaf pob anffawd a dioddefaint; dioddef, parhau to endure
Sylwch: ymarhos- a geir yn ffurfiau'r ferf ac eithrio'r rhai sy'n cynnwys *-as-*.

ymarweddiad *eg* y ffordd y mae rhywun yn ymddwyn, yn bihafio neu'n meddwl; agwedd, buchedd, moesau, ymddygiad behaviour, conduct, demeanour

ymarweddu *be* actio, bihafio, gweithredu, ymddwyn to conduct oneself
Sylwch: nid yw'r ferf hon yn arfer cael ei rhedeg.

ymasiad *eg* (ymasiadau)
1 y broses o asio dau beth ynghyd i ffurfio cyfanwaith fusion
2 FFISEG proses niwclear lle mae niwclysau ysgafn yn cyfuno i greu niwclysau trymach, a thrwy hynny yn rhyddhau egni aruthrol fusion

ymasio *be* [ymasi•²] uno â'i gilydd, dod ynghyd, asio, *Bydd ganddi broblemau mawr os nad yw'r fertebrâu'n ymasio'n iawn.* to fuse

ymatal *be* [ymatali•⁵]
1 eich dal eich hunan yn ôl, eich ffrwyno eich hunan, peidio (~ **rhag** gwneud) to refrain, to restrain oneself
2 peidio â defnyddio pleidlais to abstain

ymataliad *eg* (ymataliadau) y broses o ymatal; ymwadiad, ymwrthodiad abstention

ymataliol *ans* yn ymatal abstaining

ymataliwr *eg* (ymatalwyr) un sy'n ymatal; dirwestwr, llwyrymwrthodwr abstainer

ymateb¹ *be* [ymateb•¹ 3 *un. pres.* ymetyb/ymateba; 2 *un. gorch.* ymateb/ymateba] siarad neu wneud rhywbeth fel ateb, *Mae'r cwmni yn disgwyl inni ymateb i'w gynnig erbyn dechrau'r mis.*; ateb, adweithio (~ **i**) to respond, to react

ymateb² *eg* (ymatebion) adwaith, *Rwy'n disgwyl gwell ymateb gan ddosbarthiadau I a II nag a gefais i gennych chi.* reaction, response

ymatebol *ans* yn ymateb, yn adweithio responsive

ymateboldeb *eg* pa mor gyflym neu pa mor llwyr neu beidio y mae rhywun neu rywbeth yn ymateb responsiveness

ymbalfalu *be* [ymbalfal•¹] ceisio chwilio am rywbeth yn y tywyllwch drwy deimlo amdano, hefyd yn ffigurol; chwilmanta, twrio (~ **am**) to fumble, to grope

ymbaratoad *eg* (ymbaratoadau) y broses o ymbaratoi preparation

ymbaratoi *be* [ymbarato•¹⁷] (eich) gwneud eich hun yn barod, ymysgwyd; ymbincio (~ **am**) to prepare oneself

ymbarchuso *be* [ymbarchus•¹] troi'n fwyfwy parchus to become respectable

ymbarél *eb* (ymbarelau) teclyn ar ffurf canopi ar bolyn a ddefnyddir i gysgodi rhag y glaw neu'r haul, ac y gellir ei agor a'i gau; ambarél umbrella

ymbelydredd *eg*
1 FFISEG yr hyn sy'n digwydd pan fydd niwclysau rhai elfennau arbennig, e.e. wraniwm, yn chwalu ac yn allyrru pelydrau gama a/neu ronynnau bychain (sydd, fel arfer, yn niweidiol i bethau byw) radiation, radioactivity
2 y pelydrau a'r gronynnau sy'n cael eu cynhyrchu gan adweithiau niwclear radioactivity

ymbelydrol *ans* yn allyrru ymbelydredd, yn ymwneud ag ymbelydredd radioactive

ymbellhau *be* [ymbellha•¹⁴] pellhau oddi wrth, troi'n ddieithr; dieithrio, gwrthgilio, pellhau (~ **oddi wrth**) to distance oneself, to move away (from)

ymbesgi *be* [ymbesg•¹] bwydo a dod yn dew (~ **ar**) to get fat

ymbil¹:ymbiliad *eg* (ymbiliadau) y weithred o ymbil, cais taer; apêl, deisyfiad, erfyniad, ple entreaty

ymbil²:ymbilio *be* [ymbili•² *3 un. pres.* ymbil/ ymbilia; *2 un. gorch.* ymbil/ymbilia] deisyf yn daer, *ymbil am faddeuant*; apelio, begian, crefu, erfyn (~ **ar** *rywun* **am** *rywbeth* **dros** *rywun*) to beg, to entreat, to plead

ymbilgar *ans* yn ymbil beseeching, imploring

ymbiliwr *eg* (ymbilwyr) un sy'n ymbil supplicant

ymbincio *be* [ymbinci•²] gwisgo colur a phowdr er mwyn bod yn fwy pert; coluro to apply cosmetics, to titivate

ymblaid *eb* (ymbleidiau) carfan neu leiafrif sy'n medru achosi rhwyg o fewn grŵp mawr, e.e. plaid wleidyddol faction

ymbleidiol *ans* yn ymwneud ag ymblaid, nodweddiadol o ymblaid factional

ymbleseru *be* [ymbleser•¹] cymryd pleser mawr mewn rhywbeth (~ **yn/mewn**) to delight, to indulge

ymblethu *be* [ymbleth•¹] ei wau a'i blethu ei hun, *eiddew yn ymblethu rhwng y canghennau* to thread (itself)

ymboeni *be* [ymboen•¹] bod mewn cyflwr o boeni, (eich) poeni eich hun (am rywbeth), mwydro pen; blino, gofidio (~ **am**) to worry oneself

ymborth *eg* cynhaliaeth i fyw; bwyd, lluniaeth, maeth, porthiant food, sustenance, refreshment

ymbortheg *eb* cymhwyso egwyddorion maetheg i'r bwydydd y mae pobl ac anifeiliaid yn eu bwyta dietetics, nutrition

ymborthi *be* [ymborth•¹] cymryd bwyd neu faeth (yn gorfforol ac yn ffigurol); bwyta, llyncu, pori, treulio (~ **ar**) to feed, to feed oneself

ymborthiant *eg* dyraniad neu ddogn o fwyd ar gyfer unigolyn neu boblogaeth yn ôl gofynion meddygol, economaidd neu sefyllfa o argyfwng nourishment, sustenance

ymborthwr *eg* (ymborthwyr) dyfais sy'n gollwng bwyd, e.e. i anifail wedi'i gaethiwo feeder

ymbwyllo *be* [ymbwyll•¹] aros a meddwl heb wylltu, cymryd pwyll; ymdawelu to pause, to reflect

ymchwalu *be* [ymchwal•³] datgymalu, dadfeilio, torri'n ddarnau to disintegrate

ymchwil *eb*
1 y gwaith o chwilio'n ddyfal ac yn ofalus am ffeithiau, *Mae ymchwil newydd yn dangos bod gobaith i wella canser.* research
2 astudiaeth arbennig a manwl o ryw destun er mwyn darganfod pethau newydd amdano, *myfyriwr ymchwil* research

ymchwilgar *ans* chwannog i ymchwilio; chwilfrydig, chwilgar inquiring

ymchwiliad *eg* (ymchwiliadau) y gwaith o edrych i mewn i rywbeth yn ofalus, o chwilio yn ofalus, *Cynhelir ymchwiliad cyhoeddus i achosion y ddamwain.*; archwiliad, ymholiad inquiry, investigation

ymchwiliadol *ans* drwy gyfrwng ymchwiliad, yn defnyddio dulliau ymchwil investigative, investigatory

ymchwilio *be* [ymchwili•²] chwilio'n ddyfal ac yn ofalus am ffeithiau neu achosion; archwilio, chwilota, ymholi (~ **i**) to explore, to investigate, to research

ymchwiliol *ans* yn deillio o ymchwil, nodweddiadol o ymchwil investigative, investigatory, research

ymchwiliwr:ymchwilydd *eg* (ymchwilwyr) un sy'n ymchwilio, un sy'n gwneud gwaith ymchwil; chwiliwr, chwilotwr, porwr explorer, investigator, researcher

ymchwydd *eg* (ymchwyddiadau)
1 symudiad eangderau maith y môr; dygyfor, rhyferthwy swell, surge

y

2 llawnder crwn; chwydd swelling

3 cyfnod o ffyniant mawr boom

ymchwyddo *be* [ymchwydd•¹]

1 codi a gostwng fel tonnau'r môr; dygyfor, tonni to surge, to swell

2 chwyddo gan falchder; ymfalchïo to puff up with pride

ymdaenu *be* [ymdaen•¹] (ei) ledu ei hun, ymestyn, ymledu, *Dawel nos ymdaena . . .* (~ **dros**) to blanket

ymdaith *eb* (ymdeithiau)

1 taith, siwrnai journey

2 y pellter y mae'n bosibl ei deithio mewn diwrnod journey, march

ymdawelu *be* [ymdawel•¹] bod yn fwy tawel, (eich) gwneud eich hun yn fwy tawel, *o'm dolur ymdawelaf*; gorffwys, gostegu, llonyddu, ymlonyddu to settle oneself

ymdawelwch *eg* llonyddwch, tawelwch mewnol repose

ymdebygu *be* [ymdebyg•¹] bod yn debyg i, tyfu'n fwy tebyg; cydweddu, cydymffurfio, cyfateb, ymgyffelybu (~ **i**) to grow alike, to resemble

ymdeimlad *eg* (ymdeimladau) teimlad yr ydych yn ei synhwyro; ymwybod, ymwybyddiaeth feeling, sensation, sense

ymdeimlo *be* [ymdeiml•¹] teimlo (~ **â**) to feel, to sense

ymdeithgan *eb* CERDDORIAETH darn rhythmig o gerddoriaeth, mewn amser triphlyg fel arfer, y gall rhywun ymdeithio iddo march

ymdeithio *be* [ymdeithi•²] cerdded â rhythm pendant fel y mae milwyr yn ei wneud, â chamau yr un hyd, yr un pryd; mynd ar daith to march, to trek

ymdoddadwyedd *eg* gallu rhywbeth i gael ei doddi'n hawdd fusibility

ymdoddbwynt *eg* (ymdoddbwyntiau) y tymheredd pan fydd solid yn ymdoddi melting point

ymdoddi *be* [ymdodd•¹ 3 *un. pres.* ymdawdd/ ymdodda; 2 *un. gorch.* ymdodda]

1 troi o fod yn solid i fod yn hylif; dadlaith, dadmer, meirioli, toddi to melt

2 dod yn rhan o rywbeth mwy, *Er bod ganddo lais da, nid yw'n llwyddo i ymdoddi i leisiau gweddill y côr.*; cydweddu, cymathu, integreiddio to blend, to fuse, to merge

Sylwch: (yn dechnegol) toddi = solid yn troi'n hylif o gael ei wresogi; ymdoddi = troi o fod yn solid i fod yn hylif; hydoddi = sylwedd hydawdd yn troi'n hylif o gael ei gymysgu â hylif.

ymdoddiad *eg* (ymdoddiadau) y broses o ymdoddi fusion

ymdonni *be* [ymdonn•⁹] troi'n donnau bychain, gorchuddio â thonnau bychain; crychu, tonni to ripple, to sway, to undulate

Sylwch: dyblwch yr 'n' ym mhob ffurf ac eithrio yn y rhai sy'n cynnwys -*as*-.

ymdopi *be* [ymdop•¹] dod i ben â rhywbeth, llwyddo i wneud rhywbeth er gwaethaf anawsterau; llwyddo (~ **â**) to cope, to manage

offer ymdopi defnyddiau sydd wedi cael eu llunio er mwyn caniatáu i bobl gyffredin wneud gwaith a fyddai'n arfer gofyn sgiliau crefftwyr megis seiri, peintwyr neu adeiladwyr do-it-yourself items

siop ymdopi siop sy'n gwerthu'r nwyddau hyn DIY shop

ymdorchi *be* [ymdorch•¹] troi a throsi ac ymgorddeddu to writhe

ymdoriad *eg* (ymdoriadau) y broses o ymdorri, toriad sydyn; hollt, rhwygiad rupture

ymdorri *be* [ymdorr•⁹] BIOLEG (am gell, pibell waed, etc.) torri neu rwygo'n sydyn; byrstio to rupture

Sylwch: dyblwch yr 'r' ym mhob ffurf ac eithrio yn y rhai sy'n cynnwys -*as*-.

ymdrafferthu *be* mynd i drafferth i wneud rhywbeth to take the trouble

Sylwch: nid yw'r ferf hon yn arfer cael ei rhedeg.

ymdrech *eb* (ymdrechion)

1 defnydd o rym ac egni corfforol neu feddyliol, ymgais galed, *Nid yw codi am chwech o'r gloch y bore yn ymdrech o gwbl.*; gwaith, llafur, ymroddiad effort, exertion, struggle

2 FFISEG *technegol* y grym sydd ei angen i godi llwyth wrth ddefnyddio trosol; y grym a ddefnyddir i gael unrhyw beiriant i godi neu symud llwyth effort

ymdrechgar *ans* yn ymdrechu; egnïol, gweithgar, ymroddedig busy, energetic

ymdrechiad *eg* (ymdrechiadau) y broses o ymdrechu; greddf neu awydd cryf naturiol i weithredu mewn ffordd arbennig, e.e. i achub eich hun rhag niwed conation, endeavour

ymdrechu *be* [ymdrech•¹] gwneud ymdrech fawr, gwneud eich gorau glas, dygnu arni; brwydro, ceisio, ymlafnio, ymroi (~ **i**) to endeavour, to strive

ymdrechu ymdrech deg gwneud ei orau to fight the good fight

ymdreiddiad *eg* (ymdreiddiadau) y broses o ymdreiddio infiltration

ymdreiddiedig *ans* wedi ymdreiddio infiltrated

ymdreiddio *be* [ymdreiddi•²] anfon neu fynd i mewn i ganol (rhannau neu aelodau rhywbeth), torri i mewn i (rywbeth), *Ymdreiddiodd ysbïwyr y gelyn i fannau mwyaf cyfrinachol y pencadlys. Ymdreiddiodd y mwg i ganol y dillad er bod drysau'r cwpwrdd ar gau.* to infiltrate, to permeate

ymdreiglo *be* [ymdreigl•¹] treiglo, rholio (ei hun) to roll

ymdrin *be* [ymdrini•⁶] delio â, *Roedd yr erthygl yn ymdrin â phroblem diweithdra mewn ffordd sensitif iawn.*; trafod, trin, ymwneud â (~ â) to treat, to deal

ymdriniaeth *eb* (ymdriniaethau) y ffordd y mae rhywbeth yn cael ei drafod neu ei drin, *Roedd yr erthygl yn ymdriniaeth deg ar y ffordd y mae diweithdra'n gallu effeithio ar bobl.*; astudiaeth, trafodaeth, ymresymiad treatment, critique

ymdristáu *be* [ymdrist•¹⁵] bod yn drist, eich gwneud eich hun yn drist to become sad

ymdrochi *be* [ymdroch•¹] mynd i'r dŵr (i nofio fel arfer); ymolchi to bathe

ymdrochwr *eg* (ymdrochwyr) un sy'n ymdrochi bather

ymdroelli *be* [ymdroell•¹] troi, ymgordeddu, *Nant y mynydd . . . yn ymdroelli tua'r pant.*; amdroi, cyfrodeddu, dolennu to meander, to spiral, to wind

ymdroi *be* [ymdro•¹⁷]
1 sefyllian, loetran, gwag-swmera to loiter, to dally
2 bod yn troi, (eich) troi eich hun o gwmpas neu o amgylch to weave oneself around (something)

ymdrwsio *be* [ymdrwsi•²] (eich) trwsio eich hun; ymdwtio, ymbincio to smarten up

ymdrybaeddu *be* [ymdrybaedd•¹]
1 cael mwynhad wrth rolio mewn mwd neu ddŵr dwfn (~ **mewn**) to wallow
2 ymdrechu'n egnïol i beidio â suddo to flounder
ymdrybaeddu mewn trythyllwch ymddwyn fel mochyn yn rholio mewn llaid

ymdwymo *be* [ymdwym•¹] mynd yn dwym, (eich) twymo eich hun; cynhesu, gwresogi, poethi to warm oneself

ymdynghedu *be* [ymdynghed•¹] tyngu llw, addo i'ch hunan i wneud rhywbeth; addunedu, diofrydu, ymrwymo (~ **i**) to vow

ymddafniad *eg* BOTANEG y dafnau o ddŵr neu halwynau a ollyngir gan blanhigyn iach guttation

ymddaliad *eg* (ymddaliadau)
1 y ffordd y mae rhywun yn dal ei gorff yn naturiol neu ar gyfer achlysur neu amgylchiad arbennig posture
2 barn neu gred a goleddir gan rywun conviction

ymddangos *be* [ymddangos•¹ *3 un. pres.* ymddengys/ymddangosa; *2 un. gorch.* ymddangos/ymddangosa]
1 edrych fel pe bai, bod i bob golwg, *Mae'n ymddangos yn eithaf iach.* (~ **yn**; ~ **i** rywun) to seem, to appear
2 dod i'r golwg (gyda'r bwriad weithiau o

dynnu sylw cyhoeddus), *Mae rhifyn cyntaf y cylchgrawn i ymddangos yn ystod wythnos gyntaf mis Hydref. Mae madarch yn ymddangos dros nos.* to appear
3 bod yn bresennol yn ffurfiol mewn llys barn, *Maen nhw i ymddangos gerbron y fainc yr wythnos nesaf.* to appear
4 cymryd rhan mewn drama, cyngerdd, etc., *Bydd yn ymddangos ar lwyfan yr Eisteddfod Genedlaethol am y tro cyntaf.* to appear

ymddangosiad *eg* (ymddangosiadau)
1 y weithred o ymddangos, o ddod i'r golwg; amlygiad appearance
2 pryd a gwedd; diwyg, golwg appearance
3 presenoldeb ffurfiol mewn llys barn appearance

ymddangosiadol *ans* yn ymddangos (ar yr wyneb), i bob golwg apparent, seeming

ymddarostwng *be* [ymddarostyng•¹] (eich) darostwng eich hun (~ **i**) to humble oneself

ymddarostyngiad *eg* y broses neu'r achlysur o ymddarostwng; canlyniad ymddarostwng submission, abasement

cwrdd ymddarostyngiad CREFYDD cyfarfod crefyddol arbennig (cwrdd gweddi) i weddïo am rywbeth arbennig, e.e. glaw ar adeg o sychder

ymddatod *be* [ymddatod•¹ *3 un. pres.* ymddatod/ymddatoda]
1 dod yn rhydd oddi wrth ei gilydd; datglymu to become undone, to disentangle
2 FFISEG (am niwclews atom) chwalu i ffurfio niwclysau llai a gronynnau eraill; gall ddigwydd yn ddigymell neu'n dilyn gwrthdrawiad rhwng y niwclews a gronyn to disintegrate
3 BIOLEG (am sylweddau) mynd drwy broses o ddadelfeniad cemegol neu ffisegol, *Yn ystod treuliad mae moleciwlau mawr, anhydawdd yn ymddatod i ffurfio moleciwlau llai, hydawdd.* to break down

ymddatodiad *eg* (ymddatodiadau)
1 y broses o ymddatod disentanglement
2 FFISEG proses lle mae niwclews atom yn chwalu i ffurfio niwclysau llai a gronynnau eraill disintegration
3 BIOLEG dadelfeniad cemegol neu ffisegol sylwedd, e.e. ymddatodiad amonia yn nitreidiau breakdown

ymddengys *bf* [ymddangos] *ffurfiol* mae ef yn ymddangos/mae hi'n ymddangos; bydd ef yn ymddangos/bydd hi'n ymddangos

ymddeol *be* [ymddeol•¹] rhoi'r gorau i swydd (ar ôl cyrraedd rhyw oedran arbennig, fel arfer); riteirio to retire

oed ymddeol oedran gweithiwr pan fydd yn ymddeol neu pan ddisgwylir iddo ymddeol retirement age

y

ymddeoliad *eg* (ymddeoliadau)
  1 y broses o ymddeol retirement
  2 y cyfnod o amser sydd o'ch blaen ar ôl ichi
  ymddeol retirement
ymddiddan[1] *be* siarad â rhywun; sgwrsio,
  ymgomio (~ *â rhywun am rywbeth*) to converse,
  to chat
  Sylwch: nid yw'r ferf hon yn arfer cael ei rhedeg.
ymddiddan[2] *eg* (ymddiddanion) deialog, sgwrs,
  siarad, ymgom conversation, dialogue, discourse
ymddiddori *be* [ymddiddor•[1]] cymryd diddordeb
  yn (rhywbeth) (~ **yn**) to take an interest in
ymddieithrio *be* [ymddieithri•[2]] cadw draw,
  (eich) dieithrio eich hun; gwrthgilio, ymbellhau
  to distance oneself
ymddifrifoli *be* [ymddifrifol•[1]] dod neu droi'n
  ddifrifol to become serious
ymddihatru *be* [ymddihatr•[1]]
  1 (eich) dadwisgo eich hun, tynnu eich dillad
  oddi amdanoch; dadwisgo, dihatru, diosg,
  matryd to strip, to undress (oneself)
  2 cael gwared ar bethau nad oes arnoch mo'u
  heisiau bellach; ymryddhau to divest (oneself)
ymddiheuriad *eg* (ymddiheuriadau) gair neu
  eiriau sy'n dweud ei bod yn ddrwg gennych
  achosi trafferth, gofid, poen, etc. apology
ymddiheuriad llaes gw. llaes
ymddiheuro *be* [ymddiheur•[1]] dweud ei bod yn
  ddrwg gennych achosi trafferth, gofid, poen,
  etc., syrthio ar fai, gofyn pardwn; ymesgusodi
  to apologize
ymddiheuro'n llaes ymddiheuro'n ddwys ac
  yn ddiffuant to apologize profusely
ymddiheurol *ans* yn ymddiheuro, yn ymesgusodi
  apologetic
ymddinistriol *ans* yn ymwneud ag ymrafael o
  fewn grŵp; cyd-ddinistriol internecine
ymddinoethi *be* [ymddinoeth•[1]] tynnu eich
  dillad oddi amdanoch; ymddihatru to strip
ymddiofrydu *be* [ymddiofryd•[1]] ymwrthod,
  ymwadu ar lw; ymdynghedu to abjure,
  to foreswear
ymddiorseddiad *eg* (ymddiorseddiadau)
  y weithred o ymddiorseddu abdication
ymddiorseddu *be* (am ddarpar frenin
  neu frenhines) ymwrthod yn ffurfiol â'r
  frenhiniaeth to abdicate
  Sylwch: nid yw'r ferf hon yn arfer cael ei rhedeg.
ymddiosg *be* [ymddiosg•[1]] diosg eich dillad;
  ymddihatru to undress
  Sylwch: nid yw'r ferf hon yn arfer cael ei rhedeg.
ymddiried *be* [ymddiried•[1] 3 *un. pres.* ymddiried/
  ymddirieda; 2 *un. gorch.* ymddiried/ymddirieda]
  rhoi eich ffydd yng ngonestrwydd a gwerth
  (rhywun neu rywbeth); coelio, credu, dibynnu,
  hyderu (~ **yn**; ~ *rhywbeth i rywun*) to trust,
  to entrust

ymddiriedaeth *eb* (ymddiriedaethau)
  cred gadarn yng ngonestrwydd a gwerth
  rhywun neu rywbeth, *Er mwyn llwyddo yn y*
  gamp gymnasteg anodd hon mae'n rhaid iddi
  fod ag ymddiriedaeth lwyr yn ei hyffordddwr.;
  cred, ffydd, hyder trust, confidence
ymddiriedolaeth *eb* (ymddiriedolaethau)
  1 y gwaith o ofalu am arian neu eiddo er lles
  eraill ac ar eu rhan trust
  2 grŵp o bobl sy'n gwneud y gwaith hwn trust
  3 eiddo neu arian sy'n cael ei gadw ar ran
  eraill trust
  yr Ymddiriedolaeth Genedlaethol corff
  Prydeinig sy'n gofalu am diroedd ac adeiladau
  hynafol neu brydferth the National Trust
ymddiriedolwr *eg* (ymddiriedolwyr) person
  sy'n gyfrifol am weinyddu eiddo a/neu arian
  ymddiriedolaeth ar ran pobl eraill neu at
  bwrpasau penodedig trustee
ymddiswyddiad *eg* (ymddiswyddiadau) y broses
  o ymddiswyddo resignation
ymddiswyddo *be* [ymddiswydd•[1]] rhoi'r gorau i
  swydd (cyn oedran ymddeol swyddogol,
  fel arfer) to resign
ymddolennu *be* [ymddolenn•[9]] troi neu
  grwydro fel y mae afon yn ei wneud ar draws
  tir gwastad to meander
  Sylwch: dyblwch yr 'n' ym mhob ffurf ac
  eithrio yn y rhai sy'n cynnwys -*as*-.
ymddwyn *be* [ymddyg•[1] 3 *un. pres.* ymddwg;
  2 *un. gorch.* ymddwg] gwneud pethau (mewn
  ffordd dda neu ffordd ddrwg); bihafio,
  gweithredu, ymarweddu to behave
ymddygiad *eg* y ffordd y mae rhywun yn
  ymddwyn; buchedd, moesau, ymarweddiad
  behaviour, conduct, manners
  ymddygiad gwrthgymdeithasol ymddygiad
  sy'n aflonyddu, codi braw neu'n achosi gofid
  i bobl antisocial behaviour
ymddygiadaeth *eb* cangen o seicoleg yn
  seiliedig ar y syniad mai priod waith seicoleg
  yw arsylwi ar ymddygiad yn wrthrychol,
  ac na ddylid ystyried data na ellir eu gwirio
  drwy eu harsylwi, e.e. teimladau a meddyliau
  behaviourism
ymddygiadol *ans* yn ymwneud ag ymddygiad
  neu ymddygiadaeth behavioural
ymddynesu *be* [ymddynes•[1]] dod yn nes (~ **at**)
  to draw near
ymedy *bf* [ymadael] *hynafol* mae ef yn ymadael/
  mae hi'n ymadael; bydd ef yn ymadael/bydd
  hi'n ymadael
ymeflais *bf* [ymaflyd] *ffurfiol* gwnes i ymaflyd
ymegnïo *be* [ymegnï•[8]] cael hyd i nerth ac egni
  to revive
  Sylwch: does dim angen didolnod pan fydd
  dwy 'i' yn dilyn ei gilydd, *ymegniir*.

ymeifl *bf* [ymaflyd] *hynafol* mae ef yn ymaflyd/
mae hi'n ymaflyd; bydd ef yn ymaflyd/bydd hi'n
ymaflyd

ymelwa *be* [ymelw•¹] cymryd mantais mewn
ffordd annheg, er eich lles eich hun, achub
cyfle; manteisio to exploit, exploitation

ymelwad *eg* y broses o ymelwa exploitation

ymennydd *eg* (ymenyddiau:ymenyddion)
ANATOMEG organ meddal y tu mewn i benglog
fertebratau sy'n gyfuniad o gelloedd a ffibrau
nerfol, sy'n rheoli'r meddyliau a'r teimladau
ac sy'n ganolbwynt cyd-drefnu'r synhwyrau a
gweithgareddau nerfol a meddyliol brain

ymennydd bach cerebelwm; y rhan o'r
ymennydd sydd yng nghefn y pen ac sy'n rheoli
cydbwysedd y corff ac yn cydlynu gwaith
y cyhyrau cerebellum

ymennydd uchaf cerebrwm; rhan flaen yr
ymennydd, mae'n cynnwys dau hemisffer ac
mae'n gorwedd dros weddill yr ymennydd;
dyma gartref y prosesau meddyliol yr ydym yn
ymwybodol ohonynt cerebrum

ymenyddiaeth gw. meddyliaeth

ymenyddol *ans* yn perthyn i'r ymennydd,
yn ymwneud â'r ymennydd cerebral

ymenyn gw. menyn

ymerawdwr:ymherodr *eg*
(ymerawdwyr:ymerodron)
1 pennaeth sy'n teyrnasu dros ymerodraeth
emperor
2 gwyfyn mawr â phatrwm llygad ar ei bedair
adain emperor moth

ymerodraeth *eb* (ymerodraethau) grŵp o
wledydd a chenhedloedd o dan un llywodraeth
sy'n cael eu llywodraethu, fel arfer, gan
ymerawdwr empire

ymerodres *eb* (ymerodresau)
1 pennaeth benywaidd ymerodraeth empress
2 gwraig ymerawdwr empress

ymerodrol *ans* yn ymwneud ag ymerawdwr,
nodweddiadol o ymerawdwr (o ran maint neu
rwysg); imperialaidd imperial

ymerodron *ell* lluosog **ymherodr**

ymesgusodi *be* [ymesgusod•¹] gofyn pardwn,
ymddiheuro, e.e. am fynd, am beidio ag
ymgymryd â rhywbeth, etc. to excuse, to excuse
oneself

ymestyn *be* [ymestynn•⁹ 3 *un. pres.* ymestyn/
ymestynna]
1 estyn aelodau'r corff i'w llawn hyd; ymledu
to stretch
2 (ei) estyn ei hun, *Roedd y diffeithwch yn
ymestyn o'n blaenau bob cam i'r gorwel.*;
hwyhau, ymdaenu, ymgyrraedd to extend,
to reach
Sylwch: dyblwch yr 'n' ym mhob ffurf ac
eithrio yn y rhai sy'n cynnwys -*as*-.

ymestyniad *eg* (ymestyniadau)
1 rhywbeth sy'n ymwthio neu'n ymestyn;
estyniad, hwyhad, ychwanegiad projection
2 (yn feddygol) y broses o ymestyn asgwrn sydd
wedi torri er mwyn ei adfer i'w osgo naturiol
extension
3 y gwaith o ymsythu cymal o'r corff fel
bod yr ongl rhwng yr esgyrn yn cynyddu
extension

ymestynnedd *eg* GWNIADWAITH priodwedd
defnydd neu ddilledyn i ymestyn neu gael ei
ymestyn stretch

ymestynnol *ans* yn ymestyn, yn estyn allan
extending

ymesyd *bf* [ymosod] mae ef yn ymosod/mae hi'n
ymosod; bydd ef yn ymosod/bydd hi'n ymosod

ymetyb *bf* [ymateb] *ffurfiol* mae ef yn ymateb/
mae hi'n ymateb; bydd ef yn ymateb/bydd hi'n
ymateb

ymfalchïo *be* [ymfalchï•⁸] bod yn falch o'ch
dawn neu o'ch llwyddiant mewn rhyw faes
arbennig, neu fod yn falch o ddawn neu
lwyddiant (rhywun neu rywbeth) sy'n agos
atoch; gorfoleddu, ymffrostio, ymhyfrydu,
ymlawenhau (~ **yn**) to pride oneself,
to take pride in
Sylwch: does dim angen didolnod pan fydd
dwy 'i' yn dilyn ei gilydd, *ymfalchiir*.

ymfodloni *be* [ymfodlon•¹] (eich) bodloni eich
hun, plygu i'r drefn; cytuno to satisfy oneself

ymfudiad *eg* (ymfudiadau) y broses o ymfudo
emigration, migration

ymfudo *be* [ymfud•¹] gadael eich gwlad eich hun
er mwyn mynd i fyw yn barhaol mewn gwlad
arall; allfudo, mudo (~ **i**) to emigrate

ymfudwr *eg* (ymfudwyr) un sydd wedi gadael
ei wlad ei hun er mwyn byw yn barhaol mewn
gwlad arall emigrant

ymfyddino *be* casglu ynghyd yn barod at ryfel;
arfogi to mobilize
Sylwch: nid yw'r ferf hon yn arfer cael ei rhedeg.

ymfflamychol *ans* yn achosi teimladau
cryf iawn a all arwain at ymladd, *araith
ymfflamychol* inflammatory, volatile

ymfflamychu *be* [ymfflamych•¹] tanio yn
fflamau (hefyd yn ffigurol) to become inflamed,
to inflame

ymffrost *eg* rhywbeth y mae rhywun yn
ymffrostio ynddo, y weithred o ymffrostio;
bost, brol, rhodres boast

ymffrostgar *ans* am rywun sy'n ei ganmol neu
ei frolio'i hunan, neu am osodiad sy'n gwneud
hynny; bocsachus, bostfawr, mawreddog,
rhodresgar boastful

ymffrostio *be* [ymffrosti•²] (eich) canmol eich
hun, honni mewn ffordd ryfygus (eich bod yn
gallu cyflawni rhyw gamp neu eich bod yn well

y

na rhywun arall, etc.); bostio, brolio, clochdar, ymfalchïo (~ **yn**) to boast, to brag

ymffrostiwr *eg* (ymffrostwyr) un sy'n ymffrostio; broliwr, brolgi boaster, braggart

ymffurfio *be* [ymffurfi•²] cymryd ffurf, ei ffurfio ei hun, *Mae patrymau rhew yn ymffurfio ar y ffenestr*.; rhithio to form

ymffyrnigo *be* [ymffyrnig•¹] dechrau colli tymer, colli limpin; cynddeiriogi, digio, gwylltio to become angry

ymgadw *be* [ymgadw•³ 3 *un. pres.* ymgeidw/ ymgadwa]
1 peidio ag ildio, cadw rhag ildio i fympwy neu ddyhead (corfforol, yn aml); ymatal (~ **rhag** gwneud) to abstain, to refrain
2 (eich) amddiffyn eich hun, eich diogelu eich hun to defend oneself

ymganghennu *be* [ymganghenn•⁹] tyfu neu ddatblygu'n ganghennau to branch
   Sylwch: dyblwch yr 'n' ym mhob ffurf ac eithrio yn y rhai sy'n cynnwys *-as-*.

ymgais *egb* (ymgeisiadau) ymdrech i gyflawni rhywbeth, *Methodd pob ymgais i'w hachub.*; arbrawf, cynnig attempt, effort, endeavour

ymgaledu *be* [ymgaled•¹] troi'n galed to harden, to stiffen

ymgaregu *be* [ymgareg•¹] troi yn garreg; ffosileiddio to fossilize, to petrify, to ossify

ymgartrefu *be* [ymgartref•¹] gwneud cartref i chi eich hun, eich gwneud eich hun yn gartrefol; byw, preswylio, trigo, ymsefydlu (~ **yn**) to live, to settle in

ymgarthiad *eg* (ymgarthiadau) y broses o ymgarthu defecation

ymgarthion *ell* y cynnyrch gwastraff sy'n weddill ar ôl i fwyd gael ei dreulio ac sy'n cael ei ollwng o'r perfeddion; cachu, tom faeces

ymgarthu *be* [ymgarth•¹] gollwng ymgarthion o'r corff to defecate

ymgasglu *be* [ymgasgl•³]
1 casglu ynghyd; cwrdd, cyfarfod, heidio, ymgynnull to congregate
2 cynyddu drwy ychwanegiad darnau neu ronynnau o'r tu allan; clystyru, cronni, crynhoi to accrete

ymgecru *be* cweryla, ffraeo, cynhenna, ymryson to quarrel, to squabble
   Sylwch: nid yw'r ferf hon yn arfer cael ei rhedeg.

ymgeidw *bf* [ymgadw] *ffurfiol* mae ef yn ymgadw/mae hi'n ymgadw; bydd ef yn ymgadw/bydd hi'n ymgadw

ymgeisiadau *ell* lluosog **ymgais**

ymgeisiaeth *eb* y broses o ymgeisio candidature

ymgeisio *be* [ymgeisi•²]
1 gwneud cais am rywbeth; cynnig, trio (~ **am**) to apply

2 ceisio gwneud, rhoi cynnig (ar rywbeth) to try, to attempt

ymgeisydd *eg* (ymgeiswyr)
1 un sy'n gwneud cais (ffurfiol ar bapur, fel arfer) am swydd applicant
2 un sy'n sefyll arholiad candidate
3 un sy'n ei gynnig ei hun am swydd neu safle arbennig (megis cael bod yn Aelod Seneddol, yn Aelod Cynulliad neu'n gynghorydd sir), lle mae pobl yn dewis un person i'w cynrychioli candidate

ymgeledd *eg* cymorth, gofal, swcr, trugaredd care, succour

ymgeledd cymwys gwraig dda, dyma'r disgrifiad o Efa a luniwyd gan Dduw yn wraig i Adda, yn 'Llyfr Genesis' yn y Beibl

ymgeleddu *be* [ymgeledd•¹] gofalu â chariad am (rywun), bod yn ofalus o rywun neu rywbeth ac yn gysur iddynt; coleddu, cysuro, esmwytho, swcro to cherish, to succour

ymgeleddwr *eg* (ymgeleddwyr) un sy'n ymgeleddu; un sy'n edrych ar ôl rhywun hen neu fethedig carer

ymgiliad *eg* y broses o ymgilio evacuation, withdrawal

ymgilio *be* [ymgili•²] ymadael â lle neu sefyllfa beryglus, e.e. tref ar adeg o ryfel, adeilad sydd ar dân, etc.; cilio, pellhau, treio, ymbellhau to evacuate, to withdraw

ymgiprys *be* ymladd â rhywun am rywbeth, cystadlu'n galed; brwydro, ymdrechu, ymgeisio, ymryson (~ **am**) to struggle, to tussle, to vie
   Sylwch: nid yw'r ferf hon yn arfer cael ei rhedeg.

ymglywed *be* [ymglyw•⁴] bod yn ymwybodol; synhwyro, teimlo, ymdeimlo (~ **â**) to feel, to feel inclined, to sense

ymgnawdoli *be* cymryd arno gorff a phriodoleddau dynol; dirhau, ymddangos, ymrithio to become incarnate
   Sylwch: nid yw'r ferf hon yn arfer cael ei rhedeg.

Ymgnawdoliad *eg* (Cristnogaeth) dyfodiad Duw i'r byd yng nghorff Iesu Grist Incarnation

ymgodi *be* [ymgod•¹]
1 (eich) codi eich hun; cyfodi, esgyn to lift
2 DAEAREG achosi i ddarn o wyneb y Ddaear godi'n uwch na darnau cyfagos to uplift

ymgodiad *eg* (ymgodiadau) DAEAREG y broses o ymgodi uplift

ymgodol *ans* yn ymgodi uplift

ymgodymu *be* [ymgodym•¹]
1 ymladd â rhywun drwy gydio ynddo a cheisio ei daflu i'r llawr, drwy ymaflyd ynddo a cheisio ei oresgyn; reslo (~ **â**) to wrestle, to grapple
2 mynd i'r afael â phroblem neu dasg anodd; ymgiprys, ymryson to wrestle, to grapple, to contend

ymgodymwr *eg* (ymgodymwyr) un sy'n
ymgodymu wrestler

ymgofleidio *be* [ymgofleidi•²] cofleidio ei gilydd
to embrace

ymgolli *be* [ymgoll•¹] colli ymwybyddiaeth o
bawb a phopeth arall, e.e. wrth weld, darllen
neu glywed rhywbeth hynod o ddiddorol, *Mae
wedi ymgolli'n llwyr yn y llyfr.* to lose oneself

ymgom *eb* (ymgomion) sgwrs anffurfiol rhwng
pobl; cyfnewid newyddion, barn, syniadau,
etc.; ymddiddan, deialog conversation, chat,
discourse

ymgomio *be* cynnal sgwrs; sgwrsio, siarad,
ymddiddan to converse, to chat
Sylwch: nid yw'r ferf hon yn arfer cael ei rhedeg.

ymgomiwr *eg* (ymgomwyr) un sy'n mwynhau
ymgom; sgwrsiwr, siaradwr conversationalist

ymgomwest *eb* cyfarfod i drafod materion
diwylliannol neu ysgolheigaidd conversazione

ymgordeddu *be* [ymgordedd•¹] cyfrodeddu yn
ei gilydd; ymblethu, ymglymu (~ **yn**) to entwine,
to twist

ymgorffori *be* [ymgorffor•¹] cynnwys (o fewn
corff), *Mae'r model newydd yn ymgorffori
pethau gorau'r hen gar, ond yn cynnwys llawer
o bethau eraill hefyd.*; corffori to incorporate,
to embody

ymgorfforiad *eg* (ymgorfforiadau) canlyniad
ymgorffori (rhywbeth) embodiment, epitome

ymgosbol *ans* yn ymarfer hunanddisgyblaeth
lem fel ffordd o ddatblygu'n ysbrydol; asgetig,
ymwadol ascetic

ymgreinio *be* [ymgreini•²] mynd ar eich gliniau
o flaen rhywun, eich darostwng eich hun, eich
gwneud eich hun yn isel o flaen rhywun, llyfu
tin; cowtowio, cynffonna, seboni to grovel,
to crawl, to prostrate

ymgripiad *eg* DAEAREG symudiad araf ond
parhaus malurion a phridd ar i waered dan
ddylanwad disgyrchiant creep

ymgripio:ymgripian *be* [ymgripi•²] symud
yn llechwraidd; cropian, ymlusgo to crawl,
to creep

ymgripiol *ans* yn ymgripio (yn enwedig am
blanhigion); ymlusgol creeping, trailing

ymgroesi *be* [ymgroes•¹] gwneud arwydd y
Groes (arno'i hun) (~ **rhag**) to cross oneself

ymgryfhau *be* [ymgryfha•¹⁴] tyfu'n gryfach
to become stronger

ymgrymiad *eg* (ymgrymiadau) y broses o
ymgrymu obeisance

ymgrymu *be* [ymgrym•¹] plygu eich pen neu
hanner uchaf eich corff fel arwydd o barch neu
o addoliad; moesymgrymu, plygu, ymostwng
to bow

ymgrynhoi *be* [ymgrynho•¹⁸] casglu ynghyd
to come together, to gather together

ymguddio *be* [ymguddi•²] (eich) cuddio eich
hun; celu, llechu, llercian (~ **rhag**) to hide,
to hide oneself

ymgydiad *eg* (ymgydiadau) cyfathrach rywiol
copulation

ymgydio *be* [ymgydi•²] cael cyfathrach rywiol;
cydio (~ **â**) to copulate

ymgyfamodi *be* (eich) cyfamodi eich hun;
ymrwymo (~ **i**) to commit oneself to
Sylwch: nid yw'r ferf hon yn arfer cael ei rhedeg.

ymgyfarwyddo *be* dod yn gyfarwydd â,
dod i ddeall; ymgynefino (~ **â**) to familiarize,
to familiarize oneself
Sylwch: nid yw'r ferf hon yn arfer cael ei rhedeg.

ymgyfathrachu *be* [ymgyfathrach•³] ymwneud
â, delio â (~ **â**) to have dealings with

ymgyfnewid *be* newid lle, gyda'r naill yn
cymryd lle'r llall (~ **â**) to interchange
Sylwch: nid yw'r ferf hon yn arfer cael ei rhedeg.

ymgyfoethogi *be* (eich) cyfoethogi eich hun,
hel eiddo, dod yn gyfoethog to enrich oneself
Sylwch: nid yw'r ferf hon yn arfer cael ei rhedeg.

ymgyfreitha *be* CYFRAITH cynnal achos
cyfreithiol to litigate
Sylwch: nid yw'r ferf hon yn arfer cael ei rhedeg.

ymgyfreithiwr *eg* (ymgyfreithwyr) CYFRAITH
un sy'n dwyn neu'n cymryd rhan mewn achos
cyfreithiol litigant

ymgyffelybu *be* [ymgyffelyb•¹] (eich) cyffelybu
eich hun; ymdebygu (~ **â**) to compare oneself

ymgynghori *be* [ymgynghor•¹] gofyn barn
rhywun, gofyn am gyngor; trafod (~ **â**)
to consult, to confer

ymgynghoriad *eg* (ymgynghoriadau) y broses o
ymgynghori consultation

ymgynghorol *ans* yn cynnig cyngor consultative,
advisory
Sylwch: nid yw'n cael ei gymharu.

ymgynghorwr *gw.* ymgynghorydd

ymgynghorydd:ymgynghorwr *eg*
(ymgynghorwyr)
1 un sy'n cynghori (busnes, llywodraeth, etc.)
adviser, consultant
2 swyddog addysg sy'n cynghori awdurdod
addysg mewn rhyw faes arbennig, *ymgynghorydd
iaith, ymgynghorydd cynradd* adviser
3 meddyg uchel ei swydd mewn ysbyty sy'n
gyfrifol am y driniaeth a roddir i lawer o'r
cleifion ac sy'n cynnig cyngor arbenigol i
gleifion o'r tu allan consultant

ymgynghreirio *be* [ymgynghreiri•²] dod at ei
gilydd i ffurfio cynghrair; uno â, ymuno (~ **â**)
to ally oneself with

ymgyngoriadau *ell* lluosog ymgynghoriad

ymgymalog *ans* ANATOMEG yn cynnwys
cymalau neu segmentau cymalog articulate

ymgymeriad *eg* y broses o ymgymryd undertaking

y

ymgymerwr *eg* (ymgymerwyr) trefnydd angladdau undertaker

ymgymhwyso *be* [ymgymhwys•¹¹]
1 (eich) gwneud eich hun yn gymwys to qualify
2 cyrraedd lefel cydnabyddedig o allu, *ymgymhwyso yn gyfreithiwr* to qualify
Sylwch: ymgymhwys- a geir yn ffurfiau'r ferf ac eithrio'r rhai sy'n cynnwys -*as-*.

ymgymryd *be* [ymgymer•¹] mynd yn gyfrifol, *Pwy sy'n mynd i ymgymryd â'r holl waith o gyfeirio'r amlenni?*; gwneud, ymroi i (~ â) to undertake

ymgymysgu *be* symud ymhlith nifer o bethau neu bobl eraill (heb golli hunaniaeth); cymysgu to mingle
Sylwch: nid yw'r ferf hon yn arfer cael ei rhedeg.

ymgynddeiriogi *be* [ymgynddeiriog•¹] mynd yn fwy ac yn fwy cynddeiriog to get annoyed

ymgynefino *be* [ymgynefin•¹] dod yn gyfarwydd â; ymgyfarwyddo (~ â) to get used to

ymgynnal *be* [ymgynhali•¹³] (eich) cynnal eich hun to support oneself

ymgynnig *be* [ymgynigi•²] (eich) cynnig eich hun; gwirfoddoli (~ am) to put oneself forward

ymgynnull *be* [ymgynull•¹] (am grŵp o bobl) casglu ynghyd, cyfarfod â'ch gilydd; cwrdd, cyfarfod, heidio, ymgasglu to assemble, to congregate, to gather together

ymgyrch *eb* (ymgyrchoedd)
1 cyfres o ymosodiadau neu symudiadau milwrol a phwrpas arbennig iddynt; cyrch, rhuthr campaign, expedition
2 cyfres o weithgareddau wedi'u cynllunio'n arbennig i gyflawni rhyw amcan neu'i gilydd (ym myd busnes neu wleidyddiaeth), *yr ymgyrch llyfrau Cymraeg, ymgyrch etholiadol* campaign, drive

ymgyrchu *be* [ymgyrch•¹] cynnal ymgyrch (~ dros/o blaid/yn erbyn) to campaign

ymgyrchwr:ymgyrchydd *eg* (ymgyrchwyr) un sy'n ymgyrchu; gwrthdystiwr, gwrthryfelwr, protestiwr campaigner, activist

ymgyrraedd *be* [ymgyrhaedd•¹¹] ymdrechu i gyrraedd; amcanu, anelu, cyrchu, ymestyn to strive for
Sylwch: ymgyrhaedd- a geir yn ffurfiau'r ferf ac eithrio'r rhai sy'n cynnwys -*as-*.

ymgysegriad *eg* y broses o ymgysegru devotion

ymgysegru *be* [ymgysegr•¹] (eich) cysegru eich hun, ymroddi'n llwyr; diofrydu, ymroi, ymrwymo (~ i) to consecrate oneself

ymgysuro *be* [ymgysur•¹] (eich) cysuro eich hun (~ yn) to take comfort

ymgysylltu *be* [ymgysyllt•¹] denu diddordeb (~ â *rhywun/rhywbeth*) to engage

ymhél:ymhela *be*
1 cymryd rhan yn, ymwneud â, *ymhél â gwleidyddiaeth* to be involved with, to dabble
2 ymddiddori yn rhywbeth neu ymgymryd â rhywbeth nad yw'n fusnes i chi; ymyrryd (~ â) to meddle, to tamper
Sylwch: nid yw'r ferf hon yn arfer cael ei rhedeg.

ymhelaethiad *eg* y broses o ymhelaethu; ymestyniad elaboration

ymhelaethu *be* [ymhelaeth•¹] ychwanegu rhagor o fanylion at yr hyn sydd wedi cael ei ddweud neu ei ysgrifennu; datblygu, ehangu, helaethu (~ ar) to elaborate, to expand upon

ymhell *adf* yn bell, pellter i ffwrdd, *A oes rhaid teithio ymhell heno?* (~ o) far, afar

ymhellach *adf*
1 rhagor, *Does dim diben i chi holi ymhellach.* further
2 yn fwy pell, *Does gennyf mo'r egni i gerdded un cam ymhellach.* further
3 nes ymlaen, *Bydd ailddarllediad ymhellach ymlaen yn y flwyddyn.* later, further

ymhen *ardd* ar ôl amser by, in

ymhen hir a hwyr gw. **hir**

ymherodr gw. **ymerawdwr**

ymhlith *ardd* [yn ein plith, yn eich plith, yn eu plith] yn gynwysedig yn; ynghanol, ymysg amongst, amid
Sylwch: does dim ffurfiau unigol.

ymhlyg *ans* wedi'i gynnwys o fewn rhywbeth arall ond heb fod yn amlwg felly, *Mae colli'r pencadlys yng Nghymru yn ymhlyg yn y cytundeb i uno'r ddau gwmni.* implicit, implied
Sylwch: nid yw'n cael ei gymharu.

ffwythiant ymhlyg gw. **ffwythiant**

ymhlŷg *ans* wedi'i blygu folded

ymhlygu *be* (mewn rhesymeg) caniatáu cyrraedd casgliad (ar sail yr hyn a gynigir) to imply
Sylwch: nid yw'r ferf hon yn arfer cael ei rhedeg.

ymhoelyd gw. **moelyd**

ymholi *be* [ymhol•¹] ceisio dod o hyd i wybodaeth drwy holi; chwilio, gofyn, ymofyn (~ am) to enquire

ymholiad *eg* (ymholiadau) cais am wybodaeth, *Mae'n ddrwg gennyf, ond Mr Jones sy'n delio ag ymholiadau ynglŷn â chael arian yn ôl.*; cais, cwestiwn, gofyn enquiry, query

ymholwr *eg* (ymholwyr) un sy'n holi (am wybodaeth) enquirer, inquirer

ymhollti *be* [ymhollt•¹]
1 ymrannu, ei rannu ei hun to split, to divide
2 BIOLEG cenhedlu drwy ymrannu yn ddwy gyda'r naill ran a'r llall yn tyfu yn organeb gyfan to subdivide

ymholltiad *eg* (ymholltiadau)
1 BIOLEG y broses o genhedlu drwy ymrannu

yn ddwy gyda'r naill ran a'r llall yn tyfu yn
organeb gyfan fission

2 FFISEG y broses lle mae niwclews atom yn
hollti (gan ryddhau egni ymbelydrol aruthrol)
fission

ymholltog *ans* yn medru ymhollti fissile

ymhongar *ans* yn honni i'w hun stad neu
wybodaeth nad yw'n wir neu'n addas; ffuantus,
hunandybus, mursennaidd, rhodresgar
pretentious

ymhonni *be* [ymhonn•⁹] cymryd arnoch eich
hun; esgus, ffugio to pretend, to pose
Sylwch: dyblwch yr 'n' ym mhob ffurf ac
eithrio yn y rhai sy'n cynnwys -*as*-.

ymhonnwr *eg* (ymhonwyr) un sy'n ymhonni
pretender, imposter, charlatan

ymhoywi *be* [ymhoyw•¹] bywiogi drwyddo;
llonni, sirioli

ymhŵedd *be* crefu, deisyf, erfyn, ymbil
to beseech, to implore
Sylwch: nid yw'r ferf hon yn arfer cael ei rhedeg.

ymhyfrydu *be* [ymhyfryd•¹] ymfalchïo yn
rhywbeth neu fwynhau rhywbeth; gorfoleddu,
ymlawenhau (~ **yn**) to delight in, to revel

ymhyllio gw. myllio

ymlaciedig *ans* wedi ymlacio relaxed

ymlacio *be* [ymlaci•²]
1 gorffwys o'ch gwaith, *Ceisiwch ymlacio cyn
yr arholiadau.*; hamddena to relax
2 (eich) gwared eich hun o dyndra corfforol,
gollwng y tyndra sydd ynoch, *Gorweddwch ar
y gwely ac ymlaciwch gan ddechrau o'ch corun
a gweithio i lawr hyd at fysedd eich traed.*;
gorffwys, llonyddu, ymdawelu to relax

ymladd *be* [ymladd•³ **3** *un. pres.* ymladd/
ymladda; **2** *un. gorch.* ymladd]
1 defnyddio trais yn erbyn rhywun, e.e. mewn
brwydr neu ornest baffio; brwydro, cwffio,
dyrnu, pwnio (~ â *rhywun* am *rywbeth*;
~ **dros**; ~ **yn erbyn**) to fight, to combat
2 cymryd rhan mewn brwydr neu ryfel;
gwrthryfela, rhyfela, sgarmesu, ymgyrchu
to fight
3 ceisio rhwystro, gwrthwynebu, brwydro
yn erbyn rhywbeth, *dynion yn ymladd tân,
ymladd canser*; milwrio to fight
4 cystadlu, *Mae'n ymladd y sedd dros Blaid
Cymru yn yr etholiad.*; ymrafael, ymryson
to fight, to compete

ymladd ceiliogod *hanesyddol* gornest byddai
pobl yn ei threfnu er difyrrwch, sef gornest
rhwng dau geiliog a sbardunau metel
am eu coesau cockfighting

ymlâdd *be* bod yn hollol flinedig to be dead beat,
to be exhausted, to tire
Sylwch: nid yw'r ferf hon yn arfer cael ei rhedeg.

ymladdfa *eb* (ymladdfeydd) gweithred o

ymladd; brwydr, cad, gornest, ymrafael fight,
brawl

ymladdgar *ans* â thuedd i ymladd;
milwriaethus, rhyfelgar, ymosodol, ymrafaelgar
aggressive, bellicose, belligerent

ymladdwr *eg* (ymladdwyr) un sy'n ymladd
(milwr, paffiwr, etc.); hefyd yn ffigurol,
ymladdwr dros gyfiawnder; brwydrwr,
rhyfelwr fighter

ymlaen *adf* yn eich blaen, (yn symud) rhagoch,
Ewch chi ymlaen, arhosaf i yma am ychydig.;
rhagddi ahead, on, onward
o hyn ymlaen o'r amser hwn, o'r funud hon,
*O hyn ymlaen, ni fydd neb yn cael mynd
i'r dref yn ystod amser cinio.* from now on,
henceforth
ymlaen llaw cyn (rhyw amser), rhag blaen,
*Hoffwn gael gwybod ymlaen llaw a ydyw'n
bosibl neu beidio.* beforehand

ymlaesu *be* ymlacio, ymollwng to relax
Sylwch: nid yw'r ferf hon yn arfer cael ei rhedeg.

ymlafnio *be* [ymlafni•²] gweithio'n galed;
dyfalbarhau, dygnu, llafurio, ymdrechu
to strive, to toil

ymlawenhau *be* [ymlawenha•¹⁴] (eich) llonni
eich hun, bod yn llawen; gorfoleddu, sirioli,
ymfalchïo, ymhyfrydu (~ **yn**) to rejoice

ymlediad *eg* (ymlediadau)
1 y broses o ehangu, o ledu expansion,
proliferation, spread
2 y broses o ledaenu, o wasgaru diffusion
3 FFISIOLEG (am gannwyll y llygad, ceg y groth)
y weithred neu'r cyflwr o fynd yn fwy dilation
4 MEDDYGAETH chwydd mawr yn llawn gwaed
mewn rhydweli, wedi'i achosi gan wendid yn
wal y rhydweli aneurysm

ymledol *ans*
1 yn ymledu, yn mynd rhagddo; cynyddol, eang
spreading, contagious
2 yn ei ledu ei hun dilating
parlys ymledol gw. **parlys**

ymledu *be* [ymled•¹]
1 (ei) ledu ei hun, mynd ar led, *Mae'r haint
yn ymledu mor gyflym, does neb yn ddiogel
rhagddo.*; gwasgaru, ymdaenu to spread,
to suffuse, to proliferate
2 FFISIOLEG (am gannwyll y llygad, ceg y groth)
mynd yn fwy; ymestyn to dilate

ymledydd *eg* (ymledyddion) BOTANEG cyffyn
sy'n tyfu ar hyd y ddaear ac yn bwrw
gwreiddiau mewn mannau ar y ffordd runner

ymlid *be* dilyn gan geisio dal a lladd neu
gosbi; erlid, erlyn, hela to chase, to persecute,
to pursue
Sylwch: nid yw'r ferf hon yn arfer cael ei rhedeg.

ymlidiwr *eg* (ymlidwyr) un sy'n ymlid; erlidiwr,
erlynydd, gormeswr persecutor

y

ymlonni *be* [ymlonn•⁹] (eich) llonni eich hun,
bod yn llawen to gladden
Sylwch: dyblwch yr 'n' ym mhob ffurf ac
eithrio yn y rhai sy'n cynnwys *-as-.*

ymlonyddu *be* [ymlonydd•¹] (eich) llonyddu eich
hun; ymdawelu to calm down, to settle down

ymlosgi *be* [ymlosg•¹] (ei) losgi ei hun to combust

ymlosgi digymell y ffordd y mae rhai
defnyddiau hylosg yn hunandanio wrth i
gemegion o'u mewn adweithio â'i gilydd
spontaneous combustion

ymlusgiad¹ *eg* y weithred o ymlusgo; ymgripiad
a creeping

ymlusgiad² *eg* (ymlusgiaid) SWOLEG unigol
ymlusgiaid reptile

ymlusgiaid *ell* SWOLEG dosbarth o anifeiliaid
fertebraidd gwaed oer yn cynnwys nadredd,
crwbanod, etc.; mae ganddynt groen cennog
sych ac maent yn ymlusgo wrth symud ar dir
Reptilia, reptiles

ymlusgo *be* [ymlusg•¹]
1 cropian, (eich) llusgo eich hun to crawl,
to slither
2 (am blanhigion) tyfu ar hyd y ddaear neu ar
hyd wal, etc. drwy gyfrwng tendrilau to creep

ymlusgol *ans* yn ymlusgo (yn enwedig am
blanhigion); ymgripiol creeping

ymlwybro *be* [ymlwybr•¹] gwneud eich ffordd;
cerdded, cyrchu, llwybreiddio, tramwyo
to make one's way, to trudge

ymlwytho *be* CYFRIFIADUREG llwytho rhaglen i
mewn i gyfrifiadur drwy fewnbynnu cyfres fer
o gyfarwyddiadau sy'n galluogi'r cyfrifiadur
i gyflwyno gweddill y rhaglen yn awtomatig
to bootstrap
Sylwch: nid yw'r ferf hon yn arfer cael ei rhedeg.

ymlyniad *eg*
1 y weithred o ymlynu wrth rywbeth neu
gadw ato (yn enwedig yn grefyddol); defosiwn,
duwioldeb, teyrngarwch adherence
2 hoffter, anwyldeb, teyrngarwch neu
gwlwm emosiynol tuag at rywun neu rywbeth,
e.e. rhwng mam a'i baban attachment

ymlynol *ans* yn ymlynu adhesive, adnate

ymlynu *be* [ymlyn•¹] bod ynghlwm wrth (rywun
neu rywbeth), bod yn deyrngar; adlynu, glynu
(~ **wrth**) to adhere

ymlynwr:ymlynydd *eg* (ymlynwyr) un sy'n
ymlynu wrth achos (crefyddol); acolit,
cefnogwr, dilynwr, disgybl adherent

ymneilltuad *eg* (ymneilltuadau) y weithred o
ymneilltuo; enciliad, gwrthgiliad withdrawal,
retirement, sequestration

Ymneilltuaeth *eb*
1 CREFYDD *hanesyddol* yn wreiddiol yr oedd
yn golygu ymneilltuaeth oddi wrth y byd a'i
bethau, ond fe'i defnyddiwyd wedyn i olygu

cred ac arferion enwadau a oedd yn gwrthod
cydymffurfio â threfn yr Eglwys Wladol;
Anghydffurfiaeth Nonconformity
2 CREFYDD trefn, cred ac arferion enwadau
Ymneilltuol Nonconformity
3 CREFYDD Ymneilltuwyr fel corff;
Anghydffurfiaeth Nonconformity

ymneilltuo *be* [ymneilltu•¹] mynd o'r neilltu,
tynnu'n ôl (o wneud rhywbeth, o berygl, etc.
neu er mwyn cael llonydd); cilio, encilio (~ **i**)
to retire, to withdraw

Ymneilltuol *ans* yn perthyn i Ymneilltuaeth neu
Ymneilltuwyr, nodweddiadol o Ymneilltuaeth
neu Ymneilltuwyr; Anghydffurfiol
Nonconformist

Ymneilltuwr *eg* (Ymneilltuwyr) aelod o un
o'r enwadau Ymneilltuol; Anghydffurfiwr
Nonconformist

ymnesáu *be* [ymnesa•¹⁵] dod yn nes, dod at;
agosáu, closio, dynesu (~ **at**) to draw near

ymnoethi *be* ymddiosg, mynd yn noethlymun
(yn gorfforol neu'n ffigurol) to bare oneself
Sylwch: nid yw'r ferf hon yn arfer cael ei rhedeg.

ymochel:mochel *be* (eich) cysgodi eich hun,
cadw rhag, *Dewch i mewn i ymochel rhag y
tywydd.*; cysgodi, osgoi (~ **rhag**) to shelter
Sylwch: nid yw'r ferf hon yn arfer cael ei rhedeg.

ymochri *be* [ymochr•¹] cymryd yr un ochr
â, cefnogi'r un safbwynt â (~ **â**) to align
oneself with

ymochri pleidiol GWLEIDYDDIAETH â rhagfarn
o blaid achos penodol partisan alignment

ymofyn:mofyn:moyn *be*
1 bod ag eisiau, ceisio, *Beth ti'n moyn/mofyn,
bach?*; chwilio, deisyfu, dymuno to seek,
to want
2 mynd i nôl, *A ei di lawr i'r siop i ymofyn
pecyn o siwgr?*; cyrchu to fetch, to get
Sylwch: nid yw'r ferf hon yn arfer cael ei rhedeg.

ymofyngar *ans* awyddus i ddysgu, i gael
gwybod pethau; chwilfrydig, holgar inquisitive

ymofynnydd *eg* (ymofynwyr) un sy'n ymofyn
enquirer, inquirer

ymolchfa *eb* (ymolchfeydd) man i ymolchi
bathhouse

ymolchi *be* [ymolch•¹ *3 un. pres.* ymolch/
ymolcha; *2 un. gorch.* ymolch/ymolcha] (eich)
golchi eich hun, *Cofia ymolchi'n lân cyn mynd
i'r gwely.*; ymdrochi to wash (oneself)

ymolchiad *eg* (ymolchiadau) y weithred o
ymolchi ablution

ymoleuedd *eg* proses lle y ceir golau nad
yw'n cael ei gynhyrchu drwy danbeidrwydd
(h.y. drwy gynhyrchu gwres) ond a gynhyrchir
ar dymheredd isel, e.e. gan brosesau'r corff
yn achos rhai pryfed, drwy adwaith cemegol,
ffrithiant neu broses electronig luminescence

ymollwng *be* [ymollyng•[1] *3 un. pres.* ymollwng/
ymollynga; *2 un. gorch.* ymollwng/ymollynga]
(eich) gadael eich hun i fynd, gollwng yn rhydd;
llacio, llaesu, rhyddhau to let oneself go, to relax

ymollyngdod *eg* y cyflwr o fod wedi ymlacio
relaxation

ymorchestu *be* ymdrechu'n galed i gyflawni
gorchest to strive
Sylwch: nid yw'r ferf hon yn arfer cael ei rhedeg.

ymorol:morol[1] *be*
1 ceisio, chwilio am; chwilmantan, chwilota
(~ **am**) to seek
2 derbyn cyfrifoldeb am; gofalu, ymgeleddu
to take care
Sylwch: nid yw'r ferf hon yn arfer cael ei rhedeg.

ymosod *be* [ymosod•[1] *3 un. pres.* ymesyd/
ymosoda; *2 un. gorch.* ymosod/ymosoda]
1 dwyn cyrch, dwyn trais yn erbyn (yn enwedig
drwy ddefnyddio arfau), *Ymosododd y fyddin
ar y castell tra oedd yn dywyll.*; taro (~ **ar**)
to attack, to assault, to assail
2 dechrau brwydro yn erbyn rhywun, ymgeisio
i ennill (mewn gêmau), *Mae tîm rygbi Cymru
wedi bod yn amddiffyn yn ddewr, ond bydd
rhaid iddo ymosod os yw am ennill.* to attack
3 gwrthwynebu'n chwyrn, siarad neu
ysgrifennu'n gryf yn erbyn, *erthygl sy'n
ymosod ar y llywodraeth* to attack

ymosodedd *eg* agwedd neu ymddygiad
gelyniaethus, ymosodol, treisgar aggression

ymosodiad *eg* (ymosodiadau) y weithred o
ymosod; cyrch, rhuthr attack, assault, onslaught

ymosodol *ans* yn ymosod neu'n rhan o
ymosodiad; gelyniaethus, milwriaethus,
rhyfelgar, ymladdgar aggressive, belligerent,
pugnacious
ymosodol o fe'i defnyddir i ddwysáu ystyr
ansoddair, *ymosodol o uniongyrchol*

ymosodwr *eg* (ymosodwyr) un sy'n ymosod
attacker

ymostwng *be* [ymostyng•[1] *3 un. pres.*
ymostwng/ymostynga; *2 un. gorch.* ymostwng/
ymostynga] cytuno i ufuddhau, eich
gostwng eich hun, *Mae'n rhaid ymostwng i
ddymuniadau'r brifathrawes.*; ildio, iselhau,
plygu, ymgrymu to submit, to bow, to surrender

ymostyngar *ans* â pharodrwydd i ymostwng
submissive

ymostyngiad *eg* y weithred o ymostwng;
darostyngiad, diraddiad, iselhad submission
cwrdd ymostyngiad CREFYDD gwasanaeth
crefyddol arbennig ar adeg y cynhaeaf i weddïo
am dywydd da

ympryd *eg* (ymprydiau) y weithred o fynd heb
fwyd am gyfnod (am resymau crefyddol neu
foesol neu fel protest, fel arfer) fast, hunger
strike

ymprydio *be* [ymprydi•[2]] mynd heb fwyd neu
wrthod bwyd (am resymau crefyddol neu foesol
neu fel protest, fel arfer) to fast

ymprydiwr *eg* (ymprydwyr) un sy'n ymprydio
faster

ymrafael[1] *eg*
1 anghytundeb chwyrn a chas rhwng pobl;
anghydfod, anghytgord, cweryl, ffrae dispute,
feud, quarrel
2 cystadleuaeth, ymryson contention

ymrafael[2] *be* [ymrafael•[1]]
1 anghytuno chwyrn a chas rhwng pobl,
cwympo maes; cecran, cweryla, cynhenna,
ffraeo to feud, to quarrel
2 cystadlu, ymryson to contend

ymrafaelgar *ans* â thuedd i ymrafael; cwerylgar,
cecrus, cynhengar, cynhennus quarrelsome

ymraniad *eg* (ymraniadau)
1 y weithred o ymrannu; gwahaniad, hollt,
rhaniad, rhwyg division, split
2 BIOLEG cellraniad, yn enwedig cell wy wedi'i
ffrwythloni cleavage
3 (am blanhigion) ffurf o ymganghennu lle
mae'r brif echelin (coesyn y planhigyn) yn
gyson yn ymrannu yn ddwy drosodd a thro
dichotomy

ymrannu *be* [ymrann•[10]]
1 (eich) gwahanu eich hun yn ddwy neu ragor
o rannau; rhwygo, torri to divide, to diverge,
to fork
2 (am y Senedd) pleidleisio drwy rannu yn rhai
o blaid, yn erbyn neu'n ymatal to divide
Sylwch: dyblwch yr 'n' ym mhob ffurf ac
eithrio yn y rhai sy'n cynnwys *-as-*.

ymreolaeth *eb* ffurf gyfyngedig ar
hunanlywodraeth lle mae gwlad neu uned
wleidyddol, sy'n rhan o uned fwy, yn cael rheoli
ei materion mewnol ei hun; annibyniaeth,
awtonomiaeth, hunanlywodraeth autonomy,
home rule

ymreolaethol *ans* yn ymwneud â gallu
gwledydd, ardaloedd, grwpiau, sefydliadau,
etc. i'w rheoli eu hunain autonomous

ymrestru *be* [ymrestr•[1]] dod yn aelod, ymuno
(â mudiad neu â'r lluoedd arfog, fel arfer);
cofrestru, ymaelodi, ymuno (~ **â**) to enlist

ymresymiad *eg* (ymresymiadau) y broses
neu'r weithred o ymresymu; dadl, trafodaeth,
ymdriniaeth reasoning

ymresymu *be* [ymresym•[1]]
1 meddwl gam wrth gam cyn cyrraedd
casgliad; athronyddu, trafod, trin (~ **â** *rhywun*)
to reason
2 ceisio darbwyllo neu berswadio rhywun drwy
ddadlau, dal pen rheswm to argue, to reason

ymresymwr *eg* (ymresymwyr) un sy'n ymresymu
reasoner

y

ymrithio *be* [ymrithi•²] ymddangos, cymryd arno; dirhau, trawsffurfio, ymffurfio to materialize

ymroad *eg* ffurf arall ar **ymroddiad**

ymroddedig *ans* llawn ymroddiad; diwyd, gweithgar, selog, ymroddgar committed, dedicated, devoted

ymroddgar *ans* yn ei roddi ei hun, yn dal ati'n gyson; cydwybodol, diwyd, gweithgar, ymroddedig committed, diligent

ymroddiad *eg*
1 cariad dwfn, ymarferol at rywun neu rywbeth; teyrngarwch commitment, devotion
2 y weithred o'ch cysegru eich hun i weithredoedd da neu wasanaeth crefyddol devotion
3 y weithred o'ch taflu eich hun i mewn i'ch gwaith neu i ryw weithgaredd arall; diwydrwydd, dyfalbarhad, dygnwch, ymdrech diligence

ymroi *be* (eich) rhoi eich hunan yn llwyr i ryw waith neu orchwyl; ymdrechu, ymlafnio, ymrwymo (~ i wneud) to devote
Sylwch: nid yw'r ferf hon yn arfer cael ei rhedeg.

ymron *adf* bron, o'r braidd, *Mae ei farf yn cyrraedd ymron hyd ei ganol.* almost

ymrwymedig *ans* wedi ymrwymo, nodweddiadol o ymrwymiad committed

ymrwymiad *eg* (ymrwymiadau) addewid i wneud rhywbeth neu lynu wrth gwrs arbennig o weithrediadau; adduned, cyfamod, gair, llw commitment, undertaking

ymrwymo *be* [ymrwym•¹] (eich) rhwymo eich hun i gyflawni rhywbeth neu lynu wrth gwrs arbennig o weithrediadau, *Mae hi wedi ymrwymo i orffen y gwaith erbyn diwedd y mis.*; addo, addunedu, diofrydu, ymroi (~ i) to bind, to commit oneself

ymryddhau *be* [ymryddha•¹⁴] (eich) rhyddhau eich hun, *ymryddhau o ddyletswyddau*; datglymu, ymddihatru to disengage

ymryson¹ *eg* (ymrysonau) fel yn *Ymryson y Beirdd*, cystadleuaeth; ciprys, gornest, talwrn competition, contest

ymryson² *be* cystadlu (yn enwedig cystadlu ar lafar); ymgeisio, ymgiprys (~ â) to compete, to contest, to contend
Sylwch: nid yw'r ferf hon yn arfer cael ei rhedeg.

ymrysongar *ans* hoff o ymryson; cecrus, heriol combative, querulous

ymsefydlu *be* [ymsefydl•¹] (eich) sefydlu eich hun; cyfanheddu, preswylio, trigo, ymgartrefu to become established, to establish oneself, to settle

ymsefydlwr *eg* (ymsefydlwyr) un sy'n ymsefydlu; anheddwr, cyfanheddwr, gwladychwr settler

ymseisnigo *be* [ymseisnig•¹] troi yn Sais neu droi at ddefnyddio Saesneg to become Anglicized

ymserchu *be* [ymserch•¹] syrthio mewn cariad â; dwlu, dotio at (~ yn) to fall in love

ymsoledu:ymsolido *be* (ei) droi ei hun yn solid to solidify
Sylwch: nid yw'r ferf hon yn arfer cael ei rhedeg.

ymson¹ *eg* (ymsonau) y weithred o fynegi meddyliau ar lafar, heb boeni a oes neb arall yn bresennol neu beidio, yn enwedig gan gymeriad mewn drama; monolog monologue, soliloquy

ymson² *be* siarad â chi eich hun (yn enwedig mewn drama) to soliloquize
Sylwch: nid yw'r ferf hon yn arfer cael ei rhedeg.

ymsuddiant *eg* y broses o ymsuddo subsidence

ymsuddo *be* [ymsudd•¹] gostwng, mynd yn llai, suddo i lefel is to subside

ymsymudiad *eg* (ymsymudiadau) y broses neu'r briodwedd o fedru symud o un man i fan arall locomotion

ymsythu *be* [ymsyth•¹] ymagweddu'n falch; torsythu to swagger

ymuno *be* [ymun•¹] dod yn rhan o, dod yn aelod o, *ymuno â'r fyddin, ymuno â'r hwyl a'r sbri*; cofrestru, ymaelodi, ymrestru (~ â) to join, to join in

ymwacâd *eg* CREFYDD ymwadiad Iesu Grist â rhai nodweddion o'i ddwyfoldeb, e.e. y gallu i ymwrthod â phoen, pan ddaeth i'r byd yn yr Ymgnawdoliad kenosis

ymwacáu *be* [ymwaca•¹⁵] (eich) gwacáu eich hun to empty oneself

ymwadiad *eg* (ymwadiadau) y broses o ymwadu neu enghraifft o ymwadu; diofryd, ymataliad, ymwrthodiad renunciation

ymwadol *ans* yn ymwadu (â'r byd a'i bethau); asgetig, ymgosbol ascetic

ymwadu *be* [ymwad•¹] pallu derbyn rhagor, rhoi'r gorau i, troi cefn ar; gwadu, ymwrthod (~ â) to renounce

ymwahaniad *eg* y gwaith neu'r broses o ymwahanu separation, secession

ymwahaniaeth *eb* yr arfer o wahanu grŵp o bobl oddi wrth gorff mwy ar sail ethnigrwydd, crefydd neu ryw separatism

ymwahanu *be* [ymwahan•³]
1 symud ar wahân, peidio â bod ynghlwm; chwalu (~ â) to separate
2 peidio â byw ynghyd fel pâr priod; ysgaru to separate
3 (eich) tynnu eich hun yn ôl yn ffurfiol o fod yn aelod o gorff, e.e. plaid wleidyddol, eglwys, etc. to secede

ymwared *eg* y broses o leddfu, o gael gwared ar (rywun neu rywbeth), canlyniad y broses honno, *A oes gennych chi rywbeth a ddaw ag ymwared rhag y ddannodd yma?*; achubiaeth, gwaredigaeth, iachawdwriaeth, rhyddhad ease, relief

ymweld *be* [ymwel•[4] *3 un. pres.* ymwêl; *2 un. gorch.* ymwêl] mynd i weld (rhywun neu rywle), *ymweld â chleifion yn yr ysbyty*; galw, picio (~ â) to call, to visit

ymweliad *eg* (ymweliadau) y weithred o alw i weld rhywun, i aros am gyfnod mewn man arbennig, neu i weld rhywle visit, visitation

ymwelwr:ymwelydd *eg* (ymwelwyr)
1 rhywun sy'n ymweld neu un sydd ar ymweliad caller, visitor
2 rhywun sy'n ymweld â lle ar wyliau neu fel pleser tourist

ymweu *be* [ymwe•[1] *2 un. pres.* ymwëi; *1 llu. pres.* ymwëwn; *2 llu. pres.* ymwëwch; *amh. pres.* ymwëir; *amh. gorff.* ymwëwyd; *1 un. amhen.* ymwëwn; *2 un. amhen.* ymwëit; *amh. amhen.* ymwëid; *1 llu. gorch.* ymwëwn; *2 llu. gorch.* ymwëwch; *1 un. dib.* ymwëwyf; *2 un. dib.* ymwëych] (eich) gwau eich hun, symud rhwng to weave

ymwneud *be*
1 ymdrin â, *Mae'r brifathrawes am eich gweld chi: mae'n ymwneud â thaith sgïo'r ysgol.*; delio, trafod, trin (~ â) to concern, to do with
2 bod â chysylltiad â, perthyn i, bod ynglŷn â, *Rwy'n ymwneud â nifer o gymdeithasau'r ardal.* (~ â) to concern, to pertain
   Sylwch: nid yw'r ferf hon yn cael ei rhedeg.

ymwregysu *be* [ymwregys•[1]] gwisgo gwregys, (yn ffigurol) ymbaratoi ar gyfer trafferthion to gird, to gird oneself

ymwresogi *be* [ymwresog•[1]] (eich) cynhesu eich hun to warm oneself

ymwroli *be* [ymwrol•[1]] dod yn fwy hyderus, codi'ch calon, magu asgwrn cefn to take heart

ymwrthiannol *ans* yn cynnig ymwrthiant (i sychder, plaleiddiaid, etc.) resistant

ymwrthiant *eg* BIOLEG gallu cynhenid organeb i wrthsefyll sefyllfaoedd neu sylweddau andwyol, e.e. sychder, prinder maetholion, plaleiddiaid, cyffuriau, etc. resistance

ymwrthod *be* [ymwrthod•[1]] (eich) cadw eich hun rhag (rhywbeth neu rywun), gwrthod gwneud unrhyw beth (â rhywbeth neu rywun); gochel, ymatal (~ â) to abstain, to resist, to reject

ymwrthodiad *eg* y broses o ymwrthod; diofryd, ymataliad, ymwadiad abstinence

ymwthgar *ans* parod i'ch gwthio eich hunan i'r blaen; haerllug, ewn assertive, pushy

ymwthiad *eg* (ymwthiadau) y broses o ymwthio intrusion

ymwthio *be* [ymwthi•[2]]
1 (eich) gwthio eich hun (heb wahoddiad na chroeso); ymyrryd (~ i) to intrude
2 bargodi, gwthio allan to jut out

ymwthiol *ans* yn ymwthio, â thuedd i ymwthio intrusive

ymwthiwr *eg* (ymwthwyr) un sy'n ymwthio interloper

ymwybod *eg* lefel uchaf gweithgareddau'r meddwl, y rhai y mae rhywun yn ymwybodol ohonynt (yn hytrach na'r rhai sy'n digwydd yn yr isymwybod); ymdeimlad, ymwybyddiaeth consciousness

ymwybodol *ans*
1 yn medru deall beth sy'n digwydd, yn effro neu ar ddihun, *Er iddo fod mewn damwain gas, mae'n dal i fod yn ymwybodol.* conscious, aware
2 yn gwybod yn iawn, yn deall, *Mae'n ymwybodol iawn o'r perygl y gall ei safiad dros yr iaith golli'r sedd iddo yn yr etholiad nesaf.* aware, conscious

ymwybyddiaeth *eb* y cyflwr o fod yn ymwybodol, o fod yn effro i beth sy'n digwydd o'ch cwmpas; ymdeimlad, ymwybod awareness, consciousness

ymyl *ebg* (ymylon) cwr, ffin, glan (afon), min, ochr, *ymyl finiog y llafn*, *ymyl batrymog y sgert*, *ymyl y llyn* edge, side, border
ar ymyl ar ei ymyl (ef), ar ei hymyl (hi), ar eu hymylon (nhw) beside, on the edge
ymyl y ddalen y naill neu'r llall o'r ymylon gwag a geir wrth ochr darn o brint ar dudalen margin
ymyl (y) ffordd ochr yr heol roadside, wayside
yn ymyl yn f'ymyl, yn d'ymyl, yn ei ymyl, yn ei hymyl, yn ein hymyl, yn eich ymyl, yn eu hymyl; gerllaw beside, close by

ymyled *eg* (ymyledau) rhimyn uwch, e.e. o gwmpas agorfa ar fwrdd llong, i gadw dŵr allan coaming

ymylol *ans*
1 ar yr ymyl neu'r ymylon marginal
2 am etholaeth seneddol sydd â dim ond ychydig o bleidleisiau'n gwahanu'r pleidiau gwleidyddol a lle y gallai'r sedd gael ei hennill gan un blaid oddi wrth blaid arall yn rhwydd marginal

ymylon *ell* lluosog **ymyl**
1 rhannau allanol (dinas neu dref) outskirts
2 ffiniau allanol, lleoedd sy'n bell o'r canol, *pobl yr ymylon*; cyrion outer fringes

ymylu *be* [ymyl•[1]] bod yn ymyl, bod ar y ffin, bron â bod, bod yn agos, *Mae'r gosodiad hwnnw yn ymylu ar fod yn enllibus.*; cyffinio, ffinio (~ ar) to be close (to), to border on

ymylwe *eb* (ymylweoedd) selfais; ymyl arbennig ar ddarn o ffabrig wedi'i wehyddu er mwyn sicrhau nad yw'r ffabrig yn ymddatod selvage

ymyradur *eg* (ymyraduron) FFISEG dyfais sy'n defnyddio ymyriant tonnau (yn enwedig tonnau electromagnetig) i wneud mesuriadau manwl gywir o hydoedd a phellteroedd interferometer

y

ymyrgar *ans* hoff o ymyrryd interfering

ymyriad *eg* (ymyriadau) y weithred o ymyrryd ond heb yr awgrym o fusnesa a geir yn 'ymyrraeth' intervention

ymyriant *eg*
1 FFISEG y broses lle mae tonffurfiau'n cael eu cyfuno i greu rhai ardaloedd lle mae'r dadleoliadau i'r un cyfeiriad (ymyriant adeiladol) ac ardaloedd eraill lle mae'r dadleoliadau i gyfeiriadau gwahanol (ymyriant distrywiol) interference
2 FFISEG ffenomen lle mae tonnau radio o un ffynhonnell yn effeithio ar donnau radio o ffynhonnell arall, yn arbennig mewn radioseryddiaeth interference

ymyrraeth *eb* y weithred o ymyrryd, o fusnesa; ymyriad interference, intervention, meddling

ymyrrwr *eg* (ymyrwyr) un sy'n ymyrryd meddler

ymyrryd *be* [ymyrr•⁹]
1 ymwthio i sefyllfa, camu mewn rhwng dau neu ragor, er mwyn atal neu newid rhywbeth to intervene, to intrude
2 cymryd gormod o ddiddordeb ym musnes pobl eraill; busnesa, busnesu (~ â) to interfere, to intervene, to intrude, to meddle
Sylwch: dyblwch yr 'r' ym mhob ffurf ac eithrio yn y rhai sy'n cynnwys -as-.

ymysg *ardd* [yn ein mysg, yn eich mysg, yn eu mysg]
1 yng nghanol, ymhlith, *Roedd 'na chwyn ymysg y blodau.* among, amongst
2 rhwng, *Rhannwyd eiddo'r hen wraig ymysg ei pherthnasau.* between
Sylwch: does dim ffurfiau unigol.

ymysgaroedd *ell* ANATOMEG organau mewnol prif geudodau'r corff, yn enwedig rhai'r abdomen; coluddion, perfeddion entrails, viscera

ymysgarol *ans* yn perthyn i'r ymysgaroedd, nodweddiadol o'r ymysgaroedd; perfeddol intestinal

ymysgwyd *be* [ymysgwyd•¹] (eich) ysgogi eich hun i ddechrau gwneud rhywbeth, bwrw ati; mwstro, ymbaratoi to bestir oneself

ymystwyrian *be* (eich) ysgogi eich hun i ddechrau gwneud rhywbeth to bestir oneself
Sylwch: nid yw'r ferf hon yn arfer cael ei rhedeg.

yn¹ *ardd* [ynof fi, ynot ti, ynddo ef (fe/fo), ynddi hi, ynom ni, ynoch chi, ynddynt hwy (ynddyn nhw)]
1 o fewn (rhywbeth), wedi'i amgylchynu gan, *Rwy'n byw yn y tŷ glas.* in
2 yn rhywle pendant, *yng Nghasnewydd, yng Ngwent, ym Mlaenau Ffestiniog* in, at
3 i nodi lleoliad, *yn y gwaith, yn yr ysgol, yn yr eglwys* at, in
4 tua, *Mae e'n mynd yn y cyfeiriad anghywir.* in
5 yn cymryd rhan mewn drama, cyngerdd, etc.,

neu'n aelod o fudiad, côr, tîm, etc., *Wyt ti yn y tîm ar gyfer dydd Sadwrn?* in
Sylwch:
1 yn y ffurfiau 'yng' ac 'ym', mae'r 'yn' hwn yn achosi treiglad trwynol, *yng Nghaerdydd, ym Mlaenau Ffestiniog;*
2 defnyddir 'yn' wrth gyfeirio at rywbeth pendant, ond 'mewn' pan fo'r peth yn amhendant, e.e. *yn y tŷ; mewn tŷ;*
3 ni ddylid talfyrru'r 'yn' yma yn *'n*, Mae *yn y tŷ*, nid *Mae'n y tŷ.*;
4 'mewn' a ddefnyddir gyda sylweddau, diodydd, metelau, etc., *mewn dŵr; mewn Coca Cola;*
5 os dilynir enw gan ansoddair, defnyddier 'mewn', *yng Nghymraeg y De* ond *mewn Cymraeg Canol.*

yn²:'n *geiryn traethiadol* fel yn *Mae Siân yn dda, Mae Siân yn wraig.*
Sylwch: mae'r 'yn' hwn yn achosi'r treiglad meddal (ac eithrio 'll' a 'rh') ac yn talfyrru yn *'n.*

yn³:'n *geiryn adferfol* mae'n debyg iawn i 'yn' traethiadol ond mae'r ansoddair dilynol yn goleddfu (neu'n disgrifio) berf (yn hytrach nag enw), *Rhedodd yn dda, Maen nhw'n eistedd yn dawel.*
Sylwch: mae'r 'yn' hwn yn achosi'r treiglad meddal (ac eithrio 'll' a 'rh') ac yn talfyrru yn *'n.*

yn⁴:'n *geiryn berfenwol* fel yn *Byddaf yn mynd, Mae Elwyn yn eistedd, Rwy'n nofio.*
Sylwch: nid yw'r 'yn' hwn yn achosi treiglad, ond mae'n talfyrru yn *'n.*

y'n *rhagenw dibynnol mewnol* anffurfiol mae'n dynodi'r person cyntaf unigol (ystyr genidol) 'fy', *y'n llyfr i*

yna¹ *adf*
1 yno, yn y fan honno, *Bûm i yna ddwy flynedd yn ôl.* there
2 ar ôl hynny, y peth nesaf, *Eisteddais i lawr ac yna cefais sioc fy mywyd, pwy oedd yn eistedd nesaf ataf ond . . .* then, whereupon
3 gan hynny, felly, *Os nad wyt ti am ganu, yna fe fydd rhaid i ti adrodd.* then
4 mae'n ymddangos yn sangiadol mewn ymadroddion megis *Mae 'na rywbeth yn bod ar y bara 'ma. Mae 'na gi yn yr ardd.*
Sylwch:
1 mae'n ymddangos ei fod yn achosi treiglad yn dilyn ffurfiau 'bod' (a rhai berfau eraill) ond sangiad sy'n achosi'r treiglad, *Mae yna drysor.*;
2 o ran dynodi pellter, mae 'yma' ychydig yn nes nac 'yna' sydd ei hun yn nes nac 'acw'.

ffor' 'na y ffordd honno that way

yna² *ans dangosol* anffurfiol am rywbeth neu rywbeth nad yw'n agos neu y soniwyd amdano yn barod, *y crys yna, y got yna, yr esgidiau yna*; acw, honno, hwnnw, hynny that, those

ynad *eg* (ynadon) CYFRAITH swyddog sifil sydd â'r hawl i farnu achosion cyfreithiol yn ymwneud â throseddau llai neu i gynnal gwrandawiadau rhagarweiniol i droseddau mwy yn llysoedd barn is Cymru a Lloegr magistrate

Ynad Heddwch CYFRAITH ynad lleyg a benodir i farnu achosion llai a chaniatáu trwyddedau mewn tref neu sir; Ustus Heddwch, YH Justice of the Peace, JP

ynadaeth *eb* swydd a chyfrifoldebau ynad, y gyfundrefn sy'n defnyddio ynadon magistracy

yn awr:nawr *adf safonol, yn y De* (ffurf sy'n cyfateb i rŵan yn y Gogledd) y funud/munud yma, ar hyn o bryd now

yn awr (nawr) ac yn y man gw. **awr**

ynddo:ynddi:ynddynt gw. **yn**[1]

ynfyd *ans* [ynfyt•] (ynfydion) anffurfiol eithriadol o ddwl neu hurt; disynnwyr, gwallgof crazy, idiotic, senseless

ynfydion *ell* lluosog **ynfytyn** neu **ynfyd**

ynfydrwydd *eg* y cyflwr o fod yn ynfyd; ffolineb, gwallgofrwydd, gorffwylledd madness, lunacy

ynfydu *be* siarad mewn ffordd ynfyd, ddireswm, wyllt; gorffwyllo, gwallgofi to rave
Sylwch: nid yw'r ferf hon yn arfer cael ei rhedeg.

ynfytach:ynfytaf:ynfyted *ans* [ynfyd] mwy ynfyd; mwyaf ynfyd; mor ynfyd

ynfytyn *eg* (ynfydion) anffurfiol rhywun ffôl iawn; ffŵl, hurtyn, twpsyn moron, simpleton

ynn *ell* lluosog **onnen**

ynni *eg* egni; arial, hoen, nwyf drive, energy
Sylwch: yn dechnegol 'egni' yw'r term a ddefnyddir ac eithrio yn achos 'niwclear' lle mae 'egni niwclear' ac 'ynni niwclear' yn cael eu defnyddio.

yno *adf* yn y lle hwnnw, tua'r fan honno, *Rwy'n mynd yno yfory.*; yna there
Sylwch: mae'n ymddangos ei fod yn achosi treiglad yn dilyn ffurfiau 'bod' (a rhai berfau eraill) ond sangiad sy'n achosi'r treiglad, *Mae yno drysor.*

ynof gw. **yn**[1]

ŷnt *bf* [bod] (ffurf ar 'ydynt') maent hwy'n (maen nhw'n) bod

yntau[1] *rhagenw annibynnol cysylltiol* ef hefyd, ef o ran hynny, ef ar y llaw arall, *Yr oedd ei chwaer ar un ochr ac yntau ar y llall.; Dewiswyd yr unawdydd yn gyntaf ac yntau'n ail.* even he, he for his part, he on the other hand, he too, even him, him for his part, him on the other hand, him too

yntau[2] *rhagenw dibynnol ategol cysylltiol* ef hefyd, *Dyma fy hoff gerdd i a'i hoff gerdd yntau.* he too, even he, he for his part, he on the

other hand, him too, even him, him for his part, him on the other hand

ynte:yntefe ffurfiau llafar ar onid e

ynteu *cysylltair*
1 felly, *Beth ynteu a wnawn ni? I ble'r awn ni 'te?* then, therefore
2 neu (wrth ddewis rhwng dau), *Ai gwrywaidd ynteu fenywaidd yw'r gair yma?* or
Sylwch: mae'n achosi'r treiglad meddal.

Ynyd *eg* CREFYDD fel yn *dydd Mawrth Ynyd*, y diwrnod cyn dydd Mercher y Lludw a'r diwrnod olaf cyn dyddiau dwys y Grawys Shrove Tuesday

ynydu *be* derbyn (rhywun) i lawn aelodaeth drwy ddefodau arbennig (~ **i**) to initiate
Sylwch: nid yw'r ferf hon yn arfer cael ei rhedeg.

ynys *eb* (ynysoedd)
1 darn o dir wedi'i amgylchynu â dŵr, *Ynys Môn* island, isle
2 mewn enwau lleoedd dôl neu gae ar lan afon, e.e. *Ynys-hir*

ynysedig *ans* wedi'i inswleiddio insulated

ynysfor *eg* (ynysforoedd)
1 nifer o ynysoedd bach mewn grŵp archipelago
2 darn o'r môr sy'n cwmpasu grŵp o ynysoedd bychain archipelago

ynysiad *eg* y weithred o ynysu insulation

ynysig[1] *ans* wedi'i ynysu; anghyraeddadwy, unig insular, isolated

ynysig[2] *eb* ynys fach islet, ait, eyot

ynysol *ans* yn perthyn i ynys, nodweddiadol o ynys insular

ynysu *be* [ynys•[1]]
1 gwahanu oddi wrth eraill (megis ynys), *Rydym wedi cael ein hynysu ar ôl y cwymp eira diweddaraf.* (~ **rhywun/rhywbeth rhag**) to isolate, to maroon
2 gwahanu rhywbeth oddi wrth bethau eraill er mwyn ei archwilio, *Rydym wedi llwyddo i ynysu'r firws sy'n achosi'r drwg.* to isolate
3 gorchuddio rhywbeth er mwyn cadw trydan, sŵn, gwres, etc. rhag treiddio drwyddo, *ynysu'r tanc dŵr poeth rhag iddo golli gwres*; inswleiddio to insulate
4 amddiffyn rhywun rhag profiadau cyffredin, *Heb deledu yr ydym yn cael ein hynysu rhag digwyddiadau'r byd – medd rhai.* to insulate, to isolate

ynyswr *eg* (ynyswyr) rhywun sy'n byw ar ynys islander

ynyswraig *eb* merch neu wraig sy'n byw ar ynys

ynysydd *eg* (ynysyddion) rhywbeth sy'n atal llif, yn enwedig llif cerrynt trydan; deuelectryn insulator

yoga gw. **ioga**

yp *byrfodd* y prynhawn p.m.

y

yr gw. y²
Sylwch: mae'n sbarduno treiglad meddal pan ddaw o flaen enw benywaidd neu ansoddair yn dechrau ag 'g' sy'n arfer cael ei dreiglo ac a'i dilynir gan lafariad, *yr eneth deg*; *yr arw groes*, ond *y Roeg.*

yrhawg gw. **rhawg**

yrnau *ell* lluosog **wrn**

yrr ffurf wedi'i threiglo o **gyr**

yrŵan *tafodieithol, yn y Gogledd* gw. **rŵan**

ys¹ *cysylltair* fel, *Ys dywedodd y simnai fawr wrth simnai lai, 'Rwyt ti'n rhy fach i ysmygu.'* as
ys gwn i tybed I wonder

ys² gw. **ydys**

ysbaddu:sbaddu *be* [ysbadd•¹] torri ymaith rhai neu'r cyfan o aelodau rhywiol anifail (neu ddyn); cyweirio, disbaddu to castrate, to neuter, to spay
cyllell sbaddu malwod rhywbeth cwbl ddi-werth

ysbaddwr *eg* (ysbaddwyr) un sy'n ysbaddu; disbaddwr, sbaddwr gelder

ysbaid *egb* (ysbeidiau) ennyd bach, ychydig o amser; egwyl, saib, toriad interval, respite

ysbail *eb* (ysbeiliau) trysor neu eiddo wedi'i ddwyn gan ladron neu wedi'i feddiannu gan fyddin fuddugol; anrhaith spoils, booty, loot
system Ysbail gw. **system**

ysbardun gw. **sbardun**

ysbarduno gw. **sbarduno**

ysbeidiau *ell* lluosog **ysbaid**

ysbeidiol *ans* yn digwydd o bryd i'w gilydd, bob yn hyn a hyn, *cawodydd ysbeidiol*; achlysurol, episodaidd intermittent, spasmodic, sporadic
gweithiwr ysbeidiol un sy'n gweithio o bryd i'w gilydd yn unig casual worker

ysbeiliad *eg* (ysbeiliadau) y broses o ysbeilio, canlyniad ysbeilio pillage, despoliation

ysbeiliau *ell* lluosog **ysbail**

ysbeilio *be* [ysbeili•²] dwyn ysbail neu nwyddau yn anghyfreithlon; anrheithio, cipio, lladrata, treisio to loot, to plunder, to sack

ysbeiliwr *eg* (ysbeilwyr) un sy'n ysbeilio, lleidr (arfog); anrheithiwr, gwylliad, herwr, rheibiwr bandit, robber, brigand

ysbienddrych:sbienddrych *eg* (ysbienddrychau) offeryn ar gyfer edrych ar bethau pell a gwneud iddynt edrych yn fwy ac yn nes; telesgop telescope

ysbigoglys gw. **pigoglys**

ysbinagl *eb* llid y tonsiliau a rhannau cyfagos y gwddf quinsy

ysbïo:sbio *be* [ysbï•⁸]
1 gwylio'n llechwraidd, *ysbïo ar gymdogion* (~ **ar**) to spy
2 ceisio dod o hyd i wybodaeth mewn ffordd ddirgel to spy

3 gw. **sbio**
Sylwch: does dim angen didolnod pan fydd dwy 'i' yn dilyn ei gilydd, *ysbiir.*

ysbïwr *eg* (ysbïwyr)
1 un sy'n cael ei dalu am ddod o hyd i wybodaeth gyfrinachol (o eiddo gelyn, fel arfer) spy
2 rhywun sy'n gwylio'n gyfrinachol spy

ysblander *eg* prydferthwch mawreddog; ardderchogrwydd, godidowgrwydd, gwychder, rhwysg splendour

ysbleddach *eb* achlysur o hwyl a miri mawr; cyfeddach, gloddest, rhialtwch festivity, merriment, carousal

ysblennydd *ans* am rywun neu rywbeth y mae ysblander yn perthyn iddo, *cynffon ysblennydd y paun*; godidog, gogoneddus, gwych splendid, resplendent
ysblennydd o fe'i defnyddir i ddwysáu ystyr ansoddair, *ysblennydd o brydferth*

ysbodau *ell* lluosog **ysbawd**

ysborion:sborion *ell* pethau nad oes mo'u hangen mwyach cast-offs
ffair sborion gw. **ffair**

ysbryd *eg* (ysbrydion)
1 y rhan o berson sydd ar wahân i'w gorff; meddwl neu enaid person spirit
2 bod goruwchnaturiol; bwgan, rhith, ellyll, drychiolaeth ghost, spirit
3 cyflwr meddwl, *Mae hi mewn ysbryd da heddiw.* spirits, morale
4 dewrder ac egni, *Doedd dim llawer o ysbryd yn chwarae Cymru heddiw.* spirit, mettle
5 cymeriad, natur, *Rhaid i ti geisio ymateb i ysbryd y darn yn ogystal â chwarae'r nodau cywir.* spirit
6 ystyr rhywbeth, yn hytrach na'r geiriau a ddefnyddir i'w fynegi, *Mae ysbryd y gyfraith yn llawn mor bwysig â llythyren y ddeddf.* spirit
yr Ysbryd Glân CREFYDD un o dri pherson y duwdod Cristnogol (y Tad, y Mab a'r Ysbryd Glân) sy'n cynrychioli ysbryd Duw ar waith yn y byd heddiw the Holy Spirit

ysbrydegaeth *eb*
1 ATHRONIAETH dysgeidiaeth sy'n hawlio mai'r ysbryd/meddwl yw'r unig wir realiti spiritualism
2 y gred bod ysbrydion y meirw yn medru cyfathrebu â'r byw drwy gyfryngwr spiritualism

ysbrydegol *ans* yn perthyn i fyd ysbrydegaeth, nodweddiadol o ysbrydegaeth spiritualistic

ysbrydiaeth *eb* rhywun neu rywbeth sy'n ysbrydoli; calondid, ysbrydoliaeth inspiration

ysbrydol *ans*
1 yn ymwneud â'r ysbryd neu ag ysbrydion; cyfriniol spiritual
2 yn caru ac yn gofalu am yr enaid neu eneidiau spiritual

3 crefyddol, *arweinydd ysbrydol*; duwiol religious, spiritual

ysbrydoledig *ans* am rywun neu rywbeth sydd fel petai wedi'i ysbrydoli; eneiniedig inspirational, inspired
ysbrydoledig o fe'i defnyddir i ddwysáu ystyr ansoddair, *ysbrydoledig o athrylithgar*

ysbrydoli *be* [ysbrydol•¹]
1 achosi neu ennyn meddyliau neu deimladau, *Roedd dewrder ein harweinydd yn ysbrydoli hyder yn y gweddill ohonom.*; annog, hybu, symbylu to inspire
2 llenwi ag egni, bywyd, awydd, etc., *Cafodd y dyrfa ei hysbrydoli gan ei araith.*; tanio, ysgogi to inspire

ysbrydoliaeth *eb*
1 dylanwad meddyliau neu deimladau cryf ar ymddygiad, yn enwedig ymddygiad da, *Mae rhai pobl yn derbyn ysbrydoliaeth o fyd natur ac eraill o bregethau.*; symbyliad inspiration
2 unrhyw ddylanwad sy'n ysgogi awydd i wneud yn dda; anogaeth, ysgogiad inspiration
3 syniad gwych, annisgwyl, *Wrth geisio gorffen y limrig 'Y Fynwent': 'Rhyfeddod o'r holl ryfeddodau / A welais un noson loer olau, / Ac achos fy mraw / Oedd canfod gerllaw'* . . . *cefais fflach o ysbrydoliaeth – 'Fy enw uwchlaw un o'r beddau.'* inspiration

ysbwriel defnyddiwch **sbwriel**

ysbyddu:sbyddu *be tafodieithol, yn y Gogledd* gwagio (o ddŵr), *sbyddu cwch*; disbyddu, sychu to drain, to empty
Sylwch: nid yw'r ferf hon yn arfer cael ei rhedeg.

Ysbytai'r Brawdlys *ell*
1 CYFRAITH pedair cymdeithas breifat o fyfyrwyr y gyfraith a bargyfreithwyr yn Llundain sydd â'r unig hawl i dderbyn cyfreithwyr yn fargyfreithwyr Inns of Court
2 yr adeiladau a ddefnyddir gan y pedair cymdeithas Inns of Court

ysbyty *eg* (ysbytai)
1 lle i gleifion aros a derbyn triniaeth hospital, infirmary
2 CYFRAITH un o Ysbytai'r Brawdlys Inn (of Court)
3 *hanesyddol* lletty i deithwyr (yn enwedig un dan ofal urdd marchogion Sant Ioan), e.e. *Ysbyty Ifan*; sbeit lodging house

ysfa *eb* (ysfeydd)
1 awydd cryf; blys, chwant craving
2 rhywbeth sy'n gwneud i chi grafu; cosi itch

ysgafala *ans* heb ofal na phryder na chyfrifoldeb; anghyfrifol, diofal nonchalant, flippant, insouciant

ysgafn *ans* [ysgafn•] (ysgeifn)
1 heb fod yn drwm, heb fod yn pwyso llawer, *parsel ysgafn* light

2 nad yw'n anodd, nad yw'n galed, nad yw'n gofyn llawer o ymdrech, *gwaith ysgafn* light
3 llai o ran maint neu rym nag arfer, *cawod ysgafn* light, gentle
4 hawdd ei drin, *pridd ysgafn, tywodlyd* light
5 yn symud yn rhwydd, *symudiadau bach ysgafn* light
6 heb fod yn ddifrifol; chwareus, cellweirus, *ateb ysgafn, adloniant ysgafn* light
7 heb fod yn bwysig; dibwys, *colledion ysgafn* slight, light
8 (am fwyd) hawdd ei dreulio light
9 (am ddiwydiant) yn cynhyrchu nwyddau bychain light
cymryd (rhywun neu rywbeth) yn ysgafn peidio â chymryd (rhywun neu rywbeth) o ddifrif to treat lightly

ysgafnder *eg*
1 y cyflwr o fod yn ysgafn lightness
2 diffyg parch at bethau pwysig; cellwair, gwamalrwydd, sbri levity, irreverence

ysgafnhau:ysgafnu *be* [ysgafnha•¹⁴] gwneud yn ysgafnach, tynnu'r pwysau; dod yn ysgafnach, troi'n ysgafnach to lighten

ysgall *ell* planhigion gwyllt â dail pigog a blodau melyn, gwyn neu borffor; ysgallen yw arwyddlun yr Alban thistles

ysgallen *eb* unigol ysgall thistle

ysgar *ans* wedi ysgaru; gwahanedig divorced

ysgariad *eg* (ysgariadau) CYFRAITH diwedd terfynol ar briodas wedi'i benderfynu mewn llys barn; tor-priodas, ymraniad divorce

ysgarlad *ans* o liw coch llachar scarlet

ysgarmes *eb* (ysgarmesoedd) brwydr rhwng grwpiau bychain o filwyr, llongau, etc. sy'n bell oddi wrth y brif fyddin neu'r brif lynges skirmish, dogfight

ysgarmesu *be* [ysgarmes•¹] ymladd mewn sgarmes filwrol to skirmish

ysgarmesydd *eg* (ysgarmesyddion) awyren arfog, gyflym wedi'i chynllunio i ymladd a distrywio awyrennau'r gelyn yn yr awyr fighter

ysgarthiad *eg* (ysgarthiadau) y weithred neu'r broses o ysgarthu defecation, excretion

ysgarthion *ell* y sylweddau gwastraff sy'n cael eu hysgarthu o'r corff, yn benodol y deunyddiau gwastraff a gynhyrchir gan brosesau metabolaidd celloedd; baw, carthion, tom excreta

ysgarthol *ans* yn ymwneud ag ysgarthu neu ysgarthion excretory

ysgarthu *be* gollwng ysgarthion (o'r corff) to excrete
Sylwch: nid yw'r ferf hon yn arfer cael ei rhedeg.

ysgaru *be* [ysgar•¹]
1 CYFRAITH torri priodas, dod â phriodas i ben yn gyfreithiol to divorce
2 gwahanu, ymwahanu to separate

y

ysgaw *ell* coed bach â blodau gwyn ac aeron neu rawn dulas; hefyd, yn unigol, pren y coed hyn elder

ysgawen *eb* unigol ysgaw elder

ysgegfa *eb* ysgydwad, *Cafodd ysgegfa gas pan syrthiodd i lawr y grisiau.* jolt, jarring

ysgegio *be* [ysgegi•²] symud mewn ffordd anwastad, ysgytwol to jerk, to jolt

ysgeifiog *eb* mewn enwau lleoedd man lle mae coed ysgaw yn tyfu, e.e. *Ysgeifiog*

ysgeifn *ans* ffurf luosog ysgafn, *llwythi ysgeifn*

ysgeintell *eb* (ysgeintellau) dyfais ar gyfer ysgeintio dŵr (dros lawntiau, etc.) sprinkler

ysgeintio:sgeintio *be* [sgeinti•²] taenellu (hylif neu bowdr) yn ysgafn; gwasgaru, gwlitho, ymdaenu (~ *rhywbeth* **ar hyd**) to sprinkle, to spray

ysgeler *ans* cas a chreulon, yn cael ei gyflawni mewn ffordd gudd; echrydus villainous, atrocious, heinous

ysgelerder *eg* y cyflwr o fod yn ysgeler; anfadrwydd, camwri, drygioni, erchylltra wickedness, infamy

ysgellyn *eg* unigol ysgall thistle

ysgerbwd gw. sgerbwd

ysgerbydol:sgerbydol *ans* yn ymwneud â'r sgerbwd, *y system ysgerbydol*, tebyg i sgerbwd skeletal

ysgethrin *ans* garw, gerwin harsh, terrible

ysgewyll:ysgewyll Brwsel *ell* llysiau bwytadwy tebyg i fresych bach sy'n tyfu'n frith ar goesyn y planhigyn; adfresych sprouts

ysgithr *eg* (ysgithrau:ysgithredd) math o ddant hir blaenllym sydd gan anifeiliaid fel eliffantod, morfeirch, etc. wrth ochr eu cegau tusk

ysgithrog *ans*
1 (am anifail) ag ysgithrau tusked
2 (am dir) clogyrnog, creigiog, cribog, danheddog, garw rugged, craggy

ysglyfaeth:sglyfaeth *eb* (ysglyfaethau)
1 anifail sy'n cael ei hela a'i fwyta gan anifail neu anifeiliaid eraill; prae prey, quarry
2 rhywun sy'n cael ei anafu neu ei ladd neu sy'n dioddef o rywbeth cas, *Mae'n ysglyfaeth i glefyd y gwair yn ystod misoedd yr haf.* prey, victim
3 *tafodieithol, yn y Gogledd* rhywun budr/brwnt

ysglyfaethu *be* [ysglyfaeth•¹] hel neu gymryd yn ysglyfaeth to prey

ysglyfaethus:sglyfaethus *ans*
1 yn byw ar ysglyfaeth; barus, rheibus predatory, rapacious
2 *tafodieithol, yn y Gogledd* yn codi cyfog arnoch, *Mae'r cwpwrdd yma'n sglyfaethus o fudr.*; anghynnes, brwnt, budr filthy
adar ysglyfaethus gw. adar

ysglyfaethwr *eg* (ysglyfaethwyr)
1 anifail sy'n ysglyfaethu ar anifeiliaid eraill predator

2 un sy'n dangos parodrwydd i niweidio neu fanteisio ar eraill er ei les ei hun predator

ysgogi *be* [ysgog•¹] llenwi â chyffro, cynhyrfu, gwthio ymlaen, *Cafodd ei ysgogi i weithredu ar ôl gweld lluniau o'r sefyllfa ar y teledu.*; cymell, ennyn, sbarduno, symbylu (~ *rhywun/ rhywbeth* **i**) to motivate, to stimulate, to stir

ysgogiad *eg* (ysgogiadau)
1 gwthiad sydyn neu rym arbennig sy'n gweithio am ysbaid ar hyd gwifren, nerf, etc., *ysgogiad trydanol* stimulus, impulse, impetus
2 dymuniad neu hwb sydyn i wneud rhywbeth; anogaeth, sbardun, symbyliad impulse, impetus, stimulus

ysgogol *ans* yn ysgogi, yn cymell stimulating

ysgogydd *eg* (ysgogyddion) rhywbeth neu rywun sy'n ysgogi; symbylydd activator, impulse

ysgogyn *eg* rhywun nad yw'n poeni am ddim ond ei olwg; coegyn dandy, fop

ysgol[1] *eb* (ysgolion)
1 lle i blant dderbyn addysg school
2 yr oriau pan fydd y plant yn cael eu dysgu yn y lle hwn, *Mae'r ysgol yn dechrau am 9.15 y bore ar ei ben.* school
3 y plant sy'n mynychu'r adeilad hwn a'r staff sy'n gyfrifol amdanynt, *Mae pob ysgol yn y sir yn gyfrifol am un eitem yn y cyngerdd. Mae hon yn ysgol dda.* school
4 adran o brifysgol sy'n ymwneud ag un testun, *ysgol feddygol* school
5 grŵp o bobl yn rhannu'r un syniadau neu ddulliau o weithredu, *Mae'n perthyn i ysgol o feddylwyr sy'n meddwl bod y byd yn fflat!* school

ysgol babanod ysgol ar gyfer plant 5–7 oed infant school

ysgol breswyl ysgol y mae plant yn lletya ynddi yn ystod y tymor ysgol boarding school

ysgol brofiad/profiad gwersi bywyd, (yn aml) yr hyn a ddysgir drwy wneud camgymeriadau school of hard knocks

ysgol feithrin gw. meithrin

ysgol fonedd ysgol y mae rhieni'r plant yn talu iddynt dderbyn eu haddysg ynddi public school

ysgol gyfun ysgol lle mae plant o bob gallu yn cael eu dysgu o 11 oed ymlaen comprehensive school

ysgol gynradd ysgol ar gyfer plant 4–11 oed primary school

ysgol ramadeg (yn Lloegr ac yng Ngogledd Iwerddon) ysgol y wladwriaeth ar gyfer disgyblion o oedran uwchradd, lle mae'r disgyblion yn cael eu derbyn ar sail gallu a lle mae'r pwyslais ar lwyddiant academaidd; does dim ysgolion gramadeg yng Nghymru nac yn yr Alban grammar school

ysgol Sul ysgol sy'n gysylltiedig â chapel neu eglwys (neu'r ddau) i astudio'r Beibl, ac sy'n cael ei chynnal ar y Sul Sunday school

ysgol² *eb* (ysgolion) ffrâm uchel wedi'i gwneud o ddau ddarn o bren, metel neu raff â nifer o farrau byrion yn eu cysylltu â'i gilydd gan ffurfio grisiau y mae modd eu dringo ladder

ysgoldy *eg* (ysgoldai)
1 tŷ'r ysgol schoolhouse
2 adeilad a ddefnyddir i gynnal ysgol (yn enwedig ysgol fach yn y wlad neu ysgol Sul) schoolhouse, schoolroom

ysgolfeistr *eg* (ysgolfeistri) athro ysgol schoolmaster

ysgolfeistres *eb* (ysgolfeistresi) athrawes ysgol schoolmistress

ysgolhaig *eg* (ysgolheigion)
1 un sy'n ennill ei fywoliaeth drwy ddefnyddio ei feddwl, un sy'n feddyliwr praff; academydd, sgolor intellectual, scholar
2 un sy'n astudio maes/meysydd arbennig ac sy'n arbenigwr arno/arnynt scholar

ysgolheictod *eg* dysg neu wybodaeth fanwl a thrylwyr scholarship, learning

ysgolheigaidd *ans*
1 yn perthyn i fyd ysgolheictod, nodweddiadol o ysgolheictod; academaidd, academig, dysgedig scholarly
2 anodd, astrus scholarly

ysgoliaeth *eb* sgolastigiaeth; symudiad yng ngwareiddiad Cristnogol y gorllewin rhwng y nawfed ganrif a'r ail ganrif ar bymtheg a gyfunai athrawiaeth awdurdodol yr awduron Cristnogol cynharaf (megis Awstin Sant) ag athroniaeth gwlad Groeg, yn enwedig athroniaeth Aristoteles scholasticism

ysgolor gw. sgolor

ysgoloriaeth *eb* (ysgoloriaethau) swm o arian neu wobr i fyfyriwr i'w helpu i dalu am gwrs o addysg scholarship

ysgor *eb* (ysgorau) caer, yn enwedig un yn amddiffyn dinas; uchelgaer citadel

ysgothi *be* dioddef o'r dolur rhydd (yn enwedig ymhlith anifeiliaid); pibo to scour
Sylwch: nid yw'r ferf hon yn arfer cael ei rhedeg.
'sgothi celwyddau lledu celwyddau; rhaffu celwyddau to lie through one's teeth

ysgrepan:sgrepan *eb* (ysgrepanau) bag i ddal ychydig o eiddo (teithiwr), *ysgrepan pererin*; cwd, ffetan scrip, satchel, pouch

ysgreten:sgreten *eb* (ysgretennod:sgretennod) pysgodyn dŵr croyw o'r un teulu â'r carp; mae ganddo groen gwyrdd trwchus ac mae'n gallu goroesi am gyfnod y tu allan i ddŵr tench

ysgrif *eb* (ysgrifau) ffurf lenyddol mewn rhyddiaith sy'n mynegi ymateb personol awdur i destun arbennig, *Ysgrifau T. H. Parry-Williams*; erthygl, traethawd essay

ysgrifbin *eg* (ysgrifbinnau) teclyn yn defnyddio inc ar gyfer ysgrifennu neu dynnu lluniau, yn enwedig un hen ffasiwn â nib ar ei flaen; pen pen

ysgrifen *eb*
1 llawysgrifen, *Ni allaf ddeall ysgrifen y doctor.* handwriting, writing
2 unrhyw beth sydd wedi cael ei ysgrifennu (o'i gyferbynnu â'i beintio neu ei deipio) writing
mae'r ysgrifen ar y mur rhybudd o drychineb sydd ar fin cyrraedd yn deillio o'r hanes a geir yn 'Llyfr Daniel' yn y Beibl, sef tra oedd y Brenin Belassar yn dathlu ym Mabilon ymddangosodd ysgrifen ar y mur, 'Pwyswyd di yn y glorian a'th gael yn brin', a distrywiwyd ei deyrnas the writing on the wall

ysgrifenedig *ans* wedi'i ysgrifennu, ar glawr, *rhybudd ysgrifenedig* written, handwritten
Sylwch: nid yw'n cael ei gymharu.

ysgrifennu:sgrifennu *be* [ysgrifenn•⁹]
1 rhoi marciau sy'n cynrychioli geiriau neu lythrennau ar bapur (yn enwedig ag ysgrifbin neu bensil, etc.); dynodi, marcio, nodi (~ **at** *rywun*) to write, to write down
2 mynegi a chofnodi yn y ffordd hon, neu â pheiriant fel teipiadur neu gyfrifiadur, *ysgrifennu llythyr*; e-bostio, llythyru to write
3 llunio, cyfansoddi, *Mae Dr Williams wrthi'n ysgrifennu llyfr ar hanes y Brenin Arthur.*; llenydda to write
Sylwch: dyblwch yr 'n' ym mhob ffurf ac eithrio yn y rhai sy'n cynnwys -as-.

ysgrifennwr *eg* (ysgrifenwyr) un sy'n ysgrifennu; awdur, bardd, dramodwr, nofelydd writer

ysgrifennydd *eg* (ysgrifenyddion)
1 y swyddog mewn mudiad, sefydliad neu fusnes/gwmni sy'n cadw cofnodion, yn llunio llythyrau swyddogol, etc. secretary
2 swyddog mewn llywodraeth, naill ai gweinidog, *Ysgrifennydd Gwladol dros Gymru*, neu'r cynorthwyydd uchaf ei swydd i weinidog y llywodraeth neu lysgennad secretary
3 un sydd wedi'i gyflogi i baratoi llythyrau, cadw cofnodion a threfnu cyfarfodydd i rywun arall; clerc secretary, amanuensis
4 CREFYDD *hanesyddol* un oedd yn cadw cofnodion hanes yr Israeliaid cynnar, wedyn, diwinydd ac arbenigwr yn y gyfraith scribe

ysgrifenyddes *eb* (ysgrifenyddesau) merch neu wraig sy'n gwneud gwaith ysgrifennydd secretary

ysgrifenyddiaeth *eb* (ysgrifenyddiaethau swydd a dyletswyddau ysgrifennydd secretaryship

ysgrifenyddol *ans* yn ymwneud â gwaith ysgrifennydd neu ysgrifenyddes secretarial

ysgryd *eg* cryndod, ias, *Aeth ysgryd i lawr fy nghefn wrth glywed y newyddion.* shiver, thrill

ysgrythur *eb* (ysgrythurau)
1 CREFYDD llyfr(au) sanctaidd crefydd scripture
2 CREFYDD y Beibl scripture
3 un o lyfrau'r Beibl neu ran o'r Beibl scripture
4 enw ar wersi astudio'r Beibl yn yr ysgol scripture

ysgrythurol *ans* yn ymwneud â'r ysgrythurau, nodweddiadol o'r ysgrythurau; beiblaidd scriptural

ysgrythurwr *eg* (ysgrythurwyr) un sy'n seilio ei gred neu ei farn grefyddol ar y Beibl yn unig scripturist

ysgub *eb* (ysgubau)
1 coflaid o ŷd neu lafur (ar ôl iddo gael ei dorri) wedi'i rwymo ynghyd er mwyn ei roi i sefyll mewn cae i sychu; arferid codi teisi o'r ysgubau cyn eu dyrnu yn yr hydref sheaf
2 brwsh â choes hir ar gyfer ysgubo broom

ysgubell:sgubell *eb* (ysgubellau) math o frwsh â choes hir ar gyfer ysgubo'r llawr broom

ysgubiad *eg* (ysgubiadau) y broses o ysgubo, canlyniad ysgubo; brwsiad, dysgub

ysgubo:sgubo *be* [ysgub•¹]
1 glanhau drwy frwsio (~ *rhywbeth* i ffwrdd) to sweep, to brush
2 symud yn gyflym ac yn chwyrn, gyda'r awgrym o frwsio pethau neu bobl i ffwrdd, *Ysgubodd ei ffordd drwy'r dyrfa at y llwyfan.* (~ heibio) to sweep, to whisk

ysgubol *ans*
1 yn cario popeth o'i flaen, *Traddododd araith a oedd yn ysgubol yn ei beirniadaeth o'r llywodraeth.* sweeping
2 gwych, aruthrol, *buddugoliaeth ysgubol* sweeping

ysgubor *eb* (ysguboriau) adeilad fferm ar gyfer cadw cnydau (yn enwedig gwair ac ŷd) barn, granary

ysgubwr *eg* (ysgubwyr)
1 rhywun neu rywbeth sy'n clirio drwy ysgubo sweep, sweeper
2 (mewn pêl-droed a hoci) chwaraewr amddiffynnol sy'n chwarae o flaen y gôl-geidwad ond y tu ôl i'r chwaraewyr amddiffynnol eraill sweeper

ysgutor:sgutor *eg* (ysgutorion) rhywun a benodir gan ewyllysiwr mewn ewyllys i weinyddu ystad yr ewyllysiwr ar ôl iddo farw executor

ysguthan:sguthan *eb* (ysguthanod)
1 unrhyw un o amryw fathau o golomennod sy'n byw mewn coed, e.e. y golomen fawr a chanddi blu llwydlas a marciau gwyn ar ei hadenydd neu'r golomen wyllt wood pigeon
2 *difrïol* gwraig neu ferch gas bitch

ysgwd gw. sgwd

ysgweier gw. sgweier

ysgwyd *be* [ysgydw•¹ *3 un. pres.* ysgwyd/ysgydwa; *2 un. gorch.* ysgwyd/ysgydwa]
1 symud yn gyflym i fyny ac i lawr neu yn ôl ac ymlaen, *Cafodd y tŷ ei ysgwyd gan y ffrwydrad.*; crynu, dirgrynu, siglo to shake, to vibrate
2 gosod neu symud drwy ysgwyd, *ysgwyd llwch o ddilledyn* to shake
3 cymryd llaw rhywun, y llaw dde fel arfer, a'i symud i fyny ac i lawr fel ffordd o gyfarch, neu i ddynodi cytundeb to shake (hands)
4 symud eich pen o un ochr i'r llall i ddynodi 'Na' to shake (one's head)
5 cael sioc, *Cafodd ei ysgwyd gan y newyddion am ddamwain ei ffrind.* to shake
6 (am gynffon ci, neu faner) symud yn ôl ac ymlaen; cyhwfan to wag, to flap

ysgwydd *eb* (ysgwyddau)
1 y rhan o'r corff sydd rhwng y gwddf a'r fraich shoulder
2 darn o ddilledyn sy'n gorchuddio'r rhan hon o'r corff shoulder
3 rhan uchaf coes flaen anifail (yn aml fel cig i'w fwyta); ysbawd shoulder
4 yn ffigurol, rhywbeth sy'n debyg ei siâp i ysgwydd, e.e. *Mae'r ffordd yn arwain dros ysgwydd y Frenni Fawr.*

pont yr ysgwydd gw. pont
Ymadroddion

gair dros ysgwydd gw. gair

nerth braich ac ysgwydd gw. nerth

pen ac ysgwydd yn uwch gw. pen¹

rhoi ysgwydd dan yr arch cynorthwyo yn ymarferol (yn ariannol, fel arfer)

ysgwydd wrth ysgwydd yn dynn gyda'i gilydd shoulder to shoulder

ysgwyddo *be* [ysgwydd•¹] gosod (y pwysau) ar eich ysgwyddau; neu'n ffigurol, derbyn y pwysau, *ysgwyddo cyfrifoldeb* to shoulder

ysgydwad:ysgytwad *eg* (ysgydwadau) y weithred o ysgwyd neu o gael eich ysgwyd; ysgytiad, siglad, ysgegfa shaking, jolt, agitation

ysgydwaf *bf* [ysgwyd] rwy'n ysgwyd; byddaf yn ysgwyd

ysgyfaint *ell* ANATOMEG lluosog ysgyfant, pâr o organau sy'n debyg i ddwy falŵn yn y frest; eu gwaith yw tynnu ocsigen o'r aer a'i gyrchu i weddill y corff drwy'r gwaed lungs

ysgyfant *eg* unigol ysgyfaint

ysgyfarnog:sgwarnog *eb* (ysgyfarnogod) anifail sydd â chlustiau hir, gwefus uchaf wedi'i rhannu'n ddwy, cynffon bwt, a choesau cefn hir sy'n ei alluogi i redeg yn gyflym; mae'n debyg ei olwg i gwningen ond yn anifail mwy (tua 70 cm) ac nid mewn twll yn y ddaear y mae'n byw ond mewn gwâl; ceinach hare

ysgyfeiniol *ans* ANATOMEG yn perthyn i'r ysgyfaint pulmonary

ysgyfeinwst *eg* clefyd ceffylau a achosir gan facteria sy'n peri cern lidus ac i'r ffroenau redeg strangles

ysgymun *ans* wedi'i ysgymuno, wedi'i felltithio; cyfrgoll, damnedig, melltigedig accursed

ysgymunbeth *eg* (ysgymunbethau) rhywbeth sy'n rhy lawn o ddrwg i'w gyffwrdd, enwi neu ddefnyddio taboo

ysgymuniad *eg* (ysgymuniadau) CREFYDD y broses o ysgymuno, canlyniad ysgymuno excommunication

ysgymuno *be* [ysgymun•¹] CREFYDD cosbi rhywun drwy ei ddiarddel o gymdeithas y saint; gwahardd to excommunicate

ysgyrion *ell* mân ddarnau hir, tenau o bren, gwydr, asgwrn, gwaed, etc. splinters

ysgyrnygu *be* [ysgyrnyg•¹]
1 (am anifail) gwneud sŵn cras, bygythiol gan ddangos ei ddannedd (~ **ar**) to snarl
2 rhwbio'ch dannedd yn erbyn ei gilydd mewn dicter neu bryder, crensian dannedd, rhincian dannedd to gnash

ysgytiad *eg* (ysgytiadau) ysgydwad sydyn ac annisgwyl, syndod cas ac annisgwyl; braw, sioc shock, jolt

ysgytio *be* [ysgyti•²] ysgwyd, siglo to shake

ysgytlaeth *eg* (ysgytlaethau) math o ddiod lle mae llaeth yn cael ei gymysgu â syryp â blas arbennig (mefus, banana, etc.) ac yna ei ysgwyd er mwyn creu diod ewynnog milkshake

ysgytwad gw. ysgydwad

ysgytwol *ans* yn achosi ysgytwad shocking, jolting

ysgythriad *eg* (ysgythriadau)
1 CELFYDDYD darlun wedi'i losgi i mewn i ddarn o fetel drwy ddefnyddio asid ar blât o gopr neu sinc engraving, etching
2 copi o ddarlun o'r math hwn wedi'i gynhyrchu ar beiriant argraffu engraving, etching

ysgythru *be* [ysgythr•¹] llosgi llun i mewn i fetel, gwydr neu garreg ag asid; engrafu (~ *rhywbeth* **ar**) to engrave, to etch

ysgythrwr *eg* (ysgythrwyr) crefftwr sy'n ysgythru engraver, etcher

ysig *ans* wedi'i ysigo, wedi'i glwyfo, *calon ysig*; anafus, briwedig, clwyfedig battered, bruised, broken

ysigiad *eg* MEDDYGAETH dolur, yn enwedig wrth daro rhan o'r corff neu wrth droi ar un o gymalau'r corff sprain, wrench

ysigo gw. sigo

ysmala gw. smala

ysmaldod gw. smaldod

ysmalio gw. smalio

ysmygu:smygu *be* [ysmyg•¹]
1 sugno mwg tybaco (o sigarét, pibell, etc.) i'r geg a'r ysgyfaint, cael mwgyn; smocio to smoke
2 gwneud arfer o hyn, ei wneud yn gyson, *Ers pryd rwyt ti'n smygu?* to smoke

ysmygwr *eg* (ysmygwyr) un sy'n ysmygu smoker

ysmygwraig *eb* merch neu wraig sy'n ysmygu smoker

ysnoden *eb* (ysnodennau) rhuban, yn enwedig rhuban a roddir i enillydd cystadleuaeth ribbon, rosette

ysol *ans* yn ysu, yn creu teimlad mor gryf fel ei fod yn llosgi neu'n brathu, *fflam ysol o gariad*; deifiol, difaol, dinistriol, niweidiol consuming, burning

ystad gw. stad

ystadegaeth *eb* cangen o fathemateg yn ymwneud â chasglu a dadansoddi data (ystadegau) a chyflwyno casgliadau yn seiliedig ar y dadansoddiad hwnnw statistics

ystadegau *ell* lluosog **ystadegyn**, asgliad o ddata sy'n cynrychioli ffeithiau neu fesuriadau statistics

ystadegol *ans* yn defnyddio ystadegau, nodweddiadol o ystadegau statistical

ystadegydd *eg* (ystadegwyr) arbenigwr sy'n casglu ac yn dadansoddi ystadegau statistician

ystadegyn *eg* unigol **ystadegau** statistic

ystaden *eb* (ystadenni) hen uned o fesur yn cyfateb i 220 o lathenni (tua 201 metr) furlong

ystafell:stafell *eb* (ystafelloedd) rhaniad o fewn adeilad ac iddo ei waliau, ei lawr a'i nenfwd ei hun, e.e. cegin, lolfa, tŷ bach, etc.; llofft, siambr room

ystafell wely ystafell i gysgu ynddi bedroom

ystafell ymolchi ystafell yn cynnwys basn ymolchi, bath a thoiled, fel arfer bathroom

ystatud gw. statud

ystatudol gw. statudol

ystifflog *eg* (ystifflogod:ystifflogion) cefflalopod tebyg i octopws ac iddo wyth braich a dau dentacl, er ei fod yn wahanol i octopws gan fod ganddo gragen fewnol galed cuttlefish

ystlum *eg* (ystlumod) un o nifer o fathau o famolion nosol sy'n edrych yn debyg i lygod bach ag adenydd; maent yn hedfan o gwmpas yn hela pryfed yn y nos ac yn cysgu yn y dydd bat

ystlys *eb* (ystlysau)
1 ochr person neu anifail rhwng yr asennau a'r glun, *Cafodd ei drywanu yn ei ystlys.*; lwyn, tenewyn flank, side
2 ochr neu ymyl adeilad; eil aisle
3 ochr neu ymyl byddin flank
4 DAEAREG ochr neu ymyl anticlin neu synclin limb

llinell ystlys gw. llinell

ystlyswr *eg* (ystlyswyr)
  1 un sy'n cynorthwyo warden eglwys mewn
  dyletswyddau megis gwneud y casgliad
  sidesman
  2 llumanwr; mewn gêmau megis tennis a
  phêl-droed, un o'r swyddogion sy'n cadw
  at ymyl y maes chwarae ac yn cynorthwyo'r
  dyfarnwr; llinellwr linesman

ystod *eb* (ystodau)
  1 y ffiniau y mae amrywiaethau yn gallu
  digwydd rhyngddynt, *Beth yw ystod oedran*
  y plant yn y dosbarth?; amrediad, cwmpas
  range
  2 cymaint o wair ag yr oedd modd ei ladd ag un
  symudiad o'r bladur neu y lled o wair neu gnwd
  y mae'n bosibl i beiriant ei dorri ar y tro swathe
  3 rhes o wair neu silwair wedi'i dorri ac yn
  barod i'w godi gan beiriant swathe
  yn ystod drwy gydol, yr un pryd â neu ar ryw
  adeg o fewn cyfnod, *Fe gawn ni sgwrs yn ystod*
  yr egwyl. during, in the course of

ystof *eb* (ystofion) yr edau sy'n rhedeg o un pen
  i'r llall mewn darn o ddefnydd; mae'r anwe
  (sef yr edau sy'n mynd ar draws o un ochr i'r
  llall) yn cael ei gwau neu ei gwehyddu drwyddi;
  dylif warp

ystofi *be* trefnu edafedd i greu ystof to warp
  Sylwch: nid yw'r ferf hon yn arfer cael ei rhedeg.

ystrad *eg* (ystradau) *mewn enwau lleoedd*
  cwm llydan, gwastad, gwaelod dyffryn, e.e.
  Ystrad Aeron, Ystrad-fflur vale, strata, strath

ystrydeb *eb* (ystrydebau) dywediad sydd wedi
  colli llawer o'i rym oherwydd iddo gael ei
  orddefnyddio, e.e. *ar ddiwedd y dydd* platitude,
  cliché, stereotype

ystrydebol *ans* am rywbeth (dywediad, darn
  o gerddoriaeth, darlun, etc.) sydd wedi cael
  ei ailadrodd mor aml nes colli llawer o'i
  rym; heb ddangos unrhyw wreiddioldeb
  (o safbwynt syniadau, mynegiant, etc.);
  sathredig stereotyped, clichéd, hackneyed

ystrydebu *be* siarad neu ysgrifennu mewn
  ystrydebau to stereotype
  Sylwch: nid yw'r ferf hon yn arfer cael ei rhedeg.

ystryw *eb* (ystrywiau) gweithred wedi'i bwriadu
  i dwyllo; cynllwyn, dichell, tric, twyll trick,
  ruse, deceit

ystrywgar *ans* llawn ystrywiau, parod iawn i'ch
  twyllo; castiog, cyfrwys, dichellgar, twyllodrus
  crafty, scheming, sly

ystum *egb* (ystumiau) ffordd o osod y corff
  neu'r wyneb, e.e. i gyfleu teimlad neu i gael
  tynnu eich llun; gwedd, osgo, jib pose, posture,
  gesture
  ystum afon tro neu ddolen mewn afon
  meander, bend

ystumiad *eg* (ystumiadau)
  1 newid mewn golwg, siâp neu sŵn rhywbeth
  fel ei fod yn rhyfedd neu'n aneglur distortion
  2 newid mewn ffeithiau, syniadau, etc. fel nad
  ydynt bellach yn gywir nac yn wir distortion

ystumio:stumio *be* [ystumi•²]
  1 symud y dwylo a'r breichiau er mwyn
  pwysleisio neu ddarlunio rhywbeth wrth siarad
  to gesticulate
  2 ymddwyn neu siarad mewn ffordd annaturiol
  er mwyn tynnu sylw to pose
  3 plygu, newid siâp neu ffurf rhywbeth drwy
  roi gormod o bwysau arno, *Mae'r bachgen yna*
  wedi stumio'r llwy 'ma drwy ei defnyddio i
  agor tuniau.; anffurfio to contort, to distort
  4 gwyro, gwyrdroi, llurgunio, fel yn *stumio*
  geiriau rhywun to distort, to pervert

ystumiwr *eg* (ystumwyr) un sy'n ystumio
  distorter

Ystwyll *eg* CREFYDD un o wyliau'r Eglwys
  Gristnogol a gynhelir ar y deuddegfed dydd
  wedi'r Nadolig ac sy'n dathlu ymweliad y
  Doethion o'r Dwyrain â'r baban Iesu; ar y
  dydd hwn, yn draddodiadol, y mae gwyliau'r
  Nadolig yn dod i ben Epiphany, Twelfth Night

ystwyrian *be* troi a symud, yn enwedig wrth
  ddeffro; cyffroi, dadebru, dihuno to stir oneself
  Sylwch: nid yw'r ferf hon yn arfer cael ei
  rhedeg.

ystwyth *ans* [ystwyth•] hawdd ei blygu, *corff*
  ystwyth yr acrobat; hyblyg, hydwyth flexible,
  pliable, supple

ystwythder *eg* y ddawn i symud y corff yn
  rhwydd ac yn gyflym, neu'r briodoledd sydd
  gan rywbeth i fedru cael ei blygu a'i wyro'n
  rhwydd; hyblygrwydd, hydwythedd, meddalwch
  flexibility, suppleness, elasticity, agility

ystwytho *be* [ystwyth•¹] gwneud rhywbeth
  yn fwy hyblyg neu ystwyth, *Rwy'n credu bod*
  nofio yn ffordd dda o ystwytho'r hen gorff
  'ma.; llacio, llaesu to make flexible

ystyfnicach:ystyfnicaf:ystyfniced *ans*
  [ystyfnig] mwy ystyfnig; mwyaf ystyfnig;
  mor ystyfnig

ystyfnig *ans* [ystyfnic•]
  1 heb fod yn rhwydd ei berswadio na'i drechu;
  di-ddweud stubborn, obstinate
  2 heb fod yn barod i ufuddhau; anhydyn,
  gwrthnysig, gwrthryfelgar, pengaled obstinate
  3 ag ewyllys cryf; penderfynol stubborn, wilful

ystyfnigo *be* [ystyfnig•¹] mynd yn fwy ystyfnig;
  gwarsythu to become obdurate, to become
  stubborn

ystyfnigrwydd *eg* y briodoledd o fod yn
  ystyfnig, natur ystyfnig; anhydynrwydd,
  cyndynrwydd, gwargaledwch, pengaledwch
  stubbornness, obstinacy, obduracy

ystyllen:styllen *eb* (ystyllod:styllod) planc;

darn hir, gwastad o bren sy'n amrywio yn ei
drwch o 2.5 cm i 15.2 cm (1 i 6 modfedd) ac
sydd o leiaf 15.2 cm (6 modfedd) o led; astell,
planc plank

ystyr *ebg* (ystyron)
1 y syniad y mae gofyn ichi ei ddeall, *Beth yw
ystyr y gair 'bygegyr'?*; diffiniad, esboniad
meaning
2 pwysigrwydd neu arwyddocâd, *Doedd Huw
ddim yn gweld unrhyw ystyr i'w fywyd.*;
synnwyr meaning, sense

ystyrgar *ans* meddylgar, ystyriol, gofalus
considerate

ystyriaeth *eb* (ystyriaethau)
1 meddwl gofalus, *Rhown bob ystyriaeth i'ch
cais.*; sylw consideration
2 rhywbeth i'w ystyried, i feddwl yn galed
yn ei gylch, *Mae'n rhaid pwyso a mesur
nifer o ystyriaethau cyn cyrraedd casgliad.*
consideration, factor
dan ystyriaeth yn cael ei ystyried under
consideration

ystyried *be* [ystyri•²]
1 meddwl dros, cymryd i ystyriaeth, pwyso a
mesur (cyn gwneud penderfyniad); gwyntyllu
to consider, to contemplate, to ponder
2 meddwl, cyfrif, barnu, *Rwy'n ei ystyried yn
athro da.* to consider
3 caniatáu, derbyn, cofio, *Fe wnaeth hi'n
arbennig o dda yn ei harholiad piano o ystyried
mai blwyddyn sydd er pan ddechreuodd hi gael
gwersi.* to consider

ystyriol *ans* am un sy'n barod i ystyried; gofalus,
meddylgar, trugarog considerate, thoughtful

ystyrlon *ans* ac iddo ystyr, yn cyfleu ystyr;
arwyddocaol meaningful, significant
ffigur ystyrlon gw. ffigur

ysu *be* [ys•¹]
1 difa, llosgi, *Cafodd yr hen bapurau eu hysu
yn y tân.* to consume
2 bod ar dân, 'bron â marw' o eisiau gwneud
rhywbeth, *Mae'n ysu am gael chwarae ddydd
Sadwrn.*; awchu, chwennych, deisyfu, dyheu
(~ **am**) to crave, to yearn
3 teimlo bod arnoch eisiau crafu neu rwbio'ch
croen; cosi to itch

Ysw. *byrfodd* Yswain, teitl yn cyfateb i
Y Bonwr neu *Mr*, oedd yn arfer dod ar ôl enw
gŵr wrth gyfeirio rhywbeth ato ar bapur,
e.e. *Iolo Walters, Ysw.* Esq.

yswain *eg* (ysweiniaid)
1 *hanesyddol* gŵr bonheddig o'r wlad, meistr tir
esquire, squire
2 y prif dirfeddiannwr a pherchennog y plas
lleol mewn ardaloedd gwledig; sgweier squire

yswiriant *eg*
1 CYLLID trefniant i arian gael ei dalu i rywun

yn sgil marwolaeth, tân, damwain, etc. wedi i
daliadau gael eu gwneud yn rheolaidd i gwmni
yswiriant ymlaen llaw, *yswiriant bywyd*,
yswiriant car insurance, cover
2 y busnes o drefnu taliadau yswiriant,
cwmnïau yswiriant insurance
3 y swm o arian sy'n cael ei dalu o dan
bolisi yswiriant, *Byddai ei gŵr yn derbyn
yswiriant o £120,000 pe bai hi'n cael ei lladd.*
insurance

yswiriedig *ans* CYLLID wedi'i yswirio insured

yswirio *be* [yswiri•²] CYLLID talu symiau o
arian yn rheolaidd i gwmni yswiriant er
mwyn sicrhau swm penodol o arian yn sgil
tân, damwain, marwolaeth, etc. (~ *rhywun/
rhywbeth* **am**; ~ *rhywun/rhywbeth* **ar gyfer**)
to insure

yswiriwr *eg* (yswirwyr) unigolyn neu gwmni
sy'n darparu yswiriant insurer

yswydden *eb* (yswydd) prysgwydden o deulu'r
onnen â dail bychain, bythwyrdd a blodau bach
gwyn, persawrus wild privet
yswydden yr ardd yswydden sy'n cael ei thyfu
i greu cloddiau mewn gerddi garden privet

ysydd:yswr *eg* (yswyr)
1 rhywbeth neu rywun sy'n ysu neu'n difa
consumer, destroyer
2 BIOLEG organeb sy'n bwyta organebau eraill
consumer

ysywaeth *adf* gwaetha'r modd, yn anffodus alas,
unfortunately

yterbiwm *eg* elfen gemegol rhif 70; metel
ariannaidd (Yb) ytterbium

ytriwm *eg* elfen gemegol rhif 39; metel llwydwyn;
fe'i defnyddir mewn aloion uwchddargludo i
wneud magnetau cryf (Y) yttrium

yw¹:ydyw:ydy *bf* [bod] mae ef yn bod/mae
hi'n bod
Sylwch: defnyddir 'yw/ydyw':
1 mewn brawddegau negyddol os bydd y
goddrych yn benodol, *Nid yw Dafydd yn
rhedeg. Nid yw'n rhedeg heddiw*;
2 os bydd y goddrych yn amhenodol ac yn cael
ei ddilyn gan ymadrodd a gyflwynir gan 'yn',
Nid yw gormod o halen yn dda i chi;
3 mewn cwestiynau ar ôl y geirynnau gofynnol
'a' ac 'onid', os yw'r goddrych yn benodol, ac
mewn atebion uniongyrchol hefyd, *A (yd)yw
Dafydd yn dod hefyd? Ydyw/Ydy*;
4 mewn cwestiynau ar ôl y geirynnau
gofynnol 'a' ac 'onid', os yw'r goddrych yn
amhenodol ac yn cael ei ddilyn gan ymadrodd
a gyflwynir gan 'yn', *A yw plant yn credu yn
Siôn Corn?*

yw² *ell* coed â dail bach bythwyrdd ac aeron
coch; maent yn tyfu'n draddodiadol mewn
mynwentydd oherwydd bod eu dail a'u haeron

y

yn wenwynig i anifeiliaid; hefyd, yn unigol,
pren y coed hyn (arferid defnyddio'r pren i
wneud bwâu) yew

ywen *eb* unigol yw yew (tree)

Z

z:Z *eb* nid yw'n cael ei hystyried yn llythyren o
fewn yr wyddor Gymraeg ond daw ar ddechrau
geiriau benthyg

Zambiad *eg* (Zambiaid) brodor o wlad Zambia,
un sy'n byw yng ngwlad Zambia Zambian

Zambiaidd *ans* yn perthyn i Zambia,
nodweddiadol o Zambia Zambian

Zen *eb* crefydd Siapaneaidd yn seiliedig ar
Fwdhaeth, yn defnyddio dulliau o synfyfyrio
ar baradocsau i gyrraedd cyflwr o oleuedigaeth
e.e. 'Beth yw sŵn un llaw yn curo?' Zen

Zimbabwead *eg* (Zimbabweaid) brodor o wlad
Zimbabwe, un sy'n byw yng ngwlad Zimbabwe
Zimbabwean

Zimbabweaidd *ans* yn perthyn i Zimbabwe,
nodweddiadol o Zimbabwe Zimbabwean

Zwlw *eg* (Zwlŵaid) brodor o Wlad y Zwlw
neu o dras Zwlŵaidd Zulu

Zwlŵaidd *ans* yn perthyn i Wlad y Zwlw
neu'n nodweddiadol ohoni Zulu

English–Welsh Glossary

This is not an English–Welsh dictionary. Its intention is to provide an alternative, albeit limited, means of accessing the Welsh dictionary.

- It lists the English headwords that correspond to the Welsh definitions.

- It then extends this list of English words to accommodate a wider English lexicon, even though these words may not appear within the Welsh dictionary. These are denoted by means of an asterisk *.

- **The Welsh words in this glossary are set out in alphabetical order not in order of the most frequently used forms**, e.g. **burn** *vn* cydio, llosgi, tanbeidio – where *llosgi* would be the most frequently used form.

- **Readers should check the Welsh definition for the exact meaning in all cases** since full disambiguation for the multitude of English meanings is not given, e.g.

> **bark** 1. *n* cyfarth[1] *m*, cyfarthiad *m*, rhisgl *m*
> 2. *vn* coethi[2], cyfarth[2], dirisglo

The above example refers to a dog's bark and the bark of a tree.

- Idioms, e.g. *gorau glas* 'level best', *cic i'r post i'r pared gael clywed* 'to drop a hint' are not included.

- The glossary also excludes compound terms. For example, 'saw' *llif* is included but 'chain saw' or 'circular saw' are not. Both of these appear in the Welsh dictionary and you will find them under the generic term 'llif'.

- Where a Welsh word has no single-word English equivalent, an English paraphrase is not included.

- Subject labels are used to indicate specialist terminology. This has resulted in entries such as:

> **complaint**[1] *n* achwyniad *m*, cwyn *f*
> **complaint**[2] MEDICINE *n* anhwylder *m*

- Certain archaic Welsh forms are included in the Welsh dictionary (for readers of Welsh texts); the English equivalents have not been included in this section as they are no longer in common use.

- Usage labels draw attention to terms generally considered to be vulgar, crude or offensive and unacceptable.

a

abacus *n* abacws *m*
abalone *n* clust fôr *f*
abandon* 1. *n* afiaith *m* 2. *vn* gadael
abandoned *adj* gadawedig, unig
abandonment *n* gadawiad *m*
abase *vn* darostwng, iselhau
abasement *n* iselhad *m*, ymddarostyngiad *m*
abash* *vn* cywilyddio
abate* *vn* gostegu, gwanhau, lleihau
abatement* *n* lleihad *m*
abattoir *n* lladd-dy *m*
abaxial BOTANY *adj* allechelinol
abbacy *n* abadaeth *f*
abbatial *adj* abadaidd
abbess *n* abades *f*
abbey *n* abaty *m*
abbot *n* abad *m*
abbreviate *vn* cwtogi, talfyrru
abbreviated *adj* cryno, talfyredig
abbreviation *n* byrfodd *m*, talfyriad *m*
abdicate *vn* ymddiorseddu, ymwrthod
abdication *n* ymddiorseddiad *m*
abdomen ANATOMY, ZOOLOGY *n* abdomen *m*
abdominal *adj* abdomenol, torrol
abduct LAW *vn* herwgydio
abduction LAW *n* herwgydiad *m*
abductor LAW *n* herwgydiwr *m*
aberrance *n* cyfeiliornad *m*, gwyrni *m*
aberrant BIOLOGY *adj* gwyrol
aberration ASTRONOMY, PHYSICS *n* egwyriant *m*
abet LAW *vn* annog
abettor LAW *n* anogwr *m*
abeyance* *n* oediad *m*
abhor *vn* ffieiddio
abhorrence *n* atgasedd *m*, atgasrwydd *m*,
  ffieidd-dod *m*, ffieidd-dra *m*, ffieiddiad *m*
abhorrent* *adj* atgas, ffiaidd
abide* *vn* goddef, trigo, ufuddhau
abiding* *adj* arhosol
ability *n* abledd *m*, gallu² *m*, medr *m*
abiotic *adj* abiotig
abject* *adj* distadl
abjectness* *n* dinodedd *m*, trueni¹ *m*
abjuration *n* diofryd *m*, gwadiad *m*, ymwadiad *m*
abjure* *vn* gwadu
ablate *vn* abladu
ablation GEOLOGY, MEDICINE *n* abladiad *m*
ablaut GRAMMAR *n* ablawt *m*
ablaze *adj* gwenfflam
able *adj* abl, atebol, galluog
able-bodied *adj* atebol, cydnerth
ablution *n* ymolchiad *m*
abnegation* *n* ymwadiad *m*
abnormal¹ *adj* anghyffredin, anarferol, annormal
abnormal² GRAMMAR *adj* annormal

abnormalism *n* annormalaeth *f*
abnormality *n* annormaledd *m*
aboard *adv* ar fwrdd [*bwrdd*]
abode *n* anheddfa *f*, preswylfa *f*, trigfa *f*, trigfan *f*
abolish *vn* diddymu, dileu
abolition *n* diddymiad *m*, dilead *m*
abomasum ZOOLOGY *n* abomaswm *m*
abominable *adj* ffiaidd
abominate* *vn* ffieiddio
abomination *n* ffieiddbeth *m*
aboriginal *adj* cynfrodorol
aborigine *n* cynfrodor *m*
abort *vn* erthylu
abortifacient MEDICINE *n* erthylydd *m*
abortion *n* erthyl *m*, erthyliad *m*
abortionist *n* erthylydd *m*
abortive* *adj* seithug
abound *vn* heigio, pyngad, pyngo
abounding* *adj* cyforiog
about 1. *adv* obeutu, oddeutu¹, ynglŷn
  2. *n* deutu *m* 3. *prep* am², ar, marce, marcie,
  oddeutu², tua, ynghylch 4. o gwmpas
  [*cwmpas¹*], o gylch [*cylch*]
about to *prep* am²
above 1. *adv* fry, uchod 2. *prep* goruwch,
  uwchben, uwchlaw
abrasion *n* crafiad *m*, sgrafelliad *m*
abrasive* *adj* crafog
abreaction PSYCHIATRY *n* gwrthadwaith *m*
abreast *adv* ochr yn ochr
abridge *vn* crynhoi¹, talfyrru
abridged *adj* cryno, talfyredig
abridgement *n* crynhoad *m*, talfyriad *m*
abroad* *adj* tramor
abrogate* *vn* diddymu, dileu
abrogation* *n* diddymiad *m*, dilead *m*
abrupt 1. *adj* diswta, disymwth, pwt², swta,
  sydyn 2. *adv* & *adj* ffwr-bwt
abruptly 1. *adv* chwap 2. ar unwaith [*unwaith*]
abruptness *n* sydynrwydd *m*
abscess¹ *n* casgliad *m*
abscess² MEDICINE *n* crawniad *m*
abscisic (acid) BOTANY *adj* absgisig
abscissa MATHEMATICS *n* absgisa *m*
abscission BOTANY *n* absgisedd *m*
abscond *vn* dianc
absconder *n* dihangwr *m*
abseil *vn* abseilio
absence *n* absenoldeb *m*, absenoliad *m*
absent *adj* absennol
absentee *n* absenolwr *m*, absenolyn *m*
absenteeism *n* absenoliaeth *f*
absentees *n* absenolion *pl*
absent-minded* *adj* anghofus
absolute 1. *adj* absoliwt, corn³, cyfiawn,
  gwirioneddol 2. *adv* & *adj* llwyr
absolutely yn hollol [*hollol*]

absolution* *n* maddeuant *m*

absolutism[1] *n* unbennaeth *f*

absolutism[2] PHILOSOPHY *n* absoliwtiaeth *f*

absolve* *vn* rhyddhau

absorb *vn* amsugno, llyncu

absorbance PHYSICS *n* amsugnedd *m*

absorbency *n* amsugnedd *m*

absorbent 1. *adj* amsugnol 2. *n* amsugnydd *m*

absorption *n* amsugniad *m*

abstain *vn* llwyrymatal, ymatal, ymgadw, ymwrthod

abstainer *n* ymataliwr *m*

abstaining *adj* ymataliol

abstemious *adj* cymedrol

abstemiousness *n* cymedroldeb *m*, sobrwydd *m*

abstention 1. *n* ymataliad *m* 2. *vn* ymwrthod

abstinence *n* dirwest *m*, llwyrymataliad *m*, llwyrymwrthodiad *m*, ymwrthodiad *m*

abstinent *adj* dirwestol

abstract[1] 1. *adj* haniaethol 2. *n* crynodeb *m* 3. *vn* alldynnu, crynhoi[1], haniaethu

abstract[2] ART *adj* haniaethol

abstraction *n* haniaeth *f*

abstruse *adj* astrus, caled

abstruseness *n* astrusi *m*

absurd *adj* absŵrd, gwirion, gwrthun, hurt

absurdism PHILOSOPHY *n* abswrdiaeth *f*

absurdity* *n* gwiriondeb *m*, hurtrwydd *m*

abundance *n* amlder *m*, amldra *m*, cyflawnder *m*, digonedd *m*, llaweredd *m*, llawnder *m*, llawndra *m*, lluosogrwydd *m*, lluosowgrwydd *m*, toreth *m*, wmbredd *m*

abundant *adj* brith, helaeth, niferus, toreithiog

abuse 1. *n* camdriniaeth *f*, camddefnydd *m* 2. *vn* cam-drin, camddefnyddio, difrïo

abusive *adj* difrïol, dilornus

abut *vn* ffinio

abutment ARCHITECTURE *n* ategwaith *m*

abutting *adj* cyfagos, cyffiniol

abysmal *adj* affwysol, alaethus, difrifol, ofnadwy[1]

abyss *n* affwys *m*, agendor *mf*, gagendor *mf*

acacia (tree and wood) *n* acasia *f*

academic 1. *adj* academaidd, academig 2. *n* academig *m*, academydd *m*

academicism *n* academiaeth *f*

academy *n* academi *f*, athrofa *f*

accede* *vn* cydsynied, cydsynio, cytuno

accelerate *vn* cyflymu

accelerated *adj* cyflymedig

acceleration *n* cyflymiad *m*

accelerator[1] *n* sbardun *m*, ysbardun *m*

accelerator[2] PHYSICS *n* cyflymydd *m*

accent[1] *n* acen *f*, llediaith *f*

accent[2] GRAMMAR *n* acen *f*

accented *adj* acennog

accentless *adj* diacen

accentuate *vn* acennu, pwysleisio

accentuation *n* aceniad *m*

accept *vn* arddel, derbyn, dygymod

acceptability *n* derbyniadwyedd *m*, derbynioldeb *m*

acceptable *adj* cymeradwy, derbyniol

acceptance *n* derbyniad *m*

accepted* *adj* arferol

accepter *n* derbyniwr *m*

access[1] 1. *n* cyrchiad *m*, mynedfa *f*, mynediad *m* 2. *vn* cyrchu 3. hawl gweld [*hawl*[1]]

access[2] COMPUTING *vn* cyrchu

accessibility *n* hygyrchedd *m*

accessible *adj* hygyrch

accession *n* esgyniad *m*

accessory[1] 1. *adj* ategol, atodol 2. *n* ategolyn *m*, cyfwisg *f*

accessory[2] LAW 1. *adj* affeithiol 2. *n* affeithiwr *m*

accident *n* anap *m*, anffawd *f*, anhap *m*, damwain *f*

accidental[1] *adj* damweiniol

accidental[2] MUSIC *n* hapnod *m*

acclaim* 1. *n* cymeradwyaeth *f* 2. *vn* canmol, clodfori, cymeradwyo

acclamation* *n* bonllef *f*

acclimatization *n* ymaddasiad *m*

acclimatize *vn* hinsoddi, ymaddasu

acclivity *n* allt *f*, gallt *f*, rhiw *f*, tyle *m*

accolade *n* acolâd *m*, cymeradwyaeth *f*

accommodate *vn* addasu, dygymod, lletya, ymaddasu

accommodating* *adj* caredig, cymwynasgar

accommodation *n* llety *m*, preswylfa *f*, trigfa *f*, trigfan *f*

accompanier *n* hebryngydd *m*

accompaniment[1] MUSIC *n* cyfeiliant *m*

accompaniment[2] COOKERY *n* cyfwyd *m*

accompanist *n* cyfeilydd *m*

accompany[1] *vn* anfon, cyd-fynd, cydgerdded, danfon, hebrwng

accompany[2] MUSIC *vn* cyfeilio

accomplice *n* cyd-droseddwr *m*

accomplish *vn* cyflawni, gweithredu

accomplished* *adj* medrus

accomplishment *n* camp *f*, cyflawniad *m*, dawn *f*, llwydd *m*, llwyddiant *m*, medr *m*

accord* 1. *n* cytundeb *m* 2. *vn* cyd-daro, gweddu

accordingly* *adv* felly

accordion *n* acordion *m*

account *n* cownt *m*, cyfrif[1] *m*, disgrifiad *m*, hanes *m*, pwys[2] *m*, pwysigrwydd *m*

accountability *n* atebolrwydd *m*

accountable *adj* atebol, cyfrifol

accountancy *n* cyfrifeg *f*, cyfrifyddiaeth *f*

accountant *n* cyfrifydd *m*

accoutre* *vn* dilladu, gwisgo

accoutrements *n* offer *pl*

accredit *vn* achredu

accreditation *n* achrediad *m*

accredited *adj* achrededig
accrete *vn* ymgasglu
accretion *n* croniant *m*
accrual* *n* croniad *m*
accrue* *vn* cronni
accumulate *vn* casglu, cronni, crynhoi[1]
accumulated *adj* cronedig
accumulation *n* casgliad *m*, croniad *m*, crynhoad *m*, pentwr *m*
accumulative *adj* cronnol, cynyddol
accumulator COMPUTING, PHYSICS *n* croniadur *m*
accuracy *n* cywirdeb *m*, manwl gywirdeb *m*
accurate *adj* cywir, manwl gywir
accursed *adj* melltigedig, ysgymun
accusable LAW *adj* cyhuddadwy
accusation *n* cwyn *f*, cyhuddiad *m*
accusative GRAMMAR *adj* gwrthrychol
accuse *vn* cyhuddo
accused *adj* cyhuddedig[2], cyhuddiedig
accuser *n* cyhuddwr *m*
accustomed *adj* cyfarwydd[1], cynefin[2]
ace *n* as *f*
acellular BIOLOGY *adj* anghellog
acerbic* *adj* chwerw, egr, sur
acerbity *n* chwerwder *m*, chwerwdod *m*, chwerwedd *m*, egrwch *m*
acetabulum ANATOMY *n* asetabwlwm *m*
acetate CHEMISTRY *n* asetad *m*, asetyn *m*
acetic CHEMISTRY *adj* asetig
acetone CHEMISTRY *n* aseton *m*, propanon *m*
acetylcholine BIOCHEMISTRY *n* asetylcolin *m*
acetylene CHEMISTRY *n* asetylen *m*
ache 1. *n* cur *m*, dolur *m*, gwŷn *m*, poen *f* 2. *vn* brifo, dolurio, gwynegu, gwynio
achene BOTANY *n* achen *m*
achieve *vn* cyflawni, gwireddu
achievement *n* camp *f*, cyflawniad *m*, gorchest *f*
aching *adj* dolurus, poenus
achlamydeous BOTANY *adj* diamlen
achromatic *adj* acromatig
acid[1] *adj* asidig, sur
acid[2] CHEMISTRY *n* asid *m*
acidic *adj* asidig
acidify *vn* asidio
acidity *n* asidedd *m*
acknowledge *vn* arddel, cydnabod[1]
acknowledged *adj* cydnabyddedig, cydnabyddus
acknowledgement[1] *n* cydnabyddiaeth *f*
acknowledgement[2] LAW *n* cydnabyddiad *m*
acme *n* brig[1] *m*, pinacl *m*, uchafbwynt *m*
acne[1] *n* plorod *pl*
acne[2] MEDICINE *n* acne *m*
acolyte *n* acolit *m*, acolyt *m*
acorn *n* mesen *f*
acoustic *adj* acwstig
acoustics *n* acwsteg *f*
acquaint* *vn* hysbysu

acquaintance *n* adnabyddiaeth *f*, cydnabod[2] *m*
acquaintanceship* *n* adnabyddiaeth *f*
acquainted* *adj* cyfarwydd[1], cynefin[2]
acquiesce *vn* bodloni, boddloni, cytuno, ildio
acquiescence *n* cydsyniad *m*, ufudd-dod *m*
acquiescent* *adj* ufudd
acquire *vn* cael, caffael, ennill[1], magu
acquired *adj* caffaeledig
acquirer *n* meddiannwr *m*, meddiannydd *m*
acquisition *n* caffaeliad *m*
acquisitive* *adj* barus
acquisitiveness *n* caffaelgarwch *m*
acquit *vn* rhyddfarnu
acquittal LAW *n* rhyddfarn *f*
acre *n* acer *f*, acr *f*, cyfair *m*, cyfer *m*, erw *f*
acrid *adj* chwerw, llymsur
acrimonious* *adj* chwerw
acrimony* *n* chwerwder *m*, chwerwdod *m*, chwerwedd *m*, drwgdeimlad *m*
acrobat *n* acrobat *m*
acrobatic *adj* acrobatig
acrobatics *n* acrobateg *f*
acrocyanosis MEDICINE *n* glasfysedd *m*
acronym *n* acronym *m*
across 1. *adv* drosodd, trosodd 2. *prep* dros
acrostic *n* acrostig *m*
acrylic 1. *adj* acrylig[2] 2. *n* acrylig[1] *m*
act[1] 1. *n* act *f*, gweithred *f* 2. *vn* actio, chwarae[1], gweithredu
act[2] LAW *n* deddf *f*
actin BIOCHEMISTRY *n* actin *m*
acting *adj* gweithredol
actinium *n* actiniwm *m*
actinomorphic BIOLOGY *adj* actinomorffig
action *n* acsiwn[2] *m*, arwaith *m*, digwydd[3] *m*, gweithred *f*
actionable *adj* cyfreithadwy
activate[1]* *vn* cychwyn[1], ysgogi
activate[2] BIOLOGY, CHEMISTRY, PHYSICS *vn* actifadu
activated *adj* actifedig
activation *n* actifiant *m*, deffroad *m*, ysgogiad *m*
activator *n* actifadydd *m*, ysgogydd *m*
active *adj* actif, bywiog, effro, gweithgar, gweithredol, heini, sionc
active site BIOCHEMISTRY safle actif
activist *n* actifydd *m*, gweithredwr *m*, ymgyrchwr *m*, ymgyrchydd *m*
activity[1] *n* gweithgaredd *m*, gweithgarwch *m*, prysurdeb *m*
activity[2] CHEMISTRY, PHYSICS *n* actifedd *m*
actor *n* actor *m*, chwaraewr *m*
actress *n* actores *f*
actual* *adj* gwir[2], gwirioneddol
actuality* *n* gwirionedd *m*
actually *adv* mewn gwirionedd [*gwirionedd*]
actuarial *adj* actiwaraidd
actuary *n* actiwari *m*

actuate* *vn* ysgogi

acuity* *n* craffter *m*

acumen *n* craffter *m*

acupuncture *n* aciwbigo *m*, nodwyddo *m*

acupuncturist *n* aciwbigydd *m*

acute *adj* dwys, dygn, gwyllt[1], llym, tost[2]

ACW *abbr* CCC[1]

AD 1. *abbr* OC 2. oed Crist [*oed*[1]]

adage *n* dihareb *f*, dywediad *m*, gwireb *f*

adamant 1. *adj* diysgog 2. *n* adamant *m*

adamantine *adj* adamantaidd

adapt *vn* addasu, cyfaddasu, cymhwyso, dygymod, ymaddasu

adaptability *n* hyblygrwydd *m*

adaptable *adj* addasadwy, hyblyg

adaptation[1] *n* addasiad *m*, cyfaddasiad *m*, trosiad *m*

adaptation[2] BIOLOGY *n* addasiad *m*

adapted *adj* addasedig

adapter *n* addaswr *m*, troswr *m*

adaptive *adj* addasol, ymaddasol

adaptor *n* addasydd *m*

adaxial BOTANY *adj* adechelinol

add[1] *vn* adio, atodi, ychwanegu

add[2] MATHEMATICS *vn* adio

added *adj* ychwanegol

adder *n* gwiber *f*

addict *n* adict *m*

addicted *adj* caeth

addiction *n* caethineb *m*, caethiwed *m*, gorddibyniaeth *f*

addictive *adj* caethiwus

addition *n* adiad *m*, ychwanegiad *m*

additional *adj* atodol, ychwanegol

additionality FINANCE *n* ychwanegedd *m*

additionally *adv* hefyd

additive *n* ychwanegyn *m*

addled *adj* clonc[2], clwc, gorllyd, pwdr

address 1. *n* anerchiad *m*, cyfarch[1] *m*, cyfeiriad *m* 2. *vn* annerch, cyfarch[2], cyfeirio 3. mynd i'r afael â [*mynd*[1]]

adenine BIOCHEMISTRY *n* adenin *m*

adenoids *n* adenoidau *pl*

adept* *adj* deheuig, dethau, medrus

adeptness* *n* deheurwydd *m*, medrusrwydd *m*

adequate *adj* cymwys, digonol

adhere *vn* adlynu, cadw[1], glynu, ymlynu

adherence *n* ffyddlondeb *m*, glyniad *m*, ymlyniad *m*

adherent *n* cefnogwr *m*, dilynwr *m*, dilynydd *m*, ymlynwr *m*, ymlynydd *m*

adhesion *n* adlyniad *m*

adhesive 1. *adj* adlynol, gludiog, glynol, ymlynol 2. *n* adlyn *m*, glud *m*, gludydd *m*

adiabatic PHYSICS *adj* adiabatig

adit *n* ceuffordd *f*

adjacent[1]* *adj* cyfagos

adjacent[2] MATHEMATICS ochr gyfagos

adjectival *adj* ansoddeiriol

adjective GRAMMAR *n* ansoddair *m*

adjoin *vn* cyffinio

adjoined *adj* cydiedig

adjoining *adj* cyd-derfynol, cydgyffyrddol, cyfagos, cyffiniol

adjourn *vn* gohirio, ymneilltuo

adjournment* *n* gohiriad *m*

adjudge *vn* barnu, dyfarnu

adjudicate *vn* beirniadu, dyfarnu

adjudication *n* beirniadaeth *f*, dyfarniad *m*

adjudicator *n* beirniad *m*, dyfarnwr *m*

adjunct* *n* atodiad *m*

adjust *vn* addasu, cymhwyso, cyweirio

adjustable *adj* cymwysadwy

adjuster *n* cymhwysydd *m*

adjustment *n* addasiad *m*, cymhwysiad *m*, cywiriad *m*

adjutant *n* dirprwy[1] *m*

ad-lib *vn* ad libio

administer *vn* gweini, gweinyddu, rheoli, rhoddi, rhoi[1]

administration *n* gweinyddiad *m*, gweinyddiaeth *f*

administrative *adj* gweinyddol

administrator *n* gweinyddwr *m*, gweinyddwraig *f*

admirable* *adj* campus

admiral *n* llyngesydd *m*

admiralty *n* morlys *m*

admiration *n* edmygedd *m*, golwg[1] *m*

admire *vn* edmygu

admirer *n* edmygwr *m*, edmygydd *m*

admiring *adj* edmygol

admissibility[1] *n* derbyniadwyedd *m*

admissibility[2] LAW *n* derbynioldeb *m*

admissible *adj* derbyniadwy, goddefadwy

admission *n* addefiad *m*, cyfaddefiad *m*, cyffes *f*, mynediad *m*

admit *vn* addef[1], cyfaddef, cyffesu, derbyn

admittance *n* mynediad *m*

admixture *n* cymysgiad *m*

admonish* *vn* ceryddu

admonition* *n* cerydd *m*

adnate[1] *adj* ymlynol

adnate[2] BOTANY *adj* adnawd

ado* *n* helynt *mf*

adobe *n* clai *m*

adolescence *n* glaslencyndod *m*, glasoed *m*, llencyndod *m*

adolescent 1. *adj* adolesent[2], llancaidd, llencynnaidd, llencynnol 2. *n* adolesent[1] *m*, glaslanc *m*, llencyn *m* 3. person ifanc [*person*[1]]

adopt *vn* dewis[1], mabwysiadu

adopted *adj* mabwysiadol, mabwysiedig

adoptee *n* mabwysiadai *m*

adopter *n* mabwysiadwr *m*

adoption *n* mabwysiad *m*

adoptive *adj* mabwysiadol

adoration[1]* *n* serch[1] *m*

adoration[2] RELIGION *n* addoliad *m*

adore *vn* addoli, dwlu, ffoli[1], gwirioni

adorn *vn* gwisgo, mireinio, prydferthu, tecáu

adornment *n* addurn *m*, addurniad *m*

adrenal ANATOMY *adj* adrenal

adrenalin BIOCHEMISTRY *n* adrenalin *m*

adroit *adj* cywrain, deheuig, dethau, medrus

adroitness *n* deheurwydd *m*, medrusrwydd *m*

adsorb CHEMISTRY *vn* arsugno

adsorbent *n* arsugnydd *m*

adsorption *n* arsugniad *m*

adulation* *n* gweniaith *f*

adult[1] 1. *adj* aeddfed 2. *n* oedolyn *m*

adult[2] LAW *n* oedolyn *m*

adulterate *vn* difwyno, llygru

adulteration *n* difwyniad *m*, llygriad *m*

adulterator *n* difwynwr *m*, llygrwr *m*

adulterer *n* godinebwr *m*

adulteress *n* godinebwraig *f*

adulterous *adj* godinebus

adultery *n* godineb *m*

adulthood LAW *n* oedolaeth *f*

adumbrate* *vn* rhagfynegi

advance 1. *n* blaenswm *m*, cynnydd *m*
  2. *vn* cynyddu, hyrwyddo

advanced *adj* datblygedig, uwch

advancement *n* cynnydd *m*, dyrchafiad *m*

advantage *n* budd *m*, llesiant *m*, mantais *f*

advantageous *adj* buddiol, llesfawr, llesol,
  manteisiol

advection METEOROLOGY *n* llorfudiant *m*

advent* *n* dyfodiad *m*

Advent RELIGION *n* Adfent *m*

adventitious* *adj* annisgwyl, annisgwyliadwy,
  damweiniol

adventure *n* antur *f*, anturiaeth *f*

adventurer *n* anturiaethwr *m*

adventurous *adj* anturiaethus, anturus, mentrus

adverb GRAMMAR *n* adferf *f*

adverbial *adj* adferfol

adversarial* *adj* ymosodol

adversary *n* gwrthwynebwr *m*, gwrthwynebydd *m*

adversely er gwaeth [*gwaeth*]

adversity *n* adfyd *m*, caledi *m*, trallod *m*

advert* *n* hysbyseb *f*

advertise *vn* hysbysebu

advertisement *n* hysbyseb *f*

advertiser *n* hysbysebwr *m*

advice *n* cyfarwyddyd *m*, cyngor[1] *m*

advisability* *n* doethineb *m*, priodoldeb *m*,
  priodolder *m*

advisable* *adj* doeth

advise *vn* cynghori, hysbysu

adviser *n* cynghorwr *m*, ymgynghorwr *m*,
  ymgynghorydd *m*

advisory *adj* ymgynghorol

advocacy *n* eiriolaeth *f*

advocate[1] 1. *n* eiriolwr *m* 2. *vn* argymell

advocate[2] LAW *n* adfocad *m*

advowson *n* adfowswn *f*

adze *n* bwyell gam *f*, neddyf *f*

aeolian *adj* aeolaidd

aeon *n* aeon *m*

aerate *vn* awyru

aerial 1. *adj* awyrol 2. *n* erial *f*

aerobic *adj* aerobig, erobig

aerobics *n* aerobeg *f*, erobeg *f*

aerodrome *n* maes awyr [*maes*[1]] *m*

aerodynamic *adj* aerodynamig, erodynamig

aerodynamics *n* aerodynameg *f*, erodynameg *f*

aerolite[1] maen awyr [*maen*[1]]

aerolite[2] ASTRONOMY *n* awyrfaen *m*

aerology METEOROLOGY *n* aeroleg *f*

aeronautics *n* awyrennaeth *f*, awyrenneg *f*

aeroplane *n* awyrblan *m*, awyren *f*

aerosol *n* aerosol *m*, chwistrell *f*, erosol *m*

aerospace[1] *adj* awyrofodol

aerospace[2] METEOROLOGY *n* awyrofod *m*

aesthetic *adj* esthetig

aesthetics *n* estheteg *f*

aetiological *adj* achosegol

aetiology *n* achoseg *f*

afar 1. *adj* hirbell 2. *adv* draw, ymhell

affability* *n* agosatrwydd *m*, hynawsedd *m*

affable* *adj* hynaws, rhadlon

affableness *n* mwyneidd-dra *m*

affair* *n* carwriaeth *f*, helynt *mf*, mater *m*

affect[1] *vn* effeithio, mannu, mennu, menu

affect[2] PSYCHOLOGY *n* affaith *m*

affect[3] GRAMMAR *vn* affeithio

affectation *n* mursendod *m*

affected *adj* mursennaidd

affection[1] *n* hoffter *m*, serch[1] *m*

affection[2] GRAMMAR *n* affeithiad *m*

affectionate *adj* cariadus, caruaidd, cynnes,
  serchog, serchus

affective PSYCHOLOGY *adj* affeithiol

afferent PHYSIOLOGY *adj* afferol

affidavit LAW *n* affidafid *m*

affiliate LAW *vn* tadogi

affine ANTHROPOLOGY *n* affin *m*

affinity[1]* *n* cyswllt *m*

affinity[2] BIOCHEMISTRY *n* affinedd *m*

affirm* *vn* cadarnhau

affirmation* *n* cadarnhad *m*

affirmative *adj* cadarnhaol

affix* *vn* glynu, gosod[1]

afflict *vn* cystuddio, trallodi

afflicted *adj* cystuddiedig

afflicter *n* trallodwr *m*

affliction *n* adfyd *m*, cystudd *m*, trallod *m*

affluence *n* cyfoeth *m*, digonedd *m*, golud *m*

affluent *adj* cefnog, goludog
afford *vn* afforddio, fforddio
affordable *adj* fforddiadwy
afforest *vn* coedwigo, fforestu
afforestation 1. *n* fforestiad *m* 2. *vn* coedwigo
affray LAW *n* affráe *f*
affront 1. *n* amarch *m*, sarhad *m* 2. *vn* sarhau, tramgwyddo
affronted* *adj* dig²
Afghan 1. *adj* Affgan, Affganaidd 2. *n* Affganes *f*, Affganiad *m*
afoot ar gerdded [*cerdded*]
aforementioned *adj* dywededig, rhagddywededig
aforesaid *adj* dywededig
aforethought *adj* bwriadus
afresh *adv* trachefn
African 1. *adj* Affricanaidd 2. *n* Affricanes *f*, Affricanwr *m*
Afro-American *adj* Affro-Americanaidd
Afro-Caribbean *adj* Affro-Caribïaidd
after* *adv* wedyn
afterbirth *n* brych¹ *m*, garw² *m*
aftercare *n* ôl-ofal *m*
afterdamp *n* ôl-darth *m*
after-effect *n* ôl-effaith *f*
afterglow *n* ôl-dywyn *m*
after-image *n* ôl-ddelw *f*
aftermath *n* adladd *m*
afternoon 1. *adj* prynhawnol 2. *n* prynhawn *m*
afters *n* pwdin *m*
aftershock *n* ôl-gryniad *m*
aftertaste *n* adflas *m*
afterwards *adv* wedyn
again 1. *adv* eilchwyl, eilwaith, eilwers, eto², mwy², rhagor², trachefn 2. *pref* ail-², eil-
against *prep* erbyn¹, rhag¹
agape *adj* cegrwth, safnrhwth
agar *n* agar *m*
agate *n* agat *m*
age¹ 1. *n* oed¹ *m*, oedran *m*, oes¹ *f* 2. *vn* heneiddio
age² GEOLOGY *n* oes¹ *f*
aged 1. *adj* hen¹, oedrannus 2. *n* henoed *m*
ageing *adj* heneiddiol
ageism rhagfarn oed
ageless* *adj* bythol
agency *n* asiantaeth *f*
agenda *n* agenda *f*
agent *n* asiant *m*, gweithredwr *m*
agglomerate¹ *vn* athyrru, casglu
agglomerate² GEOLOGY *n* llosg-garnedd *f*
agglutinate *vn* cyfludo
agglutinated *adj* cyfludedig
agglutination *n* cyfludiad *m*
aggradation GEOLOGY 1. *n* adraddiant *m* 2. *vn* adraddu
aggrandisement* *n* dyrchafiad *m*, mawrhad *m*

aggravate* *vn* gwaethygu
aggregate¹ 1. *n* crynswth *m* 2. *vn* agregu
aggregate² GEOLOGY *n* agreg *f*
aggregation *vn* agregu
aggression *n* ymosodedd *m*
aggressive *adj* ymladdgar, ymosodol
aggressiveness *n* rhyfelgarwch *m*
aggressor* *n* ymosodwr *m*
aggrieve* *vn* tramgwyddo
aggrieved* *adj* blin
aghast* *adj* syfrdan, syn
agile* *adj* gwisgi, sionc
agility *n* ystwythder *m*
agistment *n* porfelaeth *f*
agitate *vn* corddi, cyffroi, cythryblu
agitated *adj* cyffrous, cynhyrflyd, cynhyrfus
agitation *n* aflonyddwch *m*, cynhyrfiad *m*, cynnwrf *m*, trabludd *m*, ysgydwad *m*, ysgytwad *m*
agitator *n* cyffröwr *m*, cynhyrfwr *m*, tarfwr *m*, tyrfell *m*
agnate *adj* agnawd
agnosia MEDICINE *n* agnosia *m*
agnostic 1. *adj* agnostig 2. *n* agnostic *m*, agnostig *m*
agnosticism *n* agnosticiaeth *f*
agonist ANATOMY, BIOCHEMISTRY *n* gweithydd *m*
agonize *vn* dirboeni, poeni
agonizing *adj* arteithiol, dirdynnol, ingol
agony *n* dirboen *m*
agoraphobia MEDICINE *n* agoraffobia *m*
agrarian *adj* amaethyddol, tirol
agree¹ *vn* cyd-fynd, cydgordio, cydsynied, cydsynio, cyd-weld, cytuno
agree² GRAMMAR *vn* cytuno
agreeable *adj* boddhaus, difyr, difyrrus, dymunol, ffein, ffeind
agreed *adj* cytûn
agreeing *adj* cytûn
agreement¹ *n* cydsyniad *m*, cydweledian *m*, cytgord *m*, cytundeb *m*, dealltwriaeth *f*
agreement² GRAMMAR *n* cytundeb *m*
agricultural *adj* amaethyddol
agriculture *n* amaeth *m*, amaethyddiaeth *f*
agronomist *n* agronomegwr *m*, agronomegydd *m*
agronomy *n* agronomeg *f*
agrostis *n* maeswellt *m*
ague* *n* cryd *m*
ahead 1. *adv* ymlaen 2. ar flaen [*blaen¹*], ar y blaen [*blaen¹*]
aid *n* cymhorthyn *m*, cymorth *m*, cynhorthwy *m*, cynorthwywr *m*, cynorthwyydd *m*, help *m*
aide-de-camp *n* cadweinydd *m*
AIDS *n* AIDS *m*
ail *vn* clafychu
aileron *n* adeinig *f*, isadain *f*
ailment MEDICINE *n* anhwylder *m*
aim 1. *n* amcan *m*, aneliad *m*, annel *mf*, bryd *m*,

diben *m*, nod¹ *m*, pwrpas *m* 2. *vn* amcanu, anelu, bwriadu, cynnig¹, ergydio

aiming *n* aneliad *m*, annel *mf*

aimless *adj* diamcan, dibwrpas, diddiben

Ainu *n* Ainw *m*

air¹ 1. *n* aer¹ *m*, awyr *f* 2. *vn* awyru, caledu, crasu, eirio, gwyntyllu, tempru

air² MUSIC *n* alaw¹ *f*, cainc *f*

airborne* *adj* hedegog

aircraft* *n* awyren *f*

aired *adj* cras

air force *n* awyrlu *m*, llu awyr *m*

airlift 1. *n* awyrgludiad *m* 2. *vn* awyrgludo

airlock *n* aerglo *m*

airmail *n* awyrbost *m*

airman *n* awyrennwr *m*

airport *n* maes awyr [*maes¹*] *m*

airship *n* awyrlong *f*

airstrip *n* glanfa *f*

airtight *adj* aerglos

airway ANATOMY llwybr anadlu

aisle *n* ale *f*, eil¹ *f*, ystlys *f*

ait *n* ynysig² *f*

ajar *adj* cilagored

akin *adj* tebyg¹

alabaster *n* alabastr *m*

alacrity *n* sioncrwydd *m*

alarm 1. *n* braw *m*, larwm *m* 2. *vn* dychryn¹, dychrynu

alas *adv* ysywaeth

alb *n* alb *f*

Albanian 1. *adj* Albaniaidd 2. *n* Albaniad *m*

albedo ASTRONOMY *n* albedo *m*

albeit* *prep* er

albinism *n* albinedd *m*

album *n* albwm *m*

albumen *n* albwmen *m*, gwynnwy *m*

albumin BIOCHEMISTRY *n* albwmin *m*

alchemist *n* alcemydd *m*

alchemy *n* alcemeg *f*, alcemi *f*

alcohol *n* alcohol *m*

alcoholic 1. *adj* alcoholig¹ 2. *n* alcoholig² *m*

alcoholism *n* alcoholiaeth *f*

alder (trees and wood) *n* gwern² *pl*

alderman *n* henadur *m*

ale *n* cwrw *m*

aleatory MUSIC *adj* aleatoraidd

alehouse *n* dioty *m*, tafarn *fm*

alert 1. *adj* effro, gwyliadwrus 2. *n* rhybudd *m* 3. *vn* rhybuddio

alertness *n* gwyliadwriaeth *f*

aleurone BOTANY *n* alewron *m*

alexanders *n* dulys *f*

alfalfa *n* maglys *m*

alga *n* alga *m*

algae *n* algâu *pl*

algal *adj* algaidd

algebra MATHEMATICS *n* algebra *m*

algebraic MATHEMATICS *adj* algebraidd

Algerian 1. *adj* Algeraidd 2. *n* Algeriad *m*

algorithm MATHEMATICS *n* algorithm *m*

algorithmic MATHEMATICS *adj* algorithmig

alias *n* arallenw *m*

alibi *n* alibi *m*

alidade *n* alidad *m*

alien 1. *adj* anghyfiaith, dieithr, dierth, estron¹, estronol 2. *n* aliwn *m*, estron² *m*

alienable LAW *adj* aralladwy

alienate¹ *vn* dieithrio, gelyniaethu, pechu, tramgwyddo

alienate² LAW *vn* arallu

alienation¹ *n* trosglwyddiad *m*

alienation² LAW *n* aralliad *m*

alight 1. *adj* cynn 2. *adv* ynghyn 3. *vn* disgyn

align *vn* alinio, cyfunioni, llinynnu

alignment *n* aliniad *m*

alike *adj* cyffelyb, tebyg¹

alimentary *adj* maethol

alimony LAW *n* alimoni *m*

aliquot MATHEMATICS *n* cyfnifer *m*

alive *adj* byw²

alkali CHEMISTRY *n* alcali *m*

alkaline *adj* alcalïaidd

alkaloid CHEMISTRY *n* alcaloid *m*

alkane CHEMISTRY *n* alcan *m*

alkene CHEMISTRY *n* alcen *m*

alkyl CHEMISTRY *n* alcyl *m*

alkylate CHEMISTRY *vn* alcyleiddio

alkylation CHEMISTRY *n* alcyleiddiad *m*

alkyne CHEMISTRY *n* alcyn *m*

all 1. *adj* holl, pob¹ 2. *adv* gyd, oll

allantois ANATOMY *n* alantois *m*

allay* *vn* lleddfu, lliniaru, tawelu

all-conquering *adj* hollorchfygol

allegation *n* haeriad *m*, honiad *m*

allege *vn* haeru, honni

alleged *adj* honedig, tybiedig

allegiance *n* dyledogaeth *f*, ffyddlondeb *m*, gwrogaeth *f*, teyrngarwch *m*

allegorical *adj* alegorïaidd, damhegol

allegorist *n* damhegwr *m*

allegory *n* alegori *f*

allele BIOLOGY *n* alel *m*

all-embracing *adj* hollgynhwysfawr

allergen MEDICINE *n* alergen *m*

allergic *adj* alergaidd

allergy MEDICINE *n* alergedd *m*

alleviate *vn* lleddfu, lliniaru

alley *n* ale *f*, bing *m*, lôn *f*

alliance *n* cynghrair *f*

allied* *adj* cysylltiedig, perthynol

all-important *adj* hollbwysig

alliterate *vn* cyflythrennu, cyseinio

alliteration¹ *n* cyflythreniad *m*, cytseinedd *m*

alliteration² LITERATURE *n* cyseinedd *m*
alliterative *adj* cyseiniol
allocate *vn* dosrannu, dyrannu, neilltuo, pennu
allocation *n* dyraniad *m*
allot¹ *vn* dosrannu, neilltuo, pennu
allot² FINANCE *vn* alotio
allotment *n* alotiad *m*, cyfran *f*, lotment *f*, rhandir *m*
allotrope CHEMISTRY *n* alotrop *m*
allotropic CHEMISTRY *adj* alotropig
allotropy CHEMISTRY *n* alotropaeth *f*
allow *vn* caniatáu, gadael, goddef
allowance *n* lwfans *m*
alloy *n* aloi *m*
allude *vn* crybwyll, cyfeirio, ergydio
allure* *n* hudoliaeth *f*, swyn *m*
allurement *n* llithiad *m*
alluring *adj* dengar, deniadol, hudol, hudolus
allusion¹* *n* cyfeiriad *m*
allusion² LITERATURE *n* cyfeiriadaeth *f*
allusive *adj* awgrymog, cyfeiriadol
alluvial GEOLOGY *adj* llifwaddodol
alluvium¹ *n* dolbridd *m*
alluvium² GEOLOGY *n* llifwaddod *m*
ally *n* cynghreiriad *m*
almanac *n* almanac *m*
almighty *adj* aruthrol, hollalluog
almond¹ *n* almon *f*
almond² (tree and wood) pren almon [almon]
almoner *n* almonwr *m*, elusennwr *m*
almost *adv* bron³, ymron
alms *n* cardod *f*, elusen *f*
almshouse *n* elusendy *m*
aloft *adv* fry
alone* *adj* unig
along 1. *adv* ymlaen 2. *prep* gyda, gydag, hyd²
alongside *prep* gerllaw¹, gyda, gydag
aloof* *adj* ffroenuchel, pell
alopecia¹ *n* moelni *m*
alopecia² MEDICINE *n* alopesia *m*
alp *n* alp *m*, ffridd *f*
alpaca *n* alpaca *m*
Alpha *n* Alffa *m*
alphabet *n* abiéc *m*, gwyddor *f*
alphanumerical *adj* alffaniwmerig
alpine *adj* alpaidd
already 1. *adv* eisoes 2. yn barod [parod]
alsation* *n* bleiddgi *m*
also *adv* hefyd
altar *n* allor *f*
alter *vn* altro, cyfnewid, newid¹
alteration *n* altrad *m*, cyfnewidiad *m*, newid² *m*, newidiad *m*
altercation *n* cweryl *m*, ffrae *f*, ffrwgwd *m*
alter ego hunan arall [hunan-]
alternate *vn* amyneilio, aryneilio, eiledu
alternating *adj* eiledol

alternation (of generations) BIOLOGY *n* eilededd *m*
alternative *adj* amgen, arall
alternatively *conj* neu
alternator *n* eiliadur *m*
although *prep* er, serch²
altimeter *n* altimedr *m*
altitude *n* uchder *m*
alto *n* alto *f*, contralto *mf*
altocumulus METEOROLOGY *n* altocwmwlws *m*
altruism *n* allgaredd *m*, anhunanoldeb *m*
altruist *n* allgarwr *m*
altruistic *adj* allgarol, anhunanol
alum CHEMISTRY *n* alwm *m*
alumina *n* alwmina *m*
aluminium *n* alwminiwm *m*
alveolar¹ ANATOMY *adj* alfeolaidd, gorfannol
alveolar² LINGUISTICS *adj* gorfannol
alveolus ANATOMY *n* alfeolws *m*, gorfant *m*
always 1. *adv* byth, erioed, wastad 2. byth a hefyd [hefyd], o hyd [hyd²]
a.m. 1. *abbr* yb 2. *n* bore¹ *m*
AM *abbr* AC
amalgam¹* *n* cyfuniad *m*
amalgam² CHEMISTRY *n* amalgam *m*
amalgamate *vn* cyfuno, uno
amalgamated *adj* cyfun, cyfunedig
amalgamation* *n* cyfuniad *m*
amanuensis *n* ysgrifennydd *m*
amass *vn* casglu, cronni, crynhoi¹, cyniwair, cyniweirio, pentyrru, tyrru
amasser* *n* casglwr *m*, casglydd *m*
amateur 1. *adj* amatur² 2. *n* amatur¹ *m*
amateurish *adj* amaturaidd
amateurism *n* amaturiaeth *f*
amatory *adj* carwriaethol
amaze *vn* rhyfeddu, syfrdanu, synnu
amazed *adj* syn
amazement *n* rhyfeddod *m*, syfrdandod *m*, syndod *m*
amazing *adj* ansbaradigaethus, rhyfeddol, syfrdanol
Amazon *n* Amasoniad *f*
ambassador *n* llysgennad *m*
ambassadorial *adj* llysgenhadol
amber 1. *adj* ambr² 2. *n* ambr¹ *m*
ambidexterity *n* deuddeheurwydd *m*
ambidextrous *adj* deuddeheuig
ambience* *n* awyrgylch *m*, naws *f*
ambient *adj* amgylchynol
ambiguity *n* amwysedd *m*, amwyster *m*
ambiguous *adj* amheus, amwys, mwys
ambit *n* cwmpas¹ *m*
ambition *n* blaengarwch *m*, uchelgais *mf*
ambitious *adj* uchelgeisiol
ambivalence *n* amwysedd *m*, amwyster *m*
ambivalent *adj* amwys
amble* *vn* rhygyngu

ambulance *n* ambiwlans *m*
ambulate* *vn* cerdded
ambulatory *n* cerddedfa *f*
ambush *n* rhagod *m*
ameliorate* *vn* gwella, lleddfu
amelioration* *n* gwelliant *m*
amen *n* amen *f*
amenability *n* parodrwydd *m*
amenable* *adj* bodlon, parod
amend *vn* diwygio, newid[1]
amendable *adj* newidiadwy
amended *adj* diwygiedig
amendment *n* cywiriad *m*, gwelliant *m*
amends* *n* iawn[2] *m*
amenity *n* amwynder *m*
American 1. *adj* Americanaidd
  2. *n* Americanes *f*, Americanwr *m*
Americanize *vn* Americaneiddio
americium *n* americiwm *m*
Amerindian *n* Amerindiad *m*
amiability *n* hawddgarwch *m*, hygaredd *m*,
  hygarwch *m*
amiable *adj* cynhesol, hawddgar, hygar, hynaws
amicable *adj* cyfeillgar
amid *prep* ymhlith
amidst* *prep* ymhlith
amine CHEMISTRY *n* amin *m*
amiss *adj* chwith[1]
amitosis BIOLOGY *n* amitosis *m*
amity* *n* cyfeillgarwch *m*
ammeter *n* amedr *m*
ammonia *n* amonia *m*
amnesia[1] *n* coll cof *m*
amnesia[2] MEDICINE *n* amnesia *m*
amnesty *n* amnest *m*
amniocentesis MEDICINE *n* amniocentesis *m*
amnion[1] *n* brychbilen *f*
amnion[2] ZOOLOGY *n* amnion *m*
amniotic ZOOLOGY *adj* amniotig
amoeba BIOLOGY *n* ameba *m*, amoeba *m*
among *prep* gyda, gydag, ymhlith, ymysg
amongst *prep* ymhlith, ymysg
amorous* *adj* cariadus, carwriaethol
amorphous *adj* amorffaidd, di-ffurf, di-siâp
amortize FINANCE *vn* amorteiddio
amount[1] *n* swm[1] *m*
amount[2] (to) *vn* dod[1], dyfod
amour* *n* serch[1] *m*
ampere *n* amper *m*
amphetamine *n* amffetamin *m*
Amphibia ZOOLOGY *n* amffibiaid *pl*
amphibian ZOOLOGY 1. *adj* amffibiaidd
  2. *n* amffibiad *m*
amphibious *adj* amffibiaidd
amphitheatre *n* amchwaraefa *f*, amffitheatr *m*
amphoteric CHEMISTRY *adj* amffoterig
ample *adj* braf, digonol

ampleness* *n* helaethder *m*, helaethrwydd *m*
amplification 1. *n* mwyhad *m* 2. *vn* chwyddleisio
amplifier ELECTRONICS *n* mwyhadur *m*
amplify *vn* chwyddleisio, mwyhau
amplifying *adj* mwyhaol
amplitude[1] MATHEMATICS *n* arg *m*
amplitude[2] ASTRONOMY, PHYSICS *n* osgled *m*
ampulla[1] *n* ampwla *f*, costrel *f*
ampulla[2] ANATOMY *n* ampwla *f*
amputate[1]* *vn* torri
amputate[2] MEDICINE *vn* trychu
amputation MEDICINE *n* trychiad *m*
amuse *vn* diddanu, difyrru
amusement *n* difyrrwch *m*, digrifwch *m*
amusements *n* difyrion *pl*, digrifion[1] *pl*
amusing *adj* diddan, digrif, doniol, smala,
  ysmala
amygdala ANATOMY *n* amygdala *m*
amylase BIOCHEMISTRY *n* amylas *m*
Anabaptist RELIGION *n* Ailfedyddiwr *m*
anabatic METEOROLOGY *adj* anabatig
anabolic BIOCHEMISTRY *adj* anabolig
anabolism BIOCHEMISTRY *n* anabolaeth *f*
anachronism *n* anachroniaeth *f*, camamseriad *m*
anacrusis *n* anacrwsis *m*
anaemia MEDICINE *n* anaemia *m*, anemia *m*
anaerobic BIOLOGY *adj* anaerobig, anerobig
anaesthesia *n* anaesthesia *m*, anesthesia *m*
anaesthetic *n* anaesthetig *m*, anesthetig *m*
anaesthetics *n* anaestheteg *f*, anestheteg *f*
anaesthetist *n* anaesthetegydd *m*, anesthetegydd *m*
anagram *n* anagram *m*
anal *adj* rhefrol
analgesia *n* analgesia *m*
analgesic[1] *n* 1. *adj* analgesig, 2. *n* poenleddfwr *m*
analgesic[2] MEDICINE 1. *adj* poenleddfol
  2. *n* poenladdwr *m*
analogous BIOLOGY *adj* cydweddol
analogue *adj* analog
analogy[1] *n* cydweddiad *m*, cyfatebiaeth *f*,
  cyfatebolrwydd *m*
analogy[2] GRAMMAR *n* cydweddiad *m*
analyse *vn* dadansoddi, dadelfennu, dosrannu
analysis *n* dadansoddiad *m*, dosraniad *m*
analyst *n* dadansoddwr *m*
analytic *adj* analytig
analytical *adj* dadansoddol
anarchic *adj* anarchaidd
anarchism PHILOSOPHY *n* anarchiaeth *f*
anarchist *n* anarchydd *m*
anarchistic *adj* anarchaidd
anarchy *n* anarchiaeth *f*, anhrefn *f*
anastomosis *n* anastomosis *m*, cyduniad *m*
anathema[1] *n* anathema *m*, casbeth *m*
anathema[2] RELIGION *n* anathema *m*
anatomical *adj* anatomegol
anatomist *n* anatomegydd *m*

anatomy *n* anatomeg *f*, anatomi *m*

ancestor *n* cyndad *m*, cyndaid *m*, hynafiad *m*

ancestral[1] *adj* cyndadol, cyndeidiol, teuluaidd, teuluol

ancestral[2] BIOLOGY *adj* hynafiadol

ancestry *n* llinach *f*, tras *f*

anchor 1. *n* angor *m* 2. *vn* angori

anchorage *n* angorfa *f*

anchorite *n* ancr *m*

anchovy *n* ansiofi *m*, brwyniad *m*

ancient *adj* hen[1], hynafaidd, hynafol

ancillary *adj* ategol

and *conj* a[2], ac

Andorran 1. *adj* Andoraidd 2. *n* Andoriad *m*

androgen BIOCHEMISTRY *n* androgen *m*

androgynous *adj* androgynaidd

androgyny *n* androgynedd *m*

anecdote *n* hanesyn *m*, stori *f*

anemometer[1] *n* gwyntfesurydd *m*

anemometer[2] METEOROLOGY *n* anemomedr *m*

anemone blodyn y gwynt

aneroid *adj* aneroid

aneurysm MEDICINE *n* ymlediad *m*

anew* *adv* eilwaith, trachefn

angel *n* angel *m*, angyles *f*

angelic *adj* angylaidd

anger 1. *n* cynddaredd *f*, dicter *m*, dig[1] *m*, digofaint *m*, llid *m* 2. *vn* cythruddo, gwylltio, gwylltu

angina MEDICINE *n* angina *m*

angle 1. *n* congl *f*, ongl *f* 2. *vn* genweirio, ongli, pysgota

Angle *n* Angliad *m*

angler *n* genweiriwr *m*, pysgotwr *m*

Angles *n* Eingl *pl*

Anglican[1] *adj* Anglicanaidd

Anglican[2] RELIGION *n* Anglican *m*, Anglicaniad *m*

Anglicanism RELIGION *n* Anglicaniaeth *f*

Anglicize *vn* Seisnigeiddio

Anglicized *adj* Seisnigaidd

Anglo-Norman *n* Eingl-Norman *m*

Anglo-Saxon *n* Eingl-Sacsoniad *m*

Anglo-Welsh *adj* Eingl-Gymreig

Angolan 1. *adj* Angolaidd 2. *n* Angoliad *m*

angora *n* angora *m*

angry *adj* blin, crac[3], dicllon, dig[2], ffrom

angst *n* ing *m*

anguish *n* cyfyngder *m*, cyfyngdra *m*, dolur *m*, gofid *m*, ing *m*

angular *adj* onglog

anhedonia PSYCHIATRY *n* anhedonia *m*

anhydride CHEMISTRY *n* anhydrid *m*

anhydrous CHEMISTRY *adj* anhydrus

animadversion* *n* beirniadaeth *f*

animal 1. *adj* anifeilaidd, anifeiliol 2. *n* anifail *m*, creadur *m*, mil[1] *m*, milyn *m*

animate *vn* animeiddio

animated *adj* animeiddiedig, bywiog

animateur *n* bywiogydd *m*

animation *n* animeiddiad *m*, bywiogrwydd *m*

animator *n* animeiddiwr *m*, animeiddydd *m*

animism *n* animistiaeth *f*

animist *n* animistiad *m*

animosity *n* drwgdeimlad *m*, gelyniaeth *f*

anion CHEMISTRY *n* anïon *m*

anionic CHEMISTRY *adj* aniönig

anise *n* anis *m*

aniseed *n* anis *m*

ankle[1] *n* migwrn *m*, pigwrn *m*, swrn *m*

ankle[2] ANATOMY *n* ffêr *f*

ankylosis MEDICINE *n* gorymasiad *m*

annal *n* blwyddnod *m*

annates *n* anodau *pl*

anneal *vn* anelio, caledu, tymheru

annealing *n* aneliad *m*

Annelida ZOOLOGY *n* anelidau *pl*

annelids ZOOLOGY *n* anelidau *pl*

annex[1]* *vn* atodi

annex[2] LAW *vn* cyfeddiannu

annexation *n* cyfeddiannaeth *f*, cyfeddiant *m*

annexe *n* rhandy *m*

annihilate *vn* difodi, dinistrio

annihilation *n* difodiad *m*, difodiant *m*

annihilator *n* difodwr *m*

anniversary *n* pen blwydd *m*

annotate *vn* anodi

annotated *adj* anodedig

annotation* *n* nodiadau *pl*

announce *vn* cyhoeddi, datgan

announcement *n* cyhoeddiad *m*, datganiad *m*, hysbysiad *m*

announcer *n* cyhoeddwr *m*

annoy *vn* cythruddo, gwylltio, gwylltu

annoyance* *n* dicter *m*

annoyed *adj* blin

annoying *adj* barnol, blinderus, plagus

annual *adj* blynyddol, unflwydd

annuity *n* blwydd-dal *m*

annul[1] *vn* diddymu

annul[2] LAW *vn* dirymu

annular *adj* modrwyol

annulate ZOOLOGY *adj* modrwywedd

annulled *adj* dirym, di-rym

annulment *n* diddymiad *m*, dirymiad *m*

annulus BIOLOGY *n* anwlws *m*

anode PHYSICS *n* anod *m*

anodize PHYSICS *vn* anodeiddio

anoint[1] *vn* iro

anoint[2] RELIGION *vn* eneinio

anointed RELIGION *adj* eneiniog

anointer *n* eneiniwr *m*

anointing *n* eneiniad *m*, iriad *m*

anomalous *adj* afreolaidd, anarferol, anomalaidd, anrheolaidd

anomaly¹ *n* anghysondeb *m*, anghysonder *m*, anomaledd *m*

anomaly² ASTRONOMY *n* anomaledd *m*

anomie *n* anomi *m*

anomy *n* anomi *m*

anon *adv* toc¹

anonymity *n* anhysbysrwydd *m*

anonymous *adj* anhysbys, dienw

anorak *n* anorac *m*

anorexia MEDICINE *n* anorecsia *m*

anorexic MEDICINE *adj* anorecsig, anorectig

another *adj* arall

anoxia MEDICINE *n* anocsia *m*

answer 1. *n* ateb² *m*, atebiad *m* 2. *vn* ateb¹

answerable *adj* atebol, cyfrifol

ant *n* morgrugyn *m*

antacid *adj* gwrthasid

antagonism *n* croesineb *m*, gelyniaeth *f*

antagonist¹ *n* gwrthsafwr *m*, gwrthwynebwr *m*, gwrthwynebydd *m*

antagonist² ANATOMY, BIOCHEMISTRY *n* gwrthweithydd *m*

antagonistic *adj* gelyniaethus, gwrthweithiol, gwrthwynebol

antagonize *vn* cythruddo, digio, tynnu blewyn o drwyn [blewyn]

Antarctic *adj* Antarctig

ante- *pref* rhag-

antecede *vn* rhagflaenu

antecedent 1. *adj* blaenorol, rhagflaenol 2. *n* rhagflaenwr *m*, rhagflaenydd *m*

antechamber ARCHITECTURE *n* rhagsiambr *f*

antedate* *vn* rhagddyddio

antelope *n* antelop *m*, gafrewig *f*

antenatal¹ *adj* cynesgor

antenatal² MEDICINE *adj* cyn-geni

antenna ZOOLOGY *n* teimlydd *m*

antennule ZOOLOGY *n* antennyn *m*

anterior* 1. *adj* blaenorol 2. *n* blaen¹ *m*

anthem *n* anthem *f*

anther¹ *n* brigell *f*

anther² BOTANY *n* anther *m*

anthology *n* blodeugerdd *f*, casgliad *m*

anthropogenic *adj* anthropogenig

anthropoid ZOOLOGY 1. *adj* anthropoid² 2. *n* anthropoid¹ *m*

anthropological *adj* anthropolegol

anthropologist *n* anthropolegwr *m*, anthropolegydd *m*

anthropology *n* anthropoleg *f*

anthropometric *adj* anthropometrig

anthropometrics *n* anthropometreg *f*

anthropometry *n* anthropometreg *f*

anthropomorphic *adj* anthropomorffig

anthropomorphism *n* anthropomorffaeth *f*

anti- *pref* gwrth-

anti-aircraft *adj* gwrthawyrennol

anti-apartheid *adj* gwrthapartheid

anti-bacterial *adj* gwrthfacteria

antibiotic¹ *n* antibiotig *m*

antibiotic² BIOCHEMISTRY *n* gwrthfiotig *m*

antibody BIOCHEMISTRY *n* gwrthgorff *m*

antic* *n* stranc *f*

Antichrist *n* Anghrist *m*

anticipate* *vn* rhagweld, rhag-weld

anticipated *adj* disgwyliedig

anticipation *n* disgwyliad *m*

anticipatory *adj* disgwylgar

anticlerical *adj* gwrthglerigol

anticlimax *n* disgynneb *f*, siom *f*

anticline¹ bwa maen

anticline² GEOLOGY *n* anticlin *m*

anticlockwise *adv* gwrthglocwedd

anticoagulant MEDICINE *n* gwrthgeulydd *m*

anticyclone METEOROLOGY *n* antiseiclon *m*

antidepressant MEDICINE *n* gwrthiselydd *m*

antidiuretic MEDICINE 1. *adj* gwrthddiwretig² 2. *n* gwrthddiwretig¹ *m*

antidote¹ *n* gwrthgyffur *m*

antidote² MEDICINE *n* gwrthwenwyn *m*

anti-establishment *adj* gwrthsefydliad

anti-European *adj* gwrth-Ewropeaidd

antifreeze *n* gwrthrewydd *m*

anti-friction *adj* gwrthffrithiant

antigen MEDICINE *n* antigen *m*

Antiguan 1. *adj* Antigwaidd 2. *n* Antigwad *m*

anti-hero *n* gwrtharwr *m*

antihistamine *adj* gwrth-histamin

anti-inflammatory MEDICINE *adj* gwrthlidiol

antilogarithm MATHEMATICS *n* gwrthlogarithm *m*

antimony *n* antimoni *m*

antinode PHYSICS *n* antinod *m*

antinomian RELIGION *n* antinomiad *m*

antinomianism RELIGION *n* antinomiaeth *f*

antinomy PHILOSOPHY *n* gwrthebiaeth *f*

antioxidant *n* gwrthocsidydd *m*

antipapal *adj* gwrth-Babaidd

antiparticle PHYSICS *n* gwrthronyn *m*

antipathetic *adj* anghydnaws

antipathy* *n* gelyniaeth *f*

antiphase PHYSICS *adj* anghydwedd, gwrthwedd

antiphon MUSIC *n* antiffon *f*

antipodal ASTRONOMY, MATHEMATICS *adj* cyferbwyntiol

antipode *n* cyferbwynt *m*

antipope RELIGION *n* gwrthbab *m*

antiquarian 1. *adj* hynafiaethol 2. *n* hynafiaethwr *m*, hynafiaethydd *m*

antiquated *adj* henaidd, hynafaidd, hynafol

antique *n* henbeth *m*, hynafolyn *m*

antiquity 1. *n* henfyd *m*, hynafiaeth *f* 2. Hen Fyd [byd]

anti-racism LAW *n* gwrth-hiliaeth *f*

anti-racist *adj* gwrth-hiliol

anti-rust *adj* gwrthrwd
anti-Semitism *n* gwrth-Semitiaeth *f*
antiseptic 1. *adj* antiseptig¹, gwrth-heintus 2. *n* antiseptig² *m*
antisocial *adj* anghymdeithasol, gwrthgymdeithasol
antistatic *adj* gwrthstatig
antisymmetric MATHEMATICS *adj* gwrthgymesur
antiterrorist *adj* gwrthderfysgol
antitoxic MEDICINE *adj* gwrthwenwynol
antitoxin PHYSIOLOGY *n* gwrthdocsin *m*
antivirus COMPUTING *n* gwrthfirws *m*
antler *n* rhaidd *f*
antonomasia *n* arallenwad *m*
anus¹ *n* rhefr *m*
anus² ANATOMY *n* anws *m*
anvil *n* eingion *f*, einion *f*
anxiety *n* gofid *m*, pryder *m*
anxious *adj* pryderus
any *adj* unrhyw
anybody *n* neb *m*, rhywun *m*
anyone *n* neb *m*, rhywun *m*
anything *n* dim *m*, rhywbeth¹ *m*, unpeth *m*
anyway 1. *particle* no 2. sut bynnag, ta waeth [*gwaeth*]
anywhere 1. *adv* rhywle 2. *n* unlle *m*, unman *m*
AOB *abbr* UFA
aorta ANATOMY *n* aorta *m*
aortic ANATOMY *adj* aortig
apart ar wahân [*gwahân*]
apartheid *n* apartheid *m*
apartment *n* fflat² *m*, rhandy *m*
apathetic 1. *adj* diawydd, dicra, difater, di-hid, dihidio, llugoer 2. heb fod nac oer na brwd [*brwd*]
apathy *n* apathi *m*, difaterwch *m*, difrawder *m*
ape 1. *n* epa *m* 2. *vn* dynwared, efelychu
aperient 1. *adj* rhyddhaol 2. *n* carthydd *m*
aperiodic PHYSICS *adj* digyfnod
aperture *n* agen *f*, agorfa *f*, agoriad *m*
apex MATHEMATICS *n* apig *f*
aphasia MEDICINE *n* affasia *m*
aphelion ASTRONOMY *n* affelion *m*
aphid *n* llysleuen *f*
aphorism* *n* gwireb *f*
aphrodisiac 1. *adj* affrodisiaidd 2. *n* affrodisiac *m*
apiarist *n* gwenynwr *m*
apiary *n* gwenynfa *f*
apiece pob i [*pob¹*], pob o [*pob¹*]
aplomb* *n* hunanfeddiant *m*
apocalypse *n* apocalyps *m*
apocalyptic *adj* apocalyptaidd
Apocrypha *n* Apocryffa *m*
apocryphal *adj* apocryffaidd
apogee¹ *n* apoge *m*, pellafbwynt *m*
apogee² ASTRONOMY *n* apoge *m*
apolitical *adj* amholiticaidd, anwleidyddol
apologetic *adj* esgusodol, ymddiheurol

apologetics RELIGION *n* diffyniadaeth *f*
apologist *n* esgusodwr *m*
apologize *vn* ymddiheuro
apology *n* ymddiheuriad *m*
apophthegm *n* doethair *m*
apopleptic* *adj* candryll
apostasy *n* gwrthgiliad *m*
apostate *n* gwrthgiliwr *m*
apostatize *vn* gwrthgilio
apostle *n* apostol¹ *m*
Apostle *n* Apostol² *m*
apostolic *adj* apostolaidd
apostrophe¹ *n* sillgoll *f*
apostrophe² GRAMMAR *n* collnod *m*
apotheosis *n* dwyfoliad *m*
app *n* ap² *m*
appal* *vn* arswydo, brawychu
appalling* *adj* arswydus, echrydus, ofnadwy¹
appanage *n* apanaeth *f*
apparatus *n* cyfarpar *m*, offer *pl*
apparel* *n* gwisg *f*
apparent *adj* amlwg, ymddangosiadol
apparition *n* bwbach *m*, drychiolaeth *f*, rhith *m*
appeal¹ 1. *n* apêl *f*, atyniad *m* 2. *vn* apelio
appeal² LAW 1. *n* apêl *f*, apeliad *m* 2. *vn* apelio
appealing *adj* apelgar, atyniadol, deniadol
appear *vn* disgwyl, edrych, ymddangos
appearance *n* diwyg *m*, golwg² *f*, gwedd¹ *f*, ymddangosiad *m*
appease *vn* cymodi, dyhuddo
appeasement *n* dyhuddiad *m*
appellant LAW *n* apeliwr *m*, apelydd *m*
appellate LAW *adj* apeliadol
appellation* *n* teitl *m*
append *vn* ategu, atodi
appendage¹ *n* atodiad *m*, cynffon *f*
appendage² BIOLOGY *n* atodyn *m*
appendicitis MEDICINE llid y pendics
appendix¹ *n* atodiad *m*, coluddyn crog *m*, ychwanegyn *m*
appendix² ANATOMY *n* pendics *m*
apperceive PSYCHOLOGY *vn* cyfarganfod
apperception* *vn* cyfarganfod
appertain* *vn* perthyn
appetite *n* archwaeth *m*, chwant *m*
appetizer *n* blasyn *m*
appetizing* *adj* blasus
applaud *vn* cymeradwyo
applause *n* cymeradwyaeth *f*
apple *n* afal *m*
appliance* *n* dyfais *f*, peiriant *m*
applicability* *n* addasrwydd *m*, addaster *m*
applicable* *adj* perthnasol
applicant *n* ceisydd *m*, ymgeisydd *m*
application¹ *n* cais¹ *m*, cymhwysiad *m*, dyfalbarhad *m*
application² COMPUTING *n* cymhwysiad *m*

applicator *n* taenwr *m*
applied *adj* cymhwysol, cymwysedig
apply *vn* cynnig[1], ymgeisio
appoint[1] *vn* apwyntio, pennu, penodi
appoint[2] LAW *vn* apwyntio
appointed *adj* apwyntiedig, penodedig
appointee[1] *n* penodai *m*
appointee[2] LAW *n* apwyntai *m*
appointer *n* penodwr *m*
appointment *n* apwyntiad *m*, oed[2] *m*,
   penodiad *m*
apportion *vn* dogni, dosrannu, dyrannu, rhannu
apportioned *adj* dyranedig
apportionment FINANCE *n* dosraniad *m*
apposite* *adj* addas, cymwys, priodol
apposition *n* cyfosodiad *m*
appraisal *n* arfarniad *m*, gwerthusiad *m*
appraise *vn* cloriannu, gwerthuso
appreciable* *adj* sylweddol
appreciate *vn* gwerthfawrogi
appreciation *n* arbrisiant *m*, cydnabyddiaeth *f*,
   cynnydd *m*, gwerthfawrogiad *m*
appreciative *adj* gwerthfawrogol
apprehend* *vn* dal, dala
apprehension* *n* ofn *m*, pryder *m*
apprehensive* *adj* ofnus, pryderus
apprentice 1. *n* disgybl *m*, prentis *m* 2. *vn* prentisio
apprenticeship *n* prentisiaeth *f*
approach 1. *n* agwedd *f*, dull *m*, dyfodiad *m*,
   dynesfa *f*, dynesiad *m*, ymagwedd *f*
   2. *vn* agosáu, dod[1], dyfod, dynesu, nesáu, nesu
   3. mynd at [*mynd*[1]]
approachability *n* agosatrwydd *m*, hygyrchedd *m*
approachable* *adj* hygyrch
approaching 1. *adj* agos[1], nesaol 2. *n* nesâd *m*
approbation* *n* cymeradwyaeth *f*
appropriate 1. *adj* addas, cymwys, priodol
   2. *vn* adfeddu, meddiannu
appropriateness *n* addasrwydd *m*, addaster *m*,
   priodoldeb *m*, priodolder *m*
appropriation *n* adfeddiant *m*
appropriator *n* meddiannwr *m*, meddiannydd *m*
approval *n* arddeliad *m*, cymeradwyaeth *f*
approve *vn* amenio, cymeradwyo
approved *adj* cymeradwy
approximate *adj* bras[1]
approximately *adv* oddeutu[1]
approximation *n* brasamcan *m*
appurtenant LAW *adj* perthynol
apraxia MEDICINE *n* apracsia *m*
apricot *n* bricyllen *f*
April 1. *n* Ebrill *m* 2. mis Ebrill [*Ebrill*]
apron *n* barclod *m*, brat *m*, ffedog *f*
apse[1] *n* aps *m*
apse[2] ARCHITECTURE *n* cromfan *f*
apsidal ARCHITECTURE *adj* cromfannol
apt* *adj* addas, cymwys, priodol

aptitude *n* cymhwyster *m*, dawn *f*, elfen *f*,
   tuedd *f*, tueddfryd *m*
aptness *n* addasrwydd *m*, addaster *m*,
   priodoldeb *m*, priodolder *m*
aquaculture *n* acwafeithrin *m*
aquamarine *n* gwyrddlas[1] *m*
aquarium *n* acwariwm *m*
aquatic BIOLOGY *adj* dyfrol
aquatint *n* acwatint *m*
aqueduct traphont ddŵr
aqueous *adj* dyfrllyd
aquifer GEOLOGY *n* dyfrhaen *f*
aquiline *adj* eryraidd
Arab *n* Arab *m*, Arabiad *m*
arabesque *n* arabésg *m*
Arabian *adj* Arabaidd
Arabic *adj* Arabaidd
arable *n* âr *m*
aramid NEEDLEWORK *n* aramid *m*
arbiter *n* canolwr *m*, cyflafareddwr *m*
arbitrary* *adj* mympwyol
arbitrate[1] *vn* cymrodeddu
arbitrate[2] LAW *vn* cyflafareddu
arbitration *n* cyflafareddiad *m*, cymrodedd *m*
arbitrator *n* cyflafareddwr *m*
arboreal *adj* coedol
arboretum BOTANY *n* gwyddfa *f*
arboriculture *n* coedyddiaeth *f*
arbour *n* deildy *m*
arc *n* arc *f*
arcade *n* arcêd *f*
arcane* *adj* cêl[1]
arch 1. *n* bwa *m*, cromen *f*, pont *f* 2. *vn* pontio
arch- *pref* arch-, carn-[3]
Archaean GEOLOGY *adj* Archeaidd
archaeological *adj* archaeolegol
archaeologist *n* archaeolegwr *m*, archaeolegydd *m*
archaeology *n* archaeoleg *f*
archaic* *adj* hynafaidd, hynafol
archangel *n* archangel *m*
archbishop *n* archesgob *m*
archbishopric *n* archesgobaeth *f*
archdeacon *n* archddiacon *m*
archdruid *n* archdderwydd *m*
archduchess *n* archdduges *f*
archduke *n* arch-ddug *m*
arched *adj* bwaog
archer *n* saethydd *m*
archery *n* saethyddiaeth *f*
archetype[1] *n* archdeip *m*, cynddelw *f*
archetype[2] PSYCHOLOGY *n* archdeip *m*
archipelago *n* ynysfor *m*
architect *n* pensaer *m*
architectural *adj* pensaernïol
architecture *n* pensaernïaeth *f*
architrave ARCHITECTURE *n* architraf *m*
archival *adj* archifol

archive *n* archif *f*
archivist *n* archifydd *m*
Arctic *adj* Arctig
ardent *adj* brwd, eiddgar, eiriasol, selog, tanbaid
ardour *n* angerdd *m*, sêl² *f*
arduous *adj* llafurus
area¹ *n* ardal *f*, bro *f*, maes¹ *m*, rhanbarth *m*
area² MATHEMATICS *n* arwynebedd *m*
arena *n* arena *f*
arête GEOLOGY *n* crib *mf*
arg MATHEMATICS *n* arg *m*
Argentinian 1. *adj* Archentaidd
  2. *n* Archentwr *m*, Archentwraig *f*
argon *n* argon *m*
arguable* *adj* dadleuol
arguably* *adv* efallai
argue *vn* dadlau, pledio, rhesymu, ymresymu
argument¹ *n* dadl *f*
argument² MATHEMATICS *n* arg *m*
argumentative *adj* dadleugar
aria MUSIC *n* aria *f*
arid *adj* cras, diffrwyth
aridity *n* craster *m*, crinder *m*
arise *vn* codi, cyfodi
aristocracy *n* aristocratiaeth *f*, bonedd *m & pl*,
  goreugwyr *pl*, pendefigaeth *f*
aristocrat *n* aristocrat *m*, uchelwr *m*
aristocratic *adj* aristocrataidd, pendefigaidd
arithmetic *n* rhifyddeg *f*
arithmetical *adj* rhifyddol
ark *n* arch¹ *f*
arm¹ 1. *n* braich¹ *f* 2. *vn* arfogi
arm² (oneself) *vn* ymarfogi
armada *n* armada *f*
Armageddon *n* Armagedon *m*
armament* *n* arfogaeth *f*
armature *n* armatwr *m*
armed *adj* arfog
Armenian 1. *adj* Armenaidd 2. *n* Armeniad *m*
armful *n* ceseiliad *f*, coflaid *f*, cowlaid *f*
armistice *n* cadoediad *m*
armorial *adj* herodrol
armour *n* arfogaeth *f*, arfwisg *f*, rhyfelwisg *f*
armoured* *adj* arfog
armoury *n* arfdy *m*
armpit ANATOMY *n* cesail *f*
armrest *n* braich¹ *f*
arms *n* arfau *pl*
army *n* byddin *f*
aroma *n* perarogl *m*, persawr *m*, sawr *m*
aromatic¹ *adj* aromatig, perlysiog, perlysiol,
  persawrus
aromatic² CHEMISTRY *adj* aromatig
around 1. *adv* oddeutu¹ 2. *prep* am², ogylch,
  rownd³, tua 3. o amgylch [*amgylch*], o boptu
  [*o²*], o gwmpas [*cwmpas¹*]
arouse *vn* deffro, dihuno

arraign LAW *vn* areinio
arraignment LAW *n* areiniad *m*
arrange *vn* dosbarthu, gosod¹, trefnu
arrangement¹ *n* trefn *f*, trefniad *m*
arrangement² MUSIC *n* trefniant *m*
arranger *n* gosodwr *m*, trefnydd *m*
arrant* 1. *adj* hollol, rhonc 2. *adv & adj* llwyr
array¹* *n* arddangosfa *f*
array² COMPUTING, MATHEMATICS *n* arae *f*, aráe *f*
arrears *n* ôl-ddyled *f*
arrest 1. *n* ataliad *m* 2. *vn* arestio, atal¹, restio
arrhythmia MEDICINE afreoleidd-dra'r galon
arrival *n* cyrhaeddiad *m*, dyfodiad *m*
arrive *vn* cyrraedd
arrogance *n* rhyfyg *m*, traha *m*, trahauster *m*
arrogant *adj* ffroenuchel, haerllug, rhyfygus,
  trahaus
arrow *n* saeth *f*
arse *n* tin *f*
arsenal* *n* arfdy *m*
arsenic *n* arsenig *m*
arsonist *n* llosgwr *m*
art *n* celf *f*, celfyddyd *f*, medr *m*
artefact *n* arteffact *m*
arterial ANATOMY *adj* rhydwelïol
arteriole ANATOMY *n* rhydwelïyn *m*
artery ANATOMY *n* rhydweli *f*
artful *adj* castiog, clyfar, cyfrwys
artfulness *n* clyfrwch *m*
arthritis¹ *n* llid y cymalau *m*
arthritis² MEDICINE *n* arthritis *m*
arthropod ZOOLOGY *n* arthropod *m*
Arthropoda ZOOLOGY *n* arthropodau *pl*
artichoke *n* marchysgallen *f*
article *n* erthygl *f*
articles *n* erthyglau *pl*
articulate¹ 1. *adj* croyw, llithrig 2. *vn* cynanu,
  geirio, mynegi
articulate² ANATOMY *adj* ymgymalog
articulated* *adj* cymalog
articulation *n* cynaniad *m*, ynganiad *m*
artifice* *n* ystryw *f*
artificial *adj* artiffisial, ffug, gwneud²
artillery *n* magnelaeth *f*
artilleryman *n* magnelwr *m*
artisan* *n* crefftwr *m*
artist *n* arluniwr *m*, arlunydd *m*, artist *m*
artistic *adj* artistig, celfyddydol, cywrain
artistry *n* artistiaeth *f*, celfyddyd *f*
artless *adj* anfedrus, dirodres
Aryan 1. *adj* Ariaidd 2. *n* Ariad *m*
as 1. *adv* mor 2. *conj* â², ag, fel², megis¹, ys¹
  3. *particle* cyn² 4. *prep* drwy, fel¹, megis², trwy
asbestos *n* asbestos *m*
ascend¹ *vn* dringo, esgyn
ascend² RELIGION *vn* esgyn
ascendance* *n* goruchafiaeth *f*

ascendant *n* esgynnydd *m*
ascender *n* esgynnwr *m*, esgynnydd *m*
ascending *adj* esgynedig, esgynnol
ascension[1] *n* dyrchafael *m*
ascension[2] RELIGION *n* esgyniad *m*
ascent *n* esgyniad *m*, gorifyny *m*, tyle *m*
ascertain *vn* gwirio
ascertainable *adj* gwiriadwy
ascetic 1. *adj* asgetig[1], ymgosbol, ymwadol
  2. *n* asgetig[2] *m*
asceticism *n* asgetigiaeth *f*
ascorbic CHEMISTRY *adj* asgorbig
ascribe *vn* priodoli, tadogi
ascription *n* priodoliad *m*, tadogaeth *f*
aseptic *adj* aseptig
asexual BIOLOGY, PSYCHOLOGY *adj* anrhywiol
ash[1] *n* lludu *m*, lludw *m*
ash[2] (tree and wood) *n* onnen *f*
ashen *adj* gwelw, gwelwlwyd, llwydaidd
ashtray blwch llwch
Asian 1. *adj* Asiaidd 2. *n* Asiad *m*
aside o'r neilltu [*neilltu*], sylw naill ochr [*naill*]
asinine *adj* asynnaidd
ask *vn* erchi, gofyn[1], holi
askew 1. *adj* cam[4] 2. ar sgiw [*sgiw*[2]]
aslant ar oleddf [*goleddf*]
asleep *adv* ynghwsg
asp *n* asb *f*
asparagus *n* merllysen *m*
aspect *n* agwedd *f*, arwedd *f*, ochr *f*
aspen (tree and wood) *n* aethnen *f*
asperity* *n* llymder *m*, llymdra *m*
aspersion* *n* anfri *m*, sen *f*
asphalt *n* asffalt *m*
asphyxia MEDICINE *n* myctod *m*
aspic *n* asbig *m*
aspirant* *n* ymgeisydd *m*
aspirate MEDICINE *vn* allsugno
aspiration *n* dyhead *m*, uchelgais *mf*
aspirator MEDICINE *n* allsugnydd *m*
aspire *vn* dyheu
aspirin *n* aspirin *m*
aspiring *adj* uchelgeisiol
ass *n* asyn *m*, mwlsyn *m*
assail *vn* ymosod
assailant* *n* ymosodwr *m*
assassin[1] *n* asasin *m*, lleiddiad[1] *m*
assassin[2] LAW *n* llofrudd *m*
assassinate *vn* asasineiddio, llofruddio
assault 1. *n* rhuthr *m*, rhuthrad *m*, ymosodiad *m*
  2. *vn* dwyn cyrch, ymosod
assay* *n* prawf[1] *m*
assemble *vn* codi, crynhoi[1], cydgynnull, cydosod,
  cynnull, ymgynnull
assembler *n* adeiladwr *m*, adeiladydd *m*
assembling *n* cydosodiad *m*

assembly *n* crynhoad *m*, cydosodiad *m*, cymanfa *f*,
  cynulliad *m*
assent 1. *n* cydsyniad *m* 2. *vn* cydsynied, cydsynio
assert *vn* haeru, taeru
asserter *n* haerwr *m*, taerwr *m*
assertion *n* gosodiad *m*, haeriad *m*, honiad *m*
assertive *adj* pendant, ymwthgar
assertiveness *n* pendantrwydd *m*
assess *vn* asesu, cloriannu, tafoli
assessment 1. *n* asesiad *m*, tafoliad *m* 2. *vn* asesu
assessor *n* aseswr *m*, asesydd *m*
asset[1] *n* caffaeliad *m*
asset[2] ECONOMICS, LAW *n* ased *m*
asseverate* *vn* taeru, tyngu
assiduous *adj* diwyd
assign[1]* *vn* neilltuo, pennu
assign[2] LAW *vn* aseinio
assignation* *n* oed[2] *m*
assignee LAW *n* aseinai *m*
assignment *n* aseiniad *m*
assignor LAW *n* aseiniwr *m*
assimilate *vn* cymathu
assimilation *n* cymathiad *m*
assist *vn* cynorthwyo, helpu
assistance *n* cymorth *m*, cynhorthwy *m*
assistant 1. *adj* cynorthwyol
  2. *n* cynorthwywr *m*, cynorthwyydd *m*
assize *n* brawdlys *m*
associate 1. *n* cydymaith *m*
  2. *vn* cyfeillachu, cysylltu
associated* *adj* cysylltiedig
associateship *n* partneriaeth *f*
association RELIGION *n* cymdeithasfa *f*
associative *adj* cysylltiadol
assonance LITERATURE *n* cyseinedd *m*
assorted* *adj* amryfal, amrywiol, cymysg
assortment *n* cymysgedd *m*
assume *vn* derbyn, rhagdybied, rhagdybio,
  tybied, tybio
assumption *n* rhagdyb *f*, rhagdybiad *m*, tyb *m*,
  tybiaeth *f*
assurance[1] *n* sicrhad *m*, sicrwydd *m*
assurance[2] FINANCE *n* aswiriant *m*
assure *vn* diogelu, sicrhau
assured *adj* dibetrus, hyderus
assuredness *n* hunanhyder *m*
astable ELECTRONICS *adj* gwrthsefydlog
astatine *n* astatin *m*
asterisk *n* seren *f*
asteroid ASTRONOMY *n* asteroid *m*
asthenosphere GEOLOGY *n* asthenosffer *m*
asthma[1] *n* caethder *m*, caethdra *m*, mogfa *f*
asthma[2] MEDICINE *n* asthma *m*
astigmatism *n* astigmatedd *m*
astonish *vn* syfrdanu, synnu
astonished *adj* syfrdan, syn
astonishing* *adj* rhyfeddol, syfrdanol

astonishment *n* syfrdandod *m*
astound* *vn* syfrdanu
astounding *adj* syfrdanol
astray ar goll
astride ar gefn [*cefn*]
astringent* *adj* egr, sur
astrolabe ASTRONOMY *n* astrolab *m*
astrologer *n* astrolegwr *m*, astrolegydd *m*, sêr-ddewin *m*
astrological *adj* astrolegol
astrology *n* astroleg *f*, sêr-ddewiniaeth *f*
astronaut *n* astronot *m*, gofodwr *m*
astronautics *n* astronoteg *f*
astronomer *n* seryddwr *m*
astronomical *adj* aruthrol, seryddol
astronomy *n* seryddiaeth *f*
astrophysics *n* astroffiseg *f*
astute* *adj* craff
astuteness *n* craffter *m*, treiddgarwch *m*
asylum *n* lloches *f*
asymmetrical *adj* anghymesur
asymmetry MATHEMATICS *n* anghymesuredd *m*
asymptote MATHEMATICS *n* asymptot *m*
asymptotic MATHEMATICS *adj* asymptotig
asynchronous ASTRONOMY, COMPUTING *adj* anghydamseredig
at *prep* am^2, ar, yn^1
atavism BIOLOGY *n* atafiaeth *f*
ataxia^1 *n* simsanrwydd *m*
ataxia^2 MEDICINE *n* atacsia *m*
ataxy *n* simsanrwydd *m*
atheism *n* anffyddiaeth *f*
atheist *n* anffyddiwr *m*
Athenian *n* Atheniad *m*
atherosclerosis MEDICINE *n* atherosglerosis *m*
athlete *n* athletwr *m*, mabolgampwr *m*
athletic *adj* athletaidd, athletig, mabolgampol
athletics *n* athletau *pl*, mabolgampau *pl*
atlas *n* atlas *m*
atmosphere *n* atmosffer *m*, awyrgylch *m*, naws *f*
atmospheric *adj* atmosfferig
atoll *n* atol *f*
atom *n* atom *mf*
atomic *adj* atomig
atomicity CHEMISTRY *n* atomedd *m*
atomics *n* atomeg *f*
atomization *n* atomeiddiad *m*
atomize *vn* atomeiddio
atomizer *n* atomadur *m*
atonal MUSIC *adj* digywair
atonement *n* iawn^2 *m*
atrium^1 cyntedd y galon
atrium^2 ANATOMY, ARCHITECTURE *n* atriwm *m*
atrocious *adj* dybryd, echryslon, gwarthus, ysgeler
atrocity *n* anfadwaith *m*, erchyllter *m*, erchylltod *m*, erchylltra *m*
atrophied *adj* gwyw, gwywedig

atrophy MEDICINE 1. *n* crebachiad *m* 2. *vn* crebachu, edwino
attach *vn* ategu, atodi, cydio wrth
attached 1. *adj* atodedig 2. *adv* ynghlwm
attachment *n* atodiad *m*, atodyn *m*, cydfan *m*, ymlyniad *m*
attack 1. *n* cyrch^1 *m*, pwl *m*, ymosodiad *m* 2. *vn* disgyn ar, ymosod
attacker *n* ymosodwr *m*
attain *vn* cyrraedd
attainable *adj* cyraeddadwy
attainder LAW *n* adendriad *m*
attainment *n* cyrhaeddiad *m*
attempt 1. *n* cais^1 *m*, ymgais *mf* 2. *vn* ceisio, cynnig^1, osio, ymgeisio
attend *vn* gweini, mynychu, ymweld
attendance* *n* presenoldeb *m*
attendant 1. *adv* ynghlwm 2. *n* gweinydd *m*, gweinyddes *f*
attender* *n* mynychwr *m*
attention *n* sylw *m*
attentive *adj* astud, sylwgar
attentiveness *n* astudrwydd *m*
attenuate* *vn* gwanhau, teneuo
attenuation^1 *n* teneuad *m*
attenuation^2 PHYSICS *n* gwanhad *m*
attenuator PHYSICS *n* gwanhadur *m*
attest *vn* ardystio
attestation *n* ardystiad *m*
attested *adj* ardystiedig
attestor *n* tyst *m*
attic *n* atig *f*, croglofft *f*, nenlofft *f*
attire *n* dillad *pl*, gwisg *f*
attitude *n* agwedd *f*, osgo *m*, ymagwedd *f*
attorney^1 *n* twrnai *m*
attorney^2 LAW *n* atwrnai *m*
attract *vn* apelio, atynnu, denu, llygad-dynnu, tynnu
attraction *n* atynfa *f*, atyniad *m*, swyn *m*, tynfa *f*
attractions *n* deniadau *pl*
attractive^1 *adj* atyniadol, dengar, deniadol, golygus, tlws^2
attractive^2 PHYSICS *adj* atynnol
attractiveness *n* dengarwch *m*, harddwch *m*
attractor *n* denwr *m*
attribute 1. *n* cynneddf *f*, priodoledd *f* 2. *vn* priodoli, tadogi
attribution *n* priodoliad *m*
attrition *n* athreuliad *m*
attritional GEOLOGY *adj* athreuliol
attune* *vn* cydweddu, ymgyfarwyddo
atypical *adj* annodweddiadol
auburn *adj* coch^2, eurfrown, gwinau
auction 1. *n* acsiwn^1 *f*, arwerthiant *m*, ocsiwn *f* 2. *vn* arwerthu
auctioneer *n* arwerthwr *m*, ocsiwnîr *m*

audacious *adj* beiddgar, eofn, powld
audaciousness *n* beiddgarwch *m*,
  haerllugrwydd *m*
audacity *n* beiddgarwch *m*, ehofnder *m*,
  ehofndra *m*, hyfder *m*, hyfdra *m*, wyneb *m*
audibility *n* clywadwyedd *m*
audible *adj* clywadwy, hyglyw
audience *n* cynulleidfa *f*, gwrandawiad *m*
audio-type *vn* clywdeipio
audiovisual *adj* clyweled
audit 1. *n* archwiliad *m* 2. *vn* archwilio
audited *adj* archwiliedig
audition *n* clyweliad *m*, gwrandawiad *m*
auditor *n* archwiliwr *m*
auditorium *n* awditoriwm *m*
auditory *adj* clybodol, clywedol
auger *n* ebill *m*, taradr *m*
augment *vn* cynyddu, chwyddo, helaethu,
  ychwanegu
augmented MUSIC *adj* estynedig
augur *vn* argoeli, darogan
augury* *n* argoel *f*
august *adj* mawreddog, urddasol
August 1. *n* Awst *m* 2. mis Awst [*Awst*]
auk *n* carfil *m*
aunt *n* modryb *f*
auntie *n* anti *f*, boda[2] *f*, bodo *f*, bopa *f*, modryb *f*
aura* *n* gwawl *m*, naws *f*
aural *adj* clustol, clywedol
auricle *n* awrigl *m*
aurora ASTRONOMY *n* awrora *m*
aurora australis METEOROLOGY Goleuni'r De
aurora borealis METEOROLOGY *n* Goleuni'r
  Gogledd *m*
auscultate MEDICINE *vn* clustfeinio
auspicious *adj* addawol, ffafriol
austenite METALLURGY *n* awstenit *m*
austere* *adj* llym, moel[1]
austerity *n* llymder *m*, llymdra *m*
Australian 1. *adj* Awstralaidd 2. *n* Awstraliad *m*
Austrian 1. *adj* Awstriaidd 2. *n* Awstriad *m*
autarchy *n* awtarchiaeth *f*
authentic 1. *adj* dilys 2. o'r iawn ryw [*iawn*[1]]
authenticate *vn* dilysu
authentication *n* dilysiad *m*, dilysiant *m*
authenticity* *n* dilysrwydd *m*
author 1. *n* awdur *m*, llenor *m* 2. *vn* awduro
authoress *n* awdures *f*
authoritarian *adj* awdurdodaidd, awdurdodus
authoritarianism *n* awdurdodyddiaeth *f*
authoritative *adj* awdurdodol
authoritativeness *n* awdurdod *m*
authority *n* awdurdod *m*, llaw *f*
authorize *vn* awdurdodi, cyfreithloni
authorized *adj* awdurdodedig
autism *n* awtistiaeth *f*
autistic *adj* awtistig

autobiographer *n* hunangofiannydd *m*
autobiographical *adj* hunanfywgraffyddol,
  hunangofiannol
autobiography *n* hunangofiant *m*
autocracy *n* awtocratiaeth *f*, unbennaeth *f*
autocrat *n* awtocrat *m*, teyrn *m*, unben *m*
autocratic *adj* awtocratig, unbenaethol
autograph *n* llofnod *m*
automate *vn* awtomeiddio
automated *adj* awtomataidd
automatic *adj* awtomatig
automation *n* awtomatiaeth *f*
automatism LAW *n* awtomatedd *m*
automobile *n* car *m*, modur *m*
autonomic PHYSIOLOGY *adj* awtonomig
autonomous *adj* awtonomaidd,
  hunanlywodraethol, ymreolaethol
autonomy *n* awtonomiaeth *f*, hunanlywodraeth *f*,
  hunanreolaeth *f*, ymreolaeth *f*
autopilot *n* awtopeilot *m*
autopsy LAW *n* awtopsi *m*
autumn *n* hydref[1] *m*
autumnal *adj* hydrefol
auxiliary *adj* ategol, atodol, cynorthwyol
avail *vn* tycio
availability *n* argaeledd *m*
avalanche *n* afalans *m*, eirlithriad *m*
avant-garde* *adj* arloesol
avarice *n* ariangarwch *m*, cybydd-dod *m*,
  cybydd-dra *m*, trachwant *m*
avaricious *adj* ariangar, barus, trachwantus
avatar *n* afatar *m*, avatar *m*
avenge *vn* dial[1]
avenger *n* dialwr *m*, dialydd *m*
avenue *n* rhodfa *f*
aver* *vn* haeru, honni, taeru
average[1] 1. *adj* canolig, cyfartalog, cyffredin
  2. *n* cyfartaledd *m* 3. *vn* cyfartaleddu
average[2] MATHEMATICS *n* cyfartaledd *m*,
  cymedr *m*
averse *adj* annhueddol, croes[2], gwrthwynebol
aversion *n* atgasedd *m*, atgasrwydd *m*, casbeth *m*
avert* *vn* osgoi
aviator *n* awyrennwr *m*, hedfanwr *m*
avid *adj* awchus, brwd, eiddgar
avidity *n* awch *m*, eiddgarwch *m*
avocado *n* afocado *m*
avocation* *n* difyrrwch *m*, hobi *m*
avoid *vn* cadw'n glir [*clir*], gochel, hepgor, osgoi
avoidable *adj* gocheladwy
avow* *vn* addef[1]
avowal *n* addefiad *m*, arddeliad *m*
avowed *adj* addunedig
await *vn* aros, disgwyl
awake 1. *adj* di-hun, effro 2. *vn* deffro, dihuno
awaken *vn* deffro, ennyn
awakening *n* dadebriad *m*, deffroad *m*

award[1] 1. *n* dyfarniad *m*, gwobr *f*, tlws[1] *m*
  2. *vn* dyfarnu, gwobrwyo
award[2] LAW *n* dyfarndal *m*
award-winning *adj* arobryn
aware *adj* ymwybodol
awareness *n* ymwybyddiaeth *f*
away 1. *adv* bant, ffwrdd, hwnt, ymaith
  2. i ffwrdd [*i[3]*], oddi cartref [*cartref[1]*], oddi yno
awful *adj* dychrynllyd[1], echrydus, ofnadwy[1],
  trybeilig, uffernol[1]
awfully *adv* dychrynllyd[2], ofnadwy[2]
awkward *adj* afrosgo, anhylaw, anneheuig,
  clapiog, clogyrnaidd, chwithig, lletchwith,
  tindrwm, trwstan
awkwardness *n* anneheurwydd *m*, annifyrrwch *m*,
  chwithigrwydd *m*, embaras *m*, lletchwithdod *m*
awl *n* mynawyd *m*
awn *n* col *m*, colyn *m*
awning *n* adlen *f*
axe *n* bwyell *f*
axial *adj* echelinol
axil BOTANY *n* cesail *f*
axilla ANATOMY *n* cesail *f*
axillary ANATOMY, BOTANY *adj* ceseilaidd
axiom[1] *n* acsiom *f*, gwireb *f*
axiom[2] MATHEMATICS *n* acsiom *f*
axiomatic *adj* acsiomatig
axis[1] *n* echelin *f*
axis[2] ANATOMY *n* acsis *m*
axis[3] MATHEMATICS *n* echelin *f*
axle *n* echel *f*, gwerthyd *f*
axletree *n* carntro *m*
axon BIOLOGY *n* acson *m*
Azerbaijani 1. *adj* Azerbaijanaidd
  2. *n* Azerbaijaniad *m*
azimuth *n* asimwth *m*
Aztec *n* Astec *m*
azure 1. *adj* glas[2] 2. *n* asur *m*

b

baa *n* ba *m*
babble 1. *n* murmur[1] *m* 2. *vn* baldorddi,
  breblian, clebran, preblan, preblian
babbler* *n* baldorddwr *m*, clebryn *m*
babbling *adj* baldorddus
baboon *n* babŵn *m*
baby 1. *n* baban *m*, babi *m* 2. *vn* babïo, maldodi
babyhood* *n* babandod *m*
babyish *adj* babanaidd, babïaidd
babysit *vn* gwarchod
babysitter *n* gwarchodwr *m*, gwarchodwraig *f*
baccalaureate *n* bagloriaeth *f*
bachelor 1. *n* baglor *m* 2. hen lanc [*hen[1]*]
back 1. *adj* ôl[2] 2. *n* cefn *m*, cefnwr *m*, olwr *m*
  3. *vn* bacio, bagio, cefnogi

backbone ANATOMY asgwrn cefn
backcloth *n* cefnlen *f*
backcross BIOLOGY 1. *n* ôl-groesiad *m*
  2. *vn* ôl-groesi
backdate *vn* ôl-ddyddio
backdrop *n* cefnlen *f*
backer *n* cefnogwr *m*
background *n* cefndir *m*
backhand 1. *adj* gwrthlaw 2. ergyd wrthlaw
  [*gwrthlaw*]
backing *n* cefnogaeth *f*, cefnyn *m*, cyfeiliant *m*
backlog *n* ôl-groniad *m*
back-projection taflunio cefn
backside *n* pen-ôl *m*
backslash *n* ôl-slaes *m*
backslide *vn* gwrthgilio
backsliding *n* gwrthgiliad *m*
backstory stori gefn
backstroke nofio ar y cefn
backup* *n* cefnogaeth *f*
backwall GEOGRAPHY *n* cefnfur *m*
backwards 1. *adv* llwrw 2. *prep* trach
  3. am yn ôl [*am[2]*], llwrw/llwyr fy (dy, ei, etc.)
  nghefn [*cefn*], trach fy (dy, ei, etc.) nghefn
  [*cefn*], wysg fy (dy, ei, etc.) nghefn
backwater *n* cilddwr *m*, merddwr *m*
bacon 1. *n* bacwn *m* 2. cig moch
bacterial *adj* bacteriol
bacteriologist *n* bacteriolegwr *m*, bacteriolegydd *m*
bacteriology *n* bacterioleg *f*
bacteriophage BIOLOGY *n* bacterioffag *m*
bacteriostat *n* bacteriostat *m*
bacteriostatic *adj* bacteriostatig
bacterium BIOLOGY *n* bacteriwm *m*
bad 1. *adj* drwg[1] 2. *pref* ad-, at-
badge *n* bathodyn *m*
badger 1. *n* broch *m*, daearfochyn *m* 2. *vn* plagio
  3. mochyn daear
badlands *n* garwdiroedd *pl*
badminton *n* badminton *m*
badness* *n* drygioni *m*
baffle* *vn* drysu
baffling* *adj* astrus
bag 1. *n* bag *m*, coden *f*, cwd *m*, cwdyn *m*
  2. *vn* bagio
bagful *n* bagaid *m*, cydaid *m*
baggy* *adj* llac
bagpipe *n* bacbib *f*, bagbib *f*
bagpipe(s) MUSIC *n* pibgod *f*
Bahamian 1. *adj* Bahamaidd 2. *n* Bahamiad *m*
Bahraini *n* Bahrainiad *m*
Bahranian *adj* Bahrainaidd
bail[1] *n* caten *f*
bail[2] LAW *n* mechni *f*, mechnïaeth *f*
bailey *n* beili[2] *m*
bailiff *n* beili[1] *m*, hwsmon *m*
bailiffship *n* beilïaeth *f*

bailiwick *n* beilïaeth *f*
bait 1. *n* abwyd *m*, abwydyn *m*, llith² *m*
2. *vn* baetio
baize *n* baeas *m*
bake¹ *vn* crasu
bake² COOKERY *vn* pobi
baked *adj* cras, pob²
bakehouse *n* bacws *m*, becws *m*, popty *m*
baker 1. *n* pobydd *m* 2. dyn bara
bakery* *n* bacws *m*, becws *m*, popty *m*
bakestone¹ *n* llechfaen *m*, maen¹ *m*, planc *m*
bakestone² COOKERY *n* gradell *f*
baking *n* pobiad *m*
balalaika *n* balalaica *m*
balance¹ 1. *n* balans *m*, clorian *f*,
cydbwysedd *m*, mantol *f*, mantoledd *m*
2. *vn* cydbwyso, tafoli
balance² FINANCE 1. *n* gweddill *m* 2. *vn* mantoli
balanced *adj* cytbwys
balancing *adj* cydbwysol
balcony *n* balconi *m*
bald *adj* moel¹
balderdash *n* ffiloreg *f*, nonsens *m*
baldness *n* moelni *m*
baldy *n* moelyn *m*
bale 1. *n* bwrn *m*, swp *m* 2. *vn* byrnio, byrnu,
sypynnu
baler *n* byrnwr *m*, byrnydd *m*
Balinese 1. *adj* Balïaidd 2. *n* Balïad *m*
balk *vn* nogio
ball *n* cronnell *f*, pêl *f*, pelen *f*
ballad *n* baled *f*
balladeer *n* baledwr *m*
balladic *adj* baledol
ballad-monger *n* baledwr *m*
ballast *n* balast *m*
ballerina *n* balerina *f*
ballet *n* bale *m*
ballista *n* blif *m*
ballistic *adj* balistig
ballistics *n* balisteg *f*
balloon *n* balŵn *mf*
balloonist *n* balwnydd *m*
ballot 1. *n* balot *m*, coelbren *m*, pleidlais *f*,
tugel *m* 2. *vn* pleidleisio
ballroom *n* dawnsfa *f*
ballyhoo *n* cybôl *m*
balm *n* balm *m*, eli *m*
balmy *adj* balmaidd, mwyn³
balsa *n* balsa *m*
balsam *n* ffromlys *m*
baluster ARCHITECTURE *n* balwster *m*
balustrade ARCHITECTURE *n* balwstrad *m*
bamboo *n* bambŵ *m*
ban 1. *n* gwaharddiad *m* 2. *vn* gwahardd
banal* *adj* ystrydebol
banana *n* banana *f*

band¹ *n* band¹ *m*, band² *m*, bandyn *m*, cengl *f*,
cnud *f*, coler *fm*, criw *m*, llinyn *m*, mintai *f*,
rhwymyn *m*, seindorf *f*
band² EDUCATION *vn* bandio
bandage 1. *n* rhwymyn *m* 2. *vn* rhwymo, strapio
banded *adj* bandog, rhesog
bandit *n* bandit *m*, gwylliad *m*, ysbeiliwr *m*
bandsaw *n* cylchlif *f*
bandy 1. *n* bando *m* 2. fel bachau crochan
[*bachau*]
bandy-legged *adj* coesgam, gargam
baneful *adj* melltithiol
bang 1. *n* clec *f*, ergyd *fm* 2. *vn* ffustio, ffusto,
taro
Bangladeshi 1. *adj* Bangladeshaidd
2. *n* Bangladeshiad *m*
bangle *n* breichled *f*
banish *vn* alltudio, diarddel
banishment* *n* alltudiaeth *f*
banister *n* banister *m*
banjo *n* banjo *m*, banjô *m*
bank 1. *n* banc¹ *m*, banc² *m*, bencyn *m*, bonc¹ *m*,
boncyn *m*, glan *f*, gorglawdd *m*, ponc *f*, poncen *f*
2. *vn* bancio
banker *n* banciwr *m*, bancwr *m*
bankrupt LAW *n* methdalwr *m*
bankruptcy LAW *n* methdaliad *m*
banned *adj* gwaharddedig
banner *n* baner *f*, fflag¹ *f*, lluman *m*
banns (marriage) *n* gostegion *pl*
banquet *n* gwledd *f*
banshee *n* cyhyraeth *m*
bantam *n* bantam *mf*
bantamweight pwysau bantam [*bantam*]
banter 1. *n* cellwair¹ *m*, smaldod *m*, ysmaldod *m*
2. *vn* cellwair², cellweirio
bantering *adj* cellweirus
baptism¹ *n* bedydd *m*
baptism² RELIGION *n* bedyddiad *m*
Baptist¹ *n* Batus *m*
Baptist² RELIGION *n* Bedyddiwr *m*
baptistery *n* bedyddfa *f*
baptize RELIGION *vn* bedyddio
baptized RELIGION *adj* bedyddiedig
bar¹ 1. *n* bar¹ *m*, barryn *m*, calen *f*,
gwahanbwynt *m* 2. *vn* bario
bar² PHYSICS *n* bar² *m*
bar³ MUSIC *n* mesur¹ *m*
barb *n* adfach *m*
Barbadian 1. *adj* Barbadaidd 2. *n* Barbadiad *m*
barbarian *n* barbariad *m*
barbaric *adj* anwar, anwaraidd, anwareiddiedig,
barbaraidd
barbarism *n* anwaeidd-dra *m*, barbareiddiwch *m*,
barbariaeth *f*
barbarity *n* barbareiddiwch *m*, barbariaeth *f*
barbarous *adj* barbaraidd

barbecue 1. *n* barbeciw *m* 2. *vn* barbeciwio
barbed *adj* bachog, pigog
barbel *n* barfogyn *m*
barber *n* barbwr *m*, eilliwr *m*
barbican *n* rhagdwr *m*
barbiturate *n* barbitwrad *m*
barbola *n* barbola *m*
barcarole MUSIC *n* barcarôl *m*
barcode COMPUTING cod bar [*cod³*]
bard *n* bardd *m*, prydydd *m*
bardic *adj* barddol
bare 1. *adj* llwm, moel¹, noeth 2. *vn* noethi
barefaced *adj* digywilydd, noeth, wynebgaled
barefoot *adj* troednoeth
barefooted *adj* troednoeth
bareheaded *adj* pennoeth
barely *adj* cwta, prin¹
bareness *n* moelni *m*, noethder *m*
bargain 1. *n* bargen *f* 2. *vn* bargeinio
bargeboard aden dywydd [*adain*]
baritone 1. *adj* bariton¹ 2. *n* bariton² *m*
barium *n* bariwm *m*
bark 1. *n* cyfarth¹ *m*, cyfarthiad *m*, rhisgl *m* 2. *vn* coethi², cyfarth², dirisglo
barley *n* barlys *m*, haidd *m*
barmaid *n* barforwyn *f*
barman *n* barmon *m*
barmy* *adj* gwallgof
barn *n* ysgubor *f*
barnacle crachen y môr, cragen long
barnstorming* *adj* ysgubol
barnyard* *n* ydlan *f*
barograph METEOROLOGY *n* barograff *m*
barometer 1. *n* baromedr *m* 2. cloc tywydd
barometric METEOROLOGY *adj* barometrig
baron *n* barwn *m*
baroness *n* barwnes *f*
baronet *n* barwnig *m*
baronial *adj* barwnol
baroque *adj* barôc
barque *n* barc *m*
barracks *n* baracs *pl*, barics *pl*
barrage *n* argae *m*, bared *m*, morglawdd *m*
barrel 1. *n* baril *mf*, casgen *f*, cerwyn *f*, twb *m*, twba *m*, twbyn *m* 2. *vn* barilo
barrelful *n* barilaid *f*, casgennaid *f*
barren *adj* anghyfeb, amhlantadwy, anffrwythlon, diffaith, diffrwyth, hesb, hysb, llwm, noethlwm
barrenness *n* diffrwythder *m*, diffrwythdra *m*, moelni *m*
barricade 1. *n* baricêd *m* 2. *vn* baricedio
barrier 1. *adj* rhwystrol 2. *n* gwahanfur *m*, rhwystr *m*
barriers *n* bariwns *pl*
barrister *n* bargyfreithiwr *m*
barrow¹ *n* berfa *f*, gwyddgrug *m*

barrow² ARCHAEOLOGY *n* crug *m*
barrowful *n* berfâid *f*, whilberaid *m*
barrowload *n* berfâid *f*, whilberaid *m*
bartender* *n* barmon *m*
barter *vn* cyfnewid, ffeirio, trwco
baryon PHYSICS *n* baryon *m*
basal *adj* gwaelodol
basalt GEOLOGY *n* basalt *m*
base¹ 1. *n* bas³ *m*, bôn *m*, sail *f*, troed² *m* 2. *vn* seilio, sylfaenu
base² CHEMISTRY *n* bas³ *m*
base³ MATHEMATICS *n* bôn *m*
base⁴ ELECTRONICS *n* sail *f*
baseball *n* pêl-fas *f*
based *adj* seiliedig
baseless *adj* di-sail, disylfaen
baseline 1. *adj* dechreuol 2. *n* gwaelodlin *f*
basement 1. *n* islawr *m* 2. llawr isaf
bash *vn* bwrw, cledro, tolcio
bashful *adj* gwylaidd, swil
basic¹ *adj* canolog, sylfaenol
basic² CHEMISTRY, GEOLOGY, METALLURGY *adj* basig
basically yn y bôn [*bôn*], yn y gwraidd [*gwraidd*]
basicity CHEMISTRY *n* basigedd *m*
basidiomycete BIOLOGY *n* basidiomycet *m*
basil *n* brenhinllys *m*
basilica ARCHITECTURE, RELIGION *n* basilica *m*
basin *n* basin *m*, basn *m*, cawg *m*
basinful *n* basnaid *m*
basipetal BOTANY *adj* basipetalaidd
basis *n* sail *f*, sylfaen *fm*
bask *vn* torheulo
basket *n* basged *f*, cawell *m*
basketball *n* pêl-fasged *f*
basketful *n* basgedaid *f*
basketmaker *n* basgedwr *m*, cawellwr *m*
basketry *n* basgedwaith *m*
basking shark *n* heulgi *m*
Basque 1. *adj* Basgaidd 2. *N* Basgiad *m*
bas-relief¹ *n* basgerfiad *m*, basgerflun *m*
bas-relief² ART *n* cerfwedd isel *f*
bass¹ *n* baswr *m*
bass² MUSIC *adj* bas¹
bassoon *n* baswn *m*
bassoonist *n* baswnydd *m*
bastard 1. *n* bastard *m* 2. plentyn siawns
baste¹ *vn* bastio
baste² NEEDLEWORK *vn* brasbwytho
baste³ COOKERY *vn* brasteru
bastion* *n* cadarnle *m*
bat 1. *n* bat *m*, ystlum *m* 2. *vn* batio
batch *n* cwgen *f*, ffyrnaid *f*, pobiad *m*, swp *m*, sypyn *m*
batch-processing COMPUTING *vn* swp-brosesu
bath *n* baddon *m*, bàth *m*
bathe *vn* nofio, trochi, ymdrochi
bather *n* nofiwr *m*, ymdrochwr *m*

bathhouse *n* badd-dy *m*, baddondy *m*, ymolchfa *f*
batholith GEOLOGY *n* batholith *m*
bathos *n* affwysedd *m*, disgynneb *f*
bathroom ystafell ymolchi
bathymeter *n* bathymedr *m*
bathymetric *adj* bathymetrig
bathymetry *n* bathymetreg *f*
bathysphere *n* bathysffer *m*
baton 1. *n* baton *m*, batwn *m* 2. ffon gyfnewid
bats* *adj* gwallgof
batsman *n* batiwr *m*
battalion *n* bataliwn *m*
batten 1. *n* styllen *f*, ystyllen *f* 2. *vn* estyllu
batter 1. *n* batiwr *m*, cytew *m*
   2. *vn* ergydio, pwyo
battered *adj* tolciog, ysig
battering *n* curfa *f*
battery¹ *n* batri *m*
battery² LAW *n* curfa *f*
battle *n* brwydr *f*, cad *f*, trin² *f*
battleaxe bwyell arf
battlefield maes y gad [*cad*]
battlement *n* bylchfur *m*, murfwlch *m*
battler *n* brwydrwr *m*
battleship llong ryfel
bauxite GEOLOGY *n* bocsit *m*
Bavarian 1. *adj* Bafaraidd 2. *n* Bafariad *m*
bawdiness *n* anlladrwydd *m*, serthedd *m*
bawdy *adj* anweddaidd, anweddus, coch²,
   masweddol, masweddus
bawl *vn* arthio, crochlefain
bay¹ 1. *adj* gwinau, gwineulas 2. *n* bae *m*
   3. *vn* udo
bay² (trees and wood) *n* llawrwydd *pl*, llawryf *pl*
bayonet *n* bidog *f*
bazaar *n* basâr *m*
BC *abbr* CC
be *vn* bod¹
beach 1. *n* beiston *f*, traeth *m*, traethell *f*
   2. *vn* tirio
beacon *n* coelcerth *f*
bead *n* glain *m*
beading *n* gleinwaith *m*
beadle *n* bedel *m*
beads *n* mwclis *pl*
beadwork *n* gleinwaith *m*
be afraid *vn* ofni
beak *n* gylfin *m*, pig¹ *f*
beaker¹ *n* bicer *m*, diodlestr *m*
beaker² ARCHAEOLOGY *n* bicer *m*
beam 1. *n* carfan *f*, dist *m*, pelydryn *m*, trawst *m*,
   tulath *f* 2. *vn* gwenu
beanfeast *n* gwledd *f*, sgram *f*
beans *n* ffa¹ *pl*
bear 1. *n* arth *f* 2. *vn* cario, dal, dala, dwyn
bearable* *adj* goddefadwy
beard *n* barf *f*, locsyn *m*

bearded *adj* barfog
beardless *adj* di-farf
bearer *n* cludwr *m*, daliedydd *m*, dygiedydd *m*
bearing *n* beryn *m*, cyfeiriant *m*
beast *n* anifail *m*, bwystfil *m*, creadur *m*
beat 1. *n* curiad *m* 2. *vn* baeddu, cario ar, colbio,
   curo, dyrnu, ffustio, ffusto, maeddu, pwyo,
   wado, waldio, whado
beater *n* curwr *m*, curydd *m*, träwr *m*,
   trawydd *m*
beatific *adj* gwynfydedig
beating *n* cosfa *f*, cot² *f*, coten *f*, crasfa *f*, cur *m*,
   curfa *f*, curiad *m*, ffustiad *m*, stid *f*, tresiad *m*
Beatitudes RELIGION y Gwynfydau [*gwynfyd*]
beautiful *adj* cun, glwys, gweddaidd, hardd,
   mirain, prydferth, prydweddol
beautify *vn* harddu, prydferthu, tecáu
beauty *n* ceinder *m*, glendid *m*, glwyster *m*,
   harddwch *m*, mireinder *m*, prydferthwch *m*,
   tegwch *m*
beaver *n* afanc *m*, llostlydan *m*
because 1. *conj* achos³, am¹, cans, canys, gan²,
   oblegid¹, oherwydd¹ 2. *prep* achos², drwy,
   trwy, wrth
beckon *vn* amneidio, codi bys
become *vn* dod¹, dod yn [*dod¹*], dyfod, mynd¹,
   mynd yn [*mynd¹*]
becquerel PHYSICS *n* becquerel *m*
bed¹ 1. *n* gwely *m* 2. *vn* gwelya, gwelyo
bed² GEOLOGY *n* gwely *m*, haen *f*, haenen *f*
bedclothes dillad gwely
bedding *n* gwasarn *m*
bedeck* *vn* addurno
bedevil* *vn* aflonyddu, plagio
bedfellow *n* cywely *m*
bedlam *n* bedlam *m*
bedload GEOGRAPHY llwyth gwely [*llwyth¹*]
Bedouin *n* Bedowin *m*
bedpan padell wely
bedraggled *adj* caglog
bedridden *adj* gorweiddiog
bedroom 1. *n* llofft *f* 2. ystafell wely
bedside *n* erchwyn *m*
bedspread *n* carthen *f*, cwrlid *m*, gorchudd *m*,
   gwrthban *m*
bee *n* gwenynen *f*
beech (trees and wood) *n* ffawydd *pl*
beechmast cnau ffawydd
beef cig eidion
beefburger *n* eidionyn *m*
beehive cwch gwenyn, cyff gwenyn
beekeeper *n* gwenynwr *m*
beer *n* cwrw *m*, tablen *f*
beet *n* betys *pl*
beetle *n* chwilen *f*
beetroot betys coch
befit *vn* gweddu

befitting* *adj* priodol

before 1. *adv* cynt[2], ynghynt 2. *prep* cyn[1], gerbron 3. cyn hyn [*hyn[1]*], o'r blaen [*blaen[1]*]

beforehand ymlaen llaw

befuddle* *vn* moedro, mwydro

beg *vn* begera, begian, cardota, crefu, erfyn[2], ymbil[2], ymbilio

beget[1] *vn* epilio

beget[2] BIOLOGY *vn* cenhedlu

beggar *n* begar *m*, beger *m*, cardotyn *m*

beggarly *adj* begerllyd

beggarwoman *n* cardotes *f*, cardotwraig *f*

begin *vn* cychwyn[1], dechrau[2]

beginner *n* dechreuwr *m*

beginning *n* cychwyniad *m*, dechrau[1] *m*, dechreuad *m*

begrudge *vn* gwarafun

beguile *vn* hudo

beguiling* *adj* hudol, hudolus

behave *vn* bihafio, ymddwyn

behaviour *n* ymarweddiad *m*, ymddygiad *m*

behavioural *adj* ymddygiadol

behaviourism *n* ymddygiadaeth *f*

behead *vn* torfynyglu

behest *n* cais[1] *m*, gorchymyn[2] *m*

behind 1. *adj* ôl[2] 2. tu cefn [*cefn*], tu ôl, y tu ôl i [*ôl[2]*]

behold *interj* wele

beholden* *adj* dyledus

beholder *n* gweledydd *m*, tyst *m*

being *n* bodolaeth *f*, enaid *m*

bejewelled *adj* gemog

bel PHYSICS *n* bel *m*

Belarusian 1. *adj* Belarwsiaidd 2. *n* Belarwsiad *m*

belated* *adj* hwyr[1]

belay 1. *n* belai *m* 2. *vn* ceirsio, clymu

belch *vn* bytheirio, pecial, torri gwynt

belfry *n* clochdy *m*

Belgian 1. *adj* Belgaidd 2. *n* Belgiad *m*

belief *n* coel *f*, cred *f*, crediniaeth *f*, daliad *m*

believable* *adj* credadwy

believe *vn* coelio, credu

believer *n* credadun *m*, crediniwr *m*, credwr *m*

belittle *vn* bychanu, dibrisio, dweud yn fach am, gwneud yn fach o rywun/rywbeth [*gwneud[1]*]

belittler *n* bychanwr *m*

Belizean 1. *adj* Belisaidd 2. *n* Belisiad *m*

bell *n* cloch *f*

bellflower *n* clychlys *m*

bellicose *adj* cecrus, rhyfelgar, ymladdgar

belligerence *n* rhyfelgarwch *m*

belligerent *adj* cwerylgar, ymladdgar, ymosodol

bellow 1. *n* bugunad[1] *m*, rhu *m*, rhuad *m* 2. *vn* bugunad[2], rhuo, safnrhythu

bellows *n* megin *f*

belly *n* bol *m*, bola *m*, tor[1] *f*

bellyband *n* bolrwymyn *m*, cengl *f*

bellyful *n* boliad *m*, boliaid *m*

belong *vn* perthyn

belongings *n* eiddo[1] *m*, meddiannau *pl*

beloved 1. *adj* cu 2. *n* anwylyd *mf*, cariad[2] *m*

below 1. *adv* danodd, islaw[1], isod, obry, tanodd 2. *prep* goris, is[2], islaw[2]

belt 1. *n* belt *f*, gwregys *m*, pelten *f* 2. *vn* curo, gwregysu, hemio, taro

bemire *vn* bawio

bench *n* ffwrwm *f*, mainc *f*

bencher *n* meinciwr *m*

benchmark 1. *n* meincnod *m* 2. *vn* meincnodi

bend 1. *n* congl *f*, tro *m*, troad *m*, trofa *f* 2. *vn* camu[2], crymanu, gwyro, plygu 3. ystum afon

beneath 1. *adv* odanodd 2. *prep* is[2], islaw[2], tan[1]

Benedictine 1. *adj* Benedictaidd 2. *n* Benedictiad *m*

benediction *n* bendith *f*

benefactor *n* cymwynaswr *m*

benefice *n* bywoliaeth *f*

beneficent *adj* bendithiol, daionus

beneficial *adj* buddiol, daionus, llesol, proffidiol

beneficiary *n* buddiolwr *m*

benefit 1. *n* budd *m*, budd-dal *m*, buddioldeb *m*, ennill[2] *m*, iws *m*, lles *m*, llesâd *m*, llesiant *m* 2. *vn* elwa

benefits *n* buddiannau *pl*

benevolence *n* cymwynasgarwch *m*, elusengarwch *m*, haelfrydedd *m*, rhadlonrwydd *m*

Bengali 1. *adj* Bengalaidd 2. *n* Bengaliad *m*

benign[1] *adj* hynaws, llariaidd

benign[2] MEDICINE *adj* anfalaen

Beninese 1. *adj* Beninaidd 2. *n* Beniniad *m*

bent *adj* cam[4], crwca, cwmanog, gwyrgam

benthos BIOLOGY *n* benthos *m*

benumb *vn* merwino

benzene CHEMISTRY *n* bensen *m*

bequeath[1] *vn* gadael

bequeath[2] LAW *vn* cymynnu, ewyllysio

bequest *n* cymynrodd *f*, rhodd *f*

berate 1. *vn* arthio, dwrdio 2. dweud y drefn

Berber *n* Berber *m*

bereavement *n* galar *m*, profedigaeth *f*

bereft* *adj* amddifad

beribboned *adj* rhubanog

berkelium *n* berceliwm *m*

Bermudan 1. *adj* Bermwdaidd 2. *n* Bermwdiad *m*

berries *n* aeron *pl*, grawn *m & pl*

berth 1. *n* angorfa *f*, docfa *f* 2. *vn* angori, docio

beryl *n* beryl *m*

beryllium *n* beryliwm *m*

beseech *vn* crefu, deisyf, deisyfu, eiriol, erfyn[2], ymbil[2], ymbilio, ymhŵedd

beseeching *adj* ymbilgar

beside 1. *prep* gerllaw[1] 2. ar ymyl [*ymyl*], yn ymyl [*ymyl*]

besides *prep* heblaw
besiege *vn* cylchynu, gwarchae[2]
besieged *adj* gwarchaeedig
best 1. *adj* gorau[1] 2. *n* gorau[2] *m*
bet 1. *n* bet *f* 2. *vn* betio, hapchwarae[2]
béte noire* *n* bwgan *m*
betony *n* cribau Sain Ffraid *pl*
betray *vn* bradychu
betrayal *n* bradychiad *m*
betrayer *n* bradwr *m*
betroth *vn* dyweddïo
better *adj* dewisach, ffitiach, gwell[1]
betters *n* gwell[2] *m*
betting *n* hapchwarae[1] *m*
between *prep* rhwng
betwixt *prep* rhwng
bevel *n* befel *m*
beware *vn* gochel, gwylied, gwylio
beware of *vn* gochel
bewilder *vn* drysu, ffwndro, moedro, mwydro,
  pensyfrdanu
bewildered *adj* dryslyd, ffrwcslyd, pensyfrdan
bewilderment *n* dryswch *m*, pensyfrdandod *m*
bewitch *vn* consurio, rheibio, swyno
bewitching *n* rhaib *f*
beyond tu hwnt [*hwnt*]
bezel *n* gwefl *f*
Bhutanese 1. *adj* Bhwtanaidd 2. *n* Bhwtaniad *m*
biannual *adj* chwemisol
bias[1] *n* gogwydd *m*, rhagfarn *f*, tuedd *f*,
  tueddfryd *m*
bias[2] ELECTRONICS 1. *n* bias *m* 2. *vn* biasu
bias[3] NEEDLEWORK *n* bias *m*
biased *adj* rhagfarnllyd, unochrog
bib *n* bib *m*
bible *n* beibl *m*
Bible RELIGION Beibl, y
biblical *adj* beiblaidd
bibliographer *n* llyfryddwr *m*
bibliographical *adj* llyfryddol
bibliography *n* llyfryddiaeth *f*
bibliophile *n* llyfrbryf *m*
bicentenary *n* daucanmlwyddiant *m*,
  deucanmlwyddiant *m*
bicep ANATOMY cyhyryn deuben
bicker *vn* bigitan, bigitian, cecran, cecru, cega
bickerer *n* cecryn *m*
bickering *adj* cecrus
biconcave *adj* deugeugrwm
biconvex *adj* deuamgrwm
bicycle 1. *n* beic *m*, beisicl *m* 2. *vn* seiclo
bid *vn* bidio[1], cynnig[1]
bidder *n* gwahoddwr *m*
biennial 1. *adj* eilflwydd 2. *n* eilflwyddiad *m*
bier *n* elor *f*
bifocal *adj* deuffocal
bifurcate* *adj* fforchog

big *adj* mawr
big-eyed *adj* llygadog
bigger *adj* mwy[1]
big-head 1. *n* jarff *m* 2. llanc mawr, pen bach
  [*pen*[1]]
bight *n* geneufor *m*
bigoted *adj* rhagfarnllyd
bigotry* *n* rhagfarn *f*
big toe *n* bawd *fm*
bigwig dyn mawr
bigwigs *n* crach[2] *pl*, crachach *pl*
bike 1. *n* beic *m*, beisicl *m* 2. *vn* beicio
bikini *n* bicini *m*
bilateral *adj* dwyochrol
bilberry *n* llusen *f*
bile BIOCHEMISTRY *n* bustl *m*
bilingual *adj* dwyieithog
bilingualism *n* dwyieithedd *m*, dwyieithrwydd *m*
bilious MEDICINE *adj* bustlog
bill[1] 1. *n* bil *m*, gylfin *m*, pig[1] *f* 2. *vn* bilio
bill[2] LAW *n* bil *m*, mesur[1] *m*
billet 1. *n* biled *m*, llety *m* 2. *vn* biledu
billhook *n* bilwg *m*
billiards *n* biliards *m*
billion *n* biliwn *m*
billow 1. *n* caseg *f*, gwaneg *f*, ton[1] *f* 2. *vn* tonni
bimetallic METALLURGY *adj* deufetel
bimolecular CHEMISTRY *adj* deufoleciwlaidd
bimonthly *adj* deufisol
bin *n* bin *m*
binary[1] ASTRONOMY, MATHEMATICS *adj* deuaidd
binary[2] MUSIC *adj* dwyran
bind *vn* asio, clymu, gwdennu, rhwymo,
  ymrwymo
binder *n* rhwymydd *m*
binding[1] 1. *adj* gorfodol 2. *n* amrwym *m*,
  beindin *m*, rhwymiad *m*
binding[2] NEEDLEWORK *n* rhwymyn *m*
bindweed 1. *n* taglys *m* 2. cwlwm y cythraul
  [*cwlwm*[1]]
bingo *n* bingo *m*
binomial BIOLOGY, MATHEMATICS
  1. *adj* binomaidd 2. *n* binomial *m*
bio- *pref* bio-
biochemical *adj* biocemegol
biochemist *n* biocemegwr *m*, biocemegydd *m*
biochemistry *n* biocemeg *f*
bioclimatology *n* biohinsoddeg *f*
biodegradability *n* bioddiraddadwyedd *m*
biodegradable *adj* bioddiraddadwy, pydradwy
biodegrade *vn* bioddiraddio
biodiversity *n* bioamrywiaeth *f*
biofuel *n* biodanwydd *m*
biogenesis BIOLOGY *n* biogenesis *m*
biographer *n* cofiannydd *m*
biographical *adj* bywgraffyddol, cofiannol
biography[1] *n* buchedd *f*, bywgraffiad *m*

biography² LITERATURE *n* cofiant *m*
biohazard *n* bioberygl *m*
biological *adj* biolegol
biologist *n* biolegydd *m*
biology *n* bioleg *f*
bioluminescence BIOLOGY *n* bioymoleuedd *m*
bioluminescent BIOLOGY *adj* bioymoleuol
biomass *n* biomas *m*
biome BIOLOGY *n* bïom *m*
biomechanics *n* biomecaneg *f*
biometric *adj* biometrig
biometrics *n* biometreg *fm*
bionics *n* bioneg *f*
biophysics *n* bioffiseg *f*
biopsy MEDICINE *n* biopsi *m*
biosphere *n* biosffer *m*
biosynthesis *vn* biosynthesu
biosynthesize *vn* biosynthesu
biotechnology *n* biotechnoleg *f*
biotic BIOLOGY *adj* biotig
bipartisan *adj* dwybleidiol
bipartite *adj* dwyran
biped *n* deudroedolyn *m*
bipolar *adj* deubegwn, deubegynol
birch (trees and wood) *n* bedw¹ *pl*
bird *n* aderyn *m*, deryn *m*, edn *m*
birdie *n* pluen *f*
bird's-foot troed yr aderyn [*troed¹*]
biro *n* beiro *mf*, biro *mf*
birth 1. *n* genedigaeth *f* 2. *vn* geni
birthday *n* pen blwydd *m*
birthmark man geni [*man²*]
birthright *n* genedigaeth-fraint *f*
biscuit *n* bisged *f*, bisgïen *f*
bisect *vn* dwyrannu, haneru
bisector MATHEMATICS *n* hanerydd *m*
bisexual *adj* deurywiol
bishop *n* esgob *m*
bishopric *n* esgobaeth *f*
bismuth *n* bismwth *m*
bison *n* bison *m*, bual *m*, byfflo *m*
bistable PHYSICS *adj* deusad
bistort *n* canwraidd *f*
bit¹ 1. *adv* ychydig³ 2. *n* affliw *m*, bit *m*,
   bribsyn *m*, cetyn *m*, ebill *m*, genfa *f*, mymryn *m*,
   pwt¹ *m*, tamaid *m*
bit² COMPUTING 1. *adj* didol² 2. *n* did *m*
bitch *n* cnawes *f*, gast *f*, jadan *f*, jaden *f*, sguthan *f*,
   ysguthan *f*
bitchiness *n* gwenwyn *m*, sbeit¹ *f*
bite 1. *n* brath *m*, brathiad *m*, cnoad *m*, cnoead *m*
   2. *vn* brathu, cnoi¹, cydio, gafael¹, pigo
biting *adj* brathog, main¹
bitmap COMPUTING *n* didfap *m*
bitonal MUSIC *adj* deugywair
bitter *adj* bustlaidd, chwerw, dreng, garw¹, llymsur
bitterling *n* chwerwyn *m*

bittern 1. *n* bwn *m* 2. aderyn y bwn
bitterness *n* chwerwder *m*, chwerwdod *m*,
   chwerwedd *m*
bittersweet 1. *n* elinog *f* 2. codwarth caled
bitty *adj* tameidiog
bitumen CHEMISTRY *n* bitwmen *m*
bivalent BIOLOGY, CHEMISTRY *adj* deufalent
bivalve ZOOLOGY *adj* dwygragennog
bivouac* *vn* gwersyllu
bizarre *adj* rhyfedd
black 1. *adj* du², tywyll 2. *n* du¹ *m*
black-bellied *adj* torddu
blackberries 1. *n* mwyar *pl* 2. mafon duon
blackberry *n* mwyaren *f*
blackbird 1. *n* mwyalchen *f* 2. aderyn du
blackboard bwrdd du
blackcap telor penddu
Black Death y Pla Du [*pla*]
blacken *vn* duo, pardduo, tywyllu
blackguard* *n* dihiryn *m*
blackhead *n* pendduyn *m*
blacking *n* blacin *m*
blacklead 1. *n* blac-led *m* 2. *vn* blacledio
blackmail *n* blacmel *m*
blackness *n* düwch *m*, fagddu *f*
blacksmith *n* gof *m*
blackthorn draenen ddu
bladder¹ *n* pledren *f*
bladder² BOTANY *n* chwysigen *f*
blade *n* cledd *m*, llafn *m*
bladed *adj* llafnog
blame 1. *n* bai¹ *m* 2. *vn* beio
blameless *adj* dieuog, difai, di-fai, difeius,
   dinam, di-nam, diniwed
blanch¹ *vn* glaswelwi, gwelwi, gwynnu, hifio
blanch² COOKERY *vn* blansio
bland *adj* di-flas, merfaidd
blandish *vn* gwenieithio, gwenieithu
blandishment *n* gweniaith *f*
blank 1. *adj* gwag 2. *n* blanc *m*
blanket 1. *n* blanced *f*, carthen *f*, gwrthban *m*,
   planced *f* 2. *vn* gorchuddio, ymdaenu
blaring *adj* swnllyd
blasé *adj* didaro
blaspheme *vn* cablu
blasphemer *n* cableddwr *m*, cablwr *m*
blasphemous *adj* cableddus
blasphemy RELIGION *n* cabledd *m*
blast 1. *n* cwthwm *m*, ergyd *fm*, ffrwydrad *m*,
   ffrwydriad *m* 2. *vn* chwythellu, ffrwydro
blastula BIOLOGY *n* blastwla *m*
blaze 1. *n* bal *m* 2. *vn* ffaglu, fflamio
blazing *adj* gwenfflam
blazon *n* blesawnt *m*
bleach 1. *n* cannydd *m* 2. *vn* cannu
bleak *adj* esgeirlwm, llwm, moel¹, noethlwm,
   oeraidd

bleat 1. *n* bref *f*, brefiad *f*, dolef *f* 2. *vn* brefu, dolefain

bleed *vn* gwaedu

bleeper *n* blipiwr *m*

blemish *n* brycheuyn *m*, mefl *m*, nam *m*

blemished *adj* anafus, brycheulyd

blend 1. *n* blend *m*, cyfuniad *m* 2. *vn* blendio, cymysgu, toddi, ymdoddi

blender *n* hylifydd *m*

blepharitis[1] llid yr amrannau

blepharitis[2] MEDICINE *n* bleffaritis *m*

bless *vn* bendigo, bendithio, breinio, breintio

blessed *adj* bendig, bendigaid, bendigedig, dedwydd, gwyn[2], gwynfydedig

blesser *n* bendithiwr *m*

blessing *n* bendith *f*, ffafr *f*

blight *n* llwydi *m*, llwydni *m*, malltod *m*

blighter *n* cono *m*

blind 1. *adj* dall 2. *n* bleind *m*, cysgodlen *f* 3. *vn* dallu

blindfold 1. *n* bwmbwr *m*, mwgwd *m* 2. *vn* mygydu

blindness *n* dallineb *m*

blink 1. *n* amrantiad *m* 2. *vn* fflachio

blinkered *adj* unllygeidiog

bliss *n* dedwyddwch *m*, gwynfyd *m*, nefoedd *f & pl*

blissful *adj* gwynfydedig

blister 1. *n* chwysigen *f*, pothell *f*, swigen *f* 2. *vn* blistro, plisgo, pothellu

blistered *adj* pothellog

blithe *adj* hwyliog, siriol

blizzard *n* lluwchwynt *m*

bloated *adj* chwyddedig

block 1. *n* bloc *m*, blocyn *m*, plocyn *m* 2. *vn* blocio, rhwystro

blockade *n* blocâd *m*, gwarchae[1] *m*, môr-warchae *m*

blockage *n* atalfa *f*, rhwystr *m*, tagfa *f*

blockboard CARPENTRY *n* blocfwrdd *m*

blockbuster *n* blocbyster *m*

blockhead *n* clwpa *m*, hurtyn *m*, penbwl *m*

blog 1. *n* blog *m* 2. *vn* blogio

blogger *n* blogiwr *m*

bloke *n* boi *m*

blood *n* gwaed *m*

bloodstream llif y gwaed [*llif*[1]]

bloody *adj* gwaedlyd

bloom 1. *n* blwm *m*, glasbaill *m*, gwrid *m*, niwlen *f* 2. *vn* blodeuo

blossom *vn* blodeuo

blot 1. *n* blot *m*, blotyn *m* 2. *vn* blotio

blouse *n* blows *f*, blowsen *f*

blow 1. *n* clatsien *f*, chwythad *m*, chwythiad *m*, dyrnod *mf*, ergyd *fm*, pelten *f*, pwyad *m*, swaden *f*, trawiad *m*, wad *f*, whad *f* 2. *vn* chwythu

blower *n* chwythwr *m*, chwythydd *m*

blowhole *n* chwythdwll *m*

blowlamp *n* chwythlamp *f*

blowout GEOGRAPHY *n* chwythbant *m*

blowpipe *n* chwythbib *f*

bludgeon 1. *n* clwpa *m*, pastwn *m* 2. *vn* pastynu

blue 1. *adj* glas[2] 2. *n* glas[1] *m*

bluebell croeso haf

bluebells 1. *n* clychau'r gog *pl* 2. bwtsias y gog

blue-blooded *adj* uchelradd, uchelryw

bluebottle cleren las [*cleren*[1]]

blue-collar coler las

blue-eyed *adj* llygadlas

blueness *n* glesni *m*

blueprint *n* cynddelw *f*, glasbrint *m*

blues MUSIC canu'r felan [*melan*]

blunder *n* amryfusedd *m*, camgymeriad *m*

blundering *adj* chwithig, trwsgl, trwstan

blunt 1. *adj* blaenbwl, di-awch, pŵl[2], swrth 2. *vn* pylu

bluntness *n* pylni *m*

blurb *n* broliant *m*

blurred *adj* aneglur

blush 1. *n* gwrid *m* 2. *vn* cochi, gwrido

bluster *vn* ffromi

blustering *adj* brochus, tymhestlog

boa *n* boa *m*

boar *n* baedd *m*, twrch *m*

board *n* bwrdd *m*, clawr *m*

boarder *n* byrddiwr *m*

boarding *adj* preswyl

boast 1. *n* bost *f*, brol *m*, gorchest *f*, ymffrost *m* 2. *vn* bostian, bostio, ymffrostio

boaster *n* bostiwr *m*, brolgi *m*, broliwr *m*, ymffrostiwr *m*

boastful *adj* bocsachus, bostfawr, mawreddog, ymffrostgar

boat *n* bad[1] *m*, cwch *m*

boatful *n* badaid *m*

boatman *n* badwr *m*, cychwr *m*

boatswain *n* bosn *m*, bosyn *m*

bobbin *n* bobin *m*

bode *vn* argoeli

bodice *n* bodis *m*

bodily *adj* cnawdol, corfforol

bodkin *n* botgyn *m*

body *n* corff *m*, corffyn *m*

bodyguard *n* gosgordd *f*, gwarchodlu *m*, gwarchodwr *m*

Boer *n* Boer *m*

bog *n* cors[1] *f*, mignen *f*, tonnen *f*

bogbean ffa'r gors [*ffa*[1]]

bogey *n* bogi *m*, bwci *m*, bwgan *m*

boggy *adj* corsiog, corslyd

bogie *n* bogi *m*

bogus* *adj* ffug

bohemian 1. *adj* bohemaidd 2. *n* bohemiad *m*

Bohemian *adj* Bohemaidd
boil[1] 1. *n* pendduyn *m* 2. *vn* berwi
boil[2] MEDICINE *n* cornwyd *m*
boiled *adj* berw[2], berwedig
boiler *n* berwedydd *m*, boeler *m*
boiling 1. *adj* berw[2], berwedig, crychias
2. *n* berw[1] *m*, berwad *m*
bold *adj* eofn, glew, hy, hyf, powld
boldness *n* beiddgarwch *m*, ehofnder *m*,
ehofndra *m*, hyder *m*, hyfder *m*, hyfdra *m*
Bolivian 1. *adj* Bolifiaidd 2. *n* Bolifiad *m*
bollard *n* bolard *m*, postyn *m*
Bolshevik *n* Bolsiefic *m*, Bolsiefig *m*
bolster 1. *n* clustog *f*, gobennydd *m*
2. *vn* atgyfnerthu
bolt 1. *n* bollt *f*, bollten *f* 2. *vn* bolltio, hadu
bomb 1. *n* bom *mf* 2. *vn* bomio
bombard *vn* peledu, pledu
bombastic* *adj* rhwysgfawr
bomber *n* bomiwr *m*
bond[1] 1. *n* cwlwm[1] *m*, hual *m*, pwyth[2] *m*,
rhwym[1] *m* 2. *vn* bondio
bond[2] CHEMISTRY, LAW *n* bond *m*
bondage *n* caethwasanaeth *m*, caethwasiaeth *f*
bone *n* asgwrn *m*
bonfire *n* coelcerth *f*, goddaith *f*
bonhomie *n* hynawsedd *m*
bonito *n* bonito *m*
bonk *crude n* bonc[2] *m*
bonnet *n* boned *f*, bonet *f*
bonny* *adj* cydnerth, golygus
bonus *n* bonws *m*
bony *adj* esgyrnog
boo *interj* bw
book 1. *n* llyfr *m* 2. *vn* archebu, bwcio
bookbinder *n* rhwymwr *m*
booking *n* bwciad *m*
bookkeeping *n* llyfrifeg *f*
booklet *n* llyfryn *m*
bookmark[1] 1. *n* llyfrnod *m* 2. nod llyfr [*nod*[1]]
bookmark[2] COMPUTING nod tudalen [*nod*[1]]
bookseller *n* llyfrwerthwr *m*
bookworm *n* llyfrbryf *m*
boom *n* dwndwr *m*, ffyniant *m*, hwyldrawst *m*,
ymchwydd *m*
boomerang *n* bwmerang *m*
boon *n* bendith *f*
boorish *adj* anfoesgar, anfoneddigaidd,
anfoneddig
boost[1] *vn* atgyfnerthu
boost[2] PHYSICS 1. *n* cyfnerthiad *m* 2. *vn* cyfnerthu
boosted *adj* cyfnerthedig
booster *n* cyfnerthydd *m*
boosting *adj* atgyfnerthol
boot 1. *n* botasen *f*, botysen *f*, esgid *f* 2. cist car
booth *n* bwth *m*, stondin *f*
bootlegger *n* smyglwr *m*

boots *n* botas *pl*, botias *pl*, botys *pl*, bwtias *pl*,
bwtsias *pl*
bootstrap COMPUTING *vn* ymlwytho
booty *n* anrhaith *f*, ysbail *f*
booze *vn* diota, meddwi, potio[2]
borage tafod yr ych
borax *n* boracs *m*
border *n* border *m*, ffin *f*, goror *m*, ymyl *fm*
borderer *n* cyffiniwr *m*
bordering *adj* cyfagos, cyffiniol, ffiniol
borderland *n* ffindir *m*, goror *m*
borderline *adj* ffiniol
bore 1. *n* bôr *m*, eger[2] *m*, tyllfedd *f*
2. *vn* diflasu, drilio[2], ebillio, turio, tyllu
boredom* *n* diflastod *m*, syrffed *m*
borehole *n* treidd-dwll *m*
borer *n* tyllwr *m*, tyllydd *m*
boring 1. *adj* diflas, sych, undonog 2. *n* tylliad *m*
born *adj* ganedig, genedigol
boron *n* boron *m*
borough *n* bwrdeistref *f*
borrow *vn* benthyca, benthycio, benthyg[3]
borrowed *adj* benthyg[1]
borrower *n* benthyciwr *m*
Bosnian 1. *adj* Bosniaidd 2. *n* Bosniad *m*
bosom 1. *adj* mynwesol 2. *n* dwyfron *f*, hafflau *m*,
mynwes *f*
boson PHYSICS *n* boson *m*
boss *n* bogail *mf*, both *f*, gaffer *m*, giaffer *m*,
meistr *m*
bosun *n* bosn *m*, bosyn *m*
botanical *adj* botanegol
botanist *n* botanegydd *m*
botany *n* botaneg *f*, llysieueg *f*
botch *vn* bwnglera
both 1. *n* dau[2] *m* 2. *num* dau[1] 3. dwy
bother 1. *n* boddar *m*, bodder *m*, ffwdan *f*,
helbul *m*, helynt *mf*, trafferth *f* 2. *vn* boddran,
boddro, ffwdanu, poeni, ponsio, trafferthu
bothersome *adj* plagus
Botswanan 1. *adj* Botswanaidd 2. *n* Botswaniad *m*
bottle 1. *n* costrel *f*, potel *f* 2. *vn* costrelu, potelu
bottleful *n* potelaid *f*
bottleneck *n* tagfa *f*
bottling *n* costreliad *m*
bottom 1. *n* eigion *m*, godre *m*, gwaelod *m*,
pen-ôl *m* 2. *vn* gwaelodi
bottomless *adj* diwaelod
botulin BIOCHEMISTRY *n* botwlin *m*
botulinus BIOLOGY *n* botwlinws *m*
botulism MEDICINE *n* botwliaeth *f*
bough *n* cangen *f*, cainc *f*
bought *adj* prŷn[1]
boulder *n* clogfaen *m*, clogwyn *m*, craig *f*
boulevard *n* bwlefard *m*, rhodfa *f*
bounce 1. *n* sbonc *f* 2. *vn* adlamu, bownsio,
corcio, corco, sboncio, tampan, tampio

bound¹ 1. *adj* bown, bownd, rhwym²,
   rhwymedig 2. *adv* ynghlwm 3. *n* crychnaid *f*,
   llam *m* 4. *vn* crychneidio, llamu
bound² MATHEMATICS *n* arffin *f*
boundary 1. *n* ffin *f*, llinell *f*, terfyn *m*,
   terfyngylch *m* 2. clawdd terfyn
bounded *adj* ffiniedig
boundless *adj* diderfyn, diddiffyg
boundlessness *n* annherfynoldeb *m*
bounds *n* cyffiniau *pl*
bounteous *adj* haelfrydig
bountiful *adj* haelionus
bouquet *n* blodeuglwm *m*, pwysi² *m*, tusw *m*
bout *n* bowt *m*, chwiw *f*, gornest *f*, ornest *f*, pwl *m*
bow¹ 1. *n* bwa *m*, moesymgrymiad *m*
   2. *vn* crymu, gostwng, moesymgrymu, plygu,
   ymgrymu, ymostwng
bow² MUSIC *vn* bwa-nodi
bowed *adj* crwm
bowel¹ *n* perfedd *m*
bowel² ANATOMY *n* coluddyn *m*
bower *n* deildy *m*
bow-fronted *adj* blaengrwm
bowl 1. *n* bowlen *f*, bowliad *m*, ffiol *f*, padell *f*,
   powlen *f* 2. *vn* bowlio, powlio
bow-legged *adj* coesgam
bowler *n* bowliwr *m*
bowlful *n* bowlaid *m*, bowlennaid *f*, padellaid *f*
bowline *n* bowlin *f*
bowls *n* bowls *pl*
bowsprit *n* bolsbryd *m*
bowstring *n* llinyn *m*
box 1. *n* blwch *m*, bocs *m* 2. *vn* bocsio, paffio
boxer *n* bocsiwr *m*, bocswraig *f*, paffiwr *m*
boxful *n* blychaid *m*, bocsaid *m*
boy *n* bachan *m*, bachgen *m*, boi *m*, crwt *m*,
   gwas *m*, mab *m*, rhocyn *m*
boycott 1. *n* boicot *m* 2. *vn* boicotio
boyfriend *n* cariad² *m*, sboner *m*
boyhood *n* bachgendod *m*
boyish *adj* bachgennaidd, mabol, mabolaidd
brace *n* carntro *m*, creffyn *m*
bracelet *n* breichled *f*
bracer *n* breichydd *m*
braces *n* bresys *pl*
bracing *adj* iachus
bracken *n* rhedyn *pl*
bracket *n* braced *f*, cromfach *f*
brackets *n* bachau *pl*
brackish *adj* hallt
bract BOTANY *n* bract *m*
bradawl *n* ebill *m*, mynawyd *m*
brae *n* allt *f*, bre *mf*, bryn *m*, gallt *f*
brag *vn* brolian, brolio, clochdar¹, ymffrostio
braggart *n* bostiwr *m*, brolgi *m*, broliwr *m*,
   rhodreswr *m*, ymffrostiwr *m*
bragget *n* bragod *m*

braid 1. *n* brêd *m* 2. *vn* plethu
braille *n* braille *m*
brain ANATOMY *n* ymennydd *m*
brainstem ANATOMY coesyn yr ymennydd
brainwash PSYCHOLOGY *vn* pwylltreisio
brainwave *n* gweledigaeth *f*
brainy *adj* peniog
braise COOKERY *vn* brwysio
brake 1. *n* brêc *m* 2. *vn* brecio
bramble *n* miaren *f*
brambles *n* drysi *m & pl*, mieri *pl*
bran 1. *n* bran *m*, eisin¹ *pl* 2. blawd bras
branch 1. *n* cangen *f*, cainc *f*, colfen *f*
   2. *vn* canghennu, ceincio, ymganghennu
branchial *adj* tagellog
branching *adj* canghennog
brand *n* brand *m*, gwarthnod *m*, gwneuthuriad *m*,
   nod¹ *m*
branding ECONOMICS *n* brandio *m*
brandish *vn* chwifio
brandy *n* brandi *m*
brash* *adj* hunandybus, hy, hyf
brashness* *n* digywilydd-dra *m*
brass METALLURGY *n* pres *m*
brassiere *n* bronglwm *m*
brave 1. *adj* braisg, dewr, gwrol, terwyn
   2. *vn* herian, herio
bravery *n* dewrder *m*, glewder *m*, gwroldeb *m*,
   gwrolder *m*
brawl *n* ffrwgwd *m*, ymladdfa *f*
brawn 1. *n* brôn *m* 2. caws pen mochyn
brawny *adj* cryf, cyhyrog
bray *vn* nadu¹
braze METALLURGY *vn* presyddu
brazen *adj* digywilydd
brazenness *n* digywilydd-dra *m*,
   wynebgaledwch *m*
Brazilian 1. *adj* Brasilaidd 2. *n* Brasiliad *m*
breach 1. *n* adwy¹ *f*, bwlch *m*, bylchiad *m*
   2. *vn* adwyo
bread *n* bara *m*
breadth *n* ehangder *m*, lled¹ *m*
break 1. *n* bylchiad *m*, egwyl *f*, hoe *f*, saib *m*,
   sbel *f*, sbelen *f*, seibiant *m*, tor² *m*, toriad *m*
   2. *vn* malu, torri
breakdown BIOLOGY *n* ymddatodiad *m*
breaker *n* caseg *f*, gwaneg *f*, moryn *m*
breakfast 1. *n* borebryd *m*, boreubryd *m*,
   brecwast *m* 2. *vn* brecwasta
break-up *n* chwalfa *f*, maluriad *m*
breakwater *n* morglawdd *m*, torddwr *m*
bream *n* merfog *m*
breast *n* bron¹ *f*, mynwes *f*
breastbone asgwrn y frest, cledr y ddwyfron
breastfeed *vn* bwydo o'r fron
breastplate *n* bronneg *f*, dwyfronneg *f*, llurig *f*
breaststroke nofio broga

breath *n* anadl *fm*, anadliad *m*, chwyth *m*, chwythad *m*, chwythiad *m*, gwynt *m*

breathalyser *n* anadliedydd *m*

breathe *vn* anadlu

breather *n* hoe *f*, sbel *f*, sbelen *f*

breathless 1. *adj* caeth 2. a'm gwynt yn fy (dy, ei, etc.) nwrn [*gwynt*], a'm hanadl yn fy (dy, ei, etc.) nwrn [*anadl*]

breeches *n* brits *m*, britsh *m*, clos² *m*, llodrau *pl*

breeching *n* tindres *f*

breed 1. *n* brid *m* 2. *vn* bridio, epilio, magu

breeder *n* bridiwr *m*, magwr *m*

breeze *n* awel *f*, awelan *f*, chwa *f*

breezy *adj* awelog, gwyntog

Breton 1. *adj* Llydewig 2. *n* Llydaweg *fm*, Llydawes *f*, Llydawr *m*

breve MUSIC *n* brif *m*

breviary *n* brefiari *m*

brevity *n* byrder *m*, byrdra *m*

brew *vn* bragu, bwrw ei ffrwyth, darllaw, macsu

brewer *n* bragwr *m*

brewery *n* bracty *m*, bragdy *m*

brewing *vn* bragu, darllaw, macsu

briar *n* drysïen *f*, miaren *f*

briars *n* drysi *m & pl*, mieri *pl*

bribe 1. *n* cildwrn *m*, llwgrwobr *m*, llwgrwobrwy *m* 2. *vn* llwgrwobrwyo 3. iro llaw

bric-a-brac *n* bric-a-brac *pl*, trugareddau *pl*

brick 1. *n* bricsen *f*, priddfaen *m* 2. *vn* bricio

bricklayer *n* briciwr *m*

brickwork *n* bricwaith *m*

bride *n* priodasferch *f*, priodferch *f*

bridegroom *n* priodasfab *m*, priodfab *m*

bridesmaid *n* llawforwyn *f*

bridge 1. *n* pompren *f*, pont *f* 2. *vn* pontio

bridging *n* pontiad *m*

bridle 1. *n* ffrwyn *f* 2. *vn* ffrwyno

brief 1. *n* briff *m* 2. *vn* briffio

briefing 1. *n* cyfarwyddyd *m* 2. *vn* briffio

briefly ar fyr o eiriau [*geiriau*]

brigade *n* brigâd *f*

brigadier *n* brigadydd *m*

brigand *n* gwylliad *m*, ysbeiliwr *m*

brigantine *n* brigantîn *f*

bright *adj* claer, disglair, gloyw, golau², llachar, peniog, siriol

brighten *vn* gloywi, hoywi

brightness *n* claerder *m*, disgleirdeb *m*, disgleirder *m*, gloywder *m*, goleuni *m*, llacharedd *m*, llewych *m*, llewyrch *m*

brilliance *n* disgleirdeb *m*, disgleirder *m*, llacharedd *m*

brilliant *adj* disglair, llachar

brim *n* cantel *m*, ymyl *fm*

brimful *adj* gorlawn

brimstone *n* brwmstan *m*

brindled *adj* brych²

brine* *n* heli *m*

bring¹ *vn* dwyn, nôl

bring² LAW *vn* dwyn

brink *n* dibyn *m*

brinkmanship* *vn* dibynfentro

briny 1. *n* heli *m* 2. dŵr hallt, dŵr y môr

brisket *n* brisged *f*

briskness *n* sioncrwydd *m*

bristle *n* blewyn *m*, colyn *m*, gwrychyn *m*

Britain *n* Prydain *f*

British *adj* Prydeinig

Britisher *n* Prydeiniwr *m*

Britishness *n* Prydeindod *m*

Briton *n* Brython *m*, Prydeiniwr *m*

brittle *adj* brau, bregus, crin

brittleness *n* breuder *m*

broach 1. *n* broes *m* 2. *vn* broesio, broetsio, crybwyll

broad *adj* eang, llydan

broadband COMPUTING 1. *adj* band eang², band llydan 2. *n* band eang¹ *m*

broadcast 1. *n* darllediad *m*, telediad *m* 2. *vn* cyhoeddi, darlledu

broadcaster *n* darlledwr *m*, darlledwraig *f*

broaden *vn* ehangu, lledu, llydanu

broadleaved BOTANY *adj* llydanddail

broadsheet *n* argraffen *f*

brocade *n* brocêd *m*

broccoli 1. *n* brocoli *m* 2. blodfresych gaeaf [*blodfresychen*]

brochure *n* llyfryn *m*, pamffled *m*, pamffledyn *m*

broil COOKERY *vn* briwlio

broken *adj* toredig, ysig

broker *n* brocer *m*

brome *n* pawrwellt *m*

bromide *n* bromid *m*

bromine *n* bromin *m*

bronchiole ANATOMY *n* bronciolyn *m*

bronchitis *n* broncitis *m*

bronchus ANATOMY *n* broncws *m*

bronze METALLURGY *n* efydd¹ *m*

brooch *n* broetsh *m*

brood 1. *n* epil *m* 2. *vn* chwalu meddyliau, gori, hel meddyliau, pendroni

broodmare caseg fagu

broody *adj* clwc, gorllyd

brook *n* afonig *f*, ffrwd *f*, nant *fm*

broom *n* banadl *pl*, sgubell *f*, ysgub *f*, ysgubell *f*

broomrape *n* gorfanhadlen *f*

broth *n* cawl *m*, potes *m*

brothel *n* puteindy *m*

brother *n* brawd¹ *m*

brotherhood *n* brawdoliaeth *f*

brother-in-law brawd yng nghyfraith [*brawd¹*]

brotherly *adj* brawdgarol, brawdol

brown 1. *adj* brown, coch[2], cochddu, llwyd
2. *vn* brownio
brownish *adj* cochddu
browse *vn* pori
browser *n* porwr *m*
brucellosis 1. *n* brwselosis *m* 2. twymyn donnog
bruise 1. *n* clais[1] *m* 2. *vn* cleisio
bruised *adj* cleisiog, ysig
Bruneian 1. *adj* Brwneiaidd 2. *n* Brwneiad *m*
brush 1. *n* brwsh *m* 2. *vn* brwsio, lled-gyffwrdd,
sgubo, ysgubo
brushing *n* brwsiad *m*
brushwood *n* coedach *pl*, coediach *pl*, mangoed *pl*,
prysgwydd *pl*
brusque 1. *adj* swta 2. *adv & adj* ffwr-bwt
brutal *adj* ciaidd, creulon
brutality *n* cieidd-dra *m*, creulondeb *m*,
creulonder *m*
brutish *adj* anifeilaidd, anwar, anwaraidd
BSE clefyd y gwartheg gwallgof
bubble 1. *n* bwrlwm *m*, chwysigen *f*, swigen *f*
2. *vn* byrlymu 3. cloch ddŵr
bubbling 1. *adj* byrlymus 2. *n* bwrlwm *m*
buccal ANATOMY *adj* bochaidd
buccaneer *n* môr-leidr *m*
buck *n* bwch *m*
buckbean ffa'r gors [ffa[1]]
bucket *n* bwced *m*, llwy *f*
bucketful *n* bwcedaid *m*
buckle 1. *n* bwcl *m*, gwäeg *f* 2. *vn* bwclo, byclo,
sigo, ysigo
buckler *n* bwcled *mf*, bwcler *mf*
buckthorn *n* rhafnwydden *f*
bud 1. *n* blaguryn *m*, eginyn *m* 2. *vn*
blaendarddu, blaguro, egino, glasu
Buddha *n* Bwdha *m*
Buddhism *n* Bwdhaeth *f*
Buddhist 1. *adj* Bwdhaidd 2. *n* Bwdhydd *m*
budding *n* blaendarddiad *m*, blaendarddiant *m*
budge *vn* symud
budgerigar *n* bwji *m*, byji *m*
budget 1. *n* cyllideb *f* 2. *vn* cyllidebu
buff 1. *n* bwff *m* 2. *vn* bwffio, caboli, gloywi
buffalo *n* bual *m*, byfflo *m*
buffer[1] *n* byffer *m*
buffer[2] COMPUTING *vn* byffro
buffet COOKERY *n* bwffe *m*
buffoon *n* croesan *m*, digrifwas *m*, ffŵl *m*
bug *n* byg *m*, lleuen *f*
bugbear 1. *n* bwgan *m*, casbeth *m*
2. y drwg yn y caws [caws]
buggery *n* bwbechni *m*, sodomiaeth *f*
bugle *n* biwgl *m*, glesyn y coed *m*, golchenid *f*
build *vn* adeiladu, codi
builder *n* adeiladwr *m*, adeiladydd *m*
building *n* adeilad *m*
built-up *adj* adeiledig

bulb *n* bwlb *m*, bŷlb *m*, oddf *m*
bulbous *adj* oddfog
Bulgarian 1. *adj* Bwlgaraidd 2. *n* Bwlgariad *m*
bulge *vn* bolio, chwyddo
bulk *n* swmp[1] *m*
bulky *adj* praff, swmpus, trwchus
bull *n* tarw *m*
bullace *n* bwlas *m*
bullet *n* bwled *f*
bulletin *n* bwletin *m*
bulletproof *adj* gwrthfwled
bullfinch coch y berllan [coch[2]]
bullhead 1. *n* penlletwad *m* 2. bawd y melinydd
bullion *n* bwliwn *m*
bullock *n* bustach *m*, eidion *m*
bullring talwrn teirw
bullshit *slang* cachu hwch [cachu[2]]
bully 1. *n* bwli *m* 2. *vn* bwlian, bwlio
bulrush *n* hesgen *f*
bulwark *n* gwrthglawdd *m*, magwyr *f*, rhagfur *m*
bum *n* tin *f*
bumble *vn* bustachu
bumf *n* papurach *pl*
bump 1. *n* clonc[1] *f*, cnoc *f*, lwmp *m*, lwmpyn *m*
2. *vn* cnocio, taro
bumpkin *n* llabwst *m*, lleban *m*
bumptious *adj* hunanbwysig, hunandybus,
rhodresgar
bumpy *adj* anwastad, clonciog, twmpathog
bun *n* bynnen *f*, bynsen *f*
bunch *n* bagad *m*, cwlwm[1] *m*, dyrnaid *m*, swp *m*,
sypyn *m*, tusw *m*
bundle 1. *n* bwndel *m*, hafflaid *m*, sopen[1] *f*,
sypyn *m* 2. *vn* bwndelu, sypio, sypynnu
bung 1. *n* bwng *m*, byng *m*, corcyn *m*, topyn *m*
2. *vn* plygio
bungalow *n* byngalo *m*
bungee *n* bynji *m*
bungle 1. *n* stomp[1] *f* 2. *vn* bustachu, bwnglera,
cawlio, ponsio
bunker *n* byncer *m*
bunting *n* bras[2] *m*
buoy *n* bwi *m*
buoyancy *n* hynofedd *m*
buoyant *adj* calonnog, hynawf, sionc
buran METEOROLOGY *n* bwrán *m*
burble* *vn* byrlymu, parablu
burden 1. *n* baich *m*, bwrn *m*, byrdwn *m*,
llwyth[1] *m*, pwn *m* 2. *vn* beichio[2], llwytho
burdened *adj* beichiog, llwythog, trymlwythog
burdensome *adj* beichus, trwm
burdock *n* cedowrach *f*, cyngaf *m*
bureau *n* biwro *mf*, biwrô *mf*, desg *f*, swyddfa *f*
bureaucracy *n* biwrocratiaeth *f*
bureaucrat *n* biwrocrat *m*
bureaucratic *adj* biwrocrataidd
burette *n* biwrét *m*

burglar *n* lleidr *m*

burglary *n* bwrgleriaeth *f*, byrgleriaeth *f*

burgle *vn* bwrglera

burial *n* claddedigaeth *f*

burier *n* claddwr *m*

Burkinan 1. *adj* Burkinaidd 2. *n* Burkiniad *m*

burlesque *n* bwrlésg *f*

burly *adj* cydnerth, cyhyrog, praff

Burmese 1. *adj* Burmaidd 2. *n* Burmiad *m*

burn 1. *n* llosg[1] *m*, llosgiad *m* 2. *vn* cydio, llosgi, tanbeidio

burner *n* llosgwr *m*, llosgydd *m*

burning 1. *adj* eirias, llidus, llosg[2], tanbaid, ysol 2. *n* llosg[1] *m*, llosgfa *f*

burnish *vn* bwrneisio, caboli, gloywi, llathru

burnt 1. *adj* llosgedig 2. *n* llosg[1] *m*

burp *vn* torri gwynt

bur-reed *n* cleddlys *m*

burrow 1. *n* daear *f*, gwâl *f*, twll *m*, tyrchfa *f* 2. *vn* cloddio, turio, twrio, tyllu, tyrchu

bursary *n* bwrsari *m*

burst 1. *n* ffrwydrad *m*, ffrwydriad *m* 2. *vn* byrstio, ffrwydro, torri

Burundian 1. *adj* Bwrwndiaidd 2. *n* Bwrwndiad *m*

bury *vn* claddu, daearu

bus 1. *n* bws *m*, bỳs *m* 2. *vn* bysio[1]

bush *n* bwsh *m*, llwyn *m*, perth *f*, prysglwyn *m*

bushel *n* hobaid *f*

business *n* busnes *m*

businessman dyn busnes

busk *vn* clera

busker *n* clerwr *m*

bust *n* dwyfron *f*, mynwes *f*, penddelw *f*

bustard *n* gwerniar *f*

bustle 1. *n* ffrwst *m*, ffwndwr *m*, prysurdeb *m* 2. *vn* rhuthro

busty *adj* bronnog

busy *adj* bishi, bisi, gweithgar, prysur, ymdrechgar

busybody *n* busnesyn *m*

but *conj* eithr, ond

butane *n* bwtan *m*

butcher 1. *n* bwtsier *m*, cigydd[1] *m* 2. *vn* bwtsiera

butcher-bird *n* cigydd[2] *m*

butchery *n* cigyddiaeth *f*

butler *n* bwtler *m*

butt 1. *n* bôn *m*, casgen *f*, cocyn hitio *m*, targed *m* 2. *vn* bôn-uno, bytio, cornio

butter *n* menyn *m*, ymenyn *m*

buttercup blodyn menyn, blodyn ymenyn

butterfish *n* llyfrothen *f*

butterfly 1. *n* glöyn *m*, pilipala *m* 2. iâr fach yr haf

buttermilk 1. *n* enwyn *m* 2. llaeth enwyn

buttock ANATOMY *n* ffolen *f*

buttocks *n* pen-ôl *m*

button 1. *n* botwm *m*, botwn *m*, bwtwm *m*, bwtwn *m* 2. *vn* botymu

buttoned *adj* botymog

buttonhole twll botwm

buttress *n* bwtres *m*

buy *vn* prynu

buyer *n* prynwr *m*

buzz *n* su *m*

buzzard *n* bòd *m*, boda[1] *m*, boncath, bwncath *m*

buzzer *n* swnyn *m*

buzzword *n* bri-air *m*

by 1. *adv* fesul, heibio, mesul 2. *prep* ar, erbyn[1], gan[1], ger, gerfydd, myn[2], o[2], wrth, ymhen

bye 1. *n* heibiad *m*, hwyl[2] *f* 2. da bo [*da*[1]]

by-election *n* isetholiad *m*

by-law *n* is-ddeddf *f*

by-product *n* isgynnyrch *m*, ôl-gynnyrch *m*, sgilgynnyrch *m*

byte COMPUTING *n* beit *m*

byway *n* cilffordd *f*

Byzantine *adj* Bysantaidd

C

cab *n* cab *m*

cabal *n* cabál *m*, clic[2] *m*

cabbage *n* bresychen *f*, cabaetsen *f*, cabeitsen *f*, cabetsen *f*

Cabbala *n* Cabala *m*

cabin *n* caban *m*

cabinet *n* cabinet *m*

cabinetmaker saer dodrefn/celfi

cable *n* cebl *m*, rhaff *f*

cablegram *n* brysneges *f*

cacao *n* cacao *m*

cache *n* celc *m*

cackle 1. *n* cogor[1] *m* 2. *vn* clegar, clochdar[1], cogor[2]

cackling *n* clochdar[2] *m*

cacophonous *adj* aflafar, cacoffonig, croch

cacophony *n* cacoffoni *m*, twrf *m*, twrw *m*

cactus *n* cactws *m*

cad* *n* cnaf *m*

cadaver *n* celain *f*

cadaverous* *adj* esgyrnog

cadence[1] *n* goslef *f*

cadence[2] MUSIC *n* diweddeb *f*

cadet *n* cadlanc *m*

cadge *vn* begian

cadmium *n* cadmiwm *m*

caducous BOTANY *adj* cwympol

caecum[1] coluddyn dall

caecum[2] ANATOMY *n* caecwm *m*

Caesar *n* Cesar *m*

caesium *n* cesiwm *m*

caesura[1] *n* gorffwysfa *f*, saib *m*, seibiant *m*

caesura[2] LITERATURE *n* gwant *m*

café *n* bwyty[1] *m*, caffe *m*, caffi *m*

caffeine *n* caffein *m*

cage *n* caets *m*, cawell *m*

cagey* *adj* cyndyn, gofalus

cairn[1] *n* carnedd *f*

cairn[2] ARCHAEOLOGY *n* carn[2] *f*, gwyddfa *f*

cajolery *n* gweniaith *f*

cake *n* cacen *f*, cêc *m*, teisen *f*

caked *adj* caglog

calamine *n* calamin *m*

calamitous *adj* trychinebus

calamity *n* aflwydd *m*, trychineb *mf*

calcareous *adj* calchaidd

calcicole BOTANY *adj* calchgar

calcification CHEMISTRY *n* calcheiddiad *m*

calcifuge BOTANY *adj* calchgas

calcify CHEMISTRY, PHYSIOLOGY *vn* calcheiddio

calcinate *vn* calchynnu

calciphile BOTANY *adj* calchgar

calcium *n* calsiwm *m*

calculability MATHEMATICS *n* cyfrifadwyedd *m*

calculable[1]* *adj* mesuradwy

calculable[2] MATHEMATICS *adj* cyfrifadwy

calculate[1] *vn* clandro, cyfrif[2]

calculate[2] MATHEMATICS *vn* cyfrifo

calculation *n* cyfrifiad *m*

calculator *n* cyfrifiannell *f*

calculus MATHEMATICS *n* calcwlws *m*

caldera GEOLOGY *n* callor *m*

calendar 1. *n* calendr *m* 2. *vn* calendro

calends *n* calan *m*

calf[1] *n* llo *m*

calf[2] ANATOMY croth y goes

calibrate *vn* graddnodi

calibration *n* graddnodiad *m*

calibre *n* ansawdd *m*, calibr *m*, safon *f*

calico *n* calico *m*

californium *n* callforniwm *m*

caliper *n* caliper *m*

calkin *n* cawc *m*

call 1. *n* galw[2] *m*, galwad *f*, gofyn[2] *m*
2. *vn* enwi, galw[1], ymweld

caller *n* galwr *m*, geilwad *m*, ymwelwr *m*,
ymwelydd *m*

calligrapher *n* caligraffydd *m*

calligraphy *n* caligraffeg *f*

calling *n* galwad *f*, galwedigaeth *f*

callous *adj* caled, dideimlad, didrugaredd,
dienaid, digydwybod

callousness *n* caledwch *m*

callow *adj* anaeddfed, dibrofiad

callowness *n* anaeddfedrwydd *m*

callus[1] *n* caleden *f*, corn[1] *m*

callus[2] BOTANY, MEDICINE *n* caleden *f*

calm 1. *adj* distaw, tawel 2. *n* tawelwch *m*
3. *vn* distewi, gostegu, llonyddu, tawelu

calmness *n* llonyddwch *m*

calorie *n* calori *m*

calorific PHYSICS *adj* caloriffig

calorimeter *n* calorimedr *m*

calumny *n* drygair *m*

Calvary RELIGION *n* Calfaria *m*

calve *vn* lloea

calving *n* âl *f*

Calvinism RELIGION *n* Calfiniaeth *f*

calyx[1] *n* blodamlen *f*

calyx[2] BOTANY, ZOOLOGY *n* calycs *m*

cam *n* cam[3] *m*

camaraderie *n* cyfeillach *f*

camber 1. *n* cambr *m*, crymder *m*
2. *vn* cambro, crymderu

cambium BOTANY *n* cambiwm *m*

Cambodian 1. *adj* Cambodaidd 2. *n* Cambodiad *m*

cambrel *n* cambren *m*

Cambrian GEOLOGY *adj* Cambriaidd

cambric *n* cambrig *m*, camrig *m*

camel *n* camel *m*

cameo *n* cameo *m*

camera *n* camera *m*

Cameroonian 1. *adj* Camerŵnaidd
2. *n* Camerŵniad *m*

camomile *n* camri *m*

camouflage 1. *n* cuddliw *m*, cuddwedd *f*
2. *vn* cuddliwio

camp 1. *adj* mursennaidd 2. *n* cadlys *f*,
gwersyll *m*, lluest *m* 3. *vn* campio, gwersylla,
gwersyllu, lluesta, lluestu

campaign 1. *n* rhyfelgyrch *m*, ymgyrch *f*
2. *vn* ymgyrchu

campaigner *n* ymgyrchwr *m*, ymgyrchydd *m*

campanology *n* campanoleg *f*

campanula *n* clychlys *m*

camper *n* gwersyllwr *m*

camphor *n* camffor *m*

campion *n* gludlys *m*

campsite *n* gwersyllfa *f*, gwersyllfan *f*

campus *n* campws *m*

camshaft *n* camsiafft *m*, camwerthyd *f*

can 1. *n* bocs *m*, can[2] *m*, tun[1] *m*
2. *vn* canio, gallu[1]

Canaanite *n* Cananead *m*

Canadian 1. *adj* Canadaidd 2. *n* Canadiad *m*

canal *n* camlas *f*

canary *n* caneri *m*

cancel[1] *vn* canslo, diddymu

cancel[2] MATHEMATICS *vn* canslo

cancellation *n* canslad *m*

cancer MEDICINE *n* canser *m*

Cancer *n* cranc[1] *m*

cancerous MEDICINE *adj* canseraidd

candela *n* candela *m*

candelabra *n* canhwyllyr *m*

candid *adj* agored, didwyll, difloesgni

candidate *n* ymgeisydd *m*

candidature *n* ymgeisiaeth *f*

candle *n* cannwyll *f*
candlemaker *n* canhwyllwr *m*
candlepower *n* canhwyllnerth *m*
candlestick *n* canhwyllarn *m*, canhwyllbren *mf*
candlewick *n* pabwyrgotwm *m*
candour *n* didwylledd *m*
candy *n* candi *m*
cane 1. *n* cansen *f*, gwialen *f* 2. *vn* ffonodio
canine *adj* cynol
caning *n* gwialennod *f*
canker 1. *n* cancr *m* 2. *vn* cancro
cannabis *n* canabis *m*
cannibal *n* canibal *m*
cannibalism *n* canibaliaeth *f*
cannibalistic *adj* canibalaidd
cannon *n* canon³ *m*, cyflegr *m*, magnel *f*
cannula MEDICINE *n* caniwla *m*
canny *adj* carcus, craff, ffel, hirben
canoe 1. *n* canŵ *m* 2. *vn* canwio
canon¹ *n* canon² *m*
canon² LITERATURE, MUSIC, RELIGION *n* canon¹ *m*
canonical *adj* canonaidd
canonist RELIGION *n* canonwr *m*
canonization RELIGION *vn* canoneiddio
canonize RELIGION *vn* canoneiddio
canonry RELIGION *n* canoniaeth *f*
canopy *n* canopi *m*, gortho *m*, nenlen *f*
cant 1. *n* rhagrith *m* 2. *vn* gwyro
cantankerous *adj* cecrus, crablyd, cynhennus,
  piwis
canteen *n* cantîn *m*, ffreutur *m*
canter *vn* rhygyngu
canticle MUSIC *n* cantigl *f*
cantilever *n* cantilifer *m*
cantilevered *adj* cantilifrog
canton *n* canton *m*
cantor *n* cantor *m*
canvas *n* cynfas¹ *m*
canvass *vn* canfasio
canvasser *n* canfasiwr *m*
canyon *n* ceunant *m*
cap¹ 1. *n* cap *m*, capan *m* 2. *vn* capio
cap² ECONOMICS *vn* capio
capability* *n* gallu² *m*, medr *m*
capable* *adj* abl, galluog
capacious *adj* cynhwysfawr
capacitance PHYSICS *n* cynhwysiant *m*
capacitative *adj* cynhwysaidd
capacitor PHYSICS *n* cynhwysydd *m*
capacity¹ *n* cynhwysedd *m*, medr *m*
capacity² COMPUTING *n* cynhwysedd *m*
cape *n* clogyn *m*, hugan¹ *f*, mantell *f*, penrhyn *m*,
  pentir *m*, trwyn *m*
caper 1. *n* caprysen *m*, crychnaid *f*, stynt *f*
  2. *vn* crychneidio, moelystota, prancio,
  rhampio
capering *adj* llamsachus

capers *n* camocs *pl*, ciamocs *pl*
capillarity PHYSICS *n* capiaredd *m*
capillary¹ PHYSICS *adj* capilaraidd
capillary² ANATOMY *n* capilari *m*
capital *n* cyfalaf *m*
capitalism *n* cyfalafiaeth *f*
capitalist 1. *adj* cyfalafol 2. *n* cyfalafwr *m*
capitulate *vn* ildio
capitulation *n* ardeleriad *m*, ildiad *m*
capo MUSIC *n* branell *f*
capon *n* caprwn *m*, capwllt *m*
caprice *n* mympwy *m*
capricious *adj* anwadal, chwiwgar, mympwyol
capriciousness *n* gwamalder *m*, gwamalrwydd *m*,
  oriogrwydd *m*
capsize* *vn* dymchwel, dymchwelyd
capsular *adj* capsiwlaidd
capsule¹ *n* capsiwl *m*
capsule² ANATOMY *n* cwpan *mf*
captain *n* capten *m*
captaincy *n* capteiniaeth *f*
caption *n* pennawd *m*
captivate *vn* cyfareddu, swyno
captivating *adj* cyfareddol, llesmeiriol, swynol
captive 1. *adj* caeth 2. *n* carcharor *m*
captives *n* caethion¹ *pl*
captivity *n* caethder *m*, caethdra *m*,
  caethiwed *m*
capture¹ *vn* dal, dala
capture² COMPUTING *vn* cipio
car *n* car *m*, modur *m*
caramel *n* caramel *m*
caramelize *vn* carameleiddio
carapace ZOOLOGY *n* argragen *f*
carat *n* carat *m*
caravan 1. *n* carafán *f* 2. *vn* carafanio
caravel *n* carafel *f*
caraway *n* carwe *f*, carwy *f*
carbohydrase BIOCHEMISTRY *n* carbohydras *m*
carbohydrate BIOCHEMISTRY *n* carbohydrad *m*
carbon *n* carbon *m*
carbonaceous *adj* carbonaidd
carbonate CHEMISTRY 1. *n* carbonad *m*
  2. *vn* carbonadu
carbonated *adj* carbonedig
carbon dioxide *n* carbon deuocsid *m*
Carboniferous GEOLOGY *adj* Carbonifferaidd
carbonize *vn* carboneiddio
carbon monoxide *n* carbon monocsid *m*
carborundum *n* carborwndwm *m*
carboxylic CHEMISTRY *adj* carbocsylig
carbuncle MEDICINE *n* cornwyd *m*
carburettor *n* carbwradur *m*
carcass *n* burgyn *m*, celain *f*, corff *m*, corpws *m*,
  sgerbwd *m*, ysgerbwd *m*
carcinogen *n* carsinogen *m*
carcinogenic *adj* carsinogenaidd, carsinogenig

card 1. *n* carden *f*, cerdyn *m*
   2. *vn* cardio, cribo, heislanu
cardboard *n* cardbord *m*, cardfwrdd *m*
carder *n* cribwr *m*
cardiac MEDICINE *adj* cardiaidd
cardigan *n* cardigan *f*
cardinal¹ MATHEMATICS *adj* prifol
cardinal² RELIGION *n* cardinal *m*
cardioid MATHEMATICS 1. *adj* cardioid²
   2. *n* cardioid¹ *m*
cardiologist *n* cardiolegydd *m*
cardiology MEDICINE *n* cardioleg *f*
cardiovascular MEDICINE *adj* cardiofasgwlar
care 1. *n* gofal *m*, llaw *f*, ods *m*, ots *m*, ymgeledd *m*
   2. *vn* gofalu, malio, poeni
career 1. *n* gyrfa *f*, rhawd *f* 2. *vn* rhuthro
carefree *adj* dibryder, di-hid, dihidio, diofal
careful *adj* carcus, gofalus
carefully gan bwyll [*gan¹*]
careless *adj* anwyliadwrus, diofal, esgeulus,
   gwallus
carelessness *n* dihidrwydd *m*, diofalwch *m*,
   esgeulustod *m*, esgeulustra *m*
carer *n* gofalwraig *f*, gofalydd *m*, ymgeleddwr *m*
caress *vn* anwesu, mwytho
caresses *n* mwythau *pl*
caretaker *n* gofalwr *m*
careworn* *adj* curiedig
cargo *n* cargo *m*
Caribbean 1. *adj* Caribïaidd 2. *n* Caribïad *m*
caricature 1. *n* gwawdlun *m* 2. *vn* goganu
caricaturist *n* gwawdlunydd *m*
caring* *adj* gofalus
Carmelite RELIGION *n* Carmeliad *m*
carnage *n* cyflafan *f*, lladdedigaeth *f*, lladdfa *f*
carnal *adj* cnawdol
carnality *n* cnawdolrwydd *m*
carnation *n* ceian *f*
carnival *n* cárnifal *m*
carnivore *n* cigysydd *m*
carnivorous *adj* cigysol
carob (trees and wood) *n* carobwydd *pl*
carol *n* carol *mf*
Carolingian *adj* Carolingaidd
carotene CHEMISTRY *n* caroten *m*
carotid ANATOMY *adj* carotid
carousal *n* cyfeddach² *f*, gloddest *m*,
   ysbleddach *f*
carouse *vn* cyfeddach¹, diota, gloddesta
carousel 1. *n* carwsél *m* 2. ceffylau bach
carouser *n* diotwr *m*, diotyn *m*, gwleddwr *m*
carp 1. *n* carp *m* 2. *vn* cwyno
carpal¹ *adj* arddyrnol
carpal² ANATOMY *adj* carpal
carpel BOTANY *n* carpel *m*
carpenter *n* saer *m*
carpentry gwaith coed [*gwaith¹*]

carper *n* cwynwr *m*
carpet 1. *n* carped *m* 2. *vn* carpedu
carpus ANATOMY *n* carpws *m*
carrack *n* carac *f*
carriage *n* cerbyd *m*, cludiad *m*, coets *f*
carrier¹ *n* cariwr *m*, cludwr *m*
carrier² CHEMISTRY, MEDICINE, PHYSICS *n*
   cludydd *m*
carrion *n* burgyn *m*
carrot *n* moronen *f*
carry *vn* cario, cludo, dwyn
cart 1. *n* cart¹ *m*, gambo *m*, trol *f*
   2. *vn* cartio, carto
cartel *n* cartél *m*
carter *n* certmon *m*, troliwr *m*
Cartesian PHILOSOPHY *adj* Cartesaidd
carthouse *n* cartws *m*
cartilage¹ *n* madruddyn *m*
cartilage² ANATOMY *n* cartilag *m*
cartilaginous ANATOMY *adj* cartilagaidd
cartographer *n* cartograffydd *m*, mapiwr *m*
cartography *n* cartograffeg *f*
carton *n* carton *m*
cartoon¹ *n* cartŵn *m*, digriflun *m*
cartoon² ART *n* cartŵn *m*
cartoonist *n* cartwnydd *m*
cartridge *n* catrisen *f*, cetrisen *f*
cartulary *n* cartwlari *m*
cartwheel 1. *n* olwyndro *m* 2. *vn* olwyndroi
carve *vn* cerfio, naddu, torri
carved *adj* cerfiedig, nadd
carver *n* cerfiwr *m*, naddwr *m*
carving *n* cerfiad *m*
caryatid ARCHITECTURE *n* caryatid *m*
cascade 1. *n* pistyll *m*, rhaeadr *f*, sgwd *m*,
   ysgwd *m* 2. *vn* rhaeadru
case *n* achos¹ *m*, cas² *m*, casyn *m*, cymêr *m*,
   cymeriad *m*, haden *f*, hadyn *m*
casein BIOCHEMISTRY *n* casein *m*
casement *n* casment *m*
cash arian parod [*arian²*]
cashier 1. *n* ariannwr *m*, ariannydd *m*
   2. *vn* diurddo
cashmere *n* cashmir *m*
casing *n* casin *m*
cask 1. *n* casgen *f*, celwrn *m*, cerwyn *f*
   2. *vn* barilo
casket *n* blwch *m*
caskful *n* casgennaid *f*
cassava *n* casafa *m*
casserole 1. *n* caserol *m* 2. *vn* caserolio
cassette *n* casét *m*
cassiterite *n* casiterit *m*
cassock RELIGION *n* casog *f*
cast¹ 1. *n* cast¹ *m*, tafliad *m* 2. *vn* bwrw, castio¹,
   castio², taflu
cast² METALLURGY *vn* castio¹

castanet *n* castanét *m*

caste *n* cast² *m*, dosbarth¹ *m*

castellan *n* castellydd *m*

castellated *adj* castellog

castigate *vn* cystwyo

castigation *n* cystwyad *m*

casting *n* castiad *m*

castle 1. *n* caer *f*, castell *m* 2. *vn* castellu

castor *n* castor *m*

castrate *vn* cyweirio, disbaddu, doctora, sbaddu, ysbaddu

castrator *n* disbaddwr *m*

casual *adj* achlysurol, anffurfiol, hamddenol

casuist *n* caswist *m*, twyllresymwr *m*

casuistry¹ PHILOSOPHY *n* caswistiaeth *f*

casuistry² LOGIC *n* twyllresymeg *f*

cat *n* cath *f*

catabolism BIOLOGY *n* catabolaeth *f*

catabolite BIOLOGY *n* catabolyn *m*

catacomb *n* catacwm *m*, claddgell *f*

Catalan 1. *adj* Catalanaidd 2. *n* Catalaniad *m*

catalase BIOCHEMISTRY *n* catalas *m*

catalogue 1. *n* catalog *m*, llechres *f* 2. *vn* catalogio

cataloguer *n* catalogydd *m*

catalyse CHEMISTRY *vn* catalyddu

catalysis CHEMISTRY *n* catalysis *m*

catalyst *n* catalydd *m*

catalytic CHEMISTRY *adj* catalytig

catapult *n* blif *m*

cataract¹ 1. *n* cataract *m*, rhaeadr *f*, rhuchen *f*, sgwd *m*, ysgwd *m* 2. pilen ar y llygad

cataract² MEDICINE *n* cataract *m*

catarrh MEDICINE *n* catâr *m*

catastrophe *n* trychineb *mf*

catastrophic *adj* trychinebus

catastrophism¹ *n* catastroffiaeth *f*

catastrophism² GEOLOGY *n* trychinebedd *m*

catatonia PSYCHIATRY *n* catatonia *m*

catch 1. *n* anhawster *m*, bachiad *m*, cliced *f*, clicied *f*, dalfa *f*, daliad *m*, helfa *f* 2. *vn* bachu, dal, dala

catchable *adj* daliadwy

catching *adj* heintus

catchment area *n* dalgylch *m*

catchpole *n* ceisbwl *m*

catchy *adj* bachog

catechetical *adj* holwyddorol

catechism *n* catecism *m*, holwyddoreg *f*

catechize¹ *vn* cateceisio, holwyddori, pyncio

catechize² RELIGION *vn* holi'r pwnc

categorization *vn* categoreiddio

categorize *vn* categoreiddio, dosbarthu

category *n* categori *m*, dosbarth¹ *m*

catenary *n* catena *f*

catenate CHEMISTRY *vn* cadwyno

catenated CHEMISTRY *adj* cadwynol

catenation CHEMISTRY 1. *n* cadwynedd *m* 2. *vn* cadwyno

cater *vn* arlwyo, darparu

caterer *n* arlwywr *m*

catering *n* arlwyaeth *f*

caterpillar *n* lindysyn *m*, Siani flewog *f*

caterwaul *vn* oernadu

catfish *n* pencath *m*

catgut *n* coludd *m*

catharsis PSYCHOLOGY *n* catharsis *m*

cathartic¹ *adj* rhyddhaol

cathartic² PSYCHOLOGY *adj* cathartig

cathedral 1. *n* cadeirlan *f* 2. eglwys gadeiriol

catheter MEDICINE *n* cathetr *m*

cathode PHYSICS *n* catod *m*

Catholic RELIGION *adj* Catholic, Catholig²

Catholicism RELIGION *n* Catholigiaeth *f*

catholicity *n* catholigrwydd *m*

cation CHEMISTRY *n* catïon *m*

catkins *n* cenawon *pl*, cynffonnau ŵyn bach *pl*, gwyddau bach *pl*

cattle *n* da³ *pl*, gwartheg *pl*

caucus *n* cawcws *m*, clymblaid *f*

caudal *adj* cynffonnol

caudle *n* sucan *m*

cauldron *n* crochan *m*, pair¹ *m*

cauliflower *n* blodfresychen *f*

caulk 1. *n* calc *m*, calcyn *m* 2. *vn* calcio

causal *adj* achosol

causality *n* achosiaeth *f*

causative *adj* achosol

cause 1. *n* achos¹ *m*, achosiad *m*, achoswr *m*, achosydd *m*, rheswm *m* 2. *vn* achosi, codi, creu, peri

causer *n* achoswr *m*, achosydd *m*

causeway *n* cawsai *m*, sarn *f*

caustic *adj* brathog, cawstig, deifiol

cauterize *vn* serio

caution 1. *n* gofal *m*, pwyll *m*, rhybudd *m* 2. *vn* rhybuddio

cautionary *adj* rhybuddiol

cautious *adj* gochelgar, gofalus, pwyllog

cavalier 1. *adj* cafaliraidd, di-hid, dihidio 2. *n* Cafalîr *m*, marchog *m*

cavalry 1. *n* marchoglu *m* 2. gwŷr meirch

cave 1. *n* ogof *f* 2. *vn* ogofa

caveat *n* cafeat *m*

cavern *n* ceudwll *m*, ogof *f*

cavernous *adj* ceudyllog

caviar *n* cafiar *m*

cavil gair ciprys [*ciprys*]

cavity *n* ceudod *m*

cavort* *vn* prancio

caw* *vn* crawcian

CD *n* cryno ddisg *m*

cease *vn* darfod, mynd¹, pallu, peidio, stopio, tewi

ceaseless *adj* diatal, di-baid, diddarfod, diddiwedd, diorffwys, di-stop

cedar (trees and wood) *n* cedrwydd *pl*

cede *vn* dadafael

ceiling *n* nen[1] *f*, nenfwd *f*

celebrate *vn* dathlu

celebrated *adj* clodfawr, enwog, hyglod

celebration *n* dathliad *m*

celebrities *n* enwogion *pl*

celerity* *n* cyflymder *m*, cyflymdra *m*

celery *n* helogan *f*, seleri *m*

celestial *adj* nefol, wybrennol

celibate* *adj* diwair

cell *n* cell *f*

cellar *n* seler *f*

cello[1] *n* soddgrwth *m*

cello[2] MUSIC *n* sielo *m*

cellophane *n* seloffan *m*

cellular *adj* cellog

celluloid *n* cellwloid *m*

cellulose *n* cellwlos *m*

Celsius *adj* Celsius

Celt *n* Celt *m*

Celtic 1. *adj* Celtaidd 2. *n* Celteg *fm*

cement 1. *n* sment *m* 2. *vn* smentio

cementite METALLURGY *n* smentit *m*

cemetery *n* beddrod *m*, claddfa *f*, mynwent *f*

cenotaph *n* cofadail *f*

Cenozoic GEOLOGY *adj* Cainosöig

censer *n* thuser *f*

censor 1. *n* sensor *m* 2. *vn* sensro

censorious *adj* beirniadus, llawdrwm

censorship *n* sensoriaeth *f*

census *n* cyfrifiad *m*

centaur *n* dynfarch *m*

centenary *n* canmlwyddiant *m*

centigrade *adj* canradd

centilitre *n* centilitr *m*

centimetre *n* centimetr *m*

centipede 1. *n* cantroed *m* 2. neidr gantroed

central *adj* canolog

centralism *n* canoliaeth *f*

centrality *n* canolrwydd *m*

centralization *vn* canoli

centralize *vn* canoli

centre *n* calon *f*, canol[1] *m*, canolfan *f*, canolwr *m*, craidd *m*

centred *adj* canolog

centrifugal PHYSICS *adj* allgyrchol

centrifuge PHYSICS 1. *n* allgyrchydd *m* 2. *vn* allgyrchu

centriole BIOLOGY *n* centriol *m*

centripetal PHYSICS *adj* mewngyrchol

centrosome BIOLOGY *n* centrosom *m*

centurion *n* canwriad *m*

century *n* canrif *f*

cephalic *adj* ceffalig

cephalopod ZOOLOGY *n* ceffalopod *m*

ceramic *adj* ceramig, seramig

ceramics *n* cerameg *f*, crochenwaith *m*, serameg *f*

cereal *n* grawn *m & pl*, grawnfwyd *m*, ŷd *m*

cerebellum ANATOMY *n* cerebelwm *m*

cerebral[1] *adj* ymenyddol

cerebral[2] ANATOMY *adj* cerebrol

cerebrum[1] ymennydd uchaf

cerebrum[2] ANATOMY *n* cerebrwm *m*

ceremonial *adj* seremonïol

ceremony *n* defod *f*, seremoni *f*

cerise lliw ceirios [*ceirios*]

cerium *n* ceriwm *m*

certain *adj* diamau, diau, diogel, pendifaddau, saff, sicr, siwr, siŵr

certainty *n* sicrwydd *m*

certificate *n* tystysgrif *f*

certify *vn* ardystio, tystio, tystiolaethu

cervical ANATOMY *adj* cerfigol

cervix[1] ceg y groth

cervix[2] ANATOMY gwddf y groth

cessation *n* diwedd *m*, peidiad *m*

cession *n* dadafaeliad *m*

cesspit *n* carthbwll *m*

cesspool *n* carthbwll *m*

cf. *abbr* cymh.

chafe *vn* rhathu, rhuglo, rhwbio

chaff *n* eisin[1] *pl*, hedion *pl*, mân us *pl*, peiswyn *m*, torion *pl*, us *m & pl*

chaffinch 1. *n* ji-binc *m* 2. asgell arian

chaffing *n* rhathiad *m*

chain 1. *n* cadwyn *f*, tid *f* 2. *vn* cadwyno

chained *adj* cadwynog, cadwynol

chainsaw llif gadwyn [*llif*[2]]

chair 1. *n* cadair *f*, stôl *f* 2. *vn* cadeirio

chaired *adj* cadeiriol

chairman *n* cadeirydd *m*

chairmanship *n* cadeiryddiaeth *f*

chairperson *n* cadeirydd *m*

chalaza ZOOLOGY *n* calasa *m*

chalice[1] *n* cwpan *mf*

chalice[2] RELIGION *n* caregl *m*

chalk *n* sialc *m*

chalky *adj* sialcog

challenge 1. *n* her *f*, sialens *f* 2. *vn* herian, herio

challenger *n* cynigydd *m*, heriwr *m*

challenging *adj* herfeiddiol, heriol

chamber *n* siambr *f*

chamberlain *n* siambrlen *m*

chambers LAW *n* siambr *f*

chameleon *n* cameleon *m*, camelion *m*

chamfer 1. *n* siamffer *m* 2. *vn* siamffro

chamois *n* gafrewig *f*, siami *m*

chamomile *n* camri *m*

champ* *vn* cnoi[1]

champagne *n* siampaen *m*, siampên *m*

champion *n* campwr *m*, congrinero *m*, eiriolwr *m*, pencampwr *m*

championship *n* campwriaeth *f*, pencampwriaeth *f*

chance 1. *n* cyfle *m*, damwain *f*, hap *f*, siawns *f* 2. *vn* mentro

chancel[1] *n* côr *m*

chancel[2] ARCHITECTURE *n* cangell *f*

chancellor *n* canghellor *m*

chancellorship *n* cangelloriaeth *f*

chancery LAW *n* siawnsri *m*

chandelier 1. *n* canhwyllyr *m* 2. seren ganhwyllau

chandler *n* canhwyllwr *m*

change 1. *n* newid[2] *m*, newidiad *m*, tro *m* 2. *vn* cyfnewid, newid[1]

changeable *adj* cyfnewidiol, newidiadwy, newidiol, oriog

changeless *adj* anghyfnewidiol

changeling *n* carfaglach *m*, crafaglach *m*, crimbil *m*

channel 1. *n* camlas *f*, culfor *m*, sianel *f* 2. *vn* sianelu

chant[1] 1. *n* côr-gân *f*, llafargan *f*, llafarganiad *f*, siant *f* 2. *vn* siantio

chant[2] MUSIC 1. *n* salm-dôn *f* 2. *vn* corganu, llafarganu

chantry *n* siantri *m*

chaos[1] *n* anhrefn *f*

chaos[2] PHYSICS *n* caos *m*

chap *n* bachan *m*, boi *m*

chapel[1] tŷ cwrdd

chapel[2] RELIGION *n* capel *m*

chapelful *n* capelaid *m*

chapel-goer *n* capelwr *m*

chaplain RELIGION *n* caplan *m*

chaplaincy RELIGION *n* caplaniaeth *f*

chaplet *n* coronbleth *f*, coronig *f*

chapter[1] *n* pennod *f*

chapter[2] RELIGION *n* cabidwl *m*

char *n* torgoch *m*

charabanc *n* siarabáng *mf*

character *n* cymêr *m*, cymeriad *m*, llythyren *f*, nod[1] *m*

characteristic[1] 1. *adj* nodweddiadol 2. *n* anian *f*, nodwedd *f*, priodoledd *f*

characteristic[2] MATHEMATICS *n* nodweddrif *m*

characteristics *n* neilltuolion *pl*, teithi *pl*

characterization *n* cymeriadaeth *f*

characterless *adj* digymeriad

charcoal *n* golosg *m*, siarcol *m*

charge[1] 1. *n* goruchwyliaeth *f*, siars *f*, tâl[1] *m*, taliad *m* 2. *vn* codi, codi tâl (am, ar), gwefrio, gwefru, hyrddio, rhuthro, siarsio

charge[2] LAW *n* cyhuddiad *m*

charge[3] PHYSICS *n* gwefr *f*

chargeable LAW *adj* cyhuddadwy

charger *n* cadfarch *m*, rhyfelfarch *m*

charisma *n* carisma *m*, cyfaredd *f*

charismatic *adj* carismataidd, carismatig

charitable *adj* elusengar, elusennol

charity[1] *n* cardod *f*, elusen *f*, elusengarwch *m*

charity[2] LAW *n* elusen *f*

charlatan *n* coegfeddyg *m*, crachfeddyg *m*, ymhonnwr *m*

charm 1. *n* anwyldeb *m*, cyfaredd *f*, rhin *mf*, swyn *m* 2. *vn* cyfareddu, hudo, swyno

charming *adj* swynol

chart 1. *n* siart *m* 2. *vn* mapio, siartio

charter[1] *vn* llogi

charter[2] LAW *n* breinlen *f*, siarter *m*

chartered *adj* siartredig

Chartism *n* Siartiaeth *f*

Chartist *n* Siartydd *m*

chary* *adj* cyndyn

chase 1. *n* cwrs[1] *m* 2. *vn* cwrsio, cwrso, siasio, ymlid, ysgythru

chasm[1] *n* agendor *mf*, gagendor *mf*, hafn *f*

chasm[2] GEOGRAPHY *n* agendor *mf*, gagendor *mf*

chassis *n* siasi *m*

chaste *adj* diwair

chasten *vn* dwrdio, gwastrodi

chastening *adj* penydiol

chastise 1. *vn* cosbi, cystuddio, cystwyo 2. dweud y drefn

chastisement *n* cystwyad *m*

chastity *n* diweirdeb *m*

chasuble RELIGION *n* casul *m*

chat 1. *n* clonc[1] *f*, sgwrs *f*, ymgom *f* 2. *vn* clonc(i)an, clonc(i)o, chwedleua, sgwrsio, ymddiddan[1], ymgomio

chatter 1. *n* clebar *mf*, cleber *mf* 2. *vn* clebran, cogor[2], crynu, gwag-siarad[1], sgrytian 3. mân siarad [*siarad*]

chatterbox *n* baldorddwr *m*, clebren *f*, clebryn *m*, cloncen *f*, cloncyn *m*, parablwr *m*

chatterer *n* pepryn *m*, rwdlyn *m*

chattering *adj* baldorddus, parablus

chatty* *adj* siaradus

chauffeur* *n* gyrrwr *m*

chauvinism *n* siofinistiaeth *f*

chauvinist *n* siofinist *m*, siofinydd *m*

chauvinistic *adj* siofinaidd

cheap *adj* rhad[1]

cheat 1. *n* twyllwr *m* 2. *vn* cafflo, ffalsio, twyllo

check 1. *n* atalfa *f*, gwiriad *m*, siec[2] *m* 2. *vn* gwirio, rhwystro

checker *n* gwiriwr *m*, gwirydd *m*

checkmate *n* siachmat *m*

checkout desg dalu

checkpoint *n* rheolfa *f*

cheek *n* boch[1] *f*, grudd *f*, haerllugrwydd *m*, hyfder *m*, hyfdra *m*, wynebgaledwch *m*

cheekbone[1] *n* cern *f*

cheekbone[2] ANATOMY asgwrn y foch

cheeks *n* deurudd *m*

cheeky *adj* digywilydd, egr, eofn, ffit[1], haerllug, powld

cheer 1. *n* bloedd *f*, bonllef *f*, cymeradwyaeth *f* 2. *vn* bloeddio, hoywi, llonni

cheerful *adj* llon, siriol

cheerfulness *n* llonder *m*, sirioldeb *m*

cheerless *adj* aflawen, digysur

cheers 1. *n* hwyl[2] *f* 2. iechyd da [*iechyd*[1]]

cheese *n* caws *m*, cosyn *m*

cheeseburger *n* cawsionyn *m*

cheese-curds *n* colfran *f*

cheesy *adj* cawsaidd

cheetah llewpart hela

chelate CHEMISTRY *vn* celadu

chelated CHEMISTRY *adj* celedig

chelation CHEMISTRY, GEOLOGY *n* celadiad *m*

chemical 1. *adj* cemegol 2. *n* cemegyn *m*

chemist *n* cemegwr *m*, cemegydd *m*, fferyllydd *m*

chemistry *n* cemeg *f*

chemoreceptor PHYSIOLOGY *n* cemodderbynnydd *m*

chemotaxis BIOLOGY *n* cemotacsis *m*

chemotherapy *n* cemotherapi *m*

cheque *n* siec[1] *f*

chequered* *adj* brith

cherish *vn* anwylo, coleddu, meithrin, ymgeleddu

cherished *adj* annwyl, hoff

cherisher *n* coleddwr *m*

cherry[1] *n* ceiriosen *f*

cherry[2] (trees and wood) *n* ceirioswydd *pl*

cherub *n* ceriwb *m*, cerub *m*

chervil *n* gorthyfail *m*

chess *n* gwyddbwyll *f*

chessboard *n* tawlbwrdd *f*

chessmen *n* gwerin[1] *f*

chest *n* brest *f*, cist *f*, coffor *m*, coffr *m*

chestnut 1. *adj* gwinau, gwineuogch 2. *n* castan *f*

chevalier* *n* marchog *m*

chevron *n* cwplws *m*

chew *vn* cnoi[1]

chic *adj* ffasiynol

chicanery* *n* dichell *f*, twyll *m*

chick *n* cyw *m*

chicken 1. *n* ffowlyn *m* 2. cyw iâr

chide *vn* ceryddu, dwrdio

chider *n* ceryddwr *m*, dwrdiwr *m*

chief 1. *adj* pen[2], pennaf, prif 2. *n* pen[1] *m*, pennaeth *m* 3. *pref* arch-

chieftain* *n* pennaeth *m*

chilblains[1] *n* llech eira *m*, maleithiau *pl*

chilblains[2] MEDICINE llosg eira [*llosg*[1]]

child *n* plentyn *m*

childbirth *n* esgoriad *m*, genedigaeth *f*

childhood *n* maboed *m*, mabolaeth *f*, mebyd *m*, plentyndod *m*

childish *adj* babanaidd, plentynnaidd

childless *adj* di-blant, diepil, diffrwyth

Chilean 1. *adj* Tsileaidd 2. *n* Tsilead *m*

chill 1. *n* annwyd *m*, oerfel *m* 2. *vn* oeri

chilling 1. *adj* iasoer, iasol 2. *n* rhyndod *m*

chilly *adj* fferllyd, iasoer, oer, oeraidd, oerllyd

chime MUSIC *n* clychsain *f*

chimera* *n* bwgan *m*

chimney *n* simdde *f*, simnai *f*

chimpanzee *n* tsimpansî *m*

chin *n* gên *f*

china 1. *adj* tsieni[2] 2. *n* tsieini[1] *m*

Chinese 1. *adj* Tsieineaidd 2. *n* Tsieinead *m*

chink* *n* agen *f*

chip 1. *n* sglodyn *m* 2. *vn* naddu, tsipio

chipboard bwrdd sglodion

chippings* *n* graean *m*

chips *n* sglodion *pl*, tsips *pl*

chiral CHEMISTRY *adj* cirol

chiromancer *n* llawddewin *m*

chiromancy *n* llawddewiniaeth *f*

chiropodist *n* ciropodydd *m*

chiropractic *n* ciropracteg *f*

chiropractor *n* ciropractydd *m*

chirp *vn* grillian, switian, switio, trydar[2]

chirping* *n* trydar[1] *m*

chisel 1. *n* cŷn *m*, gaing *f* 2. *vn* cynio, geingio

chitin BIOCHEMISTRY *n* citin *m*

chivalry *n* sifalri *m*

chives cennin syfi

chlamydospore BIOLOGY *n* clamydosbor *m*

chloride CHEMISTRY *n* clorid *m*

chlorinate CHEMISTRY *vn* clorineiddio

chlorinated CHEMISTRY *adj* clorinedig

chlorination* *vn* clorineiddio

chlorine *n* clorin *m*

chlorofluorocarbon *n* clorofflwrocarbon *m*

chloroform *n* clorofform *m*

chlorophyll *n* cloroffyl *m*

chloroplast BOTANY *n* cloroplast *m*

chlorosis BOTANY *n* clorosis *m*

chock* *n* lletem *f*

chocolate *n* siocled *m*

choice 1. *adj* dethol[2], detholedig, dewisol 2. *n* dewis[2] *m*, dewisiad *m*

choir *n* côr *m*, corws *m*

choirmaster *n* côr-feistr *m*

choke 1. *n* tagydd *m* 2. *vn* tagu

choking *n* tagfa *f*, tagiad *m*

cholecalciferol BIOCHEMISTRY *n* colecalchifferol *m*

cholecystokinin BIOCHEMISTRY *n* colesystocinin *m*

cholera[1] *n* geri *m*

cholera[2] MEDICINE *n* colera *m*

cholesterol *n* colesterol *m*

choline BIOCHEMISTRY *n* colin *m*

cholinergic PHYSIOLOGY *adj* colinergig

cholinesterase BIOCHEMISTRY *n* colinesteras *m*

chondral ANATOMY *adj* condrol

chondroitin BIOCHEMISTRY *n* condroitin *m*

choose *vn* dethol[1], dewis[1], pigo

chop 1. *n* golwyth *m* 2. *vn* cildorri, torri
chopped *adj* manfriw
chopper *n* malwr *m*
choral *adj* corawl
chorale MUSIC *n* corâl *f*
chord *n* cord *m*
chordal MUSIC *adj* cordiol
chore *n* gorchwyl *m*, tasg *f*
choreographer *n* coreograffydd *m*
choreographic *adj* coreograffig
choreography *n* coreograffi *m*
chorion[1] *n* ambilen *f*
chorion[2] ANATOMY *n* corion *f*
choroid ANATOMY *n* coroid *m*
choropleth *n* coropleth *m*
chorus[1] *n* côr *m*, corws *m*
chorus[2] MUSIC *n* byrdwn *m*, cytgan *f*
chosen[1] *adj* dewis[3], dewisedig, dewisiedig, etholedig
chosen[2] RELIGION *adj* dewisedig, dewisiedig
chough brân goesgoch
chrism RELIGION *n* crism *m*
Christ RELIGION *n* Crist *m*
christen RELIGION *vn* bedyddio
Christendom gwledydd Cred
christened RELIGION *adj* bedyddiedig
christening[1] *n* bedydd *m*
christening[2] RELIGION *n* bedyddiad *m*
Christian 1. *adj* Cristnogol 2. *n* Cristion *m*
Christianity RELIGION *n* Cristnogaeth *f*
Christmas *n* Nadolig *m*
Christmassy *adj* Nadoligaidd
Christology *n* Cristoleg *f*
chromatic[1] *adj* cromatig, hanner-tonol
chromatic[2] MUSIC *adj* cromatig
chromatid BIOLOGY *n* cromatid *m*
chromatogram CHEMISTRY *n* cromatogram *m*
chromatographic CHEMISTRY *adj* cromatograffig
chromatography CHEMISTRY *n* cromatograffaeth *f*
chrome *n* crôm *m*
chromium *n* cromiwm *m*
chromosome BIOLOGY *n* cromosom *m*
chromosphere ASTRONOMY *n* cromosffer *m*
chronic *adj* cronig, hirbarhaol, hirfaith
chronicle 1. *n* brut *m*, cronicl *m* 2. *vn* cofnodi, croniclo
chronicler *n* cofiadur *m*, croniclydd *m*
chronological *adj* amseryddol, cronolegol
chronology *n* amseryddiaeth *f*, cronoleg *f*
chronometer *n* cronomedr *m*
chrysalis *n* chwiler *m*
chuck 1. *n* crafanc[2] *f* 2. *vn* lluchio
chuckle* *n* chwerthin[2] *m*, chwerthiniad *m*
chum *n* cyfaill *m*, ffrind *mf*
chunk *n* cilcyn *m*, cnap *m*, cwlffyn *m*, darn *m*, talp *m*
chunky *adj* talpiog

church *n* eglwys *f*
churchgoer *n* eglwyswr *m*
churchyard* *n* mynwent *f*
churl *n* bilaen *m*, bilain *m*, cerlyn *m*
churlish *adj* dreng, sarrug, surbwch
churn 1. *n* buddai *f*, corddwr *m* 2. *vn* corddi
churner *n* corddwr *m*
churning *n* corddiad *m*
chute *n* llithren *f*
chutney *n* catwad *m*
chyle BIOCHEMISTRY *n* caul *m*
chyme PHYSIOLOGY *n* treulfwyd *m*
chymotrypsin BIOCHEMISTRY *n* cymotrypsin *m*
cichlid *n* ciclid *m*
ciconia *n* ciconia *m*
cider *n* seidr *m*
cigar *n* sigâr *f*
cigarette *n* sigarét *f*
cilium BIOLOGY *n* ciliwm *m*
cinder *n* colsyn *m*, marworyn *m*
cinders *n* lludu *m*, lludw *m*
cinema *n* pictiwrs *m*, sinema *f*
cinematic *adj* sinematig
cinnamon *n* sinamon *m*
cinquefoil *n* pumnalen *f*
cipher *n* cod[3] *m*, seiffr *m*
circa 1. *adv* oddeutu[1] 2. *prep* tua
circadian BIOLOGY *adj* circadaidd
circle 1. *n* cylch *m*, cylchyn *m*, rhod *f* 2. *vn* cylchdroi, cylchredeg, cylchu
circuit[1] *n* amdaith *f*, cylched *f*
circuit[2] LAW *n* cylchdaith *f*
circuitous *adj* cwmpasog
circular 1. *adj* crwn 2. *n* cylchlythyr *m*
circulate *vn* cylchredeg, cylchynu
circulating *adj* cylchynol
circulation *n* cylchrediad *m*
circum- *pref* cylch-
circumcentre MATHEMATICS *n* amganol *m*
circumcircle MATHEMATICS *n* amgylch *m*
circumcise *vn* enwaedu
circumcised *adj* enwaededig
circumcision 1. *n* enwaediad *m* 2. *vn* enwaedu
circumference[1] *n* cylchyn *m*, terfyngylch *m*
circumference[2] MATHEMATICS *n* cylchedd *m*
circumnavigate *vn* cylchfordwyo
circumnavigation *n* cylchfordaith *f*
circumpolar *adj* ambegynol
circumscribe[1] *vn* cwmpasu
circumscribe[2] MATHEMATICS *vn* amgylchu
circumspect* *adj* gochelgar, pwyllog
circumspection* *n* gofal *m*, pwyll *m*
circumstance *n* amgylchiad *m*
circumstantial *adj* amgylchiadol
circus *n* syrcas *f*
cirque GEOLOGY *n* peiran *m*
cirrhosis[1] caledwch yr afu/iau

cirrhosis² MEDICINE *n* sirosis *m*
cirrocumulus METEOROLOGY *n* cirocwmwlws *m*
cirrus *n* cirrus *m*
Cistercian RELIGION 1. *adj* Sistersaidd
  2. *n* Sistersiad *m*
cistern *n* seston *f*
citadel *n* uchelgaer *f*, ysgor *f*
cite *vn* dyfynnu, enwi
citizen *n* dinesydd *m*
citizenship *n* dinasfraint *f*, dinasyddiaeth *f*
citric *adj* citrig, sitrig
citrus¹ (tree and wood) *n* citrws *m*, sitrws *m*
citrus² *n* citrws *m*, sitrws *m*
city *n* dinas *f*
civic *adj* dinasol, dinesig
civil *adj* sifil
civilian *n* sifiliad *m*
civility *n* cwrteisi *m*, gwarineb *m*
civilization *n* gwareiddiad *m*
civilize *vn* gwareiddio
civilized *adj* gwâr, gwaraidd, gwareiddiedig
cl *abbr* cl
cladding* *n* gorchudd *m*
claim 1. *n* hawl¹ *f*, hawliad *m*, honiad *m*
  2. *vn* dal, dala, gofyn¹, hawlio, honni,
  maentumio, proffesu
claimant *n* hawliwr *m*, hawlydd *m*
clairvoyance *n* clirwelediad *m*
clairvoyant *adj* clirweledol
clamant *adj* di-daw, taer
clamber* *vn* dringo
clammy *adj* llaith
clamour 1. *n* dwndwr *m*, mwstwr *m*
  2. *vn* crochlefain
clamp 1. *n* cladd *m*, clamp² *m*, creffyn *m*
  2. *vn* clampio
clan *n* clan *m*, llwyth² *m*
clandestine* *adj* dirgel¹, llechwraidd, llechwrus
clang 1. *n* atsain *f*, clonc¹ *f* 2. *vn* atseinio,
  clonc(i)an, clonc(i)o, diasbedain
clank *n* clonc¹ *f*
clap 1. *n* clap *m*, clec *f*, clep *f* 2. *vn* clapio
claret *n* clared *m*
clarify *vn* egluro, gloywi
clarinet *n* clarinét *m*
clarinettist *n* clarinetydd *m*
clarion *n* utgorn *m*
clarity *n* croywder *m*, eglurdeb *m*, eglurder *m*
clash *vn* gwrthdaro
clasp 1. *n* clesbyn *m*, cloig *m*, clöig *m*, gwäeg *f*
  2. *vn* cofleidio, gafael¹
class¹ *n* dosbarth¹ *m*, gradd *f*
class² BIOLOGY *n* dosbarth² *m*
classic 1. *adj* clasurol 2. *n* clasur *m*
classical *adj* clasurol
classicism *n* clasuriaeth *f*
classicist *n* clasurwr *m*

classification¹ *n* dosraniad *m*
classification² BIOLOGY *n* dosbarthiad *m*
classify *vn* dosbarthu
clast GEOLOGY *n* clast *m*
clastic GEOLOGY *adj* clastig
clathrate CHEMISTRY *n* clathrad *m*
clatter 1. *n* cogor¹ *m*, trwst *m* 2. *vn*
  clindarddach², clonc(i)an, clonc(i)o
clause GRAMMAR *n* cymal *m*
claustral *adj* clwystrol
claustrophobia MEDICINE *n* clawstroffobia *m*
clavichord *n* claficord *m*
clavicle ANATOMY pont yr ysgwydd
clavier *n* llawfwrdd *m*
claw 1. *n* crafanc¹ *f*, ewin *mf*
  2. *vn* crafangu, ewino
clawback FINANCE *n* adfachiad *m*
clawed *adj* crafangog
clay *n* clai *m*
clayey *adj* cleiog
clay-pit *n* cleibwll *m*
clean 1. *adj* glân, glanwaith 2. *n* glanhad *m*,
  glanheuad *m* 3. *vn* glanhau
cleaner *n* glanhawr *m*, glanhawraig *f*
cleanliness *n* glanweithdra *m*, glendid *m*
clean-out *n* cliriad *m*
cleanse *vn* glanhau, puro
clean-shaven *adj* di-farf
cleansing 1. *adj* glanhaol 2. *n* carthiad *m*
clear 1. *adj* amlwg, claer, clir, eglur, hyglyw, plaen²
  2. *vn* clirio, ffeinhau, hinddanu, hinoni
clearance *n* cliriad *m*
clearing *n* llannerch *f*
clearing-house *n* cyfnewidfa *f*
clearness *n* eglurdeb *m*, eglurder *m*
clearway *n* clirffordd *f*
clearwing *n* cliradain *f*
cleat 1. *n* cleddyf *m*, lletem *f* 2. *vn* cleddyfu
cleavage¹* *n* rhaniad *m*
cleavage² GEOLOGY *n* holltedd *m*
cleavage³ BIOLOGY *n* ymraniad *m*
cleave *vn* hollti
cleaver *n* twca *m*
clef MUSIC *n* allwedd *f*, cleff *m*
cleft *n* hafn *f*, hollt¹ *f*
clemency *n* trugaredd *mf*
clement* *adj* tirion
clench *vn* cau¹, clensio, gwasgu
clergyman RELIGION *n* clerigwr *m*, offeiriad *m*
clerical¹ *adj* clercyddol, clerigol
clerical² RELIGION *adj* clerigol
clericalism RELIGION *n* clerigaeth *f*
clerk *n* clerc *m*
clever *adj* clyfar, galluog, medrus, peniog
cleverness *n* clyfrwch *m*, deallusrwydd *m*
clevis *n* cleifis *m*
cliché *n* ystrydeb *f*

clichéd *adj* ystrydebol
click 1. *n* clec *f*, clic¹ *m* 2. *vn* clecian, clician, clicio
client *n* cleient *m*, cwsmer *m*
clientelism POLITICS *n* cleientaeth *f*
cliff *n* clogwyn *m*
climacteric MEDICINE *n* climacterig *m*
climate *n* hinsawdd *f*
climatic *adj* hinsoddol
climatology *n* hinsoddeg *f*
climax *n* anterth *m*, esgynneb *f*, penllanw *m*, uchafbwynt *m*
climb *vn* dringo
climber *n* dringhedydd *m*, dringiedydd *m*, dringwr *m*
clinch *vn* clensio, selio
cling* *vn* glynu
clinging *adj* glynol
clinic *n* clinic *m*, clinig *m*
clinical *adj* clinigol
clink 1. *n* rheinws *m*, tinc *m* 2. *vn* tincial
clinometer *n* clinomedr *m*
clint GEOLOGY *n* clint *m*
clip 1. *n* bonclust *m*, clewt *m*, clip¹ *m*, clipen *f*, clipsen *f*, clusten *f* 2. *vn* clipio, clipo, cneifio, tocio
clipboard *n* clipfwrdd *m*
clique *n* ciwed *f*, clic² *m*, set *f*
clitoris ANATOMY *n* clitoris *m*
cloak 1. *n* clogyn *m*, cochl *m*, hugan¹ *f*, mantell *f* 2. *vn* mantellu
cloaked *adj* mantellog
clock 1. *n* awrlais *m*, cloc *m*, orlais *m* 2. *vn* clocio
clockmaker *n* clociwr *m*
clockwise *adv* clocwedd
clockwork *n* clocwaith *m*
clod *n* clotsen *f*, clotsyn *m*, priddyn *m*, tywarchen *f*
clog *n* clocsen *f*
clog-maker *n* clocsiwr *m*
cloister *n* clas *m*, clawstr *m*, clwysty *m*, glwysty *m*
clone *n* clôn *m*
close 1. *adj* agos¹, clòs, cyfagos, mwll, mwrn, trymaidd, trymllyd 2. *n* diwedd *m*, terfyniad *m* 3. *vn* cau¹
closed 1. *adj* caeedig 2. *adv* ynghau 3. ar gau [*cau¹*]
closeness *n* agosrwydd *m*, myllni *m*
closet *n* closed *m*
close to *prep* ger
close-up *n* agoslun *m*
closing *n* cload *m*
closure *n* cload *m*
clot 1. *n* ceulad *m*, tolchen *f* 2. *vn* ceulo, tewychu, tolchennu, torthi
cloth *n* brethyn *m*, cadach *m*, cerpyn *m*, clwt *m*, clwtyn *m*, lliain *m*

clothe *vn* dilladu, gwisgo
clothes *n* dillad *pl*
clothier *n* brethynnwr *m*, dilledydd *m*
clothing *n* dillad *pl*, gwisg *f*
clotting *n* tolcheniad *m*
cloud¹ 1. *n* cwmwl *m* 2. *vn* cymylu
cloud² COMPUTING y cwmwl [*cwmwl*]
cloudiness *n* cymyledd *m*
cloudless *adj* digwmwl
cloudy *adj* cymylog, niwlog
clout *n* bonclust *m*, cernod *f*, cleren² *f*, clewt *m*, clowten *f*, perlen *f*, swaden *f*
clove *n* clofsen *f*, ewin *mf*
clover *n* meillionen *f*
clovered *adj* meillionog
clown *n* clown *m*
club 1. *n* clwb¹ *m*, clwb² *m*, pastwn *m* 2. *vn* pastynu
clubmoss *n* cnwpfwsogl *m*
cluck *vn* clegar, clochdar¹, clwcian
clucking *n* clochdar² *m*
clue *n* clem *f*, cliw *m*
clueless *adj* anwybodus, diamgyffred, di-fedr, di-glem, dilefelaeth, dilyfelaeth
clumsiness *n* lletchwithdod *m*
clumsy *adj* afrosgo, anghydlynus, carbwl, clogyrnaidd, chwithig, lletchwith, trwsgl
cluster 1. *n* bagad *m*, clwstwr *m*, cwlwm¹ *m* 2. *vn* clystyru, tyrru
clutch 1. *n* clyts *m*, cydiwr *m* 2. *vn* crafangu, gafael¹, gwasgu
clutches *n* hafflau *m*
clutter* *n* annibendod *m*
cm *abbr* cm
co- *pref* cyd-
c/o d/o [*tan¹*], ofal [*tan¹*], t/o [*tan¹*]
coach 1. *n* coets *f*, hyfforddwr *m*, hyfforddwraig *f* 2. *vn* hyfforddi
coaching *n* hyfforddiant *m*
coachman *n* cerbydwr *m*
coagulate *vn* ceulo, tewychu, tolchennu, torthi
coagulation *n* ceulad *m*, fferiad *m*, tewychiad *m*, tolcheniad *m*
coal *n* glo *m*
coalface *n* ffas *f*, talcen *m*
coalition¹* *n* cynghrair *f*
coalition² POLITICS *n* clymblaid *f*
coalitional POLITICS *adj* clymbleidiol
coalminer *n* glöwr *m*
coaming *n* ymyled *m*
coarse *adj* aflednais, bras¹, cras, craslyd, cwrs², garw¹
coast *n* arfordir *m*
coastal *adj* arfor, arfordirol, arforol
coastline *n* morlin *m*
coat¹ 1. *n* cot¹ *f*, côt *f* 2. *vn* araenu, gorchuddio
coat² COOKERY *vn* caenu

coating *n* araen *f*, argaen *f*, cot[1] *f*, côt *f*, golch *m*, haen *f*, haenen *f*, trwch *m*

coax *vn* cocsio[1], cymell, perswadio

coaxial *adj* cyfechelog

cob *n* còb[1] *m*, còb *m*, coben *f*, cobyn[1] *m*

cobalt *n* cobalt *m*

cobble 1. *n* cobl *m* 2. *vn* coblo, crydda

cobbler *n* cobler *m*, crydd *m*

cobbling* *vn* crydda

cobra *n* cobra *m*

cobweb *n* gwe *f*

coca *n* coca *m*

cocaine *n* cocên *m*

coccidiosis *n* cocsidiosis *m*

coccus BIOLOGY, BOTANY *n* cocws *m*

coccyx ANATOMY asgwrn cynffon

cochlea ANATOMY *n* cochlea *m*

cock[1] 1. *n* ceiliog *m* 2. *vn* gwalcio

cock[2] *vulgar* 1. *n* pidlen *f* 2. coes ganol [coes[1]]

cockabundy coch y bonddu [coch[2]]

cockatoo *n* cocatŵ *m*

cockcrow caniad ceiliog

cockerel *n* ceiliog *m*

cockfighting ymladd ceiliogod

cockiness *n* hyfder *m*, hyfdra *m*, talogrwydd *m*

cockle *n* cocosen *f*, cocsen[1] *f*

cockles *n* rhython *pl*

cockpit *n* talwrn *m*

cocktail *n* coctel *m*

cocoa *n* coco *m*

coconuts cnau coco

cocoon *n* cocŵn *m*

cod *n* penfras *m*

code 1. *n* cod[3] *m* 2. *vn* codio

codeine *n* codin *m*

codex *n* codecs *m*

codicil LAW *n* codisil *m*

codification LAW *n* codeiddiad *m*

codified *adj* cyfundrefnol

codify *vn* codeiddio, cyfundrefnu

co-dominance BIOLOGY *n* cyd-drechedd *m*

co-dominant *adj* cyd-drechol

codpiece *n* balog *m*, copis *m*

co-education *n* cydaddysg *f*

co-educational *adj* cydaddysgol

coefficient MATHEMATICS, PHYSICS *n* cyfernod *m*

Coelenterata ZOOLOGY *n* coelenteriaid *pl*

coeliac MEDICINE *adj* coeliag

coelom ZOOLOGY *n* coelom *m*

coenobite *n* cwfeiniad *m*

coenzyme BIOCHEMISTRY *n* cydensym *m*

coerce *vn* gorfodi, gorthrechu

coercion *n* gorfodaeth *f*, gorthrech *m*

coessential *adj* cydhanfodol

coexist *vn* cydfodoli, cyd-fyw

coexistence *n* cydfodolaeth *f*

coffee *n* coffi *m*

coffer *n* cist *f*, coffor *m*, coffr *m*

coffin *n* arch[1] *f*, cist *f*

cog *n* cocsen[2] *f*, còg[1] *f*

cogent* *adj* argyhoeddiadol, grymus

cogitate* *vn* synfyfyrio

cognate *adj* cytras

cognition *n* gwybyddiaeth *f*

cognitive *adj* gwybyddol

cognizance* *n* gwybyddiaeth *f*

cogs *n* cocos[2] *pl*

cohabit *vn* byw tali [byw[1]], cydbreswylio, cyd-fyw

cohabitation *vn* cyd-fyw

cohabitee *n* cywely *m*

cohabition *n* cydfywyd *m*

cohere *vn* cydlynu

coherent *adj* cydlynol, dealladwy, rhesymegol, trefnus

cohesion *n* cydlyniad *m*

cohesive *adj* cydlynol

cohort *n* carfan *f*, mintai *f*

coil[1] 1. *n* torch *f* 2. *vn* ceirsio, dirwyn, dolennu, torchi

coil[2] PHYSICS *n* coil *m*

coiled *adj* dolennog, torchog

coin *vn* bathu

coinage 1. *n* bathiad *m* 2. arian bath [arian[2]]

coincide *vn* cyd-daro, cyd-ddigwydd, cydredeg

coincidence *n* cyd-ddigwyddiad *m*

coincident *n* cyd-drawiad *m*

coiner *n* bathwr *m*

coins *n* arian[2] *m & pl*

coitus cyfathrach rywiol

coke *n* côc *m*, golosg *m*

col *n* adwy[1] *f*

colander *n* colandr *m*, hidlydd *m*

cold 1. *adj* anghynnes, oer 2. *n* annwyd *m*, oerfel *m*, oerni *m*

cold-blooded gwaed oer

Coleoptera *n* chwilod *pl*

coleoptile[1] *n* gwreiddbilen *f*

coleoptile[2] BOTANY *n* coleoptil *m*

coley *n* celog *f*

colic[1] *n* bolgno *m*

colic[2] MEDICINE *n* colig *m*

colitis MEDICINE *n* colitis *m*

collaborate *vn* cydweithio, cydweithredu

collaboration *n* cydweithrediad *m*

collaborative *adj* cydweithredol

collaborator *n* cydweithredwr *m*

collage *n* gludlun *m*

collagen BIOCHEMISTRY *n* colagen *m*

collapse 1. *n* cwymp *m* 2. *vn* cwympo, dymchwel, dymchwelyd, llewygu, pango, rhoddi, rhoi[1], syrthio

collar 1. *n* coler *fm* 2. *vn* coleru

collarbone ANATOMY pont yr ysgwydd

collate *vn* coladu
collateral *adj* cyfochrog
collation *n* coladiad *m*
collator *n* coladydd *m*
colleague *n* cyd-weithiwr *m*
collect 1. *n* colect *m* 2. *vn* casglu, codi, cronni, cynnull, hel
collection *n* casgliad *m*
collective *adj* cyfunol, torfol
collectivism *n* cyfunoliaeth *f*
collector[1] *n* casglwr *m*, casglydd *m*, heliwr *m*, pentyrrwr *m*
collector[2] ELECTRONICS *n* casglydd *m*
college *n* athrofa *f*, coleg *m*
collegiate *adj* athrofaol, colegol
collenchyma BOTANY *n* colencyma *m*
collet *n* colet *m*
collide *vn* gwrthdaro
collider PHYSICS *n* gwrthdrawydd *m*
collier *n* coliar *m*, colier *m*, glöwr *m*
colliery *n* glofa *f*
colligate *vn* cydglymu
collimator *n* cyflinydd *m*
collinear MATHEMATICS *adj* unllin
collinearity MATHEMATICS *n* unllinedd *m*
collision *n* ardrawiad *m*, gwrthdrawiad *m*
collocate* *vn* cyfosod
collocation[1] *n* cyfosodiad *m*
collocation[2] LINGUISTICS *n* cydleoliad *m*
colloid CHEMISTRY *n* coloid *m*
colloidal *adj* coloidaidd
colloquial *adj* llafar, tafodieithol
colloquium *n* cynhadledd *f*
collude[1] *vn* cyd-dwyllo, cydgynllwynio
collude[2] LAW *vn* cynllwynio, cynllwyno
colluvium GEOLOGY *n* casgliad *m*
Colombian 1. *adj* Colombiaidd 2. *n* Colombiad *m*
colon[1] *n* colon[2] *m*
colon[2] ANATOMY *n* colon[1] *f*
colonel *n* cyrnol *m*
colonial[1] *adj* gwladychol, trefedigaethol
colonial[2] BIOLOGY *adj* cytrefol
colonialism *n* gwladychiaeth *f*, trefedigaethedd *m*
colonization *n* gwladychiad *m*
colonize *vn* cytrefu, gwladychu, trefedigaethu
colonnade ARCHITECTURE *n* colofnfa *f*
colony[1] *n* gwladfa *f*, gwladychfa *f*, trefedigaeth *f*
colony[2] BIOLOGY *n* cytref *f*
coloratura MUSIC *adj* coloratwra
colorimeter CHEMISTRY *n* colorimedr *m*
colossal *adj* anferth, anferthol, enfawr
colostomy MEDICINE *n* colostomi *m*
colostrum *n* colostrwm *m*, cynllaeth *m*
colour 1. *n* lliw[1] *m* 2. *vn* lliwio
colourant *n* lliwydd *m*
coloured *adj* lliw[2], lliwiedig

colourful *adj* lliwgar
colourfulness *n* lliwgarwch *m*
colouring *n* lliw[1] *m*, lliwiad *m*
colourless *adj* di-liw
colt *n* cnyw *m*, ebol *m*, swclyn *m*
column *n* colofn *f*, piler *m*
columnar *adj* colofnog
columnist *n* colofnydd *m*
coma *n* coma[2] *m*
comb 1. *n* crib *mf* 2. *vn* cribo
combat 1. *n* brwydr *f*, gornest *f*, ornest *f* 2. *vn* ymladd
combatant* *n* ymladdwr *m*
combative *adj* ymosodol, ymrysongar
combe *n* cwm *m*
combination *n* cyfuniad *m*, cyfunrif *m*
combinational *adj* cyfuniadol
combine *vn* cyfosod, cyfuno
combined *adj* cyfun, cyfunol
combing *n* cribad *m*, cribiad *m*
combust[1] *vn* llosgi, ymlosgi
combust[2] CHEMISTRY *vn* hylosgi
combustible *adj* hylosg, llosgadwy
combustion CHEMISTRY *n* hylosgiad *m*
come *vn* dod[1], dyfod
comedian *n* comedïwr *m*, digrifwr *m*
comedy *n* comedi *f*
comeliness *n* glendid *m*, prydferthwch *m*
comely *adj* gosgeiddig
comet[1] seren gynffon
comet[2] ASTRONOMY *n* comed *f*
comfort 1. *n* cysur *m*, cysurdeb *m* 2. *vn* cysuro, diddanu
comfortable *adj* cyfforddus, cyffyrddus, cysurus
comforter *n* cysurwr *m*, diddanydd *m*
comfortless *adj* anniddos, digysur
comic 1. *adj* comig, digrif, doniol 2. *n* comic *m*
comical *adj* digrif, doniol, smala, ysmala
coming *n* dyfodiad *m*
comma *n* atalnod *m*, coma[1] *m*
command 1. *n* gorchymyn[2] *m* 2. *vn* gorchymyn[1]
commandeer* *vn* meddiannu
commander *n* cadlywydd *m*, comander *m*
commandment* *n* gorchymyn[2] *m*
commemorate *vn* coffáu
commemoration *n* coffâd *m*, coffadwriaeth *f*
commemorative *adj* coffadwriaethol, coffaol
commence *vn* cychwyn[1], dechrau[2]
commencement *n* dechrau[1] *m*, dechreuad *m*
commend* *vn* cymeradwyo
commendable *adj* canmoladwy, clodwiw, cymeradwy
commendation *n* cymeradwyaeth *f*
commensal BIOLOGY *adj* cydfwytaol
commensurable MATHEMATICS *adj* cyfesur
commensurate *adj* cymesur, gogyhyd

comment *n* sylw *m*
commentary *n* esboniad *m*, sylwebaeth *f*
commentate *vn* sylwebu
commentator *n* sylwebydd *m*
commerce *n* masnach *f*
commercial *adj* masnachol
commercialization *vn* masnacheiddio
commercialize *vn* masnacheiddio
commiserate *vn* cydymdeimlo
commiseration *n* cydymdeimlad *m*
commission 1. *n* comisiwn *m* 2. *vn* comisiynu, dirprwyo
commissioner *n* comisiynwr *m*, comisiynydd *m*
commit LAW *vn* traddodi
commitment *n* ymroddiad *m*, ymrwymiad *m*
committal LAW *n* traddodeb *f*
committed *adj* ymroddedig, ymroddgar, ymrwymedig
committee *n* pwyllgor *m*
commode *n* comôd *m*
commodious* *adj* helaeth
commodity¹ *n* nwydd *m*
commodity² ECONOMICS *n* cynwydd *m*
commodore *n* comodor *m*, môr-lywydd *m*
common 1. *adj* cwrs², cyffredin, gwerinol 2. *n* comin *m*, cwmin² *m*, cytir *m*
commoner LAW *n* cominwr *m*
commonplace* *adj* cyffredin
commonwealth *n* cymanwlad *f*
commote *n* cwmwd *m*
commotion *n* cyffro *m*, cyffroad *m*, cymhelri *m*, cynhyrfiad *m*, cynnwrf *m*, cythrwfl *m*, mwstwr *m*, prysurdeb *m*, stŵr *m*, trablludd *m*, trybestod *m*
commune 1. *n* comiwn *m* 2. *vn* cymuno
communicable *adj* heintus, mynegadwy
communicant *n* cymunwr *m*
communicate *vn* cyfathrebu
communism POLITICS *n* comiwnyddiaeth *f*
Communism POLITICS *n* Comiwnyddiaeth *f*
communist 1. *adj* comiwnyddol, Comiwnyddol 2. *n* comiwnydd *m*
community 1. *adj* cymunedol 2. *n* cymuned *f*
commutable *adj* newidiadwy
commutative *adj* cymudol
commutator *n* cymudadur *m*
commute *vn* cymudo
commuter *n* cymudwr *m*
compact 1. *adj* cryno 2. *n* cytundeb *m* 3. *vn* cywasgu
compaction *n* cywasgiad *m*
compactness *n* crynoder *m*
companion *n* cydymaith *m*, cymar *mf*, chwaer *f*, hebryngydd *m*
companionable* *adj* cyfeillgar
companions *n* cwmni *m*, cymdeithion *pl*
companionship *n* cwmni *m*, cwmnïaeth *f*

company *n* cwmni *m*, cwmpeini *m*, cymdeithas *f*, mintai *f*
comparability *n* cymaroldeb *m*
comparable *adj* cymaradwy, hafal, tebyg¹
comparative *adj* cymharol
comparator *n* cymharydd *m*
compare¹ *vn* cyffelybu, cymharu
compare² GRAMMAR *vn* cymharu
comparison *n* cyffelybiaeth *f*, cymhariaeth *f*
compass¹ *n* cwmpas¹ *m*, cwmpawd *m*
compass² MUSIC *n* cwmpas¹ *m*
compassion *n* tiriondeb *m*, tosturi *m*, trugaredd *mf*
compassionate *adj* tirion, tosturiol, trugarog
compatible *adj* cydnaws, cymharus
compatriot *n* cyd-Gymro *m*, cyd-wladwr *m*
compel *vn* gorfodi
compendium *n* compendiwm *m*, crynhoad *m*
compensate *vn* cydadfer, digolledu
compensation¹ *n* iawn² *m*
compensation² LAW *n* digollediad *m*, iawndal *m*
compensatory *adj* cydadferol
compère *n* arweinydd *m*, cyflwynwr *m*, cyflwynydd *m*
compete *vn* cystadlu, ymladd, ymryson²
competence¹ *n* cymhwysedd *m*, cymhwyster *m*, medr *m*
competence² LAW, LINGUISTICS *n* cymhwysedd *m*
competent *adj* cymwys, galluog, medrus
competition *n* cystadleuaeth *f*, ymryson¹ *m*
competitive *adj* cystadleuol
competitor *n* cystadleuwr *m*, cystadleuydd *m*, gwrthwynebwr *m*, gwrthwynebydd *m*
compilation *n* casgliad *m*, detholiad *m*
compile¹ *vn* casglu
compile² COMPUTING *vn* crynhoi¹
compiler¹ *n* casglwr *m*, casglydd *m*
compiler² COMPUTING *n* crynhoydd *m*
complacent *adj* hunanfoddhaus
complain *vn* achwyn, cwynfan¹, cwyno
complainant LAW *n* achwynwr *m*, achwynydd *m*
complaining *adj* achwyngar
complaint¹ *n* achwyniad *m*, cwyn *f*
complaint² MEDICINE *n* anhwylder *m*
complement¹* *vn* ategu
complement² MATHEMATICS *n* cyflenwad *m*
complement³ GRAMMAR *n* dibeniad *m*
complementary *adj* cyflenwol
complete 1. *adj* absoliwt, corn³, cwbl², cyfan², cyflawn, glân, glas², llawn¹, post² 2. *adv & adj* llwyr 3. *vn* cwblhau, cwpla, cwpláu, diweddu
completed *adj* gorffenedig
completely 1. *adv & adj* llwyr
completeness *n* cyflawnrwydd *m*, llwyredd *m*, llwyrni *m*
complex¹ *adj* astrus, cymhleth¹, cymhlyg, dyrys
complex² MATHEMATICS *adj* cymhlyg
complex³ PSYCHIATRY *n* cymhleth² *m*

complex⁴ CHEMISTRY *n* cymhlygyn *m*
complexion *n* pryd⁵ *m*
complexity *n* astrusi *m*, cymhlethdod *m*
compliance *n* cydymffurfiad *m*, ufudd-dod *m*
complicate *vn* cymhlethu
complicated *adj* cymhleth¹, dyrys
compliment 1. *n* canmoliaeth *f*, teyrnged *f*
  2. *vn* canmol, llongyfarch
complimentary *adj* canmoliaethol,
  canmoliaethus
compline RELIGION *n* cwmplin *m*
comply *vn* cydymffurfio, ufuddhau
component¹ 1. *adj* cydrannol, cyfansoddol
  2. *n* cydran *f*
component² MATHEMATICS *n* cydran *f*
compose *vn* cyfansoddi, eilio², gweithio, llunio
composed *adj* hunanfeddiannol
composer *n* cyfansoddwr *m*
composite *adj* cyfansawdd
composition *n* cyfansoddiad *m*, gwneuthuriad *m*,
  traethawd *m*
compositional *adj* cyfansoddiadol
compost 1. *n* compost *m* 2. *vn* compostio
composure *n* hunanfeddiant *m*
compote COOKERY *n* compot *m*
compound¹ 1. *adj* cyfansawdd 2. *vn* cymhlethu
compound² CHEMISTRY *n* cyfansoddyn *m*
comprehend *vn* amgyffred¹, deall¹, dirnad
comprehensible *adj* dealladwy, dirnadwy
comprehension *n* amgyffred² *m*, amgyffrediad *m*,
  dealltwriaeth *m*, dirnadaeth *f*
comprehensive *adj* cyfun, cynhwysfawr
compress *vn* cywasgu, gwasgu
compressed *adj* cywasgedig, gwasgedig
compressible *adj* cywasgadwy
compression *n* cywasgedd *m*, cywasgiad *m*
compressive *adj* cywasgol
compressor *n* cywasgydd *m*
comprise* *vn* cynnwys¹
compromise 1. *n* cyfaddawd *m*
  2. *vn* cyfaddawdu, peryglu
comptroller* *n* goruchwyliwr *m*
compulsion *n* cymhelliad *m*, gorfod¹ *m*,
  gorfodaeth *f*, rheidrwydd *m*
compulsory *adj* gorfodol
compunction *n* cydwybod *f*
computation *n* cyfrifiant *m*
computational MATHEMATICS *adj* cyfrifiannol
compute *vn* cyfrifiannu
computer *n* cyfrifiadur *m*
computerize *vn* cyfrifiaduro
computerized *adj* cyfrifiadurol
computing *vn* cyfrifiaduro
comrade *n* cymar *mf*, cymrawd *m*
comradeship *n* brawdoliaeth *f*, cymrodoriaeth *f*
conation *n* ewyllysiad *m*, ymdrechiad *m*
concatenate *vn* cydgadwyno

concatenation *n* cadwyn *f*, cydgadwynedd *m*,
  cydgateniad *m*
concave *adj* ceugrwm
conceal *vn* celcio, celu, cuddio, darguddio
concealed *adj* cudd, cuddiedig
concealment *n* cuddiad *m*
concede *vn* addef¹, cyfaddef, derbyn, ildio
conceit¹ *n* balchder *m*, cysêt *m*, hunan-dyb *m*
conceit² LITERATURE *n* cysêt *m*
conceited *adj* coegfalch, hunandybus, larts,
  mawreddog
conceivable *adj* dychmygadwy, posibl
conceive¹ *vn* beichiogi
conceive² BIOLOGY *vn* cenhedlu
concentrate 1. *n* dwysfwyd *m*
  2. *vn* canolbwyntio, crynodi
concentrated *adj* crynodedig, dwys
concentration 1. *n* crynodiad *m*
  2. *vn* canolbwyntio
concentric¹ *adj* consentrig
concentric² MATHEMATICS *adj* cydganol
concept¹ *n* amgyffred² *m*, amgyffrediad *m*,
  cysyniad *m*, llefelaeth *m*, syniad *m*
concept² PHILOSOPHY *n* cysyniad *m*
conception *n* cenhedliad *m*, syniadaeth *f*
conceptual *adj* cysyniadol, syniadol
concern 1. *n* busnes *m*, consárn *m*, consérn *m*,
  consyrn *m* 2. *vn* ymwneud
concerning 1. *adv* ynglŷn 2. *prep* parthed,
  ynghylch 3. mewn cysylltiad â [cysylltiad]
concert *n* cyngerdd *m*
concertina *n* consertina *m*
concerto* *n* concerto *m*
concession *n* consesiwn *m*
conchologist *n* cregynnwr *m*
conchology *vn* cregynna
concierge *n* porthor *m*
conciliate *vn* cymodi
conciliation *n* cymod *m*, cymodiad *m*
conciliator *n* cymodwr *m*, heddychwr *m*
conciliatory *adj* cymodlon, cymodol
concise *adj* anghwmpasog, cryno, cynnil
conclave¹ *n* cabidwl *m*
conclave² RELIGION *n* conclaf *m*
conclude *vn* casglu, cloi¹, dibennu, gorffen,
  terfynu
conclusion¹ *n* canlyniad *m*, casgliad *m*, clo *m*,
  diwedd *m*, diweddglo *m*, diweddiad *m*
conclusion² LOGIC *n* casgliad *m*
conclusive *adj* diymwad, diymwâd, terfynol
concoct *vn* dyfeisio, llunio
concoction *n* cymysgedd *m*
concomitant *adj* cydred, cydredol
concord¹ *n* cydseiniad *m*, cytundeb *m*
concord² MUSIC *n* cyseinedd *m*, cytgord *m*
concordance *n* concordans *m*, mynegair *m*
concordat *n* concordat *m*, cytundeb *m*

concourse *n* cyntedd *m*, cyrchfa *f*
concrete 1. *adj* diriaethol 2. *n* concrit *m*
concretion GEOLOGY, MEDICINE *n* concretiad *m*
concubine *n* gordderch *f*
concur *vn* cyd-fynd, cydsynied, cydsynio, cytuno
concurrence* *n* cydsyniad *m*
concurrent *adj* cydred, cydredol, cyfamserol, cyfredol
concussion MEDICINE *n* cyfergyd *m*
concyclic *adj* cydgylchol
condemn *vn* condemnio
condemnation *n* condemniad *m*
condemnatory *adj* damniol
condemner *n* collfarnwr *m*
condensation¹ *n* cyddwysiad *m*, tewychiad *m*
condensation² CHEMISTRY *n* cyddwysiad *m*
condense *vn* crynhoi¹, cyddwyso, tewychu
condensed *adj* cryno, cyddwysedig, cywasgedig
condenser CHEMISTRY *n* cyddwysydd *m*
condescend* *vn* ymostwng
condescending *adj* ffugostyngedig, nawddoglyd, nawddogol
condiments *n* confennau *pl*
condition¹ 1. *n* amod *m*, ansawdd *m*, cyflwr *m* 2. *vn* cyflyru
condition² PSYCHOLOGY *vn* cyflyru
conditional *adj* amhenodol, amodol, dibynnol
conditioned *adj* cyflyredig
conditioner *n* cyflyrydd *m*
conditioning* *vn* cyflyru
condole* *vn* cydymdeimlo
condolence* *n* cydymdeimlad *m*
condom *n* condom *m*
condominium *n* cyd-deyrnasiaeth *m*, cydlywodraeth *f*
condone *vn* cydoddef, esgusodi
conducive* *adj* ffafriol
conduct¹ 1. *n* ymarweddiad *m*, ymddygiad *m* 2. *vn* arwain
conduct² PHYSICS *vn* dargludo
conductance PHYSICS *n* dargludiant *m*
conducting PHYSICS *adj* dargludol
conduction PHYSICS *n* dargludiad *m*
conductivity PHYSICS *n* dargludedd *m*
conductor¹ *n* arweinydd *m*
conductor² PHYSICS *n* dargludydd *m*
conduit *n* cwndid² *m*, sianel *f*
condyle ANATOMY *n* condyl *m*
cone¹ *n* cogwrn *m*, côn *m*
cone² MATHEMATICS *n* côn *m*
cone³ ANATOMY *n* pigwrn *m*
confection *n* cyflaith *m*, cyffaith *m*
confectioner *n* cyffeithiwr *m*
confectionery *n* melysion *pl*
confederacy *n* cydffederasiwn *m*
confederate *n* cydgynllwyniwr *m*, cynghreiriad *m*
confederation *n* cydffederasiwn *m*, cynghrair *f*

confer *vn* cydymgynghori, cyflwyno, rhoddi, rhoi¹, ymgynghori
conference *n* cynhadledd *f*
confess *vn* addef¹, cyfaddef, cyffesu
confessant *n* cyffesydd *m*
confession *n* addefiad *m*, cyfaddefiad *m*, cyffes *f*, cyffesiad *m*
confessional RELIGION *n* cyffesgell *f*
confessor *n* cyffeswr *m*
confetti *n* conffeti *m*
confidant *n* cyfrinachwr *m*
confide *vn* cyfrinachu, ymddiried
confidence *n* ffydd *f*, hyder *m*, ymddiriedaeth *f*
confident *adj* ffyddiog, hyderus
confidential *adj* cyfrinachol
confidentiality *n* cyfrinachedd *m*
confidentially yn dawel bach [*tawel*]
configuration¹ *n* cyfluniad *m*, cyfunrif *m*, ffurfwedd *f*
configuration² PHYSICS *n* ffurfwedd *f*
configuration³ COMPUTING *n* ffurfweddiad *m*
confine *vn* caethiwo, cyfyngu
confined *adj* caeth, cyfyngedig
confinement 1. *n* caethiwed *m* 2. cyfnod geni
confirm *vn* ategu, cadarnhau, conffirmio
confirmation¹ *n* cadarnhad *m*
confirmation² RELIGION 1. *n* conffirmasiwn *m* 2. bedydd esgob
conflagration *n* coelcerth *f*, goddaith *f*
conflict 1. *n* gwrthdrawiad *m* 2. *vn* gwrthdaro
confluence GEOGRAPHY *n* aber *m*, cydlifiad *m*, cymer¹ *m*
confocal *adj* cydffocal
conform *vn* cydffurfio, cydweddu, cydymffurfio
conformable¹ *adj* cydorweddol
conformable² GEOLOGY *adj* cydffurfiadwy
conformal *adj* cydffurf
conformation CHEMISTRY *n* cydffurfiad *m*
conforming *adj* cydffurfiol
conformity *n* cydymffurfiad *m*, cydymffurfiaeth *f*
confound *vn* drysu
confraternity *n* cydfrawdoliaeth *f*
confront* *vn* wynebu
confrontation* *n* gwrthdrawiad *m*
confuse *vn* codlo, cymysgu, moedro, mwydro
confused *adj* carbwl, cymysglyd, dryslyd, ffrwcslyd, ffwndrus
confusion *n* annibendod *m*, cymysgedd *m*, cymysgfa *f*, cymysgwch *m*, dryswch *m*, pensyfrdandod *m*, tryblith *m*
confutation *n* gwrthbrawf *m*
confute* *vn* gwrthbrofi
conga *n* conga *m*
congeal* *vn* ceulo
congenial *adj* cartrefol, cydnaws
congenital¹ *adj* cydenedigol
congenital² MEDICINE *adj* cynhwynol

congest *vn* gordyrru
congested* *adj* gorlawn
congestion[1] *n* gorlawnder *m*
congestion[2] MEDICINE *n* gorlenwad *m*
conglomerate[1] 1. *n* amryfaen *m*, cyd-dyriad *m*
   2. *vn* cyd-dyrru
conglomerate[2] GEOLOGY *n* clymfaen *m*
Congolese 1. *adj* Congolaidd 2. *n* Congoliad *m*
congratulate *vn* llongyfarch
congratulation *n* llongyfarchiad *m*
congregate *vn* casglu, ymgasglu, ymgynnull
congregation *n* cynulleidfa *f*, praidd *m*
congregational *adj* cynulleidfaol
Congregational RELIGION *adj* Cynulleidfaol
Congregationalism RELIGION *n* Annibyniaeth *f*
Congregationalist RELIGION 1. *adj* Annibynnol
   2. *n* Annibynnwr *m*, Annibynwraig *f*
congress *n* cyngres *f*
Congress POLITICS Y Gyngres [*cyngres*]
congressional *adj* cynghresol
congressman *n* cynghresydd *m*
congruence MATHEMATICS *n* cyfathiant *m*
congruent MATHEMATICS *adj* cyfath
conic MATHEMATICS *adj* conig
conical *adj* conigol
conifer (tree and wood) *n* cóniffer *m*, conwydden *f*
coniferous *adj* conifferaidd
conjecture 1. *n* damcaniaeth *f*, dyfaliad *m*
   2. *vn* damcaniaethu, damcanu, dyfalu, tybied,
   tybio
conjugal* *adj* priodasol
conjugate[1] *vn* ffurfdroi
conjugate[2] GRAMMAR *vn* rhedeg
conjugated[1] *adj* cyfunedig, rhedadwy
conjugated[2] GRAMMAR *adj* rhediadol
conjugation[1] BIOLOGY *n* cyfunedd *m*
conjugation[2] GRAMMAR *n* rhediad *m*
conjunction GRAMMAR *n* cysylltair *m*
conjunctiva ANATOMY *n* cyfbilen *f*
conjunctivitis llid y gyfbilen
conjuncture* *n* achlysur *m*
conjure *vn* consurio, hudo
conjuring *n* consuriaeth *f*
conjuror *n* consuriwr *m*
conker *n* concer *m*
connect *vn* cydio, cyplysu, cysylltu
connected *adj* cysylltiedig, cysylltiol
connection *n* cyswllt *m*, cysylltiad *m*, dolen *f*,
   perthynas[2] *f*
connective *adj* cysylltiol
connectivity *n* cysylltedd *m*
connector *n* cysylltydd *m*
connive *vn* cydgynllwynio
connotation PHILOSOPHY *n* cynodiad *m*
conoid 1. *adj* conaidd, conoid[2] 2. *n* conoid[1] *m*
conquer *vn* concro, gorchfygu, goresgyn, maeddu
conquering *adj* buddugol, trechol

conqueror *n* concwerwr *m*, gorchfygwr *m*,
   goresgynnwr *m*
conquest *n* concwest *f*, gorchfygiad *m*,
   goresgyniad *m*
consanguine *adj* cydwaed[1]
consanguineous *adj* cytras
consanguinity *n* gwaedoliaeth *f*
conscience *n* cydwybod *f*
conscientious *adj* cydwybodol
conscientiousness *n* cydwybodolrwydd *m*
conscious *adj* ymwybodol
consciousness *n* ymwybod *m*, ymwybyddiaeth *f*
conscription *n* consgripsiwn *m*
consecrate[1] *vn* cysegru
consecrate[2] RELIGION *vn* dwyfoli
consecrated *adj* cysegredig
consecration *n* cysegriad *m*
consecutive *adj* olynol
consensus *n* consensws *m*, cydsyniad *m*,
   cytundeb *m*
consent 1. *n* caniatâd *m*, cydsyniad *m*
   2. *vn* cydsynied, cydsynio
consequence *n* canlyniad *m*, deilliant *m*,
   goblygiad *m*, pwysigrwydd *m*, sgil effaith *f*
consequently *adv* felly
conservancy *n* gwarchodaeth *f*
conservation[1] *n* cadwraeth *f*, gwarchodaeth *f*
conservation[2] PHYSICS *n* cadwraeth *f*
conservatism *n* ceidwadaeth *f*
Conservatism POLITICS *n* Ceidwadaeth *f*
conservative 1. *adj* cadwrol, ceidwadol
   2. *n* ceidwadwr *m*
Conservative POLITICS 1. *adj* Ceidwadol,
   Torïaidd 2. *n* Ceidwadwr *m*
conserve 1. *n* cyffrwyth *m* 2. *vn* cadw[1],
   gwarchod
consider *vn* cyfrif[2], cysidro, meddwl[2], pwyllo,
   ystyried
considerable *adj* cryn, sylweddol
considerate *adj* meddylgar, ystyrgar, ystyriol
consideration[1] *n* ystyriaeth *f*
consideration[2] LAW *n* cydnabyddiaeth *f*
consign* *vn* anfon
consignment *n* cyflenwad *m*, llwyth[1] *m*
consist *vn* cynnwys[1]
consistency *n* cysondeb *m*
consistent *adj* cyson
consistory RELIGION *n* consistori *m*
consolation *n* cysur *m*, diddanwch *m*
console 1. *n* consol *m* 2. *vn* cysuro, diddanu
consolidate *vn* cydgrynhoi, cydgyfnerthu,
   cyfnerthu
consolidated *adj* cyfnerthedig, cyfun
consolidation *vn* cyfnerthu
consonance[1] *n* cytsain *f*, cytseinedd *m*
consonance[2] LITERATURE *n* cyseinedd *m*
consonant *n* cytsain *f*

consort MUSIC *n* consort *m*
consortium *n* consortiwm *m*
conspicuous *adj* amlwg, blaenllaw
conspicuousness *n* amlygrwydd *m*
conspiracy LAW *n* cynllwyn *m*
conspirator *n* cynllwynwr *m*
conspire LAW *vn* cynllwynio, cynllwyno
constable *n* cwnstabl *m*
constabulary *n* heddlu *m*
constant[1] *adj* cyson, gwastadol
constant[2] MATHEMATICS, PHYSICS *n* cysonyn *m*
constantly beunos beunydd
constellation ASTRONOMY *n* cysawd *m*, cytser *m*
constipate *vn* rhwymo
constipated *adj* bolrwym, rhwym[2]
constipation *n* rhwymedd *m*
constituency *n* etholaeth *f*
constituent 1. *adj* cyfansoddol
   2. *n* ansoddyn *m*, etholwr *m*
constitution *n* cyfansoddiad *m*
constitutional *adj* cyfansoddiadol
constraint *n* cyfyngiad *m*, cyfyngydd *m*,
   gorfod[1] *m*, gorfodaeth *f*
constrict *vn* culhau, darwasgu
constriction[1] *n* darwasgiad *m*
constriction[2] MEDICINE *n* darwasgedd *m*
construct[1] *vn* adeiladu, saernïo
construct[2] MATHEMATICS *vn* llunio
construction[1] 1. *n* adeiladwaith *m*,
   gwneuthuriad *m*, lluniad *m*, saernïaeth *f*
   2. *vn* adeiladu
construction[2] GRAMMAR *n* cystrawen *f*
constructive *adj* adeiladol
constructivism ART *n* adeileddiaeth *f*
construe *vn* dehongli
consubstantiation RELIGION *n* cydsylweddiad *m*
consul *n* conswl *m*
consulate *n* conswliaeth *f*
consult *vn* cydymgynghori, ymgynghori
consultant *n* arbenigwr *m*, ymgynghorwr *m*,
   ymgynghorydd *m*
consultation *n* ymgynghoriad *m*
consultative *adj* ymgynghorol
consume *vn* bwyta, difa, ysu
consumer[1] *n* defnyddiwr *m*, yswr *m*, ysydd *m*
consumer[2] BIOLOGY *n* yswr *m*, ysydd *m*
consumerism 1. *n* prynwriaeth *f*
   2. diwylliant prynu
consuming *adj* ysol
consummate* *adj* cyflawn
consummation *n* cyflawnhad *m*
consumption[1] *n* darfodedigaeth *f*, traul *f*
consumption[2] ECONOMICS *n* treuliant *m*
contact 1. *adj* ardrawol 2. *n* contact *m*, cyswllt *m*,
   cysylltiad *m*
contagious[1] *adj* heintus, ymledol
contagious[2] MEDICINE *adj* cyffwrdd-ymledol

contain *vn* cynnwys[1], dal, dala
container *n* amlwyth *m*, cynhwysydd *m*
containerize *vn* amlwytho
containment *n* cyfyngiant *m*
contaminant *n* difwynydd *m*, halogydd *m*
contaminate *vn* difwyno, halogi, heintio, llygru
contamination *n* difwyniad *m*, halogiad *m*
contemplate *vn* meddwl[2], myfyrio, synfyfyrio,
   ystyried
contemplation *n* myfyrdod *m*
contemplative *adj* myfyrgar, myfyriol
contemporaneity *n* cyfoesedd *m*
contemporaries *n* cyfoedion *pl*
contemporary 1. *adj* cydoesol, cyfoes
   2. *n* cydoeswr *m*, cyfoeswr *m*
contempt *n* coegni *m*, dirmyg *m*
contemptible *adj* cywilyddus, dirmygol, dirmygus,
   distadl, diystyrllyd, gwaradwyddus, gwarthus
contemptuous *adj* dirmygol, dirmygus,
   diystyriol, diystyrllyd, sarhaus
contend *vn* cystadlu, haeru, ymgodymu,
   ymrafael[2], ymryson[2]
contender *n* campwr *m*, cystadleuwr *m*,
   cystadleuydd *m*
content *n* cynhwysiad *m*, cynnwys[2] *m*, deunydd *m*
contented *adj* bodlon, bodlonus, dedwydd,
   diddig, jocôs
contention *n* cynnen *f*, honiad *m*, ymrafael[1] *m*
contentious *adj* cynhengar, dadleuol
contentment *n* bodlondeb *m*, bodlonrwydd *m*
contest 1. *n* cystadleuaeth *f*, gornest *f*, ornest *f*,
   ymryson[1] *m* 2. *vn* cystadlu, herian, herio,
   ymryson[2]
contestant* *n* cystadleuwr *m*, cystadleuydd *m*
contestible ECONOMICS *adj* cystadladwy
context *n* cyd-destun *m*
contiguity *n* cyfagosrwydd *m*
contiguous *adj* cyfagos
continent *n* cyfandir *m*
continental *adj* cyfandirol
contingent* *n* mintai *f*
continual *adj* di-baid, gwastadol
continuation *n* parhad *m*
continue *vn* dal, dala, para, parhau
continuing *adj* parhaus
continuity* *n* parhad *m*
continuous[1] *adj* di-fwlch, parhaol, parhaus
continuous[2] MUSIC *adj* di-dor
continuum *n* continwwm *m*
contort *vn* stumio, ystumio
contour[1] 1. *adj* cyfuchlinol 2. *n* amlinelliad *m*
contour[2] GEOGRAPHY *n* cyfuchlinedd *m*
contra- *pref* gwrth-
contrabass *n* bas dwbl *m*
contrabassoon baswn dwbl
contraception *n* gwrthgenhedliad *m*,
   gwrthgenhedlu *m*

contraceptive *adj* gwrthgenhedlol
contract[1] 1. *n* contract *m*, cyfamod *m*, cytundeb *m* 2. *vn* crebachu, cwtogi, cyfangu, cyfyngu
contract[2] ECONOMICS *vn* crebachu
contract[3] LAW *vn* cyfamodi
contractile BIOLOGY *adj* cyfangol
contraction[1] *n* crebachiad *m*, cyfangiad *m*, cywasgiad *m*
contraction[2] ECONOMICS *n* crebachiad *m*
contractless *adj* digytundeb
contractor *n* contractiwr *m*
contractual *adj* cytundebol
contradict *vn* croes-ddweud, gwrth-ddweud
contradiction *n* croesddywediad *m*, gwrthddywediad *m*
contralto *n* contralto *mf*
contrapuntal MUSIC *adj* gwrthbwyntiol
contrary 1. *adj* croes[2] 2. *n* gwrthwyneb *m*
contrast 1. *n* cyferbyniad *m*, gwrthgyferbyniad *m* 2. *vn* cyferbynnu, gwrthgyferbynnu
contrasting *adj* cyferbyniol, cyferbynnol, gwrthgyferbyniol
contribute *vn* cyfrannu
contribution *n* cyfraniad *m*
contributor *n* cyfrannwr *m*
contributory *adj* cyfrannol
contrite *adj* edifar, edifarhaus, edifeiriol
contrived *adj* ffuantus, stroclyd
control 1. *n* rheolaeth *f*, rheolydd *m* 2. *vn* gwastrodi, llywodraethu, rheoli
controlled *adj* rheoledig
controlling *adj* rheolaethol
controversial *adj* dadleuol
contusion *n* clais[1] *m*
conurbation *n* cytref *f*
convalesce *vn* cryfhau, ymadfer
convalescence *n* adferiad *m*, ymadferiad *m*
convalescent *adj* ymadferol
convect PHYSICS *vn* darfudo
convection PHYSICS *n* darfudiad *m*
convectional *adj* darfudol
convene* *vn* cynnull, ymgynnull
convener *n* cynullwr *m*, cynullydd *m*
convenience *n* cyfleustra *m*, hwylusrwydd *m*, hwylustod *m*
convenient *adj* cyfleus, hwylus
convent *n* cwfaint *m*, lleiandy *m*
conventicle *n* confentigl *m*
convention[1] *n* arfer[1] *fm*, arferiad *m*, confensiwn *m*
convention[2] LOGIC *n* confensiwn *m*
conventional *adj* confensiynol
conventual 1. *adj* cwfeiniol 2. *n* cwfeiniad *m*
converge *vn* cydgyfeirio
convergence *n* cydgyfeiriant *m*
convergent *adj* cydgyfeiriol
conversant* *adj* cyfarwydd[1]
conversation *n* sgwrs *f*, ymddiddan[2] *m*, ymgom *f*

conversationalist *n* sgwrsiwr *m*, ymgomiwr *m*
conversazione *n* ymgomwest *f*
converse 1. *n* cyfdro *m* 2. *vn* sgwrsio, siarad, ymddiddan[1], ymgomio
conversion[1] *n* tröedigaeth *f*, trosiad *m*
conversion[2] LAW *n* trosiant *m*
convert *vn* trawsnewid, troi, trosi
converted *adj* troëdig
converter[1] *n* trawsnewidydd *m*, troswr *m*
converter[2] METALLURGY *n* trawsnewidydd *m*
convertible ECONOMICS *adj* trosadwy, trosiadwy
convex *adj* amgrwm
convexity *n* amgrymedd *m*, crymedd *m*
convey[1] *vn* cludo, cyfleu, dwyn, trosglwyddo
convey[2] LAW *vn* trawsgludo
conveyance *n* trosglwyddeb *f*, trosglwyddiad *m*
convict[1] *n* carcharor *m*
convict[2] LAW *vn* collfarnu, euogfarnu
conviction[1] *n* arddeliad *m*, argyhoeddiad *m*, ymddaliad *m*
conviction[2] LAW *n* collfarn *f*, euogfarn *f*
convince *vn* argyhoeddi, darbwyllo
convinced *adj* argyhoeddedig, crediniol
convincible *adj* argyhoeddadwy
convincing *adj* argyhoeddadwy, argyhoeddiadol
convivial *adj* hwyliog, siriol
conviviality *n* miri *m*, sirioldeb *m*
convocation[1] *n* cymanfa *f*, cynulliad *m*
convocation[2] RELIGION *n* synod *m*
convoke* *vn* cydgynnull, cynnull
convoluted *adj* trofaus
convoy* *n* gosgordd *f*
convulse *vn* dirgrynu
convulsion[1] *n* dirdyniad *m*
convulsion[2] MEDICINE *n* confylsiwn *m*
convulsion[3] GEOLOGY *n* dirgryniad *m*
cook 1. *n* cogydd *m*, cogyddes *f* 2. *vn* coginio, digoni
cooker *n* cwcer *m*, ffwrn *f*, popty *m*, stof *f*
cookery 1. *n* coginiaeth *f*, cogyddiaeth *f* 2. *vn* coginio
cookie COMPUTING *n* cwci *m*
cool *adj* oeraidd
coolant *n* oerydd *m*
coolness *n* anghynhesrwydd *m*, oerni *m*
coop *n* cut *m*, cwb *m*, cwt[1] *m*
cooper *n* cowper *m*, cylchwr *m*
cooperate *vn* cyd-dynnu [*tynnu*], cydweithio, cydweithredu
cooperation *n* cydweithrediad *m*
cooperative *adj* cydweithredol
cooperator *n* cydweithredwr *m*
co-opt *vn* cyfethol
co-opted *adj* cyfetholedig
coordinate[1] *vn* cydgysylltu, cydlynu, cydsymud, cyweddu

coordinate² CHEMISTRY 1. *adj* cyd-drefnol
  2. *vn* cyd-drefnu
coordinate³ MATHEMATICS 1. *adj* cyfesurynnol
  2. *n* cyfesuryn *m*
coordinate⁴ PHYSIOLOGY *vn* cyd-drefnu
coordination *n* cydsymudiad *m*
coordinative *adj* cydlynus
coordinator¹ *n* cyd-drefnydd *m*, cydgysylltwr *m*,
  cydgysylltydd *m*, cydlynydd *m*
coordinator² PHYSIOLOGY *n* cyd-drefnydd *m*
coot *n* cwtiar *f*
cop* *n* plisman *m*, plismon *m*
cope *vn* ymdopi
copier *n* copïwr *m*
coping *n* copin *m*
copious *adj* dibrin, helaeth, hidl²
coplanar MATHEMATICS *adj* cymhlan
copper *n* copr *m*
coppers arian cochion [*arian*²]
coppery *adj* copraidd
coppice *n* prysglwyn *m*, prysgwydd *pl*
coprophage ZOOLOGY *n* carthysydd *m*
coprophagous ZOOLOGY *adj* carthysol
copse *n* celli *f*, llwyn *m*, prysg *pl*, prysglwyn *m*,
  prysgwydd *pl*
Copt *n* Copt *m*
copula GRAMMAR *n* cyplad *m*
copulate *vn* cydgnawdio, cydio, ymgydio
copulation *n* cydiad *m*, cytgnawd *m*, ymgydiad *m*
copy 1. *n* copi *m*, dynwarediad *m*
  2. *vn* copïo, dynwared
copyholder LAW *n* copiddeiliad *m*
copyright LAW *n* hawlfraint *f*
coquette *n* hoeden *f*, mursen *f*
coquettish *adj* hoedennaidd
coracle *n* corwg *m*, corwgl *m*, cwrwgl *m*
coral *n* cwrel *m*
coralloid *adj* cwrelaidd
corbel ARCHITECTURE *n* corbel *m*
cord *n* corden *f*, cordyn *m*, cortyn *m*
cordial 1. *adj* calonnog, cynnes 2. *n* cordial *m*
cordon* *n* rhes *f*
corduroy *n* melfaréd *m*, rib *m*
core 1. *adj* creiddiol 2. *n* bywyn *m*, calon *f*,
  cnewyllyn *m*, craidd *m*
co-respondent LAW *n* cydatebydd *m*
corgi *n* corgi *m*
Corinthian ARCHITECTURE *adj* Corinthaidd
cork 1. *n* corc *m*, corcyn *m* 2. *vn* corcio, corco
corked *adj* corciog
corkscrew 1. *n* corcsgriw *m* 2. *vn* troelli
corm BOTANY *n* corm *m*
cormorant *n* bilidowcar *m*, morfran *f*, mulfran *f*
corn *n* corn¹ *m*, llafur² *m*, ŷd *m*, ydrawn *m*
corncockle *n* bulwg yr ŷd *m*
corncrake *n* rhegen yr ŷd *f*
cornea ANATOMY *n* cornbilen *f*

corneal ANATOMY *adj* cornbilennol
corner 1. *n* cil *m*, congl *f*, cornel *f*, cwr *m*
  2. *vn* cornelu
cornerstone *n* conglfaen *m*
cornet *n* cornet *m*
cornflakes creision ŷd [*creision*¹]
cornflour blawd corn
cornflower *n* glas yr ŷd *m*
cornice *n* cornis *m*
Cornish 1. *adj* Cernywaidd 2. *n* Cernyweg *fm*
Cornishman *n* Cernywiad *m*
Cornishwoman *n* Cernywes *f*
corolla BOTANY *n* corola *m*
corollary LOGIC *n* canlyneb *f*
corona¹ *n* halo *f*, lleugylch *m*
corona² ASTRONOMY *n* corona *m*
coronary ANATOMY *adj* coronaidd
coronation 1. *n* coroniad *m* 2. *vn* coroni
coroner *n* crwner *m*
corporal¹ 1. *adj* corfforol 2. *n* corporal¹ *m*
corporal² RELIGION *n* corporal² *m*
corporate *adj* corfforaethol, cyfun
corporation *n* corfforaeth *f*
corporeal* *adj* materol
corps *n* corfflu *m*
corpse *n* celain *f*, corff *m*
corpulence *n* tewder *m*, tewdra *m*
corpulent *adj* boliog, cestog, corffog, corfful, tew
corpus *n* corpws *m*
corpuscle BIOLOGY *n* corffilyn *m*
corpuscular BIOLOGY *adj* corffilaidd
corrade GEOGRAPHY *vn* cyrathu
corrasion GEOGRAPHY *n* cyrathiad *m*
correct 1. *adj* cywir, gweddus, iawn¹ 2. *vn* cywiro
correction *n* cywiriad *m*
corrective 1. *adj* ceryddol, diwygiol
  2. *n* cywirydd *m*
correctness *n* cywirdeb *m*, gweddusrwydd *m*,
  gwedduster *m*, gweddustra *m*
corrector *n* cywirwr *m*
correlate MATHEMATICS *vn* cydberthyn
correlation *n* cydberthyniad *m*
correlational *adj* cydberthynol
correlative *adj* cydberthynol
correspond¹ *vn* cyfateb, gohebu, llythyru
correspond² GRAMMAR *vn* cytuno
correspondence¹ *n* cyfatebiaeth *f*,
  cyfatebolrwydd *m*, cytundeb *m*, gohebiaeth *f*
correspondence² GRAMMAR *n* cytundeb *m*
correspondent *n* gohebydd *m*, llythyrwr *m*
corresponding *adj* cyfatebol, gohebol
corridor *n* coridor *m*
corrie¹* *n* cwm *m*
corrie² GEOLOGY *n* peiran *m*
corroborate LAW *vn* ategu
corroboration *n* ategiad *m*, cadarnhad *m*
corroborative *adj* ategol

corrode *vn* cyrydu
corrosion *n* cyrydiad *m*
corrosion-resistant *adj* gwrthgyrydol
corrosive *adj* cyrydol
corrugated *adj* gwrymiog, rhychiog, rhychog
corrupt 1. *adj* llwgr, llygredig, pwdr 2. *vn* halogi, llygru
corrupter *n* llygrwr *m*
corruption *n* llygredigaeth *f*, llygredd *m*, llygriad *m*
corruptness *n* halogrwydd *m*, llygredigaeth *f*
corsair* *n* môr-leidr *m*
corset *n* staes *f*
Corsican 1. *adj* Corsicaidd 2. *n* Corsiad *m*
cortex ANATOMY, BOTANY *n* cortecs *m*
cortisone BIOCHEMISTRY *n* cortison *m*
corundum GEOLOGY *n* corwndwm *m*
coruscate* *vn* tanbeidio
cosec *abbr* cosec
cosecant MATHEMATICS *n* cosecant *m*
cosh *n* cosh *m*
cosine MATHEMATICS *n* cosin *m*
cosmetic *adj* cosmetig
cosmetics *n* cosmetigau *pl*
cosmic *adj* cosmig
cosmological *adj* cosmolegol
cosmology *n* cosmoleg *f*
cosmonaut *n* gofodwr *m*
cosmopolitan *adj* amlgenhedlig, cosmopolitaidd
cosmopolitanism *n* cosmopolitanaeth *m*
cosmopolite *n* cosmopolitan *m*
cosmos *n* bydysawd *m*, cosmos *m*
Cossack *n* Cosac *m*
cosset* *vn* anwesu, maldodi, mwytho
cost 1. *n* cost *f* 2. *vn* costio, prisio
Costa Rican 1. *adj* Costa Ricaidd
2. *n* Costa Riciad *m*
cost-free *adj* di-gost
costing *n* costiad *m*
costly *adj* costus, drud, drudfawr, prid
costume *n* costiwm *f*, gwisg *f*
cosy *adj* clyd, cysurus
cot *n* cot[3] *m*
cotangent MATHEMATICS *n* cotangiad *m*
coterminous *adj* cyd-derfynol
cottage *n* bwthyn *m*
cottager *n* bythynnwr *m*
cotton *n* cotwm *m*, edau *f*
cotton-grass plu'r gweunydd
cottony *adj* cotymog
cotyledon[1] *n* had-ddeilen *f*
cotyledon[2] BOTANY *n* cotyledon *f*
couch *n* soffa *f*
cough 1. *n* cnec *f*, peswch[1] *m*, pesychiad *m*
2. *vn* peswch, pesychu, tagu
coulomb PHYSICS *n* coulomb *m*
coulter *n* cwlltwr *m*
council *n* cyngor[2] *m*

councillor *n* cynghorydd *m*
counsel[1] 1. *n* cyngor[1] *m* 2. *vn* cwnsela, cynghori
counsel[2] LAW *n* cwnsler *m*
counselling* *vn* cwnsela
counsellor[1] *n* cynghorwr *m*
counsellor[2] LAW *n* cwnsler *m*
count[1] 1. *n* cownt *m*, iarll *m* 2. *vn* rhifo
count[2] MATHEMATICS *vn* cyfrif[2]
countability[1] *n* cyfrifadwyedd *m*
countability[2] MATHEMATICS *n* rhifadwyedd *m*
countable[1] *adj* cyfrifadwy
countable[2] MATHEMATICS *adj* rhifadwy
countenance *n* gwedd[1] *f*, gwep *f*, wyneb *m*
counter 1. *n* botwm *m*, botwn *m*, bwtwm *m*, bwtwn *m*, cownter *m*, gwrthiad *m*, rhifydd *m*
2. *vn* gwrthio
counteract *vn* gwrthbwyso, gwrthweithio
counteractive *adj* gwrthweithiol
counterargument *n* gwrthddadl *f*
counter-attack 1. *n* gwrthymosodiad *m*
2. *vn* gwrthymosod
counter-attraction *n* gwrthatyniad *m*
counterbalance 1. *n* gwrthfantol *f*
2. *vn* gwrthbwyso
counterfeit 1. *adj* drwg[1], ffug 2. *vn* ffugio
counterfoil[1] *n* bonyn *m*, gwrthddalen *f*
counterfoil[2] LAW *n* gwrthran *f*
counter-inflationary *adj* gwrthchwyddiannol
countermelody MUSIC *n* cyfalaw *f*
countermove *n* gwrthsymudiad *m*
counterpane *n* carthen *f*, cwrlid *m*, gwrthban *m*
counterpart LAW *n* gwrthran *f*
counterpoint MUSIC *n* gwrthbwynt *m*
Counter-Reformation *n* Gwrthddiwygiad *m*
counter-revolution *n* gwrthchwyldro *m*
counter-revolutionary *n* gwrthchwyldroadwr *m*
countersign *vn* adarwyddo, adlofnodi
countersink *vn* gwrthsoddi
counterstroke *n* gwrthergyd *fm*
countersunk *adj* gwrthsodd
countertenor *n* uwchdenor *m*
counterterrorism *n* gwrthderfysgaeth *f*
counterthrust *n* gwrthwaniad *m*
countess *n* iarlles *f*
countless *adj* aneirif, di-rif, dirifedi
countrified *adj* gwladaidd
country 1. *adj* gwledig 2. *n* gwlad *f*
countryman *n* gwerinwr *m*, gwladwr *m*
countryside 1. *n* gwlad *f* 2. cefn gwlad
county 1. *adj* sirol 2. *n* sir *f*, swydd *f*
couple[1] 1. *n* cwpl[1] *m*, dau[2] *m*, deuddyn *m*, pâr[1] *m*
2. *vn* cyplu, cyplysu, priodi
couple[2] ARCHITECTURE *n* cwpl[2] *m*
coupled *adj* cypledig, cysylltiedig
couplet LITERATURE *n* cwpled *m*
coupling *n* cyplad *m*, cyplydd *m*
coupon *n* cwpon *m*

courage *n* dewrder *m*, glewder *m*, gwrhydri *m*, gwroldeb *m*, gwrolder *m*, plwc *m*

courageous *adj* dewr, glew, gwrol

courgette *n* corbwmpen *f*

courier *n* brysgennad *f*, rhedegydd *m*

course *n* cwrs[1] *m*, hynt *f*, llwybr *m*, rhawd *f*

coursework gwaith cwrs [*gwaith*[1]]

court 1. *n* cwrt *m*, llys[1] *m* 2. *vn* canlyn, caru

courteous *adj* boneddigaidd, bonheddig, cwrtais, gwâr, llednais, moesgar

courtesy *n* boneddigeiddrwydd *m*, cwrteisi *m*, lledneisrwydd *m*

courthouse* *n* llys[1] *m*

courtly *adj* llysaidd, llysol

courtroom *n* cwrt *m*, llys[1] *m*

courtship *n* carwriaeth *f*

courtyard *n* cwrt *m*

cousin *n* cefnder *m*, cyfnither *f*

covalency CHEMISTRY *n* cofalens *m*

covalent CHEMISTRY *adj* cofalent

cove *n* cilan *f*, cilfach *f*

covenant[1] 1. *n* cyfamod *m* 2. *vn* cyfamodi

covenant[2] FINANCE *n* cyfamod *m*

covenanter *n* cyfamodwr *m*

cover[1] 1. *n* caead[1] *m*, clawr *m*, gorchudd *m*, huling *f*, 2. *vn* cuddio, gorchuddio, gordoi, marchio

cover[2] FINANCE yswiriant *m*

covered *adj* gorchuddiedig

covering *n* gorchudd *m*

coverlet *n* cwrlid *m*

covert *adj* cêl[1], cudd, dirgel[1]

covet *vn* chwennych, chwenychu, trachwantu

cow *n* buwch *f*

coward[1] *n* llwfrgi *m*, llyfrgi *m*

coward[2] *crude n* cachgi *m*

cowardice *n* llwfrdra *m*, llyfrdra *m*

cowardly[1] *adj* llwfr

cowardly[2] *crude adj* cachgïaidd

cowberries llus coch

cowboy *n* cowboi *m*

cow-collar *n* aerwy *m*

cowl *n* cwcwll *m*, cwfl *m*

cowman *n* cowmon *m*

cowshed *n* beudy *m*, glowty *m*

cowslips briallu Mair

cox 1. *n* cocs *m* 2. *vn* cocsio[2]

coy* *adj* swil

coyness* *n* swildod *m*

crab *n* cranc[1] *m*

crabbed *adj* crablyd

crack[1] 1. *n* clec *f*, crac[1] *m*, crac[2] *m* 2. *vn* cracio, plisgo

crack[2] CHEMISTRY *vn* cracio

cracked *adj* toredig

cracker CHEMISTRY *n* cracydd *m*

crackle *vn* clatsian, clecian, clindarddach[2]

crackled *adj* cracellog

crackleware llestri cracellog [*cracellog*]

crackling *n* clindarddach[1] *m*

cradle *n* cawell *m*, crud *m*

craft *n* crefft *f*

craftiness *n* cyfrwyster *m*, cyfrwystra *m*, dichell *f*

craftsman *n* crefftwr *m*

craftsmanship *n* crefft *f*, crefftwaith *m*, crefftwriaeth *f*, saernïaeth *f*

craftswoman *n* crefftwraig *f*

crafty *adj* cyfrwys, dichellgar, ystrywgar

crag *n* clogwyn *m*, craig *f*

craggy *adj* clegyrog, creigiog, ysgithrog

cram *vn* sachu, sechi, stwffio

cramp[1] 1. *n* cramp[1] *m* 2. *vn* crampio, llesteirio 3. cwlwm chwithig [*cwlwm*[1]], cwlwm gwythi [*cwlwm*[1]]

cramp[2] MEDICINE *n* cramp[2] *m*

crampon *n* crampon *m*

cranberries 1. *n* llygaeron *pl* 2. ceirios y waun

crane *n* craen *m*, garan[1] *f*

cranial ANATOMY *adj* creuanol

cranium[1] asgwrn y pen

cranium[2] ANATOMY *n* creuan *f*

crank *n* cranc[2] *m*

crankshaft *n* crancsiafft *m*, crancwerthyd *m*

crannog *n* crannog *m*

crap *crude n* cachu[2] *m*

crash 1. *n* chwalfa *f*, gwrthdrawiad *m*, trwst *m*, twrf *m*, twrw *m* 2. *vn* chwalu, gwrthdaro

cratch *n* crats *m*, cratsh *m*, rhastal *f*, rhastl *f*

crate *n* crât *m*

crater *n* crater *m*

craton GEOLOGY *n* tariandir *m*

cravat *n* crafat *mf*

crave *vn* blysio, crefu, dyheu, erfyn[2], ysu

craven* *adj* llwfr

craving *n* blys *m*, chwenychiad *m*, gwanc *m*, ysfa *f*

craw *n* crombil *mf*, cropa *f*

crawl *vn* cripian, cripio, cropian, cropio, nofio yn eich blaen, ymgreinio, ymgripian, ymgripio, ymlusgo

crayfish *n* cimwch coch *m*

crayon *n* creon *m*

craze *n* chwiw *f*, ffasiwn[1] *f*

crazy *adj* hurt, ynfyd

creak *vn* gwichian, gwichio, rhincian

cream[1] 1. *n* eli *m*, ennaint *m*, hufen *m* 2. *vn* hufennu

cream[2] COOKERY *vn* hufennu

creamery 1. *n* hufenfa *f* 2. ffatri laeth

creamy *adj* hufennog

crease 1. *n* cris *m*, crych[1] *m*, crychiad *m*, llinell *f*, plyg[1] *m*, plygiad *m* 2. *vn* crychu

creased *adj* crych[2]

crease-resistant *adj* gwrthgrych

create *vn* creu
creation *n* cread *m*, creadigaeth *f*
creationism RELIGION *n* creadaeth *f*
creationist *n* creadydd *m*
creative *adj* creadigol
creativity *n* creadigrwydd *m*, creugarwch *m*
creator *n* creawdur *m*, creawdwr *m*, creawdydd *m*, crëwr *m*, gwneuthurwr *m*, lluniwr *m*
creature *n* creadur *m*
crèche *n* meithrinfa *f*
credence *n* coel *f*
credibility *n* hygrededd *m*
credible *adj* credadwy, hygred
credit 1. *n* clod *m*, coel *f*, credyd *m*, geirda *m*
  2. *vn* credydu
creditable* *adj* canmoladwy, clodwiw
creditor *n* credydwr *m*
credo *n* credo *f*
credulity *n* hygoeledd *m*
credulous *adj* hygoelus
creed *n* cred *f*, credo *f*
creek *n* cilan *f*, cilfach *f*
creel *n* cawell *m*
creep[1] 1. *n* sinach *m* 2. *vn* cripian, cripio, cropian, cropio, sleifio, ymgripian, ymgripio, ymlusgo
creep[2] GEOLOGY *n* ymgripiad *m*
creeper *n* dringhedydd *m*, dringiedydd *m*
creeping *adj* ymgripiol, ymlusgol
creepy *adj* anghynnes
cremate *vn* amlosgi, llosgi
crematorium *n* amlosgfa *f*
crenellation *n* murfwlch *m*
Creole 1. *adj* Creol 2. *n* Creoliad *m*
creosote *vn* coltario
crêpe *n* crêp *m*
crepitation MEDICINE *n* rhugliad *m*
crescent 1. *adj* cilgantaidd 2. *n* cilgant *m*
cress *n* berw[3] *m*, berwr *m*
crest *n* arfbais *f*, brig[1] *m*, copa[2] *m*, crib *mf*, siobyn *m*, tarian *f* 2. ael y bryn, brig y môr [*brig*[1]]
crested *adj* cribog
Cretaceous GEOLOGY *adj* Cretasig
Cretan 1. *adj* Cretaidd 2. *n* Cretiad *m*
crevasse *n* crefás *m*, hafn *f*
crew *n* criw *m*, dwylo *pl*
crib *n* côr *m*, cot[3] *m*, preseb *m*
crick *n* cric *m*
cricket *n* criced *m*, criciedyn *m*, cricsyn *m*
cricketer *n* cricedwr *m*
crime LAW *n* trosedd *mf*
criminal 1. *adj* troseddol 2. *n* troseddwr *m*
criminology LAW *n* troseddeg *f*
crimp *vn* crimpio
crimson *adj* rhudd, rhuddgoch
cringe* *vn* gwingo, ymgreinio

crinkle* *vn* crychu
crisis *n* argyfwng *m*
crisp *adj* crimp
crisps *n* creision[1] *pl*
criss-cross 1. *adj* croesymgroes
  2. cris-groes [*croes*[1]]
criterion maen prawf [*maen*[1]]
critic *n* adolygwr *m*, adolygydd *m*, beirniad *m*
critical *adj* adolygol, allweddol, argyfyngus, beirniadol, critigol, hanfodol
criticism *n* beirniadaeth *f*
criticize 1. *vn* beirniadu 2. rhedeg ar
critique *n* ymdriniaeth *f*
croak 1. *n* crawc *f*, crawciad *f* 2. *vn* crawcian
croaking *adj* cryg, cryglyd, rhochlyd
Croatian 1. *adj* Croataidd 2. *n* Croatiad *m*
crochet *vn* crosio
crock *n* crochan *m*, llestr *m*
crockery *n* llestri *pl*
crocodile *n* crocodeil *m*, crocodil *m*
crocus *n* crocws *m*, saffrwm *m*, saffrwn *m*
croft *n* crofft *m*, tyddyn *m*
crofter *n* crofftwr *m*, tyddynnwr *m*
cromlech ARCHAEOLOGY *n* cromlech *f*
crook 1. *n* dihiryn *m* 2. ffon fugail
crooked *adj* anonest, anunion, cam[4], crwca, gŵyr[1], gwyrgam
crookedness *n* camder *m*, camdra *m*, camedd *m*
croon *vn* grwnan, hwian
crop 1. *n* cnwd *m*, crombil *mf*, cropa *f*, cynhaeaf *m*, glasog *f* 2. *vn* blaenbori, brigbori, tocio
cross 1. *adj* anynad, blin, croes[2], traws
  2. *n* crocbren *m*, croes[1] *f*, croesbren *m*, croesiad *m*, crog[1] *f*, crwys *f & pl*, pren[1] *m* 3. *vn* croesi
cross-accent MUSIC *n* croesacen *f*
crossbar *n* croesfar *m*
cross-bedded GEOLOGY *adj* trawshaenog
cross-border *adj* trawsffiniol
cross-breed 1. *n* croesryw[1] *m* 2. *vn* croesfridio
cross-breeding *vn* croesfridio
cross-country traws gwlad
cross-curricular EDUCATION *adj* trawsgwricwlaidd
crossed *adj* croesedig
cross-examination *n* croesholiad *m*
cross-examine[1] *vn* holi a stilio
cross-examine[2] LAW *vn* croesholi
cross-examiner *n* croesholwr *m*
cross-eyed *adj* llygatgam, llygatgroes
cross-fertilization *vn* croesffrwythloni
cross-fertilize *vn* croesffrwythloni
cross-hatch *vn* croeslinellu
cross-hatching* *vn* croeslinellu
crossing *n* croesfan *f*, croesiad *m*, mordaith *f*
cross-pollinate *vn* croesbeillio
cross-pollination 1. *n* croesbeilliad *m*
  2. *vn* croesbeillio
cross-reference *vn* croesgyfeirio

cross-rhythm MUSIC *n* croesacen *f*
crossroads *n* croesffordd *f*
cross-stratified GEOLOGY *adj* trawshaenog
crossword *n* croesair *m*
crotch *n* gafl *f*
crotchet MUSIC *n* crosied *m*, crosiet *m*
crouch *vn* cwmanu, cwtsio, cyrcydu
crouching *n* cwrcwd *m*
croup *n* pedrain *f*
crow 1. *n* brân *f* 2. *vn* clochdar[1]
crowbar[1] *n* gwif *f*
crowbar[2] MECHANICS *n* trosol *m*
crowberries 1. *n* creiglus *pl* 2. llus y brain
crowd 1. *n* crwth *m*, haid *f*, llu *m*, mintai *f*, torf *f*, twr[1] *m*, tyrfa *f* 2. llond gwlad
crowfoot crafanc-y-frân [*crafanc*[1]]
crown 1. *n* copa[1] *f*, coron[1] *f*, coron[2] *m*, corun *m*, iad *f* 2. *vn* coroni
crowned *adj* coronog
crows *n* brain *pl*
crozier *n* bagl *f*
crucial *adj* allweddol, hanfodol, tyngedfennol
crucible *n* crwsibl *m*, tawddlestr *m*
crucifix *n* croes[1] *f*
crucifixion *n* croeshoeliad *m*
cruciform *adj* croesffurf
crucify *vn* croeshoelio
cruck *n* nenfforch *f*
crude *adj* aflednais, amrwd, crai
crudeness *n* afledneisrwydd *m*, amrydedd *m*
cruel *adj* brwnt, ciaidd, creulon
cruelty *n* cieidd-dra *m*, creulondeb *m*, creulonder *m*
cruise *n* mordaith *f*
crumb *n* briwsionyn *m*
crumble 1. *n* crymbl *m* 2. *vn* briwio, briwo, briwsioni, chwalu, malurio
crumbly *adj* brau, briwsionllyd, chwâl
crumpet *n* cramwythen *f*
crumple* *vn* crychu
crumpled *adj* crych[2], crychlyd
crunch *vn* crensian
crunchy *adj* creisionllyd
crupper *n* crwper *m*
crusade *n* croesgad *f*, crwsâd *m*
crusader *n* croesgadwr *m*, crwsadwr *m*
crush *vn* damsang, damsgel, damsgen, gwasgu, mathru, sathru
crushed *adj* mathredig
crusher *n* malwr *m*, mathrwr *m*
crushing *n* mathriad *m*
crust *n* cramen *f*, crawen *f*, crofen *f*, crwst *m*, crwstyn *m*, crystyn *m*, tonnen *f*
Crustacea ZOOLOGY *n* cramenogion *pl*
crustacean ZOOLOGY *n* cramennog[1] *m*
crustaceous *adj* cramennog[2]
crustal GEOLOGY *adj* cramennol
crutch 1. *n* bagl *f*, ffwrch *f*, gafl *f* 2. ffon fagl

crux *n* cnewyllyn *m*, craidd *m*
crwth *n* crwth *m*
cry 1. *n* cri[1] *m*, gwaedd[1] *f*, llef *f*, nâd *f* 2. *vn* crio, galw[1], llefain, nadu[1], wylo
cryogenics *n* cryogeneg *f*
cryolite *n* cryolit *m*
cryophilic *adj* cryoffilig
cryoscopy CHEMISTRY *n* cryosgopi *m*
crypt[1] *n* claddgell *f*, crypt *m*
crypt[2] ARCHITECTURE *n* claddgell *f*
cryptogram *n* cryptogram *m*
cryptography *n* cryptograffeg *f*
crystal *n* crisial *m*, grisial *m*
crystalline *adj* crisialaidd, crisialog
crystallization *n* crisialiad *m*
crystallize *vn* crisialeiddio, crisialu
crystallography CHEMISTRY *n* crisialograffaeth *f*
cub *n* cenau *m*, cenawes *f*, cwb *m*
Cuban 1. *adj* Ciwbaidd 2. *n* Ciwbiad *m*
cube[1] *vn* ciwbio
cube[2] MATHEMATICS *n* ciwb *m*
cubic MATHEMATICS *adj* ciwbig
cubism ART *n* ciwbiaeth *f*
cubist ART 1. *adj* ciwbaidd 2. *n* ciwbydd *m*
cubit *n* cufydd *m*
cuboid MATHEMATICS *n* ciwboid *m*
cuckold 1. *n* cwcwallt *m* 2. *vn* cwcwalltu
cuckoo *n* cog[1] *f*, cwcw *f*
cucumber *n* ciwcymber *m*
cuddle 1. *n* cwtsh[2] *m* 2. *vn* anwesu, cwtsio
cudgel 1. *n* clwpa *m*, cnwpa *m*, pastwn *m* 2. *vn* pastynu
cue 1. *n* ciw[2] *m*, ciw[3] *m* 2. *vn* ciwio[2]
cuff *n* clowten *f*, cyffen *f*, cyffsen *f*, dyrnod *mf*
cuirass *n* dwyfronneg *f*, llurig *f*
cul-de-sac ffordd bengaead, lôn bengaead
culm *n* cwlwm[2] *m*
culmination* *n* penllanw *m*
culpable *adj* beius, euog
culprit *n* troseddwr *m*
cult *n* cwlt *m*
cultic *adj* cyltig
cultivate *vn* amaethu, diwyllio, gweithio, meithrin, trin[1], tyfu
cultivation *n* triniad *m*
cultural *adj* diwylliadol, diwylliannol
culture *n* diwylliant *m*, meithriniad *m*
cultured *adj* diwylliedig, gwâr
culvert *n* ffos *f*
cumin *n* cwmin[1] *m*
cumulative *adj* cronnus, cynyddol
cumulonimbus METEOROLOGY *n* cwmwlonimbws *m*
cumulus METEOROLOGY *n* cwmwlws *m*
cuneiform *adj* cynffurf
cunning 1. *adj* cyfrwys 2. *n* cyfrwyster *m*, cyfrwystra *m*

cup 1. *n* cwpan *mf*, ffiol *f* 2. *vn* cwpanu
cupbearer *n* menestr *m*
cupboard *n* cwpwrdd *m*
cupboardful *n* cypyrddaid *m*
cupful *n* cwpanaid *mf*
cupid *n* ciwpid *m*
cupidity* *n* gwanc *m*
cup of 1. *abbr* paned 2. *n* cwpanaid *mf*, disgled *f*, dished *f*, dysglaid *f*
cupule BIOLOGY *n* cwpenyn *m*
curable *adj* iachadwy
curacy *n* curadiaeth *f*
curate *n* ciwrad *m*, ciwrat *m*, curad *m*
curative *adj* gwellhaol, iachaol
curator *n* ceidwad *m*, curadur *m*
curb 1. *n* atalfa *f* 2. *vn* ffrwyno
curd *n* caul *m*, ceuled *m*
curdle *vn* cawsio, cawsu, ceulo
cure¹ 1. *n* iachâd *m* 2. *vn* cwrio, gwella, iacháu, meddyginiaethu
cure² COOKERY *vn* halltu
curfew *n* dyhuddgloch *f*, hwyrgloch *f*
curio *n* cywreinbeth *m*
curiosity *n* chwilfrydedd *m*
curious *adj* chwilfrydig
curium *n* curiwm *m*
curl 1. *n* cwrl *m*, cyrlen *f*, llyweth *f* 2. *vn* crychu, cwicio, cyrlio
curlew *n* gylfinir *m*
curliness *n* crychni *m*
curly *adj* crych², cyrliog, modrwyog
curly-headed *adj* pengrych
curmudgeon *n* cynhennwr *m*
currants *n* cwrens *pl*, cyrans *pl*, rhyfon *pl*
currency arian cyfred [*arian²*]
current 1. *adj* cyfredol 2. *n* cerrynt *m*, lli *m*, llif¹ *m*, rhediad *m*
curricular *adj* cwricwlaidd
curriculum *n* cwricwlwm *m*
curry *n* cyri *m*, cyrri *m*
curse 1. *n* llw *m*, melltith *f*, rheg *f* 2. *vn* damnio, diawlio, fflamio, melltithio, rhegi
cursed *adj* melltigedig
curser *n* rhegwr *m*
cursor *n* cyrchwr *m*
cursory* *adj* brysiog
curt *adj* cwta, swta
curtail *vn* cwtogi
curtailment *n* cwtogiad *m*
curtain *n* cyrten *m*, llen *f*
curtilage *n* libart *m*
curtsy 1. *n* cyrtsi *m* 2. *vn* gostwng, moesymgrymu
curvature *n* crymedd *m*
curve¹ 1. *n* cromlin *f*, tro *m* 2. *vn* crymu
curve² MATHEMATICS *n* cromlin *f*
curved *adj* crwm
curvilinear *adj* cromlinog

cushion *n* clustog *f*
cusp¹ *n* corn¹ *m*, cwsb *m*
cusp² ANATOMY, ARCHITECTURE *n* cwsb *m*
cussedness *n* diawledigrwydd *m*, diawlineb *m*
custard *n* cwstard *m*
custodian *n* ceidwad *m*, gwarchodwr *m*
custodianship LAW *n* gwarchodaeth *f*
custody¹* *n* dalfa *f*
custody² LAW *n* cadwraeth *f*
custom *n* arfer¹ *fm*, arferiad *m*, cwstwm *m*, defod *f*
customary *adj* arferadwy, arferedig, arferol, sathredig
customer *n* cwsmer *m*
customization *vn* cwsmereiddio
customize *vn* cwsmereiddio
cut 1. *n* briw *m*, cwt³ *m*, toriad 2. *vn* archolli, clipio, clipo, cwtogi, lladd, torri
cutaneous ANATOMY *adj* croenol
cute *adj* ciwt, craff, ffel
cuticle *n* cwtigl *m*
cutlet *n* golwythyn *m*
cutter *n* naddwr *m*, torrwr *m*
cutting 1. *adj* craffus, llym 2. *n* toriad *m*, trychfa *f*
cuttings *n* torion *pl*
cuttlefish *n* ystifflog *m*
cyan *n* gwyrddlas¹ *m*
cyanide CHEMISTRY *n* cyanid *m*
cyanosis MEDICINE *n* dulasedd *m*
cyber- COMPUTING *pref* seiber-
cybernetic *adj* seibernetaidd
cybernetics *n* seiberneteg *f*
cyberspace COMPUTING *n* seiberofod *m*
cycle¹ 1. *n* cylch *m*, cylchdro¹ *m*, cylchred *f*, rhod *f* 2. *vn* beicio, cylchu, seiclo
cycle² BIOLOGY *n* cylchred *f*
cyclic¹ *adj* cylchol
cyclic² BIOLOGY *adj* seiclig
cyclical ECONOMICS *adj* cylchol
cyclist *n* beiciwr *m*
cyclo- *pref* cylch-
cycloid MATHEMATICS *n* cylchoid *m*
cyclone METEOROLOGY *n* seiclon *m*
cyclonic *adj* seiclonig
cyclorama *n* seiclorama *m*
cyclostome ZOOLOGY *n* seiclostom *m*
cyclotron PHYSICS *n* cylchotron *m*
cylinder *n* silindr *m*
cylindrical *adj* silindraidd, silindrog
cymbal *n* symbal *m*
cynic *n* sinic *m*, sinig *m*
cynical *adj* sinicaidd, sinigaidd
cynicism *n* siniciaeth *f*, sinigiaeth *f*
cypress (trees and wood) *n* cypreswydd *pl*
Cypriot 1. *adj* Cypraidd 2. *n* Cypriad *m*
cyst ANATOMY *n* coden *f*

cystic ANATOMY *adj* pledrennol
cystitis llid y bledren
cyto- *pref* cyto-
cytogenetics BIOLOGY *n* cytogeneteg *f*
cytology BIOLOGY cytoleg
cytoplasm BIOLOGY *n* cytoplasm *m*
cytosine BIOCHEMISTRY *n* cytosin *m*
Czech 1. *adj* Tsiecaidd 2. *n* Tsieciad *m*,
  Tsiecoslofaciad *m*

d

d MUSIC *n* do² *m*
dab 1. *n* dabiad *m* 2. *vn* dabio, dabo, sychu
dabble *vn* dablan, ymhél, ymhela
dace *n* darsen *f*
dachshund *n* brochgi *m*
dad *n* dad *m*, dadi *m*, dat *m*
Dada ART *n* Dada *m*
Dadaism ART *n* Dadaiaeth *f*
daddy-long-legs jac y baglau, pryf teiliwr,
  pry'r gannwyll [*pryf*], pry teiliwr [*pryf*]
dado *n* dado *m*
daffodil 1. *n* daffodil *m* 2. cenhinen Bedr
daft *adj* dwl, gwirion, twp
dagger *n* dagr *m*
daily 1. *adj* beunyddiol, dyddiol 2. *adv* beunydd
dainties *n* danteithion *pl*
daintiness* *n* lledneisrwydd *m*
dairy *n* llaethdy *m*
dairyman *n* llaethwr *m*
dais *n* esgynlawr *m*, llwyfan *f*
daisy *n* llygad y dydd *m*
dale *n* dôl¹ *f*
dally *vn* ymdroi
dam 1. *n* argae *m* 2. *vn* argáu
damage 1. *n* difrod *m* 2. *vn* difrodi, niweidio
damages LAW *n* iawndal *m*
damaging *adj* andwyol
Dame *n* bonesig *f*
damn 1. *interj* dam, damo, dario, daro
  2. *vn* damnio, melltithio
damnable *adj* melltigedig
damnation *n* damnedigaeth *f*
damned *adj* colledig, damnedig, damniedig
damning *adj* damniol
damp¹ 1. *adj* llaith 2. *n* tamprwydd *m*
damp² PHYSICS *vn* gwanychu
damped *adj* gwanychol
dampen *vn* lleithio
damper *n* damper *m*
damping PHYSICS *n* gwanychiad *m*
dampness *n* gwlybaniaeth *m*, lleithder *m*,
  lleithedd *m*, tamprwydd *m*
damsel *n* bun *f*, lodes *f*, rhiain *f*
damselfly *n* mursen *f*

damsons eirin duon
dance 1. *n* dawns *f* 2. *vn* dawnsio
dancer *n* dawnsiwr *m*
dandelion *n* dant y llew *m*
dandruff *n* cen *m*
dandy *n* coegyn *m*, dandi *m*, ysgogyn *m*
Dane *n* Daniad *m*
danger *n* perygl *m*
dangerous *adj* peryglus
Danish *adj* Danaidd
dank* *adj* llaith
daphnia chwannen ddŵr, chwannen y dŵr
dapper *adj* destlus, sbriws, trwsiadus, twt¹
dappled *adj* brith, cleisiog
dappledness *n* brithder *m*, brithedd *m*
dare 1. *n* her *f* 2. *vn* beiddio, meiddio, mentro,
  rhyfygu
daring 1. *adj* beiddgar, eofn, herfeiddiol, mentrus
  2. *n* menter *f*
dark 1. *adj* dilewyrch, du², tywyll 2. *n* tywyllwch *m*
dark-coloured *adj* gwrm
darken *vn* duo, tywyllu
dark-eyed *adj* llygad-ddu
darkness *n* caddug *m*, tywyllwch *m*
darling 1. *adj* gwyn² 2. *n* anwylyd *mf*
darn 1. *n* brodiad *m* 2. *vn* brodio, creithio
darnel *n* efrau *pl*
dart¹ 1. *n* dart *m* 2. *vn* gwibio
dart² NEEDLEWORK *n* dart *m*
Darwinism *n* Darwiniaeth *f*
dash *vn* rhuthro
dashboard *n* dashfwrdd *m*
data *n* data *pl*
database COMPUTING *n* cronfa ddata *f*
date 1. *n* datysen *f*, dyddiad *m*, oed² *m*
  2. *vn* dyddio
dated *adj* dyddiedig
datum *n* datwm *m*
daub 1. *n* dwb *m* 2. *vn* dwbio, plastro
daughter *n* merch *f*
daughter-in-law merch yng nghyfraith
daunt *vn* dantio, danto, digalonni
dauntless *adj* dewr, eofn, glew
dawdle *vn* chwilbawa, gogr-droi, gwag-swmera,
  gwag-symera, loetran, oedi, sefyllian, tin-droi
dawdling o dow i dow [*o²*]
dawn 1. *n* cyfddydd *m*, gwawr *f*, plygain *m*
  2. *vn* dyddhau, dyddio, glasu, gwawrio
dawning *n* gwawriad *m*
day 1. *adj* undydd 2. *n* diwrnod *m*, dwthwn *m*,
  dydd *m*
daybreak 1. *n* cyfddydd *m*, glasiad *m*, gwawr *f*
  2. ael bore, clais y dydd [*clais¹*], codiad y wawr
daydream 1. *n* breuddwyd *f* 2. *vn* breuddwydio,
  gwlana, pencawna, pensynnu
daydreaming *adj* breuddwydiol
daylight *n* goleuddydd *m*

daze* *n* llesmair *m*

dazzle 1. *n* disgleirdeb *m*, disgleirder *m*
2. *vn* dallu, llathru

dazzling *adj* disglair, llachar

deacon *n* blaenor *m*, diacon *m*

deaconess *n* blaenores *f*

deaconry *n* diaconiaeth *f*

deactivate *vn* dadactifadu

dead *adj* marw², marwaidd

deaden *vn* lladd, pylu

deadline terfyn amser

deadlock *n* llwyrglo *m*

deadly *adj* marwol

dead-nettle *n* marddanhadlen *f*

deaf *adj* byddar

deafen *vn* byddaru

deafening *adj* byddarol

deafness *n* byddardod *m*

deal *vn* delio¹, delio², ymdrin

dealer *n* deliwr *m*, masnachwr *m*

dealign POLITICS *vn* dadymochri

dealignment POLITICS *vn* dadymochri

deaminase BIOCHEMISTRY *n* dadaminas *m*

deaminate BIOCHEMISTRY *vn* dadamineiddio

deamination BIOCHEMISTRY *n* dadamineiddiad *m*

dean *n* deon *m*

deanery RELIGION *n* deoniaeth *f*

dear 1. *adj* annwyl, bach¹, costus, cu, cun, drud, ffel, glân, hoff, mwyn³, mynwesol, prid
2. *n* cariad² *m*

dearness *n* drudaniaeth *f*, hoffusrwydd *m*

dearth* *n* prinder *m*

death *n* angau *m*, dihenydd *m*, diwedd *m*, marwolaeth *f*, tranc *m*

deathwatch beetle *n* ticbryf *m*

debar *vn* diaelodi, gwahardd

debase *vn* diraddio

debased *adj* llwgr, sathredig

debatable *adj* dadleuol

debate 1. *n* dadl *f*, trafodaeth *f* 2. *vn* dadlau

debater *n* dadleuwr *m*

debauchery *n* trythyllwch *m*

debenture FINANCE *n* dyledeb *f*

debilitate* *vn* gwanhau

debilitated *adj* gwan, llesg

debilitating *adj* gwanhaol

debility *n* llesgedd *m*

debit 1. *n* debyd *m* 2. *vn* debydu

debonair *adj* sbriws

debridement MEDICINE *n* digramennu *m*

debris¹ *n* rwbel *m*

debris² GEOLOGY *n* malurion *pl*

debt *n* dyled *f*

debtor *n* dyledwr *m*

debug *vn* dadfygio

decade *n* degawd *m*

decadence *n* dirywiad *m*, dirywiaeth *f*

decaffeinated *adj* digaffein

decagon MATHEMATICS *n* decagon *m*

decalogue *n* dengair *m*

decamp* *vn* ymadael

decant *vn* ardywallt, arllwys, tywallt

decarbonize CHEMISTRY *vn* datgarboneiddio

decarboxylate CHEMISTRY *vn* datgarbocsyleiddio

decarboxylation 1. *n* datgarbocsyliad *m*
2. *vn* datgarbocsyleiddio

decathlon *n* decathlon *m*

decay¹ 1. *n* dadfeiliad *m*, gwywedigaeth *f*, pydredd *m* 2. *vn* braenu, breuo, dadfeilio, gwaethygu

decay² PHYSICS 1. *n* dadfeiliad *m* 2. *vn* dadfeilio

decaying *adj* darfodedig

Deceangli *n* Deceangliaid *pl*

deceased *adj* diweddar, marw², ymadawedig

deceit *n* anffyddlondeb *m*, anonestrwydd *m*, ffalster *m*, ffalstra *m*, hoced *f*, twyll *m*, ystryw *f*

deceitful *adj* anonest, dichellgar, twyllodrus

deceive *vn* coegio, cogio, twyllo

deceiver *n* ffalsiwr *m*, twyllwr *m*

decelerate* *vn* arafu

deceleration *n* arafiad *m*, arafiant *m*

December 1. *n* Rhagfyr *m*
2. mis Rhagfyr [*Rhagfyr*]

decent* *adj* gweddus

decentralize *vn* datganoli

decentralized *adj* datganoledig

deception *n* twylliad *m*

deceptive *adj* camarweiniol, twyllodrus

decibel PHYSICS *n* desibel *m*

decide *vn* penderfynu, pennu

deciduous *adj* collddail

decile MATHEMATICS *n* degradd *m*

decilitre *n* decilitr *m*

decimal MATHEMATICS *adj* degol

decimalization *n* degoliad *m*

decimalize *vn* degoli

decimetre *n* decimetr *m*

decipher* *vn* datrys

decision *n* dyfarniad *m*, galwad *f*, penderfyniad *m*

decisive *adj* pendant

decisiveness *n* pendantrwydd *m*

deck 1. *n* bwrdd *m*, dec *m*, pac *m* 2. *vn* addurno

declaimer *n* datgeinydd *m*

declaration *n* cyhoeddiad *m*, datganiad *m*

declare *vn* cyhoeddi, datgan

declension GRAMMAR *n* ffurfdro *m*, ffurfdroad *m*

declinable *adj* rhedadwy

declination ASTRONOMY, PHYSICS *n* gogwyddiad *m*

decline 1. *n* adfeiliad *m*, dirywiad *m*, dirywiaeth *f*
2. *vn* edwino, gwrthod

declivity *n* incléin *f*, inclên *f*, suddiad *m*

decoction *n* trwyth *m*

decode *vn* dadgodio, datgodio

decolonize *vn* dad-drefedigaethu

decommission *vn* datgomisiynu
decompose *vn* dadelfennu
decomposer BIOLOGY *n* dadelfennydd *m*
decomposition 1. *n* dadelfeniad *m*
2. *vn* dadelfennu
decompress *vn* datgywasgu
decompression 1. *n* datgywasgiad *m*
2. *vn* datgywasgu
decontaminate *vn* dadlygru
decorate *vn* addurno
decorated *adj* addurnedig
decoration *n* addurn *m*
decorative *adj* addurniadol
decorator *n* addurnwr *m*
decorous *adj* gweddus, propor, propr, syber
decorum *n* gweddusrwydd *m*, gwedduster *m*,
gweddustra *m*, urddas *m*
decouple *vn* dadfachu, datgyplu
decoy *n* llith² *m*
decrease 1. *n* lleihad *m*, trai *m* 2. *vn* lleihau
decreasing *adj* gostyngol, lleihaol
decree¹ 1. *n* gorchymyn² *m*, ordinhad *f*
2. *vn* deddfu
decree² LAW *n* archddyfarniad *m*
decrepit *adj* llegach, methiannus, musgrell
decrepitude *n* llesgedd *m*, musgrellni *m*
decretal RELIGION *n* decretal *m*
decry* *vn* bychanu
decrypt *vn* dadgryptio
decryption* 1. *n* datrysiad *m* 2. *vn* dadgryptio
deculturize *vn* dad-ddiwylliannu
decurion *n* dengwriad *m*
decurrent BOTANY *adj* llorestynnol
decussate BOTANY *adj* croesedig
dedicate *vn* cysegru
dedicated *adj* cyflwynedig, ymroddedig
dedication *n* cyflwyniad *m*
deduce¹ *vn* casglu
deduce² LOGIC *vn* diddwytho
deduct MATHEMATICS *vn* didynnu
deduction¹ LOGIC *n* diddwythiad *m*
deduction² MATHEMATICS *n* didyniad *m*
deductive LOGIC *adj* casgliadol, diddwythol
deed *n* gweithred *f*
deeds LAW *n* gweithredoedd *pl*
deem* *vn* ystyried
deep *adj* affwysol, dwfn¹
deepen *vn* dwysáu, dyfnhau
deepening *n* dyfnhad *m*
deepness *n* dyfnder *m*
deer *n* carw *m*
deerstalker het mynd a dŵad
deface *vn* anharddu
defamation LAW *n* difenwad *m*
defamatory *adj* difenwol, difrïol, enllibus
defame *vn* difenwi
default¹ *adj* diofyn

default² COMPUTING *adj* rhagosodedig
default³ FINANCE *vn* diffygdalu
defaulter FINANCE *n* diffygdalwr *m*
defeat 1. *n* curfa *f*, gorchfygiad *m*, trechiad *m*
2. *vn* baeddu, curo, gorchfygu, goresgyn,
trechu
defeatism *n* gwangalondid *m*
defeatist *n* gwangalonnwr *m*
defecate *vn* tomi, ymgarthu
defecation *n* ymgarthiad *m*, ysgarthiad *m*
defect 1. *n* diffyg *m*, nam *m* 2. *vn* gadael
defective *adj* anafus, diffygiol, ffaeleddus,
gwallus
defectiveness *n* gwallusrwydd *m*
defence¹ *n* amddiffyniad *m*, diffyniad *m*
defence² LAW *n* amddiffyniad *m*
defenceless *adj* diamddiffyn
defend¹ *vn* amddiffyn
defend² ECONOMICS *vn* diffynnu
defendant LAW *n* diffynnydd *m*
defender *n* amddiffynnwr *m*, amddiffynnydd *m*,
amddiffynwraig *f*, diffynnwr *m*, gwarchodwr *m*,
gwarchodwraig *f*
defensible *adj* amddiffynadwy
defensive *adj* amddiffynnol
defer *vn* gohirio, ildio
deference* *n* parch *m*
deferment *n* gohiriad *m*
defiance *n* herfeiddiwch *m*
defiant *adj* herfeiddiol, herllyd
defibrillate MEDICINE *vn* diffibrilio
defibrillation* *vn* diffibrilio
deficiency *n* diffyg *m*, diffygiad *m*, prinder *m*
deficient *adj* diffygiol, prin¹
deficit FINANCE *n* diffyg *m*
defile 1. *n* culffordd *f*, cyfyng² *m*
2. *vn* difwyno, halogi
defiled *adj* halogedig
defilement *n* difwyniant *m*, halogiad *m*, trais *m*
defiler *n* difwynwr *m*, halogwr *m*
define *vn* diffinio
defined *adj* diffiniedig
definite *adj* di-os, pendant
definition *n* diffiniad *m*
deflagrate *vn* ffaglu
deflate¹ *vn* datchwyddo, datchwythu
deflate² ECONOMICS *vn* datchwyddo
deflation *n* datchwyddiant *m*
deflationary *adj* datchwyddol
deflect *vn* allwyro
deflection *n* allwyriad *m*, gwyriad *m*
deflocculate CHEMISTRY *vn* datglystyru
defloculation CHEMISTRY *n* datglystyriad *m*
deforest *vn* datgoedwigo, difforestu
deforestation *n* dinoethiant *m*
deform *vn* aflunio, anffurfio
deformation *n* anffurfiant *m*, camffurfiad *m*

deformity¹ *n* aflunieidd-dra *m*
deformity² MEDICINE *n* anffurfiad *m*
defraud* *vn* twyllo
defray* *vn* ad-dalu
defrost *vn* dadrewi
defroster *n* dadrewydd *m*
deft *adj* deheuig, dethau
defuse *vn* diffiwsio
defy *vn* herian, herio
degenerate¹ 1. *adj* dirywiedig, lledryw
   2. *vn* dadfeilio
degenerate² PHYSICS *adj* dirywiedig
degeneration *n* dirywiad *m*
degenerative *adj* dirywiol
degradation *n* diraddiad *m*
degrade¹ *vn* diraddio, dirywio, iselhau
degrade² CHEMISTRY *vn* diraddio
degraded *adj* diraddiedig, dirywiedig, llygredig
degrading *adj* diraddiol
degrease *vn* datseimio
degree¹ *n* gradd *f*, graddau *pl*
degree² PHYSICS *n* gradd *f*
dehisce BOTANY *vn* ymagor
dehorn *vn* digornio
dehumanize PSYCHOLOGY *vn* dad-ddyneiddio
dehydrate *vn* dadhydradu
dehydrated *adj* dadhydredig
dehydration¹ *n* dadhydradedd *m*
dehydration² CHEMISTRY *n* dadhydradiad *m*
dehydrogenase BIOCHEMISTRY *n* dadhydrogenas *m*
dehydrogenate CHEMISTRY *vn* dadhydrogenu
dehydrogenation CHEMISTRY *n* dadhydrogeniad *m*
deification *n* dwyfoliad *m*
deify *vn* dwyfoli
deign* *vn* ymostwng
deism RELIGION *n* deïstiaeth *f*
deity *n* duwdod *m*
dejected* *adj* digalon, gwangalon
dejection *n* digalondid *m*, gwangalondid *m*
delay 1. *n* oediad *m* 2. *vn* oedi
delectable *adj* blasus, hyfryd
delectation* *n* boddhad *m*, pleser *m*
delegate 1. *n* cynrychiolwr *m*, cynrychiolydd *m*
   2. *vn* dirprwyo
delegated *adj* dirprwyedig
delegation* *n* dirprwyaeth *f*
delete *vn* croesi, dileu
deleterious *adj* afiach, andwyol
deletion *n* dilead *m*
deliberate 1. *adj* bwriadol, pwyllog
   2. *vn* ystyried
deliberation *n* pwyll *m*, ystyriaeth *f*
delicacies *n* danteithion *pl*, mwythau *pl*
delicacy *n* blasusfwyd *m*, danteithfwyd *m*,
   danteithyn *m*
delicate *adj* gwanllyd, gwannaidd, tyner, ysgafn
delicatessen *n* delicatesen *m*

delicious *adj* amheuthun, blasus, danteithiol,
   ffein, pêr¹, peraidd
delight 1. *n* diléit *m*, hoffter *m*, hyfrydwch *m*
   2. *vn* plesio, swyno, ymbleseru
delighted wrth fy (dy, ei, etc.) modd [*bodd*]
delightful *adj* dymunol, hyfryd
delights *n* mwynderau *pl*
delimit *vn* amffinio
delinquency *n* tramgwyddaeth *f*
delinquent 1. *adj* tramgwyddus, troseddol
   2. *n* tramgwyddwr *m*
deliquesce *vn* gwlybyru
deliquescence CHEMISTRY *n* gwlybyredd *m*
deliquescent *adj* gwlybyrol
deliver¹ *vn* cyflawni, cyflenwi, dosbarthu,
   gwared¹, gwaredu, traddodi
deliver² RELIGION *vn* achub¹
deliverance *n* achubiad *m*, gwaredigaeth *f*
deliverer *n* dosbarthwr *m*, dosbarthydd *m*,
   gwaredwr *m*, traddodwr *m*
delivery *n* danfoniad *m*, dosbarthiad *m*,
   trosglwyddiad *m*
dell *n* pant *m*
delocalized PHYSICS *adj* dadleoledig
delta *n* delta *m*
delude *vn* camarwain, twyllo
deluge *n* dilyw *m*, dylifiad *m*, llifddwr *m*
delusion¹ *n* camargraff *f*
delusion² PSYCHOLOGY *n* rhithdyb *f*
delve* *vn* tyrchu, ymbalfalu
demagnetize *vn* dadfagneteiddio
demand 1. *n* galw² *m*, gofyn² *m* 2. *vn* hawlio
demean* *vn* ymostwng
demeaning *adj* diraddiol
demeanour *n* ymarweddiad *m*, ymddygiad *m*
dementia¹ *n* gorddryswch *m*
dementia² MEDICINE *n* dementia *m*
demerge ECONOMICS *vn* dadgydsoddi
demerger *n* dadgydsoddiad *m*
Demetae *n* Demetiaid *pl*
demilitarize *vn* dadfilwrio
demise *n* diwedd *m*, tranc *m*
demobilize *vn* dadfyddino
democracy *n* democratiaeth *f*
democrat *n* democrat *m*
democratic *adj* democrataidd, gweriniaethol
democratization POLITICS *vn* democrateiddio
democratize POLITICS *vn* democrateiddio
demodulate ELECTRONICS *vn* dadfodylu
demographic *adj* demograffig
demography *n* demograffeg *f*
demolish *vn* chwalu, dinistrio, dymchwel,
   dymchwelyd
demolition *n* dymchweliad *m*
demon *n* cythraul *m*, demon *m*, diafol *m*, ellyll *m*
demonism *n* demoniaeth *f*
demonstrable *adj* dangosadwy

demonstrate *vn* arddangos, dangos, profi
demonstration *n* gwrthdystiad *m*
demonstrative *adj* dangosol
demonstrator *n* arddangoswr *m*, arddangosydd *m*, dangoswr *m*, dangoswraig *f*
demote* *vn* diraddio
demure *adj* swil
den *n* ffau *f*, gwâl *f*
denationalization* *vn* dadwladoli
denationalize *vn* dadwladoli, preifateiddio
denaturation *n* dadnatureiddiad *m*
denature *vn* dadnatureiddio
dendrite *n* dendrid *m*, dendrit *m*
dendrochronology BOTANY *n* dendrocronoleg *f*
denervate MEDICINE *vn* dadnerfogi
deniable *adj* gwadadwy
denial *n* gwadiad *m*, gwrthodiad *m*, nacâd *m*
denier[1] *n* denier *m*
denier[2] *n* gwadwr *m*
denigrate* *vn* difenwi, pardduo
denim *n* denim *m*
denitrification BIOLOGY *n* dadnitreiddiad *m*
denitrify CHEMISTRY *vn* dadnitreiddio
denizen* *n* preswyliwr *m*, preswylydd *m*
denizens* *n* trigolion *pl*
denomination RELIGION *n* enwad *m*
denominational *adj* cyfundebol, enwadol
denominationalism *n* enwadaeth *f*
denominator MATHEMATICS *n* enwadur *m*
denotation *n* dynodiad *m*
denote *vn* dynodi, golygu
dense *adj* dwys, trwchus, twp
density *n* dwysedd *m*
dent 1. *n* clonc[1] *f*, pannwl *m*, pantiad *m*, tolc *m* 2. *vn* pantio, tolcio
dental *adj* deintiol, deintyddol
dented *adj* clonciog, tolciog
dentine *n* dentin *m*
dentist *n* deintydd *m*
dentistry *n* deintyddiaeth *f*
denudation *n* dinoethiant *m*, treuliant *m*
denude *vn* dinoethi
deny *vn* gwadu, gwarafun, gwrthod
deodorant *n* diaroglydd *m*
deoxyribose BIOCHEMISTRY *n* deocsiribos *m*
depart *vn* gwrthgilio, mynd[1], ymadael
departed *adj* ymadawedig
department *n* adran *f*
departmental *adj* adrannol
departmentalization *vn* adraneiddio
departmentalize *vn* adraneiddio
departure *n* gwrthgiliad *m*, ymadawiad *m*
depend *vn* dibynnu
dependability *n* dibynadwyaeth *f*, dibynnedd *m*
dependable *adj* dibynadwy, sad
dependant *n* dibynnydd *m*
dependence *n* dibyniaeth *f*

dependency POLITICS *n* dibynwlad *f*
dependent *adj* dibynnol
depersonalize *vn* dadbersonoli
depict *vn* darlunio, portreadu
depiction *n* portread *m*
depilate *vn* diflewio
deplete[1] *vn* dihysbyddu, disbyddu
deplete[2] MEDICINE *vn* darwagio
deplorable* *adj* alaethus, gresynus
deplore *vn* gresynu
deploy* *vn* lleoli
depolarization PHYSICS 1. *n* dadbolariad *m* 2. *vn* dadbolaru
depolarize PHYSICS *vn* dadbolaru
depolarizer CHEMISTRY *n* dadbolarydd *m*
depopulate *vn* diboblogi
depopulation *n* diboblogaeth *f*
deport *vn* allgludo, alltudio, caethgludo
deportation *n* allgludiad *m*, alltudiaeth *f*, caethglud *f*, caethgludiad *m*
deportee *n* alltud[1] *m*
depose[1] *vn* diorseddu
depose[2] LAW *vn* deponio
deposit[1] 1. *n* adnau *m*, blaendal *m*, ernes *f*, gwaddod *m* 2. *vn* adneuo
deposit[2] GEOLOGY 1. *n* dyddodyn *m* 2. *vn* dyddodi
deposit[3] CHEMISTRY *vn* gwaddodi
deposition[1] *n* diorseddiad *m*
deposition[2] LAW *n* deponiad *m*
deposition[3] GEOLOGY *n* dyddodiad *m*
depositional GEOLOGY *adj* dyddodol
depositor *n* adneuwr *m*, adneuydd *m*
depot *n* canolfan *f*, depo(t) *m*, gorsaf *f*
depraved *adj* llygredig
depravity *n* diffeithder *m*, diffeithdra *m*, llygredd *m*
deprecation *n* anghymeradwyaeth *f*
depreciate *vn* dibrisio
depreciation ECONOMICS *n* dibrisiant *m*
depredation *n* anrhaith *f*, difrod *m*
depressed[1] *adj* digalon, di-hwyl, isel, pruddglwyfus
depressed[2] ECONOMICS *adj* dirwasgedig
depressing *adj* diflas
depression[1] *n* digalondid *m*, dirwasgiad *m*, melan *f*, pant *m*
depression[2] ECONOMICS *n* dirwasgiad *m*
depression[3] METEOROLOGY *n* diwasgedd *m*
depression[4] PSYCHIATRY *n* iselder *m*
depressor ANATOMY, PHYSIOLOGY *n* gostyngydd *m*
deprivation *n* amddifadedd *m*, amddifadiad *m*
deprive *vn* amddifadu, difreinio
deprived *adj* amddifadus
depth *n* dyfnder *m*, perfedd *m*
depths *n* dwfn[2] *m*, eigion *m*, gwaelod *m*
deputation *n* dirprwyaeth *f*

depute *vn* dirprwyo
deputize *vn* dirprwyo
deputized *adj* dirprwyedig
deputy 1. *adj* dirprwy² 2. *n* dirprwy¹ *m*, dirprwywr *m* 3. *pref* is-
deputyship *n* dirprwyaeth *f*
deregulate *vn* dadreoleiddio
deregulation *n* dadreolaeth *f*
dereliction *n* diffeithder *m*, diffeithdra *m*
deride *vn* gwatwar¹, gwawdio
derision* *n* dirmyg *m*
derisive *adj* gwatwarus, gwawdlyd
derivation *n* tarddiad *m*
derivative¹ *adj* deilliadol
derivative² CHEMISTRY, MATHEMATICS *n* deilliad *m*
derive *vn* deillio
derived¹ *adj* tarddiadol
derived² MATHEMATICS *adj* deilliadol
dermal ANATOMY *adj* croenol
dermatitis MEDICINE *n* dermatitis *m*
dermatologist *n* dermatolegydd *m*
dermatology MEDICINE *n* dermatoleg *f*
dermis¹ *n* gwirgroen *m*
dermis² ANATOMY *n* dermis *m*
derogatory *adj* bychanus, difenwol, difrïol
derrick *n* deric *m*
derv *n* diesel *m*
dervish RELIGION *n* derfis *m*
desalinate *vn* dihalwyno
desalination* *vn* dihalwyno
descant MUSIC *n* desgant *m*
descend* *vn* disgyn
descendant *n* disgynnydd *m*
descendants *n* disgynyddion *pl*, hil *f*, hiliogaeth *f*
descender *n* disgynnydd *m*
descending *adj* disgynnol
descent *n* cwymp *m*, disgyniad *m*, goriwaered *m*, gwaered *m*, haniad *m*, tras *f*
describe *vn* disgrifio
description *n* disgrifiad *m*
descriptive *adj* darluniadol, disgrifiadol
desegregate *vn* dadwahanu
deselect *vn* dad-ddewis
desensitization PSYCHOLOGY *vn* dadsensiteiddio
desensitize PSYCHOLOGY *vn* dadsensiteiddio
desert¹ 1. *adj* diffaith 2. *n* anial² *m*, anialdir *m*, anialwch *m*, diffeithdir *m*, diffeithwch *m*
desert² *vn* cefnu, ffoi
deserted *adj* anghyfannedd
deserter *n* enciliwr *m*
desertification GEOGRAPHY *n* diffeithdiro *m*
desertion *n* enciliad *m*, gwrthgiliad *m*
deserts *n* haeddedigaeth *f*, haeddiant *m*
deserve *vn* haeddu, teilyngu
deserved *adj* haeddiannol, teilwng
deserving *adj* haeddiannol, teilwng

desiccate COOKERY *vn* dysychu
desiccated *adj* dysychedig
desiccation *n* dysychiad *m*
design 1. *n* cynllun *m*, dyluniad *m* 2. *vn* cynllunio, dyfeisio, dylunio, llunio
designate 1. *adj* darpar 2. *vn* dynodi, pennu
designated *adj* dynodedig, penodedig
designer *n* cynlluniwr *m*, cynllunydd *m*, dylunydd *m*
desirable* *adj* atyniadol, dewisol, dymunol
desire 1. *n* awydd *m*, chwant *m*, dymuniad *m* 2. *vn* chwantu, chwennych, chwenychu, dyheu, dymuno
desirous *adj* ewyllysgar
desk *n* desg *f*
desktop¹ *adj* pen-bwrdd
desktop² COMPUTING bwrdd gwaith
desolate *adj* anghyfannedd, anial¹, diffaith, llwm
desolateness *n* anghyfanhedd-dra *m*, unigrwydd *m*
desolation *n* anghyfanhedd-dra *m*, diffeithwch *m*, distryw *m*
despair 1. *n* anobaith *m* 2. *vn* anobeithio, gwangalonni
despairing *adj* anobeithiol, diobaith
desperate* *adj* enbyd, enbydus
desperation* *n* enbydrwydd *m*
despicable *adj* dirmygadwy, diystyrllyd, ffiaidd
despise *vn* dibrisio, dirmygu
despised *adj* dirmygedig
despiser *n* dirmygwr *m*
despite *prep* er, serch²
despoil *vn* anrheithio
despoiler *n* anrheithiwr *m*
despoliation *n* ysbeiliad *m*
despondency* *n* digalondid *m*
despondent *adj* digalon
despot *n* unben *m*
despotic *adj* unbenaethol
desquamate *vn* digennu
desquamation *n* digeniad *m*
dessert *n* melysfwyd *m*, pwdin *m*
destabilize *vn* ansefydlogi
destination *n* cyrchfa *f*, cyrchfan *f*
destiny *n* ffawd *f*, tynged *f*
destitute 1. *adj* amddifad, llwm 2. ar y clwt [*clwt*]
destitution *n* amddifadedd *m*, amddifadrwydd *m*, eisiau *m*, tlodi¹ *m*
destroy *vn* chwalu, difa, difetha, difodi, difrodi, dinistrio, distrywio, sarnu
destroyer *n* difäwr *m*, difethwr *m*, difodwr *m*, difrodwr *m*, dinistriwr *m*, distrywiwr *m*, yswr *m*, ysydd *m*
destruction *n* anrhaith *f*, dihenydd *m*, dinistr *m*, distryw *m*
destructive *adj* difaol, difrodol, dinistriol, distrywgar, distrywiol

detach *vn* datgysylltu

detachable *adj* datodadwy

detached *adj* datgysylltiedig

detachment* *n* datgysylltiad *m*, mintai *f*

detail 1. *n* manylder *m*, manylrwydd *m*, manylyn *m* 2. *vn* manylu

detailed *adj* manwl

detain *vn* cadw[1]

detainee* *n* carcharor *m*

detection *n* olrheiniad *m*

detective *n* ditectif *m*

detector *n* canfodydd *m*, olrheiniwr *m*, olrheinwr *m*

detention* *n* ataliad *m*, carchariad *m*

deter *vn* digalonni, rhwystro

detergent 1. *adj* glanedol 2. *n* glanedydd *m*

deteriorate *vn* dirywio, gwaethygu

deterioration *n* dirywiad *m*, gwaethygiad *m*

determinant[1] *n* penderfynyn *m*

determinant[2] MATHEMATICS *n* determinant *m*

determinant[3] BIOLOGY *n* penderfynyn *m*

determinate *adj* diffiniedig, penderfynedig

determination *n* penderfyniad *m*

determine *vn* penderfynu, pennu

determined *adj* penderfynol, penodedig

determinism PHILOSOPHY *n* penderfyniaeth *f*

determinist *n* penderfyniedydd *m*

deterrent* *n* atalydd *m*

detest *vn* casáu, ffieiddio

detestable* *adj* ffiaidd

detonate *vn* ffrwydro, tanio

detonation* *n* ffrwydrad *m*, ffrwydriad *m*

detonator *n* ffrwydryn *m*

detour *n* dargyfeiriad *m*

detoxification *n* dadwenwyniad *m*

detoxify *vn* dadwenwyno

detract *vn* tynnu oddi ar

detractor *n* bychanwr *m*

detriment *n* anfantais *f*, niwed *m*

detrimental *adj* anfanteisiol, drwg[1], niweidiol

detritivore ZOOLOGY *n* detritysydd *m*

detritus *n* malurion *pl*

deuce *n* diws *m*

devaluation ECONOMICS *n* datbrisiant *m*, dibrisiad *m*

devalue *vn* dibrisio

devastate *vn* difrodi, distrywio

devastating *adj* difaol, distrywgar, distrywiol

devastation *n* difrod *m*, dinistr *m*

devastator *n* distrywiwr *m*

develop *vn* datblygu

developed[1] *adj* aeddfed, datblygedig

developed[2] ECONOMICS *adj* datblygedig

developer *n* datblygwr *m*, datblygydd *m*

developing *adj* datblygol

development[1] *n* cynnydd *m*, datblygiad *m*

development[2] MUSIC *n* datblygiad *m*

developmental *adj* datblygiadol

deviance *n* gwyredd *m*

deviant *adj* gwyrdroëdig

deviate *vn* gwyro

deviating *adj* cyfeiliornus

deviation *n* gwyriad *m*

deviator *n* gwyrwr *m*

device *n* dyfais *f*

devil 1. *n* cythraul *m*, diafol *m*, diawl *m* 2. y gŵr drwg [*gŵr*]

devilish *adj* cythreulig, dieflig

devilment *n* cythreuldeb *m*, diawledigrwydd *m*, diawlineb *m*, drygioni *m*

devious *adj* cyfrwys

deviousness *n* cyfrwyster *m*, cyfrwystra *m*, gwyrni *m*

devise *vn* dyfeisio

devitrify *vn* diwydro

devolution 1. *n* datganoliad *m* 2. *vn* datganoli

devolve *vn* datganoli

devolved *adj* datganoledig

Devonian GEOLOGY *adj* Defonaidd

devote[1] *vn* ymgysegru, ymroi

devote[2] RELIGION *vn* cysegru

devoted *adj* ffyddlon, ymroddedig

devotee *n* diofrydwr *m*

devotion *n* defosiwn *m*, dyletswydd *f*, ymgysegriad *m*, ymroddiad *m*

devotional *adj* defosiynol

devour *vn* llowcio, traflyncu

devourer *n* bwytäwr *m*

devout *adj* addolgar, bucheddol, defosiynol, duwiol

devoutness *n* defosiwn *m*

dew 1. *n* gwlith *m* 2. *vn* gwlitho

dewdrop *n* gwlithyn *m*

dewfall *n* gwlith *m*

dewy *adj* gwlithog

dexterity *n* cywreinrwydd *m*, deheurwydd *m*

dexterous *adj* deheuig

dextrose CHEMISTRY *n* decstros *m*

diabetes[1] clefyd siwgr, y clefyd melys [*clefyd*]

diabetes[2] MEDICINE *n* diabetes *m*

diabetic MEDICINE *adj* diabetig

diabolical *adj* cythreulig, diawledig, dieflig

diacritic GRAMMAR *n* acen *f*

diadelphous BOTANY *adj* deuadelffaidd

diaeresis *n* didolnod *m*

diagnosis *n* diagnosis *m*

diagnostic *adj* diagnostig

diagnostics *n* diagnosteg *f*

diagonal[1] 1. *adj* croesgornel, croeslinol, lletraws 2. *n* croeslin *f*

diagonal[2] MATHEMATICS *n* croeslin *f*

diagram *n* diagram *m*

diakinesis BIOLOGY *n* diacinesis *m*

dial 1. *n* deial *m* 2. *vn* deialo, deialu

dialect *n* tafodiaith *f*
dialectical *adj* dilechdidol
dialectics LOGIC *n* dilechdid *m*
dialectology LINGUISTICS *n* tafodieitheg *f*
dialogue *n* deialog *mf*, ymddiddan[2] *m*
dialysate MEDICINE *n* dialysad *m*
dialysis CHEMISTRY, MEDICINE *n* dialysis *m*
diameter MATHEMATICS *n* diamedr *m*
diamond *n* diemwnt *m*
dianthus *n* ceian *f*
diaphragm[1] *n* diaffram *m*
diaphragm[2] BIOLOGY *n* diaffram *m*
diaphragm[3] ANATOMY *n* llengig *m*
diarist *n* dyddiadurwr *m*
diarrhoea[1] *n* pib[2] *f*, rhyddni *m*
diarrhoea[2] MEDICINE dolur rhydd
diary *n* coflyfr *m*, dyddiadur *m*, dyddlyfr *m*
diastole PHYSIOLOGY *n* diastole *m*
diastrophism GEOLOGY *n* diastroffedd *m*
diatom BIOLOGY *n* diatom *m*
diatomic CHEMISTRY *adj* deuatomig
diatonic MUSIC *adj* diatonig
diatribe* *n* pregeth *f*
dice *n* dis *m*
diced *adj* disiog
dichotomous *adj* deubarthol
dichotomy[1] *n* ymraniad *m*
dichotomy[2] ASTRONOMY *n* deubarthiad *m*, dwyraniad *m*
dicotyledon BOTANY *n* deugotyledon *m*
dictate *vn* arddweud
dictation *n* arddywediad *m*
dictator *n* unben *m*
dictatorial *adj* unbenaethol
dictatorship *n* unbennaeth *f*
diction *n* cynaniad *m*, ieithwedd *f*, ynganiad *m*
dictionary *n* geiriadur *m*
dictum* *n* dywediad *m*
didactic *adj* didactig
diddle* *vn* twyllo
die 1. *n* dei *m*, dis *m* 2. *vn* darfod, marw[1], trengi, trigo
die-cast *vn* deigastio
dielectric PHYSICS 1. *adj* deuelectrig 2. *n* deuelectryn *m*
diesel *n* diesel *m*
diet *n* deiet *m*
dietary *adj* deietegol
dietetic *adj* deietegol
dietetics *n* deieteg *f*, ymbortheg *f*
dietician *n* deietegydd *m*
differ *vn* amrywio, bod yn wahanol [*gwahanol*], gwahaniaethu
difference *n* gwahân *m*, gwahaniaeth *m*
different *adj* anghyffelyb, amgen, gwahanol
differentiable MATHEMATICS *adj* differadwy
differential[1] *n* differyn *m*

differential[2] MATHEMATICS 1. *adj* differol 2. *n* differyn *m*
differentiate[1] *vn* gwahaniaethu
differentiate[2] MATHEMATICS *vn* differu
differentiation[1] *n* gwahaniaethiad *m*
differentiation[2] MATHEMATICS *n* differiad *m*
differentiation[3] BIOLOGY, GEOLOGY *n* gwahaniaethiad *m*
differentiator *n* gwahaniaethydd *m*
difficult *adj* afrwydd, anodd, caled
difficulty *n* anhawster *m*, trafferth *f*
diffidence *n* gwyleidd-dra *m*, hunanamheuaeth *f*
diffident *adj* anhyderus, gwylaidd, petrus, petrusgar
diffract PHYSICS *vn* diffreithio
diffraction[1]***** *vn* diffreithio
diffraction[2] PHYSICS *n* diffreithiant *m*
diffuse 1. *adj* diafael, gwasgaredig, tryledol 2. *vn* tryledu, ymledu
diffuser *n* tryledwr *m*
diffusion[1] *n* trylediad *m*, ymlediad *m*
diffusion[2] ANTHROPOLOGY *n* lledaeniad *m*
dig 1. *n* ergyd *fm*, pwnad *m*, pwniad *m* 2. *vn* agor, ceibio, cloddio, chwarela, palu, pwnio, pwno, troi
digest[1] *n* crynhoad *m*
digest[2] BIOLOGY *vn* treulio
digestible *adj* hydraul, treuliadwy
digestion[1] *n* traul *f*
digestion[2] BIOLOGY *n* treuliad *m*
digger *n* claddwr *m*, cloddiwr *m*, palwr *m*, torrwr *m*, tyrchwr *m*
digit MATHEMATICS *n* digid *m*
digital COMPUTING, MATHEMATICS *adj* digidol
digitize COMPUTING *vn* digido
dignified *adj* mawreddog, urddasol
dignity *n* urddas *m*
digraph *n* deugraff *m*
digress *vn* crwydro
digression *n* crwydrad *m*, gwyriad *m*
digs* *n* llety *m*
dihedral MATHEMATICS *adj* deuhedrol
dilapidated *adj* dadfeiliedig
dilate PHYSIOLOGY *vn* ymagor, ymledu
dilating *adj* ymledol
dilation PHYSIOLOGY *n* ymlediad *m*
dilatory *adj* araf
dilemma *n* cyfyng-gyngor *m*, dilema *m*, penbleth *f*
dilettante 1. *adj* diletantaidd 2. *n* diletant *m*
diligence *n* diwydrwydd *m*, gweithgarwch *m*, ymroddiad *m*
diligent *adj* diwyd, dyfal, dyfalbarhaus, dygn, gweithgar, ymroddgar
dilly-dally *vn* petruso, sefyllian
diluent *n* gwanedydd *m*
dilute[1] *vn* glastwreiddio
dilute[2] CHEMISTRY *vn* gwanedu
diluted *adj* gwanedig

dilution *n* gwanediad *m*

dim 1. *adj* pŵl^2 2. *vn* pylu

dimension *n* dimensiwn *m*

dimensional *adj* dimensiynol

dimer CHEMISTRY *n* deumer *m*

diminish* *vn* lleihau

diminished MUSIC *adj* cywasg

diminutive GRAMMAR 1. *adj* bachigol
2. *n* bachigyn *m*

dimmer *n* pylydd *m*

dimple *n* pannwl *m*

dimpled *adj* panylog

dimwit *n* twpsen *f*, twpsyn *m*

din *n* dwndwr *m*, mwstwr *m*, stŵr *m*, trwst *m*

dine *vn* ciniawa

dingle *n* glyn *m*, pant *m*

dingy* *adj* diraen, di-raen

dinner *n* cinio *m*

dinosaur *n* deinosor *m*, dinosor *m*

diocesan *adj* esgobaethol

diocese *n* esgobaeth *f*

diode PHYSICS *n* deuod *m*

dioecious BIOLOGY *adj* deuoecaidd

diorama *n* diorama *m*

dioxide CHEMISTRY *n* deuocsid *m*

dip 1. *n* dip *m*, goledd *m*, pant *m*, suddiad *m*,
trochfa *f*, trochiad *m* 2. *vn* dipio, dipo,
gogwyddo, goleddu, trochi

dip-dye NEEDLEWORK *vn* llifo dipio [*llifo^2*]

diphtheria MEDICINE *n* difftheria *m*

diphthong GRAMMAR *n* deusain *f*

diploid BIOLOGY 1. *adj* diploid^2 2. *n* diploid^1 *m*

diploma *n* diploma *mf*, tystysgrif *f*

diplomacy *n* diplomyddiaeth *f*

diplomat *n* diplomydd *m*, llysgennad *m*

diplomatic *adj* diplomataidd, diplomyddol

dipole PHYSICS *n* deupol *m*

dipper *n* trochwr *m*, trochydd *m*

diptych ART *n* diptych *m*

dire *adj* dybryd, enbyd, enbydus

direct 1. *adj* cymwys, diwyro, syth, union,
uniongyrchol 2. *vn* cyfarwyddo, cyfeirio, rheoli

directed *adj* cyfeiriedig

direction^1 *n* cyfarwyddyd *m*, cyfeiriad *m*,
llywbreiddiad *m*

direction^2 LAW *n* cyfeiriad *m*

directional *adj* cyfeiriadol, cyfeiriol

directive *n* cyfarwyddeb *f*

directly ar fy (dy, ei, etc.) union [*union*]

directness *n* uniongyrchedd *m*

director *n* cyfarwyddwr *m*

directorate *n* cyfarwyddiaeth *f*

directorship *n* cyfarwyddiaeth *f*

directory *n* cyfarwyddiadur *m*, cyfeiriadur *m*

dirge *n* galargan *f*

dirt *n* baw *m*

dirtiness *n* brynti *m*, bryntni *m*

dirty 1. *adj* afiach, aflan, bawaidd, bawlyd,
brwnt, budr, du^2, lleidiog 2. *vn* difwyno, trochi

dis- *pref* dad-, dat-, di-

disability *n* anabledd *m*

disable *vn* analluogi

disabled *adj* anabl

disabuse *vn* dadrithio

disaccharide CHEMISTRY *n* deusacarid *m*

disadvantage *n* anfantais *f*

disadvantaged dan anfantais [*anfantais*]

disadvantageous *adj* aflesol, anfanteisiol

disagree *vn* anghydsynio, anghydweld,
anghytuno

disagreeable *adj* anhyfryd, anhygar, annifyr

disagreeableness *n* anhyfrydwch *m*

disagreement 1. *n* anghydfod *m*, anghytundeb *m*,
gwahaniaeth *m*, gwrthdrawiad *m*
2. *vn* anghydweld

disallow* *vn* gwrthod

disappear *vn* diflannu

disappearance *n* diflaniad *m*

disappoint *vn* siomi

disappointed *adj* siomedig

disappointing *adj* siomedig

disappointment *n* siom *f*, siomedigaeth *f*,
siomiant *m*

disapproval *n* anghymeradwyaeth *f*

disapprove *vn* anghymeradwyo

disarm *vn* diarfogi

disarmament *n* diarfogiad *m*

disassemble *vn* dadosod, datgydosod

disaster *n* trychineb *mf*

disastrous *adj* trychinebus

disband* *vn* chwalu

disbanded ar chwâl [*chwâl*]

disbar* *vn* diarddel

disbelief *n* anghrediniaeth *f*

disc *n* disg *mf*

discard *vn* diosg, taflu

discardable *adj* hepgoradwy, tafladwy

discern *vn* canfod

discernible *adj* canfyddadwy, dirnadwy,
gweladwy

discerning *adj* craff, dosbarthus

discernment *n* craffter *m*

discharge^1 1. *n* arllwysiad *m*, rhedlif *m*
2. *vn* gollwng, rhyddhau, tanio

discharge^2 PHYSICS 1. *n* dadwefriad *m*
2. *vn* dadwefru

discharger PHYSICS *n* dadwefrydd *m*

disciple *n* disgybl *m*

disciplinarian *n* disgyblwr *m*

disciplinary *adj* disgyblaethol

discipline 1. *n* disgyblaeth *f*
2. *vn* disgyblu, gwastrodi

disciplined *adj* disgybledig

disclaim *vn* gwadu

disclose *vn* dadlennu, datgelu

disclosure *n* amlygiad *m*, dadleniad *m*, datgeliad *m*, datguddiad *m*

disco *n* disco *m*, disgo *m*

discography *n* disgyddiaeth *f*

discolour *vn* afliwio

discomfiture *n* annifyrrwch *m*, chwithdod *m*

discomfort *n* anghysur *m*, anesmwythder *m*, anesmwythyd *m*

disconnect *vn* datgysylltu

disconnected *adj* anghysylltiedig

disconnection *n* datgysylltiad *m*

disconsolate *adj* digalon, digysur, trallodus

discontent *n* anfodlonrwydd *m*, anfoddogrwydd *m*

discontented *adj* anfodlon, annedwydd

discontentment *n* annedwyddwch *m*

discord¹ *n* anghytgord *m*, helynt *mf*

discord² MUSIC *n* anghytgord *m*

discordant *adj* anghydnaws, anghyseiniol, amhersain

discount 1. *n* disgownt *m* 2. *vn* diystyru

discourage *vn* anghefnogi

discouragement* *n* anghymeradwyaeth *f*

discouraging *adj* anghefnogol

discourse *n* ymddiddan² *m*, ymgom *f*

discourteous *adj* anghwrtais

discourtesy *n* anghwrteisi *m*, anfoesgarwch *m*, anfoneddigeiddrwydd *m*, anfoneddigrwydd *m*

discover *vn* cael, darganfod, dod o hyd i [*dod¹*]

discoverer *n* darganfyddwr *m*

discovery *n* darganfyddiad *m*

discredit *n* anfri *m*

discreet *adj* cynnil, doeth

discrepancy* *n* anghysondeb *m*, anghysonder *m*

discrete¹ *adj* annibynnol, arwahanol

discrete² MATHEMATICS *adj* arwahanol

discretion *n* disgresiwn *m*, doethineb *m*, pwyll *m*

discriminant MATHEMATICS *n* gwahanolyn *m*

discriminate *vn* gwahaniaethu

discriminating* *adj* gwahaniaethol

discrimination 1. *n* anffafriaeth *f* 2. *vn* gwahaniaethu

discriminatory LAW *adj* gwahaniaethol

discursive *adj* cwmpasog

discus *n* disgen *f*

discuss *vn* trafod

discussion *n* trafodaeth *f*

disdain 1. *n* dirmyg *m*, diystyrwch *m* 2. *vn* dirmygu

disdainful *adj* dirmygol, dirmygus, diystyrllyd

disease¹ *n* clwy *m*, clwyf *m*

disease² MEDICINE *n* clefyd *m*

disease-free *adj* diglefyd

diseconomies ECONOMICS *n* annarbodion *pl*

disembark* *vn* glanio

disembowel *vn* diberfeddu

disenchant* *vn* dadrithio

disenchanting *adj* dadrithiol

disenchantment *n* dadrithiad *m*, siom *f*

disendow LAW *vn* dadwaddoli

disendowment *n* dadwaddoliad *m*

disenfranchise LAW *vn* dadryddfreinio, difreinio

disenfranchised* *adj* difreintiedig

disenfranchisement *n* difreiniad *m*

disengage *vn* dadymafael, datgyweddu, ymryddhau

disengagement* *vn* dadymafael, datgyweddu

disentail LAW *vn* dadentaelio

disentangle *vn* datglymu, ymddatod

disentanglement *n* ymddatodiad *m*

disestablish *vn* datgysylltu

disestablishment RELIGION *n* datgysylltiad *m*

disfigure *vn* aflunio, anffurfio, hagru, llurgunio

disfigurement¹ *n* anffurfiant *m*

disfigurement² MEDICINE *n* anffurfiad *m*

disfranchise LAW *vn* dadryddfreinio, difreinio

disgrace 1. *n* cywilydd *m*, gwaradwydd *m*, gwarth *m* 2. *vn* gwaradwyddo, gwarthruddo

disgraceful *adj* cywilyddus, gwaradwyddus, gwarthus

disgruntled* *adj* anfodlon, blin

disguise* *vn* cuddio

disgust *n* ffieidd-dod *m*, ffieidd-dra *m*

disgusting *adj* cyfoglyd, mochaidd

dish *n* dysgl *f*, dysglaid *f*, llestr *m*, noe *f*, saig *f*

dishcloth cadach llestri

dishearten *vn* digalonni

disheartened *adj* digalon

dishevelled 1. *adj* aflêr, blêr 2. â'm (â'th, â'i, etc.) gwallt yn fy nannedd [*dannedd*]

dishonest *adj* anonest

dishonesty *n* anonestrwydd *m*, twyll *m*

dishonour 1. *n* amarch *m*, gwarth *m* 2. *vn* amharchu

dishwater *n* golchion *pl*

disillusion 1. *n* dadrithiad *m* 2. *vn* dadrithio

disillusioned* *adj* siomedig

disillusionment *n* dadrithiad *m*

disincentive *n* anghymhelliad *m*

disinclined *adj* amharod, anfodlon, annhueddol

disinfect *vn* diheintio

disinfectant 1. *adj* diheintiol 2. *n* diheintydd *m*

disinfected *adj* diheintiedig

disinfection *n* diheintiad *m*

disinfest *vn* diheigiannu

disingenuous *adj* annidwyll, ffuantus

disingenuousness *n* ffuantrwydd *m*

disinherit *vn* dietifeddu

disintegrate¹ *vn* chwalu, chwilfriwio, malurio, ymchwalu

disintegrate² PHYSICS *vn* ymddatod

disintegration¹ GEOLOGY *n* chwilfriwiant *m*

disintegration² PHYSICS *n* ymddatodiad *m*

disinter *vn* datgladdu

disinterested* *adj* diduedd

disjointed *adj* anghyswllt, digyswllt

disjunct ZOOLOGY *adj* anghyswllt

disk *n* disg *mf*

dislike 1. *n* anhoffter *m* 2. *vn* drwghoffi, drwgleicio

dislocate *vn* afleoli, datgymalu

dislocation *n* afleoliad *m*, datgymaliad *m*, datgysylltiad *m*

dislodge* *vn* rhyddhau

disloyal *adj* anffyddlon, annheyrngar

disloyalty *n* anffyddlondeb *m*, annheyrngarwch *m*

dismal* *adj* digalon, dilewyrch

dismantle *vn* datgymalu

dismay *n* siom *f*

dismember *vn* darnio, datgymalu

dismiss *vn* diswyddo, wfftian, wfftio

dismissal *n* diswyddiad *m*

dismount *vn* disgyn

disobedience *n* anufudd-dod *m*

disobedient *adj* anufudd

disobey *vn* anufuddhau

disobliging *adj* anghymwynasgar

disorder¹ *n* afreolaeth *f*, afreolusrwydd *m*, anhrefn *f*, anhrefnusrwydd *m*, llanastr *m*

disorder² MEDICINE *n* anhwylder *m*

disorderly *adj* anystywallt, direol

disorganized *adj* anhrefnus, di-drefn

disorientate* *vn* drysu

disown *vn* diarddel, gwadu

disparage *vn* dibrisio, difrïo, dilorni, dirmygu

disparagement *n* dibristod *m*, dirmyg *m*

disparager *n* dilornwr *m*, dirmygwr *m*

disparate* *adj* gwahanol

disparity *n* anghyfartaledd *m*, annhebygrwydd *m*, gwahaniaeth *m*

dispassionate *adj* gwrthrychol, pwyllog

dispatch *vn* anfon, gyrru

dispel* *vn* chwalu

dispensable *adj* afraid, diangen, hepgoradwy

dispensary *n* fferyllfa *f*

dispensation¹ *n* trwydded *f*

dispensation² LAW *n* gollyngiad *m*

dispense* *vn* rhannu

dispenser *n* fferyllydd *m*

dispersal *n* chwalfa *f*, gwasgariad *m*

disperse *vn* gwasgar, gwasgaru

dispersed 1. *adj* gwasgaredig, gwasgarog 2. ar chwâl [*chwâl*]

disperser *n* chwalwr *m*

dispersion PHYSICS *n* gwasgariad *m*

dispersive *adj* gwasgarol

dispirited *adj* gwangalon

displace *vn* afleoli, dadleoli, disodli

displacement¹ *n* afleoliad *m*, dadleoliad *m*, disodliad *m*

displacement² CHEMISTRY, GEOLOGY, PHYSICS *n* dadleoliad *m*

display 1. *n* arddangosfa *f* 2. *vn* amlygu, arddangos, dwyn

displease *vn* digio

displeased 1. *adj* anfodlon, anfoddog, blin 2. *n* anfodd *m*

displeasure *n* anfodlonrwydd *m*, anfodd *m*

disposable *adj* tafladwy

disposition *n* anian *f*, meddylfryd *m*, natur *f*, tueddfryd *m*

dispraise *n* anghlod *m*

disproportionate *adj* anghymesur

disprove *vn* datbrofi, gwrthbrofi

disputatious* *adj* dadleugar

dispute 1. *n* anghydfod *m*, anghytundeb *m*, cynnen *f*, dadl *f*, ymrafael¹ *m* 2. *vn* dadlau

disqualification *n* diarddeliad *m*

disqualify *vn* anghymhwyso

disquiet *n* aflonyddwch *m*, anniddigrwydd *m*

disregard 1. *n* diystyrwch *m* 2. *vn* diystyru, esgeuluso

disreputable *adj* anghlodwiw

disrepute* *n* anfri *m*, gwaradwydd *m*

disrespect 1. *n* amarch *m*, anfri *m* 2. *vn* amharchu

disrespectful *adj* amharchus, di-barch, sarhaus

disrupt *vn* aflonyddu, tarfu

disrupter *n* aflonyddwr *m*, tarfwr *m*

disruption *n* aflonyddwch *m*

disruptive *adj* aflonyddgar, aflonyddus

disruptiveness* *n* aflonyddwch *m*

dissatisfaction *n* anfodlonrwydd *m*, anfoddogrwydd *m*

dissatisfied *adj* anfodlon, anfoddog

dissatisfy *vn* anfodloni

dissect BIOLOGY *vn* dyrannu

dissected *adj* dyranedig

dissection BIOLOGY *n* dyraniad *m*

dissemble* *vn* celu, cuddio

dissembler *n* gwenieithwr *m*

dissembling* *adj* gwenieithus

disseminate *vn* lledaenu

dissemination *n* lledaeniad *m*

disseminator *n* lledaenwr *m*, lledaenydd *m*

dissension *n* anghydfod *m*, cynnen *f*

dissent *vn* anghydsynio, anghydweld

dissenting* *adj* anghytûn

dissertation *n* traethawd *m*

disservice *n* anghymwynas *f*

dissimilar *adj* annhebyg

dissimilarity *n* annhebygrwydd *m*

dissimulate* *vn* celu

dissipate¹* *vn* gwasgar, gwasgaru

dissipate² PHYSICS *vn* afradloni

dissipation* *n* afradlondeb *m*, afradlonedd *m*

dissociate¹* *vn* datgysylltu

dissociate² CHEMISTRY *vn* daduno
dissociation¹ CHEMISTRY *n* daduniad *m*
dissociation² BIOLOGY, PSYCHOLOGY *n*
  datgysylltiad *m*
dissociative *adj* datgysylltiol
dissolute* *adj* ofer, trythyll
dissolution *n* diddymiad *m*
dissolve¹ *vn* toddi
dissolve² CHEMISTRY *vn* hydoddi
dissolved *adj* toddedig
dissonance¹ *n* anghyseinedd *m*
dissonance² MUSIC *n* anghyseinedd *m*,
  anghytgord *m*
dissonant *adj* anghyseiniol, amhersain,
  ansoniarus
distaff *n* cogail *m*
distal *adj* distal
distance *n* ffordd *f*, pellter *m*
distant *adj* brith, diserch, pell, pellennig
distaste* *n* diflastod *m*
distasteful *adj* di-chwaeth, diflas
distend* *vn* chwyddo
distended *adj* chwyddedig
distension *n* chwyddiant *m*
distil CHEMISTRY *vn* distyllu
distillation CHEMISTRY *n* distylliad *m*
distilled *adj* distyll², distylliedig
distiller *n* distyllwr *m*
distillery *n* distyllfa *f*
distinct *adj* arwahanol, eglur, gwahanol, penodol
distinction *n* arbenigrwydd *m*, gwahaniaeth *m*,
  hynodrwydd *m*, rhagor¹ *m*, rhagoriaeth *f*
distinctive *adj* arbennig, gwahaniaethol,
  gwahanredol, nodweddiadol
distinguish *vn* gwahaniaethu, hynodi
distinguishable *adj* gwahanadwy
distinguished *adj* enwog, hyglod, nodedig
distinguishing *adj* gwahaniaethol
distort *vn* aflunio, anffurfio, camu², gwyrdroi,
  gwyro, llurgunio, stumio, ystumio
distorter *n* llurguniwr *m*, ystumiwr *m*
distortion *n* afluniad *m*, gwyrdro *m*, gwyrdroad *m*,
  llurguniad *m*, ystumiad *m*
distract *vn* gwrthdynnu, tynnu sylw
distraint LAW *n* atafaeliad *m*
distress *n* cyfyngder *m*, cyfyngdra *m*, cystudd *m*,
  gofid *m*, gwasgfa *f*, ing *m*
distressed *adj* trallodus
distributary GEOGRAPHY *n* allafon *f*
distribute¹ *vn* dosbarthu, rhannu
distribute² FINANCE *vn* dosrannu
distribution¹ *n* dosbarthiad *m*, dosraniad *m*
distribution² FINANCE *n* dosraniad *m*
distributive *adj* dosbarthol
distributor *n* dosbarthwr *m*, dosbarthydd *m*
district *n* ardal *f*, dosbarth¹ *m*, parth *m*
distrust 1. *n* amheuaeth *f*, anymddiriedaeth *f*,

drwgdybiaeth *f* 2. *vn* anymddiried, drwgdybied,
  drwgdybio
disturb *vn* aflonyddu, cynhyrfu
disturbance *n* aflonyddwch *m*, cynhyrfiad *m*,
  cynnwrf *m*, tarfiad *m*
disturbed *adj* aflonydd, cythryblus
disturber *n* aflonyddwr *m*, cynhyrfwr *m*
disunite* *vn* gwahanu
disused *adj* anarferedig, segur
ditch *n* ceuffos *f*, clawdd *m*, ffos *f*
dither *vn* petruso, tin-droi
ditto *adv* eto²
ditty *n* canig *f*
diuretic MEDICINE 1. *adj* diwretig² 2. *n* diwretig¹ *m*
dive 1. *n* deif *f* 2. *vn* deifio¹, plymio
diver *n* deifiwr *m*, dowciwr *m*, plymiwr *m*,
  trochwr *m*, trochydd *m*
diverge¹ *vn* dargyfeirio, ymrannu
diverge² MATHEMATICS *vn* dargyfeirio
divergence PHYSICS, PHYSIOLOGY *n* dargyfeiriad *m*
divergent *adj* dargyfeiriol
diverse *adj* amryfal, amrywiol, gwahanol
diversification* *vn* amrywiaethu, arallgyfeirio
diversify¹ *vn* amrywiaethu, arallgyfeirio
diversify² FINANCE *vn* amrywiaethu
diversion *n* dargyfeiriad *m*
diversity *n* amryw¹ *m*, amrywiaeth *f*
divert *vn* dargyfeirio
diverticulitis *n* diferticwlitis *m*
diverticulum MEDICINE *n* cilfach *f*
divest *vn* dihatru
divide *vn* darnio, rhannu, ymhollti, ymrannu
divided *adj* rhanedig
dividend¹ *n* difidend *m*
dividend² FINANCE *n* buddran *f*
dividend³ MATHEMATICS *n* rhannyn *m*
divider *n* rhannwr *m*, rhannydd *m*
dividers cwmpas mesur [*cwmpas²*]
divine 1. *adj* dwyfol 2. *vn* dewina
divinity *n* dwyfoldeb *m*
divisibility *n* rhanadwyedd *m*
divisible *adj* rhanadwy
division¹ *n* adran *f*, dosbarth¹ *m*, gradden *f*,
  isadran *f*, rhaniad *m*, rhwyg *m*, rhwygiad *m*,
  ymraniad *m*
division² BOTANY, MATHEMATICS *n* rhaniad *m*
divisional *adj* rhanbarthol
divisor MATHEMATICS *n* rhannydd *m*
divorce LAW 1. *n* ysgariad *m* 2. *vn* ysgaru
divorced *adj* ysgar
divulge *vn* dadlennu, datgelu
dizziness *n* madrondod *m*, pendro *f*,
  penddaredd *m*, penysgafnder *m*
dizzy *adj* penysgafn
DJ *n* troellwr *m*
Djiboutian 1. *adj* Djibwtaidd 2. *n* Djibwtiad *m*
DNA BIOCHEMISTRY *n* DNA *m*

do *vn* gweithredu, gwneud[1], gwneuthur

docile *adj* hydrin, hywedd, tringar

dock 1. *n* doc *m* 2. *vn* glanio, tocio

docker *n* dociwr *m*

doctor 1. *n* doctor *m*, doethur *m*, meddyg *m* 2. *vn* doctora

doctorate *n* doethuriaeth *f*

doctrinaire *adj* athrawiaethus

doctrinal *adj* athrawiaethol

doctrine *n* athrawiaeth *f*, dysgeidiaeth *f*

document[1] 1. *n* dogfen *f* 2. *vn* dogfennu

document[2] LAW *n* gweithred *f*

documentary *adj* dogfennol

documentation *n* dogfennaeth *f*

dodder* *vn* gwegian

doddering *adj* cymhercyn[2]

dodecahedron MATHEMATICS *n* dodecahedron *m*

dodecaphonic MUSIC *adj* dodecaffonig

dodge *vn* ochrgamu, osgoi

dodo *n* dodo *m*

doe *n* ewig *f*

doff* *vn* codi, diosg

dog *n* ci *m*

dogfight *n* ysgarmes *f*

dogged* *adj* dygn

doggerel *n* rhigwm *m*

dogma *n* dogma *m*

dogmatic *adj* dogmataidd, dogmatig

dogwood *n* cwyrosyn *m*

doh MUSIC *n* d *f*, D[1] *f*, do[2] *m*

doily *n* doili *m*

dole 1. *n* dôl[2] *m* 2. *vn* dosrannu

doleful *adj* dolefus, prudd, wylofus

dolerite carreg las

doline GEOLOGY *n* dolin *m*

doll *n* dol *f*, doli *f*

dollar *n* doler *f*

dolly *n* doli *f*, golchbren *m*

dolman NEEDLEWORK *adj* dolman

dolmen[1] *n* cistfaen *f*

dolmen[2] ARCHAEOLOGY *n* cromlech *f*

dolorous* *adj* trist

dolphin *n* dolffin *m*, môr-hwch *f*, morwch *f*

dolt *n* ffŵl *m*, twmffat *m*, twpsyn *m*

doltish *adj* lloaidd

domain[1] *n* maes[1] *m*, parth *m*, tiriogaeth *f*

domain[2] BIOLOGY, MATHEMATICS *n* parth *m*

dome[1] *vn* cromennu

dome[2] ARCHITECTURE *n* cromen *f*

domed *adj* cromennog, crwm

domestic *adj* cartref[2], domestig, teuluaidd, teuluol

domesticate *vn* dofi, hyweddu

domicile[1] *n* trigfa *f*, trigfan *f*

domicile[2] LAW *n* domisil *m*

domiciliary *adj* cartref[2]

dominance[1] *n* goruchafiaeth *f*

dominance[2] BIOLOGY *n* trechedd *m*

dominant[1] BIOLOGY *adj* trechol

dominant[2] MUSIC *n* llywydd *m*

dominate *vn* dominyddu, tra-arglwyddiaethu

domination *n* dominyddiaeth *f*, tra-arglwyddiaeth *f*

domineer *vn* gormesu, tra-arglwyddiaethu

Dominican[1] *adj* Dominicaidd

Dominican[2] (country) *n* Dominiciad *m*

Dominican[3] RELIGION *n* Dominiciad *m*

dominion *n* dominiwn *m*, teyrnas *f*, teyrnasiad *m*, tiriogaeth *f*

domino *n* domino *m*

don* *vn* gwisgo

donate* *vn* rhoddi, rhoi[1]

donation* *n* rhodd *f*

donkey *n* asyn *m*, mul *m*, mwlsyn *m*

donnish* *adj* academaidd, academig

donor[1] *n* cyfrannwr *m*, rhoddwr *m*

donor[2] CHEMISTRY *n* cyfrannydd *m*

doodle *vn* dwdlan

doom* *n* tranc *m*

doomed *adj* cyfrgolledig

door *n* dôr *f*, drws *m*, porth[1] *m*

doorjamb *n* cilbost *m*

doorman *n* drysor *m*, porthor *m*

doorstep *n* hiniog *m*, rhiniog *m*, trothwy *m*

doorway *n* drws *m*

Doric ARCHITECTURE *adj* Dorig

dormancy *n* cysgiad *m*

dormant *adj* cwsg[2], segur

dormer (window) *n* dormer *f*

dormouse *n* pathew *m*

dorsal BIOLOGY *adj* dorsal

dose[1] 1. *n* dogn *m*, dos[2] *f* 2. *vn* dosio

dose[2] MEDICINE, PHYSICS *n* dos[2] *f*

dot 1. *n* dot[1] *m*, dotyn *m* 2. *vn* dotio[1]

dote *vn* dotio[2], dwlu, ffoli[1], gwirioni

dotty* *adj* penchwiban

double 1. *adj* dau-ddwbl, dwbl[1], dwbwl 2. *adv* dwywaith 3. *n* dwbl[2] *m*, dwbwl *m* 4. *vn* dyblu

double-barrelled *adj* daufaril

doubled *adj* deublyg, dyblyg

double-dealer Sioni bob ochr

double-edged *adj* daufiniog, deufin

double-handed *adj* deuddwrn

doubles *n* dyblau *pl*, parau *pl*

doublet *n* dwbled *f*

doubt 1. *n* amheuaeth *f*, ansicrwydd *m* 2. *vn* amau, petruso

doubtful *adj* amheus, ansicr

doubting 1. *adj* di-ffydd 2. *n* petrusiad *m*

doubtless *adj* diamau, di-os

dough *n* toes *m*

doughnut *n* toesen *f*

douse* *vn* diffodd, trochi

dove *n* colomen *f*

dovecote *n* colomendy *m*

dovetail CARPENTRY *vn* tryfalu

dowdy* *adj* di-raen, diraen

dowel *n* hoelbren *m*

down 1. *adv* i lawr, lawr[1], obry 2. *n* ceden *f*, manblu *pl*, twyn *m* 3. i waered [i[3]]

down-and-out *n* caridým *m*

downcast *adj* penisel

downfall* *n* cwymp *m*

downgrade *vn* israddio

downland *n* twyndir *m*

download COMPUTING 1. *n* lawrlwythiad *m* 2. *vn* lawrlwytho, llwytho i lawr

downpour *n* curlaw *m*, tywalltiad *m*

downstairs lawr grisiau [*lawr*[1]], lawr llawr [*lawr*[1]]

downtrodden *adj* gorthrymedig[1]

dowry *n* gwaddol *m*

dowse *vn* dewinio

dowser dewin dŵr

doze *vn* hepian, pendrymu, pendwmpian

dozen *n* dwsin *m*

dozy *adj* cysglyd

drab *adj* di-liw, llwydaidd, salw

draft 1. *n* drafft[1] *m* 2. *vn* braslunio, drafftio

drag[1] 1. *n* llusgiad *m*, mygyn *m* 2. *vn* helcyd, llusgo

drag[2] PHYSICS *n* llusgiad *m*

dragger *n* llusgwr *m*

dragnet *n* treillrwyd *f*

dragon *n* draig *f*

dragonet *n* bwgan dŵr *m*

dragonfly gwas y neidr

dragoon *n* dragŵn *m*

drain[1] 1. *n* carthffos *f*, ceuffos *f*, draen *f* 2. *vn* dihysbyddu, disbyddu, draenio, sbyddu, traenio, ysbyddu

drain[2] ELECTRONICS *n* draen *f*

drainage *n* carthffosiaeth *f*, draeniad *m*

drake *n* barlad *m*, barlat *m*, marlad *m*, marlat *m*, meilart *m*

drama *n* drama *f*

dramatic *adj* dramatig

dramatist *n* dramodwr *m*, dramodydd *m*

dramatization *n* dramateiddiad *m*, dramodiad *m*

dramatize *vn* dramateiddio

drape 1. *n* gorweddiad *m*, llen *f* 2. *vn* gorchuddio

draper *n* brethynnwr *m*, dilledydd *m*

drapery *n* dilladaeth *f*

drastic* *adj* eithafol, llym

draught *n* dracht *m*, drafft[2] *m*, tracht *m*

draughtboard *n* tawlbwrdd *f*

draughts *n* draffts *pl*

draughtsman *n* drafftsmon *m*

draughtsmanship *n* drafftsmonaeth *f*, lluniadaeth *f*

draughty *adj* drafftiog

draw 1. *n* tynfa *f* 2. *vn* anelu, arlunio, darlunio, denu, lluniadu, tynnu, tynnu llun [*llun*[1]], tynnu raffl

drawback* *n* anfantais *f*

drawer *n* drâr *m*, drôr *m*

drawing *n* llun[1] *m*, lluniad *m*

drawn *adj* llusg[1]

drayman *n* certmon *m*

dread 1. *n* ofn *m* 2. *vn* dychryn[1], dychrynu

dreadful *adj* dychrynllyd[1], echrydus, echryslon, erchyll, ofnadwy[1]

dreadfulness *n* erchyllter *m*, erchylltod *m*, erchylltra *m*

dream 1. *n* breuddwyd *f* 2. *vn* breuddwydio

dreamer *n* breuddwydiwr *m*

dreamweaver *n* awenydd *m*

dreamy *adj* breuddwydiol

dreary* *adj* diflas

dregs *n* gwaddod *m*, gwaelodion *pl*, gwehilion *pl*, sorod *pl*

drench *vn* drensio

dress 1. *n* ffrog *f*, gwisg *f*, gŵn *m*, pilyn *m* 2. *vn* dilladu, gwisgo, trin[1]

dresser *n* dresel *f*, dreser *f*, seld *f*

dressing *n* blaslyn *m*, dresin *m*, gorchudd *m*, rhwymyn *m*, triniad *m*

dressing-down *n* termad *m*

dressmaker *n* gwniyddes *f*

dribble 1. *n* glafoerion *pl* 2. *vn* driblan, driblo

dribbler *n* driblwr *m*

driblet* *n* diferyn *m*

drift[1] 1. *n* drifft *m*, lluchfa *f*, lluwch *m* 2. *vn* lluwchio, noflithro

drift[2] GEOLOGY *n* drifft *m*

drifter *n* crwydryn *m*

driftwood *n* broc môr *m*

drill 1. *n* dril[1] *m* 2. *vn* drilio[1], drilio[2]

drink 1. *n* diod *f*, llymaid *m* 2. *vn* diota, llymeitian, slotian, yfed

drinkable *adj* yfadwy

drinker *n* yfwr *m*

drip[1] 1. *n* defnyn *m* 2. *vn* defnynnu, diferu, dihidlo, dripian

drip[2] MEDICINE *n* diferwr *m*

drip-dry 1. *adj* dripsych 2. *vn* dripsychu

dripping 1. *adj* diferol 2. *n* diferiad *m*, dripin *m*, dripyn *m*, saim *m*, toddion *pl*

dripstone ARCHITECTURE *n* bargodfaen *m*

drive 1. *n* dreif *f*, gyriad *m*, gyriant *m*, ymgyrch *f*, ynni *m* 2. *vn* cymell, dreiñô, gyrru, hel, hyrddio

drivel 1. *n* dwli *m*, dyli *m*, glafoerion *pl*, lol *f* 2. *vn* driflan, glafoeri, glafoerio

driven *adj* gyredig

driver *n* gyrrwr *m*

drizzle 1. *n* gwlithlaw *m*, manlaw *m*, smwclaw *m* 2. *vn* briwlan 3. glaw mân

droll *adj* digrif, doniol, smala, ysmala

drollery *n* arabedd *m*, ffraethineb *m*

dromedary *n* dromedari *m*

drone[1] 1. *n* begegyr *m*, bygegyr *m*, drôn *m*
2. *vn* grwnan, sïo, suo 3. gwenynen ormes, gwenynen segur

drone[2] MUSIC *n* drôn *m*

droop* *vn* dihoeni, pendrymu

drooping *adj* llipa, pendrwm, penisel

drop 1. *n* dafn *m*, diferyn *m*, disgyniad *m*
2. *vn* bwrw, dihidlo, esgor, gollwng

droplet *n* defnyn *m*

dropper *n* diferydd *m*

dross[1] *n* siwrwd *pl*

dross[2] METALLURGY *n* sgoria *m*, sorod *pl*

drought *n* sychder *m*, sychdwr *m*

drove *n* gyr[1] *m*

drover *n* gyrrwr *m*, porthmon *m*

drown *vn* boddi

drowned *adj* boddedig

drowse *vn* hepian, pendrymu, pendwmpian

drowsiness *n* syrthni *m*, trymder *m*

drowsy *adj* cysglyd, swrth

drub* *vn* cledro

drug *n* cyffur *m*, drŷg *m*

druid *n* derwydd *m*

druidic *adj* derwyddol

druidism *n* derwyddiaeth *f*

drum 1. *n* drwm *m* 2. *vn* drymio, tabyrddu

drumlin GEOLOGY *n* drymlin *f*

drummer *n* drymiwr *m*, tabyrddwr *m*

drunk 1. *adj* brwysg, meddw 2. *n* meddwyn *m*
3. yn fy (dy, ei, etc.) niod [*diod*]

drunkard *n* diotwr *m*, diotyn *m*, meddwyn *m*, slotiwr *m*, sotyn *m*

drunkenness *n* medd-dod *m*, meddwdod *m*

drupe *n* drŵp *m*

dry 1. *adj* cras, hesb, hysb, sych, sychlyd
2. *vn* crasu, sychu

dry-clean *vn* sychlanhau

dryer *n* sychwr *m*, sychydd *m*

dryness *n* craster *m*, crinder *m*, sychder *m*, sychdwr *m*

dual *adj* deublyg, deuol

dualism *n* deuoliaeth *f*

dub *vn* dybio, trosleisio, urddo

dubious *adj* amheus, ansicr, brith, drwgdybus

duchess *n* duges *f*

duchy *n* dugiaeth *f*

duck 1. *n* chwaden *f*, hwyad *f*, hwyaden *f*
2. *vn* dowcio

duckweed *n* llinad y dŵr *m*

duct[1] *n* dwythell *f*, pibell *f*

duct[2] ANATOMY *n* dwythell *f*

ductile METALLURGY *adj* hydwyth

ductility *n* hydwythder *m*, hydwythedd *m*

ductless ANATOMY *adj* diddwythell

dud* *adj* diwerth, di-werth

due *adj* dyladwy, dyledus

duel* *n* gornest *f*, ornest *f*

duet MUSIC *n* deuawd *f*

duettist *n* deuawdydd *m*

duffel *n* dyffl *m*

duffer* *n* llo *m*, twpsyn *m*

duffle *n* dyffl *m*

duke *n* dug[1] *m*

dukedom *n* dugiaeth *f*

dulcimer *n* dwsmel *m*

dull 1. *adj* afloyw, diflas, dwl, fflat[1], pŵl[2]
2. *vn* pylu

dullness *n* dylni *m*, pylni *m*

dulse *n* delysg *m*

duma *n* dwma *f*

dumb *adj* mud

dumbfound *vn* syfrdanu

dumbfounded *adj* syfrdan

dummy 1. *n* teth *f* 2. *vn* ffugbasio

dump 1. *n* tomen *f* 2. *vn* dympio, gollwng

dumpling *n* twmplen *f*

dumpy *adj* byrdew, tew

dun *adj* gwineulwyd

dunce* *n* twpsyn *m*

dune *n* twyn *m*

dung *n* tail *m*, tom *f*

dungarees *n* dyngarîs *pl*

dungeon *n* daeargell *f*, dwnsiwn *m*

dunghill *n* tomen *f*

dunk* *vn* dowcio, trochi

dunnock llwyd y gwrych

duodecimal MATHEMATICS *adj* deuddegol

duodenum ANATOMY *n* dwodenwm *m*

dupe 1. *n* diniweityn *m* 2. *vn* twyllo

duple MUSIC *adj* dyblyg

duplex ART *adj* dwplecs

duplicate *vn* dyblygu

duplicates *n* dyblygion *pl*

duplication *vn* dyblygu

duplicator *n* dyblygydd *m*, lluosogydd *m*

duplicity *n* dichell *f*, ffalster *m*, ffalstra *m*, twyll *m*

durability *n* gwydnwch *m*, gwytnwch *m*, parhad *m*

durable *adj* gwydn, parhaol

duralumin METALLURGY *n* dwralwmin *m*

duration* *n* hyd[1] *m*, parhad *m*

duress LAW *n* gorfodaeth *f*

during yn ystod [*ystod*]

dusk 1. *n* cyfnos *m*, gwyll *m* 2. brig y nos [*brig*[1]], brig yr hwyr [*brig*[1]]

dusky *adj* pygddu

dust 1. *n* dwst *m*, llwch[1] *m* 2. *vn* tynnu llwch

dustbin bin sbwriel

dustcart lorri ludw

duster *n* clwt *m*, clwtyn *m*, dwster *m*

dusty *adj* llychlyd

Dutch *adj* Iseldiraidd

Dutchman *n* Iseldirwr *m*

Dutchwoman *n* Iseldirwraig *f*

duterium *n* diwteriwm *m*

dutiful *adj* ufudd

duty *n* dyletswydd *f*, toll *f*

dwarf *n* cor *m*, corrach *m*

dwarfism *n* corachedd *m*

dwell *vn* anheddu, byw[1], preswylio, trigfannu, trigiannu, trigo

dweller *n* anheddwr *m*, preswyliwr *m*, preswylydd *m*

dwelling *n* anheddfa *f*, anheddiad *m*, annedd *fm*, cyfannedd *m*, preswylfa *f*, trigfa *f*, trigfan *f*

dwindle *vn* edwino, teneuo

dye 1. *n* llifyn *m*, lliwur *m* 2. *vn* llifo[2], lliwio

dyed *adj* llifedig, lliwiedig

dyer *n* lliwiwr *m*

dyke[1] *n* clawdd *m*, ffos *f*, gorglawdd *m*, morglawdd *m*

dyke[2] GEOLOGY *n* deic *m*

dynamic *adj* dynamig

dynamics MUSIC, PHYSICS *n* dynameg *f*

dynamite *n* dynameit *m*

dynamo *n* dynamo *m*

dynamometer PHYSICS *n* dynamometr *m*

dynasty *n* brenhingyff *m*, brenhinlin *f*, brenhinllin *f*

dysentery MEDICINE *n* dysentri *m*

dysfunction *n* camweithrediad *m*

dysfunctional *adj* camweithredol

dyslexia *n* dyslecsia *m*

dyslexic *adj* dyslecsig

dyspepsia MEDICINE *n* dyspepsia *m*

dyspeptic MEDICINE *adj* dyspeptig

dysphasia PSYCHIATRY *n* dysffasia *m*

dyspnoea MEDICINE *n* caethder *m*, caethdra *m*

dysprosium *n* dysprosiwm *m*

dystrophic *adj* camfaethol

dystrophy MEDICINE *n* nychdod *m*

dysuria *n* troethgur *m*

e

e- COMPUTING *pref* e-

E *abbr* Dn

each 1. *adj* pob[1] 2. *n* un[3] *mf* 3. *pronoun* pobun 4. pob i [*pob[1]*], pob o [*pob[1]*], yr un [*un[1]*]

eager 1. *adj* awchus, awyddus, chwannog 2. ar dân [*tân*]

eagerness *n* awch *m*, awydd *m*

eagle *n* eryr[1] *m*

ear *n* clust *f*, tywysen *f*

earache[1] pigyn clust

earache[2] MEDICINE clust dost

eardrum[1] *n* tympan y glust *m*

eardrum[2] ANATOMY pilen y glust

earl *n* iarll *m*

earldom *n* iarllaeth *f*

earlship *n* iarllaeth *f*

early 1. *adj* cynamserol, cynnar, cyntefig 2. cyn pryd [*pryd[1]*]

earmark 1. *n* clustnod *m* 2. *vn* clustnodi 3. nod clust [*nod[1]*]

earn *vn* ennill[1], gwneud[1], gwneuthur

earnest *adj* difri, difrif, difrifol, taer

earnestness *n* difrifoldeb *m*, difrifwch *m*, taerineb *m*

earnings *n* adenillion *pl*, enillion *pl*

earphone ffôn clust

earring *n* clustdlws *m*, clustlws *m*

earshot *n* clyw[1] *m*

earth 1. *n* daear *f*, daearen *f*, gro *m & pl*, gweryd[1] *m*, pridd *m*, priddell *f*, priddyn *m* 2. *vn* daearu, priddio, priddo, rhuchio

Earth[1] 1. *n* byd *m* 2. daear lawr

Earth[2] GEOGRAPHY *n* Daear *f*

earthly *adj* daearol

earthquake *n* daeargryn *m*

earthwork *n* gwrthglawdd *m*

earthworm 1. *n* abwyd *m*, abwydyn *m*, mwydyn *m* 2. pryf genwair

earthy *adj* priddlyd

earwig chwilen glust, pryf clust, pryf clustiog

ease 1. *n* esmwythder *m*, esmwythyd *m*, hawddfyd *m*, hawster *m*, hawstra *m*, rhwyddineb *m*, seguryd *m*, ymwared *m* 2. *vn* esmwytháu, esmwytho, llacio, llaesu, llarieiddio, lleddfu, lliniaru

easel *n* îsl *m*

easement LAW *n* hawddfraint *f*

easiness* *n* rhwyddineb *m*

east *n* dwyrain *m*

East 1. *abbr* Dn 2. Dwyrain

Easter *n* Pasg *m*

easterly *adj* dwyreiniol

eastern *adj* dwyreiniol

easting *n* dwyreiniad *m*

easy *adj* didrafferth, esmwyth, hawdd, rhwydd

eat *vn* bwyta

eater *n* bwytäwr *m*

eating-place lle bwyd [*lle[1]*]

eaves *n* bargod *m*, bondo *m*

eavesdrop *vn* clustfeinio

eavesdropper *n* clustfeiniwr *m*

ebb 1. *n* adlif *m*, trai *m* 2. *vn* adlifo, cilio, treio

ebbing *n* distylliad *m*, treiad[1] *m*

ebonize *vn* eboneiddio

ebony 1. *adj* ebonaidd 2. *n* eboni *m*

ebullience *n* asbri *m*, hoen *f*, nwyf *m*, nwyfiant *m*

ebullient* *adj* afieithus, hoenus, nwyfus

EC y Gymuned Ewropeaidd [*cymuned*]

e-card *n* e-gerdyn *m*
eccentric[1] *adj* ecsentrig, od
eccentric[2] MATHEMATICS *adj* echreiddig
eccentricity[1] *n* odrwydd *m*
eccentricity[2] MATHEMATICS *n* echreiddiad *m*
ecclesiastical *adj* eglwysig
ecclesiasticism RELIGION *n* eglwysyddiaeth *f*
ecclesiology *n* eglwyseg *f*, eglwysoleg *f*
ecdysial ZOOLOGY *adj* ecdysaidd
ecdysis ZOOLOGY *n* ecdysis *m*
echo 1. *n* adlais *m*, atsain *f*, eco *m*
   2. *vn* adleisio, atseinio
echoing *adj* adleisiol, atseiniol
echolalia PSYCHIATRY *n* ecolalia *m*
éclair *n* eclair *f*
eclectic *adj* eclectig
eclecticism PHILOSOPHY *n* eclectiaeth *f*
eclipse[1] *n* cil *m*, clip[2] *m*, clips *m*, eclips *m*
eclipse[2] ASTRONOMY *n* diffyg *m*
ecliptic ASTRONOMY *n* ecliptig *m*
eclogue *n* bugeilgerdd *f*, eclog *m*
ecological *adj* ecolegol
ecologist *n* ecolegwr *m*, ecolegydd *m*
ecology *n* ecoleg *f*
e-commerce *n* e-fasnach *f*
econometrics ECONOMICS *n* econometreg *f*
economic *adj* economaidd
economics *n* economeg *f*
economies *n* darbodion *pl*
economist *n* economegydd *m*
economize *vn* cynilo
economy *n* cynildeb *m*, cynilder *m*, economi *m*
ecospecies BIOLOGY *n* ecorywogaeth *f*
ecosystem BIOLOGY *n* ecosystem *f*
ecotone BIOLOGY *n* ecotôn *m*
ecotourism *n* ecodwristiaeth *f*
ecstasy *n* ecstasi *m*
ecstatic *adj* ecstatig
ectoderm ZOOLOGY *n* ectoderm *m*
ectomorph PHYSIOLOGY *n* ectomorff *m*
ectoparasite BIOLOGY *n* ectoparasit *m*
ectoplasm *n* ectoplasm *m*
Ecuadorian 1. *adj* Ecwadoraidd 2. *n* Ecwadoriad *m*
ecumenical RELIGION *adj* eciwmenaidd
ecumenism RELIGION *n* eciwmeniaeth *f*
ecumenist RELIGION *n* eciwmenydd *m*
eczema[1] *n* croenlid *m*
eczema[2] MEDICINE *n* ecsema *m*
ed. *abbr* gol.
edaphic BIOLOGY *adj* edaffig
eddy[1] 1. *n* trolif *m* 2. *vn* chwyrlïo, trolifo
eddy[2] PHYSICS *n* trolif *m*
edge *n* cwr *m*, erchwyn *m*, godre *m*, min *m*,
   ochr *f*, ymyl *fm*
edible *adj* bwytadwy
edict *n* cyhoeddeb *f*, gorchymyn[2] *m*
edify* *vn* goleuo

edifying *adj* adeiladol, buddiol, dyrchafol
edit *vn* golygu
editing *n* golygiad *m*
edition *n* argraffiad *m*, golygiad *m*
editor *n* golygydd *m*
editorial 1. *adj* golygyddol[1] 2. *n* golygyddol[2] *m*
editorship *n* golygyddiaeth *f*
edn *abbr* arg.
educability *n* addysgedd *m*
educable *adj* addysgadwy
educate *vn* addysgu, dysgu
educated *adj* addysgedig
education *n* addysg *f*
educational *adj* addysgiadol, addysgol
educationalist *n* addysgwr *m*, addysgydd *m*
educationist *n* addysgwr *m*, addysgydd *m*
educative *adj* addysgiadol
educe *vn* edwytho
eduction *n* edwythiad *m*
Edwardian *adj* Edwardaidd
eel *n* llysywen *f*
eerie *adj* annaearol, iasol
effect 1. *n* effaith *f* 2. *vn* effeithio
effective *adj* effeithiol
effectiveness *n* effeithiolrwydd *m*
effector BIOLOGY *n* effeithydd *m*
effeminate *adj* anwraidd, anwrol, merchetaidd,
   mursennaidd
efferent[1] *adj* efferol
efferent[2] PHYSIOLOGY *adj* echddygol
effervesce[1] *vn* byrlymu
effervesce[2] CHEMISTRY *vn* eferwi
effervescence CHEMISTRY *n* eferwad *m*
effervescent[1] *adj* byrlymus
effervescent[2] CHEMISTRY *adj* eferwol
efficacious *adj* rhinweddol
efficacy *n* effeithiolrwydd *m*
efficiency *n* effeithlonrwydd *m*
efficient *adj* effeithiol, effeithlon
effigy *n* delw *f*
effluence *n* elifiant *m*
effluent *n* carthffrwd *f*, elifyn *m*
effort[1] *n* cais[1] *m*, ymdrech *f*, ymgais *mf*
effort[2] PHYSICS *n* ymdrech *f*
effortless *adj* diymdrech, diymgais
effrontery *n* digywilydd-dra *m*, wyneb *m*
e.g. *abbr* e.e.
egalitarian 1. *adj* egalitaraidd 2. *n* cydraddolwr *m*
egalitarianism *n* egalitariaeth *f*
egestion BIOLOGY *n* carthiad *m*
egg *n* wy *m*
eggar (moth) *n* wylun[2] *m*
eggshell masgl wy
ego PSYCHOLOGY *n* ego *m*
egocentric *adj* egosentrig, myfïol
egoism *n* egoistiaeth *f*, myfïaeth *f*
egoistic *adj* egoistaidd, myfïol

egomania *n* myfiaeth *f*
egotism *n* myfiaeth *f*
egotistic *adj* egoistaidd
Egyptian 1. *adj* Eifftaidd
  2. *n* Eifftiad *m*, Eifftiwr *m*
Egyptologist *n* Eifftolegydd *m*
Egyptology *n* Eifftoleg *f*
eight *num* wyth
eighteen *num* deunaw
eighteenth *num* deunawfed
eighth *num* wythfed[1]
eighty *num* pedwar ugain, wyth deg
einsteinium *n* einsteiniwm *m*
either 1. *adv* chwaith, ychwaith 2. un ai [*un*[2]]
ejaculate *vn* alldaflu, ffrydio had
ejaculation *n* alldafliad *m*, ffrydiad *m*
ejection *n* diarddeliad *m*
eke *vn* crafu
ekistics ANTHROPOLOGY *n* anheddeg *f*
elaborate 1. *adj* cymhleth[1] 2. *vn* ymhelaethu
elaboration *n* datblygiad *m*, ymhelaethiad *m*
elastic 1. *adj* elastig[2] 2. *n* elastig[1] *m*
elasticity[1] *n* elastigedd *m*, ystwythder *m*
elasticity[2] ECONOMICS *n* elastigedd *m*
elastin(e) BIOCHEMISTRY *n* elastin *m*
elastomer CHEMISTRY *n* elastomer *m*
elastomeric CHEMISTRY *adj* elastomerig
elbow[1] 1. *n* elin *f*, penelin *mf* 2. *vn* elino
elbow[2] ANATOMY *n* penelin *mf*
elder[1] 1. *adj* hŷn, hynaf 2. *n* blaenor *m*, diacon *m*,
  henaduriad *m*, henuriad *m*, hynafgwr *m*
elder[2] (trees and wood) *n* ysgaw *pl*
elderberries eirin ysgaw
elderly *adj* oedrannus
eldest *adj* hynaf
e-learning *n* e-ddysgu *m*
elecampane *n* marchalan *m*
elect[1] 1. *adj* darpar 2. *vn* ethol
elect[2] RELIGION *adj* etholedig
elected *adj* etholedig
election[1] *n* etholiad *m*, lecsiwn *f*
election[2] RELIGION *n* etholedigaeth *f*
elective *adj* etholadwy
elector *n* etholwr *m*
Elector *n* Etholydd *m*
electoral *adj* etholiadol
electorate *n* etholaeth *f*
electric *adj* trydanol
electrical *adj* trydanol
electrician *n* trydanwr *m*
electricity *n* trydan *m*
electrification 1. *n* trydaniad *m* 2. *vn* trydanu
electrify *vn* gwefreiddio, trydanu
electrifying *adj* gwefreiddiol
electrochemical *adj* electrocemegol
electrochemistry *n* electrocemeg *f*
electrocution *n* trydanladdiad *m*

electrode *n* electrod *m*
electrolyse CHEMISTRY *vn* electroleiddio
electrolysis *n* electrolysis *m*
electrolyte CHEMISTRY *n* electrolyt *m*
electrolytic *adj* electrolytig
electromagnet PHYSICS *n* electromagnet *m*
electromagnetic *adj* electromagnetig
electromagnetism *n* electromagnetedd *m*,
  electromagneteg *f*
electrometer PHYSICS *n* electromedr *m*
electron PHYSICS *n* electron *m*
electronegative CHEMISTRY, PHYSICS *adj*
  electronegatif
electronegativity CHEMISTRY, PHYSICS
  n electronegatifedd *m*
electronic *adj* electronig, electronol
electronics *n* electroneg *f*
electrophile CHEMISTRY *n* electroffil *m*
electrophilic CHEMISTRY *adj* electroffilig
electrophoresis CHEMISTRY *n* electrofforesis *m*
electroplate *vn* electroplatio
electropositive PHYSICS *adj* electropositif
electropositivity CHEMISTRY, PHYSICS
  n electropositifedd *m*
electroscope PHYSICS *n* electrosgop *m*
electrostatic PHYSICS *adj* electrostatig
electrostatics PHYSICS *n* electrostateg *f*
electrovalency CHEMISTRY *n* electrofalens *m*
electrovalent CHEMISTRY *adj* electrofalent
electrum METALLURGY *n* electrwm *m*
elegance *n* ceinder *m*, coethder *m*, gwychder *m*
elegant *adj* ceindeg
elegiac *adj* elegeiog, marwnadol
elegy *n* galarnad *f*, marwnad *f*
element *n* elfen *f*, tafod *m*
elemental *adj* elfennaidd
elementary *adj* elfennol
elements *n* elfennau *pl*
elephant *n* eliffant *m*
elephantine *adj* eliffantaidd
elevate *vn* dyrchafu
elevated *adj* dyrchafedig
elevator *n* lifft *m*
elevenses te deg/ddeg
elf* *n* pwca *m*, pwci *m*
eligibility* *n* cymhwyster *m*
eligible* *adj* cymwys
eliminate* *vn* dileu
elipsoidal MATHEMATICS *adj* elipsoidol
elite 1. *adj* elitaidd 2. *n* elît *m*
élite *n* elît *m*
elitism *n* elitiaeth *f*
elitist *n* elitydd *m*
elixir *n* elicsir *m*
elk *n* elc *m*
ellipse MATHEMATICS *n* elips *m*
ellipsoid MATHEMATICS *n* elipsoid *m*

elliptic *adj* eliptig, eliptigol

elliptical *adj* eliptig, eliptigol

elm (tree and wood) *n* llwyfen *f*

elocution *n* llafareg *f*

elocutionist *n* adroddreg *f*, adroddwr *m*,
  adroddwraig *f*, areithiwr *m*, areithydd *m*

elongate *vn* hwyhau

elongated *adj* hirfain, hirgul

elongation *n* hwyhad *m*

eloquence *n* huodledd *m*

eloquent *adj* huawdl, ymadroddus

else* *adj* arall

elucidate* *vn* egluro, esbonio

elucidator *n* esboniwr *m*

elude *vn* osgoi

eluent CHEMISTRY *n* echludydd *m*

elute CHEMISTRY *vn* echludo

elution[1]* *vn* echludo

elution[2] CHEMISTRY *n* echludiad *m*

eluvial GEOLOGY *adj* echlifol

eluviation *n* echlifiant *m*

elytron ZOOLOGY *n* cloradain *f*

emaciated *adj* curiedig

email 1. *n* ebost *m*, e-bost *m* 2. *vn* ebostio, e-bostio

e-mail 1. *n* ebost *m*, e-bost *m*
  2. *vn* ebostio, e-bostio

emanate* *vn* deillio

emancipate *vn* rhyddfreinio, rhyddhau

emancipated *adj* rhyddfreiniol

emancipation *n* rhyddfraint *f*, rhyddfreiniad *m*

emasculate* *vn* sbaddu, ysbaddu

embankment *n* argae *m*, còb[2] *m*, gorglawdd *m*,
  morglawdd *m*

embargo[1]* *n* gwaharddiad *m*

embargo[2] LAW *n* embargo *m*

embarrassment *n* embaras *m*

embassy *n* llysgenhadaeth *f*

embellishment *n* harddiad *m*

ember *n* glöyn *m* marworyn *m*

embers *n* cols *pl*, marwydos *pl*

embezzle[1] *vn* darnguddio

embezzle[2] LAW *vn* embeslo

embezzlement[1] *n* embeslad *m*

embezzlement[2] LAW *vn* embeslo

embezzler *n* embeslwr *m*

embitter *vn* chwerwi, diflasu

embittered *adj* chwerw

emblem *n* arwyddlun *m*

emblematic *adj* arwyddluniol

embodiment *n* ymgorfforiad *m*

embody *vn* corffori, ymgorffori

embolism MEDICINE *n* emboledd *m*

embolus MEDICINE *n* embolws *m*

emboss ART *vn* boglynnu

embossed *adj* boglynnog

embrace[1] 1. *n* cofleidiad *m* 2. *vn* anwesu,
  cofleidio, mynwesu

embrace[2] (one another) *vn* ymgofleidio

embrasure[1] *n* bwlch *m*

embrasure[2] ARCHITECTURE *n* saethdwll *m*

embroider *vn* brodio

embroidery *n* brodwaith *m*

embryo[1] *n* bywyn *m*

embryo[2] BOTANY, ZOOLOGY *n* embryo *m*

embryology *n* embryoleg *f*

embryonic *adj* embryonig

emend* *vn* diwygio

emendation *n* cywiriad *m*

emerald *n* emrallt[1] *m*

emerge* *vn* ymddangos

emergency *n* argyfwng *m*, brys *m*

emery *n* emeri *m*

emetic MEDICINE *n* cyfoglyn *m*

emigrant *n* ymfudwr *m*

emigrate *vn* allfudo, ymfudo

emigration *n* ymfudiad *m*

Eminence ei/eich Arucheledd [arucheledd]

eminent *adj* amlwg, goruchel

emissary* *n* cennad[1] *f*

emission *n* allyriad *m*, allyriant *m*

emissivity PHYSICS *n* allyrredd *m*

emit *vn* alldaflu, allyrru

emitter *n* allyrrydd *m*

emollient* *n* eli *m*

emolument* *n* tâl[1] *m*, taliad *m*

emoticon COMPUTING *n* gwenoglun *m*

emotion *n* emosiwn *m*

emotional 1. *adj* emosiynol, teimladol
  2. dan deimlad [teimlad]

empathy *n* empathi *m*

emperor *n* ymerawdwr *m*, ymherodr *m*

emphasis *n* pwys[2] *m*, pwyslais *m*, tanlinelliad *m*

emphasize *vn* pwysleisio, tanlinellu

emphysema MEDICINE *n* emffysema *m*

empire *n* ymerodraeth *f*

empirical *adj* empeirig, empirig

empiricism *n* empeiraeth *f*, empiriaeth *f*

employ *vn* cyflogi

employable *adj* cyflogadwy

employed *adj* cyflogedig

employee 1. *n* gweithiwr *m* 2. gwas cyflog [cyflog]

employer *n* cyflogwr *m*, cyflogydd *m*

employment *n* cyflogaeth *f*, gwaith[1] *m*

empower *vn* awdurdodi, grymuso

empress *n* ymerodres *f*

emptier *n* dihysbyddwr *m*, gwacäwr *m*

emptiness *n* gwacter *m*

empty 1. *adj* gwag 2. *vn* gwacáu, gwagio,
  gwagu, sbyddu, ysbyddu

empty-handed *adj* gwaglaw

emptying *n* gwacâd *m*

emulate *vn* efelychu

emulsifier CHEMISTRY *n* emwlsydd *m*

emulsify *vn* emwlseiddio, emwlsio

emulsion CHEMISTRY *n* emwlsiwn *m*

enable *vn* galluogi

enabler *n* galluogwr *m*

enact *vn* actio, cyflawni, deddfu

enamel 1. *n* enamel *m*, owmal *m* 2. *vn* enamlo

enamour* *vn* swyno

enantiomorph CHEMISTRY *n* enantiomorff *m*

encampment *n* gwersyllfa *f*, gwersyllfan *f*, lluestfa *f*

encaustic *adj* llosgliw

enchant *vn* cyfareddu, hudo, lledrithio, swyngyfareddu, swyno

enchanted *adj* swyngyfareddol

enchanter *n* hudwr *m*, swynwr *m*

enchanting *adj* cyfareddol, hudol, hudolus, llesmeiriol, rhiniol, swyngyfareddol

enchantment *n* cyfaredd *f*, hud[1] *m*, hudoliaeth *f*, rhin *mf*, swyngyfaredd *f*

enchantress *n* dewines *f*, hudoles *f*, hudwraig *f*, swynwraig *f*

encircle *vn* amgylchynu, cylchu

enclave *n* cilfach *f*, clofan *m*

enclose[1] *vn* amgáu

enclose[2] HISTORY *vn* cau tiroedd [*cau*[1]]

enclosed 1. *abbr* amg 2. *adj* amgaeedig

enclosure *n* cae[1] *m*, clos[1] *m*, coetgae *m*, corlan *f*, ffald *f*, lloc *m*

encode[1] *vn* codio

encode[2] COMPUTING *vn* amgodio

encomium* *n* molawd *m*

encompass *vn* cwmpasu, rhychwantu

encompassing *adj* cwmpasog

encore *n* encôr *m*

encounter* *vn* cyfarfod[1]

encourage *vn* annog, calonogi, cefnogi, cymell, hybu, symbylu

encouragement *n* anogaeth *f*, anogiad *m*, calondid *m*, symbyliad *m*

encourager *n* anogwr *m*

encouraging *adj* calonogol, cefnogol

encroach *vn* llechfeddiannu, tresbasu, tresmasu

encroachment *n* llechfeddiant *m*, tresmasiad *m*

encrustation *n* crameniad *m*

encrusted *adj* cnapiog, cramennog[2]

encrypt *vn* amgryptio

encumbrance maen melin [*maen*[1]]

encyclopedia *n* gwyddoniadur *m*

encyclopedist *n* gwyddoniadurwr *m*

end 1. *adj* pen[2] 2. *n* diwedd *m*, hanner *m*, pall *m*, pen[1] *m*, pen draw *m*, terfyn *m* 3. *vn* cloi[1], dibennu, diweddu, gorffen, terfynu

endanger *vn* enbydu, peryglu

endear *vn* anwylo

endearing *adj* annwyl, hoffus

endearment *n* anwyldeb *m*

endeavour 1. *n* ymdrechiad *m*, ymgais *mf* 2. *vn* ymdrechu

endemic *adj* endemig

ending[1] *n* darfyddiad *m*, diweddglo *m*, diweddiad *m*, terfyniad *m*

ending[2] GRAMMAR *n* terfyniad *m*

endive *n* endif *f*

endless *adj* anorffen, di-ben-draw, diderfyn, diddiwedd, pengoll

endlessness *n* annherfynoldeb *m*, dibendrawdod *m*

endocarditis[1] llid falfiau'r galon

endocarditis[2] MEDICINE *n* endocarditis *m*

endocarp BOTANY *n* endocarp *m*

endocrine PHYSIOLOGY *adj* endocrin, endocrinaidd

endocrinology PHYSIOLOGY *n* endocrinoleg *f*

endogenous *adj* mewndarddol

endogeny BIOLOGY *n* mewndarddiad *m*

endomorph PHYSIOLOGY *n* endomorff *m*

endorphin BIOCHEMISTRY *n* endorffin *m*

endorse[1] *vn* ardystio, cadarnhau, cefnogi, cymeradwyo

endorse[2] LAW *vn* arnodi

endorsed *adj* arnodedig

endorsement[1] *n* ardystiad *m*, cefnogaeth *f*

endorsement[2] LAW *n* arnodiad *m*

endoscope MEDICINE *n* endosgop *m*

endosperm BOTANY *n* endosberm *m*

endothermic BIOLOGY, CHEMISTRY *adj* endothermig

endow[1] *vn* cynysgaeddu, donio

endow[2] FINANCE *vn* gwaddoli

endowed *adj* gwaddoledig

endowment[1] *n* gwaddoliad *m*

endowment[2] LAW *n* gwaddol *m*

end-rhyme *n* prifodl *f*

endurable* *adj* goddefadwy

endurance *n* dycnwch *m*, dygnwch *m*

endure *vn* dioddef, goddef, ymaros

enema *n* enema *m*

enemy *n* gelyn *m*

energetic[1] *adj* egnïol, ymdrechgar

energetic[2] PHYSICS *adj* egnïol

energetics *n* egnïeg *f*

energize PHYSICS *vn* egnïoli

energized PHYSICS *adj* egnïoledig

energy[1] *n* egni *m*, ynni *m*

energy[2] PHYSICS *n* egni *m*

enervate *vn* dinerthu

enervated *adj* dinerth

enervating *adj* gwanhaol

enervation *n* dinerthedd *m*

enfeeblement *n* gwanhad *m*

enfeoff *vn* enffeodu

enfeoffment *n* enffeodaeth *f*

enfold* *vn* lapio

enforce* *vn* gorfodi

enforcement *n* gorfodaeth *f*

enfranchise *vn* rhyddfreinio

enfranchised *adj* rhyddfreiniol

enfranchisement *n* rhyddfreiniad *m*

engage *vn* cyflogi, ymgysylltu

engagement *n* dyweddïad *m*

engaging *adj* atyniadol, dengar

engender* *vn* ennyn, peri

engine 1. *n* injan *f*, peiriant *m*, trên *m* 2. injan drên

engineer *n* peiriannydd *m*

engineering *n* peirianneg *f*

English 1. *adj* Saesneg[2], Seisnig 2. *n* Saesneg[1] *fm*

Englishman *n* Sais *m*

Englishwoman *n* Saesnes *f*

engrave *vn* arysgrifio, engrafu, ysgythru

engraver *n* engrafwr *m*, ysgythrwr *m*

engraving[1] *n* engrafiad *m*, ysgythriad *m*

engraving[2] ART *n* ysgythriad *m*

engulf[1] *vn* llyncu

engulf[2] BIOLOGY *vn* amlyncu

enhance *vn* gwella, mireinio

enhanced *adj* gwell[1]

enhancement *n* gwelliant *m*, ychwanegiad *m*

enharmonic MUSIC *adj* enharmonig

enigma *n* enigma *f*

enigmatic *adj* enigmataidd, enigmatig

enjoy *vn* cael blas ar rywbeth [*blas*], mwynhau

enjoyable *adj* dymunol, pleserus

enjoyment *n* mwynhad *m*

enlarge *vn* helaethu, mwyhau

enlargement[1] *n* helaethiad *m*, mwyhad *m*

enlargement[2] MATHEMATICS *n* helaethiad *m*

enlarger ART *n* helaethydd *m*

enlighten *vn* egluro, goleuo

enlightened *adj* goleuedig, gwybodus

enlightenment[1] *n* goleuni *m*

enlightenment[2] HISTORY *n* goleuedigaeth *f*

enlist *vn* listio, ymrestru

enliven *vn* bywhau, bywiocáu, bywiogi

enmesh *vn* maglu

enmity *n* gelyniaeth *f*

ennoble* *vn* urddo

enormity *n* anfadrwydd *m*, anferthedd *m*, anferthwch *m*

enormous *adj* dirfawr, enfawr

enough 1. *adv* digon[2] 2. *n* digon[1] *m*, gwala *f*

enquire *vn* holi, ymholi

enquirer *n* gofynnwr *m*, gofynnydd *m*, ymholwr *m*, ymofynnydd *m*

enquiry *n* ymholiad *m*

enrage *vn* ffyrnigo, gwylltio, gwylltu

enraged *adj* candryll

enrapture* *vn* cyfareddu

enrich *vn* cyfoethogi

enrobe *vn* arwisgo

enrol *vn* cofrestru

enrolment *n* cofrestriad *m*

ensconce* *vn* ymsefydlu

enshroud *vn* amdoi

enslave* *vn* caethiwo

ensnare* *vn* maglu

ensue* *vn* dilyn

ensuing *adj* dilynol

ensure *vn* diogelu, sicrhau

entablature ARCHITECTURE *n* goruwchadail *f*

entail LAW 1. *n* entael *m* 2. *vn* entaelio

entangle *vn* drysu, maglu

entangled *adj* dyrys

enteric MEDICINE *adj* enterig

enteritis MEDICINE *n* enteritis *m*

enterprise *n* menter *f*

enterprising *adj* mentrus

entertain *vn* adlonni, diddanu, diddori, difyrru

entertainer *n* diddanwr *m*, difyrrwr *m*, difyrwraig *f*

entertaining *adj* adloniadol, diddan, difyr, difyrrus

entertainment *n* adloniant *m*, diddanwch *m*, difyrrwch *m*

enthalpy PHYSICS *n* enthalpi *m*

enthrall* *vn* cyfareddu, swyno

enthralling* *adj* cyfareddol

enthrone *vn* gorseddu

enthusiasm *n* brwdfrydedd *m*

enthusiastic 1. *adj* brwd, eiddgar, pybyr 2. ar dân [*tân*]

entice *vn* denu, llithio

enticement *n* llithiad *m*

enticer *n* hudwr *m*

entire 1. *adj* crwn, cwbl[2], cyflawn, hollol, llawn[1] 2. cyfan gwbl [*cyfan*[2]]

entirety *n* crynswth *m*

entity *n* endid *m*

entomologist *n* entomolegwr *m*, entomolegydd *m*

entomology *n* entomoleg *f*

entourage* *n* gosgordd *f*

entr'acte MUSIC *n* entr'acte *m*

entrails ANATOMY *n* coluddion *pl*, ymysgaroedd *pl*

entrance 1. *n* mynedfa *f*, mynediad *m* 2. *vn* swyno

entrancing *adj* llesmeiriol

entrant* *n* newyddian *m*

entrap* *vn* maglu

entreat *vn* crefu, eiriol, erfyn[2], ymbil[2], ymbilio

entreaty *n* deisyfiad *m*, erfyniad *m*, ymbil[1] *m*, ymbiliad *m*

entrepreneur *n* entrepreneur *m*, mentrwr *m*

entrepreneurship *n* entrepreneuriaeth *f*

entropy PHYSICS *n* entropi *m*

entrust *vn* gadael, ymddiried

entry *n* mynedfa *f*, mynediad *m*

entwine *vn* cyfrodeddu, ymgordeddu

enumerable[1] *adj* cyfrifadwy

enumerable[2] MATHEMATICS *adj* rhifadwy

enumerate[1]*** *vn* rhifo

enumerate[2] MATHEMATICS *vn* cyfrif[2]

enumeration *n* rhifiad *m*

enunciate *vn* cynanu, yngan, ynganu
enunciation *n* cynaniad *m*, ynganiad *m*
enuresis MEDICINE *n* enwresis *m*
envelop *vn* gorchuddio
envelope *n* amlen *f*
envious *adj* cenfigennus, eiddigeddus
environment *n* amgylchedd *m*, amgylchfyd *m*
environmental *adj* amgylcheddol
environmentalism *n* amgylcheddiaeth *f*
environmentalist *n* amgylcheddwr *m*
envisage *vn* rhagweld, rhag-weld
envoy *n* cennad[1] *f*
envy 1. *n* cenfigen *f*, eiddigedd *m*
   2. *vn* cenfigennu, eiddigeddu
enzyme BIOCHEMISTRY *n* ensym *m*
eolith ARCHAEOLOGY *n* eolith *m*
eolithic *adj* eolithig
epeirogenesis GEOLOGY *n* epeirogenesis *m*
ephemera *n* effemera *pl*
ephemeral* *adj* byrhoedlog
ephemeris ASTRONOMY *n* effemeris *m*
epic 1. *adj* epig[2] 2. *n* arwrgerdd *f*, epig[1] *f*
epicentre GEOLOGY *n* uwchganolbwynt *m*
Epicurean *adj* Epicuraidd
Epicureanism PHILOSOPHY *n* Epicuriaeth *f*
epicycle[1] MATHEMATICS *n* argylch *m*, episeicl *m*
epicycle[2] ASTRONOMY *n* episeicl *m*
epicyclic *adj* episeiclig
epidemic MEDICINE *n* epidemig *m*
epidermal *adj* epidermaidd
epidermis[1] *n* glasgroen *m*
epidermis[2] BOTANY, ZOOLOGY *n* epidermis *m*
epidural MEDICINE *adj* epidwral
epigeal[1] *adj* arddaearol
epigeal[2] BIOLOGY, BOTANY *adj* epigeal
epiglottis[1] *n* ardafod *m*
epiglottis[2] ANATOMY *n* epiglotis *m*
epigram *n* epigram *m*
epigynous BOTANY *adj* epigynol
epilepsy MEDICINE *n* epilepsi *m*
epileptic MEDICINE *adj* epileptig
epilogue *n* epilog *m*
epimer CHEMISTRY *n* epimer *m*
epimerize CHEMISTRY *vn* epimeru
Epiphany RELIGION *n* Ystwyll *m*
epiphyte[1] *n* ardyfwr *m*
epiphyte[2] BOTANY *n* epiffyt *m*
episcopal *adj* esgobaidd, esgobol
episcopalian 1. *adj* esgobaidd, esgobol
   2. *n* esgobwr *m*
episcopate *n* esgobaeth *f*
episode *n* episod *m*, pennod *f*
episodic *adj* episodaidd
epistemological PHILOSOPHY *adj* epistemolegol
epistemology PHILOSOPHY *n* epistemoleg *f*
epistle[1] *n* llythyr *m*
epistle[2] RELIGION *n* epistol *m*

epistolary *adj* epistolaidd
epitaph *n* beddargraff *m*
epithelial ANATOMY *adj* epithelaidd
epithelioma MEDICINE dafaden wyllt
epithelium ANATOMY *n* epitheliwm *m*
epitome *n* crynodeb *m*, ymgorfforiad *m*
epitomize* *vn* crynhoi[1]
epoch GEOLOGY *n* epoc *m*
epoxide CHEMISTRY *n* epocsid *m*
epoxy *adj* epocsi
equable* *adj* cyfartal, gwastad[1], pwyllog
equal *adj* cydradd, cyfartal, cyfwerth,
   gogyfuwch, gogyhyd, gogymaint, hafal, unfaint
equality[1] *n* cydraddoldeb *m*, cyfartaledd *m*
equality[2] MATHEMATICS *n* hafaledd *m*
equally *adv* cystal[2]
equals *n* cydraddolion *pl*
equate MATHEMATICS *vn* hafalu
equation MATHEMATICS *n* hafaliad *m*
equative GRAMMAR *adj* cyfartal
equator *n* cyhydedd *m*
equatorial *adj* cyhydeddol
equestrian *adj* marchogol
equiangular MATHEMATICS *adj* hafalonglog
equidistant *adj* cytbell
equilateral MATHEMATICS *adj* hafalochrog
equilibrate PHYSICS *vn* ecwilibreiddio
equilibrium[1] *n* cydbwysedd *m*
equilibrium[2] ECONOMICS, PHYSICS *n* ecwilibriwm *m*
equinox *n* alban *m*, cyhydnos *f*
equip *vn* cyfarparu, galluogi
equipment *n* cyfarpar *m*, gêr[1] *mf*, offer *pl*
equipoise* *n* cydbwysedd *m*
equitable* *adj* cyfiawn, teg
equity FINANCE, LAW *n* ecwiti *m*
equivalence[1] *n* cyfatebiaeth *f*, cywerthedd *m*
equivalence[2] LOGIC *n* cywerthedd *m*
equivalent *adj* cywerth
equivocal* *adj* amheus, amwys
equivocate* *vn* anwadalu
era[1] *n* cyfnod *m*, oes[1] *f*
era[2] GEOLOGY *n* gorgyfnod *m*
eradication* *n* dilead *m*
erase* *vn* dileu
eraser *n* dilëwr *m*, rwber *m*
erbium *n* erbiwm *m*
erect 1. *adj* syth, talsyth, union 2. *vn* codi
erection *n* codiad *m*
erg *n* erg *m*
ergonomic *adj* ergonomaidd, ergonomig
ergonomics *n* ergonomeg *f*
ergonomist *n* ergonomegydd *m*
ergot *n* mallryg *m*
Eritrean 1. *adj* Eritreaidd 2. *n* Eritread *m*
ermine *n* carlwm *m*
ermined *adj* cotymog
erode GEOLOGY *vn* erydu

erogenous ANATOMY *adj* erogenaidd
erosion *n* erydiad *m*
erosive *adj* erydol
erosive agent *n* erydydd *m*
erotic *adj* erotig
err *vn* cyfeiliorni
errand *n* neges *f*
erratic *adj* afreolaidd, ansefydlog
erratum* *n* gwall *m*
erroneous *adj* anghywir, cyfeiliornus
error[1] *n* amryfusedd *m*, camsyniad *m*, cyfeiliornad *m*, diffyg *m*, gwall *m*
error[2] MATHEMATICS *n* cyfeiliornad *m*
erudite *adj* dysgedig
erupt *vn* echdorri, ffrwydro
eruption *n* echdoriad *m*, ffrwydrad *m*, ffrwydriad *m*, tarddiant *m*
erysipelas MEDICINE 1. *n* fflamwydden *f*, iddw *m*, iddwf *m* 2. tân iddwf
escalate* *vn* cynyddu, dwysáu
escalator *n* esgaladur *m*
escapade *n* anturiaeth *f*, pranc *m*
escape 1. *n* dihangfa *f*, dihangiad *m*, ffo *m* 2. *vn* dianc
escaped *adj* dihangol
escaper *n* dihangwr *m*
escarpment *n* sgarp *m*, tarren *f*
eschatological *adj* eschatolegol
eschatology RELIGION *n* eschatoleg *f*, esgatoleg *f*
escheat 1. *n* sied *m* 2. *vn* asiedu
eschew* *vn* gochel
escort 1. *n* gosgordd *f* 2. *vn* hebrwng
escutcheon *n* arfbais *f*, esgytsiwn *m*
esker GEOLOGY *n* esgair *f*
Eskimo *n* Esgimo *f*
esoteric *adj* cyfrin, esoterig
esparto *n* esparto *m*
especially *adj* enwedig
Esperanto *n* Esperanto *fm*
espionage* *vn* sbio, ysbïo
espouse* *vn* arddel
Esq. *abbr* Ysw.
esquire *n* yswain *m*
essay *n* traethawd *m*, ysgrif *f*
essence *n* canolbwynt *m*, craidd *m*, ffrwyth *m*, hanfod *m*, rhin *mf*, rhinflas *m*, sylwedd *m*
essential *adj* canolog, hanfodol
essentials *n* hanfodion *pl*
essoin LAW *n* aswyn *f*
establish *vn* gwreiddio, sefydlu
established *adj* sefydledig
establishment *n* sefydliad *m*
estate[1] *n* stad *f*, ystad *f*
esteem 1. *n* bri *m*, mawrygiad *m*, parch *m* 2. *vn* edmygu
ester CHEMISTRY *n* ester *m*
esterify CHEMISTRY *vn* esteru

estimable* *adj* cymeradwy
estimate 1. *n* amcangyfrif[1] *m* 2. *vn* amcanbrisio, amcanfesur, amcangyfrif[2], amcanu, bwrw amcan
estimation *n* barn *f*, cewc *m*, cownt *m*
Estonian 1. *adj* Estonaidd 2. *n* Estoniad *m*
estoppel LAW *n* estopel *m*
estrange *vn* dieithrio
estuary *n* moryd *f*
etc. 1. *abbr* a.y.b. 2. ac felly ymlaen/yn y blaen [*felly*]
etch *vn* ysgythru
etcher *n* ysgythrwr *m*
etching *n* ysgythriad *m*
eternal *adj* bythol, tragwyddol, tragywydd
eternity *n* tragwyddoldeb *m*
ethane CHEMISTRY *n* ethan *m*
ethanoic CHEMISTRY *adj* ethanöig
ethanol *n* ethanol *m*
ethene CHEMISTRY *n* ethen *m*
ether CHEMISTRY *n* ether *m*
ethereal *adj* arallfydol, etheraidd
ethical *adj* moesegol
ethics *n* moeseg *f*
Ethiopian 1. *adj* Ethiopaidd 2. *n* Ethiopes *f*, Ethiopiad *m*
ethnic *adj* ethnig
ethnicity *n* ethnigedd *m*, ethnigrwydd *m*
ethnographic *adj* ethnograffig
ethnography ANTHROPOLOGY *n* ethnograffeg *f*
ethnological ANTHROPOLOGY *adj* ethnolegol
ethnologist *n* ethnolegwr *m*, ethnolegydd *m*
ethnology ANTHROPOLOGY *n* ethnoleg *f*
ethnomusicologist MUSIC *n* ethnogerddoregwr *m*
ethnomusicology MUSIC *n* ethnogerddoreg *f*
ethology ANTHROPOLOGY, BIOLOGY *n* etholeg *f*
ethos *n* ethos *m*
ethylene CHEMISTRY *n* ethylen *m*
ethyne CHEMISTRY *n* ethyn *m*
etiolate *vn* gwelwi
etiolation BOTANY *n* hegledd *m*
etoliated BOTANY *adj* heglog
Etrurian *adj* Etrusgaidd
etymological *adj* etymolegol, geirdarddiadol
etymologist *n* etymolegydd *m*, geirdarddwr *m*
etymology *n* etymoleg *f*, geirdarddiad *m*
etymon LINGUISTICS *n* gwreiddair *m*, tarddair *m*
EU Undeb Ewropeaidd
Eucharist RELIGION *n* Cymun *m*, Cymundeb *m*, sagrafen *f*
eugenics *n* ewgeneg *f*
eukaryote BIOLOGY *n* ewcaryot *m*
eukaryotic BIOLOGY *adj* ewcaryotig
eulogize *vn* moli
eulogy *n* molawd *m*
eunuch *n* eunuch *m*
euphemism gair teg
euphonious *adj* persain, perseiniol
euphonium *n* ewffoniwm *m*

euphony *n* erddigan *f*, peroriaeth *f*, perseinedd *m*
euphoria *n* gorfoledd *m*, iwfforia *m*
eurhythmics *n* ewrhythmeg *f*
euro *n* ewro *m*
European 1. *adj* Ewropeaidd 2. *n* Ewropead *m*
European Union Undeb Ewropeaidd
europium *n* ewropiwm *m*
Eurozone ECONOMICS *n* Ewrodir *m*
eustasy *n* ewstasi *m*
eustatic *adj* ewstatig
eutectic CHEMISTRY *adj* ewtectig
euthanasia *n* ewthanasia *m*
eutherian ZOOLOGY *adj* ewtheraidd
eutrophic BIOLOGY *adj* ewtroffig
eutrophication BIOLOGY *n* ewtroffigedd *m*
evacuate *vn* gwacáu, gwagio, gwagu, ymgilio
evacuation *n* ymgiliad *m*
evacuee *n* faciwî *mf*
evade* *vn* osgoi
evaluate[1] *vn* arfarnu, gwerthuso
evaluate[2] MATHEMATICS *vn* enrhifo
evaluation[1] *n* arfarniad *m*, gwerthusiad *m*
evaluation[2] MATHEMATICS *n* enrhifiad *m*
evanescent *adj* diflannol
evangelical RELIGION 1. *adj* efengylaidd 2. *n* efengylwr *m*, efengylydd *m*
evangelist RELIGION *n* efengylwr *m*, efengylydd *m*
evangelize *vn* efengylu
evaporate *vn* anweddu
evaporation *n* anweddiad *m*
evapotranspiration *n* anwedd-drydarthiad *m*
evasive* *adj* gochelgar
eve *n* noswyl *f*
even 1. *adj* gogyfuwch, llyfn 2. *adv* byth
evening 1. *adj* hwyrol 2. *n* hwyr[2] *m*, hwyrddydd *m*, hwyrnos *f*, noson *f*, noswaith *f* 3. gyda'r nos, min nos
even number MATHEMATICS *n* eilrif *m*
evensong RELIGION *n* gosber *m*
event *n* amgylchiad *m*, digwyddiad *m*
eventful* *adj* cyffrous
eventide 1. *n* diwedydd *m*, diwetydd *m* 2. brig y nos [*brig*[1]], brig yr hwyr [*brig*[1]]
eventuality* *n* achlysur *m*
eventually ymhen hir a hwyr [*hir*], ymhen yrhawg [*rhawg*], yn y pen draw [*pen draw*]
ever *adv* byth, erioed, rhagor[2]
evergreen *adj* anwyw, bytholwyrdd, bythwyrdd
evermore byth bythoedd
eversion[1]* *vn* echdroi
eversion[2] MEDICINE *n* echdroad *m*
evert MEDICINE *vn* echdroi
every *adj* pob[1]
everybody *n* pawb *pl*
everyone 1. *n* pawb *pl* 2. *pronoun* pobun
everything 1. *n* cwbl[1] *m*, popeth *m* 2. pob dim [*dim*]

everywhere 1. *n* pobman *m* 2. o bant i bentan [*pant*]
evict *vn* dadfeddiannu, troi allan
eviction *n* dadfeddiant *m*
evidence *n* tystiolaeth *f*
evident *adj* amlwg, hysbys
evil 1. *adj* drwg[1] 2. *n* drwg[2] *m*, drygioni *m*
evil-doer *n* drwgweithredwr *m*
evoke *vn* ennyn
evolute MATHEMATICS *n* efoliwt *m*
evolution *n* esblygiad *m*
evolutionary *adj* esblygiadol, esblygol
evolve BIOLOGY *vn* esblygu
ewe *n* hesbin *f*, mamog *f*
ewer* *n* piser *m*, stên *f*
exact *adj* cyfewin, cysáct, manwl, union
exacting* *adj* llym
exactly i'r dim [*dim*], yn hollol [*hollol*]
exactness *n* manylder *m*, manylrwydd *m*
exaggerate *vn* gor-ddweud, gorliwio
exaggeration *n* gormodiaith *f*
exalt *vn* clodfori, gorfoleddu, mawrhau
exaltation *n* gorfoledd *m*, mawrhad *m*
exalted *adj* dyrchafedig, gogoneddus
examination *n* archwiliad *m*, arholiad *m*
examine *vn* archwilio, arholi, bwrw llygad (dros rywbeth), chwilio, gweld, gweled
examiner *n* archwiliwr *m*, arholwr *m*, arholydd *m*, profwr *m*
examining *adj* arholiadol
example *n* enghraifft *f*, esiampl *f*, patrwm *m*
exasperate* *vn* cythruddo
excavate[1] *vn* tyllu
excavate[2] ARCHAEOLOGY *vn* cloddio
excavation* *n* cloddfa *f*
excavator *n* cloddiwr *m*, Jac codi baw *m*
excel *vn* blaenori, rhagori
excellence *n* ardderchogrwydd *m*, rhagoriaeth *f*
excellent *adj* ardderchog, campus, gwiw, gwych, odiaeth[1], penigamp, rhagorol
except 1. *prep* namyn, oddieithr, oddigerth 2. *vn* eithrio
exception *n* eithriad *f*
exceptionable* *adj* annerbyniol
exceptional *adj* digynnig, eithriadol
excess[1] *n* anghymedroldeb *m*, gormod[1] *m*, gormodedd *m*, rhemp *f*
excess[2] FINANCE *n* gordal *m*
excessive *adj* eithafol, gormod[2], gormodol
exchange 1. *n* cyfnewidfa *f*, newidiaeth *f* 2. *vn* cyfnewid, ffeirio, newid[1], trwco
exchanger *n* cyfnewidiwr *m*
excise *n* ecséis *m*, toll *f*
exciseman *n* ecseismon *m*
excitable* *adj* gwyllt[1]
excite *vn* cyffroi, cynhyrfu
excited *adj* cynhyrfus

excitement *n* cyffro *m*, cyffroad *m*, cynhyrfiad *m*

exciting *adj* cyffrous, cynhyrfus

exclaim *vn* ebychu

exclamation *n* ebychiad *m*

exclamation mark *n* ebychnod *m*

exclamatory *adj* ebychiadol

exclave *n* allglofan *m*

exclude *vn* allgáu, eithrio, gwahardd

excommunicate RELIGION *vn* ysgymuno

excommunication RELIGION *n* ysgymuniad *m*

excoriate* *vn* blingo

excrement *n* baw *m*, carthion *pl*, ysgarthion *pl*

excreta *n* ysgarthion *pl*

excrete *vn* bawa, bawio, ysgarthu

excretion *n* ysgarthiad *m*

excretory *adj* ysgarthol

excruciating *adj* arteithiol, dirdynnol, echrydus

exculpate *vn* difeio

excursion *n* gwibdaith *f*, pleserdaith *f*

excusable *adj* esgusadwy, maddeuadwy

excuse 1. *n* esgus *m* 2. *vn* esgusodi, ymesgusodi

excused *adj* esgusodol

execrable* *adj* melltigedig

execrate* *vn* melltithio

executable *adj* gweithredadwy

execute[1]* *vn* cyflawni, gweithredu

execute[2] LAW *vn* dienyddio

execution *n* dienyddiad *m*

executioner *n* crogwr *m*, dienyddiwr *m*

executive 1. *adj* gweithredol 2. *n* gweithredwr *m*

executor *n* sgutor *m*, ysgutor *m*

exegesis *n* dehongliad *m*, esboniad *m*

exemplar *n* enghraifft *f*

exemplary* *adj* penigamp

exemplify *vn* enghreifftio

exempt 1. *adj* rhydd[1] 2. *vn* eithrio

exemption *n* esgusodiad *m*

exercise *n* ymarfer[2] *m*

exertion *n* ymdrech *f*

exfoliate *vn* datblisgo, hifio

exhalation *n* allanadliad *m*

exhale *vn* allanadlu

exhaust 1. *vn* dihysbyddu, disbyddu, gwacáu
 2. pibell wacáu

exhausted 1. *adj* disbyddedig, lluddedig
 2. ar wastad fy (dy, ei, etc.) nghefn [*gwastad[2]*]

exhaustion *n* gorflinder *m*, lludded *m*

exhaustive *adj* trwyadl, trylwyr

exhibit 1. *n* arddangosyn *m* 2. *vn* arddangos

exhibiter *n* arddangoswr *m*, arddangosydd *m*

exhibition *n* arddangosfa *f*

exhibitionism PSYCHOLOGY *n* arddangosiaeth *f*

exhilarate* *vn* bywiogi

exhilaration* *n* hoen *f*

exhort *vn* annog, cymell

exhortation *n* anogaeth *f*, anogiad *m*,
 argymhelliad *m*

exhorter *n* cymhellwr *m*

exhume *vn* datgladdu

exiguous* *adj* pitw, prin[1]

exile 1. *n* alltud[1] *m*, alltudiaeth *f*
 2. *vn* alltudio, caethgludo

exiled *adj* alltud[2]

exist *vn* bod[1], bodoli

existence *n* bod[2] *m*, bodolaeth *f*

existentialism PHILOSOPHY *n* dirfodaeth *f*

existentialist 1. *adj* dirfodol 2. *n* dirfodwr *m*

exit *n* allanfa *f*

exocrine PHYSIOLOGY *adj* ecsocrin

exodus RELIGION *n* ecsodus *m*

exogenous *adj* alldarddol

exonerate* *vn* esgusodi

exorbitant* *adj* costus, drudfawr, prid

exorcise *vn* allfwrw, bwrw allan gythreuliaid

exorcist *n* allfwriwr *m*

exorcize *vn* dadreibio

exothermic CHEMISTRY *adj* ecsothermig

exotic *adj* ecsotig

expand *vn* ehangu, helaethu, lledu

expanded *adj* ehangedig

expand upon *vn* ymhelaethu

expanse *n* ehangder *m*

expansion *n* twf *m*, ymlediad *m*

expansionist *adj* ehangol

expatriate* *n* alltud[1] *m*

expect *vn* disgwyl, erfyn[2]

expectant *adj* beichiog, disgwylgar

expectation *n* disgwyliad *m*

expected *adj* disgwyliedig

expectorant MEDICINE *n* poergarthydd *m*

expediency* *n* hwylusrwydd *m*,
 hwylustod *m*

expedient* *adj* cyfleus

expedite *vn* hwyluso

expedition *n* taith *f*, ymgyrch *f*

expeditious* *adj* buan, prydlon

expel *vn* alltudio, diarddel

expend* *vn* gwario, treulio

expenditure *n* gwariant *m*

expense *n* traul *f*

expenses *n* treuliau *pl*

expensive *adj* costus, drud, drudfawr, prid

experience 1. *n* profiad *m* 2. *vn* profi

experienced *adj* profiadol

experiment 1. *n* arbrawf *m* 2. *vn* arbrofi

experimental *adj* arbrofol

experimenter *n* arbrofwr *m*

expert 1. *adj* arbenigol, hyddysg, medrus
 2. *n* arbenigwr *m*, arbenigwraig *f*, campwr *m*,
 gamstar *m*, giamstar *m*

expertise *n* arbenigedd *m*

expire *vn* darfod

expiry* *n* diwedd *m*

explain *vn* egluro, esbonio

explanation *n* eglureb *f*, eglurhad *m*, esboniad *m*, rheswm *m*
explanatory *adj* eglurhaol, esboniadol
explicable *adj* esboniadwy
explicate* *vn* egluro
explicit *adj* cignoeth, echblyg
explode *vn* ffrwydro
exploded *adj* chwilfriw, taenedig
exploit 1. *n* camp *f*, gorchest *f*, sbloet *m* 2. *vn* ecsbloetio, manteisio, ymelwa
exploitation 1. *n* ymelwad *m* 2. *vn* ymelwa
exploiter *n* ecsbloetiwr *m*
exploration *n* fforiad *m*
explore *vn* fforio, ymchwilio
explorer *n* fforiwr *m*, ymchwiliwr *m*, ymchwilydd *m*
explosion *n* chwythad *m*, chwythiad *m*, ffrwydrad *m*, ffrwydriad *m*, tanchwa *f*
explosive 1. *adj* ffrwydrol 2. *n* ffrwydryn *m*
explosives *n* ffrwydrolion *pl*, ffrwydron *pl*
exponential *adj* esbonyddol
export 1. *n* allforyn *m* 2. *vn* allforio
exporter *n* allforiwr *m*
expose *vn* amlygu, dinoethi
exposition MUSIC *n* dangosiad *m*
expositor *n* dehonglwr *m*, esboniwr *m*
expostulate* *vn* protestio
exposure *n* amlygiad *m*, dinoethiad *m*
expound* *vn* traethu
express 1. *adj* penodol, unswydd 2. *vn* lleisio, mynegi
expressible *adj* mynegadwy
expression[1] *n* dywediad *m*, mynegiad *m*, mynegiant *m*, ymadrodd *m*
expression[2] MATHEMATICS *n* mynegiad *m*
expressionism *n* mynegiadaeth *f*
expressionist *adj* mynegiadol
expressionless *adj* difynegiant
expressive *adj* mynegiannol
expressiveness *n* mynegolrwydd *m*
expropriate *vn* difeddiannu
expulsion* *n* diarddeliad *m*
expunge* *vn* dileu
expurgate *vn* puro, sensro
exquisite *adj* cain, odiaeth[1]
extempore *adj* byrfyfyr
extend *vn* ehangu, estyn, mynd[1], ymestyn
extended *adj* estynedig
extender *n* estynnydd *m*
extending *adj* ymestynnol
extensibility *n* estynadwyedd *m*
extensible *adj* estynadwy
extension *n* ehangiad *m*, estyniad *m*, ymestyniad *m*
extensive *adj* eang, helaeth, maith
extent *n* graddau *pl*, helaethder *m*, helaethrwydd *m*, maint *m*

extenuate* *vn* lleddfu, lleihau
exterminate *vn* difa, difodi
extermination *n* difodiad *m*, difodiant *m*
external *adj* allanol
externality ECONOMICS *n* allanoldeb *m*
externalize PSYCHOLOGY *vn* allanoli
extinct *adj* diflanedig
extinction *n* difodiad *m*, difodiant *m*, tranc *m*, tranc *m*
extinguish *vn* diffodd
extinguisher *n* diffoddydd *m*
extinguishing *n* diffoddiad *m*
extol *vn* canmol, clodfori, mawrhau
extort *vn* cribddeilio
extortion[1] 1. *n* cribddail *m* 2. *vn* cribddeilio
extortion[2] LAW *n* cribddeiliaeth *f*
extortioner *n* cribddeiliwr *m*
extra 1. *adj* ychwanegol 2. *n* ecstra *m*, ychwanegiad *m*
extract[1] 1. *n* detholiad *m*, dyfyniad *m* 2. *vn* tynnu
extract[2] CHEMISTRY 1. *n* echdynnyn *m* 2. *vn* echdynnu
extraction[1] *n* cyff *m*, tras *f*
extraction[2] CHEMISTRY *n* echdyniad *m*
extractive CHEMISTRY *adj* echdynnol
extractor ELECTRONICS *n* echdynnydd *m*
extra-curricular *adj* allgwricwlaidd, allgyrsiol
extradite LAW *vn* estraddodi
extradition LAW *n* estraddodiad *m*
extraneous *adj* diangen, estron[1], estronol
extranet COMPUTING *n* allrwyd *f*
extraordinary *adj* anghyffredin, eithriadol, hynod
extrapolate MATHEMATICS *vn* allosod
extrapolation *n* allosodiad *m*
extras *n* ychwanegion *pl*
extrasensory *adj* allsynhwyraidd
extraterrestrial *adj* allfydol
extravagance *n* afradlondeb *m*, afradlonedd *m*, anghynildeb *m*
extravagant *adj* afrad, afradlon, anghynnil, gwastrafflyd, gwastraffus
extreme 1. *adj* eithaf[1], eithafol, rhonc 2. *n* eithaf[2] *m*
extremely *adv* odiaeth[2], tra[1]
extremism *n* eithafiaeth *f*
extremist *n* eithafwr *m*
extremity *n* cwr *m*, eithaf[2] *m*, eithafbwynt *m*
extricate* *vn* rhyddhau
extrinsic PHYSIOLOGY *adj* anghynhenid
extroversion *n* allblygedd *m*
extrovert *adj* allblyg
extrude *vn* allwthio
extrusion *n* allwthiad *m*
exuberance* *n* afiaith *m*
exuberant *adj* afieithus
exudation BIOLOGY *n* archwysiad *m*
exude BIOLOGY *vn* archwysu

eye 1. *n* crau *m*, llygad *m* 2. *vn* llygadu
eyebright *n* effros *m*
eyebrow *n* ael *f*
eyelet *n* llygaden *f*
eyelid[1] clawr y llygad
eyelid[2] ANATOMY *n* amrant *m*
eye-opener agoriad llygad
eyepiece *n* sylladur *m*, sylliadur *m*
eyesight *n* golwg[1] *m*
eyesore dolur llygad
eyewitness *n* llygad-dyst *m*
eyot *n* ynysig[2] *f*

f

f *n* fa *m*
fable *n* chwedl *f*, dameg *f*
fabric[1] *n* brethyn *m*, defnydd *m*, gwead *m*
fabric[2] NEEDLEWORK *n* ffabrig *m*
fabricate* *vn* ffugio
fabrication *n* ffugiad *m*
fabulous *adj* bendigedig, chwedlonol, gwych
facade *n* ffasâd *m*, wyneb *m*
face 1. *n* arwyneb *m*, ffas *f*, gŵydd[1] *m*, wyneb *m* 2. *vn* wynebu
faces *n* clemau *pl*
facet *n* ffased *m*, gwedd[1] *f*, ochr *f*
faceted *adj* ffasedaidd
facetious *adj* cellweirus, gwamal
facetiousness *n* gwamalder *m*, gwamalrwydd *m*
face-to-face wyneb yn wyneb
face value *n* wynebwerth *m*
facies MEDICINE *n* gwedd[1] *f*
facile *adj* arwynebol, llithrig
facilitate *vn* hwyluso
facilitator *n* hwylusydd *m*, hyrwyddwr *m*
facility *n* cyfleuster *m*, rhwyddineb *m*
facing[1] *adj* cyferbyn, gogyfer
facing[2] NEEDLEWORK *n* wynebyn *m*
Facist *adj* Ffasgaidd
facsimile *n* ffacsimili *m*
fact *n* ffaith *f*
faction *n* carfan *f*, ymblaid *f*
factional *adj* ymbleidiol
factor[1] *n* elfen *f*, ffactor[2] *f*, ystyriaeth *f*
factor[2] MATHEMATICS *n* ffactor[1] *m*
factorization MATHEMATICS *n* ffactoriad *m*
factorize MATHEMATICS *vn* ffactorio
factory *n* ffatri *f*
factual *adj* ffeithiol
facultative BIOLOGY *adj* amryddawn
faculty *n* cyfadran *f*, cynneddf *f*
fad *n* chwilen *f*, chwiw *f*, ffad *f*, mympwy *m*
fade *vn* gwywo, pylu, tawelu
faded *adj* diflanedig, gwyw, gwywedig, pŵl[2], pỳg
fader *n* pylydd *m*

faeces *n* carthion *pl*, ymgarthion *pl*
faggot *n* ffagod *f*, ffagotsen *f*
faggoting NEEDLEWORK *n* ffagodwaith *m*
fah 1. *n* fa *m* 2. f[2]
Fahrenheit *adj* Fahrenheit
fail *vn* diffygio, ffaelu, methu, pallu, torri
failed *adj* aflwyddiannus
failing *n* diffyg *m*, ffaeledd *m*
failure *n* aflwyddiant *m*, ffael *m*, methiant *m*, pall *m*
faint 1. *adj* aneglur, brith, egwan, gwan 2. *n* llesmair *m*, llewyg *m* 3. *vn* llesmeirio, llewygu, pango
fair 1. *adj* cryn, eithaf[1], glân, glandeg, glwys, golau[2], golygus, gweddol, hardd, mirain, prydweddol, symol, teg 2. *n* ffair *f*
fairies tylwyth teg
fairly 1. *adv & adj* lled[2] 2. *adv* pur[2]
fairness *n* tegwch *m*
faith *n* ffydd *f*, hyder *m*, ymddiriedaeth *f*
faithful *adj* cywir, ffyddlon, teyrngar, triw
faithfulness *n* ffyddlondeb *m*, teyrngarwch *m*
faithless *adj* anffyddlon, bradwrus, di-ffydd, di-gred
fake 1. *adj* ffug 2. *n* ffugbeth *m*, ffugwaith *m* 3. *vn* coegio, cogio, ffugio, smalio, ysmalio
faker *n* cogiwr *m*, ffugiwr *m*
fakir RELIGION *n* ffacir *m*
Falange/Phalange *n* y Ffalang *m*
falcon *n* gwalch *m*, hebog *m*
falconer *n* hebogwr *m*, hebogydd *m*
falconry 1. *n* hebogyddiaeth *f* 2. *vn* heboga
fall[1] 1. *n* anrhaith *f*, codwm *m*, cwymp *m*, disgyniad *m*, gostyngiad *m*, syrthiad *m* 2. *vn* cwympo, disgyn, dod i lawr [dod[1]], dymchwel, dymchwelyd, syrthio
fall[2] ECONOMICS *n* cwymp *m*
fallacious* *adj* cyfeiliornus
fallacy[1] *n* cam-dyb *f*, cyfeiliornad *m*, twyllresymiad *m*
fallacy[2] LOGIC *n* twyllresymeg *f*
fallen *adj* syrthiedig
fallibility *n* ffaeledigrwydd *m*
fallible *adj* ffaeledig
fallout PHYSICS *n* alldafliad *m*
fallow *n* braenar *m*
false *adj* anghywir, anwir, ffals, ffug, gau, gosod[2], gwneud[2]
falseness *n* geudeb *m*, geuedd *m*
falsetto[1] *n* meinlais *m*, meinllais *m*
falsetto[2] MUSIC *n* ffalseto *m*
falsify *vn* anwireddu, anwirio, ffugio
falsity *n* geudeb *m*, geuedd *m*
falter *vn* petruso
faltering *adj* petrus, petrusgar
fame *n* bri *m*, enwogrwydd *m*
familial *adj* teuluaidd, teuluol

familiar *adj* cyfarwydd[1], cynefin[2], sathredig
familiarity *n* cyfarwydd-deb *m*, cynefindra *m*
familiarize *vn* cynefino, ymgyfarwyddo
family *n* teulu *m*, tylwyth *m*
famine *n* newyn *m*
famish *vn* llewygu, llwgu
famished *adj* llwglyd, newynog
famous *adj* amlwg, enwog
fan 1. *n* cefnogwr *m*, edmygwr *m*, edmygydd *m*, ffan[1] *f*, ffan[2] *m*, gwyntyll *f* 2. *vn* ffanio, gwyntyllu
fanatic *n* eithafwr *m*, ffanatic, ffanatig *m*, penboethyn *m*
fanatical *adj* eithafol, penboeth
fanaticism *n* ffanaticiaeth *f*, penboethni *m*
fanbelt *n* ffanbelt *m*
fancier *n* ffansïwr *m*
fanciful *adj* ffansïol, ffantasïol
fancy 1. *n* awydd *m*, blys *m*, dychymyg *m*, ffansi *f* 2. *vn* dychmygu, ffansïo
fanfare MUSIC *n* ffanffer *f*
fang *n* dant *m*
fantastic *adj* bendigedig, ffantastig, gwych, rhyfeddol
fantasy *n* ffantasi *f*
far 1. *adj* pell, pellennig 2. *adv* llawer[2], ymhell
farad PHYSICS *n* ffarad *m*
farce *n* ffars *f*
farcical *adj* chwerthinllyd, ffarsaidd, hurt
farcy *n* ffarsi *m*
fare *n* bwyd *m*, lluniaeth *m*, pris *m*, tâl[1] *m*, taliad *m*
farewell 1. *n* ffarwél *mf*, ffárwel *mf* 2. bydd wych [*gwych*], yn iach [*iach*]
far-fetched *adj* annhebygol
farm 1. *n* ffarm *f*, fferm *f* 2. *vn* amaethu, ffarmio, ffermio
farmer *n* amaethwr *m*, ffarmwr *m*, ffermwr *m*
farmhand *n* gwas *m*
farmhouse *n* amaethdy *m*, ffermdy *m*
farmyard *n* beili[2] *m*, buarth *m*, clos[1] *m*, cowt *m*, ffald *f*
farrago *n* cawdel *m*, cybolfa *f*
far-reaching *adj* cyrhaeddgar, pellgyrhaeddol
farrier *n* ffariar *m*, ffarier *m*
farrow *n* torllwyth *f*, torraid *f*
fart[1] *n* pwmpen *f*
fart[2] *crude* 1. *n* cnec *f*, rhech *f* 2. *vn* bramio, bremain, rhechain, rhechu
farter *crude n* rhechwr *m*
farthing *n* ffyrling *f*
farthingale *n* cylchbais *f*
fascia ANATOMY *n* ffasgwe *f*
fasciated BOTANY *adj* ffasgol
fasciation BOTANY *n* ffasgedd *m*
fascicle ANATOMY *n* ffasgell *f*
fascicular ANATOMY *adj* ffasgellol
fascinate* *vn* cyfareddu, hudo, swyno

fascination* *n* cyfaredd *f*
fascioliasis *n* braenedd *m*
Fascism *n* Ffasgiaeth *f*, Ffasgaeth *f*
Fascist 1. *adj* Ffasgaidd 2. *n* Ffasgydd *m*
fashion 1. *n* dull *m*, ffasiwn[1] *f*, ffurf *f* 2. *vn* eilio[2], gwneud[1], gwneuthur, llunio, saernïo
fashionable *adj* ffasiynol
fashioned *adj* gwneuthuredig
fashioner *n* lluniwr *m*, saernïwr *m*
fast 1. *adj* anniflan, buan, clau, clou, cyflym, ffast, sownd, tyn[1] 2. *n* ympryd *m* 3. *vn* ymprydio
fasten *vn* bachu, cau[1], clymu, ffasno, sicrhau
fastener *n* clip[1] *m*, ffasnydd *m*
faster 1. *adv* ynghynt 2. *n* ymprydiwr *m*
fastidious *adj* cysetlyd, misi
fastness NEEDLEWORK *n* anniflannedd *m*
fat[1] 1. *adj* bras[1], gwyn[2], tew 2. *n* bloneg *m*, braster *m*, gwyn[1] *m*, saim *m* 3. cig gwyn
fat[2] BIOCHEMISTRY *n* braster *m*
fatal *adj* angheuol, marwol
fatalism[1] *n* tyngedfeniaeth *f*, tyngedfennaeth *f*
fatalism[2] PHILOSOPHY *n* tynghedaeth *f*, tynghediaeth *f*
fatality* *n* marwolaeth *f*
fate *n* ffawd *f*, rhan[1] *f*, tynged *f*
fateful *adj* tyngedfennol
father 1. *n* tad *m* 2. *vn* cenhedlu, tadogi
Father Christmas *n* Siôn Corn *m*
fatherhood *n* tadogaeth *f*, tadolaeth *f*
father-in-law tad yng nghyfraith
fatherly *adj* tadol
fathom 1. *n* gwrhyd *m*, gwryd *m* 2. *vn* dirnad, plymio
fatigue *n* blinder *m*, lludded *m*
fatness *n* tewder *m*, tewdra *m*
fatted *adj* pasgedig
fatten *vn* brasáu, pesgi, tewhau, tewychu
fattened *adj* pasgedig
fatty *adj* bras[1], brasterog, seimlyd, seimllyd
fatuous* *adj* gwirion
fault[1] *n* bai[1] *m*, diffyg *m*, gwendid *m*, nam *m*
fault[2] GEOLOGY *n* ffawt *m*
faultless *adj* difai, di-fai, di-fefl, dinam, di-nam, perffaith
faulty *adj* beius, diffygiol
fauna ZOOLOGY *n* ffawna *pl*
favour 1. *n* bodd *m*, cymwynas *f*, ffafr *f*, ffafraeth *f*, ffafriaeth *f* 2. *vn* breinio, breintio, cefnogi, ffafrio
favourable *adj* ffafriol, pleidiol
favourite 1. *adj* hoff 2. *n* dewisbeth *m*, dewisddyn *mf*, ffefryn *m*
favouritism *n* ffafraeth *f*, ffafriaeth *f*
fawn 1. *n* elain *f* 2. *vn* cynffonna
fawning *adj* gwasaidd, gwenieithus, taeogaidd
fax 1. *n* ffacs *m* 2. *vn* ffacsio

fear 1. *n* braw *m*, ofn *m* 2. *vn* ofni
fearful *adj* arswydus, dychrynllyd¹, ofnadwy¹, ofnus
fearfulness *n* ofnusrwydd *m*
fearless *adj* difraw, di-fraw, di-ofn, diofn, eofn
feasibility *n* dichonoldeb *m*, dichonolrwydd *m*, posibilrwydd *m*, ymarferoldeb *m*
feasible *adj* dichonadwy, dichonol, posibl, ymarferol
feast 1. *n* ffest *f*, gwledd *f*, gŵyl *f* 2. *vn* ciniawa, gloddesta, gwledda
feat *n* camp *f*, gorchest *f*, sbloet *m*
feather 1. *n* pluen *f*, plufyn *m* 2. *vn* plufio, pluo
feathered *adj* pluog
feathery *adj* pluog
feature 1. *n* arwedd *f*, nodwedd *f* 2. *vn* amlygu, dangos
features *n* wynepryd *m*
febrile *adj* twymynol
February 1. *n* Chwefror *m* 2. mis Chwefror [*Chwefror*]
feckless *adj* diafael, didoreth, di-glem
fecund *adj* blithiog, blithog, epilgar, epiliog, ffrwythlon
fecundity *n* ffrwythlonedd *m*
federal *adj* ffederal
federalism *n* ffederaliaeth *f*
federalization* *vn* ffederaleiddio, ffedereiddio
federalize *vn* ffederaleiddio, ffedereiddio
federation *n* cyfundeb *m*, ffederasiwn *m*
fee *n* ffi *f*, tâl¹ *m*, taliad *m*
feeble *adj* cloff¹, egwan, eiddil, ffaeledig, gwachul, gwanllyd, gwannaidd, gwantan, llegach, llesg, lliprynnaidd, methiannus, musgrell, tila
feebleness *n* gwendid *m*, nychdod *m*
feed *vn* bwyda, bwydo, porthi, ymborthi
feedback¹ *n* adborth *m*, adwaith *m*, atborth *m*, ymateb² *m*
feedback² BIOLOGY *n* adborth *m*, atborth *m*
feeder *n* ymborthwr *m*
feedstuff *n* bwyd *m*, porthiant *m*
feel 1. *n* naws *f*, teimlad *m* 2. *vn* clywed, synhwyro, teimlo, ymdeimlo, ymglywed
feeler ZOOLOGY *n* teimlydd *m*
feeling *n* angerdd *m*, teimlad *m*, ymdeimlad *m*
feign *vn* cogio, ffugio, smalio, ysmalio
feint *n* ffugiad *m*
feisty* *adj* talog
feldspar GEOLOGY *n* ffelsbar *m*
felicitation* *n* llongyfarchiad *m*
felines *n* cathod *pl*
fell 1. *n* gwaun *f*, rhos *f*, rhostir *m* 2. *vn* cymynu, torri
felloe *n* cameg *f*, camog¹ *f*
fellow *n* bachgen *m*, cymar *mf*, cymrawd *m*, partner *m*

fellow-countryman *n* cyd-wladwr *m*
fellow-man *n* cyd-ddyn *m*
fellowship *n* brawdoliaeth *f*, cyfeillach *f*, cymrodoriaeth *f*, cymundeb *m*
fellow-worker *n* cyd-weithiwr *m*
felon *n* ffelon *m*, ffelwn *m*, gwlithen *f*
felony LAW *n* ffeloniaeth *f*, trosedd *mf*
felsenmeer GEOLOGY *n* cludair *f*
felt 1. *n* ffelt *m* 2. *vn* ffeltio
female 1. *adj* banw¹, benyw², benywaidd, benywol 2. *n* benyw¹ *f*, dynes *f*, gwraig *f*
feminine *adj* benywaidd
feminism *n* ffeministiaeth *f*, ffeminyddiaeth *f*
feminist 1. *adj* ffeministaidd 2. *n* ffeminist *f*, ffeminydd *f*
femoral ANATOMY *adj* morddwydol
femur¹ *n* ffemwr *m*
femur² ANATOMY asgwrn y forddwyd
femur³ ZOOLOGY *n* ffemwr *m*
fen *n* corstir *m*, ffen *m*, ffendir *m*, morfa *m*, tonnen *f*
fence 1. *n* ffens *f* 2. *vn* cleddyfa, ffensio¹, ffensio²
fencer *n* cleddyfwr *m*, ffensiwr *m*
fender *n* ffendar *f*, ffender *f*
fenestration *n* ffenestriad *m*
Fenian *n* Ffeniad *m*
fennel *n* ffenigl *m*
feoffment *n* ffeodaeth *f*
feral *adj* gwyllt¹
ferment¹ *vn* cynhyrfu, gweithio
ferment² CHEMISTRY *vn* eplesu
fermentation CHEMISTRY *n* eplesiad *m*
fermentative *adj* eplesol
fermenter *n* eplesydd *m*
fermium *n* ffermiwm *m*
ferns *n* marchredyn *pl*
ferocious *adj* ffyrnig
ferocity *n* ffyrnigrwydd *m*
ferret 1. *n* ffured *f* 2. *vn* ffureta
ferric CHEMISTRY *adj* fferrig
ferrite METALLURGY *n* fferrit *m*
ferritin *n* fferitin *m*
ferroconcrete *n* fferoconcrit *m*
ferromagnetic PHYSICS *adj* fferomagnetig
ferromagnetism PHYSICS *n* fferomagnetedd *m*
ferrous CHEMISTRY, METALLURGY *adj* fferrus
ferruginous *adj* haearnllyd
ferrule *n* amgarn *m*
ferry *n* fferi *f*
ferryman *n* badwr *m*, cychwr *m*
fertile *adj* cynhyrchiol, ffrwythlon, toreithiog
fertility *n* ffrwythlondeb *m*, ffrwythlonder *m*
fertilization BIOLOGY *n* ffrwythloniad *m*
fertilize *vn* ffrwythloni, gwrteithio
fertilizer *n* achles *m*, gwrtaith *m*, llwch¹ *m*
fervency *n* angerdd *m*, taerineb *m*

fervent *adj* angerddol, brwd, brwdfrydig, eiriasol, tanbaid

fervour *n* eiddgarwch *m*, tanbeidrwydd *m*

fescue *n* peisgwellt *m*, peiswellt *m*

fester *vn* casglu, crawni, crynhoi[1], gori, llidio, madreddu, madru

festering *adj* braen, braenllyd, crawnllyd, gorllyd, madreddog

festival[1] *n* cymanfa *f*, gŵyl *f*, uchelwyl *f*

festival[2] RELIGION *n* dygwyl *mf*

festivity *n* miri *m*, rhialtwch *m*, ysbleddach *f*

feta *n* ffeta *m*

fetch *vn* cyrchu, hercyd, hôl, mofyn, moyn, nôl, ymofyn

fetching* *adj* deniadol

fête *n* ffest *f*, garddwest *f*, gŵyl *f*

fetid *adj* drewllyd

fetish *n* ffetis *m*

fetishism PSYCHOLOGY *n* ffetisiaeth *f*

fetishist *n* ffetisiwr *m*

fetlock *n* egwyd *f*, swrn *m*

fetlock-hair *n* bacsau *pl*

fetta *n* ffeta *m*

fetter 1. *n* cloffrwym *m*, gefyn *m*, hual *m*, llyffethair *f* 2. *vn* gefynnu, hualu, llyffetheirio

fettered *adj* hualog

feud 1. *n* cynnen *f*, ymrafael[1] *m* 2. *vn* ymrafael[2]

feudal *adj* ffiwdal, ffiwdalaidd

feudalism *n* ffiwdaliaeth *f*

fever *n* clwy *m*, clwyf *m*, cryd *m*, gwres *m*, twymyn *f*

feverish *adj* twymynol

few 1. *adj* ambell, ambell i, prin[1], ychydig[2] 2. *n* ychydig[1] *m*

fewer *adj* llai[1]

fey *adj* arallfydol

fiancé 1. *n* dyweddi *mf* 2. darpar ŵr [*gŵr*]

fiancée 1. *n* dyweddi *mf* 2. darpar wraig [*gwraig*]

fib *n* anwiredd *m*, celwydd *m*

fibber *n* celwyddgi *m*

fibre *n* edefyn *m*, ffeibr *m*, ffibr *m*

fibril *n* ffibrolyn *m*

fibrillate MEDICINE *vn* ffibrilio

fibrillation MEDICINE *n* ffibriliad *m*

fibrin BIOCHEMISTRY *n* ffibrin *m*

fibroblast PHYSIOLOGY *n* ffibroblast *m*

fibrocyte PHYSIOLOGY *n* ffibrocyt *m*

fibrosis MEDICINE *n* ffibrosis *m*

fibrous *adj* edafog, ffibrog

fibula ANATOMY *n* ffibwla *m*

fickle *adj* anghyson, ansad, anwadal, anwastad, chwit-chwat, didoreth, di-ddal, gwacsaw, gwamal, gwantan, oriog, whit-what, wit-wat

fickleness *n* anwadalwch *m*, oriogrwydd *m*

fiction *n* ffuglen *f*

fictitious *adj* dychmygol

fiddle 1. *n* crwth *m*, ffidil *f* 2. *vn* ffidlan

fiddler *n* crythor *m*, ffidler *m*, ffidlwr *m*, twyllwr *m*

fiddlestick *n* bwa *m*

fiddly *adj* ffwdanllyd

fidelity *n* ffyddlondeb *m*

fidget *vn* aflonyddu, gwingo

fief *n* ffiff *m*, maenol *f*, maenor *f*

field[1] 1. *n* cae[1] *m*, maes[1] *m*, parc *m* 2. *vn* maesu

field[2] PHYSICS *n* maes[1] *m*

fielder *n* maeswr *m*

fieldfare *n* socan eira *f*

fieldful *n* caeaid *m*

fieldwork gwaith maes [*maes*[1]]

fiend *n* cythraul *m*, ellyll *m*

fiendish *adj* cythreulig, diawledig, dieflig

fierce *adj* ffyrnig, milain, mileinig, terwyn

fiery *adj* chwilboeth, fflamboeth, tanbaid, tanllyd

fife *n* pib[1] *f*

fifteen 1. *n* pymtheg[2] *m* 2. *num* pymtheg[1], pymtheng

fifteenth *num* pymthegfed

fifth *num* pumed

fiftieth hanner canfed

fifty 1. *num* deg a deugain, pum deg 2. hanner cant

fig (tree and wood) *n* ffigysbren *m*

fight 1. *n* brwydr *f*, ymladdfa *f* 2. *vn* brwydro, cwffio, ymladd

fighter[1] *n* brwydrwr *m*, cwffiwr *m*, ymladdwr *m*

fighter[2] (plane) *n* ysgarmesydd *m*

figs *n* ffigys *pl*

figurative *adj* damhegol, ffigurol

figure[1] *n* ffigur *m*, ffigwr *m*, ffurf *f*, rhif *m*, siâp *m*

figure[2] MATHEMATICS *n* ffigur *m*, ffigwr *m*

figured MUSIC *adj* rhifoledig

figurine *n* ffiguryn *m*

Fijian 1. *adj* Ffijïaidd 2. *n* Ffijïad *m*

filament[1] *n* edefyn *m*, ffilament *m*

filament[2] BOTANY *n* ffilament *m*

filamentous *adj* edafeddog, edefynnog

file 1. *n* ffeil[1] *f*, ffeil[2] *f*, rhathell *f* 2. *vn* ffeilio[1], ffeilio[2], rhathellu

filial *adj* mabaidd, mabol, mabolaidd

filibuster *vn* herwddadlau

filiform BIOLOGY *adj* edeuffurf

filigree *n* arianwe *f*, eurwe *f*, ffiligri *m*

fill 1. *n* gwala *f* 2. *vn* llanw[2], llenwi[1]

filler *n* llanwr *m*, llenwad *m*, llenwr *m*

fillet 1. *n* ffiled *f* 2. *vn* ffiledu

filling *n* llenwad *m*

filly *n* eboles *f*, lefren *f*, swclen *f*

film 1. *n* caenen *f*, croen *m*, ffilm *f*, haen *f*, haenen *f* 2. *vn* ffilmio

filter 1. *n* hidlen *f*, hidlydd *m*, rhidyll *m* 2. *vn* hidlo, trylifo

filtering *n* hidliad *m*

filth *n* aflendid *m*, brynti *m*, bryntni *m*, budredd *m*, budreddi *m*, mochyndra *m*

filthiness* *n* brynti *m*, bryntni *m*, budredd *m*, budreddi *m*

filthy 1. *adj* aflan, brwnt, budr, mochaidd, sglyfaethus, tomlyd, ysglyfaethus 2. mochynnaidd

filtrate *n* hidlif *m*

fin *n* adain *f*, aden *f*, asgell *f*

final *adj* olaf, terfynol

finale *n* diweddglo *m*

finalize* *vn* cwblhau

finance[1] 1. *n* arianneg *f* 2. *vn* ariannu, cyllido

finance[2] FINANCE *n* cyllid *m*

financial *adj* ariannol, cyllidol

financier *n* ariannwr *m*, ariannydd *m*, cyllidwr *m*

finch *n* pinc[2] *m*

find 1. *n* darganfyddiad *m* 2. *vn* cael hyd i, darganfod, dod o hyd i [*dod[1]*], ffeindio

fine[1] *adj* balch, braf, cain, cymen, ffein, gwiw, iach, main[1], mâl, mân, mirain, mwyn[3], nobl, pert, piwr, talïaidd, teg

fine[2] LAW 1. *n* dirwy *f* 2. *vn* dirwyo

fineness* *n* coethder *m*

finery *n* crandrwydd *m*, gwychder *m*

finger[1] 1. *n* bys *m* 2. *vn* byseddu

finger[2] MUSIC *vn* bysio[2]

fingerboard MUSIC *n* brân *f*, bwrdd bysedd *m*

fingering *n* bodiad *m*, byseddiad *m*

fingerprint ôl bys [*ôl[1]*]

fingerstall *n* byslen *f*

fingertips blaen y bysedd [*blaen[1]*]

finicky *adj* cysetlyd, misi

finish 1. *n* caboliad *m*, diwedd *m*, gorffeniad *m*, graen *m*, terfyn *m* 2. *vn* cwblhau, cwpla, cwpláu, darfod, dibennu, diweddu, gorffen, gorffennu

finished 1. *adj* gorffenedig 2. â'i ben iddo [*pen[1]*], ar ben [*pen[1]*]

finishing *n* darfyddiad *m*

finite[1] *adj* meidrol, terfynedig

finite[2] MATHEMATICS *adj* meidraidd

finiteness *n* meidroldeb *m*

Finn *n* Ffiniad *m*

finned *adj* adeiniog, asgellog

Finnish *adj* Ffinnaidd

fiord *n* ffiord *m*

fir (trees and wood) *n* ffynidwydd *pl*

fire 1. *n* tân *m* 2. *vn* cynnau, ffwrndanio, gollwng, saethu, tanio

firearm 1. *n* dryll[1] *m* 2. arf tanio

firebrand *n* penboethyn *m*, pentewyn *m*

fireguard gard/giard tân

fireman 1. *n* diffoddwr tân *m*, taniwr *m* 2. dyn tân

fireplace lle tân [*lle[1]*]

fire-resistant *adj* gwrthdan

fireside *n* aelwyd *f*

firewall COMPUTING *n* mur gwarchod *m*

firewood 1. *n* cynnud *m*, tanwydd *m* 2. coed tân

firing *n* taniad *m*

firkin *n* ffircyn *m*

firm 1. *adj* cadarn, cryf, di-sigl, diysgog, sad, safadwy, sicr, siwr, siŵr, tyn[1] 2. *n* busnes *m*, cwmni *m*, ffyrm *f*

firmament *n* ffurfafen *f*, nen[1] *f*, wybr *f*, wybren *f*

firn *n* ffirn *m*

first *num* cyntaf, unfed

firstborn 1. *adj* cyntaf-anedig 2. cyntaf-anedig [*ganedig*]

first-rate 1. *adj* penigamp 2. tan gamp [*camp*]

fiscal[1]* *adj* ariannol

fiscal[2] ECONOMICS *adj* cyllidol

fish 1. *n* pysgodyn *m* 2. *vn* genweirio, pysgota

fisherman *n* genweiriwr *m*, pysgotwr *m*

fishery *n* pysgodfa *f*

fishing-rod gwialen bysgota

fissile *adj* ymholltog

fission BIOLOGY, PHYSICS *n* ymholltiad *m*

fissure *n* agen *f*, hafn *f*, hollt[1] *f*

fist *n* dwrn *m*

fistula MEDICINE *n* ffistwla *m*

fit 1. *adj* abl, addas, cymwys, ffit[1], holliach 2. *n* ffit[2] *f*, ffit[3] *f*, ffitiad *m*, haint *m*, pang *m*, pangfa *f*, pwl *m* 3. *vn* ffitio, mynd[1]

fitness *n* addasrwydd *m*, addaster *m*, ffitrwydd *m*, priodoldeb *m*, priodolder *m*

fitter *n* ffitiwr *m*

fitting 1. *adj* addas, dyladwy, gweddus, gwiw, priodol 2. *n* ffitiad *m*

five *num* pump

fiver *n* pumpunt *f*

fix[1] 1. *n* helbul *m*, picil *m*, picl *m*, strach *f*, trafferth *f* 2. *vn* sefydlogi, sicrhau, trefnu, trwsio

fix[2] CHEMISTRY *vn* sefydlogi

fixative *n* sefydlyn *m*

fixed *adj* penodedig, sefydlog

fixture *n* gosodyn *m*

fizz* *vn* byrlymu, hisian

fjord *n* ffiord *m*

flabbergasted *adj* cegrwth, syfrdan

flaccid *adj* llibin, llipa

flag 1. *n* baner *f*, fflag[1] *f* 2. *vn* fflagio[1], fflagio[2], llaesu dwylo, llumanu

flagellum BIOLOGY *n* fflagelwm *m*

flagged *adj* llechog

flagon* *n* ffiol *f*

flagrant* *adj* amlwg

flagstone *n* fflag[2] *f*, llech *f*, llechen *f*

flail 1. *n* ffust *f* 2. *vn* ffustio, ffusto

flailer *n* ffustiwr *m*

flair *n* dawn *f*

flake *n* cen *m*, fflaw *m*, fflawen *f*, pluen *f*, plufyn *m*

flakes *n* creision[1] *pl*

flaky *adj* fflawiog

flamboyant* *adj* lliwgar

flame *n* fflam *f*

flamenco MUSIC *n* fflamenco *f*

flame-resistant *adj* gwrthfflam

flaming *adj* fflamboeth, fflamllyd, gwenfflam, tanbaid

flamingo *n* fflamingo *m*

flammability *n* fflamadwyedd *m*

flammable *adj* fflamadwy

flan *n* fflan *f*

flange *n* adain *f*, aden *f*, cantel *m*, fflans *mf*

flank *n* asgell *f*, ochr *f*, tenewyn *m*, ystlys *f*

flanker *n* blaenasgellwr *m*

flannel *n* gwlanen *f*

flap 1. *n* fflap *m*, llabed *f* 2. *vn* fflapio, ysgwyd

flare 1. *n* fflach *f*, fflêr *m* 2. *vn* fflachio

flash 1. *n* fflach *f*, fflachiad *m*, gwib¹ *f* 2. *vn* fflachio, melltennu, melltio

flashback *n* ôl-fflach *f*

flashing *adj* fflachiog

flashlamp *n* fflachlamp *f*

flashover *n* fflachiad *m*

flashpoint *n* fflachbwynt *m*

flask *n* costrel *f*, fflasg *f*

flaskful *n* fflasgaid *m*

flat¹ 1. *adj* fflat¹, gwastad¹ 2. *n* fflat² *m*, gwastad² *m*

flat² MUSIC 1. *adj* fflat¹ 2. *n* meddalnod *m*

flatfish *n* lleden *f*

flat-footed *adj* fflat-wadn

flatness *n* fflatrwydd *m*, gwastadrwydd *m*

flat-pack *adj* fflatpac

flatten *vn* gwastatáu, gwastatu

flatter *vn* crafu, cynffonna, ffalsio, gorganmol, gwenieithio, gwenieithu, seboni

flatterer *n* canmolwr *m*, crafwr *m*, cynffonnwr *m*, ffalsiwr *m*, gwenieithwr *m*, sebonwr *m*

flattering *adj* canmoliaethol, canmoliaethus, gwenieithus, sebonllyd

flattery *n* gweniaith *f*

flatulence *n* gwynt *m*

flatus *n* fflatws *m*, gwynt *m*

flautist *n* ffliwtydd *m*

flavour *n* blas *m*, sawr *m*

flavouring *n* cyflasyn *m*

flaw *n* bai¹ *m*, diffyg *m*, mefl *m*, nam *m*

flawed* *adj* diffygiol

flawless *adj* di-fefl, difrycheulyd, perffaith

flax *n* llin *m*

flaxen-haired *adj* gwalltfelyn

flay *vn* blingo, digroeni

flea *n* chwannen *f*

fleabane *n* cedowydd *pl*

flea-ridden *adj* chweinllyd

fleck 1. *n* brychni *m*, smotyn *m* 2. *vn* brychu

flecked *adj* brith

flee *vn* dianc, ffoi

fleece 1. *n* cnaif *m*, cnu *m* 2. *vn* blingo

fleecy *adj* cnuog, gwlanog

fleet 1. *adj* chwim, chwimwth 2. *n* fflyd *f*, llynges *f*

fleeting *adj* diflanedig, hedfanol

Fleming *n* Fflandrysiad *m*, Ffleminiad *m*

Flemish *adj* Fflandrysaidd, Ffleminaidd

flesh *n* cnawd *m*

fleshy *adj* cnawdol

fleur-de-lis *n* fflŵr-de-lis *m*

flex 1. *n* fflecs *m* 2. *vn* plygu, ystwytho

flexibility *n* hyblygrwydd *m*, ystwythder *m*

flexible *adj* hyblyg, ystwyth

flick *vn* fflicio

flicker* *vn* fflachio

flight *n* branes *f*, ehediad *m*, ffo *m*, fföedigaeth *f*, hedfaniad *m*, hediad *m*

flighty *adj* penchwiban

flimsy *adj* bregus, tila

flinch* *vn* syflyd

fling 1. *n* ffling *f*, tafliad *m* 2. *vn* lluchio, taflu

flint¹ *n* callestr *f*, fflint *m*

flint² GEOLOGY *n* callestr *f*

flip *n* ffat *f*, ffaten *f*, fflipen *f*

flip-flop 1. *adj* fflip-fflop 2. *n* llopan *f*

flippant *adj* gwamal, ysgafala

flipper* *n* asgell *f*

flirt 1. *n* fflyrten *f*, fflyrtiwr *m*, hoeden *f*, merchetwr *m*, mursen *f* 2. *vn* fflyrtian, fflyrtio

flit *vn* gwibio

flitting *adj* gwibiog

float *vn* arnofio, nofio

floating *adj* arnawf, arnofiol

flock 1. *n* diadell *f*, ffloc *m*, gyr¹ *m*, haid *f*, pac *m*, praidd *m* 2. *vn* heidio, tyrru

floe *n* ffloch *m*

flog *vn* chwipio, fflangellu

flogging *n* fflangelliad *m*

flood 1. *n* boddfa *f*, cenlli(f) *mf*, dilyw *m*, gorlif *m*, lli *m*, llif¹ *m*, llifeiriant *m* 2. *vn* boddi, dylifo, gorlifo

floodgate *n* fflodiart *f*, llifddor *f*

floodlight 1. *n* llifolau *m* 2. *vn* llifoleuo

floodplain *n* gorlifdir *m*

floodwater *n* dŵr llwyd

floor 1. *n* llawr *m* 2. *vn* llorio, trechu

flop* *n* methiant *m*

flora *n* fflora *pl*

floral *adj* blodeuog, fflurol

floret BOTANY *n* blodigyn *m*

florid *adj* blodeuog, gwritgoch

florin *n* deuswllt *m*, fflorin *f*, ffloring *f*

flotsam *n* broc môr *m*

flounce *vn* fflownsio, fflownso, tindaflu

flounder *vn* ymdrybaeddu

flour *n* blawd *m*, can¹ *m*, fflŵr *m*, paill *m*

flour-bin cist flawd

flourish 1. *n* addurn *m*, cwafer *m* 2. *vn* blodeuo, ffynnu

flourishing *adj* cryf, ffyniannus, llewyrchus

flout* *vn* wfftian, wfftio

flow 1. *n* lli *m*, llif¹ *m*, llifeiriant *m*, rhediad *m* 2. *vn* dylifo, ffrydio, llifeirio, llifo¹, rhedeg

flower 1. *n* blodeuyn *m*, blodyn *m* 2. *vn* blodeuo

flowering¹ *adj* blodeuog

flowering² BOTANY *adj* blodeuol

flowery *adj* blodeuog

flowing 1. *adj* llaes, llifeiriol 2. *n* dylifiad *m*

flu *n* ffliw¹ *m*

fluctuate* *vn* amrywio

fluctuating *adj* anwadal, cyfnewidiol

fluctuation *n* amrywiad *m*, anwadaliad *m*, toniant *m*

flue *n* ffliw² *f*

fluency *n* ffraethineb *m*, llithrigrwydd *m*, rhugledd *m*, rhwyddineb *m*

fluent *adj* diatal, llithrig, rhugl, rhwydd

fluff *n* fflwff *m*

fluffy *adj* gwlanog

fluid¹ *n* gwlybwr *m*, gwlych *m*, hylif *m*

fluid² PHYSICS 1. *adj* llifyddol 2. *n* llifydd *m*

fluidity *n* llifedd *m*, rhugledd *m*

fluke 1. *n* ffliwc *f*, ffliwcen *f* 2. bach angor [*bach²*], lwc mwnci/mwngrel/mul

flummery *n* llymru *m*

flummox* *vn* drysu, ffwndro

flunk* *vn* methu

fluoresce PHYSICS *vn* fflwroleuo

fluorescence PHYSICS *n* fflwroleuedd *m*

fluorescent *adj* fflwroleuol

fluoridate *vn* fflworeiddio

fluoridation *n* fflworeiddiad *m*

fluoride CHEMISTRY *n* fflworid *m*

fluorimeter *n* fflworimedr *m*

fluorine *n* fflworin *m*

fluorosis MEDICINE *n* fflworosis *m*

flurry* *n* cwthwm *m*, cynnwrf *m*, hwrdd *m*

flush 1. *adj* cyfwyneb 2. *n* gwrid *m* 3. *vn* golchi, gwrido

flushed* *adj* gwridog

fluster* *vn* cynhyrfu, drysu, hurtio, hurto, rhusio

flute *n* chwibanogl *f*, ffliwt *f*

fluted *adj* rhychiog, rhychog

flutter *vn* cwhwfan, cyhwfan, chwifio, dychlamu, ysgwyd

flutter-tonguing MUSIC *vn* cryndafodi

fluvial *adj* afonol

flux¹ *n* fflwcs¹ *m*

flux² PHYSICS *n* fflwcs² *m*

fly 1. *n* balog *m*, cleren¹ *f*, copis *m*, gwybedyn *m*, pluen *f*, pry *m*, pryf *m* 2. *vn* cwhwfan, cyhwfan, ehedeg, hedfan

flycatcher *n* gwybedog *m*

flyer *n* ehedwr *m*, hedfanwr *m*, hedwr *m*, hysbyslen *f*

flying *adj* ehedog, hedegog, hedfanol

flyover *n* pontffordd *f*, trossffordd *f*

flywheel *n* chwylrod *f*

foal *n* cyw *m*, ebol *m*, eboles *f*, swclyn *m*

foam 1. *n* burum *m*, distrych *m*, ewyn *m*, sbwng *m*, trochion *pl* 2. *vn* brochi, bwrw ewyn, crychferwi, ewynnu, glafoeri, glafoerio, trochioni

foaming *adj* ewynnog

focal *adj* ffocal, ffocol

focus 1. *n* canolbwynt *m*, ffocws *m* 2. *vn* canolbwyntio, ffocysu

fodder *n* ebran *m*, porthiant *m*

foe *n* gelyn *m*, gwrthwynebwr *m*, gwrthwynebydd *m*

foetus ANATOMY *n* ffetws *m*, ffoetws *m*

fog *n* niwl *m*

fogginess *n* niwlogrwydd *m*

foggy *adj* niwlog

foil 1. *n* ffoil *m*, ffwyl *m* 2. *vn* atal¹, drysu, rhwystro

foilist *n* ffwyliwr *m*

fold¹ 1. *n* corlan *f*, crych¹ *m*, ffald *f*, lloc *m*, plyg¹ *m* 2. *vn* amdroi, plygu, torri

fold² GEOLOGY *n* plyg¹ *m*

folded *adj* deublyg, dyblyg, plyg², plygedig, ymhlŷg

folder¹ *n* ffolder *f*, plygell *f*, plygwr *m*

folder² COMPUTING *n* ffolder *f*

folding *adj* plyg²

foliage *n* deiliant *m*

folicular ANATOMY *adj* ffoliglaidd

folio *n* ffolio *f*

folk 1. *adj* gwerin² 2. *n* dynion *pl*, gwerin¹ *f*, gwerinos *f*, pobl *f*

folklore *n* llên gwerin

folk-song cân werin [*cân¹*]

folksy *adj* gwerinaidd, gwerinol

follicle ANATOMY *n* ffoligl *m*

follow *vn* canlyn, cymryd, dilyn, olrhain, olynu

follower *n* canlynwr *m*, dilynwr *m*, dilynydd *m*, disgybl *m*

following 1. *adj* canlynol, dilynol, nesaf 2. *n* dilyniad *m*

follow-up *n* dilyniant *m*

folly *n* amhwylledd *m*, annoethineb *m*, ffoli² *f*, ffolineb *m*, ffwlbri *m*, gwiriondeb *m*, hurtrwydd *m*

foment *vn* corddi, ennyn

fond* *adj* annwyl

fondant *n* ffondant *m*

fondle *vn* anwesu, anwylo, mwytho, tolach

fondling *n* anwes¹ *m*, mwythau *pl*

fondness *n* hoffter *m*

font *n* bedyddfaen *m*, ffont *m*

fontanelle[1] caeadau'r iad [*iad*]
fontanelle[2] ANATOMY *n* ffontanél *m*
food *n* bwyd *m*, lluniaeth *m*, porthiant *m*, ymborth *m*
fool 1. *n* clown *m*, ffŵl *m*, hurtyn *m*, lolyn *m*, penbwl *m*, penci *m*, twpsen *f*, twpsyn *m*, ynfytyn *m* 2. *vn* twyllo
foolhardy *adj* byrbwyll, rhyfygus
foolish 1. *adj* ffôl, gwallgof, gwirion, twp 2. hanner call a dwl
foolishness *n* anghallineb *m*, ffolineb *m*, penwendid *m*, twpdra *m*
foolproof* *adj* di-feth
foolscap *n* ffwlsgap *m*
foot *n* godre *m*, troed[1] *fm*, troed[2] *m*, troedfedd *f*
football *n* pêl-droed *f*
footballer *n* pêl-droediwr *m*, pêl-droedwraig *f*
footbridge *n* pompren *f*
footer *n* troedyn *m*
footfall *n* cam[1] *m*
foothold *n* troedle *f*
footloose *adj* dilyffethair, troedrydd
footnote *n* troednodyn *m*
footpath 1. *n* troedffordd *f* 2. llwybr troed
footprint 1. *n* cam[1] *m* 2. ôl troed [*ôl*[1]]
footstep *n* cam[1] *m*
footsteps *n* camre *m*
footstool *n* troedfainc *f*
footwork *n* troedwaith *m*
fop 1. *n* coegyn *m*, ysgogyn *m* 2. ceiliog dandi
foppish *adj* dandïaidd
for 1. *adj* gogyfer 2. *prep* am[2], at, dros, er, i[3]
foramen ANATOMY *n* fforamen *m*
foray *n* cyrch[1] *m*
forbearance *n* amynedd *m*, goddefgarwch *m*
forbid *vn* gwahardd, gwarafun
forbidden *adj* gwaharddedig
forbidding* *adj* diserch, sarrug
force[1] 1. *n* gallu[2] *m*, grym *m*, trais *m* 2. *vn* gorfodi, gwneud[1], gwneuthur
force[2] PHYSICS *n* grym *m*
forceful* *adj* grymus
forceps *n* gefel *f*
ford 1. *n* rhyd *f* 2. *vn* rhydio[1]
fore- *pref* rhag-
forearm 1. *n* elin *f* 2. *vn* rhagarfogi
forearmed *adj* rhagarfog
forebear *n* cyndad *m*, cyndaid *m*, hynafiad *m*
forebearance *n* dioddefgarwch *m*
forebode* *vn* argoeli
forecast* 1. *n* argoel *f*, rhagolwg *m* 2. *vn* darogan, proffwydo, rhagweld, rhag-weld
forecastle *n* ffocsl *m*
foreclose LAW *vn* blaengau
forefather *n* cyndad *m*, cyndaid *m*, hynafiad *m*
forefinger bys blaen, bys yr uwd

forego *vn* hepgor
foregoing *adj* blaenorol
foregone* *adj* anochel, anocheladwy, rhagweladwy
foreground *n* blaendir *m*, rhagdir *m*
forehand ergyd flaenllaw [*blaenllaw*]
forehead *n* talcen *m*
foreign *adj* anghenedl, dieithr, dierth, estron[1], estronol, tramor
foreigner *n* estron[2] *m*, tramorwr *m*
foreknowledge *n* rhagwybodaeth *f*
foreland *n* rhagdir *m*
foreman *n* fforman *m*, fformon *m*
foremost 1. *adj* blaenaf, pennaf 2. *num* cyntaf
forensic *adj* fforensig
foreplay *vn* rhagchwarae
forerunner *n* rhagflaenwr *m*, rhagflaenydd *m*, rhagredegydd *m*
foresail *n* blaenhwyl *f*
foresee *vn* darogan, rhagweld, rhag-weld
foreseeable *adj* rhagweladwy
foreshorten ART *vn* rhagfyrhau
foreshortening *n* rhagfyriad *m*
foresight *n* rhagwelediad *m*
foreskin ANATOMY *n* blaengroen *m*
forest 1. *n* coedwig *f*, fforest *f*, gwŷdd[2] *m & pl* 2. *vn* fforestu
forestall *vn* achub y blaen [*achub*[1]], rhagflaenu
forester *n* coedwigwr *m*, fforestwr *m*
forestry *n* coedwigaeth *f*
foretaste *n* rhagflas *m*
foretell *vn* darogan, proffwydo, rhag-ddweud, rhagfynegi, rhagnodi
forethought *n* rhagofal *m*, rhagystyriaeth *f*
forever am byth [*byth*], dros byth [*byth*], hyd byth [*byth*]
forewarn *vn* rhagrybuddio
forewarning *n* rhagrybudd *m*
foreword *n* rhagair *m*
forfeit 1. *n* fforffed *m* 2. *vn* fforffedu
forge 1. *n* gefail *f* 2. *vn* ffugio, gofannu, gweithio, llunio
forged* *adj* ffug
forger *n* ffugiwr *m*
forgery *n* ffugiad *m*
forget *vn* anghofio, gollwng dros gof [*cof*]
forgetful *adj* anghofus
forgetfulness *n* anghofrwydd *m*, anghofusrwydd *m*
forget-me-not 1. *n* na'd-fi'n-angof *m*, sgorpionllys *m* 2. glas y gors [*glas*[1]]
forging *n* gofaniad *m*
forgive *vn* cydoddef, maddau
forgiveness *n* maddeuant *m*, pardwn *m*
forgiver *n* maddeuwr *m*
forgiving *adj* maddeugar
forgotten *adj* anghofiedig

fork 1. *n* fforc *f*, fforch *f*, ffwrch *f* 2. *vn* fforchi, fforchio, ymrannu

forked *adj* fforchog

forkful *n* fforchaid *f*

forking *n* fforchiad *m*

forlorn *adj* di-gâr, diymgeledd, truenus

form 1. *n* dosbarth[1] *m*, dull *m*, ffurf *f*, ffurflen *f*, ffwrwm *f*, llun[1] *m*, rhith *m* 2. *vn* creu, ffurfio, gwneud[1], gwneuthur, llunio, ymffurfio 3. gwâl ysgyfarnog

formal *adj* ffurfiol

formaldehyde CHEMISTRY *n* fformaldehyd *m*

formalism *n* ffurfiolaeth *f*

formality *n* ffurfioldeb *m*

formant LINGUISTICS *n* ffurfyn *m*

format 1. *n* diwyg *m*, fformat *m*, ffurfweddiad *m* 2. *vn* fformatio

formation[1] *n* ffurfiad *m*, ffurfiant *m*, trefn *f*

formation[2] GEOLOGY *n* ffurfiant *m*

formative *adj* ffurfiannol

former 1. *adj* blaenorol, hen[1] 2. *n* ffurfydd *m* 3. *pref* cyn-

formerly *adv* cynt[2], gynt, ynghynt

formidable* *adj* aruthrol, enbyd, enbydus

formless *adj* afluniaidd, annelwig, di-lun

formlessness* *n* aflunieidd-dra *m*

formula *n* fformiwla *f*

formulate* *vn* llunio

fornicator *n* puteiniwr *m*

forsake* *vn* cefnu

forsaken *adj* anghyfannedd, amddifad, gwrthodedig

fort *n* caer *f*, din *m*

forthcoming ar ddod [*dod*[1]]

forthright 1. *adj* plaen[2] 2. heb flewyn ar dafod [*blewyn*]

fortieth *num* deugeinfed

fortification *n* amddiffynfa *f*, atgyfnerthiad *m*

fortified *adj* cadarn, caerog

fortify *vn* cryfhau, cyfnerthu, grymuso

fortitude* *n* dewrder *m*, gwroldeb *m*, gwrolder *m*

fortnight *n* pythefnos *mf*

fortnightly *adj* pythefnosol

fortress *n* amddiffynfa *f*, cadarnle *m*, caer *f*

fortunate *adj* ffodus, ffortunus, lwcus

fortunately drwy lwc [*lwc*], lwcus i mi (ti, ef, etc.), wrth lwc [*lwc*]

fortune *n* ffawd *f*, ffortiwn *f*, hap *f*, lwc *f*

forty *num* deugain, pedwar deg

forum *n* fforwm *m*

forward 1. *adj* egr, eofn 2. *n* blaenwr *m*

fossil[1] *adj* ffosilaidd

fossil[2] GEOLOGY *n* ffosil *m*

fossilize *vn* caregu, ffosileiddio, ymgaregu

foster 1. *adj* maeth[2] 2. *vn* maethu

foster sister *n* chwaerfaeth *f*

foul 1. *adj* aflan, budr, drewllyd, ffiaidd 2. *n* ffowl *m*, trosedd *mf* 3. *vn* bawa, budreddu, budro, ffowlio, llychwino, troseddu

found *vn* sefydlu, sylfaenu

foundation *n* cynsail *f*, sail *f*, sefydliad *m*, sylfaen *fm*

founder 1. *n* sefydlydd *m*, sylfaenwr *m*, sylfaenydd *m* 2. *vn* dymchwel, dymchwelyd, methu, suddo

foundry METALLURGY *n* ffowndri *f*

fount *n* ffont *m*, ffynhonnell *f*, ffynnon *f*

four 1. *num* pedwar 2. pedair [*pedwar*], taro pedwar [*pedwar*]

fourfold *adj* pedwarplyg

fourth *num* pedwaredd, pedwerydd

fovea ANATOMY *n* ffofea *m*

fowl 1. *n* aderyn *m*, deryn *m*, ffowlyn *m* 2. *vn* adara

fowler *n* adarwr *m*

fox *n* cadno *m*, llwynog *m*

foxglove *n* ffion *m*

foxgloves bysedd y cŵn

foxtail *n* cynffonwellt *pl*

foxy *adj* llwynogaidd

fracas *n* ffrwgwd *m*, helynt *mf*

fractal MATHEMATICS *n* ffractal *m*

fraction CHEMISTRY, MATHEMATICS *n* ffracsiwn *m*

fractional CHEMISTRY, MATHEMATICS *adj* ffracsiynol

fractionate CHEMISTRY *vn* ffracsiynu

fractious *adj* afreolus, blin, piwis, rhwyfus

fracture[1] 1. *n* amdoriad *m*, toriad *m* 2. *vn* torri

fracture[2] MEDICINE *n* torasgwrn *m*

fractured *adj* toredig

fragile *adj* bregus

fragility *n* breuder *m*, eiddilwch *m*

fragment 1. *n* dernyn *m*, dryll[2] *m*, tamaid *m* 2. *vn* darnio, dryllio

fragmentary *adj* darniog

fragmentation *n* darniad *m*

fragmented *adj* rhanedig, tameidiog

fragments *n* teilchion *pl*

fragrance *n* perarogl *m*, pereidd-dra *m*, persawr *m*

fragrant *adj* aroglus, aromatig, peraidd, peraroglus, persawrus

frail *adj* eiddil, gwanllyd, gwannaidd, gwantan, llesg

frailty *n* eiddilwch *m*, llesgedd *m*, musgrellni *m*

frame 1. *n* ffrâm *f*, fframin *m*, fframwaith *m* 2. *vn* fframio

framework *n* fframwaith *m*

franchise[1] *n* etholfraint *f*, rhyddfraint *f*

franchise[2] ECONOMICS *n* masnachfraint *f*

franchised *adj* breiniol, breinol

Franciscan[1] 1. *adj* Ffransisgaidd 2. Brawd Llwyd [*brawd*[2]]

Franciscan[2] RELIGION *n* Ffransisgan *m*

francium *n* ffranciwm *m*

frank *adj* diffuant, gonest, onest, plaen[2]
frankincense *n* thus *m*
frankness *n* didwylledd *m*, diffuantrwydd *m*
frantic* *adj* gorffwyll
fraternal *adj* brawdol
fraternity *n* brawdoliaeth *f*
fraternize* *vn* cyfeillachu
fratricide *n* brawdladdiad *m*
fraud *n* twyll *m*, twyllwr *m*
fraudulent* *adj* twyllodrus
fray 1. *n* ffrwgwd *m*, heldrin *f* 2. *vn* rhaflo
frayed *adj* bratiog, rhaflog
fraying *n* rhafl(i)ad *m*
frazil *n* ffrasil *m*
freckle 1. *n* brycheuyn *m* 2. *vn* brychu
freckled *adj* brycheulyd
free 1. *adj* di-draul, rhwydd, rhydd[1]
2. *vn* rhyddhau 3. am ddim [*dim*], rhad ac
am ddim [*rhad[1]*]
freedom *n* rhyddid *m*
freehand *adj* llawrydd
freehold[1] *adj* rhydd-ddaliadol, rhyddfreiniol
freehold[2] LAW *n* rhydd-ddaliad *m*
freeholder *n* rhydd-ddeiliad *m*
freelance* *adj* llawrydd
freeman *n* rhyddfreiniwr *m*
Freemasons Seiri Rhyddion
freephone *adj* rhadffôn
freepost *n* rhadbost *m*
free-standing *adj* arunig
freethinker *n* rhydd-feddyliwr *m*
free-translation *n* lledgyfieithiad *m*
freeware COMPUTING *n* rhadwedd *mf*
freeze *vn* barugo, delwi, fferru, llwydrewi,
rhewi, rhynnu, starfio, starfo, sythu[2]
freeze-dry *vn* sychrewi
freezer 1. *n* rhewgell *f*, rhewgist *f* 2. cist rew
freezing *adj* oerias, oeriasol, rhewllyd
French *adj* Ffrengig
French Guyanese 1. *adj* Gaianaidd
2. *n* Gaianiad *m*
Frenchman *n* Ffrancwr *m*
Frenchwoman *n* Ffrances *f*
frenetic* *adj* gorffwyll
frenzied* *adj* gorffwyll
frenzy* *n* gwallgofrwydd *m*
frequency[1] *n* amlder *m*, amldra *m*, amledd *m*,
mynychder *m*
frequency[2] PHYSICS *n* amledd *m*
frequent 1. *adj* aml[1], mynych 2. *vn* cyniwair,
cyniweirio, hel, mynychu
frequenter *n* mynychwr *m*
frequenting *n* mynychiad *m*
fresco ART *n* ffresgo *m*
fresh *adj* croyw, ffres, gwreiddiol[1], iach, ir, iraidd,
newydd[1]
fresher *n* glasfyfyriwr *m*

freshness *n* ffresni *m*, glesni *m*, irder *m*,
ireidd-dra *m*, newydd-deb *m*
fret[1] *vn* cnoi[1], poeni, pryderu
fret[2] MUSIC *n* cribell *f*
fretful* *adj* anniddig
fretsaw 1. *n* rhwyll-lif *f* 2. llif ffret [*llif[2]*]
fretted *adj* cribellog
fretwork *n* ffretwaith *m*, rhwyllwaith *m*
friable *adj* brau, briwsionllyd, chwâl, hyfriw
friar RELIGION *n* brawd[2] *m*, mynach *m*
friary *n* brodordy *m*
friction[1] *n* anghydfod *m*, cynnen *f*, drwgdeimlad *m*
friction[2] PHYSICS *n* ffrithiant *m*
frictional PHYSICS *adj* ffrithiannol
Friday 1. *n* Gwener *mf* 2. dydd Gwener [*Gwener*]
fridge *n* oergell *f*
friend *n* brawd[1] *m*, cyfaill *m*, cyfeilles *f*, ffrind *mf*
friendless *adj* di-ffrind
friendliness *n* cyfeillgarwch *m*
friendly 1. *adj* cyfeillgar, cymdeithasgar
2. agos atoch [*agos[1]*]
friendship *n* cyfeillach *f*, cyfeillgarwch *m*
Friesian 1. *adj* Ffrisaidd 2. *n* Ffrisiad *m*
Frieslander *n* Ffrisiad *m*
frieze *n* ffris *f*
frigate *n* ffrigad *f*
fright *n* braw *m*, dychryn[2] *m*, ofn *m*
frighten *vn* arswydo, brawychu,
codi arswyd ar [*arswyd*], codi ofn arnaf fi
(arnat ti, arno ef, etc.), dychryn[1], dychrynu
frightful *adj* brawychus, dychrynllyd[1], ofnadwy[1]
frigid *adj* oeraidd, oerllyd
frill *n* crych[1] *m*, ffaldirál *m*, ffril *m*
fringe[1] 1. *n* godre *m*, rhidens *pl*, ymyl *fm*
2. *vn* rhidennu
fringe[2] PHYSICS *n* eddi[2] *m*
fringed *adj* edafeddog
frippery *n* petheuach *pl*
frisky *adj* chwareus, llamsachus
fritillary *n* britheg *f*
fritter 1. *n* ffriter *f* 2. *vn* afradu, gwastraffu
frivolity *n* bregedd *m*, gwagedd *m*, gwamalder *m*,
gwamalrwydd *m*, lol *f*, oferedd *m*
frivolous *adj* gwacsaw, gwag, gwamal,
penchwiban
frivolousness *n* gwamalder *m*, gwamalrwydd *m*,
gwegi *m*
frizzy *adj* crychlyd
frock *n* ffrog *f*, gŵn *m*
frog 1. *n* broga *m*, crygni *m*, ffroga *m*, gwennol *f*,
llyffant *m* 2. bywyn carn ceffyl
frogspawn *n* grifft *m*
frolic *vn* rhampio
from 1. *prep* gan[1], o[2], oddi, rhag[1], wrth
2. drwy law [*llaw*], oddi wrthyf fi (wrthyt ti,
wrtho ef, etc.)
frond *n* ffrond *m*

front¹ 1. *adj* blaen² 2. *n* blaen¹ *m*, ffrynt *m*, pen¹ *m* 3. *vn* ffryntio

front² METEOROLOGY *n* ffrynt *m*

frontier *n* ffin *f*, goror *m*

frontispiece *n* wynebddarlun *m*, wyneblun *m*

frontogenesis METEOROLOGY *n* ffryntdarddiad *m*

frontolysis METEOROLOGY *n* ffryntwasgariad *m*

frost *n* llwydrew *m*, rhew *m*

frostbite MEDICINE *n* ewinrhew *m*

frosted *adj* barugog

frosty *adj* barugog, rhewllyd

froth 1. *n* ewyn *m* 2. *vn* ewynnu, ffrothio

frothing *adj* ewynnog, ffrothlyd, ffrothog

frothy *adj* ewynnog, ffrothlyd, ffrothog

frottage *n* ffrotais *m*

frown 1. *n* cilwg *m*, cuwch *m*, gwg *m* 2. *vn* cuchio, gwgu

frozen *adj* rhewedig

fructose CHEMISTRY *n* ffrwctos *m*

frugal *adj* cynnil, darbodus

frugality *n* darbodaeth *f*

fruit 1. *n* ffrwyth *m* 2. *vn* cnydio

fruitful *adj* cnydiog, cynhyrchiol, ffrwythlon

fruitfulness *n* ffrwythlondeb *m*, ffrwythlonder *m*

fruitless *adj* di-fudd, digynnyrch, ofer, seithug

fruitlessness *n* diffrwythder *m*, diffrwythdra *m*, oferedd *m*

frustrate *vn* drysu, llesteirio, rhwystro

frustrated *adj* rhwystredig

frustration¹ *n* rhwystredigaeth *f*, seithuctod *m*

frustration² PSYCHOLOGY *n* rhwystredigaeth *f*

frustum MATHEMATICS *n* ffrwstwm *m*

fry¹ 1. *n* mag *m* 2. *vn* ffrio

fry² COOKERY *vn* ffrio

fuchsia *n* ffiwsia *f*

fuck *vulgar* 1. *interj* ffwc¹ 2. *n* cnuch *m*, ffwc² *f*, ffwrch *f* 3. *vn* bwchio, cnuchio

fucker *vulgar n* cnuchiwr *m*

fuddled *adj* chwil, meddw

fudge 1. *n* cyffug *m* 2. *vn* bwnglera

fuel *n* tanwydd *m*

fugitive *n* ffoadur *m*

fugue MUSIC *n* ffiwg *f*

fulcrum PHYSICS *n* ffwlcrwm *m*

fulfil *vn* cyflawni, gwireddu

fulfilment *n* boddhad *m*, cwblhad *m*

full 1. *adj* cyflawn, llawn¹ 2. *vn* pannu

full-cheeked *adj* bochog

fuller *n* pannwr *m*, pannydd *m*

full-grown *adj* hydwf, llawn-dwf

fulling *adj* pan³

fulling-mill *n* pandy *m*

full-length *adj* llaes

fullness *n* llawnder *m*, llawndra *m*

full-time 1. *adj* llawnamser 2. llawn amser [*amser*]

fulmar aderyn drycin y graig

fulsome *adj* gormodol, gwenieithus

fumarole GEOLOGY *n* mygdwll *m*

fumble *vn* palfalu, ymbalfalu

fumbler *n* carfaglach *m*, crafaglach *m*

fume *vn* berwi, ffromi, mygu¹, tarthu

fumes *n* mwg *m*, mygdarth *m*

fumigate *vn* mygdarthu

fumigation *n* mygdarthiad *m*

fumitory *n* mwg-y-ddaear cyffredin *m*

fun *n* difyrrwch *m*, digrifwch *m*, hwyl² *f*, miri *m*, sbort *mf*, sbri *m*

function¹ *n* gweithrediad *m*, swyddogaeth *f*

function² COMPUTING, MATHEMATICS *n* ffwythiant *m*

functional *adj* ffwythiannol, gweithrediadol, swyddogaethol, ymarferol

functionalism *n* swyddogaetholdeb *f*

fund 1. *n* cronfa *f*, stôr *f* 2. *vn* ariannu, cyllido, noddi

fundamental *adj* ffwndamentalaidd, sylfaenol

fundamentalism *n* ffwndamentaliaeth *f*

fundamentalist *n* ffwndamentalydd *m*

fundus ANATOMY *n* ffwndws *m*

funeral 1. *adj* angladdol 2. *n* angladd *mf*, claddedigaeth *f*, cynhebrwng *m* 3. *vn* claddu

funereal *adj* angladdol

fungicide *n* ffwngleiddiad *m*

fungoid *adj* madarchaidd

fungous *adj* ffwngaidd

fungus *n* ffwng *m*

funnel *n* twmffat *m*, twndis *m*

funny *adj* digrif, doniol, od, rhyfedd

fur *n* blew *pl*, ffwr *m*

furious *adj* candryll, cynddeiriog, penwan

furl* *vn* rholian, rholio

furlong *n* ystaden *f*

furnace *n* ffwrnais *f*

furnish *vn* dodrefnu

furnisher *n* dodrefnwr *m*

furniture *n* celfi *pl*, dodrefn *pl*

furore* *n* cynnwrf *m*

furrow *n* cwys *f*, rhych *mf*

furrowed *adj* gwrymiog, panylog, rhychiog, rhychog

furrowing *n* rhigoliad *m*

furry *adj* blewog

further 1. *adj* mwy¹, pellach¹, ychwanegol 2. *adv* bellach, ymhellach 3. *vn* hybu, hyrwyddo

furtherance *n* hyrwyddiad *m*

furtive *adj* lladradaidd, llechwraidd, llechwrus

fury *n* cynddaredd *f*, ffyrnigrwydd *m*, gwylltineb *m*, llid *m*

furze *n* eithin *pl*

furzy *adj* eithinog

fuse 1. *n* ffiws *m* 2. *vn* ffiwsio, ymasio, ymdoddi

fusibility *n* ymdoddadwyedd *m*

fusiform BIOLOGY *adj* gwerthydffurf

fusilier *n* ffiwsiliwr *m*, ffiwsilwr *m*

fusion¹ *n* ymasiad *m*, ymdoddiad *m*
fusion² PHYSICS *n* ymasiad *m*
fuss 1. *n* ffwdan *f*, ffys *f*, helynt *mf*, trafferth *f*, trybestod *m* 2. *vn* ffwdanu, ffysian, ffysio
fussy *adj* cysetlyd, ffwdanllyd, ffwdanus, ffyslyd, trafferthus
futile *adj* di-fudd, diffrwyth, ofer, seithug
futility *n* oferedd *m*, seithuctod *m*
future *n* dyfodol *m*
futurism ART *n* dyfodoliaeth *f*
futurist *n* dyfodolwr *m*
futuristic *adj* dyfodolaidd
fuzzy *adj* aneglur

g

gabble *vn* baldorddi, rwdlan, rwdlian
gabbro GEOLOGY *n* gabro *m*
gaberdine *n* gabardîn *m*, gaberdîn *m*
gable *n* talcen *m*
Gabonese 1. *adj* Gabonaidd 2. *n* Gaboniad *m*
gad *vn* cymowta
gadget *n* dyfais *f*, teclyn *m*
gadolinium *n* gadoliniwm *m*
Gaelic *n* Gaeleg *fm*
gaff *n* tryfer *f*
gaffer *n* gaffer *m*, giaffer *m*
gag 1. *n* cellwair¹ *m*, safnglo *m*, safnrhwym *m* 2. *vn* gagio
gaggle *n* gyr¹ *m*, haid *f*
Gaia *n* Gaia *f*
gaiety *n* llonder *m*
gain¹ *vn* bod ar fy (dy, ei, etc.) elw [*elw*], ennill¹, magu
gain² ELECTRONICS *n* cynnydd *m*
gain³ FINANCE *n* elw *m*
gait *n* cerddediad *m*
gaiter *n* coesarn *m*
gala *n* gala *f*, gŵyl *f*, uchelwyl *f*
galactic ASTRONOMY *adj* galaethog
galactose CHEMISTRY *n* galactos *m*
galaxy ASTRONOMY *n* galaeth *f*
gale METEOROLOGY *n* tymestl *f*
galena *n* galena *m*
Galilean *n* Galilead *m*
gallant* *adj* cwrtais, dewr
gallantry *n* cwrteisi *m*
galleon *n* galiwn *f*
gallery *n* galeri *m*, oriel *f*
galley *n* gali *m*, rhwyflong *f*
galliard MUSIC *n* galiard *f*
Gallicanism RELIGION *n* Galicaniaeth *f*
gallium *n* galiwm *m*
gallivant *vn* galifantian, galifantio, jolihoetian, jolihoetio
gallivanter *n* galifantiwr *m*, jolihoetiwr *m*

gallon *n* galwyn *m*
gallop 1. *n* carlam *m* 2. *vn* carlamu
galloping *adj* carlamus
gallows *n* crocbren *m*, crog¹ *f*
gallstone¹ maen tostedd [*maen¹*]
gallstone² MEDICINE *n* carreg y bustl
galore* *n* digonedd *m*
galosh *n* aresgid *f*
galvanize¹ *vn* galfaneiddio, galfanu, gwefreiddio
galvanize² METALLURGY *vn* galfanu
galvanized *adj* galfanedig
galvanometer PHYSICS *n* galfanomedr *m*
Gambian 1. *adj* Gambiaidd 2. *n* Gambiad *m*
gamble 1. *n* menter *f* 2. *vn* gamblo, hapchwarae²
gambler *n* gamblwr *m*, hapchwaraewr *m*
gambo *n* gambo *m*
gambol *vn* prancio
game *n* camp *f*, chwarae² *m*, gêm *f*, helwriaeth *f*
gamekeeper *n* cipar *m*, ciper *m*
games *n* chwaraeon *pl*
gamete BIOLOGY *n* gamet *m*
gametocyte BIOLOGY *n* gametocyt *m*
gametophyte BOTANY *n* gametoffyt *m*
gammon *n* gamwn *m*
gamopetalous BOTANY *adj* gamopetalog
gamosepalous BOTANY *adj* gamosepalog
gamut MUSIC *n* gamwt *m*
gander *n* clacwydd *m*, clagwydd *m*
gang *n* ciwed *f*, criw *m*, fflyd *f*, gang *f*, giang *f*
gangling* *adj* heglog
ganglion ANATOMY, MEDICINE *n* ganglion *m*
gangrene¹ *n* marwgig *m*
gangrene² MEDICINE *n* madredd *m*
gangrenous *adj* madreddog
gangway *n* tramwyfa *f*
gannet *n* hucan *m*, hugan² *m*
gaol *n* carchar *m*, carchardy *m*, dalfa *f*, jêl *f*
gap *n* adwy¹ *f*, agen *f*, agendor *mf*, bwlch *m*, gagendor *mf*, hafn *f*
gaping *adj* cegrwth, rhwth
garage *n* garej *f*, modurdy *m*
garb *n* gwisg *f*
garbage *n* ffrwcs *pl*
garble *vn* llurgunio
garden 1. *n* gardd *f* 2. *vn* garddio
gardener *n* garddwr *m*
garfish *n* cornbig *m*
gargantuan *adj* anferth, anferthol
gargle 1. *n* cegolch *m* 2. *vn* garglo
gargoyle ARCHITECTURE *n* gargoel *m*, gargoil *m*
garish *adj* coegwych
garland *n* coron¹ *f*, garlant *m*
garlic *n* garlleg *pl*, garllegen *f*
garment *n* dilledyn *m*, pilyn *m*
garnish 1. *n* garnais *m* 2. *vn* garneisio
garret *n* croglofft *f*, nenlofft *f*
garrison *n* garsiwn *m*

garrotte* *vn* llindagu

garrulous *adj* cegog, chwedleugar, siaradus, tafodrydd

garter *n* gardas *f*, gardys *f*

gas *n* nwy *m*

gaseous *adj* nwyol

gash *n* archoll *f*, briw *m*

gasket *n* gasged *m*

gasp* *vn* ebychu

gastric *adj* gastrig

gastritis MEDICINE llid y cylla

gastroenteritis¹ MEDICINE llid y coluddion

gastroenteritis² MEDICINE *n* gastroenteritis *m*

gastroenterology MEDICINE *n* gastroenteroleg *f*

gastrointestinal ANATOMY *adj* gastroberfeddol

gastronomic *adj* gastronomegol

gastronomy *n* gastronomeg *f*

gastrula BIOLOGY *n* gastrwla *m*

gate¹ *n* clwyd *f*, gât *f*, giât *f*, iet *f*, llidiart *m*

gate² ELECTRONICS *n* adwy² *f*

gateway *n* mynedfa *f*, porth¹ *m*

gather *vn* cyniwair, cyniweirio

gathered *adj* aeddfed, crychog

gathering *n* casgliad *m*, crynhoad *m*, cynulliad *m*

gaudy *adj* coegwych

gauge 1. *n* medrydd *m*, meidrydd *m* 2. *vn* medryddu, meidryddu

Gaul *n* Galiad *m*

gaunt *adj* curiedig

gauze *n* meinwe *m*, rhwyllen *f*

gawky *adj* afrosgo

gay 1. *adj* cyfunrywiol, hoyw 2. *n* lesbiad *f* 3. dyn cyfunrywiol

gayness *n* cyfunrywiaeth *f*, cyfunrywioldeb *f*

gaze *vn* syllu, tremio, tremu

gazelle* *n* gafrewig *f*

gazump *vn* gasympio

Gb *abbr* Gb

GCE EDUCATION *abbr* TAG

GCSE EDUCATION *abbr* TGAU

gear *n* ceriach *f & pl*, gêr¹ *mf*, gêr² *mf*

gearbox *n* gerbocs *m*

gel 1. *n* gel *m* 2. *vn* jelio

gelatin *n* gelatin *m*

gelatinous *adj* gelaidd, gelatinaidd

gelation *n* geliad *m*

geld* *vn* sbaddu, ysbaddu

gelded *adj* disbaidd

gelder *n* disbaddwr *m*, ysbaddwr *m*

gelding march disbaidd [*disbaidd*]

gem *n* gem *f*, perl *m*, tlws¹ *m*

gemmule ZOOLOGY *n* gemwl *m*

gender¹ *n* rhyw¹ *mf*, rhywedd *m*

gender² GRAMMAR *n* cenedl *f*

gene BIOLOGY *n* genyn *m*

genealogical *adj* achyddol

genealogist 1. *n* achydd *m*, achyddwr *m* 2. olrheiniwr achau [*ach¹*]

genealogy *n* achres *f*, achyddiaeth *f*

general 1. *adj* bras¹, cyffredinol 2. *n* cadfridog *m*

generality *n* cyffredinolrwydd *m*

generalization *n* cyffredinoliad *m*

generalize *vn* cyffredinoli

generate *vn* cynhyrchu

generation *n* cenhedlaeth *f*, to² *m*

generative *adj* cenhedlol

generator *n* cynhyrchydd¹ *m*, generadur *m*

generic¹ *adj* generig, rhywogaethol, tylwythol

generic² BIOLOGY *adj* generig

generosity *n* haelder *m*, haelfrydedd *m*, haelioni *m*

generous *adj* hael, haelfrydig, haelionus, helaeth, llawagored, mawrfrydig, rhyddfrydig

genetic *adj* genetig, genynnol

geneticist *n* genetegydd *m*

genetics *n* geneteg *f*

genial *adj* hynaws, mwyn³, rhadlon

geniality *n* hawddgarwch *m*, hynawsedd *m*, mwyneidd-dra *m*

genital BIOLOGY *adj* cenhedlol

genitals *n* dirgelwch *m*

genitive GRAMMAR *adj* genidol

genius *n* athrylith *f*, crebwyll *m*

genocide LAW *n* hil-laddiad *m*

genome BIOLOGY *n* genom *m*

genotype BIOLOGY *n* genoteip *m*

genteel *adj* bonheddig, syber

gentian *n* crwynllys *m*

gentile *n* cenedl-ddyn *m*

gentle *adj* addfwyn, llariaidd, mwyn³, mwynaidd, tirion, tyner, ysgafn

gentlefolk *n* gwyrda *pl*

gentleman 1. *n* bonheddwr *m*, gwrda *m* 2. gŵr bonheddig

gentleness *n* addfwynder *m*, addfwyndra *m*, gwaredd *m*, llarieidd-dra *m*, mwynder *m*, mwyneidd-dra *m*, tiriondeb *m*, tynerwch *m*

gentlewoman *n* gwreigdda *f*

gently gan bwyll bach [*gan¹*]

gentrify *vn* boneddigeiddio

gentry* *n* uchelwyr *pl*

genuine *adj* didwyll, diffuant, dilys, gwir², gwironeddol

genuineness *n* diffuantrwydd *m*, dilysrwydd *m*

genus BIOLOGY *n* genws *m*

geo- *pref* geo-

geochemical *adj* geocemegol

geochemistry *n* geocemeg *f*

geochronology *n* geocronoleg *f*

geochronometry *n* geocronometreg *f*

geodesic MATHEMATICS *adj* geodesig

geodesy MATHEMATICS *n* geodedd *m*

geodetic MATHEMATICS *adj* geodetig

geographer *n* daearyddwr *m*

geographical *adj* daearyddol
geography *n* daearyddiaeth *f*
geoid *n* geoid *m*
geological *adj* daearegol
geologist *n* daearegwr *m*, daearegydd *m*
geology *n* daeareg *f*
geometric *adj* geometrig
geometrical MATHEMATICS *adj* geometregol
geometry MATHEMATICS *n* geometreg *f*
geomorphological GEOLOGY *adj* geomorffolegol
geomorphology GEOLOGY *n* geomorffoleg *f*
geophysical *adj* geoffisegol
geophysics *n* geoffiseg *f*
geophyte BOTANY *n* geoffyt *m*
Georgian[1] 1. *adj* Georgiaidd, Sioraidd
    2. *n* Georgiad *m*
Georgian[2] ARCHITECTURE *adj* Sioraidd
geostrophic METEOROLOGY *adj* geostroffig
geosyncline *n* geosynclin *m*
geotaxis BIOLOGY *n* geotacsis *m*
geotextile *n* geotecstil *m*
geothermal *adj* geothermol
geotropism BOTANY *n* grafitropedd *m*
geranium *n* mynawyd y bugail *m*
gerbil *n* gerbil *m*
geriatric[1] *adj* geriatrig
geriatric[2] MEDICINE *adj* geriatrig
geriatrician *n* geriatregydd *m*
geriatrics MEDICINE *n* geriatreg *f*
geriatrification *n* heneiddiad *m*
germ *n* bywyn *m*, germ *m*, hedyn *m*
German 1. *adj* Almaenaidd, Almaenig
    2. *n* Almaenes *f*, Almaenwr *m*, Almaenwraig *f*
germane* *adj* perthnasol
germanium *n* germaniwm *m*
German measles[1] y frech Almaenig [brech[1]]
German measles[2] MEDICINE *n* rwbela *f*
germicide *n* germladdwr *m*
germinal *adj* cenhedlol
germinate *vn* egino
germination *n* eginhad *m*, eginiad *m*
gerontological *adj* gerontolegol
gerontologist *n* gerontolegydd *m*
gerontology *n* gerontoleg *f*
gesso *n* geso *m*
Gestapo *n* Gestapo *m*
gesticulate *vn* stumio, ystumio
gesture *n* arwydd *m*, ystum *mf*
get *vn* mofyn, moyn, mynd[1], ymofyn
geyser GEOLOGY *n* geiser *m*
Ghanaian 1. *adj* Ghanaidd 2. *n* Ghanaiad *m*
ghastliness *n* erchyllter *m*, erchylltod *m*,
    erchylltra *m*, hyllter *m*, hylltra *m*
ghastly* *adj* echryslon, erchyll
gherkin COOKERY *n* gercin *m*, gercyn *m*
ghetto *n* geto *m*
Ghibelline *n* Gibeliniad *m*

ghost *n* bwbach *m*, bwgan *m*, ysbryd *m*
ghoul* *n* ellyll *m*
giant *n* cawr *m*, clamp[1] *m*
giantess *n* cawres *f*
gibbet *n* crocbren *m*
gibe *n* chweip *m*, sbeng *f*, sen *f*
giddiness *n* pendro *f*, penddaredd *m*,
    penysgafnder *m*
giddy *adj* penysgafn
gift *n* anrheg *f*, rhodd *f*
gifted *adj* dawnus, doniog, galluog, talentog
gig 1. *n* gìg *m* 2. *vn* gigio
gigabyte COMPUTING *n* gigabeit *m*
gigantic *adj* cawraidd
giggle *vn* piffian
gild *vn* euro, goreuro
gilded *adj* goreurog
gill *n* gìl *m*, tagell *f*
gilt *n* banwes *f*, hesbinwch *f*
gimlet *n* ebill *m*, gimbill *m*, gwimbill *m*,
    mynawyd *m*
gimmick *n* gimic *m*, gimig *m*
ginger 1. *adj* coch[2] 2. *n* sinsir *m*
gingerbread bara poeth
gingerly* *adj* gochelgar, tringar
gingham *n* gingham *m*
gingiva *n* deintgig *m*
giraffe *n* jiráff *m*
gird *vn* gwregysu, ymwregysu
girder *n* hytrawst *m*
girdle *n* gwregys *m*
girl *n* bodan *f*, croten *f*, crotes *f*, geneth *f*, hogan *f*,
    hogen *f*, lodes *f*, merch *f*, rhocen *f*, rhoces *f*
girlfriend* *n* cariad[2] *m*
girlhood *n* genethdod *m*
girlish *adj* genethaidd
giro FINANCE *n* giro *m*
girth 1. *n* cengl *f*, tordres *f* 2. *vn* cenglu
gist *n* sylwedd *m*
give *vn* rhoddi, rhoi[1]
given *adj* rhoddedig
giver *n* rhoddwr *m*
gizzard 1. *n* crombil *mf*, glasog *f* 2. afu glas
glacial[1] *adj* iasoer, rhewllyd
glacial[2] GEOLOGY *adj* rhewlifol
glaciated GEOLOGY *adj* rhewlifedig
glaciation GEOLOGY, METEOROLOGY *n*
    rhewlifiant *m*
glacier[1] *n* glasier *m*
glacier[2] GEOLOGY *n* rhewlif *m*
glaciology GEOLOGY *n* rhewlifeg *f*
glad *adj* balch, siriol
gladden *vn* llawenhau, llawenychu, llonni,
    sirioli, ymlonni
glade *n* coedlan *f*, llannerch *f*
gladiator *n* gladiator *m*
gladiolus blodyn y cleddyf

glair *n* glaer *m*
glamorous* *adj* cyfareddol, hudol, hudolus
glamour* *n* cyfaredd *f*, swyn *m*
glance[1] 1. *n* ciledrychiad *m*, cipolwg *m*,
　edrychiad *m*, trem *f* 2. *vn* ciledrych, cipedrych,
　tremio, tremu
glance[2] (off) *vn* sglentio
gland ANATOMY *n* chwarren *f*
glanders *n* llynmeirch *m*
glandular ANATOMY *adj* chwarennol
glare *n* llacharedd *m*
glass 1. *adj* gwydr[2] 2. *n* gwydr[1] *m*, gwydryn *m*
glasses *n* sbectol *f*
glassful *n* glasaid *m*, glasiaid *m*, gwydraid *m*
glasspaper papur gwydrog
glasswort *n* llyrlys *m*
glassy *adj* gwydraidd, gwydrog
glaucoma MEDICINE *n* glawcoma *m*
glaze 1. *n* gwydredd *m*, sglein *m*
　2. *vn* gwydro, sgleinio
glazier *n* ffenestrwr *m*, gwydrwr *m*
glazing *n* gwydriad *m*
gleam 1. *n* llewych *m*, llewyrch *m*, llygedyn *m*,
　pelydryn *m* 2. *vn* llewyrchu, tywynnu
glean *vn* lloffa
gleaner *n* lloffwr *m*
gleanings *n* lloffion *pl*
glebe *n* clastir *m*
glee *n* afiaith *m*, hoen *f*
gleeful *adj* afieithus
glen *n* cwm *m*, glyn *m*
gley *n* glei[1] *m*
glib *adj* brac, esmwyth, tafodrydd
glibness *n* llithrigrwydd *m*, slicrwydd *m*
glide *vn* gleidio, llithro
glider *n* gleider *m*
glimmer 1. *n* gwreichionen *f*, llewyrchyn *m*,
　llygedyn *m* 2. *vn* tywynnu
glimpse *n* cip *m*, cipdrem *f*, cipolwg *m*
glint 1. *n* fflach *f* 2. *vn* pefrio
glisten *vn* llewyrchu, serennu
glitter *vn* gwreichioni
glittering *adj* llachar
gloat* *vn* ymffrostio, ymhyfrydu
global *adj* byd-eang, eang
globalization *vn* globaleiddio
globalize *vn* globaleiddio
globe *n* byd *m*, glôb *m*
globeflower *n* cronnell *f*
globule *n* globwl *m*
globulin BIOCHEMISTRY *n* globwlin *m*
glomerulus ANATOMY *n* glomerwlws *m*
gloom *n* caddug *m*, düwch *m*, gwyll *m*
gloomy *adj* dilewyrch, du[2], pruddaidd
glorification *n* gogoneddiad *m*, mawrhad *m*
glorify *vn* bendigo, clodfori, gogoneddu,
　mawrygu

glorious *adj* godidog, gogoneddus
glory *n* gogoniant[1] *m*
glos *n* glos *m*
gloss *n* glos *m*, sglein *m*
glossary *n* geirfa *f*
glossitis MEDICINE *n* llid y tafod
glossy *adj* llathraidd
glottal *adj* glotol
glottis[1] *n* camdwll *m*
glottis[2] ANATOMY *n* glotis *m*
glove *n* maneg *f*
glow 1. *n* gwrid *m*, tywyn[2] *m* 2. *vn* eiriasu,
　tanbeidio, tywynnu
glower *vn* cuchio, gwgu
glowering *adj* cuchiog
glowing *adj* canmoliaethol, canmoliaethus,
　gwridog
glow-worm *n* magïen *f*
glucagon BIOCHEMISTRY *n* glwcagon *m*
glucose *n* glwcos *m*
glue 1. *n* glud *m*, gwm *m* 2. *vn* gludio, gludo
glum *adj* digalon, penisel
glume BOTANY *n* usyn *m*
glumes *n* us *m & pl*
glut *n* gormodedd *m*, syrffed *m*
gluten *n* glwten *m*
glutinous *adj* gludiog
glutton *n* bolgi *m*, glwth *m*, sglaffiwr *m*
gluttonous *adj* blysgar, blysig
gluttony *n* bolgarwch *m*, glythineb *m*
glycerine *n* glyserin *m*
glycerol *n* glyserol *m*
glycogen BIOCHEMISTRY *n* glycogen *m*
glycolysis BIOCHEMISTRY *n* glycolysis *m*
glycoprotein BIOCHEMISTRY *n* glycoprotein *m*
glycoside BIOCHEMISTRY *n* glycosid *m*
gnarled *adj* ceinciog, cnotiog
gnash *vn* disgyrnu, rhincian, ysgyrnygu
gnat *n* gwybedyn *m*
gnaw *vn* cnoi[1]
gnawing *n* cnoad *m*, cnoead *m*
gnome *n* dynan *m*
Gnostic *n* Gnostic *m*, Gnostig *m*
Gnosticism RELIGION *n* Gnosticiaeth *f*,
　Gnostigiaeth *f*
go 1. *n* mynd[2] *m* 2. *vn* mynd[1]
goad 1. *n* swmbwl *m* 2. *vn* cethru
goader *n* cethreinwr *m*
goal *n* cyrchnod *m*, gôl *f*
goalkeeper *n* gôl-geidwad *m*, golwr *m*
goat *n* gafr *f*
gob *n* hopran *f*
gobble *vn* claddu, llowcio
gobbledygook *n* ffiloreg *f*, gwag-siarad[2] *m*
goblet *n* ffiol *f*, gobled *m*
goblin *n* coblyn *m*, pwca *m*, pwci *m*
gobsmacked* *adj* cegrwth

goby *n* gobi *m*

god *n* duw *m*

God RELIGION *n* Duw *m*

god-daughter merch fedydd [*bedydd*]

goddess *n* duwies *f*

godet NEEDLEWORK *n* godet *m*

godfather tad bedydd [*bedydd*]

godless *adj* di-dduw

godlike *adj* dwyfol

godliness *n* duwioldeb *m*

godly *adj* duwiol

godmother mam fedydd [*bedydd*]

godson mab bedydd [*bedydd*]

godwit *n* rhostog *m*

Goedelic *n* Goedeleg *f*

goffer *vn* cwicio

goitre[1] *n* goitr *m*

goitre[2] MEDICINE *n* gwen[2] *f*

go-kart 1. *n* go-cart *m*, gwibgart *m*
  2. *vn* go-cartio, gwib-gartio

gold *n* aur[1] *m*

goldcrest dryw eurben

golden *adj* aur[2], euraid, euraidd

goldfinch 1. *n* eurbinc *f*, nico *m* 2. asgell aur

goldfish pysgodyn aur

goldsmith 1. *n* eurof *m*, eurych *m* 2. gof aur

golf *n* golff *m*

golfer *n* golffiwr *m*

goliardi *n* clêr[2] *f*

golliwog *offensive n* goliwog *m*

gonad ZOOLOGY *n* gonad *m*

gondola *n* gondola *f*

gong *n* gong *f*

gonorrhoea MEDICINE *n* gonorea *m*

good 1. *adj* da[1], nêt 2. *n* lles *m*

goodbye 1. *n* hwyl[2] *f* 2. da bo [*da*[1]], da boch [*da*[1]]

goodies *n* da-da *pl*

goodness *n* daioni *m*

goods *n* da[3] *pl*, nwyddau *pl*

goodwill ewyllys da [*ewyllys*[1]]

goose *n* gŵydd[2] *f*

gooseberries eirin Mair

gooseberry *n* gwsberen *f*

gooseneck *n* mynwydd *m*

gore *vn* cornio

gorge 1. *n* ceunant *m*
  2. *vn* bolio, slaffio, stwffio, traflyncu

gorged* *adj* gorlawn

gorgeous *adj* gwych, harddwych

gorilla *n* gorila *m*

gormless* *adj* twp

gorse *n* eithin *pl*

Gospel RELIGION *n* efengyl *f*

gossamer 1. *n* gwawn *m* 2. cwyr cor

gossip 1. *n* clap *m*, clapgi *m*, clebren *f*, clebryn *m*, clec *f*, clecs *pl*, clep *f*, clonc[1] *f*, cloncen *f*, janglen *f* 2. *vn* cega, clapian,

clebran, clecian, clepian, clonc(i)an, clonc(i)o, chwedleua, janglo, prepian

Gothic *adj* Gothig

gouge *vn* geingio

gourmand *n* bolgi *m*

gout MEDICINE *n* gowt *m*

govern *vn* arglwyddiaethu, llywodraethu, rheoli

governable* *adj* hydrin

governance *n* llywodraethiant *m*

governing *adj* llywodraethol

government *n* llywodraeth *f*

governor *n* llywodraethwr *m*, rhaglaw *m*

governorship *n* rhaglawiaeth *f*

gown *n* gŵn *m*

grab *vn* bachu, cydio, gafael[1]

grace[1] 1. *n* bendith *f*, gosgeiddrwydd *m*, gras[1] *m*
  2. *vn* harddu

grace[2] RELIGION *n* gras[2] *m*

graceful *adj* gosgeiddig, gweddaidd, lluniaidd, mirain

graceless *adj* anraslon, anrasol

gracious *adj* graslon, grasol, grasusol, rhadlon, tirion

graciousness *n* graslonrwydd *m*, rhadlonrwydd *m*

gradation *n* graddiad *m*, graddoliad *m*

grade 1. *n* gradd *f*, haen *f*, haenen *f*
  2. *vn* graddio, graddoli

graded *adj* graddedig

gradient *n* graddiant *m*

gradual *adj* graddol

gradualism POLITICS *n* graddoliaeth *f*

graduate *vn* graddio

graduated *adj* graddedig

graduates *n* graddedigion *pl*

graffiti *n* graffiti *pl*

graffito ARCHAEOLOGY *n* graffito *m*

graft 1. *n* impiad *m*, impyn *m* 2. *vn* impio

Grail *n* Greal *m*

grain 1. *n* graen *m*, grawn *m & pl*, gronyn *m*, ydrawn *m* 2. *vn* graenio, graenu

gram *n* gram *m*

grammar *n* gramadeg *m*

grammarian *n* gramadegwr *m*, gramadegydd *m*

grammatical *adj* gramadegol

gramme *n* gram *m*

gramophone *n* gramoffon *f*

granary *n* granar *m*, ysgubor *f*

grand *adj* crand, mawreddog

grandchild *n* wyr *m*

granddaughter *n* wyres *f*

grandeur *n* aruchceledd *m*, gwychder *m*, mawredd *m*

grandfather *n* tad-cu *m*, taid *m*

grandiose* *adj* mawreddog, rhodresgar

grandma *n* mam-gu *f*, nain *f*

grandmother *n* mam-gu *f*, nain *f*

grandness *n* crandrwydd *m*

grandson *n* ŵyr *m*
grandstand *n* eisteddfa *f*, eisteddle *m*
grange *n* maenol *f*, maenor *f*, mynachdy *m*
granite¹ *n* ithfaen *m*
granite² GEOLOGY *n* gwenithfaen *m*
grant 1. *n* cymhorthdal *m*, grant *m*
  2. *vn* addef¹, caniatáu
granted *adj* caniatáol
granular *adj* gronynnog
granulated *adj* gronynnog
granulation MEDICINE *n* gronyniad *m*
granule *n* gronigyn *m*, gronyn *m*
granulocyte¹ *n* gronyngell *f*
granulocyte² PHYSIOLOGY *n* granwlocyt *m*
grapefruit *n* grawnffrwyth *m*
grapes *n* grawn *m & pl*, grawnwin *pl*
graph MATHEMATICS 1. *n* graff *m* 2. *vn* graffio
graphic¹ *adj* graffig
graphic² COMPUTING *n* graffigyn *m*
graphical¹ ART *adj* graffig
graphical² MATHEMATICS *adj* graffigol
graphics *n* graffeg *f*, graffigwaith *m*
graphite *n* graffit *m*
grapnel *n* gafaelfach *m*
grapple *vn* ymgodymu
grappler *n* ymaflwr *m*
graptolite GEOLOGY *n* graptolit *m*
grasp 1. *n* gafael² *f*, gafaeliad *m*, hafflau *m*
  2. *vn* cael gafael [*gafael²*], dilyn, dirnad, gafael¹
grasping *adj* crafangus
grass *n* glaswellt *m*, gwair *m*, gwelltglas *m*,
  porfa *f*, reu *m*
grasshopper *n* ceiliog y rhedyn *m*, sioncyn
  y gwair *m*
grassland 1. *n* glaswelltir *m*, talwrn *m*
  2. daear las, tir glas
grassy *adj* gwelltog
grate 1. *n* grât *m* 2. *vn* gratio, merwino clustiau,
  rhygnu
grateful *adj* diolchgar
grater *n* gratiwr *m*
graticule *n* graticiwl *m*
gratification *n* boddhad *m*
gratify* *vn* boddhau
gratifying* *adj* braf
grating *n* grât *m*, gratin *m*
gratitude *n* diolch¹ *m*, diolchgarwch *m*,
  gwerthfawrogiad *m*
gratuitous *adj* di-alw-amdano, direswm
gratuity *n* cildwrn *m*
grave 1. *adj* difri, difrif, difrifol, prudd
  2. *n* bedd *m*, beddrod *m*
gravel¹ *n* gro *m & pl*, gröyn *m*
gravel² GEOLOGY *n* graean *m*
gravelly *adj* graeanaidd, graeanog
graver *n* crafell *f*
graveside ar lan y bedd [*glan*]

gravestone carreg fedd
graveyard *n* claddfa *f*, mynwent *f*
gravitation PHYSICS *n* disgyrchedd *m*
gravitational PHYSICS *adj* disgyrchol
gravitropism BOTANY *n* grafitropedd *m*
gravity¹ *n* difrifwch *m*
gravity² PHYSICS *n* disgyrchiant *m*
gravy *n* grefi *m*, gwlych *m*
grayling *n* cangen las *f*
graze *vn* pori
grazer *n* porwr *m*
grazier *n* porfäwr *m*
grease 1. *n* braster *m*, gwêr *m*, iraid *m*, saim *m*
  2. *vn* iro, seimio
greaseproof *adj* gwrthsaim
greasy *adj* blonegog, seimlyd, seimllyd
great *adj* garw¹, mawr
greatcoat cot fawr [*cot¹*]
greater *adj* mwy¹
greatest *adj* mwyaf¹
great-granddaughter *n* gorwyres *f*
great-grandfather *n* gorhendad *m*, hen dad-cu *m*,
  hen daid *m*
great-grandmother 1. *n* gorhenfam *f*, hen
  fam-gu *f* 2. hen nain [*nain*]
great-grandson *n* gorwyr *m*
great-great-grandfather *n* gorhendaid *m*
great-great-great-grandfather *n* gorhengaw *m*
greatness *n* mawredd *m*
grebe *n* gwyach *f*
Grecian *adj* Groegaidd
greed *n* bariaeth *mf*, gwanc *m*, rhaib *f*,
  trachwant *m*
greedy *adj* awchus, barus, gwancus, rheibus,
  trachwantus
Greek 1. *adj* Groegaidd 2. *n* Groeg *fm*,
  Groegiad *m*, Groegwr *m*
green 1. *adj* glas², gwyrdd²
  2. *n* grin *f*, gwyrdd¹ *m*, lawnt *f*
Green *adj* gwyrdd²
greenery *n* glesni *m*
greenfinch llinos werdd
greengages eirin gwyrdd
greening *n* glasiad *m*
Greenlander *n* Glasynyswr *m*, Glasynyswraig *f*
Greenlandic *adj* Glasynysol
greenness *n* glesni *m*, gwyrddlesni *m*, gwyrddni *m*
greensward *n* glaston *m*
greet *vn* cyfarch gwell [*cyfarch²*], cyfarch²,
  moesgyfarch
greeter *n* anerchwr *m*
greeting 1. *adj* cyfarchol 2. *n* anerchiad *m*,
  cyfarch¹ *m*, cyfarchiad *m*
greetings *n* cyfarchion *pl*
gregarious¹ *adj* cymdeithasgar
gregarious² BIOLOGY *adj* heidiol
gregariousness¹ *n* cymdeithasgarwch *m*

gregariousness² BOTANY, ZOOLOGY *n* heidioledd *m*

Gregorian *adj* Gregoraidd

grenade *n* grenâd *m*

grey *adj* glas², llwyd

grey-haired *adj* briglwyd, penllwyd

greyhound *n* milgi *m*

greyish *adj* llwydaidd

greyness *n* llwydi *m*, llwydni *m*

grid *n* alch *f*, grât *m*, grid *m*

griddle¹ *n* maen¹ *m*

griddle² COOKERY *n* gridyll *m*

grief *n* galar *m*, hiraeth *m*

grieve *vn* galaru, hiraethu, pruddhau

grieving *adj* alaethus, galarus

grievous *adj* blinderus, enbyd, enbydus

grievousness *n* difrifoldeb *m*, difrifwch *m*, enbydrwydd *m*

grike GEOLOGY *n* greic *m*

grill¹ 1. *n* gril *m* 2. *vn* grilio

grill² COOKERY 1. *n* gridyll *m* 2. *vn* gridyllu

grilse *n* gleisiad *m*

grim* *adj* difrifol

grimace *n* cuwch *m*, jib *m*

grimaces *n* clemau *pl*

grimacing *adj* jibiog

grime *n* baw *m*, parddu *m*

grimy *adj* brwnt, budr, pyglyd

grin *vn* gwenu

grind *vn* llifanu, malu, rhincian

grinder *n* llifwr *m*, malwr *m*

grinding *n* maluriad *m*

grindstone maen llifanu [*llifanu*], maen llifo [*maen¹*]

grip 1. *n* gafael² *f*, gafaeliad *m* 2. *vn* gafael¹

gripes *n* bolgno *m*

gripping *adj* gafaelgar

gristle *n* gwythi *pl*, madruddyn *m*

grit 1. *n* grut *m* 2. *vn* graeanu

gritty *adj* grutaidd, grutiog

grizzle *vn* cwyno, gwenwyno

grizzled *adj* brith, broc, llwydaidd

groan 1. *n* griddfan¹ *m*, ochenaid *f* 2. *vn* griddfan², ochain, ochneidio, tuchan

groat *n* gròt *m*, grôt *m*

grocer *n* groser *m*

grog *n* grog *m*

groggy* *adj* sigledig

groin¹ bachell y forddwyd

groin² ANATOMY cesail y forddwyd

grommet *n* gromed *f*

gromwell *n* maenhad *m*

groom 1. *n* gwastrawd *m*, marchwas *m* 2. *vn* paratoi, sgrafellu

groove¹ 1. *n* rhigol *f*, rhych *mf* 2. *vn* rhigoli, rhychu

groove² GEOLOGY *n* rhigol *f*

grooved *adj* rhigolog

grope *vn* palfalu, ymbalfalu

gross¹ 1. *adj* aflednais, gros² 2. *n* gros¹ *m*

gross² ECONOMICS *n* crynswth *m*

grotesque *adj* grotésg

grotto *n* groto *m*, ogof *f*

grouch *n* conyn¹ *m*, suryn *m*

ground¹ 1. *adj* mâl 2. *n* llawr *m*, maes¹ *m*, sail *f*, tir *m* 3. *vn* tirio

ground² ART *n* grwnd *m*

groundless *adj* di-sail, di-wraidd

groundsel *n* creulys *f*

groundsman *n* tirmon *m*

groundwater GEOGRAPHY dŵr daear

group¹ 1. *n* corff *m*, cylch *m*, grŵp *m*, haid *f* 2. *vn* grwpio

group² CHEMISTRY *n* grŵp *m*

grouse 1. *n* grugiar *f* 2. *vn* grwgnach

grout 1. *n* growt *m* 2. *vn* growtio

grove *n* celli *f*, coedlan *f*, llwyn *m*

grovel *vn* ymgreinio

grow *vn* cynyddu, dod¹, dyfod, glasu, prifio, tyfu

growable *adj* tyfadwy

grower *n* tyfwr *m*

growing ar gynnydd [*cynnydd*]

growl *vn* arthio

growth *n* cynnydd *m*, prifiant *m*, twf *m*, tyfiant *m*

groyne *n* grwyn *m*

grub *n* cynrhonyn *m*, lindysyn *m*, pry *m*, pryf *m*, sgram *f*

grubby *adj* brwnt, budr

grudge* *n* cynnen *f*

grudging* *adj* crintach, crintachlyd

gruel *n* brywes *m*, bwdram *m*, griwel *m*, gruel *m*

gruesome* *adj* erchyll

gruff* *adj* sarrug

grumble *vn* ceintach(u), cintach(u), conach, conan, grwgnach, tuchan

grumbler *n* achwynwr *m*, achwynydd *m*, ceintachwr *m*, conen *f*, conyn¹ *m*

grumbling *adj* cwynfanllyd, grwgnachlyd

grumpy *adj* piwis

grunt 1. *n* rhoch *f* 2. *vn* rhochian

guanine BIOCHEMISTRY *n* gwanin *m*

guano *n* giwana *m*, giwano *m*

guarantee 1. *n* ernes *f*, gwarant *f* 2. *vn* gwarantu

guaranteed *adj* gwarantedig

guarantor *n* gwarantwr *m*, gwarantydd *m*

guard 1. *n* gard *m*, giard *m*, gwyliadwriaeth *f*, gwyliwr *m* 2. *vn* gwarchod

guarded* *adj* gwyliadwrus

guardian 1. *adj* gwarcheidiol 2. *n* gwarcheidwad *m*, gwarchodwr *m*, gwarchodwraig *f*

guardianship LAW *n* gwarcheidiaeth *f*, gwarcheidwadaeth *m*

guards *n* gwarchodlu *m*

guardsman *n* gwarchodfilwr *m*

Guatemalan 1. *adj* Gwatemalaidd
  2. *n* Gwatemaliad *m*
guerrilla *n* herwfilwr *m*
guess 1. *n* dyfaliad *m*, syniad *m*
  2. *vn* dyfalu, gesio
guest 1. *adj* gwadd² **2.** *n* gwestai¹ *m*
  3. gŵr gwadd
guests *n* gwahoddedigion *pl*
guffaw 1. *n* crechwen *f* **2.** *vn* crechwenu
guidance *n* arweiniad *m*, canllaw *mf*,
  cyfarwyddyd *m*
guide 1. *n* cydymaith *m*, cyfeirydd *m*, tywyswr *m*,
  tywysydd *m* **2.** *vn* ledio, tywys
guidebook *n* arweinlyfr *m*, teithlyfr *m*
guideline *n* canllaw *mf*
guild *n* gild *m*, urdd *f*
guile *n* dichell *f*, hoced *f*
guileless *adj* annichellgar, didwyll, diddichell,
  gwirion
guillemot *n* gwylog *f*
guillotine *n* gilotin *m*
guilt *n* euogrwydd *m*
guilty *adj* euog
guinea *n* gini *f*
guinea-fowl *n* combác *m*
Guinean 1. *adj* Giniäidd **2.** *n* Giniäd *m*,
  Guinead *m*
guise *n* rhith *m*
guitar *n* gitâr *f*
guitarist *n* gitarydd *m*
gulf *n* gwlff *m*
gull *n* gwylan *f*
gullet¹ corn gwddf:gwddw:gwddwg [corn¹],
  pibell fwyd
gullet² ANATOMY *n* llwnc¹ *m*
gullible *adj* diniwed, hydwyll, hygoelus
gully *n* gwli *m*
gulp 1. *n* joch *m*, llwnc¹ *m*, llymaid *m*
  2. *vn* llowcio
gum 1. *n* deintgig *m*, gwm *m* **2.** *vn* gymio
  3. cig y dannedd
gummy *adj* gymog
gumshield tarian geg
gun *n* dryll¹ *m*, gwn¹ *m*
gunmetal *n* gwnfetel *m*
gunnel *n* gynwal *m*
gunner *n* gynnwr *m*
gunwale *n* gynwal *m*
guru RELIGION *n* gwrw *m*
gush *vn* ffrydio, goferu, llifeirio, llifo¹
gusset *n* cwysed *f*
gust *n* cwthwm *m*, chwa *f*, chwythad *m*,
  chwythiad *m*, hwrdd *m*, pwff¹ *m*
gusto *n* afiaith *m*, brwdfrydedd *m*
gusty* *adj* gwyntog
gut¹ *vn* agor, diberfeddu
gut² ANATOMY *n* coludd *m*

guttation BOTANY *n* ymddafniad *m*
gutter *n* cafn *m*, ceuffos *f*, clawdd *m*, cwter *f*,
  gwter *m*, lander *m*
guttural *adj* gyddfol
guzzle *vn* haffio, slaffio
gymnasium *n* campfa *f*, gymnasiwm *m*
gymnast *n* gymnastwr *m*, gymnastwraig *f*
gymnastic *adj* gymnastig
gymnastics *n* gymnasteg *f*
gynaecological MEDICINE *adj* gynaecolegol,
  gynecolegol
gynaecologist *n* gynaecolegydd *m*,
  gynecolegydd *m*
gynaecology MEDICINE *n* gynaecoleg *f*,
  gynecoleg *f*
gynoecium BOTANY *n* gynoeciwm *m*
gypsum *n* gypswm *m*
gypsy *n* sipsi *mf*
gyrate* *vn* cylchdroi
gyration *n* chwyrlïad *m*
gyroscope *n* gyrosgop *m*

h

ha *abbr* ha
habit *n* arfer¹ *fm*, arferiad *m*, gwisg *f*
habitat *n* cynefin¹ *m*
habitation *n* cyfannedd *m*, preswylfa *f*
habitual* *adj* arferol, cyson
habituate *vn* cyfarwyddo, cynefino,
  ymgyfarwyddo
hack 1. *n* hac *m* **2.** *vn* hacio¹, hacio²,
  marchogaeth
hacker *n* haciwr *m*
hackneyed *adj* sathredig, ystrydebol
hacksaw *n* haclif *f*
haddock *n* corbenfras *m*, hadog¹ *m*
Hadean GEOLOGY *adj* Hadeaidd
hadron PHYSICS *n* hadron *m*
haematite *n* gwaedfaen *m*, haematit *m*,
  hematit *m*
haematology MEDICINE *n* haematoleg *f*,
  hematoleg *f*
haematuria MEDICINE *n* haematwria *m*,
  hematwria *m*
haemoglobin BIOCHEMISTRY *n* haemoglobin *m*,
  hemoglobin *m*
haemolysis BIOLOGY *n* haemolysis *m*, hemolysis *m*
haemophilia MEDICINE *n* haemoffilia *m*,
  hemoffilia *m*
haemoptysis MEDICINE *n* gwaedboer *m*
haemorrhage MEDICINE *n* gwaedlif *m*
haemorrhoid MEDICINE *n* haemoroid *m*,
  hemoroid *m*
haemorrhoids clwyf y marchogion
hafnium *n* haffniwm *m*

haft* *n* carn[1] *m*

hag *n* ellylles *f*, gwiddon[1] *f*, gwrach *f*

hagfish *n* safngrwn *m*

haggard* *adj* curiedig

haggis *n* hagis *m*

haggle *vn* bargeinio

hagiology *n* hagioleg *f*

hail 1. *n* cenllysg *m & pl*, cesair *m & pl*
   2. *vn* cyfarch[2], galw[1]

hail-shot *n* haels *pl*

hailstone *n* cenllysgen *f*, ceseiren *f*

hailstones *n* cenllysg *m & pl*, cesair *m & pl*

hair *n* blew *pl*, blewyn *m*, gwallt *m*

hairless* *adj* moel[1]

hairpin pìn gwallt

hairslide *n* sleid *f*

hairy *adj* blewog, brawychus, gwalltog

Haitian 1. *adj* Haïtiaidd 2. *n* Haïtiad *m*

hake *n* cegddu *m*

halberd *n* gwayw-fwyell *f*

hale* *adj* iach, sionc

half *n* hanner *m*

half-baked 1. *adj* annatblygedig
   2. hanner-pan [*pan*[3]]

half-brother hanner brawd

half-day hanner diwrnod

half-dead *adj* lledfarw

half-hearted* *adj* llugoer

half-heartedly rhwng bodd ac anfodd [*bodd*]

half-life PHYSICS hanner oes [*oes*[1]]

halfpenny *n* dimai *f*

halfpennyworth *n* dimeiwerth *f*

half-sister hanner chwaer

half-time hanner amser

half-volley *n* hanner foli *m*

halfway hanner ffordd

half-witted hanner-pan [*pan*[3]]

halide CHEMISTRY *n* halid *m*

halitosis[1] *n* dryganadl *m*

halitosis[2] MEDICINE *n* halitosis *m*

hall *n* llys[1] *m*, neuadd *f*

hallelujah *n* haleliwia *f*

hallmark FINANCE *n* dilysnod *f*

hallowed *adj* cysegredig, sanctaidd

Halloween nos Galan Gaeaf [*calan*]

hallucinate *vn* gweld rhithiau

hallucination *n* rhith *m*, rhithweledigaeth *f*

hallucinatory *adj* rhithiol

hallucinogenic *adj* hudrithiol

hallucogenic *adj* rhithweledigaethol

halo[1] *n* eurgylch *m*, halo *f*, lleugylch *m*

halo[2] ART *n* corongylch *m*

halogen CHEMISTRY *n* halogen *m*

halogenate *vn* halogenu

halogenated CHEMISTRY *adj* halogenaidd

halogenation CHEMISTRY *n* halogeniad *m*

halophyte BOTANY *n* haloffyt *m*

halt 1. *n* stop *m* 2. *vn* aros, sefyll

halter *n* penffestr *m*, penffrwyn *m*, tennyn *m*

halve *vn* haneru

halving *n* haneriad *m*

ham *n* gar *f*, ham *m*

hamlet *n* pentrefan *m*

hammer 1. *n* morthwyl *m* 2. *vn* ffustio, ffusto,
   morthwylio, pwyo

hammock 1. *n* hamog *m* 2. gwely crog

hamper 1. *n* basged *f*, cawell *m*, hamper *f*
   2. *vn* atal[1], llyffetheirio, rhwystro

hamster *n* bochdew *m*

hamstring ANATOMY llinyn yr ar

hanch *n* hansiad *m*

hand *n* dyrnfedd *f*, llaw *f*

handbag bag llaw

handbook *n* llawlyfr *m*

handcuff *n* gefyn *m*

handedness CHEMISTRY *n* llawdueddiad *m*

handful 1. *n* dyrnaid *m* 2. llond dwrn,
   llond llaw [*llaw*]

handicap 1. *n* anfantais *f*, handicap *m*
   2. *vn* handicapio, llesteirio

handicraft *n* crefft *f*, crefftwaith *m*

handkerchief *n* cadach *m*, ffunen *f*, hances *f*,
   hansier *m*, macyn *m*, neisied *f*, nicloth *f*

handle 1. *n* carn[1] *m*, clust *f*, coes[2] *m*, corn[1] *m*,
   dolen *f*, dwrn *m*, trontol *f*
   2. *vn* byseddu, llawio, trafod, trin[1]

handling *vn* llawio

handmaid *n* llawforwyn *f*

handout *n* rhodd *f*, taflen *f*

handrail *n* canllaw *mf*

hands *n* dwylo *pl*

handsaw *n* llawlif *f*

handsome *adj* glandeg, golygus, hardd,
   prydferth, prydweddol

hands-on *adj* ymarferol

handstand 1. *n* llawsafiad *m* 2. *vn* llawsefyll

handwriting *n* llaw *f*, llawysgrifen *f*, ysgrifen *f*

handwritten *adj* ysgrifenedig

handy *adj* cyfleus, hwylus, hylaw

hang *vn* crogi, gorwedd, hongian

hangar *n* awyrendy *m*

hanger *n* cambren *m*, hanger *m*

hang-glide *vn* barcuta

hang-gliding *vn* barcuta

hanging 1. *adj* crog[2] 2. *adv* ynghrog

hank *n* cengl *f*

hanker* *vn* hiraethu

Hanoverian *adj* Hanoferaidd

hapless *adj* anffodus, truan[1], truenus

haploid BIOLOGY 1. *adj* haploid[2] 2. *n* haploid[1] *m*

happen *vn* damweinio, darfod, digwydd[1]

happening *n* digwyddiad *m*

happiness *n* dedwyddwch *m*, hapusrwydd *m*,
   llawenydd *m*

happy *adj* balch, dedwydd, hapus, llawen, llon
happy-go-lucky *adj* jocôs
harangue *vn* pregethu, rhefru
harass *vn* aflonyddu, blino, poeni
harassed *adj* gofidus
harasser *n* aflonyddwr *m*
harbinger* *n* cennad¹ *f*
harbour 1. *n* harbwr *m*, porth² *f*, porthladd *m*
   2. *vn* coleddu, llochesu
hard *adj* anodd, caled, dur², llafurus
hardboard *n* caledfwrdd *m*
harden *vn* caledu, ymgaledu
hardened* *adj* rhonc
hardener *n* caledwr *m*
hardening *n* caledïad *m*
hard-hearted 1. *adj* ciaidd, creulon, dideimlad,
   didostur 2. calon-galed
hardiness *n* gwydnwch *m*, gwytnwch *m*
hardly 1. *adv* braidd, digwydd², nemor, odid,
   prin² 2. go brin [*prin¹*], o'r braidd [*braidd*]
hardness *n* caledwch *m*
hardpan GEOLOGY *n* cletir *m*
hardship *n* caledi *m*, cyni *m*
hardware¹ *n* offer *pl*, peiriannau *pl*
hardware² COMPUTING *n* caledwedd *mf*
hardy *adj* gwydn
hare *n* sgwarnog *f*, ysgyfarnog *f*
harebell 1. *n* clychau'r eos *pl* 2. clychlys deilgrwn
harem *n* gwreicty *m*, harîm *m*
harlot *n* putain *f*
harm 1. *n* drwg² *m*, niwed *m* 2. *vn* amharu,
   drygu, niweidio
harmattan *n* harmatan *m*
harmer *n* niweidiwr *m*
harmful *adj* niweidiol
harmless *adj* diddrwg, di-ddrwg, diniwed
harmonic MUSIC, PHYSICS 1. *adj* harmonig²
   2. *n* harmonig¹ *m*
harmonious *adj* cydnaws, cydseiniol,
   harmonïaidd
harmonium *n* harmoniwm *m*
harmonize¹ *vn* cydgordio
harmonize² MUSIC *vn* harmoneiddio
harmony¹ *n* cytgord *m*, harmoni *m*
harmony² MUSIC *n* cynghanedd *f*, harmoni *m*
harness 1. *n* gwedd² *f*, harnais *m*, tresi *pl*
   2. *vn* harneisio
harp *n* telyn *f*
harpist *n* telynor *m*, telynores *f*
harpoon 1. *n* tryfer *f* 2. *vn* tryferu
harpsichord *n* harpsicord *m*
harpsichordist *n* harpsicordydd *m*
harridan *n* gwrach *f*, jadan *f*, jaden *f*
harrow 1. *n* og *f*, oged *f* 2. *vn* llyfnu, ogedu
harrowing *adj* dirdynnol, ingol, trallodus
harry *vn* erlid, plagio
harsh *adj* aflafar, cras, egr, garw¹, llym

harshness *n* craster *m*, garwder *m*, garwedd *m*,
   gerwindeb *m*, gerwinder *m*, llymder *m*,
   llymdra *m*
hart *n* hydd *m*
harvest 1. *n* cynhaeaf *m* 2. *vn* cynaeafu, medi
harvester *n* cynaeafwr *m*, medelwr *m*
hash *n* stwmp *m*, stwnsh *m*
hashtag *n* hashnod *m*
hasp *n* cloig *m*, clöig *m*
hassle *n* helynt *mf*, strach *f*, trafferth *f*
haste *n* brys *m*, hast *f*
hasten *vn* cyflymu, hastio, hastu, prysuro
hasty *adj* brysiog, byrbwyll, hastus
hat *n* het *f*
hatch *vn* deor, deori, lliniogi
hatchery *n* deorfa *f*
hatchet 1. *n* bwyell *f* 2. bwyell fechan
hate *vn* casáu, ffieiddio
hateful *adj* atgas, cas¹
hater *n* casäwr *m*
hatless *adj* pennoeth
hatred *n* atgasedd *m*, atgasrwydd *m*, casineb *m*
hatter *n* hetiwr *m*
haughtiness *n* rhodres *m*, traha *m*, trahauster *m*
haughty *adj* ffroenuchel, penuchel, rhodresgar,
   trahaus, trwynsur, ucheldrem
haul 1. *n* dalfa *f*, helfa *f*, siwrnai¹ *f*, taith *f*
   2. *vn* halian, halio, llusgo, tynnu
haulier *n* cariwr *m*, halier *m*, haliwr *m*
haulm *n* gwlyddyn *m*, gwrysgen *f*, gwrysgyn *m*
haulms *n* gwlydd *pl*, gwrysg *pl*
haunch¹ *n* ffwrch *f*
haunch² ANATOMY *n* morddwyd *f*
haunt 1. *n* cynefin¹ *m*, cyrchfan *f* 2. *vn* blino
haustorium BOTANY *n* hawstoriwm *m*
have 1. *prep* gan 2. *vn* cael, meddu
haven *n* hafan *f*, lloches *f*, noddfa *f*
havoc *n* cyflafan *f*, dinistr *m*, hafog *m*, llanastr *m*
Hawaian 1. *adj* Hawaiaidd 2. *n* Hawaiad *m*
hawk 1. *n* cudyll *m*, gwalch *m*, gwalches *f*,
   hebog *m* 2. *vn* pedlera
hawkbit *n* peradyl *m*
hawker *n* pacmon *m*, pedler *m*
hawking *vn* heboga
hawkish *adj* barcutaidd, hebogaidd
hawklike *adj* hebogaidd
hawkmoth *n* gwalch-wyfyn *m*
hawksbeard *n* gwalchlys *m*
hawkweed *n* heboglys *m*
haws criafol y moch [*criafol¹*]
hawthorn (tree and wood) draenen wen
hay *n* gwair *m*
haycock *n* cocyn *m*, cogwrn *m*, mwdwl *m*
hayloft *n* taflod *f*
haymow *n* cowlas *m*
hayrick* *n* tas *f*
hayseed *n* hadyd *m*

haystack *n* tas *f*

hazard 1. *n* perygl *m* 2. *vn* mentro

hazardous *adj* peryglus

haze *n* niwl *m*, niwlen *f*, nudd *f*, nudden *f*, tawch *m*, tes *m*

hazel[1] (tree) *n* collen *f*

hazel[2] (trees and wood) *n* cyll[1] *pl*

hazelnuts cnau cyll

hazy *adj* aneglur, annelwig, niwlog

HCF MATHEMATICS 1. *abbr* FfCM 2. Ffactor Cyffredin Mwyaf [*ffactor*[1]]

he 1. *pronoun* e, ef[1], fe[1], fo, o[3] 2. o[3]

head[1] 1. *adj* pen[2], prif 2. *n* clopa *f*, pen[1] *m*, pennaeth *m* 3. *vn* arwain, penio

head[2] ANATOMY *n* pen[1] *m*

head[3] GEOLOGY *n* wynebyn *m*

headache cur pen, pen tost [*pen*[1]]

headbanger *n* pendonciwr *m*

headbutt *vn* penio

headdress *n* penwisg *f*

header *n* peniad *m*, pennyn *m*

heading *n* pennawd *m*, teitl *m*

headland *n* penrhyn *m*, pentir *m*, talar *f*, trwyn *m*

headless *adj* pengoll

headline *n* pennawd *m*

headlong 1. *adj* pendramwnwgl, pendraphen 2. *adv* llwrw 3. wysg fy (dy, ei, etc.) mhen, yn fy (dy, ei, etc.) nghyfer [*cyfer*]

headmaster *n* prifathro *m*, sgwlyn *m*

headmistress *n* prifathrawes *f*

head-on *adj* penben

headquarters *n* pencadlys *m*

headship *n* prifathrawiaeth *f*

headstall *n* penffestr *m*, penffrwyn *m*, penrhwym *m*

headstand *n* pensafiad *m*

headstrong *adj* gwrthnysig, penderfynol, pengaled, penstiff, ystyfnig

headteacher *n* pennaeth *m*, prifathrawes *f*, prifathro *m*

headword *n* pennawd *m*

heady *adj* llesmeiriol, meddwol

heal *vn* cau[1], gwella, iacháu, mendio

healer *n* iachawr *m*

healing *adj* iachaol, iachusol

health *n* iechyd[1] *m*

health-giving *adj* iachusol, llesol

healthiness *n* iachusrwydd *m*

healthy *adj* cryf, iach, iachus

heap 1. *n* crugiad *m*, crugyn *m*, pentwr *m*, swp *m*, tomen *f*, twr[1] *m* 2. *vn* pentyrru, tyrru

hear *vn* clywed

hearing[1] *n* clyw[1] *m*, gwrandawiad *m*

hearing[2] LAW *n* gwrandawiad *m*

hearsay* *n* sôn[2] *m*

hearse *n* hers *f*

heart *n* bron[1] *f*, calon *f*, cnewyllyn *m*, dwyfron *f*

heartbeat 1. *n* curiad *m* 2. curiad y galon

heartbreak tor calon [*calon*], torcalondid [*calon*]

heartbreaking *adj* torcalonnus

heartburn[1] dŵr poeth

heartburn[2] MEDICINE llosg cylla [*llosg*[1]]

hearten *vn* calonogi, gwroli, sirioli

heartening *adj* calonogol

hearth *n* aelwyd *f*

hearthstone carreg (yr) aelwyd

heartland *n* perfeddwlad *f*

heartless *adj* creulon, dideimlad, dienaid

heartsease *n* trilliw[2] *m*

heartwood *n* rhuddin *m*

hearty *adj* calonnog, iach

heat 1. *n* dyre *m*, estrws *m*, gwres *m*, llawd *m*, oestrws *m*, poethder *m*, rhagbrawf *m*, rhagras *f*, tes *m*, twymder *m* 2. *vn* cynhesu, gwresogi, poethi, twymo

heated *adj* brwd, chwyrn, poeth, twym

heater *n* gwresogydd *m*, poethwr *m*, twymydd *m*

heath *n* gwaun *f*, rhos *f*, rhostir *m*

heathen *n* pagan *m*

heathenism *n* paganiaeth *f*

heather *n* grug[1] *m*

heathland *n* gweundir *m*, rhostir *m*

heating* *n* gwres *m*

heave 1. *n* gwth *m*, haliad *m* 2. *vn* gwthio, halian, halio

heaven *n* nef *f*, nefoedd *f* & *pl*

heavenly *adj* nefol, nefolaidd, paradwysaidd

heavens 1. *n* entrych *m*, nefoedd *f* & *pl*, wybr *f*, wybren *f* 2. arswyd y byd, yr arswyd [*arswyd*]

heaviness *n* trymder *m*

heavy *adj* trwm, trymaidd, trymllyd

heavy-handed *adj* llawdrwm

heavy-hearted *adj* digalon, trist, trwmgalon

Hebrew 1. *adj* Hebreig 2. *n* Hebraeg *fm*, Hebread *m*

heckle *vn* heclo

heckler *n* heclwr *m*

hectare *n* hectar *m*

hectic *adj* hectig, prysur

hecto- *pref* hecto-

hectogram *n* hectogram *m*

hectolitre *n* hectolitr *m*

hector* *vn* cega, dwrdio

heddle *n* brwyd *m*

hedge *n* bid[1] *f*, clawdd *m*, gwrych[1] *m*, perth *f*, sietin *f*

hedgehog *n* draenog *m*

hedonism *n* hedoniaeth *f*

hedonist *n* hedonydd *m*

hedonistic *adj* hedonistaidd

heed 1. *n* sylw *m* 2. *vn* hidio, ystyried

heedful *adj* gofalus

heedless *adj* dibris, didaro, diddarbod, difeddwl, di-feind, di-hid, dihidio

heedlessness *n* anystyriaeth *f*, dihidrwydd *m*

heel 1. *n* sawdl *mf* 2. *vn* sodli, sodlo

hefty* *adj* sylweddol

hegemony *n* hegemoni *f*, penarglwyddiaeth *f*, tra-arglwyddiaeth *f*

heifer *n* anner *f*, heffer *f*, treisiad *f*

height *n* anterth *m*, taldra *m*, uchafbwynt *m*, uchder *m*, uchelder *m*, ucheldir *m*

heights *n* uchafion *pl*

heinous *adj* ysgeler

heir *n* aer[2] *m*, etifedd *m*

heiress *n* aeres *f*, etifeddes *f*

heirless *adj* dietifedd

heliacal ASTRONOMY *adj* heulaidd

helical *adj* heligol

helicoid MATHEMATICS *n* helicoid *m*

helicoidal *adj* helicoidol

helicopter *n* helicopter *m*, hofrennydd *m*

heliotrope* *n* porffor[1] *m*

heliotropic[1] *adj* heulgyrchol

heliotropic[2] BIOLOGY *adj* heliotropig

heliotropism[1] *n* heulgyrchedd *m*

heliotropism[2] BIOLOGY *n* heliotropedd *m*

helium *n* heliwm *m*

helix MATHEMATICS *n* helics *m*

hell 1. *n* annwfn *m*, annwn *m*, diawl *m*, fagddu *f*, uffern[1] *f* 2. y Fall [*mall*]

helleborine *n* caldrist *f*

Hellenic *adj* Helenaidd

Hellenism *n* Heleniaeth *f*

Hellenistic *adj* Helenistaidd

hellish *adj* uffernol[1]

hello 1. *interj* helô, hylô 2. sut mae hi?

helm *n* helm[1] *f*, llyw *m*

helmet *n* helm[1] *f*, helmed *f*, helmet *f*

helmeted *adj* helmog

helmsman *n* llywiwr *m*

help 1. *n* cymorth *m*, help *m* 2. *vn* cynorthwyo, helpu

helper *n* cynorthwywr *m*, cynorthwyydd *m*, helpiwr *m*

helpful *adj* defnyddiol

helpless *adj* diallu, diymadferth, diymgeledd

helplessness *n* diymadferthedd *m*

helpline llinell gymorth

helter-skelter *adv* dwmbwr-dambar, strim-stram-strellach

Helvetian *adj* Helfetaidd

Helvetic *adj* Helfetig

hem 1. *n* godre *m*, gwrym *m*, hem *f* 2. *vn* hemio

hemiplegia[1] parlys un ochr

hemiplegia[2] MEDICINE *n* hemiplegia *m*

hemisphere *n* hemisffer *m*

hemispheric *adj* hemisfferig

hemispherical *adj* hemisfferig

hemlock[1] *n* cegiden *f*

hemlock[2] (western) (tree and wood) *n* hemlog *f*

hemp *n* cywarch *pl*, cywarchen *f*

hen *n* iâr *f*

henbane llewyg yr iâr

hence *adv* felly, ymaith

henceforth 1. *adv* bellach, mwyach 2. o hyn allan [*allan[1]*], o hyn ymlaen [*ymlaen*]

henceforward 1. *adv* bellach, mwyach, ymlaen 2. o hyn allan [*allan[1]*]

henna *n* henna *m*

henotheism RELIGION *n* henotheistiaeth *f*

hepatic ANATOMY *adj* hepatig

hepatitis[1] llid yr afu/iau

hepatitis[2] MEDICINE *n* hepatitis *m*

heptagon MATHEMATICS *n* heptagon *m*

heptagonal[1] *adj* seithochrog

heptagonal[2] MATHEMATICS *adj* heptagonol

heptane CHEMISTRY *n* heptan *m*

heptathlon *n* heptathlon *m*

her *pronoun* ei[1], hi[1], 'i

heraldic *adj* herodrol

heraldry *n* herodraeth *f*

herb *n* llysieuyn *m*

herbaceous *adj* llysieuol

herbal 1. *adj* llysieuol 2. *n* llysieulyfr *m*

herbalist *n* llysieuwr *m*, llysieuydd *m*, perlysieuydd *m*

herbarium BOTANY *n* herbariwm *m*

herbicide *n* chwynladdwr *m*

herbivore *n* llysysydd *m*

herbivorous *adj* llysysol

herbs *n* perlysiau *pl*

Herculean *adj* aruthrol, enfawr, gorchestol, Hercwleaidd

herd 1. *n* diadell *f*, gre *f*, gyr[1] *m*, pac *m* 2. *vn* corlannu, heidio

herdsman *n* bugail *m*, cowmon *m*

here 1. *adv* dyma, yma[1] 2. *interj* hwde, hwre 3. fan hyn [*man[1]*]

hereditary *adj* etifeddol

heredity BIOLOGY *n* etifeddeg *f*

heresy RELIGION *n* camgrediniaeth *f*, heresi *f*

heretic *n* heretic *m*

heretical *adj* hereticaidd

heritable LAW *adj* etifeddadwy

heritage *n* etifeddiaeth *f*, treftadaeth *f*

hermaphrodite ZOOLOGY *n* deurywiad *m*

hermaphroditic BIOLOGY *adj* deurywiol

hermeneutics *n* esboniadaeth *f*, hermeniwteg *f*

hermit *n* meudwy *m*

hermitic *adj* meudwyaidd

hernia[1] *n* torgest *f*

hernia[2] MEDICINE *n* torlengig *m*

hero *n* arwr *m*, gwron *m*

heroic *adj* arwrol, epig[2]

heroin *n* heroin *m*

heroine *n* arwres *f*

heroism *n* arwriaeth *f*, gwrhydri *m*, gwroldeb *m*, gwrolder *m*, gwroniaeth *f*

heron *n* crëyr glas *m*, crychydd *m*

heronry *n* crehyrfa *f*

herpes MEDICINE *n* eryr² *m*, herpes *m*

herring *n* pennog *m*, sgadenyn *m*, ysgadenyn *m*

herself ei hun [*ei¹*], ei hunan [*ei¹*]

hertz PHYSICS *n* herts *m*, hertz *m*

hesitancy *n* cloffni *m*, petruster *m*

hesitant *adj* petrus, petrusgar

hesitate *vn* oedi, petruso

hesitation *n* petrusiad *m*

hessian *n* hesian *m*

heterodyne ELECTRONICS *adj* heterodein

heterogeneous¹ *adj* anghydryw, heterogeneaidd

heterogeneous² CHEMISTRY *adj* heterogeneaidd

heterogenous *adj* heterogenaidd

heterosexual *adj* heterorywiol

heterosis BIOLOGY *n* heterosis *m*

heterosporous BOTANY *adj* heterosboraidd

heterozygote BIOLOGY *n* heterosygot *m*

heterozygous BIOLOGY *adj* heterosygaidd

heuristic *adj* hewristig

hew *vn* cymynu, naddu

hewer *n* cymynwr *m*, naddwr *m*

hewing *n* naddiad *m*

hewn *adj* nadd

hexadecimal MATHEMATICS *adj* hecsadegol

hexagon MATHEMATICS *n* hecsagon *m*

hexagonal¹ *adj* chweochrog

hexagonal² MATHEMATICS *adj* hecsagonol

hexahedron MATHEMATICS *n* hecsahedron *m*

hexameter *n* chweban *m*

hexane CHEMISTRY *n* hecsan *m*

hexose CHEMISTRY *n* hecsos *m*

heyday* *n* anterth *m*

hibernate¹ *vn* bwrw('r) gaeaf, gaeafu

hibernate² ZOOLOGY *vn* gaeafgysgu

hibernation *n* gaeafgwsg *m*

hiccup 1. *n* ig *m* 2. *vn* igian

hidden 1. *adj* cêl¹, cudd, cuddiedig 2. *adv* ynghudd

hide 1. *n* croen *m*, lledr *m* 2. *vn* celu, cuddio, cwato, cwtsio, llechu, ymguddio

hideaway *n* cuddfan *f*

hidebound* *adj* rhagfarnllyd

hideous *adj* erchyll, hagr, hyll, ysgeler

hideousness *n* anfadrwydd *m*, erchyllter *m*, erchylltod *m*, erchylltra *m*, hyllter *m*, hylltra *m*, ysgelerder *m*

hiding *n* crasfa *f*, curfa *f*, cweir *f*

hierarchical *adj* hierarchaidd

hierarchy *n* hierarchaeth *f*

hieroglyph *n* hieroglyff *f*

hieroglyphic *adj* hieroglyffig

higgledy-piggledy *adv* blith draphlith, driphlith draphlith, sang-di-fang, siang-di-fang, strim-stram-strellach

high *adj* uchel

high-born *adj* uchelradd, uchelryw

highbrow *adj* uchel-ael

higher *adj* uwch

highest *adj* eithaf¹, goruchaf, uchaf

highland 1. *adj* ucheldirol 2. *n* ucheldir *m*

highlight 1. *n* uchafbwynt *m* 2. *vn* amlygu, aroleuo, goleubwyntio, lliwddangos, pwysleisio

highness *n* uchelder *m*

high-spirited *adj* afieithus, nwyfus

high-tech *adj* uwchdechnolegol

high-tensile *adj* ucheldynnol

highway *n* cefnffordd *f*, penffordd *m*, priffordd *f*

highwayman lleidr pen-ffordd

hijack LAW *vn* herwgipio

hijacker LAW *n* herwgipiwr *m*

hijacking LAW *n* herwgipiad *m*

hike 1. *n* heic *f* 2. *vn* cerdded, heicio

hiker *n* cerddwr *m*, heiciwr *m*

hilarity *n* miri *m*, sbri *m*

hill *n* bryn *m*, gorifyny *m*, rhiw *f*, tyle *m*

hillock *n* bonc¹ *m*, boncyn *m*, bryncyn *m*, codiad *m*, crug *m*, ponc *f*, poncen *f*, tarren *f*, twyn *m*

hillocky *adj* bronnog, bryncynnog, ponciog, twmpathog

hillside *n* allt *f*, gallt *f*, llechwedd *m*, llethr *m*

hilly *adj* bryniog

hilt *n* carn¹ *m*, dwrn *m*

hilum¹ *n* hilwm *m*

hilum² BOTANY *n* hadgraith *f*

him 1. *pronoun* e, ef¹, ei¹, fe¹, fo, 'i, o³ 2. o³

himself ei hun [*ei¹*], ei hunan [*ei¹*]

hind 1. *adj* ôl² 2. *n* ewig *f*

hinder *vn* atal¹, llesteirio, lluddias, rhwystro

hinderer *n* rhwystrwr *m*

hindering *adj* llesteiriol

hindquarters *n* pedrain *f*

hindrance *n* llestair *m*, llesteiriad *m*, llesteiriant *m*, llyffethair *f*, rhwystr *m*, rhwystrad *m*, tramgwydd *m*, tramgwyddiad *m*

Hindu 1. *adj* Hindŵaidd 2. *n* Hindŵ *m*

Hinduism RELIGION *n* Hindŵaeth *f*

hinge 1. *n* colfach *m* 2. *vn* colfachu

hinged *adj* colfachog

hint 1. *n* awgrym *m*, awgrymiad *m*, tinc *m* 2. *vn* awgrymu

hinterland *n* cefnwlad *f*, perfeddwlad *f*

hip *n* clun¹ *f*, egroesyn *m*

hippie *n* hipi *mf*

hippopotamus *n* afonfarch *m*, dyfrfarch *m*, hipopotamws *m*

hips *n* ogfaen *pl*

hire 1. *n* cyflog *m* 2. *vn* cyflogi, hurio, llogi

hired *adj* cyflogedig, hur

hirer *n* huriwr *m*, llogwr *m*

his *pronoun* ei[1], 'i

hiss *vn* chwythu, hisian, poeri

histamine BIOCHEMISTRY *n* histamin *m*

histogram MATHEMATICS *n* histogram *m*

histology BIOLOGY *n* histoleg *f*

histopathology *n* histopatholeg *f*

historian *n* hanesydd *m*

historic *adj* hanesyddol

historical *adj* hanesyddol

historicism HISTORY *n* hanesiaeth *f*

historicity HISTORY *n* hanesyddoldeb *m*

historiography HISTORY *n* hanesyddiaeth *f*

history *n* hanes *m*

histrionic *adj* histrionig, theatraidd

hit *vn* bwrw, clatsio, cnocio, pwno, taro

hitch-hike *vn* bodio, ffawdheglu

hitch-hiker *n* bodiwr *m*, ffawdheglwr *m*

Hittite *n* Hethiad *m*

hive *n* cwch *m*

HMI *abbr* AEM

hoard 1. *n* casgliad *m*, celc *m* 2. *vn* casglu, celcio, crynhoi[1], cybydda

hoariness *n* penllwydni *m*

hoarse *adj* cryg, cryglyd

hoarseness *n* bloesgedd *m*, bloesgni *m*, crygni *m*

hoary *adj* penllwyd, penwyn

hoax *n* cast[1] *m*, twyll *m*

hob *n* pentan *m*

hobble 1. *n* cloffrwym *m*, hual *m*, llyffethair *f* 2. *vn* cloffi, hercian

hobbling *adj* herclyd

hobby *n* diddordeb *m*, hobi *m*

hobgoblin *n* bwbach *m*, coblyn *m*, pwca *m*, pwci *m*

hock[1] *n* gar *f*

hock[2] FINANCE *vn* gwystlo

hockey *n* hoci *m*

hod caseg forter

hodoscope PHYSICS *n* hodosgop *m*

hoe 1. *n* chwynnogl *f*, hof *f* 2. *vn* batingo, betingo, hofio

hogback[1] *n* trum *fm*

hogback[2] GEOLOGY *n* hopgefn *m*

hogshead *n* hocsed *f*

hogweed *n* efwr *m*

hoist* *vn* codi

hold 1. *n* gafael[2] *f*, howld *m* 2. *vn* cydio, cymryd, cynnal, dal, dala, gafael[1]

holder *n* daliwr *m*, deiliad *m*, gafaelydd *m*

holding *n* daliad *m*, gafael[2] *f*

hole *n* twll *m*

holiday *n* gŵyl *f*, gwyliau *pl*

holiness *n* sancteiddrwydd *m*

holistic MEDICINE *adj* cyfannol

hollow 1. *adj* cau[2], gwag, pantiog, pantog 2. *n* pannwl *m*, pant *m*, pantle *m*

holly (trees and wood) *n* celyn *pl*

holmium *n* holmiwm *m*

holocaust *n* galanas *f*, galanastra *m*

Holocaust *n* Holocost *m*

Holocene GEOLOGY *adj* Holosen

hologram *n* hologram *m*

holophytic BIOLOGY *adj* holoffytig

holozoic ZOOLOGY *adj* holosöig

holy *adj* cysegredig, cysegr-lân, glân, sanctaidd

homage *n* gwrogaeth *f*, teyrnged *f*

home 1. *adj* cartref[2] 2. *n* aelwyd *f*, cartref[1] *m*, tref *f*

homeless *adj* digartref

homelessness *n* digartrefedd *m*

homely *adj* cartrefol

homemaker *n* cartrefwr *m*, cartrefwraig *f*

homeopath *n* homeopath *m*

homeopathic *adj* homeopathig

homeopathy *n* homeopatheg *f*, homeopathi *f*

homeostasis PHYSIOLOGY *n* homeostasis *m*

homeostatic PHYSIOLOGY *adj* homeostatig

homeothermic ZOOLOGY *adj* homeothermig

homesick *adj* hiraethlon, hiraethus

homesickness *n* hiraeth *m*

homestead *n* tyddyn *m*

homewards *adv* adref

homework gwaith cartref [*gwaith*[1]]

homicide[1] *n* lladdiad *m*

homicide[2] LAW *n* dynladdiad *m*

homily *n* homili *f*, pregeth *f*

hominid ZOOLOGY *n* hominid *m*

homocyclic CHEMISTRY *adj* homoseiclig

homogeneity *n* cydrywiaeth *f*, homogenedd *m*

homogeneous *adj* cydryw, homogenaidd, homogenus

homograph GRAMMAR *n* homograff *m*

homologous *adj* homologaidd

homology BIOLOGY, CHEMISTRY *n* homoleg *f*

homomorphic *adj* homomorffig

homomorphy BIOLOGY *n* homomorffedd *m*

homonym GRAMMAR *n* homonym *m*

homophobia *n* homoffobia *m*

homophobic *adj* homoffobig

homophone GRAMMAR *n* homoffon *m*

homophonic MUSIC *adj* homoffonig

homosexual *adj* cyfunrywiol

homosexuality *n* cyfunrywiaeth *f*, cyfunrywioldeb *f*, lesbiaeth *f*

homozygote BIOLOGY *n* homosygot *m*

homozygous BIOLOGY *adj* homosygaidd

Honduran 1. *adj* Hondwraidd 2. *n* Hondwriad *m*

hone 1. *n* hôn *f* 2. *vn* hogi, llifanu

honest *adj* cywir, gonest, onest

honestly ar fy ngwir [*gwir*[1]], wir iti [*gwir*[2]], wir yr [*gwir*[2]]

honesty *n* gonestrwydd *m*, onestrwydd *m*

honey *n* mêl *m*

honeycomb 1. *n* crib *mf*, crwybr *m*, dil *m*
   2. *vn* crwybro 3. dil mêl [*mêl*]
honeycombed *adj* crwybrog, rhwyllog
honeydew 1. *n* melgawod *f*, mêl-gawod *f*,
   melwlith *m* 2. cawod o fêl
honeymoon mis mêl [*mêl*]
honeysuckle *n* gwyddfid *m*
honorary 1. *adj* anrhydeddus, mygedol
   2. er anrhydedd [*anrhydedd*]
honour 1. *n* anrhydedd *mf*, bri *m*
   2. *vn* anrhydeddu
honourable *adj* anrhydeddus
hood *n* cwcwll *m*, cwfl *m*, lwfer *m*
hooded *adj* cycyllog[1]
hoof *n* carn[1] *m*
hoofed *adj* carnol
hook 1. *n* bach[2] *m*, bachyn *m*, gafaelfach *m*
   2. *vn* bachu
hooked *adj* bachog, crwca, crwm
hooker *n* bachwr *m*, putain *f*
hooking *n* bachiad *m*
hooligan *n* dihiryn *m*, hwligan *m*
hooliganism *n* hwliganiaeth *f*
hoop 1. *n* cylch *m*, cylchyn *m* 2. *vn* cylchu
hooper *n* cylchwr *m*
hoot *vn* hwtian, hwtio
hooter *n* corn[1] *m*, hwter *f*
hoover *n* hwfer *m*
hop 1. *n* herc *f* 2. *vn* hercian, hopian
hope 1. *n* gobaith *m* 2. *vn* gobeithio, hyderu
hopeful *adj* gobeithiol
hopeless *adj* anobeithiol, diobaith
hopper *n* hopran *f*, sbonciwr *m*, sboncyn *m*
hops *n* hopys *pl*
horde *n* garsiwn *m*, haid *f*, llu *m*
horizon *n* gorwel *m*, terfyngylch *m*
horizontal *adj* llorwedd, llorweddol
horizontality *n* llorwedd-dra *m*
hormonal BIOCHEMISTRY *adj* hormonaidd
hormone BIOCHEMISTRY *n* hormon *m*
horn *n* corn[1] *m*
hornbeam *n* oestrwydd *pl*, oestrywydd *pl*
horned *adj* bannog, corniog
hornpipe[1] *n* pibgorn *f*, pib gorn *f*
hornpipe[2] MUSIC *n* pibddawns *f*
horny *adj* cornaidd, chwantus
horrendous* *adj* arswydus, dychrynllyd[1], erchyll
horrible *adj* erchyll
horrific *adj* arswydus, dychrynllyd[1], erchyll
horse *n* ceffyl *m*, cel *m*
horse-block *n* esgynfaen *m*
horsefly cleren lwyd [*cleren*[1]], pryf llwyd
horsehair *n* rhawn *m*
horseman *n* marchog *m*
horsepower *n* marchnerth *m*
horseradish *n* marchruddygl *m*
horseshoe *n* pedol *f*

horsetail *n* marchrawn *m*
horse-trading* *vn* bargeinio
horsewoman *n* marchoges *f*
horst GEOLOGY *n* horst *m*
horticultural *adj* garddwriaethol
horticulture *n* garddwriaeth *f*
hosanna *interj* hosanna
hosier *n* hosanwr *m*, hosanydd *m*
hospice *n* hosbis *f*
hospitable *adj* croesawgar, lletygar
hospital *n* ysbyty *m*
hospitality *n* croeso *m*, lletygarwch *m*
host[1] *n* gwahoddwr *m*, gwesteiwr *m*, gwestywr *m*,
   lleng *f*, lliaws *m*, llu *m*
host[2] BIOLOGY *adj* lletyol
host[3] COMPUTING *vn* gwesteia, lletya
hostage *n* gwystl *m*
hostel *n* hostel *f*, neuadd *f*
hostile *adj* gelyniaethol, gelyniaethus,
   gwrthwynebus
hostility* *n* gelyniaeth *f*
hot *adj* gwresog, poeth, twym
hotchpotch *n* cawdel *m*, cybolfa *f*, cymysgedd *m*,
   cymysgfa *f*, cymysgwch *m*, lobsgows *m*
hotel *n* gwesty *m*
hotelier *n* gwestywr *m*
hothead *n* penboethyn *m*
hot-headed *adj* eithafol, penboeth
hotness *n* gwres *m*, poethder *m*
hound 1. *n* bytheiad *m*, helgi *m* 2. *vn* erlid
   3. ci hela
hour *n* awr *f*
hourglass *n* awrwydr *m*
house 1. *n* tŷ *m* 2. *vn* cartrefu, lletya
housebound caeth i'r tŷ
housefly 1. *n* cleren[1] *f*, pry *m*, pryf *m*
   2. pry ffenestr [*pryf*]
household[1] *n* teulu *m*
household[2] LAW *n* aelwyd *f*
householder *n* deiliad *m*, penteulu *m*,
   perchentywr *m*
houseleek llysiau pen tai
housework gwaith tŷ [*gwaith*[1]]
housing* *n* tai[1] *pl*
houting *n* howtin *m*
hovel *n* hofel *f*
hover *vn* hofran
hovercraft *n* hofranfad *m*
how *adv* fel[3], mor, sut
however 1. *prep* serch[2] 2. sut bynnag
howl 1. *n* nâd *f*, udiad *m*
   2. *vn* nadu[1], oernadu, udo
howler *n* udwr *m*
h.p. *n* marchnerth *m*
hub *n* bogail *mf*, both *f*, canolbwynt *m*
hubbub *n* dwndwr *m*, stŵr *m*, twrf *m*,
   twrw *m*

hubris *n* rhyfyg *m*

hue *n* arlliw *m*, gwawr *f*

huff *n* pwd[1] *m*

hug 1. *n* cofleidiad *m*, cwtsh[2] *m*, gwasgiad *m*, magad *f* 2. *vn* cofleidio, cwtsio

huge *adj* anferth, anferthol, enfawr

Huguenot *n* Huguenot *m*

hulk *n* horwth *m*, hylc *f*, palff *m*

hull *n* cib *m*, cibyn *m*, hwl *m*, masgl *m*, plisgyn *m*

hullabaloo *n* halabalŵ *mf*, halibalŵ *mf*, heldrin *f*, miri *m*

hum 1. *n* su *m* 2. *vn* hwmian, hymian, mwmial, mwmian, sïo, suo, suoganu

human *adj* dynol

humane *adj* dyngarol, gwâr, trugarog

humaneness *n* dyngarwch *m*, dynoliaeth *f*

humanism *n* dyneiddiaeth *f*

humanist *n* dyneiddiwr *m*

humanistic *adj* dyneiddiol

humanitarian *adj* dyngarol

humanitarianism *n* dyngarwch *m*

humanities *n* dyniaethau *pl*

humanity *n* dynoliaeth *f*

humble 1. *adj* darostyngedig, diymhongar, gostyngedig 2. *vn* darostwng

humbug *n* rhagrith *m*, rhagrithiwr *m*

humdrum* *adj* undonog

humerus[1] *n* uwchelin *m*

humerus[2] ANATOMY *n* hwmerws *m*

humidifier *n* lleithydd *m*

humidity METEOROLOGY *n* lleithder *m*, lleithedd *m*

humification BIOLOGY *n* llufadredd *m*

humiliate *vn* bychanu, iselhau

humiliating* *adj* gwaradwyddus

humiliation *n* cywilydd *m*, gwaradwydd *m*, iselhad *m*

humility *n* gostyngeiddrwydd *m*, gwyleidd-dra *m*, iselfrydedd *m*

hummock *n* bryncyn *m*, cnwc *m*, cnwch *m*, ponc *f*, poncen *f*

hummocked *adj* bryncynnog, ponciog, twmpathog

hummocky *adj* ponciog, twmpathog

humorous *adj* digrif, doniol, smala, ysmala

humour *n* digrifwch *m*, donioldeb *m*, doniolwch *m*, hiwmor *m*

hump *n* crwb *m*, crwbi *m*, crwmp *m*

humpbacked *adj* cefngrwm, gwargam, gwargrwm

humus *n* deilbridd *m*, hwmws *m*

hunchback *n* crwb *m*, cwman *m*

hunchbacked *adj* cefngam, cefngrwca, cwmanog, gwargam, gwargrwm

hundred *n* cant[1] *m*, cantref *m*

hundredth 1. *adj* canfed[1] 2. *n* canfed[2] *m*

hundredweight *n* cant[4] *m*

hung *adj* crog[2]

Hungarian 1. *adj* Hwngaraidd 2. *n* Hwngariad *m*

hunger 1. *n* cythlwng *m*, newyn *m* 2. *vn* newynu 3. chwant bwyd, eisiau bwyd

hung-over meddw henbob

hungry *adj* llwglyd, newynog

hunk *n* cwlffyn *m*, talp *m*

hunt 1. *n* helfa *f* 2. *vn* hela

hunter *n* helfarch *m*, heliwr *m*

huntress *n* helwraig *f*

huntsman *n* cynydd *m*, heliwr *m*

huntsmanship *n* helwriaeth *f*

hurdle *n* clwyd *f*, clwyden *f*, rhwystr *m*

hurdy-gurdy *n* hyrdi-gyrdi *m*

hurl *vn* hyrddio, lluchio

hurler *n* hyrddiwr *m*, lluchiwr *m*

hurrah *interj* hwrê

hurray *interj* hwrê

hurricane METEOROLOGY *n* corwynt *m*

hurry 1. *n* brys *m*, ffrwst *m*, hast *f* 2. *vn* brysio, ffrystio, prysuro, rhuthro

hurt 1. *n* dolur *m*, gloes *f*, loes *f* 2. *vn* anafu, brifo, gwynegu, niweidio, poeni

hurtful* *adj* cas[1]

hurtle* *vn* rhuthro, sgrialu

husband *n* gŵr *m*

husbandman *n* hwsmon *m*

husbandry *n* hwsmonaeth *f*

hush 1. *interj* hust, ust 2. *n* distawrwydd *m*, gosteg *m*, tawelwch *m* 3. *vn* distewi

husk *n* cib *m*, cibyn *m*, cod[1] *f*, eisinyn *m*, masgl *m*, plisgyn *m*

husky *adj* bloesg, cryg, cryglyd

hussar *n* hwsâr *m*

hustle *n* ffrwst *m*, ffwndwr *m*

hut *n* bwth *m*, caban *m*, cut *m*, cwt[1] *m*

hutch *n* cwb *m*, cwt[1] *m*

hybrid 1. *adj* croesryw[2], cymysgryw, hybrid 2. *n* croesryw[1] *m*

hybridization *n* croesrywedd *m*

hydrant *n* hydrant *m*

hydrate CHEMISTRY 1. *n* hydrad *m* 2. *vn* hydradu

hydrated CHEMISTRY *adj* hydradol

hydration CHEMISTRY *n* hydradiad *m*

hydraulic *adj* hydrolig

hydraulics *n* hydroleg *f*

hydrazine CHEMISTRY *n* hydrasin *m*

hydride CHEMISTRY *n* hydrid *m*

hydrocarbon CHEMISTRY *n* hydrocarbon *m*

hydrocephalic MEDICINE *adj* hydroceffalig

hydrocephalus MEDICINE *n* hydroceffalws *m*

hydrochloric CHEMISTRY *adj* hydroclorig

hydrodynamics PHYSICS *n* hydrodynameg *f*

hydroelectric *adj* hydroelectrig

hydrofoil *n* hydroffoil *m*

hydrogen *n* hydrogen *m*

hydrogenate CHEMISTRY *vn* hydrogenu

hydrogenated CHEMISTRY *adj* hydrogenaidd

hydrogenation CHEMISTRY *n* hydrogeniad *m*
hydrography *n* hydrograffeg *f*
hydrological *adj* hydrolegol
hydrology GEOGRAPHY *n* hydroleg *f*
hydrolyse *vn* hydrolysu
hydrolysis CHEMISTRY *n* hydrolysis *m*
hydrometer PHYSICS *n* hydromedr *m*
hydrophilic *adj* hydroffilig
hydrophobia MEDICINE 1. *n* hydroffobia *m*
2. y gynddaredd [*cynddaredd*]
hydrophobic MEDICINE *adj* hydroffobig
hydrophyte BOTANY *n* hydroffyt *m*
hydroscope *n* hydrosgop *m*
hydrosphere *n* hydrosffer *m*
hydrostatic *adj* hydrostatig
hydrostatics PHYSICS *n* hydrostateg *f*
hydrotherapy *n* hydrotherapi *m*
hydrothermal *adj* hydrothermol
hydrotropism BOTANY *n* hydrotropedd *m*
hyena *n* hyena *m*, udfil *m*
hygiene MEDICINE *n* hylendid *m*
hygienic *adj* hylan
hygienist *n* glanweithydd *m*, hylenydd *m*
hygrometer *n* hygromedr *m*
hygrosgopic *adj* hygrosgopig
hymen¹ pilen y wain
hymen² ANATOMY *n* hymen *m*
hymn *n* emyn *m*
hymnal llyfr emynau [*emyn*]
hymnary *n* emyniadur *m*
hymnic *adj* emynyddol
hymnology *n* emynyddiaeth *f*
hyper- 1. *adv* tra¹ 2. *pref* gor-, goruwch-
hyperactive *adj* gorfywiog
hyperactivity *n* gorfywiogrwydd *m*
hyperbola MATHEMATICS *n* hyperbola *m*
hyperbole *n* gormodiaith *f*
hypercritical *adj* llawdrwm
hyperextend *vn* gorestyn
hypericum *n* eirinllys *m*
hyperinflation FINANCE *n* gorchwyddiant *m*
hyperlink COMPUTING *n* hypergyswllt *m*
hyperplasia BIOLOGY *n* gordyfiant *m*
hypersensitive *adj* croendenau, gordeimladwy
hypersensitivity *n* gorsensitifrwydd *m*
hypertension MEDICINE *n* gorbwysedd *m*
hypertext COMPUTING *n* hyperdestun *m*
hypertrophy PHYSIOLOGY *n* hypertroffedd *m*
hyperventilate MEDICINE *vn* goranadlu
hypha BOTANY *n* hyffa *m*
hyphen *n* cyplysnod *m*, cysylltnod *m*, heiffen *f*
hypnotic *adj* hypnotaidd, hypnotig
hypnotism *n* hypnotiaeth *f*
hypnotist *n* hypnotydd *m*
hypnotize *vn* hypnoteiddio
hypochondriac 1. *n* cymhercyn¹ *m*, poenyn *m*
2. claf diglefyd [*claf¹*]

hypocoristic *adj* hypocoristig
hypocrisy *n* rhagrith *m*
hypocrite *n* rhagrithiwr *m*
hypocritical *adj* dauwynebog, rhagrithiol
hypodermic 1. *adj* hypodermig
2. *n* chwistrell *f*, nodwydd *f*
hypotension MEDICINE *n* isbwysedd *m*
hypotenuse MATHEMATICS *n* hypotenws *m*
hypothalamus ANATOMY *n* hypothalamws *m*
hypothermia MEDICINE *n* hypothermia *m*
hypothesis *n* damcaniaeth *f*, rhagdybiaeth *f*
hypothesize *vn* damcaniaethu, damcanu, rhagdybied, rhagdybio
hypothetical *adj* damcaniaethol
hypsography *n* hypsograffeg *f*
hypsometer *n* hypsomedr *m*
hysterectomy¹ 1. *n* crothdrychiad *m*
2. codi'r groth [*croth*]
hysterectomy² MEDICINE *n* hysterectomi *m*
hysteresis PHYSICS *n* hysteresis *m*
hysteria *n* hysteria *m*
hysteric *adj* hysterig
hysterical *adj* gorffwyll, hysterig
hysterics *n* sterics *pl*, stranc *f*

i

I 1. *particle* mi¹ 2. *pronoun* fi¹, mi²
iatrogenic MEDICINE *adj* iatrogenig
ibex *n* alpafr *f*
ice 1. *n* iâ *m*, rhew *m* 2. *vn* eisio
iceberg mynydd iâ [*iâ*]
icicle cloch iâ
icicles *n* pibonwy *pl*
icing *n* eisin² *m*
icon *n* eicon *m*
iconic *adj* eiconig
iconoclasm *n* delwddrylliad *m*
iconography *n* eiconograffeg *f*
icosahedron *n* icosahedron *m*
icy *adj* rhewllyd
id PSYCHOLOGY *n* id *m*
ide *n* orff *m*
idea *n* clem *f*, drychfeddwl *m*, meddwl¹ *m*, obadeia *m*, syniad *m*
ideal 1. *adj* delfrydol 2. *n* delfryd *mf*
idealism¹ *n* delfrydiaeth *f*
idealism² PHILOSOPHY *n* delfrydiaeth *f*, idealaeth *f*, idealistiaeth *f*
idealist *n* delfrydwr *m*, idealwr *m*, idealydd *m*
idealistic *adj* delfrydol, idealistaidd, idealistig
identical *adj* unfath
identifiable *adj* canfyddadwy
identify *vn* adnabod, canfod
identity¹ *n* hunaniaeth *f*
identity² MATHEMATICS *n* unfathiant *m*

ideogram *n* ideogram *m*

ideological *adj* ideolegol

ideology *n* ideoleg *f*

idiocy* *n* ynfydrwydd *m*

idiom *n* idiom *f*, priod-ddull *m*

idiomatic *adj* idiomatig

idiopathic MEDICINE *adj* idiopathig

idiosyncrasy* *n* mympwy *m*

idiosyncratic *adj* mympwyol

idiot *n* hurtyn *m*, penbwl *m*, penci *m*, ynfytyn *m*

idiotic *adj* ynfyd

idle 1. *adj* diog, segur 2. *vn* pencawna, segura

idleness *n* segurdod *m*, seguryd *m*

idler *n* diogyn *m*, seguryn *m*

idol *n* delw *f*, duwies *f*, eilun *m*

idolator *n* eilunaddolwr *m*

idolatrous *adj* eilunaddolgar

idolatry *n* eilunaddoliaeth *f*

idolize *vn* eilunaddoli

i.e. *abbr* h.y.

if 1. *conj* os, pe, ped, pes 2. *particle* ai

igloo *n* iglw *m*

igneous GEOLOGY *adj* igneaidd

ignite *vn* ennyn, tanio

ignition *n* enyniad *m*, taniad *m*

ignoble* *adj* taeogaidd

ignominious *adj* gwaradwyddus, gwarthus

ignoramus *n* anwybodusyn *m*

ignorance *n* anwybodaeth *f*

ignorant *adj* anhyddysg, anllythrennog, anneallus, annysgedig, anwybodus, anwybyddus, di-ddysg

ignore *vn* anwybyddu, diystyru

ileum ANATOMY *n* ilewm *m*

iliac ANATOMY *adj* iliag

ilium ANATOMY *n* iliwm *m*

ill *adj* afiach, claf², gwael², sâl¹, tost²

ill-advised* *adj* annoeth

ill-chosen *adj* annethol

illegal *adj* anghyfreithiol, anghyfreithlon

illegality *n* anghyfreithlondeb *m*

illegible *adj* annarllenadwy

illegitimacy *n* anghyfreithlondeb *m*

illegitimate *adj* anghyfreithlon

illicit* *adj* anghyfreithiol

illiteracy *n* anllythrennedd *m*

illiterate *adj* anllythrennog

illness *n* afiechyd *m*, gwaeledd *m*, salwch *m*, tostedd *m*, tostrwydd *m*

illogical *adj* afresymegol

ill-tempered *adj* croes²

ill-treat *vn* cam-drin

illuminate *vn* goleuo, goliwio

illuminated *adj* goliwiedig

illuminati PHILOSOPHY *n* ilwminiaid *pl*

illumination *n* goleuad *m*, goliwiad *m*, llewyrchiad *m*, llewyrchiant *m*

illuminations *n* goleuadau *pl*

illuminism *n* ilwminiaeth *f*

illusion¹ *n* lledrith *f*, rhith *m*

illusion² PSYCHOLOGY *n* rhithganfyddiad *m*

illusionism ART *n* rhithiolaeth *f*

illusory *adj* lledrithiol, rhithiol

illustrate *vn* darlunio, enghreifftio

illustrated *adj* darluniadol

illustration *n* darlun *m*, darluniad *m*, eglureb *f*, llun¹ *m*

illustrative *adj* enghreifftiol

illustrator *n* darlunydd *m*

illustrious* *adj* disglair, hyglod

illuvial GEOLOGY *adj* mewnlifol

illuviation GEOLOGY *n* mewnlif *m*

image¹ *n* delw *f*, delwedd *f*, drych *m*

image² LITERATURE *n* delwedd *f*

imagery *n* delweddaeth *f*

imaginable *adj* dychmygadwy

imaginary *adj* dychmygol

imagination *n* dychymyg *m*

imaginative *adj* dychmygus

imagine *vn* dychmygu, synied, synio

imam RELIGION *n* imam *m*

imbalance *n* anghydbwysedd *m*

imbecile* *n* ynfytyn *m*

imbecility *n* gwendid *m*, hurtrwydd *m*, ynfydrwydd *m*

imbibe *vn* yfed

imbroglio* *n* cawl *m*, dryswch *m*

imbue *vn* lliwio, trwytho

imitate *vn* actio, copïo, dilyn, dynwared, efelychu

imitation *n* dynwarediad *m*, efelychiad *m*

imitative *adj* dynwaredol, efelychol

imitator *n* efelychwr *m*

immaculate *adj* difrycheulyd, dihalog, dilychwin, dinam, di-nam

immanence RELIGION *n* mewnfodaeth *f*

immanent RELIGION *adj* mewnfodol

immaterial* *adj* dibwys

immature *adj* anaeddfed

immaturity *n* anaeddfedrwydd *m*

immeasurable *adj* anfesuradwy, difesur

immediate *adj* diaros, dioed, di-oed, diymdroi, syth

immediately ar unwaith [*unwaith*], rhag blaen [*blaen¹*]

immense *adj* aruthrol, dirfawr, enfawr

immensity *n* anferthedd *m*, anferthwch *m*, aruthredd *m*, helaethder *m*, helaethrwydd *m*

immerse *vn* trochi, trwytho

immersion *n* suddiad *m*, trochiad *m*

immigrant *n* mewnfudwr *m*

immigrate *vn* mewnfudo

immigration *n* mewnfudiad *m*

imminent 1. *adj* agos¹ 2. ar ddod [*dod¹*]

immiscible *adj* anghymysgadwy

immobile *adj* disymud, llonydd[1]
immobility *n* ansymudoledd *m*
immoderate *adj* anghymedrol
immoderation *n* anghymedroldeb *m*
immoral *adj* anfoesol
immorality *n* anfoesoldeb *m*
immortal *adj* anfarwol
immortality *n* anfarwoldeb *m*
immortalize *vn* anfarwoli
immovable *adj* di-syfl, disyflyd, diymod, diysgog, safadwy
immune[1] *adj* heintrydd
immune[2] MEDICINE *adj* imiwn
immunity[1] *n* heintryddid *m*, imiwnedd *m*
immunity[2] MEDICINE *n* imiwnedd *m*
immunization MEDICINE *n* imiwneiddiad *m*
immunize MEDICINE *vn* imiwneiddio
immunological MEDICINE *adj* imiwnolegol
immunology MEDICINE *n* imiwnoleg *f*
immunosuppression MEDICINE atal imiwnedd [*imiwnedd*]
immure* *vn* caethiwo, carcharu
immutable *adj* digyfnewid
imp *n* coblyn *m*, pwca *m*, pwci *m*
impact 1. *adj* ardrawol 2. *n* ardrawiad *m*, effaith *f*, gwrthdrawiad *m*
impacted *adj* cywasgedig
impair *vn* amharu
impairment *n* amhariad *m*, amhariaeth *f*, nam *m*
impale* *vn* trywanu
impalpable *adj* anghyffwrdd, anghyffyrddadwy, annheimladwy
impart* *vn* cyfrannu, trosglwyddo
impartial *adj* amhleidiol, diduedd, di-dderbyn-wyneb, diragfarn, teg
impartiality *n* amhleidgarwch *m*, tegwch *m*
impassable *adj* anhramwyadwy, anhyffordd, caeedig
impassioned *adj* enynnol, taer, teimladwy
impassive *adj* digyffro
impatient 1. *adj* diamynedd 2. byr fy (dy, ei, etc.) (h)amynedd
impeach LAW *vn* uchelgyhuddo
impeachment LAW *n* uchelgyhuddiad *m*
impeccable *adj* difrycheulyd, dilychwin
impedance PHYSICS *n* rhwystriant *m*
impede *vn* llesteirio
impediment *n* atal[2] *m*, nam *m*, rhwystr *m*
impel* *vn* ysgogi
impenetrable *adj* anhreiddiadwy
imperative GRAMMAR *adj* gorchmynnol
imperceptible *adj* anghanfyddadwy, anweladwy
imperfect[1] *adj* amherffaith, diffygiol
imperfect[2] GRAMMAR *adj* amherffaith
imperfection *n* amherffeithrwydd *m*
imperial *adj* imperialaidd, ymerodrol
imperialism *n* imperialaeth *f*

imperialist *n* imperialydd *m*
imperious* *adj* awdurdodol, trahaus
impermeable *adj* anathraidd, anhydraidd
impersonal *adj* amhersonol
impersonate *vn* dynwared, personadu
impersonation *n* dynwarediad *m*
impersonator *n* dynwaredwr *m*
impertinence* *n* digywilydd-dra *m*
impertinent* *adj* digywilydd
imperturbable *adj* digyffro
impervious *adj* anhydraidd
impetigo MEDICINE *n* impetigo *m*
impetuosity *n* gwylltineb *m*
impetuous *adj* byrbwyll
impetus *n* ysgogiad *m*
impiety *n* annuwioldeb *m*
impinge *vn* ardaro
impish *adj* direidus
implacable* *adj* anghymodlon, penderfynol
implant MEDICINE *vn* mewnblannu
implantation *n* mewnblaniad *m*
implement 1. *n* dyfais *f*, erfyn[1] *m*, offeryn *m*, teclyn *m* 2. *vn* gweithredu
implements *n* celfi *pl*, offer *pl*
implication *n* goblygiad *m*
implicit *adj* dealledig, ymhlyg
implied *adj* dealledig, ymhlyg
implode *vn* mewnffrwydro
implore *vn* erfyn[2], ymbil[2], ymbilio
imploring *adj* ymbilgar
implosion *n* mewnffrwydrad *m*
imply *vn* awgrymu, ymhlygu
impolite *adj* anfoesgar, difaners
impoliteness *n* anfoesgarwch *m*
import 1. *n* mewnforyn *m* 2. *vn* mewnforio
importance *n* pwysigrwydd *m*
important 1. *adj* mawr, praff, pwysfawr, pwysig 2. o bwys [*pwys*[2]]
importer *n* mewnforiwr *m*
imports *n* mewnforion *pl*
impose *vn* arddodi, gorfodi, gosod[1]
imposing *adj* mawreddog, mawrwych
imposition *n* baich *m*, gorfodaeth *f*
impossibility *n* amhosibilrwydd *m*
impossible *adj* amhosibl, annichon, annichonadwy
impost[1]*** *n* treth *f*
impost[2] ARCHITECTURE *n* arbost *m*
imposter *n* twyllwr *m*, ymhonnwr *m*
impotence *n* diymadferthedd *m*
impotency MEDICINE analluedd rhywiol
impotent *adj* analluog, diymadferth
impound *vn* atafaelu, ffaldio, llocio
impoverished *adj* tlawd
impoverishment *n* tlodi[1] *m*
impracticable *adj* anymarferol
impractical *adj* anymarferol

imprecation *n* melltith *f*
imprecatory *adj* melltithiol
imprecise *adj* anfanwl
impregnate *vn* cyfebru
impresario *n* impresario *m*
impress *vn* argraffu, pwysleisio
impression *n* argraff *f*, ôl[1] *m*
impressionable *adj* argraffadwy
impressionism *n* argraffiadaeth *f*
impressionistic *adj* argraffiadol
impressive *adj* nodedig, trawiadol
imprimatur *n* imprimatur *m*
imprint *n* argraffiad *m*, gwasgnod *m*
imprinted *adj* argraffedig
imprison *vn* caethiwo, carcharu
imprisonment *n* carchariad *m*
improbable *adj* annhebygol
impromptu *adj* byrfyfyr, difyfyr
improper *adj* amhriodol, annheilwng
impropriate LAW *vn* amfeddu
impropriation LAW *n* amfeddiad *m*
impropriety *n* anwedduster *m*
improve *vn* gloywi, gwella, gwellhau, hybu
improved *adj* gwell[1]
improvement *n* gwelliant *m*
improvidence *n* annarbodaeth *f*
improvident *adj* annarbodus, diddarbod
improvisation *vn* creu'n fyrfyfyr [*byrfyfyr*]
improvise *vn* creu'n fyrfyfyr [*byrfyfyr*]
improvised *adj* byrfyfyr
imprudent *adj* annoeth
impudence *n* haerllugrwydd *m*, wyneb *m*, wynebgaledwch *m*
impudent *adj* digywilydd, egr, haerllug, hy, hyf, wynebgaled
impulse *n* cynnwrf *m*, hyrddiant *m*, ysgogiad *m*, ysgogydd *m*
impulsion *n* hyrddiant *m*
impulsiveness *n* byrbwylledd *m*, byrbwylltra *m*
impure *adj* amhûr, halogedig
impurity *n* amhurdeb *m*, amhuredd *m*
impute* *vn* priodoli
in 1. *prep* mewn[1], ymhen, yn[1] 2. i mewn [*i*[3]]
in- *pref* mewn-[2]
inability *n* anallu *m*
inaccessibility *n* anhygyrchedd *m*
inaccessible *adj* anhygyrch, diarffordd
inactive *adj* anweithredol
inadequate *adj* annigonol, diffygiedig, diffygiol
inadmissible *adj* annerbyniol
inadvertent *adj* damweiniol
inalienable LAW *adj* anaralladwy, anhrosglwyddadwy
inane* *adj* gwirion
inanimate *adj* difywyd
inapplicable *adj* anaddas
inappropriate *adj* amhriodol

inappropriateness *n* amhriodoldeb *m*, anaddasrwydd *m*, anaddaster *m*
inarticulate* *adj* bloesg
inartistic *adj* anghelfydd
inattentive *adj* disylw, di-sylw
inaudible *adj* anghlywadwy, anhyglyw
inaugural *adj* agoriadol
inaugurate *vn* agor, sefydlu, urddo
inborn *adj* cynhenid
inbreed *vn* mewnfridio
incalculable[1] *adj* difesur
incalculable[2] MATHEMATICS *adj* anghyfrifadwy
incandesce *vn* eiriasu, gwyniasu
incandescence *n* eiriasedd *m*, gwyniasedd *m*, tanbeidrwydd *m*
incandescent *adj* gwynias, tanbaid
incantation *n* swyngan *f*
incapable *adj* analluog
incapacitate *vn* analluogi
incapacity *n* analluogrwydd *m*
incarcerate *vn* carcharu
Incarnation *n* Ymgnawdoliad *m*
incautious *adj* anochelgar, anwyliadwrus
incense *n* arogldarth *m*
incentive *n* cymhelliad *m*, sbardun *m*, symbyliad *m*, ysbardun *m*
incessant *adj* diarbed, di-dor
incessantly o hyd ac o hyd [*hyd*[2]]
incest LAW *n* llosgach *m*
inch *n* modfedd *f*
incidence[1] *n* mynychder *m*
incidence[2] PHYSICS *n* trawiad *m*
incident[1] *n* digwyddiad *m*
incident[2] PHYSICS *adj* trawol
incinerator *n* llosgydd *m*
incircle MATHEMATICS *n* mewngylch *m*
incise *vn* endorri
incision *n* endoriad *m*
incisive *adj* miniog
incisiveness *n* miniogrwydd *m*
incisor ANATOMY *n* blaenddant *m*
incite *vn* cymell, hysian, hysio
incitement *n* cymhelliad *m*
inclement *adj* gerwin
inclination *n* gogwyddiad *m*, goleddfiad *m*, tuedd *f*, tueddfryd *m*
incline 1. *n* goledd *m*, goleddf *m*, incléin *f*, inclên *f*, llechwedd *m*, rhipyn *m* 2. *vn* gogwyddo, gwyro, tueddu
inclined *adj* chwannog, tueddol
include *vn* cynnwys[1]
included *adj* cynwysedig, cynwysiedig
inclusion *n* cynhwysiant *m*
inclusive *adj* cynhwysfawr, cynhwysol, cynwysedig, cynwysiedig
incoherent *adj* anghysylltus, dryslyd
incombustible *adj* anhylosg, anllosgadwy

income¹ *n* incwm *m*

income² FINANCE *n* cyllid *m*

incomer *n* mewnfudwr *m*

incommensurable MATHEMATICS *adj* anghyfesur

incommodious *adj* anghartrefol

incommunicative *adj* tawedog

incomparable *adj* anghyffelyb, anghymharol, di-ail, digymar, dihafal

incompatibility *n* anghymarusrwydd *m*

incompatible *adj* anghydffurfiol¹, anghydnaws, anghydweddol, anghymharus

incompetence *n* anghymhwyster *m*

incompetent *adj* anghymwys, di-fedr, di-sut

incomplete *adj* anghyfan, anghyflawn, anorffenedig, bylchog

incompleteness *n* anghyflawnder *m*

incomprehensible *adj* annealladwy, annirnad, annirnadwy

incompressible *adj* anghywasg, anghywasgadwy

inconceivable* *adj* annirnad, annirnadwy

inconcise *adj* anghryno

incongruous *adj* anghydweddol

inconsequential* *adj* dibwys

inconsiderate *adj* anystyriol, difeddwl, diystyriol

inconsistency *n* anghysondeb *m*, anghysonder *m*

inconsistent *adj* anghyson

inconsolable *adj* anghysuradwy

incontestable* *adj* diymwad, diymwâd

incontinence MEDICINE *n* anymataliaeth *f*

incontrovertible *adj* anwrthbrofadwy

inconvenience *n* anghyfleuster *m*, anghyfleustra *m*, anhwylustod *m*

inconvenient *adj* anghyfleus, anhwylus, lletchwith

inconvincible *adj* anargyhoeddadwy

incorporate *vn* corffori, ymgorffori

incorporated *adj* corfforedig

incorrect *adj* anghywir, gwallus

incorrectness *n* anghywirdeb *m*

incorrigible *adj* anniwygiadwy

incorruptible *adj* anllygradwy, di-lwgr

increase 1. *n* amlhad *m*, codiad *m*, cynnydd *m* 2. *vn* amlhau, codi, cynyddu, lluosogi, mwyhau, tyfu

increasing *adj* cynyddol

increasingly *adv* mwyfwy

incredible *adj* anghredadwy, anhygoel

incredulous *adj* anghrediniol

increment* *n* cynnydd *m*

incriminate LAW *vn* argyhuddo

incubate *vn* deor, deori, gori

incubator *n* deorydd *m*

incumbency RELIGION *n* perigloriaeth *f*

incumbent¹ *adj* sefydledig

incumbent² RELIGION *n* periglor *m*

incur* *vn* cael, ennyn

incurable *adj* anwelladwy

incursion *n* cyrch¹ *m*, tresmasiad *m*

indebted *adj* dyledus

indecency *n* anwedduster *m*

indecent *adj* aflan, anweddaidd, anweddus, drwg¹, masweddol, masweddus

indecipherable* *adj* annarllenadwy

indecision *n* amhendantrwydd *m*, petruster *m*

indecisive *adj* amhendant

indecisiveness *n* amhendantrwydd *m*

indecorous *adj* di-chwaeth

indefatigable *adj* anniffygiol, diflino, diludded, diymarbed

indefensible *adj* anamddiffynadwy

indefinable *adj* anniffiniadwy

indefinite *adj* amhendant, amhenodol

indefiniteness *n* amhendantrwydd *m*

indehiscent BOTANY *adj* anymagorol

indelible *adj* annileadwy

indemnify¹ *vn* indemnio

indemnify² LAW *vn* rhyddarbed

indemnity¹ *n* indemniad *m*

indemnity² LAW *n* indemniad *m*, rhyddarbediad *m*

indent 1. *n* mewnoliad *m* 2. *vn* mewnoli

indentation *n* mewnoliad *m*, pantiad *m*

indenture LAW *n* indeintur *m*

independence *n* annibyniaeth *f*

independent 1. *adj* annibynnol 2. â'm (â'th, â'i, etc.) traed yn rhydd [*traed*]

indescribable *adj* annisgrifiadwy

indeterminable *adj* amhenderfynadwy

indeterminacy *n* amhenodolrwydd *m*

indeterminate *adj* amhenodol

index¹ 1. *n* mynegai *m*, mynegrif *m* 2. *vn* mynegeio

index² MATHEMATICS *n* indecs *m*

indexer *n* mynegeiwr *m*

Indian 1. *adj* Indiaidd 2. *n* Indiad *m*

indicate *vn* dynodi, mynegi

indication *n* dynodiad *m*, mynegiad *m*

indicative GRAMMAR *adj* mynegol

indicator¹ *n* cyfeirydd *m*, dangosydd *m*

indicator² CHEMISTRY *n* dangosydd *m*

indict LAW *vn* ditio

indictable LAW *adj* ditiadwy

indictment LAW *n* ditiad *m*

indifference *n* claearineb *m*, difaterwch *m*, difrawder *m*, dihidrwydd *m*

indifferent 1. *adj* claear, cymedrol, dicra, difater 2. diddrwg didda, heb fod nac oer na brwd [*brwd*]

indigenous *adj* brodorol, cynfrodorol

indigestible *adj* anhreuliadwy, anhydraul

indigestion 1. *n* camdreuliad *m* 2. diffyg traul

indignant *adj* dig²

indignation *n* dig¹ *m*, digofaint *m*, ffromder *m*

indignity* *n* gwaradwydd *m*, gwarth *m*

indigo 1. *adj* indigo² 2. *n* indigo¹ *f*

indirect *adj* anuniongyrchol
indiscernible* *adj* anweledig
indiscreet* *adj* annoeth
indiscriminate *adj* diwahân
indispensable *adj* anhepgor, anhepgorol
indisposed *adj* anhwylus
indisposition *n* anhwyldeb *m*
indisputable *adj* di-ddadl
indistinct *adj* anamlwg, bloesg, myngus
indistinctness *n* aneglurdeb *m*, aneglurder *m*
indium *n* indiwm *m*
individual 1. *adj* unigol 2. *n* unigolyn *m*
individualism *n* unigolyddiaeth *f*
individualist *n* unigolydd *m*
individualistic *adj* arwahanol, unigolyddol
individuality *n* arwahanrwydd *m*, unigoliaeth *f*
indivisible *adj* anrhanadwy, anwahanadwy, anwahanedig
indoctrinate PSYCHOLOGY *vn* cyflyru meddwl
Indo-European 1. *adj* Indo-Ewropeaidd
   2. *n* Indo-Ewropeg *fm*
indolence *n* diogi[1] *m*
indolent *adj* dioglyd
indomitable* *adj* anorchfygol
Indonesian 1. *adj* Indonesaidd 2. *n* Indonesiad *m*
indubitable *adj* amhetrus, cyfiawn, diymwad, diymwâd, pendifaddau
induce[1] *vn* peri
induce[2] LOGIC, PHYSICS *vn* anwytho
induced PHYSICS *adj* anwythol
inducement* *n* cymhelliad *m*
induct *vn* anwytho, sefydlu
inductance PHYSICS *n* anwythiant *m*
induction 1. *n* anwythiad *m* 2. *vn* sefydlu
inductive LOGIC *adj* anwythol
inductor ELECTRONICS *n* anwythydd *m*
indulge *vn* maldodi, ymbleseru
indulgence[1]* *n* goddefgarwch *m*
indulgence[2] RELIGION *n* maddeueb *f*
indulgent *adj* goddefgar
induration MEDICINE *n* calediant *m*
industrial *adj* diwydiannol, gweithfaol
industrialism *n* diwydiannaeth *f*
industrialist *n* diwydiannwr *m*
industrialization* *vn* diwydianeiddio
industrialize *vn* diwydianeiddio
industrious *adj* gweithgar
industry *n* diwydiant *m*, gweithgarwch *m*
inebriate *adj* meddw
inedible *adj* anfwytadwy
ineducable *adj* anaddysgadwy
ineffable* *adj* anhraethadwy, anhraethol
ineffective *adj* aneffeithiol
ineffectiveness *n* aneffeithioldeb *m*, aneffeithiolrwydd *m*
ineffectual *adj* aneffeithiol, dieffaith
inefficacy *n* aneffeithioldeb *m*, aneffeithiolrwydd *m*

inefficiency *n* aneffeithlonrwydd *m*
inefficient *adj* aneffeithlon
ineligible* *adj* anghymwys
inept *adj* anhyfedr, di-glem, di-sut
inequality[1] *n* anghydraddoldeb *m*, anghyfartaledd *m*
inequality[2] MATHEMATICS *n* anhafaledd *m*
inert *adj* anadweithiol, di-fynd
inertia[1]* *n* diymadferthedd *m*, syrthni *m*
inertia[2] PHYSICS *n* inertia *m*
inescapable *adj* anochel, anocheladwy
inessential *adj* dianghenraid
inestimable *adj* amhrisiadwy
inevitability *n* anocheledd *m*, anorfodrwydd *m*
inevitable *adj* anochel, anocheladwy, anorfod
inexact *adj* anfanwl
inexcusable *adj* anesgusadwy, anesgusodol, diesgus
inexhaustible *adj* anniffygiol, dihysbydd
inexpedient* *adj* amhriodol, anaddas
inexpensive *adj* rhad[1]
inexperienced *adj* amhrofiadol, dibrofiad
inexpert *adj* anghywrain
inexplicable *adj* anesboniadwy, annatodadwy
inexpressible *adj* anhraethadwy, anhraethol
inextinguishable *adj* anniffodd, anniffoddadwy
inextricable *adj* annatod, annatodadwy
infallibility *n* anffaeledigrwydd *m*
infallible *adj* anffaeledig, di-feth
infamy *n* gwarth *m*, ysgelerder *m*
infancy *n* babandod *m*, mabandod *m*
infant *n* baban *m*
infanticide *n* babanladdiad *m*, babanleiddiad *m*
infantile *adj* babïaidd, plentynnaidd
infantry gwŷr traed
infarction MEDICINE *n* cnawdnychiad *m*
infatuation *n* penwendid *m*
infect *vn* heintio
infected *adj* heintiedig
infection *n* haint *m*, heintiad *m*
infectious *adj* heintus
infelicitous *adj* amhriodol, anffodus
infer *vn* casglu
inference *n* casgliad *m*
inferior 1. *adj* iselradd, israddol 2. *prep* is[2]
inferiority *n* israddoldeb *m*
infernal *adj* uffernol[1]
infertile *adj* amhlantadwy, anffrwythlon
infertility *n* anffrwythlondeb *m*, anffrwythlonder *m*
infest *vn* heigio
infestation *n* heigiad *m*, pla *m*
infidel *n* anghredadun *m*, anghrediniwr *m*
infidelity* *n* anffyddlondeb *m*
infighting* *vn* ymrafael[2]
infilling *n* mewnlenwad *m*
infiltrate *vn* treiddio, ymdreiddio

infiltrated *adj* ymdreiddiedig
infiltration *n* treiddiad *m*, ymdreiddiad *m*
infimum MATHEMATICS *n* inffimwm *m*
infinite[1] *adj* anfeidrol, annherfynol, diderfyn
infinite[2] MATHEMATICS *adj* anfeidraidd
infinitesimal MATHEMATICS 1. *adj* gorfychan
2. *n* gorfychanyn
infinitive GRAMMAR *n* berfenw *m*
infinity[1] *n* anfeidroldeb *m*
infinity[2] MATHEMATICS *n* anfeidredd *m*
infirm *adj* egwan, llegach, methedig, musgrell
infirmary *n* clafdy *m*, ysbyty *m*
infirmity *n* gwendid *m*, nychdod *m*
infix *vn* mewnddodi
inflame *vn* llidio, ymfflamychu
inflamed *adj* llidus
inflammable *adj* fflamadwy, hyfflam, hylosg
inflammation MEDICINE *n* llid *m*
inflammatory *adj* tanllyd, ymfflamychol
inflate *vn* chwyddo, enchwythu
inflated *adj* enchwythedig, gorchwyddedig
inflation ECONOMICS *n* chwyddiant *m*
inflect *vn* ffurfdroi, gwyro
inflected GRAMMAR *adj* rhediadol
inflection[1]* *n* goslef *f*
inflection[2] GRAMMAR *n* ffurfdro *m*, ffurfdroad *m*
inflexibility *n* anhyblygrwydd *m*, anystwythder *m*
inflexible *adj* anhyblyg, anhydwyth, anystwyth
inflorescence BOTANY *n* fflurgainc *f*
influence 1. *n* dylanwad *m* 2. *vn* dylanwadu
influential *adj* dylanwadol
influenza *n* ffliw[1] *m*
influx *n* mewnlifiad *m*
inform *vn* hysbysu, rhoi gwybod [*rhoi*[1]]
informal *adj* anffurfiol
informant *n* hysbyswr *m*
information *n* gwybodaeth *f*, hysbysrwydd *m*
infrangible *adj* anhydor, annhoradwy
infrared[1] *adj* isgoch[2]
infrared[2] PHYSICS *n* isgoch[1] *m*
infrastructure *n* isadeiledd *m*
infrequency *n* anamlder *m*, anamledd *m*
infrequent *adj* anaml, anfynych
infringe *vn* tresbasu, tresmasu, troseddu, ymyrryd
infringement *n* trosedd *mf*
infuriate *vn* cynddeiriogi
infuse[1] *vn* mwydo
infuse[2] MEDICINE *vn* trwytho
infusion *n* trwyth *m*, trwythiad *m*
ingenious *adj* cywrain, dyfeisgar
ingenuity *n* dyfeisgarwch *m*
ingenuous* *adj* didwyll, diniwed
ingenuousness* *n* didwylledd *m*
ingest BIOLOGY *vn* amlyncu
ingestion BIOLOGY *n* amlynciad *m*
inglenook *n* pentan *m*
inglorious *adj* anogoneddus, di-nod, dinod

ingot *n* ingot *m*
ingrained* *adj* cynhenid
ingratiate *vn* cynffonna, ffalsio
ingratitude *n* anniolchgarwch *m*
ingredient[1] *n* elfen *f*
ingredient[2] COOKERY *n* cynhwysyn *m*
inhabit *vn* cyfanheddu, gwladychu
inhabitable *adj* preswyliadwy
inhabitant *n* dinesydd *m*, preswyliwr *m*,
preswylydd *m*
inhabitants *n* trigolion *pl*
inhalation *n* mewnanadliad *m*
inhale *vn* mewnanadlu
inhaler MEDICINE *n* mewnanadlydd *m*
inherent *adj* cynhenid
inherit *vn* etifeddu
inheritable *adj* etifeddadwy
inheritance[1] *n* cynhysgaeth *f*, etifeddiaeth *f*,
treftad *m*, treftadaeth *f*
inheritance[2] BIOLOGY *n* etifeddiad *m*
inherited[1] *adj* etifeddol
inherited[2] BIOLOGY *adj* etifeddol
inheritor *n* etifedd *m*
inhibit* *vn* atal[1]
inhibition[1] *n* swildod *m*
inhibition[2] PSYCHOLOGY *n* ataliad *m*
inhibitor CHEMISTRY *n* atalydd *m*
inhospitable *adj* anghroesawgar, digroeso
inhuman *adj* annynol, dideimlad
inimical *adj* gelyniaethol, gelyniaethus
inimitable *adj* anefelychadwy
iniquity* *n* camwedd *m*
initial *adj* cychwynnol, dechreuol
initiate *vn* cychwyn[1]
initiative *n* blaengaredd *m*, blaengarwch *m*,
menter *f*
injection *n* chwistrelliad *m*, pigad *m*, pigiad *m*
injudicious* *adj* annoeth
injunction LAW *n* gwaharddeb *f*
injure *vn* anafu, niweidio
injured *adj* anafus, archolledig
injurious *adj* andwyol, niweidiol
injury *n* anaf *m*, anafiad *m*, niwed *m*
injustice *n* anghyfiawnder *m*, camwri *m*
ink 1. *n* inc *m* 2. *vn* incio
inkling *n* crap *m*
inland 1. *adj* mewndirol 2. *n* mewndir *m*
inlay 1. *n* brithwaith *m* 2. *vn* mewnosod
inlet *n* cilan *f*, cilfach *f*, mewnfa *f*
inlier GEOLOGY *n* mewngraig *f*
inmate* *n* carcharor *m*, preswyliwr *m*,
preswylydd *m*
inn *n* tafarn *fm*, tafarndy *m*
innards* *n* perfedd *m*
innate *adj* cynhenid, naturiol
inner *adj* mewnol
innervate ANATOMY *vn* nerfogi

innervation ANATOMY *n* nerfogaeth *f*
innings *n* batiad *m*
innkeeper *n* tafarnwr *m*
innocence *n* diniweidrwydd *m*, gwiriondeb *m*
innocent[1] 1. *adj* diniwed 2. *n* diniweityn *m*
innocent[2] LAW *adj* dieuog
innocuous *adj* diddrwg, di-ddrwg, diniwed
innovate *vn* arloesi
innovation *n* newyddbeth *m*
innovative *adj* arloesol, blaengar
innovator *n* arloeswr *m*
innuendo *n* ensyniad *m*
innumerable[1] 1. *adj* afrifed, anghyfrifadwy, aneirif, di-rif, dirifedi 2. rhif y gwlith [*gwlith*]
innumerable[2] MATHEMATICS *adj* anrhifadwy
inoculate MEDICINE *vn* brechu
inoculation *n* brechiad *m*, pigad *m*, pigiad *m*
inoffensive *adj* didramgwydd, diwenwyn
inoperative *adj* anweithredol
inopportune *adj* anghyfamserol, anghyfleus
inordinate *adj* anghymedrol
inorganic *adj* anorganig
input 1. *n* mewnbwn *m* 2. *vn* mewnbynnu
inquest *n* cwest *m*
inquietude* *n* pryder *m*
inquire *vn* gweld, gweled, holi, ymholi
inquirer *n* gofynnwr *m*, gofynnydd *m*, ymholwr *m*, ymofynnydd *m*
inquiring *adj* ymchwilgar
inquiry *n* holiad *m*, ymchwiliad *m*, ymholiad *m*
Inquisition *n* Chwilys *m*
inquisitive *adj* chwilfrydig, chwilgar, holgar, stilgar, ymofyngar
inquisitorial LAW *adj* holgar
inrush *n* mewnlifiad *m*
insalubrious* *adj* afiach
insane *adj* gorffwyll, gwallgof
insanitary *adj* afiach, brwnt
insanity *n* gorffwylledd *m*, gorffwylltra *m*, gwallgofrwydd *m*
insatiable *adj* anniwall, diwala
inscribe[1] *vn* arysgrifio, llythrennu
inscribe[2] MATHEMATICS *vn* mewnsgrifio
inscription *n* arysgrif *f*, arysgrifen *f*
inscrutable *adj* anchwiliadwy
insect[1] *n* pry *m*, pryf *m*, trychfil *m*, trychfilyn *m*
insect[2] ZOOLOGY *n* pryfyn *m*
Insecta ZOOLOGY *n* pryfed *pl*
insecticide *n* lleiddiad[1] *m*, pryfleiddiad *m*
insectivore ZOOLOGY *n* pryfysydd *m*
insectivorous BIOLOGY *adj* pryfysol
insecure* *adj* ansicr
insecurity* *n* ansicrwydd *m*
inseminate[1]* *vn* ffrwythloni
inseminate[2] BIOLOGY *vn* semenu
insemination* *vn* semenu
insensible *adj* annheimladwy, anymwybodol

insensitive *adj* anhringar, anhydeiml, ansensitif, dideimlad
insensitivity *n* annheimladrwydd *m*, ansensitifrwydd *m*
inseparable *adj* anwahanadwy, diwahân
insert *vn* mewnosod
insertion *n* mewniad *m*
inset *vn* mewnosod
inside 1. *adj* mewnol 2. y tu mewn/y tu fewn [*tu*]
insidious* *adj* llechwraidd, llechwrus
insight *n* dirnadaeth *f*, mewnwelediad *m*, sythwelediad *m*, treiddgarwch *m*
insignificance *n* anhynodrwydd *m*, dinodedd *m*, distadledd *m*
insignificant *adj* di-nod, dinod, distadl, disylw, di-sylw, tila
insincere *adj* annidwyll, ffuantus, rhagrithiol
insinuate *vn* ensynio
insinuating *adj* ensyniadol
insinuation *n* ensyniad *m*, lledawgrym *m*
insipid 1. *adj* glastwraidd, merfaidd, merllyd 2. diddrwg didda
insipidity *n* merfder *m*, merfdra *m*
insist *vn* haeru, mynnu, taeru
insistence* *n* taerineb *m*
insistent *adj* taer
insolation PHYSICS *n* darheulad *m*
insole *n* gwadn *mf*
insolence *n* haerllugrwydd *m*
insolent *adj* anostyngedig
insolubility *n* anhydoddedd *m*
insoluble *adj* anhydawdd, annatodadwy, annatrys, annatrysadwy
insolvency LAW *n* ansolfedd *m*, methdaliad *m*
insomnia MEDICINE *n* anhunedd *m*
insouciant *adj* difalio, ysgafala
inspect *vn* archwilio, arolygu
inspection *n* archwiliad *m*, arolygiad *m*
inspector *n* archwiliwr *m*, arolygwr *m*, arolygydd *m*
inspectorate *n* arolygiaeth *f*
inspiration *n* eneiniad *m*, ysbrydiaeth *f*, ysbrydoliaeth *f*
inspirational *adj* eneiniedig, ysbrydoledig
inspire *vn* ysbrydoli
inspired *adj* awenog, awenus, awenyddol, ysbrydoledig
instability *n* ansadrwydd *m*, ansefydlogrwydd *m*
install *vn* arsefydlu, sefydlu
installation[1] *n* gosodiad *m*
installation[2] ART *n* gosodwaith *m*
instalment *n* rhan[1] *f*, rhandal *m*, rhandaliad *m*, rhifyn *m*
instance* *vn* enghreifftio
instant[1] *n* amrantiad *m*, ennyd *m*
instant[2] COOKERY *adj* parod
instantaneous *adj* diymdroi

instead yn lle [*lle¹*]

instep ANATOMY cefn troed

instigate* *vn* symbylu, ysgogi

instigator *n* achoswr *m*, achosydd *m*

instinct *n* greddf *f*

instinctive *adj* greddfol

instinctively wrth reddf [*greddf*]

institute 1. *n* sefydliad *m* 2. *vn* sefydlu

institution *n* sefydliad *m*, sefydliad *m*

institutional *adj* sefydliadol

institutionalism *n* sefydliadaeth *f*

institutionalize *vn* sefydliadu

instruct *vn* hyfforddi

instruction *n* cyfarwyddyd *m*, gorchymyn² *m*, hyfforddiant *m*

instructor *n* hyfforddwr *m*

instructress *n* hyfforddwraig *f*

instrument *n* erfyn¹ *m*, offeryn *m*

instrumental *adj* cyfryngol, offerynnol

instrumentalist *n* offerynnwr *m*, offerynnydd *m*

instrumentation MUSIC *n* offeryniaeth *f*

insubordinate *adj* anostyngedig, gwrthryfelgar

insubstantial *adj* ansylweddol, disylwedd

insufficiency *n* annigonedd *m*, annigonolrwydd *m*

insufficient *adj* annigonol

insufflation RELIGION *n* aranadliad *m*

insular *adj* cul, plwyfol, ynysig¹, ynysol

insulate *vn* inswleiddio, ynysu

insulated *adj* ynysedig

insulation *n* ynysiad *m*

insulator *n* ynysydd *m*

insulin BIOCHEMISTRY *n* inswlin *m*

insult 1. *n* sarhad *m*, sen *f* 2. *vn* sarhau

insulting *adj* sarhaus

insuperable* *adj* anorchfygol

insurance¹ *n* yswiriant *m*

insurance² FINANCE *n* yswiriant *m*

insure FINANCE *vn* yswirio

insured FINANCE *adj* yswiriedig

insurer *n* yswiriwr *m*

insurgency *n* terfysg *m*

insurgent *n* gwrthryfelwr *m*, terfysgwr *m*

insurmountable *adj* anoresgynnol

insurrection *n* gwrthryfel *m*, terfysg *m*

intact* *adj* cyfan²

intake *n* cymeriant *m*, mewnlif *m*

intangible *adj* anghyffwrdd, anghyffyrddadwy

intarsia *n* brithwaith *m*

integer MATHEMATICS 1. *adj* cyfanrifol 2. *n* cyfanrif *m*

integral¹ *adj* annatod, cyfannol

integral² MATHEMATICS 1. *adj* integrol 2. *n* integryn *m*

integrate¹ *vn* cyfannu, cymathu, integreiddio

integrate² MATHEMATICS *vn* integru

integrated *adj* cyfannol, integredig

integration 1. *n* cyfaniad *m* 2. *vn* integreiddio

integrity *n* cyfanrwydd *m*, unplygrwydd *m*

integument BIOLOGY *n* pilyn *m*

intellect *n* deall² *m*

intellectual 1. *adj* deallol, deallusol 2. *n* deallusyn *m*, ysgolhaig *m*

intellectualism *n* deallaeth *f*

intelligence *n* deallusrwydd *m*

intelligent *adj* deallus

intelligentsia *n* deallusion *pl*, dysgedigion *pl*, gwybodusion *pl*

intelligible *adj* dealladwy

intemperate *adj* anghymedrol

intend *vn* amcanu, arfaethu, bod am [*bod¹*], bwriadu, golygu, meddwl²

intended *adj* arfaethedig, darpar

intense *adj* angerddol, dwys, tanbaid

intensification *n* dwysâd *m*

intensify *vn* dwysáu, dyfnhau

intensity¹ *n* dwysedd *m*, dwyster *m*, dwystra *m*, dyfnder *m*, gwres *m*

intensity² PHYSICS *n* arddwysedd *m*

intensive *adj* arddwys, dwys

intent *n* bryd *m*

intention *n* amcan *m*, arfaeth *f*, bwriad *m*

intentional *adj* bwriadol

inter *vn* claddu

inter- *pref* cyd-, rhyng-

interact *vn* cydadweithio, rhyngweithio

interactive *adj* rhyngweithiol

interbreed *vn* rhyngfridio

intercellular *adj* rhyng-gellol

intercept¹ *vn* rhyng-gipio

intercept² MATHEMATICS 1. *n* rhyngdoriad *m* 2. *vn* rhyngdorri

intercession *n* cyfryngiad *m*, eiriolaeth *f*

intercessor¹ *n* plediwr *m*

intercessor² RELIGION *n* cyfryngwr *m*

interchange *vn* ymgyfnewid

intercollegiate *adj* rhyng-golegol

intercom *n* intercom *m*

interconnected *adj* cydgysylltiol

interconnecting *adj* cydgysylltiol

intercontinental *adj* rhyng-gyfandirol

intercostal ANATOMY *adj* rhyngasennol

intercourse *n* cyfathrach *f*

interdenominational¹ *adj* undebol

interdenominational² RELIGION *adj* cydenwadol, rhyngenwadol

interdepartmental *adj* rhyngadrannol

interdependence *n* cyd-ddibyniaeth *f*, rhyngddibyniaeth *f*

interdependent *adj* cyd-ddibynnol

interdisciplinary *adj* rhyngddisgyblaethol

interest 1. *n* diddordeb *m*, llog *m* 2. *vn* diddori

interest-free *adj* di-log

interesting *adj* diddorol

interests *n* buddiannau *pl*

interface 1. *n* rhyngwyneb *m* 2. *vn* rhyngwynebu

interfere *vn* ymyrryd

interference[1] *n* ymyrraeth *f*

interference[2] PHYSICS *n* ymyriant *m*

interfering *adj* busnesgar, busneslyd, ymyrgar

interferometer PHYSICS *n* ymyradur *m*

interferon BIOCHEMISTRY *n* interfferon *m*

intergalactic *adj* rhyngalaethog

interglacial GEOLOGY *adj* rhyngrewlifol

intergovernmental *adj* rhynglywodraethol

interim *adj* interim

interior 1. *adj* mewndirol, mewnol 2. *n* mewndir *m*, perfeddwlad *f* 3. y tu mewn/y tu fewn [*tu*]

interject *vn* ebychu

interjection *n* ebychiad *m*

interlock *vn* cydgloi

interlocutor *n* cydsgyrsiwr *m*

interloper *n* ymwthiwr *m*

interlude *n* anterliwt *fm*, egwyl *f*

intermarry *vn* cydbriodi, rhyngbriodi

intermediary *n* canolwr *m*, cyfryngwr *m*

intermediate *adj* canolradd, rhyngol

interminable *adj* di-ben-draw, diddiwedd

intermingle *vn* cydgymysgu

intermission *n* egwyl *f*

intermittent *adj* ysbeidiol

intermix *vn* cydgymysgu

intermixture *n* cydgymysgedd *m*

intermolecular CHEMISTRY *adj* rhyngfoleciwlaidd

intern* *vn* carcharu

internal *adj* mewnol

internalization *n* mewnoliad *m*

internalize PSYCHOLOGY *vn* mewnoli

international *adj* cydwladol, rhyng-genedlaethol, rhyngwladol

internationalism *n* rhyngwladoliaeth *f*

internecine *adj* cyd-ddinistriol, ymddinistriol

Internet COMPUTING *n* rhyngrwyd *f*

internment *n* carchariad *m*

inter-party *adj* rhyngbleidiol

interpenetrate *vn* cydymdreiddio

interpenetration *n* cyd-dreiddiad *m*, cydymdreiddiad *m*

interpersonal *adj* rhyngbersonol

interplanetary *adj* rhyngblanedol

interplay 1. *n* cydadwaith *m* 2. *vn* cydadweithio

interpolate MATHEMATICS *vn* rhyngosod

interpolation[1] *n* rhyngosodiad *m*

interpolation[2] GRAMMAR *n* sangiad *m*

interpret *vn* dehongli

interpretation *n* dehongliad *m*

interpreter[1] *n* cyfieithydd *m*, dehonglwr *m*, lladmerydd *m*

interpreter[2] COMPUTING *n* dehonglydd *m*

interrelate *vn* cydberthyn

interrelationship *n* cydberthynas *m*

interrogate *vn* holi

interrogative GRAMMAR *adj* gofynnol

interrupt *vn* tarfu, torri ar draws

interruption* *n* toriad *m*

intersect *vn* croestorri

intersecting *adj* croes[2], croestoriadol

intersection MATHEMATICS *n* croestoriad *m*

intersperse* *vn* britho, gwasgar, gwasgaru

interstellar *adj* rhyngserol

interstice* *n* cyfwng *m*

interstitial *adj* gwagleol

intertwine* *vn* cyfrodeddu, plethu

intertwined *adj* cyfrodedd

interval[1] *n* cyfwng *m*, egwyl *f*, ysbaid *mf*

interval[2] MUSIC *n* cyfwng *m*

intervene *vn* cyfryngu, ymyrryd

intervening *adj* rhyngol

intervention *n* ymyriad *m*, ymyrraeth *f*

interview 1. *n* cyfweliad *m* 2. *vn* cyfweld

interviewee *n* cyfwelai *m*

interviewer *n* cyfwelydd *m*

interweave* *vn* gwau[1]

intestacy LAW *n* diewyllysedd *m*

intestinal[1] *adj* ymysgarol

intestinal[2] ANATOMY *adj* coluddol, perfeddol

intestine ANATOMY *n* coluddyn *m*

intestines *n* perfedd *m*, ymysgaroedd *pl*

intimacy *n* agosatrwydd *m*

intimate 1. *vn* awgrymu 2. agos atoch [*agos[1]*]

intolerable *adj* annioddefol

intolerance *n* anoddefedd *m*, anoddefgarwch *m*, culni *m*

intolerant *adj* anoddefgar, cul

intonation[1] *n* goslef *f*

intonation[2] MUSIC *n* tonyddiaeth *f*

intone MUSIC *vn* goslefu, llafarganu

intoxicate *vn* meddwi

intoxicated *adj* meddw

intoxicating *adj* meddwol

intoxication *n* medd-dod *m*, meddwdod *m*

intracellular BIOLOGY *adj* mewngellol

intractability *n* anhydynrwydd *m*, pengaledwch *m*

intractable *adj* anhringar, anhydrin, anhydyn, anhywaith, anystywallt

intramolecular CHEMISTRY *adj* mewnfoleciwlaidd, mewnfolecylaidd

intranet COMPUTING *n* mewnrwyd *f*

intransigent* *adj* cyndyn

intransitive GRAMMAR *adj* cyflawn

intravenous MEDICINE *adj* mewnwythiennol

intrepid* *adj* dewr, eofn, glew

intricacy *n* cymhlethdod *m*, drysni *m*

intricate *adj* cymhleth[1], dyrys

intrigue[1]* *vn* cyfareddu

intrigue[2] LAW *n* cynllwyn *m*

intriguing* *adj* cyfareddol

introduce *vn* cyflwyno

introduction *n* rhagair *m*, rhagarweiniad *m*, rhagymadrodd *m*

introductory *adj* arweiniol, rhagarweiniol, rhagymadroddol

introspection *n* mewnsylliad *m*

introspective *adj* mewnsyllgar

introverted *adj* mewnblyg

intrude *vn* ymwthio, ymyrryd

intruder *n* tresmaswr *m*

intrusion[1] *n* ymwthiad *m*, ymyrraeth *f*

intrusion[2] GEOLOGY *n* mewnwthiad *m*

intrusive[1] *adj* ymwthiol

intrusive[2] GEOLOGY *adj* mewnwthiol

intuition *n* dirnadaeth *f*, greddf *f*, sythwe,lediad *m*

intuitive *adj* greddfol, sythweledol

Inuit *n* Esgimo *m*, Inuit *m*

inundate *vn* gorlifo

inure* *vn* cynefino

invade *vn* goresgyn, ymwthio

invader *n* goresgynnwr *m*

invalid 1. *adj* annilys, methedig 2. *n* claf[1] *m*

invalidate *vn* annilysu

invalidity *n* analluedd *m*, annilysrwydd *m*

invaluable *adj* amhrisiadwy

invariable* *adj* digyfnewid

invariant[1]* *adj* sefydlog

invariant[2] MATHEMATICS *n* sefydlyn *m*

invasion *n* goresgyniad *m*

invent *vn* dyfeisio

invention *n* dyfais *f*

inventive *adj* dychmygus, dyfeisgar

inventiveness *n* dyfeisgarwch *m*

inventor *n* darganfyddwr *m*, dyfeisiwr *m*

inventory *n* llechres *f*, rhestr *f*

inverse MATHEMATICS *n* gwrthdro[1] *m*

inversion[1] *n* gwrthdroad *m*

inversion[2] BIOLOGY, METEOROLOGY *n* gwrthdroad *m*

inversion[3] MUSIC *n* gwrthdro[1] *m*

invert *vn* gwrthdroi

invertase BIOCHEMISTRY *n* infertas *m*

invertebrate[1] *adj* di-asgwrn-cefn

invertebrate[2] ZOOLOGY *n* infertebrat *m*

inverted MATHEMATICS *adj* gwrthdro[2]

inverter ELECTRONICS *n* gwrthdröydd *m*

inverting ELECTRONICS *adj* gwrthdroadol

invest[1] *vn* arwisgo, breinio, breintio, buddsoddi, urddo

invest[2] ECONOMICS *vn* buddsoddi

investigate *vn* ymchwilio

investigation *n* archwiliad *m*, ymchwiliad *m*

investigative *adj* ymchwiliadol, ymchwiliol

investigator *n* ymchwiliwr *m*, ymchwilydd *m*

investigatory *adj* ymchwiliadol, ymchwiliol

investiture *n* arwisgiad *m*

investment *n* buddsoddiad *m*, buddsoddiant *m*

investor *n* buddsoddwr *m*

inveterate *adj* diedifar, rhonc

invigilate* *vn* goruchwylio

invigilator *n* goruchwyliwr *m*

invigorative* *adj* iachusol

invincible *adj* anorchfygol, anorfod

inviolable *adj* anhalogadwy

inviolate *adj* anhalogedig

invisibility *n* anweledigrwydd *m*

invisible *adj* anweladwy, anweledig

invitation *n* galwad *f*, gwahoddiad *m*

invite *vn* gofyn[1], gwahodd

inviting *adj* deniadol

invoice 1. *n* anfoneb *f* 2. *vn* anfonebu

invoke *vn* arddeisyf, galw ar [galw[1]]

involuntary *adj* anfwriadol, anwirfoddol

involute MATHEMATICS *n* infoliwt *m*

involvement* *n* rhan[1] *f*

invulnerable *adj* anghlwyfadwy

iodide CHEMISTRY *n* ïodid *m*

iodine *n* ïodin *m*

ion CHEMISTRY *n* ïon *m*

ionic *adj* ïonig[1]

Ionic ARCHITECTURE *adj* Ïonig[2]

ionization *n* ïoneiddiad *m*

ionize *vn* ïoneiddio

ionosphere ASTRONOMY *n* ïonosffer *m*

iota *n* ïòd *m*, iot[1] *m*

Iranian 1. *adj* Iranaidd 2. *n* Iraniad *m*

Iraqi 1. *adj* Iracaidd 2. *n* Iraciad *m*

irascible* *adj* pigog, piwis

irate *adj* dig[2]

ire *n* llid *m*

iridescence *n* symudliw *m*

iridium *n* iridiwm *m*

iris[1] *n* gellesgen *f*

iris[2] ANATOMY *n* iris *m*

Irish *adj* Gwyddelig

Irishman *n* Gwyddel *m*

Irishwoman *n* Gwyddeles *f*

iritis MEDICINE llid yr enfys

irksome *adj* trafferthus

iron 1. *n* fflat[2] *m*, haearn *m*, hetar *m* 2. *vn* smwddio, stilo

ironic *adj* eironig

iron-like *adj* haearnaidd

irony *n* eironi *m*

irradiate *vn* arbelydru

irradiation *n* arbelydriad *m*

irrational[1] *adj* afresymol, gwallgof, lloerig

irrational[2] MATHEMATICS *adj* anghymarebol

irreconcilable *adj* anghymodlon

irrecoverable* *adj* anadferadwy

irredeemable FINANCE *adj* diatbryn

irredentism *n* iredentiaeth *f*

irreducible *adj* anostyngadwy

irrefutable *adj* anatebadwy, diwrthbrawf

irregular *adj* afreolaidd, bylchog

irregularity *n* afreoleidd-dra *m*

irrelevant *adj* amherthnasol
irreligious *adj* anghrefyddol
irremediable LAW *adj* dirwymedi
irreparable *adj* anadferadwy, anniwygiadwy
irrepressible *adj* anataliadwy
irreproachable *adj* anghyhuddadwy, difai, di-fai
irresistible *adj* anwrthsafadwy
irresolute *adj* amhenderfynol
irresponsible *adj* anghyfrifol
irretrievable *adj* anadferadwy
irreverence *n* ysgafnder *m*
irreversible[1] *adj* anghildroadwy, anwrthdroadwy, diwrthdro
irreversible[2] CHEMISTRY *adj* anghildroadwy
irrevocable *adj* di-alw-yn-ôl
irrigable *adj* dyfradwy
irrigate *vn* dyfrhau, dyfrio
irrigated *adj* dyfredig
irrigation *n* dyfrhad *m*
irritability *n* anniddigrwydd *m*
irritable *adj* anniddig, pigog, piwis
irritate* *vn* cythruddo
irritation *n* llosg[1] *m*
isallobar METEOROLOGY *n* isalobar *m*
ischaemic MEDICINE *adj* ischaemig, ischemig
ischium ANATOMY *n* ischiwm *m*
isentropic PHYSICS *adj* isentropig
isinglass *n* eisinglas *m*
Islam RELIGION *n* Islam *f*
Islamic *adj* Islamaidd
island *n* ynys *f*
islander *n* ynyswr *m*
isle *n* ynys *f*
islet *n* ynysig[2] *f*
isobar METEOROLOGY, PHYSICS *n* isobar *m*
isobaric PHYSICS *adj* isobarig
isochron GEOLOGY *n* isocron *m*
isochronous *adj* isocronus
isocline GEOLOGY *n* isoclin *m*
isoglos LINGUISTICS *n* isoglos *m*
isohel METEOROLOGY *n* heul-lin *f*, isohel *m*
isohyet *n* glawlin *m*
isolate[1] 1. *n* unigyn *m* 2. *vn* arwahanu, ynysu
isolate[2] BIOCHEMISTRY *vn* arunigo
isolated *adj* arunig, ynysig[1]
isolation *n* unigedd *m*
isomer CHEMISTRY *n* isomer *m*
isomerism CHEMISTRY *n* isomeredd *m*
isomerization CHEMISTRY *vn* isomeru
isomerize CHEMISTRY *vn* isomeru
isometric MATHEMATICS, PHYSIOLOGY *adj* isometrig
isometrics *n* isometreg[1] *f*
isometry MATHEMATICS *n* isometreg[2] *m*
isomorph *n* isomorff *m*
isomorphic *adj* isomorffig
isomorphism BIOLOGY, CHEMISTRY *n* isomorffedd *m*

isopleth *n* isopleth *m*
isosceles MATHEMATICS *adj* isosgeles
isoseismic GEOLOGY *adj* isoseismig
isostasy *n* isostasi *m*
isotach METEOROLOGY *n* isotach *m*
isotherm METEOROLOGY *n* isotherm *m*
isothermal CHEMISTRY, METEOROLOGY *adj* isothermal
isotonic *adj* isotonig
isotope CHEMISTRY *n* isotop *m*
isotopic CHEMISTRY *adj* isotopig
Israeli 1. *adj* Israelaidd 2. *n* Israeliad *m*
issue 1. *n* benthyciad *m*, dyroddiad *m*, rhifyn *m* 2. *vn* cyhoeddi, dyroddi
isthmus[1] *n* isthmus *m*
isthmus[2] GEOGRAPHY *n* culdir *m*
it *pronoun* e, ef[1], ei[1], fe[1], fo, hi[1], hi[2], 'i, o[3]
IT *abbr* TG
Italian 1. *adj* Eidalaidd 2. *n* Eidales *f*, Eidalwr *m*
italic *adj* italaidd, italig
italicize *vn* italeiddio
itch 1. *n* cosfa *f*, ysfa *f* 2. *vn* cosi, ysu
itching 1. *adj* coslyd 2. *n* merwindod *m*
item *n* eitem *f*
iterate MATHEMATICS *vn* iteru
iterative *adj* iterus
itinerant *adj* crwydrol
its *pronoun* ei[1], 'i
itself ei hun [*ei*[1]], ei hunan [*ei*[1]]
ivory *n* ifori *m*
ivy *n* eiddew *m*, iorwg *m*

j

jab *vn* procio, pwnio, pwno
jabber *vn* clebran, hefrio, hefru, paldaruo, pregowthan, rhefru
jack 1. *n* cnaf *m*, gwalch *m*, jac *m* 2. *vn* codi, jacio
jackdaw *n* jac-y-do *m*
jacket *n* siaced *f*
Jacobean *adj* Jacobeaidd
Jacobin *n* Jacobin *m*
Jacobite *n* Jacobitiad *m*
jacuzzi *n* jacwsi *m*
jade *n* cnawes *f*, jâd *m*, maeden *f*
jagged *adj* bylchog, danheddog
jaguar *n* jagwar *m*
jail *n* carchar *m*, carchardy *m*, jêl *f*
jalopy *n* siandri *f*
jam[1] 1. *n* tagfa *f* 2. *vn* jamio, stwffio
jam[2] COOKERY 1. *n* cyffaith *m*, jam *m* 2. *vn* cyffeithio, jamio
Jamaican 1. *adj* Jamaicaidd 2. *n* Jamaicad *m*
jamboree *n* jamborî *m*, randibŵ *m*
janissary *n* janisariad *m*

janitor *n* gofalwr *m*

Jansenism RELIGION *n* Janseniaeth *f*

January 1. *n* Ionawr *m* 2. mis Ionawr [*Ionawr*]

Japanese 1. *adj* Japaneaidd 2. *n* Japanead *m*

jar *n* jar *f*

jarful *n* jariaid *f*

jargon *n* jargon *m*

jargonistic *adj* jargonllyd

jarring *n* ysgegfa *f*

jasper *n* iasbis *m*

jaundice¹ y cryd melyn [*cryd*]

jaundice² MEDICINE y clefyd melyn [*clefyd*]

jaunt *vn* jolihoetian, jolihoetio

jauntiness *n* talogrwydd *m*

jaunty *adj* sionc, talog

Javanese 1. *adj* Jafanaidd 2. *n* Jafaniad *m*

javelin *n* gwaywffon *f*

jaw *n* gên *f*, safn *f*

jawbone¹ asgwrn yr ên

jawbone² ANATOMY *n* genogl *m*

jaws *n* safn *f*

jay sgrech y coed

jazz MUSIC *n* jazz *m*

JCB *n* Jac codi baw *m*

jealous *adj* cenfigennus, eiddigeddus, gwenwynllyd

jealousy *n* cenfigen *f*, eiddigedd *m*, gwenwyn *m*

jeans *n* jîns *m*

jeep *n* jîp *m*

jeer *vn* gwatwar¹, gwawdio

jeerer *n* gwawdiwr *m*

jejunum¹ coluddyn gwag

jejunum² ANATOMY *n* jejwnwm *m*

jell* *vn* ceulo

jelly *n* jeli *m*

jellyfish *n* slefren fôr *f*

jelly-like *adj* jelïaidd

jeopardize *vn* peryglu

jeopardy *n* perygl *m*

jerk 1. *n* plwc *m*, ysgegfa *f* 2. *vn* plycio, ysgegio

jerkin *n* crysbais *f*, crysbas *f*, sircyn *m*, syrcyn *m*

jerky *adj* herciog

jersey *n* jyrsi *f*

jest 1. *n* cellwair¹ *m*, smaldod *m*, ysmaldod *m* 2. *vn* cellwair², cellweirio

jester *n* cellweiriwr *m*, croesan *m*, ffŵl *m*

Jesuit *n* Iesüwr *m*, Jeswit *m*

jet *n* chwythell *f*, jet *f*, muchudd *m*

jetty *n* glanfa *f*

Jew *n* Iddew *m*

jewel *n* gem *f*, tlws¹ *m*

jeweller *n* gemydd *m*

jewellery *n* gemwaith *m*, tlysau *pl*

Jewess *n* Iddewes *f*

Jewish *adj* Iddewig

jib 1. *n* gwep *f* 2. *vn* jibio, nogio

jibbing *adj* jibiog, noglyd

jibs *n* clemau *pl*

jiffy *n* chwiffiad *m*, chwinciad *m*

jig *n* jig *f*

jigsaw *n* herclif *f*, jig-so *m*

jingle 1. *n* rhigwm *m* 2. *vn* tincial

jingoism *n* jingoistiaeth *f*

jingoistic *adj* jingoistaidd

jink 1. *n* jinc *m* 2. *vn* igam-ogamu, jincian

jinx 1. *n* rhaib *f* 2. *vn* rheibio

job *n* gorchwyl *m*, gwaith¹ *m*, jòb *f*, joben *f*, jobyn *m*, swydd *f*, tasg *f*

jobless *adj* di-swydd, di-waith¹

jockey *n* joci *m*

jockstrap *n* jocstrap *m*

jocose *adj* hwyliog, jocôs

jocular *adj* cellweirus, chwareus

jog *vn* haldian, jogio, loncian, procio

jogger *n* lonciwr *m*

join¹ *vn* asio, cydio, cyfannu, cyplysu, cysylltu, uno, ymaelodi, ymuno

join² CARPENTRY *vn* uniadu

joining *n* cyd¹ *m*, uniad *m*

joint¹ *n* asiad *m*, cydiad *m*, cymal *m*, golwyth *m*, uniad *m*

joint² GEOLOGY *n* breg *m*

joint³ ANATOMY *n* cymal *m*

joint- *pref* cyd-

jointed¹ *adj* cymalog

jointed² GEOLOGY *adj* bregog

joist *n* dist *m*, trawst *m*, tulath *f*

joke 1. *n* ffraetheb *f*, jôc *f* 2. *vn* cellwair², cellweirio, jocan, lolian, smalio, ysmalio

joker *n* jocer *m*

jollification* *n* rhialtwch *m*, sbri *m*, ysbleddach *f*

jolly *adj* hwyliog, llawen, llon

jolt 1. *n* ysgegfa *f*, ysgydwad *m*, ysgytiad *m*, ysgytwad *m* 2. *vn* ysgegio

jolting *adj* ysgytwol

jongleurs *n* clêr² *f*

Jordanian 1. *adj* Iorddonaidd 2. *n* Iorddoniad *m*

jostle *vn* gwthio

jot 1. *n* iòd *m*, iot¹ *m*, mymryn *m*, rhithyn *m*, tamaid *m* 2. *vn* nodi, taro

joule PHYSICS *n* joule *m*

journal *n* cylchgrawn *m*

journalism *n* newyddiaduraeth *f*, newyddiaduriaeth *f*

journalist *n* gohebydd *m*, newyddiadurwr *m*, newyddiadurwraig *f*

journey *n* siwrnai¹ *f*, taith *f*, tro *m*, ymdaith *f*

joust *n* twrnamaint *m*

Jove *n* Iau⁴ *m*

jovial *adj* hwyliog, llawen

jowl *n* tagell *f*

jowled *adj* tagellog

joy *n* gorfoledd *m*, gwynfyd *m*, llawenydd *m*

joyful *adj* fflons, fflonsh, llawen, llon

joyless *adj* aflawen, digalon
joyrider *n* gwefr yrrwr *m*
joystick MECHANICS ffon reoli
JP LAW *abbr* YH
jubilant *adj* gorfoleddus
jubilation *n* gorfoledd *m*
jubilee *n* jiwbilî *f*
Judaism RELIGION *n* Iddewiaeth *f*
judder* *n* cryndod *m*, dirgryniad *m*
judge 1. *n* barnwr *m* 2. *vn* barnu, beirniadu, tybied, tybio
judgement[1] *n* barn *f*, brawd[3] *f*, doethineb *m*, synnwyr *m*
judgement[2] LAW *n* dedfryd *f*
judicial *adj* barnwrol, cyfreithiol
judiciary *n* barnwriaeth *f*
judicious* *adj* doeth, synhwyrol
judo *n* jiwdo *m*
jug *n* jwg *f*
jugful *n* jwgaid *f*, jygaid *f*
juggle *vn* jyglo
juggler *n* jyglwr *m*
jugular ANATOMY *adj* gyddfol
juice *n* nodd *m*, sudd *m*, sug *m*
juicy *adj* ir, iraidd, lleithiog
ju-jitsu *n* jw-jitsw *m*
jukebox *n* jiwcbocs *m*
July 1. *n* Gorffennaf[2] *m* 2. mis Gorffennaf [*Gorffennaf*[2]]
jumble *n* cybolfa *f*, cymysgedd *m*, sborion *pl*, tryblith *m*
jump 1. *n* llam *m*, naid[1] *f* 2. *vn* llamu, neidio, peico, tasgu
jumper *n* neidiwr *m*, siwmper *f*
jumping *adj* neidiol
junction[1] *n* croesffordd *f*, cyffordd *f*
junction[2] GEOGRAPHY *n* cymer[1] *m*
June 1. *n* Mehefin *m* 2. mis Mehefin [*Mehefin*]
jungle *n* jyngl *m*
junior *adj* bychan[1]
juniper (trees and wood) *n* meryw *pl*
junk *n* ffrwcs *pl*, rwtsh *m*, sbwriel *m*, sothach *m*
junta *n* jwnta *f*
Jupiter *n* Iau[4] *m*
Jurassic GEOLOGY *adj* Jwrasig
jurisdiction LAW *n* awdurdodaeth *f*
jurisprudence[1] *n* cyfreitheg *f*
jurisprudence[2] LAW *n* deddfeg *f*
jurist *n* deddfegwr *m*, deddfegydd *m*
juror *n* rheithiwr *m*
jury *n* rheithgor *m*
just 1. *adj* cyfiawn, iawn[1], teg 2. *adv* jest, jyst, newydd[2]
justice[1] *n* cyfiawnder *m*, tegwch *m*
justice[2] LAW *n* ustus *m*
justifiable *adj* cyfiawnadwy
justification *n* cyfiawnhad *m*

justify[1] *vn* cyfiawnhau, cyfreithloni, unioni
justify[2] RELIGION *vn* cyfiawnhau
just-in-time ECONOMICS *adj* prin-mewn-pryd
jute *n* jiwt *m*
juvenile *adj* ieuengaidd, ifanc, plentynnaidd
juvenility *n* ieuengrwydd *m*
juxtapose *vn* cyfosod
juxtaposition *n* cyfosodiad *m*

k

kale *n* cêl[2] *m*
kaleidoscope *n* caleidosgop *m*
kangaroo *n* cangarŵ *m*
kaolin *n* caolin *m*
kapok *n* capoc *m*
karate *n* karate *m*
karst GEOLOGY *n* carst *m*
karstic GEOLOGY *adj* carstig
kayak 1. *n* caiac *m* 2. *vn* caiacio
Kazakh 1. *adj* Kazakstanaidd 2. *n* Kazakstaniad *m*
KDF ffitiad datgysylltiol
keds *n* heuslau *pl*
keel *n* cilbren *m*, trumbren *m*
keen 1. *adj* brwd, craff, craffus, cyflym, llym, main[1], miniog, minllym 2. *vn* galarnadu
keenness *n* awch *m*, brwdfrydedd *m*
keep[1] 1. *n* tŵr *m* 2. *vn* cadw[1]
keep[2] ARCHITECTURE *n* gorthwr *m*
keeper *n* ceidwad *m*, cipar *m*, ciper *m*
keepsake *n* cofrodd *m*
kelvin *n* celfin *m*
kemp *n* saethflew *pl*
ken *n* dirnadaeth *f*
kennel *n* cenel *m*, cwb *m*
kenosis RELIGION *n* ymwacâd *m*
Kenyan 1. *adj* Ceniaidd 2. *n* Ceniad *m*
keratin BIOCHEMISTRY *n* ceratin *m*
kernel *n* cnewyllyn *m*
kerosene *n* cerosin *m*
kersey *n* cersi *m*
kestrel cudyll coch
ketchup *n* cetsyp *m*
kettle *n* tegell *m*
kettleful *n* tegellaid *m*
key[1] 1. *adj* allweddol 2. *n* agoriad *m*, allwedd *f*, bysell *f*
key[2] MUSIC *n* cywair *m*
keyboard[1] *n* allweddell *f*, bysellfwrdd *m*
keyboard[2] MUSIC *n* seinglawr *m*
keyhole twll clo
keystone[1] carreg glo
keystone[2] ARCHITECTURE maen clo [*clo*]
keyword *n* allweddair *m*
khamsin *n* camsin *m*
kibbutz *n* cibwts *m*

kick 1. *n* cic *f* 2. *vn* cicio, gwingo
kicker *n* ciciwr *m*
kid *n* myn[1] *m*, plentyn *m*
kidnap* *vn* cipio
kidnapper *n* llathruddwr *m*
kidney *n* aren *f*, elwlen *f*
kill *vn* lladd
killer *n* lladdwr *m*, lleiddiad[1] *m*, llofrudd *m*
killing *n* lladdiad *m*
kiln *n* odyn *f*
kilo *n* cilo *m*
kilobyte COMPUTING *n* cilobeit *m*
kilocycle *n* ciloseicl *m*
kilogram *n* cilogram *m*
kilolitre *n* cilolitr *m*
kilometre *n* cilometr *m*
kilowatt *n* cilowat *m*
kilt *n* cilt *m*
kinaesthesia *n* cinaesthesia *m*, cinesthesia *m*
kinaesthetic *adj* cinaesthetig, cinesthetig
kind 1. *adj* caredig, ffein, ffeind, piwr
  2. *n* math[1] *m*, siort *f*, sort *f*
kindergarten ysgol feithrin [*meithrin*]
kindle *vn* cynnau, ennyn
kindliness *n* caredigrwydd *m*
kindling *n* cynnud *m*, enyniad *m*
kindly *adj* hynaws, twymgalon
kindness *n* caredigrwydd *m*, ffeindrwydd *m*, hynawsedd *m*
kindred *n* carennydd[2] *pl*, perthnasau *pl*, tylwyth *m*
kinematic PHYSICS *adj* cinematig
kinematics PHYSICS *n* cinemateg *f*
kinetic PHYSICS *adj* cinetig
kinetics CHEMISTRY, PHYSICS *n* cineteg *f*
king *n* brenin *m*
kingdom *n* teyrnas *f*
kingfisher glas y dorlan [*glas[1]*]
kink *n* cinc *m*, crych[1] *m*, plyg[1] *m*
kinsman *n* câr *m*, cydwaed[2] *m*
kiosk *n* caban *m*, ciosg *m*
kipper pennog coch, sgadenyn coch
kirk[1]* *n* eglwys *f*
kirk[2] RELIGION *n* llan *f*
kiss 1. *n* cusan *f*, sws *m*
  2. *vn* cusanu, swsian, swsio
kit *n* cit *m*, gêr[1] *mf*, geriach *pl*, pac *m*, taclau *pl*
kitchen *n* cegin *f*
kite *n* barcud *m*, barcut *m*
Kitemark nod barcud [*nod[1]*]
kith *n* ceraint *pl*
kitten cath fach
kittiwake gwylan goesddu
kleptomania PSYCHOLOGY *n* cleptomania *m*
knack *n* dawn *f*
knackery *n* celanedd-dy *m*
knave *n* cenau *m*, cnaf *m*, dihiryn *m*, gwalch *m*
knavish *adj* cnafaidd

knead *vn* tylino
knee *n* glin *m*, pen-glin *m*
kneecap ANATOMY padell pen-glin
kneel *vn* glinio, penlinio
knell *n* cnul *m*
knickers *n* nicers *pl*
knife *n* cyllell *f*
knife-edge *n* arfin *m*
knight *n* marchog *m*
knighthood urdd marchog
knightly *adj* marchogol
knit *vn* clymu, gwau[1], gweithio
knitting *n* gwau[2] *m*
knitwear *n* gweuwaith *m*
knob *n* bwlyn *m*, clopa *f*, cnwpa *m*, dwrn *m*, nobyn *m*
knock 1. *n* cnoc *f*, curiad *m* 2. *vn* cnocio, curo
knocker *n* cnociwr *m*, nocer *m*, träwr *m*
knocking *n* curiad *m*
knock-kneed *adj* gargam, glingam
knoll *n* bryncyn *m*, ponc *f*, poncen *f*
knot 1. *n* cainc *f*, cnap *m*, cwlwm[1] *m*, môr-filltir *f*, not *f* 2. *vn* clymu
knotted *adj* ceinciog, clymog, cnotiog
knotty *adj* clymog
know *vn* adnabod, gwybod, medru
know-alls *n* hollwybodusion *pl*
knowing *adj* cyfrwys, ffel
knowledge *n* adnabyddiaeth *f*, gwybodaeth *f*
knowledgeable* *adj* gwybodus, hyddysg
known *adj* gwybyddus, hysbys
knuckle[1] 1. *n* migwrn *m* 2. cymal bys
knuckle[2] ANATOMY *n* cwgn *m*
knurl *n* gwrym *m*, nwrl *m*
kolkhoz *n* colchos *m*
Koran RELIGION *n* Corân *m*, Qur'an *m*
Korean 1. *adj* Coreaidd 2. *n* Coread *m*
kowtow *vn* cowtowio, ymgreinio
kraal *n* crâl *m*
Kremlin *n* Cremlin *m*
krill *n* cril *pl*
krypton *n* crypton *m*
kulak *n* cwlac *m*
kurtosis MATHEMATICS *n* cwrtosis *m*
Kuwaiti 1. *adj* Kuwaitaidd 2. *n* Kuwaitiad *m*
Kyrgyz 1. *adj* Kyrgyzstanaidd 2. *n* Kyrgyzstaniad *m*

I

I MUSIC *n* la *m*
L *abbr* D[2]
label 1. *n* label *m* 2. *vn* labelu
labia ANATOMY *n* labia *pl*
labial LINGUISTICS *adj* gwefusol
labiate BOTANY *adj* gweflog

labile CHEMISTRY *adj* ansefydlog
labium[1] 1. *n* gwefl *f* 2. gwefl y wain
labium[2] BOTANY, ZOOLOGY *n* labiwm *m*
laboratory *n* labordy *m*
laborious *adj* llafurfawr, llafurus
labour 1. *n* gwaith[1] *m*, llafur[1] *m*
   2. *vn* esgor, labro, llafurio
labourer *n* gweithiwr *m*, labrwr *m*, llafurwr[1] *m*
labour-intensive *adj* llafur-ddwys
labrador ci labrador
labrum ZOOLOGY *n* labrwm *m*
laburnum 1. *n* euron *f* 2. tresi aur
labyrinth[1] *n* drysfa *f*, labrinth *m*, labyrinth *m*
labyrinth[2] ANATOMY *n* labrinth *m*, labyrinth *m*
labyrinthitis[1] llid y droellfa
labyrinthitis[2] MEDICINE *n* labyrinthitis *m*
laccolith GEOLOGY *n* lacolith *m*
lace 1. *n* carrai *f*, las *m*, lasyn *m*, les[2] *f*, sider *m*
   2. *vn* lasio
lacerate* *vn* archolli, rhwygo
lack *n* diffyg *m*, eisiau *m*, prinder *m*
lackadaisical* *adj* diafael, didoreth
lackey gwas bach
lacklustre *adj* anllathraidd, dilewyrch, di-raen, diraen
laconic* *adj* cryno, di-wast, diwastraff, swta
lacquer 1. *n* lacr *m* 2. *vn* lacro
lactase BIOCHEMISTRY *n* lactas *m*
lactate[1] *vn* llaetha
lactate[2] BIOCHEMISTRY *n* lactad *m*
lactation *n* llaethiad *m*
lactic *adj* lactig
lactose CHEMISTRY *n* lactos *m*
lacustrine *adj* llynnol
lad *n* aderyn *m*, còb[1] *m*, còg[2] *m*, crwt *m*, deryn *m*, gwas *m*, hogyn *m*, llanc *m*, llencyn *m*, mab *m*, rhocyn *m*
ladder *n* ysgol[2] *f*
laden *adj* llwythog, trymlwythog
ladle *n* lletwad *f*
lady *n* boneddiges *f*, gwreigdda *f*, ladi *f*, pendefiges *f*
Lady *n* arglwyddes *f*, boneddiges *f*, bonesig *f*
ladybird *n* buwch goch gota *f*
lady's-slipper esgid Fair
lag *vn* lagio, llusgo, oedi
lagoon *n* lagŵn *m*, morlyn *m*
lah MUSIC *n* l[1] *f*, L *f*, la *m*
lair *n* daear *f*, ffau *f*, gwâl *f*, llechfan *f*
lake *n* llyn *m*
lama RELIGION *n* lama[2] *m*
lamb 1. *n* oen *mf* 2. *vn* wyna 3. cig oen
lambaste *vn* lambastio
lambkin *n* oenig *f*
lame *adj* cloff[1], cymhercyn[2]
lamella ANATOMY *n* lamela *f*
lameness *n* cloffni *m*

lament 1. *n* galargan *f*, galarnad *f*
   2. *vn* galarnadu, wylofain
lamentable *adj* gresynus, truenus
lamentation* *n* galarnad *f*
lamina *n* lamina *m*
laminar *adj* laminaidd
laminate 1. *n* laminiad *m* 2. *vn* laminiadu
laminated *adj* haenog, laminedig
lamp *n* lamp *f*, llusern *m*
lampoon *vn* dychanu, goganu
lampooner *n* dychanwr *m*, goganwr *m*
lamprey llysywen bendoll
lampshade *n* lamplen *f*
Lancastrian *n* Lancastriad *m*
lance 1. *n* gwaywffon *f*, picell *f*
   2. *vn* ffleimio, torri
lancer *n* picellwr *m*
lancet *n* fflaim *f*
land 1. *n* daear *f*, gwlad *f*, tir *m*
   2. *vn* disgyn, glanio, syrthio, tirio
landed *adj* tiriog, tirol
landfill *vn* tirlenwi
landform *n* tirffurf *m*
landing *n* disgyniad *m*, glaniad *m*
landingplace *n* glanfa *f*
landing-place *n* disgynfa *f*
landlady *n* tafarnwraig *f*
landlord *n* lletywr *m*, perchen *m*, perchennog *m*, tafarnwr *m*
landlordism *n* landlordiaeth *f*
landmark *n* tirnod *m*
landmass *n* ehangdir *m*
landowner *n* tirfeddiannwr *m*
landrover *n* landrofer *m*
landscape[1] 1. *n* tirlun *m*, tirwedd *f*
   2. *vn* tirlunio, tirweddu
landscape[2] ART *n* tirlun *m*
landslide *n* tirlithriad *m*
lane *n* beidr *f*, heolig *f*, hwylfa *f*, lôn *f*, meidr *f*
language *n* iaith *f*
languid* *adj* didaro, di-hid, dihidio, dioglyd
languish *vn* dihoeni, edwino, gwanychu, llesgáu, marweiddio, nychu
languor* *n* blinder *m*, syrthni *m*
lank *adj* hir, llipa
lanky* *adj* heglog
lanolin *n* lanolin *m*
lantern *n* lamp *f*, lantarn *f*, lantern *f*, llusern *m*
lanthanum *n* lanthanwm *m*
Laotian 1. *adj* Laosaidd 2. *n* Laosiad *m*
lap *n* arffed *f*, cofl *f*, côl *f*, glin *m*, hafflau *m*, tro *m*
lapdog ci bach
lapel *n* llabed *f*
lapful *n* coflaid *f*, cowlaid *f*, hafflaid *m*
lapidary *n* lapidari *m*
lapillus GEOLOGY *n* lapilws *m*

Laplander *n* Lapiad *m*

Lapp *adj* Lapaidd

lapse 1. *n* camgymeriad *m*, gwall *m*, llithriad *m*, pall *m* 2. *vn* disgyn, llithro

laptop *n* gliniadur *m*

lapwing *n* cornchwiglen *f*, cornicyll *m*

larch (trees and wood) *n* llarwydd *pl*

lard *n* bloneg *m*, braster *m*, lard *m*

larder *n* bwtri *m*, pantri *m*

large *adj* bras[1], helaeth, maith, mawr

larger *adj* mwy[1]

lariat *n* lasŵ *m*

lark *n* ehedydd *m*

larva *n* cynrhonyn *m*, larfa *m*

laryngitis[1] llid y feudag

laryngitis[2] MEDICINE llid y laryncs

larynx ANATOMY *n* laryncs *m*

lascivious* *adj* anllad, chwantus, nwydwyllt

laser *n* laser *m*

lash 1. *n* chwipiad *m*, fflangelliad *m*, llach *f* 2. *vn* chwipio, fflangellu, leinio, llachio

lass *n* croten *f*, crotes *f*, geneth *f*, hogan *f*, hogen *f*, llances *f*, rhocen *f*, rhoces *f*

lassitude *n* llesgedd *m*, lludded *m*

lasso *n* lasŵ *m*

last 1. *adj* diwethaf, olaf 2. *vn* para

lasting *adj* arhosol, hirhoedlog, parhaol

latch[1] *n* bys *m*, cliced *f*, clicied *f*, lats *f*

latch[2] ELECTRONICS *n* cliced *f*, clicied *f*

late 1. *adj* diweddar, hwyr[1] 2. ar ei hôl hi

latecomer *n* hwyrddyfodiad *m*

lately yn ddiweddar [*diweddar*]

latency *n* cuddni *m*

latent* *adj* cêl[1], cudd, cuddiedig

later 1. *adj* diweddarach, hwyrach[1], pellach[1] 2. *adv* ymhellach

lateral *adj* ochrol

laterality PSYCHOLOGY *n* ochredd *m*

latest *adj* diweddaraf

latex *n* latecs *m*

lath *n* dellten *f*, estyllen *f*

lathe *n* turn *m*

lather 1. *n* ewyn *m*, laddar *m*, trochion *pl*, woblin *m* 2. *vn* seboni, trochioni

Latin *n* Lladin *fm*

Latin-American 1. *adj* Lladin-Americanaidd 2. *n* Lladin-Americanwr *m*

Latinist *n* Lladinwr *m*

latitude *n* lledred *m*, penrhyddid *m*, rhyddid *m*

latitudinal *adj* lledredol

latitudinarianism *n* eang-grededd *m*

lattice[1] *n* dellten *f*, delltwaith *m*, rhwyll *f*

lattice[2] PHYSICS *n* dellten *f*

latticed *adj* rhwyllog

latticework *n* delltwaith *m*

Latvian 1. *adj* Latfiaidd 2. *n* Latfiad *m*

laud *vn* canmol, clodfori, moliannu

laudable *adj* canmoladwy, clodwiw

laugh 1. *n* chwarddiad *m*, chwerthin[2] *m*, chwerthiniad *m* 2. *vn* chwerthin[1]

laughable *adj* chwerthinllyd

laugher *n* chwarddwr *m*, chwerthinwr *m*

laughter *n* chwerthin[2] *m*, chwerthiniad *m*

launch 1. *vn* gyrru'r cwch i'r dŵr, lansio, lawnsio 2. rhoi ar waith [*rhoi*[1]]

launching *n* cychwyniad *m*, lansiad *m*

launderette *n* golchdy *m*, golchfa *f*

laundress *n* golchreg *f*, golchwraig *f*

laundry *n* golch *m*, golchdy *m*, landri *f*

laureate *adj* llawryfog, llawryfol

laurel (trees and wood) *n* llawrwydd *pl*, llawryf *pl*

laurels *n* llawryf *m*

lava GEOLOGY *n* lafa *m*

lavatory lle chwech [*chwech*], tŷ bach

lavender *n* lafant *m*

lavish *adj* dibrin, hael, helaeth

law *n* cyfraith *f*, deddf *f*

lawful *adj* cyfreithlon

lawless *adj* afreolus, digyfraith

lawlessness *n* anghyfraith *f*, anhrefn *f*

lawmaker *n* deddfwr *m*

lawn *n* lawnt *f*

lawrencium *n* lawrenciwm *m*

lawyer *n* cyfreithiwr *m*, twrnai *m*

lax *adj* diofal, esgeulus, llac

laxative *n* carthydd *m*

laxity *n* diofalwch *m*, llacrwydd *m*

lay[1] 1. *adj* lleyg 2. *n* cathl *f*, dyri *f* 3. *vn* dodwy, gosod[1], hulio

lay[2] RELIGION *adj* lleyg

layabout *n* pwdryn *m*, rafin *m*

lay-by cilfach barcio

layer *n* caenen *f*, haen *f*, haenen *f*, trwch *m*

layered *adj* haenog

layman *n* lleygwr *m*

layout 1. *n* cynllun *m*, llunwedd *m* 2. gosodiad y tudalen

laze *vn* diogi[2], ofera, segura

laziness *n* diogi[1] *m*

lazy *adj* diog, dioglyd, pwdr

lazybones *n* pwdryn *m*

lazy-bones *n* diogyn *m*

LCM MATHEMATICS *abbr* LlCLl

lea *n* dôl[1] *f*, gwaun *f*

LEA *abbr* AALl

leach *vn* trwytholchi

lead 1. *n* blaen[1] *m*, lid *f*, plwm[1] *m* 2. *vn* arwain, blaenori, blaenu, dilyn, dwyn, ledio, tywys

leaden *adj* plwm[2]

leader *n* arweinydd *m*, blaenwr *m*, tywyswr *m*, tywysydd *m*

leadership *n* arweiniad *m*, arweinyddiaeth *f*

leading *adj* arweiniol

leaf 1. *n* dalen *f*, deilen *f* 2. *vn* deilio

leaflet¹ *n* taflen *f*
leaflet² BOTANY *n* deiliosen *f*
leafy *adj* deiliog
league *n* cynghrair *f*
leak *vn* diferu, gollwng
leaky *adj* anniddos
lean 1. *adj* main¹, tenau 2. *vn* gogwyddo, pwyso
leanness *n* teneuwch *m*
lean-to *n* pentis *m*, penty *m*
leap 1. *n* llam *m*, naid¹ *f*, sbonc *f*
  2. *vn* crychlamu, dychlamu, llamu, neidio
leaper *n* llamwr *m*, neidiwr *m*
leapfrog llam llyffant
leaping *adj* neidiol
learn *vn* dysgu
learned *adj* dysgedig, gwybodus, hyddysg
learner *n* dysgwr *m*, dysgwraig *f*
learning *n* dysg *f*, ysgolheictod *m*
lease¹ 1. *n* les¹ *f* 2. *vn* lesio, llogi, prydlesu
lease² LAW *n* prydles *f*
leaseholder¹ *n* lesddeiliad *m*
leaseholder² LAW *n* prydleswr *m*
leash *n* cynllyfan *m*, tennyn *m*
least *adj* lleiaf
leather *n* lledr *m*
leave 1. *n* caniatâd *m*, gwyliau *pl*
  2. *vn* gadael, ymadael
leaven 1. *n* eples *m*, lefain *m*, surdoes *m*
  2. *vn* lefeinio
Lebanese 1. *adj* Libanaidd 2. *n* Libaniad *m*
lecherous* *adj* anllad, chwantus
lechery *n* anlladrwydd *m*, chwant *m*,
  trythyllwch *m*
lecithin BIOCHEMISTRY *n* lecithin *m*
lectern *n* darllenfa *f*
lectionary RELIGION *n* llithlyfr *m*
lecture 1. *n* darlith *f* 2. *vn* darlithio
lecturer *n* darlithydd *m*
LED PHYSICS deuod allyrru golau
ledge *n* sgafell *f*, sìl *m*, silff *f*
ledger FINANCE *n* cyfriflyfr *m*
leech *n* gele *f*, gelen *f*
leek *n* cenhinen *f*
leer* *vn* cilwenu
lees *n* gwaddod *m*, sorod *pl*
left 1. *adj* chwith¹ 2. *n* chwith² *m*
left-handed 1. *adj* llawchwith 2. llaw bwt
leftovers *n* gweddillion *pl*, sbarion *pl*
leg *n* coes¹ *f*
legacy *n* cymynrodd *f*, etifeddiaeth *f*, gwaddol *m*
legal *adj* cyfreithiol, cyfreithlon, deddfol
legality *n* cyfreithlondeb *m*
legalize *vn* cyfreithloni
legate *n* cennad¹ *f*, legad *m*, legat *m*
legation *n* llysgenhadaeth *f*
legend *n* arysgrif *f*, arysgrifen *f*, chwedl *f*
legendary *adj* chwedleuol, chwedlonol

leggings *n* bacsau *pl*, legins *pl*
leggy *adj* coesog, heglog
legibility *n* darllenadwyaeth *f*, eglurdeb *m*,
  eglurder *m*
legible *adj* clir, darllenadwy
legion *n* lleng *f*
legionary *adj* llengol
legionnaire *n* llengfilwr *m*
legislate *vn* deddfu
legislation LAW *n* deddfwriaeth *f*
legislative *adj* deddfwriaethol
legislator *n* deddfwr *m*
legitimacy *n* cyfreithlondeb *m*
legitimate¹ *adj* cyfreithlon
legitimate² LAW *adj* cyfreithus
legitimize *vn* cyfreithloni
legume *n* ciblys *m*
legume(s) BOTANY *n* codlys *m*
leguminous *adj* codlysol
leisure *n* hamdden *f*
leisurely 1. *adj* araf, hamddenol
  2. *adv* dow-dow, ling-di-long, linc-di-lonc
lemma BOTANY *n* lema *m*
lemming *n* leming *m*
lemon *n* lemon *m*, lemwn *m*
lemonade *n* lemonêd *m*, lemwnêd *m*
lemur *n* lemur *m*, lemwr *m*
lend *vn* benthyca, benthycio, benthyg³, rhoi
  benthyg [*rhoi¹*]
lender *n* benthyciwr *m*
lending *adj* benthyg¹
lend-lease *n* les-fenthyg *m*
length *n* hyd¹ *m*, meithder *m*, meithni *m*
lengthen *vn* hwyhau, llaesu
lenient *adj* tirion, trugarog
lens *n* lens *m*
Lent RELIGION *n* Grawys *m*
lenticel BOTANY *n* lenticel *m*
lentils *n* ffacbys *pl*
leopard *n* llewpard *m*, llewpart *m*
lepers *n* gwahangleifion *pl*
leprosy MEDICINE *n* gwahanglwyf *m*
leprous MEDICINE *adj* gwahanglwyfus
lepton PHYSICS *n* lepton *m*
leptotene BIOLOGY *n* leptoten *mf*
lesbianism *n* lesbiaeth *f*
lesion¹* *n* niwed *m*
lesion² MEDICINE *n* nam *m*
less 1. *adj* llai¹ 2. *n* minws *m* 3. *prep* llai²
lessen *vn* lladd, lleihau
lesser *adj* llai¹, lleiaf
lesson¹ *n* gwers *f*, moeswers *f*
lesson² RELIGION *n* llith¹ *f*
lest *prep* rhag¹
let *vn* gadael, gosod¹
lethal *adj* angheuol, marwol
lethargic *adj* swrth

lethargy *n* syrthni *m*

letter *n* llythyr *m*, llythyren *f*

letterbox cist lythyr

lettering *n* llythreniad *m*

lettuce *n* letysen *f*

leucocyte PHYSIOLOGY *n* lewcocyt *m*

leukaemia MEDICINE *n* lewcaemia *m*, lewcemia *m*

levee *n* còb[2] *m*, llifglawdd *m*

level 1. *adj* cydwastad, fflat[1], gwastad[1], llyfn 2. *n* gwastad[2] *m*, gwastatir *m*, lefel *f*, safon *f*, uchder *m* 3. *vn* gwastatáu, gwastatu, lefelu, llyfnhau

lever[1] 1. *n* gwif *f*, lifer *m*, trosol *m* 2. *vn* trosoli

lever[2] MECHANICS *n* trosol *m*

leverage *n* trosoledd *m*

leveret *n* lefren *f*

leviathan *n* lefiathan *m*

levity *n* gwamalder *m*, gwamalrwydd *m*, ysgafnder *m*

levy[1] 1. *n* ardoll *f*, treth *f* 2. *vn* codi, gosod[1], tolli

levy[2] FINANCE *n* toll *f*

lewd *adj* anllad, anweddaidd, anweddus, bras[1], brwnt, budr

lexicographer *n* geiriadurwr *m*

lexicographical *adj* geiriadurol

lexicography 1. *n* geiriaduraeth *f* 2. *vn* geiriadura, geiriaduro

lexicon *n* geirfa *f*, geiriadur *m*

ley *n* gwndwn *m*, gwyndwn *m*

leyland *n* gwndwn *m*, gwyndwn *m*, ton[2] *m*

liability[1] LAW *n* atebolrwydd *m*

liability[2] FINANCE *n* rhwymedigaeth *f*

liable *adj* agored, atebol, cyfrifol, tueddol

liaise* *vn* cysylltu

liaison *n* cyswllt *m*, cysylltiad *m*

liana *n* liana *f*

liar *n* celwyddast *f*, celwyddgi *m*, celwyddwr *m*

libation RELIGION *n* diod-offrwm *m*

libel[1] *vn* enllibio, sarhau

libel[2] LAW *n* enllib *m*

libeller *n* enllibiwr *m*

libellous *adj* enllibus

liberal *adj* hael, rhyddfrydig, rhyddfrydol[1], toreithiog

Liberal 1. *adj* Rhyddfrydol[2] 2. *n* Rhyddfrydwr *m*

liberalism *n* rhyddfrydiaeth *f*

Liberalism POLITICS *n* Rhyddfrydiaeth *f*

liberate* *vn* rhyddhau

liberated *adj* rhydd[1]

liberating *adj* rhyddhaol

liberation *n* gwaredigaeth *f*, rhyddhad *m*

liberator *n* gwaredwr *m*, rhyddhawr *m*

Liberian 1. *adj* Liberiaidd 2. *n* Liberiad *m*

libertarian *n* rhyddewyllysiwr *m*

libertarianism POLITICS *n* rhyddewyllysiaeth *f*

liberty *n* rhyddid *m*

libido *n* libido *m*

librarian *n* llyfrgellydd *m*

librarianship *n* llyfrgellyddiaeth *f*

library *n* llyfrfa *f*, llyfrgell *f*

libration ASTRONOMY *n* mantoliad *m*

librettist *n* libretydd *m*

Libyan 1. *adj* Libiaidd 2. *n* Libiad *m*

lice* *n* llau *pl*

licence *n* caniatâd *m*, penrhyddid *m*, trwydded *f*

license *vn* trwyddedu

licensed *adj* trwyddedig

licenser *n* trwyddedwr *m*

lichen *n* cen *m*

lick 1. *n* llyfiad *m* 2. *vn* lluo, llyfu, llyo

lid *n* caead[1] *m*, clawr *m*, gorchudd *m*

lie 1. *n* anwiredd *m*, celwydd *m*, gorweddiad *m*, stori *f* 2. *vn* dweud anwiredd [*anwiredd*], dweud celwydd(au) [*celwydd*], eistedd[1], gorwedd

Liechtensteiner *n* Liechtensteiniad *m*

Liechtenstinian *adj* Liechtensteinaidd

lien LAW *n* hawlrwym *m*

lieutenant *n* is-gapten *m*, lifftenant *m*, rhaglaw *m*

lieutenant-general *n* is-gadfridog *m*

life *n* buchedd *f*, byd *m*, bywyd *m*, einioes *f*, oes[1] *f*

lifeboat bad achub [*bad*[1]]

life-cycle BIOLOGY cylchred bywyd

lifeless *adj* difywyd, marw[2], marwaidd

lifetime *n* bywyd *m*, einioes *f*, hoedl *f*, oes[1] *f*

lift[1] 1. *n* codiad *m*, llfft *m*, pàs[2] *f* 2. *vn* codi, cwnnu, dyrchafu, tynnu, ymgodi

lift[2] PHYSICS *n* codiant *m*

lifter *n* codwr *m*

ligament ANATOMY *n* gewyn *m*, giewyn *m*

ligamentous ANATOMY *adj* gewynnol

light 1. *adj* distaw, golau[2], ysgafn 2. *n* golau[1] *m*, goleuni *m*, gwawl *m* 3. *vn* cynnau, ennyn, goleuo, tanio

lighten *vn* goleuo, ysgafnhau, ysgafnu

light-fingered llaw flewog

light-headed *adj* penfeddw, pensyfrdan, penysgafn

lighthouse *n* goleudy *m*

lightness *n* ysgafnder *m*

lightning[1] *n* lluched *f & pl*

lightning[2] METEOROLOGY *n* mellt *pl*

lightship 1. *n* goleulong *f* 2. llong olau

ligneous *adj* lignaidd

lignify *vn* ligneiddio

lignin BOTANY *n* lignin *m*

lignite[1] *n* coedlo *m*

lignite[2] GEOLOGY *n* lignit *m*

like 1. *adj* cyffelyb, tebyg[1], unwedd 2. *num* ail[1] 3. *prep* fel[1], megis[2] 4. *vn* bod yn hoff o [*hoff*], dymuno, hidio, hoffi, leicio

likeable *adj* annwyl, dymunol, hoffus

likelihood *n* tebyg[2] *m*, tebygolrwydd *m*

likely *adj* tebygol

liken *vn* cymharu, tebygu

likeness *n* llun[1] *m*, tebygrwydd *m*
likewise *adv* felly, hefyd
liking *n* hoffter *m*
lilac (trees and wood) *n* lelog *m*
lilt* *n* goslef *f*
lily *n* lili *f*
limb[1] *n* aelod *m*
limb[2] GEOLOGY *n* ystlys *f*
lime[1] 1. *n* calch *m*, leim *mf* 2. *vn* calchu
lime[2] (trees and wood) *n* palalwyf *pl*, pisgwydd *pl*
limerick *n* limrig *m*
limestone[1] *n* calchen *f*
limestone[2] GEOLOGY *n* calchfaen *m*
liminal PSYCHOLOGY *adj* trothwyol
limit[1] 1. *n* cyfyngiad *m*, eithaf[2] *m*, pall *m*, terfyn *m*
   2. *vn* cyfyngu 3. pen draw [*draw*]
limit[2] MATHEMATICS *n* terfan *f*
limited *adj* cyfyng[1], cyfyngedig, prin[1]
limiting *adj* cyfyngol
limitless *adj* annherfynol, di-ben-draw,
   diderfyn, diddiwedd
limnology *n* llynneg *f*
limonite *n* limonit *m*
limousine *n* limwsîn *mf*
limp 1. *adj* llibin, llipa 2. *n* cloffni *m*, herc *f*
   3. *vn* cloffi, clunhercian, hercian
limpet 1. *n* brenigen *f* 2. llygad maharen
   [*maharen*]
limpid *adj* clir, tryloyw
limping *adj* cloff[1], cymhercyn[2], herciog
linchpin *n* limpin *m*
linden (trees and wood) *n* palalwyf *pl*, pisgwydd *pl*
line[1] 1. *n* lein *f*, llinell *f*, llinyn *m*, tennyn *m*
   2. *vn* leinio
line[2] MUSIC *n* llais *m*
lineage *n* ach[1] *f*, achres *f*, brenhinlin *f*,
   brenhinllin *f*, cyff *m*, gwehelyth *mf*,
   llinach *f*, tras *f*
lineament GEOLOGY *n* llinelliad *m*
linear *adj* llinol
linearity *adv* llinoledd
lineation *n* llinelliad *m*
lined *adj* llinellog, llinellol, rhesog
linen *n* lliain *m*
line-out *n* lein *f*
liner *n* leinar *f*, leiner *f*
linesman *n* llinellwr *m*, llumanwr *m*, ystlyswr *m*
ling *n* grug[1] *m*, honos *m*
linger *vn* loetran, oedi, tin-droi
linguist *n* ieithydd *m*
linguistic *adj* ieithyddol
linguistics *n* ieithyddiaeth *f*
lining *n* leinin *m*
link 1. *n* cyswllt *m*, cysylltiad *m*, dolen *f*
   2. *vn* cysylltu
linkage *n* cysylltedd *m*
linked *adj* cadwynol, cysylltiedig

linking *n* cysylltiad *m*
linnet *n* llinos *f*
lino *n* leino *m*
linoleum *n* linoliwm *m*
linseed had llin
lint *n* lint *m*
lintel 1. *n* lintel *f*, linter *f* 2. capan drws
lion *n* llew *m*
lioness *n* llewes *f*
lip *n* gwefl *f*, gwefus *f*, min *m*
lipase BIOCHEMISTRY *n* lipas *m*
lipid CHEMISTRY *n* lipid *m*
liposuction MEDICINE 1. *n* liposugnedd *m*
   2. *vn* liposugno
lipstick *n* minlliw *m*
liquefaction *n* hylifiad *m*, hylifiant *m*, toddiant *m*
liquefiable *adj* hylifadwy
liquefied *adj* hylifedig
liquefy *vn* hylifo
liqueur *n* gwirodlyn *m*
liquid[1] 1. *adj* gwlyb, hylifol
   2. *n* gwlybwr *m*, hylif *m*
liquid[2] FINANCE *adj* hylifol
liquidate ECONOMICS *vn* datodi
liquidation ECONOMICS *n* datodiad *m*
liquidity FINANCE *n* hylifedd *m*
liquidize *vn* hylifo
liquidizer *n* hylifydd *m*
liquor 1. *n* gwirod *m* 2. diod gadarn
liquorice *n* licris *m*
lisp *vn* lisbian, lisbio
list 1. *n* cyfres *f*, rhestr *f* 2. *vn* gogwyddo, rhestru
listed *adj* rhestredig
listen *vn* gwrando
listener *n* gwrandawr *m*
listless *adj* di-awch, diegni, di-ffrwt, digychwyn,
   di-hwb, diynni, marwaidd
listlessness *n* syrthni *m*
lit *adj* cynn
litany *n* litani *f*
literacy *n* llythrennedd *m*
literal *adj* llythrennol
literary *adj* llenyddol
literate *adj* llythrennog
literature *n* llên *f*, llenyddiaeth *f*
lithe* *adj* heini, hyblyg, sionc, ystwyth
lithium *n* lithiwm *m*
lithograph *n* lithograff *m*
lithography *n* lithograffeg *f*
lithology GEOLOGY *n* litholeg *f*
lithosphere GEOLOGY *n* lithosffer *m*
Lithuanian 1. *adj* Lithwanaidd 2. *n* Lithwaniad *m*
litigant LAW *n* ymgyfreithiwr *m*
litigate[1] *vn* cyfreitha
litigate[2] LAW *vn* ymgyfreitha
litigation* *vn* cyfreitha, ymgyfreitha
litigious *adj* cyfreithgar, cynhennus

litigiousness *n* cyfreithgarwch *m*
litmus CHEMISTRY *n* litmws *m*
litre *n* litr *m*
litter *n* gwasarn *m*, llaesodr *f*, sbwriel *m*, tor[1] *f*,
 torllwyth *f*, torraid *f*
little 1. *adj* bychan[1], mân, mawr, ychydig[2]
 2. *adv* ychydig[3] 3. *n* tipyn *m*
liturgical *adj* litwrgïaidd
liturgy RELIGION *n* litwrgi *m*
live 1. *adj* byw[2] 2. *vn* byw[1], preswylio, ymgartrefu
livelihood *n* bywoliaeth *f*, cynhaliaeth *f*
liveliness *n* sioncrwydd *m*
lively *adj* byw[2], bywiog, bywiol, fflons, fflonsh,
 gwisgi, hoenus, hoyw, nwyfus
liver *n* afu *m*, iau[2] *m*
livery *n* gwisg *f*, lifrai *m*
livestock 1. *n* stoc *f* 2. da byw [*da*[3]]
livid *adj* candryll
living *n* bywoliaeth *f*
lizard *n* genau-goeg *m*, madfall *f*
llama *n* lama[1] *m*
loach *n* gwrachen *f*
load 1. *n* bagad *m*, baich *m*, llwyth[1] *m*, pwn *m*
 2. *vn* llwytho
loader *n* llwythwr *m*
loaf 1. *n* torth *f* 2. *vn* diogi[2]
loam *n* lom *f*, priddglai *m*
loan 1. *n* benthyciad *m*, benthyg[2] *m*
 2. *vn* benthyca, benthycio, benthyg[3], rhoi
 benthyg [*rhoi*[1]]
loathe *vn* casáu, ffieiddio
loathing *n* atgasedd *m*, atgasrwydd *m*, casineb *m*,
 ffieidd-dod *m*, ffieidd-dra *m*
loathsome *adj* anghynnes, atgas, ffiaidd
lob *vn* lobio, lluchio, taflu
lobby 1. *n* cyntedd *m*, lobi *f*, porth[1] *m* 2. *vn* lobïo
lobbyist *n* lobïwr *m*
lobe ANATOMY *n* llabed *f*
lobed *adj* llabedog
lobelia *n* bidoglys *m*
lobscouse *n* lobsgows *m*
lobster *n* cimwch *m*
lobule *n* llabeden *f*, llabedyn *m*
local *adj* lleol
locality *n* ardal *f*, bro *f*, cymdogaeth *f*
localized *adj* lleol, lleoledig
locals *n* ardalwyr *pl*
locate *vn* lleoli
location *n* lle[1] *m*, lleoliad *m*, mangre *f*, safle *m*
loch* *n* llyn *m*
lock 1. *n* clo *m*, cudyn *m*, loc *m*, llifddor *f*
 2. *vn* cloi[1]
lockable *adj* cloadwy
locked 1. *adj* cloëdig, cloiedig
 2. ar glo [*clo*], yng nghlo [*clo*]
locker *n* cloer *m*, locer *m*
locket *n* loced *f*

lock-gate *n* llidiart *m*, llifddor *f*
locking *n* cload *m*
lockjaw *n* genglo *m*
lock-up *n* carchar *m*, carchardy *m*, dalfa *f*, jêl *f*,
 rheinws *m*
locomotion *n* ymsymudiad *m*
locomotive 1. *n* locomotif *m* 2. injan drên
locum *n* locwm *m*
locus *n* locws *m*
locust *n* locust *m*
lodestone *n* tynfaen *m*
lodge 1. *n* cando *m*, cyfrinfa *f*
 2. *vn* lojio, lojo, lletya
lodger *n* lojer *m*, lletywr *m*
lodging *n* llety *m*, lletyaeth *f*
loft *n* atig *f*, croglofft *f*, goruwchystafell *f*,
 nenlofft *f*, taflod *f*
log 1. *n* boncyff *m*, lòg *m*, plocyn *m*
 2. *vn* cofnodi, logio
logarithm MATHEMATICS *n* logarithm *m*
logarithmic MATHEMATICS *adj* logarithmig
logbook *n* dyddlyfr *m*, lòg *m*
logic *n* rhesymeg *f*
logical *adj* rhesymegol
logician *n* rhesymegwr *m*, rhesymegydd *m*
logistics *n* logisteg *f*
logogram *n* logogram *m*
loin *n* lwyn *f*
loiter *vn* loetran, sefyllian, ymdroi
loll *vn* diogi[2], gorweddian, lled-orwedd
Lollard *n* Lolard *m*
lollipop *n* lolipop *m*
Londoner *n* Llundeiniwr *m*, Llundeinwraig *f*
lone *adj* anghyfannedd, unig
loneliness *n* unigedd *m*, unigrwydd *m*
lonely *adj* anghyfannedd, unig
long 1. *adj* hir, llaes, maith, mawr 2. *adv* hen[2]
 3. *vn* chwennych, chwenychu, dyheu, hiraethu
 4. o hyd/ar ei hyd [*hyd*[1]]
long-eared *adj* hirglust
longer *adj* mwy[1]
longevity *n* hirhoedl *m*, hirhoedledd *m*, hiroes *f*
longing *n* blys *m*, dyhead *m*, hiraeth *m*
longitude *n* hydred *m*
longitudinal *adj* hydredol
long-lasting *adj* hirbarhaol, hirhoedlog
long-legged *adj* heglog, hirheglog
long-lived *adj* hirhoedlog
long-suffering *adj* dioddefgar, goddefgar,
 hirymarhous
long-term 1. *adj* hirdymor 2. tymor hir
long-winded *adj* amleiriog, hirfaith, hirwyntog
look 1. *n* cip *m*, edrychiad *m*, golwg[1] *m*,
 golwg[2] *f*, gwedd[1] *f*, trem *f*
 2. *vn* disgwyl, edrych, sbio, tremio, tremu
looking-glass *n* drych *m*
look-out *n* disgwylfa *f*, gwylfa *f*, gwylfan *f*

loom *n* gwŷdd¹ *m*

loop *n* dolen *f*

loophole¹ *n* bwlch *m*, cloerdwll *m*, dihangfa *f*

loophole² ARCHITECTURE *n* saethdwll *m*

loose *adj* llac, llaes, penrhydd, rhydd¹

loosen *vn* datglymu, datod, llacio, llaesu, rhyddhau

loosestrife *n* trewyn *m*

loot 1. *n* ysbail *f* 2. *vn* anrheithio, ysbeilio

lop *vn* brigdorri, tocio

lope *vn* brasgamu

lop-eared *adj* clustlipa

lopsided *adj* gwyrgam, unochrog

loquacious *adj* huawdl, parablus, siaradus

loquacity *n* huodledd *m*

lord *n* arglwydd *m*, Iôn *m*, Iôr *m*, pendefig *m*

Lord *n* naf *m*

lordly *adj* arglwyddaidd, penuchel

lordship *n* arglwyddiaeth *f*

lorry *n* lorri *f*

lose *vn* colli

loser *n* colledwr *m*, collwr *m*

loss *n* coll² *m*, colled *f*

lossless COMPUTING *adj* digolled

lossy COMPUTING *adj* colledus

lost 1. *adj* coll¹, colledig 2. ar goll

lot 1. *adv* llawer² 2. *n* coelbren *m*, cyfran *f*, ffawd *f*, llaweredd *m*, rhan¹ *f*, tynged *f* 3. *pronoun* llawer¹

loth* *adj* cyndyn

lotion *n* eli *m*, golchdrwyth *m*, trwyth *m*

lottery *n* hapchwarae¹ *m*, loteri *f*

loud 1. *adj* croch, cryf, swnllyd, uchel 2. uchel fy (dy, ei, etc.) nghloch [*cloch*]

loud-mouthed *adj* cegog

loudness *n* cryfder *m*, uchder *m*

loudspeaker *n* darseinydd *m*, seinydd *m*, uchelseinydd *m*

lounge 1. *n* lolfa *f* 2. *vn* gorweddian, lolian

louse *n* lleuen *f*, torogen *f*, trogen *f*

lousewort *n* melog y cŵn *m*

lousy *adj* gwael¹, lleuog, truenus

lout *n* hwlcyn *m*, lleban *m*

louvre *n* lwfer *m*

lovable *adj* annwyl, hawddgar, hoffus, serchog, serchus

love 1. *n* anwylyd *mf*, cariad¹ *m*, cariad² *m*, cyw *m*, serch¹ *m* 2. *vn* caru, dwlu

lovely *adj* bendigedig, hyfryd

lover *n* cariad² *m*, cariadfab *m*, cariadferch *f*, carwr *m*

love-sick claf o gariad [*claf*²]

love-spoon llwy serch/garu

loving *adj* cariadus, serchog, serchus

loving-kindness *n* caredigrwydd *m*, trugarogrwydd *m*

low¹ 1. *adj* isel 2. *n* bref *f*, brefiad *f* 3. *vn* brefu

low² MUSIC *adj* isel

low-brow *adj* isel-ael

lower 1. *prep* is² 2. *vn* gostwng, iselhau

lowering *n* iselhad *m*

low-grade GEOLOGY *adj* iselradd

lowland(s) *n* iseldir *m*

lowliness *n* gostyngeiddrwydd *m*, gwyleidd-dra *m*, iseldra *m*

lowly *adj* gostyngedig

lowness PSYCHIATRY *n* iselder *m*

loxodrome *n* locsodrom *m*

loyal *adj* ffyddlon, teyrngar, triw

loyalty *n* cywirdeb *m*, ffyddlondeb *m*, gwrogaeth *f*, teyrngarwch *m*

Ltd. *abbr* Cyf.

lubricant *n* iraid *m*

lubricate *vn* iro

lubrication *n* iriad *m*

luck *n* hap *f*, lwc *f*

luckily drwy lwc [*lwc*], wrth lwc [*lwc*]

luckless *adj* anffodus, anlwcus

lucky *adj* ffodus, lwcus

lucrative *adj* proffidiol

Luddism *n* Ludiaeth *f*

ludicrous *adj* chwerthinllyd, hurt

ludo *n* liwdo *m*

lug *vn* halian, halio, helcyd, llusgo, tynnu

lugubrious* *adj* digalon, prudd

lugworm *n* lwgen *f*

lukewarm *adj* claear, difater, llugoer

lull 1. *n* gosteg *m*, saib *m*, seibiant *m* 2. *vn* gostegu, lleddfu, suo

lullaby¹ *n* hwiangerdd *f*

lullaby² MUSIC *n* suo-gân *f*

lumbago¹ cryd y lwynau

lumbago² MEDICINE *n* lymbego *m*

lumbar ANATOMY *adj* meingefnol

lumber *vn* coetmona

lumberjack *n* coetmon *m*, cymynwr *m*

lumen ANATOMY, PHYSICS *n* lwmen *m*

luminescence *n* ymoleuedd *m*

luminosity¹ *n* disgleirdeb *m*, disgleirder *m*, goleuedd *m*

luminosity² ASTRONOMY *n* goleuedd *m*

luminous *adj* disglair, golau², goleuol

lump *n* cilcyn *m*, clap *m*, clobyn *m*, cnap *m*, cnepyn *m*, lwmp *m*, lwmpyn *m*, talp *m*, talpyn *m*, telpyn *m*

lumpy *adj* clapiog, clonciog, talpiog

lunacy *n* colled *f*, gorffwylledd *m*, gorffwylltra *m*, gwallgofrwydd *m*, lloerigrwydd *m*, ynfydrwydd *m*

lunar *adj* lloerol

lunatic *n* gwallgofddyn *m*

lunch 1. *n* cinio *m* 2. *vn* ciniawa

lunge 1. *n* hwrdd *m*, rhagwth *m* 2. *vn* rhagwthio, rhuthro

lungs ANATOMY *n* ysgyfaint *pl*

lupin bysedd blaidd y gerddi
lurch *vn* gwegian, rhoncian
lure 1. *n* abwyd *m*, abwydyn *m*, atyniad *m*, swyn *m* 2. *vn* denu, hudo, llithio, swyno
lurex NEEDLEWORK *n* lwrecs *m*
lurid* *adj* erchyll
lurk *vn* llechu, llercian, sgwlcan
lurker *n* llechwr *m*, llerciwr *m*, stelciwr *m*
lush 1. *adj* ffrwythlon, toreithiog 2. *n* gwyrddlas[1] *m*
lust 1. *n* bariaeth *mf*, blys *m*, chwant *m*, chwenychiad *m*, gwanc *m* 2. *vn* blysio, chwennych, chwenychu, trachwantu
lustful *adj* blysgar, blysig, chwantus
lustrate *vn* purolchi
lustre *n* gloywedd *m*, llathredd *m*
lustrous* *adj* gloyw, llathraidd
lusty *adj* cryf, lysti
lute *n* liwt *f*
lutetium *n* lwtetiwm *m*
Lutherian RELIGION *adj* Lutheraidd
lux PHYSICS *n* lwcs *m*
Luxembourger *n* Lwcsembwrgiad *m*
luxuriant *adj* hydwf, tirf, toreithiog
luxurious *adj* moethus
luxury *n* moeth *m*, moethusrwydd *m*
lycra NEEDLEWORK *n* lycra *m*
lying *adj* celwyddog
lymph[1] *n* gwaedlyn *m*
lymph[2] PHYSIOLOGY *n* lymff *m*
lymphatic PHYSIOLOGY 1. *adj* lymffatig[1] 2. *n* lymffatig[2] *m*
lymphocyte PHYSIOLOGY *n* lymffocyt *m*
lynchet *n* glaslain *f*
lynx *n* lyncs *m*
lyre MUSIC *n* lyra *f*
lyric *n* cân[1] *f*, dyri *f*, telyneg *f*
lyrical *adj* telynegol
lyricist *n* caniedydd *m*
lyric-poet *n* telynegwr *m*
lysis BIOLOGY *n* lysis *m*
lysogenic BIOCHEMISTRY *adj* lysogenig
lysosome BIOLOGY *n* lysosom *m*
lysozyme BIOCHEMISTRY *n* lysosym *m*

m

m MUSIC *n* mi[3] *m*
macaroni COOKERY *n* macaroni *m*
macaronic *adj* macaronaidd
macaroon COOKERY *n* macarŵn *m*
mace *n* brysgyll *m*, byrllysg *m*
Macedonian 1. *adj* Macedonaidd 2. *n* Macedoniad *m*
macerate* *vn* mwydo
Mach PHYSICS *n* Mach *m*
Machiavellian *adj* Maciafelaidd

machination* *n* cynllwyn *m*
machine *n* peiriant *m*
machinery *n* peirianwaith *m*
mackerel *n* macrell *m*
mackintosh cot law [cot[1]]
macro COMPUTING *n* macro *m*
macro- *pref* macro-
macrobiotic *adj* macrobiotig
macro-climate METEOROLOGY *n* macrohinsawdd *f*
macrocosm *n* macrocosm *m*
macroeconomic *adj* macro-economaidd
macro-economics *n* macro-economeg *f*
macronutrient BIOLOGY *n* macrofaethyn *m*
macrophage PHYSIOLOGY *n* macroffag *m*
macula ANATOMY *n* macwla *m*
mad *adj* crac[3], gorffwyll, gwallgof, penwan
Madagascan 1. *adj* Madagasgaidd 2. *n* Madagasgiad *m*
madam *n* madam *f*
madden *vn* cynddeiriogi
madder *n* gwreiddrudd *f*
madhouse *n* gwallgofdy *m*
madman *n* gwallgofddyn *m*
madness *n* amhwylledd *m*, colled *f*, gwallgofrwydd *m*, ynfydrwydd *m*
madrigal MUSIC *n* madrigal *f*
maelstrom *n* trobwll *m*
magazine *n* cylchgrawn *m*
magenta *adj* magenta
maggot *n* cynrhonyn *m*, euddonyn *m*
maggot-ridden *adj* cynrhonllyd, pryfedog
magic 1. *adj* hud[2] 2. *n* hud[1] *m*, hudoliaeth *f*, lledrith *f*
magical *adj* cyfareddol, dewiniol, hudol, hudolus, rhiniol
magician *n* swynwr *m*, swynwraig *f*
magisterial *adj* meistrolgar
magistracy *n* ynadaeth *f*
magistrate LAW *n* ustus *m*, ynad *m*
magma GEOLOGY *n* magma *m*
Magna Carta y Siarter/Freinlen Fawr [siarter]
magnanimity *n* eangfrydedd *m*, mawrfrydedd *m*, mawrfrydigrwydd *m*
magnanimous *adj* eangfrydig, hael, helaeth, mawrfrydig
magnesium *n* magnesiwm *m*
magnet *n* magnet *m*
magnetic *adj* magnetig
magnetism *n* magnetedd *m*, magneteg *f*
magnetite *n* magnetit *m*
magnetization *n* magneteiddiad *m*
magnetize *vn* magneteiddio
magneto *n* magneto *m*
magnetometer *n* magnetomedr *m*
magnification *n* chwyddhad *m*
magnificence *n* godidowgrwydd *m*, gwychder *m*
magnificent *adj* godidog, gorwych, gwych

magnify *vn* chwyddhau

magnifying *adj* mwyhaol

magnitude ASTRONOMY, GEOLOGY *n* maintioli *m*

magnolia *n* magnolia *m & pl*

magpie *n* pioden *f*

mahogany *n* mahogani *m*

maid *n* gwasanaethferch *f*, gweinyddes *f*, merchetan *f*, morwyn *f*

maiden 1. *adj* morwynaidd, morwynol 2. *n* bun *f*, gwyry *f*, gwyryf *f*, rhiain *f*

maidservant *n* gwasanaethferch *f*, llawforwyn *f*

mail *n* post[1] *m*

maim *vn* andwyo

main 1. *adj* prif 2. *n* dyfnfor *m*, gweilgi *f*

mainland tir mawr

maintain *vn* cynnal, dal, dala, honni, maentumio

maintenance 1. *n* arofal *m*, cynhaliad[1] *m*, cynhaliaeth *f*, cynheiliad *m* 2. cynnal a chadw

maize *n* corn[2] *m*, indrawn *m*

majestic *adj* aruchel

majesty *n* arucheledd *m*, mawrhydi *m*

major[1] 1. *adj* prif 2. *n* uwch-gapten *m*

major[2] MUSIC *adj* llon, mwyaf[1]

majority[1] 1. *adj* mwyafrifol 2. *n* mwyafrif *m*

majority[2] LAW *n* oedolaeth *f*

make 1. *n* gwneuthuriad *m* 2. *vn* cadw[1], creu, cyweirio, gorfodi, gwneud[1], gwneuthur

maker *n* gwneuthurwr *m*, lluniwr *m*

make-up *n* colur *m*

malabsorbtion MEDICINE *n* camamsugniad *m*

maladjustment *n* camaddasiad *m*

maladminister *vn* camweinyddu

maladministration *n* camweinyddiad *m*

malady* *n* anhwyldeb *m*

malaise* *n* anhwyldeb *m*

malaria[1] *n* deirton *f*

malaria[2] MEDICINE *n* malaria *m*

Malawian 1. *adj* Malawaidd 2. *n* Malawiad *m*

Malaysian 1. *adj* Maleisaidd 2. *n* Maleisiad *m*

Maldivian 1. *adj* Maldifaidd 2. *n* Maldifiad *m*

male 1. *adj* gwryw[2], gwrywol 2. *n* gwryw[1] *m*

malefactor* *n* drwgweithredwr *m*

maleness *n* gwrywdod *m*, gwrywedd *m*

malevolence *n* malais *m*, mileindra *m*

malevolent *adj* drygnaws, maleisus

malformation *n* camffurfiad *m*

malfunction 1. *n* diffyg *m* 2. *vn* camweithio

Malian 1. *adj* Malïaidd 2. *n* Malïad *m*

malice *n* gwenwyn *m*, malais *m*

malicious *adj* maleisus

malign 1. *adj* milain, mileinig 2. *vn* pardduo

malignancy MEDICINE *n* malaenedd *m*

malignant MEDICINE *adj* malaen

maligner *n* parddüwr *m*

malleability *n* hydrinedd *m*

malleable[1] *adj* curadwy, hydrin, morthwyliadwy

malleable[2] METALLURGY *adj* gorddadwy

mallet gordd bren

mallow *n* hocysen *f*

malnutrition 1. *n* camfaethiad *m* 2. diffyg maeth

malpractice *n* camymddygiad *m*

malt *n* brag *m*

Maltese 1. *adj* Maltaidd, Melitaidd 2. *n* Melitiad *m*

Malthusianism *n* Malthwsiaeth *f*

maltose CHEMISTRY *n* maltos *m*

maltreat *vn* cam-drin

mammal ZOOLOGY *n* mamolyn *m*

Mammalia ZOOLOGY *n* mamolion *pl*

Mammon *n* Mamon *m*

mammoth *n* mamoth *m*

man *n* dyn *m*, gŵr *m*

manacle* *n* gefyn *m*

manage *vn* gweinyddu, rhedeg, rheoli, ymdopi

manageable *adj* hydrin, hylaw

management 1. *n* rheolaeth *f* 2. *vn* rheoli

manager *n* rheolwr *m*

managerial *adj* rheolaethol

mandarin *n* mandarin[1] *m*

Mandarin *n* Mandarin[2] *fm*

mandate *n* mandad *m*

mandatory *adj* gorfodol

mandible ZOOLOGY *n* mandibl *m*

mandolin *n* mandolin *m*

mandrel *n* mandrel *m*

mane *n* mwng *m*

manful* *adj* gwrol

manfulness* *n* gwrhydri *m*

manganese *n* manganîs *m*

mange *n* clafr *m*, clafri *m*, clefri *m*

manger *n* crats *m*, cratsh *m*, mansier *m*, preseb *m*

mangle *n* mangl *m*

mangler *n* llurguniwr *m*

mango *n* mango *m*

mangrove *n* mangrof *m*

mangy *adj* clafrllyd, crachlyd

manhood *n* dyndod *m*

mania[1] *n* gorawydd *m*

mania[2] PSYCHIATRY *n* mania *m*

maniac *n* gwallgofddyn *m*

manic *adj* manig

manifest 1. *adj* amlwg 2. *vn* datguddio

manifestation *n* amlygiad *m*

manifesto *n* maniffesto *m*

manifold *n* maniffold *m*

manikin *n* dynan *m*

manipulate[1] *vn* trin[1]

manipulate[2] MEDICINE *vn* llawdrin

manipulative *adj* llawdriniol

mankind *n* dynoliaeth *f*, dynolryw *f*, dynol-ryw *f*

manliness* *n* gwroldeb *m*, gwrolder *m*

manly *adj* dynol, gŵraidd

manna *n* manna *m*

mannequin *n* manecwin *f*

manner *n* dull *m*

Mannerism ART *n* Darddulliaeth *f*

mannerist ART 1. *adj* darddullaidd
2. *n* darddullwr *m*

mannerly *adj* boneddigaidd

manners *n* moesau *pl*, ymddygiad *m*

manoeuvrability *n* hydrinedd *m*

manoeuvrable *adj* symudadwy

manoeuvre *n* cad-drefniad *m*

manometer *n* manomedr *m*

manor *n* maenol *f*, maenor *f*, maenordy *m*

manse *n* mans *m*

manservant *n* gwas *m*

mansion *n* cwrt *m*, plas *m*, plasty *m*

manslaughter LAW *n* dynladdiad *m*

manta *n* manta *m*

mantelpiece silff-ben-tân

mantis *n* mantis *m*

mantissa COMPUTING, MATHEMATICS *n* mantisa *m*

mantle[1] *n* coban *f*, hugan[1] *f*, huling *f*, mantell *f*

mantle[2] GEOLOGY *n* mantell *f*

mantra *n* mantra *m*

manual[1] *n* llawlyfr *m*

manual[2] MUSIC *n* seinglawr *m*

manufacture *vn* cynhyrchu, gweithgynhyrchu

manufacturer *n* gweithgynhyrchydd *m*,
gwneuthurwr *m*

manufacturing* *vn* gweithgynhyrchu

manure 1. *n* achles *m*, gwrtaith *m*, tail *m*, tom *f*
2. *vn* gwrteithio, teilo

manuring *n* gwrteithiad *m*

manus ZOOLOGY *n* manws *m*

manuscript *n* llawysgrif *f*

Manx 1. *adj* Manawaidd 2. *n* Manaweg *fm*

Manxman *n* Manawiad *m*

Manxwoman *n* Manawes *f*

many 1. *adj* aml[1], sawl[2] 2. *pronoun* llawer[1]

many-sided *adj* amlochrog

Maori 1. *adj* Maorïaidd 2. *n* Maori *m*

map 1. *n* map *m* 2. *vn* mapio

maple (trees and wood) *n* masarn *pl*

mar *vn* sbwylio

marathon *n* marathon *f*

maraud* *vn* ysbeilio

marauder* *n* ysbeiliwr *m*

marble 1. *n* ali *f*, marblen *f*, marmor *m*
2. *vn* marmori

march[1] 1. *n* gorymdaith *f*, ymdaith *f*
2. *vn* gorymdeithio, ymdeithio

march[2] MUSIC *n* rhyfelgyrch *m*, ymdeithgan *f*

March 1. *n* Mawrth[2] *m* 2. mis Mawrth [*Mawrth*[2]]

marcher *n* gorymdeithiwr *m*

Marches y Gororau [*goror*]

marchioness *n* ardalyddes *f*

mare *n* caseg *f*

margarine *n* margarîn *m*

margin 1. *n* glandir *m* 2. ymyl y ddalen

marginal *adj* ymylol

marigold *n* gold Mair *m*

marijuana *n* mariwana *m*

marina *n* marina *m*

marinate COOKERY *vn* marinadu

marine 1. *adj* arforol, morol[2], morwrol
2. *n* môr-filwr *m*

mariner *n* llongwr *m*, morwr *m*

marionette *n* marionét *m*, pyped *m*

marital *adj* priodasol

maritime *adj* arforol, morol[2]

marjoram *n* mintys y creigiau *m*

mark 1. *n* man[2] *m*, marc *m*, nod[1] *m*, ôl[1] *m*,
staen *m* 2. *vn* marcio, nodi

marker *n* marciwr *m*

market 1. *n* ffair *f*, marchnad *f* 2. *vn* marchnata

marketable *adj* gwerthadwy, marchnadol,
marchnadwy

marketing *vn* marchnata

marketplace *n* marchnadfa *f*

mark out *vn* marcio

marksman *n* saethwr *m*

marksmanship *n* saethyddiaeth *f*

marl 1. *n* marl *m* 2. *vn* marlio

marlin *n* marlin *m*

marly *adj* marlog

marmalade *n* marmalêd *m*

maroon 1. *n* marŵn[1] *m* 2. *vn* ynysu

marquee *n* pabell *f*

marquetry CARPENTRY *n* argaenwaith *m*

marquis *n* ardalydd *m*, marcwis *m*

marriagable *adj* priodadwy

marriage *n* priodas *f*

married *adj* priod[2]

marrow[1] *n* pwmpen *f*

marrow[2] ANATOMY *n* mêr *m*

marry *vn* priodi

Mars ASTRONOMY *n* Mawrth[3] *m*

marsh *n* cors[1] *f*, mignen *f*, siglen[1] *f*

marshal *n* marsial *m*

marshland *n* morlan *f*

marshy *adj* corsiog, corslyd

marsupial ZOOLOGY *adj* bolgodog[1]

Marsupialia ZOOLOGY *n* bolgodogion *pl*

marsupium ZOOLOGY *n* bolgod *m*

mart *n* mart *m*

martensite METALLURGY *n* martensit *m*

martial *adj* milwraidd, milwrol

martyr 1. *n* merthyr *m* 2. *vn* merthyru

martyrdom *n* merthyrdod *m*

martyred *adj* merthyredig

martyrology RELIGION *n* merthyroleg *m*

marvel *n* rhyfeddod *m*

marvellous *adj* arbennig, rhyfeddol

Marxism *n* Marcsaeth *f*

Marxist 1. *adj* Marcsaidd 2. *n* Marcsydd *m*

marzipan *n* marsipán *m*

masculine *adj* gwrywaidd

masculinity *n* gwrywdod *m*, gwrywedd *m*

mash 1. *n* lwts *f*, llith² *m*, mwtrin *m*, stwmp *m*, stwnsh *m* 2. *vn* pwnio, pwno, stwmpio, stwnsio

mask 1. *n* masg *m*, mwgwd *m* 2. *vn* mygydu

masochism PSYCHOLOGY *n* masocistiaeth *f*

masochist *n* masocist *m*

masochistic *adj* masocistaidd

mason *n* masiwn *m*

mass¹ *adj* torfol

mass² PHYSICS *n* màs *m*

mass³ RELIGION *n* offeren *f*

massacre *n* cyflafan *f*, galanastra *m*, lladdfa *f*

massage *vn* tylino

masseur *n* tylinwr *m*

masseuse *n* tylinwraig *f*

mass-produce *vn* masgynhyrchu

mast *n* hwylbren *m*, mast *m*

mast cell BIOLOGY *n* mastgell *f*

mastectomy MEDICINE *n* mastectomi *m*

master 1. *n* meistr *m* 2. *vn* meistroli

masterful *adj* meistrolgar

masterly *adj* gorchestol, meistrolgar

masterpiece *n* campwaith *m*, gorchestwaith *m*

masterwork *n* gorchestwaith *m*

mastery *n* meistrolaeth *f*

mastic *n* mastig *m*

masticate* *vn* cnoi¹

mastitis¹ *n* garged *m*

mastitis² MEDICINE *n* mastitis *m*

masturbate *vn* mastyrbio

masturbation *n* mastyrbiad *m*

mat *n* mat *m*

matador *n* matador *m*

match 1. *n* fflach *f*, gêm *f*, matshen *f*, matsien *f* 2. *vn* cyweddu, matsio, mynd¹, paru

matchless *adj* di-ail, digyffelyb

mate 1. *n* cymar *mf*, cymhares *f*, mêt *m*, partner *m* 2. *vn* cyplu

material 1. *adj* materol 2. *n* defnydd *m*, deunydd *m*

materialism *n* materoliaeth *f*

materialist *n* materolwr *m*, materolydd *m*

materialistic *adj* materol

materialize *vn* dirhau, ymrithio

maternal *adj* mamaidd, mamol

maternity *n* mamolaeth *f*

mathematical *adj* mathemategol

mathematician *n* mathemategwr *m*, mathemategydd *m*

mathematics *n* mathemateg *f*

matins RELIGION *n* plygain *m*

matriarchal *adj* matriarchaidd

matriarchy *n* matriarchaeth *f*

matricide LAW *n* mamladdiad *m*

matriculate *vn* matricwleiddio

matriculation *vn* matricwleiddio

matrimonial *adj* priodasol

matrimony *n* priodas *f*

matrix MATHEMATICS *n* matrics *m*

matron *n* metron *f*

matt *adj* pŵl²

matted *adj* matiog

matter¹ *n* deunydd *m*, mater *m*, ods *m*, ots *m*, sylwedd *m*

matter² PHYSICS *n* mater *m*

mattock *n* batog *f*, caib *f*, matog *f*

mattress *n* matres *m*

mature 1. *adj* aeddfed, gwisgi 2. *vn* aeddfedu

maturity *n* aeddfedrwydd *m*

maul 1. *n* sgarmes *f*, ysgarmes *f* 2. *vn* sgarmesu, ysgarmesu

mauler *n* llarpiwr *m*, sgarmeswr *m*

Mauritanian 1. *adj* Mawritanaidd 2. *n* Mawritaniad *m*

Mauritian 1. *adj* Mawrisaidd 2. *n* Mawrisiad *m*

maw *n* cylla *m*

maxilla ANATOMY *n* macsila *m*

maxim *n* gwerseb *f*, gwireb *f*

maximize *vn* uchafu

maximum¹ *n* uchafbwynt *m*, uchafswm *m*

maximum² MATHEMATICS *n* macsimwm *m*

May 1. *n* Mai² *m* 2. mis Mai [*Mai²*]

maybe *adv* efallai, hwyrach²

mayor *n* maer *m*

mayoral *adj* maerol

mayorality *n* maeryddiaeth *f*

mayoress *n* maeres *f*

maypole bedwen Fai, bedwen haf

maze *n* drysfa *f*

me¹ 1. *particle* mi¹ 2. *pronoun* fi¹, fy, 'm, mi²

me² MUSIC *n* m¹ *f*, M *f*, mi³ *m*

mead *n* medd¹ *m*, meddyglyn *m*

meadow *n* dôl¹ *f*, gwaun *f*, gweirglodd *f*

meadowland *n* doldir *m*

meadowsweet *n* erwain *pl*

meagre *adj* main¹, pitw, prin¹

meal *n* blawd *m*, pryd⁴ *m*

mean¹ 1. *adj* crintach, crintachlyd, cybyddlyd, mên 2. *n* cymedr *m* 3. *vn* golygu, meddwl²

mean² MATHEMATICS 1. *adj* cymedrig 2. *n* cymedr *m*

meander 1. *vn* amdroi, dolennu, ymdroelli, ymddolennu 2. ystum afon

meandering 1. *adj* dolennog, igam-ogam 2. *n* doleniad *m*

meaning *n* ystyr *fm*

meaningful *adj* ystyrlon

meaningless *adj* anystyrlon, diystyr

meanness *n* baweidd-dra *m*, culni *m*

means *n* modd¹ *m*

meantime *n* cyfamser *m*

meanwhile *n* cyfamser *m*

measles MEDICINE y frech goch [*brech¹*]

measurable *adj* mesuradwy

measure 1. *n* mesur[1] *m*, mydr *m*
  2. *vn* mesur[2], mesuro
measured *adj* mesuredig
measureless *adj* anfesuradwy
measurement *n* mesur[1] *m*, mesuriad *m*
measurer *n* mesurwr *m*
meat *n* cig *m*
meatus ANATOMY *n* camlas *f*
mechanic *n* mecanydd *m*, peiriannydd *m*
mechanical *adj* mecanyddol, peiriannol,
  peirianyddol
mechanics *n* mecaneg *f*
mechanism[1] *n* mecanwaith *m*, peirianwaith *m*
mechanism[2] PHILOSOPHY *n* mecaniaeth *f*
mechanization *n* mecaneiddiad *m*
mechanize *vn* mecaneiddio
mechatronics *n* mecatroneg *f*
meconium MEDICINE *n* meconiwm *m*
medal *n* medal *f*, tlws[1] *m*
meddle *vn* busnesa, busnesu, ymhél, ymhela,
  ymyrryd
meddler *n* ymyrrwr *m*
meddlesome *adj* bishi, bisi, busnesgar, busneslyd
meddling *n* ymyrraeth *f*
media 1. *adj* cyfryngol 2. *n* cyfryngau *pl*
median MATHEMATICS *n* canolrif *m*
mediant MUSIC *n* meidon *f*
mediastinum[1] canol yr afell [*canol[1]*]
mediastinum[2] ANATOMY *n* mediastinwm *m*
mediate[1] *vn* canoli, cyfryngu
mediate[2] LAW *vn* cyflafareddu
mediation *n* cyfryngiad *m*
mediator *n* canolwr *m*, cyfryngwr *m*,
  cymodwr *m*, eiriolwr *m*
medic* *n* meddyg *m*
medical *adj* meddygol
medication *n* meddyginiaeth *f*, moddion[1] *m*
medicinal *adj* meddyginiaethol
medicine *n* ffisig *m*, meddygaeth *f*, moddion[1] *m*
medick *n* maglys *m*
medieval *adj* canoloesol
mediocre *adj* canolig, cyffredin
mediocrity *n* cyffredinedd *m*
meditate *vn* myfyrio, synfyfyrio
meditation *n* myfyrdod *m*
meditative *adj* myfyrgar, myfyriol
Mediterranean *adj* Mediteranaidd
medium 1. *adj* cymedrol
  2. *n* cyfrwng *m*, cyfryngwr *m*
medium-term *adj* canoldymor
medlar *n* merysbren *m*, meryswydden *f*
medley* *n* cadwyn *f*
medulla ANATOMY, BOTANY *n* medwla *m*
medulla oblongata ANATOMY medwla oblongata
medullary ANATOMY, BOTANY *adj* medwlaidd
meek *adj* addfwyn, gostyngedig
meekness *n* gostyngeiddrwydd *m*

meet *vn* cwrdd[1], cwrddyd, cyfarfod[1]
meeting[1] *n* cwrdd[2] *m*, cyfarfod[2] *m*, cyfarfyddiad *m*
meeting[2] RELIGION *n* oedfa *f*
mega- *pref* mega-
megabyte COMPUTING *n* megabeit *m*
megakaryocyte BIOLOGY *n* megacaryocyt *m*
megalith ARCHAEOLOGY *n* megalith *m*
megalomania PSYCHIATRY *n* megalomania *m*
megalomaniac *n* megalomaniad *m*
megalomanic *adj* megalomanaidd
megalopolis *n* megalopolis *m*
megaphone *n* chwyddleisydd *m*
megaspore BOTANY *n* megasbor *m*
meiosis BIOLOGY *n* meiosis *m*
meiotic BIOLOGY *adj* meiotig
melamine CHEMISTRY *n* melamin *m*
melancholia *n* melancolia *m*
melancholic *adj* melancolaidd, pruddglwyfus
melancholy 1. *adj* lleddf 2. *n* melan *f*, prudd-der *m*
melanin *n* melanin *m*
melanism ZOOLOGY *n* melanedd *m*
melanocyte PHYSIOLOGY *n* melanocyt *m*
melismatic *adj* melismataidd
mellifluous* *adj* persain
mellow* 1. *adj* mwyn[3] 2. *vn* aeddfedu
melodic *adj* melodig
melodious *adj* melodaidd, persain, perseiniol,
  seinber, soniarus
melodiousness *n* perseinedd *m*
melodrama *n* melodrama *m*
melodramatic *adj* melodramatig
melody[1] *n* cathl *f*, melodi *f*, peroriaeth *f*
melody[2] MUSIC *n* alaw[1] *f*
melon *n* melon *m*
melt *vn* toddi, ymdoddi
melted *adj* toddedig
member *n* aelod *m*
membership *n* aelodaeth *f*
member state *n* aelod-wladwriaeth *f*
membrane[1] *n* croenen *f*, croenyn *m*, pilen *f*
membrane[2] ANATOMY, BIOLOGY, NEEDLEWORK
  n pilen *f*
membranous *adj* pilennog
memento *n* cofrodd *m*, swfenîr *m*
memoir *n* hunangofiant *m*
memorable *adj* bythgofiadwy, cofiadwy
memorandum *n* cofnod *m*, memorandwm *m*
memorial *n* cofeb *f*, coflech *f*, coffa *m*
memorize *vn* dysgu
memory *n* cof *m*
men *n* dynion *pl*
menace *n* bygythiad *m*
menacing *adj* bygythiol
mend *vn* mendio, trwsio
mendacious *adj* celwyddog
mendelevium *n* mendelefiwm *m*
Mendelian BIOLOGY *adj* Mendelaidd

mender *n* trwsiwr *m*

mendicant 1. *adj* cardodol 2. *n* cardotyn *m*

menfolk *n* gwŷr *pl*

menial *adj* isel

meningitis MEDICINE llid yr ymennydd

meninx ANATOMY *n* breithell *f*

meniscus ANATOMY, PHYSICS *n* menisgws *m*

menopause[1] *n* menopos *m*

menopause[2] MEDICINE diwedd y mislif [*mislif*]

menses MEDICINE *n* mislif *m*

Menshevik *n* Mensiefig *m*

menstrual MEDICINE *adj* mislifol

menstruation MEDICINE *n* mislif *m*

mensuration *n* mesureg *f*

mental *adj* meddyliol

mentalism PSYCHOLOGY *n* meddyliaeth *f*, ymenyddiaeth *f*

mentality *n* meddylfryd *m*

mention 1. *n* crybwylliad *m*, sôn[2] *m* 2. *vn* crybwyll, sôn[1]

mentor 1. *n* mentor *m* 2. *vn* mentora

mentorship *n* mentoriaeth *f*

menu[1] COOKERY *n* bwydlen *f*

menu[2] COMPUTING *n* dewislen *f*

MEP *abbr* ASE

mercantile *adj* masnachol, mercantilaidd

mercantilism ECONOMICS *n* mercantiliaeth *f*

mercenary *n* hurfilwr *m*

mercerize NEEDLEWORK *vn* llathrwasgu

merchandise *n* marsiandïaeth *f*

merchant *n* marsiandwr *m*, masnachwr *m*

merchet *n* amobr *m*

merciful *adj* tosturiol, trugarog

mercifully drwy drugaredd [*trugaredd*]

merciless *adj* anhrugarog, didrugaredd

mercilessness *n* anhrugaredd *m*

mercuric *adj* mercwrig

mercury *n* mercwri *m*

Mercury *n* Mercher[2] *m*

mercy *n* trugaredd *mf*

mere* *n* llyn *m*

meretricious* *adj* ffuantus

merge *vn* cyd-doddi, cydsoddi, ymdoddi

merger *n* cydsoddiad *m*

meridian *n* meridian *m*

merino *n* merino *m*

meristem BOTANY *n* meristem *m*

meristematic BOTANY *adj* meristematig

merit 1. *n* haeddiant *m*, teilyngdod *m* 2. *vn* haeddu

meritocracy *n* meritocratiaeth *f*

meritorious* *adj* teilwng

merlin cudyll bach

mermaid *n* môr-forwyn *f*

merriment *n* llawenydd *m*, miri *m*, ysbleddach *f*

merry *adj* digrif, diofal, llawen, syw

merrymaking *n* rhialtwch *m*

mesa GEOLOGY *n* mesa *m*

mesentery ANATOMY *n* mesenteri *m*

mesh *n* magl *f*, rhwyll *f*

mesmerize *vn* mesmereiddio

mesoderm BIOLOGY *n* mesoderm *m*

Mesolithic ARCHAEOLOGY *adj* Mesolithig

mesomorph PHYSIOLOGY *n* mesomorff *m*

mesomorphic CHEMISTRY, PHYSIOLOGY *adj* mesomorffig

meson PHYSICS *n* meson *m*

mesophyll BOTANY *n* mesoffyl *m*

mesophyte BOTANY *n* mesoffyt *m*

mesothorax ZOOLOGY *n* mesothoracs *m*

Mesozoic GEOLOGY *adj* Mesosöig

mess 1. *n* cawdel *m*, cawl *m*, cawlach *m*, ffradach *m*, llanastr *m*, stomp[1] *f*, stremp *f* 2. traed moch

message *n* cenadwri *f*, cennad[2] *f*, neges *f*

messenger[1] *n* cennad[1] *f*, llatai *m*, negeseuwr *m*, negeseuydd *m*, negesydd *m*

messenger[2] BIOCHEMISTRY *n* negeseuwr *m*, negeseuydd *m*

messiah RELIGION *n* meseia *m*

messianic *adj* meseianaidd

messuage LAW *n* mesiwais *m*

mess up *vn* drysu, stompio

metabolic BIOCHEMISTRY *adj* metabolaidd

metabolism BIOCHEMISTRY *n* metabolaeth *f*

metabolite BIOCHEMISTRY *n* metabolyn *m*

metacarpus ANATOMY *n* metacarpws *m*

metadata COMPUTING *n* metadata *pl*

metal *n* metel *m*

metalanguage GRAMMAR *n* uwchiaith *f*

metallic *adj* metelaidd, metelig

metalliferous *adj* metelifferaidd

metallize *vn* meteleiddio

metalloid CHEMISTRY, METALLURGY *n* meteloid *m*

metallurgical *adj* metelegol

metallurgist *n* metelegwr *m*, metelegydd *m*

metallurgy *n* meteleg *f*

metameric ZOOLOGY *adj* metamerig

metamerism ZOOLOGY *n* metameraeth *f*

metamorphic GEOLOGY *adj* metamorffig

metamorphism GEOLOGY *n* metamorffedd *m*

metamorphose[1] *vn* trawsffurfio

metamorphose[2] GEOLOGY *vn* metamorfforeiddio

metamorphosed GEOLOGY *adj* metamorffedig

metamorphosis[1] *n* trawsnewidiad *m*

metamorphosis[2] ZOOLOGY *n* metamorffosis *m*

metaphor *n* trosiad *m*

metaphysical *adj* metaffisegol

metaphysician *n* metaffisegwr *m*, metaffisegydd *m*

metaphysics PHILOSOPHY *n* metaffiseg *f*

metastable PHYSICS *adj* metasefydlog

metastasis[1] *n* chwaldwf *m*

metastasis[2] MEDICINE *n* metastasis *m*

metatarsus ANATOMY *n* metatarsws *m*
meteor[1] seren wib
meteor[2] ASTRONOMY *n* meteor *m*
meteoric *adj* meteoraidd
meteorite[1] *n* gwibfaen *m*
meteorite[2] ASTRONOMY *n* meteoryn *m*
meteorological *adj* meteorolegol
meteorologist *n* meteorolegydd *m*
meteorology *n* meteoroleg *f*
meter *n* medrydd *m*, meidrydd *m*, mesurydd *m*
methadone *n* methadon *m*
methanal CHEMISTRY *n* methanal *m*
methane CHEMISTRY *n* methan *m*
methanol CHEMISTRY *n* methanol *m*
metheglin *n* meddyglyn *m*
method *n* dull *m*, ffordd *f*, method *m*
methodical *adj* trefnus
Methodist RELIGION 1. *adj* Methodistaidd
   2. *n* Methodist *m*
methodology *n* methodoleg *f*
methuselah COOKERY *n* methwsela *m*
methyl CHEMISTRY *n* methyl *m*
meticulousness *n* manwl gywirdeb *m*
metonym GRAMMAR *n* trawsenw *m*
metonymy GRAMMAR *n* trawsenwad *m*
metre *n* mesur[1] *m*, metr *m*, mydr *m*
metreless *adj* di-fydr
metric *adj* metrig
metrical *adj* mydryddol
metricate *vn* metrigeiddio
metritis[1] llid y groth
metritis[2] MEDICINE *n* metritis *m*
metronome MUSIC *n* metronom *m*
metronomic *adj* metronomaidd
metropolis *n* prifddinas *f*
mettle *n* rhuddin *m*, ysbryd *m*
mettlesome* *adj* nwyfus
mew *vn* mewial, mewian
Mexican 1. *adj* Mecsicanaidd
   2. *n* Mecsicaniad *m*, Mecsicanwr *m*
mezzotint *n* mesotint *m*
mg *abbr* mg
mica GEOLOGY *n* mica *m*
micelle CHEMISTRY *n* misel *m*
micro* *n* micro *m*
micro- *pref* micro-
microbe *n* microb *m*
microbial *adj* microbaidd
microbiologist *n* microbiolegydd *m*,
   microfiolegydd *m*
microbiology *n* microbioleg *f*, microfioleg *f*
microchip *n* microsglodyn *m*
microclimate METEOROLOGY *n* microhinsawdd *f*
microclimatology *n* microhinsoddeg *f*
microcomputer COMPUTING *n* microgyfrifiadur *m*
microcosm *n* microcosm *m*
microcrystalline *adj* microgrisialog

microeconomics *n* microeconomeg *f*
microelectronics *n* microelectroneg *f*
microfibre NEEDLEWORK *n* microffibr *m*
microfilm *n* microffilm *f*
microlight awyren barcud
microlith ARCHAEOLOGY *n* microlith *m*
micrometer *n* micromedr *m*
micrometre *n* micrometr *m*
micron *n* micrometr *m*, micron *m*
Micronesian 1. *adj* Micronesaidd
   2. *n* Micronesiad *m*
micronutrient BIOLOGY *n* microfaethyn *m*
micro-organism BIOLOGY *n* micro-organeb *f*
microphone *n* microffon *m*
microprocessor COMPUTING *n* microbrosesydd *m*
micropyle BOTANY, ZOOLOGY *n* micropyl *m*
microscope *n* microsgop *m*
microscopic *adj* microsgopaidd, microsgopig
microscopy *n* microsgopeg *f*
microsecond *n* microeiliad *f*
microsome BIOLOGY *n* microsom *m*
microsphere *n* microsffer *m*
microspore BOTANY *n* microsbor *m*
microsurgery MEDICINE *n* microdriniaeth *f*
microswitch ELECTRONICS *n* microswitsh *m*
microtone MUSIC *n* microtôn *f*
microtubule BIOLOGY *n* microdiwbyn *m*
microvillus BIOLOGY *n* microfilws *m*
microwave *n* microdon *f*
micturate *vn* troethi
mid 1. *adj* canol[2] 2. *n* hanner *m*
midday 1. *n* canolddydd *m*
   2. canol dydd [*canol*[1]], hanner dydd
midden* *n* tomen *f*
middle 1. *adj* canol[2] 2. *n* canol[1] *m*, cefn *m*,
   perfedd *m*
middleman *n* canolwr *m*
middling *adj* canolig, gweddol, hanerog, symol
midge *n* gwybedyn *m*
midges *n* gwybetach *pl*
midlands *n* canolbarth *m*
midnight canol nos [*canol*[1]]
midpoint MATHEMATICS *n* canolbwynt *m*
midriff *n* canol[1] *m*
midst *n* mysg *m*, plith *m*
midway hanner ffordd
midwife *n* bydwraig *f*
midwifery *n* bydwreigiaeth *f*
mien *n* golwg[2] *f*
miffed *adj* sorllyd
might *n* cryfder *m*, egni *m*, grymuster *m*
mighty *adj* grymus, nerthol
mignonette *n* perllys *m*
migraine MEDICINE *n* meigryn *m*
migrant 1. *adj* mudol 2. *n* mudwr *m*, mudydd[1] *m*
migrate *vn* mudo
migration 1. *n* ymfudiad *m* 2. *vn* mudo

migratory *adj* mudol
milch *adj* blith, blithiog, blithog
mild *adj* llariaidd, mwyn³, mwynaidd, tyner
mildew *n* cawad *f*, cawod *f*, llwydi *m*, llwydni *m*
mildew-resistant *adj* gwrthlwydni
mildness *n* mwynder *m*
mile *n* milltir *f*
mileage *n* milltiredd *m*
milestone carreg filltir
militant *adj* milwriaethus
militarism *n* militariaeth *f*
militarist *n* militarydd *m*
military *adj* militaraidd, milwraidd, milwrol
militate *vn* milwrio
militia *n* milisia *m*
milium MEDICINE *n* miliwm *m*
milk 1. *n* llaeth *m*, llefrith *m* 2. *vn* godro
milking *n* godriad *m*
milkmaid *n* llaethferch *f*
milkman dyn llaeth/llefrith
milkshake *n* ysgytlaeth *m*
milksop *n* llipryn *m*
milk-tanker lorri laeth
milky *adj* llaethog
mill 1. *n* melin *f* 2. *vn* melino
millennium *n* mileniwm *m*, milflwyddiant *m*
miller *n* melinydd *m*
milligram *n* miligram *m*
millilitre *n* mililitr *m*
millimetre *n* milimetr *m*
million 1. *n* miliwn *f* 2. *pref* mega-
millionaire *n* miliwnydd *m*, miliynydd *m*
millionth *n* miliynfed *f*
millipede *n* miltroed *m*
millpond *n* pynfarch *m*
millrace *n* pynfarch *m*
mill-race *n* pownd *m*
millstone maen melin [*maen*¹]
mime 1. *n* meim *mf* 2. *vn* meimio
mimer *n* meimiwr *m*
mimic 1. *n* dynwaredwr *m* 2. *vn* dynwared
mimicry BIOLOGY *n* dynwarededd *m*
minaret *n* meindwr *m*, minarét *m*
mince¹ 1. *n* briwgig *m* 2. *vn* briwio, briwo, briwsioni
mince² COOKERY *vn* mân-friwo
minced *adj* manfriw
mincemeat *n* briwfwyd melys *m*
mind 1. *n* meddwl¹ *m* 2. *vn* hidio, malio, meindio
minder* *n* gwarchodwr *m*, gwarchodwraig *f*
mindful *adj* cofus, gofalus
mind map map meddwl
mine 1. *n* cloddfa *f*, mwynglawdd *m* 2. *vn* mwyngloddio
miner *n* cloddiwr *m*, mwynwr *m*
mineral¹ *adj* mwynol
mineral² GEOLOGY *n* mwyn¹ *m*

mineralogist¹ *n* mwynydd *m*
mineralogist² GEOLOGY *n* mwynolegydd *m*
mineralogy GEOLOGY *n* mwynoleg *f*
mingle *vn* ymgymysgu
mini *n* mini *m*
miniature *n* mân-ddarlun *m*, miniatur *m*
miniaturist *n* mân-ddarluniwr *m*
minim MUSIC *n* minim *m*
minimal *adj* minimol
minimalism *n* minimaliaeth *f*
minimalist *n* minimalydd *m*
minimalistic *adj* minimalaidd
minimize* *vn* lleihau
minimum¹ *n* isafbwynt *m*, isafswm *m*, lleiafswm *m*
minimum² MATHEMATICS *n* isafbwynt *m*, minimwm *m*
mining *n* mwyngloddiaeth *f*
minion gwas bach
minister 1. *n* gweinidog *m* 2. *vn* bugeilio, gweinidogaethu
ministerial *adj* gweinidogaethol, gweinidogol
ministry *n* bugeiliaeth *f*, gweinidogaeth *f*, gweinyddiaeth *f*
mink *n* minc *m*
minnow *n* silcyn *m*, sildyn *m*, silidón *m*
Minoan *adj* Minoaidd
minor MUSIC *adj* lleddf, lleiaf
Minorcan 1. *adj* Menorcaidd 2. *n* Menorciad *m*
minority 1. *adj* lleiafrifol 2. *n* lleiafrif *m*
minstrel gŵr wrth gerdd
minstrels *n* clêr² *m*
minstrelsy *n* clerwriaeth *f*, erddigan *f*
mint *n* bathdy *m*, mintys *m*
minted *adj* bath
minuend MATHEMATICS *n* minwend *m*
minuet MUSIC *n* miniwét *m*
minus 1. *n* minws *m* 2. *prep* llai², namyn
minute 1. *n* cofnod *m*, munud *fm* 2. *vn* cofnodi
minx *n* hoeden *f*
miracle *n* gwyrth *f*, miragl *m*
miraculous *adj* gwyrthiol
mirage METEOROLOGY *n* rhithlun *m*
mire *n* llaca *m*, llacs *m*, pwdel *m*
mirror *n* drych *m*
mirth* *n* digrifwch *m*
mis- *pref* cam-
misadventure *n* anffawd *f*
misanthrope *n* dyngasäwr *m*
misanthropic *adj* annyngar
misanthropist *n* dyngasäwr *m*
misanthropy *n* dyngasedd *m*
misapprehend *vn* camdybied, camdybio
misappropriate *vn* camberchenogi, dwyn
misappropriation* *vn* camberchenogi
misbehave *vn* cambihafio, camfihafio, camymddwyn

misbehaviour *n* camymddygiad *m*
miscarriage *n* erthyliad *m*
miscarry *vn* erthylu
miscast *vn* camgastio
miscegenation* *vn* croeshilio
miscellaneous* *adj* amrywiol
mischance *n* anlwc *f*
mischief *n* cythreuldeb *m*, direidi *m*, drygioni *m*
mischievous *adj* direidus, drygionus
mischievousness *n* direidi *m*
miscible *adj* cymysgadwy
misconceive *vn* camdybied, camdybio
misconception *n* cam-dyb *f*, camsyniad *m*
misconduct *n* camymddygiad *m*
misconstrue *vn* camddehongli, camesbonio
miscount *vn* camgyfrif, camrifo
miscreant *n* drwgweithredwr *m*, troseddwr *m*
misdeed *n* camwedd *m*
misdemeanours *n* mistimanars *pl*
misdirect *vn* camgyfeirio
misdirection *n* camarweiniad *m*
miser 1. *n* cybydd *m* 2. Siôn llygad y geiniog
[*ceiniog*]
miserable *adj* annifyr
misericord *n* misericord *m*
miserliness *n* cybydd-dod *m*, cybydd-dra *m*
miserly *adj* ariangar, crintach, crintachlyd,
cybyddlyd, tyn[1]
misery *n* diflastod *m*
misfeasance LAW *n* camwaith *m*
misfortune *n* aflwyddiant *m*, anffawd *f*, anlwc *f*,
trybini *m*
misgiving *n* petruster *m*
misgivings *n* amheuon *pl*
misgovern *vn* camreoli
mishandle *vn* camdrafod
mishap *n* anghaffael *m*, anap *m*, anhap *m*,
damwain *f*
mishear *vn* camglywed
misinform *vn* camhysbysu
misinterpret *vn* camddehongli, camesbonio
misinterpretation *n* camddehongliad *m*
misjudge *vn* camfarnu
mislay *vn* colli
mislead *vn* camarwain
misleading *adj* camarweiniol
mismanage *vn* camreoli
mismanagement *n* camreolaeth *f*
mismeasure *vn* camfesur[2]
mismeasurement *n* camfesur[1] *m*, camfesuriad *m*
misname *vn* camenwi
misnomer *n* camenw *m*
misogynist casâwr gwragedd
misperceive *vn* camganfod
misplace *vn* camleoli, camosod
misprint *n* camargraffiad *m*
mispronounce *vn* camacennu, camynganu

misquote *vn* camddyfynnu
misread *vn* camddarllen
misrepresent *vn* camddarlunio, camliwio
misrepresentation *n* camddehongliad *m*,
camliwiad *m*
misrule *n* anllywodraeth *f*
miss *vn* colli, gweld eisiau/colled, methu, misio
Miss 1. *abbr* Bns, y Fns 2. *n* boneddiges *f*,
bonesig *f*
misshapen *adj* afluniaidd, di-siâp
missile *n* saethyn *m*, taflegryn *m*
missing 1. *adj* coll[1] 2. yn eisiau [*eisiau*]
mission *n* cenhadaeth *f*
missionary *adj* cenhadol
misspell *vn* camsillafu
misspelling *n* camsillafiad *m*
misspend *vn* camdreulio, camwario
misspent* *adj* ofer
mist 1. *n* caddug *m*, niwl *m*, niwlen *f*, nudd *f*,
nudden *f*, tarth *m* 2. *vn* niwlio, niwlo
mistake 1. *n* anghywirdeb *m*, camgymeriad *m*,
camsyniad *m*, gwall *m* 2. *vn* camgymryd,
camsynied, camsynio, camsynnu
mistaken *adj* camsyniadol, camsyniol
Mister *n* bonwr *m*
mistime *vn* camamseru
mistiness *n* niwlogrwydd *m*
mistletoe *n* uchelwydd *m*
mistress *n* meistres *f*
Mistress *n* boneddiges *f*
mistrust 1. *n* drwgdybiaeth *f*
2. *vn* drwgdybied, drwgdybio
misty *adj* niwlog
misunderstand *vn* camddeall
misunderstanding *n* camddealltwriaeth *m*
misuse 1. *n* camarfer *m*, camddefnydd *m*
2. *vn* camddefnyddio
mitch *vn* mitsio
mite *n* euddonyn *m*, gwiddonyn *m*, hatling *f*,
mymryn *m*
mites *n* gwraint *pl*, pryfetach *pl*
mitigate* *vn* lliniaru
mitigating *adj* lliniarol
mitochondrion BIOLOGY *n* mitocondrion *m*
mitosis BIOLOGY *n* mitosis *m*
mitotic BIOLOGY *adj* mitotig
mitre 1. *n* meitr *m* 2. *vn* meitro
mitred *adj* meitrog
mitten *n* miten *f*
mix 1. *n* cymysgiad *m* 2. *vn* cyfathrachu, cymysgu
mixed *adj* cymysg
mixed-media ART cyfryngau cymysg
mixer *n* cymysgwr *m*, cymysgydd *m*
mixture *n* cymysgedd *m*
mix-up *n* cymysgedd *m*, cymysgfa *f*
ml *abbr* ml
mm *abbr* mm

moan 1. *n* griddfan[1] *m* 2. *vn* ceintach(u), cintach(u), conach, conan, cwynfan[1], griddfan[2], gwenwyno, hewian, ubain

moaner *n* ceintachwr *m*, conyn[1] *m*, cwynwr *m*, grwgnachwr *m*

moaning *adj* cwynfanus, griddfanus

moat *n* ffos *f*

mob *n* ciwed *f*

mobile 1. *adj* mudol, symudol 2. symudyn *m*

mobility *n* mudoledd *m*, symudedd *m*

mobilize *vn* byddino, mwstro, ymfyddino

mock *vn* gwatwar[1], gwawdio

mocker *n* gwatwarwr *m*, gwawdiwr *m*

mockery *n* gwatwar[2] *m*, gwawd *m*

mocking *adj* gwatwarus, gwawdlyd

mod MATHEMATICS *n* modwlws *m*

modal MUSIC *adj* moddol

model 1. *adj* enghreifftiol 2. *n* enghraifft *f*, model *m* 3. *vn* modelu

modem COMPUTING *n* modem *m*

moderate 1. *adj* canolig, cymedrol, cymharol 2. *vn* cymedroli, safoni

moderation 1. *n* cymedroldeb *m* 2. *vn* safoni

moderator[1] *n* cymedrolwr *m*

moderator[2] PHYSICS *n* cymedrolydd *m*

modern *adj* modern

modernisation *n* moderneiddiad *m*

modernism *n* moderniaeth *f*

modernistic *adj* modernaidd

modernize *vn* diweddaru, moderneiddio

modest *adj* gwylaidd, llednais

modesty *n* gwyleidd-dra *m*, lledneisrwydd *m*

modicum* *n* mymryn *m*

modification *n* adnewidiad *m*, addasiad *m*

modify[1] *vn* adnewid, addasu

modify[2] GRAMMAR *vn* goleddfu

modular *adj* modiwlaidd, modylaidd

modulate[1] *vn* cyweirio

modulate[2] PHYSICS *vn* modylu

modulate[3] MUSIC *vn* trawsgyweirio

modulated *adj* modyledig

modulation PHYSICS *n* modyliad *m*

modulator[1] MUSIC *n* cyweiriadur *m*

modulator[2] PHYSICS *n* modylydd *m*

module *n* modiwl *m*

modulus MATHEMATICS, PHYSICS *n* modwlws *m*

mogul *n* mogwl *m*

mohair *n* moher *m*

moist *adj* llaith, lleithiog

moisten *vn* gwlychu

moisture *n* gwlybaniaeth *m*, gwlybni *m*, gwlybrwydd *m*, lleithder *m*, lleithedd *m*

moisturize *vn* lleithio

moisturizer *n* lleithydd *m*

molal CHEMISTRY *adj* molal

molality CHEMISTRY *n* molaledd *m*

molar[1] CHEMISTRY *adj* molar

molar[2] ANATOMY *n* cilddant *m*

molarity *n* molaredd *m*

molasses *n* triagl *m*, triog *m*

Moldavan *n* Moldofiad *m*

Moldovan *adj* Moldofaidd

mole[1] 1. *n* gwadd[1] *f*, gwadden *f*, gwahadden *f*, twrch daear *m* 2. man geni [*man*[2]]

mole[2] CHEMISTRY *n* môl *m*

mole-catcher *n* gwaddotwr *m*, tyrchwr *m*

molecular *adj* moleciwlaidd

molecularity CHEMISTRY *n* moleciwledd *m*

molecule CHEMISTRY *n* moleciwl *m*

molehill pridd y wadd [*gwadd*[1]]

molest* *vn* ymyrryd

mollify* *vn* lliniaru

mollusc ZOOLOGY *n* molwsg *m*

Mollusca ZOOLOGY *n* molysgiaid *pl*

mollycoddle *vn* maldodi

molten *adj* tawdd[1]

molybdenum *n* molybdenwm *m*

moment[1] *n* eiliad *f*, moment[1] *f*, munudyn *m*, orig *f*

moment[2] PHYSICS *n* moment[2] *m*

momentary *adj* enydol

momentum *n* momentwm *m*

monarch[1] *n* brenhines *f*, brenin *m*, teyrn *m*

monarch[2] LAW *n* monarch *m*

monarchical *adj* monarchaidd

monarchist *n* brenhinwr *m*, monarchydd *m*

monarchy *n* monarchiaeth *f*, teyrnasiaeth *m*

monastery *n* clwysty *m*, glwysty *m*, mynachdy *m*, mynachlog *f*

monastic *adj* mynachaidd

monasticism *n* mynachaeth *f*

monatomic CHEMISTRY *adj* monatomig

Monday 1. *n* Llun[2] *m* 2. dydd Llun [*Llun*[2]]

Monégasque 1. *adj* Monegasg 2. *n* Monegasciad *m*

monetarism *n* monetariaeth *f*

monetarist *n* monetariad *m*

monetary *adj* ariannol

money *n* arian[2] *m & pl*, pres *m*

money box *n* cadw-mi-gei *m*

Mongol *n* Mongoliad *m*

Mongolian 1. *adj* Mongolaidd 2. *n* Mongoliad *m*

mongrel 1. *adj* cymysgryw 2. *n* brithgi *m*, mwngrel *m*

monitor 1. *n* monitor *m* 2. *vn* monitro

monk RELIGION *n* mynach *m*

monkey *n* mwnci[1] *m*

monkfish *n* maelgi *m*

monochromatic PHYSICS *adj* monocromatig

monochrome *adj* unlliw

monocle *n* monocl *m*

monocline GEOLOGY *n* monoclin *m*

monocotyledon BOTANY *n* monocotyledon *m*

monoculture *adj* ungnwd

monocyte PHYSIOLOGY *n* monocyt *m*
monogamy *n* monogami *m*, unwreiciaeth *f*
monogenic BIOLOGY *adj* monogenig
monoglot *adj* uniaith
monogram *n* monogram *m*
monograph *n* monograff *m*
monohybrid BIOLOGY *n* monocroesryw *m*
monolingual *adj* uniaith
monolith *n* monolith *m*
monolithic *adj* monolithig
monologue *n* monolog *f*, ymson[1] *m*
monomer CHEMISTRY *n* monomer *m*
monomeric CHEMISTRY *adj* monomerig
monomial *adj* monomaidd
monophonic MUSIC *adj* monoffonig
monopolise *vn* monopoleiddio
monopolistic *adj* monopolistig
monopoly *n* monopoli *m*
monopsony ECONOMICS *n* monopsoni *m*
monosaccharide CHEMISTRY *n* monosacarid *m*
monostable PHYSICS *adj* unsad
monosyllabic *adj* unsill, unsillafog
monotheism[1] *n* undduwiaeth *f*
monotheism[2] RELIGION *n* monotheïstiaeth *f*
monotheist *n* monotheïst *m*
monotheistic *adj* monotheïstaidd
monotone *n* undon *f*, un-dôn *f*
monotonous *adj* undonog
monotony *n* undonedd *m*
monotype *n* monoteip *m*
monoxide CHEMISTRY *n* monocsid *m*
monozygotic ZOOLOGY *adj* monosygotig
monsoon *n* monswn *m*
monster *n* anghenfil *m*
monstrous *adj* dybryd
month *n* mis *m*
monthly *adj* misol
monument *n* cofadail *f*, cofgolofn *f*
mooch *vn* blewynna, malwenna
mood[1] *n* hwyl[2] *f*, tymer *f*
mood[2] GRAMMAR *n* modd[2] *m*
moody *adj* oriog, pwdlyd
moon[1] *n* lleuad *f*, lloer *f*
moon[2] ASTRONOMY *n* lleuad *f*
moonlight *n* lloergan *m*
moonshine mwg tato
moor 1. *n* rhos *f* 2. *vn* angori
Moor *n* Mŵr *m*
moorhen iâr ddŵr
moorland *n* gwaun *f*, gweundir *m*, rhostir *m*
mop 1. *n* ffluwch *f*, mop *m* 2. *vn* mopio[1]
moraine GEOLOGY *n* marian *m*
moral 1. *adj* moesol 2. *n* moeswers *f*
morale *n* morâl *m*, ysbryd *m*
morality *n* moesoldeb *m*
moralize *vn* moesegu, moesoli
morals *n* moesau *pl*

morass *n* cors[1] *f*
moratorium *n* moratoriwm *m*
morbid *adj* morbid
morbidity *n* morbidrwydd *m*
mordant *n* mordant *m*
more 1. *adj* chwaneg, mwy[1], ychwaneg
    2. *adv* mwy[2] 3. *n* rhagor[1] *m*
mores* *n* moesau *pl*
morgue *n* corffdy *m*, marwdy *m*
moribund* *adj* marwaidd
Mormon RELIGION *n* Mormon *m*
morn *n* boreddydd *m*
morning 1. *adj* boreol, boreuol 2. *n* bore[1] *m*
Moroccan 1. *adj* Morocaidd 2. *n* Morociad *m*
moron *n* ynfytyn *m*
morose* *adj* sarrug
morphine *n* morffin *m*
morphological *adj* morffolegol
morphology *n* morffoleg *f*
Morse *n* Morse *m*
morsel *n* tamaid *m*
mort *n* brithiad *m*
mortal 1. *adj* angheuol, dynol, marwol
    2. *n* dyn *m*, meidrolyn *m*
mortality *n* marwolaeth *f*, marwoldeb *m*,
    marwoledd *m*
mortar *n* cymrwd *m*, morter[1] *m*, morter[2] *m*
mortgage[1] *n* morgais *m*
mortgage[2] LAW *vn* morgeisio
mortgagee *n* morgeisai *m*
mortgager *n* morgeisiwr *m*
mortification 1. *n* marweiddiad *m*, marwhad *m*
    2. *vn* marweiddio
mortify *vn* marweiddio, marwhau
mortuary *n* corffdy *m*, marwdy *m*
mosaic *n* brithwaith *m*, mosaig *m*
mosque RELIGION *n* mosg *m*
mosquito *n* mosgito *m*
moss *n* mwsogl *m*, mwswgl *m*, mwswm *m*
mossy *adj* mwsoglyd
most 1. *adj* mwyaf[1] 2. *adv* mwyaf[2]
mostly gan amlaf [*gan*[1]]
mote *n* brycheuyn *m*, llychyn *m*
motel *n* motél *m*
motet MUSIC *n* motét *f*
moth *n* gwyfyn *m*
mother *n* mam *f*
motherchurch *n* mam-eglwys *f*
motherhood *n* mamolaeth *f*
mother-in-law mam yng nghyfraith
motherland *n* mamwlad *f*
motherly *adj* mamaidd, mamol
mother-of-pearl *n* nacr *m*
mothproof[1] *adj* gwrthwyfyn
mothproof[2] NEEDLEWORK *vn* gwrthwyfynu
motif *n* motiff *m*
motion[1] *n* cynigiad *m*, cynnig[2] *m*, symudiad *m*

motion² PHYSICS *n* mudiant *m*
motionless *adj* disymud
motivate *vn* symbylu, ysgogi
motivation *n* cymhelliant *m*, symbyliad *m*
motivator *n* symbylydd *m*
motive *n* cymhelliad *m*
motley *adj* amryliw
motor¹ 1. *adj* efferol, motor 2. *n* modur *m*
   3. *vn* moduro
motor² PHYSIOLOGY *adj* echddygol
motorbike beic modur
motorcade *n* modurgad *f*
motorcycle beic modur
motorist *n* modurwr *m*
motorway *n* traffordd *f*
motte *n* mwnt *m*, rhath *m*
mottled *adj* brith
motto *n* arwyddair *m*
mould 1. *n* llwydi *m*, llwydni *m*, mold *m*,
   mowld *m* 2. *vn* mowldio
mouldable *adj* mowldadwy
mouldboard *n* borden *f*
moulding *n* moldin *m*, mowldin *m*
moult *vn* bwrw blew/croen/plu
moulting ZOOLOGY *n* ecdysis *m*
mound *n* mwnt *m*, tomen *f*, twmpath *m*
mount 1. *n* mownt *m*, mowntin *m*
   2. *vn* esgyn, mowntio
mountain *n* mynydd *m*
mountain ash (trees and wood) *n* cerdin *pl*,
   cerddin *pl*, criafol² *pl*
mountaineer 1. *n* mynyddwr *m* 2. *vn* mynydda
mountainous *adj* mynyddig, mynyddog
mounting *n* mowntin *m*
mounting-block *n* esgynfaen *m*
mourn *vn* galaru
mourner *n* galarwr *m*
mournful *adj* lleddf
mourning *n* galar *m*
mouse 1. *n* llygoden *f* 2. *vn* llygota
mouser *n* llygotwr *m*
mousey *adj* llygliw
moustache *n* mwstas(h) *m*, trawswch *m*
moustached *adj* mwstasiog
mouth *n* ceg *f*, genau *m*, pen¹ *m*, safn *f*
mouthful *n* cegaid *f*
mouthpiece MUSIC *n* cetyn *m*
mouthwash *n* cegolch *m*
movable *adj* symudadwy, symudol
move 1. *n* symudiad *m* 2. *vn* cynnig¹, mudo,
   syflyd, symud
movement *n* mudiad *m*, symudiad *m*
movie *n* ffilm *f*
mow *vn* lladd, torri
mower lladdwr gwair
Mozambican 1. *adj* Mosambicaidd
   2. *n* Mosambiciad *m*

MP *abbr* AS
mph *abbr* mya
Mr 1. *abbr* Bnr, Br 2. *n* bonwr *m*
Mrs 1. *abbr* Bns, y Fns 2. *n* boneddiges *f*
ms. *abbr* llsgr.
Ms *abbr* Bns, y Fns
MS¹ sglerosis ymledol
MS² MEDICINE parlys ymledol
much 1. *adj* mawr 2. *adv* llawer², llawn²
   3. *pronoun* llawer¹
mucilage *n* llysnafedd *m*
muck *n* llaca *m*, llacs *m*
muck-heap *n* tomen *f*
muck-spread *vn* tomi
mucky *adj* tomlyd
mucous *adj* mwcaidd
mucus *n* llysnafedd *m*, mwcws *m*
mud *n* llaid *m*, mwd *m*
muddle *n* dryswch *m*, lobsgows *m*, tryblith *m*
muddled *adj* cymysglyd, dryslyd
muddy *adj* llacsog, lleidiog, mwdlyd
mudflow *n* lleidlif *m*
muff* *vn* methu
muffler *n* mwffler *m*
mug 1. *n* mŵg *m* 2. *vn* mygio
mugger *n* mygiwr *m*
muggy *adj* mwll, trymaidd, trymllyd
mugwort *n* beidiog *f*
mulberry (trees and wood) *n* morwydd *pl*
mule *n* mul *m*, mwlsyn *m*
mulish *adj* mulaidd
mullein *n* panog *m*
mullet *n* hyrddyn *m*, mingrwn *m*
mullion ARCHITECTURE *n* mwliwn *m*
multi-access COMPUTING *adj* amlfynediad
multicellular *adj* amlgellog
multichannel *adj* amlsianel
multicoloured *adj* aml-liwiog, amryliw
multicultural *adj* amlddiwylliannol
multidimensional *adj* amlddimensiynol
multidirectional *adj* amlgyfeiriol
multidisciplinary *adj* amlddisgyblaethol,
   amlwyddorol
multiethnic *adj* amlhiliol
multifaceted *adj* amlweddog
multifarious *adj* amryfath
multiform *adj* amlffurf, amlweddog, amryffurf
multifunctional *adj* amlswyddogaethol
multilingual *adj* amlieithog
multimedia *adj* amlgyfrwng
multimeter ELECTRONICS *n* amlfesurydd *m*
multinational *adj* amlwladol
multinationalism *n* amlwladoldeb *m*
multiple MATHEMATICS *n* lluosrif *m*
multiplicand MATHEMATICS *n* lluosyn *m*
multiplication MATHEMATICS *n* lluosiad *m*
multiplicative *adj* lluosol

multiplicity 1. *n* lluosogrwydd *m*, lluosowgrwydd *m* 2. amryw byd [*amryw²*]

multiplier *n* lluosydd *m*

multiply¹ *vn* lluosogi, mwyhau

multiply² MATHEMATICS *vn* lluosi

multiplying *n* lluosogiad *m*

multipolar *adj* amlbegynol

multiprocessor *n* amlbrosesydd *m*

multipurpose *adj* amlbwrpas

multisensory *adj* amlsynhwyraidd

multistorey *adj* aml-lawr, amrylawr

multistranded *adj* aml-linynnol

multitasking *adj* amlorchwyl

multitude *n* bagad *m*, lleng *f*, lliaws *m*, tyrfa *f*

multi-user COMPUTING *adj* amlddefnyddiwr

multivibrator ELECTRONICS *n* amlddirgrynydd *m*

mumble *vn* bwyta geiriau, dweud dan fy (dy, ei, etc.) nannedd [*dannedd*], mwngial, mwmial, mwmian

mumbling *adj* myngus

mummy *n* mwmi *m*

mumps¹ twymyn doben

mumps² MEDICINE clwyf (y) pennau

mun *interj* w'

municipal *adj* bwrdeistrefol, dinasol, dinesig

municipality *n* bwrdeistref *f*

muon PHYSICS *n* miwon *m*

murage *n* murdreth *f*

mural *n* murlun *m*

murder¹ 1. *n* mwrdwr *m* 2. *vn* llofruddio, mwrdro

murder² LAW *n* llofruddiaeth *f*

murderer¹ *n* lleiddiad¹ *m*

murderer² LAW *n* llofrudd *m*

murky *adj* lleidiog, pỳg

murmur¹ 1. *n* murmur¹ *m* 2. *vn* murmur², siarad dan fy (dy, ei, etc.) ngwynt [*gwynt*], sïo, suo

murmur² MEDICINE *n* murmur¹ *m*

murmuring *adj* murmurog, murmurol

muscle ANATOMY *n* cyhyr *m*, cyhyryn *m*

muscular *adj* cyhyrog, cyhyrol

musculature ANATOMY *n* cyhyredd *m*

muse 1. *n* awen¹ *f* 2. *vn* synfyfyrio

museum *n* amgueddfa *f*

mushrooms 1. *n* madarch *pl* 2. bwyd y boda/barcud, grawn unnos

music *n* caniadaeth *f*, cerdd *f*, cerddoriaeth *f*, miwsig *m*, peroriaeth *f*

musical 1. *adj* cerddorol 2. sioe gerdd

musician *n* cerddor *m*

musicologist *n* cerddolegwr *m*

musicology *n* cerddoleg *f*, cerddoreg *f*

musing *adj* synfyfyriol

musings *n* synfyfyrion *pl*

musk *n* mwsg *m*

musket *n* mwsged *m*

musketeer *n* mysgedwr *m*

Muslim RELIGION 1. *adj* Mwslimaidd 2. *n* Mwslim *m*

muslin *n* mwslin *m*

mussel 1. *n* misglen *f* 2. cragen las

must *vn* gorfod²

mustard *n* mwstard *m*, mwstart *m*

mustelid ZOOLOGY *n* carlymoliad *m*

Mustelidae ZOOLOGY *n* carlymoliaid *pl*

muster *vn* byddino, crynhoi¹, lluyddu, mwstro

mutant¹ *n* mwtaniad *m*

mutant² BIOLOGY 1. *adj* mwtanaidd 2. *n* mwtan *m*

mutate¹ *vn* treiglo¹

mutate² BIOLOGY *vn* mwtanu

mutation¹ *n* cellwyriad *m*

mutation² BIOLOGY *n* mwtaniad *m*

mutation³ GRAMMAR *n* treiglad¹ *m*

mute¹ 1. *adj* mud 2. *n* mudan *mf*

mute² MUSIC *n* mudydd² *m*

muted *adj* tawel

muteness *n* mudandod *m*

mutilate *vn* llurgunio

mutilated *adj* llurguniedig

mutilation* *n* llurguniad *m*

mutiny 1. *n* gwrthryfel *m*, miwtini *m* 2. *vn* gwrthryfela

mutism *n* mudandod *m*

mutter *vn* brewlan, mân-sôn, mwngial, mwmial, mwmian

muttering *n* murmur¹ *m*

muzzle *n* ffroen *f*, penrhwym *m*, trwyn *m*

muzzy* *adj* aneglur

my *pronoun* f', fy, 'm, 'n¹

mycelium BIOLOGY *n* myceliwm *m*

mycologist *n* mycolegydd *m*

mycology *n* mycoleg *f*

mycoprotein BIOCHEMISTRY mycoprotein

mycorrhiza BIOLOGY *n* mycorhisa *m*

mydriasis MEDICINE cannwyll rwth

myelin ANATOMY *n* myelin *m*

myelinated ANATOMY *adj* myelinedig

myeloid ANATOMY *adj* myeloid

myocardial ANATOMY *adj* myocardiaidd

myocardium ANATOMY *n* myocardiwm *m*

myoglobin BIOCHEMISTRY *n* myoglobin *m*

myopia 1. *n* myopia *m* 2. golwg byr [*golwg¹*]

myopic byr fy (dy, ei, etc.) ngolwg

myosin BIOCHEMISTRY *n* myosin *m*

myriad *n* myrdd *m*, myrddiwn *m*

myrrh *n* myrr *m*

myrtle (trees and wood) *n* myrtwydd *pl*

myself *pronoun* myfi

mysterious *adj* cyfrin, dirgel¹

mystery¹ *n* dirgel² *m*, dirgelwch *m*

mystery² RELIGION *n* dirgeledigaeth *f*

mystic 1. *adj* cyfrin 2. *n* cyfrinydd *m*

mystical *adj* cyfriniol, rhiniol

mysticism RELIGION *n* cyfriniaeth *f*

myth *n* myth *m*
mythical *adj* chwedlonol
mythological *adj* mytholegol
mythology *n* chwedloniaeth *f*, mytholeg *f*
myxovirus MEDICINE *n* mycsofirws *m*

n

N¹ *abbr* G²
N² PHYSICS *n* newton *m*
nab* *vn* bachu, dal, dala
nacre *n* nacr *m*
nadir ASTRONOMY *n* nadir *m*
naevus man geni [*man²*]
nag *vn* hewian, nagio, poeni, swnan, swnian
nail 1. *n* ewin *mf*, hoel *f*, hoelen *f* 2. *vn* hoelio
naive/naïve *adj* diniwed, naïf
naivity *n* diniweidrwydd *m*, naïfder *m*, naïfrwydd *m*
naked *adj* noeth
nakedness *n* noethder *m*, noethni *m*
namby-pamby* 1. *adj* merfaidd 2. *n* llipryn *m*
name 1. *n* enw *m* 2. *vn* enwi, galw¹
nameless *adj* dienw
namely 1. *conj* sef 2. hynny yw [*hynny¹*], nid amgen [*amgen*]
Namibian 1. *adj* Namibiaidd 2. *n* Namibiad *m*
nanny *n* mamaeth *f*
nano- *pref* nano-
nanoelectronics *n* nanoelectroneg *f*
nanomaterial *n* nanoddefnydd *m*
nanometre *n* nanometr *m*
nanoscale PHYSICS *n* nanoraddfa *f*
nanotechnology *n* nanodechnoleg *f*
nap 1. *n* casnach *pl*, ceden *f*, cyntun *m*, napyn *m* 2. *vn* cedenu, hepian, pendwmpian
napalm *n* napalm *m*
nape *n* gwar *mf*, gwegil *m*
naphtha CHEMISTRY *n* nafftha *m*
napkin *n* napcyn *m*, napgyn *m*
nappy 1. *n* cewyn *m* 2. clwt babi
narcissism¹ *n* narsisiaeth *f*
narcissism² PSYCHOLOGY *n* hunan-serch *m*
narcissistic *adj* narsisaidd
narcissus 1. *n* gylfinog *f* 2. croeso'r gwanwyn
narcosis MEDICINE *n* narcosis *m*
narcotic¹ cyffur narcotig [*narcotig*]
narcotic² MEDICINE *adj* narcotig
narrate *vn* adrodd, traethu
narration *n* adroddiad *m*
narrative 1. *adj* adroddiadol, naratif², storïol, traethiadol 2. *n* naratif¹ *m*, traethiad *m*
narrator *n* adroddwr *m*, datgeiniad *m*, traethwr *m*, traethydd *m*
narrow 1. *adj* cul, cyfyng¹ 2. *vn* culhau, meinhau
narrow-minded *adj* cul

narrowness *n* culni *m*
narrows *n* culfa *f*
nasal *adj* trwynol
nasopharynx ANATOMY *n* nasoffaryncs *m*
nastic BOTANY *adj* nastig
nasty *adj* brwnt, cas¹, drwg¹
nation *n* cenedl *f*, gwlad *f*
national *adj* cenedlaethol
nationalism *n* cenedlaetholdeb *m*
nationalist 1. *adj* cenedlaetholgar 2. *n* cenedlaetholwr *m*, cenedlaetholwraig *f*
nationalistic *adj* cenedlaethol
nationality POLITICS *n* cenedligrwydd *m*
nationalize¹ *vn* cenedlaetholi
nationalize² ECONOMICS *vn* gwladoli
nationhood POLITICS *n* cenedligrwydd *m*
native 1. *adj* brodorol, cysefin, genedigol 2. *n* brodor *m*
natter *vn* hel dail, rwdlan, rwdlian
natty* *adj* sbriws
natural¹ *adj* anianol, naturiol
natural² MUSIC *adj* naturiol
naturalism *n* naturoliaeth *f*
naturalist *n* naturiaethwr *m*
naturalistic *adj* naturyddol
naturally wrth natur [*natur*], wrth reswm [*rheswm*]
naturalness *n* naturioldeb *m*
nature *n* anian *f*, gwead *m*, hanfod *m*, natur *f*
naughtiness *n* direidi *m*, drygioni *m*
naughty *adj* direidus
Naurean *adj* Nawrwaidd
Nauruan *n* Nawriad *m*
nausea *n* cyfog *m*
nauseous *adj* cyfoglyd
nautical *adj* morwrol
naval *adj* llyngesol, morwrol
navel ANATOMY *n* bogail *mf*
navelwort deilen gron
navigable *adj* mordwyadwy, mordwyol
navigate¹ *vn* mordwyo
navigate² COMPUTING *vn* llywio
navigation *n* mordwyaeth *f*
navigator *n* llywiwr *m*, mordwywr *m*
navvy *n* labrwr *m*, nafi *m*
navy *n* llynges *f*, nefi *f*
Nazi *n* Natsi *m*
Nazism *n* Natsïaeth *f*
NB *abbr* DS¹
Neapolitan *adj* Neapolitaidd
near 1. *adj* agos¹ 2. *prep* ger
nearest *adj* nesaf
nearly *adv* bron³
nearness *n* agosrwydd *m*
neat *adj* cymen, destlus, glanwaith, pert, taclus, twt¹

neatness n destlusrwydd m, taclusrwydd m, twtrwydd m

nebula ASTRONOMY n nifwl m

nebulizer n nebiwlydd m

nebulous adj niwlog

necessary adj angenrheidiol, gofynnol, rheidiol

necessitarianism PHILOSOPHY n rheidiolaeth f

necessity n angenrheidrwydd m, anghenraid m, rhaid m, rheidrwydd m

neck n gwddf m, gwddw m, gwddwg m, mwnwgl m

necklace n neclis f

necromancy n meirw-ddewiniaeth f, nigromans m, nigromansi m

necropolis n necropolis m

necrosis MEDICINE n necrosis m

nectar n neithdar m

nectarine n nectarîn f

nectary BOTANY n neithdarle m

need n angen m, eisiau m

needle n nodwydd f

needless adj afraid, diachos, dieisiau

needlewoman n nodwyddes f

needlework n gwniadwaith m

needy adj anghenog, anghenus, rheidus

nefarious* adj ysgeler

negate GRAMMAR vn negyddu

negation n nacâd m

negative[1] 1. adj nacaol, negyddol 2. n negatif[2] m, negydd m

negative[2] GRAMMAR 1. adj negyddol 2. n negydd m

negative[3] MATHEMATICS, PHYSICS adj negatif[1]

negativism n negyddiaeth f

neglect vn esgeuluso

neglected adj esgeulusedig

neglecter n esgeuluswr m

negligence n diofalwch m, esgeulustod m, esgeulustra m

negligent[1] adj diofal, esgeulus

negligent[2] LAW adj esgeulus

negotiable adj cyfnewidiadwy

negotiate vn cyd-drafod, negodi, trafod

negotiation n trafodaeth f

Negress offensive n Negröes f

Negro offensive n Negro m

Negroid offensive adj Negroaidd

neigh 1. n gweryrad m, gweryriad m 2. vn gweryru

neighbour n cymdoges f, cymydog m

neighbourhood n cymdogaeth f

neighbourliness 1. n cymdogrwydd m 2. cymdogaeth dda

neighbourly adj cymdogol

neither adv chwaith, ychwaith

nekton ZOOLOGY n necton pl

nematocyst ZOOLOGY n nematocyst m

nematode ZOOLOGY n nematod m

neoclassical adj neoglasurol

neoclassicism ART n neoglasuriaeth f

neodymium n neodymiwm m

Neogene GEOLOGY adj Neogen

neo-impressionism n neoargraffiadaeth f

Neolithic ARCHAEOLOGY adj Neolithig

neon n neon m

Nepalese 1. adj Nepalaidd 2. n Nepali m

Nepali 1. adj Nepalaidd 2. n Nepali m

nephew n nai m

nephridium ZOOLOGY n neffridiwm m

nephritis[1] llid yr arennau

nephritis[2] MEDICINE n neffritis m

nephron ANATOMY n neffron m

nepotism n neigaredd m, neigarwch m, nepotistiaeth f

Neptune n Neifion m

neptunium n neptwniwm m

neritic GEOLOGY adj neritig

nerve n nerf f

nerve cell BIOLOGY n nerfgell f

nerve net ZOOLOGY n nerfrwyd f

nerviness n nerfusrwydd m

nervous 1. adj cynhyrflyd, nerfol, nerfus, ofnus 2. ar binnau [pinnau]

nervousness n nerfusrwydd m

nest 1. n nyth m, nythaid m 2. vn nythu

nested adj amnyth

nestful n nythaid m

nesting-place n nythfa f

nestle vn nythu

nestling n cyw m

net[1] 1. adj clir, net 2. n rhwyd f 3. vn rhwydo

net[2] FINANCE adj net

netball n pêl-rwyd f

nethermost adj isaf

netting n netin m

nettles n danadl pl, dynad pl

network 1. n rhwydwaith m 2. vn rhwydweithio

neume MUSIC n niwm m

neural BIOLOGY adj niwral

neuralgia MEDICINE n niwralgia m

neurological adj niwrolegol

neurologist n niwrolegydd m

neurology n niwroleg f

neurone BIOLOGY n niwron m

neurophysiology PHYSIOLOGY n niwroffisioleg f

neurosis MEDICINE n niwrosis m

neurotic adj niwrotig

neurotransmitter PHYSIOLOGY n niwrodrosglwyddydd m

neuter[1] vn sbaddu, ysbaddu

neuter[2] GRAMMAR adj diryw

neutral adj niwtral

neutrality n niwtraliaeth f

neutralization[1] n niwtraleiddiad m

neutralization[2] CHEMISTRY n niwtraliad m

neutralize[1] vn niwtraleiddio

neutralize² CHEMISTRY *vn* niwtralu
neutrino PHYSICS *n* niwtrino *m*
neutron PHYSICS *n* niwtron *m*
never 1. *adv* byth, erioed 2. un amser [*amser*]
nevertheless er/serch hynny [*hynny*¹],
  eto i gyd [*eto*²]
new *adj* newydd¹
newborn *adj* newydd-anedig
newcomer 1. *n* newydd-ddyfodiad *m*
  2. dyn dŵad [*dŵad*]
news *n* newydd³ *m*, newyddion¹ *pl*
newsletter *n* cylchlythyr *m*
newspaper papur newydd
news-sheet *n* newyddlen *f*
newt madfall ddŵr
newton PHYSICS *n* newton *m*
New Zealander *n* Selandwr Newydd *m*
next 1. *adj* nesaf 2. *adv* wedyn
NHS *abbr* GIG
nib *n* nib *m*
nibble *vn* blaenbori, brigbori, deintio
Nicaraguan 1. *adj* Nicaragwaidd
  2. *n* Nicaragwad *m*
nice *adj* hyfryd, neis
niche* *n* cilfach *f*, cloer *m*
nick 1. *n* hecyn *m*, hic *m*, hicyn *m* 2. *vn* rhicio
nickel *n* nicel *m*
nickname 1. *n* blasenw *m*, glasenw *m*, llysenw *m*
  2. *vn* llysenwi
nicotine *n* nicotîn *m*
niece *n* nith *f*
Nigerian 1. *adj* Nigeriaidd 2. *n* Nigeriad *m*
Nigerien 1. *adj* Nigeraidd 2. *n* Nigerwr *m*
niggardliness *n* crintachrwydd *m*
niggardly *adj* cybyddlyd, tyn¹
nigh *adv* gerllaw²
night *n* nos *f*, noson *f*, noswaith *f*
nightfall 1. *n* hwyr² *m* 2. ael nos
nightgown 1. *n* betgwn *m*, coban *f* 2. crys nos
nightingale *n* eos *f*
nightly 1. *adj* beunosol, nosol, nosweithiol
  2. *adv* beunos
nightmare *n* hunllef *f*
nightmarish *adj* hunllefus
nightshade *n* codwarth *m*
nightshirt *n* coban *f*
nihilism *n* nihiliaeth *f*
nihilist *n* nihilydd *m*
nihilistic *adj* nihilaidd
nil *n* dim *m*
nimble *adj* chwim, esgud, gwisgi, sgut, sionc
nimbleness *n* chwimder *m*, chwimdra *m*
nimbostratus METEOROLOGY *n* nimbostratws *m*
nimbus METEOROLOGY *n* nimbws *m*
nincompoop *n* clwpa *m*, ffwlcyn *m*, hurtyn *m*,
  iolyn *m*
nine *num* naw

ninepins *n* ceilys² *pl*
ninety *num* deg a phedwar ugain, naw deg
ninth *num* nawfed
niobium *n* niobiwm *m*
nip *vn* brathu
nippers *n* niper *m*
nipple 1. *n* diden *f*, teth *f* 2. blaguryn bron
nipplewort *n* cartheig *f*
nirvana RELIGION *n* nirfana *f*
nit *n* nedden *f*
nitrate CHEMISTRY *n* nitrad *m*
nitration CHEMISTRY *n* nitradiad *m*
nitric *adj* nitrig
nitride *n* nitrid *m*
nitrification CHEMISTRY *n* nitreiddiad *m*
nitrify CHEMISTRY *vn* nitreiddio
nitrite CHEMISTRY *n* nitraid *m*
nitrogen *n* nitrogen *m*
nitrogenous *adj* nitrogenaidd
nitroglycerine *n* nitroglyserin *m*
nitrous CHEMISTRY *adj* nitrus
nitwit *n* hurtyn *m*, ionc *m*, nionyn *m*
NLW *abbr* LlGC
no *adv* naddo, nage
no-ball pelen wallus
nobelium *n* nobeliwm *m*
nobility *n* pendefigaeth *f*, uchelwyr *pl*, urddas *m*
noble *adj* boneddigaidd, bonheddig, nobl,
  pendefigaidd, uchelwrol, urddasol
nobleman *n* pendefig *m*, uchelwr *m*
noblewoman *n* pendefiges *f*
nobody *n* neb *m*
nociceptor PHYSIOLOGY *n* nociganfyddwr *m*
nocturnal *adj* beunosol, nosol, nosweithiol
nocturne MUSIC *n* hwyrgan *f*
nod 1. *n* amnaid *f* 2. *vn* amneidio, nodio
nodality *n* nodaledd *m*
node¹ *n* cwlwm¹ *m*, nod² *m*
node² ANATOMY, BOTANY *n* cwgn *m*
node³ ASTRONOMY, PHYSICS *n* nod² *m*
nodular *adj* cnepynnaidd
nodule *n* cnepyn *m*
noise *n* dadwrdd *m*, sŵn *m*, twrf *m*, twrw *m*
noisy 1. *adj* clochaidd, stwrllyd, swnllyd,
  trystfawr, trystiog
  2. uchel fy (dy, ei, etc.) nghloch [*cloch*]
nomad *n* nomad *m*
nomadic *adj* crwydrol, nomadaidd, nomadig
nomadism *n* nomadiaeth *f*
nom de plume 1. *n* ffugenw *m* 2. enw barddol
nominalism PHILOSOPHY *n* enwolaeth *f*
nominalist *n* enwolwr *m*
nominate *vn* enwebu
nominated *adj* enwebedig
nomination *n* enwebiad *m*
nominative *adj* enwol
nominator *n* enwebwr *m*, enwebydd *m*

non-academic *adj* anacademaidd, anacademig
non-accidental *adj* annamweiniol
non-aggressive *adj* anymosodol
nonagon MATHEMATICS *n* nonagon *m*
non-alcoholic *adj* dialcohol
non-aligned *adj* anymochrol
non-alignment *n* anymochredd *m*
non-biodegradable *adj* anfioddiraddadwy
nonchalance *n* difaterwch *m*
nonchalant *adj* didaro, ysgafala
non-chronological *adj* anghronolegol
non-commercial *adj* anfasnachol
nonconformist 1. *adj* anghydffurfiol[1]
  2. *n* anghydffurfiwr[1] *m*
Nonconformist 1. *adj* Anghydffurfiol[2],
  Ymneilltuol 2. *n* Anghydffurfiwr[2] *m*,
  Ymneilltuwr *m*
nonconformity *n* anghydffurfiaeth[1] *f*
Nonconformity RELIGION *n* Anghydffurfiaeth[2] *f*,
  Ymneilltuaeth *f*
non-core *adj* allgraidd
non-corrosive *adj* anghyrydol
non-crystalline *adj* anghrisialog
non-cumulative *adj* anghronnus
nondescript 1. *adj* cyffredin, di-nod, dinod
  2. bol clawdd
non-discriminatory *adj* anwahaniaethol
non-domestic *adj* annomestig
none *n* dim *m*
nonentity *n* neb *m*
non-existent nad yw'n bod [bod[1]]
non-fat *adj* difraster
nonfeasance LAW *n* anwaith *m*
non-ferrous CHEMISTRY *adj* anfferrus
non-fiction *adj* ffeithiol
non-flammable *adj* annflamadwy
non-flowering BOTANY *adj* anflodeuol
non-fraying NEEDLEWORK *adj* gwrthraflog
non-governmental *adj* anllywodraethol
non-interference *n* anymyrraeth *f*
non-intervention *n* anymyrraeth *f*
non-invasive MEDICINE *adj* anymwthiol
non-inverting ELECTRONICS *adj* anwrthdroadol
nonionic CHEMISTRY *adj* di-ïonig
non-linear *adj* aflinol
non-living *adj* anfyw
non-malignant MEDICINE *adj* anfalaen
non-metal CHEMISTRY *n* anfetel *m*
non-metallic CHEMISTRY *adj* anfetelaidd
non-movement PHYSICS *n* disymudedd *m*
nonplussed* *adj* syfrdan, syn
non-political *adj* anwleidyddol
non-porous *adj* difandwll
non-profit-making *adj* dielw
non-quantifiable *adj* anfesuradwy
non-sectarian *adj* anenwadol
non-selective *adj* annethol

nonsense 1. *n* cybôl *m*, dwli *m*, dyli *m*, ffiloreg *f*,
  ffwlbri *m*, lol *f*, nonsens *m* 2. lol botes maip
nonsensical* *adj* gwirion, hurt
non-slip *adj* gwrth-lithr
non-standard *adj* ansafonol
non-statutory *adj* anstatudol
non-stick *adj* anlynol
non-stop *adj* di-baid
non-stretch *adj* diymestyn
non-synonymous *adj* anghyfystyr
non-systematic *adj* ansystematig
non-toxic *adj* diwenwyn
non-transferable *adj* anhrosglwyddadwy
non-violent *adj* di-drais
non-vocational *adj* analwedigaethol
non-voluntary *adj* anwirfoddol
non-Welsh-speaking *adj* di-Gymraeg
non-work *n* anwaith *m*
noodle *n* nwdl *m*
nook *n* cesail *f*, cil *m*, cilfach *f*, congl *f*
noon hanner dydd
nor *conj* na[3], nac
noradrenaline BIOCHEMISTRY *n* noradrenalin *m*
norm *n* norm *m*, safon *f*
normal *adj* arferol, normal
normality *n* normaledd *m*, normalrwydd *m*
normalize *vn* normaleiddio
Norman 1. *adj* Normanaidd 2. *n* Normaniad *m*
Normanization *vn* Normaneiddio
normative *adj* normadol
Norseman *n* Llychlynnwr *m*
north 1. *abbr* G[2] 2. *n* gogledd *m*
north-east *n* gogledd-ddwyrain *m*
northerly *adj* gogleddol
northern *adj* gogleddol
northerner *n* gogleddwr *m*
northing *n* gogleddiad *m*
north-west *n* gogledd-orllewin *m*
Norwegian 1. *adj* Norwyaidd
  2. *n* Norwyad *m*, Norwyes *f*
nose *n* trwyn *m*
nosegay *n* blodeuglwm *m*, pwysi[2] *m*
nostalgia *n* hiraeth *m*
nostalgic *adj* hiraethlon, hiraethus
nostril *n* ffroen *f*
nosy *adj* busnesgar, busneslyd, stilgar
not 1. *particle* ni[3], nid 2. *prep* heb
notable *adj* hynod, nodadwy, nodedig
notary *n* notari *m*
notate *vn* nodiannu
notation *n* nodiant *m*
notch 1. *n* hac *m*, hic *m*, hicyn *m*, rhic *m*
  2. *vn* bylchu, hicio, rhicio
note 1. *n* nodyn[1] *m*, nodyn[2] *m*
  2. *vn* cofnodi, nodi, sylwi
notebook *n* nodiadur *m*, nodlyfr *m*
noted *adj* enwog

noteworthy *adj* hynod, nodedig

nothing 1. *n* dim *m* 2. dim byd

notice 1. *n* hysbyseb *f*, hysbysiad *m*, rhybudd *m*
2. *vn* sylwi

noticeable *adj* amlwg

noticeboard *n* hysbysfwrdd *m*

notification* *n* hysbysiad *m*

notifier *n* hysbyswr *m*

notify *vn* hysbysu

notion *n* amcan *m*, dirnadaeth *f*, llefelaeth *m*,
syniad *m*

notochord ZOOLOGY *n* notochord *m*

nought[1] *n* dim *m*

nought[2] MATHEMATICS *n* gwagnod *m*, sero *m*

noun GRAMMAR *n* enw *m*

nourish *vn* llithio, maethu, meithrin, porthi

nourishing *adj* maethlon, maethol

nourishment *n* maeth[1] *m*, porthiant *m*,
ymborthiant *m*

nova ASTRONOMY *n* nofa *f*

novel *n* nofel *f*

novelette *n* nofelig *f*

novelist *n* nofelydd *m*

novelty *n* newyddbeth *m*, newydd-deb *m*

November 1. *n* Tachwedd *m*
2. mis Tachwedd [*Tachwedd*]

novice *n* newyddian *m*, nofis *m*

now 1. *adv* nawr, rŵan, yn awr
2. ar hyn o bryd [*hyn*[1]]

nowadays *nm & adv* heddiw

noxious* *adj* andwyol, annifyr

nozzle *n* ffroenell *f*, trwyn *m*

nuance* *n* arlliw *m*

nucellus BOTANY *n* niwcellws *m*

nuclear *adj* cnewyllol, niwclear

nucleate BIOLOGY *adj* cnewyllol

nucleated PHYSICS *adj* niwcledig

nucleon PHYSICS *n* niwcleon *m*

nucleophile CHEMISTRY *n* niwclioffil *m*

nucleophilic CHEMISTRY *adj* niwclioffilig

nucleus[1] BIOLOGY *n* cnewyllyn *m*

nucleus[2] PHYSICS *n* niwclews *m*

nuclide PHYSICS *n* niwclid *m*

nude 1. *adj* noethlymun, porcyn 2. *n* noethlun *m*

nudge 1. *n* prociad *m*, pwnad *m*, pwniad *m*,
pwt[1] *m* 2. *vn* pwnio, pwno, pwtian, pwtio

nudist *n* noethlymunwr *m*

nudity *n* noethni *m*

nuisance *n* niwsans *m*, poen *f*, poendod *m*

null COMPUTING, ELECTRONICS, MATHEMATICS *n*
nwl[1] *m*

nullity LAW *n* dirymedd *m*

numb 1. *adj* dideimlad, fferllyd 2. *vn* merwino

number 1. *n* maint *m*, nifer *mf*, rhif *m*,
rhifedi *m & pl*, rhifyn *m* 2. *vn* rhifo

numbness *n* crapach *f*, crepach *f*, fferdod *m*,
merwindod *m*

numbskull *n* clopa *f*, drel *m*, drelyn *m*, lembo *m*

numeracy *n* rhifedd *m*

numeral *n* rhifol[1] *m*, rhifolyn *m*

numerate *adj* rhifog

numerator MATHEMATICS *n* rhifiadur *m*

numeric *adj* rhifiadol, rhifol[2]

numerical *adj* rhifiadol

numerous *adj* aml[1], brith, lluosog, niferus

numinous *adj* niwminaidd, nwmenaidd

numismatics *n* niwmismateg *f*

nun RELIGION *n* lleian *f*

nunnery *n* lleiandy *m*

nurse 1. *n* gweinyddes *f*, nyrs *fm*
2. *vn* magu, nyrsio

nursery *n* meithrinfa *f*

nurture 1. *n* magwraeth *f* 2. *vn* coleddu, meithrin

nut *n* cneuen *f*, nyten *f*

nutcracker gefel gnau

nuthatch *n* delor y cnau *m*

nutmeg *n* nytmeg *m*

nutrient *n* maetholyn *m*

nutrition *n* maetheg *f*, maethiad *m*, ymbortheg *f*

nutritious *adj* maethlon, maethol

nuts 1. *adj* gwallgof, lloerig 2. *n* cnau *pl*

nyctinasty BOTANY *n* nyctinasedd *m*

nylon *n* neilon *m*

nymph *n* nymff *f*

nymphomania *n* nymffomania *m*

O

O *n* o[1] *f*, O *f*

oaf *n* drel *m*, drelyn *m*, llo *m*, llwdn *m*

oak (trees and wood) *n* derw *pl*

oar *n* rhodl *f*, rhodlen *f*, rhwyf *f*

oarsman *n* rhwyfwr *m*

oasis 1. *n* gwerddon *f* 2. cilfach werdd

oatcake bara ceirch

oath *n* llw *m*

oatmeal blawd ceirch

oats *n* ceirch *pl*, cerch *pl*, cyrch[2] *pl*

obduracy *n* gwargaledwch *m*, ystyfnigrwydd *m*

obdurate* *adj* cyndyn, ystyfnig

obedience *n* ufudd-dod *m*

obedient *adj* ufudd

obeisance *n* gostyngiad *m*, gwrogaeth *f*,
ymgrymiad *m*

obelisk *n* obelisg *m*

obese *adj* gordew

obesity *n* gorbwysedd *m*, gordewdra *m*

obey *vn* ufuddhau

object[1] 1. *n* gwrthrych *m*, pwrpas *m*
2. *vn* gwrthwynebu

object[2] GRAMMAR *n* gwrthrych *m*

objection *n* gwrthwynebiad *m*

objective 1. *adj* gwrthrychol 2. *n* amcan *m*

objectivity *n* gwrthrychedd *m*

objector *n* gwrthwynebwr *m*, gwrthwynebydd *m*

obligation *n* rhwymedigaeth *f*

obligatory *adj* gorfodol

obliging *adj* cymwynasgar, gwasanaethgar, parod

obligingness *n* gwasanaethgarwch *m*

oblique *adj* arosgo, lletraws

obliterate* *vn* dileu

obliteration *n* dilead *m*

oblivion *n* anghofrwydd *m*, anghofusrwydd *m*, angof *m*, difancoll *m*, ebargofiant *m*

oblong *adj* petryal[2]

oboe *n* obo *m*

oboist *n* oboydd *m*

obscene *adj* anllad

obscenity *n* anlladrwydd *m*

obscurantism *n* gwrtholeuaeth *f*

obscurantist *n* gwrtholeuwr *m*

obscure 1. *adj* aneglur, cymylog, cymysglyd, di-nod, dinod, tywyll 2. *vn* cuddio, cymylu, dallu, tywyllu

obscurity *n* aneglurdeb *m*, aneglurder *m*, dinodedd *m*

obsequious *adj* cynffongar, gwasaidd

observant *adj* craff, llygadog, llygatgraff, sylwgar

observation *n* arsylw *m*, arsylwad *m*, sylw *m*

observatory ASTRONOMY *n* arsyllfa *f*

observe[1] *vn* arsylwi, arsyllu, cadw[1], dal, dala, gwylied, gwylio, sylwi

observe[2] ASTRONOMY *vn* arsyllu

observer *n* arsylwr *m*, arsyllwr *m*, arsyllydd *m*, gwyliedydd *m*, sylwedydd *m*, syllwr *m*

obsession *n* obsesiwn *m*

obsidian GEOLOGY *n* gwydrfaen *m*

obsolescence *n* darfodiad *m*

obsolescent *adj* darfodol

obsolete *adj* anarferedig, ansathredig

obstacle *n* llesteiriad *m*, llesteiriant *m*, rhwystr *m*

obstetric MEDICINE *adj* obstetrig

obstetrician *n* obstetregydd *m*

obstetrics MEDICINE *n* obstetreg *f*

obstinacy *n* croesineb *m*, cyndynrwydd *m*, gwargaledwch *m*, ystyfnigrwydd *m*

obstinate *adj* bustachaidd, cyndyn, gwargaled, gwarsyth, gwrthnysig, pengaled, penstiff, ystyfnig

obstreperous *adj* afreolus, cegog

obstruct *vn* llesteirio, lluddias

obstruction *n* llestair *m*, rhwystr *m*, rhwystrad *m*

obstructionist *n* llesteiriwr *m*

obstructive *adj* llesteiriol, rhwystrol

obstructor *n* llesteiriwr *m*, rhwystrwr *m*

obtain *vn* ennill[1]

obtrusive *adj* goramlwg

obtuse[1]* *adj* twp

obtuse[2] MATHEMATICS *adj* aflym

obvious *adj* amlwg

occasion 1. *n* achlysur *m*, gwaith[2] *f* 2. *vn* achosi, peri

occasional *adj* achlysurol, ambell, ambell i

occasionalism PHILOSOPHY *n* achlysuraeth *f*

occasionally 1. *adv* weithiau 2. ambell dro [*tro*]

occlude CHEMISTRY, METEOROLOGY *vn* achludo

occlusion MEDICINE, METEOROLOGY *n* achludiad *m*

occult[1] 1. *adj* goruwchnaturiol[1], ocwlt 2. *n* goruwchnaturiol[2] *m*

occult[2] ASTRONOMY *vn* arguddio

occultation ASTRONOMY *n* arguddiad *m*

occultism *n* ocwltiaeth *f*

occupancy[1] *n* preswyliaeth *f*

occupancy[2] LAW *n* deiliadaeth *f*

occupation *n* galwedigaeth *f*, gwaith[1] *m*, meddianiad *m*, meddiannaeth *f*, meddiant *m*, swydd *f*

occupational *adj* galwedigaethol

occupier *n* deiliad *m*

occupy *vn* llanw[2], llenwi[1], meddiannu

occur *vn* dod[1], dyfod, taro

occurrence *n* digwyddiad *m*

ocean *n* cefnfor *m*, dyfnfor *m*, eigion *m*

oceanic *adj* cefnforol

oceanographer *n* eigionegydd *m*

oceanography *n* eigioneg *f*

ocellus ZOOLOGY *n* ocelws *m*

och *interj* och

ochre *n* ocr *m*

o'clock o'r gloch [*cloch*]

octagon MATHEMATICS *n* octagon *m*

octagonal *adj* octagonal, wythonglog

octahedron MATHEMATICS *n* octahedron *m*

octane CHEMISTRY *n* octan *m*

octave MUSIC *n* wythfed[2] *m*

octavo *adj* wythblyg

octet *n* wythawd *m*

October 1. *n* Hydref[2] *m* 2. mis Hydref [*Hydref[2]*]

octopus *n* octopws *m*

ocular *adj* llygadol, llygeidiol

odd *adj* od, rhyfedd

oddity *n* anghyffredinedd *m*

oddness *n* odrwydd *m*

odious *adj* anghynnes, gwrthun

odiousness *n* gwrthuni *m*

odium* *n* atgasedd *m*, atgasrwydd *m*

odorous *adj* aroglus

odour *n* sawr *m*

odourless *adj* diarogl

oedema[1] 1. *n* dyfrchwydd *m* 2. chwydd gwyn, clwy'r dŵr [*clwyf*]

oedema[2] MEDICINE *n* edema *m*, oedema *m*

oesophagitis[1] llid y sefnig

oesophagitis[2] MEDICINE llid yr oesoffagws

oesophagus[1] *n* sefnig *f*

oesophagus² ANATOMY *n* esoffagws *m*, oesoffagws *m*

oestrogen BIOCHEMISTRY *n* estrogen *m*, oestrogen *m*

of *prep* gan[1], o[2]

off 1. *adv* bant, ymaith 2. oddi amdanaf fi (amdanat ti, amdano ef, etc.)

offal *n* offal *m*

off-colour *adj* bethma[2], pethma

offence¹ *n* tramgwydd *m*, tramgwyddiad *m*

offence² LAW *n* trosedd *mf*

offend *vn* digio, pechu, tramgwyddo, troseddu

offended *adj* chwith[1], dig[2]

offender *n* drwgweithredwr *m*, tramgwyddwr *m*

offensive *adj* tramgwyddus

offer 1. *n* cynnig[2] *m* 2. *vn* cynnig[1], offrymu

offered *adj* offrymedig

offerer *n* cynigydd *m*, offrymwr *m*, offrymydd *m*

offering *n* offrwm *m*

offertory¹ *n* offrwm *m*

offertory² RELIGION *n* offertori *m*, offrymiad *m*

offertory³ MUSIC *n* offrymgan *f*

offhand* *adj* di-hid, dihidio

office *n* swydd *f*, swyddfa *f*

officer *n* swyddog *m*

official 1. *adj* swyddogol 2. *n* swyddog *m*

officiate *vn* gwasanaethu, gweinidogaethu, gweinyddu

off-line COMPUTING *adj* all-lein

off-peak *adj* allfrig

offset *vn* gwrthbwyso

offshore *adj* alltraeth

offspring *n* epil *m*, hil *f*, hiliogaeth *f*

often llawer gwaith [*llawer*[2]], yn aml [*aml*[1]]

ogham *n* ogam *f*

ogle* *vn* ciledrych, llygadu

oh *interj* o[4], och, ow

ohm *n* ohm *m*

ohmmeter PHYSICS *n* ohmedr *m*

oil 1. *n* oel *m*, olew *m* 2. *vn* iro, oelio

oiled *adj* olewllyd

oily *adj* olewllyd, olewog, seimlyd, seimllyd

ointment *n* eli *m*, ennaint *m*

okay *adj* iawn[1]

old *adj* hen[1]

older *adj* hŷn

oldest *adj* hynaf

old-fashioned *adj* henaidd, hen ffasiwn

oldish *adj* henaidd

oleaginous *adj* olewog

olfactory MEDICINE *adj* arogleuol

oligarchy *n* oligarchiaeth *f*

oligopolistic *adj* oligopolaidd

oligopoly ECONOMICS *n* oligopoli *m*

olive (trees and wood) *n* olewydd *pl*, olif *f*

Olympic *adj* Olympaidd

Omani 1. *adj* Omanaidd 2. *n* Omaniad *m*

omasum ZOOLOGY *n* omaswm *m*

ombudsman LAW *n* ombwdsman *m*, ombwdsmon *m*

omelette *n* omled *m*, omlet *m*

omen *n* argoel *f*

omit *vn* gadael allan, hepgor

ommatidium ZOOLOGY *n* omatidiwm *m*

omnibus *n* bws *m*, bỳs *m*

omnipotence *n* hollalluogrwydd *m*, hollalluowgrwydd *m*

omnipotent *adj* hollalluog

omnipresence *n* hollbresenoldeb *m*

omnipresent *adj* hollbresennol

omniscience *n* hollwybodaeth *f*

omniscient *adj* hollwybodol, hollwybodus

omnivore *n* hollysydd *m*

omnivorous *adj* hollysol

on 1. *adv* arnodd, ymlaen 2. *prep* am[2], ar

once *adv* gynt, siwrnai[2], unwaith

oncological MEDICINE *adj* oncolegol

oncologist *n* oncolegydd *m*

oncology MEDICINE *n* oncoleg *f*

one 1. *adj* un[2] 2. *n* un[3] *mf* 3. *num* un[1] 4. *pronoun* chi[1], chwi

one-day *adj* undydd

one-eyed *adj* unllygeidiog

one-handed *adj* unllaw

one-legged *adj* untroed, untroediog

onerous *adj* pwysfawr

one-sided *adj* unochrog

one-third *n* traean *m*

one-track *adj* untrac

one-way *adj* unffordd

ongoing ar y gweill [*gweill*]

onion *n* nionyn *m*, winwnsyn *m*

online COMPUTING 1. *adj* ar-lein 2. *adv* ar lein

onlooker* *n* gwyliwr *m*

only 1. *adj* unig 2. *adv* dim ond 3. *conj* ond 4. dim ond [*ond*]

onomastic *adj* onomastig

onomastics *n* onomasteg *f*

onomatopoeia *n* onomatopeia *m*

onomatopoeic *adj* onomatopeig

onset* *n* cychwyn[2] *m*

onshore *adj* atraeth

onslaught *n* ymosodiad *m*

ontogeny BIOLOGY *n* ontogenedd *m*

ontological PHILOSOPHY *adj* ontolegol

ontology¹ *n* bodeg *f*

ontology² PHILOSOPHY *n* ontoleg *f*

onus *n* cyfrifoldeb *m*

onward *adv* ymlaen

onyx *n* onics *m*

oocyst BIOLOGY *n* oocyst *m*

oocyte BIOLOGY *n* oocyt *m*

oogamet BIOLOGY *n* oogamet *m*

oogamy BIOLOGY *n* oogamedd *m*

oogenesis BIOLOGY *n* oogenesis *m*
oolite GEOLOGY *n* oolit *m*
oologist *n* oolegydd *m*
oology *n* ooleg *f*
oophyte BOTANY *n* ooffyt *m*
oosperm BIOLOGY *n* oosberm *m*
oosphere BIOLOGY *n* oosffer *m*
oospore BOTANY *n* oosbor *m*
ooze *vn* tryddiferu
opacity *n* didreiddedd *m*
opah *n* opa *m*
opaque *adj* afloyw, anhryloyw, di-draidd
opaqueness *n* afloywder *m*
open 1. *adj* agored 2. *vn* agor, ymagor
open-ended *adj* penagored
opener *n* agorwr *m*, agorydd *m*
open-handed *adj* llawagored
opening 1. *adj* agoriadol 2. *n* agoriad *m*,
    ceg *f*, drws *m*
open-minded 1. *adj* eangfrydig 2. meddwl
    agored [*agored*]
open-mouthed *adj* cegrwth, safnrhwth
opera MUSIC *n* opera *f*
operate *vn* gweithio, gweithredu
operatic *adj* operatig
operation[1] *n* gweithrediad *m*
operation[2] MEDICINE *n* llawdriniaeth *f*
operational *adj* gweithredol, hywaith
operative *adj* gweithiol
operator[1] *n* gweithredwr *m*
operator[2] BIOLOGY, MATHEMATICS *n*
    gweithredydd *m*
operetta MUSIC *n* opereta *f*
ophthalmic MEDICINE *adj* offthalmolegol
ophthalmologist *n* offthalmolegydd *m*
ophthalmology MEDICINE *n* offthalmoleg *f*
ophthalmoscope MEDICINE *n* offthalmosgop *m*
opinion *n* barn *f*, daliad *m*, piniwn[1] *m*,
    syniad *m*, tyb *m*
opioid *n* opioid *m*
opium *n* opiwm *m*
opponent *n* gwrthwynebwr *m*, gwrthwynebydd *m*
opportune *adj* addas, amserol, cyfleus
opportunism *n* oportiwnistiaeth *f*
opportunist *n* oportiwnydd *m*
opportunity *n* agoriad *m*, cyfle *m*
opposable ZOOLOGY cyferbynadwy
oppose *vn* cyferbynnu, gwrthwynebu
opposed *adj* croes[2], gwrthwynebus
opposing *adj* gwrthwynebus
opposite[1] 1. *adj* croes[2], cyferbyn, cyferbyniol,
    cyferbynnol, gogyfer, gwrthgyferbyniol
    2. *n* gwrthwyneb *m* 3. gair croes
opposite[2] PHYSICS *adj* dirgroes
oppositeness *n* gwrthgyferbynrwydd *m*
opposition *n* gwrthblaid *f*, gwrthgyferbyniad *m*,
    gwrthwynebiad *m*

oppress *vn* gormesu, gorthrechu, gorthrymu,
    llethu, nychu, treisio
oppressed *adj* gorthrymedig[1]
oppression *n* gormes *mf*, gorthrech *m*,
    gorthrwm *m*, gorthrymder *m*
oppressive *adj* gormesol, gorthrymus, llethol
oppressiveness *n* llethdod *m*
oppressor *n* gormeswr *m*, gormesydd *m*,
    gorthrymwr *m*, treisiwr *m*
opt* *vn* dewis[1]
optic *adj* optig
optical *adj* llygadol, optegol
optician *n* optegydd *m*
optics PHYSICS *n* opteg *f*
optimal *adj* optimaidd
optimism *n* gobaith *m*, optimistiaeth *f*
optimist *n* optimist *m*, optimydd *m*
optimistic *adj* gobeithiol, optimistaidd
optimize *vn* optimeiddio
optimum *n* optimwm *m*
option *n* dewis[2] *m*, opsiwn *m*
optional *adj* dewis[3], dewisol
opulence *n* godidowgrwydd *m*
opus[1] *n* gwaith[1] *m*, opws *m*
opus[2] MUSIC *n* opws *m*
or *conj* neu, ynteu
orache *n* llygwyn *m*
oracle *n* oracl *m*
oracular *adj* oraclaidd
oracy *n* llafaredd *m*
oral[1] *adj* geiriol, llafar
oral[2] ANATOMY *adj* geneuol
orange 1. *adj* oren[2] 2. *n* oren[1] *m*
orangery *n* orenfa *f*
orang-utan *n* orangwtang *m*
oration *n* anerchiad *m*, araith *f*
orator *n* areithiwr *m*, areithydd *m*
oratorio MUSIC *n* oratorio *f*
oratory *n* areitheg *f*, areithyddiaeth *f*, rhethreg *f*
orb *n* pelen *f*, pellen *f*
orbit[1] *n* cylch *m*, rhod *f*
orbit[2] ANATOMY crau'r llygad
orbit[3] ASTRONOMY, PHYSICS *n* orbit *m*
orbital PHYSICS 1. *adj* orbitol 2. *n* orbital *m*
orchard *n* perllan *f*
orchestra *n* cerddorfa *f*
orchestral *adj* cerddorfaol
orchid *n* tegeirian *m*
ordain[1] *vn* cysegru, ordeinio, urddo
ordain[2] RELIGION *vn* ordeinio
ordained *adj* ordeiniedig, urddedig
order[1] 1. *n* archeb *f*, gorchymyn[2] *m*, gradd *f*,
    trefn *f* 2. *vn* archebu, gorchymyn[1], gwneud[1],
    gwneuthur, trefnu
order[2] BIOLOGY, RELIGION *n* urdd *f*
ordered *adj* trefnedig
orderliness *n* trefnusrwydd *m*

orderly *adj* dosbarthus, rheolus, trefnus
ordinal MATHEMATICS *adj* trefnol
ordinals *n* trefnolion *pl*
ordinance[1] *n* ordinhad *f*
ordinance[2] LAW *n* deddfiad *m*
ordinary *adj* arferol, cyffredin
ordinate MATHEMATICS *n* mesuryn *m*
ordination *n* ordeiniad *m*, ordinhad *f*, urddiad *m*
ordnance *n* ordnans *m*
Ordovices *n* Ordoficiaid *pl*
Ordovician GEOLOGY *adj* Ordofigaidd
ore *n* mwyn[1] *m*
orfe *n* orff *m*
organ[1] *n* organ[1] *f*
organ[2] MUSIC *n* organ[1] *f*
organ[3] BIOLOGY *n* organ[2] *m*
organdie *n* organdi *m*
organelle BIOLOGY *n* organyn *m*
organic BIOLOGY, CHEMISTRY *adj* organig
organism *n* organeb *f*
organist *n* organydd *m*
organization *n* corff *m*, cymdeithas *f*, mudiad *m*, sefydliad *m*, trefniadaeth *f*
organize *vn* trefnu
organizer *n* trefnydd *m*
organum MUSIC *n* organwm *m*
organza *n* organsa *m*
orgasm *n* gwŷn *m*, orgasm *m*
orgasmic *adj* orgasmig
orgy *n* gloddest *m*
Orient Dwyrain
oriental 1. *adj* dwyreiniol 2. *n* dwyreiniwr *m*
orientation *n* cyfeiriadedd *m*
oriented *adj* cyfeiriedig
orienteering *vn* cyfeiriannu
orifice MEDICINE *n* agorfa *f*
origami *n* origami *m*
origin[1] *n* dechreuad *m*, gwraidd *m*, gwreiddyn *m*, haniad *m*, tarddiad *m*
origin[2] MATHEMATICS *n* tarddbwynt *m*
original 1. *adj* cysefin, dechreuol, gwreiddiol[1] 2. *n* gwreiddiol[2] *m*
originality *n* gwreiddioldeb *m*
originate *vn* cychwyn[1], dechrau[2], hanu, tarddu
originating *adj* tarddiadol
originator *n* cychwynnydd *m*
ornament *n* addurn *m*
ornithine BIOCHEMISTRY *n* ornithin *m*
ornithologist *n* adarydd *m*, aderydd *m*
ornithology *n* adareg *f*
orogenic GEOLOGY *adj* orogenig
orogeny GEOLOGY *n* orogeni *m*
orographic *adj* orograffig
orphan 1. *adj* amddifad 2. *vn* amddifadu
orphaned *adj* amddifad
orphanhood *n* amddifadrwydd *m*
orthodontic MEDICINE *adj* orthodontig

orthodontics MEDICINE *n* orthodonteg *f*
orthodontist *n* orthodeintydd *m*
orthodox *adj* uniongred
orthodoxy *n* uniongrededd *m*
orthogonal MATHEMATICS *adj* orthogonol
orthogonality MATHEMATICS *n* orthogonoledd *m*
orthographic *adj* orthograffig
orthographical *adj* orgraffyddol
orthography *n* orgraff *f*
orthopaedic MEDICINE *adj* orthopaedig, orthopedig
orthopaedics MEDICINE *n* orthopaedeg *f*, orthopedeg *f*
oscillate[1] *vn* osgiliadu, pendilio
oscillate[2] PHYSICS *vn* osgiliadu
oscillating *adj* osgiliadol
oscillation[1] *n* siglad *m*, sigliad *m*
oscillation[2] PHYSICS *n* osgiliad *m*
oscillator *n* osgiliadur *m*
oscillatory *adj* osgiliadol
oscilloscope *n* osgilosgop *m*
osmium *n* osmiwm *m*
osmoregulation BIOLOGY *n* osmoreolaeth *f*
osmoregulatory BIOLOGY *adj* osmoreolaethol
osmosis *n* osmosis *m*
osprey eryr y môr [*eryr*[1]], gwalch y pysgod
ossicle[1] ANATOMY 1. *n* esgyrnyn *m*
   2. esgyrnyn y glust
ossicle[2] ZOOLOGY *n* osigl *m*
ossify *vn* asgwrneiddio, ymgaregu
ostentation *n* rhodres *m*
ostentatious *adj* rhodresgar, rhwysgfawr
osteopath 1. *n* osteopath *m* 2. meddyg esgyrn
osteopathy MEDICINE *n* osteopatheg *f*
ostler *n* gwastrawd *m*
ostrich *n* estrys *mf*
other *adj* amgen, arall
otherness *n* arwahanrwydd *m*
others 1. *adj* eraill 2. *pronoun* lleill
otherwise fel arall [*fel*[1]]
otherworldly *adj* arallfydol
otter *n* dwrgi *m*, dyfrgi *m*
ounce *n* owns *f*
our *pronoun* ein, 'n[1]
oust* *vn* disodli
out 1. *adj* allan[2] 2. *adv* allan[1], maes[2], ma's
   3. *interj* hwt 4. i maes [*i*[3]]
out-and-out *adj* rhonc
outbreed *vn* allfridio
outburst *n* ffrwydrad *m*, ffrwydriad *m*
outcast* *n* alltud[1] *m*
outcome *n* canlyniad *m*, deilliant *m*
outcrop 1. *n* brig[1] *m* 2. *vn* brigo[1]
outcropping *n* brigiad *m*
outcry *n* dadwrdd *m*, protest *f*
outdo *vn* rhagori
outdoor *adj* allanol

outer* *adj* allanol
outfall *n* arllwysfa *f*
outfield *n* allfaes *m*
outfit *n* dillad *pl*, rigowt *m*
outflow 1. *n* all-lif *m* 2. *vn* all-lifo
outgoing *adj* rhadlon, ymadawol
outhouse *n* hoywal *f*
outing *n* gwibdaith *f*, pleserdaith *f*, tro *m*
outlast *vn* goroesi
outlaw *n* herwr *m*
outlawry *n* herwriaeth *f*
outlay *n* gwariant *m*, traul *f*
outlet *n* allfa *f*
outlier GEOLOGY *n* allgraig *f*
outline 1. *n* amlinell *f*, amlinelliad *m*
  2. *vn* amlinellu
outlive *vn* goroesi
outlook *n* rhagolwg *m*
out-of-sorts *adj* clwc, di-hwyl
outpatient claf allanol [*claf*¹]
outport *n* allborth *m*
outpouring *n* arllwysiad *m*, tywalltiad *m*
output 1. *n* allbwn *m*, cynnyrch *m* 2. *vn* allbynnu
outrage* *n* gwarth *m*
outrageous* *adj* gwarthus
outright* *adv & adj* llwyr
outset* *n* cychwyn² *m*, dechrau¹ *m*
outside 1. *adv* allan¹ 2. tu faes [*maes*²]
outskirts *n* cwr *m*, cyrion *pl*, godre *m*, ymylon *pl*
outspoken *adj* di-dderbyn-wyneb,
  diflewyn-ar-dafod, difloesgni
outstanding *adj* dyledus, eithriadol, gorchestol
outstrip* *vn* trechu
outward* *adj* allanol
oval *adj* hirgron, hirgrwn, hirgrynion, wyffurf
ovarian *adj* ofaraidd
ovary¹ *n* wyfa *f*, wygell *f*
ovary² ANATOMY, BOTANY *n* ofari *m*
ovate 1. *adj* wylun¹ 2. *n* ofydd *m*
ovation *n* cymeradwyaeth *f*
oven *n* ffwrn *f*, popty *m*
ovenful *n* ffyrnaid *f*
over 1. *adv* drosodd, rhy¹, trosodd 2. *n* pelawd *f*
  3. *prep* dros, goruwch, uwchben 4. ar ben [*pen*¹]
over- *pref* gor-
overact *vn* goractio
overall 1. *adj* cyffredinol 2. *n* oferôl *f*
overanxious *adj* gorbryderus
overbearing *adj* trahaus
overburden *vn* gorlwytho
overcareful *adj* gorofalus
overcast¹ *adj* cymylog
overcast² NEEDLEWORK *vn* trawsbwytho
overcoat cot fawr [*cot*¹]
overcome *vn* gorchfygu, goresgyn, gorlethu
overcomplicate *vn* gorgymhlethu
overcomplicated *adj* gorgymhleth

overconfidence *n* gorhyder *m*
overconfident *adj* gorfentrus
overdependence *n* gorddibyniaeth *f*
overdo *vn* gor-wneud
overdose dos ormodol [*dos*²]
overdraft *n* gorddrafft *m*
overdue *adj* gorddyledus, hwyr¹
overeager *adj* gorawyddus
overeat *vn* gorfwyta
overelaborate *adj* gorfanwl
overembellish *vn* gorliwio
overemphasize *vn* gorbwysleisio
overestimate *vn* goramcangyfrif
overexcitement *n* gorgyffro *m*
overfill *vn* gorlenwi
overfish *vn* gorbysgota
overflow 1. *n* gofer *m*, gorlif *m*
  2. *vn* goferu, gorlifo
overflowing *adj* cyforiog, gorlawn
overfold GEOLOGY *n* trosblyg *m*
overglaze *vn* troswydro
overgraze *vn* gorbori
overgrowth *n* brastyfiant *m*, gordwf *m*,
  gordyfiant *m*
overhang *vn* bargodi
overhead *prep* uwchben
overheads FINANCE *n* gorbenion *pl*
overheat *vn* gorboethi
overindulge *vn* gorfwyta, goryfed
overkeen *adj* goreiddgar
overland 1. *adv & adj* trostir 2. traws gwlad
overlap 1. *n* gorgyffyrddiad *m* 2. *vn* gorgyffwrdd
overlay 1. *n* troshaen *f* 2. *vn* troshaenu
overload *vn* gorlwytho
overlocker NEEDLEWORK *n* amylwr *m*
overlord* *n* unben *m*
overman *vn* gorgyflogi
overmanning *n* gorgyflogaeth *f*
overpay *vn* gordalu
overpopulate *vn* gorboblogi
overpopulation *n* gorboblogaeth *f*
overpower *vn* trechu
overpowering *adj* llethol
overpraise *vn* gorganmol
overprice *vn* gorbrisio
overprint *vn* trosbrintio
overreact *vn* goradweithio, gorymateb
overripe *adj* goraeddfed
overrun *vn* goresgyn, gor-redeg
overseas *adj* tramor
oversee *vn* goruchwylio
overseer *n* goruchwyliwr *m*
oversensitive *adj* gorsensitif
oversew¹ *vn* troswnïo
oversew² NEEDLEWORK *vn* amylu
overshadow *vn* cysgodi
oversimplify *vn* gorsymleiddio

overspend *vn* gorwario
overspill *n* gorlif *m*
overstate *vn* gor-ddweud
overstock *vn* gorstocio
overstrenuous *adj* goregnïol
overstretch *vn* gorestyn
oversubscribe *vn* gordanysgrifio
overt *adj* agored, amlwg
overtake *vn* goddiweddyd, pasio
overthrow 1. *n* dymchweliad *m*, gorchfygiad *m*
2. *vn* dymchwel, dymchwelyd
overtime *n* goramser *m*
overtire *vn* gorflino
overtone MUSIC *n* uwchdôn *f*
overture *n* agorawd *f*
overturn *vn* dymchwel, dymchwelyd, moelyd, ymhoelyd
overuse 1. *n* gorddefnydd *m* 2. *vn* gorddefnyddio
overvalue *vn* gorbrisio
overweight *n* gorbwysau *m*, gorbwysedd *m*
overwhelm *vn* llethu
overwhelming *adj* llethol
overwork *vn* gorweithio
oviparous ZOOLOGY *adj* dodwyol
ovipositor ZOOLOGY *n* wyddodydd *m*
ovoid *adj* wyffurf
ovulate *vn* ofylu
ovulation *n* ofyliad *m*
ovule BOTANY *n* ofwl *m*
ovum BIOLOGY *n* ofwm *m*
owing *adj* dyledus
owl *n* gwdihŵ *f*, tylluan *f*
own *vn* meddu, perchenogi
owner *n* perchen *m*, perchennog *m*
owner-occupier *n* perchen-breswylydd *m*
ownership *n* meddiant *m*, perchenogaeth *f*, perchnogaeth *f*
ox *n* ych[1] *m*
oxalic *adj* ocsalig
oxidase BIOCHEMISTRY *n* ocsidas *m*
oxidation *n* ocsidiad *m*
oxidative CHEMISTRY *adj* ocsidiol
oxide CHEMISTRY *n* ocsid *m*
oxidize CHEMISTRY *vn* ocsidio
oxy-acetylene *adj* ocsi-asetylen
oxygen *n* ocsigen *m*
oxygenate CHEMISTRY *vn* ocsigenu
oxygenated CHEMISTRY *adj* ocsigenedig
oxygenation CHEMISTRY *n* ocsigeniad *m*
oxymoron LITERATURE *n* gwrtheiriad *m*
oxytocin BIOCHEMISTRY *n* ocsitosin *m*
oyster *n* llymarch *m*, wystrysen *f*
ozone *n* oson *m*, osôn *m*

p

p. *abbr* t.
Pa PHYSICS *n* pascal *m*
pace 1. *n* cam[1] *m*, cyflymder *m*, cyflymdra *m*
2. *vn* camu[1], troedio
pacemaker *n* rheoliadur *m*
pacification *n* heddychiad *m*
pacifism *n* heddychiaeth *f*, pasiffistiaeth *f*
pacifist *n* heddychwr *m*, heddychwraig *f*
pacify *vn* heddychu, tawelu
pack 1. *n* cnud *f*, cyff *m*, pac *m*, pecyn *m*, pwn *m*
2. *vn* pacio
package 1. *n* pecyn *m* 2. *vn* pecynnu
packaging 1. *n* pecyn *m* 2. defnydd pacio
packer *n* paciwr *m*
packet *n* paced *m*
packetful *n* pacedaid *m*
packhorse *n* pynfarch *m*
packing *n* pacin *m*
packman *n* pacmon *m*
pact *n* cytundeb *m*
pad 1. *n* pad *m* 2. *vn* padio[1], padio[2]
padding *n* padin *m*
paddle 1. *n* padl *f*, padlen *f*, rhodl *f*, rhodlen *f*
2. *vn* padlo, rhodli
paddler *n* rhodlwr *m*
paddock *n* padog *m*
paddy *n* padi *m*
padlock clo clap, clo clwt
paean *n* mawlgan *f*
paediatric MEDICINE *adj* paediatrig, pediatrig
paediatrician *n* paediatregydd *m*, pediatregydd *m*
paediatrics MEDICINE *n* paediatreg *f*, pediatreg *f*
paedophile *n* paedoffilydd *m*, pedoffilydd *m*
paedophilia *n* paedoffilia *m*, pedoffilia *m*
pagan 1. *adj* paganaidd 2. *n* pagan *m*
paganism *n* paganiaeth *f*
page *n* macwy *m*, tudalen *mf*
pageant *n* pasiant *m*
pageantry *n* rhwysg *m*
paginate *vn* tudalennu
pagination *n* tudaleniad *m*
pagoda *n* pagoda *m*
pain *n* cnoad *m*, cnoead *m*, cur *m*, gloes *f*, gwayw *m*, loes *f*, poen *f*
painful *adj* dolurus, poenus
painkiller MEDICINE *n* poenladdwr *m*
painstaking *adj* dyfal, gofalus, trwyadl, trylwyr
paint 1. *n* paent *m* 2. *vn* arlunio, peintio, portreadu
painted *adj* peintiedig
painter *n* peintiwr *m*
painting 1. *n* peintiad *m* 2. *vn* peintio
pair 1. *n* pâr[1] *m* 2. *vn* paru
Pakistani 1. *adj* Pacistanaidd 2. *n* Pacistaniad *m*

palace *n* palas *m*, plas *m*
Palaeogene GEOLOGY *adj* Palaeogen, Paleogen
palaeography *n* palaeograffeg *f*, paleograffeg *f*
Palaeolithic ARCHAEOLOGY *adj* Palaeolithig,
Paleolithig
palaeontology GEOLOGY *n* palaeontoleg *f*,
paleontoleg *f*
Palaeozoic GEOLOGY *adj* Palaeosöig, Paleosöig
palatability *n* blasusrwydd *m*
palatable* *adj* blasus
palate ANATOMY *n* taflod *f*
palatial *adj* palasaidd
pale 1. *adj* gwelw 2. *vn* gwelwi, gwynlasu,
llwydo, pylu
paleness *n* gwelwder *m*, gwelwedd *m*
Palestinian 1. *adj* Palesteinaidd 2. *n* Palestiniad *m*
palette *n* palet *m*
palindrome *n* palindrom *m*
palisade *n* palis *m*, palisâd *m*
pall *n* elorlen *f*
palladium *n* paladiwm *m*
pall-bearer *n* cludwr *m*
palliate* *vn* llaesu, lleddfu, lliniaru
palliative¹ *adj* lleddfol, lliniarol
palliative² MEDICINE *n* lliniarydd *m*
pallid *adj* claerwyn, gwelw, gwelwlas, llwyd,
piglas
pallium *n* paliwm *m*
pallor *n* gwelwder *m*, gwelwedd *m*
palm¹ 1. *n* palf *f* 2. tor llaw [*tor*¹]
palm² (trees and wood) *n* palmwydd *pl*
palm³ ANATOMY *n* cledr *f*, cledren *f*
palmate *adj* palfog
palmistry *n* llawddewiniaeth *f*
palmtop (computer) *n* cledriadur *m*
palp ZOOLOGY *n* palp *m*
palpable* *adj* amlwg
palpitation MEDICINE *n* crychguriad *m*,
dychlamiad *m*
palsy MEDICINE *n* parlys *m*
paltry *adj* pitw, tila
pampas *n* paith *m*, pampas *m*
pamper *vn* dandwn, maldodi
pampered *adj* mwythlyd
pampering *n* maldod *m*
pamphlet *n* llyfryn *m*, pamffled *m*, pamffledyn *m*,
taflen *f*
pamphleteer 1. *n* pamffledwr *m* 2. *vn* pamffledu
pan 1. *n* padell *f*, pan² *m* 2. *vn* rhidyllu
panache* *n* steil¹ *m*
Panamanian 1. *adj* Panamaidd 2. *n* Panamiad *m*
pancake *n* crempog *f*, ffroesen *f*, ffroisen *f*,
pancosen *f*
pan-Celtic *adj* pan-Geltaidd, rhyng-Geltaidd
pancreas¹ *n* cefndedyn *m*
pancreas² ANATOMY *n* pancreas *m*
pancreatic ANATOMY *adj* pancreatig

panda *n* panda *m*
pandemic *adj* pandemig²
pandemonium *n* halabalŵ *mf*, halibalŵ *mf*,
pandemoniwm *m*
pander* *vn* boddio
pane *n* cwarel² *m*, chwarel² *m*, paen *m*
panegyric *n* molawd *m*
panel 1. *n* panel *m* 2. *vn* panelu
panelled *adj* panelog
panelling* *vn* panelu
panellist *n* panelwr *m*
panful *n* padellaid *f*
pang *n* cnoad *m*, cnoead *m*, cnofa *f*,
gwasgfa *f*, gwayw *m*, pang *m*
panic 1. *n* panig *m* 2. *vn* gwylltio, gwylltu
panicle BOTANY *n* panigl *m*
panorama *n* panorama *m*
panoramic *adj* panoramig
pansy *n* caru'n ofer *m*, pansi *m*, trilliw² *m*
pant 1. *n* dyhefiad *m* 2. *vn* dyhefod, peuo
pantheism *n* pantheistiaeth *f*
pantheistic *adj* pantheistaidd
panther *n* panther *m*
pantograph *n* pantograff *m*
pantomime *n* pantomeim *m*
pantry *n* bwtri *m*, pantri *m*
pants *n* trôns *m*
pap bwyd llwy
papacy *n* pabaeth *f*
papal *adj* pabaidd
paper 1. *n* papur *m*, papuryn *m* 2. *vn* papuro
paperback clawr meddal, clawr papur
papermaker *n* papurwr *m*
papilla ANATOMY *n* papila *m*
papist *n* pabydd *m*
pappus BOTANY *n* papws *m*
Papuan 1. *adj* Papŵaidd 2. *n* Papŵad *m*
papyrus *n* papurfrwyn *pl*
par* *n* cyfartaledd *m*
para- *pref* para-
parable *n* dameg *f*
parabola MATHEMATICS *n* parabola *m*
parabolic *adj* parabolig
parachute 1. *n* parasiwt *m* 2. *vn* parasiwtio
parade 1. *n* gorymdaith *f*, parêd *m*
2. *vn* gorymdeithio, paredio
paradigm *n* paradeim *m*
paradise *n* gwynfa *f*, paradwys *f*
paradox *n* paradocs *m*
paradoxical *adj* paradocsaidd
paraffin *n* paraffin *m*
paragraph *n* paragraff *m*
Paraguayan 1. *adj* Paragwaiaidd
2. *n* Paragwaiad *m*
parallax ASTRONOMY *n* paralacs *m*
parallel¹ 1. *adj* cyflin, cyfochrog 2. *n* paralel² *m*
parallel² MATHEMATICS *adj* paralel¹

parallelism *n* cyfochredd *m*
parallelogram MATHEMATICS *n* paralelogram *m*
Paralympic *adj* Paralympaidd
paralyse *vn* parlysu
paralysed *adj* diffaith, diffrwyth
paralysing *adj* parlysol
paralysis MEDICINE *n* parlys *m*
paralytic *adj* parlysol
paramagnetism *n* paramagnetedd *m*
paramedic *n* parafeddyg *m*
paramedical *adj* parafeddygol
parameter *n* paramedr *m*
paramilitary *adj* parafilwrol
paramount* *adj* pennaf
paranoia *n* paranoia *m*
paranoid *adj* paranoid
paranormal 1. *adj* goruwchnaturiol[1]
  2. *n* goruwchnaturiol[2] *m*
paraphernalia *n* geriach *pl*, paraffernalia *pl*,
  taclau *pl*, trugareddau *pl*
paraphrase 1. *n* aralleiriad *m* 2. *vn* aralleirio
paraplegia MEDICINE *n* paraplegia *m*
paraplegic MEDICINE *adj* paraplegig
parapsychology *n* paraseicoleg *f*
parasite *n* parasit *m*
parasitic *adj* parasitig
parasympathetic PHYSIOLOGY *adj* paraymatebol
parathyroid ANATOMY *n* parathyroid *m*
parboil COOKERY *vn* glasferwi, goferwi, lled-ferwi
parcel 1. *n* parsel *m* 2. *vn* parselu
parch *vn* crasu
parched *adj* crasboeth
parchment *n* memrwn *m*
pardon[1] 1. *n* maddeuant *m*, pardwn *m*
  2. *vn* maddau
pardon[2] RELIGION *n* maddeueb *f*
pardonable *adj* maddeuol
pardoned *adj* maddeuol
pardoner[1] *n* maddeuwr *m*
pardoner[2] RELIGION *n* pardynwr *m*
pare *vn* pilio, pilo, plicio
parenchyma ANATOMY, BOTANY *n* parencyma *m*
parent *n* rhiant *m*
parenthesis[1] *n* cromfach *f*
parenthesis[2] LITERATURE *n* sangiad *m*
parents *n* rhieni *pl*
parietal ANATOMY *adj* parwydol
parings *n* parion *pl*
parish *n* plwyf *m*
parishioner *n* plwyfolyn *m*
Parisian 1. *adj* Parisaidd 2. *n* Parisiad *m*
parity[1] *n* cydraddoldeb *m*
parity[2] MATHEMATICS *n* paredd *m*
park 1. *n* gerddi *pl*, parc *m* 2. *vn* parcio, parco
parkland *n* parcdir *m*
parlance* *n* lleferydd *m*
parley *vn* cyd-drafod

parliament *n* senedd *f*
parliamentary *adj* seneddol
parlour 1. *n* parlwr *m* 2. cegin orau
parlous* *adj* enbyd, enbydus
parochial *adj* plwyfol
parochialism *n* plwyfoldeb *m*
parodist *n* parodïwr *m*
parody 1. *n* parodi *m* 2. *vn* parodïo
parole *n* parôl *m*
paroxysm* *n* pwl *m*
parr *n* glasfaran *m*
parrot *n* parot *m*
parry *vn* pario
parse GRAMMAR *vn* dosrannu
Parsee RELIGION *n* Parsi *m*
parsimonious* *adj* cybyddlyd
parsley *n* persli *m*
parsnips *n* pannas *pl*
parson RELIGION *n* periglor *m*, person[2] *m*
parsonage *n* persondy *m*
part 1. *n* darn *m*, rhan[1] *f*
  2. *vn* gwahanu, rhannu, ymadael
partake *vn* cyfranogi
partaking *adj* cyfrannog
partial *adj* hanerog, pleidiol, rhannol
participant* *n* cyfranogwr *m*
participants *n* cydgyfranogion *pl*
participate *vn* cyfranogi, cymryd rhan
participating *adj* cydgyfrannog, cyfrannog
participation *n* cyfranogaeth *f*, cyfranogiad *m*
participator *n* cyfranogwr *m*
participle GRAMMAR *n* rhangymeriad *m*
particle[1] *n* dernyn *m*, mymryn *m*, rhithyn *m*
particle[2] GRAMMAR *n* geiryn *m*
particle[3] PHYSICS *n* gronyn *m*
particular *adj* enwedig, neilltuol, penodol
particularism *n* neilltuoldeb *m*
particularity *n* neilltuolrwydd *m*
particulars *n* manylion *pl*
particulate *adj* gronynnol
parting 1. *adj* ymadawol 2. *n* rhaniad *m*,
  ymadawiad *m* 3. rhes wen
partisan 1. *adj* pleidgar 2. *n* ochrwr *m*, partisán *m*
partisanship *n* pleidgarwch *m*
partition[1] *n* gwahanfur *m*, palis *m*, palisâd *m*,
  pared *m*
partition[2] ANATOMY *n* parwyden *f*
partly *adv* go[1]
partner *n* cymhares *f*, partner *m*, priod[1] *m*
partnership *n* partneriaeth *f*
partridge *n* petrisen *f*
part-song MUSIC *n* rhangan *f*
part-time *adv & adj* rhan-amser
parturition *n* esgoriad *m*, genedigaeth *f*
party 1. *adj* pleidiol 2. *n* cyfeddach[2] *f*, parti *m*,
  plaid *f*
pascal PHYSICS *n* pascal *m*

pass 1. *n* adwy[1] *f*, bwlch *m*, pàs[1] *f*
   2. *vn* cilio, pasio
passage *n* tramwyfa *f*, treigl *m*
passenger *n* mordeithiwr *m*, teithiwr *m*
passing *n* treiglad[2] *m*, treigliad *m*
passion *n* angerdd *m*, nwyd *m*, traserch *m*
passionate *adj* angerddol, nwydus, nwydwyllt
passive GRAMMAR *adj* goddefol
Passover RELIGION *n* Pesach *m*
passport *n* pasbort *m*
password *n* cyfrinair *m*
past 1. *adv* heibio 2. *n* gorffennol *m* 3. *pref* cyn-
pasta *n* pasta *m*
paste 1. *n* past *m* 2. *vn* gludio, gludo, pastio
pastel *n* pastel *m*
pastern *n* egwyd *f*
pasteurization *n* pasteureiddiad *m*
pasteurize *vn* pasteureiddio
pasteurized *adj* pasteuredig
pastime *n* hamdden *f*
pastimes *n* diddanion[1] *pl*, difyrion *pl*
pastor *n* bugail *m*, gweinidog *m*
pastoral 1. *adj* bugeiliol 2. *n* bugeilgerdd *f*
pastorate *n* gofalaeth *f*
pastorship *n* gweinidogaeth *f*
pastry[1] *n* toes *m*
pastry[2] COOKERY *n* crwst *m*
pasture 1. *n* doldir *m*, glaswellt *m*, porfa *f*
   2. *vn* porfelu
pasty *n* pastai *f*
pat 1. *n* anwes[1] *m*, da[4] *m* 2. *vn* canmol, patio[1]
Patagonian 1. *adj* Patagonaidd 2. *n* Patagoniad *m*
patch 1. *n* clwt *m* 2. *vn* clytio, cyweirio
patched *adj* clytiog
patchwork *n* clytwaith *m*
patchy *adj* bylchog
pate *n* copa[1] *f*, iad *f*
pâté *n* pâté *m*
patella ANATOMY padell pen-glin
patent[1] 1. *adj* amlwg, gloyw
   2. *n* breinlythyr *m*, breintlythyr *m*
patent[2] LAW *n* patent *m*
paternal *adj* tadol
paternity *n* tadogaeth *f*, tadolaeth *f*
paternoster *n* pader *m*
path *n* heolig *f*, llwybr *m*
pathetic *adj* affwysol, pathetig
pathogen MEDICINE *n* pathogen *m*
pathogenic MEDICINE *adj* pathogenig
pathological *adj* patholegol
pathologist *n* patholegydd *m*
pathology MEDICINE *n* patholeg *f*
pathos *n* pathos *m*
patience *n* amynedd *m*
patient 1. *adj* amyneddgar, ymarhous 2. *n* claf[1] *m*
patients *n* cleifion *pl*
patina *n* patina *m*

patio *n* patio[2] *m*
patois *n* lledieithf *f*
patriarch *n* patriarch *m*
patriarchal *adj* patriarchaidd
patriarchy *n* patriarchaeth *f*
patrician 1. *adj* uchelwrol 2. *n* uchelwr *m*
patricide *n* tadladdiad *m*
patrimony *n* cynhysgaeth *f*, rhandir *m*, treftad *m*,
   treftadaeth *f*
patriot *n* gwladgarwr *m*
patriotic *adj* gwladgarol, gwlatgar
patriotism *n* gwladgarwch *m*
patrol 1. *n* patrôl *m* 2. *vn* patrolio
patron *n* cynheiliad *m*, noddwr *m*
patronage *n* nawdd[1] *m*, nawddogaeth *f*
patronize *vn* nawddogi, noddi
patronizing *adj* nawddoglyd, nawddogol
patronymic *adj* patronymig
pattern 1. *n* patrwm *m*, patrymedd *m*
   2. *vn* patrymu
patterned *adj* patrymog
paucity *n* anamlder *m*, anamledd *m*, prinder *m*
paunch* *n* bol *m*, bola *m*
pauper *n* tlotyn *m*
pause[1] 1. *n* gorffwysiad *m*, hoe *f*, saib *m*,
   seibiant *m* 2. *vn* oedi, pwyllo, seibio, ymbwyllo
pause[2] MUSIC *n* daliant *m*
pave *vn* palmantu
paved *adj* pafiedig, palmantaidd, palmantog
pavement *n* pafin *m*, palmant *m*
pavilion *n* pabell *f*, pafiliwn *m*
paving *n* palmant *m*
paw 1. *n* palf *f*, pawen *f* 2. *vn* pawennu
pawl *n* pawl *m*
pawn[1] *n* gwerinwr *m*
pawn[2] FINANCE *vn* gwystlo
pawnbroker *n* gwystlwr *m*
pay 1. *n* cyflog *m*, pae *m*, tâl[1] *m*, taliad *m*
   2. *vn* rhoddi, rhoi[1], talu, talu'r ffordd
payable *adj* dyledus, taladwy
payee *n* talai *m*
payer *n* talwr *m*
paymaster *n* tâl-feistr *m*
payment *n* tâl[1] *m*, taliad *m*
payroll 1. *n* cyflogres *f* 2. rhestr gyflogau
pea *n* pysen *f*
peace *n* hedd *m*, heddwch *m*, tangnefedd *mf*
peaceful *adj* distaw, heddychlon, heddychol,
   tangnefeddus
peacemaker *n* heddychwr *m*
peacemakers *n* tangnefeddwyr *pl*
peaches eirin gwlanog
peacock *n* paun *m*
peahen *n* peunes *f*
peak *n* anterth *m*, brig[1] *m*, copa[2] *m*, pen[1] *m*,
   penllanw *m*
peal* *vn* atseinio

peanuts cnau mwnci
pear *n* gellygen *f*, peren *f*
pearl *n* mererid *m*, perl *m*
pearlite METALLURGY *n* perlit *m*
pearlwort *n* corwlyddyn *m*
pearly *adj* perlog
pear-shaped *adj* tindrwm
peas *n* pys *pl*
peasant *n* gwerinwr *m*, gwladwr *m*
peat *n* mawn *m*
peatbog *n* mawnog *f*
pebble *n* caregyn *m*
pebbles *n* cerigach *pl*, cerigos *pl*
peck 1. *n* cusan *f*, pigad *m*, pigiad *m* 2. *vn* pigo
pectin *n* pectin *m*
peculiar* *adj* hynod
peculiarity *n* cynneddf *f*, dieithrwch *m*,
  hynodrwydd *m*
pecuniary* *adj* ariannol
pedagogy *n* addysgeg *f*, pedagogeg *f*
pedal 1. *n* pedal *m*, troedlath *f*
  2. *vn* pedalu, pedlo
pedant *n* pedant *m*
pedantic *adj* coegddysgedig, crachysgolheigaidd,
  pedantig
pedantry *n* coegysgolheictod *m*,
  crachysgolheictod *m*
peddle *vn* pedlera
pedestal *n* pedestal *m*
pedestrian 1. *adj* pedestraidd 2. *n* cerddwr *m*
pedicel BOTANY *n* pedicel *m*
pedicle ANATOMY *n* pedicl *m*
pedigree *n* ach[1] *f*, gwehelyth *mf*, llinach *f*, tras *f*
pediment ARCHITECTURE, GEOGRAPHY
  n pediment *m*
pedlar *n* pacmon *m*, pedler *m*
pedology *n* priddeg *f*
peduncle BIOLOGY, ZOOLOGY *n* pedwncl *m*
pee 1. *vn* pisio, piso 2. dŵr pisio, dŵr piso
peel[1] 1. *n* croen *m*, pil *m*, rhisgl *m*
  2. *vn* crafu, digennu, pilio, pilo, plicio
peel[2] (off) *vn* rhisglo
peeler *n* pliciwr *m*
peelings *n* crafion *pl*, creifion *pl*, parion *pl*
peep 1. *n* cewc *m*, cipolwg *m*, pip *m*, sbec *f*,
  siw *m* 2. *vn* ciledrych, pipo, sbecian
peeper *n* sbeciwr *m*
peer 1. *adj* cyfoed, cyfurdd 2. *n* arglwydd *m*,
  cymar *mf* 3. *vn* craffu, llygadrythu, llygadu, syllu
peerless 1. *adj* digyffelyb, dihefelydd
  2. heb fy (dy, ei, etc.) ail [ail[1]]
peers *n* cyfoedion *pl*, cyfurddion *pl*, cymheiriaid *pl*
peevish *adj* anynad, dreng, ffromllyd, piwis
peewit *n* cornchwiglen *f*, cornicyll *m*
peg 1. *n* peg *m* 2. *vn* pegio
pekinese *n* pecinî *m*
Pelagian 1. *adj* Pelagaidd 2. *n* Pelagiad *m*

Pelagianism RELIGION *n* Pelagiaeth *m*
pelagic *adj* eigionol
pelican *n* pelican *m*
pellagra MEDICINE *n* pelagra *m*
pellet *n* pelen *f*
pellicle ZOOLOGY *n* pelicl *m*
pellucid *adj* gloywlas
pelmet *n* pelmet *m*
pelt 1. *n* pân *m* 2. *vn* peledu, peltio, pledu, tresio
pelvic ANATOMY *adj* pelfig
pelvis ANATOMY *n* pelfis *m*
pen 1. *n* corlan *f*, ffald *f*, lloc *m*, pen[3] *m*,
  ysgrifbin *m* 2. *vn* corlannu, ffaldio, llocio,
  sgrifennu, ysgrifennu
penal *adj* penydiol
penalize *vn* cosbi
penalty *n* cosb *f*
penance *n* penyd *m*
penchant* *n* gogwydd *m*, hoffter *m*
pencil *n* pensel *f*, pensil *m*
pending* *prep* nes[2]
pendulum *n* pendil *m*
peneplain GEOLOGY *n* lledwastadedd *m*
penetrate *vn* treiddio
penetrating *adj* bachog, miniog, treiddgar,
  treiddiol
penetration *n* treiddiad *m*
penguin *n* pengwin *m*
penicillin *n* penisilin *m*
peninsula *n* gorynys *f*, penrhyn *m*, pentir *m*
penis[1] *n* cal *f*, cala *f*, penis *m*
penis[2] *vulgar* 1. *n* pidlen *f* 2. coes ganol [coes[1]]
penis[3] ANATOMY *n* pidyn *m*
penitent* *adj* edifar
penitential *adj* edifeiriol, penydiol
penitentiary* *n* carchar *m*, carchardy *m*
penknife cyllell boced
pennant *n* baner *f*
penny *n* ceiniog *f*, niwc *f*
pennyroyal *n* brymlys *m*
pennywort dail-ceiniog
pennyworth *n* ceiniogwerth *f*
pension *n* pensiwn *m*
pensioner *n* pensiynwr *m*
pensive *adj* meddylgar, synfyfyrgar, synfyfyriol
pensiveness *n* meddylgarwch *m*
pentagon MATHEMATICS *n* pentagon *m*
pentagonal *adj* pentagonol, pumochrog
pentagram *n* pentagram *m*
pentathlon *n* pentathlon *m*
pentatonic MUSIC *adj* pentatonig
Pentecost RELIGION *n* Pentecost *m*, Sulgwyn *m*
Pentecostal RELIGION 1. *adj* Pentecostaidd
  2. *n* Pentecostiad *m*
penthouse *n* pentis *m*, penty *m*
pentose CHEMISTRY *n* pentos *m*
pentoxide CHEMISTRY *n* pentocsid *m*

penult GRAMMAR *n* goben *m*
penultimate *adj* cynderfynol
penumbra ASTRONOMY *n* penwmbra *m*
penury* *n* tlodi¹ *m*
people *n* dynion *pl*, gwerin¹ *f*, pobl *f*
peplum *n* peplwm *m*
pepper 1. *n* pupryn *m*, pupur *m* 2. *vn* pupro
peppermint mintys poeth
pepsin BIOCHEMISTRY *n* pepsin *m*
peptic BIOLOGY *adj* peptig
peptide BIOCHEMISTRY *n* peptid *m*
per *definite article* 'r, y², yr
perambulator coets fach
perceive *vn* canfod
percentage MATHEMATICS 1. *adj* canrannol
  2. *n* canran *fm*
percept PHILOSOPHY *n* canfodiad *m*
perception¹ *n* amgyffred² *m*, amgyffrediad *m*,
  crebwyll *m*
perception² PSYCHOLOGY *n* canfyddiad *m*
perceptive *adj* sylwgar, treiddgar
perceptual *adj* canfyddiadol
perch *n* draenogyn dŵr croyw *m*, esgynbren *m*
percolate¹ *vn* hidlo, trylifo
percolate² GEOGRAPHY *vn* trylifo
percolation *n* trylifiad *m*
percolator *n* percoladur *m*
percussive *adj* ergydiol
perdition 1. *n* colledigaeth *f*, difancoll *m*
  2. y Fall [*mall*]
peregrination *n* pererindod *mf*
peregrine hebog tramor
perennial *adj* lluosflwydd
perfect 1. *adj* perffaith 2. *vn* perffeithio
perfected *adj* gorffenedig
perfection *n* cywreinrwydd *m*, mireinder *m*,
  perffeithrwydd *m*
perfectionism *n* perffeithiaeth *f*
perfectionist *n* perffeithydd *m*
perfector *n* perffeithydd *m*
perforate *vn* rhydyllu, trydyllu, tyllu
perforated *adj* trydyllog, tyllog
perforation *n* tylliad *m*
perform *vn* perfformio
performance *n* cyflwyniad *m*, perfformiad *m*
performer *n* perfformiwr *m*
perfume 1. *n* perarogl *m*, persawr *m*
  2. *vn* persawru
perfumed *adj* peraroglus, persawrus
perfunctory* *adj* swta
perfuse MEDICINE *vn* darlifo
perhaps *adv* dichon¹, efallai, hwyrach²
pericardium ANATOMY *n* pericardiwm *m*
pericarp BOTANY *n* pericarp *m*
pericycle BOTANY *n* periseicl *m*
perigee ASTRONOMY *n* perige *m*
perihelion ASTRONOMY *n* perihelion *m*

peril *n* enbydrwydd *m*, perygl *m*
perilous *adj* enbyd, enbydus, peryglus
perimeter¹ *n* amfesur *m*, perimedr *m*
perimeter² MATHEMATICS *n* perimedr *m*
perinatal MEDICINE *adj* amenedigol
perineum¹ *n* gwerddyr *f*
perineum² ANATOMY *n* perinëwm *m*
period¹ *n* cyfnod *m*, sbel *f*, sbelen *f*, talm *m*,
  talwm *m*
period² GEOLOGY, PHYSICS *n* cyfnod *m*
period³ MEDICINE *n* mislif *m*
periodic¹ *adj* cyfnodol, cylchol
periodic² CHEMISTRY *adj* cyfnodol
periodical *n* cyfnodolyn *m*, cylchgrawn *m*
periodicity *n* cyfnodedd *m*
periodize *vn* cyfnodoli
periodontitis llid y gorchfannau
peripatetic *adj* cylchynol, peripatetig, teithiol
peripheral¹ *adj* perifferol
peripheral² MATHEMATICS *adj* amgantol
peripheral³ ANATOMY, BIOLOGY *adj* perifferol
peripheral⁴ COMPUTING *n* perifferolyn *m*
periphery¹ *n* cant³ *m*, perifferi *m*
periphery² MATHEMATICS *n* amgant *m*
periphrastic GRAMMAR *adj* periffrastig
periscope *n* perisgop *m*
perish *vn* marw¹, trengi
perishable *adj* darfodus, llygradwy
peristalsis PHYSIOLOGY *n* peristalsis *m*
peritoneum¹ *n* perfeddlen *f*
peritoneum² ANATOMY *n* peritonëwm *m*
peritonitis¹ llid y berfeddlen
peritonitis² MEDICINE *n* peritonitis *m*
periwig *n* perwig *f*
periwinkle *n* gwichiad¹ *m*
perjure LAW *vn* tyngu anudon
perjurer LAW *n* anudonwr *m*
perjury LAW *n* anudon *m*
perk FINANCE *n* cilfantais *f*
perky* *adj* sionc, talog
permanent *adj* anniflan, parhaol
permeability¹ *n* athreiddedd *m*, hydreiddedd *m*
permeability² PHYSICS *n* athreiddedd *m*
permeable *adj* athraidd, hydraidd
permeate *vn* athreiddio, treiddio, ymdreiddio
Permian GEOLOGY *adj* Permaidd
permission *n* caniatâd *m*, cennad¹ *f*
permit 1. *n* hawlen *f*, trwydded *f* 2. *vn* caniatáu
permitivity PHYSICS *n* permitifedd *m*
permutate MATHEMATICS *vn* trynewid¹
permutation MATHEMATICS *n* trynewid² *m*
pernicious *adj* aflesol
peroration *n* perorasiwn *m*
peroxide CHEMISTRY *n* perocsid *m*
perpendicular¹ 1. *adj* pensyth, unionsgwar
  2. *n* perpendicwlar² *m*
perpendicular² MATHEMATICS *adj* perpendicwlar¹

Perpendicular ARCHITECTURE *adj* perpendicwlar[1]
perpetrate* *vn* cyflawni
perpetual *adj* anniflanedig, gwastadol, oesol, parhaol
perpetuity FINANCE *n* gwarant *f*
perplex* *vn* drysu
perplexed *adj* ffwndrus
perplexing *adj* dyrys
perplexity *n* dryswch *m*
perquisite FINANCE *n* cilfantais *f*
persecute *vn* erlid, ymlid
persecution *n* erlediagaeth *f*
persecutor *n* erlidiwr *m*, ymlidiwr *m*
perseverance *n* dycnwch *m*, dyfalbarhad *m*, dygnwch *m*
perseveration PSYCHOLOGY *n* gorbarhad *m*
persevere *vn* dal, dala, dal allan, dal ati, dyfalbarhau, dygnu
persevering *adj* dygn
Persian 1. *adj* Persiaidd 2. *n* Persiad *m*
persist *vn* dygnu, mynnu
persistence *n* dyfalbarhad *m*
persistent *adj* dyfal, dyfalbarhaus
person *n* person[1] *m*
personable *adj* dymunol, golygus
personal *adj* personol
personality *n* personoliaeth *f*
personalize *vn* personoleiddio
personification *n* personoliad *m*
personify *vn* personoli
personnel *n* personél *m*, staff *m*
perspective *n* persbectif *m*
perspicacious* *adj* craff
perspiration *n* chwys *m*
perspire *vn* chwysu
persuade *vn* annog, darbwyllo, dwyn perswâd, perswadio
persuader *n* perswadiwr *m*
persuasion *n* perswâd *m*
pertain *vn* ymwneud
pertinent *adj* perthnasol
perturb* *vn* aflonyddu, tarfu
peruse* *vn* darllen
Peruvian 1. *adj* Periwaidd 2. *n* Periwiad *m*
pervade *vn* treiddio
perverse *adj* croes[2], dreng, gwrthnysig
perverseness *n* anhydynrwydd *m*
perversion *n* gwyrdro *m*, gwyrdroad *m*
pervert *vn* gwyrdroi, stumio, ystumio
perverted *adj* gwyrdroëdig
pervious *adj* hydraidd
pessary[1] *n* pesari *m*
pessary[2] MEDICINE *n* pesari *m*
pessimism *n* pesimistiaeth *f*
pessimist *n* gwaethafwr *m*, gwaethafydd *m*, pesimist *m*
pessimistic *adj* pesimistaidd

pest *n* pla *m*, poendod *m*
pester *vn* plagio, poeni
pesticide *n* plaleiddiad *m*
pestilence *n* pla *m*
pestle *n* pestl *m*
pet 1. *adj* anwes[2], llywaeth 2. *n* ffefryn *m* 3. anifail anwes
petal *n* petal *m*
petalled *adj* petalog
petal-like *adj* petalog
petiole BOTANY *n* petiol *m*
petition 1. *n* deiseb *f* 2. *vn* deisebu
petitioner *n* deisebwr *m*, deisyfwr *m*
petrel *n* pedryn *m*
petrify *vn* caregu, ymgaregu
petrochemical 1. *adj* petrocemegol 2. *n* petrocemegolyn *m*
petrol *n* petrol *m*
petroleum *n* petroliwm *m*
petrology GEOLOGY *n* petroleg *f*
petticoat *n* pais *f*
petty *adj* mân, pitw
petulant *adj* pwdlyd
pew *n* côr *m*, sêt *f*
pewter *n* piwtar *m*, piwter *m*
phagocyte PHYSIOLOGY *n* ffagocyt *m*
phagocytig PHYSIOLOGY *adj* ffagocytig
phagocytosis PHYSIOLOGY *n* ffagocytosis *m*
phallic *adj* ffalig
phallus *n* ffalws *m*
Phanerozoic GEOLOGY *adj* Ffanerosöig
phantom 1. *adj* lledrithiol 2. *n* bwbach *m*, bwgan *m*, drychiolaeth *f*, rhith *m*
Pharaoh *n* Pharo *m*
Pharisaical *adj* Phariseaidd
Pharisee RELIGION *n* Pharisead *m*
pharmaceutical *adj* fferyllol
pharmacist *n* fferyllydd *m*
pharmacological *adj* ffarmocolegol
pharmacologist *n* ffarmocolegydd *m*
pharmacology *n* ffarmacoleg *f*
pharmacy *n* fferyllfa *f*, fferylliaeth *f*
pharyngeal ANATOMY *adj* ffaryngeal
pharyngitis MEDICINE llid y ffaryncs
pharynx[1] *n* uwchlwnc *m*
pharynx[2] ANATOMY *n* ffaryncs *m*
phase[1] *n* cyfnod *m*, gwedd[1] *f*
phase[2] ASTRONOMY, CHEMISTRY, PHYSICS *n* gwedd[1] *f*
pheasant *n* ffesant *m*
phenol CHEMISTRY *n* ffenol *m*
phenology BIOLOGY *n* ffenoleg *f*
phenomenal *adj* rhyfeddol
phenomenology *n* ffenomenoleg *f*
phenomenon *n* ffenomen *f*
phenotype BIOLOGY *n* ffenoteip *m*
phenylalanine BIOCHEMISTRY *n* ffenylalanin *m*

phenylketonuria MEDICINE *n* ffenylcetonwria *m*
pheromone ZOOLOGY *n* fferomon *m*
philander *vn* mercheta
philanthropic *adj* dyngarol
philanthropist *n* dyngarwr *m*
philanthropy *n* dyngarwch *m*
philharmonic *adj* ffilharmonig
Philippine 1. *adj* Philipinaidd 2. *n* Philipiniad *m*
Philippino *n* Philipiniad *m*
Philistine 1. *adj* Philistaidd 2. *n* Philistiad *m*
philological *adj* ieithegol
philologist *n* ieithegydd *m*
philology *n* ffiloleg *f*, ieitheg *f*
philosopher *n* athronydd *m*
philosophical *adj* athronyddol
philosophize *vn* athronyddu
philosophy *n* athroniaeth *f*
phlebitis[1] llid y gwythiennau
phlebitis[2] MEDICINE *n* fflebitis *m*
phlegm *n* crachboer *m*, fflem *f*
phloem BOTANY *n* ffloem *m*
phobia *n* ffobia *m*
Phoenician *n* Phoeniciad *m*
phoenix *n* ffenics *m*
phone 1. *n* ffôn *m* 2. *vn* ffonio
phonetic *adj* ffonetig, seinegol
phonetician *n* seinegydd *m*
phonetics *n* ffoneteg *f*, seineg *f*
phoney* *adj* ffug
phonic *adj* ffonig
phonics *n* ffoneg *f*
phonological LINGUISTICS *adj* ffonolegol
phonology[1] *n* seinyddiaeth *f*
phonology[2] LINGUISTICS *n* ffonoleg *f*
phosphate CHEMISTRY *n* ffosffad *m*
phospholipid BIOCHEMISTRY *n* ffosffolipid *m*
phosphor *n* ffosffor *m*
phosphorescence PHYSICS *n* ffosfforedd *m*
phosphorescent *adj* ffosfforegol
phosphoric *adj* ffosfforig
phosphorous *n* ffosfforws *m*
phosphorylase BIOCHEMISTRY *n* ffosfforylas *m*
photochromic CHEMISTRY *adj* ffotocromig
photocopier *n* dyblygydd *m*, llungopïwr *m*
photocopy 1. *n* llungopi *m* 2. *vn* llungopïo
photoelectric PHYSICS *adj* ffotodrydanol
photoelectricity PHYSICS *n* ffotodrydan *m*
photoemission PHYSICS *n* ffoto-allyriant *m*
photogrammetry *n* ffotogrametreg *f*
photograph *n* ffotograff *m*, llun[1] *m*
photographer *n* ffotograffydd *m*
photographic *adj* ffotograffaidd, ffotograffig
photography *n* ffotograffiaeth *f*
photojournalism *n* ffotonewyddiaduraeth *f*
photometer PHYSICS *n* ffotomedr *m*
photometric PHYSICS *adj* ffotometrig
photometry *n* ffotometreg *f*

photomicrograph *n* ffotomicrograff *m*
photon PHYSICS *n* ffoton *m*
photoreceptor BIOLOGY *n* goleudderbynnydd *m*
photosensitive *adj* ffotosensitif, goleusensitif
photosensitivity *n* goleusensitifedd *m*
photosensitization *n* ffotosensitifedd *m*
photosynthesis BIOLOGY *n* ffotosynthesis *m*
photosynthetic BIOLOGY *adj* ffotosynthetig
phototropic BOTANY *adj* ffototropig
phototropism BOTANY *n* ffototropedd *m*
photovoltaic *adj* ffotofoltaidd
phrase 1. *n* ymadrodd *m* 2. *vn* brawddegu, geirio
phrenic ANATOMY *adj* ffrenig
phrenology *n* ffrenoleg *f*
phylum BIOLOGY *n* ffylwm *m*
physical *adj* corfforol, ffisegol, materol
physician *n* doctor *m*, meddyg *m*
physicist *n* ffisegydd *m*
physics *n* ffiseg *f*
physiological *adj* ffisiolegol
physiologist *n* ffisiolegydd *m*
physiology *n* ffisioleg *f*
physiotherapist *n* ffisiotherapydd *m*
physiotherapy *n* ffisiotherapi *m*
physique *n* corff *m*, corffolaeth *f*, corffoledd *m*
phytoplankton BIOLOGY *n* ffytoplancton *m*
pi *n* pi^2 *f*
pianist *n* pianydd *m*
piano *n* piano[1] *m*
pianoforte *n* piano[1] *m*
picaresque *adj* picarésg
piccolo *n* picolo *m*
pick *vn* dewis[1], pigo, tynnu
pickaxe *n* picas *f*
picker *n* pigwr *m*
picket 1. *n* picedwr *m* 2. *vn* picedu
pickle[1] *n* picil *m*, picl *m*
pickle[2] COOKERY 1. *n* cyffaith *m*
  2. *vn* cyffeithio, piclo
pickled *adj* hallt
picnic *n* picnic *m*
picnicker *n* picniciwr *m*
picot NEEDLEWORK *n* picot *m*
Pict *n* Brithwr *m*, Ffichtiad *m*, Pict *m*
pictograph *n* pictograff *m*, pictogram *m*
pictography *n* pictograffeg *f*
pictorial[1] *adj* darluniadol
pictorial[2] ART *adj* darluniol
picture 1. *n* darlun *m*, llun[1] *m*, pictiwr *m*
  2. *vn* delweddu, dychmygu
pie *n* pastai *f*, tarten *f*
piece *n* cetyn *m*, darn *m*, dyn *m*, pisyn *m*, toc^2 *m*
piece-dye NEEDLEWORK *vn* llifo darn [llifo^2]
pieces *n* jibidêrs *pl*
pied* *adj* brith
pier *n* pier *m*
pierce *vn* trywanu

pierced *adj* trydyllog
piercer *n* gwanydd *m*
piercing *adj* main[1], treiddgar
pietism *n* pietistiaeth *f*
pietist RELIGION *n* pietist *m*
piety *n* duwioldeb *m*
piffle* *n* lol *f*
pig *n* mochyn *m*
pigeon *n* colomen *f*
pigeonhole *n* cloer *m*
piglet *n* porchell *m*
pigment *n* pigment *m*
pigsty 1. *n* twlc *m* 2. cwt mochyn [*cwt*[1]]
pigswill *n* golchion *pl*
pigtail *n* pleth *f*, plethen *f*
pike *n* gwaywffon *f*, penhwyad *m*, picell *f*
pikelet *n* cramwythen *f*, ffroesen *f*
pikeman *n* picellwr *m*
pilaster ARCHITECTURE *n* pilastr *m*
pilchard 1. *n* pilsiard *m* 2. pennog Mair
pile 1. *n* blew *pl*, cruglwyth *m*, crugyn *m*,
  pentwr *m*, swp *m*, twmpath *m*, wmbredd *m*
  2. llond gwlad
piles clwyf y marchogion
pileus BOTANY *n* pilews *m*
pilfer[1] LAW *vn* celcio, chwiwladrata, mân-ladrata
pilfer[2] LAW *vn* lladrata
pilferer *n* chwiwgi *m*, chwiwleidr *m*
pilgrim *n* pererin *m*
pilgrimage *n* pererindod *mf*
pill *n* pilsen *f*
pillage *n* ysbeiliad *m*
pillar *n* colofn *f*, piler *m*
pillory 1. *n* rhigod *m* 2. *vn* rhigodi
pillow *n* clustog *f*, gobennydd *m*
pilot 1. *n* peilot *m* 2. *vn* llywio, rhagbrofi
pimple *n* ploryn *m*, smotyn *m*, tosyn *m*
pimply *adj* plorynnog
pin 1. *n* pìn *m* 2. *vn* pinio
pinafore *n* piner *m*
pincers *n* gefel *f*, pinsiwrn *m*
pinch 1. *n* bodiaid *f*, pinsiad[1] *m*, pinsiad[2] *m*,
  pinsiaid *m* 2. *vn* pinsio
pincushion *n* pincas *m*
pine[1] (trees and wood) *n* pinwydd *pl*
pine[2] *vn* dihoeni, hiraethu, nychu
pineapple 1. *n* pinafal *m* 2. afal pîn
pinhole *n* pindwll *m*
pinion *n* piniwn[2] *m*
pinions *n* cocos[2] *pl*
pink[1] 1. *adj* pinc[1] 2. *n* ceian *f*, ceilys[1] *m*, penigan *m*
pink[2] NEEDLEWORK *vn* pincio
pinnacle *n* pinacl *m*, uchafbwynt *m*
pinocytosis BIOLOGY *n* pinocytosis *m*
pinpoint *vn* pinbwyntio
pint *n* peint *m*
pioneer 1. *n* arloeswr *m* 2. *vn* arloesi, braenaru

pioneering *adj* arloesol
pious *adj* duwiol
pip *n* carreg *f*, hedyn *m*
pipe 1. *n* cetyn *m*, peipen *f*, pib[1] *f*, pibell *f*,
  piben *f* 2. *vn* peipio[1], pibo
pipeful *n* pibaid *f*, pibellaid *f*
pipeline 1. *n* piblin *m* 2. lein bibell
piper *n* pibydd *m*
pipette *n* piped *m*
piping NEEDLEWORK *n* peipio[2] *m*
pipit *n* corhedydd *m*
pique *n* pwd[1] *m*
piracy LAW *n* môr-ladrad *m*
piranha *n* pirana *m*
pirate *n* môr-leidr *m*
pirouette *n* pirwét *m*
piss 1. *vn* pisio, piso 2. dŵr pisio, dŵr piso
pistachio *n* pistasio *m*
pistil BOTANY *n* pistil *m*
pistol *n* llawddryll *m*
piston *n* piston *m*
pit 1. *n* pwll *m*, pydew *m*, twll *m* 2. *vn* pyllu
  3. pwll glo
pitch[1] 1. *n* danheddiad *m*, llain *f*, maes[1] *m*,
  pitsh *m*, pyg *m* 2. *vn* gosod[1], pitsio[1]
pitch[2] MUSIC 1. *n* traw[1] *m* 2. *vn* pitsio[2], taro
pitch-black 1. *adj* pygddu 2. du bitsh [*pitsh*]
pitcher *n* cawg *m*, piser *m*, stên *f*
pitchfork *n* picfforch *f*, picwarch *f*
piteous *adj* truenus
pitfall* *n* magl *f*
pith *n* mwydion *pl*, mwydyn *m*
pithy* *adj* bachog
pitiable *adj* gresynus
pitiful *adj* truenus
pitiless *adj* didrugaredd
piton *n* piton *m*
pitted *adj* pantiog, pantog, panylog, pyllog
pitter-patter *vn* pitran-patran
pituitary ANATOMY *adj* pitwidol
pity 1. *interj* pechod[2] 2. *n* gresyn *m*, tosturi *m*,
  trueni[1] *m* 3. *vn* gresynu, pitïo, tosturio
pivot MECHANICS 1. *n* colyn *m* 2. *vn* colynnu
pivotal *adj* colynnol
pixel ELECTRONICS *n* picsel *m*
pixelate *vn* picseleiddio
pl. *abbr* ll.[2]
placate *vn* tawelu
place[1] 1. *n* ban *mf*, lle[1] *m*, man[1] *mf*, mangre *f*
  2. *vn* gosod[1], lleoli, rhoddi, rhoi[1]
place[2] MATHEMATICS *n* lle[1] *m*
placebo *n* plasebo *m*
placement *n* lleoliad *m*
placid *adj* diddig
placing *n* dodiad *m*, gosodiad *m*
plagiarism *n* llên-ladrad *m*
plagiarize *vn* llên-ladrata

plague 1. *n* pla *m* 2. *vn* hambygio, hymbygio, plagio, poeni

plaid *n* plàd *m*, plod *m*

plain 1. *adj* amhrydferth, croyw, di-lol, diolwg, eglur, gwladaidd, moel¹, plaen² 2. *n* gwastadedd *m*, gwastatir *m*, maestir *m*

plainness *n* plaender *m*, plaendra *m*

plainsong MUSIC *n* plaengan *f*

plain-speaking *adj* diflewyn-ar-dafod

plaintiff LAW *n* achwynwr *m*, achwynydd *m*, pleintydd *m*

plaintive *adj* dolefus, lleddf

plait 1. *n* pleth *f*, plethen *f* 2. *vn* cyfrodeddu, gwdennu, plethu

plan 1. *n* cynllun *m*, plan¹ *m* 2. *vn* arfaethu, cynllunio

planar *adj* planar

planation GEOLOGY *n* gwastadiant *m*

plane¹ 1. *n* awyren *f*, plaen¹ *m*, plân¹ *m* 2. *vn* llyfnhau, plaenio, plamo

plane² (trees and wood) *n* planwydd *pl*

plane³ MATHEMATICS *n* plân¹ *m*

planer *n* plaeniwr *m*

planet *n* planed *f*

planetary *adj* planedol

planisphere *n* planisffer *m*

plank *n* astell *f*, bwrdd *m*, planc *m*, styllen *f*, ystyllen *f*

plankton *n* plancton *pl*

planner *n* cynlluniwr *m*, cynllunydd *m*

planographic ART *adj* planograffig

plant 1. *adj* planhigol 2. *n* gwaith³ *m*, llysieuyn *m*, offer *pl*, planhigyn *m* 3. *vn* dodi, gosod¹, plannu

plantation *n* planhigfa *f*

plaque *n* plac *m*

plasma PHYSICS, PHYSIOLOGY *n* plasma *m*

plasmolysis BIOLOGY *n* plasmolysis *m*

plaster 1. *n* plastr *m* 2. *vn* plastro

plastered meddw gaib [*caib*]

plasterer *n* plastrwr *m*

plastic 1. *adj* plastig² 2. *n* plastig¹ *m*

plasticiser *n* plastigydd *m*

plasticity CHEMISTRY *n* plastigrwydd *m*

plate¹ 1. *n* haenell *m*, plât *m* 2. *vn* haenellu, platio

plate² BIOLOGY *vn* platio

plateau *n* llwyfandir *m*

plateful *n* dysglaid *f*, plataid *m*

platelet PHYSIOLOGY *n* platen *f*

platform *n* esgynlawr *m*, platfform *m*

platinum *n* platinwm *m*

platitude *n* ystrydeb *f*

platonic *adj* platonaidd

Platonism PHILOSOPHY *n* Platoniaeth *f*

platoon *n* platŵn *m*

platter *n* dysgl *f*

platyhelminth ZOOLOGY *n* platyhelminth *m*

plausibility *n* hygrededd *m*

plausible *adj* credadwy

play 1. *n* chwarae² *m*, drama *f* 2. *vn* canu¹, chwarae¹

playa GEOLOGY *n* playa *m*

player *n* canwr *m*, chwaraewr *m*, chwaraeydd *m*

playful *adj* chwaraegar, chwareugar, chwareus

playground 1. *n* iard *f* 2. cae chwarae [*cae¹*]

playtime amser chwarae [*chwarae²*]

playwright *n* dramodwr *m*, dramodydd *m*

plc *abbr* ccc

plea *n* deisyfiad *m*, ple¹ *m*

plead¹ *vn* begian, eiriol, pledio, ymbil², ymbilio

plead² LAW *vn* pledio

pleader *n* eiriolwr *m*, plediwr *m*

pleasant *adj* clên, diddan, difyr, difyrrus, dymunol, hawddgar, hyfryd, peraidd, pleserus, serchog, serchus, tirion

please 1. *vn* boddhau, plesio, rhyngu bodd [*bodd*], rhyngu bodd 2. os gwelwch yn dda [*da¹*]

pleased *adj* balch

pleasure *n* balchder *m*, bodd *m*, hoffter *m*, hyfrydwch *m*, mwynhad *m*, mwyniant *m*, pleser *m*

pleasures *n* mwynderau *pl*

pleat 1. *n* plet *m*, plyg¹ *m* 2. *vn* pletio

pleated *adj* pletiog

plebeian *adj* gwerinol

plectrum *n* plectrwm *m*

pledge *n* addewid *mf*, ernes *f*, gwystl *m*, llw *m*

pleiotropic BIOLOGY *adj* pleiotropig

pleiotropy BIOLOGY *n* pleiotropedd *m*

Pleistocene GEOLOGY *adj* Pleistosen

plentiful *adj* helaeth, toreithiog

plenty *n* digon¹ *m*, digonedd *m*, gwala *f*

pleonasm GRAMMAR *n* gorymadrodd *m*

pleura ANATOMY *n* eisbilen *f*

pleural ANATOMY *adj* eisbilennol

pleurisy¹ *n* eisglwyf *m*

pleurisy² MEDICINE *n* pliwrisi *m*

plexus ANATOMY *n* plecsws *m*

pliable *adj* hyblyg, ystwyth

pliers *n* gefelen *f*

plinth *n* plinth *m*

plodding* *adj* llafurus

plop *vn* plopian, plopio

plot¹ 1. *n* cynllun *m*, llain *f*, plot *m* 2. *vn* olrhain, plotio

plot² MATHEMATICS *n* plot *m*

plot³ LAW *vn* cynllwynio, cynllwyno

plough 1. *n* aradr *mf*, gwŷdd¹ *m* 2. *vn* aredig, troi

ploughman *n* aradwr *m*, arddwr *m*

ploughshare *n* swch *f*

plover *n* cornchwiglen *f*, cornicyll *m*

pluck 1. *n* dewrder *m*, plwc *m* 2. *vn* plicio, plufio, pluo, plycio, tynnu

plug 1. *n* plwg *m* 2. *vn* cleio, plygio
plug-in COMPUTING *n* ategyn *m*
plum *n* eirinen *f*, plwmsen *f*, plymsen *f*
plumage *n* plu *pl*
plumb 1. *adj* plwm[2] 2. *vn* llinynnu, plymio
plumber *n* plymwr *m*
plumbing *n* plymiad *m*
plume *n* pluen *f*
plummet *vn* plymio
plump 1. *adj* crwn, llyfndew 2. llond ei groen
plumule BOTANY *n* cyneginyn *m*
plunder *vn* anrheithio, ysbeilio
plunderer *n* rheibiwr *m*
plunge *vn* plymio
pluperfect GRAMMAR *adj* gorberffaith
plural *adj* lluosog
pluralism *n* plwraliaeth *f*
plus MATHEMATICS *n* plws *m*
plush* *adj* moethus
Pluto ASTRONOMY *n* Plwton *m*
plutocracy *n* pliwtocratiaeth *f*
plutocrat *n* pliwtocrat *m*
plutonic GEOLOGY *adj* plwtonig
plutonium *n* plwtoniwm *m*
ply *n* cainc *f*
plywood pren haenog [*pren[1]*]
p.m. 1. *abbr* yp 2. *n* prynhawn *m*
pneumatic *adj* niwmatig
pneumatics *n* niwmateg *f*
pneumoconiosis MEDICINE *n* niwmoconiosis *m*
pneumonia[1] llid yr ysgyfaint
pneumonia[2] MEDICINE *n* niwmonia *m*
pneumothorax[1] *n* gwyntafell *f*
pneumothorax[2] MEDICINE *n* niwmothoracs *m*
poach[1] *vn* goferwi, potsio[1]
poach[2] LAW *vn* herwhela
poacher[1] *n* potsiar *m*
poacher[2] LAW *n* herwheliwr *m*
pocket 1. *n* llogell *f*, poced *f* 2. *vn* pocedu
pocketful *n* pocedaid *f*
pockmark *n* craith *f*
pod[1] *n* cib *m*, cibyn *m*, cod[1] *f*, masgl *m*,
  plisgyn *m*
pod[2] BOTANY *n* coden *f*
podcast COMPUTING *n* podlediad *m*
podzol *n* podsol *m*
poem *n* cân[1] *f*, cerdd *f*
poesy *n* awenyddiaeth *f*, barddas *f*
poet *n* awenydd *m*, bardd *m*, prydydd *m*
poetaster *n* crachfardd *m*, pastynfardd *m*,
  rhigymwr *m*
poetess *n* prydyddes *f*
poetic *adj* awenyddol, barddol, prydyddol
poetical *adj* barddonol, prydyddol
poetics *n* barddas *f*
poetry *n* barddoniaeth *f*, canu[2] *m*, prydyddiaeth *f*
pogrom *n* pogrom *m*

poignant *adj* ingol
poikilothermic ZOOLOGY *adj* poicilothermig
point 1. *n* blaen[1] *m*, ergyd *fm*, min *m*, pig[1] *f*,
  pwynt *m* 2. *vn* pwyntio
point-blank *adj* unionsyth
pointed *adj* blaenllym, miniog, pigfain
pointer *n* pwyntydd *m*
pointless *adj* diddiben, diystyr, seithug
poison 1. *n* gwenwyn *m* 2. *vn* gwenwyno
poisoner *n* gwenwynwr *m*
poisoning *n* gwenwyniad *m*
poisonous *adj* gwenwynig, gwenwynllyd,
  gwenwynol
poke 1. *n* proc *m*, prociad *m*, pwt[1] *m*
  2. *vn* gwthio, procio, pwtian, pwtio
poker *n* pocer *m*, procer *m*
poky* *adj* cyfyng[1]
polar[1] *adj* pegynol
polar[2] PHYSICS *adj* polar
polarimeter *n* polarimedr *m*
polarity PHYSICS *n* polaredd *m*
polarization *n* polareiddiad *m*
polarize[1] *vn* pegynu, polareiddio
polarize[2] PHYSICS *vn* polareiddio
polarizer PHYSICS *n* polarydd *m*
polder *n* polder *m*
pole[1] *n* pegwn *m*, polyn *m*
pole[2] PHYSICS *n* pôl *m*
Pole *n* Pwyliad *m*
poleaxe bwyell ryfel
polecat *n* ffwlbart *m*
polemical* *adj* dadleuol
police 1. *n* heddlu *m* 2. *vn* plismona
policeman *n* heddgeidwad *m*, heddwas *m*,
  plisman *m*, plismon *m*
policewoman *n* plismones *f*
policy *n* polisi *m*
polio(myelitis) MEDICINE *n* polio(myelitis) *m*
polish 1. *n* graen *m*, llathrydd *m*, polish *m*,
  sglein *m* 2. *vn* caboli, gloywi, llathru, sgleinio
Polish *adj* Pwylaidd
polished *adj* caboledig, graenus, llathredig
polisher *n* sgleiniwr *m*
politburo *n* politbiwro *m*
polite *adj* boneddigaidd, cwrtais, moesgar
politeness *n* cwrteisi *m*, moesgarwch *m*
political *adj* gwleidyddol, politicaidd
politician *n* gwleidydd *m*
politics *n* gwleidyddiaeth *f*
polka MUSIC *n* polca *f*
poll 1. *n* arolwg *m*, pôl *m* 2. *vn* pleidleisio
pollack *n* morlas *m*
pollan *n* polan *m*
pollen *n* paill *m*
pollinate *vn* peillio
pollination *n* peilliad *m*
pollock *n* morlas *m*

pollutant *n* difwynydd *m*, llygrydd *m*
pollute *vn* amhuro, llygru
polluter *n* llygrwr *m*
pollution *n* amhuriad *m*, difwyniad *m*,
  llygredd *m*, llygriad *m*
polo *n* polo *m*
polonium *n* poloniwm *m*
polyandrous *adj* amlwriog
polyandry *n* amlwriaeth *f*
polycarbonate *n* polycarbonad *m*
polyester *n* polyester *m*
polygamist *n* amlwreiciwr *m*
polygamous *adj* amlwreiciog
polygamy *n* amlwreiciaeth *f*
polyglot *adj* amlieithog
polygon MATHEMATICS *n* polygon *m*
polyhedron MATHEMATICS *n* polyhedron *m*
polymer CHEMISTRY *n* polymer *m*
polymerase BIOCHEMISTRY *n* polymeras *m*
polymerization CHEMISTRY *n* polymeriad *m*
polymerize CHEMISTRY *vn* polymeru
polymorph *n* polymorff *m*
polymorphic *adj* amryffurf, polymorffig
polymorphism¹ *n* amryffurfedd *m*,
  polymorffedd *m*
polymorphism² BIOLOGY, CHEMISTRY
  n polymorffedd *m*
Polynesian 1. *adj* Polynesaidd 2. *n* Polynesiad *m*
polynomial MATHEMATICS 1. *adj* polynomaidd
  2. *n* polynomial *m*
polyp MEDICINE, ZOOLOGY *n* polyp *m*
polypeptide BIOCHEMISTRY *n* polypeptid *m*
polyphonic MUSIC *adj* polyffonig
polyphony MUSIC *n* polyffoni *m*
polysaccharide BIOCHEMISTRY *n* polysacarid *m*
polystyrene *n* polystyren *m*
polysyllabic *adj* amlsillafog, lluosill
polytechnic *n* polytechnig *m*
polytheism *n* amldduwiaeth *f*
polythene *n* polythen *m*
polyunsaturated CHEMISTRY *adj* amlannirlawn
polyurethane CHEMISTRY *n* polywrethan *m*
polyvinyl chloride CHEMISTRY *n* polyfinyl
  clorid *m*
pomegranate *n* pomgranad *m*
pommel *n* pwmel *m*
pomp *n* rhodres *m*, rhwysg *m*
pompom *n* pompom *m*
pompous *adj* chwyddedig, gorchwyddedig,
  mawreddog, rhodresgar, rhwysgfawr
pond *n* pwll *m*
ponder *vn* crafu pen [*pen¹*], myfyrio, pendroni,
  ystyried
ponderous *adj* clogyrnaidd, trwsgl
pondweed *n* dyfrllys *m*
pontiff *n* pontiff *m*
pontificate *vn* doethinebu, pontifficeiddio

pontoon *n* pontŵn *m*
pony *n* merlen *f*, merlyn *m*, poni *f*
pony-trekker *n* merlotwr *m*
pony-trekking *vn* merlota
poodle *n* pŵdl *m*
pooh-pooh *vn* wfftian, wfftio
pool *n* pŵl¹ *m*, pwll *m*
poor *adj* coch², diraen, di-raen, gwael¹, llwm,
  main¹, sâl¹, tlawd, truan¹
poorhouse *n* tloty *m*
poorly *adj* bethma², cwla, gwael², pethma
pop 1. *adj* pop² 2. *n* pop¹ *m* 3. *vn* popio
Pope RELIGION *n* Pab *m*
poplar (tree) *n* poplysen *f*
poplin *n* poplin *m*
poppet *n* pwt¹ *m*
poppy *n* pabi *m*
poppycock lol botes maip
populace *n* poblogaeth *f*
popular *adj* poblogaidd
popularity *n* poblogrwydd *m*
popularize *vn* poblogeiddio
populate *vn* poblogi
population *n* poblogaeth *f*
populist *n* poblyddwr *m*
populous *adj* poblog
porbeagle *n* corgi môr *m*
porcelain *n* porslen *m*
porch *n* cyntedd *m*, lobi *f*, porth¹ *m*
porcupine *n* ballasg *m*
pore *n* mandwll *m*
pork 1. *n* porc *m* 2. cig mochyn
porker *n* porchell *m*
pornographic *adj* pornograffig
pornography *n* pornograffiaeth *f*
porosity PHYSICS *n* mandylledd *m*
porous *adj* mandyllog
porpoise *n* llamhidydd *m*, môr-hwch *f*, morwch *f*
porridge *n* uwd *m*
port¹ *n* porthladd *m*
port² COMPUTING *n* porth¹ *m*
portability *n* cludadwyedd *m*
portable *adj* cludadwy
portal COMPUTING *n* porth¹ *m*
portcullis ARCHITECTURE *n* porthcwlis *m*
portend *vn* argoeli
portent *n* argoel *f*, arwydd *m*
portentous *adj* argoelus
porter *n* cludwr *m*, porter *m*, porthor *m*
portfolio *n* portffolio *m*
portico ARCHITECTURE *n* portico *m*
portion *n* cyfran *f*, darn *m*, rhan¹ *f*, rhandir *m*
portly llond ei groen
portrait *n* darlun *m*, portread *m*
portraiture ART *n* portreadaeth *f*
portray *vn* darlunio, disgrifio, portreadu
portrayal *n* portread *m*

Portuguese 1. *adj* Portiwgalaidd
  2. *n* Portiwgead *m*
pose 1. *n* ystum *mf* 2. *vn* gofyn[1], stumio,
  ymhonni, ystumio
position *n* lleoliad *m*, safle *m*, sefyllfa *f*, swydd *f*
positive *adj* cadarnhaol, pendant, positif
positivism PHILOSOPHY *n* positifiaeth *f*
positron PHYSICS *n* positron *m*
possess *vn* meddiannu, meddu, perchenogi
possessing *adj* meddiannol
possession *n* meddiannaeth *f*, meddiant *m*,
  perchenogaeth *f*, perchnogaeth *f*
possessions *n* da[3] *pl*, eiddo[1] *m*, meddiannau *pl*
possessor *n* meddiannwr *m*, meddiannydd *m*
posset *n* posel *m*, poset *m*
possibility *n* posibiliad *m*, posibilrwydd *m*
possible *adj* posibl, ymarferol
possibly *adv* efallai
post 1. *n* post[1] *m*, postyn *m*, swydd *f* 2. *vn* postio
post- ôl-
postage *n* cludiad *m*
postcode cod post [*cod*[3]]
post-colonial *adj* ôl-drefedigaethol
poster *n* poster *m*
postglacial GEOLOGY *adj* ôl-rewlifol
postgraduate *adj* ôl-raddedig
post-impressionism *n* ôl-argraffiadaeth *f*
postman *n* postman *m*, postmon *m*
postmark *n* postfarc *m*
postmaster *n* postfeistr *m*
postmistress *n* postfeistres *f*
postmodernism *n* ôl-foderniaeth *f*
post-mortem *n* post-mortem *m*
postnatal *adj* ôl-enedigol
postpone *vn* gohirio
postponement *n* gohiriad *m*, oediad *m*
postscript *n* ôl-nodiad *m*, ôl-nodyn *m*
postulate LOGIC 1. *n* cynosodiad *m* 2. *vn* cynosod
posture 1. *n* osgo *m*, ymddaliad *m*, ystum *mf*
  2. *vn* ymagweddu
posy *n* blodeuglwm *m*, pwysi[2] *m*, tusw *m*
pot 1. *n* pot *m*, priddlestr *m* 2. *vn* pocedu, potio[1],
  suddo 3. mwg drwg, mwg melys
potable *adj* yfadwy
potash *n* potas *m*, potash *m*
potassium *n* potasiwm *m*
potato *n* pytaten *f*, taten *f*
pot-bellied *adj* boliog
potent* *adj* grymus
potential[1] 1. *adj* posibl
  2. *n* addewid *mf*, potensial *m*
potential[2] ECONOMICS, PHYSICS *n* potensial *m*
potentiality *n* dichonoldeb *m*, dichonolrwydd *m*
potentilla *n* pumnalen *f*
potentiometer ELECTRONICS, PHYSICS
  n potensiomedr *m*
potful *n* potaid *m*

pothole *n* ceubwll *m*, ceudwll *m*, ogof *f*
potholer *n* ogofwr *m*
potometer *n* potomedr *m*
pottage* *n* potes *m*
potter 1. *n* crochenydd *m* 2. *vn* stwna, stwnan
pottery 1. *n* crochendy *m*, crochenwaith *m*
  2. llestri pridd
pouch *n* coden *f*, cwd *m*, sgrepan *f*, ysgrepan *f*
poultice *n* powltis *m*
poultry 1. *n* dofednod *pl*, ffowls *pl*
  2. da pluog [*da*[3]]
pounce 1. *n* panlwch *m* 2. *vn* neidio
pound 1. *n* punt *f*, pwys[1] *m*
  2. *vn* malurio, pwnio, pwno
pounding *n* pwyad *m*
pour *vn* arllwys, diwel, goferu, hidlo, pistyllio,
  pistyllu, tollti, tywallt
pouring *n* tywalltiad *m*
pout *vn* pwdu, sorri
poverty *n* llymder *m*, llymdra *m*, tlodi[1] *m*
powan *n* powan *m*
powder 1. *n* powdr *m* 2. *vn* powdro
powdered *adj* powdrog
powdery *adj* powdraidd, powdrog
power[1] 1. *n* cadernid *m*, cryfder *m*, gallu[2] *m*,
  grym *m*, grymuster *m*, pŵer *m* 2. *vn* gyrru
power[2] MATHEMATICS *n* pŵer *m*
power[3] PHYSICS *n* pŵer *m*
powerful *adj* cryf, grymus, pwerus
powerhouse *n* pwerdy *m*
powerless *adj* di-rym, dirym
powers *n* pwerau *pl*
PPS 1. *abbr* OON 2. ôl-ôl-nodyn [*ôl-nodyn*]
practicable *adj* dichonadwy, dichonol, posibl,
  ymarferol
practical *adj* ymarferol
practicality *n* ymarferoldeb *m*
practice *n* arfer[1] *fm*, ymarfer[2] *m*
practician *n* ymarferwr *m*, ymarferydd *m*
practise *vn* dilyn, ymarfer[1]
practitioner *n* ymarferwr *m*, ymarferydd *m*
pragmatic *adj* pragmataidd, pragmatig
pragmatism *n* pragmatiaeth *f*
prairie *n* paith *m*
praise 1. *n* canmoliaeth *f*, clod *m*, clodforedd *m*,
  geirda *m*, mawl[1] *m*, moliant *m* 2. *vn* brolian,
  brolio, canmol, canu clod [*canu*[1]], clodfori,
  moli, moliannu 3. gair da
praiseworthy *adj* canmoladwy, clodfawr, clodwiw
pram 1. *n* pram *m* 2. coets fach
prance *vn* crychlamu, moelystota, prancio
prancing *adj* llamsachus
prank *n* cast[1] *m*, pranc *m*, stranc *f*, stremp *f*
pranks *n* camocs *pl*, ciamocs *pl*, gamocs *pl*,
  giamocs *pl*
praseodymium *n* praseodymiwm *m*
prate *vn* brygawthan

prattle 1. *n* cogor[1] *m*, ffregod *f*, lap *m*
2. *vn* baldorddi, breblian, bregliach, clegar, gwag-siarad[1], malu awyr [*awyr*], parablu
prattler *n* breblwr *m*
prawn *n* corgimwch *m*
pray *vn* gweddïo
prayer *n* gweddi[1] *f*
prayerful *adj* gweddigar
prayers *n* pader *m*
praying *n* gweddi[1] *f*
pre- *pref* rhag-
preach *vn* efengylu, pregethu, traethu
preacher *n* pregethwr *m*
preamble *n* rhaglith *f*
preamplifier ELECTRONICS *n* rhagfwyhadur *m*
prearrange *vn* rhagdrefnu
prebend RELIGION *n* prebend *m*
prebendary RELIGION *n* prebendari *m*
Precambrian GEOLOGY *adj* cyn-Gambriaidd
precarious* *adj* ansicr
precaution *n* rhagbaratoad *m*, rhagofal *m*
precautions *n* rhagofalon *pl*
precede *vn* rhagflaenu
precedence *n* blaenoriaeth *f*
precedent *n* cynsail *f*
preceding *adj* rhagflaenol
precentor codwr canu [*canu*[1]]
precess PHYSICS *vn* presesu
precession *n* presesiad *m*
precinct *n* maelfa *f*
precious *adj* gwerthfawr
precipice *n* clogwyn *m*, dibyn *m*
precipitate[1]***** *adj* brysiog
precipitate[2] CHEMISTRY *vn* gwaddodi
precipitation METEOROLOGY *n* dyodiad *m*
precipitous *adj* serth
precise *adj* cyfewin, manwl, manwl gywir, trachywir, union
precision *n* cysactrwydd *m*, manwl gywireb *m*, manylder *m*, manylrwydd *m*, trachywiredd *m*
preclinical MEDICINE *adj* cyn-glinigol
precocious *adj* henffel, rhagaeddfed
precociousness *n* rhagaeddfedrwydd *m*
precognition *n* rhagwybodaeth *f*
preconceive *vn* rhagdybied, rhagdybio
preconception *n* rhagdybiaeth *f*
precondition *n* rhagamod *m*
precursor *n* rhagredegydd *m*
predate *vn* rhagddyddio
predator *n* ysglyfaethwr *m*
predatory *adj* barcutaidd, rheibus, sglyfaethus, ysglyfaethus
predecessor *n* rhagflaenwr *m*, rhagflaenydd *m*
predeliction* *n* hoffter *m*
predestination[1] *n* rhagordeiniad *m*
predestination[2] RELIGION *n* rhagarfaeth *f*
predestine *vn* rhagarfaethu, rhagordeinio

predestined *adj* rhagbenodedig, rhagordeiniedig
predetermine *vn* rhagordeinio
predetermined *adj* rhagbenodedig
predicament *n* helynt *mf*
predicate GRAMMAR *n* traethiad *m*
predicative GRAMMAR *adj* traethiadol
predict *vn* darogan, proffwydo, rhagfynegi, rhagweld, rhag-weld
predictable *adj* rhagweladwy
prediction *n* rhagfynegiad *m*
predisposition *n* rhagdueddiad *m*
predominant *adj* pennaf
predominate *vn* goruchafu
pre-eclampsia MEDICINE *n* cyneclampsia *m*
pre-eminent* *adj* di-ail
pre-empt *vn* achub y blaen [*achub*[1]]
pre-exist *vn* cynfodoli
pre-existence *n* cynfodolaeth *m*
pre-existent *adj* cynfodol
prefabricated *adj* rhagffurfiedig
preface 1. *n* rhagair *m*, rhagarweiniad *m*, rhagymadrodd *m* 2. *vn* rhagymadroddi
prefatory *adj* rhagarweiniol, rhagymadroddol
prefer *vn* bod yn well gan [*gwell*[1]], ffafrio
preferable *adj* gwell[1]
preference *n* ffafraeth *f*, ffafriaeth *f*
preferment *n* dyrchafiad *m*
prefigure *vn* rhagddangos
prefix[1] *vn* rhagddodi
prefix[2] GRAMMAR *n* rhagddodiad *m*
preform *vn* rhagffurfio
pregnancy *n* beichiogrwydd *m*
pregnant *adj* beichiog, cyflo
preheat *vn* rhagboethi
prehistoric 1. *adj* cynhanes[2], cynhanesyddol
2. oes yr arth a'r blaidd [*arth*]
prehistory *n* cynhanes[1] *m*
prejudge *vn* rhagfarnu
prejudice 1. *n* rhagfarn *f* 2. *vn* niweidio
prejudiced *adj* rhagfarnllyd
prejudicial* *adj* niweidiol
prelate *n* prelad *m*
prelim *n* rhagbrawf *m*
preliminary *adj* rhagarweiniol
prelude *n* preliwd *m*
premature[1] *adj* annhymig, cynamserol
premature[2] MEDICINE *adj* cynamserol
prematurity *n* cynamseredd *m*
premedication *n* rhagfoddion *m*
premeditate *vn* rhagfwriadu
premeditated *adj* rhagfwriadol, rhagfwriadus
premier 1. *adj* prif 2. *n* prif weinidog *m*
premise[1] *n* cynsail *f*, rhagosodiad *m*
premise[2] LOGIC *n* rhagosodiad *m*
premises *n* adeilad *m*, mangre *f*
premium *n* premiwm *m*
premolar ANATOMY cilddant blaen

premonition *n* rhagargoel *f*

preordain *vn* rhagordeinio

preparation *n* arlwy *m*, darpariad *m*, darpariaeth *f*, paratoad *m*, rhagbaratoad *m*, ymbaratoad *m*

preparatory *adj* paratoadol, paratoawl, rhagbaratoadol, rhagbaratoawl

prepare *vn* arlwyo, darparu, gweithio, hwylio, paratoi

preparer *n* paratöwr *m*

prepay *vn* rhagdalu

prepayment *n* rhagdal *m*, rhagdaliad *m*

preponderance *n* mwyafrif *m*

preposition GRAMMAR *n* arddodiad *m*

prepossessing* *adj* deniadol

preposterous* *adj* hurt

pre-production *vn* rhag-gynhyrchu

prerequisite 1. *adj* cynrheidiol
   2. *n* rhagamod *m*, rhagofyniad *m*

prerogative 1. *adj* uchelfreiniol 2. *n* uchelfraint *f*

presage* *vn* argoeli

Presbyterian 1. *adj* Presbyteraidd
   2. *n* Presbyteriad *m*

Presbyterianism *n* Presbyteriaeth *f*

presbytery RELIGION *n* henaduriaeth *f*

prescience *n* rhagwybodaeth *f*

prescient *adj* rhagymwybodol

prescribe *vn* rhagnodi

prescribed *adj* rhagnodedig

prescription *n* presgripsiwn *m*, rhagnodyn *m*

prescriptive *adj* rhagnodol, rhagysgrifiadol

presence *n* gŵydd[1] *m*, presenoldeb *m*

present 1. *adj* presennol[1] 2. *adv* yma[1]
   3. *n* anrheg *f*, rhodd *f* 4. *vn* cyflwyno, gosod o flaen/gerbron [*gosod*[1]], rhoddi, rhoi[1]

presentable* *adj* cymeradwy

presentation *n* cyflwyniad *m*

presenter *n* cyflwynwr *m*, cyflwynydd *m*

presentiment *n* rhagargoel *f*

presently 1. *adv* toc[1] 2. yn y man [*man*[1]]

preservative *n* cadwolyn *m*, cyffeithydd *m*

preserve[1] *vn* cadw[1], costrelu, diogelu

preserve[2] COOKERY 1. *n* cyffaith *m* 2. *vn* cyffeithio

preserved 1. *adj* cadwedig 2. ar gadw [*cadw*[1]]

preset 1. *adj* rhagbenodedig, rhagosodedig
   2. *vn* rhagosod

preside *vn* llywyddu

presidency *n* arlywyddiaeth *f*, llywyddiaeth *f*

president *n* arlywydd *m*, llywydd *m*

presidential *adj* arlywyddol, llywyddol

presidentialism *n* arlywyddoliaeth *f*

presiding *adj* llywyddol

presidium *n* presidiwm *m*

press 1. *n* argraffty *m*, gwasg[1] *f*
   2. *vn* gwasgu, pwyso

pressed *adj* gwasgedig

presser *n* gwasgwr *m*

press-mould *vn* gwasgfowldio

pressure[1] *n* gwasgedd *m*, pwysau[2] *m*, pwysedd *m*

pressure[2] PHYSICS *n* gwasgedd *m*

pressurize *vn* gwasgeddu

prestige *n* bri *m*

presume *vn* rhyfygu, tybied, tybio

presumption[1] *n* digywilydd-dra *m*, rhyfyg *m*, trahauster *m*, tybiad *m*, tybiaeth *f*

presumption[2] LAW *n* rhagdybiaeth *f*

presumptive *adj* rhagdybiol

presumptuous *adj* carlamus, eofn, haerllug, hy, hyf, rhyfygus, trahaus

presuppose *vn* rhagdybied, rhagdybio

presupposition *n* rhagdyb *f*

pretence *n* esgus *m*, ffug-honiad *m*

pretend *vn* coegio, cogio, cymryd arnaf fi (arnat ti, arno ef, etc.), ffuantu, ffugio, jocan, smalio, ymhonni, ysmalio

pretender *n* cogiwr *m*, ymhonnwr *m*

pretentious *adj* rhodresgar, ymhongar

preternatural *adj* allnaturiol

pretext *n* esgus *m*

prettiness *n* pertrwydd *m*, tlysni *m*

pretty *adj* clws, del, gweddol, pert, tlws[2]

prevalence *n* mynychder *m*

prevaricate *vn* cloffi rhwng dau feddwl

prevent *vn* atal[1], gwarafun, nadu[2], rhwystro, stopio

preventative *adj* ataliol

preventive *adj* ataliol

preview *n* rhaglun *m*, rhagolwg *m*

previous *adj* blaenorol

previously cyn hynny [*hynny*[1]], o'r blaen [*blaen*[1]]

prey[1] *n* prae *m*, sglyfaeth *f*, ysglyfaeth *f*

prey[2] (on) *vn* ysglyfaethu

price 1. *n* pris *m* 2. *vn* prisio

priceless *adj* amhrisiadwy

prick 1. *n* pigad *m*, pigiad *m*, pigyn *m*
   2. *vn* dwysbigo, pigo, pricio

prickly *adj* dreiniog, eithinog, pigog

pride *n* balchder *m*

priest *n* offeiriad *m*

priestess *n* offeiriades *f*

priesthood *n* offeiriadaeth *f*

priestly *adj* offeiriadol

prig *n* ffrwmpen *f*, ffrwmpyn *m*

priggish *adj* misi, mursennaidd

primacy *n* archesgobaeth *f*, uchafiaeth *f*

primaeval* *adj* cynoesol

primaries POLITICS *n* rhagetholiadau *pl*

primary *adj* cychwynnol, cynradd, prif, sylfaenol

primate[1] *n* archesgob *m*

primate[2] ZOOLOGY *n* primat *m*

prime 1. *adj* cynoesol, gorau[1], prif 2. *n* anterth *m*
   3. *vn* preimio

primeval *adj* cynoesol

primitive *adj* cynoesol, cyntefig

primitiveness *n* cyntefigrwydd *m*
primitivism *n* cyntefigrwydd *m*
primogeniture *n* cyntaf-anedigaeth *f*
primrose *n* briallen *f*
prince *n* tywysog *m*
princely *adj* tywysogaidd
princess *n* tywysoges *f*
principal[1] 1. *adj* pennaf, prif
  2. *n* pennaeth *m*, prifathro *m*
principal[2] FINANCE *n* cyfalaf *m*, prifswm *m*
principality *n* tywysogaeth *f*
principalship *n* prifathrawiaeth *f*
principle *n* egwyddor *f*
principled *adj* egwyddorol
print 1. *n* print *m*, teip *m* 2. *vn* argraffu, printio
printable *adj* argraffadwy, printiadwy
printed *adj* argraffedig, printiedig
printed circuit ELECTRONICS cylched brintiedig
printer *n* argraffwr *m*, argraffydd *m*, printiwr *m*
printing 1. *n* argraffwaith *m*
  2. *vn* argraffu, printio
printout COMPUTING *n* allbrint *m*
prior[1]* *adj* blaenorol
prior[2] RELIGION *n* prior *m*
prioress RELIGION *n* priores *f*
prioritize *vn* blaenoriaethu
priority *n* blaenoriaeth *f*
priorship *n* prioriaeth *f*
priory RELIGION *n* priordy *m*
prism *n* prism *m*
prismatic *adj* prismatig
prison *n* carchar *m*, carchardy *m*, dalfa *f*
prisoner *n* carcharor *m*
pristine* *adj* dilychwin
prithee *interj* atolwg
privacy *n* preifatrwydd *m*
private *adj* preifat
privateer *n* herwlong *f*, preifatîr *m*
privation* *n* cyni *m*
privatize *vn* preifateiddio
privatized *adj* preifateiddiedig
privilege *n* braint *f*, rhagorfraint *f*
privileged *adj* breiniol, breinol, breintiedig
prize *n* gwobr *f*
prizeless *adj* di-wobr
prizewinning *adj* arobryn
proactive *adj* rhagweithiol
probability *n* tebygolrwydd *m*
probable *adj* tebygol
probably ond odid [odid]
probate LAW *n* profeb *f*, profiant *m*
probation *n* prawf[1] *m*, profiannaeth *f*
probe 1. *n* chwiliedydd *m*, stiliwr *m*
  2. *vn* chwilio, stilio, ymchwilio
problem *n* problem *f*, trafferth *f*
problematic *adj* problemataidd, problematig, problemus

procedural *adj* trefniadol
procedure *n* gweithdrefn *f*, trefn *f*, trefniadaeth *f*
proceed *vn* cerdded, llwybreiddio, mynd rhagddo
  [mynd[1]]
proceedings *n* achos[1] *m*, trafodion *pl*
process[1] 1. *n* proses *f* 2. *vn* prosesu
process[2] BIOLOGY *n* cnap *m*
procession *n* gorymdaith *f*
processional *adj* gorymdeithiol
processor *n* prosesydd *m*
proclaim *vn* datgan
proconsul *n* rhaglaw *m*
proconsulship *n* rhaglawiaeth *f*
procrastinate* *vn* oedi
procrastinator *n* oedwr *m*
procreate[1] *vn* epilio, planta
procreate[2] BIOLOGY *vn* cenhedlu
procreation *n* cenhedliad *m*
procurator *n* procuradur *m*
procure *vn* caffael
procurement* *vn* caffael
prod 1. *n* proc *m*, swmbwl *m*
  2. *vn* procio, pwnio, pwno
prodigal *adj* afrad, afradlon, gwastrafflyd, gwastraffus
prodigality *n* afradlondeb *m*, afradlonedd *m*
prodigious* *adj* aruthrol
prodigy* *n* rhyfeddod *m*
produce 1. *n* cynhyrchion *pl*, cynnyrch *m*
  2. *vn* cynhyrchu, llunio
producer[1] *n* cynhyrchydd[1] *m*
producer[2] BIOLOGY *n* cynhyrchydd[1] *m*
product[1] *n* cynnyrch *m*, ffrwyth *m*
product[2] MATHEMATICS *n* lluoswm *m*
production 1. *n* cynhyrchiad *m*, cynhyrchiant *m*, cynnyrch *m* 2. *vn* cynhyrchu
productive *adj* cynhyrchiol
productivity *n* cynhyrchedd *m*
profane *adj* cableddus
profess *vn* addef[1], arddel, proffesu
profession *n* cyffes *f*, galwedigaeth *f*, proffes *f*, proffesiwn *m*
professional *adj* proffesiynol
professionalism *n* proffesiynoldeb *m*
professor *n* athro *m*, proffeswr *m*
proffer *vn* cynnig[1]
proficiency *n* hyfedredd *m*, medrusrwydd *m*
proficient *adj* hyfedr, medrus, rhugl
profile 1. *n* proffil *m* 2. *vn* proffilio
profit[1] *vn* bod ar fy (dy, ei, etc.) elw [elw], elwa
profit[2] FINANCE *n* elw *m*
profitability *n* proffidioldeb *m*
profitable *adj* proffidiol
profiteer *vn* budrelwa, gorelwa
profitless *adj* dielw
profligacy *n* afradlondeb *m*, afradlonedd *m*, anghynildeb *m*

profligate *adj* afradlon

profound *adj* dwfn[1], dwys

profundity *n* dyfnder *m*

profusion *n* toreth *m*

progeny *n* epil *m*

progesterone BIOCHEMISTRY *n* progesteron *m*

prognosis[1] *n* argoel *f*

prognosis[2] MEDICINE *n* argoel *f*, prognosis *m*

prognostication *n* proffwydoliaeth *f*,
 prognosticasiwn *m*

program[1] *vn* rhaglennu

program[2] COMPUTING *n* rhaglen *f*

programmable *adj* rhaglenadwy

programme 1. *n* rhaglen *f* 2. *vn* rhaglennu

programmer *n* rhaglennwr *m*, rhaglennydd *m*

progress 1. *n* cynnydd *m* 2. *vn* symud

progression[1] *n* dilyniant *m*

progression[2] MUSIC *n* dilyniad *m*

progression[3] MATHEMATICS *n* dilyniant *m*

progressive[1] *adj* blaengar, blaenllaw, cynyddol

progressive[2] ECONOMICS *adj* esgynradd

progressiveness *n* blaengaredd *m*

prohibit *vn* gwahardd, gwarafun

prohibited *adj* gwaharddedig

prohibition *n* gwaharddiad *m*

project 1. *n* cywaith *m*, project *m*, prosiect *m*
 2. *vn* rhagamcanu, taflu, taflunio

projectile *n* saethyn *m*, taflegryn *m*, teflyn *m*

projection *n* amcanestyniad *m*, rhagamcaniad *m*,
 tafluniad *m*, ymestyniad *m*

projector *n* taflunydd *m*

prokaryote BIOLOGY *n* procaryot *m*

proletarian *adj* proletaraidd

proletariat *n* gwerin[1] *f*, proletariat *m*

proliferate *vn* amlhau, lluosogi, ymledu

proliferation *n* amlhad *m*, lluosogiad *m*,
 ymlediad *m*

prolific *adj* cynhyrchiol, epilgar, epiliog, toreithiog

proline *n* prolin *m*

prolix *adj* hirfaith

prologue *n* prolog *m*, rhagarweiniad *m*

prolong *vn* estyn, hwyhau

prolonged *adj* estynedig, maith

promenade[1] *n* parrog *m*, promenâd *m*, rhodfa *f*

promenade[2] MUSIC *n* promenâd *m*

promethium *n* promethiwm *m*

prominence *n* amlygrwydd *m*, cyhoeddusrwydd *m*

prominent *adj* amlwg, blaengar, blaenllaw

promiscuity *n* anlladrwydd *m*, trythyllwch *m*

promise 1. *n* addewid *mf*, gair *m* 2. *vn* addo

promised *adj* addawedig

promising *adj* addawol

promisor *n* addawr *m*, addewidiwr *m*

promissory LAW *adj* addewidiol

promontory *n* penrhyn *m*, pentir *m*, trwyn *m*

promote *vn* dyrchafu, hybu, hyrwyddo,
 marchnata

promoter *n* hyrwyddwr *m*

promotion 1. *n* dyrchafiad *m*, hyrwyddiad *m*
 2. *vn* marchnata

prompt 1. *adj* parod, prydlon
 2. *vn* annog, arwain, cofweini, procio

prompter *n* cofweinydd *m*

promulgate *vn* lledaenu

prone *adj* chwannog, tueddol

prong *n* ewin *mf*, pig[1] *f*

pronominal GRAMMAR *adj* rhagenwol

pronoun GRAMMAR *n* rhagenw *m*

pronounce *vn* cyhoeddi, datgan, dweud,
 dyfarnu, seinio, yngan, ynganu

pronounced* *adj* amlwg

pronouncement *n* datganiad *m*

pronunciation *n* ynganiad *m*

proof[1] *n* prawf[1] *m*

proof[2] (copy) *n* proflen *f*

prop *n* annel *mf*, ateg *f*, cynhaliad[2] *m*,
 prop *m*, sbwrlas *m*

propaganda *n* propaganda *m*

propagandist *n* propagandydd *m*

propagate *vn* hyrwyddo, lluosogi

propane CHEMISTRY *n* propan *m*

propanol CHEMISTRY *n* propanol *m*

propanone CHEMISTRY *n* aseton *m*, propanon *m*

propel *vn* gwthio

propellant *n* tanwydd *m*

proper[1] *adj* cymen, gweddaidd, gweddus,
 gwiw, iawn[1], priod[2], priodol

proper[2] GRAMMAR *adj* priod[2]

property *n* eiddo[1] *m*, priodwedd *f*

prophase BIOLOGY *n* proffas *m*

prophecy *n* proffwydoliaeth *f*

prophesier *n* proffwydwr *m*

prophesy *vn* proffwydo

prophet *n* proffwyd *m*

prophetess *n* proffwydes *f*

prophetic *adj* proffwydol

prophylactic[1] *adj* clwyrwystrol

prophylactic[2] MEDICINE 1. *adj* proffylactig[1]
 2. *n* proffylactig[2] *m*

propinquity* *n* agosrwydd *m*

proportion MATHEMATICS *n* cyfran *f*, cyfrannedd *m*

proportional MATHEMATICS *adj* cyfraneddol

proportionality LAW *n* cymesuredd *m*

proportionate LAW *adj* cymesur

proposal *n* cynigiad *m*, cynnig[2] *m*

propose *vn* argymell, awgrymu, cynnig[1]

proposed *adj* arfaethedig

proposer *n* cynigiwr *m*, cynigydd *m*

proposition *n* cynigiad *m*, cynnig[2] *m*, gosodiad *m*

proprietor *n* perchen *m*, perchennog *m*

propriety *n* gweddeidd-dra *m*, gweddusrwydd *m*,
 gwedduster *m*, gweddustra *m*, priodoldeb *m*,
 priodolder *m*

propulsion[1] *n* gyriant *m*

propulsion² PHYSICS *n* gwthiad *m*
prorogation LAW *n* addoediad *m*
prorogue LAW *vn* addoedi
prosaic *adj* adroddiadol, anfarddonol, rhyddieithol
proscenium *n* proseniwm *m*
proscribe* *vn* gwahardd
proscribed* *adj* gwaharddedig
prose *n* pros *m*, rhyddiaith *f*
prosecute LAW *vn* erlyn
prosecution¹ *n* erlyniaeth *f*
prosecution² LAW *n* erlyniad *m*
prosecutor *n* erlynydd *m*
prosody *n* mydryddiaeth *f*
prospect *n* rhagolwg *m*
prospective *adj* darpar
prospectus *n* prosbectws *m*
prosper *vn* ffynnu
prosperity *n* ffyniant *m*, hawddfyd *m*, llewych *m*,llewyrch *m*
prosperous *adj* ffyniannus, llewyrchus
prostate ANATOMY *n* prostad *m*
prosthesis *n* prosthesis *m*
prosthetic *adj* prosthetig
prostitute 1. *n* putain *f* 2. *vn* puteinio
prostitution *n* puteindra *m*, puteiniaeth *f*
prostrate *vn* ymgreinio
protactinium *n* protactiniwm *m*
protease BIOCHEMISTRY *n* proteas *m*
protect¹ *vn* amddiffyn, diogelu, gwarchod
protect² ECONOMICS *vn* diffynnu
protected *adj* amddiffynedig
protection *n* gwarchodaeth *f*
protectionism¹ *n* diffyndollaeth *f*
protectionism² ECONOMICS *n* diffynnaeth *f*
protective *adj* amddiffynnol, gwarcheidiol
protein BIOCHEMISTRY *n* protein *m*
Proterozoic GEOLOGY *adj* Proterosöig
protest 1. *n* gwrthdystiad *m*, protest *f* 2. *vn* gwrthdystio, protestio
Protestant¹ *adj* Protestannaidd
Protestant² RELIGION *n* Protestant *m*
Protestantism RELIGION *n* Protestaniaeth *f*
protester *n* gwrthdystiwr *m*, protestiwr *m*
Protictista BIOLOGY *n* Protictista *m*
protocol *n* protocol *m*
proton PHYSICS *n* proton *m*
protoplasm BIOLOGY *n* protoplasm *m*
protoplast BIOLOGY *n* protoplast *m*
prototype 1. *n* cynddelw *f*, prototeip *m* 2. *vn* prototeipio
prototyping* *vn* prototeipio
Protozoa BIOLOGY *n* Protosoa *pl*
protract* *vn* estyn
protracted* *adj* hir, maith
protractor *n* onglydd *m*
protrusion *n* gwrym *m*

proud *adj* balch
provable *adj* profadwy
prove *vn* profi
provection GRAMMAR *n* calediad *m*
proverb *n* dihareb *f*
proverbial *adj* diarhebol
provide *vn* darparu, rhoddi, rhoi¹
providence *n* rhagluniaeth *f*
provident* *adj* darbodus
providential *adj* rhagluniaethol
providentially diolch i'r drefn [*trefn*]
provider *n* darparwr *m*, darparydd *m*
province *n* talaith *f*
provincial *adj* taleithiol
provision *n* arlwy *m*, cyflenwad *m*, darpariaeth *f*
provisions *n* arlwy *m*, bwyd *m*
provocation *n* cythruddiad *m*
provocative *adj* herllyd, pryfoclyd
provoke *vn* cythruddo, poeni, pryfocio
provoker *n* pryfociwr *m*
provost *n* profost *m*
prowess *n* medrusrwydd *m*
prowl *vn* llercian, prowlan
prowler *n* llerciwr *m*
proximity *n* agosrwydd *m*, cyfyl *m*
proxy LAW *n* dirprwy¹ *m*
prudence *n* callineb *m*, pwyll *m*
prudent *adj* darbodus, gochelgar, pwyllog
prudish *adj* mursennaidd
prune *vn* brigdorri, brigo¹, tocio
prunes eirin sych
pruritus MEDICINE *n* cosfa *f*
pry *vn* busnesa, busnesu
PS 1. *abbr* ON 2. *n* ôl-nodiad *m*, ôl-nodyn *m*
psalm *n* salm *f*
psalmist *n* salmydd *m*
psalmody *n* salmyddiaeth *f*
psalter *n* sallwyr *m*
psaltery *n* saltring *f*
pseudo- *pref* crach-, ffug-
pseudonym *n* ffugenw *m*
psoriasis MEDICINE *n* cengroen *m*
psych- *pref* seic-
psychedelic *adj* seicedelig
psychiatric *adj* seiciatrig, seiciatryddol
psychiatrist *n* seiciatrydd *m*
psychiatry *n* seiciatreg *f*
psychic *adj* seicig
psychoanalyse PSYCHOLOGY *vn* seicdreiddio
psychoanalysis PSYCHOLOGY *n* seicdreiddiad *m*
psychoanalyst *n* seicdreiddiwr *m*
psychogenesis PSYCHOLOGY *n* seicogenesis *m*
psychogenic PSYCHOLOGY *adj* seicogenig
psychological *adj* seicolegol
psychologist *n* seicolegwr *m*, seicolegydd *m*
psychology *n* seicoleg *f*
psychopath *n* seicopath *m*

psychopathic *adj* seicopathig
psychosis PSYCHIATRY *n* seicosis *m*
psychosomatic *adj* seicosomatig
psychosurgery PSYCHIATRY *n* seicolawdriniaeth *f*
psychotherapy PSYCHIATRY *n* seicotherapi *m*
psychotic *adj* seicotig
pterodactyl *n* terodactyl *m*
ptosis MEDICINE *n* amrangwymp *m*
pub *n* tafarn *fm*
puberty *n* glasoed *m*
pubes ANATOMY *n* cedor *f*
pubic[1] *adj* pwbig
pubic[2] ANATOMY *adj* cedorol
pubis[1] 1. *n* cedor *f* 2. asgwrn y gedor
pubis[2] ANATOMY *n* pwbis *m*
public 1. *adj* coedd, cyhoeddus 2. *n* cyhoedd *m*
publican *n* tafarnwr *m*, tafarnwraig *f*
publication *n* cyhoeddiad *m*
publicity *n* cyhoeddusrwydd *m*, hysbysebiaeth *f*, hysbysrwydd *m*
publish *vn* cyhoeddi
published *adj* cyhoeddedig
publisher *n* cyhoeddwr *m*, llyfrfa *f*
publishing* *vn* cyhoeddi
puce 1. *adj* glasgoch 2. *n* piws *m*
pucker *vn* crychu
pudding *n* pwdin *m*
puddle 1. *n* pwll *m* 2. *vn* pydlo
puddler *n* pydlwr *m*
puerile *adj* plentynnaidd
puerperium MEDICINE *n* pwerperiwm *m*
Puerto Rican 1. *adj* Pwerto Ricaidd 2. *n* Pwerto Riciad *m*
puff 1. *n* piff *m*, pwff[1] *m* 2. *vn* chwythu, pwffian, pwffio
puffed up *adj* chwyddedig
puffin *n* pâl[2] *m*
puffing *adj* pwfflyd
pugilist* *n* paffiwr *m*
pugnacious *adj* ymosodol
pull 1. *n* tyniad *m* 2. *vn* tynnu
pullet *n* cywen *f*
pulley *n* chwerfan *f*, pwli *m*
pullover *n* jyrsi *f*, pwlofer *m*, siwmper *f*
pulmonary ANATOMY *adj* ysgyfeiniol
pulp 1. *n* mwydion *pl* 2. mwydion papur
pulpit *n* pulpud *m*
pulsar ASTRONOMY *n* pylseren *f*
pulsate *vn* pylsadu
pulsator *n* pylsadur *m*
pulse 1. *n* curiad *m*, pwls *m* 2. *vn* curo 3. curiad y galon
pulses *n* corbys *pl*, ffacbys *pl*
pulverize *vn* malurio, pylori
puma *n* piwma *m*
pumice GEOLOGY *n* pwmis *m*
pump 1. *n* pwmp *m* 2. *vn* holi a stilio, pwmpio

pumpkin *n* pwmpen *f*
pun gair mwys
punch 1. *n* dyrnod *mf*, pwnad *m*, pwniad *m*, pwnsh *m*, tyllwr *m* 2. *vn* pwnsio
punchbag bag dyrnu
puncheon *n* sbwrlas *m*
punctilious* *adj* cysetlyd
punctual *adj* prydlon
punctuality *n* prydlondeb *m*
punctuate *vn* atalnodi
puncture *n* twll *m*
pundit *n* pyndit *m*
pungent *adj* egr
punish *vn* cosbi
punishable *adj* cosbadwy
punishment *n* cosb *f*
punitive[1] *adj* cosbol
punitive[2] LAW *adj* cosbedigaethol
punk *adj* pync
puny *adj* egwan, pitw, tila
pup 1. *n* cenau *m*, colwyn *m* 2. ci bach
pupa *n* chwiler *m*, pwpa *m*
pupil[1] *n* disgybl *m*
pupil[2] ANATOMY cannwyll (y) llygad[1]
puppet *n* pyped *m*
puppeteer *n* pypedwr *m*
puppy ci bach
purchase 1. *n* pryniad *m*, pryniant *m*, pwrcas *m*, pwrcasiad *m* 2. *vn* prynu, pwrcasu
purchaser *n* prynwr *m*, pwrcaswr *m*
pure *adj* anllygredig, coeth, croyw, digymysg, dihalog, dilediaith, diledryw, pur[1]
pure-bred o waed coch cyfan [*gwaed*]
purgative *n* carthydd *m*
purgatory *n* purdan *m*
purge *vn* carthu, glanhau, puro
purification *n* carthiad *m*, puredigaeth *f*, pureiddiad *m*
purified *adj* puredig
purify *vn* coethi[1], croywi, puro
purist *n* purwr *m*, purydd *m*
puritan *n* piwritan *m*
Puritan RELIGION *n* Piwritan *m*
puritanical *adj* piwritanaidd
puritanism RELIGION *n* piwritaniaeth *f*
purity *n* croywder *m*, purdeb *m*
purloin* *vn* dwyn, lladrata
purple 1. *adj* dugoch, porffor[2] 2. *n* porffor[1] *m*
purport* *vn* honni
purported *adj* honedig
purpose *n* annel *mf*, arfaeth *f*, diben *m*, nod[1] *m*, perwyl *m*, pwrpas *m*, pwynt *m*
purposeful *adj* amcanus, pwrpasol
purposeless *adj* diamcan, dibwrpas
purr 1. *n* grŵn *m*, grwnan *m*, grwndi *m* 2. *vn* canu crwth [*canu*[1]], canu grwndi [*canu*[1]]

purring *n* grŵn *m*, grwnan *m*, grwndi *m*

purse *n* pwrs *m*

pursue *vn* dilyn, ymlid

pursuit *n* diddordeb *m*, dilyniad *m*, gweithgaredd *m*

pursuivant *n* pwrswifant *m*

purulent *adj* crawnllyd, crawnog, gorllyd

purview *n* maes¹ *m*

pus¹ *n* gôr *m*, madredd *m*

pus² MEDICINE *n* crawn *m*

push 1. *n* gwth *m*, hergwd *m*, hwb *m*, hwp *m*
2. *vn* gwthio, hwpio, hwpo, stwffio

pusher *n* gwthiwr *m*

pushy *adj* ymwthgar

put *vn* dodi, gosod¹, rhoddi, rhoi¹

putative *adj* tybiedig

putrefaction *n* pydredd *m*

putrefied *adj* pwdr

putrefy *vn* braenu, madru, pydru

putrid *adj* braen, braenllyd, mall, pwdr

putt *vn* pytio, suddo

putter *n* pytiwr *m*

putty *n* pwti *m*

puzzle 1. *n* penbleth *f*, pos *m*
2. *vn* crafu pen [*pen*¹], pendroni, pyslo

puzzling *adj* astrus

PVC CHEMISTRY *n* polyfinyl clorid *m*

Pygmy *n* Pigmi *m*

pyjamas *n* pyjamas *m*

pylon *n* peilon *m*

pyorrhoea llid y gorchfannau

pyramid *n* pyramid *m*

pyramidical *adj* pyramidaidd

pyre *n* coelcerth *f*

pyrites *n* pyrit *m*

pyroclastic GEOLOGY *adj* pyroclastig

pyromania PSYCHOLOGY *n* pyromania *m*

pyromaniac PSYCHOLOGY *n* pyromaniac *m*

pyrometer PHYSICS *n* pyromedr *m*

pyrometric PHYSICS *adj* pyrometrig

pyrometry PHYSICS *n* pyromedreg *f*

python *n* peithon *m*

q

Qatari 1. *adj* Cataraidd 2. *n* Catariad *m*

quack 1. *n* coegfeddyg *m*, crachfeddyg *m*, cwac *m* 2. doctor bôn clawdd

quad *n* pedrongl *f*

quadrangle *n* pedrongl *f*

quadrangular *adj* pedronglog, petryal²

quadrant¹ *n* cwadrant *m*

quadrant² MATHEMATICS *n* pedrant *m*

quadrat *n* cwadrad *m*

quadratic MATHEMATICS *adj* cwadratig

quadrilateral¹* *adj* petryal²

quadrilateral² MATHEMATICS 1. *adj* pedrochrog
2. *n* pedrochr *m*

quadruped *n* pedwartroedyn *m*

quadruple¹ *vn* pedryblu

quadruple² MUSIC *adj* pedwarplyg

quadruplet *n* pedrybled *m*

quaff *vn* drachtio, llowcio

quagmire *n* cors¹ *f*, gwern¹ *f*, mign *f*, siglen¹ *f*, sugnedd *m*, sugnen *f*

quail *n* sofliar *f*

quake¹ *vn* crynu, dirgrynu

quake² GEOLOGY *n* dirgryniad *m*

Quaker RELIGION *n* Crynwr *m*

qualification *n* cymhwyster *m*

qualified *adj* amodol, cymwys, cymwysedig, trwyddedig

qualify¹ *vn* cymhwyso, ymgymhwyso

qualify² GRAMMAR *vn* goleddfu

qualitative *adj* ansoddol

quality *n* ansawdd *m*, safon *f*

qualm* *n* amheuaeth *f*, petruster *m*, pryder *m*

quandary *n* cyfyng-gyngor *m*, penbleth *f*

quango *n* cwango *m*

quantifiable *adj* cyfrifadwy, mesuradwy

quantification *n* meintioliad *m*

quantify *vn* cyfrif², meintioli, mesur², mesuro

quantitative *adj* meintiol

quantity *n* maint *m*, nifer *mf*, swm¹ *m*

quantization PHYSICS *n* cwanteiddiad *m*

quantize PHYSICS *vn* cwanteiddio

quantized PHYSICS *adj* cwanteiddiedig

quantum PHYSICS *n* cwantwm *m*

quarantine *n* cwarantin *m*

quark PHYSICS *n* cwarc *m*

quarrel 1. *n* cweryl *m*, cynnen *f*, ffrae *f*, ymrafael¹ *m* 2. *vn* cecran, cecru, ceintach(u), cintach(u), cweryla, cynhenna, cynhennu, ffraeo, ymgecru, ymrafael²

quarrelsome *adj* cecrus, ceintachlyd, cwerylgar, cynhennus, ffraegar, ymrafaelgar

quarry 1. *n* cloddfa *f*, cwar *m*, cwarel¹ *m*, chwarel¹ *f*, sglyfaeth *f*, ysglyfaeth *f*
2. *vn* cloddio, chwarela

quarrying 1. *n* chwarelyddiaeth *f* 2. *vn* chwarela

quarryman *n* creigiwr *m*, chwarelwr *m*

quart *n* chwart *m*

quarter 1. *n* chwarter *m* 2. *vn* chwarteru

quarter-final *adj* gogynderfynol

quarterly 1. *adj* chwarterol, trimisol
2. *n* chwarterolyn *m*

quartermaster *n* lluesteiwr *m*

quartet *n* pedwarawd *m*

quartic MATHEMATICS *adj* cwartig

quartile MATHEMATICS *n* chwartel *m*

quarto 1. *adj* pedwarplyg 2. *n* cwarto *m*

quartz¹ *n* cwarts *m*

quartz² GEOLOGY *n* creigrisial *m*

quartzite GEOLOGY *n* cwartsit *m*

Quaternary GEOLOGY *adj* Cwaternaidd

quaver[1] *vn* crynu, cwafrio

quaver[2] MUSIC *n* cwafer *m*

quay *n* cei[2] *m*

queasy *adj* clwc, sâl[1]

Québecois *n* Cwebeciad *m*

queen *n* brenhines *f*

queer *adj* od, rhyfedd

quell* *vn* gostegu, tawelu

quench *vn* disychedu, diwallu

quern *n* breuan *f*

querulous *adj* ceintachlyd, cwynfanllyd, cwynfanus, grwgnachlyd, ymrysongar

query *n* cwestiwn *m*, holiad *m*, ymholiad *m*

quest *n* cais[1] *m*

question 1. *n* cwestiwn *m* 2. *vn* amau, cwestiyna, cwestiynu, holi, stilio

questioning* *adj* chwilfrydig

questionnaire *n* holiadur *m*

queue 1. *n* ciw[1] *m*, cwt[2] *m*, llinell *f*, rhes *f* 2. *vn* ciwio[1]

quick *adj* buan, clau, clou, cyflym, chwimwth, handi, parod, sgut, sydyn

quickest *num* cyntaf

quicklime *n* calch *m*

quickness *n* buander *m*, buandra *m*, cyflymder *m*, cyflymdra *m*, chwimder *m*, chwimdra *m*, sydynrwydd *m*

quicksand 1. *n* sugndraeth *m* 2. traeth byw, traeth gwyllt

quicksilver 1. *n* mercwri *m* 2. arian byw [*arian*[1]]

quiet 1. *adj* di-drwst, distaw, llonydd[1], tawel 2. *n* llonydd[2] *m*, llonyddwch *m*, tawelwch *m*

quieten *vn* distewi, llonyddu, tawelu

quietism RELIGION *n* tawelyddiaeth *f*

quill *n* cwil *m*, cwilsyn *m*

quilt 1. *n* cwilt *m* 2. *vn* cwiltio

quince *n* cwins *m*

quinine *n* cwinin *m*

quinsy *n* cwinsi *m*, ysbinagl *f*

quintain *n* cwinten *f*, cwintyn *f*

quintessence *n* hanfod *m*

quintet *n* pumawd *m*

quirky *adj* hynod, mympwyol, od

quit *vn* gadael, ymadael, ymddiswyddo

quite 1. *adj* eithaf[1], hollol 2. *adv & adj* lled[2] 3. *adv* go[1], pur[2], reit

quiver 1. *vn* crynu 2. cawell saethau

quixotic *adj* cwicsotaidd

quiz *n* cwis *m*

quizmaster *n* holwr *m*

quoin ARCHITECTURE *n* conglfaen *m*

quoit *n* coeten *f*

quorum *n* cworwm *m*

quota *n* cwota *m*, cyfran *f*

quotation *n* dyfynbris *m*, dyfyniad *m*

quote *vn* codi, dyfynnu

quoth *v* eb, ebe, ebr

quotient MATHEMATICS *n* cyniferydd *m*

Qur'an RELIGION *n* Corân *m*

r

r MUSIC *n* re *m*

rabbet 1. *n* rabad *m* 2. *vn* rabedu

rabbi RELIGION *n* rabbi *m*, rabi *m*

rabbinic *adj* rabinaidd

rabbinical RELIGION *adj* rabinaidd

rabbinism RELIGION *n* rabiniaeth *f*

rabbit *n* cwningen *f*

rabbitfish cwningen fôr

rabble *n* ciwed *f*, garsiwn *m*

rabid *adj* cynddeiriog, ffyrnig

rabies MEDICINE y gynddaredd [*cynddaredd*]

raccoon *n* racŵn *m*

race 1. *n* cyff *m*, hil *f*, ras *f* 2. *vn* rasio, rhedeg

racemate CHEMISTRY *n* racemad *m*

raceme BOTANY *n* racem *f*

racemic CHEMISTRY *adj* racemig

racemose BOTANY *adj* racemaidd

racer *n* rasiwr *m*

racetrack *n* rhedegfa *f*, rhedfa *f*

rachis BOTANY, ZOOLOGY *n* rachis *m*

racial LAW *adj* hiliol

racism *n* hiliaeth *f*, hilyddiaeth *f*

racist 1. *adj* hiliol 2. *n* hiliwr *m*

rack *n* arteithglwyd *f*, rac *f*, rhastal *f*, rhastl *f*, rhesel *f*

racket *n* mwstwr *m*, raced *f*, sŵn *m*, twrf *m*, twrw *m*

rack-rent *n* crogrent *m*

raconteur[1] *n* chwedleuwr *m*, storïwr *m*

raconteur[2] LITERATURE *n* cyfarwydd[2] *m*

racy *adj* beiddgar, carlamus

radar *n* radar *m*

radial *adj* rheiddiol

radiance *n* gwawl *m*, gwefr *f*, llewych *m*, llewyrch *m*

radiant *adj* disglair, pelydrol

radiate *vn* disgleirio, llewyrchu, pelydru, tywynnu

radiation PHYSICS *n* pelydriad *m*, ymbelydredd *m*

radiator *n* pelydrydd *m*, rheiddiadur *m*

radical[1] 1. *adj* radicalaidd 2. *n* radical[1] *m*

radical[2] CHEMISTRY *n* radical[2] *m*

radicalism *n* radicaliaeth *f*

radicalize *vn* radicaleiddio

radicle BOTANY *n* cynwreiddyn *m*

radio *n* radio *m*

radioactive *adj* ymbelydrol

radioactivity[1] *n* ymbelydredd *m*

radioactivity[2] PHYSICS *n* ymbelydredd *m*

radioastronomy ASTRONOMY *n* radioseryddiaeth *f*
radiograph *n* radiograff *m*
radiographer *n* radiograffydd *m*
radiography *n* radiograffeg *f*
radiological *adj* radiolegol
radiologist *n* radiolegydd *m*
radiology MEDICINE *n* radioleg *f*
radiometric PHYSICS *adj* radiometrig
radiometrics PHYSICS *n* radiomedreg *f*
radiotherapy MEDICINE *n* radiotherapi *m*
radish *n* rhuddygl *m & pl*
radium *n* radiwm *m*
radius ANATOMY, MATHEMATICS *n* radiws *m*
radix *n* radics *m*
radon *n* radon *m*
radula ZOOLOGY *n* radwla *m*
raffia *n* raffia *m*
raffle 1. *n* raffl *f* 2. *vn* rafflo
raft 1. *n* rafft *f* 2. *vn* raffttio
rafter[1] *n* dist *m*, trawst *m*
rafter[2] ARCHITECTURE *n* ceibr *m*
rag *n* brat *m*, bretyn *m*, cadach *m*, cerpyn *m*,
  clwt *m*, pilyn *m*, rag *f*, rhacsyn *m*, rhecsyn *m*
rage 1. *n* cynddaredd *f*, ffyrnigrwydd *m*, llid *m*
  2. *vn* ffromi, rhefru, taranu
ragged *adj* carpiog, clytiog, danheddog,
  rhacsiog, rhacsog
raging *adj* cynddeiriog, ffyrnig, gwyllt[1]
raglan NEEDLEWORK *adj* raglan
ragwort creulys Iago
raid 1. *n* cyrch[1] *m*, herw *m*
  2. *vn* dwyn cyrch, ysbeilio
raider* *n* ysbeiliwr *m*
rail 1. *n* canllaw *mf*, carfan *f*, cledr *f*, cledren *f*,
  rheilen *f* 2. *vn* cwyno, dwrdio, tantro
railway *n* rheilffordd *f*
rain 1. *n* glaw *m* 2. *vn* bwrw, bwrw glaw [*glaw*],
  glawio
rainbow 1. *n* enfys *f* 2. bwa'r glaw/bwa'r hin
raincoat cot law [*cot*[1]]
rainfall *n* glawiad *m*
rainproof *adj* diddos, gwrth-law
rainy *adj* glawog
raise *vn* adeiladu, codi, dyrchafu, magu
raisin *n* rhesinen *f*
rake 1. *n* cribin *f*, gwyredd *m*, oferwr *m*,
  rhaca *mf* 2. *vn* cribinio, rhacanu
rakish *adj* talog
raku *n* racw *m*
rally *n* rali *f*
rallyist *n* ralïwr *m*
ram 1. *n* hwrdd *m*, maharen *m* 2. *vn* hyrddio
  3. dafad gwedder
RAM COMPUTING cof hapgyrch
ramble* *vn* crwydro, moedro, mwydro
rambler *n* crwydrwr *m*, fforddolyn *m*
ramification *n* goblygiad *m*

rammer *n* hyrddiwr *m*
ramp *n* ramp *m*
rampant *n* rhemp *f*
rampart *n* caer *f*, gwrthglawdd *m*, rhagfur *m*
ramshackle* *adj* bregus, simsan
ranch 1. *n* ransh *f* 2. *vn* ransio
ranching* *vn* ransio
rancid *adj* sur
rancour *n* chwerwder *m*, chwerwdod *m*,
  chwerwedd *m*, drwgdeimlad *m*
randy *adj* cocwyllt, nwydwyllt, tinboeth
range[1] *n* amrediad *m*, amrywiaeth *f*, ystod *f*
range[2] MATHEMATICS *n* amrediad *m*
rank 1. *adj* rhonc 2. *n* gradd *f*, rheng *f*, safle *m*
ransack *vn* anrheithio
ransom *n* pridwerth *m*
rant *vn* brygawthan, rhefru, tantro
rap 1. *n* cnoc *f*, rap *mf* 2. *vn* rapio
rapacious *adj* rheibus, sglyfaethus,
  ysglyfaethus
rape 1. *n* rêp *m*, trais *m* 2. *vn* treisio
rapid *adj* cyflym, chwim
rapidity *n* cyflymder *m*, cyflymdra *m*, chwimder *m*,
  chwimdra *m*
rapids GEOGRAPHY *n* geirwon[2] *pl*
rapist *n* treisiwr *m*
rapper *n* rapiwr *m*
rapscallion *n* caridým *m*, cenau *m*, gwalch *m*,
  rabsgaliwn *m*
rapt *adj* astud
rapture *n* perlewyg *m*
rapturous *adj* gorfoleddus
rare *adj* amheuthun, anaml, anfynych, gwaedlyd,
  prin[1]
rarefaction PHYSICS *n* teneuad *m*
rarefy PHYSICS *vn* teneuo
rascal *n* cenau *m*, cnaf *m*, cono *m*, dihiryn *m*,
  gwalch *m*, rabsgaliwn *m*
rascally *adj* drygionus
rash 1. *adj* byrbwyll, carlamus, gwyllt[1]
  2. *n* brech[1] *f*, cawad *f*, cawod *f*
rasher *n* sleisen *f*, tafell *f*
rashness *n* amhwylledd *m*, byrbwylledd *m*,
  byrbwylltra *m*, gwylltineb *m*
rasp 1. *n* rhathell *f* 2. *vn* rhathellu, rhygnu
raspberries mafon coch
raspberry *n* afanen *f*, mafonen *f*
Rastafarian *n* Rastaffariad *m*
rat 1. *vn* llygota 2. llygoden fawr/Ffrengig
ratchet clicied ddannedd
rate[1]***** *n* graddfa *f*
rate[2] FINANCE *n* ardreth *f*, cyfradd *f*, treth *f*
rate[3] MATHEMATICS *n* cyfradd *f*
rateable FINANCE *adj* ardrethol
ratepayer *n* trethdalwr *m*
rather *adv* braidd, go[1], hytrach, llawn[2]
ratification* *n* cadarnhad *m*

ratify *vn* cadarnhau

rating FINANCE *n* cyfraddiad *m*

ratio MATHEMATICS *n* cymhareb *f*

ration 1. *n* dogn *m* 2. *vn* dogni

rational[1] *adj* call, rhesymegol, synhwyrol

rational[2] MATHEMATICS *adj* cymarebol

rationale *n* rhesymeg *f*, rhesymwaith *m*

rationalism *n* rhesymoliaeth *f*

rationalist *n* rhesymolwr *m*

rationalization *n* rhesymoliad *m*

rationalize *vn* rhesymoli

rattle 1. *n* rhuglen *m* 2. *vn* clecian, clindarddach[2], ratlo, rhuglo

rattlesnake neidr ruglo [*rhuglo*]

rattling *n* clindarddach[1] *m*

raucous *adj* aflafar, croch

ravage *vn* anrheithio, difa, difrodi, rheibio

ravaging *adj* difaol

rave *vn* gwallgofi, taranu, ynfydu

raven *n* cigfran *f*

ravenous *adj* gwancus

ravine *n* ceunant *m*, dyfnant *m*, hafn *f*

raving *adj* cynddeiriog, gwallgof, lloerig

ravioli *n* rafioli *pl*

ravish *vn* treisio

ravishing* *adj* cyfareddol, hudol, hudolus

raw *adj* amrwd, cignoeth, crai, dibrofiad, glas[2], rhynllyd

rawness *n* amrydedd *m*, gerwindeb *m*, gerwinder *m*

ray[1] *n* llewyrchyn *m*, llygedyn *m*, morgath *f*, paladr *m*, pelydryn *m*

ray[2] MUSIC *n* r *f*, R *f*, re *m*

ray[3] BOTANY, ZOOLOGY *n* rheidden *f*

rayon *n* reion *m*

razor *n* ellyn *m*, rasel *f*

razorbill *n* llurs *f*

razzmatazz 1. *n* randibŵ *m*, sbloet *m* 2. sioe a swae

re- *pref* ad-, ail-[2], at-, eil-

reabsorb *vn* adamsugno

reabsorption *n* adamsugniad *m*

reach 1. *n* cyrhaeddiad *m* 2. *vn* cael at, cyrraedd, estyn, mynd[1], ymestyn

reachable *adj* cyraeddadwy

react *vn* adweithio, ymateb[1]

reaction[1] *n* adwaith *m*, ymateb[2] *m*

reaction[2] CHEMISTRY, PHYSICS *n* adwaith *m*

reactionary 1. *adj* adweithiol 2. *n* adweithiwr *m*

reactivate *vn* ailgychwyn

reactivity *n* adweithedd *m*

read *vn* darllen

readability *n* darllenadwyedd *m*

readable *adj* darllenadwy

readdress *vn* ailgyfeirio

reader *n* darllenwr *m*, darllenydd *m*

readiness *n* parodrwydd *m*

reading *n* darlleniad *m*

readout COMPUTING *n* allddarlleniad *m*

ready[1] *adj* hawdd, parod

ready[2] COOKERY *adj* parod

reagent CHEMISTRY *n* adweithydd *m*

real 1. *adj* dirweddol, gwir[2], gwirioneddol, real 2. go iawn [*go*[1]]

realism *n* realaeth *f*

realist 1. *adj* realaidd 2. *n* realydd *m*

realistic *adj* realaidd, realistig, ymarferol

reality[1] *n* gwirionedd *m*, realiti *m*

reality[2] PHILOSOPHY *n* dirwedd *m*

realization *n* sylweddoliad *m*

realize *vn* cyflawni, gwireddu, sylweddoli

really *adv* gwir[3], mewn gwirionedd [*gwirionedd*]

realm *n* brenhiniaeth *f*, teyrnas *f*

ream *n* rîm *f*

reamer *n* agorell *f*

reap *vn* medi

reaper *n* medelwr *m*

reaping *n* medel *f*

reappear *vn* ailymddangos

rear 1. *n* cefn *m* 2. *vn* codi, magu, meithrin

rearguard *n* ôl-fyddin *f*

rearm *vn* adarfogi, ailarfogi, ailymarfogi

rearmament *vn* ailymarfogi

rearrange *vn* aildrefnu, ailosod

rearrangement *n* ad-drefniant *m*

reason 1. *n* gwreiddyn *m*, lle[1] *m*, rheswm *m*, synnwyr *m* 2. *vn* rhesymu, ymresymu

reasonable *adj* gweddol, rhesymol, synhwyrol

reasonableness *n* rhesymoldeb *m*, rhesymolrwydd *m*

reasoner *n* ymresymwr *m*

reasoning *n* rhesymiad *m*, ymresymiad *m*

reassemble *vn* ailosod, ailymgynnull

reassurance *n* cysur *m*

rebake *vn* ailbobi

rebate *n* ad-dâl *m*, ad-daliad *m*, rabad *m*

rebel 1. *n* gwrthryfelwr *m*, rebel *m* 2. *vn* gwrthryfela

rebellion *n* gwrthryfel *m*

rebellious *adj* gwrthryfelgar

rebind *vn* ailrwymo

rebirth[1] 1. *n* ailenedigaeth *f*, dadeni *m* 2. *vn* aileni

rebirth[2] RELIGION *n* ailenedigaeth *f*

reborn ailanedig [*ganedig*]

rebound 1. *n* adlam *m*, adlamiad *m* 2. *vn* adlamu, gwrthlamu

rebuff *vn* gwrthod, nacáu

rebuild *vn* ailadeiladu, ailgodi

rebuke 1. *n* cerydd *m*, sen *f* 2. *vn* ceryddu, dwrdio

rebuker *n* ceryddwr *m*, dwrdiwr *m*

rebut* *vn* gwrthbrofi

recalcitrant* *adj* cyndyn, gwrthnysig

recalculate MATHEMATICS *vn* ailgyfrifo

recall 1. *n* adalwad *f*
2. *vn* adalw, cofio, galw i gof [*cof*]
recant *vn* datbroffesu, datgyffesu
recapture *vn* adennill
recede *vn* cilio, treio
receipt *n* derbynneb *f*, taleb *f*
receipts *n* derbyniadau *pl*
receive *vn* cael, derbyn
receiver *n* derbynnydd *m*
recency *n* diweddaredd *m*
recent *adj* diweddar
recently 1. *adv* newydd[2]
2. yn ddiweddar [*diweddar*]
receptacle[1] *n* dysgl *f*, llestr *m*
receptacle[2] BOTANY, ZOOLOGY *n* cynheilydd *m*
reception *n* derbynfa *f*, derbyniad *m*,
derbynwest *f*
receptionist *n* croesawydd *m*, derbynnydd *m*
receptor BIOCHEMISTRY, PHYSIOLOGY *n*
derbynnydd *m*
recess 1. *n* cesail *f*, cilan *f*, cilfach *f*, cwts *m*,
cwtsh[1] *m* 2. *vn* cilannu, gwrthsoddi
recessed *adj* cilannog
recession ECONOMICS *n* enciliad *m*
recessive *adj* enciliol
Rechabite *n* Rechabiad *m*
recharge *vn* ailwefru
rechargeable ailwefradwy
recidivism *n* gwrthgiliad *m*
recidivist *n* gwrthgiliwr *m*
recipe *n* rysáit *f*
recipient *n* derbyniwr *m*, derbynnydd *m*
reciprocal[1] *adj* cilyddol, dwyochrog
reciprocal[2] MATHEMATICS 1. *adj* cilyddol
2. *n* cilydd *m*
reciprocity LAW *n* dwyochredd *m*
recital *n* datganiad *m*
recitation *n* adroddiad *m*
recitative MUSIC *n* adroddgan *f*
recite *vn* adrodd, dweud, llefaru
reciter *n* adroddreg *f*, adroddwr *m*, adroddwraig *f*
reckless *adj* dibris, dienaid, di-hid, dihidio, diofal
recklessness *n* byrbwylledd *m*, byrbwylltra *m*,
diofalwch *m*
reckon* *vn* barnu, cyfrif[2], tybied, tybio
reckoning *n* cownt *m*, cyfrif[1] *m*
reclaim *vn* adennill, adfer[1]
reclaimed *adj* adenilledig
reclassification *n* ailddosbarthiad *m*
reclassify *vn* ailddosbarthu
recline *vn* gorwedd, gorweddian, lled-orwedd
recluse *n* meudwy *m*
recognition *n* adnabyddiad *m*, adnabyddiaeth *f*,
cydnabyddiaeth *f*
recognize *vn* adnabod, cydnabod[1]
recognized *adj* cydnabyddedig
recoil *vn* cilio, gwrthlamu

recollect *vn* cofio, coffáu
recollection *n* atgof *m*, cof *m*, coffâd *m*
recommend *vn* argymell, cynghori, cymeradwyo
recommendation *n* argymhelliad *m*,
cymeradwyaeth *f*, geirda *m*
recompense *vn* ad-dalu, digolledu
reconcile *vn* ailgymodi, cymodi, cysoni
reconciliation *n* cymod *m*
reconciling *adj* cymodlon, cymodol
recondition *vn* adnewyddu, atgyflyru
reconnaissance *n* archwiliad *m*, rhagchwiliad *m*
reconnect *vn* ailgysylltu
reconnoitre *vn* rhagchwilio
reconsider *vn* ailfeddwl, ailystyried
reconstituted *adj* adluniedig
reconstruct *vn* adlunio, ailadeiladu, ailgodi
reconstructed *adj* adluniedig
reconstruction *n* adluniad *m*
record 1. *n* cofnod *m*, cronicl *m*, disg *mf*, record *f*
2. *vn* codi, cofnodi, croniclo, recordio
recorded *adj* cofnodedig
recorder[1] *n* recorder *m*, recordydd *m*
recorder[2] LAW *n* cofiadur *m*
recording *n* recordiad *m*
recoup* *vn* adennill, digolledu
recover *vn* adennill, adfer[1], adfywio, gwella,
hybu
recoverable *adj* adferadwy
recovery *n* adferiad *m*, adfywiad *m*, gwellhad *m*
recreate *vn* ail-greu
recreation *n* adloniant *m*, ailgread *m*, difyrrwch *m*
recreational *adj* adloniadol
recriminate *vn* gwrthgyhuddo
recruit 1. *n* recriwt *m* 2. *vn* recriwtio
rectangle MATHEMATICS *n* petryal[1] *m*
rectangular *adj* petryal[2]
rectification[1] *n* cywiriad *m*, unioniad *m*
rectification[2] PHYSICS *n* unioniad *m*
rectifier *n* cywirwr *m*, unionydd *m*
rectify[1] *vn* cywiro, unioni
rectify[2] PHYSICS *vn* unioni
rectilinear *adj* unionlin
rectitude *n* uniondeb *m*, unioner *m*
rector RELIGION *n* rheithor *m*
rectorate RELIGION *n* rheithoriaeth *f*
rectorship RELIGION *n* rheithoriaeth *f*
rectory *n* rheithordy *m*
rectum ANATOMY *n* rectwm *m*
recumbent *adj* gorweddol
recuperate *vn* adfer[1], atgyfnerthu, gwella,
ymadfer
recurring *adj* cylchol
recusant RELIGION *n* reciwsant *m*
recyclable *adj* ailgylchadwy
recycle *vn* ailgylchu, ailgylchynu
red 1. *adj* coch[2] 2. *n* coch[1] *m*
redden *vn* cochi, gwrido

redeem *vn* prynu
redeemable *adj* achubadwy
redeemer *n* achubwr *m*, achubydd *m*,
  gwaredwr *m*, prynwr *m*
Redeemer RELIGION y Gwaredwr [*gwaredwr*]
redefine *vn* ailddiffinio
redemption *n* gwaredigaeth *f*, prynedigaeth *m*
redemptive *adj* achubol, gwaredigaethol,
  gwaredigol
redeploy *vn* adleoli
redeployment *n* adleoliad *m*
redhead *n* cochen *f*, cochyn *m*
red-headed *adj* pengoch
red-hot *adj* chwilboeth, eirias
redirect *vn* ailgyfeirio
redistribute *vn* ailddosbarthu
redistribution 1. *n* ailddosbarthiad *m*
  2. *vn* ailddosbarthu
redness *n* cochni *m*, gwrid *m*
redo *vn* ail-wneud
redraft *vn* adolygu, ailddrafftio, ailysgrifennu
redress[1] 1. *n* iawn[2] *m* 2. *vn* unioni
redress[2] LAW *n* iawndal *m*
reduce[1] *vn* gostwng, lleihau
reduce[2] CHEMISTRY *vn* rhydwytho
reduced *adj* gostyngedig, gostyngol, llai[1]
reduction[1] *n* gostyngiad *m*, lleihad *m*
reduction[2] CHEMISTRY *n* rhydwythiad *m*
reductive *adj* rhydwythol
redundancy 1. *n* afreidrwydd *m* 2. *vn* diswyddo
redundant *adj* diangen, di-waith[1]
reed *n* cawnen *f*, corsen *f*
reef[1] *n* riff[1] *m*
reef[2] SEAMANSHIP *vn* riffio
reek 1. *n* tawch *m* 2. *vn* drewi
reel 1. *n* ril *f*, rilen *f* 2. *vn* gwegian, simsanu
re-elect *vn* ailethol
reeling *adj* chwil, simsan
re-employ *vn* ailgyflogi
re-entrant *adj* adfewnol
re-equip *vn* ailarfogi, ailddodrefnu
re-establish *vn* adsefydlu, ailsefydlu
refamiliarize *vn* ailgynefino
refectory *n* ffreutur *m*
refer *vn* crybwyll, cyfeirio
referee 1. *n* canolwr *m*, dyfarnwr *m* 2. *vn* dyfarnu
reference 1. *n* cyfeiriad *m*, cyfeirnod *m*, geirda *m*,
  2. *vn* cyfeirnodi
referenced *adj* cyfeiriol
referendum *n* refferendwm *m*
refill 1. *n* ail-lenwad *m* 2. *vn* adlenwi, ail-lenwi
refine *vn* coethi[1], mireinio, puro
refined *adj* coeth, llednais, pur[1], syber
refinement *n* coethder *m*, lledneisrwydd *m*
refiner *n* coethwr *m*, purwr *m*, purydd *m*
refinery *n* purfa *f*
refining *n* pureiddiad *m*

reflate ECONOMICS *vn* atchwyddo
reflation[1]* *vn* atchwyddo
reflation[2] ECONOMICS *n* atchwyddiant *m*
reflect *vn* adlewyrchu, myfyrio, ymbwyllo
reflection[1] *n* adlewyrchiad *m*, cysgod *m*
reflection[2] MATHEMATICS *n* adlewyrchiad *m*
reflective *adj* adlewyrchol
reflector *n* adlewyrchydd *m*
reflex[1] *adj* atgyrchol
reflex[2] MATHEMATICS *adj* atblyg
reflex[3] MEDICINE *n* atgyrch *m*
reflexive GRAMMAR *adj* atblygol
reflexology *n* adweitheg *f*
reflux[1] *n* adlif *m*
reflux[2] CHEMISTRY *n* adlifiad *m*
reform 1. *n* diwygiad *m* 2. *vn* diwygio
re-form *vn* ailffurfio
reformat *vn* ailfformatio
Reformation RELIGION y Diwygiad
  Protestannaidd [*diwygiad*]
reformative *adj* diwygiol
reformed *adj* diwygiedig
reformer RELIGION *n* diwygiwr *m*
refract PHYSICS *vn* plygu
refracted PHYSICS *adj* plyg[2]
refraction ASTRONOMY, PHYSICS *n* plygiant *m*
refractory *adj* gwrthsafol
refrain[1] 1. *n* corws *m*
  2. *vn* peidio, ymatal, ymgadw
refrain[2] MUSIC *n* byrdwn *m*, cytgan *f*
refresh* *vn* adfywio, dadflino
refreshing *adj* adfywiol
refreshment *n* lluniaeth *m*, ymborth *m*
refrigerant *n* rhewydd *m*
refrigerate *vn* rheweiddio
refrigeration *n* rheweiddiad *m*
refrigerator 1. *n* oergell *f* 2. cwpwrdd rhew
refuge *n* lloches *f*, nawdd[1] *m*, noddfa *f*
refugee *n* ffoadur *m*
refurbish *vn* adnewyddu, ailddodrefnu
refurbishment* *vn* ailddodrefnu
refurnish *vn* ailddodrefnu
refusal *n* gwrthodiad *m*
refuse 1. *n* sbwriel *m*
  2. *vn* gwrthod, nacáu, nogio, pallu
refuser *n* gwrthodwr *m*
refutable *adj* gwadadwy
refutation *n* gwrthbrawf *m*
refute *vn* datbrofi, gwrthbrofi
regain *vn* adennill, ailennill
regal *adj* brenhinol
regalia *n* addurndlysau *pl*, regalia *pl*,
  teyrndlysau *pl*
regard *n* cewc *m*, golwg[1] *m*, parch *m*
regarding 1. *adv* ynglŷn
  2. *prep* parthed, ynghylch
regelate METEOROLOGY *vn* adrewi

regelation METEOROLOGY *n* adrewiad *m*
regenerate[1] *vn* adeni, adfywhau, adfywio, aileni
regenerate[2] BIOLOGY *vn* atffurfio
regeneration[1] 1. *n* adfywhad *m*, adfywiad *m*
 2. *vn* adeni
regeneration[2] BIOLOGY *n* atffurfiant *m*
regent *n* rhaglyw *m*
regicide[1] *n* teyrnladdwr *m*
regicide[2] LAW *n* teyrnladdiad *m*
regime[1] *n* cyfundrefn *f*, trefn *f*
regime[2] GEOGRAPHY *n* patrymedd *m*
regiment *n* catrawd *f*
region *n* ardal *f*, ban *mf*, bro *f*, rhanbarth *m*
regional *adj* rhanbarthol
regionalism *n* rhanbarthiaeth *f*
regionalization *vn* rhanbartholi
regionalize *vn* rhanbartholi
register[1] 1. *n* cofrestr *f*, cywair *m*, llechres *f*
 2. *vn* cofnodi, cofrestru
register[2] MUSIC *n* cwmpas[1] *m*
registered *adj* cofrestredig
registrar *n* cofiadur *m*, cofrestrydd *m*
registration 1. *n* cofrestriad *m* 2. *vn* cofrestru
registry *n* cofrestrfa *f*
regolith GEOLOGY *n* creicaen *f*
regrade *vn* adraddoli, ailraddio
regress[1] *vn* adlithro
regress[2] PSYCHOLOGY *vn* atchwelyd
regression[1] *vn* adlithro
regression[2] MATHEMATICS 1. *adj* atchwel
 2. *n* atchweliad *m*
regressive ECONOMICS *adj* disgynradd
regret *vn* edifarhau, edifaru, gresynu, ofni
regrow *vn* aildyfu
regular *adj* aml[1], arferol, cyson, rheolaidd
regularity *n* cysondeb *m*, rheoleidd-dra *m*
regulars *n* ffyddloniaid *pl*, selogion *pl*
regulate *vn* rheoleiddio, rheoli
regulated *adj* rheoledig
regulation *n* rheol *f*, rheoleiddiad *m*, rheoliad *m*
regulator *n* rheoleiddiwr *m*, rheolydd *m*
regulatory *adj* rheoleiddiol
regurgitate *vn* ailchwydu
regurgitation *n* ailchwydiad *m*
rehabilitate *vn* adsefydlu, ailsefydlu
rehabilitation 1. *n* ymaddasiad *m* 2. *vn* adsefydlu
rehash 1. *n* ailbobiad *m* 2. *vn* ailbobi, ailwampio
 3. cawl eildwym
rehashed *adj* eildwym
rehearsal *n* rihyrsal *f*, ymarfer[2] *m*
rehearse *vn* ymarfer[1]
reheat *vn* aildwymo, ailgynhesu
reheated *adj* eildwym
rehouse *vn* ailgartrefu
reign 1. *n* brenhiniaeth *f*, teyrnasiad *m*
 2. *vn* teyrnasu
rein *n* afwyn *f*, awen[2] *f*

reincarnation *n* ailymgnawdoliad *m*
reindeer carw Llychlyn
reinforce *vn* ategu, atgyfnerthu, cadarnhau,
 cyfnerthu
reinforced *adj* cyfnerth
reinforcement *n* atgyfnerthiad *m*
reinstate *vn* adfer[1], ailsefydlu
reintegrate *vn* atgyfannu
reiterate *vn* ailadrodd, ail-ddweud
reject *vn* gwrthod, ymwrthod
rejected *adj* gwrthodedig
rejection *n* gwrthodiad *m*
rejoice *vn* gorfoleddu, llawenhau, llawenychu,
 ymlawenhau
rejoicing *n* gorfoledd *m*, llawenydd *m*
rejoin *vn* ailgydio, ailgysylltu, ailymuno
rejoinder *n* ateb[2] *m*, atebiad *m*, gwrthateb *m*
rekindle *vn* adennyn, ailennyn, ailgynnau
rekindling *n* adennyniad *m*
relapse 1. *n* ailwaeledd *m* 2. *vn* ailwaelu
relate *vn* adrodd, dweud, traethu
relation *n* perthynas[1] *mf*
relationship *n* cysylltiad *m*, perthynas[2] *f*
relative 1. *adj* cymharol, perthynol
 2. *n* câr *m*, perthynas[1] *mf*
relativism PHILOSOPHY *n* perthnasolaeth *f*
relativistic PHYSICS *adj* perthnaseddol
relativity PHYSICS *n* perthnasedd *m*
relax *vn* hamddena, llacio, llaesu, ymlacio,
 ymlaesu, ymollwng
relaxation *n* ymollyngdod *m*
relaxed *adj* hamddenol, ymlaciedig
relay ELECTRONICS, PHYSICS *n* relái *m*
release 1. *n* gollyngdod *m*, gollyngiad *m*,
 rhyddhad *m* 2. *vn* alldaflu, gollwng, rhyddhau
releaser BIOLOGY *n* datglöwr *m*
relentless *adj* diarbed, didostur
relevance *n* perthnasedd *m*
relevant *adj* perthnasol
reliability *n* dibynadwyaeth *f*, sicrwydd *m*
reliable *adj* dibynadwy, diogel
reliance *n* dibyniaeth *f*
relic *n* crair *m*
relief[1] *n* esmwythâd *m*, gollyngdod *m*, rhyddhad *m*,
 tirwedd *f*, ymwared *m*
relief[2] ART *adj* cerfweddol
relieve *vn* lladd, lleddfu, lliniaru
relight *vn* ailgynnau
religion *n* crefydd *f*
religious *adj* crefyddol, ysbrydol
relinquish *vn* gadael, gollwng, ildio
reliquary *n* creirfa *f*
relish 1. *n* awch *m*, enllyn *m* 2. *vn* mwynhau
relive *vn* ail-fyw
relocatable *adj* adleoladwy
relocate *vn* adleoli, symud
relocation *n* adleoliad *m*

reluctance *n* amharodrwydd *m*, anfodlonrwydd *m*, hwyrfrydedd *m*, hwyrfrydigrwydd *m*

reluctant *adj* amharod, anewyllysgar, anfodlon, cyndyn, hwyrfrydig

remain *vn* aros, gorwedd

remainder[1] 1. *n* rhelyw *m* 2. *pronoun* lleill 3. *vn* gweddillio

remainder[2] FINANCE *n* gwarged *m*

remainder[3] MATHEMATICS *n* gweddill *m*

remainder[4] LAW *n* gweddilliad *m*

remains *n* gweddillion *pl*, olion *pl*

remake *vn* ail-wneud

remand[1] *vn* cadw yn y ddalfa [*cadw*[1]], remandio

remand[2] LAW *vn* remandio

remark 1. *n* sylw *m* 2. *vn* sylwi

remarkable *adj* gwyrthiol, hynod, nodedig, rhyfeddol

remarry *vn* ailbriodi

remedial *adj* adfer[2], gwellhaol

remedy[1] *n* meddyginiaeth *f*

remedy[2] LAW *n* rhwymedi *m*

remember *vn* cofio

remembrance *n* atgof *m*, cof *m*, coffa *m*, coffadwriaeth *f*

remind *vn* atgofio, atgoffa

reminiscence *n* atgof *m*

reminiscent *adj* atgoffaol

remiss* *adj* esgeulus

remit cylch gorchwyl

remittable *adj* anfonadwy

remnant *n* gweddill *m*, sbaryn *m*

remodel *vn* adlunio, ailwampio

remonstrant *n* haerwr *m*

remonstrate *vn* protestio

remorse *n* atgno *m*, edifeirwch *m*

remote *adj* anghysbell, anhygyrch, diarffordd, pell, pellennig

remoteness *n* pellenigrwydd *m*

remove *vn* codi, dileu, tynnu

remunerate* *vn* talu

remuneration *n* tâl[1] *m*, taliad *m*

renaissance *n* dadeni *m*, deffroad *m*

renal ANATOMY *adj* arennol

rename *vn* ailenwi

rend *vn* llarpio, rhwygo

render *vn* rendro

rendering *n* datganiad *m*, rendrad *m*

rendezvous *n* cyrchfa *f*

rendzina *n* rendsina *m*

renew *vn* adnewyddu

renewable *adj* adnewyddadwy

renewal *n* adnewyddiad *m*

renewing *adj* adnewyddol

rennet *n* ceuled *m*, cwyrdeb *m*, cyweirdeb *m*

renounce *vn* diarddel, ymwadu

renovate *vn* adnewyddu

renovated *adj* adnewyddedig

renovation *n* adnewyddiad *m*

renovator *n* adferwr *m*, adnewyddwr *m*, atgyweiriwr *m*

renown *n* bri *m*, enwogrwydd *m*

renowned *adj* adnabyddus, enwog, hyglod

rent 1. *n* rhent *m* 2. *vn* rhentu

rentier FINANCE *n* rhentwr *m*

renunciation *n* ymwadiad *m*

reoffend *vn* aildroseddu

reopen *vn* ailagor

reorganization 1. *n* ad-drefniad *m* 2. *vn* ad-drefnu

reorganize *vn* ad-drefnu

repaint *vn* ailbeintio

repair 1. *n* atgyweiriad *m*, cyweiriad *m* 2. *vn* atgyweirio, cyweirio

repairer *n* atgyweiriwr *m*, trwsiwr *m*

repatriated *adj* dychweledig

repay *vn* ad-dalu, talu'r pwyth [*pwyth*[2]]

repayment *n* ad-dâl *m*, ad-daliad *m*

repeal 1. *n* diddymiad *m* 2. *vn* diddymu

repeat[1] 1. *n* ailddarllediad *m* 2. *vn* ailadrodd, ailddarlledu, ail-ddweud

repeat[2] MUSIC *vn* dyblu

repeated *adj* ailadroddol, mynych, niferus

repel *vn* gwrthyrru

repent *vn* edifarhau

repentance *n* edifeirwch *m*

repentant *adj* edifar, edifeiriol

repercussion *n* ôl-effaith *f*

repertoire *n* repertoire *m*

repetition 1. *n* ailadroddiad *m*, mynychder *m* 2. *vn* ailadrodd

repetitious *adj* ailadroddus

repetitive *adj* ailadroddol, ailadroddus

replace *vn* ailosod, amnewid, disodli

replay *vn* ailchwarae

replenish *vn* adlenwi

replete *adj* cyforiog, llawn[1]

replicate *vn* ailadrodd, ail-wneud, dyblygu

reply 1. *n* ateb[2] *m*, atebiad *m* 2. *vn* ateb[1]

repopulate *vn* atboblogi

report 1. *n* adroddiad *m*, hanes *m* 2. *vn* adrodd, gohebu

reporter *n* gohebydd *m*

repose 1. *n* ymdawelwch *m* 2. *vn* gorffwys, gorffwyso

repository *n* storfa *f*

repossess *vn* adfeddiannu

repossession *n* adfeddiant *m*

reprehend* *vn* ceryddu

reprehensible* *adj* gwaradwyddus

represent *vn* cynrychioli, darlunio

representation *n* cynrychiolaeth *f*, cynrychioliad *m*, portread *m*

representational *adj* cynrychioliadol, portreadol

representative 1. *adj* cynrychioliadol 2. *n* cennad[1] *f*, cynrychiolwr *m*, cynrychiolydd *m*

repress *vn* gormesu, gorthrymu, gwastrodi

repression *n* gormes *mf*, gormesiad *mf*, gorthrwm *m*

repressive *adj* ataliol, gormesol

reprieve* *n* gohiriad *m*

reprimand 1. *n* cerydd *m* 2. *vn* ceryddu

reprint 1. *n* adargraffiad *m*, ailargraffiad *m* 2. *vn* adargraffu, ailargraffu

reprisal *n* dial² *m*, dialedd *m*

reprise *n* atbreis *m*

reproach 1. *n* cerydd *m*, danodiad *m* 2. *vn* bwrw (rhywbeth) i'm (i'th, i'w, etc.) dannedd [*dannedd*], ceryddu, dannod, edliw, taflu (rhywbeth) yn fy (dy, ei, etc.) nannedd [*dannedd*]

reproachful *adj* edliwgar

reprobate *n* adyn *m*, dihiryn *m*, pechadur *m*

reproduce¹ *vn* atgynhyrchu

reproduce² BIOLOGY *vn* atgenhedlu

reproduction¹ *n* atgynhyrchiad *m*

reproduction² BIOLOGY *n* atgenhedliad *m*

reproductive BIOLOGY *adj* atgenhedlol

reprography *n* reprograffeg *f*

reproof *n* cerydd *m*, sen *f*

reprove *vn* ceryddu, edliw

reptile ZOOLOGY *n* ymlusgiad² *m*

Reptilia ZOOLOGY *n* ymlusgiaid *pl*

republic *n* gweriniaeth *f*

republican 1. *adj* gweriniaethol 2. *n* gweriniaethwr *m*

repugnance *n* atgasedd *m*, atgasrwydd *m*, gwrthuni *m*

repugnant *adj* atgas, ffiaidd, gwrthun

repulsion¹ *n* ffieidd-dod *m*, ffieidd-dra *m*

repulsion² PHYSICS *n* gwrthyriad *m*

repulsive¹* *adj* ffiaidd

repulsive² PHYSICS *adj* gwrthyrrol

repurify *vn* atbereiddio, atburo

reputable* *adj* parchus

reputation 1. *n* enw *m* 2. enw da

reputedly cael y gair o fod [*gair*], yn ôl pob sôn [*sôn²*]

request 1. *n* cais¹ *m*, deisyfiad *m*, gofyn² *m* 2. *vn* ceisio, gofyn¹

require *vn* gofyn¹, mynnu

required *adj* gofynnol

requirement *n* gofyniad *m*

requisite *adj* angenrheidiol, gofynnol, rheidiol

requite *vn* ad-dalu

reredos ARCHITECTURE *n* reredos *m*

rescind *vn* diddymu

rescission LAW *n* dadwneuthuriad *m*

rescue *vn* achub¹

rescuer *n* achubwr *m*, achubydd *m*

research 1. *adj* ymchwiliol 2. *n* ymchwil *f* 3. *vn* ymchwilio

researcher *n* chwilotwr *m*, ymchwiliwr *m*, ymchwilydd *m*

resect MEDICINE *vn* echdorri

resemblance *n* tebygrwydd *m*

resemble *vn* ymdebygu

reservation *n* amheuaeth *f*, gwarchodfa *f*, rhagarcheb *f*

reserve 1. *n* cronfa *f*, eilydd *m*, gwarchodfa *f* 2. *vn* cadw¹, neilltuo, rhagarchebu

reserved *adj* cadw², dywedwst, gwylaidd, tawedog

reservoir *n* cronfa *f*

reset *vn* ailgysodi, ailosod

resettle *vn* ailgartrefu

reshuffle *vn* ad-drefnu

reside *vn* byw¹, preswylio, trigo

residence *n* cartref¹ *m*, preswylfa *f*

resident *n* preswyliwr *m*, preswylydd *m*

residential *adj* preswyl

residual¹ *adj* gweddilliol, gweddillol

residual² MATHEMATICS *n* gweddilleb *f*

residuary LAW *adj* gweddilliol, gweddillol

residue *n* gwaddod *m*, gweddill *m*

resign *vn* ymddiswyddo

resignation *n* ymddiswyddiad *m*

resilience *n* gwydnwch *m*, gwytnwch *m*, hydwythder *m*, hydwythedd *m*

resilient *adj* adlamol, gwydn, hydwyth

resin *n* resin *m*

resist *vn* gwrthsefyll, gwrthwynebu, ymwrthod

resistance¹ *n* gwrthsafiad *m*, gwrthwynebedd *m*, gwrthwynebiad *m*

resistance² PHYSICS *n* gwrthiant *m*

resistance³ BIOLOGY *n* ymwrthiant *m*

resistant *adj* gwrthiannol, gwrthwynebol, ymwrthiannol

resistivity PHYSICS *n* gwrthedd *m*

resistor PHYSICS *n* gwrthydd *m*

resit *vn* ailsefyll

resize *vn* ailfeintio

resolute *adj* braisg, cadarn, di-droi'n-ôl, penderfynol

resolution¹ *n* adduned *f*, cydraniad *m*, penderfyniad *m*

resolution² MUSIC *n* adferiad *m*

resolution³ MATHEMATICS *n* cydraniad *m*

resolve¹* *vn* datrys

resolve² MUSIC *vn* adfer¹

resolve³ CHEMISTRY, MATHEMATICS, PHYSICS *vn* cydrannu

resolved MATHEMATICS *adj* cydrannol

resolvent MEDICINE *n* cydrannydd *m*

resonance¹ *n* atsain *f*

resonance² MUSIC, PHYSICS *n* cyseiniant *m*

resonant *adj* cyseiniol

resonate *vn* atseinio, cyseinio

resonator *n* cyseinydd *m*

resort *n* cyrchfan *f*

resound *vn* atseinio, diasbedain

resounding 1. *adj* atseiniol, cyflafar
2. *n* adlef *f*
resource *n* adnodd *m*
resourceful *adj* dyfeisgar
respect 1. *n* bri *m*, golwg¹ *m*, parch *m*
2. *vn* parchu
respectability *n* parchusrwydd *m*
respectable *adj* parchus
respected* *adj* parchus
respecter *n* parchwr *m*
respectful *adj* parchus
respiration¹ *n* anadliad *m*
respiration² BIOCHEMISTRY *n* resbiradaeth *f*
respiratory BIOLOGY *adj* resbiradol
respire *vn* anadlu, resbiradu
respite *n* hoe *f*, saib *m*, seibiant *m*, ysbaid *mf*
resplendent *adj* gogoneddus, ysblennydd
respond *vn* ateb¹, ymateb¹
respondent LAW *n* atebwr *m*, atebydd *m*
response *n* ateb² *m*, atebiad *m*, ymateb² *m*
responsibility *n* atebolrwydd *m*, cyfrifoldeb *m*
responsible *adj* atebol, cyfrifol
responsive *adj* ymatebol
responsiveness *n* ymateboldeb *m*
responsory RELIGION *n* ateb² *m*, atebiad *m*
rest¹ 1. *n* gorffwysiad *m*, gweddill *m*, saib *m*,
seibiant *m* 2. *pronoun* lleill 3. *vn* dadflino,
gorffwys, gorffwyso, gorwedd, seibio
4. curiad gwag
rest² MUSIC *n* saib *m*, seibiant *m*, tawnod *m*
restart *vn* ailddechrau, ailgychwyn
restaurant *n* bwyty¹ *m*
restitution *n* adferiad *m*
restive *adj* aflonydd, anhydrin, anniddig
restless *adj* aflonydd, aflonyddgar, aflonyddus,
anesmwyth, diorffwys, rhwyfus
restorable *adj* adferadwy
Restoration yr Adferiad [*adferiad*]
restorative 1. *adj* adferol, adfywiol
2. *n* adferiadydd *m*
restore *vn* adfer¹, adnewyddu, atgyweirio
restored *adj* adferedig
restorer *n* atgyweiriwr *m*
restrain *vn* ffrwyno, llesteirio, rheoli, rhwystro
restraint *n* atalfa *f*, ataliad *m*
restrict *vn* caethiwo, cyfyngu
restricted *adj* cyfyng¹, cyfyngedig
restriction *n* culhad *m*, cyfyngiad *m*
restructure *vn* ailstrwythuro, ailwampio
result 1. *n* canlyniad *m*
2. *vn* deillio, dilyn, dod¹, dyfod
resultant *adj* canlyniadol
resume *vn* ailafael, ailddechrau, ailgychwyn,
ailymafael, ailymaflyd
résumé *n* crynodeb *m*
resurface *vn* ailfrigo, ailymddangos
resurrect *vn* ailgodi, atgyfodi

resurrection *n* atgyfodiad *m*
resuscitate *vn* adfywhau, adfywio
resuscitation* 1. *n* adfywiad *m* 2. *vn* adfywio
retail¹ *vn* adwerthu, gwerthu
retail² ECONOMICS *vn* manwerthu, mân-werthu
retailer *n* adwerthwr *m*, mân-werthwr *m*
retain¹ *vn* cadw¹, dargadw
retain² MEDICINE *vn* dargadw
retaliate *vn* talu'r pwyth [*pwyth²*]
retaliation* *n* dial² *m*, dialedd *m*
retard *vn* arafu
retardation *n* arafiad *m*, arafiant *m*
retch 1. *vn* cyfogi gwag 2. cyfog gwag
retention PHYSIOLOGY *n* dargadwedd *m*
rethink *vn* ailfeddwl
reticence *n* swildod *m*
reticent *adj* tawedog
reticulate *adj* rhwydol, rhwyllog
reticulum ZOOLOGY *n* reticwlwm *m*
retina¹ *n* rhwyden *f*
retina² ANATOMY *n* retina *m*
retinue *n* gosgordd *f*, gosgorddlu *m*
retire *vn* riteirio, ymddeol, ymneilltuo
retirement *n* ymddeoliad *m*, ymneilltuad *m*
retrace* *vn* olrhain
retract *vn* dad-ddweud
retrain *vn* ailhyfforddi
retreat 1. *n* encil *m*, encilfa *f*, enciliad *m*,
neilltuaeth *f* 2. *vn* cilio, encilio 3. ar gil [*cil*]
retribution* *n* dial² *m*, dialedd *m*
retrievable *adj* adalwadwy, adferadwy
retriever *n* adargi *m*
retrograde *adj* gwrthredol
retrospect *n* adolwg *m*
retrospection *n* ôl-sylliad *m*
retrospective *adj* adolygol, ôl-syllol,
ôl-weithredol
return 1. *n* adenillion *pl*, dychwel¹ *m*,
dychweliad *m*, enillion *pl*
2. *vn* dod¹, dychwel⁴, dychwelyd, dyfod
returnee *n* dychwelydd *m*
reunification *vn* ailuno
reunify *vn* ailuno
reunion *n* aduniad *m*
reunite *vn* aduno, ailuno
reuse *vn* ailddefnyddio
revaluation ECONOMICS, FINANCE *n* ailbrisiad *m*
revalue *vn* ailbrisio, atbrisio
revamp *vn* ailwampio
Revd *abbr* Parch., Parchg
reveal *vn* amlygu, arddangos, dadlennu,
dadorchuddio, datgelu, datguddio
revealed *adj* datguddiedig
revealer *n* dadlennwr *m*, datguddiwr *m*
revel *vn* gloddesta, gwledda, ymhyfrydu
revelation¹ *n* dadleniad *m*, datguddiad *m*
revelation² RELIGION *n* datguddiad *m*

revelatory *adj* dadlennol
reveller *n* gloddestwr *m*, gwleddwr *m*
revelry *n* miri *m*, rhialtwch *m*, taplas *f*
revenge *n* dial² *m*, dialedd *m*
revenue FINANCE *n* cyllid *m*
reverb *n* atsain *f*, datsain¹ *f*
reverberate *vn* atseinio, datseinio, diasbedain
reverberating *adj* atseiniol, datseiniol
reverberation *n* atsain *f*, datseinedd *m*
revere *vn* parchu
reverend *adj* parchedig
reverie *n* synfyfyrdod *m*
reversal *n* cildroad *m*
reverse 1. *adj* gwrthol 2. *n* cefn *m*,
  gwrthwyneb *m* 3. *vn* bacio, bagio, cildroi,
  gwrthdroi, trawsosod
reversibility *n* cildroadedd *m*
reversible *adj* cildroadwy, dwyffordd
reversion¹ BIOLOGY *n* atchweliad *m*
reversion² LAW *n* dychweliad *m*, refersiwn *m*
revert¹ *vn* dychwel⁴, dychwelyd
revert² BIOLOGY *vn* atchwelyd
review 1. *n* adolygiad *m*, arolwg *m* 2. *vn* adolygu
reviewer *n* adolygwr *m*, adolygydd *m*
revile *vn* cablu, diarhebu, difrïo, dilorni, sarhau
reviler *n* cabledddwr *m*, cablwr *m*, diarhebwr *m*
revise *vn* adolygu, diwygio
revised *adj* diwygiedig
revision 1. *n* adolygiad *m*, diweddariad *m*
  2. *vn* adolygu
revisionism *n* adolygiadaeth *f*
revisionist *n* adolygiadwr *m*
revisit *vn* ailymweld
revitalisation *n* adfywiad *m*
revival¹ *n* adfywiad *m*, dadeni *m*
revival² RELIGION *n* diwygiad *m*
revivalist *adj* diwygiadol
revivalistic *adj* diwygiadol
revive *vn* adfywio, atgyfodi, bywiogi,
  dadebru, dadflino, ymegnïo
reviving *adj* adfywiol
revocable *adj* dirymiadwy
revocation *n* dirymiad *m*
revoke LAW *vn* dirymu
revolt 1. *n* gwrthryfel *m* 2. *vn* gwrthryfela
revolution *n* cylchdro¹ *m*, chwyldro *m*,
  chwyldroad *m*
revolutionary 1. *adj* chwyldroadol
  2. *n* chwyldroadwr *m*
revolutionize *vn* chwyldroi
revolve *vn* amdroi, cylchdroi, chwyldroi, troi
revolver *n* rifolfer *m*
revolving *adj* cylchdroadol
revulsion* *n* ffieidd-dod *m*, ffieidd-dra *m*
reward 1. *n* gwobr *f* 2. *vn* anrhegu, gwobrwyo
rewarder *n* gwobrwywr *m*
rewire *vn* ailwifro

rewrite *vn* ailysgrifennu
Rh *abbr* Rh²
rhenium *n* rheniwm *m*
rheostat *n* rheostat *m*
rhesus BIOCHEMISTRY *adj* rhesws
rhetoric *n* areitheg *f*, rhethreg *f*
rhetorical *adj* rhethregol
rhetorician *n* rhethregwr *m*, rhethregydd *m*
rheumatism¹ cryd cymalau
rheumatism² MEDICINE *n* gwynegon *pl*
rheumatoid MEDICINE *adj* gwynegol
rheumatology MEDICINE *n* rhiwmatoleg *f*
rhinitis¹ llid y ffroenau
rhinitis² MEDICINE *n* rhinitis *m*
rhinoceros *n* rhinoseros *m*
rhizome¹ *n* gwreiddgyff *m*
rhizome² BOTANY *n* rhisom *m*
rhodium *n* rhodiwm *m*
rhododendron *n* rhododendron *m*
rhodopsin BIOCHEMISTRY *n* rhodopsin *m*
rhomboid MATHEMATICS *n* rhomboid *m*
rhombus MATHEMATICS *n* rhombws *m*
rhubarb *n* riwbob *m*, rhiwbob *m*
rhyme 1. *n* odl *f*, rhigwm *m* 2. *vn* odli
rhymester 1. *n* rhigymwr *m* 2. bardd cocos,
  bardd pen pastwn, bardd talcen slip
rhyming *adj* odlog
rhyolite GEOLOGY *n* rhyolit *m*
rhythm *n* aceniad *m*, curiad *m*, rhythm *m*
rhythmical *adj* rhythmig
ria *n* ria *m*
rib *n* asen¹ *f*
ribald *adj* bras¹, coch², maseddol, masweddus
ribaldry *n* maswedd *m*, serthedd *m*
ribbed *adj* asennog, rhesog
ribbon *n* ruban *m*, rhuban *m*, ysnoden *f*
ribbon-like *adj* rhubanog
ribcage cawell asennau
riboflavin BIOCHEMISTRY *n* ribofflafin *m*
ribosome BIOCHEMISTRY *n* ribosom *m*
rice *n* reis *m*
rich *adj* abl, ariannog, bras¹, cyfoethog, goludog
riches *n* cyfoeth *m*, golud *m*
richness *n* braster *m*, cyfoeth *m*
rick 1. *n* bera *f*, helm² *f*, tas *f*
  2. *vn* mydylu, tasu, teisio
rickets MEDICINE y llech [*llech*]
rickety *adj* ansad, sigledig, simsan
rickyard *n* cadlas *f*, ydlan *f*
rid *vn* gwared¹, gwaredu
riddle 1. *n* pos *m*, rhidyll *m* 2. *vn* gogru,
  gogrwn, rhidyllu
ride 1. *n* reid *m* 2. *vn* marchogaeth, reidio
rider¹ *n* marchog *m*
rider² LAW *n* atodeg *f*
ridge¹ *n* cefn *m*, cefnen *f*, crib *mf*, esgair *f*,
  grwn *m*, gwrym *m*, trum *fm*

ridge² METEOROLOGY *n* cefnen *f*

ridged *adj* gwrymiog, rhesog

ridicule 1. *n* gwatwar² *m*, gwawd *m*
2. *vn* gwatwar¹, gwawdio

ridiculous *adj* chwerthinllyd, gwrthun, hurt

rife *n* rhemp *f*

riff MUSIC *n* riff² *m*

riff-raff *n* caridým *m*, gwehilion *pl*

rifle *n* reiffl *m*

rift *n* agen *f*, hollt¹ *f*, rhwyg *m*, rhwygiad *m*

rig 1. *n* rìg *m* 2. *vn* rigio

rigging *n* rigin *m*

right 1. *adj* cywir, de⁴, iawn¹, purion², teg
2. *n* de³ *f*, hawl¹ *f*

righteous *adj* cyfiawn

righteousness LAW *n* cyfiawnder *m*

rightful *adj* cyfiawn, cyfreithlon, dilys, gwir²,
iawn¹

right-handed *adj* llawdde

rights LAW *n* iawnderau *pl*

rigid *adj* anhyblyg, caeth, diwyro, llym

rigidity *n* anhyblygedd *m*, llymder *m*, llymdra *m*

rigmarole *n* lol *f*, rigmarôl *m*, rhibidirês *f*,
truth *m*

rigorous *adj* llym, trwyadl

rigour *n* llymder *m*, llymdra *m*

rig-out *n* rigowt *m*

rill *n* cornant *f*, ffrwd *f*, gofer *m*, nant *fm*,
rhewyn *m*

rim *n* cantel *m*, rhimyn *m*, ymyl *fm*

rime 1. *n* arien *m*, barrug *m* 2. *vn* barugo,
gwynnu

rind *n* crawen *f*, croen *m*, crofen *f*, crwst *m*,
rhisgl *m*, tonnen *f*

ring 1. *n* cylch *m*, modrwy *f*, sgwâr¹ *mf*, tinc *m*
2. *vn* canu¹, modrwyo 3. caniad ffôn

ringlet *n* cudyn *m*, llyweth *f*

ringworm¹ *n* derwreinen *f*, derwreinyn *m*

ringworm² MEDICINE *n* tarwden *f*

rinse *vn* rinsio

riot 1. *n* reiat *f*, terfysg *m* 2. *vn* terfysgu

rioter *n* terfysgwr *m*

riotous *adj* terfysglyd

rip *vn* rhwygo

riparian *adj* torlannol

ripe *adj* aeddfed, cryf, gwisgi, gwyn²

ripen *vn* aeddfedu, glasu

ripeness *n* aeddfedrwydd *m*

ripening *n* aeddfediad *m*

riposte *n* gwrthwaniad *m*

ripple 1. *n* crych¹ *m*, crychdon *f*, crychiad *m*,
ton¹ *f* 2. *vn* byrlymu, crychdonni, crychu,
tonni, ymdonni

rippling *adj* crychdonnol, crychog

riprap *n* riprap *m*

rise 1. *n* codiad *m*, cynnydd *m*, ymchwydd *m*
2. *vn* codi, dringo, esgyn

riser *n* codwr *m*

risible* *adj* chwerthinllyd

rising 1. *adj* cynyddol, esgynedig
2. *n* cyfodiad *m*, gwrthryfel *m*

risk 1. *n* menter *f*, perygl *m*, perygl *m*, risg *f*
2. *vn* mentro, peryglu, risgio

risky *adj* mentrus, peryglus

rissole *n* risol *f*

rite *n* defod *f*

ritual *adj* defodol

ritualism *n* defodaeth *f*

rival *n* cydgeisiwr *m*, cydymgeisydd *m*,
cystadleuwr *m*, cystadleuydd *m*

river *n* afon *f*

rivet 1. *n* rhybed *m* 2. *vn* hoelio, rhybedu

riveted *adj* rhybedog

riveting *adj* gafaelgar

rivulet *n* afonig *f*, gofer *m*

RNA BIOCHEMISTRY *n* RNA *m*

roach *n* cochiad *m*, rhufell *f*

road *n* ffordd *f*, heol *f*, hewl *f*, lôn *f*

roadside min y ffordd, ymyl (y) ffordd

roadstead *n* angorle *m*

roam *vn* crwydro

roan 1. *adj* broc, gwineulwyd 2. lliw llaeth a
chwrw [*lliw¹*]

roar 1. *n* rhu *m*, rhuad *m*, taraniad *m*, twrf *m*,
twrw *m* 2. *vn* arthio, brochi, bugunad², rhuo

roarer *n* rhüwr *m*

roast 1. *adj* rhost 2. *vn* rhostio

rob LAW *vn* lladrata

robber *n* gwylliad *m*, lleidr *m*, ysbeiliwr *m*

robbery LAW *n* lladrad *m*

robe *n* cochl *m*, gŵn *m*, mantell *f*

robin *n* coch-gam *f*, robin goch *m*

robot *n* robot *m*

robotics *n* roboteg *f*

robust *adj* cadarn, cryf, cydnerth, cyhyrog,
lysti

robustness *n* cadernid *m*, cryfder *m*

rock¹ 1. *n* carreg *f*, craig *f*, india-roc *m*, maen¹ *m*,
roc *m* 2. *vn* rocio, siglo

rock² GEOLOGY *n* craig *f*

rockery *n* creigfa *f*

rocket 1. *n* roced *f* 2. *vn* saethu

rocky *adj* carneddog, creigiog

rod *n* cledr *f*, cledren *f*, gwialen *f*, rod *f*,
rhoden *f*

rodent ZOOLOGY *n* cnofil *m*

Rodentia ZOOLOGY *n* cnofilod *pl*

roe *n* grawn *m & pl*, gronell *f*, lleithon *m*

roebuck 1. *n* iwrch *m* 2. bwchadanas, bwch danas

rogue *n* cnaf *m*, cnec *f*, dihiryn *m*, gwalch *m*

role *n* rôl *f*, rhan¹ *f*, swyddogaeth *f*

roll 1. *n* corn¹ *m*, rhôl *f*, rholiad *m*, rholyn *m*,
treiglad² *m*, treigliad *m* 2. *vn* powlio, rholian,
rholio, torchi, treiglo², trolian, trolio, ymdreiglo

roller *n* rholer *m*, rholiwr *m*
roller-skate *vn* sglefrolio
rollerskater *n* sglefroliwr *m*
rolling *adj* bronnog, tonnog
Roman 1. *adj* Rhufeinig
2. *n* Rhufeiniad *m*, Rhufeinwr *m*
Roman Catholic[1] *adj* pabyddol
Roman Catholic[2] RELIGION *n* Catholig[1] *m*
Roman Catholicism RELIGION *n* pabyddiaeth *f*
romance *n* rhamant *f*
Romance *adj* Romáwns
Romanian 1. *adj* Rwmanaidd 2. *n* Rwmaniad *m*
romantic *adj* rhamantus
Romantic *adj* Rhamantaidd
Romanticism *n* Rhamantiaeth *f*
romanticize *vn* rhamantu
Romany 1. *adj* Romani[3]
2. *n* Romani[1] *fm*, Romani[2] *fm*
romp* *vn* prancio
rondo MUSIC *n* rondo *m*
roof 1. *n* cronglwyd *f*, to[1] *m* 2. *vn* toi
roofed *adj* toëdig
roofer *n* töwr *m*
rook *n* castell *m*, ydfran *f*
room *n* lle[1] *m*, stafell *f*, ystafell *f*
roost 1. *n* clwyd *f* 2. *vn* clwydo
root[1] 1. *n* gwraidd *m*, gwreiddyn *m*
2. *vn* gwreiddio, turio
root[2] BOTANY *n* gwreiddyn *m*
root[3] MATHEMATICS *n* isradd *m*
rootless *adj* di-wraidd
rope 1. *n* rhaff *f*, rheffyn *m*, tennyn *m*
2. *vn* rhaffo, rhaffu
ropey *adj* coch[2], gwael[1], tila
rosary[1] *n* rosari *f*
rosary[2] RELIGION *n* llaswyr *m*
rose *n* rhosyn *m*
rosemary *n* rhosmari *m*
rosette *n* rosét *f*, ysnoden *f*
rosin *n* resin *m*
roster *n* rhestr *f*
rostrum *n* llwyfan *f*, rostrwm *m*
rosy-cheeked *adj* bochgoch, gwridog
rot 1. *n* malltod *m*, pydredd *m* 2. *vn* pydru
rota *n* cylchres *f*, rhestr *f*
rotary *adj* amdro, cylchdro[2], cylchol
rotating *adj* cylchdro[2]
rotation *n* cylchdro[1] *m*, cylchdroad *m*
rotor *n* rotor *m*
rotten *adj* diffaith, drwg[1], gorllyd, pwdr
rotting *adj* pydredig
rotund *adj* boliog, crwn
rouge *n* rhuddliw *m*
rough *adj* bras[1], caled, clapiog, clogyrnog, coch[2], cras, egr, garw[1], gerwin, gwyntog, sgaprwth
roughage *n* ffeibr *m*, ffibr *m*, rhuddion[2] *pl*

roughen *vn* garwhau
roughness *n* afrywiogrwydd *m*, anwastadrwydd *m*, garwder *m*, garwedd *m*, gerwindeb *m*, gerwinder *m*
roulette *n* rwlét *m*
round 1. *adj* crwn, rownd[2] 2. *n* rownd[1] *f*
roundabout 1. *adj* cwmpasog 2. *n* cylchfan *mf*
rounded *adj* llyfngrwn
roundelay MUSIC *n* cylchgan *f*
rounders *n* rownderi *pl*
Roundhead *n* Pengrynwr *m*
roundness *n* crynder *m*
round-shouldered *adj* gwargrwm
rouse *vn* cynhyrfu, dadebru, deffro, ennyn
route[1] *n* ffordd *f*, llwybr *m*
route[2] COMPUTING *vn* llwybro
router[1] *n* llwybrydd *m*, rhigolydd *m*
router[2] COMPUTING *n* llwybrydd *m*
routine *n* rheolwaith *m*, trefn *f*
routing COMPUTING *vn* llwybro
rove* *vn* crwydro
row 1. *n* llinell *f*, rheng *f*, rhes *f*, rhestr *f*, rhibyn *m*, stŵr *m* 2. *vn* rhwyfo
rowan (trees and wood) *n* cerdin *pl*, cerddin *pl*, criafol[2] *pl*
rowdy *adj* stwrllyd, swnllyd, trystiog
rower *n* rhwyfwr *m*
rowlock *n* roloc *m*
royal *adj* brenhinol
royalist *n* brenhinwr *m*
royalty *n* breindal *m*
rub *vn* rhuglo, rhwbio, rhwto
rubber *n* rwber *m*
rubbing *n* rhwbiad *m*
rubbish 1. *interj* twt[2] 2. *n* gwehilion *pl*, lol *f*, rwtsh *m*, sbwriel *m*, sothach *m*
rubble *n* rwbel *m*
rubella[1] y frech Almaenig [brech[1]]
rubella[2] MEDICINE *n* rwbela *f*
rubidium *n* rwbidiwm *m*
rubric *n* cyfarwyddyd *m*
ruby *n* rhuddem *f*
ruck 1. *n* ryc *f* 2. *vn* rycio
rudder *n* llyw *m*
ruddiness *n* cochni *m*, gwrid *m*
ruddy *adj* gwritgoch, rhudd
rude *adj* anghwrtais, anfoesgar, ansyber, crai, di-foes
rudeness *n* anghwrteisi *m*, anfoesgarwch *m*
rudimentary *adj* elfennol
rudiments *n* egwyddor *f*, elfennau *pl*, gwyddor *f*, hanfodion *pl*
ruffian *n* adyn *m*, dihiryn *m*, llabwst *m*
ruffle *vn* crychu
rug *n* carthen *f*, rýg *f*
rugby *n* rygbi *m*
rugged *adj* clogyrnog, garw[1], ysgithrog

ruin 1. *n* adfail *m*, adfeiliad *m*, carnedd *f*, dinistr *m*, distryw *m*, murddun *m* 2. *vn* andwyo, difetha, dinistrio, distrywio

ruinous *adj* andwyol, dinistriol

rule 1. *n* llywodraeth *f*, penaduriaeth *f*, rheol *f*, teyrnasiad *m* 2. *vn* dyfarnu, llywodraethu, rheoli, teyrnasu

ruler *n* pren mesur *m*, riwl *f*, riwler *f*, rheolwr *m*, teyrn *m*

ruling 1. *adj* llywodraethol 2. *n* dyfarniad *m*

rum *n* rym *m*

Rumanian 1. *adj* Rwmanaidd 2. *n* Rwmaniad *m*

rumen ZOOLOGY *n* rwmen *m*

ruminant[1] *n* cilgnöwr *m*

ruminant[2] ZOOLOGY anifail cnoi cil

ruminate *vn* cnoi cil [*cil*], myfyrio, pendroni

rummage *vn* chwalu a chwilio, chwilenna, chwilmanta, chwilmantan, chwilmentan, chwilota, twrio

rummager *n* chwilotwr *m*

rumour 1. *n* achlust *m*, si *m*, sôn[2] *m* 2. si ym mrig y morwydd [*morwydd*]

rump ANATOMY *n* ffolen *f*

rumpus *n* helynt *mf*, stwr *m*, twrf *m*, twrw *m*

run 1. *n* rhediad *m* 2. *vn* rhedeg

rung *n* ffon *f*, gris *m*

runnel *n* corffrwd *f*, cornant *f*

runner[1] *n* cydredwr *m*, rhedwr *m*

runner[2] BOTANY *n* ymledydd *m*

running *adj* di-dor, rhedegog

runt 1. *n* cardodwyn *m*, corbedwyn *m*, ratlin *m* 2. bach y nyth [*bach[1]*]

runway *n* rhedfa *f*

rupture[1] *n* rhwyg *m*, rhwygiad *m*, torgest *f*, ymdoriad *m*

rupture[2] MEDICINE *n* torlengig *m*

rupture[3] BIOLOGY *vn* ymdorri

rural *adj* gwledig

ruse *n* ystryw *f*

rush 1. *n* brys *m*, ffrwst *m*, gwib[1] *f*, pabwyren *f*, rhuthr *m*, rhuthrad *m* 2. *vn* brysio, cythru, gwibio, rhuthro

rushes *n* brwyn *pl*, pabwyr[2] *pl*

rushing *adj* gwyllt[1], rhuthrog

rushy *adj* brwynog

russet *adj* browngoch, cochddu, cringoch, llwytgoch

Russian 1. *adj* Rwsiaidd 2. *n* Rwsiad *m*

rust 1. *n* rhwd *m* 2. *vn* rhwdu, rhydu

rustic 1. *adj* gwladaidd 2. *n* gwerinwr *m*, gwladwr *m*

rusticity *n* gwladeiddrwydd *m*

rustle *vn* siffrwd

rusty *adj* rhydlyd

rut *n* rhigol *f*, rhych *mf*

ruthenium *n* rwtheniwm *m*

rutherfordium *n* rutherfordiwm *m*

ruthless *adj* anhrugarog, didostur

ruthlessness *n* anhrugaredd *m*

rutting *n* rhigoliad *m*

Rwandan 1. *adj* Rwandaidd 2. *n* Rwandiad *m*

Rwandese *adj* Rwandaidd

rye *n* rhyg *m*

ryegrass *n* rhygwellt *m*

S

s MUSIC *n* so *m*

S *abbr* D[2]

Sabbatarian *n* Sabathydd *m*

Sabbatarianism *n* Sabathyddiaeth *f*

Sabbath *n* Sabath *m*, Saboth *m*, Sul *m*

sabbatical *adj* sabothol

Sabbatical *adj* Sabothol

sable *n* sabl *m*

sabre *n* sabr *m*

sac *n* cwd *m*

saccharin *n* sacarin *m*

saccular *adj* codennog

sacculated *adj* codennaidd

saccule ANATOMY *n* codennyn *m*

sacerdotal[1] *adj* offeiriadol

sacerdotal[2] RELIGION *adj* sacerdotaidd

sack 1. *n* ffetan *f*, sac *m*, sach *f* 2. *vn* diswyddo, sacio, ysbeilio

sackcloth *n* sachlïain *m*

sackful *n* sachaid *f*

sacking *n* diswyddiad *m*

sacrament *n* ordinhad *f*, sacrament *m*, sagrafen *f*

sacramental *adj* sacramentaidd, sagrafennol

sacrarium *n* cysegrfa *f*

sacred *adj* cysegredig, dwyfol, sanctaidd

sacredness *n* cysegredigrwydd *m*, sancteiddrwydd *m*

sacrifice 1. *n* aberth *m*, offrwm *m* 2. *vn* aberthu, offrymu

sacrificer *n* aberthwr *m*

sacrificial *adj* aberthol

sacrilege *n* cysegr-ladrad *m*

sacristan *n* sacristan *m*

sacrosanct *adj* dihalog

sacrum ANATOMY *n* sacrwm *m*

sad *adj* chwith[1], dagreuol, prudd, pruddaidd, trist, trwm

sadden *vn* pruddhau, tristáu

saddle 1. *n* cyfrwy *m*, strodur *f* 2. *vn* cyfrwyo

saddleback *n* trum *fm*

saddler *n* cyfrwywr *m*

Sadducee *n* Sadwcead *m*

sadism PSYCHIATRY *n* sadistiaeth *f*

sadist *n* sadistydd *m*, sadydd[1] *m*

sadistic *adj* sadistaidd

sadness *n* prudd-der *m*, tristwch *m*, trymder *m*

sadomasochism PSYCHIATRY *n* sadomasociaeth *f*,
sadomasocistiaeth *f*
sadomasochistic *adj* sadomasocistaidd
safari *n* saffari *m*
safe 1. *adj* dihangol, diogel, saff 2. *n* seff *f*, sêff *f*
safeguard* *vn* diogelu
safety *n* diogelwch *m*
saffron 1. *adj* melyngoch
2. *n* saffrwm *m*, saffrwn *m*
sag *vn* pantio, sigo, ysigo
saga *n* saga *f*
sagacious *adj* craff, doeth, ffel
sagacity *n* craffter *m*, doethineb *m*
sage *n* saets *m*
sagittal ANATOMY *adj* saethol
Sagittarius y Saethydd [*saethydd*]
sago *n* sego *m*
Sahel *n* Sahel *m*
said *v* eb, ebe, ebr
sail 1. *n* hwyl[1] *f* 2. *vn* hwylio, mordwyo, morio
sailfish pysgodyn hwyliog
sailing *vn* hwylio
sailor *n* llongwr *m*, morwr *m*
saint *n* sant *m*, santes *f*
saithe *n* chwitlyn glas *m*
salacious *adj* anllad
salad *n* salad *m*
salamander *n* salamander *m*
salami *n* salami *m*
salaried *adj* cyflogedig
salary *n* cyflog *m*
sale *n* gwerthiant *m*, sâl[2] *f*, sêl[1] *f*
saleable *adj* gwerthadwy
salesman *n* gwerthwr *m*
salient* *adj* amlwg
salina *n* salina *m*
saline *adj* halwynog, hallt
salinity[1] *n* helltni *m*
salinity[2] CHEMISTRY *n* halwynedd *m*
saliva *n* poer *m*, poeri *m*
salivate *vn* glafoeri, glafoerio
salmon *n* eog *m*, gleisiad *m*, samwn *m*
salmonella BIOCHEMISTRY *n* salmonela *m*
salon *n* salon *fm*
saloon *n* salŵn *m*
salt[1] *n* halen *m*
salt[2] CHEMISTRY *n* halwyn *m*
salt[3] COOKERY *vn* halltu
saltation BIOLOGY, GEOLOGY *n* neidiant *m*
salter *n* halltwr *m*, helltydd *m*
saltiness *n* halltedd *m*, halltineb *m*, halltrwydd *m*,
helltni *m*
saltings 1. *n* halwyndir *m* 2. morfa heli
salt-marsh *n* morfa *m*
salty *adj* hallt
salubrious *adj* iach, iachusol
salutary *adj* llesol

salutation *n* cyfarchiad *m*
salute 1. *n* salíwt *m* 2. *vn* saliwtio
salvage *vn* arbed
salvation *n* achubiaeth *f*, cadwedigaeth *f*,
gwaredigaeth *f*, iachawdwriaeth *f*
salve *n* ennaint *m*
salver *n* hambwrdd *m*
Samaritan *n* Samariad *m*
samarium *n* samariwm *m*
same *adj* un[2]
sameness *n* undonedd *m*, unffurfiaeth *f*
Sami *n* Lapiad *m*
samite *n* samit *m*
samlet *n* brithro *m*
Samoan 1. *adj* Samoaidd 2. *n* Samoad *m*
samovar *n* samofar *m*
sampan *n* sampan *m*
sample 1. *n* sampl *f* 2. *vn* profi, samplu
sampler *n* sampler *m*
sanctification *n* gogoneddiad *m*, sancteiddhad *m*
sanctify[1] *vn* sancteiddio
sanctify[2] RELIGION *vn* dwyfoli
sanctimonious *adj* rhithdduwiol, rhithgrefyddol
sanction *n* sancsiwn *m*
sanctity *n* sancteiddrwydd *m*
sanctuary *n* cysegr *m*, gwarchodfa *f*, noddfa *f*
sand 1. *n* tywod *pl* 2. *vn* sandio
sandal *n* sandal *f*
sandbag bag tywod
sand-dune* *n* twyn *m*
sander *n* sandiwr *m*
sandpaper papur tywod
sands *n* traeth *m*
sandstone GEOLOGY *n* tywodfaen *m*
sandwich *n* brechdan *f*
sandwort *n* tywodlys *m*
sandy *adj* tywodlyd
sane *adj* call
sangfroid *n* hunanfeddiant *m*
sanguine* *adj* hyderus
Sanhedrin RELIGION *n* Sanhedrin *m*
sanicle *n* clust yr arth *f*
sanitary *adj* iechydol
sanitation *n* iechydaeth *f*
sanity *n* pwyll *m*
San Marinese 1. *adj* San Marinaidd
2. *n* San Mariniad *m*
Sanskrit *n* Sansgrit *fm*
Santa Claus *n* Siôn Corn *m*
sap *n* nodd *m*, sudd *m*
sapling *n* glasbren *m*, gwialen *f*
saponification CHEMISTRY *n* seboneiddiad *m*
saponify CHEMISTRY *vn* seboneiddio
sapper *n* cloddiwr *m*
sapphire *n* saffir *m*
saprophyte BIOLOGY *n* saproffyt *m*
saprophytic BIOLOGY *adj* saproffytig

sapwood *n* gwynnin *m*

Saracen *n* Sarasen *m*

sarcasm *n* coegni *m*

sarcastic *adj* coeglyd, crafog, sarcastig, sbengllyd

sardine *n* sardîn *m*

Sardinian 1. *adj* Sardinaidd 2. *n* Sardiniad *m*

sardonic *adj* mingam, sardonig

sari *n* sari *m*

sarong *n* sarong *f*

sartorial *adj* teilwraidd

sash *n* gwregys *m*

Satan y Diafol [*diafol*]

satanic *adj* satanaidd

satanism *n* sataniaeth *f*

satchel 1. *n* sgrepan *f*, ysgrepan *f* 2. bag ysgol

sate* *vn* diwallu

sated *adj* llawn[1]

satellite *n* lloeren *f*

satiate *vn* digoni

satin 1. *adj* satin[2] 2. *n* satin[1] *m*, sidan *m*

satire *n* dychangerdd *f*, dychan *f*

satirical *adj* dychanol

satirist *n* dychanwr *m*, goganwr *m*

satirize *vn* dychanu, goganu

satisfaction *n* bodlondeb *m*, bodlonrwydd *m*, boddhad *m*

satisfactory *adj* boddhaol

satisfied *adj* bodlon, bodlonus

satisfy *vn* bodloni, boddhau, boddio, boddloni, digoni, diwallu, plesio, rhyngu bodd

satisfying *adj* boddhaus

satsuma *n* satswma *m*

saturate[1] *vn* trochi, trwytho

saturate[2] CHEMISTRY *vn* dirlenwi

saturated[1] *adj* dirlawn, dwrlawn, soeglyd

saturated[2] BIOCHEMISTRY, CHEMISTRY *adj* dirlawn

saturation *n* dirlawnder *m*

Saturday 1. *n* Sadwrn[1] *m* 2. dydd Sadwrn [*Sadwrn*[1]]

Saturn *n* Sadwrn[2] *m*

Saturnian *adj* Sadyrnaidd

sauce *n* saws *m*, sos *m*

saucepan *n* sosban *f*

saucepanful *n* sosbannaid *f*, sosbennaid *f*

saucer *n* soser *f*

saucerful *n* soseraid *f*

saucy* *adj* eofn

Saudi 1. *adj* Sawdïaidd 2. *n* Sawdïad *m*

sauna *n* sawna *m*

sausage *n* selsigen *f*, sosej *f*

savage 1. *adj* anwar, anwaraidd, milain, mileinig 2. *n* anwariad *m*

savannah *n* safana *m*

savant *n* doethyn *m*

save[1] 1. *n* arbediad *m* 2. *vn* achub[1], arbed, cadw[1], cynilo, gwared[1], gwaredu, iacháu, safio, tolio

save[2] RELIGION *vn* achub[1]

save[3] COMPUTING *vn* cadw[1]

saved *adj* cadwedig

saver *n* achubwr *m*, achubydd *m*, gwaredwr *m*, iachawdwr *m*

saving 1. *adj* achubol, arbedol 2. *n* arbediad *m*

savings *n* arbedion *pl*, cynilion *pl*, cynilon *pl*

saviour *n* iachawdwr *m*

Saviour RELIGION y Ceidwad [*ceidwad*], y Gwaredwr [*gwaredwr*]

savory *n* safri *f*, safri fach *f*

savour 1. *n* sawr *m* 2. *vn* sawru

savoury *adj* sawrus

saw 1. *n* llif[2] *f* 2. *vn* llifio

sawdust *n* blawd llif

sawyer *n* llifiwr *m*

saxifrage *n* tormaen *m*

Saxon 1. *adj* Sacsonaidd 2. *n* Sacson *m*

saxophone *n* sacsoffon *m*

saxophonist *n* sacsoffonydd *m*

say 1. *n* llais *m* 2. *vn* dweud

saying *n* dywediad *m*, gair *m*, ymadrodd *m*

scab *n* crachen *f*, cramen *f*

scabbard *n* gwain *f*

scabby *adj* clafrllyd, crachlyd

scabies[1] 1. *n* clafr *m*, clafri *m*, clefri *m* 2. cosi gwyllt

scabies[2] MEDICINE y clefyd crafu [*clefyd*], y crafu [*crafu*]

scabious *n* clafrllys *m*

scad *n* marchfacrell *f*

scaffolding *n* sgaffaldau *pl*

scalar PHYSICS 1. *adj* sgalar[2] 2. *n* sgalar[1] *m*

scald *vn* sgaldanu, sgaldian, sgaldio

scale[1] 1. *n* cen *m*, graddfa *f* 2. *vn* dringo, graddio

scale[2] MATHEMATICS, MUSIC *n* graddfa *f*

scalene MATHEMATICS *adj* anghyfochrog

scales *n* clorian *f*, pwyslath *f*, tafol[1] *f*

scallop[1] 1. *vn* sgolopio 2. cragen fylchog

scallop[2] NEEDLEWORK *n* sgolop *m*

scallywags *n* taclau *pl*

scalpel cyllell llawfeddyg

scaly *adj* cennog

scamp *n* gwalch *m*

scampi *n* sgampi *pl*

scan 1. *n* sgan *m* 2. *vn* corfannu, sganio, syllu

scandal *n* gwarth *m*, sgandal *m*

scandalous* *adj* gwarthus

Scandinavian 1. *adj* Llychlynnaidd, Sgandinafaidd 2. *n* Llychlynnwr *m*, Sgandinafiad *m*

scandium *n* scandiwm *m*

scanner *n* sganiwr *m*

scant* *adj* prin[1]

scapegoat bwch dihangol

scapula *n* palfais *f*, sgapwla *m*

scar 1. *n* craith *f* 2. *vn* creithio

scarce *adj* prin[1]

scarcely 1. *adj* cwta 2. *adv* braidd, nemor, odid, prin² 3. o'r braidd [*braidd*]

scarcity *n* prinder *m*

scare 1. *n* dychryn² *m*
2. *vn* brawychu, dychryn¹, dychrynu, tarfu

scarecrow bwgan brain

scarf 1. *n* sgarff *f* 2. *vn* sgarffio

scarlet *adj* gloywgoch, ysgarlad

scarp *n* llethr *m*, sgarp *m*, tarren *f*

scarper *vn* ei baglu hi [*baglu*]

scarred *adj* creithiog

scatalogical *adj* sgatolegol

scathing *adj* deifiol

scatology *n* sgatoleg *f*

scatter *vn* chwalu, gwasgar, gwasgaru, tarfu

scatterbrained *adj* penchwiban

scattered 1. *adj* chwâl, gwasgaredig
2. ar wasgar [*gwasgaru*]

scatterer *n* chwalwr *m*

scattering *n* chwaliad *m*, gwasgariad *m*, taenfa *f*

scenario *n* senario *f*

scene *n* golygfa *f*, sin¹ *f*

scenery *n* golygfa *f*

scent 1. *n* perarogl *m*, persawr *m*, sawr *m*
2. *vn* perarogli

scented *adj* persawrus

sceptic *n* amheuwr *m*, sgeptig *m*

sceptical *adj* amheugar, sgeptigaidd, sgeptigol

scepticism *n* sgeptigiaeth *f*

sceptre *n* teyrnwialen *f*

Schadenfreude mêl ar fy (dy, ei, etc.) mysedd

schedule¹ *n* amserlen *f*, rhaglen *f*, rhestr *f*

schedule² LAW *n* atodlen *f*

schematic *adj* amlinellol, sgematig

scheme *n* cynllun *m*

scheming *adj* ystrywgar

schism *n* sgism *m*, toriant *m*

schist GEOLOGY *n* sgist *m*

schizophrenia PSYCHIATRY *n* sgitsoffrenia *m*

schizophrenic *adj* sgitsoffrenig

scholar *n* sgolor *m*, ysgolhaig *m*, ysgolor *m*

scholarly *adj* academaidd, academig, ysgolheigaidd

scholarship *n* ysgolheictod *m*, ysgoloriaeth *f*

scholastic *adj* athrofaol, sgolastig

scholasticism¹ *n* ysgoliaeth *f*

scholasticism² PHILOSOPHY *n* sgolastigiaeth *f*

school *n* ysgol¹ *f*

schoolgirl merch ysgol

schoolhouse *n* ysgoldy *m*

schoolmaster *n* sgwlyn *m*, ysgolfeistr *m*

schoolmistress *n* athrawes *f*, ysgolfeistres *f*

schoolroom *n* ysgoldy *m*

schoolteacher *n* athro *m*

schooner SEAMANSHIP *n* sgwner *f*

sciatic *adj* clunol

science *n* gwyddoniaeth *f*, gwyddor *f*

scientific *adj* gwyddonol

scientism PHILOSOPHY *n* gwyddonyddiaeth *f*

scientist *n* gwyddonydd *m*

scintillate *vn* pefrio

scintillating *adj* pefriog, pefriol

scission *n* hollt¹ *f*, toriant *m*

scissors *n* siswrn *m*

sclera¹ gwyn y llygad [*gwyn¹*]

sclera² ANATOMY *n* sglera *m*

sclerenchyma BOTANY *n* sglerencyma *m*

sclerosis BOTANY, MEDICINE *n* sglerosis *m*

sclerotic ANATOMY, MEDICINE *adj* sglerotig

scoff *vn* gwawdio, sglaffio

scoffer *n* gwatwarwr *m*

scold *vn* arthio, dwrdio, rhoi tafod drwg i (rywun) [*tafod*], tafodi, tantro, termo, trin¹

scolding blas tafod

scolex ZOOLOGY *n* sgolecs *m*

scoliosis¹ *n* sgoliosis *m*

scoliosis² MEDICINE *n* cefnwyrni *m*

scone *n* sgon *f*

scoop 1. *n* lletwad *f*, llwyar *f*, llwyarn *f*
2. *vn* sgwpio

scoot *vn* codi cynffon [*cynffon*], ei gloywi hi [*gloywi*], sgrialu

scooter *n* sgwter *m*

scope *n* cwmpas¹ *m*

scorbutic MEDICINE *adj* sgorbwtig

scorch *vn* crasu, darlosgi, deifio², rhuddo

scorched *adj* crasboeth, llosgedig

score¹ 1. *n* sgôr¹ *f*, sgôr² *f*
2. *vn* rhicio, sgori, sgorio

score² MUSIC *n* sgôr² *f*

scorekeeper *n* sgoriwr *m*, sgorwr *m*

scorer *n* sgoriwr *m*, sgorwr *m*

scoria GEOLOGY, METALLURGY *n* sgoria *m*

scorn *n* dirmyg *m*, gwawd *m*

scorned *adj* dirmygedig

scornful *adj* dirmygol, dirmygus, gwatwarus, gwawdlyd

Scorpio y Sarff [*sarff*]

scorpion *n* sgorpion *m*

Scot *n* Albanwr *m*, Sgoten *f*, Sgotyn *m*

Scotsman *n* Albanwr *m*

Scotswoman *n* Albanes *f*

Scottish *adj* Albanaidd

scoundrel *n* adyn *m*, cnaf *m*, dihiryn *m*

scour *vn* sgwrio, ysgothi

scourge 1. *n* fflangell *f*, ffrewyll *f* 2. *vn* fflangellu

scouring *n* sgwriad *m*

scout *n* sgowt *m*

scowl 1. *n* cilwg *m*, cuwch *m*, gwg *m*
2. *vn* cilwgu, cuchio, gwgu

scowling *adj* cuchiog

scrabble *vn* sgrialu

scramble *vn* sgrafangu, sgrialu

scrap 1. *n* cwffas *f*, sgrap *m* 2. *vn* sgrapio

scrapbook llyfr lloffion [*lloffion*]

scrape 1. *n* helbul *m*

  2. *vn* crafu, sgrafellu, sgraffinio

scraper *n* crafell *f*, crafwr *m*, crib *mf*, sgrafell *f*

scrappy *adj* tameidiog

scraps *n* crafion *pl*

scratch 1. *n* crafiad *m*, cripiad *m*, sgraffiniad *m*

  2. *vn* crafu, cripian, cripio, sgrapo

scratch-proof *adj* gwrthgrafiad

scratch-resistant *adj* gwrthgrafiad

scream 1. *n* sgrech *f* 2. *vn* sgrechain, sgrechian

scree GEOLOGY *n* marian *m*, sgri *m*

screech 1. *n* gwich *f*, nâd *f*, sgrech *f*

  2. *vn* gwichian, gwichio, sgrechain, sgrechian

screeching *adj* sgrechlyd

screen 1. *n* sgrin *f* 2. *vn* sgrinio

screen-printing *vn* sgrin-brintio

screenshot COMPUTING *n* sgrinlun *m*

screw 1. *n* sgriw *f* 2. *vn* sgriwio, troi

screwdriver *n* sgriwdreifer *m*, tyrnsgriw *m*

scribble *vn* sgriblan, sgriblo

scribe RELIGION *n* ysgrifennydd *m*

scriber *n* sgrifell *f*

scrimp* *vn* tolio

scrip *n* sgrepan *f*, ysgrepan *f*

script 1. *n* sgript *f* 2. *vn* sgriptio

scriptural *adj* beiblaidd, ysgrythurol

scripture *n* ysgrythur *f*

scripturist *n* ysgrythurwr *m*

scriptwriter *n* sgriptiwr *m*

scrivener *n* copïwr *m*

scrofula *n* manwyn *m*

scroll 1. *n* rhôl *f*, sgrôl *f* 2. *vn* sgrolio

scrotum[1] *n* cwd *m*, pwrs *m*, sgrotwm *m*

scrotum[2] ANATOMY *n* ceillgwd *m*

scrub 1. *n* prysgwydd *pl* 2. *vn* sgrwbio

scrubbing *n* sgwriad *m*

scruff *n* gwar *mf*, gwegil *m*, mwnwgl *m*

scrum 1. *n* sgrym *f* 2. *vn* sgrymio

scrummage *vn* sgrymio

scrumptious *adj* amheuthun

scrupulous *adj* cyfewin, manwl gywir

scrutineer *n* arolygwr *m*

scrutinize *vn* archwilio, craffu

scrutiny 1. *n* archwiliad *m*, arolwg *m* 2. *vn* craffu

scuba-dive *vn* sgwba-ddeifio

scuba diving *vn* sgwba-ddeifio

scull 1. *n* rhodl *f*, rhodlen *f* 2. *vn* rhodli

scullery cegin fach/gefn

sculpin *n* sgorpion môr *m*

sculpt *vn* cerflunio

sculptor *n* cerflunydd *m*

sculpture[1] *n* cerflun *m*, cerflunwaith *m*

sculpture[2] ART *n* cerfluniaeth *f*

scum *n* ewyn *m*, gwehilion *pl*, llysnafedd *m*, trochion *pl*

scupper *vn* suddo, tanseilio

scurf *n* cen *m*

scurfy *adj* cennog

scurrilous* *adj* enllibus

scurry *vn* cythru, sgrialu

scurvy MEDICINE *n* llwg *m*

scythe 1. *n* pladur *f* 2. *vn* pladuro

sea *n* heli *m*, môr *m*

seafarer *n* mordwywr *m*, morwr *m*

seagull *n* gwylan *f*

seal 1. *n* môr-hwch *f*, morlo *m*, morwch *f*, sêl[3] *f*, seliad *m* 2. *vn* selio

sealant *n* seliwr *m*

sealed *adj* cloëdig, cloiedig, seliedig

sealer *n* seliwr *m*

seam[1] 1. *n* gwnïad *m*, gwrym *m*, sêm *f*

  2. *vn* gwrymio

seam[2] GEOLOGY *n* gwythïen *f*

seam[3] NEEDLEWORK *n* sêm *f*

seaman *n* llongwr *m*, morwr *m*

seamanship *n* llongwriaeth *f*, morwriaeth *f*

seamed* *adj* gwrymiog

seamstress *n* gwniadreg *f*, gwniadwraig *f*, gwniadyddes *f*, gwniyddes *f*, teilwres *f*

séance *n* seans *m*

sear *vn* serio

search 1. *n* chwiliad *m*

  2. *vn* chwilio, chwilota, disgwyl

searcher *n* chwiliwr *m*, chwilotwr *m*

searchlight *n* chwilolau *m*

searing* *adj* deifiol

seascape *n* morlun *m*

seashore *n* arfordir *m*, traeth *m*, tywyn[1] *m*

seasickness salwch môr

seaside glan y môr

season 1. *n* tymor *m* 2. *vn* sesno

seasonable *adj* tymhorol

seasonal *adj* tymhorol

seasoning *n* sesnin *m*

seat 1. *n* sedd *f*, sêt *f* 2. *vn* eistedd[1], seddu

seaward *adj* atfor

seawater 1. *n* heli *m* 2. dŵr hallt, dŵr y môr

seaweed *n* gwymon *m*

sebum BIOCHEMISTRY *n* sebwm *m*

sec *abbr* sec

secant MATHEMATICS *n* secant *m*

secede *vn* ymwahanu

secession *n* ymwahaniad *m*

seclude *vn* neilltuo

secluded o'r neilltu [*neilltu*]

seclusion *n* unigrwydd *m*

second[1] 1. *adj* eilfed[2] 2. *n* eiliad *f*

  3. *num* ail[1] *vn* cefnogi, eilio[1], secondio

second[2] MUSIC *n* eilfed[1] *m*

second[3] MATHEMATICS *n* eiliad *f*

secondary[1] 1. *adj* eilaidd, eilradd, uwchradd

  2. *pref* ail-[2], eil-

secondary[2] BOTANY, MEDICINE *adj* eilaidd

seconder *n* eiliwr *m*, eilydd *m*

secondment *n* secondiad *m*

second-rate *adj* eilradd

secret 1. *adj* cêl[1], cudd, cyfrinachol, dirgel[1]
2. *n* cyfrinach *f*, dirgel[2] *m*

secretarial *adj* ysgrifenyddol

secretary *n* ysgrifennydd *m*, ysgrifenyddes *f*

secretaryship *n* ysgrifenyddiaeth *f*

secrete BIOLOGY *vn* secretu

secretin BIOCHEMISTRY *n* secretin *m*

secretion *n* secretiad *m*

secretive *adj* cyfrinachgar, di-ddweud, tawedog

secrets dirgelion *pl*

sect *n* sect *f*

sectarian *adj* sectyddol

sectarianism *n* enwadaeth *f*, sectyddiaeth *f*

section[1] *n* adran *f*, rhan[1] *f*, toriad *m*,
trychiad *m*, uned *f*

section[2] MATHEMATICS *n* trychiad *m*

sector *n* sector *m*

secular[1] *adj* dynol, seciwlar

secular[2] RELIGION *adj* lleyg

secularism *n* seciwlariaeth *f*

secularize *vn* seciwlareiddio

secure 1. *adj* cadarn 2. *vn* clymu, gwreiddio

secured FINANCE *adj* sicredig

security[1] *n* diogeledd *m*, diogelwch *m*

security[2] FINANCE *n* gwarant *f*

sedate* *vn* lleddfu, tawelu

sedentary *adj* eisteddog, eisteddol

sedge *n* hesg *pl*

sediment *n* gwaddod *m*, gwaelodion *pl*

sedimentary *adj* gwaddodol

sedimentation GEOLOGY *n* gwaddodiad *m*

sedimentology GEOLOGY *n* gwaddodeg *f*

seduce* *vn* hudo, llithio

seducer *n* hudwr *m*, llithiwr *m*

seductive* *adj* hudol, hudolus

seductress *n* hudoles *f*

sedulous* *adj* dygn

see *vn* edrych am, gweld, gweled

seed *n* detholyn *m*, had *m*, haden *f*, hadyd *m*,
hadyn *m*, hedyn *m*

seed-bearing *adj* hadog[2]

seedless *adj* di-had

seedling *n* eginblanhigyn *m*

seedsman *n* hadwr *m*

seek *vn* ceisio, chwilio, mofyn, morol[1], moyn,
ymofyn, ymorol

seeker *n* chwiliwr *m*

seem *vn* gweld, gweled, ymddangos

seeming *adj* ymddangosiadol

seemliness *n* gweddeidd-dra *m*

seemly *adj* gweddaidd, gweddus,
propor, propr, syber

seep *vn* diferu, tryddiferu

see-saw *n* si-so *m*

seethe *vn* berwi, corddi

seething *adj* crychias

segment[1] 1. *n* cylchran *f*, ewin *mf*, segment *m*
2. *vn* segmentu

segment[2] MATHEMATICS, ZOOLOGY *n* segment *m*

segmentation *n* segmentiad *m*

segregate *vn* arwahanu, gwahanu

segregation *vn* arwahanu

seine *n* sân *m*

seismic *adj* seismig

seismology GEOLOGY *n* seismoleg *f*

seismometer GEOGRAPHY *n* seismomedr *m*

seize *vn* cydio, meddiannu, ymafael, ymaflyd

seizure MEDICINE *n* strôc *f*

select 1. *adj* dethol[2], detholedig, dewisol,
etholedig 2. *vn* codi, dethol[1], pigo

selected *adj* dewis[3], dewisedig, dewisiedig

selection *n* detholiad *m*, dewis[2] *m*, dewisiad *m*

selective *adj* detholus

selectivity PHYSICS *n* detholedd *m*

selector *n* detholydd *m*, dewiswr *m*

selenium *n* seleniwm *m*

self *pronoun* hun[1], hunan

self- *pref* hunan-

self-abasement *n* hunanddarostyngiad *m*,
hunanymddarostyngiad *m*

self-acting *adj* hunanysgogol

self-addressed *adj* hunangyfeiriedig

self-adhesive *adj* hunanadlynol

self-adjusting *adj* hunanaddasiadol

self-appointed *adj* hunanapwyntiedig

self-appraisal *n* hunanwerthusiad *m*

self-appraise *vn* hunanfantoli, hunangloriannu,
hunanwerthuso

self-assembly *adj* hunangydosod

self-assessment *n* hunanasesiad *m*

self-awareness *n* hunanymwybyddiaeth *f*

self-cater *vn* hunanarlwyo

self-catering *adj* hunanarlwyol

self-centred *adj* hunangar

self-confidence *n* hunanhyder *m*, talogrwydd *m*

self-confident *adj* hunanhyderus

self-conscious *adj* hunanymwybodol

self-contained *adj* hunangynhwysol

self-control *n* hunanreolaeth *f*

self-critical *adj* hunanfeirniadol

self-deception *n* hunan-dwyll *m*

self-defeating *adj* hunandrechol

self-defence *n* hunanamddiffyniad *m*

self-defending *adj* hunanamddiffynnol

self-denial *n* hunanymwadiad *m*

self-dependent *adj* hunanddibynnol

self-deprecation *n* hunanddirmyg *m*

self-destruct *vn* hunanddinistrio

self-development *n* hunanddatblygiad *m*

self-discipline *n* hunanddisgyblaeth *f*

self-educated *adj* hunanddysgedig

self-employed *adj* hunangyflogedig
self-esteem *n* hunan-barch *m*
self-evident *adj* hunanamlwg, hunaneglur
self-examination *n* hunanarchwiliad *m*
self-expression *n* hunanfynegiant *m*
self-fertilization BIOLOGY *n* hunanffrwythloniad *m*
self-fertilize BIOLOGY *vn* hunanffrwythloni
self-fulfilling *adj* hunangyflawnol
self-governing *adj* hunanlywodraethol
self-government *n* hunanlywodraeth *f*
self-harden *vn* hunangaledu
self-hardening METALLURGY *adj* hunangaledol
self-help *n* hunangymorth *m*
selfie *n* hunlun *m*
self-image *n* hunanddelwedd *f*
self-importance *n* hunan-dyb *m*
self-important *adj* hunanbwysig, hunandybus
self-interest *n* hunan-les *m*
selfish *adj* hunanol, myfiol
selfishness *n* hunanoldeb *m*
self-perpetuating *adj* hunanbarhaol
self-pity *n* hunandosturi *m*
self-pitying *adj* hunandosturiol
self-pollinate BOTANY *vn* hunanbeillio
self-possessed *adj* hunanfeddiannol
self-promoter *n* hunanddyrchafydd *m*
self-propelled *adj* hunanyredig
self-regulating *adj* hunanreolus
self-respect *n* hunan-barch *m*
self-righteous *adj* hunangyfiawn
self-righteousness *n* hunangyfiawnder *m*
self-sacrificing *adj* hunanaberthol
self-satisfied *adj* hunanfoddhaus
self-seeking *adj* hunangeisiol
self-service *n* hunanwasanaeth *m*
self-sufficient *adj* hunanddigonol
self-supporting *adj* hunangynhaliol
self-taught *adj* hunanddysgedig
sell *vn* gwerthu
seller *n* gwerthwr *m*
selvage[1] *n* selfais *m*, ymylwe *f*
selvage[2] NEEDLEWORK *n* selfais *m*
selvedge *n* selfais *m*
semantic *adj* semantig
semantics *n* semanteg *f*
semaphore *n* semaffor *m*
semblance *n* llun[1] *m*, rhith *m*
semen *n* semen *m*
semi- 1. *pref* lled[3] 2. darn-
semi-arid *adj* lletgras
semi-automatic *adj* lled-awtomatig
semi-autonomous *adj* lled-ymreolaethol
semibreve MUSIC hanner brif
semicircle hanner cylch
semicolon 1. *n* gwahannod *m* 2. hanner colon
semiconductor PHYSICS *n* lled-ddargludydd *m*
semi-final *adj* cynderfynol

semimetal CHEMISTRY *n* lled-fetel *m*
seminal *adj* semenol
seminar *n* seminar *f*
semiotics PHILOSOPHY *n* semioteg *f*
semipermeable *adj* lledathraidd
semiquaver MUSIC hanner cwafer
semi-skilled *adj* lled-fedrus
Semitic *adj* Semitig
semitone MUSIC *n* hanner tôn *m*
semolina *n* semolina *m*
senate *n* cyngor[2] *m*, senedd *f*
senator *n* seneddwr *m*
send *vn* anfon, danfon, gyrru, hel, hela
sender *n* anfonwr *m*, anfonydd *m*
Senegalese 1. *adj* Senegalaidd 2. *n* Senegaliad *m*
senescence *n* heneiddedd *m*
senescent *adj* heneiddiol
seneschal *n* distain *m*
senility MEDICINE *n* heneiddiad *m*
senior *adj* hŷn, hynaf, uwch
seniority *n* hynafedd *m*
sensation *n* ias *f*, synhwyriad *m*, teimlad *m*, ymdeimlad *m*
sensational* *adj* cynhyrfus, syfrdanol
sensationalize *vn* dramateiddio
sense 1. *n* pwyll *m*, synnwyr *m*, ymdeimlad *m*, ystyr *fm* 2. *vn* clywed, synhwyro, ymdeimlo, ymglywed
senseless *adj* disynnwyr, diystyr, gwag, ynfyd
sensibility *n* lledneisrwydd *m*, synwyrusrwydd *m*
sensible *adj* call, synhwyrol
sensitive *adj* croendenau, hydeiml, sensitif, synhwyrus, teimladwy, tringar
sensitivity *n* hydeimledd *m*, sensitifedd *m*, sensitifrwydd *m*, synwyrusrwydd *m*
sensitize *vn* sensiteiddio
sensor *n* synhwyrydd *m*
sensory *adj* synhwyraidd
sensual *adj* nwydus
sensuality *n* cnawdolrwydd *m*
sensuous *adj* synhwyrus
sent *adj* anfonedig
sentence[1] LAW 1. *n* dedfryd *f* 2. *vn* dedfrydu
sentence[2] GRAMMAR *n* brawddeg *f*
sentiment *n* teimlad *m*
sentimental *adj* teimladol
sentimentality *n* sentimentaliaeth *f*
sentinel* *n* gwyliwr *m*
sentry *n* gwyliwr *m*
sepal BOTANY *n* sepal *m*
separable *adj* gwahanadwy
separate *vn* didol[1], didoli, gwahanu, ymadael, ymwahanu, ysgaru
separated *adj* gwahanedig
separates *n* gwahanion *pl*
separation *n* didoliad *m*, gwahân *m*, gwahaniad *m*, neilltuad *m*, ymwahaniad *m*

separatism *n* ymwahaniaeth *f*

sepia *n* sepia *m*

September 1. *n* Medi *m* 2. mis Medi [*Medi*]

septet MUSIC *n* seithawd *m*

septic *adj* septig

septum[1] *n* septwm *m*

septum[2] ANATOMY *n* gwahanfur *m*, parwyden *f*

sepulchre *n* beddrod *m*

sequel *n* parhad *m*

sequence[1] 1. *n* dilyniant *m*, rhediad *m*
2. *vn* dilyniannu

sequence[2] LITERATURE, MATHEMATICS, MUSIC
n dilyniant *m*

sequencer *n* dilyniannydd *m*

sequential *adj* dilyniannol

sequester LAW *vn* atafaelu

sequestration[1] *n* ymneilltuad *m*

sequestration[2] LAW *n* atafaeliad *m*

sequestrator LAW *n* atafaelwr *m*

sequin *n* secwin *m*

sérac GEOLOGY *n* serac *m*

seraph *n* seraff *m*

seraphic *adj* seraffaidd

Serbian 1. *adj* Serbaidd 2. *n* Serbiad *m*

sere BIOLOGY *n* dilyniant *m*

serenade MUSIC *n* nosgan *f*, serenâd *m*

serene *adj* digyffro, tangnefeddus

serenity *n* tangnefedd *mf*

serf *n* taeog[1] *m*

serfdom *n* caethwasanaeth *m*, taeogaeth *f*

sergeant *n* rhingyll *m*, sarsiant *m*

serial *n* cyfres *f*

serialism MUSIC *n* cyfresiaeth *f*

serialize *vn* cyfresu

series *n* cyfres *f*

serif *n* seriff *m*

serigraphic ART *adj* serigraffig

serious *adj* difri, difrif, difrifol, dwys, prudd,
sobr

seriousness *n* difrifoldeb *m*, difrifwch *m*,
dwyster *m*, dwystra *m*, dyfnder *m*,
enbydrwydd *m*

sermon *n* pregeth *f*

sermonize *vn* pregethu

serotonin BIOCHEMISTRY *n* serotonin *m*

serous BIOLOGY *adj* serws

serpent *n* neidr *f*, sarff *f*

serpentine 1. *adj* sarffaidd 2. *n* sarff-faen *m*,
serpentin *m*

serpentinite[1] *n* sarff-faen *m*

serpentinite[2] GEOLOGY *n* serpentinit *m*

serrated *adj* danheddog

serum MEDICINE, PHYSIOLOGY *n* serwm *m*

servant *n* gwas *m*

serve *vn* gwasanaethu, gweini, serfio

server[1] *n* serfiwr *m*

server[2] COMPUTING *n* gweinydd *m*

service[1] *n* addoliad *m*, gwasanaeth *m*, serf *f*,
serfiad *f*

service[2] RELIGION *n* cwrdd[2] *m*, gwasanaeth *m*,
moddion[2] *pl*, oedfa *f*

serviette *n* napcyn *m*, napgyn *m*

servile *adj* gwasaidd, taeog[2], taeogaidd

servility *n* gwaseidd-dra *m*, taeogrwydd *m*

servitude *n* caethwasanaeth *m*

sessile BIOLOGY, BOTANY *adj* digoes

session[1] *n* seiat *f*, sesiwn *f*

session[2] RELIGION *n* seiat *f*

sestet *n* chweban *m*, chwechawd *m*

set 1. *adj* gosod[2], gosodedig, sefydlog 2. *n* set *f*
3. *vn* cysodi, gosod[1], hulio, machlud[2],
machludo, setio

settee *n* soffa *f*

setter *n* gosodwr *m*

setting[1] *n* cefndir *m*, gosodiad *m*, lleoliad *m*,
machlud[1] *m*, machludiad *m*

setting[2] MUSIC *n* gosodiad *m*

settle 1. *n* setl *f*, sgiw[1] *f*, sgrin *f*
2. *vn* anheddu, cyfanheddu, llonyddu, sefydlu,
setlo, ymsefydlu

settled *adj* llonydd[1], sefydlog

settlement *n* anheddiad *m*, ardrefniant *m*,
cytundeb *m*, gwladfa *f*, setliad *m*, treflan *f*

settler *n* anheddwr *m*, cyfanheddwr *m*,
gwladychwr *m*, ymsefydlwr *m*

seven *num* saith

seventh *num* seithfed

seventy *num* deg a thrigain, saith deg

sever *vn* torri

several *adj* sawl[2]

severe *adj* caled, drwg[1], dygn, gerwin, llym,
llymdost

severing *n* gwahaniad *m*

severity *n* caledwch *m*, difrifoldeb *m*,
difrifwch *m*, enbydrwydd *m*, gerwindeb *m*,
gerwinder *m*, llymder *m*, llymdra *m*

sew *vn* gwnïo, pwytho

sewage *n* carthion *pl*

sewer *n* carthffos *f*

sewerage *n* carthffosiaeth *f*

sewin *n* sewin *m*

sewing *n* gwnïad *m*, gwniadwaith *m*

sex *n* rhyw[1] *mf*

sexism *n* rhywiaeth *f*

sexist *adj* rhywiaethol

sextain *n* chweban *m*

sextant *n* secstant *m*

sextet *n* chwechawd *m*

sexton *n* clochydd *m*

sextuplet *n* chwephled *m*

sexual *adj* rhywiol

sexuality *n* rhywioldeb *m*

sexy *adj* rhywiol

sgraffito ART *n* sgraffito *m*

sh *interj* hust, ust

Shabbat *n* Sabath *m*, Saboth *m*

shabby *adj* siabi, tlodaidd

shackle 1. *n* gefyn *m*, hual *m*, llyffethair *f*
 2. *vn* gefynnu, hualu, llyffetheirio

shad *n* gwangen *f*

shade 1. *n* arlliw *m*, cysgod *m*, mymryn *m*
 2. *vn* arlliwio, cysgodi, graddliwio

shadow 1. *adj* cysgodol 2. *n* cysgod *m*
 3. *vn* cysgodi

shady *adj* brith, cysgodol

shaft *n* braich[1] *f*, corn[1] *m*, gwerthyd *f*, llorp *f*,
 siafft *f*

shag *n* siag *m*

shaggy* *adj* blewog

shake 1. *n* sigl *m*, ysgydwad *m*, ysgytwad *m*
 2. *vn* crynu, siglo, ysgwyd, ysgytio

Shakespearian *adj* Shakespearaidd

shaking *n* siglad *m*, sigliad *m*, ysgydwad *m*,
 ysgytwad *m*

shaky *adj* crynedig, sigledig, simsan

shale GEOLOGY *n* siâl *m*

shallow 1. *adj* bas[1], basaidd 2. *n* beisle *m*

shallowness *n* baster *m*

shallows *n* bais *pl*, bas[2] *m*

sham 1. *adj* ffuantus 2. *n* ffugbeth *m*, ffugwaith *m*

shaman *n* siaman *m*, swynfeddyg *m*

shamanism RELIGION *n* siamaniaeth *f*

shambles *n* ffradach *m*

shame 1. *interj* pechod[2] 2. *n* cywilydd *m*,
 gresyn *m*, gwaradwydd *m*, gwarth *m*
 3. *vn* cywilyddio, gwaradwyddo, gwarthruddo

shameful *adj* anghlodwiw, cywilyddus, dirmygol,
 dirmygus, gwarthus

shamefulness *n* cywilydd-dra *m*

shameless* *adj* digywilydd

shamelessness *n* digywilydd-dra *m*

shampoo 1. *n* siampŵ *m* 2. *vn* siampwio

shamrock *n* meillionen *f*

shandy *n* siandi *m*

shank *n* gar *f*, garan[2] *f*

shanty[1] *n* cwt[1] *m*, sianti[2] *f*

shanty[2] MUSIC *n* sianti[1] *f*

shape 1. *n* ffurf *f*, llun[1] *m*, siâp *m*
 2. *vn* llunio, rhasglu, siapio, siapo

shapeless *adj* di-lun, di-siâp

shapely *adj* lluniaidd, siapus

share 1. *n* cyfran *f*, cyfranddaliad *m*,
 dogn *m*, rhan[1] *f*, siâr *f*, swch *f*
 2. *vn* dogni, rhannu, siario

shareholder *n* cyfranddaliwr *m*

sharer *n* cyfranogwr *m*, rhannwr *m*

shareware COMPUTING *n* rhanwedd *f*

shark *n* morgi *m*, siarc *m*

sharp[1] *adj* awchus, blaenllym, crafog, craff,
 cyflym, llym, miniog, siarp

sharp[2] MUSIC *n* llonnod *m*

sharp-edged *adj* awchlym, minllym

sharpen *vn* awchlymu, hogi, llymhau, miniogi

sharpener *n* hogwr *m*, hogydd *m*

sharpening *n* hogiad *m*

sharp-eyed *adj* llygatgraff

sharpness *n* awch *m*, egrwch *m*, llymder *m*,
 llymdra *m*, min *m*, miniogrwydd *m*

shatter *vn* briwio, briwo, chwilfriwio, dryllio,
 malu

shattered *adj* candryll, chwilfriw, drylliedig,
 drylliog, lluddedig

shatterer *n* dinistriwr *m*, drylliwr *m*

shatterproof *adj* annrylliadwy

shave 1. *n* siafiad *m* 2. *vn* eillio, siafio, siafo

shaver 1. *n* eilliwr *m* 2. siafiwr

shaving *n* eilliad *m*

shavings *n* creifion *pl*, naddion *pl*

shawl *n* siôl *f*

she *pronoun* hi[1]

sheaf *n* ysgub *f*

shear 1. *n* croesrwyg *m* 2. *vn* cneifio, croeswasgu

shearer *n* cneifiwr *m*

shears *n* gwellaif *m*, gwellau *m*

she-ass *n* asen[2] *f*

sheath *n* gwain *f*

sheathe *vn* gweinio

shed 1. *n* bwth *m*, cut *m*, cwt[1] *m*, eil[2] *f*, sièd *f*
 2. *vn* bwrw blew/croen/plu, gollwng

sheen *n* llathredd *m*, llewych *m*, llewyrch *m*

sheep 1. *n* dafad *f* 2. da gwlanog [da[3]]

sheepdog ci defaid

sheepfold* *n* lloc *m*

sheepish *adj* swil, tinslip

sheep-walk *n* cynefin[1] *m*

sheer *adj* serth

sheet *n* cyfnas *f*, cynfas[2] *f*, dalen *f*, llen *f*,
 llywanen *f*, llywionen *f*, siten *f*

shelf *n* astell *f*, sgafell *f*, silff *f*

shelf-full *n* silffaid *f*

shell[1] 1. *n* cragen *f*, masgl *m*, plisgyn *m*
 2. *vn* diblisgo, disbeinio, masglo, plisgo

shell[2] PHYSICS *n* plisgyn *m*

shellac *n* sielac *m*

shellfish pysgod cregyn [pysgodyn]

shell-like *adj* cragennog, cregynnog

shelly *adj* cragennog, cregynnog

shelter 1. *n* clydwch *m*, congl *f*, cysgod *m*,
 cysgodfa *f*, diddosrwydd *m*, lloches *f*, lluest *m*,
 noddfa *f* 2. *vn* cysgodi, llechu, llochesu, lluesta,
 lluestu, mochel, ymochel

sheltered *adj* clyd, cysgodol

shenanigan* *n* cast[1] *m*, ystryw *f*

shepherd 1. *n* bugail *m* 2. *vn* bugeilio

shepherdess *n* bugeiles *f*

sherardize METALLURGY *vn* sierardeiddio

sheriff *n* siryf *m*

sheriffdom *n* siryfiaeth *f*

sherry *n* sieri *m*

she-wolf *n* bleiddast *f*

shibboleth *n* siboleth *f*

shield[1] *n* tarian *f*

shield[2] GEOLOGY *n* tariandir *m*

shift[1] 1. *n* shifft *f*, stem *f* 2. *vn* mwstro

shift[2] COMPUTING, MUSIC *n* syfliad *m*

shiftless *adj* didoreth

shifty* *adj* llechwraidd, llechwrus

Shi'ite RELIGION *n* Shïad *m*

shilling *n* swllt *m*

shimmer *vn* pelydru

shin ANATOMY *n* crimog *f*

shine 1. *n* sglein *m* 2. *vn* caneitio, disgleirio, gwenu, llathru, llewyrchu, llosgi, sgleinio, tywynnu

shiner 1. *n* sgleiniwr *m* 2. llygad ddu

shingle[1] *n* gro *m & pl*

shingle[2] GEOLOGY *n* graean *m*

shingles MEDICINE *n* eryr[2] *m*

shining 1. *adj* claer, disglair, gloyw, llathr, llathraidd, pelydrol 2. *n* llewyrchiad *m*, llewyrchiant *m*, tywyniad *m*

Shinto RELIGION *n* Shinto *m*

ship *n* llong *f*

shipment *n* llongaid *f*, llwyth[1] *m*

shipshape *adj* taclus

shipwreck 1. *n* llongddrylliad *m* 2. *vn* llongddryllio

shipwright saer llongau

shire *n* sir *f*

shirk *vn* esgeuluso, osgoi

shirker *n* diogyn *m*

shirking *adj* diafael

shirt *n* crys *m*

shirty* *adj* blin, piwis

shit *crude* 1. *n* cachad *m*, cachgi *m*, cachiad *m*, cachu[2] *m*, cachwr *m* 2. *vn* cachu[1]

shiver 1. *n* ias *f*, ysgryd *m* 2. *vn* crynu, rhynnu

shivering 1. *adj* crŷn, crynedig, rhynllyd 2. *n* cryd *m*, cryndod *m*, rhyndod *m*

shoal *n* aig *f*, haig *f*

shock 1. *n* cnwd *m*, gwefr *f*, sioc *m*, ysgytiad *m* 2. *vn* syfrdanu

shocked *adj* syfrdan

shocking *adj* echrydus, uffernol[1], ysgytwol

shoddy *adj* bratiog, sâl[1]

shoe 1. *n* esgid *f*, pedol *f* 2. *vn* pedoli

shoehorn *n* siasbi *m*

shoe-last *n* last *f*

shoemaker *n* cobler *m*, crydd *m*

shoot 1. *n* blaguryn *m*, cyffyn *m*, eginyn *m* 2. *vn* ergydio, gollwng, saethu

shooting *n* saethiad *m*

shop 1. *n* siop *f* 2. *vn* siopa

shopkeeper *n* siopwr *m*, siopwraig *f*

shoplifter *n* siopleidr *m*

shopper *n* siopwr *m*, siopwraig *f*

shore 1. *n* traethell *f* 2. glan y môr

shoreline *n* traethlin *f*

short *adj* byr, cwta, prin[1], pwt[2]

shortage *n* prinder *m*

shortbread cacen Aberffro, teisennau Berffro

shortcoming *n* diffyg *m*, diffygiad *m*

shortcrust COOKERY crwst brau

shortcut llwybr llygad/tarw

shorten *vn* byrhau, cwtanu, cwteuo, cwtogi, talfyrru

shortfall *n* diffyg *m*

shorthand *n* llaw-fer *f*

shortlist rhestr fer

short-lived *adj* byrhoedlog

shortly gyda hyn

shortness *n* byrder *m*, byrdra *m*

shorts *n* siorts *pl*

short-sighted byr fy (dy, ei, etc.) ngolwg

short-sightedness golwg byr [golwg[1]]

short-tailed *adj* cwta

short-term 1. *adj* byrdymor 2. tymor byr

shot *n* ergyd *fm*, saethwr *m*

shotgun *n* dryll[1] *m*

shoulder 1. *n* ysgwydd *f* 2. *vn* ysgwyddo

shout 1. *n* bloedd *f*, bonllef *f*, gwaedd[1] *f*, llef *f*, nâd *f* 2. *vn* bloeddio, gweiddi

shouter *n* bloeddiwr *m*

shove 1. *n* gwth *m*, gwthiad *m*, hergwd *m*, hwb *m*, hwp *m*, hyrddiad *m* 2. *vn* gwthio, hergydio, hwpio, hwpo, saco

shovel 1. *n* rhaw *f* 2. *vn* rhofio

shovelful *n* rhawiaid *f*, rhofiaid *f*

shoveller *n* rhofiwr *m*

show 1. *n* siew *f*, sioe *f* 2. *vn* dangos

shower *n* cawad *f*, cawod *f*, glaw *m*

showerproof *adj* gwrthgawod

showery *adj* cawodog

showing *n* dangosiad *m*

showy *adj* stroclyd

shred 1. *n* cynnin *m* 2. *vn* carpio, rhwygo

shredder *n* llarpiwr *m*

shrew *n* cecren *f*, chwistlen *f*, llyg *m*, maeden *f*

shrewd *adj* craff, henffel, hirben

shriek 1. *n* gwawch *f*, gwich *f*, gwichiad[2] *m*, sgrech *f* 2. *vn* sgrechain, sgrechian

shrievalty *n* siryfaeth *f*

shrike *n* cigydd[2] *m*

shrill *adj* gwichiog, gwichlyd, main[1], treiddgar

shrillness *n* meinder *m*, treiddgarwch *m*

shrimp *n* berdysen *f*, berdysyn *m*

shrine *n* creirfa *f*, cysegr *m*

shrink *vn* cilio, crebachu, cwtanu, cwteuo, cwtogi, tynnu at

shrink-resistant *adj* gwrthgrebachol

shrivel *vn* crebachu, gwystno

shrivelled *adj* crebachlyd, crimp, crychlyd

shroud 1. *n* amdo *m*, amwisg *f*
  2. *vn* amdoi, amwisgo
shrub *n* llwyn *m*, prysglwyn *m*
shrubbery *n* mangoed *pl*
shudder *n* ias *f*
shun* *vn* osgoi
shunt *vn* siyntio
shut 1. *adj* caeedig 2. *adv* ynghau 3. *vn* cau[1]
  4. ar gau [*cau*[1]]
shutter *n* caead[1] *m*
shuttle *n* gwennol *f*
shuttlecock *n* gwennol *f*
shy *adj* gwylaidd, swil
shyness *n* swildod *m*
Sicilian 1. *adj* Sisilaidd 2. *n* Sisiliad *m*
sick *adj* claf[2], clwyfus, gwael[2], nychlyd, sâl[1]
sickbed gwely cystudd
sicken *vn* clafychu, clwyfo, gwaelu, troi ar
sickening *adj* cyfoglyd, troëdig
sickle *n* cryman *m*
sickly *adj* gwanllyd, gwannaidd
sickness *n* anhwyldeb *m*, salwch *m*
side 1. *n* glan *f*, llaw *f*, ochr *f*, tu *m*, ymyl *fm*,
  ystlys *f* 2. *vn* ochri
sideboard *n* seld *f*
sided *adj* ochrog
sidesman *n* ystlyswr *m*
sidestep *vn* ochrgamu
sideswipe *n* weipen *f*
siding *n* seidin *m*
siege *n* gwarchae[1] *m*
Sierra Leonian 1. *adj* Sierra Leonaidd
  2. *n* Sierra Leoniad *m*
siesta* *n* cyntun *m*
sieve 1. *n* gogor *m*, gogr *m*, hidl[1] *f*, rhidyll *m*
  2. *vn* gogru, gogrwn, peillio, rhidyllu
sift *vn* gogru, gogrwn, rhidyllu
sifting *n* gogryniad *m*
sigh 1. *n* ochenaid *f* 2. *vn* ochain, ochneidio
sight *n* golwg[1] *m*, golygfa *f*, gwedd[1] *f*
sign 1. *n* amnaid *f*, argoel *f*, arwydd *m*, ôl[1] *m*,
  sôn[2] *m* 2. *vn* arwyddo, llofnodi, torri enw
signal 1. *n* arwydd *m*, signal *m* 2. *vn* arwyddo
signatory *n* arwyddwr *m*, llofnodwr *m*
signature *n* llofnod *m*
significance *n* arwyddocâd *m*
significant *adj* arwyddocaol, sylweddol, ystyrlon
signify *vn* arwyddocáu, meddwl[2]
signpost *n* arweinbost *m*, arwyddbost *m*,
  mynegbost *m*
Sikhism RELIGION *n* Sikhiaeth *f*
silage *n* silwair *m*
silence 1. *n* distawrwydd *m*, gosteg *m*,
  mudandod *m*, taw[1] *m*
  2. *vn* distewi, gostegu, tewi
silencer *n* distewydd *m*, tawelydd *m*
silent *adj* distaw, di-stŵr, tawel

silentiary *n* gostegydd *m*
silhouette *n* silwét *m*
silica *n* silica *m*
silicate *n* silicad *m*
silicon *n* silicon *m*
silicone CHEMISTRY *n* silicôn *m*
silicosis[1] clefyd y dwst, clefyd y llwch,
  llwch y garreg [*llwch*[1]]
silicosis[2] MEDICINE *n* silicosis *m*
silk *n* sidan *m*
silken *adj* sidanaidd
silky *adj* sidanaidd
sill *n* sìl *m*
silliness *n* ffolineb *m*, hurtrwydd *m*
silly 1. *adj* dwl, ffôl, gwirion, hurt, penwan
  2. hanner call a dwl
silo *n* seilo *m*
silt *vn* siltio
Silures *n* Silwriaid *pl*
Silurian *adj* Silwraidd
silver 1. *adj* arian[3], ariannaid, ariannaidd, glas[2],
  gwyn[2] 2. *n* arian[1] *m* 3. *vn* ariannu
silvered *adj* ariannaid
silverside pysgodyn ystlys-arian
silversmith gof arian
silvery *adj* ariannaidd
simian *adj* mwncïaidd
similar[1] 1. *adj* tebyg[1] 2. *prep* fel[1]
similar[2] MATHEMATICS *adj* cyflun
similarity[1] *n* cyffelybiaeth *f*, tebygrwydd *m*
similarity[2] MATHEMATICS *n* cyflunedd *m*
simile *n* cyffelybiaeth *f*, cymhariaeth *f*
simmer[1] *vn* crychferwi, mudferwi
simmer[2] COOKERY *vn* lled-ferwi, mudferwi
simony *n* seimoniaeth *f*
simoom GEOGRAPHY *n* simŵm *m*
simper 1. *n* cilwen *f* 2. *vn* cilwenu, glaswenu
simpering *adj* mindlws
simple *adj* di-lol, diniwed, gwirion, syml
simpleton *n* gwirionyn *m*, ynfytyn *m*
simplicity *n* diniwidrwydd *m*, gwiriondeb *m*,
  symledd *m*, symlrwydd *m*
simplification *n* symleiddiad *m*
simplify *vn* symleiddio
simulate* *vn* dynwared, efelychu
simulation *n* efelychiad *m*
simulator *n* efelychydd *m*
simultaneous 1. *adj* cydamserol
  2. ar y pryd [*pryd*[1]]
sin 1. *n* pechod[1] *m* 2. *vn* pechu
since 1. *conj* am[1], cans, canys, gan[2]
  2. *prep* er, ers 3. oddi ar
sincere *adj* didwyll, diffuant, diragrith,
  diweniaith
sincerely yn bur [*pur*[1]]
sincerity *n* didwylledd *m*, diffuantrwydd *m*,
  unplygrwydd *m*

sine MATHEMATICS *n* $\sin^2$ *m*

sinew ANATOMY *n* gewyn *m*, giewyn *m*

sinewy ANATOMY *adj* gewynnog

sinful *adj* pechadurus

sinfulness[1] *n* pechadurusrwydd *m*

sinfulness[2] RELIGION *n* pechod[1] *m*

sing *vn* canu[1], lleisio, perori, pyncio, tiwnio

singable *adj* canadwy

Singaporean 1. *adj* Singaporaidd
2. *n* Singaporiad *m*

singe *vn* darlosgi, rhuddo

singer *n* caniedydd *m*, cantores *f*, canwr *m*, datgeiniad *m*

singers *n* cantorion *pl*

singing *n* caniad *m*, caniadaeth *f*

single *adj* dibriod, sengl

single-handed *adj* unllaw

single-minded *adj* unplyg

single-mindedness *n* unplygrwydd *m*

singles *n* senglau *pl*

single-track *adj* untrac

singular[1]* *adj* hynod

singular[2] GRAMMAR *adj* unigol

singularity ASTRONOMY, MATHEMATICS
n hynodyn *m*

sinister* *adj* bygythiol

sink 1. *n* sinc[2] *m* 2. *vn* pantio, suddo

sinkhole GEOLOGY *n* llyncdwll *m*

sinless *adj* dibechod

sinner *n* pechadur *m*, pechadures *f*, pechwr *m*

sinter METALLURGY *vn* sinteru

sinuosity *n* dolennedd *f*

sinuous *adj* dolennog, sarffaidd, troellog

sinus ANATOMY, MEDICINE *n* sinws *m*

sip 1. *n* llymaid *m*, sip[2] *m* 2. *vn* sipian[2], sipio

siphon *n* siffon *m*

Sir *n* Syr *m*

siren *n* seiren[1] *f*, seiren[2] *f*

sirloin *n* syrlwyn *m*

sissy 1. *n* cadi *m*, Meri Jên 2. cadi ffan,
hen frechdan [brechdan]

sister *n* chwaer *f*

sisterhood *n* chwaeroliaeth *f*

sister-in-law chwaer yng nghyfraith

sit *vn* eistedd[1], gori

sitar *n* sitar *m*

site *n* safle *m*

sitting *n* eistedd[2] *m*, eisteddfa *f*, eisteddiad *m*

situation *n* sefyllfa *f*

six *num* chwech

sixpence *n* chwecheiniog *m*

sixth *num* chweched

sixtieth *adj* trigeinfed

sixty *num* chwe deg, trigain

size *n* maint *m*, maintioli *m*

sizeable *adj* diogel, sylweddol

sizzle *vn* sislan, sislo

skald LITERATURE *n* cyfarwydd[2] *m*

skate 1. *vn* sglefrio 2. morgath gyffredin

skateboard 1. *n* sglefrfwrdd *m* 2. *vn* sglefrfyrddio

skateboarder *n* sglefrfyrddiwr *m*

skater *n* sglefriwr *m*

skating *n* sglefriad *m*

skedaddle *vn* gwân, gwanu

skein *n* cengl *f*

skeletal *adj* sgerbydol, ysgerbydol

skeleton *n* sgerbwd *m*, ysgerbwd *m*

sketch 1. *n* amlinelliad *m*, braslun *m*, sgetsh *f*
2. *vn* braslunio

skew 1. *n* sgiw[2] *f* 2. *vn* gogwyddo

skewer *n* bêr *m*, gwäell *f*, sgiwer *m*

ski 1. *n* sgi *m* 2. *vn* sgio

skid *vn* llithro

skier *n* sgïwr *m*, sgïwraig *f*

skilful *adj* celfydd, clyfar, cywrain, dawnus,
dethau, medrus, sgilgar

skill *n* cywreindeb *m*, cywreinrwydd *m*, medr *m*,
medrusrwydd *m*, sgìl *m*

skilled *adj* crefftus

skim *vn* cipddarllen, sgimio, sglentio

skimmed *adj* sgim

skimply* *adj* crintach, crintachlyd

skin 1. *n* croen *m* 2. *vn* blingo, digroeni

skinner *n* blingwr *m*, crwynwr *m*

skinny *adj* esgyrnog, tenau

skip 1. *n* sgip *f* 2. *vn* dychlamu, sgipio

skirmish 1. *n* ciprys, ysgarmes *f* 2. *vn* ysgarmesu

skirt *n* sgert *f*, sgyrt *f*

skit *n* sgetsh *f*, sgit *f*

skittish *adj* chwareus, nerfus, rhusiog

skittle *n* ceilysyn *m*

skittles *n* ceilys[2] *pl*, sgitls *pl*

skua *n* sgiwen *f*

skulduggery* *n* mistimanars *pl*

skulk *vn* llechu, sgwlcan, stelcian

skulker *n* llechwr *m*, stelciwr *m*

skull ANATOMY *n* penglog *f*

skullcap *n* cycyllog[2] *m*

skunk *n* drewgi *m*, sgync *m*

sky *n* awyr *f*, nen[1] *f*, wybr *f*, wybren *f*

skylark *n* ehedydd *m*

skylight ffenestr do

slab *n* slab *m*, slabyn *m*

slack 1. *adj* diafael, llac 2. *n* slac *m*

slacken *vn* llacio, llaesu

slackening *n* llaesiad *m*

slackness *n* llacrwydd *m*

slag METALLURGY *n* slag *m*

slake *vn* disychedu

slalom *n* slalom *m*

slam 1. *n* stomp[2] *f* 2. *vn* clepian, slamio

slander[1] 1. *n* absen *f* 2. *vn* absennu, duo

slander[2] LAW 1. *n* athrod *m* 2. *vn* athrodi

slanderer[1] *n* absennwr *m*, difenwr *m*

slanderer² LAW *n* athrodwr *m*
slanderous¹ *adj* absennus, enllibus
slanderous² LAW *adj* athrodus
slang *n* bratiaith *f*
slant 1. *n* osgo *m* 2. *vn* goleddfu
slanting 1. *adj* gŵyr¹, lletraws
   2. ar ogwydd [*gogwydd*]
slap 1. *n* clatsien *f*, clip¹ *m*, ffat *f*, ffaten *f*,
   fflipen *f*, swaden *f*, wad *f*, whad *f*
   2. *vn* clapio, slapio
slapdash 1. *adj* ffwrdd-â-hi
   2. rhywsut rywsut/rywfodd
slash *n* slaes *m*
slasher *n* chwiwgi *m*
slate¹ 1. *adj* llechog 2. *n* llech *f*, llechen *f*, slât *f*,
   slaten *f*
slate² GEOLOGY *n* llechfaen *m*
slaughter 1. *n* galanastra *m*, lladdedigaeth *f*,
   lladdfa *f* 2. *vn* lladd
slaughterhouse *n* lladd-dy *m*
slave *n* caethes *f*, caethferch *f*, caethwas *m*
slaver 1. *n* caethlong *f*
   2. *vn* driflan, glafoeri, glafoerio
slavery *n* caethwasiaeth *f*
slaves *n* caethion¹ *pl*
slave trade y fasnach gaethion [*masnach*]
slavish *adj* gwasaidd, slafaidd
slay *vn* lladd
slayer *n* lladdwr *m*
sledge 1. *n* sled *m* 2. *vn* sledio 3. car llusg
sledgehammer *n* gordd *f*
sleek *adj* llathraidd, llyfn, llyfndeg
sleekness *n* graen *m*, llyfnder *m*, llyfndra *m*
sleep 1. *n* cwsg¹ *m*, hun² *f* 2. *vn* cysgu, huno
sleeper *n* cysgadur *m*, cysgwr *m*, trawst *m*
sleepiness *n* cysgadrwydd *m*
sleeping *adv* ynghwsg
sleepless *adj* di-gwsg
sleepy *adj* swrth
sleet *n* eirlaw *m*
sleeve *n* llawes *f*
sleeveless *adj* dilawes, dilewys
sleigh 1. *n* sled *m* 2. car llusg
slender *adj* main¹
slenderness *n* meinder *m*
sley *n* peithyn *m*
slice 1. *n* sleisen *f*, tafell *f*, toc² *m*, tocyn² *m*
   2. *vn* sleisio, tafellu
sliced *adj* tafellog
slick *adj* slic
slickenside GEOLOGY *n* llyfnochr *f*
slickness *n* slicrwydd *m*
slide¹ 1. *n* llithr² *m*, llithren *f*, llithrydd *m*, sleid *f*,
   tryloywder *m* 2. *vn* llithro
slide² MUSIC *n* sleid *f*
slider *n* llithrydd *m*
sliding *adj* llithr¹

slight 1. *adj* bychan¹, tenau, ysgafn
   2. *vn* sarhau
slighting *adj* bychanol
slightness *n* meindra *m*
slim *adj* main¹, tenau
slime *n* llys² *m*, llysnafedd *m*
slimy *adj* llysnafeddog
sling *n* ffon dafl *f*, tafl *f*
slink *vn* llithro, sleifio
slip 1. *n* llithriad *m* 2. *vn* llithro
slipper *n* llopan *f*
slipperiness *n* cyfrwyster *m*, cyfrwystra *m*,
   hylithredd *m*, llithrigrwydd *m*
slippery *adj* llithrig, slic
slipshod *adj* esgeulus, llac
slipway *n* llithrfa *f*
slither *vn* llithro, nadreddu, ymlusgo
slob *n* slebog *f*
slobber *vn* glafoeri, glafoerio, slobran
sloes eirin duon bach, eirin perthi, eirin tagu
slogan *n* slogan *m*
sloop *n* slŵp *f*
slope 1. *n* allt *f*, gallt *f*, goleddf *m*, llechwedd *m*,
   llethr *m*, osgo *m*, rhediad *m*, rhiw *f*, tyle *m*
   2. *vn* goleddfu
sloping *adj* lletraws, llethrog
sloppy *adj* blêr
slops *n* golchion *pl*
slot *n* agen *f*, rhych *mf*
sloth *n* diogi¹ *m*
Slovakian 1. *adj* Slofacaidd 2. *n* Slofaciad *m*
Slovene 1. *adj* Slofenaidd 2. *n* Slofeniad *m*
Slovenian 1. *adj* Slofenaidd 2. *n* Slofeniad *m*
slovenliness *n* blerwch *m*
slovenly *adj* blêr, di-lun, diofal
slow 1. *adj* araf, hwyrfrydig 2. *vn* arafu, slofi
slowly *adv* ling-di-long, linc-di-lonc
slowness *n* arafwch *m*
slow-worm neidr ddefaid
sludge *n* llaca *m*, llacs *m*, llaid *m*, llwtra *m*
slug *n* gwlithen *f*
sluggishness *n* marweidd-dra *m*
sluice *n* llifddor *f*
slum *n* slym *m*
slumber 1. *n* cwsg¹ *m*, hun² *f* 2. *vn* cysgu, huno
slump *n* dirwasgiad *m*, gostyngiad *m*
slur¹ *n* sarhad *m*
slur² MUSIC *n* 1. llithriad *m* 2. *vn* llithro
slurry *n* biswail *m*, slyri *m*
slush *n* slwtsh *m*
slut *n* bronten *f*, maeden *f*
sly *adj* dichellgar, slei, ystrywgar
slyness *n* cyfrwyster *m*, cyfrwystra *m*
smack 1. *n* cernod *f*, clipen *f*, clipsen *f*, clusten *f*
   2. *vn* smacio
small *adj* bach¹, bychan¹, main¹, mân
smaller *adj* llai¹

smallest *adj* lleiaf
smallholder *n* tyddynnwr *m*
smallholding *n* tyddyn *m*
small intestine ANATOMY coluddyn bach
smallness *n* bychander *m*, bychandra *m*
smallpox MEDICINE y frech wen [*brech¹*]
smallshot *n* haels *pl*
smart 1. *adj* call, ciwt, clyfar, craff, crand,
taliaidd, trwsiadus 2. *vn* llosgi
smarten *vn* tacluso, trwsio
smarting 1. *adj* gwynad 2. *n* merwindod *m*
smartphone ffôn clyfar
smash 1. *n* gwrthdrawiad *m*, pwyad *m*
2. *vn* malu
smashing* *adj* penigamp
smattering *n* crap *m*
smear¹* *vn* iro
smear² BIOLOGY *n* iriad *m*
smell 1. *n* arogl *m*, aroglau *m*, gwynt *m*
2. *vn* arogleuo, arogli, gwyntio, gwynto, sawru,
synhwyro
smelling *n* arogliad *m*
smelly *adj* drewllyd
smelt¹ *vn* smeltio
smelt² METALLURGY *vn* mwyndoddi
smidgen* *n* mymryn *m*
smile 1. *n* gwên *f* 2. *vn* gwenu
smirk *vn* glaswenu, mingamu
smite* *vn* taro
smith *n* gof *m*
smithcraft *n* gofaniaeth *f*, gofannaeth *f*
smithereens *n* cyrbibion *pl*, jibidêrs *pl*
smithy *n* gefail *f*
smock *vn* crychu
smocking *n* crychwaith *m*, smocwaith *m*
smog *n* mwrllwch *m*
smoke¹ 1. *n* mwg *m*, mwgyn *m*, mygyn *m*
2. *vn* mygu¹, smocio, smygu, ysmygu
smoke² COOKERY *vn* cochi, mygu¹
smoker *n* ysmygwr *m*, ysmygwraig *f*
smoky *adj* myglyd
smolt *n* gwyniad *m*
smooch *vn* lapswchan
smooth 1. *adj* esmwyth, hwylus, llyfn
2. *vn* esmwytháu, esmwytho, llyfnhau, rhasglu
smoothness *n* esmwythder *m*, llyfnder *m*,
llyfndra *m*
smother *vn* mogi, mygu
smoulder *vn* mudlosgi
smug *adj* hunanfoddhaus
smuggle *vn* smyglo
smuggler *n* smyglwr *m*
smut *n* anwedduster *m*, parddu *m*
smutty *adj* brwnt, budr
snack *n* byrbryd *m*
snag* *n* rhwystr *m*
snail *n* malwen *f*, malwoden *f*

snailfish iâr fôr
snake 1. *n* neidr *f* 2. *vn* dolennu, nadreddu
snake-like *adj* neidraidd
snaking *adj* nadreddog
snaky *adj* neidraidd
snap 1. *n* clec *f* 2. *vn* clecian
snapdragon *n* trwyn y llo *m*
snare 1. *n* magl *f* 2. *vn* maglu, rhwydo
snarl *vn* chwyrnu, ysgyrnygu
snatch *vn* cipio
snatcher *n* cipiwr *m*
sneak¹ 1. *n* llechgi *m*, snech *m*, snich *m*, snichyn *m*
2. *vn* snecian, snecio
sneak² *crude n* cachgi *m*
sneaking *adj* llechwraidd, llechwrus
sneer 1. *n* cilwen *f*, sbeng *f*
2. *vn* cilwenu, glaswenu
sneering *adj* sbengllyd
sneeze *vn* tisian, twsian
snide *adj* gwawdlyd
sniff *vn* arogli, ffroeni, sniffian, snwffian,
synhwyro, trwyno
sniffle *vn* sniffian, snwffian
snigger *vn* glaswenu
snip *vn* snipio
snipe *n* giach *m*
snippet *n* pwt¹ *m*, tamaid *m*
snitch 1. *n* clapgi *m* 2. brân wen
snivel *vn* sniffian, snwffian
snob *n* crachfonheddwr *m*, snob *m*
snobbery *n* snobyddiaeth *f*
snobbish *adj* ffroenuchel, snobyddlyd,
sychfonheddig
snobbishness *n* snobyddiaeth *f*
snooker *n* snwcer *m*
snooty *adj* trwynsur
snooze 1. *n* cyntun *m*, napyn *m* 2. *vn* hepian
snore 1. *n* chwyrniad *m* 2. *vn* chwyrnu, rhochian
snorer *n* chwyrnwr *m*
snorkel *n* snorcel *m*
snort *vn* ffroeni
snorting *adj* rhochlyd
snout *n* trwyn *m*
snow 1. *n* eira *m*, ôd *m* 2. *vn* bwrw, odi²
snowball caseg eira
snowboard 1. *vn* eirafordio, eirafyrddio
2. bwrdd eira
snowboarding *vn* eirafordio, eirafyrddio
snowdrift *n* lluwch *m*, lluwchfa *f*
snowdrop 1. *n* eirlys *m* 2. lili wen fach
snowflake *n* pluen *f*
snowman dyn eira
snowplough swch eira
snowy *adj* eiraog, eiriog
snub 1. *adj* smwt 2. *n* sen *f* 3. *vn* anwybyddu
snuff *n* snisin *m*
snuffle *vn* sniffian, snwffian

snug *adj* clyd, diddos

snuggle *vn* closio, swatio

so 1. *adv* felly, mor 2. *particle* cyn[2]

soak *vn* mwydo, rhoi yng ngwlych [*gwlych*], socian

soakaway *n* suddfan dŵr *m*

soaked gwlyb diferol/diferu

soaking 1. *adj* sopen[2] 2. *n* trochfa *f*

soap *n* sebon *m*

soapsuds *n* trochion *pl*, woblin *m*

soapy *adj* sebonllyd

soar *vn* codi, hedfan

sob 1. *n* ochenaid *f* 2. *vn* beichio[1], igian, ubain

sober 1. *adj* sobr 2. *vn* sobreiddio, sobri

sobering *adj* sobreiddiol

sobriety *n* sobrwydd *m*

so-called *adj* bondigrybwyll

soccer *n* pêl-droed *f*

sociability *n* cymdeithasgarwch *m*

sociable *adj* cymdeithasgar, cymdeithasol

social *adj* cymdeithasol

socialism *n* sosialaeth *f*

socialist 1. *adj* sosialaidd 2. *n* sosialydd *m*

socialize *vn* cymdeithasoli, cymdeithasu

society *n* corff *m*, cymdeithas *f*

sociological *adj* cymdeithasegol

sociologist *n* cymdeithasegwr *m*, cymdeithasegydd *m*

sociology *n* cymdeithaseg *f*

sock *n* hosan *f*

socket[1] *n* crau *m*, soced *m*

socket[2] ANATOMY *n* crau *m*

Socratic PHILOSOPHY *adj* Socrataidd

sod *n* clotsen *f*, clotsyn *m*, tywarchen *f*

soda *n* soda *m*

sodium *n* sodiwm *m*

sodomize *vn* sodomeiddio

sodomy *n* sodomiaeth *f*

sofa *n* soffa *f*

soft *adj* di-drwst, distaw, meddal

soften *vn* meddalu, tyneru

softener *n* meddalydd *m*

softness *n* meddalwch *m*

soft-soap 1. *vn* seboni 2. gwerthu lledod

software COMPUTING *n* meddalwedd *fm*

soggy *adj* soeglyd

soh MUSIC *n* s *f*, S *f*, so *m*

soil 1. *n* daear *f*, pridd *m* 2. *vn* baeddu, difwyno, maeddu, trochi

soiled *adj* brwnt, budr, llychwin, pỳg

solace *n* cysur *m*, diddanwch *m*

solar *adj* solar

solder METALLURGY 1. *n* sawdur *m*, sodr *m* 2. *vn* sodro

soldier *n* milwr *m*

sole 1. *adj* unig 2. *n* gwadn *mf* 3. *vn* gwadnu, tapo

solecism *n* gwall *m*, mefl *m*

solemn *adj* difrifddwys, difrifol, dwys

solenoid ELECTRONICS *n* solenoid *m*

sol-fa MUSIC *n* sol-ffa *m*

solfatara GEOLOGY *n* solffatara *m*

solicit* *vn* erfyn[2]

solicitor *n* cyfreithiwr *m*

solid 1. *adj* cryf, cydnerth, solet 2. *n* solid *m*

solidarity *n* solidariaeth *f*

solidify *vn* caledu, ymsoledu, ymsolido

solidity *n* cadernid *m*, ffyrfder *m*

soliloquize *vn* ymson[2]

soliloquy *n* ymson[1] *m*

solipsism PHILOSOPHY *n* solipsiaeth *f*

solitary *adj* anghyfannedd, unig

solitude *n* unigedd *m*, unigrwydd *m*

solo[1] *adj* unawdol, unigol

solo[2] MUSIC *n* unawd *m*

soloist *n* unawdydd *m*

solstice *n* alban *m*, heuldro *m*

solubility *n* hydoddedd *m*

soluble *adj* hydawdd, toddadwy

solute CHEMISTRY *n* hydoddyn *m*

solution[1] *n* ateb[2] *m*, atebiad *m*, datrysiad *m*

solution[2] CHEMISTRY *n* hydoddiant *m*

solve *vn* datrys

solvency LAW *n* hydaledd *m*

solvent[1] *adj* hydal

solvent[2] CHEMISTRY *n* hydoddydd *m*

Somali 1. *adj* Somaliaidd 2. *n* Somali *m*

somatic *adj* somatig

sombre *adj* prudd

sombreness* *n* prudd-der *m*

some 1. *adj* ambell, ambell i, rhyw[2] 2. *adv* rhywfaint[2] 3. *n* peth *m* 4. *pronoun* rhai

somebody *n* rhywun *m*

somehow *adv* rhywfodd, rhywsut

someone *n* rhywun *m*

somersault 1. *n* trosben *m* 2. *vn* trosbennu

something 1. *adv* rhywbeth[2] 2. *n* dim *m*, rhywbeth[1] *m*

sometime *adv* rhywbryd

sometimes 1. *adv* weithiau 2. ar adegau [*adeg*], ar dro [*tro*]

somewhat *adv* rhywfaint[2]

somewhere *adv* rhywle

son *n* gwas *m*, mab *m*

sonata MUSIC *n* sonata *f*

song *n* cân[1] *f*, caniad *m*, canig *f*, cathl *f*

songster *n* canwr *m*, cethlydd *m*

sonic PHYSICS *adj* sonig

son-in-law mab yng nghyfraith

sonnet LITERATURE *n* soned *f*

sonorous *adj* soniarus, trystfawr

soon 1. *adv* toc[1] 2. ar fyr o dro, yn y man [*man*[1]]

soot *n* huddygl *m*, parddu *m*

soothe *vn* llarieiddio, lleddfu, lliniaru

soothing 1. *adj* lliniarol 2. *n* esmwythâd *m*

soothsayer 1. *n* daroganwr *m* 2. dyn hysbys

sophism *n* twyllresymiad *m*

sophist *n* soffydd *m*, twyllresymwr *m*

sophisticated *adj* soffistigedig

sophistication *n* soffistigedigrwydd *m*

sophistry[1] *n* caswistiaeth *f*

sophistry[2] PHILOSOPHY *n* soffyddiaeth *f*

sophistry[3] LOGIC *n* twyllresymeg *f*

soporific *adj* soporiffig

soprano *n* soprano *f*

sorcerer *n* dewin *m*, swyngyfareddwr *m*, swynwr *m*

sorceress *n* dewines *f*, hudoles *f*, swynwraig *f*

sorcery *n* dewiniaeth *f*, nigromans *m*, nigromansi *m*, swyngyfaredd *f*

sordid* *adj* budr

sore[1] 1. *adj* dolurus, poenus, tost 2. *n* dolur *m*

sore[2] MEDICINE *n* clwy *m*, clwyf *m*

soreness *n* tostedd *m*, tostrwydd *m*

sorrel *n* suran *f & pl*

sorrow *n* dolur *m*, galar *m*, prudd-der *m*, tristwch *m*

sorrowful *adj* athrist, gofidus, pendrist, pendrwm, trist

sorry *adj* blin, edifar

sort[1] 1. *adj* ffasiwn[2] 2. *n* math[1] *m*, math[2] *f*, siort *f*, sort *f* 3. *vn* didoli

sort[2] COMPUTING *n* trefniad *m*

sorter *n* didolwr *m*

sot *n* diotwr *m*, diotyn *m*, slotiwr *m*, sotyn *m*

soteriology RELIGION *n* soterioleg *f*

so that *adv* fel[4]

soul *n* enaid *m*

soulmate enaid hoff, cytûn

sound 1. *adj* holliach, iach, sicr, siwr, siŵr, sownd 2. *n* sain[1] *f*, siw *m*, sŵn *m*, swnt *m* 3. *vn* plymio, seinio, swnio, swno

soundboard *n* seinfwrdd *m*

soundhole *n* seindwll *m*

sounding *n* caniad *m*, plymiad *m*

soundness* *n* sadrwydd *m*

soup[1] *n* potes *m*

soup[2] COOKERY *n* cawl *m*

sour 1. *adj* egr, minsur, siarp, sur 2. *vn* suro

source *n* ffynhonnell *f*, gwraidd *m*, tarddell *f*, tarddiad *m*, tarddle *m*

sourness *n* surni *m*

sourpuss* *adj* surbwch

souse* *vn* trwytho

south 1. *adj* de[2] 2. *n* de[1] *m*, deau *m*

South *abbr* D[2]

south-east *n* de-ddwyrain *m*

south-easterly *adj* de-ddwyreiniol

southern *adj* deheuol

southernwood hen ŵr [hen[1]]

south-west *n* de-orllewin *m*

south-westerly *adj* de-orllewinol

souvenir *n* swfenîr *m*

sovereign 1. *adj* goruchaf, monarchaidd, sofran[2] 2. *n* coron[1] *f*, sofran[1] *m*, sofren *f*

sovereignty *n* brenhiniaeth *f*, penaduriaeth *f*, penarglwyddiaeth *f*, sofraniaeth *f*

soviet 1. *adj* sofietaidd 2. *n* sofiet *m*

sow 1. *n* hwch *f* 2. *vn* hau

sower *n* heuwr *m*

sowing *n* head *m*, heuad *m*

soya *n* soia *m*

sozzled meddw chwil, meddw gaib, meddw gorn, yn feddw fawr [*meddw*]

spa *n* sba *f*

space[1] *n* gofod *m*, gwagle *m*, lle[1] *m*

space[2] ASTRONOMY *n* gofod *m*

spacecraft llong ofod

spaceman *n* gofodwr *m*

spaceship llong ofod

space-time PHYSICS *n* gofod-amser *m*

spacing *n* bylchiad *m*

spacious* *adj* helaeth

spade *n* pâl[1] *f*

spadix BOTANY *n* sbadics *m*

spam *n* sbam *m*

span 1. *n* lled[1] *m*, rhychwant *m* 2. *vn* pontio, rhychwantu

spangle* *vn* serennu

Spaniard *n* Sbaenes *f*, Sbaenwr *m*

Spanish *adj* Sbaenaidd

spanking 1. *adj* sbon 2. *n* cweir *f*

spanner *n* sbaner *m*

spar *vn* sbarian, sbario

spare 1. *adj* cynnil, sbâr 2. *vn* sbario

sparing *adj* cynnil, di-wast, diwastraff

spark 1. *n* fflach *f*, gwreichionen *f*, gwreichionyn *m*, llewyrchyn *m* 2. *vn* gwreichioni

sparkle 1. *n* gwefr *f*, pefriad *m* 2. *vn* disgleirio, gloywi, gwreichioni, pefrio, serennu

sparkling *adj* gloyw, pefriog, pefriol

sparks *n* gwreichion *pl*

sparrow aderyn y to

sparrowhawk cudyll glas

sparse *adj* anaml, prin[1], tenau

Spartan *adj* Sbartaidd

spasm *n* gwayw *m*, pang *m*

spasmodic *adj* ysbeidiol

spastic ANATOMY, MEDICINE *adj* sbastig

spate 1. *n* llifeiriant *m* 2. dŵr llwyd

spathe BOTANY *n* fflurwain *f*

spatial *adj* gofodol

spatter* *vn* tasgu

spatula *n* sbatwla *m*

spawn 1. *n* sil *pl*, silod *pl* 2. *vn* silio

spay *vn* disbaddu, doctora, sbaddu, ysbaddu

speak *vn* llefaru, siarad, traethu, yngan, ynganu, ymadroddi speaker *n* anerchwr *m*, llefarwr *m*, seinydd *m*, siaradwr *m*

spear 1. *n* gwaywffon *f*, picell *f* 2. *vn* trywanu

special *adj* arbennig, neilltuol, sbesial

specialism *n* arbenigedd *m*

specialist 1. *adj* arbenigol 2. *n* arbenigwr *m*, arbenigwraig *f*

speciality *n* arbenigedd *m*

specialization BIOLOGY *n* arbenigaeth *f*

specialize *vn* arbenigo

specialized BIOLOGY *adj* arbenigol

specie arian bath [*arian*²]

species BIOLOGY *n* rhywogaeth *f*

specific¹ *adj* penodol, sbesiffig

specific² PHYSICS *adj* sbesiffig

specification *n* manyleb *f*

specificity BIOCHEMISTRY, BIOLOGY *n* penodoldeb *m*, penodolrwydd *m*

specify *vn* enwi, pennu

specimen *n* sampl *f*, sbesimen *m*

speck *n* brych¹ *m*, brycheuyn *m*, llychyn *m*, sbecyn *m*, smotyn *m*

speckle *vn* britho, brychu

speckled *adj* brith, brych²

speckledness *n* brithder *m*, brithedd *m*

spectacles *n* sbectol *f*

spectacular* *adj* aruthrol, ysblennydd

spectator *n* gwyliwr *m*

spectral¹ *adj* lledrithiol

spectral² PHYSICS *adj* sbectrol

spectre *n* drychiolaeth *f*

spectrograph PHYSICS *n* sbectrograff *m*

spectrometer PHYSICS *n* sbectromedr *m*

spectrometry PHYSICS *n* sbectromedreg *f*

spectrophotometer CHEMISTRY *n* sbectroffotomedr *m*

spectroscope PHYSICS *n* sbectrosgop *m*

spectroscopic PHYSICS *adj* sbectrosgopig

spectroscopy *n* sbectrosgopeg *f*

spectrum *n* sbectrwm *m*

speculate¹ *vn* damcaniaethu, damcanu, dyfalu, mentro

speculate² FINANCE *vn* hapfasnachu

speculation *n* damcaniaeth *f*, dyfaliad *m*, menter *f*

speculative* *adj* damcaniaethol, mentrus

speculator *n* mentrwr *m*

speech *n* araith *f*, lleferydd *m*, tafod-leferydd *m*

speechless *adj* mud

speed¹ 1. *n* cyflymder *m*, cyflymdra *m* 2. *vn* goryrru, rasio, sbidio, trafaelu

speed² PHYSICS *n* buanedd *m*

speedy *adj* chwimwth, di-oed, dioed

speleologist *n* ogofwr *m*

speleology GEOLOGY *n* ogofeg *f*

spell 1. *n* rhaib *f*, sbel *f*, sbelen *f*, swyn *m* 2. *vn* sillafu

spellcheck *vn* gwirio sillafu

spellchecker¹ *n* cywiriadur *m*

spellchecker² COMPUTING *n* gwirydd sillafu *m*

speller *n* sillafwr *m*

spelling *n* sillafiad *m*

spend *vn* gwario, hela, treulio

spender *n* gwariwr *m*

sperm¹ *n* had *m*, sberm *m*

sperm² BIOLOGY *n* sberm *m*

spermatogenesis BIOLOGY *n* sbermatogenesis *m*

spermatozoa BIOLOGY *n* sbermatosoa *pl*

spermicide *n* sbermleiddiad *m*

spewing *n* chwydiad *m*

sphere¹ *n* cronnell *f*, sffêr *f*

sphere² MATHEMATICS *n* sffêr *f*

spherical *adj* sfferig

spheroid MATHEMATICS *n* sfferoid *m*

spheroidal MATHEMATICS *adj* sfferoidol

spherometer *n* sfferomedr *m*

sphincter ANATOMY *n* sffincter *m*

spice *n* sbeis *m*

spices *n* perlysiau *pl*

spicy *adj* perlysiog, perlysiol, poeth, sbeislyd

spider 1. *n* cop *m*, corryn *m* 2. pryf copyn

spigot *n* sbigod *m*

spike¹ *n* pig¹ *f*, pigyn *m*

spike² BOTANY *n* sbigyn *m*

spiked *adj* pigog

spikenard *n* nard *m*

spill *vn* colli, sarnu

spin 1. *n* tro *m* 2. *vn* chwyrlïo, gogr-droi, gwau¹, nyddu, sbinio, troelli

spinach *n* pigoglys *m*, sbigoglys *m*, ysbigoglys *m*

spinal *adj* sbinol

spinal cord abwydyn y cefn

spindle¹ *n* echel *f*, gwerthyd *f*, rod *f*

spindle² BIOLOGY *n* gwerthyd *f*

spine *n* meingefn *m*

spineless *adj* di-asgwrn-cefn, gwlanennaidd, gwlanennog

spinner *n* nyddwr *m*, nyddwraig *f*, troellwr *m*

spinneret ZOOLOGY *n* nyddolyn *m*, nyddyn *m*

spinney* *n* prysglwyn *m*

spinning *n* nyddiad *m*

spinster hen ferch [*hen*¹]

spiny *adj* pigog

spiracle ZOOLOGY *n* sbiragl *m*

spiral¹ 1. *adj* troellog 2. *n* cogwrn *m* 3. *vn* ymdroelli

spiral² MATHEMATICS *n* sbiral *f*

spire¹ *n* pigdwr *m*

spire² ARCHITECTURE *n* meindwr *m*

spirit *n* arial *m*, calon *f*, gwirod *m*, rhuddin *m*, ysbryd *m*

spirited* *adj* nwyfus

spiritedness *n* nwyfusrwydd *m*

spiritless *adj* diysbryd

spirits *n* ysbryd *m*

spiritual *adj* ysbrydol
spiritualism *n* ysbrydegaeth *f*
spiritualistic *adj* ysbrydegol
spirochaete BIOLOGY *n* sbirochaet *m*
spit 1. *n* bêr *m*, poer *m*, poeri *m*, tafod *m*
2. *vn* poeri
spite 1. *n* casineb *m*, gwenwyn *m*, malais *m*,
sbeit[1] *f* 2. *vn* sbeitio
spiteful *adj* gwenwynllyd, maleisus, sbeitlyd
spitter *n* poerwr *m*
spitting *n* poerad *m*, poeriad *m*
spittle *n* glafoerion *pl*, poer *m*, poeri *m*
splanchnic ANATOMY *adj* perfeddol
splash *vn* sblasio, tasgu
splay *vn* lledu
splay-footed 1. *adj* bongam
2. traed chwarter i dri
spleen[1] *n* gwenwyn *m*
spleen[2] ANATOMY *n* dueg *f*
splendid *adj* arbennig, ardderchog, campus,
harddwych, mawrwych, penigamp, ysblennydd
splendour *n* ardderchogrwydd *m*,
godidowgrwydd *m*, gogoniant[1] *m*, gorwychder *m*,
gwychder *m*, ysblander *m*
splenetic *adj* gwenwynllyd
splice 1. *n* uniad *m* 2. *vn* sbleisio, uno
spliff *n* sbliff *f*, sbliffen *f*
splint *n* prennyn *m*, sblint *m*
splinter *n* fflawen *f*, sblint *m*
splinters *n* ysgyrion *pl*
split 1. *adj* hollt[2] 2. *n* crac[1] *m*, gwahaniad *m*,
hollt[1] *f*, holltiad *m*, rhwyg *m*, rhwygiad *m*,
ymraniad *m* 3. *vn* agennu, hollti, rhannu,
ymhollti
splitter *n* holltwr *m*
splutter *vn* bwldagu, ffrwtian
spoil *vn* afradu, andwyo, babanu, babïo,
difetha, maldodi, sarnu, sbwylio
spoils *n* enillion *pl*, ysbail *f*
spoke *n* adain *f*, aden *f*, braich[1] *f*, sbocsen *f*
spokeshave *n* rhasgl *m*
spokesman *n* llefarydd *m*
spokesperson *n* llefarydd *m*
sponge *n* sbwng *m*
spongy *adj* sbyngaidd
sponsor 1. *n* noddwr *m* 2. *vn* noddi
sponsored *adj* noddedig
sponsorship *n* nawdd[1] *m*
spontaneity *n* gwirfoddolrwydd *m*
spontaneous *adj* digymell
spontaneousness *n* digymhellrwydd *m*
spook *n* bwci *m*
spool *n* sbŵl *m*
spoon 1. *n* llwy *f* 2. *vn* llwyo
spoonful *n* llwyaid *f*
spoor *n* ôl[1] *m*, trywydd *m*
sporadic *adj* ysbeidiol

sporangium BOTANY *n* sborangiwm *m*
spore BIOLOGY *n* sbôr *m*
sporogonium BOTANY *n* sborogoniwm *m*
sporophyte BOTANY *n* sboroffyt *m*
sport *n* chwarae[2] *m*
sports *n* mabolgampau *pl*
sportsman *n* chwaraewr *m*, mabolgampwr *m*
sportswoman *n* chwaraewraig *f*,
mabolgampwraig *f*
spot 1. *n* brychni *m*, dot[1] *m*, dotyn *m*, llecyn *m*,
man[1] *mf*, man[2] *m*, ploryn *m*, smotyn *m*
2. *vn* brychu, dotio[1]
spotless *adj* difrycheulyd, dilychwin, glân
spotlight *n* sbotolau *m*
spotted *adj* brith, brycheulyd, mannog, smotiog
spotty *adj* pothellog, smotiog
spot-weld *vn* sbotweldio
spouse *n* priod[1] *m*
spout *n* pig[1] *f*, pistyll *m*
sprain[1] *vn* sigo, ysigo
sprain[2] MEDICINE *n* ysigiad *m*
sprat *n* corbennog *m*
sprawl 1. *n* blerdwf *m* 2. *vn* gorweddian
sprawling *adj* gwasgarog
spray 1. *n* chwistrelliad *m*, sbrigyn *m*
2. *vn* chwistrellu, sgeintio, ysgeintio
spread[1] 1. *n* ymlediad *m* 2. *vn* hulio, lledaenu,
taenu, tannu, ymledu
spread[2] ANTHROPOLOGY *n* lledaeniad *m*
spreader *n* chwalwr *m*, lledaenwr *m*,
lledaenydd *m*, taenwr *m*
spreading 1. *adj* lledol, ymledol
2. *n* taenelliad *m*, taeniad *m*
spreadsheet COMPUTING *n* taenlen *f*
spree *n* sbri *m*
sprig *n* sbrigyn *m*
sprightliness *n* bywiogrwydd *m*
sprightly *adj* gwisgi, hoenus
spring 1. *n* ffynhonnell *f*, ffynnon *f*, gwanwyn *m*,
sbring *m*, tarddell *f* 2. *vn* llamu, neidio,
tarddu
springboard 1. *n* sbringfwrdd *m* 2. astell ddeifio
sprinkle *vn* sgeintio, taenellu, taenu, ysgeintio
sprinkler *n* taenellydd *m*, ysgeintell *f*
sprinkling *n* taenelliad *m*
sprint 1. *n* gwib[1] *f*, gwibiad *m*, sbrint *m*
2. *vn* gwibio, sbrintio
sprinter *n* gwibiwr[1] *m*, gwibwraig *f*
sprocket *n* sbroced *m*
sprout 1. *n* eginyn *m*, impyn *m* 2. *vn* blaendarddu,
blaguro, brigo[1], egino, glasu, impio
sprouting *n* blaendarddiad *m*, blaendarddiant *m*,
eginhad *m*, eginiad *m*
sprouts *n* ysgewyll *pl*, ysgewyll Brwsel *pl*
spruce[1] *adj* destlus, sbriws
spruce[2] (trees and wood) *n* pyrwydd *pl*
spry *adj* heini

spume *n* distrych *m*

spur[1] 1. *n* sbardun *m*, ysbardun *m*
2. *vn* sbarduno, ysbarduno

spur[2] GEOGRAPHY *n* sbardun *m*, ysbardun *m*

spurge *n* llaethlys *m*

spurious *adj* annilys, gau

spuriousness *n* annilysrwydd *m*

spurn *vn* dirmygu, gwrthod

sputter *vn* ffrwtian

sputum *n* crachboer *m*

spy 1. *n* ysbïwr *m* 2. *vn* sbio, sbio, ysbïo

squabble 1. *n* cwenc *f*, ffrae *f*
2. *vn* ffraeo, ymgecru

squad *n* sgwad *f*

squadron *n* sgwadron *f*

squalid* *adj* brwnt, budr

squall *n* hwrdd *m*

squalor *n* budredd *m*, budreddi *m*

squander *vn* afradloni, camwario, ofera

squanderer *n* gwastraffwr *m*

square[1] 1. *adj* sgwâr[2] 2. *n* maes[1] *m*, sgwâr[1] *mf*,
sgwâr[3] *m*, sgwâr profi *m*, sgwaryn *m*

square[2] MATHEMATICS 1. *n* sgwâr[1] *mf*
2. *vn* sgwario

squash 1. *n* sboncen *f*, sgwash *m* 2. *vn* gwasgu

squat *vn* cyrcydu, sgwatio, swatio

squatter *n* sgwatiwr *m*

squatting *n* cwrcwd *m*

squeak 1. *n* cwec *m*, gwich *f*
2. *vn* gwichian, gwichio

squeaky *adj* gwichiog, gwichlyd

squeal 1. *n* gwich *f*, gwichiad[2] *m*
2. *vn* gwichian, gwichio

squeegee *n* gwesgi[1] *m*

squeeze 1. *n* gwasgfa *f* 2. *vn* gwasgu

squeezing *n* gwasgiad *m*

squib *n* sgwib *f*

squill *n* serennyn *m*

squint[1] llygad croes

squint[2] MEDICINE tro llygad

squint-eyed *adj* llygatgam, llygatgroes

squire 1. *n* macwy *m*, yswain *m*
2. sgweier, ysgweier

squirm *vn* gwingo

squirrel *n* gwiwer *f*

squirt 1. *n* chwistrelliad *m*, saethiad *m*
2. *vn* chwistrellu

Sri Lankan 1. *adj* Sri Lancaidd 2. *n* Sri Lanciad *m*

St *abbr* St

stab 1. *n* brath *m*, brathiad *m*, gwayw *m*
2. *vn* brathu, trywanu

stabber *n* trywanwr *m*

stabbing *n* trywaniad *m*

stability *n* sadrwydd *m*, sefydlogrwydd *m*

stabilize *vn* sadio, sefydlogi

stabilizer[1] *n* sadiwr *m*, sadydd *m*, sefydlogydd *m*

stabilizer[2] CHEMISTRY *n* sefydlogydd *m*

stable 1. *adj* sad, safadwy 2. *n* stabl *f*

stack[1] 1. *n* bera *f*, cludair *f*, gwisgon *f*, pentwr *m*,
tas *f* 2. *vn* pentyrru

stack[2] GEOGRAPHY *n* stac *m*

stacker *n* pentyrrwr *m*

stadium *n* campfa *f*, stadiwm *f*

staff[1] 1. *n* gwialen *f*, staff *m* 2. *vn* staffio

staff[2] MUSIC *n* erwydd *m*

stag *n* hydd *m*

stage 1. *n* cam[1] *m*, cyfnod *m*, gradd *f*, llwyfan *f*,
pwynt *m* 2. *vn* llwyfannu

stagecoach coets fawr

stagflation ECONOMICS *n* chwyddwasgiad *m*

stagger *vn* darwahanu, gwegian, honcian,
igam-ogamu, rhoncian

staggering *adj* chwil

staggers *n* cysb *f*, dera *f*

stagnant *adj* disymud, merllyd

stagnation *n* marweidd-dra *m*

staid *adj* sobr

stain[1] 1. *n* staen *m* 2. *vn* staenio, staeno

stain[2] BIOLOGY *n* staen *m*

stained *adj* lliw[2], llychwin

stainless *adj* di-staen, gwrthstaen

stair *n* gris *m*

staircase *n* grisiau *pl*

stairs *n* grisiau *pl*, staer *f*

stairway *n* grisffordd *f*

stake *n* stanc *m*

stakeholder *n* budd-ddeiliad *m*, rhanddeiliad *m*

stalactite GEOLOGY *n* stalactid *m*

stalagmite GEOLOGY *n* stalagmid *m*

stale *adj* hen[1], henbob, sych

stalk 1. *n* bonyn *m*, coesyn *m*, corsen *f*, gwelltyn *m*
2. *vn* stelcian

stalker *n* stelciwr *m*

stalks *n* gwrysg *pl*

stall 1. *n* côr *m*, stâl *f*, stondin *f*
2. *vn* nogio, stolio, tagu

stallholder *n* stondinwr *m*

stallion *n* march *m*, stalwyn *m*

stamen BOTANY *n* brigeryn *m*

staminodes BOTANY *n* gau friger *pl*

stammer 1. *n* atal[2] *m* 2. *vn* cecial, cecian

stamp 1. *n* ôl[1] *m*, stamp *m* 2. *vn* curo traed,
pystylad, stampio, stampo, trampio, trampo

stampede *n* rhuthr *m*, rhuthrad *m*

stance *n* osgo *m*, safiad *m*, ystum *mf*

stanchion *n* annel *mf*, ateg *f*

stand 1. *n* eisteddfa *f*, eisteddle *m*, safiad *m*,
stondin *f* 2. *vn* goddef, sefyll

standard 1. *adj* safonol 2. *n* lluman *m*, safon *f*

standard-bearer *n* banerwr *m*, llumanwr *m*

standardize *vn* safoni

standardized *adj* safonedig

standing 1. *adj* safadwy 2. *n* safle *m*

standpoint *n* safbwynt *m*

stanza *n* pennill *m*

stapes ANATOMY *n* gwarthafl *f*, gwarthol *f*

staple 1. *n* stapl *f*, stwffwl *m* 2. *vn* staplo, styffylu

stapler *n* staplwr *m*, staplydd *m*, styffylwr *m*

star 1. *n* seren *f* 2. *vn* serennu

starch 1. *n* startsh *m* 2. *vn* startsio

stare *vn* llygadrythu, rhythu, syllu

starer *n* syllwr *m*

starfish seren fôr

staring *adj* llygadrwth

stark *adj* moel[1], noeth

starling 1. *n* drudw *m*, drudwen *f*, drudwy *m*
2. aderyn yr eira

starry *adj* serennog, serog

start 1. *n* cychwyn[2] *m*, cychwyniad *m*, dechrau[1] *m* 2. *vn* cychwyn[1], dechrau[2], neidio, peico, rhusio, tanio, tasgu 3. rhoi ar waith [*rhoi*[1]]

starter *n* cychwynnwr *m*, cychwynnydd *m*

starvation *n* newyn *m*

starve *vn* clemio, llewygu, llwgu, newynu, starfio, starfo

starving *adj* llwglyd

state 1. *adj* gwladol, gwladwriaethol
2. *n* ansawdd *m*, cyflwr *m*, gwladwriaeth *f*, stad *f*, talaith *f*, ystad *f*

statecraft *n* gwladweinyddiaeth *f*

stately *adj* bonheddig, urddasol

statement[1] *n* datganiad *m*, gosodiad *m*

statement[2] MUSIC *n* gosodiad *m*

statesman *n* gwladweinydd *m*

statesmanship *n* gwladweiniaeth *f*, gwladweinyddiaeth *f*

static[1] *adj* ansymudol, static, statig

static[2] COMPUTING, PHYSICS *adj* static, statig

statics MECHANICS *n* stateg *f*

station 1. *n* gorsaf *f*, stesion *f* 2. *vn* gorsafu

stationary 1. *adj* disymud, llonydd[1]
2. yn fy (dy, ei, etc.) unfan [*unfan*]

stationmaster *n* gorsaf-feistr *m*

statistic *n* ystadegyn *m*

statistical *adj* ystadegol

statistician *n* ystadegydd *m*

statistics *n* ystadegaeth *f*

stator *n* stator *m*

statue *n* cerflun *m*, cerflunwaith *m*, delw *f*

stature *n* maintioli *m*, taldra *m*

status *n* statws *m*

statute[1] *n* statud *f*, ystatud *f*

statute[2] LAW *n* deddf *f*, statud *f*, ystatud *f*

statutory *adj* statudol, ystatudol

staunch 1. *adj* pybyr 2. *vn* atal[1]

stave[1] *n* cledr *f*, cledren *f*

stave[2] MUSIC *n* erwydd *m*

stay 1. *n* arhosiad *m* 2. *vn* aros, sefyll

steadfast *adj* ansigladwy, di-sigl, di-syfl, disyflyd, diymod, diysgog, safadwy

steadiness *n* sadrwydd *m*

steady 1. *adj* cadarn, cyson, sownd 2. *vn* sadio

steak *n* golwyth *m*, stêc *f*, stecen *f*

steal[1] *vn* cipio, dwgu, dwgyd, dwyn

steal[2] LAW *vn* lladrata

stealthy *adj* lladradaidd

steam 1. *n* ager *m*, anwedd *m*, stêm *m*
2. *vn* ageru, anweddu, mygu[1], stemio

steamroller *n* stêm-roler *f*

steamship *n* agerlong *f*

steed *n* march *m*

steel 1. *adj* dur[2] 2. *n* dur[1] *m* 3. *vn* durio

steely *adj* duraidd

steelyard *n* pwyslath *f*, stiliard *f*

steep 1. *adj* cribog, hallt, llethrog, serth
2. *vn* mwydo, trwytho

steeplechase ras ffos a pherth

steepness *n* serthrwydd *m*

steer 1. *n* dyniawed *m*, ych[1] *m*
2. *vn* cyfeirio, llywio

steersman *n* gyrrwr *m*, llywiwr *m*

stem[1] *n* coesyn *m*, cyff *m*

stem[2] GRAMMAR *n* bôn *m*

stems *n* gwrysg *pl*

stench *n* drewdod *m*, drycsawr *m*

stencil 1. *n* stensil *m* 2. *vn* stensilio

stenography *n* llaw-fer *f*

stenosis MEDICINE *n* crebachiad *m*

stentorian* *adj* byddarol

step 1. *n* cam[1] *m*, gris *m*, step *f*
2. *vn* camu[1], stepio, troedio

stepbrother *n* llysfrawd *m*

stepchild *n* llysblentyn *m*

stepdaughter *n* llysferch *f*

stepfather *n* llystad *m*

stepmother 1. *n* llysfam *f* 2. mam wen

steppe* *n* paith *m*

stepsister *n* llyschwaer *f*

stepson *n* llysfab *m*

stereograph *n* stereograff *m*

stereophonic *adj* stereoffonig

stereoscope *n* stereosgop *m*

stereotype 1. *n* stereoteip *m*, ystrydeb *f*
2. *vn* stereoteipio, ystrydebu

stereotyped *adj* ystrydebol

sterile *adj* anffrwythlon, di-haint

sterilize *vn* diffrwythloni, diheintio

sterling *n* sterling *m*

stern 1. *adj* digellwair, llym 2. *n* starn *f*

sternum[1] asgwrn y frest, cledr y ddwyfron

sternum[2] ANATOMY, ZOOLOGY *n* sternwm *m*

steroid BIOCHEMISTRY *n* steroid *m*

sterol BIOCHEMISTRY *n* sterol *m*

stertorous MEDICINE *adj* chwyrnog

stethoscope 1. *n* stethosgop *m*
2. corn meddyg [*corn*[1]]

stew[1] 1. *n* lobsgows *m*, stiw *m* 2. *vn* stiwio

stew² COOKERY *vn* stiwio

steward 1. *n* stiward *m* 2. *vn* stiwardio

stewardship *n* goruchwyliaeth *f*, stiwardiaeth *f*

stick 1. *n* ffon *f*, pric *m* 2. *vn* glynu

sticker *n* glynyn *m*, sticer *m*

stickleback *n* crothell *f*

sticky *adj* gludiog, triaglaidd

stiff *adj* anystwyth, stiff

stiffen *vn* cyfnerthu, cyffio, stiffáu, stiffio, ymgaledu

stiffness *n* afrwyddineb *m*, anhyblygedd *m*, anystwythder *m*, stiffrwydd *m*

stifle *vn* llethu, mogi, mygu

stifling *adj* llethol, myglyd

stigma¹ *n* gwarthnod *m*, stigma *m*

stigma² BOTANY *n* stigma *m*

stigmata *n* stigmata *pl*

stigmatize *vn* gwarthnodi

stile *n* camfa *f*, sticil *f*, sticill *f*

stiletto *n* stileto *m*

still 1. *adj* llonydd¹, tawel 2. *adv* byth 3. *conj* eto¹ 4. *vn* llonyddu 5. o hyd [*hyd²*], yn fy (dy, ei, etc.) unfan [*unfan*]

stillborn *adj* marwanedig

stillness *n* distawrwydd *m*, llonyddwch *m*, tawelwch *m*

stilted *adj* clapiog, clogyrnaidd

stilts bachau coed

stimulant *n* symbylydd *m*

stimulate *vn* symbylu, ysgogi

stimulating *adj* ysgogol

stimulus¹ *n* sbardun *m*, ysbardun *m*, ysgogiad *m*

stimulus² BIOLOGY *n* symbyliad *m*

sting 1. *n* brath *m*, brathiad *m*, colyn *m*, pigad *m*, pigiad *m* 2. *vn* llosgi, pigo, pinsio

stinginess *n* crintachrwydd *m*

stinging *adj* colynnog

stingy* *adj* cybyddlyd

stink 1. *n* drewdod *m*, drycsawr *m* 2. *vn* drewi

stinkhorn *n* cingroen *f*

stinking *adj* drewllyd, drycsawrus

stint 1. *n* stem *f* 2. *vn* tolio

stipple¹ *vn* dotweithio, pwyntilio

stipple² ART *n* dotwaith *m*

stippling* *vn* dotweithio

stipulate *vn* amodi, mynnu

stipulation *n* amodiad *m*

stipule BOTANY *n* stipwl *m*

stir 1. *n* cyffro *m*, cyffroad *m*, cynnwrf *m*, tro *m* 2. *vn* corddi, cyffroi, deffro, syflyd, troi, ysgogi

stir-fry *vn* tro-ffrio

stirrer *n* corddwr *m*

stirring *adj* cynhyrfus

stirrup *n* gwarthafl *f*, gwarthol *f*

stitch¹ 1. *n* gwayw *m*, pigyn *m*, pwyth¹ *m*, pwythyn *m* 2. *vn* gwnïo, pwytho

stitch² NEEDLEWORK *n* pwyth¹ *m*, pwythyn *m*

stitchwort *n* botwm crys *m*, serenllys *m*

stoat *n* carlwm *m*

stochastic MATHEMATICS *adj* stocastig

stock¹ 1. *n* cyff *m*, isgell *m*, stoc *f*, stôr *f* 2. *vn* cadw¹, stocio

stock² FINANCE *n* stoc *f*

stocking *n* hosan *f*

stockpile* *vn* pentyrru

stocks *n* cyffion *pl*

stock-still *adj* stond

stocky *adj* byrdew

stoic 1. *adj* stoicaidd 2. *n* stoïc *m*

Stoic PHILOSOPHY *n* Stoïciad *m*

stoical *adj* stoicaidd

stoichiometric CHEMISTRY *adj* stoichiometrig

stoichiometry CHEMISTRY *n* stoichiometreg *f*

stoicism *n* stoiciaeth *f*

stoker *n* taniwr *m*

stolon BIOLOGY, BOTANY *n* stolon *m*

stoma BOTANY, MEDICINE, ZOOLOGY *n* stoma *m*

stomach¹ 1. *n* bol *m*, bola *m*, crombil *mf*, cylla *m* 2. *vn* stumogi

stomach² ANATOMY *n* stumog *f*

stomatitis¹ llid y genau

stomatitis² MEDICINE *n* stomatitis *m*

stomp *n* stomp² *f*

stone 1. *n* carreg *f*, maen¹ *m*, stôn *f* 2. *vn* llabyddio

stonecrop *n* briweg *f*

Stonehenge Côr y Cewri [*cewri*]

stonemason saer maen

stoner *n* llabyddiwr *m*

stones *n* cerigach *pl*, cerigos *pl*

stonework 1. *n* caregwaith *m* 2. gwaith maen [*gwaith¹*]

stony *adj* caregog

stook *n* cocyn *m*, sopyn *m*, stwc *m*

stool *n* stôl *f*

stools *n* carthion *pl*

stoop 1. *n* crymedd *m* 2. *vn* crymu, cwmanu, gwargamu, gwargrymu, plygu

stooped *adj* gwargrwm

stooping *adj* gwargam, gwargrwm

stop¹ 1. *n* arhosiad *m*, stop *m* 2. *vn* aros, peidio, sefyll, stopio

stop² MUSIC *n* stop *m*

stoppage *n* ataliad *m*

stopper *n* caead¹ *m*

stopping-place *n* arhosfan *mf*

stopwatch *n* atalwatsh *f*

store 1. *n* stôr *f*, storfa *f*, storws *m* 2. *vn* storio

storehouse *n* stordy *m*, storfa *f*

storey *n* llawr *m*

stork *n* ciconia *m*, storc *m*

storm *n* storm *f*, storom *f*, tymestl *f*

stormy *adj* drycinog, egr, garw¹, gwyntog, helbulus, stormus, terfysglyd, tymhestlog

story *n* chwedl *f*, hanes *m*, stori *f*
storyboard bwrdd stori
storyteller¹ *n* chwedleuwr *m*, storïwr *m*
storyteller² LITERATURE *n* cyfarwydd² *m*
stout *adj* braisg, nobl, praff
stoutness *n* prafﬅter *m*
stove *n* stof *f*
strabismus MEDICINE tro llygad
straddling *adj* gaflog
straight *adj* plwmp, syth, union
straight-backed *adj* cefnsyth
straighten *vn* sythu¹, unioni
strain 1. *n* straen *m*, tynder *m*, tyndra *m*
2. *vn* hidlo
strained *adj* hidlaid
strainer *n* gogor *m*, gogr *m*, hidl¹ *f*
strait *n* culfa *f*, culfor *m*, swnt *m*
straits *n* cyni *m*
strand *n* beiston *f*, cainc *f*, edefyn *m*, llinyn *m*,
traeth *m*, traethell *f*
strange *adj* chwith¹, chwithig, dieithr, dierth,
od, rhyfedd
strangeness *n* chwithdod *m*, dieithrwch *m*,
hynodrwydd *m*
stranger 1. *n* dieithryn *m* 2. dyn dieithr
strangle *vn* llindagu, tagu
strangler *n* llindagwr *m*
strangles *n* ysgyfeinwst *m*
strap 1. *n* strap *f*, strapen *f* 2. *vn* strapio
strapping 1. *adj* cydnerth 2. *n* chwalpen *f*
strata *n* ystrad *m*
stratagem *n* dyfais *f*
strategic *adj* strategol
strategist *n* strategydd *m*
strategy *n* strategaeth *f*
strath *n* ystrad *m*
stratification GEOLOGY *n* haeniad *m*
stratified *adj* haenedig, tafellog
stratiform *adj* haenog, haenol
stratify *vn* haenu
stratigraphic *adj* stratigraffig
stratigraphy GEOLOGY *n* stratigraffeg *f*
stratosphere METEOROLOGY *n* stratosﬀer *m*
stratum¹ *n* haen *f*, haenen *f*
stratum² GEOLOGY *n* haen *f*, haenen *f*, stratwm *m*
straw *n* gwellt *m & pl*, gwelltyn *m*
strawberry *n* mefusen *f*
straws *n* gwellt *m & pl*
stray 1. *adj* crwydrol 2. *vn* crwydro,
cyfeiliorni, gwyro
straying *n* crwydr *m*, cyfeiliorn *m*
streak *n* rhibyn *m*
streaker *n* noethwibiwr *m*
stream¹ 1. *n* ﬀrwd *f*, llifeiriant *m*, nant *fm*
2. *vn* dylifo, ﬀrydio, goﬀeru
stream² COMPUTING *vn* ﬀrydio
streamer *n* ruban *m*, rhuban *m*

streaming *adj* hidl²
streamline *vn* llilinio
streamlined *adj* llilin
street *n* stryd *f*
strength¹ *n* cadernid *m*, cryfder *m*, grym *m*,
nerth *m*
strength² PHYSICS *n* nerth *m*
strengthen *vn* atgyfnerthu, cadarnhau, cryfhau,
cyfnerthu, grymuso, nerthu
strengthening *adj* cryfhaol
strenuous *adj* egnïol, llafurus
streptococcus BIOLOGY *n* streptococws *m*
streptomycin MEDICINE *n* streptomeisin *m*
stress¹ 1. *n* acen *f*, curiad *m*, pwysau² *m*,
pwyslais *m*, straen *m* 2. *vn* acennu, pwysleisio
stress² PHYSICS *n* diriant *m*
stretch¹ 1. *n* ardal *f*, ehangder *m*
2. *vn* estyn, ymestyn
stretch² NEEDLEWORK *n* ymestynnedd *m*
stretcher *n* cludwely *m*, estynnwr *m*
strew* *vn* gwasgar, gwasgaru
striated¹ *adj* crychog, rhychedig, rhychiog,
rhychog
striated² ANATOMY *adj* rhesog
strickle *n* rhip *m*
strict *adj* llym, manwl gywir
strictness *n* cywirdeb *m*, llymder *m*, llymdra *m*
stricture MEDICINE *n* culfan *f*
stride *vn* brasgamu, troedio
strident *adj* cras, croch
strider *n* camwr *m*
stridulation* *vn* grillian
strike 1. *n* streic *f*, trawiad *m*
2. *vn* clatsio, dobio, ergydio, streicio, taro
striker *n* ergydiwr *m*, streiciwr *m*, träwr *m*
striking *adj* trawiadol
strim *vn* strimio
string¹ 1. *n* corden *f*, cordyn *m*, cortyn *m*, llinyn *m*,
rhaff *f*, rhaﬀaid *f*, rhibidirês *f* 2. *vn* llinynnu
string² MUSIC 1. *adj* llinynnol 2. *n* tant *m*
string³ COMPUTING *n* llinyn *m*
stringed *adj* llinynnol
stringent* *adj* caeth, llym
stringy *adj* llinynnog
strip 1. *n* llain *f*, rhimyn *m*, stribed *m*, stribedyn *m*
2. *vn* dihatru, diosg, noethlymuno, stripio,
tynnu, ymddihatru, ymddinoethi
stripe *n* llinell *f*, rhes *f*, streipen *f*
striped *adj* rhesog
stripling* *n* llencyn *m*
stripper *n* stripiwr *m*, stripwraig *f*
stripteaser *n* stripwraig *f*
strive *vn* ymdrechu, ymlafnio, ymorchestu
stroboscope PHYSICS *n* strobosgop *m*
stroke¹ 1. *n* da⁴ *m*, dyrnod *mf*, strôc *f*, trawiad *m*
2. *vn* mwytho
stroke² MEDICINE *n* strôc *f*

stroll *vn* rhodianna, rhodio

strong *adj* abl, cadarn, cryf, cydnerth, grymus

stronger *adj* trech

stronghold *n* cadarnle *m*

strontium *n* strontiwm *m*

strophic *adj* stroffig

structural *adj* adeileddol, cyfundrefnol, strwythurol

structure 1. *n* adeiladwaith *m*, adeiledd *m*, fframwaith *m*, ffurfiad *m*, strwythur *m* 2. *vn* strwythuro

structured *adj* strwythuredig

struggle 1. *n* ymdrech *f* 2. *vn* pwlffacan, strancio, stryffaglio, ymgiprys

strumpet *n* coegen *f*

strut *vn* rhodresa, torsythu

stub *n* bonyn *m*

stubble *n* cawn[1] *pl*, sofl *pl*

stubborn *adj* anhyblyg, anhydyn, cyndyn, di-ddweud, pengaled, penstiff, ystyfnig

stubbornness *n* cyndynrwydd *m*, pengaledwch *m*, ystyfnigrwydd *m*

stubby *adj* byrdew

stucco *n* stwco *m*

stuck *adj* sownd

stuck-up *adj* cefnsyth, ffroenuchel

stud *n* gre *f*, styden *f*

studded *adj* boglynnog, botymog

student *n* efrydydd *m*, myfyrwraig *f*, myfyriwr *m*

studies *n* efrydiau *pl*

studio *n* stiwdio *f*

studious *adj* myfyrgar

study 1. *n* astudiaeth *f*, myfyrgell *f*, stydi *f* 2. *vn* astudio, dilyn

stuff 1. *n* defnydd *m*, deunydd *m* 2. *vn* saco, sachu, sechi, sglaffio, stwffio

stuffing *n* stwffin *m*

stumble *vn* baglu

stump 1. *n* boncyff *m*, bonyn *m*, cyff *m*, stwmp[1] *m* 2. *vn* stympio

stun *vn* hurtio, hurto, syfrdanu

stunned *adj* syfrdan

stunning *adj* syfrdanol

stunt 1. *n* stynt *f* 2. *vn* crebachu

stunted *adj* crablyd, crebachlyd

stuntman *n* styntiwr *m*

stupefy *vn* hurtio, hurto

stupendous* *adj* syfrdanol

stupid *adj* bustachaidd, gwirion, hurt, twp

stupidity *n* gwiriondeb *m*, hurtrwydd *m*, twpdra *m*

stupified *adj* hurt

stupor* *n* syrthni *m*

sturdiness* *n* cadernid *m*, praffter *m*

sturdy *adj* braisg

sturgeon *n* stwrsiwn *m*, styrsiwn *m*

stutter *vn* cecial, cecian, tagu

sty[1] *n* gwlithen *f*, llefrithen *f*, llyfrithen *f*

sty[2] MEDICINE *n* llefelyn *m*

stye[1] *n* gwlithen *f*, llefrithen *f*, llyfrithen *f*

stye[2] MEDICINE *n* llefelyn *m*

style[1] 1. *n* arddull *fm*, dull *m*, ieithwedd *f*, steil[1] *m* 2. *vn* steilio

style[2] BOTANY *n* colofnig *f*

styler *n* steilydd *m*

stylish *adj* cain

stylist *n* arddullydd *m*, steilydd *m*

stylistics *n* arddulleg *f*

stylus *n* nodwydd *f*, pwyntil *m*

stymie* *vn* llesteirio

sub- *pref* is-

subaerial *adj* isawyrol

subatomic *adj* isatomig

subcellular BIOLOGY *adj* isgellog

subclass *n* isddosbarth *m*

subclause LAW *n* isgymal *m*

subcommittee *n* is-bwyllgor *m*

subconscious 1. *adj* isymwybodol 2. *n* isymwybod *m*

subcontinent *n* isgyfandir *m*

subcontract[1] *vn* isgontractio

subcontract[2] LAW *n* isgontract *m*

subculture *n* isddiwylliant *m*

subcutaneous ANATOMY *adj* isgroenol

subdivide[1] *vn* isrannu

subdivide[2] BIOLOGY *vn* ymhollti

subdivision *n* israniad *m*

subdominant MUSIC *n* islywydd *m*

subduct GEOLOGY *vn* tansugno

subdue *vn* darostwng, gostegu, trechu

suberin *n* swberin *m*

subheading *n* isbennawd *m*

subhuman *adj* isddynol

subject[1] 1. *adj* darostyngol 2. *n* deiliad *m*, mater *m*, pwnc *m*, testun *m*

subject[2] GRAMMAR *n* goddrych *m*

subjection *n* darostyngiad *m*

subjective *adj* goddrychol

subjectivism PHILOSOPHY *n* goddrychiaeth *f*

subjectivity *n* goddrychedd *m*

subjugate *vn* darostwng

subjugated *adj* darostyngedig

subjugation *n* darostyngiad *m*, gostyngiad *m*

subjunctive GRAMMAR *adj* dibynnol

sublet *vn* isosod

sublimate[1] CHEMISTRY *vn* sychdarthu

sublimate[2] PSYCHOLOGY *vn* trosgyfeirio

sublimation[1] *n* trosgyfeiriad *m*

sublimation[2] CHEMISTRY *n* sychdarthiad *m*

sublime[1] *adj* aruchel

sublime[2] CHEMISTRY *vn* sychdarthu

subliminal PSYCHOLOGY *adj* isdrothwyol

submarine 1. *adj* tanfor 2. llong danfor

submariner *n* tanforwr *m*

submaxillary ANATOMY *adj* isfantol

submediant MUSIC *n* isfeidon *f*

submerge *vn* soddi, suddo

submerged *adj* soddedig, suddedig

submission *n* argymhelliad *m*, ymddarostyngiad *m*, ymostyngiad *m*

submissive *adj* ymostyngar

submit *vn* cyflwyno, darostwng, plygu, ymostwng

subnormal *adj* isnormal

subordinate *adj* israddol

suborn[1]* *vn* llwgrwobrwyo

suborn[2] LAW *vn* cymell

subplot *n* isblot *m*

subpoena* *vn* gwysio

subroutine COMPUTING *n* is-reolwaith *m*

subscribe *vn* tanysgrifio

subscriber *n* tanysgrifiwr *m*

subscript *n* isnod *m*, isnodyn *m*

subscription *n* tanysgrifiad *m*

subsection *n* isadran *f*

subsequence MATHEMATICS *n* isddilyniant *m*

subsequent *adj* dilynol

subservient *adj* iswasanaethgar

subside *vn* gostegu, tawelu, ymsuddo

subsidence *n* ymsuddiant *m*

subsidiarity[1] POLITICS *n* cyfrifolaeth *f*

subsidiarity[2] LAW *n* cyfrifolaeth *f*, sybsidiaredd *m*

subsidiary 1. *adj* cynorthwyol 2. *n* is-gwmni *m*

subsidy *n* cymhorthdal *m*

subsistence *n* cynhaliaeth *f*

subsoil *n* isbridd *m*

subsonic PHYSICS *adj* is-sonig

subspecies BIOLOGY *n* isrywogaeth *f*

substance *n* sylwedd *m*

substandard *adj* is-safonol

substantial *adj* diogel, swmpus, sylweddol

substantiate* *vn* profi

substation *n* isbwerdy *m*, isorsaf *f*

substitutability *n* amnewidiadwyedd *m*

substitute 1. *n* amnewidyn *m*, dirprwy[1] *m*, eilydd *m* 2. *vn* amnewid, dirprwyo, eilyddio

substitution 1. *n* amnewidiad *m*, dirprwyad *m* 2. *vn* eilyddio

substitutionary *adj* amnewidiadwy

substrate *n* swbstrad *m*

substratum *n* is-haen *f*

subsystem *n* is-system *f*

subtenant *n* isdenant *m*, isddeiliad *m*

subterfuge* *n* ystryw *f*

subterranean *adj* tanddaearol

subtext *n* isdestun *m*

subtitle 1. *n* isdeitl *m* 2. *vn* isdeitlo

subtle *adj* cynnil

subtlety *n* cyfrwyster *m*, cyfrwystra *m*, cywreinrwydd *m*

subtract MATHEMATICS *vn* tynnu

subtraction MATHEMATICS *n* tyniad *m*

subtractive *adj* tynnol

subtropical *adj* istrofannol

suburb *n* maestref *f*

suburban *adj* maestrefol

subvert *vn* gwyrdroi, tanseilio

subway *n* tanlwybr *m*

succeed *vn* cael hwyl ar, dilyn, ffynnu, llwyddo, olynu, tycio

success *n* ffyniant *m*, llewych *m*, llewyrch *m*, llwydd *m*, llwyddiant *m*

successful *adj* ffyniannus, llwyddiannus

succession *n* olyniaeth *f*

successive *adj* olynol

successor *n* olynydd *m*

succinct* *adj* cryno

succour 1. *n* swcr *m*, swcwr *m*, ymgeledd *m* 2. *vn* swcro, ymgeleddu

succulence *n* ireidd-dra *m*

succulent *adj* ir, iraidd, suddlon

succumb *vn* ildio

such 1. *adj* cyfryw, cyffelyb, ffasiwn[2] 2. *adv* felly 3. *n* math[2] *f*

suck *vn* sugno

sucker[1] *n* sugnolyn *m*, sugnwr *m*, sugnydd *m*

sucker[2] BIOLOGY *n* sugnolyn *m*

suckle* *vn* sugno

suckling *adj* swci

sucrose CHEMISTRY *n* swcros *m*

suction *n* sugnedd *m*

Sudanese 1. *adj* Swdanaidd 2. *n* Swdaniad *m*

sudden 1. *adj* diarwybod, dirybudd, disyfyd, disymwth, pwt[2], sydyn 2. *adv & adj* ffwr-bwt

suddenness *n* sydynrwydd *m*

suds *n* trochion *pl*

sue[1] *vn* siwio

sue[2] LAW *vn* erlyn

suet COOKERY *n* siwed *m*

suffer *vn* dioddef, goddef

sufferer *n* dioddefwr *m*

suffering 1. *adj* dioddefus 2. *n* dioddefaint *m*

suffice *vn* ateb y diben [ateb[1]]

sufficiency *n* digonolrwydd *m*, gwala *f*

sufficient *adj* digonol

suffix GRAMMAR *n* olddodiad *m*, ôl-ddodiad *m*

suffocate *vn* mogi, mygu

suffocating *adj* myglyd

suffocation *n* tagiad *m*

suffragette *n* swffragét *f*

suffragist *n* swffragydd *m*

suffuse *vn* ymledu

sugar 1. *n* siwgr *m* 2. *vn* siwgro

sugarless *adj* di-siwgr

sugary *adj* siwgraidd

suggest *vn* awgrymu

suggestion *n* awgrym *m*, awgrymiad *m*

suggestive *adj* awgrymiadol, awgrymog

suicidal *adj* hunanleiddiol

suicide *n* hunanladdiad *m*

suit 1. *n* gosgordd *f*, siwt *f*

  2. *vn* cytuno, gweddu, siwtio, taro

suitability *n* addasrwydd *m*, addaster *m*, cyfaddasrwydd *m*, cymhwyster *m*, ffitrwydd *m*

suitable *adj* addas, cyfaddas, cymwys, dyladwy, gweddaidd, priodol, propor, propr, pwrpasol

suitcase bag dillad

suitor *n* cariadfab *m*

sulcus ANATOMY *n* rhigol *f*, swlcws *f*

sulfate CHEMISTRY *n* sylffad *m*

sulk 1. *n* pwd[1] *m* 2. *vn* monni, pwdu, sorri

sulky *adj* pwdlyd, sorllyd

sullen *adj* afrywiog, sarrug, sorllyd, surbwch, swrth

sullenness *n* sarugrwydd *m*

sully *vn* llychwino

sulphur *n* sylffwr *m*

sulphuric *adj* sylffwrig

sulphurous *adj* sylffwraidd

sultan *n* swltan *m*

sultana *n* swltana *f*

sultanate *n* swltaniaeth *f*

sultriness *n* myllni *m*

sultry *adj* mwll, mwrn

sum[1] *n* swm[1] *m*

sum[2] MATHEMATICS *n* cyfanswm *m*, swm[2] *m*, sym *f*

Sumatran 1. *adj* Swmatraidd 2. *n* Swmatriad *m*

summarize *vn* crynhoi[1]

summary[1] *n* crynhoad *m*, crynodeb *m*

summary[2] LAW *adj* diannod

summation *n* symiant *m*

summer *n* haf *m*

summerlike *adj* hafaidd

summery *adj* hafaidd

summit *n* ban *mf*, copa[2] *m*

summon *vn* gwysio

summoner *n* gwysiwr *m*

summons[1] *n* galwad *f*

summons[2] LAW *n* gwŷs *f*

sump *n* swmp[2] *m*

sumptuous *adj* helaethwych, moethus

sun *n* haul *m*

sunbathe *vn* bolaheulo, bolheulo, torheulo

sunburn llosg haul [llosg[1]]

Sunday 1. *n* Sul *m* 2. dydd Sul [Sul]

sunder* *vn* gwahanu

sundew *n* gwlithlys *m*

sundry *adj* amryw[2]

sunfish pysgodyn haul

sunflower blodyn yr haul

sunglasses sbectol haul

sunken *adj* suddedig

sunlight *n* heulwen *f*

sunny *adj* araul, heulog, tesog

sunrise 1. *n* gwawr *f* 2. codiad haul

sunset *n* machlud[1] *m*, machludiad *m*

sunshade *n* cysgodlen *f*

sunshine *n* heulwen *f*, tes *m*

sunstroke MEDICINE clefyd yr haul

suntan lliw haul [lliw[1]]

super- *pref* goruwch-

superabundance *n* gormodedd *m*, toreth *m*

superabundant *adj* toreithiog

superb *adj* gorwych, gwych, rhagorol

supercilious *adj* ffroenuchel

superconductivity[1] METALLURGY *n* gorddargludedd *m*

superconductivity[2] PHYSICS *n* uwchddargludedd *m*

superconductor METALLURGY *n* uwchddargludydd *m*

supercool CHEMISTRY *vn* goroeri

superego PSYCHIATRY *n* uwch-ego *m*

superficial 1. *adj* arwynebol, tenau

  2. ar yr wyneb [wyneb]

superficiality *n* arwynebedd *m*, arwynebolrwydd *m*

superfluity *n* goramlder *m*

superfluous *adj* afraid

superimpose *vn* arosod

superimposition *n* arosodiad *m*

superintend *vn* arolygu

superintendent *n* arolygydd *m*

superior *adj* trech

superiority* *n* goruchafiaeth *f*

superiors *n* gwell[2] *m*

superlative GRAMMAR *adj* eithaf[1]

supermarket *n* archfarchnad *f*, uwchfarchnad *f*

supernatant CHEMISTRY *n* uwchwaddod *m*

supernatural 1. *adj* goruwchnaturiol[1]

  2. *n* goruwchnaturiol[2] *m*

supernaturalism *n* goruwchnaturioliaeth *f*

supernova ASTRONOMY *n* uwchnofa *f*

superpower pŵer mawr

supersaturated CHEMISTRY *adj* gorddirlawn

superscript *n* uwchysgrif *f*, uwchysgrifen *f*

supersede* *vn* disodli

supersonic PHYSICS *adj* uwchsonig

superstition *n* coel *f*, ofergoel *f*, ofergoeliaeth *f*

superstitious *adj* ofergoelus

superstructure[1] *n* aradeiledd *m*, goruwchadail *f*

superstructure[2] ARCHITECTURE *n* aradeiledd *m*

superstructure[3] PHILOSOPHY *n* goruwchadail *f*

supertonic MUSIC *n* uwchdonydd *m*

supervise *vn* arolygu, goruchwylio

supervision *n* arolygiaeth *f*, goruchwyliaeth *f*

supervisor *n* arolygwr *m*, arolygydd *m*, goruchwyliwr *m*

supervisory *adj* arolygol

supper *n* swper *mf*

supplant *vn* disodli

supplanting *n* disodliad *m*

supple *adj* hyblyg, ystwyth

supplement 1. *n* atodiad *m*, ychwanegiad *m*, ychwanegyn *m* 2. *vn* ychwanegu

supplementary *adj* atodol

suppleness *n* hyblygrwydd *m*, ystwythder *m*

suppliant *n* deisyfwr *m*, eirchiad *m*, erfyniwr *m*, erfynnydd *m*

supplicant *n* gweddïwr *m*, ymbiliwr *m*

supplicate *vn* deisyf, deisyfu

supplication *n* deisyfiad *m*, erfyniad *m*

supplier *n* cyflenwr *m*, cyflenwydd *m*

supply 1. *n* cyflenwad *m* 2. *vn* cyflenwi

support 1. *n* ategiad *m*, cefnogaeth *f*, cymhorthyn *m*, cynhaliad¹ *m*, cynhaliad² *m*, cynhaliaeth *f*, cynhalydd *m*, cynheiliad *m*, nawdd¹ *m* 2. *vn* ategu, cefnogi, cynnal, cynnal breichiau, dal, dala, eilio¹

supportable *adj* cynaliadwy

supporter *n* cefnogwr *m*, cynhaliwr *m*, cynhalydd *m*, cynheiliad *m*, pleidiwr *m*

supporters *n* selogion *pl*

supporting *adj* cynhaliol, cynorthwyol

supportive *adj* cefnogol, nawddogol

suppose *vn* dweud, tybied, tybio

supposed *adj* tybiedig

supposition *n* dyfaliad *m*, tybiaeth *f*

suppress *vn* atal¹, llethu

suppurate *vn* gori

supranational *adj* uwch-genedlaethol

supranationalism POLITICS *n* uwch-genedlaetholdeb *m*

supremacy *n* goruchafiaeth *f*

supreme *adj* eithaf¹, goruchaf, goruchel, pennaf

supremo *n* penllywydd *m*

supremum MATHEMATICS *n* swpremwm *m*

surcharge *n* gordal *m*

surd MATHEMATICS *n* swrd *m*

sure *adj* diau, diogel, sicr, siwr, siŵr

sureness *n* sicrwydd *m*

surety¹ *n* mechnïwr *m*, mechnïydd *m*, meichiau *m*

surety² LAW *n* mechni *f*, mechnïaeth *f*

surf 1. *n* beiston *f* 2. *vn* beistonna, syrffio

surface¹ *n* arwyneb *m*, arwynebedd *m*, clawr *m*, wyneb *m*

surface² MATHEMATICS *n* arwyneb *m*

surfeit 1. *n* syrffed *m* 2. *vn* syrffedu

surfer *n* beistonnwr *m*, syrffiwr *m*

surge 1. *n* dygyfor *m*, ymchwydd *m* 2. *vn* ymchwyddo

surgeon *n* llawfeddyg *m*

surgery¹ *n* meddygfa *f*

surgery² MEDICINE *n* llawdriniaeth *f*, llawfeddygaeth *f*

surgical MEDICINE *adj* llawfeddygol

Surinamer *n* Swrinamiad *m*

Surinamese 1. *adj* Swrinamaidd 2. *n* Swrinamiad *m*

surliness *n* sarugrwydd *m*

surly *adj* afrywiog, blwng, dreng, minsur, sarrug, surbwch

surmise 1. *n* tyb *m* 2. *vn* tybied, tybio

surname *n* cyfenw *m*, snâm *m*, steil² *m*, syrnâm *m*

surpass *vn* blaenu, rhagori

surplice RELIGION *n* gwenwisg *f*

surplus¹ *n* gweddill *m*

surplus² FINANCE *n* gwarged *m*

surprise 1. *n* syndod *m* 2. *vn* synnu

surprised *adj* syn

surreal *adj* swreal

surrealism ART *n* swrealaeth *f*

surrealist *n* swrealydd *m*

surrealistic *adj* swrealaidd

surrender 1. *n* cwymp *m*, ildiad *m* 2. *vn* ildio, ymostwng

surreptitious *adj* lladradaidd, llechwraidd, llechwrus

surround *vn* amgáu, amgylchynu, cylchynu

surrounded *adj* amgaeedig

surrounding 1. *adj* amgylchynol 2. *prep* ogylch

surveillance *n* gwyliadwriaeth *f*

survey 1. *n* arolwg *m* 2. *vn* arolygu

surveying *n* tirfesuriaeth *m*

surveyor *n* syrfëwr *m*, tirfesurydd *m*

survival *n* goroesiad *m*

survive *vn* dod drwyddi [*dod¹*], goroesi, para

survivor *n* goroeswr *m*

susceptibility¹ *n* rhagdueddiad *m*

susceptibility² PHYSICS *n* derbynnedd *m*

susceptible *adj* chwannog, tueddol

suspect *vn* amau, drwgdybied, drwgdybio

suspend *vn* gwahardd dros dro, hongian

suspended *adj* crog²

suspension¹ *n* crogiant *m*, hongiad *m*

suspension² CHEMISTRY *n* daliant *m*

suspension³ MUSIC *n* gohiriant *m*

suspensory *adj* cynhaliol

suspicion *n* amheuaeth *f*, drwgdybiaeth *f*

suspicions *n* amheuon *pl*

suspicious *adj* amheus, drwgdybus

sustain *vn* cynnal

sustainability *n* cynaliadwyedd *m*

sustainable *adj* cynaliadwy

sustained *adj* cyson, parhaus

sustenance *n* cynhaliaeth *f*, lluniaeth *m*, maeth¹ *m*, ymborth *m*, ymborthiant *m*

swaddle *vn* lapio, rhwymo

swage 1. *n* darfath *m* 2. *vn* darfathu

swagger *vn* jarffio, rhodresa, torsythu, ymsythu

swaggering *adj* talog, torsyth

swallow 1. *n* gwennol *f*, llwnc¹ *m*, llynciad *m* 2. *vn* llyncu

swallower *n* llyncwr *m*

swamp 1. *n* cors¹ *f*, corstir *m*, gwern¹ *f*, mign *f* 2. *vn* boddi, llethu

swan *n* alarch *m*

swank *vn* brolian, brolio, jarffio, lordio, rhodresa

swap *vn* ffeirio, trwco

sward *n* ton[2] *m*

swarm 1. *n* haid *f* 2. *vn* heidio, heigio

swarthy *adj* melynddu

swash *n* torddwr *m*

swastika *n* swastica *f*

swath *n* gwanaf *f*

swathe 1. *n* amrwym *m*, gwanaf *f*, ystod *f*
2. *vn* amrwymo

sway 1. *n* dylanwad *m*
2. *vn* gwegian, siglo, ymdonni

swayback *n* tindro *f*

swear *vn* damnio, diawlio, gwirio, rhegi, tyngu

swearer *n* rhegwr *m*, tyngwr *m*

sweat[1] 1. *n* chwys *m* 2. *vn* chwysu

sweat[2] METALLURGY *vn* cysodro

sweater *n* jyrsi *f*, siwmper *f*

sweatshirt crys chwys

sweaty *adj* chwyslyd

swede *n* erfinen *f*, meipen *f*, rwden *f*, swedsen *f*

Swede *n* Swediad *m*

Swedish *adj* Swedaidd

sweep 1. *n* arfod *f*, ysgubwr *m*
2. *vn* sgubo, ysgubo

sweeper *n* ysgubwr *m*

sweeping *adj* ysgubol

sweepings *n* dysgub *f*

sweet 1. *adj* annwyl, croyw, hoffus, melys,
pêr[1], peraidd, pert
2. *n* fferen *f*, losin *m* & *pl*, melysyn *m*

sweetbread *n* cefndedyn *m*

sweetcorn *n* indrawn *m*

sweeten *vn* melysu, pereiddio

sweetener *n* melysydd *m*

sweetheart *n* bodan *f*, bun *f*, cariad[2] *m*,
cariadfab *m*, cariadferch *f*, meinwen *f*

sweetmeat *n* melysfwyd *m*

sweetness *n* anwyldeb *m*, hynawsedd *m*,
melyster *m*, melystra *m*, pereidd-dra *m*

sweets *n* cacen *f*, candis *pl*, cisys *pl*, da-da *pl*,
fferins *pl*, losin *m* & *pl*, melysion *pl*, minceg *m*,
taffi *m*

sweet-scented *adj* peraroglus

sweet-sounding *adj* persain

swell 1. *n* dygyfor *m*, ymchwydd *m* 2. *vn* codi,
chwyddo, ymchwyddo

swelling *n* chwydd *m*, chwyddi *m*, wrlyn *m*,
ymchwydd *m*

swelter 1. *n* myllni *m* 2. *vn* chwysu

sweltering *adj* llethol

swerve *vn* gwyro

swift 1. *adj* buan, chwim, esgud 2. gwennol ddu

swiftest *num* cyntaf

swift-footed *adj* buandroed

swiftness *n* buander *m*, buandra *m*,
sydynrwydd *m*

swig 1. *n* dracht *m*, joch *m*, llymaid *m*, tracht *m*
2. *vn* drachtio

swill *n* golchion *pl*, llith[2] *m*

swim 1. *n* nofiad *m* 2. *vn* nofio

swimmable *adj* nofiadwy

swimmer *n* nofiwr *m*

swindle *vn* twyllo

swindler *n* cogiwr *m*, twyllwr *m*

swine *n* mochyn *m*

swineherd *n* meichiad *m*, mochwr *m*

swing 1. *n* siglen[1] *f*, troad *m*
2. *vn* crymanu, gwyro, siglo, troi

swinging *n* sigl *m*

swingletree *n* cambren *m*

swirl *vn* chwyrlïo

Swiss 1. *adj* Swisaidd, Swistirol 2. *n* Swisiad *m*

switch[1] 1. *n* switsh *m* 2. *vn* switsio

switch[2] COMPUTING *n* switsh *m*

switchboard *n* switshfwrdd *m*

swivel 1. *n* bwylltid *m* 2. *vn* bwylltidio

swollen *adj* chwyddedig

swoon 1. *n* llesmair *m*, llewyg *m*
2. *vn* llesmeirio, llewygu

swoop 1. *n* cyrch[1] *m* 2. *vn* disgyn ar, plymio

sword *n* cledd *m*, cleddyf *m*

swordfish pysgodyn cleddyf

swordsman *n* cleddyfwr *m*

sycamore (trees and wood) *n* masarn *pl*,
sycamorwydd *pl*

sycophant *n* cynffonnwr *m*, sebonwr *m*

sycophantic *adj* cynffongar

syllabic *adj* sillafog

syllable *n* sill *f*, sillaf *f*

syllabus maes llafur [*llafur*[1]]

syllogism LOGIC *n* cyfresymiad *m*

syllogize LOGIC *vn* cyfresymu

sylvan *adj* coediog, coedog

symbiosis[1] *n* cydfywyd *m*, symbiosis *m*

symbiosis[2] BIOLOGY 1. *n* symbiosis *m* 2. *vn* cyd-fyw

symbiotic *adj* symbiotig

symbol *n* arwydd *m*, arwyddlun *m*, symbol *m*

symbolic *adj* arwyddluniol, symbolaidd

symbolism *n* symbolaeth *f*, symboliaeth *f*

symbolist *n* symbolwr *m*, symbolydd *m*

symbolize *vn* delweddu

symmetrical *adj* cymesur

symmetry *n* cymesuredd *m*

sympathetic *adj* sympathetig

sympathize *vn* cydymdeimlo

sympathy *n* cydymdeimlad *m*

symphonic MUSIC *adj* symffonig

symphony MUSIC *n* symffoni *f*

symposium *n* symposiwm *m*

symptom *n* symptom *m*

symptomatig *adj* symptomatig

synagogue RELIGION *n* synagog *m*

synapse PHYSIOLOGY *n* synaps *m*

synapsis BIOLOGY *n* synapsis *m*

synaptic PHYSIOLOGY *adj* synaptig

synchromesh *n* cyd-ddant *m*
synchronize *vn* cydamseru
synchronous *adj* cydamseredig
syncline GEOLOGY *n* synclin *m*
syncopate MUSIC *vn* trawsacennu
syncopation MUSIC *n* trawsacen *f*
syncretism *n* syncretiaeth *f*
syndicalism ECONOMICS *n* syndicaliaeth *f*
syndicate *n* syndicat *m*
syndrome *n* syndrom *f*
synecdoche *n* cydgymeriad *m*
synergism *n* synergedd *m*
synergy *n* synergedd *m*
synod RELIGION *n* synod *m*
synonymous *adj* cyfystyr
synonyms GRAMMAR *n* cyfystyron *pl*
synopsis *n* dadansoddiad *m*
synoptic *adj* synoptig
synovia ANATOMY *n* synofia *m*
synovial ANATOMY *adj* synofaidd
syntactic *adj* cystrawennol
syntactical *adj* cystrawennol
syntax GRAMMAR *n* cystrawen *f*
synthesis *n* synthesis *m*
synthesize *vn* cyfosod, syntheseiddio
synthesized *adj* syntheseisiedig
synthesizer *n* syntheseinydd *m*
synthetic *adj* synthetig
syphilis MEDICINE *n* syffilis *m*
Syrian 1. *adj* Syriaidd 2. *n* Syriad *m*
syringe *n* chwistrell *f*
syrup *n* syrup *m*, syryp *m*
syrupy *adj* siwgraidd
system¹ *n* cyfundrefn *f*, system *f*
system² ASTRONOMY *n* cysawd *m*
systematic *adj* cyfundrefnol, systematig
systematization *n* cyfundrefniad *m*
systematize *vn* cyfundrefnu
systole PHYSIOLOGY *n* systole *m*

t

t MUSIC *n* ti³ *m*
tab *n* tab *m*
tabby *adj* trilliw¹
tabernacle *n* tabernacl *m*
table 1. *n* bord *f*, bwrdd *m*, tabl *m* 2. *vn* cyflwyno
tablecloth lliain bord, lliain bwrdd
table d'hôte COOKERY bwydlen osod
tableful *n* bordaid *f*, byrddaid *m*
tablet *n* llech *f*, llechen *f*, tabled *f*
taboo *n* tabŵ *m*, ysgymunbeth *m*
tabor *n* tabwrdd *m*
tabular *adj* tablaidd
tabulate *vn* tablu
tabulation *n* tabliad *m*

tachistoscope *n* tacistosgop *m*
tachograph *n* tacograff *m*
tachycardia¹ *n* chwimguriad *m*
tachycardia² MEDICINE *n* cyflymedd y galon *m*
tacit *adj* dealledig
taciturn *adj* di-ddweud, di-sgwrs, dywedwst, geirbrin, tawedog
tack¹ 1. *n* tac *m* 2. *vn* tacio
tack² NEEDLEWORK 1. *n* pwyth¹ *m*, pwythyn *m*, tac *m* 2. *vn* brasbwytho, tacio
tack³ SEAMANSHIP 1. *n* tac *m* 2. *vn* tacio
tackle 1. *n* offer *pl*, tacl *m*, taclad *m*, taclau *pl* 2. *vn* taclo
tackler *n* taclwr *m*
tacky *adj* di-chwaeth, gludiog
tact *n* tact *m*
tactful *adj* diplomataidd, diplomyddol, tringar
tactic *n* tacteg *f*
tactical *adj* tactegol
tactician *n* tactegydd *m*
tactile *adj* cyffyrddol
tactless *adj* anhringar, di-dact
tadpole *n* penbwl *m*
Tadzhik 1. *adj* Tajicaidd 2. *n* Tajic *m*
taffeta *n* taffeta *m*
tag¹ *n* cis *m*, label *m*, pwyntil *m*, ticed *m*, tocyn¹ *m*
tag² COMPUTING *n* tag *m*
Tahitian 1. *adj* Tahitaidd 2. *n* Tahitiad *m*
taiga *n* taiga *m*
tail *n* cloren *f*, cwt² *m*, cynffon *f*
tailcoat cot gynffon fain [*cot¹*]
tailed *adj* cynffonnog
tailor 1. *n* teiliwr *m* 2. *vn* teilwra
tailoring *n* teilwriaeth *f*
taint *vn* difwyno, llygru
Taiwanese 1. *adj* Taiwanaidd 2. *n* Taiwaniad *m*
Tajik 1. *adj* Tajicaidd 2. *n* Tajic *m*
take *vn* cipio, codi, cymryd, dilyn, dwyn, mynd â [*mynd¹*]
takeaway¹ pryd parod [*pryd⁴*]
takeaway² COOKERY 1. *adj* parod 2. bwyd i fynd
take care *vn* gofalu
taker *n* dygwr *m*
takings *n* derbyniadau *pl*
talc *n* talc *m*
talcum *n* talcwm *m*
tale *n* chwedl *f*, ffregod *f*, hanes *m*, stori *f*
talent *n* dawn *f*, talent *f*
talented *adj* talentog
talentless *adj* didalent, di-ddawn
talisman *n* swyn *m*, talisman *m*
talk 1. *n* anerchiad *m*, sgwrs *f*, sôn² *m* 2. *vn* parablu, sgwrsio, siarad
talkative *adj* chwedleugar, siaradus, tafodrydd
talkie ffilm sain
tall *adj* tal
tallow *n* gwêr *m*

tally *vn* cyfateb

Talmud RELIGION *n* Talmud *m*

talon *n* crafanc[1] *f*, ewin *mf*

tamarind *n* tamarind *m*

tamarisk *n* tamarisg *f*

tambourine *n* tambwrîn *m*

tame 1. *adj* dof[1], llywaeth, swci
2. *vn* dofi, hyweddu

tameness *n* dofrwydd *m*

tamer *n* dofwr *m*

tamp *vn* tampan, tampio

tamper *vn* ymhél, ymhela

tan 1. *vn* barcio 2. lliw haul [*lliw*[1]]

tandem *n* tandem *m*

tang *n* adflas *m*, colsaid *m*, cwt[2] *m*,
cynffon *f*, sawr *m*

tangent MATHEMATICS *n* tangiad *m*

tangential MATHEMATICS *adj* tangiadol

tangerine *n* tanjerîn *m*

tangible *adj* diriaethol

tangle *n* cwlwm[1] *m*, drysni *m*

tangled *adj* dryslyd

tango MUSIC *n* tango *m*

tank *n* tanc *m*

tanker *n* tancer *m*

tanner *n* barcer *m*, barcwr *m*

tannery *n* barcerdy *m*, tanerdy *m*

tannin *n* tannin *m*

tansy *n* tansi *m*

tantalize *vn* pryfocio

tantalum *n* tantalwm *m*

tantamount *adj* cyfystyr

tantrum *n* stranc *f*

Tanzanian 1. *adj* Tansanïaidd 2. *n* Tansanïad *m*

Tao PHILOSOPHY *n* Tao *m*

Taoism *n* Taoaeth *f*

tap 1. *n* tap[1] *m* 2. *vn* cnocio, tapio[1]

tap-dance MUSIC *vn* tapddawnsio

tape 1. *n* llinyn *m*, tâp *m* 2. *vn* tapio[5]

taper 1. *n* tapr *m* 2. *vn* meinhau, tapro

tape-record *vn* tapio[2]

tapestry *n* brithlen *f*, tapestri *m*

tapetum BOTANY, ZOOLOGY *n* tapetwm *m*

tapeworm *n* llyngyren *f*

tapioca *n* tapioca *m*

tapir *n* tapir *m*

tappett *n* taped *f*

tar *n* tar *m*

tarantula *n* tarantwla *m*

tardy *adj* araf, diweddar, hwyr[1], hwyrfrydig

tares *n* corbys *pl*, efrau *pl*

target 1. *n* cocyn hitio *m*, targed *m* 2. *vn* targedu

tariff *n* tariff *m*, toll *f*

tarmac *vn* tarmacio

tarnish *vn* llychwino, pylu, tarneisio

tarry *vn* oedi, tario

tarsal ANATOMY *adj* tarsol

tarsus[1] *n* arsang *m*

tarsus[2] ANATOMY *n* tarsws *m*

tart 1. *adj* egr, siarp, sur 2. *n* tarten *f*

tartan *n* plàd *m*, plod *m*

task *n* gorchwyl *m*, gwaith[1] *m*, tasg *f*

taskless *adj* diorchwyl

taskmaster *n* tasgfeistr *m*

Tasmanian 1. *adj* Tasmanaidd 2. *n* Tasmaniad *m*

tassel *n* siobyn *m*, tasel *m*

taste 1. *n* blas *m*, chwaeth *f*, tast *m*
2. *vn* blasu, profi, sawru

tasteful *adj* chwaethus

tasteless *adj* anchwaethus, di-chwaeth,
di-flas, merfaidd

taster *n* profwr *m*

tasty *adj* blasus

Tatar *n* Tatar *m*

tatoo *n* tatŵ[1] *m*

tattered *adj* bratiog, carpiog, llarpiog,
rhacsiog, rhacsog

tatters *n* cynhinion *pl*, jibidêrs *pl*, llarpiau *pl*

tattoo *n* tatŵ[2] *m*

taunt 1. *n* chweip *m* 2. *vn* gwatwar[1]

taut *adj* tyn[1] *m*

tautology *n* tawtoleg *f*

tautomeric CHEMISTRY *adj* tawtomerig

tautomerism CHEMISTRY *n* tawtomeredd *m*

tavern *n* tafarn *fm*, tafarndy *m*

tawdry *adj* coegwych, di-chwaeth

tawny *adj* rhuddfelyn

tax 1. *n* treth *f* 2. *vn* trethu

taxable *adj* trethadwy

taxation *n* trethiad *m*

tax-free *adj* di-doll, di-dreth

taxi *n* tacsi *m*

taxidermist *n* tacsidermydd *m*

taxidermy *n* tacsidermi *m*

taxonomic(al) *adj* tacsonomaidd

taxonomy *n* tacsonomeg *f*

taxpayer *n* trethdalwr *m*

TB[1] *n* darfodedigaeth *f*, diciáu *m*, dyciáu *m*

TB[2] MEDICINE *n* twbercwlosis *m*

te MUSIC *n* t *f*, T *f*, ti[3] *m*

tea *n* te *m*

teach *vn* addysgu, dysgu

teacher *n* athrawes *f*, athro *m*

teaching *n* dysgeidiaeth *f*

teak *n* tîc *m*

teal *n* corhwyaden *f*

team *n* gwedd[2] *f*, tîm *m*

teapot *n* tebot *m*

tear[1] 1. *n* rhwyg *m*, rhwygiad *m* 2. *vn* rhwygo

tear[2] *n* deigryn *m*

tearful *adj* dagreuol, wylofus

tears *n* dwfr *m*, dŵr *m*

tease 1. *n* poenyn *m* 2. *vn* plagio, poeni, pryfocio

teasel *n* cribau'r pannwr *pl*

teasing *adj* pryfoclyd

teaspoon llwy de

teat *n* teth *f*

technetium *n* technetiwm *m*

technical *adj* technegol

technician *n* technegwr *m*, technegydd *m*

technique *n* techneg *f*

technological *adj* technolegol

technologist *n* technolegydd *m*

technology *n* technoleg *f*

tectonic GEOLOGY *adj* tectonig

tectonics GEOLOGY *n* tectoneg *f*

teddy *n* tedi *m*

tedious *adj* hir, maith

tedium *n* undonedd *m*

tee 1. *n* ti⁴ *m* 2. *vn* tio

teem *vn* heidio, heigio

teeming *adj* cyforiog, heigiog, tryfrith

teenage *adj* arddegol

teenager *n* glaslanc *m*

teens *n* arddegau *pl*, glasoed *m*

teeter *vn* gwegian, simsanu

teetotal *adj* dirwestol

teetotalism *n* dirwest *m*, llwyrymataliad *m*, llwyrymwrthodiad *m*

teetotaller *n* dirwestwr *m*, llwyrymataliwr *m*, llwyrymwrthodwr *m*

telecommunicate *vn* telathrebu

telecommunications* *vn* telathrebu

telegram *n* brysneges *f*, telegram *m*

telegraph *n* telegraff *m*

telemetry PHYSICS *n* telemetreg *f*

teleological *adj* teleolegol

teleology PHILOSOPHY *n* teleoleg *f*

telepathic *adj* telepathig

telepathy *n* telepathi *m*

telephone 1. *n* ffôn *m*, teleffon *m* 2. *vn* ffonio, galw¹

telescope *n* sbienddrych *m*, telesgop *m*, ysbienddrych *m*

telescopic *adj* telesgopig

teletext *n* teletestun *m*

television *n* teledu *m*

teleworking *n* teleweithio *m*

telex *n* telecs *m*

tell *vn* adrodd, dweud, sôn¹

telltale *n* clapgi *m*, prepiwr *m*

tellurium *n* telwriwm *m*

telophase BIOLOGY *n* teloffas *m*

temper 1. *n* hwyl² *f*, natur *f*, tymer *f* 2. *vn* caledu, tempro, tempru, tymheru

tempera *n* tempera *m*

temperament¹ *n* anian *f*

temperament² MUSIC *n* ardymer *f*

temperamental *adj* oriog

temperance *n* dirwest *m*

temperate *adj* cymedrol, tymherus

temperature *n* gwres *m*, tymheredd *m*

tempest *n* rhyferthwy *m*, storm *f*, storom *f*, tymestl *f*

tempestuous *adj* brochus, stormus, tymhestlog

template¹ *n* patrymlun *m*, templed *m*

template² BIOCHEMISTRY *n* templed *m*

temple¹ *n* teml *f*

temple² ANATOMY *n* arlais *f*

tempo¹ *n* amseriad *m*

tempo² MUSIC *n* tempo *m*

temporal *adj* tymhorol

temporarily dros dro [*tro*]

temporary dros dro [*tro*]

tempt *vn* temtio

temptation *n* temtasiwn *mf*

tempter *n* temtiwr *m*

ten *num* deg

tenable *adj* daliadwy

tenacious *adj* cadarn, dygn, gafaelgar

tenacity *n* cadernid *m*, dycnwch *m*, dygnwch *m*

tenancy *n* deiliadaeth *f*, tenantiaeth *f*

tenant *n* deiliad *m*, tenant *m*

tench *n* sgreten *f*, ysgreten *f*

tend *vn* gogwyddo, gwarchod, gwylied, gwylio, osio, tendio, tueddu

tendency *n* gogwydd *m*, tuedd *f*, tueddiad *m*

tender 1. *adj* brau, meddal, mwyn³, mwynaidd, tyner 2. *n* tendr *m* 3. *vn* tendro

tenderize *vn* tyneru

tenderizer *n* tynerydd *m*

tenderness *n* gwaredd *m*, tiriondeb *m*, tynerwch *m*

tendon¹ *n* gwäell *f*, llinyn *m*

tendon² ANATOMY *n* tendon *m*

tendril BOTANY *n* tendril *m*

tenement *n* tenement *m*

tenner *n* decpunt *f*

tennis *n* tennis *m*

tenor 1. *adj* tenor² 2. *n* tenor¹ *m*

tense GRAMMAR *n* amser *m*

tensile *adj* tynnol

tension *n* tensiwn *m*, tynder *m*, tyndra *m*, tyniant *m*

tensor ANATOMY *n* tensor *m*

tent *n* pabell *f*

tentacle *n* tentacl *m*

tenth *num* degfed

tenuous* *adj* tenau

tenure *n* daliadaeth *f*, deiliadaeth *f*

tepee *n* tipi *m*

tepid *adj* claear, llugoer

terabyte COMPUTING *n* terabeit *m*

teratogen BIOLOGY *n* teratogen *m*

terbium *n* terbiwm *m*

tercentenary *n* trichanmlwyddiant *m*

term¹ *n* term *m*, tymor *m*

term² MATHEMATICS *n* term *m*

termagant *n* cecren *f*
terminal[1] *n* terfynell *f*, terfynfa *f*
terminal[2] COMPUTING *n* terfynell *f*
terminate *vn* terfynu
terminating MATHEMATICS *adj* terfynus
terminology *n* terminoleg *f*
terms *n* telerau *pl*
tern *n* môr-wennol *f*
ternary[1] *adj* triaidd
ternary[2] MUSIC *adj* teiran
terrace 1. *n* rhes *f*, teras *m* 2. *vn* terasu
terracotta *adj* melyngoch
terrain *n* tir *m*
terrapin *n* terapin *m*
terrestrial *adj* daearol
terrible *adj* arswydus, brawychus, dychrynllyd[1], ofnadwy[1], uffernol[1]
terribly *adv* dychrynllyd[2], ofnadwy[2], uffernol[2]
terrier *n* daeargi *m*
terrific *adj* aruthrol
terrifier *n* brawychwr *m*
terrify *vn* brawychu, dychryn[1], dychrynu
territorial *adj* tiriogaethol
territory *n* tiriogaeth *f*
terror *n* arswyd *m*, dychryn[2] *m*
terrorism *n* brawychiaeth *f*, terfysgaeth *f*
terrorist *n* brawychwr *m*, terfysgwr *m*
terrorize *vn* brawychu, terfysgu
terse* *adj* swta
tertiary *adj* trydyddol
tessellate MATHEMATICS *vn* brithweithio
tessellation MATHEMATICS *n* brithwaith *m*
test 1. *n* prawf[1] *m* 2. *vn* profi
   3. maen prawf [*maen*[1]]
testa BOTANY *n* hadgroen *m*
testaceous *adj* cragennaidd
testament *n* testament *m*
testator *n* cymynnwr *m*, ewyllysiwr *m*
tester *n* profwr *m*
testicle *n* caill *f*, carreg *f*
testicles *n* ceilliau *pl*
testify *vn* tystio, tystiolaethu
testimonial *n* geirda *m*, tysteb *f*, tystlythyr *m*
testimony *n* tystiolaeth *f*
testosterone BIOCHEMISTRY *n* testosteron *m*
testy *adj* ffromllyd, piwis
tetanus MEDICINE *n* tetanws *m*
tetany MEDICINE *n* tetanedd *m*
tether 1. *n* tennyn *m* 2. *vn* clymu
tetra- *pref* tetra-
tetrahedral *adj* tetrahedrol
tetrahedron MATHEMATICS *n* tetrahedron *m*
tetrarch *n* tetrarch *m*
text 1. *n* testun *m* 2. *vn* tecstio
textbook *n* gwerslyfr *m*
textile[1] *n* defnydd *m*
textile[2] NEEDLEWORK *n* tecstil *m*

texture 1. *n* gwead *m*, gwedd[1] *f* 2. *vn* gweadeddu
Thai 1. *adj* Tai, Thai[2] 2. *n* Tai *m*, Thai[1] *m*
thalamus *n* thalamws *m*
thallium *n* thaliwm *m*
thallus BOTANY *n* thalws *m*
than *conj* na[5], nag
thane *n* brëyr *m*, pendefig *m*
thank *vn* diolch[2]
thankful *adj* diolchgar
thankless *adj* diddiolch
thanks *n* diolch[1] *m*, diolchiadau *pl*
thanksgiving *n* diolchgarwch *m*
that 1. *adj* honno[2], hwnnw[2], yna[2] 2. *conj* mai[1]
   3. *prep* i[3] 4. *pronoun* a[3], hynny[1]
thatcher *n* töwr *m*
thaw 1. *n* dadmeriad *m* 2. *vn* dadlaith, dadmer, dadrewi, meirioli, toddi
thawing *n* dadmeriad *m*
the *definite article* 'r, y[2], yr
theatre *n* theatr *f*
theatrical *adj* theatraidd
thee *pronoun* dy, 'th
theft LAW *n* lladrad *m*
their *pronoun* eu
theism RELIGION *n* theistiaeth *f*
them *pronoun* eu, hwy[1], hwynt, hwythau[1], nhw
thematic *adj* thematig
theme *n* byrdwn *m*, thema *f*
then 1. *adv* wedyn, yna[1] 2. *conj* ynteu
   3. wedi hynny
theocracy *n* theocratiaeth *f*
theocratic *adj* theocrataidd
theodicy RELIGION *n* theodiciaeth *f*
theodolite *n* theodolit *m*
theologian *n* diwinydd *m*
theological *adj* diwinyddol
theology RELIGION *n* diwinyddiaeth *f*
theophany *n* theoffani *m*
theorem MATHEMATICS *n* theorem *f*
theoretical *adj* damcaniaethol
theoretician *n* damcaniaethwr *m*
theory *n* damcaniaeth *f*, theori *f*
theosophy *n* theosoffi *m*
therapeutics MEDICINE *n* therapiwteg *f*
therapist *n* therapydd *m*
therapy *n* therapi *m*
there *adv* acw[1], 'co, dacw, draw, dyna, yna[1], yno
therefore 1. *adv* felly 2. *conj* ynteu
therm *n* therm *m*
thermal *adj* thermol[1]
thermionic ELECTRONICS *adj* thermionig
thermistor ELECTRONICS *n* thermistor *m*
thermochromic CHEMISTRY *adj* thermocromig
thermocouple ELECTRONICS *n* thermocwpl *m*
thermodynamic PHYSICS *adj* thermodynamig
thermodynamics PHYSICS *n* thermodynameg *f*
thermoelectric PHYSICS *adj* thermodrydanol

thermoelectricity PHYSICS *n* thermodrydan *m*

thermogram PHYSICS *n* thermogram *m*

thermograph PHYSICS *n* thermograff *m*

thermographic PHYSICS *adj* thermograffig

thermography *n* thermograffeg *f*

thermojunction PHYSICS *n* thermogydiad *m*

thermometer *n* gwresfesurydd *m*, thermomedr *m*

thermometric PHYSICS *adj* thermometrig

thermometry PHYSICS *n* thermomedreg *f*

thermonuclear PHYSICS *adj* thermoniwclear

thermopile ELECTRONICS *n* thermopil *m*

thermoplastic CHEMISTRY 1. *adj* thermoplastig[1]
  2. *n* thermoplastig[2] *m*

thermos *n* thermos *m*

thermoscope ELECTRONICS *n* thermosgop *m*

thermosetting *adj* thermosodol

thermostat *n* thermostat *m*

thesaurus *n* thesawrws *m*

these 1. *adj* hyn[2], yma[2] 2. *pronoun* rhain

thesis *n* traethawd *m*, thesis *m*

they *pronoun* hwy[1], hwynt, hwythau[1], nhw

thiamine BIOCHEMISTRY *n* thiamin *m*

thick 1. *adj* braisg, praff, tew, trwchus
  2. yn drwch [*trwch*]

thicken *vn* tewhau, tewychu

thickener *n* tewychydd *m*

thickening *n* tewychiad *m*

thicket *n* drysgoed *pl*, dryslwyn *m*,
  drysni *m*, prysglwyn *m*

thickhead *n* ionc *m*, lembo *m*

thickness *n* praffter *m*, tewder *m*,
  tewdra *m*, trwch *m*

thickset *adj* cydnerth

thick-skinned *adj* croendew

thief *n* lleidr *m*

thievish *adj* lladrongar

thigh[1] *n* gar *f*

thigh[2] ANATOMY *n* morddwyd *f*

thimble *n* gwniadur *m*

thin 1. *adj* main[1], tenau 2. *vn* teneuo

thine *pronoun* dy, 'th

thing *n* peth *m*

thingummy *n* bechingalw *m*, bethma[1] *m*,
  teclyn *m*

think *vn* barnu, meddwl[2]

thinker *n* meddyliwr *m*

thinner *n* teneuydd *m*

thinness *n* teneuwch *m*

thinning *n* teneuad *m*

thin-skinned *adj* croendenau

third *num* trydedd, trydydd

thirst 1. *n* syched *m* 2. *vn* sychedu

thirsty *adj* sych, sychedig

thirty *num* deg ar hugain, tri deg

this 1. *adj* hon[2], hwn[2], yma[2] 2. *pronoun* hyn[1]

thistle *n* ysgallen *f*, ysgellyn *m*

thixotropy CHEMISTRY *n* thicsotropedd *m*

thoracic *adj* thorasig

thorax[1] *n* afell *f*

thorax[2] ANATOMY, ZOOLOGY *n* thoracs *m*

thorium *n* thoriwm *m*

thorn *n* draen *f*, draenen *f*, pigyn *m*

thorntree *n* draen *f*, draenen *f*

thorny *adj* dreiniog, dyrys

thorough *adj* trwyadl, trylwyr

thoroughbred *adj* diledryw, tryryw

thoroughness *n* trylwyredd *m*

those 1. *adj* hynny[1], yna[2]
  2. *pronoun* rhai, rheini, rheiny

thou *pronoun* chdi, di, ti[1]

Thou Ti [*ti*[1]]

though 1. *conj* pe, ped, pes 2. *prep* er

thought *n* meddwl[1] *m*, syniad *m*

thoughtful *adj* meddylgar, myfyriol, ystyriol

thoughtfulness *n* meddylgarwch *m*

thoughtless *adj* anystyriol, difeddwl

thousand *n* mil[2] *f*

thousandth *adj* milfed

thrash *vn* colbio, dyrnu, leinio

thrashing *n* cosfa *f*, crasfa *f*, leiniad *m*

thread[1] 1. *n* edau *f*, edefyn *m*, llinyn *m*
  2. *vn* edafu

thread[2] COOKERY *vn* edafeddu

threadbare *adj* hendraul, tenau

threat *n* bygythiad *m*

threaten *vn* bygwth, bygythio, codi dwrn ar

threatening *adj* bygythiol

three 1. *num* tri 2. tair [*tri*]

three-legged *adj* teirtroed, trithroed

threnody *n* galarnad *mf*, oernad *m*

threonine *n* threonin *m*

thresh *vn* dyrnu, ffustio, ffusto

thresher *n* dyrnwr *m*, ffustiwr *m*

threshold *n* hiniog *m*, rhiniog *m*, trothwy *m*

thrice *adv* teirgwaith

thrift *n* cynildeb *m*, cynilder *m*, darbodaeth *f*

thrifty *adj* darbodus

thrill 1. *n* gwefr *f*, ias *f*, ysgryd *m*
  2. *vn* gwefreiddio

thriller nofel/ffilm iasoer [*iasoer*]

thrilling *adj* cyffrous, gwefreiddiol

thrive *vn* ffynnu

thriving *adj* ffyniannus, llewyrchus

throat 1. *n* gwddf *m*, gwddw *m*, gwddwg *m*
  2. corn gwddf:gwddw:gwddwg [*corn*[1]]

throaty *adj* gyddfol

throb 1. *n* curiad *m*
  2. *vn* curo, gwynegu, gwynio

throbbing *n* cur *m*

thrombosis MEDICINE *n* thrombosis *m*

thrombus[1] *n* tolchen *f*

thrombus[2] MEDICINE *n* thrombws *m*

throne *n* gorsedd *f*, gorseddfainc *f*

throng *n* llu *m*, torf *f*

throttle 1. *n* sbardun *m*, throtl *m*, ysbardun *m* 2. *vn* llindagu, tagu

through 1. *adv* drwodd, trwodd 2. *prep* drwy, trwy

through-composed MUSIC *adj* di-dor

throughflow *n* trwylif *m*

throughout 1. *adv* lledled 2. ar hyd [*hyd¹*], trwy/drwy gydol [*drwy*]

throughput *n* trwybwn *m*

throw 1. *n* ergyd *fm*, lluchiad *m*, tafliad *m* 2. *vn* bwrw, lluchio, taflu

throwback BIOLOGY *n* atafiaeth *f*

thrower *n* lluchiwr *m*

thrums *n* eddi¹ *pl*

thrush¹ *n* bronfraith *f*

thrush² MEDICINE *n* llindag *m*

thrust¹ 1. *n* gwaniad *m*, gwth *m*, gwthiad *m*, hyrddiad *m* 2. *vn* gwthio

thrust² ARCHITECTURE, PHYSICS *n* gwthiad *m*

thulium *n* thwliwm *m*

thumb 1. *n* bawd *fm* 2. *vn* bodio, byseddu

thump 1. *n* pwnad *m*, pwniad *m* 2. *vn* pwnio, pwno

thunder 1. *n* taran *f*, terfysg *m*, trwst *m*, twrf *m*, twrw *m*, tyrfau *pl* 2. *vn* taranu, tyrfo, tyrfu

thunderbolt *n* bollt *f*, llucheden *f*, taranfollt *f*

thunderclap *n* taran *f*

thunderer *n* taranwr *m*

thundering *n* taraniad *m*

thunderous *adj* taranllyd, terfysglyd, trystfawr

thundery *adj* taranllyd

Thursday 1. *n* Difiau *m*, Iau⁴ *m* 2. dydd Iau [*Iau⁴*]

thus *adv* felly

thwart *vn* croesi, gwrthsefyll

Thy Dy

thyme *n* teim *m*

thymine BIOCHEMISTRY *n* thymin *m*

thymus ANATOMY *n* thymws *m*

thyristor ELECTRONICS *n* thyristor *m*

thyroid ANATOMY *n* thyroid *m*

thyroxine *n* thyrocsin *m*

Tibetan 1. *adj* Tibetaidd 2. *n* Tibetiad *m*

tibia¹ asgwrn y grimog

tibia² ANATOMY *n* tibia *m*

tic *n* gwingiad *m*

tick¹ 1. *n* tic *m* 2. *vn* tician, ticio, tipian

tick² *n* torogen *f*, trogen *f*

ticket *n* ticed *m*, tocyn¹ *m*

tickle *vn* cosi, goglais, gogleisio

tickling 1. *adj* coslyd, gogleisiol 2. *n* cosfa *f*

ticklish *adj* ticlis

tidal *adj* llanwol

tide *n* llanw¹ *m*

tidiness *n* cymhendod *m*, destlusrwydd *m*, taclusrwydd *m*, twtrwydd *m*

tidings *n* cenadwri *f*, newyddion¹ *pl*

tidy 1. *adj* destlus, taclus, teidi, trefnus, twt¹

2. *vn* cymhennu, cymoni, tacluso, teidio, twtian, twtio

tidying *n* taclusiad *m*

tie 1. *n* rhwym¹ *m*, tei *mf* 2. *vn* cawio, clymu, rhwymo

tier *n* haen *f*, haenen *f*, rhenc *f*, rhes *f*

tiff* *n* ffrae *f*

tiger *n* teigr *m*

tight *adj* tyn¹

tighten *vn* tynhau

tightening *n* tynhad *m*

tight-fisted *adj* llawgaead, tyn¹

tightness *n* tynder *m*, tyndra *m*

tights *n* teits *pl*

tigress *n* teigres *f*

tile 1. *n* teilsen *f* 2. *vn* teilio

till¹ 1. *n* til¹ *m* 2. *prep* nes² 3. *vn* troi

till² GEOLOGY *n* clog-glai *m*

tiller *n* cadair *f*, llyw *m*

tilt* *vn* gogwyddo

tilth *n* âr *m*

timber *n* coed *pl*, pren¹ *m*

timberline *n* coedlin *m*

time¹ 1. *n* adeg *f*, amser *m*, awr *f*, gwaith² *f*, pryd¹ *m*, sbel *f*, sbelen *f*, tro *m* 2. *vn* amseru

time² MUSIC *n* amser *m*

timekeeper *n* amserwr *m*

timeless* *adj* digyfnewid

timely *adj* amserol

timer *n* amserydd *m*

timetable 1. *n* amserlen *f* 2. *vn* amserlennu

timid *adj* gwangalon, ofnus, swil

timidity *n* ofnusrwydd *m*, swildod *m*

timing *n* amseriad *m*

timorous* *adj* ofnus

timpani *n* timpani *pl*, tympanau *pl*

tin¹ 1. *adj* tun² 2. *n* alcam *m*

tin² METALLURGY *vn* tunio

tincture *n* tintur *m*, trwyth *m*

tinge *n* arlliw *m*, gwawr *f*

tinker *n* tincer *m*

tinkle 1. *n* tinc *m*, tonc *f* 2. *vn* tincial

tinnitus MEDICINE *n* tinitus *m*

tinplate¹ *n* alcam *m*

tinplate² METALLURGY *n* tunplat *m*

tinsel *n* tinsel *m*

tint 1. *n* arlliw *m*, gwawr *f* 2. *vn* arlliwio

tiny *adj* bach¹, bychan¹, mân, pwt²

tip 1. *n* blaen¹ *m*, cildwrn *m*, pigyn *m*, tip *m* 2. *vn* moelyd, ymhoelyd

tipple 1. *n* diod *f* 2. *vn* diota, llymeitian, slotian, yfed

tippler *n* diotwr *m*, diotyn *m*, llymeitiwr *m*, potiwr *m*

tirade* *n* pregeth *f*

tire *vn* blino, diffygio, ymlâdd

tired *adj* blinedig

tiredness *n* blinder *m*

tiring *adj* blinedig

tissue BIOLOGY 1. *adj* meinweol 2. *n* meinwe *m*

tit *n* titw *m*

titanium *n* titaniwm *m*

titbit *n* blasyn *m*

tithe *n* degwm *m*

titillate *vn* goglais, gogleisio

titillating *adj* gogleisiol

titivate *vn* pincio, twtian, twtio, ymbincio

title *n* teitl *m*

titleless *adj* di-deitl

titrate *vn* titradu

titration CHEMISTRY *n* titradiad *m*

titre CHEMISTRY *n* titr *m*

titter *vn* piffian

tittle-tattle 1. *n* clebar *mf*, cleber *mf*, gwag-siarad² *m* 2. gwag siarad [*siarad*]

to *prep* am², at, i³, wrth

toad *n* llyffant *m*

toadstool caws llyffant

toadstools *n* madarch *pl*

toady 1. *n* cynffonnwr *m*, sebonwr *m* 2. *vn* cynffonna, seboni

toast 1. *n* bara crasu *m*, llwncdestun *m*, tost¹ *m* 2. *vn* crasu, tostio

toasted *adj* cras

toaster *n* tostiwr *m*

tobacco *n* baco *m*, tybaco *m*

toboggan *n* sled *m*

today *nm & adv* heddiw

toe 1. *n* bys *m* 2. bys troed

toffee *n* cyflaith *m*, taffi *m*

together 1. *adv* ynghyd 2. *pronoun* gilydd 3. gyda'i gilydd

toggle COMPUTING 1. *n* togl *m* 2. *vn* toglo

Togolese 1. *adj* Togoaidd 2. *n* Togoad *m*

toil 1. *n* llafur¹ *m* 2. *vn* llafurio, ymlafnio

toilet 1. *n* toiled *m* 2. lle chwech [*chwech*], tŷ bach

token *n* arwydd *m*, tocyn¹ *m*

tolerable *adj* dioddefol, goddefadwy

tolerance *n* goddefedd *m*, goddefgarwch *m*, goddefiant *m*

tolerant *adj* goddefgar

tolerate *vn* dioddef, goddef

toleration *n* goddefgarwch *m*

toll¹ 1. *n* cnul *m*, toll *f* 2. *vn* canu cnul [*canu¹*]

toll² FINANCE *n* toll *f*

tolling *n* cnul *m*

tomato *n* tomato *m*

tomb¹ *n* bedd *m*, beddrod *m*, claddgell *f*

tomb² ARCHITECTURE *n* cromgell *f*

tombstone *n* beddfaen *m*

tomcat *n* cwrcath *m*, cwrci *m*, cwrcyn *m*, gwrcath *m*, gwrci *m*, gwrcyn *m*

tomfoolery *n* ffwlbri *m*, gamocs *pl*, giamocs *pl*

tomography PHYSICS *n* tomograffeg *f*

tomorrow *nm & adv* fory, yfory

ton *n* tunnell *f*

tonal MUSIC *adj* tonyddol

tonality MUSIC *n* cyweiredd *m*

tone¹ *n* cywair *m*, goslef *f*, gwawr *f*, sain¹ *f*, tôn² *m*

tone² ART, MUSIC *n* tôn² *m*

Tongan 1. *adj* Tongaidd 2. *n* Tongiad *m*

tongs 1. *n* gefel *f* 2. gefel dân

tongue¹ *n* iaith *f*, tafod *m*

tongue² MUSIC *vn* tafodi

tongue-tied *adj* tafodrwym

tonic¹ *n* tonig *m*

tonic² MUSIC *n* tonydd *m*

tonicization MUSIC *vn* tonyddeiddio

tonight *nf & adv* heno

tonne tunnell fetrig

tonsil¹ *n* cilchwarren *f*

tonsil² ANATOMY *n* tonsil *m*

tonsillitis MEDICINE *n* tonsilitis *m*

tonsure *n* corun *m*, tonsur *m*

too *adv* hefyd, rhy¹

tool *n* arf *m*, erfyn¹ *m*, offeryn *m*, teclyn *m*

toolmaker *n* offerwr *m*

tooth *n* dant *m*

toothache *n* dannodd *f*, dannoedd *f*

toothed *adj* danheddog

toothless *adj* diddannedd

toothpick *n* deintbig *m*

top *n* brig¹ *m*, pen¹ *m*, top *m*

tope ci glas

topic *n* mater *m*, pwnc *m*, pwynt *m*, testun *m*

topical¹ *adj* amserol, cyfamserol, pynciol

topical² MEDICINE *adj* argroenol

topless *adj* bronnoeth

topmost *adj* uchaf

topographic *adj* topograffig

topography¹ *n* topograffi *m*

topography² GEOGRAPHY *n* topograffeg *f*

topological *adj* topolegol

topology MATHEMATICS *n* topoleg *f*

topple *vn* disgyn, dymchwel, dymchwelyd, moelyd, ymhoelyd

topsoil *n* uwchbridd *m*

topstitch NEEDLEWORK 1. *n* wyneb-bwyth *m* 2. *vn* wyneb-bwytho

topsy-turvy 1. *adv* blith draphlith, strim-stram-strellach, tinben, traphlith 2. wyneb i waered

top-up 1. *n* adlenwad *m* 2. *vn* adlenwi

tor *n* twr¹ *m*

torc *n* torch *f*

torch *n* ffagl *f*, fflachlamp *f*, tors *m*, tortsh *m*

torment 1. *n* poenedigaeth *f* 2. *vn* dirdynnu, poenydio

tormentil *n* tresgl y moch *m*

tormentor *n* poenydiwr *m*

torn *adj* rhwygedig
tornado[1] *n* gyrwynt *m*
tornado[2] METEOROLOGY *n* tornado *m*
torpedo *n* torpido *m*
torpid* *adj* marwaidd
torque PHYSICS *n* trorym *m*
torrent *n* cenlli(f) *mf*, ffrydlif *m*, llifddwr *m*, rhyferthwy *m*
torrid* *adj* chwilboeth, tanbaid
torsion PHYSICS *n* dirdro *m*
torso *n* torso *m*
tort LAW *n* camwedd *m*
torticollis MEDICINE *n* pengamedd *m*
tortilla *n* tortila *f*
tortoise *n* crwban *m*
tortoiseshell *adj* trilliw[1]
tortrix *n* tortrics *m*
torture 1. *n* artaith *f*, dirboen *m* 2. *vn* arteithio, dirboeni, dirdynnu, poenydio
torturer *n* arteithiwr *m*, poenydiwr *m*
torus ARCHITECTURE, MATHEMATICS *n* torws *m*
Tory[1] *n* Tori *m*
Tory[2] POLITICS *adj* Ceidwadol, Torïaidd
toss *vn* taflu
total[1] 1. *adj* cwbl[2] 2. *n* cyfan[1] *m*
total[2] MATHEMATICS *n* cyfanswm *m*
totalitarian *adj* totalitaraidd
totalitarianism *n* totalitariaeth *f*
totality *n* cyfanrwydd *m*, llwyredd *m*, llwyrni *m*
totem *n* totem *m*
totemism *n* totemiaeth *f*
totter *vn* gwegian, simsanu
tottering *adj* sigledig
touch 1. *n* cyffyrddiad *m*, twtsh *m* 2. *vn* cwrdd[1], cwrddyd, cyfarfod[1], cyffwrdd, twtsio
touchdown *n* glaniad *m*
touching *adj* teimladwy
touchline llinell ystlys
touchscreen COMPUTING sgrin gyffwrdd
touchy *adj* croendenau, ffrom, pigog
tough *adj* cryf, gwydn
toughen *vn* caledu
toughness *n* caledwch *m*, gwydnwch *m*, gwytnwch *m*
tour *n* cylchdaith *f*, taith *f*, tro *m*
tourism *n* twristiaeth *f*
tourist 1. *adj* twristaidd 2. *n* ymwelwr *m*, ymwelydd *m*
touristic *adj* twristaidd
tourists *n* twristiaid *pl*
tournament *n* twrnamaint *m*
tout 1. *n* towt *m* 2. *vn* towtian, towtio
tow* *vn* tynnu
towards *prep* am[2], at, tua, wrth
towel *n* lliain *m*, tywel *m*
tower *n* twr *m*

town *n* tref *f*
townscape *n* treflun *m*
township *n* maestref *f*, trefgordd *f*, treflan *f*
toxaemia MEDICINE *n* tocsaemia *m*, tocsemia *m*
toxic *adj* gwenwynig, gwenwynol
toxicity *n* gwenwynder *m*, gwenwyndra *m*
toxicology *n* tocsicoleg *f*
toxin BIOCHEMISTRY *n* tocsin *m*
toy *n* tegan *m*
trace 1. *adj* hybrin 2. *n* arlliw *m*, awgrym *m*, awgrymiad *m*, ôl[1] *m*, tinc *m*, trumwedd *f* 3. *vn* dargopïo, olrhain
traceable *adj* olrheiniadwy
tracer *n* olrheiniwr *m*, olrheinwr *m*
tracery *n* rhwyllwaith *m*, treswaith *m*
trachea[1] *n* breuant *m*
trachea[2] ANATOMY, BOTANY, ZOOLOGY *n* tracea *m*
tracheal *adj* traceol
tracheid BOTANY *n* traceid *m*
tracing 1. *n* dargopïad *m* 2. *vn* dargopïo
track 1. *n* ôl[1] *m*, trac *m*, trywydd *m* 2. *vn* tracio
trackless *adj* di-lwybr
tracksuit *n* tracwisg *f*
tract *n* llwybr *m*, pamffled *m*, pamffledyn *m*, rhandir *m*
tractable *adj* hydrin, hydyn
traction MEDICINE *n* tyniant *m*
tractor *n* tractor *m*
trade 1. *n* crefft *f*, masnach *f* 2. *vn* cyfnewid, masnachu
trade-off *n* gwrthddewis *m*
trader *n* marchnadwr *m*, masnachwr *m*
trading* 1. *adj* masnachol 2. *vn* masnachu
tradition *n* traddodiad *m*
traditional *adj* traddodiadol
traduce *vn* difenwi
traffic *n* trafnidiaeth *f*, traffig *m*
tragedian *n* trasiedïwr *m*
tragedy *n* trasiedi *f*
tragic *adj* alaethus, trist
trail *n* llwybr *m*, trywydd *m*
trailer *n* ôl-gerbyd *m*, rhaghysbyseb *f*
trailing *adj* llaes, ymgripiol
train 1. *n* trên *m* 2. *vn* hyfforddi, treinio, ymarfer[1]
trained *adj* hyfforddedig, hywedd
trainee *n* hyfforddai *m*, prentis *m*
trainer *n* hyfforddwr *m*, hyfforddwraig *f*
training *n* hyfforddiant *m*
traipse* *vn* ymlwybro
trait *n* nodwedd *f*
traitor *n* bradwr *m*, bradychwr *m*, teyrnfradwr *m*
traits *n* teithi *pl*
trajectory PHYSICS *n* taflwybr *m*
tram *n* dram *m*, tram *m*
tramp 1. *n* crwydryn *m*, tramp *m*, trampyn *m*, trempyn *m* 2. *vn* trampio, trampo

trample *vn* damsang, damsgel, damsgen, mathru, pystylad, sarnu, sathru, stablad, stablan

trampled *adj* mathredig, sathredig

trampler *n* mathrwr *m*, sathrwr *m*

trampling *n* mathriad *m*, sathriad *m*

trampoline *n* trampolîn *m*

tramway *n* tramffordd *f*

trance *n* llesmair *m*, perlewyg *m*, swyngwsg *m*

tranquil *adj* digyffro, llonydd[1], tangnefeddus, tawel

tranquillity *n* hedd *m*, heddwch *m*, llonyddwch *m*, tangnefedd *mf*, tawelwch *m*

tranquillizer MEDICINE *n* tawelydd *m*

transact* *vn* trafod

transactions *n* trafodion *pl*

transatlantic *adj* trawsiwerydd

transcendental *adj* trosgynnol

transcendentalism PHILOSOPHY *n* trosgynoliaeth *f*

transcribe *vn* adysgrifio, trawsgrifio, trawslythrennu

transcript[1] *n* adysgrif *f*, trawsgrifiad *m*, trawsysgrifiad *m*

transcript[2] LAW *n* transgript *m*, trawsgript *m*

transducer ELECTRONICS *n* trawsddygiadur *m*

transect BIOLOGY *n* trawslun *m*

transept *n* croesfa *f*

transfer 1. *n* trosglwyddyn *m*, troslun *m* 2. *vn* trosglwyddo

transferable *adj* trosglwyddadwy

transference *n* trosglwyddiad *m*

transfiguration *n* gweddnewidiad *m*

transfigure *vn* gweddnewid

transform[1] *vn* gweddnewid, trawsffurfio, trawsnewid

transform[2] MATHEMATICS *vn* trawsffurfio

transformation[1] *n* gweddnewidiad *m*, trawsffurfiad *m*, trawsnewidiad *m*

transformation[2] MATHEMATICS *n* trawsffurfiad *m*

transformer *n* newidydd *m*

transfuse MEDICINE *vn* trallwyso

transfusion MEDICINE *n* trallwysiad *m*

transgender *adj* trawsryweddol

transgress[1] *vn* troseddu

transgress[2] LAW *vn* camweddu

transgression *n* camwedd *m*, camweithred *f*, trosedd *mf*

transgressor* *n* troseddwr *m*

transhumance *vn* trawsstrefa

transient 1. *adj* byrhoedlog, darfodedig, diflanedig, diflannol 2. dros dro [*tro*]

transistor ELECTRONICS *n* transistor *m*

transit *n* croesiad *m*

transitional *adj* trawsnewidiol, trosiannol

transitive GRAMMAR *adj* anghyflawn

translanguaging *vn* trawsieithu

translate[1] *vn* cyfieithu, trosi

translate[2] MATHEMATICS *vn* trawsfudo

translation[1] *n* cyfieithiad *m*, trosiad *m*

translation[2] MATHEMATICS trawsfudiad

translator *n* cyfieithydd *m*, troswr *m*

transliterate *vn* trawslythrennu

translocation BIOLOGY, BOTANY *n* trawsleoliad *m*

translucency *n* tryleuedd *m*

translucent *adj* tryleu

transmission *n* darllediad *m*, telediad *m*, trawsyriant *m*, trosglwyddiad *m*

transmit *vn* anfon, darlledu, trawsyrru, trosglwyddo

transmitter *n* trosglwyddydd *m*

transmute *vn* trawsnewid

transnational *adj* trawswladol

transparency *n* tryloywder *m*

transparent *adj* tryloyw

transpiration BOTANY *n* trydarthiad *m*

transpire BOTANY *vn* trydarthu

transplant 1. *n* trawsblaniad *m* 2. *vn* trawsblannu

transplanted *adj* trawsblanedig

transport 1. *n* cludiant *m*, trafnidiaeth *f* 2. *vn* caethgludo, cludo, trawsgludo, trosglwyddo

transportation *n* caethglud *f*, trawsgludiad *m*

transpose[1] *vn* trawsosod

transpose[2] MATHEMATICS *vn* trawsddodi

transpose[3] MUSIC *vn* trawsnodi

transposition[1] MATHEMATICS *n* trawsddodiad *m*

transposition[2] MUSIC *n* trawsgyweiriad *m*

transsexual *adj* trawsrywiol

transubstantiation RELIGION *n* traws-sylweddiad *m*

transversal MATHEMATICS *n* ardrawslin *f*

transverse *adj* ardraws, trawslin

transvestism *n* trawswisgo *m*

trap 1. *n* magl *f*, trap *m* 2. *vn* maglu, trapio

trapeze *n* trapîs *m*

trapezium ANATOMY, MATHEMATICS *n* trapesiwm *m*

trapezoid ANATOMY, MATHEMATICS *n* trapesoid *m*

trapper *n* maglwr *m*

trappings *n* harnais *m*

trash *n* bawiach *pl*, gwehilion *pl*, sbwriel *m*, sothach *m*

trauma *n* trawma *m*

traumatic *adj* trawmatig

travel *vn* mynd[1], teithio, trafaelu, tramwyo

traveller *n* teithiwr *m*, tramwywr *m*

travelling *adj* teithiol

traverse 1. *n* croesiad *m*, trawstaith *f* 2. *vn* croesi, llwybro, tramwyo, trawsteithio

traverser *n* tramwywr *m*

travertine GEOLOGY *n* trafertin *m*

trawl *vn* treillio

trawler *n* treillong *f*

tray *n* hambwrdd *m*

treacherous *adj* bradwrus, twyllodrus

treachery *n* brad *m*, bradwriaeth *f*
treacle *n* triagl *m*, triog *m*
treacly *adj* triaglaidd
tread *vn* sangu, sathru, sengi, troedio
treader *n* sathrwr *m*
treading *n* sathr *m*, sathriad *m*
treadle *n* troedlath *f*
treason LAW *n* brad *m*, bradwriaeth *f*
treasure 1. *n* crair *m*, trysor *m* 2. *vn* trysori
treasurer *n* trysorydd *m*
treasury *n* trysorfa *f*
treat 1. *n* gwledd *f*
  2. *vn* meddyginiaethu, tretio, trin[1], ymdrin
treatise* *n* traethawd *m*
treatment *n* triniaeth *f*, ymdriniaeth *f*
treats *n* danteithion *pl*
treaty *n* cytundeb *m*
treble 1. *n* trebl *m* 2. *vn* treblu
tree *n* coeden *f*, colfen *f*
treeline *n* coedlin *m*
trees *n* coed *pl*, gwŷdd[2] *m & pl*
trek *vn* ymdeithio
trellis *n* delltwaith *m*
tremble *vn* crynu
trembling *n* cryndod *m*
tremendous *adj* aruthrol
tremolo[1] *n* cwafer *m*, tremolo *m*
tremolo[2] MUSIC *n* tremolo *m*
tremor[1]* *n* cryndod *m*, daeargryd *m*
tremor[2] GEOLOGY *n* dirgryniad *m*
tremulous *adj* crynedig
trench 1. *n* ffos *f*, rhych *mf*, transh *m*
  2. *vn* rhychu
trenchant* *adj* cadarn
trend *n* gogwydd *m*, tuedd *f*
trepan MEDICINE *vn* trepanio
trephine* *vn* trepanio
trepidation *n* ofn *m*
trespass 1. *n* tresmasiad *m* 2. *vn* tresbasu, tresmasu
trespasser *n* tresmaswr *m*
trespasses *n* dyledion *pl*
tresses *n* tresi *pl*
trestle *n* ffwrwm *f*, trestl *m*
triad MUSIC *n* triad *m*
triage MEDICINE *n* brysbennu *m*
trial 1. *n* prawf[1] *m*, treial *m* 2. *vn* treialu
triangle *n* triongl *m*
triangular *adj* trionglog
triangulate *vn* triongli
triangulation *n* triongliant *m*
Triassic GEOLOGY *adj* Triasig
triathlon *n* triathlon *m*
tribal *adj* llwythol
tribalism *n* llwytholdeb *m*
tribe *n* llwyth[2] *m*
tribulation *n* gorthrymder *m*, profedigaeth *f*,
  trallod *m*

tribunal LAW *n* tribiwnlys *m*
tribune *n* tribiwn *m*
tributary *n* isafon *f*, llednant *f*
tribute *n* gwrogaeth *f*, teyrnged *f*
trice *n* chwinciad *m*
tricep ANATOMY cyhyryn triphen
triceratops *n* trichorn *m*
trick *n* cast[1] *m*, stranc *f*, stremp *f*, tric *m*, ystryw *f*
trickle *vn* dafnu, diferu, treiglo[2]
trickster *n* cogiwr *m*
tricky *adj* anodd
tricycle *n* treisicl *m*
trident *n* tryfer *f*
trifle 1. *n* manbeth *m*, treiffl *m*
  2. melys gybolfa [*cybolfa*]
trifles *n* manion *pl*
trifling *adj* mân
trigonometric *adj* trigonometrig
trigonometry MATHEMATICS *n* trigonometreg *f*
trihedral *adj* trihedrol
trill[1] *vn* cwafrio
trill[2] MUSIC 1. *n* tril *m* 2. *vn* trilio
trillion *n* triliwn *m*
trilobite *n* trilobit *m*
trim 1. *adj* destlus 2. *n* tociad *m*, trimad *m*,
  trimiad *m* 3. *vn* tocio, trimio
trimmer *n* trimiwr *m*
trimming *n* addurn *m*
trimonthly *adj* trimisol
Trinidadian 1. *adj* Trinidadaidd 2. *n* Trinidadiad *m*
trinity *n* trindod *f*
Trinity RELIGION *n* trindod *f*
trinket *n* tlws[1] *m*
trio *n* triawd *m*
triode ELECTRONICS *n* triod *m*
trip 1. *n* gwibdaith *f*, trip *m* 2. *vn* baglu
tripartite *adj* tridarn
tripe *n* treip *m*
triple[1] 1. *adj* triphlyg 2. *vn* treblu
triple[2] MUSIC *adj* triphlyg
triplet *n* tripled *m*
tripod *n* trybedd *f*
trite* *adj* ystrydebol
tritium CHEMISTRY *n* tritiwm *m*
triumph *vn* ennill[1], gorchfygu
triumphant *adj* buddugoliaethus,
  gorchfygol, gorfoleddus
trivia *n* manion *pl*
trivial *adj* dibris, dibwys, distadl
trolley *n* troli *m*
trombone *n* trombôn *m*
trombonist *n* trombonydd *m*
troop *n* mintai *f*
trophic BIOLOGY *adj* troffig
trophy *n* tlws[1] *m*
tropic *n* trofan *m*
tropical *adj* trofannol

tropism BIOLOGY *n* tropedd *m*

tropopause METEOROLOGY *n* tropoffin *m*

troposphere METEOROLOGY *n* troposffer *m*

trot 1. *n* tuth *m* 2. *vn* trotian, tuthio

Trotskyism *n* Trotsgïaeth *f*

trotter *n* trotiwr *m*

troubadour *n* trwbadŵr *m*

trouble 1. *n* gofal *m*, gofid *m*, helbul *m*, helynt *mf*, trafferth *f*, trwbl *m*, trybini *m* 2. *vn* blino, cythruddo, trafferthu, trallodi

troubled *adj* blin, gofidus, trallodus, trwblus

trouble-free *adj* didrafferth

troubler *n* tarfwr *m*, trallodwr *m*

troublesome *adj* barnol, blin, cythryblus, helbulus, trafferthus, trallodus, trwblus

trough *n* cafn *m*

trounce *vn* cystwyo

troupe *n* cwmni *m*

trousers *n* clos² *m*, llodrau *pl*, trowsus *m*

trout *n* brithyll *m*

trowel *n* llwyar *f*, llwyarn *f*, trywel *m*

truancy *n* triwantiaeth *f*

truant *n* triwant *m*

truce *n* cadoediad *m*

truck *n* gwagen *f*, tryc *m*, wagen *f*

truckload *n* trycaid *m*

truculent* *adj* sarrug

trudge *vn* troedio, ymlwybro

true *adj* cywir, ffyddlon, gonest, gwir², gwirioneddol, onest, triw

truffle cloronen y moch

truism *n* gwireb *f*

truly *adv* gwir³

trump *vn* trympio

trumpet *n* corn¹ *m*, trwmped *m*, utgorn *m*

trumpeter *n* trwmpedwr *m*

trumps *n* trympiau *pl*

truncate *vn* blaendorri

truncated *adj* trychedig

trundle *vn* treiglo², trolian, trolio

trunk *n* bongorff *m*, corff *m*, cyff *m*, trwnc *m*

trunnion *n* trynion *m*

trust 1. *n* coel *f*, cred *f*, ymddiriedaeth *f*, ymddiriedolaeth *f* 2. *vn* hyderu, ymddiried

trustee *n* ymddiriedolwr *m*

trustworthiness *n* dibynadwyaeth *f*, hygrededd *m*

trustworthy *adj* dibynadwy

trusty* *adj* ffyddlon

truth *n* cywirdeb *m*, gwir¹ *m*, gwirionedd *m*

truthful *adj* geirwir

truthfulness *n* geirwiredd *m*

truth table ELECTRONICS *n* gwirlen *f*

try 1. *n* cais² *m* 2. *vn* barnu, ceisio, clywed, profi, trio, ymgeisio

trypsin BIOCHEMISTRY *n* trypsin *m*

tryptophan BIOCHEMISTRY *n* tryptoffan *m*

tryst *n* oed² *m*

tsar *n* tsar *m*

tsunami *n* tswnami *m*

Tuareg *n* Twareg *m*

tub *n* celwrn *m*, twb *m*, twba *m*, twbyn *m*

tuba *n* tiwba *m*

tube¹ *n* pib¹ *f*, tiwb *m*

tube² ANATOMY *n* pibell *f*

tuber *n* cloronen *f*

tubercle MEDICINE *n* twbercwl *m*

tuberculin MEDICINE *n* twbercwlin *m*

tuberculosis¹ *n* darfodedigaeth *f*, diciáu *m*, dicléin *m*, dyciáu *m*

tuberculosis² MEDICINE *n* twbercwlosis *m*

tubing *n* tiwbin *m*

tubular *adj* pibellog, tiwbaidd

tubule *n* tiwbyn *m*

tuck NEEDLEWORK *n* twc *m*

Tudors *n* Tuduriaid *pl*

Tuesday 1. *n* Mawrth¹ *m* 2. dydd Mawrth [*Mawrth¹*]

tuft *n* cobyn² *m*, cudyn *m*, siobyn *m*, twffyn *m*

tufted *adj* cudynnog

tug 1. *n* plwc *m*, tyg *m*, tynfad *m* 2. *vn* tynnu

tuition* 1. *n* hyfforddiant *m* 2. *vn* dysgu

tulip *n* tiwlip *m*

tumble 1. *n* codwm *m*, cwymp *m*, syrthiad *m* 2. *vn* codymu, cwympo

tumbler *n* gwydr¹ *m*, gwydryn *m*

tumour¹ *n* tiwmor *m*

tumour² MEDICINE *n* tyfiant *m*

tumult *n* cythrwfl *m*, terfysg *m*, twrf *m*, twrw *m*

tumulus¹ *n* carnedd *f*, gwyddgrug *m*, twmwlws *m*

tumulus² ARCHAEOLOGY *n* carn² *f*, gwyddfa *f*

tuna *n* tiwna *m*

tundra *n* twndra *m*

tune¹ 1. *n* tiwn *f*, tôn¹ *f* 2. *vn* cyweirio, tiwnio

tune² MUSIC 1. *n* alaw¹ *f* 2. *vn* tiwnio

tuneful *adj* soniarus

tuner *n* tiwniwr *m*

tungsten *n* twngsten *m*

Tunisian 1. *adj* Tiwnisaidd 2. *n* Tiwnisiad *m*

tunnel 1. *n* twnnel *m* 2. *vn* twnelu

turbid *adj* aneglur, cymylog

turbine *n* tyrbin *m*

turbot *n* torbwt *m*

turbulence¹ *n* cynnwrf *m*, tyrfedd *m*

turbulence² METEOROLOGY *n* tyrfedd *m*

turbulent *adj* cythryblus, ffrochus, tyrfol

turf *n* tywarchen *f*

turgid BIOLOGY *adj* chwydd-dynn

turgidity *n* chwydd-dyndra *m*

turgor BIOLOGY *n* chwydd-dyndra *m*

Turk *n* Twrc *m*

turkey *n* twrci *m*

Turkish *adj* Twrcaidd

turmoil *n* berw¹ *m*, cythrwfl *m*, helbul *m*, trybestod *m*

turn 1. *n* tro *m*, troad *m*, troell *f*, trofa *f*
  2. *vn* troi, trosi, turnio
turncoat *n* gwrthgiliwr *m*
turner *n* turniwr *m*
turnery *n* turnwriaeth *f*
turning *n* tro *m*, troad *m*
turnip *n* erfinen *f*
turnover *n* trosiant *m*
turnpike *n* tollborth *m*, tyrpeg *m*
turntable *n* trofwrdd *m*
turpentine *n* tyrpant *m*
turquoise *n* gwyrddlas[1] *m*
turtle crwban y môr
tusk *n* ysgithr *m*
tusked *adj* ysgithrog
tussle 1. *n* cwffas *f* 2. *vn* ymgiprys
tussock *n* twffyn *m*
tutelary *adj* gwarcheidiol
tutor 1. *n* tiwtor *m* 2. *vn* tiwtora
tut-tut dau wfft iddo [*wfft*],
  dwbwl wfft iddo [*wfft*]
Tuvaluan 1. *adj* Twfalwaidd 2. *n* Twfalwiad *m*
twaddle *n* cybôl *m*
twang *n* llediaith *f*
tweak *n* pinsiad[1] *m*, plwc *m*
tweet *vn* pyncio, trydar[2]
tweezers gefel fach
twelfth *num* deuddegfed
twelve *num* deuddeg, deuddeng
twentieth *num* ugeinfed
twenty *num* ugain
twice *adv* dwywaith
twig *n* brig[2] *m*, brigyn *m*
twilight *n* cyfnos *m*, gwyll *m*
twilled (cotton) NEEDLEWORK *adj* caerog
twin 1. *n* gefeilles *f*, gefell *fm* 2. *vn* gefeillio
twine 1. *n* cordyn *m*, cortyn *m*, llinyn *m*
  2. *vn* cordeddu
twinkle *vn* caneitio, gwreichioni, pefrio, serennu
twinkling 1. *adj* pefriog, pefriol 2. *n* chwinciad *m*
twirl *vn* nydd-droi
twist 1. *n* nyddiad *m*, tro *m* 2. *vn* cordeddu,
  dirdroi, gwyrdroi, nydd-droi, troi,
  ymgordeddu
twisted 1. *adj* gwyrgam 2. ar sgiw [*sgiw*[2]]
twisting *adj* troellog
twitchy *adj* cynhyrflyd
twitter *vn* trydar[2]
two 1. *num* dau[1] 2. dwy [*dau*[1]]
two-faced *adj* dauwynebog
twofold *adj* dau-ddwbl, dauddyblyg, deublyg
two-pronged *adj* dwybig
two-stroke *adj* dwystroc
two-thirds *adj* deuparth
two-way *adj* dwyffordd
tympanites MEDICINE *n* bolchwydd *m*,
  bolchwyddi *m*

type 1. *n* math[1] *m*, siort *f*, sort *f*, teip *m*
  2. *vn* teipio
typed *adj* teipiedig
typeface *n* ffurfdeip *m*
typescript *n* teipysgrif *f*
typeset *vn* cysodi
typewriter *n* teipiadur *m*
typhoid MEDICINE *n* teiffoid *m*
typhoon METEOROLOGY *n* teiffŵn *m*
typical *adj* nodweddiadol
typify *vn* nodweddu
typist *n* teipydd *m*, teipyddes *f*
typographical *adj* teipograffaidd
typography *n* teipograffeg *f*
typology *n* teipoleg *f*
tyrannical *adj* gormesol
tyrannize *vn* gormesu, tra-arglwyddiaethu
tyranny *n* gormes *mf*, gormesiad *mf*,
  tra-arglwyddiaeth *f*
tyrant *n* gormeswr *m*, gormesydd *m*, teyrn *m*
tyre *n* teiar *m*
tyrosine BIOCHEMISTRY *n* tyrosin *m*

u

ubiquitous *adj* hollbresennol
ubiquity *n* hollbresenoldeb *m*
udder *n* cadair *f*, piw *m*, pwrs *m*
Ugandan 1. *adj* Ugandaidd 2. *n* Ugandiad *m*
ugh 1. *interj* ach[3], ych[3] 2. ach a fi [*ach*[3]]
ugliness *n* aflunieidd-dra *m*, amhrydferthwch *m*,
  hagredd *m*, hagrwch *m*
ugly *adj* amhrydferth, diolwg, hagr, hyll, salw
UK *abbr* DU
Ukranian 1. *adj* Wcreinaidd 2. *n* Wcreiniad *m*
ulcer *n* briw *m*, wlser *m*
ulna[1] asgwrn cyfelin
ulna[2] ANATOMY *n* wlna *m*
ulpan *n* wlpan *m*
ulterior* *adj* cudd
ultimate *adj* eithaf[1]
ultimately yn y pen draw [*pen draw*]
ultimatum *n* wltimatwm *m*
ultrabasic GEOLOGY *adj* wltrabasig
ultracentrifuge *n* uwchallgyrchydd *m*
ultramicroscope PHYSICS *n* wltramicrosgop *m*
ultramicroscopic *adj* wltramicrosgopig
ultrasonic PHYSICS *adj* uwchsain[2]
ultrasound PHYSICS 1. *adj* uwchsain[2]
  2. *n* uwchsain[1] *m*
ultraviolet *adj* uwchfioled
umami *n* wmami *m*
umbel BOTANY *n* wmbel *m*
umbrella *n* ambarél *f*, ymbarél *f*
umpire 1. *n* dyfarnwr *m* 2. *vn* dyfarnu
un- *pref* dad-, dat-, di-

unaccented *adj* diacen
unacceptable *adj* anghymeradwy, annerbyniol
unaccompanied MUSIC *adj* digyfeiliant
unaccomplished *adj* anghyflawn, di-ddawn
unaccountable *adj* anatebol, anesboniadwy
unaccustomed (to) *adj* anghyfarwydd
unacknowledged *adj* anghydnabyddedig
unadmonished *adj* digerydd
unadorned *adj* diaddurn
unadulterated *adj* digymysg
unaesthetic *adj* anesthetaidd
unaffected *adj* di-lol, naturiol
unafraid *adj* diofn, di-ofn
unaided *adj* digymorth
unalloyed *adj* digymysg
unaltered *adj* digyfnewid
unambiguous *adj* diamwys
unambitious *adj* diymgais
unanimity *n* unfrydedd *m*
unanimous *adj* unfarn, unfryd, unfrydol
unanimously yn un fryd [*bryd*]
unanswerable *adj* anatebadwy, anatebol
unashamed *adj* digywilydd
unassailable* *adj* diysgog
unassuming *adj* dirodres, diymffrost, gwylaidd, iselfrydig
unattainable *adj* anghyraeddadwy
unattractive *adj* anatyniadol, anneniadol
unauthorised *adj* anawdurdodedig
unauthoritative *adj* anawdurdodol
unavoidable *adj* anochel, anocheladwy, anorfod, diosgoi
unaware *adj* anymwybodol, diymwybod
unawares *adj* diarwybod
unbalanced *adj* anghytbwys
unbearable *adj* annioddefol
unbeatable *adj* anhrechadwy, diguro
unbeaten *adj* diguro
unbecoming *adj* anaddas, anweddaidd, anweddus
unbeknown 1. *adj* anwybyddus
2. heb yn wybod i [*gwybod*]
unbelief *n* anghrediniaeth *f*
unbelievable *adj* anghredadwy, anhygoel
unbeliever *n* anghredadun *m*, anghrediniwr *m*
unbelieving *adj* anghrediniol
unbiased *adj* cytbwys, diduedd
unblemished *adj* dianaf, dilychwin
unblock *vn* dadflocio
unbounded MATHEMATICS *adj* diarffin
unbreakable *adj* anhydor, annhoradwy
unbridled *adj* penrhydd
unbroken *adj* di-dor
unbutton *vn* datod
uncalled for *adj* di-alw-amdano
uncared for *adj* diymgeledd
uncaring *adj* anystyriol

unceasing *adj* di-drai
uncertain *adj* ansicr
uncertainty *n* ansicrwydd *m*
uncertified *adj* anhrwyddedig
unchanging *adj* anghyfnewidiol, digyfnewid
uncharacteristic *adj* annodweddiadol
uncharitable *adj* didostur
unchaste *adj* anniwair
unchecked *adj* dilyffethair
unchristian *adj* anghristnogol
uncial *adj* wnsial
uncircumcised *adj* dienwaededig
uncivil *adj* anghwrtais
uncivilized *adj* anwar, anwaraidd, anwareiddiedig
unclassifiable *adj* annosbarthadwy
unclassified *adj* annosbarthedig
uncle *n* dewyrth *m*, ewa *m*, ewyrth *m*, ewythr *m*
unclean *adj* aflan
uncleanness *n* amhuredd *m*
unclear *adj* afloyw, aneglur, annelwig
unclimbable *adj* anesgynadwy
unclouded *adj* digwmwl
uncodified *adj* anghyfundrefnol
uncomely *adj* anhardd
uncomfortable *adj* anghyfforddus, anghyfyrddus, anghysurus, anesmwyth
uncommercial *adj* anfasnachol
uncommon *adj* anghyffredin, dieithr, dierth
uncommonness *n* anghyffredinedd *m*, hynodrwydd *m*
uncompetitive *adj* anghystadleuol
uncomplaining *adj* diachwyn, di-gŵyn, dirwgnach
uncomplicated *adj* anghymhleth
uncompromising *adj* anghymodlon, digyfaddawd, digymrodedd
unconcern *n* difrawder *m*
unconditional *adj* diamod, diamodol
unconformable GEOLOGY *adj* anghydffurfiadwy
unconformity GEOLOGY *n* anghydffurfedd *m*
uncongenial *adj* anghydnaws, anghydymdeimladol, anffafriol, annymunol
unconnected *adj* anghyswllt, digyswllt
unconquerable *adj* anorchfygol
unconscionable* *adj* afresymol
unconscious *adj* anymwybodol, diymwybod
unconsciousness *n* anymwybyddiaeth *f*
unconsecrated *adj* anghysegredig
unconstitutional *adj* anghyfansoddiadol
uncontrollable *adj* aflywodraethus, afreolus
unconventional *adj* anghonfensiynol
unconvinced *adj* anargyhoeddedig
uncooperative *adj* anghydweithredol
uncoordinated *adj* anghydlynus
uncorrupted *adj* di-lwgr, diwair
uncountable¹ *adj* anghyfrifadwy
uncountable² MATHEMATICS *adj* anrhifadwy

uncouple *vn* dadfachu

uncouth 1. *adj* anfoesgar, anniwylliedig, sgaprwth 2. bol clawdd

uncouthness *n* afledneisrwydd *m*

uncover *vn* datguddio

uncritical *adj* anfeirniadol

unctuous *adj* sebonllyd, seimlyd, seimllyd

uncultured *adj* anniwylliedig

uncurbed *adj* penrhydd

undated *adj* diddyddiad

undecided *adj* penagored

undefiled *adj* anhalogedig, dilychwin

undefined *adj* amhenodol, anniffiniedig

undemocratic *adj* annemocrataidd

undeniable *adj* anwadadwy, diamheuol, di-wad, diymwad, diymwâd

undented *adj* di-dolc

under 1. *adv* danodd, i lawr, lawr[1] 2. *prep* goris, o dan, tan[1]

under- *pref* is-

underachieve *vn* tangyflawni

underclass *n* isddosbarth *m*

underclothes dillad isaf

undercoat *n* isbaent *m*, tanbaent *m*

undercover* *adj* cudd

undercurrent *n* islif *m*

undercut *vn* tandorri

underdeveloped *adj* annatblygedig, tanddatblygedig

underemployment *n* tangyflogaeth *f*

underestimate *vn* tanamcangyfrif

underfoot dan draed [*traed*]

underglaze *n* tanwydredd *m*

undergraduate *adj* israddedig

underground *adj* tanddaearol

undergrowth *n* isdyfiant *m*, mangoed *pl*, prysgwydd *pl*

underhand 1. *adj* llechwraidd, llechwrus, twyllodrus 2. dan din [*tin*]

underline *vn* tanlinellu

underlining *n* tanlinelliad *m*

underlying *adj* gwaelodol

undermine *vn* tangloddio, tanseilio

underneath *adv* islaw[1], tanodd

undernourish *vn* tanfaethu

undernourished *adj* tanfaethedig

underpants *n* trôns *m*

underpass *n* tanffordd *f*

underprice *vn* tanbrisio

underprivileged *adj* difreintiedig

underrate *vn* tanbrisio

undersea *adj* tanfor

undersecretary *n* is-ysgrifennydd *m*

underside *n* tor[1] *f*

underspend 1. *n* tanwariant *m* 2. *vn* tanwario

understand *vn* cael ar ddeall [*deall*[1]], deall[1], dirnad, gweld, gweled

understandable *adj* dealladwy

understanding *n* cytgord *m*, deall[2] *m*, dealltwriaeth *m*, dirnadaeth *f*

understood *adj* dealledig

understudy* *vn* dirprwyo

undertake *vn* ymgymryd, ysgwyddo

undertaker *n* ymgymerwr *m*

undertaking *n* addewid *mf*, ymgymeriad *m*, ymrwymiad *m*

undertone *n* islais *m*

undertow môr tir

underutilize *vn* tanddefnyddio

undervalue *vn* tanbrisio

underwater *adj* tanddwr

underwear dillad isaf

underwrite *vn* gwarantu

undeserved *adj* anhaeddiannol

undesirable *adj* annymunol

undetermined *adj* amhenderfynedig

undeveloped *adj* annatblygedig

undeviating *adj* diwyro

undifferentiated *adj* diwahaniaeth

undigested *adj* anhreuliedig

undignified *adj* anurddasol, diurddas

undiplomatic *adj* anniplomataidd

undisciplined *adj* annisgybledig

undisputed *adj* diamheuol

undistinguished *adj* dinod, di-nod

undisturbed *adj* diderfysg, digynnwrf

undivided *adj* anrhanedig, diwahân

undo *vn* agor, dad-wneud, dadwneuthur, datod, mysgu

undoubted *adj* amhetrus, diau, di-os

undress *vn* dadwisgo, ymddiosg

undrinkable *adj* anyfadwy

undulate *vn* tonni, ymdonni

undulation *n* toniad *m*

unearthly *adj* annaearol

unease *n* anesmwythder *m*, anesmwythyd *m*, anniddigrwydd *m*, pryder *m*

uneasy *adj* aflonydd, anghysurus, anesmwyth, anniddig

uneconomic *adj* aneconomaidd

uneducated *adj* annysgedig, diaddysg

unelected *adj* anetholedig

unemployable *adj* anghyflogadwy

unemployed *adj* di-swydd, di-waith[1], segur

unemployment[1] *n* anghyflogaeth *m*, diweithdra *m*

unemployment[2] ECONOMICS *n* diweithdra *m*

unenchanting *adj* di-swyn

unending* *adj* diddiwedd

unendurable *adj* annioddefol

unenterprising *adj* di-hwb

unenthusiastic *adj* anfrwdfrydig, claear, diawydd

unequal[1] *adj* anghyfartal

unequal[2] MATHEMATICS *adj* anhafal

unequalled *adj* digymar

unequivocal *adj* diamwys

unerring *adj* di-feth

unethical *adj* anfoesegol

uneven *adj* anwastad, pyllog

unevenness *n* anwastadrwydd *m*

uneventful* *adj* digyffro

unexpected *adj* annisgwyl, annisgwyliadwy, diarwybod, disyfyd

unexplained *adj* anesboniedig

unfading *adj* anniflan

unfailing *adj* di-feth, di-lyth

unfair *adj* anghyfiawn, annheg

unfairness *n* annhegwch *m*

unfaithful *adj* anffyddlon, anniwair

unfaltering *adj* dibetrus

unfamiliar *adj* anghyfarwydd, anghynefin

unfamiliarity *n* anghynefindra *m*

unfashionable *adj* anffasiynol

unfasten *vn* agor, datod

unfathomable *adj* affwysol, anesboniadwy, annirnad, annirnadwy

unfavourable *adj* anffafriol

unfeeling *adj* dideimlad

unfettered *adj* dilyffethair

unfinished *adj* anorffenedig

unfit *adj* anghymwys, anaddas, anheini

unfitness *n* anaddasrwydd *m*, anaddaster *m*, anffitrwydd *m*

unflinching *adj* di-syfl, disyflyd

unfold *vn* agor, mynd rhagddo [*mynd¹*], ymagor

unforeseeable *adj* anrhagweladwy

unforeseen *adj* annisgwyl, annisgwyliadwy

unforgettable *adj* anfarwol

unforgiving *adj* anfaddeugar

unfortunate *adj* anffodus

unfortunately 1. *adv* ysywaeth
2. gwaetha'r modd [*gwaethaf*]

unfounded *adj* di-sail

unfriendly *adj* anghyfeillgar

unfrock *vn* diurddo

unfruitful *adj* anffyniannus, diffrwyth

ungainly *adj* afrosgo

ungenerous *adj* anhael, anhaelionus, cynnil

ungenial *adj* anhynaws

ungentle *adj* annhirion

ungentlemanly *adj* anfoneddigaidd, anfonheddig

ungodliness *n* annuwioldeb *m*

ungodly *adj* annuwiol

ungraded *adj* anraddedig

ungraduated *adj* anraddedig

ungrammatical *adj* anramadegol

ungrateful *adj* anniolchgar

ungrudging *adj* diwarafun

unguent* *n* ennaint *m*

ungulate¹ *adj* carnol

ungulate² ZOOLOGY *n* carnolyn *m*

ungulates ZOOLOGY *n* carnolion *pl*

unhappiness *n* anhapusrwydd *m*, annedwyddwch *m*

unhappy *adj* anhapus, annedwydd, anniddan

unheard of *adj* di-sôn

unheeded *adj* di-sylw, disylw

unheeding *adj* di-hid, dihidio

unhesitating *adj* dibetrus, parod

unhindered *adj* didramgwydd, dilestair, di-rwystr, diwarafun

unhistorical *adj* anhanesyddol

unhomely *adj* anghartrefol

unhook *vn* dadfachu

unhurt *adj* dianaf, diniwed

unhygienic *adj* afiach

unicellular BIOLOGY *adj* ungell, ungellog

unicorn *n* uncorn *m*, ungorn *m*

unidentifiable *adj* anadnabyddadwy

unification *n* uniad *m*, unoliad *m*

uniform 1. *adj* unffurf 2. *n* iwnifform *f*, lifrai *m*

uniformity *n* unffurfiaeth *f*

unify *vn* uno, unoli

unilateral *adj* unochrog

unimaginable *adj* annirnad, annirnadwy, annychmygadwy

unimaginative *adj* diddychymyg

unimpeachable *adj* anghyhuddadwy, diymwad, diymwâd

unimportance *n* amhwysigrwydd *m*

unimportant *adj* bychan¹, dibwys

uninformed *adj* anhyddysg

uninhabitable *adj* amhreswyliadwy, anhrigiadwy

uninhabited *adj* anghyfannedd, anial¹

uninjured *adj* dianaf

uninspired *adj* anysbrydoledig, diawen, di-fflach, diysbrydoliaeth

uninspiring *adj* dieneiniad, di-fflach

unintelligent *adj* anneallus

unintelligible *adj* annealladwy, annirnad, annirnadwy

unintentional *adj* anfwriadol

uninterested *adj* didaro, difater

uninteresting *adj* anniddorol

uninterrupted *adj* di-dor, didoriad, parhaus

uninvited *adj* diwahoddiad

union 1. *adj* undebol
2. *n* cyd¹ *m*, cyfundeb *m*, undeb *m*

unionism *n* undebaeth *f*

unionist *n* undebwr *m*, unoliaethwr *m*

unionization *vn* undeboli

unionize *vn* undeboli

unipolar disorder PSYCHIATRY anhwylder unbegynol

unique *adj* dihafal, unigryw

uniqueness *n* unigrywiaeth *f*

unisexual *adj* unrhywiol

unison MUSIC *adj* unsain

unit *n* uned *f*

Unitarian 1. *adj* Undodaidd 2. *n* Undodwr *m*
Unitarianism¹ *n* Sosiniaeth *f*
Unitarianism² RELIGION *n* Undodiaeth *f*
unitary *adj* unedol
unite *vn* cyfannu, uno
united 1. *adj* cyfun, undebol, unedig, unol
  2. *pref* cyd-
uniter *n* unwr *m*
unity *n* undeb *m*, undod *m*, unoliaeth *f*
univalent CHEMISTRY *adj* unfalent
universal¹ *adj* byd-eang
universal² LOGIC *adj* cyffredinol
universal³ FINANCE *adj* cyfun
universalism RELIGION *n* cyffredinolaeth *f*
universe *n* bydysawd *m*
university *n* prifysgol *f*
unjust *adj* anghyfiawn
unjustly ar gam [*cam²*]
unkempt *adj* anhrwsiadus
unkind *adj* angharedig, cas¹
unkindness *n* angharedigrwydd *m*,
  anghymwynasgarwch *m*
unknowable *adj* anwybodadwy
unknown¹ *adj* anadnabyddus, anhysbys,
  anwybyddus, dieithr, dierth
unknown² MATHEMATICS *n* anhysbysyn *m*
unlawful *adj* anghyfreithiol, anghyfreithlon
unlawfulness *n* anghyfreithlondeb *m*
unleaded *adj* di-blwm
unlearn *vn* dad-ddysgu
unlearnable *adj* annysgadwy
unleash* *vn* rhyddhau
unleavened *adj* cri², croyw
unless 1. *conj* oni², onid, onis
  2. *prep* oddieithr, oddigerth
unlicensed *adj* anhrwyddedig
unlike *adj* annhebyg
unlikelihood *n* annhebygolrwydd *m*
unlikely 1. *adj* annhebyg, annhebygol
  2. go brin [*prin¹*]
unlimited *adj* anghyfyngedig, dihysbydd
unload *vn* dadlwytho
unlock *vn* datgloi
unlocking *n* datgload *m*
unlucky *adj* anlwcus
unmanageable *adj* anhydrin, anhylaw
unmanned *adj* di-griw
unmarketable *adj* anfarchnatadwy, anwerthadwy
unmarried *adj* dibriod
unmeasurability *n* anfesuroldeb *m*
unmeasurable* *adj* anfesuradwy
unmeltable *adj* annhoddadwy
unmentionable *adj* anghrybwylladwy
unmerited *adj* anhaeddiannol
unmistakable *adj* digamsyniol
unmoved *adj* diysgog
unmusical *adj* angherddorol

unnamed *adj* dienw
unnatural *adj* annaturiol
unnecessary *adj* diangen
un-neighbourly *adj* anghymdogol
unobservant *adj* di-sylw, disylw
unobtrusive *adj* anymwthgar,
  anymwthiol, encilgar
unoccupied *adj* gwag, segur
unofficial *adj* answyddogol
unorthodox *adj* anuniongred
unostentatious *adj* diymhongar
unpack *vn* dadbacio
unpaid *adj* di-dâl
unparallel *adj* anghyfochrog
unparalleled *adj* digyffelyb
unpardonable *adj* anfaddeuol
unparliamentary *adj* anseneddol
unpersuadable *adj* annarbwylladwy
unpick *vn* dadbwytho
unpleasant *adj* amhleserus, anhyfryd,
  annifyr, annymunol
unpleasantness *n* anhyfrydwch *m*,
  anhynawsedd *m*, annifyrrwch *m*,
  annymunoldeb *m*, diflastod *m*
unpoetic *adj* anfarddonol
unpolitical *adj* amholiticaidd, anwleidyddol
unpopular *adj* amhoblogaidd
unpopularity *n* amhoblogrwydd *m*
unpopulated *adj* amhoblog
unpraised *adj* di-glod
unpredictable *adj* annarogan, anrhagweladwy
unprejudiced *adj* diragfarn
unprepared *adj* amharod
unpreparedness *n* amharodrwydd *m*
unpretentious *adj* dirodres, diymffrost,
  diymhongar, gwerinaidd
unprivileged *adj* anfreiniol, difreintiedig
unproductive *adj* anghynhyrchiol, digynnyrch
unprofessional *adj* amhroffesiynol
unprofitable *adj* amhroffidiol, di-fudd
unpromising *adj* anaddawol
unprompted *adj* digymell
unpronounceable *adj* anghynanadwy,
  annywedadwy
unpublished *adj* anghyhoeddedig, anargraffedig
unpunctual *adj* amhrydlon
unpunctuality *n* amhrydlondeb *m*
unpunished *adj* di-gosb
unqualified *adj* anghymwys, diamod, diamodol
unquestionable *adj* diamheuol
unravel *vn* datod, datrys
unreachable *adj* anghyraeddadwy
unreactive *adj* anadweithiol, anymadweithiol
unreadable *adj* annarllenadwy
unreal *adj* afreal, afrealaidd
unrealistic *adj* afrealistig
unreasonable *adj* afresymol

unreasonableness *n* afresymoldeb *m*

unrecognisable *adj* anadnabyddadwy

unrefined *adj* anghoeth, amhuredig, garw[1]

unregistered *adj* anghofrestredig

unrelated *adj* amherthynol, digyswllt

unrelenting *adj* diarbed, di-ildio

unreliable *adj* annibynadwy, di-ddal, llithrig, whit-what, wit-wat

unremarkable *adj* anhynod

unremitting *adj* diymatal

unrenewable *adj* anadnewyddadwy

unrenowned *adj* anenwog

unrepentant *adj* anedifeiriol, diedifar

unrest *n* aflonyddwch *m*

unrestrainable *adj* anataliadwy, diatal

unrestricted *adj* anghyfyngedig

unreturning *adj* annychwel

unripe *adj* anaeddfed, gwyrdd[2]

unrivalled *adj* dihafal

unroll *vn* dadrolio

unromantic 1. *adj* diramant 2. anrhamantaidd, anrhamantus

unruliness *n* afreolaeth *f*

unruly *adj* aflonyddgar, aflonyddus, afreolus, diwahardd, di-wardd

unsafe *adj* anniogel, peryglus

unsaleable *adj* anwerthadwy

unsatisfactory *adj* anfoddhaol

unsaturated BIOCHEMISTRY, CHEMISTRY, GEOLOGY *adj* annirlawn

unscathed *adj* diniwed

unscientific *adj* anwyddonol

unscrew *vn* datsgriwio

unscriptural *adj* anysgrythurol

unscrupulous *adj* diegwyddor

unsearchable *adj* anchwiliadwy

unsecured FINANCE *adj* ansicredig

unseemly *adj* anweddaidd, anweddus

unselfish *adj* anhunanol

unselfishness *n* anhunanoldeb *m*

unsettle *vn* ansefydlogi

unsettled *adj* ansefydlog

unshakeable *adj* ansigladwy

unshaken *adj* ansigledig

unsightliness *n* anharddwch *m*

unsightly *adj* anhardd, anolygus, hagr

unskilful *adj* anghywrain, anfedrus, anneheuig

unskilfulness *n* anfedrusrwydd *m*, anneheurwydd *m*

unskilled *adj* anhyfedr, anneheuig, di-grefft

unsociable *adj* anghymdeithasol

unsolvable *adj* annatrys

unsound* *adj* bregus, simsan

unspeakable *adj* anhraethadwy, anhraethol

unspent *adj* anhreuliedig

unspiritual *adj* anysbrydol

unstable *adj* ansefydlog, gwantan

unstained *adj* di-staen

unsteadiness *n* ansicrwydd *m*, simsanrwydd *m*

unsteady *adj* ansad, simsan

unstinting *adj* dinacâd, diymarbed, hael

unsuccessful *adj* aflwyddiannus, anffyniannus

unsuitability *n* anghymhwyster *m*, anaddasrwydd *m*, anaddaster *m*, anffitrwydd *m*

unsuitable *adj* anghyfaddas, anghymwys, anaddas

unsupportable *adj* anghynaladwy, anghynaliadwy

unsupported *adj* digynhorthwy

unsuspecting *adj* difeddwl-drwg

unsustainability *n* anghynaliadwyedd *m*

unsustainable *adj* anghynaladwy, anghynaliadwy

unswerving *adj* diwyro

unsympathetic *adj* anghydymdeimladol, digydymdeimlad

unsystematic *adj* anghyfundrefnol, ansystematig

untalented *adj* di-ddawn

untamed *adj* gwyllt[1]

untangle *vn* datglymu, datrys

unteachable *adj* annysgadwy

untenable *adj* anghynaladwy, anghynaliadwy

untidiness *n* aflerwch *m*, anhrefnusrwydd *m*, annibendod *m*, blerwch *m*

untidy *adj* aflêr, anghymen, anhrefnus, anhrwsiadus, anniben, blêr, di-siâp

untie *vn* datglymu, datod, mysgu

until 1. *conj* tan[2] 2. *prep* hyd[2] 3. hyd nes [*hyd*[2]], hyd oni [*hyd*[2]], hyd oni/onid [*oni*[2]]

untimely *adj* anamserol, annhymig

untiring *adj* diflino

untouchable *adj* anghyffwrdd, anghyffyrddadwy

untrained *adj* dihyfforddiant

untranslatable *adj* anghyfieithadwy, anrhosadwy

untransportable *adj* anghludadwy

untrodden *adj* ansathredig

untrue *adj* anwir, gau

untrustworthy *adj* annibynadwy

untruth *n* anwiredd *m*

untwisted *adj* ungor

untying *n* datodiad *m*

unused (to) *adj* anghyfarwydd

unusual *adj* anarferol

unutterable *adj* anhraethadwy, anhraethol, annywedadwy

unvanquished *adj* anorchfygedig

unveil *vn* dadorchuddio

unveiling *n* dadorchuddiad *m*

unvictorious *adj* anfuddugol

unwelcoming *adj* digroeso, diserch

unwell *adj* anhwylus, nychlyd, symol

un-Welsh *adj* anghymreig

un-Welshness *n* anghymreigrwydd *m*

unwholesome *adj* afiach**

unwieldy *adj* anhylaw
unwilling *adj* amharod, anewyllysgar, anfodlon
unwillingness *n* anfodlonrwydd *m*, anfodd *m*
unwind *vn* dad-ddirwyn, dadflino
unwise *adj* angall, annoeth
unwitnessed *adj* di-dyst
unwitting* *adj* diarwybod
unworn *adj* di-draul
unworthiness *n* annheilyngdod *m*
unworthy *adj* anhaeddiannol, annheilwng
unwrap *vn* dadlapio
unwritten *adj* anysgrifenedig
unyielding *adj* di-droi'n-ôl, di-ildio
up 1. *adv* fyny, lan 2. i fyny [*i³*]
upbeat *adj* optimistaidd
upbraid *vn* ceryddu, edliw
upbraider *n* ceryddwr *m*, edliwiwr *m*
upbraiding *n* edliwiad *m*
upbringing *n* magwraeth *f*
update 1. *n* diweddariad *m* 2. *vn* diweddaru
upgrade *vn* uwchraddio
upheaval *n* chwalfa *f*
upholder *n* amddiffynnwr *m*, amddiffynnydd *m*, cynhaliwr *m*
upholstery *n* clustogwaith *m*
upkeep *n* cynhaliaeth *f*
upland *n* ucheldir *m*, uwchdir *m*
uplift¹ 1. *adj* ymgodol 2. *vn* codi, dyrchafu
uplift² GEOLOGY 1. *n* ymgodiad *m* 2. *vn* ymgodi
uplifting *adj* dyrchafol
upload¹ *n* lanlwythiad *m*
upload² COMPUTING *vn* lanlwytho, llwytho i fyny
upon 1. *prep* ar 2. am ben [*pen¹*]
uppermost *adj* uchaf
upright *adj* talsyth, union, unionsyth, unplyg
uprightness *n* uniondeb *m*, unionder *m*
uprising* *n* gwrthryfel *m*
uproar *n* trwst *m*
uproot *vn* dadwreiddio, diwreiddio
upset¹ 1. *adj* gofidus 2. *n* chwalfa *f* 3. *vn* cynhyrfu, gwasgu, tramgwyddo, troi
upset² METALLURGY *vn* clopanu, clopáu
upsetting* *adj* annifyr, gofidus
upshot *n* canlyniad *m*, pen draw *m*
upstairs 1. *n* llofft *f* 2. lan llofft [*llofft*]
upstart *n* coegyn *m*, crachfonheddwr *m*
upthrust GEOLOGY *n* brigwth *m*, brigwthiad *m*
upturn* *n* cynnydd *m*
upwards *adv* fyny
uracil BIOCHEMISTRY *n* wrasil *m*
uranium *n* wraniwm *m*
Uranus ASTRONOMY *n* Wranws *m*
urban *adj* dinasol, dinesig, trefol
urbane *adj* gwaraidd, hynaws
urbanism *n* trefolaeth *f*
urbanize *vn* trefoli
urbanized *adj* trefoledig

urea BIOCHEMISTRY *n* wrea *m*
urease BIOCHEMISTRY *n* wreas *m*
ureter ANATOMY *n* wreter *m*
urethra ANATOMY *n* wrethra *m*
urethritis llid pibell y bledren
urge *vn* annog, argymell, cymell, hysian, hysio
urgency *n* brys *m*
urger *n* anogwr *m*
urging *n* cymhelliad *m*
urinate *vn* pisio, piso, troethi
urine *n* troeth *m*
urn *n* wrn *m*
urology MEDICINE *n* wroleg *f*
urticaria MEDICINE *n* wrticaria *m*
Uruguayan 1. *adj* Wrwgwaiaidd 2. *n* Wrwgwaiad *m*
us *pronoun* ein, 'n¹, ni¹
USA *abbr* UDA
usage *n* defnydd *m*
use 1. *n* defnydd *m*, iws *m* 2. *vn* arfer², defnyddio
useful *adj* defnyddiol
usefulness *n* buddioldeb *m*, defnyddioldeb *m*
useless *adj* anfuddiol, didda, di-dda, diddefnydd, diddim, di-ddim, di-fudd, diffrwyth, dilesâd, diwerth, di-werth, ffrit
user *n* defnyddiwr *m*
userer *n* usuriwr *m*
user-unfriendly *adj* anghyfeillgar
usher *n* tywyswr *m*, tywysydd *m*
usual *adj* arferol
usurp *vn* camfeddiannu, disodli, trawsfeddiannu
usurper *n* disodlwr *m*, trawsfeddiannwr *m*
usury *n* usuriaeth *f*
utensil *n* llestr *m*, offeryn *m*
uterine ANATOMY *adj* crothol
uterus ANATOMY *n* croth *f*
utilitarian *adj* iwtilitaraidd
utilitarianism¹ *n* defnyddioldebaeth *f*, iwtilitariaeth *f*, llesyddiaeth *f*
utilitarianism² PHILOSOPHY *n* iwtilitariaeth *f*
utility¹ *n* defnyddioldeb *m*
utility² ECONOMICS *n* budd *m*
utilize *vn* defnyddio
utmost *adj* eithaf¹, glas²
utopia *n* iwtopia *f*
utopian *adj* iwtopaidd
utopianism *n* iwtopiaeth *f*
utricle ANATOMY, BIOLOGY *n* wtrigl *m*
utter 1. *adj* glân, post² 2. *adv* & *adj* llwyr 3. *vn* llefaru, yngan, ynganu
utterance *n* lleferydd *m*, parabl *m*
utterly 1. *adj* teg 2. *adv* & *adj* llwyr
U-turn tro pedol
uvula¹ 1. *n* tafodig *m*, wfwla *m* 2. cloch yr ymadrodd
uvula² ANATOMY *n* wfwla *m*
Uzbek 1. *adj* Wsbecistanaidd 2. *n* Wsbecistaniad *m*

V

v. (see) *abbr* gw.

vacancy swydd wag

vacant *adj* gwag

vacate* *vn* gadael

vacation *n* gwyliau *pl*

vaccinate MEDICINE *vn* brechu

vaccination *n* brechiad *m*

vaccine MEDICINE *n* brechlyn *m*

vacillate *vn* anwadalu, gwegian, pendilio

vacillation *n* ansicrwydd *m*, anwadaliad *m*, anwadalwch *m*, petruster *m*

vacuole BIOLOGY *n* gwagolyn *m*

vacuum *n* gwacter *m*, gwactod *m*

vagina ANATOMY *n* gwain *f*

vagrancy LAW *n* crwydraeth *f*

vagrant *n* crwydryn *m*, tramp *m*, trampyn *m*, trempyn *m*

vague *adj* annelwig, brith, gwlanog

vain *adj* balch, coegfalch, ofer, seithug

vale *n* bro *f*, dyffryn *m*, ystrad *m*

valency CHEMISTRY *n* falens *m*

valentine *n* folant *f*, ffolant *f*

valerian *n* triaglog *f*

valiant *adj* dewr, glew, gwrol

valid *adj* dilys

validate *vn* dilysu

validation *n* dilysiad *m*, dilysiant *m*

validator *n* dilysydd *m*

validity *n* dilysrwydd *m*

valine BIOCHEMISTRY *n* falin *m*

valley *n* cwm *m*, dyffryn *m*, glyn *m*, pant *m*

valour *n* arwriaeth *f*, gwrhydri *m*, gwroldeb *m*, gwrolder *m*

valuable 1. *adj* drud, gwerthfawr 2. gwerth arian [*gwerth*²]

valuation *n* prisiad *m*, prisiant *m*

value 1. *n* gwerth¹ *m*, pwysigrwydd *m* 2. *vn* gwerthfawrogi, prisio

valuer *n* prisiwr *m*

valve *n* falf *f*

vamp 1. *n* famp *f* 2. *vn* fampio

vampire *n* fampir *mf*

van *n* fan *f*

vanadium *n* fanadiwm *m*

vandal *n* fandal *m*

vandalism *n* fandaliaeth *f*

vandalize *vn* fandaleiddio

vanilla *n* fanila *m*

vanish *vn* diflannu

vanished *adj* diflanedig

vanity *n* balchder *m*, gwagedd *m*, gwegi *m*, oferedd *m*, rhodres *m*

vanquish *vn* gorchfygu, goresgyn

Vanuatuan 1. *adj* Fanwatwaidd 2. *n* Fanwatwad *m*

vaporize *vn* anweddu, tarthu

vapour¹ *n* anwedd *m*, mygdarth *m*, tarth *m*, tawch *m*

vapour² CHEMISTRY *n* anwedd *m*

vapours CHEMISTRY *n* anweddolion *pl*

variability *n* amrywedd *m*, amrywioldeb *m*

variable¹ *adj* amrywiol, cyfnewidiol, newidiol

variable² MATHEMATICS *n* newidyn *m*

variance MATHEMATICS *n* amrywiant *m*

variants *n* amrywiolion *pl*

variate MATHEMATICS *n* amryweb *f*

variation¹ *n* amrywiad *m*, amrywiaeth *f*

variation² BIOLOGY, MUSIC *n* amrywiad *m*

varicella MEDICINE brech yr ieir [*brech*¹]

variegated *adj* amryliw

variety *n* amryw¹ *m*, amrywiaeth *f*

various *adj* amryfal, amryw², amrywiol, gwahanol

varnish 1. *n* farnais *m* 2. *vn* farneisio

varve GEOLOGY *n* farf *m*

vary *vn* amrywio

vascular ANATOMY, BOTANY *adj* fasgwlar

vasculum *n* fasgwlwm *m*

vase *n* fâs *f*

vasectomy MEDICINE *n* fasdoriad *m*

vasoconstriction MEDICINE *n* fasogyfyngiad *m*

vasoconstrictor MEDICINE *n* fasogyfyngydd *m*

vasodilation MEDICINE *n* fasoymlediad *m*

vasodilator MEDICINE *n* fasoymledydd *m*

vassal *n* deiliad *m*, taeog¹ *m*

vast *adj* anferth, anferthol, aruthrol

vat *n* cafn *m*, cerwyn *f*, twb *m*, twba *m*, twbyn *m*

VAT *abbr* TAW⁴

vaticinate *vn* darogan

vault¹ 1. *n* claddgell *f*, cromen *f*, daeargell *f*, fowt *f*, llofnaid *f* 2. *vn* llofneidio, neidio

vault² ARCHITECTURE *n* claddgell *f*, cromgell *f*, fowt *f*

vaulted *adj* cromennog

vavasour *n* fafasor *m*

vector MATHEMATICS *n* fector *m*

vectorial MATHEMATICS *adj* fectoraidd

vectorize MATHEMATICS *vn* fectoreiddio

veer *vn* gogwyddo, gwyro

vegan *n* fegan *mf*, figan *m*

veganism 1. *n* feganiaeth *f*, figaniaeth *f* 2. cigwrthodaeth gaeth

vegetable 1. *adj* llysieuol, planhigol 2. *n* llysieuyn *m*

vegetables *n* garddlysiau *pl*

vegetarian 1. *adj* llysfwytaol, llysieuol 2. *n* cigwrthodwr *m*, llysfwytäwr *m*

vegetarianism *n* cigwrthodaeth *f*, llysieuaeth *f*

vegetation *n* llystyfiant *m*, tyfiant *m*

vegetative BOTANY *adj* llystyfol

vehemence *n* angerdd *m*, taerineb *m*
vehement* *adj* angerddol, croch, chwyrn, taer
vehicle *n* cerbyd *m*
vehicular *adj* cerbydol
veil *n* fêl *f*, gorchudd *m*, llen *f*
vein ANATOMY, GEOLOGY *n* gwythïen *f*
velcro *n* felcro *m*
veld *n* ffeld *m*
vellum *n* felwm *m*, memrwn *m*
velocity PHYSICS *n* cyflymder *m*, cyflymdra *m*
velvet *n* melfed *m*
velvety *adj* melfedaidd
venation BIOLOGY *n* gwythieniad *m*
vend *vn* gwerthu
vendetta *n* fendeta *mf*, galanas *f*
Venedotae *n* Fenedotiaid *pl*
veneer CARPENTRY 1. *n* argaen *f* 2. *vn* argaenu
venerable *adj* hybarch
venerate *vn* mawrygu, parchu
veneration *n* parch *m*
venereal MEDICINE *adj* gwenerol
Venetian 1. *adj* Fenisaidd 2. *n* Fenisiad *m*
Venezuelan 1. *adj* Feneswelaidd
2. *n* Fenesweliad *m*
vengeance *n* dial[2] *m*, dialedd *m*
vengeful *adj* dialgar
venom *n* gwenwyn *m*
venomous *adj* gwenwynig, gwenwynllyd, gwenwynol
venous ANATOMY *adj* gwythiennol
vent[1] 1. *n* awyrell *f*, fent *f* 2. *vn* gwyntyllu
vent[2] GEOLOGY *n* agorfa *f*
ventilate[1] *vn* awyru, gwyntyllu
ventilate[2] MEDICINE *vn* awyru, gwyntyllu
ventilation *n* awyriad *m*
ventilator[1] *n* awyriadur *m*, awyrydd *m*
ventilator[2] MEDICINE *n* awyrydd *m*
venting *n* gwyntylliad *m*
ventral BIOLOGY *adj* fentrol
ventricle ANATOMY *n* fentrigl *m*
ventriloquism *n* tafleisiaeth *f*
ventriloquist *n* tafleisiwr *m*, tafleisydd *m*
venture 1. *n* antur *f*, menter *f*
2. *vn* anturio, meiddio, mentro
venturesome *adj* mentrus
venue* *n* lleoliad *m*
venule ANATOMY *n* gwythiennig *f*
Venus[1] *n* Fenws *f*
Venus[2] ASTRONOMY *n* Gwener *mf*
veracity *n* geirwiredd *m*
veranda *n* feranda *f*
verb GRAMMAR *n* berf *f*
verbal[1] *adj* geiriol, llafar
verbal[2] GRAMMAR *adj* berfol
verbalism *n* geiriolaeth *f*
verbatim gair am air
verbiage gwag siarad [*siarad*]

verb-noun *n* berfenw *m*
verbose *adj* anghryno, amleiriog, cwmpasog, geiriog, goreiriog, hirwyntog
verbosity *n* geiriogrwydd *m*
verdant 1. *adj* irlas, tirf 2. *n* gwyrddlas[1] *m*
verderer *n* gwyrddmon *m*
verdict[1] *n* dyfarniad *m*
verdict[2] LAW *n* dedfryd *f*, rheithfarn *f*
verdigris *n* ferdigris *m*
verdure *n* gwyrddlesni *m*, gwyrddni *m*, irlesni *m*
verge 1. *n* ymyl *fm* 2. *vn* ffinio
verglas *n* glasrew *m*, plymen *f*
verifiable *adj* gwiriadwy
verification 1. *n* gwireddiad *m*, gwiriad *m*
2. *vn* gwireddu
verifier *n* dilysydd *m*, gwireddydd *m*
verify[1] *vn* gwireddu, gwirio
verify[2] COMPUTING *vn* gwireddu
verisimilitude *n* rhithwiredd *m*
vermiform *adj* llyngyraidd
vermilion *n* fermiliwn *m*
vermin *n* fermin *pl*, pryfetach *pl*
verminous *adj* pryfedog
vernal *adj* gwanwynaidd, gwanwynol
vernalization *n* gwanwyneiddiad *m*
vernalize *vn* gwanwyneiddio
vernier *n* fernier *m*
versatile *adj* amlbwrpas, amlochrog, amryddawn
verse *n* adnod *f*, pennill *m*
versification *n* mydryddiaeth *f*
versifier *n* mydryddwr *m*
versify *vn* mydryddu, prydyddu, rhigymu
version *n* fersiwn *mf*
versus *prep* erbyn[1]
vertebra ANATOMY *n* fertebra *m*
vertebral ANATOMY *adj* fertebrol
vertebrate ZOOLOGY 1. *adj* fertebraidd
2. *n* fertebrat *m*
vertex *n* fertig *m*
vertical[1] *adj* unionsyth
vertical[2] MATHEMATICS *adj* fertigol
vertiginous *adj* penfeddw
vertigo[1] *n* dot[2] *f*, madrondod *m*
vertigo[2] MEDICINE *n* pendro *f*
verve *n* arial *m*, bywyd *m*
very 1. *adj* un[2] 2. *adv* dychrynllyd[2], iawn[3], odiaeth[2], tra[1] 3. *pref* ad-, at-
vesicle ANATOMY, BOTANY, MEDICINE *n* fesigl *m*
vesicular *adj* pothellog
vespers RELIGION *n* gosber *m*
vessel[1] *n* llestr *m*, llong *f*
vessel[2] ANATOMY, BOTANY *n* pibell *f*
vest *n* fest *f*
vestibule *n* cyntedd *m*
vestige *n* arlliw *m*, trumwedd *f*
vestigial *adj* gweddilliol, gweddillol
vestment *n* urddwisg *f*

vestry *n* festri *f*

vet *n* fet *m*, milfeddyg *m*

vetches *n* ffacbys *pl*

veteran *adj* profiadol

veterinarian *n* milfeddyg *m*

veterinary *adj* milfeddygol

veto¹ 1. *n* gwaharddiad *m*, nacâd *m* 2. *vn* nacáu

veto² LAW *n* feto *f*

vex *vn* becsio, becso, cnoi¹

vexed* *adj* dadleuol

via drwy law [*llaw*]

viability *n* hyfywdra *m*, ymarferoldeb *m*

viable¹ *adj* dichonadwy, dichonol, hyfyw

viable² MEDICINE *adj* hyfyw

viaduct *n* traphont *f*

vibrant *adj* dirgrynol, nwyfus

vibrate *vn* dirgrynu, ysgwyd

vibrating *adj* dirgrynol

vibration *n* dirgryniad *m*

vicar RELIGION *n* ficer *m*

vicarage *n* ficerdy *m*

vicariate *n* ficeriaeth *f*

vicarious *adj* dirprwyol

vice *n* feis *f*, llygredigaeth *f*

vice- *pref* is-

vice-regency *n* rhaglawiaeth *f*

viceroy *n* rhaglaw *m*

vicinity *n* cyfyl *m*, cyffiniau *pl*

vicious *adj* milain, mileinig

viciousness *n* mileindra *m*

victim *n* dioddefwr *m*, sglyfaeth *f*, ysglyfaeth *f*

victor *n* buddugwr *m*, gorchfygwr *m*, trechwr *m*

Victorian *adj* Fictoraidd, Fictoriaidd

victorious *adj* buddugol, gorchfygol

victory *n* buddugoliaeth *f*, goruchafiaeth *f*

victrix *n* buddugwraig *f*

victuals *n* bwyd *m*

video 1. *adj* fideo² 2. *n* fideo¹ *m*

videoconference *vn* fideo-gynadledda

vie *vn* cystadlu, ymgiprys

Vietnamese 1. *adj* Fietnamaidd 2. *n* Fietnamiad *m*

view 1. *n* barn *f*, golwg¹ *m*, golygfa *f*, syniad *m* 2. *vn* edrych, gwylied, gwylio

viewer *n* gwyliwr *m*

viewpoint *n* safbwynt *m*

vigil *n* gwylnos *f*, noswyl *f*

vigilance *n* gwyliadwriaeth *f*

vigilant *adj* effro, gofalus, gwyliadwrus

vigorous *adj* chwyrn, egnïol, heini

vigour *n* arial *m*, grym *m*, nerth *m*, nwyf *m*, nwyfiant *m*

Viking *n* Llychlynnwr *m*

vile *adj* ffiaidd

vilifier *n* enllibiwr *m*, pardduwr *m*

vilify* *vn* enllibio, pardduo

villa *n* fila *f*

village 1. *adj* pentrefol 2. *n* pentref *m*

villager *n* pentrefwr *m*

villain *n* dihiryn *m*

villainous *adj* anfad, ysgeler

villainy *n* anfadwaith *m*

villein *n* bilaen *m*, bilain *m*

villus ANATOMY *n* filws *m*

vindicate *vn* cyfiawnhau

vindication *n* cyfiawnhad *m*

vindictive *adj* dialgar

vine *n* gwinwydden *f*

vinegar *n* finegr *m*

vineyard *n* gwinllan *f*

vintner *n* gwinwr *m*, gwinydd *m*

vinyl *n* finyl *m*

viol *n* feiol *f*

viola *n* fiola *f*

violate *vn* treisio

violence *n* trais *m*, treisgarwch *m*

violent *adj* treisgar, treisiol

violet 1. *adj* dulas, du-las, fioled² 2. *n* crinllys *pl*, fioled¹ *f*, fioled gyffredin *f*, millyn *m*

violin *n* feiolin *f*, ffidil *f*

violinist *n* feiolinydd *m*

violoncello¹ *n* soddgrwth *m*

violoncello² MUSIC *n* sielo *m*

viper *n* gwiber *f*

VIPs *n* pwysigion *pl*

viral *adj* firaol, firol

virgate *n* firgat *m*

virgin 1. *adj* gwyryfol 2. *n* gwyry *f*, gwyryf *f*, morwyn *f*

virginal *adj* morwynaidd, morwynol

virginity *n* gwyryfdod *m*, morwyndod *m*

viridian *n* firidian *m*

virile *adj* egnïol, gwrol, gwrywaidd

virility* *n* egni *m*

virology *n* firoleg *f*

virtual *adj* rhithwir

virtue *n* rhin *mf*, rhinwedd *mf*

virtuous *adj* buchedol, rhinweddol

virulent* *adj* milain, mileinig

virus BIOLOGY, COMPUTING *n* firws *m*

visa *n* fisa *f*, teitheb *f*

viscera ANATOMY *n* ymysgaroedd *pl*

visceral ANATOMY *adj* perfeddol

viscose CHEMISTRY fiscos

viscosity *n* gludedd *m*, gludiogrwydd *m*

viscount *n* is-iarll *m*

viscountcy *n* is-iarllaeth *f*

viscountess *n* is-iarlles *f*

viscous *adj* gludiog

visibility *n* amlygrwydd *m*, gwelededd *m*

visible *adj* amlwg, gweladwy, gweledig

Visigoth *n* Fisigoth *m*

vision *n* golwg¹ *m*, gwelediad *m*, gweledigaeth *f*

visionary *n* gw_eledydd *m*

visit 1. *n* ymweliad *m* 2. *vn* edrych am, galw[1], gweld, gweled, ymweld

visitation *n* ymweliad *m*

visitor *n* gwestai[1] *m*, ymwelwr *m*, ymwelydd *m*

visor *n* heul-len *f*, miswrn *m*

vista *n* golygfa *f*

visual *adj* gweledol

visualize *vn* delweddu, dychmygu

vital *adj* hanfodol

vitalism PHILOSOPHY *n* bywydaeth *f*

vitality *n* asbri *m*, hoen *f*, nwyf *m*, nwyfiant *m*

vitamin BIOCHEMISTRY *n* fitamin *m*

viticulture *n* gwinwyddaeth *f*

vitreous *adj* gwydrog

vitrified *adj* gwydredig

vitrify *vn* gwydreiddio

vitriol *n* fitriol *m*

vitriolic* *adj* gwenwynllyd, hallt

vituate* *vn* gwanhau

vivacious *adj* bywiog, bywiol, hoenus, hoyw, nwyfus

vivaciousness *n* bywiogrwydd *m*, hoenusrwydd *m*

vivacity *n* bywiogrwydd *m*, hoen *f*, hoywder *m*, nwyf *m*, nwyfiant *m*, nwyfusrwydd *m*

vivarium *n* bywydfa *f*

vivid *adj* llachar, lliwgar

viviparous BOTANY, ZOOLOGY *adj* bywesgorol

vivisection *n* bywddyraniad *m*

vixen *n* cadnawes *f*, cadnöes *f*, cnawes *f*, llwynoges *f*

viz. *abbr* h.y.

vocabulary *n* geirfa *f*

vocal *adj* huawdl, llafar, llafarog, lleisiol

vocalist *n* cantores *f*, canwr *m*, lleisiwr *m*, lleisydd *m*

vocalize *vn* llefaru, lleisio

vocation *n* galwedigaeth *f*

vocational *adj* galwedigaethol

vocative GRAMMAR *adj* cyfarchol

vociferous *adj* llafar, swnllyd

vodka *n* fodca *m*

vogue *n* ffasiwn[1] *f*

voice[1] 1. *n* llais *m* 2. *vn* lleisio

voice[2] MUSIC *n* llais *m*

voiceless *adj* di-lais

voicemail *n* lleisbost *m*

void 1. *adj* annilys 2. *n* gwacter *m*, gwagle *m*

vol. (volume) *abbr* cyf.

volatile[1] *adj* cyfnewidiol, ymfflamychol

volatile[2] CHEMISTRY *adj* anweddol

volatiles CHEMISTRY *n* anweddolion *pl*

volatility CHEMISTRY *n* anweddolrwydd *m*

volcanic *adj* folcanaidd, folcanig

volcano[1] *n* folcano *m*

volcano[2] GEOLOGY *n* llosgfynydd *m*

volcanology GEOLOGY *n* fwlcanoleg *f*

vole llygoden bengron

volition *n* dewisiad *m*, ewyllysiad *m*

volley 1. *n* foli *f* 2. *vn* folïo

volleyball *n* pêl-foli *f*

volt PHYSICS *n* folt *m*

voltage *n* foltedd *m*

voltmeter *n* foltmedr *m*

volume[1] *n* cyfrol *f*, maint *m*, uchder *m*

volume[2] MATHEMATICS *n* cyfaint *m*

volumetric *adj* cyfeintiol

voluntarism *n* gwirfoddoliaeth *f*

voluntary *adj* digymell, gwirfoddol

volunteer 1. *n* gwirfoddolwr *m* 2. *vn* gwirfoddoli

voluptuous *adj* nwydus, synhwyrus

vomit 1. *n* chwŷd *m*, chwydfa *f* 2. *vn* cyfogi, chwydu

vomiting *n* chwydiad *m*

voodoo *n* fwdw *m*

voracious *adj* barus, blysgar, blysig, gwancus, rheibus

vortex *n* fortecs *m*, trobwll *m*

votary *n* addunedwr *m*, diofrydwr *m*

vote 1. *n* pleidlais *f* 2. *vn* fotio, pleidleisio

voter *n* etholwr *m*, fotiwr *m*, pleidleisiwr *m*

votive *adj* addunedol

voucher *n* taleb *f*, tocyn[1] *m*

vow 1. *n* adduned *f*, diofryd *m*, llw *m* 2. *vn* addunedu, ymdynghedu

vowel 1. *adj* llafarog 2. *n* llafariad *f*

voyage 1. *n* mordaith *f*, siwrnai[1] *f* 2. *vn* mordwyo, morio

voyager *n* mordeithiwr *m*, mordwywr *m*, teithiwr *m*

vulcanize *vn* fwlcaneiddio

vulcanology GEOLOGY *n* fwlcanoleg *f*

vulgar *adj* aflednais, sathredig

vulgarism *n* afledneiseb *f*

vulgarity *n* fwlgariaeth *f*

vulgarize *vn* fwlgareiddio

Vulgate *n* Fwlgat *m*

vulnerable *adj* archolladwy, brau, clwyfadwy, niweidiadwy

vulture *n* fwltur *m*

vulva ANATOMY *n* fwlfa *m*

W

W 1. *abbr* Gn 2. *n* wat *m*

wadding *n* wadin *m*

waddle *vn* bongamu, honcian

wade *vn* bracsan, bracso

wadi[1] *n* sychnant *f*

wadi[2] GEOGRAPHY *n* wadi *mf*

wafer *n* waffer *f*

waffle *n* waffl *mf*

wag 1. *n* aderyn *m*, còb[1] *m*, cono *m*, deryn *m* 2. *vn* siglo, ysgwyd

wage *n* cyflog *m*, pae *m*

wager *vn* mentro

wagon *n* gwagen *f*, wagen *f*

wagtail *n* sigl-di-gwt *m*, siglen² *f*

wail 1. *n* llef *f*, oernad *m*, udiad *m* 2. *vn* ubain

wainscot *n* palis *m*, palisâd *m*, panel *m*

waist *n* canol¹ *m*, gwasg² *fm*

waistcoat *n* gwasgod *f*

wait *vn* aros, disgwyl, oedi

waiter *n* gweinydd *m*

waiting *adj* disgwylgar

waitress *n* gweinyddes *f*

wake *vn* deffro, dihuno

walk 1. *n* cerddediad *m*, tro *m*, wâc *f* 2. *vn* cerdded, llwybro, rhodio, troedio

walker *n* cerddwr *m*

wall 1. *n* mur *m*, pared *m*, wal *f* 2. *vn* murio

wallaby *n* walabi *m*

walled *adj* muriog

wallet *n* waled *f*

wallflower blodyn y fagwyr

Walloon *n* Walwniad *m*

wallop *vn* cledro, pwnio, pwno, wado, waldio, whado

wallow *vn* ymdrybaeddu

wallpaper 1. *vn* papuro 2. papur wal

wallplate *n* walblad *f*

walnuts cnau Ffrengig

walrus *n* morfarch *m*, walrws *m*

waltz MUSIC 1. *n* walts *f* 2. *vn* waltsio

wan *adj* gwelw, llwyd

wander *vn* crwydro

wanderer *n* crwydrwr *m*, crwydryn *m*, mudwr *m*, mudydd¹ *m*, rhodiwr *m*

wandering 1. *adj* crwydrol 2. *n* crwydr *m*, crwydrad *m*

wane *vn* cilio

waning *n* cil *m*, ciliad *m*, gwendid *m*

wank *crude vn* halian, halio, llawgnychu

want 1. *n* eisiau *m* 2. *vn* bod am [*bod¹*], mofyn, moyn, ymofyn

wanted yn eisiau [*eisiau*]

wanton *adj* anllad, cocwyllt, chwantus, masweddol, masweddus

wantonness *n* anlladrwydd *m*, cnawdolrwydd *m*, maswedd *m*, trythyllwch *m*

war *n* cad *f*, rhyfel *m*

warble *vn* pyncio, telori

warbler *n* telor *m*

ward¹ *n* etholaeth *f*, ward *f*

ward² LAW *n* gward *m*

warden *n* warden *m*

wardenship *n* wardeniaeth *f*

warder *n* gwarcheidwad *m*

wardrobe 1. *n* gwardrob *f*, wardrob *f* 2. cist ddillad, cwpwrdd dillad

ware *n* nwyddau *pl*

warehouse *n* stordy *m*, warws *m*

warhorse *n* cadfarch *m*

wariness *n* gwyliadwriaeth *f*

warlike *adj* rhyfelgar

warm 1. *adj* cynnes, gwresog, twym 2. *vn* cynhesu

warm-blooded gwaed cynnes

warmer *n* poethwr *m*

warm-hearted *adj* twymgalon

warming 1. *adj* cynhesol 2. *n* twymiad *m*

warmonger *n* rhyfelgi *m*

warmongering *n* rhyfelgarwch *m*

warmth *n* agosatrwydd *m*, clydwch *m*, cynhesrwydd *m*, gwres *m*, twymder *m*

warn *vn* rhybuddio, siarsio

warner *n* rhybuddiwr *m*

warning *n* rhybudd *m*, siars *f*

warp¹ 1. *n* camdroad *m*, ystof *f* 2. *vn* cam-droi, gwyro, warpio, ystofi

warp² NEEDLEWORK *n* dylif *m*

warrant LAW *n* gwarant *f*

warranted *adj* gwarantedig

warranty¹ *n* warantî *f*

warranty² FINANCE *n* gwarant *f*

warren *n* cwningar *m*

warrior *n* gwron *m*, rhyfelwr *m*

warship llong ryfel

wart MEDICINE *n* dafaden *f*

warty *adj* dafadennog

wary *adj* gochelgar, gwyliadwrus

was *v* oedd

wash 1. *n* golch *m* 2. *vn* golchi

washable *adj* golchadwy

washbasin basn ymolchi

washboard *n* golchwr *m*, golchydd *m*

washer *n* golchwr *m*, golchydd *m*, wasier *f*

washerwoman *n* golchreg *f*, golchwraig *f*

washing *n* golch *m*, golchad *m*, golchiad *m*

wasp 1. *n* cacynen *f*, cacynyn *m*, picwnen *f* 2. gwenynen farch

waspish *adj* brathog

wassail¹ 1. *n* gwasael *f* 2. *vn* gwasaela, gwaseilio

wassail² MUSIC *n* gwasael *f*

wastage *n* gwastraff *m*

waste 1. *n* gwastraff *m*, wast *m* 2. *vn* afradu, gwastraffu

wasted *adj* ofer, seithug

wasteful *adj* afradus, gwastrafflyd, gwastraffus, ofer

wasteland *n* anialdir *m*, diffeithdir *m*, gorest *m*

waster *n* afradwr *m*, gwastraffwr *m*, oferwr *m*, pwdryn *m*, rodni *m*

watch 1. *n* gwyliadwriaeth *f*, oriawr *f*, watsh *f* 2. *vn* gofalu, gwylied, gwylio, tendio

watcher *n* gwyliedydd *m*, gwyliwr *m*

watchful *adj* gwyliadwrus

watchmaker *n* oriadurwr *m*

watchnight *n* gwylnos *f*
watchtower *n* arsyllfa *f*, disgwylfa *f*, rhagdwr *m*
water 1. *n* dwfr *m*, dŵr *m* 2. *vn* dyfrhau, dyfrio
water-based *adj* dyfrsail
water beetle chwilen ddŵr/y dŵr
watercolour *n* dyfrliw *m*, dyfrlliw *m*
watercourse *n* dyfrffos *f*
watercress berw dŵr [*berwr*], berwr dŵr
watered *adj* dyfradwy
waterfall *n* pistyll *m*, rhaeadr *f*, sgwd *m*, ysgwd *m*
waterlogged *adj* dwrlawn
watermark *n* dyfrnod *m*
watermill melin ddŵr
waterproof *adj* dwrglos
water-repellent *adj* gwrth-ddŵr
watershed[1] *n* cefndeuddwr *m*, trobwynt *m*
watershed[2] GEOGRAPHY *n* gwahanfa ddŵr *f*
watertight *adj* dwrglos
waterway *n* dyfrffordd *f*
watery *adj* dyfrllyd, tenau
watt *n* wat *m*
wattage PHYSICS *n* watedd *m*
wattle *n* clwyden *f*
wave[1] 1. *n* gwaneg *f*, ton[1] *f*
   2. *vn* codi llaw, cwhwfan, cyhwfan, chwifio
   3. codi llaw ar [*llaw*]
wave[2] PHYSICS *n* ton[1] *f*
waveform PHYSICS *n* tonffurf *f*
wavefront PHYSICS *n* blaendon *f*
wavelength *n* tonfedd *f*
waver 1. *n* chwifiwr *m* 2. *vn* pendilio, simsanu
wavering *adj* gwamal
waving *n* chwifiad *m*
wavy *adj* tonnog
wax 1. *n* cwyr *m*, gwêr *m* 2. *vn* cwyro
waxing *n* cynnydd *m*
wax-like *adj* cwyraidd
way *n* ffordd *f*, hynt *f*, llwybr *m*, modd[1] *m*
wayfarer *n* fforddolyn *m*, teithiwr *m*
wayleave LAW *n* fforddfraint *f*
wayside ymyl (y) ffordd
wayward *adj* anwadal
we *pronoun* ni[1]
weak *adj* egwan, eiddil, gwan, llipa
weaken *vn* glastwreiddio, gwanhau, gwanychu, llesgáu, methu
weakening *n* gwanhad *m*
weakling *n* ewach *m*, llipryn *m*
weaklings *n* gweiniaid *pl*
weakness *n* eiddilwch *m*, gwendid *m*, llesgedd *m*
weal *n* gwrym *m*
wealth *n* cyfoeth *m*, golud *m*
wealthy *adj* ariannog, cefnog, cyfoethog, goludog
wean *vn* diddyfnu
weaning *n* diddyfniad *m*
weapon *n* arf *m*

wear 1. *n* parhad *m*, traul *f*, treuliad *m*
   2. *vn* gwisgo, treulio
wearable *adj* gwisgadwy
weariness *n* lludded *m*
wearisome *adj* blinderus
weary 1. *adj* blinderog, llesg, lluddedig
   2. *vn* diflasu, llaesu dwylo
weasel *n* gwenci *f*
weather 1. *n* hin *f*, tywydd *m* 2. *vn* hindreulio
weathercock ceiliog y gwynt
weathered *adj* hindreuliedig
weathering GEOGRAPHY *n* hindreuliad *m*
weatherproof *adj* diddos
weathervane ceiliog y gwynt
weave 1. *n* gwead *m*, gwehyddiad *m*
   2. *vn* gwau[1], gwehyddu, ymweu
weaver *n* gwehydd *m*, gwehyddes *f*, gweuwr *m*, gwëwr *m*, gwëydd *m*, gweyddes *f*
weaving *n* gwe *f*, gwead *m*, plethiad *m*
web *n* gwe *f*
webbed *adj* gweog
webbing *n* webin *m*
webcam *n* gwe-gam *m*
weber *n* weber *m*
weblog *n* blog *m*
webmaster *n* gwefeistr *m*
website *n* gwefan *f*
wed *vn* priodi
wedding *n* priodas *f*
wedge 1. *n* gaing *f*, lletem *f* 2. *vn* lletemu
Wednesday 1. *n* Mercher[1] *m*
   2. dydd Mercher [*Mercher*[1]]
weed 1. *n* chwynnyn *m* 2. *vn* chwynnu
weedkiller *n* chwynladdwr *m*, chwynleiddiad *m*, lleiddiad[1] *m*
weeds *n* chwyn *pl*
week *n* wythnos *f*
weekend *n* penwythnos *m*
weekly 1. *adj* wythnosol 2. *n* wythnosolyn *m*
weep *vn* wylo
weever *n* môr-wiber *f*
weevil *n* euddonyn *m*
weft *n* anwe *f*
weigh *vn* cloriannu, pwyso
weigher *n* pwyswr *m*
weighman *n* pwyswr *m*
weight 1. *n* pwysau[2] *m*, pwysyn *m* 2. *vn* pwysoli
weighted *adj* pwysol
weighting 1. *n* pwysiad *m* 2. *vn* pwysoli
weigh up *vn* cloriannu
weir *n* cored *f*
weird *adj* rhyfedd
welcome 1. *n* croeso *m*
   2. *vn* croesawu, estyn croeso
welcoming *adj* croesawgar
weld 1. *n* weld *m*, weldiad *m* 2. *vn* weldio
welder *n* weldiwr *m*

welfare *n* buddiannau *pl*, lles *m*

well 1. *adj* da[1] 2. *n* ffynnon *f*, pistyll *m*, pydew *m*

well! *interj* wel

wellbeing* *n* lles *m*

well built *adj* nobl

wellington *n* welington *f*

wellington boots *n* botas *pl*, botias *pl*, botys *pl*

wellingtons *n* bwtias *pl*, bwtsias *pl*

well-to-do* *adj* cefnog

wels *n* pencath *m*

Welsh[1] *adj* Cymraeg[2]

Welsh[2] *adj* Cymreig

Welsh language *n* Cymraeg[1] *fm*

Welshman *n* Cymro *m*

Welshness *n* Cymreictod *m*

Welshwoman *n* Cymraes *f*

Welshy *adj* Cymreigaidd

welt 1. *n* gwald *f*, gwaltas *f*, gwrym *m*
   2. *vn* gwaldio, gwaldu, gwrymio

wen MEDICINE *n* crangen *f*

wend *vn* llwybreiddio, ymlwybro

were *conj* pe, ped, pes

Wesleyanism RELIGION *n* Wesleaeth *f*

west *n* gorllewin *m*

West *abbr* Gn

westerly *adj* gorllewinol

western *adj* gorllewinol

Westerner *n* gorllewinwr *m*

westernize *vn* gorllewineiddio, gorllewino

wet 1. *adj* gwlyb, lliprynnaidd, llywaeth
   2. *n* gwlanen *f* 3. *vn* gwlychu

wether 1. *n* gwedder *m*, hesbwrn *m*, maharen *m*,
   mollt *m* 2. dafad gwedder

wetland(s) *n* gwlyptir *m*

wetness *n* gwlybni *m*, gwlybrwydd *m*

whack *n* ffoniad *m*, ffonnod *f*

whale *n* morfil *m*

whalebone *n* walbon *m*

what 1. *pronoun* beth, pa 2. pa beth [*peth*]

whatever ta beth

wheat *n* gwenith *m*, gwenithen *f*

wheatmeal blawd gwenith

wheedle *vn* godro, seboni

wheel 1. *n* olwyn *f*, rhod *f* 2. *vn* hwylio, olwyno

wheelbarrow *n* berfa *f*, whilber *f*

wheelbrace *n* ecstro *m*

wheelchair cadair olwyn

wheeled *adj* olwynog

wheelwright saer olwynion, saer troliau

wheeze *vn* gwichian, gwichio

whelp *n* cenau *m*, cnyw *m*

when 1. *adf* pryd[2], 2. *conj* pan[1], pryd[3]

whenever ta pryd

where 1. *adv* ble[1], ble[2], lle[3] 2. *conj* lle[2]

where? *adv* ple[2]

wherefore *adv* paham, pam

whereupon 1. *adv* yna[1] 2. ar hynny [*hynny*[1]]

whet *vn* hogi, llifanu, miniogi

whether *particle* ai

whetstone 1. *n* calen *f*, hogfaen *m*, hôn *f*
   2. carreg hogi

whetter *n* llifwr *m*

whey *n* gleision[2] *pl*, maidd[1] *m*

which *pronoun* a[3], pa

whichever ta p'un

which one *pronoun* p'run, p'un

whiff *n* chwiff *f*

Whig 1. *adj* Chwigaidd 2. *n* Chwig *m*

while 1. *conj* pan[1], tra[2]
   2. *n* ennyd *m*, orig *f*, plwc *m* 3. *prep* wrth

whilst *conj* tra[2]

whim *n* chwiw *f*, mympwy *m*, now *m*

whimsical *adj* mympwyol

whin *n* eithin *pl*

whine *vn* nadu[1]

whinny 1. *n* gweryrad *m*, gweryriad *m*
   2. *vn* gweryru

whip 1. *n* chwip *fm*, fflangell *f*
   2. *vn* chwipio, fflangellu

whipper *n* chwipiwr *m*

whipping *n* chwipiad *m*

whirl 1. *n* chwyrlïad *m*, troell *f*
   2. *vn* chwyrlïo, chwyrnellu, troelli

whirligig *n* chwirligwgan *m*, chwrligwgan *m*,
   chwyrligwgan *m*

whirlpool 1. *n* corbwll *m*, trobwll *m* 2. pwll tro

whirlwind[1] 1. *n* trowynt *m* 2. awel dro

whirlwind[2] METEOROLOGY *n* chwyrlwynt *m*

whisk 1. *n* chwisg *m* 2. *vn* chwisgio, sgubo,
   ysgubo

whisker *n* blewyn *m*

whisky *n* chwisgi *m*, whisgi *m*

whisper 1. *n* achlust *m*, si *m*, sibrwd[2] *m*, sisial[2] *m*
   2. *vn* sibrwd[1], sisial[1]

whist *n* chwist *m*

whistle 1. *n* chwib *f*, chwiban *mf*, chwibaniad *f*,
   chwibanogl *f*, chwisl *m* 2. *vn* chwibanu, tiwnio

whistler *n* chwibanwr *m*, chwibanydd *m*

white 1. *adj* cannaid, gwyn[2] 2. *n* gwyn[1] *m*

whiteboard bwrdd gwyn

white-collar coler wen

white-headed *adj* penwyn

white-hot *adj* eirias, eiriasboeth, gwynias

whiteness *n* gwynder *m*, gwyndra *m*

whitethroat *n* llwydfron *f*

whitewash 1. *n* gwyngalch *m*
   2. *vn* calchu, gwyngalchu

whitewashed *adj* gwyngalchog

whiting gwyniad môr

whitlow *n* ewinor *f*, ffelwm *m*, gwlithen *f*

Whitsun RELIGION *n* Sulgwyn *m*

whizz *vn* chwyrnellu

who *pronoun* a[3], pwy

whoever pwy bynnag, ta pwy

whole 1. *adj* cyfan², holl, holliach, hollol
2. *n* crynswth *m*, cyfan¹ *m*
wholefood *adj* cyflawn
wholeness *n* cyfanrwydd *m*
wholesale *adj* cyfanwerthol
wholesaler *n* cyfanwerthwr *m*
wholesome *adj* iach, iachus
whom *pronoun* a³
whomsoever *pronoun* sawl¹
whopper *n* clamp¹ *m*, hwlcyn *m*
whore 1. *n* hŵr *f*, hwren *f* 2. *vn* hwrian
whorl *n* sidell *f*, troellen *f*
why *adv* paham, pam
wick *n* pabwyr¹ *m & pl*, pabwyryn *m*, wic *m*
wicked *adj* diffaith, drwg¹
wickedness *n* anfadrwydd *m*, drygioni *m*, ysgelerder *m*
wicker *n* gwialen *f*
wickerwork *n* basgedwaith *m*, plethwaith *m*
wicket *n* llain *f*, wiced *f*
wicketkeeper *n* wicedwr *m*
wide *adj* eang, helaeth, llydan
wide-eyed *adj* llygadrwth
widen *vn* ehangu, lledu, llydanu
widening *n* llediad *m*
widow 1. *n* gweddw¹ *f*, gwidw *f* 2. gwraig weddw
widowed *adj* gweddw²
widower gŵr gweddw
widowhood *n* gweddwdod *m*
width *n* lled¹ *m*
wife *n* gwraig *f*
Wi-Fi *abbr* Wi-Fi
wig 1. *n* perwig *f*, wig *m* 2. gwallt gosod
wigwam *n* wigwam *m*
wild *adj* anhywaith, dyrys, ffrochus, gwyllt¹, lloerig
wilderness *n* anial² *m*, anialdir *m*, anialwch *m*, diffeithwch *m*, gwylltineb *m*
wildness *n* gwylltineb *m*
wilful *adj* ystyfnig
wilfulness* *n* ystyfnigrwydd *m*
will¹ *n* ewyllys¹ *m*
will² LAW 1. *n* ewyllys² *f* 2. *vn* ewyllysio
willing *adj* bodlon, ewyllysgar, gwirfoddol, parod
willingly o'm (o'th, o'i, etc.) bodd [*bodd*]
willingness *n* bodlondeb *m*
willow (trees and wood) *n* helyg *pl*
willowy *adj* helygaidd, helygog
wilt *vn* gwywo
wily *adj* castiog, llwynogaidd
wimp cadach o ddyn
wimple *n* gwimpl *f*
win *vn* cipio, ennill¹, mynd â hi [*mynd¹*]
winch 1. *n* winsh *f* 2. *vn* winsio
wind 1. *n* gwynt *m* 2. *vn* dolennu, troelli, weindio, ymdroelli
windfall *n* ffawdelw *m*

winding *adj* dolennog, troellog
windmill melin wynt
window *n* ffenestr *f*
windpipe 1. *n* breuant *m* 2. pibell wynt
windproof *adj* gwrthwynt, gwyntglos
windsurfing *vn* hwylfyrddio
windward *adj* atwynt
windy *adj* gwyntog
wine *n* gwin *m*
wing *n* adain *f*, aden *f*, asgell *f*
winged *adj* adeiniog, asgellog, hedegog, hedfanol
winger *n* asgellwr *m*
wingless *adj* anadeiniog
wink 1. *n* winc *f* 2. *vn* gwneud llygad bach [*llygad*], wincian, wincio
winkle *n* gwichiad¹ *m*
winner *n* enillwr *m*, enillydd *m*
winnings *n* enillion *pl*
winnow *vn* nithio
winnower *n* nithiwr *m*
winnowing *n* gwyntylliad *m*, nithiad *m*
winter 1. *n* gaeaf *m* 2. *vn* bwrw('r) gaeaf, gaeafu, hendrefa, hendrefu
wintergreen *n* coedwyrdd *m*
winterly *adj* gaeafaidd
wintry *adj* gaeafaidd, gaeafol
wipe 1. *n* sychad *m*, sychiad *m*
2. *vn* mopio¹, sychu
wiper *n* weipar *m*
wire 1. *n* gwifr *f*, gwifren *f*, weiren *f*
2. *vn* gwifro, weirio, weiro
wireless 1. *adj* di-wifr 2. *n* radio *m*
wiring *n* gwifriad *m*, weiriad *m*
wiry *adj* gwifrog, gwydn
wisdom *n* callineb *m*, doethineb *m*
wise *adj* call, deallus, doeth
wiseacre *n* doethyn *m*
wiser *adj* elwach
wish 1. *n* dymuniad *m*
2. *vn* dymuno, ewyllysio, hoffi, mynnu
wishy-washy* *adj* llipa, merfaidd
wistful *adj* hiraethlon, hiraethus
wistfulness *n* hiraeth *m*
wit *n* arabedd *m*, ffraethineb *m*
witch *n* ellylles *f*, gwiddon¹ *f*, gwrach *f*, rheibies *f*
witchcraft *n* dewiniaeth *f*
with *prep* â¹, ag, efo, gan¹, gyda, gydag
withdraw *vn* cefnu, cilio, codi, encilio, gwrthgilio, tynnu allan, tynnu yn ôl, ymgilio, ymneilltuo
withdrawal *n* ciliad *m*, encil *m*, enciliad *m*, gwrthgiliad *m*, neilltuaeth *f*, ymgiliad *m*, ymneilltuad *m*
withdrawn *adj* encilgar
wither *vn* crino, edwino, gwywo
withered *adj* crin, gwyw, gwywedig
withering *adj* deifiol

within o fewn [*mewn¹*]

without *prep* heb

withstand *vn* gwrthsefyll

withy *n* gwden *f*

witness¹ 1. *n* llygad-dyst *m*, tyst *m*
  2. *vn* llygad-dystio, tystio, tystiolaethu

witness² LAW *n* tyst *m*

witticism *n* ffraetheb *f*

witticisms *n* ffraethinebau *pl*

witty *adj* arabus, ffraeth

wizard 1. *n* dewin *m*, rheibiwr *m* 2. dyn hysbys

wizened *adj* crebachlyd

WJEC *abbr* CBAC

wobble *vn* simsanu

wobbly *adj* sigledig

woe *n* gwae *m*, trallod *m*

woeful* *adj* gofidus, trallodus

wok COOKERY *n* woc *f*

wolf *n* blaidd *m*

wolfhound *n* bleiddgi *m*

woman *n* dynes *f*, gwraig *f*, menyw *f*, merch *f*

womanize *vn* hel merched, mercheta

womanizer *n* merchetwr *m*

womb¹ *n* bru *m*

womb² ANATOMY *n* croth *f*

wonder *n* gwyrth *f*, rhyfeddod *m*

wonderful *adj* arbennig, godidog, rhyfeddol

woo* *vn* caru

wood *n* allt *f*, coed *pl*, coedwig *f*, gallt *f*, pren¹ *m*

woodcock *n* cyffylog *m*

woodcutter *n* cymynwr *m*

wooded *adj* coediog, coedog

wooden *adj* pren², prennaidd

woodland *n* coetir *m*

woodlouse gwrachen ludw, mochyn y coed

woodpecker *n* cnocell y coed *f*

woodpile *n* cludair *f*

woodpulp mwydion coed

woodruff *n* mandon *f*

woodwind MUSIC *n* chwythbrennau *pl*

woodwork gwaith coed [*gwaith¹*]

woody *adj* prennaidd, prennog

woof *n* anwe *f*

wooing *n* carwriaeth *f*

wool 1. *adj* gwlân² 2. *n* edafedd *pl*, gwlân¹ *m*

wool-gathering* *vn* pencawna

woollen *adj* gwlân², gwlanog

woolly *adj* gwlanog

word 1. *n* gair *m* 2. *vn* geirio

wording *n* geiriad *m*

wordsearch *n* chwilair *m*

work¹ 1. *n* gwaith¹ *m*, jòb *f*
  2. *vn* gweithio, mynd¹, rhedeg

work² PHYSICS *n* gwaith¹ *m*

workable *adj* gweithiadwy, ymarferol

worker *n* gweithiwr *m*

workforce *n* gweithlu *m*, llafurlu *m*

workhouse *n* tloty *m*, wyrcws *m*

workmanship *n* saernïaeth *f*

workplace *n* gweithle *m*

works *n* gwaith³ *m*

workshop *n* gweithdy *m*, siop *f*

workstation *n* gweithfan *f*

world *n* byd *m*

world-famous *adj* byd-enwog

worldly *adj* bydol

worldly-wise *adj* bydol-ddoeth

worldwide *adj* byd-eang

World Wide Web *n* Gwe Fyd-eang *f*

worm *n* abwyd *m*, abwydyn *m*, mwydyn *m*,
  pry *m*, pryf *m*

wormery *n* abwydfa *f*

worms *n* abwydod *pl*, mwydod *pl*

wormwood *n* wermod lwyd *f*, wermwd lwyd *m*

worried *adj* pryderus

worrier *n* poenwr *m*

worry 1. *n* gofid *m*, gorthrymder *m*, pryder *m*
  2. *vn* becsio, becso, cnoi¹, gofidio, hidio, poeni,
  pryderu

worrying* *adj* pryderus

worse *adj* gwaeth

worsen *vn* ar i waered [*gwaered*], gwaethygu

worship¹ 1. *n* mawl¹ *m*
  2. *vn* addoli, crefydda, moli

worship² RELIGION *n* addoliad *m*

worshipper *n* addolwr *m*

worst *adj* gwaethaf

worsted *n* wstid *m*

wort *n* breci *m*

worth *adj* gwerth²

worthiness *n* teilyngdod *m*

worthless 1. *adj* anfuddiol, diffaith, diwerth,
  di-werth, ffrit 2. dim gwerth [*gwerth²*]

worthwhile gwerth chweil [*gwerth²*]

worthy *adj* addas, gwiw, teilwng

wound¹ 1. *n* archoll *f*, briw *m*, cwt³ *m*, dolur *m*,
  gloes *f*, loes *f* 2. *vn* archolli, clwyfo, dolurio

wound² MEDICINE *n* clwy *m*, clwyf *m*

wounded *adj* archolledig, briwedig, clwyfedig,
  clwyfus

woundwort *n* briwlys *m*

wrangler *n* cecryn *m*

wrap¹ *vn* amdroi, amlapio, lapio

wrap² COMPUTING *vn* lapio

wrap-around *adj* amlap

wrapper *n* lapiwr *m*

wrasse *n* gwrachen *f*

wrath *n* dicllonrwydd *m*, dicter *m*, digofaint *m*,
  llid *m*, llidiogrwydd *m*, llidiowgrwydd *m*

wrathful *adj* dicllon, llidiog

wreath *n* plethdorch *f*, torch *f*

wreathe *vn* amdorchi, torchi

wreathed *adj* torchedig

wreck 1. *n* drylliad *m* 2. *vn* dryllio

wrecked *adj* drylliedig, drylliog

wren *n* dryw *m*

wrench[1] 1. *n* tyndro *m* 2. *vn* rhwygo, tyndroi

wrench[2] MEDICINE *n* ysigiad *m*

wrestle *vn* reslo, ymaflyd codwm [*codwm*], ymgodymu

wrestler *n* reslwr *m*, ymaflwr *m*, ymgodymwr *m*

wretch *n* anffodusyn *m*, truan[2] *mf*

wretched *adj* adfydus, gresynus, truan[1], truenus

wretchedness *n* adfyd *m*, gwaelder *m*, gwaeldra *m*, trueni[1] *m*

wriggle *vn* dolennu, troi a throsi

wright *n* saer *m*

wring *vn* gwasgu

wringer *n* gwasgwr *m*

wrinkle 1. *n* crych[1] *m*, rhych *mf* 2. *vn* crychu

wrinkled *adj* crych[2], crychlyd, crychog, rhychiog, rhychog

wrinkling *n* crychni *m*

wrist *n* arddwrn *m*, garddwrn *m*

writ LAW *n* gwrit *f*, gwŷs *f*

write *vn* sgrifennu, ysgrifennu

writer *n* awdur *m*, ysgrifennwr *m*

writhe *vn* gwingo, ymdorchi

writing *n* ysgrifen *f*

written *adj* ysgrifenedig

wrong 1. *adj* anghywir 2. *n* cam[2] *m*, camwri *m* 3. *vn* drygu, gwneud cam â [*cam*]

wrongdoing *n* drwgweithred *f*

wrought *adj* gyr[3]

wry *adj* mingam

www *n* Gwe Fyd-eang *f*

X

xanthophyll BIOCHEMISTRY *n* santhoffyl *m*

xenon *n* senon *m*

xenophobia *n* senoffobia *m*

xenophobic *adj* senoffobig

xerography *n* serograffeg *f*

xerophyte BOTANY *n* seroffyt *m*

xerophytic BOTANY *adj* seroffytig

xerothermic ZOOLOGY *adj* serothermig

X-ray pelydr X [*pelydryn*]

xylem BOTANY *n* sylem *m*

xylophone *n* seiloffon *m*

xylophonist *n* seiloffonydd *m*

y

yacht *n* iot[2] *f*

yam *n* iam *m*

yank* *vn* plycio

Yankee *n* Ianci *m*

yard *n* croesbren *m*, iard *f*, llath *f*, llathaid *f*, llathen *f*

yardarm *n* hwyldrawst *m*

yarn *n* edafedd *pl*, edau *f*, edefyn *m*

yawn *vn* agor, dylyfu gên, ymagor

yea *adv* ie

year *n* blwyddyn *f*

yearbook *n* blwyddiadur *m*, blwyddlyfr *m*

yearling *n* blwyddiad *m*, dyniawed *m*

yearly *adj* blynyddol

yearn *vn* dyheu, hiraethu, ysu

yearning *n* dyhead *m*, hiraeth *m*

yeast *n* burum *m*, lefain *m*, surdoes *m*

yell 1. *n* bloedd *f*, gwaedd[1] *f* 2. *vn* bloeddio, gweiddi

yellow 1. *adj* melyn[2] 2. *n* melyn[1] *m* 3. *vn* melynu

yellow-haired *adj* gwalltfelyn

yellowhammer bras melyn [*bras*[2]]

yellowish *adj* melynaidd

yellowness *n* melynder *m*, melyndra *m*

yelp *vn* cyfarth[2]

Yemeni 1. *adj* Yemeni[2] 2. *n* Yemeni[1] *m*

yeoman *n* iwmon *m*

yes 1. *adv* do[1], ie 2. *v* ydw, ydwyf

yesterday 1. *adv* ddoe 2. *nm & adv* doe, ddoe

yet 1. *adv* eto[2] 2. *conj* eto[1]

yeti bwgan yr eira

yew (trees and wood) *n* yw[2] *pl*

YFC *abbr* CFfI

yield 1. *n* cynnyrch *m* 2. *vn* cnydio, cynhyrchu, ildio

yobbo *n* lob *m*

yodel MUSIC 1. *n* iodl *f* 2. *vn* iodlan, iodlo

yodeller *n* iodlwr *m*

yoga *n* ioga *mf*, yoga *mf*

yoghurt *n* iogwrt *m*

yoke 1. *n* gwedd[2] *f*, iau[1] *f* 2. *vn* ieuo

yolk *n* melynwy *m*

yonder *adv* draw, hwnt

yorker pelen lawn

you *pronoun* 'ch, chdi, chi[1], chwi, di, dy, eich, ti[1], 'th

young *adj* ieuanc, ifanc

younger *adj* iau[3]

youngster *n* glaslanc *m*, glaslances *f*, plentyn *m*

your *pronoun* 'ch, dy, eich, 'th

youth *n* glaslanc *m*, glasoed *m*, ieuenctid *m*, llanc *m*, llefnyn *m*, llencyn *m*, maboed *m*, mabolaeth *f*, mebyd *m*

youthful *adj* ifanc, llancaidd

youthfulness *n* ieuengrwydd *m*

yo-yo *n* ioio *m*

ytterbium *n* yterbiwm *m*

yttrium *n* ytriwm *m*

Yugoslav 1. *adj* Iwgoslafaidd 2. *n* Iwgoslafiad *m*

Z

Zairean 1. *adj* Saïraidd 2. *n* Saïriad *m*
Zambian 1. *adj* Sambiaidd, Zambiaidd
  2. *n* Sambiad *m*, Zambiad *m*
zeal *n* eiddgarwch *m*, sêl² *f*
zealot *n* penboethyn *m*, selot *m*
zealous *adj* eiddgar, ffyddlon, selog
zebra *n* sebra *m*
Zen *n* Zen *f*
zenith¹ *n* entrych *m*, uchafbwynt *m*
zenith² ASTRONOMY *n* anterth *m*
zero *n* sero *m*
zeroth MATHEMATICS *adj* serofed
zest *n* afiaith *m*, asbri *m*, hoen *f*, nwyfusrwydd *m*
zigzag 1. *adj* igam-ogam 2. *vn* igam-ogamu
Zimbabwean 1. *adj* Simbabwaidd,
  Zimbabweaidd 2. *n* Simbabwead *m*,
  Zimbabwead *m*
zinc *n* sinc¹ *m*
Zionism *n* Seioniaeth *f*
Zionist *n* Seionydd *m*
zip 1. *n* mynd² *m*, sip¹ *m* 2. *vn* sipian¹, sipio
zirconium *n* sirconiwm *m*
zither *n* sither *m*
zodiac *n* sidydd *m*
zonal GEOGRAPHY *adj* cylchfaol
zonation BIOLOGY *n* cylchfäedd *m*
zone *n* ardal *f*, cylch *m*, cylchfa *f*, parth *m*,
  rhanbarth *m*
zoo *n* sw *fm*
zoological *adj* swolegol
zoologist *n* swolegwr *m*, swolegydd *m*
zoology *n* swoleg *f*
zoom *vn* chwyddo
Zoroastrianism RELIGION *n* Soroastriaeth *f*
Zulu 1. *adj* Zwlŵaidd 2. *n* Zwlw *m*
zygote BIOLOGY *n* sygot *m*